U0110152

自由人（十二）

自由人總目錄

動盪時代的印記——《自由人》三日刊始末

陳正茂（北台灣科學技術學院通識教育中心教授）

一、前言：《自由人》三日刊創刊之背景

民國三十八年是中國歷史上驚天動地的一年，隨著戡亂戰局的逆轉，中共席捲大陸，國府敗退遷台，真是國命如絲風雨飄搖的危急存亡之秋。處此動盪時代中，除大批軍民同胞隨政府播遷來台外；尚有一部分人士選擇避難香江，南下港九一隅，這些人當中，有不少是失意政客和知識份子。基本上，當年選擇避秦來港的知識份子，其心態上有兩種，一則對國、共兩黨均感不滿；再則係看上香港為自由民主之地，較能有揮灑發展的空間。此情勢考量，誠如雷嘯岑所言：「在一九四九－五〇年之間，因大陸淪陷，香港乃成了反共非共的中國人士望門投止的逋逃之藪」。

這些投奔港九的政治難民，以高級知識份子居多；兼以香港時為英屬自由之地，所以只要不違背港府法令，一般而言從事任何活動是百無禁忌，相當自由的。不僅可以高談政治問題，甚至於從事政治活動亦不加以限制。於是，「從大陸流亡到港九的高級知識份子群，乃相率呼朋引類，常舉行座談會，交換對國事意見，而美國國務院的巡迴大使吉塞普（Philip Jessup），斯時亦在香港鼓勵中國人組織『第三勢力』運動，目的以反共為主。」在此背景下，港九地區的自由民主人士，在美國幕後撐腰下，「各種座談會風起雲湧，熱鬧非凡；而諸多以反共為職志的大小刊物，更是應運而興，琳瑯滿目了。」所以，《自由人》三日刊，就是在此大時代氛圍下孕育而生的。

二、《自由人》三日刊誕生之經過

《自由人》三日刊醞釀誕生之經過，最早鼓吹者，一般而言，說法有二，一為由王雲五號召發起。據其《岫廬八十自述》書中提及：「自民國三十九年開始以來，由於中共匪幫建立偽政權，並先後獲得蘇俄、緬甸、印度、巴基斯坦及英國的承認，於是匪幫的勢力在香港突然大振，不少反共分子漸呈動搖態度。旅港有識之士深感囂風日長，漸使全港華人隨而動搖，乃相與集議挽救之道。我因在港主辦一個小規模出版事業（按：即華國出版社），尤以一貫堅持反共方針，遂由多數參加集議人士推任領導。由臨時的集會，變為固定的座談；其地點經常利用國民黨在銅鑼灣某街所租賃之四樓房屋一層。每次參

---

1 馬五，〈「自由人」之產生與夭折〉，見馬五（雷嘯岑）著，《政海人物面面觀》（香港：風屋書店出版，一九八六年十二月初版），頁二一二。又此種座談會多在週末舉行，也有人稱之為「週末座談會」或「星期六座談會」。見馬五先生著，《我的生活史》（台北：自由太平洋文化事業公司出版，民國五十四年三月一日初版），頁一六一。

加座談者，多至三十餘人，少亦一二十人，皆為文化界人士，或為舊日與政治有關係者，各政黨及無黨派人士皆有之。後來我以香港政府最忌政治性的集會，凡參加人數較多，尤易引起猜疑，動輒干涉。加以如此散漫的座談，亦未必能持久，因於某次座談中提議創辦一小型之定期刊物，每週或半週出版一次，既可藉此刊物益鞏固反共人士之維繫，且刊物一經向港政府註冊，則在刊物辦公處所舉行的座談，皆可諉稱編輯會議，可免港政府之干涉。此議一出，諸人咸表贊同，遂計劃如何組織與籌款。結果決辦三日刊，定名為自由人，其資金由參加坐談人士各自量力提供。我首先代表華國出版社提供港幣一千五百元，此外各發起人分別擔任，或一千，或五百不等；並經決定撰文者一律用真姓名，以明責任。其後，又決定委託香港時報代為印刷發行。因是，籌備進行益力，發起人等每星期至少集會一次，間或二次，一切進行甚為順利。」[2]

二為眾人集議，早有志於此，雷嘯岑即主此說。雷言：「這時候，即有原在大陸上服務新聞界的報人成舍我、陶百川、程滄波，協同青年黨人左舜生、民社黨人金侯成，以及國民黨人阮毅成、無黨無派的王雲五，外加香港時報社長許孝炎、新聞天地雜誌社社長卜少夫一干人等，於每週末午後在香港高士威道某號住宅中，舉行文化座談會。大家談來談去，得到一項結論，要辦一份刊物，以闡揚民主自由思想，在文化上進行反共鬥爭。……適韓戰爆發，預料東亞局勢將有變化，刊物必須及時問世，刊物取名「自由人」，由程滄波書寫報頭兼撰〈發刊詞〉，標題是〈我們要做自由人〉。」[3]

然由當事人之一的阮毅成事後追記，似乎《自由人》三日刊能草創成功，仍是由王雲五一手主導的。阮說：「民國三十九年十二月二十日，雲五先生在香港高士威道約大家茶敘，其中特別提及『今日我約諸位來，是想創辦一份反共的刊物，以正海外的視聽。間接幫助臺灣，說幾句公道話。我們讀書人，今日所能為國家效力的，也只有此途。』」[4]由阮之記載，合理推論，《自由人》三日刊能順利催生問世，王氏為登高呼籲之首倡者，可能性是很高的！

但就在王氏積極創辦《自由人》三日刊之際，突發一件暗殺事件，則頗值得一述；且對後來《自由人》三日刊的發展不無影響。事緣於三十九年十二月下旬，王氏在《自由人》三日刊諸人集會散會後，在香港寓所遭遇暗殺，幸子彈未命中，逃過一劫，這突如其來之舉，使王氏決定立即離港赴台定居。此事來台後，王氏曾將真相告訴繼我而來的成舍我。王氏謂：「到臺以後，除將此次提前來臺的秘密暗中告知兒女外，他人皆不使知。後來事過境遷，才漸漸透露給若干至好的朋友，首先是對於不久繼我而來的成舍我君；因為他覺得我向

2 王雲五，《岫廬八十自述》（台北：商務版，民國五十六年七月一日初版），頁一〇四～一〇五。

3 馬五，〈「自由人」之產生與夭折〉，同註一，頁二一二～二一三。又見馬之驌，《雷震與蔣介石》（台北：自立晚報社文化出版部出版，一九九三年十一月一版），頁八一。

4 阮毅成，〈王雲五先生與自由人三日刊〉，見蔣復璁等著，《王雲五先生與近代中國》（台北：商務版，民國七十六年六月初版），頁三〇～三一。有關《自由人》之發起，另有一說為萬麗鵑博士論文所言：「《自由人》為『自由中國協會』成員所辦之三日刊。」見萬麗鵑，〈一九五〇年代的中國第三勢力運動〉（台北：國立政治大學歷史研究所博士論文，民國九十年七月），頁一六四。但根據「自由人」社發起人之一的雷嘯岑回憶說：「自由中國協會」為當時在美國的胡適、蔣廷黻、曾琦等人所發起，胡、蔣、曾諸氏希望以『自由人』全體發起人為主幹，先在香港成立總會，台灣暨歐美各省都設立分會。嗣經提出座談會詳細研討，大家認為總會以設在台灣為妥，香港亦只設分會，庶合體制。結果不知如何，這個會沒有成立，終於流產了。」馬五，〈「自由人」之產生與夭折〉，同註一，頁二一四～二一六。故萬氏此說，恐不確。

來很少患病，在約定聯合宴客之日，我竟稱病缺席，舍我不免將信將疑。其後到我家探病，見我毫無病容，更不免懷疑。及我不別而赴臺，他懷疑益甚，所以在他來臺後，偶爾和我詳談及此，我也就不好意思對朋友有所隱瞞了。」[5]

上述言及之十二月下旬，實際上是民國三十九年十二月三十一日，除夕。阮氏說：是日「王雲五先生約在高士威道午餐，我應約前往，王臨時以腹瀉未到，由成舍我兄代作主人，謂『自由人』籌備事，大致已妥。」而四十年的元月三日，阮氏也說到是日，「應卜少夫、程滄波二兄之約，到高士威道二十二號四樓午膳。據滄波兄言，是日原應由王雲五先生作東，而王於當天上午，離港飛台，臨行前以電話托其代為主人。」[6]

王氏的不告而別倉促離港赴台，也使得後續有不少參與「自由人」社同仁跟進，紛紛來台，這對於原本人力吃緊資金短絀的《自由人》三日刊之發展，當然有不小的影響。至於《自由人》三日刊籌組的經過梗概，雖在王氏離港來台後，仍按部就班的進行。四十年元月十日下午，阮毅成與程滄波及左舜生又約至高士威道聚談。關於創辦刊物事，左舜生主張宜立即出版，卜少夫則以須現款收有相當數目，方能創刊。是月三十一日，雷震自台灣來，亦參加「自由人」社活動。會中大家一致決定《自由人》三日刊，於農曆年後出版。並在職務安排上初步有了規劃，即推程滄波撰〈發刊詞〉，以辦報經驗豐富的成舍我任總編輯，陶百川為副總編輯。又另推編輯委員十四人，分別是劉百閔、雷嘯岑、陶百川、彭昭賢、程滄波、陳石孚、許孝炎、張丕介、吳俊升、金侯城、成舍我、左舜生、王雲五、卜少夫。[7]

四十年二月九日，內定為總編輯的成舍我自香港致函王雲五，說到：「自由人半週刊已將登記手續辦妥，『館主』係由少夫出名，因渠後來未再提出不能兼任之困難，……編輯人經由弟以本名登記。股款雖交者仍不太多，但讀者則頗踴躍。……據弟觀察，維持六個月，在經濟上當可辦到。惟編輯方面，則危機太大，因主力軍如我兄及秋原兄均不在此，其他如滄波兄等不久亦將赴臺，（即弟本身亦恐將於三月間來臺）稿件來源，異常枯涸，然既已決定辦，弟亦只有勉力一試。」[8]尚未正式創刊，但資金人才捉襟見肘的窘境，已被成氏料中，這對好事多磨的《自由人》三日刊日後之發展，已埋下艱困之伏筆。

二月十四日，成舍我向雷震、洪蘭友等人報告，《自由人》三日刊已得港府核准登記，一俟台灣方面准予內銷，即行出版。二十八日，成舍我向「自由人」社同仁報告：台灣內銷事已辦好，《自由人》三日刊即將出版，並出示創刊號大樣。因與會者多係辦報老手，提供不少意見，而成舍我也很有風度，博採眾議，為慎重起見，同意改遲數日出版，以便從容改正，並呼籲社員踴躍撰稿以光篇幅。[9]可見在王氏離港後，《自由人》三日刊真正之台柱角色，已責無旁貸的落到成舍我肩上。

5 王壽南編，《王雲五先生年譜初稿》第二冊（台北：商務版，民國七十六年六月初版），頁七四三。

6 阮毅成，〈「自由人」參加記〉，《傳記文學》第四十三卷第六期（民國七十二年十二月），頁一四～一五。

7 見《自由人》創刊號（民國四十年三月七日）第一版的編輯委員會名單。《自由報二十年合集》（一）（香港：自由報社出版，民國六十年十月十日）。阮毅成說為十六人，疑有誤。見阮毅成，〈「自由人」參加記〉，同上註。

8 〈成舍我致王雲五函〉，同註五，頁七四六。

9 阮毅成，〈「自由人」參加記〉，同註六，頁一五。

三月七日，《自由人》三日刊正式創刊，社址位於香港德輔道中一四九號四樓。目前所知參與的發起人有王雲五、王新衡、王聿修、端木愷、程滄波、胡秋原、吳俊升、黃雪村、閻奉璋、樓桐孫、陳石孚、陳訓悆、陶百川、雷震、阮毅成、劉百閔、左舜生、雷嘯岑、徐道鄰、徐佛觀、陳克文、成舍我、金侯城、張丕界、彭昭賢、許孝炎、卜少夫、卜青茂、范爭波、陳方、張純鷗、張萬里、丁文淵等三十餘人。[10]

發刊後，一紙風行，各方咸予重視，發行之初，每期印八千份。為打開台灣銷路市場，內容安排方面，特別增加一些軟性文字，勿使論文過多，淪為說教。雷嘯岑即言：「『自由人』的作者確實很自由，各人所寫的文字題材雖相同，而見解不必一致，祇要不違背民主憲政與反共抗俄的大前提，儘可各抒己見，言人人殊，真有百家爭鳴，百花齊放的景象，……首任的『自由人』主編是成舍我兄，他包辦大陸通訊版，把大陸上的共報消息，參以陸續從國內逃到香港的難民所述情形，寫成有系統的通訊稿，可謂費苦心。」[11]

誠然如是，由於文章精彩，見解深入，內容多元，析論入理，所以出版後不久，南洋各地僑報即紛紛轉載《自由人》文章。故在香港一隅辦一刊物，無形中等於在數地辦了幾個刊物，影響所及，至為廣大。不僅如此，有關《自由人》所發揮的影響力，可以曾任該刊主編雷嘯岑之回憶為證，雷說：「自由人半週刊，頗受台灣以及海外；尤其是美國一般華僑的注意，原有的每週座談會照常舉行，參加的人亦陸續增多了，風聲所播，國際人士來到香港的，亦來參加我們的座談會，交換政治意見，如美聯社遠東特派員竇定，南韓內閣總理李範，日本工商與新聞界人士前來訪談者尤多，……唯有駐在香港鼓勵華人組織『第三勢力』的美國巡迴大使吉塞普，始終沒有接觸過，大概是他認為『自由人』半週刊這些人，多數係國民黨員，氣味不相投，我們亦以對『第三勢力』之說，不感興趣，因而絕交息游，毫無來往。」[12]

雷氏這段記載很重要，不只說明了《自由人》發刊後之影響力；也道出了《自由人》與「第三勢力」毫無瓜葛，這對坊間有不少人一直以為《自由人》是「第三勢力」刊物有澄清作用。《自由人》三日刊甫發行，負責盡職之成舍我隨即寫信給王雲五提到：「連日為自由人半週刊事，頭昏腦暈，尊函稽答，至為罪歉。現半週刊已於今日出版，附奉一份，即希鑒察。大著分兩期刊佈，並盼源源見賜。今後應如何改進之處，統希指示為荷。」[13]另針對其後外界對《自由人》諸多揣測，如與「自由中國協會」之關係等等，「自由人」社也在三月二十一日的高士威道聚會中也做出決議，大家皆一致表示，「自由人」應獨立組織，以別於其他團體，乃推定董事九人，以左舜生為董事長。監事三人，為金侯城、王雲五、雷儆寰。成舍我為社長兼總編輯，卜少夫為總經理。[14]

10 「自由人」社成員，據筆者統計為此三十餘人，且各會員加入時間先後不一，有關會員名單散見於雷嘯岑、阮毅成等人之回憶文章及《雷震日記》中。

11 馬五先生著，《我的生活史》，同註一，頁一六一。

12 馬五，〈「自由人」之產生與夭折〉，見其著，《政海人物面面觀》，同註一，頁二一三～二一四。另萬麗鵑博士論文也提到，為打擊「第三勢力」運動，「國民黨亦透過黨報如《香港時報》、新加坡《中興日報》、美國《美洲日報》，及其所資助的報刊如《自由人》報、《民主評論》等，展開對第三勢力的文宣戰，此即是《香港時報》社長許孝炎所說的以『與論對與論』的鬥爭。」萬麗鵑，〈一九五〇年代的中國第三勢力運動〉，同註四，頁一六四～一六五。又見〈許孝炎意見〉，《總裁批簽》，台（四一）央秘字第〇〇八五號（一九五二年二月二十二日），黨史會藏。

13 〈成舍我致王雲五函〉，同註五，頁七四七。

14 阮毅成，〈「自由人」參加記〉，同註六，頁一五。至於《自由人》與「自由中國協會」之關係，馬五在〈「自由人」之產生與夭折〉已言之甚為了稿源，三月二十二日總編輯成舍我又致函王雲五拉稿，其中說到：「自由人在香港銷路尚好，一般觀感亦不錯。惟共匪刊物正以全力抨擊，弟等亦一反過去自由派刊物置之不理的辦法，強烈反攻。臺灣發行未辦好，少夫兄不日來臺，或能有所改進。同人撰稿，此間仍不太踴躍，盼公能以日撰五千字之精神，多寫數篇，並乞即賜惠寄，無任感幸。又此間稿酬，公議千字港幣十元，前稿之款，已送託香港書局轉交。此數雖微細不足道，然吾輩合力創業，知識勞動之所獲，在道德標準上說，固遠勝於以吃人為業之共匪萬萬矣。盼尊稿如望歲，望即賜寄，以慰饑渴。」[15]除簡略報告社務外，重點仍是稿源問題，而此問題也是《自由人》三日刊以後長期揮之不去的夢魘。

三、《自由人》之命名與經費及發刊宗旨

華路藍縷，創業維艱，有關《自由人》之命名，似乎是由阮毅成所起。原本成舍我欲名為《自由中國》，因與台灣雷震負責的《自由中國》半月刊同名而不獲採納。故阮毅成認為可參考台灣趙君豪所辦之《自由談》，而稍改其為《自由人》，卒獲大家一致同意，名稱問題因此而敲定。[16]其實若從五〇年代的背景去觀察，刊物取名為《自由人》並不足為奇。蓋彼時海外正刮起一陣「自由中國反共運動」浪潮，其中尤以香港地區為最。為壯大「自由中國反共運動」，於是乎，海內外的一些知識份子刻意以「自由」二字為雜誌刊物名稱，以凸顯有別於大陸的獨裁極權。職係之故，各種以「自由」為名之刊物如《自由中國》、《自由陣線》、《自由談》、《自由世界》等雜誌，如雨後春筍般紛紛出籠，《自由人》三日刊之命名，應該是在此時代背景下而正名的，且的確有其時空的特殊意義存在。[17]

至於現實的經費來源問題，早在三十九年十二月二十日的聚會中，王雲五即定調說：「我要先與諸位約定，這是一份自由的刊物，所以，一不能接受外國的幫助，二不能接受政府的支援。同仁不但要寫稿，還要負擔經費。」[18]王氏之所以要如此約法三章，是要避免外界將《自由人》視為拿美國人錢所辦的「第三勢力」之刊物的疑慮或揣測；另外，不接受政府支援，也是想以獨立身分之姿，能在言論上暢所欲言，而不受政府掣肘，更不想貼上政府刊物之標籤。揆之《自由人》草創之初，因經費來源由各會員出資，確實能夠如此。例如在籌備階段，王雲五首捐港幣三千元，各會員至少認捐港幣一千元，所以誠如雷嘯岑言：「大家分途進行，未到一個月，即籌募到港幣一萬七千元了。」[19]

創刊經費有著落，但接下來長期的經費支出，恐怕就不是由會員認捐可解決。到最後仍不得不仰賴台灣國府的金錢支助，在《雷震日記》中即披露不少箇中內幕，茲舉日記一則為證。民國四十年五月二十五日：「雪公（按：指王世杰（字雪艇），時任總統府秘書長）

詳，同註一。

15 〈成舍我致王雲五函〉，同註五，頁七四七～七四八。為稿源及素質起見，成舍我亦曾寫信向阮毅成拉稿，信上提到：「在臺同人寫稿，原約每期供給八千字。希望以兄之熱忱毅力，催請同人，公誼私交，達此標準。」又說：「自由人聲譽，雖日有增進。惟經濟及稿件，均危機太大。現此間已只賸左（舜生）、許（孝炎）、雷（嘯岑），及弟共四人，稿荒萬分。如濫用一般投稿，則水準即無法維持。」阮毅成，〈「自由人」參加記〉，同註六，頁一六。可見身為主編的成舍我，為稿源及《自由人》之內容水準，真是心力交瘁，煞費苦心。

16 同註六，頁一四。

17 馬之驌，《雷震與蔣介石》，同註三。

18 同註六，頁一四。

19 同註一二，頁二一三。

來電話，可助《自由人》三千港幣，但不可明言，因《新聞天地》一再要求援助而未允許也。……《自由人》因經費困難，而負責又無專人，致有停頓之可能，由予（雷震）約集雲五、滄波、孝炎、毅成、端木愷、少夫諸君會商，由予等籌款接濟，每月假定虧二千五百元，至年底約為一萬七千五百港元，改組組織，推定成舍我為社長，左舜生代理董事長，予負臺北催稿及催款之責，總統府之三千元，由予負責，予另外再籌五百元。」[20]由《雷震日記》可知，創刊才二月餘之《自由人》，經費已拮据如此，而不得不靠政府補貼，在此情況下，其日後之文章言論，就頗受台灣國府當局之制約影響了。

另有關《自由人》之創刊宗旨，其實早在刊物出版以前，對於未來言論與編輯方針，「自由人」社同仁即做了幾點規約：（一）、發揚民主自由主義；（二）、發起人按期撰寫頭條論文，且須署出真姓名；（三）、文責各人自負，但須不違背民主自由思想暨反共救國的大原則；同時將全體發起人的姓名亦在報頭下面，表示集體責任。[21]創刊後，首由程滄波撰發刊詞，題為〈我們要做自由人〉，擲地有聲的強調：「我們今天大膽向全世界人類提出一個問題：便是世界人類，現在與將來，要不要做人？如果想做人，從什麼地方去著手奮鬥？……今天世界人類只有兩個壁壘，一個是『人的社會』之壁壘，一個是「非人社會」之壁壘。這兩個社會的磨擦，今天已到了白熱化的程度。『人的社會』中每一個人，是有人性，有人格，根據人性與人格，發揮其個性，以增加社會之幸福與個人之生活水準，從而增進世界的和平與人類的文明。反觀『一個非人社會』中，人除了具備人的形態外，沒有思想與靈魂。『非人社會』中，人只是一群動物，既不許其有人性，亦不讓其有人格，他們是奴隸、是機器。」

程滄波言：很不幸的，今天的中國大陸，全大陸數萬萬同胞一年來，即陷入共匪的非人社會中。因此我們和全世界愛好和平民主的人們，要發動正義的呼聲，救自己，救同胞，救人類。我們要揹著自由的大纛，叫著「做人」的口號，開始「自由人」的運動。爭自由，爭人性，發動全人類自由人性的力量，去打倒與剷除共產帝國主義反人性的非人社會。不殘殺，不掠奪，在不流血革命的原則下，使人人有飯吃。本此目的，以建立新中國新世界。所以，「從今天起，根據以上主張，我們謹以此小小刊物『自由人』，貢獻於全世界凡是不願做奴隸的人們，也就是我們這一群人，決心獻身於這一運動的開始。全世界和平民主的人士：我們要做人，我們要做自由人。每個人爭取了自由，世界才有民主和平，人類才有幸福與光明。」[22]我們要做人，我們要做自由人，起來，不願做奴隸的人們！程滄波這篇發刊詞，簡直是一篇慷慨激昂的宣示詞，代表全世界不願在「非人社會」生活下的自由人，向共產專制極權政權，發出堅決的怒吼。[23]

《自由人》三日刊，每星期出兩次，每次十六開一張。主編人規定由原先的「座談會」同仁輪流擔任，一年一換，為義務職，故內部人事組織極為簡單，只有一主編，一助理員和事務員，共三人而已。

20 《雷震日記》（民國四十年五月二十五日），見傅正主編，《雷震全集》（三三）（台北：桂冠版，一九八九年八月初版），頁一〇〇～一〇一。

21 同註一二，頁二一三。吳相湘，〈成舍我為新聞自由奮鬥〉，見其著，《民國百人傳》第四冊（台北：傳記文學出版社印行，民國六十年元月初版），頁二七五。

22 程滄波，〈「自由人」發刊詞〉，見其著，《滄波文存》（台北：傳記文學出版社印行，民國七十二年三月十五日初版），頁一五七～一六〇。

23 阮毅成也說到，這是一篇代表知識份子愛國反共心聲的大文章，義正辭嚴，擲地有聲。同註六，頁一五。

該刊內容，第一版分「專論」、「時局漫談」、「自由談」各欄；第二版刊大陸共區消息；三版則記述港、台的社會新聞；四版是「副刊」。「專論」亦由座談會同仁分別撰寫，或徵用外界志同道合人士之作品；唯「時局漫談」和「自由談」二專欄，係由左舜生與雷嘯岑二氏負責包辦。《自由人》三日刊，因撰寫團隊堅強，且作者大多具有清望，故在海隅香港頗有號召力，銷路亦不壞；又可以銷台灣，雖無廣告收入，仍可勉強維持下去，在五〇年代的香港，可謂雜誌期刊界之奇葩。[24]

四、《自由人》的艱苦經營

平情言，《自由人》三日刊從四十年三月七日發行，到四十八年九月十三日停刊，維持約八年餘。這八年多的歲月，可謂艱辛撐持，多災多難。

首先為組織渙散不健全，於是才有民國四十年下半年的重組之舉。此中最大原因為「自由人」社大多數同仁均已離港在台，分別有：王雲五、王新衡、端木愷、程滄波、胡秋原、吳俊升、黃雪村、閻奉璋、樓桐孫、陳石孚、陶百川、陳訓畬、雷震，及阮毅成，幾乎佔了一半以上；而在港的僅有左舜生、金侯城、許孝炎、成舍我、劉百閔、卜少夫、雷嘯岑等人。其後在台參加的，又增加徐道鄰，共二十二人。為連絡方便起見，在台同仁乃公推王雲五為董事長，但又因刊物在港出版，故推左舜生為在港之代理董事長，就近處理刊物，成舍我則為社長。[25]

24 雷嘯岑：《憂患餘生之自述》（台北：傳記文學出版社印行，民國七十一年十月十五日初版），頁一七六。

25 同註二三，頁一六。

然因「自由人」社未有組織章程，也未在台辦理社團登記，所以才有民國四十一年一月十日，在台同仁在王新衡家為此商議之事。時適值端木愷甫自香港返台，報告港方同仁最近決定取消社長制，亦推左舜生代董事長，成舍我為總經理，劉百閔為總編輯。此事，在台「自由人」社同仁有不同意見，在三月七日及十五日的兩次餐敘商討論中，均決定仍採社長制，並仍推成舍我兄任社長。只是一個三十餘人的「自由人」社，就為了區區的刊物人事組織問題，港、台同仁即不同調，其他之事就可想而知了。所幸意見儘管有異，但同仁感情尚佳，阮毅成即言：「自由人在香港創辦之初，同仁常有餐會，交換意見。在臺同仁，於民國四十年七月十二日起，舉行聚餐或茶會，由同仁輪流作東，平均每兩週一次。除談自由人社各事外，亦泛論時局，交換見聞。」[26]

民國四十一年二月九日，「自由人」社在台同仁餐敘時，有鑒於《自由人》三日刊創刊已近一年，但組織與人事及編輯立論之困擾問題仍在，因此大家有必要提出意見交換，以尋求解決之道。席間程滄波首次提出編輯態度問題，但遭雷震反對。程又謂：「劉百閔不宜任總編輯，上次，此間同仁推成舍我任社長，何以改變？此間皆未知悉。」雷震與陶百川又認為，台方不宜干涉港方人事，雙方爭論甚久。最後由阮毅成提出折衷解決方案為：（一）、自由人本係超黨派立場。只知民主、自由、反共，不知其他。此後仍須守定此項立場。（二）、港方報刊如對台灣中華民國政府，有惡意攻訐，或無理批評，自由人不可自守中立，須起而加以駁斥。（三）、人事問題，另函在港之許孝炎查詢，不作決議。

26 同上註，頁一七。

眾皆贊成阮毅成之方法，並請其起草一函，致在香港之左舜生、許孝炎、成舍我、劉百閔、雷嘯岑諸人。阮函送各人簽名後發出，信中報告：「弟等今午聚餐，談及自由人編輯態度。回溯創辦之初，原屬超於黨派之外。……兄等在港主持，辛勞至佩，自亦必贊同弟等態度也。邇後港方報刊如對於臺灣中華民國政府惡意攻訐，或無理批評，自由人似不便自居中立，宜即加以駁斥。如有中國之聲作者來稿，希勿予以刊登，以嚴立場。再則，此間對第三方面各事，多持私人消息。語多片斷，難窺全貌。斯後尚懇時將各方動態，擇要見示。既可為撰稿時之參考，亦為知彼知己之一道。自由人素以民主反共為宗旨。署名：王雲五、程滄波、黃雪村、王新衡、樓桐孫、吳俊升、陳石孚、陶百川、雷震、阮毅成。」[27]

民國四十一年三月十五日，《自由人》創刊已屆滿一年，留台「自由人」社舉行全體會議。會議主席推王雲五擔任，其中：

（一）報告事項：（甲）、經費小組許孝炎報告——擬募集港幣三萬元（其中成舍我、許孝炎約洪蘭友，被分配擬向各紗廠募台幣一萬元）。（乙）、編輯小組成舍我報告：1、組織擬仍採現制，並請加推一人為必要時接替編務工作之用。2、發行擬請先行籌集基金以期達到日後之自給自足。3、編輯方針方面：積極在倡導民主自由，消極在反共抗俄，至對於台灣態度應仍許有批評，但不可損及自由中國之根本。4、在台同人集體意見推定專人執筆寄港，決登載第一版，並不易一字，如係個人稿件，在編輯方面擬請仍保有斟酌之權。5、每期需要稿件二萬四千字，在港同人無多未能盡任，在台同人時惠稿件。

（二）討論事項：（甲）、《自由人》三日刊社是否仍採社長制案。決議：仍採社長制，成舍我擔任社長。（乙）、《自由人》三日刊社費應如何加募案。決議：1、經費小組在進行籌募之港幣三萬元，於兩個月內籌足，作為基金，備日後擴充發行之用。2、另由經費小組加募港幣一萬元，作為最近數月經常費不足之需，在未募起前由許孝炎、成舍我負責維持現狀。3、加推樓桐孫、程滄波參加經費小組，並以王董事長雲五兼經費小組召集人。（丙）、《自由人》立論態度應如何確定案。決議：1、除積極的主張民主自由，消極的反共抗俄外，並須維護現行憲法倡導議會政治。2、凡外界對台灣有惡意攻擊影響國本時，應予駁斥，立場務須堅定，態度務須明確。3、除專門問題研究外，宜多載通訊及趣味性文字，理論文字及新聞性宜各佔三分之一。[28]此次會議至關重要，它為已紛擾年餘的《自由人》定調，但此為台方同仁之共識，港方同仁只是被動告知，並不見得完全同意，所以日後港、台雙方仍存有歧見。

其次更嚴重的是經費短絀，入不敷出，以至於時有停刊之議。這棘手問題其實打從創刊起即已浮現，只是苦撐待變，能維持多久算多久，但情況並沒改善且持續惡化中。四十一年六月十四日，王雲五、阮毅成與程滄波等聚會，商議如何應付《自由人》三日刊之困難。王雲五謂得左舜生與成舍我二君信，信上，成舍我堅辭社長，又每月不足港幣二千元。如無法解決，則自本月十八日起停刊。劉百閔則說香

27 〈阮毅成致左舜生諸氏函〉，見王壽南編，《王雲五先生年譜初稿》第二冊，同註五，頁七六八。

28 同註五，頁七七〇～七七一。

港紙價日跌，印刷係由《香港時報》代辦，印費可以欠付。以往亦每月虧空，並不自今日始。

對此，王雲五建議是否能改為月刊，移台出版，但眾意覺得移台出版，則《自由人》功用全失，仍宜繼續在港發行。最後決定由王雲五函復，請成舍我維持至七月底止。[29]是年十二月二日，「自由人」社同仁又再行會商，由王雲五主持，會中卜少夫表示願接辦，至少可免招致停刊命運。然未幾（十二月六日），卜少夫以有人表示異議，乃謂其《新聞天地社》同仁不贊成其再兼辦另一刊物，打消原意。王雲五即席宣布仍在港出版，推成舍我兄回港主持，並改為有給職。[30]

成謙辭未果，旋即表示接受。後當場推定王雲五、程滄波、樓桐孫、胡秋原、陶百川、黃雪村為在臺撰述委員，程為召集人。另推成舍我、程滄波、胡秋原三人起草言論方針。王雲五、端木愷、王新衡為財務委員。香港方面撰稿委員，由成到港後約定人員擔任。事後，當事者之一的阮毅成，對是晚之會的結果表示很滿意，還稱為是《自由人》中興之會，同仁莫不興奮。但其後，主要的重點之一，《自由人》未來的言論方針並未草成。[31]四十二年三月十四日下午，「自由人」社同仁聚集在成舍我處，參加茶會。會中，成舍我出示香港許孝炎來信，謂自由人又不能維持。因已積欠《香港時報》印刷費港幣六千元，稿費十一期。且人力亦明顯不足，雷嘯岑將來台灣，左舜生又將赴日本旅行，主持無人，不如停刊。經同仁交換意見，仍認為不能停辦，並催成舍我兄速赴港負責。

因茲事體大，三月二十一日，「自由人」社另一要角阮毅成，也在家中約集在台同仁茶敘。會上，成舍我表示其有困難不願赴港，而港方近日來函，支持為難。眾意乾脆移台編印，仍推成舍我主持。[32]二十五日下午阮氏親訪成舍我，成表示三點立場：（一）、決不去香港。（二）、《自由人》如移台出版，願意主持。（三）、未移台前，可先在台編輯，寄港印行。同月二十八日下午，以《自由人》問

---

29 同註五，頁七七四。《自由人》經費之窘困，自創刊伊始至結束均如此，阮毅成即言：「我只記得在創刊第一年中，就賠去了港幣參萬參仟元。時歷八年半，為數甚為可觀。這尚是距今三十多年前的幣值，如以現在幣值計算，則更為巨大。」阮毅成，〈王雲五先生與自由人三日刊〉，同註四，頁三四。到《自由人》停刊止，其經費仍入不敷出，茲舉結束前致王雲五等人之二信函為證。四十八年九月十一日許孝炎自港來信王雲五，報告「自由人」結束時經費情況。「雲五先生並轉鑄秋舍我儆寰滄波新衡秋原佩蘭少夫諸兄惠鑒：關於自由人停刊事，前經兄等決定函達克文。兄弟回港後，復經再三磋商，始於前日由在港各有關友人舉行特別會議議決定停刊，並於本月十三日起實行。茲將會議紀錄抄奉敬祈鑒察。」「預計自由人可能收入之款（連登記費在內）約為乙萬四千餘元，支出除舊欠稿費約乙萬三千元；及克文兄之欠薪近九千三百元暫不計入外，此外薪工紙張印刷房租，今年稿費應退報費及空運費等，共計約為二萬乙千餘元，不敷之數約為七千餘元。倘預計可能收入之款有一部分不能收入時則虧欠之數將必更多，如何籌還以資結束頗費周章。而有把握之登記費乙萬元則尚待少夫兄回港簽字後始能提出備用。」又十二日社長陳克文亦致函王雲五。「岫公賜鑒：茲奉上『自由人』在港同人特別會議紀錄一份，請　察閱。『自由人』經濟情形截至本年九月十二日止，共欠債務三萬餘元，除登記費一萬元外，尚可能收回之款二千餘元，結束用費約五百餘元，並此奉告，統請轉知在台各位同人為禱。」見王壽南編，《王雲五先生年譜初稿》第三冊（台北：商務版，民國七十六年六月初版），頁一〇五二～一〇五三。

30 同註五，頁七七九。《自由人》主編是不支薪的，可見其艱困於一般。同為主編的雷嘯岑曾說：「首任主編人成舍我兄苦幹了一年之後，因為準備移家台灣，不能繼續盡義務了——主編人不支薪——大家公推下走承其乏，因係義務職，唯有接受而已。」馬五，〈「自由人」之產生與夭折〉，同註一，頁二一六。

31 同註五，頁七七九。

32 雷震日記當天即記載：「下午三時半至《自由人》座談會，阮毅成提議《自由人》表面在港，實際遷台，無一人反對。我內心不贊成，但不願表示，因《自由人》遷台完全失去效用。今日雲五未到，他們囑我報告。」《雷震日記》（民國四十二年三月二十一日），見傅正主編，《雷震全集》（三五）（台北：桂冠版，一九九〇年七月二十日初版），頁四八。

題緊迫，急待解決。「自由人」社同仁乃在端木愷家中餐敘。對《自由人》前途，共有四種主張：（一）、停刊。（二）、移台出版。（三）、在台編輯，寄港印行。（四）、推成舍我赴港主持。討論結果，決定用第四法，成亦首肯。然成謂：《自由人》除發行收入外，每月須虧四千元，此問題亟需解決。[33]

四月十八日，因港方同仁頻頻催促速做決定，眾議又思移台編印，王雲五亦同意移台出版，但謂須改為半月刊或月刊。三十日下午，成舍我與端木愷、阮毅成、王新衡、程滄波等人，又應王雲五約茶敘。時端木愷甫自港返，謂港方「自由人」社已無現款，勢不能繼續。因以由今日到會者商定：（一）、香港方面自五月十日起停刊。（二）、在台登記改為月刊，推王雲老為發行人，成舍我兄為總編輯。[34]然不久，港方同仁又變掛，五月十一日，阮毅成訪成舍我，成即謂卜少夫前日到台，攜有左舜生致王雲五函，主張《自由人》仍在港出版。

此事經緯，雷震在其日記亦提到：「見到雷嘯岑來函，對我們囑香港停刊，決議移臺辦月刊則大不以為然，來信措詞甚劣，決定去電並去函說明，以免誤會。」[35]雷嘯岑甚至為此來函欲辭去社長職務。

33 雷震日記載：「下午四時，在端木愷處討論《自由人》移台問題，王雲五、徐佛觀、端木愷及我均不贊成，程滄波、阮毅成、成舍我願移台，最後決定請成舍我至港辦至六月再說，因行政院之款發至六月底止，如停刊或移台亦須至六月底再說。」《雷震日記》（民國四十二年三月二十八日），見傅正主編，《雷震全集》（三五），同上註，頁五二。

34 這問題一直延伸至四十三年依舊如此。雷震日記：「《自由人》在港不易維持，決遷台辦週刊，由成舍我任社長，王雲五任發行人。」《雷震日記》（民國四十三年八月七日），見傅正主編，《雷震全集》（三五），同上註，頁三一四。

35 《雷震日記》（民國四十二年五月九日），見傅正主編，《雷震全集》（三五），同上註，頁七四。

《雷震日記》記載：「今日午間約來臺之《自由人》報有關各位來鄉午膳，除端木鑄秋、阮毅成、吳俊升、胡秋原外，到有十五人，即王新衡、樓桐孫、陶百川、張純鷗、陳訓悆、卜少夫、卜青茂、程滄波、范爭波、王雲五、成舍我、黃雪村、閻奉璋等及另約陳方。飯後討論雷嘯岑來函辭去社長職務一事，經決議慰留。」為此事，雷震感慨的說：「《自由人》發起人在臺者，不過十餘人，港方不過數人，兩方意見不合，終會扯垮。民主自由人士之不易合作，於此可見一班。」[36]

由於雷嘯岑堅決辭社長職務，八月一日，《自由人》在台同仁藉由茶敘機會，聽取甫自香港來台之劉百閔報告，劉謂：在港同仁意見為（一）、必須在港繼續出版。（二）、改推陳克文任社長。（三）、每月不足港幣八百元，在港有辦法可以籌得。王雲五說：「左舜生有信來，克文係其物色，本人絕對贊同。」眾亦皆表示贊成。但成舍我認為每月八百元之說，計算必有錯誤，至少每月亦需賠二千五百元，所以決定請王雲五再去函新社長，請重為估計。其實《自由人》經費之短絀，可由總其事的總編輯都不支薪一事更可看出，四十三年七月十日，左舜生自香港致函王雲五即說到：「弟意，自由人編輯者，原規定每月可支三百元，以舍我、百閔兩兄任編輯時，未支此款，後任編輯一年，亦即未支。」[37]如此窘境，要不是有台灣國府當局在幕後經費贊助，《自由人》三日刊能支撐八年餘，根本是不可能的。[38]

36 《雷震日記》（民國四十二年六月二日），見傅正主編，《雷震全集》（三五），同上註，頁八五。

37 〈左舜生致王雲五函〉，同註五，頁八二四。

38 雷震日記：「王雲五約『自由人』社在台同仁晚餐，以「自由人」在港經濟困難，重申移台出版，由成舍我任編輯之議。」《雷震日記》（民國最後為文章之尺度問題，除上述言及《自由人》三日刊甫創刊即面臨稿源不濟的困難外，更麻煩的為自從接受政府補助後，基本上，《自由人》的言論立場在相當程度上已受政府箝制。以至於在很多議題上，不僅不能秉公立論、暢所欲言；且須為政府妝抹門面，極力辯解。稍一不慎，隨即惹禍，遭致抗議。如民國四十一年六月一日，「自由人」社王新衡即訪阮毅成，談話重點就說到，《自由人》最近兩期，刊載左舜生〈論中國未來的政黨〉一文，有人表示不滿。[39]為避免誤會，乃一起同訪王雲五，請其以董事長身份，致函香港總編輯成舍我，請其勿再刊出此類文字。[40]

雖係如此，但言論自由乃是知識份子的普世價值觀，用強制力約束是沒用的。果然到民國四十四年又發生更嚴重的文字賈禍事件，差一點讓《自由人》無法在台銷售。事緣於是年三月二十三日，王雲五即接到司法行政部部長谷鳳翔來函，表示《自由人》三日刊，登載雷嘯岑文章，影響政府信譽，要求王雲五代向該社方面解釋。全函內容為：「頃閱本月二十三日自由人刊載『自由談』及『半週展望』雷嘯岑先生文內謂，揚子公司貪污案牽涉本部，曷勝駭異，此種無稽之詞，殊足影響政府信譽，茲特寄上函稿二份，送請 察閱，並祈賜檢一份轉致雷君查明更正，仍乞代向該報社方面照拂解釋為幸。」[41]

四十三年七月十一日），見傅正主編，《雷震全集》（三五），同註三二，頁三〇二。有關國民黨高層提供《自由人》之經費支援，尚可參閱〈對港澳政治活動之指示〉，見中國國民黨中央改造委員會第一六五次會議紀錄（一九五一年七月四日——附件），黨史會藏。

39 左舜生〈中國未來的政黨〉（上）、〈中國未來的政黨〉（下）二文分別發表在《自由人》第一二九期（民國四十一年五月二十八日）、《自由人》第一三〇期（民國四十一年五月三十一日）。

40 同註五，頁七七三。

41 雷嘯岑，〈半週展望〉，《自由人》第四二三期（民國四十四年三月

由於《自由人》所刊文章得罪當道，引起了國民黨中央黨部對《自由人》言論的不滿。三月二十六日，時任《中央日報》社長，亦是「自由人」社同仁的阮毅成至中央黨部參加宣傳政策指導小組會議時，即受到中央黨部秘書長張厲生的警告：「香港《自由人》三日刊，近日言論記載，愈益離奇，須採取停止進口處分。」幸阮毅成趕快緩頰，除報告《自由人》艱難創辦經過外，並謂：「現在台北各同仁，久未與聞港事。王雲老曾去函港方，請以後勿再刊載不妥文字。又以所載台省情形，與事實相距甚遠，曾通知港方，以後遇有記載台省情形稿件，先行寄台複閱。認為可用者，方予刊布，亦未承照辦。惟自由人參加者，多為各方知名之人。如忽予停止進口，恐反而使海外人士，對政府有所批評。不如一面先採取警告程序，依照出版法，由內政部為之。一面通知在台之董事長王雲五氏，促其改組。如再有違反政府法令之事發生，則採取停止進口處分。」[42]

為此，是晚十時，阮氏尚先訪成舍我，說明會議經過；再與成同訪王雲五，報告此事。王雲五似乎對此頗為不悅，乃決定於三月三十日下午五時，在端木愷家中，約集「自由人」社在台全體同仁會商。在三月三十日的決議中，提到《自由人》的現實問題，「本刊如不能銷台，勢必停刊。為避免使政府蒙受摧殘言論之嫌，希望政府妥慎處理，使其能繼續出版。在台同仁，願意退出。惟在港同仁意見如何，亦盼政府逕與洽商。」並推阮毅成與許孝炎二人將此項決議，轉達黄少谷，另函告在港同仁。[43]

二十三日）。雷文所寫之論揚子公司案，因涉及上海時期之揚子公司，對孔祥熙有所批評，遂奉命查辦。又〈谷鳳翔致王雲五函〉，同註五，頁八四七。

42 同註五，頁八四七～八四八。

43 同上註，頁八四九。

換言之，針對當局對《自由人》的不滿，「自由人」社在台同仁採取了委曲求全的態度，一方面願意退出，此舉可能有兩層深意，一為逼香港「自由人」社同仁，小心謹慎，莫再刊登批評政府之文章，否則與渠無關，二為多少有向政府交心之意，明哲保身，不想惹禍上身；再方面亦有請政府介入之意，希望儘量保留能讓《自由人》繼續在台銷售。[44]果然如此，四月七日，王雲五即致函總統府秘書長張群，說明「自由人」之情形，並建議將「自由人」社改組，由政府指定負責主持言論之人實行接辦。信的內容為：「惟是該刊經費本奇絀，全恃內銷而維持，一旦停止內銷，勢必停止刊行，外間不察，或不免對政府妄加揣測，弟愛護政府，耿耿此心，竊認為消極制裁，不如積極輔導，將該刊改組，由政府指定負責主持言論之人實行接辦，可變無用為有用，弟當力勸原發起各人，本擁護政府之初衷，竭誠合作。」[45]

一週後，以國民黨並無接手之意，在恐不能銷台的情況下，成舍我與王雲五、陶百川、徐道鄰、陳訓悆、程滄波、胡秋原、吳俊升、端木愷、黃雪村、阮毅成等決議：「茲因環境困難，經濟無法支持，決議停刊，由主席（王雲五）根據本決議徵求在港同人意見。」其後，在台同仁復在成舍我宅聚餐，決定在台同仁既已必須退出，而中央黨部又規定不得再與《香港時報》，發生關聯，則無地可以印刷，亦無處可再欠印刷費。外界聞知中央處分，亦必不願再行認指，環境困難如此，只可宣布停刊。並請王雲五函詢港方同仁意見，如港方同仁堅持續辦，在台同仁自不能再行參加。[46]

由於文章得罪當局，以致有禁止銷台之聲，在港負責《自由人》編輯工作之陳克文旋致函阮毅成、王雲五等人，表示「咎衍實無可辭」，「自由人停止出版，唯覺可惜，形勢如此，亦復無可如何，文與左劉兩公對此均無成見，惟此間尚有其他股東，又年來出錢出力者，頗不乏人，此事似不宜由文等三人遽作決定，即為港方同人之全體意見，擬於最近邀集會議，提出報告，徵求多數意見，再作正式答覆。」[47]但不久，事情又有變化，四月二十九日，一向敢言的左舜生，終於自香港來函，明確表示反對《自由人》停刊，並謂在港「自由人」社同人決暫予維持。信中言：

> 「雲老賜鑒：四月七日阮毅成兄來信，並附有留台同人退出決議一紙，十八日奉　公手書，知同人復有集議，以經濟環境關係，主張停刊；均已誦悉。此間於當地環境，已洞悉無遺；對　公等所採態度，並無不能諒解之處。惟念同本刊宗旨，一面在『堅決反共』，一面在『爭取民主』，四年以來，奉此週旋，雖不無一、二開罪他人之處，但大體上並未

44 《自由人》三日刊，國民黨中央當指示「扶助」之，以批判中共，擁護政府並同情國民黨為原則。故該刊早期立場為中間偏右，後來對國民黨的批評言論日益激烈，台灣當局乃禁止其輸入，並停止所有經費資助。故《自由人》能否銷台，對該刊影響至鉅。萬麗鵑，〈一九五〇年代的中國第三勢力運動〉，同註四，頁一六四。

45 〈王雲五致總統府秘書長張群函〉，同註四三。

46 同註五，頁八五〇。有關王雲五在此問題之角色，阮毅成有相當持平之看法，阮說：「雲五先生名為董事長，出錢出力，卻不便範圍各黨及無黨人士，一定均作統一的宣傳，致反而完全成為俗套，失去向海外為政府說話的影響力。於是在發刊期中，常常發生選稿欠當的問題。每次有問題發生，雲五先生首當其衝，常為他人所不諒解，致生煩惱。臺港兩地同仁，為此書信往返，謀求各種補救辦法，效果均不甚彰。」阮毅成，〈王雲五先生與自由人三日刊〉，同註四，頁三六。

47 〈陳克文致王雲五、阮毅成信〉，同註五，頁八五一～八五二。

逾越範圍。今亦僉正復高張，而民主亦勢非實現不可；大約在二、三月內或有變化，前途殊未可知！故此間同人，經過再三考慮，仍決定暫予維持，並囑舜代為奉復，即乞轉達諸友為荷。公等即不得已而必須退出，仍望不遺在遠，隨時予以指導，除宗旨不能犧牲以外，同人無不樂於接受。海天遙望，曷勝悲憤憂念之至！」[48]

從此以後，《自由人》三日刊似乎終於渡過了這段風風雨雨的歲月，儘管港、台大多數「自由人」社同仁情誼依舊，但經費、稿源、立論尺度等問題仍在。《自由人》三日刊即帶此痼疾，跌跌撞撞的支撐八年餘，在民國四十八年九月十三日宣佈停刊。[49]

五、結論——從《自由人》到《自由報》

無論如何，在五〇年代那段風雨飄搖的歲月，《自由人》能以香江一隅之地，在內外環境相當險惡的情況下，擎起「我們要做自由人」的大旗，反抗共產極權，與中共做誓不兩立的言論鬥爭，其勇氣和決心仍另人刮目相看的。另一方面，《自由人》雖義無反顧的支持台灣國府當局，但在恨鐵不成鋼的期待心理下，對台灣當局若干錯誤的舉措，仍一本忠言逆耳之立場，毫不留情的提出批判或建言，即使在經費斷炊的威脅下，亦不為所動，這份苦心孤詣之意，也令吾人感佩。

而此即所以《自由人》在發行的八年餘中，雖屢有遷台之議，但大多數同仁始終仍以在香港立足為佳之看法，因其言論立場較客觀中立，雖稍偏向國府，但非無原則的一面倒，兼以香港為基地，較少政府、政黨色彩之觀感，且因對國、共雙方均有批評，是以其在香港作用較大之故也。當然《自由人》之悲劇，除上文已詳述之經費、稿源、言論立場受到制約等外緣因素外，尚有深一層內緣因素存在，此即中國傳統知識份子屬性使然。知識份子主性強的「書生本色」，誰也不服誰之個性，長落人「秀才造反，三年不成」之譏，因渠主觀意識強，所以容易堅持己見，是其所是，不大能夠為大局著想，且因自視太高，未能屈己就人，所以較乏團隊精神。

這情況在「自由人」社這批高級知識份子間亦是如此，雷嘯岑曾舉一事證明之，在《自由人》是否遷台之際，「王雲五以董事長資格，致函於我，囑將自由人報遷赴臺北發行，且將繳存港府的押金萬元一併匯去。旋由代董事長左舜生召集在港同仁會商，決議仍在香港出版，但在臺北的同仁，亦可刊行臺灣版，然王雲五很不高興，說我不以他為對象，悻悻然嘖有煩言，殊堪詫異。未幾，許孝炎由臺北回港，主張自由人停刊，他怕我不贊成，先囑我莫持異議，我表示無所謂，而自由人三日刊，即於一九五八年九月十二日宣告停刊了。現代中國高級知識份子之沒有團隊精神，於此又得一實驗的證明，曷勝慨嘆！」[50]所以當年左舜生在《自由人》創辦之初，樂觀的夸談「自由人」社同仁可以組織聯合政府，永遠合作無間之見解，雷嘯岑說，實係幼稚幻想。文人相輕，自古而然，《自由人》三日刊的緣起緣滅，依然落得一個「殺雞聚會，打狗散場」的結局，這也是中國現代高級知識份子的悲劇，想來仍不禁令人浩歎！[51]

48 〈左舜生致王雲五函〉，同上註。

49 雷嘯岑說為四十八年九月十二日停刊，恐有誤。雷嘯岑，《憂患餘生之自述》，同註二四，頁一八二。

50 同上註。

51 馬五，〈「自由人」之產生與夭折〉，同註一，頁二二〇。其實雷嘯岑自己亦如是，當《自由人》剛成立時，「大家的情感很融洽，精神上團結

《自由人》雖然走入歷史停刊了，但未及五個月，一份延續《自由人》餘波的《自由報》在民國四十九年二月十七日，另起爐灶又在香港創刊了。《自由報》社址位於香港銅鑼灣高士威道二十號四樓，也是採取半週刊（三日刊）的形式，於每個星期三、六發行。社長為雷嘯岑，督印人黃行奮，出版第一期有由以本社同人署名撰寫的〈我們的志願和立場〉為發刊詞。該文強調「我們是一群崇尚自由主義的文化工作者。對社會生活篤信『人是生而平等的』這項義理，珍重個人的人格尊嚴；對政治生活認定『政府是為人民而存在的』，要求基本人權之確立與保障。……我們膺受著共產極權主義的荼毒，深感國破家亡之痛苦，流落海隅，於茲十載，內心上大家不期然而然地具有強烈的愛國情操和政治理想，要從文化思想方面，努力培育民主自由精神，發揚其潛能，成為救國救民的偉大力量。職是之故，本報的言論方針是國家至上，民生第一，我們的立場是超黨派的。」[52]

簡言之，民主、自由、愛國、反共乃為《自由報》創刊之四大宗旨，嚴格而言，此宗旨仍是延續《自由人》三日刊的精神而來。阮毅成曾說：「後來，雷嘯岑兄在香港出版自由報，乃係另一新刊物，與原來的自由人，完全無關。」[53]此話恐有商榷之餘地。《自由報》在《自由人》的基礎上，發行至民國六十幾年才結束，期間刊布了《香港自由報二十年合集》、《自由報》合訂本、《自由報二十週年年鑑》，影響力不在《自由人》之下。

無間，對任何事體決無爾詐我虞，或以多數箝制少數的作風。我（雷嘯岑）當時曾聲言：假使憑這種精神組織『聯合政府』，擔當國家政務，國事沒有不振興的。」馬五先生著，《我的生活史》，同註一，頁一六一。

52 本社同人，〈我們的志願和立場〉，《自由報二十年合集》（一九）（香港：自由報社出版，民國六十年十月十日）。

53 阮毅成，〈「自由人」參加記〉，同註六，頁一八。

自由報
THE FREE NEWS
內僑警台報字第〇三壹號內銷證
第四〇五期
中華民國僑務委員會頒發
台教新字第三二三號登記證
中華郵政台字第一二八二號執照
登記為第一類新聞紙類
（本週刊每星期三、六出版）
每份港幣壹角
台灣零售價新台幣貳元
社長：雷嘯岑
督印人：黃行審
社址：香港銅鑼灣高士威道二十號四樓
20. CAUSEWAY RD 3RD FL. HONG KONG
TEL. 771726　電報掛號：7191
承印者：田風印刷廠
地址：香港灣仔高士打道二二一號
台灣分社
台北市西寧南路壹壹零號二樓
電話：三〇三四六
台郵撥儲金戶九二五二

恭賀新禧

本報同人鞠躬

賀新年　祝努力

——慶祝開國五十三年元旦——

馬樹僧

中華民國建立迄今，已經渡過了半個世紀，今天欣逢慶祝開國第五十三年的元旦，一元復始，萬象更新，相信大家的心情都是很愉快的。我們中國人每逢新年見面，總不免要說幾句吉利的話，除了對個人方面的祝賀外，還對國家社會有所祝頌。這種習俗，充分表現我們的同胞愛和對國家民族愛護的精神。

民國肇造以還，內憂外患相乘，尤其是自毛共匪幫竊據大陸十多年來，暴政橫施，暗無天日，大陸同胞處於水深火熱之中，過着人間地獄般的生活。因此我們居留在自由地區，致力復國大業的全體軍民，每當新年來臨，便會觸起神州陸沈之痛，而思所以拯救苦難同胞之方。

我們深知，共產黨是一羣喪失了人性的暴徒，是無可理喻的。我們要實現救國救同胞的神聖任務，只有一條正確的道路：就是反攻復國，消滅共匪。如果仍對共產黨講道理談和平，不特等於廢話，而且將貽禍無窮。過去的教訓在我們的經驗中，已早有了刻骨銘心之痛。

共產黨是以暴力為基礎的，它不知道道義為何物，只惟暴力是視。惟近代國際間一些淺薄之徒，卻往往只計現實利害，把道義當作虛文。故此他們看見朱毛匪幫據有大陸，便多所顧忌，從而極盡其姑息安撫的能事，甚至對中華民國，缺之正確的認識，對我們反攻復國的力量所有懷疑。他們徒從外表估量，而不了解人心背向的精神力量之偉大。更不了解大陸數億同胞痛恨暴政奮起抗暴力量的偉大。因此，我們處此國際環境中，欲求反攻復國之早日成功，必須把我們的力量積極培養起來，並將此力量發揮表現出來，然後纔能達到我們的目的。

國父曾經告訴我們：「力即是權」，有了力就有權。現在我們拿實事來說：當大陸淪陷之後，我們中華民國政府退守臺灣，匪幫時時聲言要向臺灣進攻，但自古寧頭一役匪軍經我痛殲，即龜縮不敢再動，遏止了其渡海攻臺的野心。又如在民國四十七年「八二三」金門砲戰之前，國際間妄倡我放棄金馬外島之議，但國軍在我們統帥堅強不[illegible]的意志指揮之下，堅守不動。而且在匪軍以砲彈數十萬發火洗金門之際，我們戰鬥力更加強大。頑敵不能越我雷池半步，結果是敵陣大亂，而毛匪的「主席」地位也因此垮台。從此之後，國際間再不聽見有迫我撤守外島之說了，而且全世界都視我金門為抵抗共產擴張的最堅強堡壘了。這是我們的驕傲，而這種驕傲是從真正的力量爭取得來的。

最近本黨九全大會「對政治報告決議文」中，也會鄭重申明：「革命形勢的開展與革命事業的進展，主要的要依靠我們自身的艱苦奮鬥。所以我們爭取反共復國鬥爭的最後成功，既不可寄望於敵人自己的崩潰，更不可寄望於國際間的任何變化。一定要繼續加強我們自身的奮鬥努力：把握時機，迅速而勇敢的行動，大膽的向前邁進……向前進中突破困難，創造時勢」。這真是一項針對當前環境需要而發的金玉良言，我們應當切實予以實踐。我們具有這種「自求多福」的堅強意志，然後能夠創造出自己本身的堅強力量。有了力量，就能在國際間增強了發言權，開創新局面，造成新時勢。這樣不特不致受別人的掣肘阻撓，而且會獲得他人更多的幫助。這對於我們反攻復國的前途，就更形有利了。

我們政府十多年來在臺灣，生聚教訓，埋頭建設，力量已經日趨堅強壯大。反之，毛共匪幫的衰頹腐爛，則已到了無可救藥的地步。觀於最近十一月十八、十九、廿連續三天的國軍別動部隊之突擊福建沿海琅崎、海尾、南日等處，無不收得輝煌戰果，且大有俘獲歸來，即可見到我敵之優劣情勢，毛共是不堪一擊的。

我們權衡全局，深知反攻大陸，以我們臺灣軍民的力量，加海外僑胞的力量，加上大陸同胞反共抗暴的力量，是足以撲滅毛共政權而有餘的。當前我們所顧慮的，已經不是能不能戰勝毛共的問題，而是怎樣排除國際間對我反攻行動的阻力問題。排除國際間的阻力，最好的方法就是盡量發揮我們的力量，表現我們的力量。而欲發揮表現我們的堅強力量，又必須以集中團結我們的一切力量為先決條件。本黨蔣總裁在九全大會中提議決定設立的「反共建國聯盟」，誠為當前團結集中我們海內外一切力量的最適當途徑。我們應一致促其實現。

當前新年伊始，正是萬物甦生向榮而表現其生命力量的時候，謹於此向海內外同胞致新年祝福之忱，並以團結和發揮我們的力量，期與大家共同努力，以聯我們反共復國建國大業之早奏成功。

一場重要的競賽

赫奮：「走開，我先發現的！」

今日与明日

從周鴻慶案件說起

毛共派去日本的商業代表團一名譯員周鴻慶投奔自由的事，竟被「左翼政客」勾結政府官吏，將之遣送回大陸，自從匈牙利反共鬥爭，南斯拉夫大使館將匈總理拉基，國防部長馬列特將軍送交赫魯曉夫處死之後，算是第二個駭人聽聞事件，日本政府品格之低落，似乎尚不如狄托的南斯拉夫。

就周鴻慶個人來說，是否獲得自由，原不是太重要的事，我們相信大陸六億人口終必全部獲得自由，自不爭周鴻慶一人。我們覺得憤慨的還是日本政府這種首鼠兩端的態度。

當周鴻慶最初脫離魔掌，投向自由時，始而誤投蘇聯大使館，繼而被移交日本政府，周鴻慶且已見到中國大使館秘書，聲明要回台灣，此時日本政府若採斷然手段，將周鴻慶移交中國大使館，則一了百了，以後一切麻煩皆無從發生。日本政府偏偏把周鴻慶當作非法入境，正是自尋煩惱，與人無尤。

池田政府的窘境

此次日本處理周鴻慶事件，充份暴露了日本政府的無能，最初日本當局可能未估計到中國朝野反應如此之烈，及至事情擴大，池田勇人，大平正芳之流，才覺得不妙，始而以祝壽為名，派大野伴睦赴台北晉謁蔣總統，希望求得中國諒解，結果無功而返。日本更慌了手腳，既不敢即時遣周鴻慶回大陸，又不肯改正錯誤，把周鴻慶交給中國大使館，進退維谷，左右為難。到了這次派後宮虎郎赴台北，已屆山窮水盡之時，仍然抱一線希望，結果當然又多一次失敗。

從周鴻慶事件可以看出日本騎牆政策的窘境，它既不敢開罪中華民國，自外於自由世界，而又貪戀共區貿易，向毛共送秋波，結果自然是兩而不討好，自墮國格。

我們的反省

由周鴻慶事件中我們本身也應當徹底檢討自身的過失。對日本外交，實際比對美外交難，因為美國政情雖然複雜，但左翼勢力微不足道，外交只是單線交涉，日本則不然，日本外交實際是兩面作戰，大使一職必須年輕有為，洞悉日本政情，肯為國家出力，以全付精神去鬥爭，庶幾可有成效。若只是派一名官僚黨棍到東京去養老，天天睡在大使館閉門不出，自稱為「儒者大使」，不唯誤國，而且害人，周鴻慶就害在這種「儒者」手裏。

前事不忘，後事之師，此日檢討對日外交，不是鬥氣，斷絕邦交的問題，那樣正中毛共下懷，我們應該咬牙從頭好好作起。

無聊的廢話

馬五先生

聯合國政治委員會又以大多數的投票表決，說是要以民主方式統一韓國。去年亦會經表演過這種把戲，且其決議語句并無兩樣。這真是閒得無聊的廢話連篇，可鄙之至！

這座號稱為「世界政府」的聯合國，自成立迄今，十有餘年了，究竟對世界有甚末益處，我始終莫名其妙。但見它渙汗大號，決議出兵討伐侵略南韓的罪犯—中共—之後，又自毀信譽，向侵略者乞憐言和，且再三表示要請中共進入聯合國來，僭居所謂常任理事高位。聯合國亦有所謂「人權委員會」的機構，但見它對於共產主義者蹂躪人權，到處以暴力屠殺人民的慘劇，視若無覩，噤若寒蟬。聯合國憲章規定的職責，是要維護正義和平，但見一二强權國家，假「和平」之名，從事於出賣弱小民族國家的勾當，而不知正義公道為何物。事實上，聯合國不啻是三數强權國家營私作惡的宣傳台和交易場所。若說它能夠創進世界人類的和平自由生活，寧非夢囈乎？

近若干年來，聯合國每屆大會時，即對中國席位問題，曉曉然辯論一番，還要像煞有介事的表決一番，表現其慷他人之慨而示恩市惠的醜態。我國亦就為着這種可恥的表演，困心衡慮，以爭取多數的同情者。實則這是個十足勢利的國際市儈集團，它的風格和信用，不及舊有「國際聯盟」遠矣！例如「國聯」當年認定日本在我東三省的「九、一八」事變是侵略行為，即始終對日本不表同情，公開譴責，決無出賣中華民國的意念，今之聯合國連這點精神亦沒有了，還值得重視嗎？

强權即是公理，私慾即是正義，自古已然，於今為烈。只要我們有力量光復大陸，則今日居心出賣我們、漠視我們的各色國家，皆將前倨而後恭地對我獻慇懃，表好感。否則我們縱然不惜工本以爭取若干新興友邦的同情，結果還是徒勞無益的。因此，我們今後即不必為着應付聯合國大會的無聊鬧劇，而枉費太多的人力財力，必要時宣告退出，亦無不可也。

設計籌組『反共建國聯盟』
今年召開國大代表臨時會

（本報台北航信）本（十二）月廿三日至廿五日，台北市中山堂又出現了車如流水馬如龍的熱烈場面，國大代表以及光復大陸設計委員千餘人，連續會議三天，總統，副總統，行政院長和黨政軍各高級機關的主管首長，皆到會致詞或報告業務，隆重之至。

陳副總統兼任「光復大陸設計委員會」主任委員，第一天「光委會」開幕時，陳副座親臨主持，於正式致詞後，當衆申述他辭去行政院長兼職的原因，完全是健康關係。他在行政院長任內，白天吞服興奮劑，晚上吞服安眠藥，非一日矣。最近因爲台灣發生大風災，扶病銷假視事後，身體愈感疲勞，醫生提出警告，說他如果再任繁劇，將有無可救藥的危險，這纔使他決心辭職了。他主持第一次會議後，即未出席，改由副主任委員薛岳、于斌擔任主席。因此，在廿四日的大會中，即有人提議推派代表慰問陳主委，當然無異議通過。記者從各方面探悉陳副座堅辭行政院長兼職的由來，據說陳夫人主張最力，爲的就是健康關係，再經醫生警告，陳先生纔下決心告辭的。在廿四日的大會中，討論籌設「反共建國聯盟」問題時，有不少的設計委員發抒高見，認爲不特國內外的中國反共力量應該團結，即國際間的反共力量如「自由俄國聯盟」等，亦應該團結一致，話很漂亮，理由亦充足，設計更周密，問題是如何進行纔可望有實際效用，這便要聽下回分解了。

廿五日是國大代表固定的年會，又是中華民國行憲紀念日。事前會有五百多位國大代表聯名上書總統，請依憲法規定，於適當時期召開國大代表臨時會議，大家議論紛紛，越不知總統作何決定。迨蔣總統到會致詞完畢，附帶聲明要在明年以內召開臨時大會，越快越好，大家鼓掌贊成，皆大歡喜。是日又有些人提出一項指摘國大秘書長谷正綱處理某項會務不當的議案，主席團認爲這是攻擊個人，予以留中，谷氏却聲稱歡迎提到大會討論，藉明是非。一般人認爲谷氏的態度很對，是非自有公論，經過大衆研討之後，是非即可大白，若留中不談，反而引起更多的是非。尤其是主席團對於同寅的提案，似乎沒有壓抑的權能，主席原係大衆推舉出來的服務人員，並非長官，除却提案內容違背了議事規則，或與會議無關，自不能藉審查提案的機會，隨便打消會衆的議案。（十二月廿五日寄）

高雄下屆市長競選
陳啓川難敵李源棧
繪聲繪影盛傳兩人可能「妥協」
以學生家長會費送禮太不成話

（本報記者趙家驊高雄航訊）高雄市下屆市長選舉執政黨的提名登記截止後，因陳武璋并未登記，在五位登記者中，以陳啓川的將被提名可能性較大，設中途沒有特殊變化，陳啓川當如願以償了。

陳啓川此次爭取「競選連任」，並未經過執政黨各級黨部的正規手續，而是以退爲進的方法獲致鼓勵競選。各級黨部未嘗不悉陳啓川沒有許多羣衆，無法與黨外人士抗衡，但高雄市黨部一着之失，在事先未來一次黨員民意測驗假投票，致黨員的意見枉曲於心，無法伸張。據本市執政黨若干有力量的黨員私下表示，他們對投陳啓川的票，將不考慮。然則將來投誰的票呢？

一般認爲，除非有出乎意外的變動，陳啓川的被提名看來已無問題，陳啓川也樂觀市黨部爲他[illegible]命，奔走，安排。客觀的人士却爲執政黨躭心，他們說：陳啓川若以黨爲重，應退而讓賢，否則强敵李源棧在前，陳氏憑何取勝？若掉以輕心，必致一敗塗地。如此，陳啓川個人的損失事小，毁了執政黨的聲譽，便其事也大了。

有很盛行的傳說：黨外人士現任省議員李源棧，有與陳啓川妥協的可能。傳言並對妥協的條件，居間談判的人物，均繪聲繪影，像煞有介事。但據接近李源棧的人士稱，謠言止於智者。力謂「李源棧絕不會妥協的」。究竟眞象如何？還待看將來的事實。

△高雄市自來水廠與大貝湖工業給水廠的合併聯營問題，聚訟紛紜，爭論已久，此次被高雄市議會否決，大貝湖水廠對此心竊自喜，而高市水廠則大失所望；建設廳圖接管高雄水廠，已不可能。可是當年留給高市水廠的大筆債務，却使高雄水廠陷於癱瘓狀態。當然，高雄水廠的債務並非與生俱來，而是爲合併與聯營而舉債，如今大貝湖給水廠與高雄水廠各立門戶，則高雄水廠的舉債，究由何方承担善後之責？

高雄市議會此次否決聯營，係對省府的自來水企業化政策之一種打擊，但合併與聯營是否需要，將取決於未來的人口發展而定。新任行政院長嚴家淦會於民國四十五年四月十一日以台省主席身份對大高雄區的給水計劃，作如下之講述：「自來水的建設與發展應該是區域性的，這不僅高雄如此，其各縣市各地方亦莫不皆然。……」可見他對大高雄區給水計劃下的大貝湖水廠與高雄水廠聯營問題，寄望頗爲深切。

△一直爲各界所詬病的中小學家長會會費使用問題，新近又因高雄市長陳啓川太夫人的壽禮引起更的爭論，學生家長新是一片怒潮，指斥市府教育科爲取寵市長，濫開支家長會費，犧牲學生權益，其心可誅。

原來，台省中小學均有家長會之組織，中學每生每學期繳會費廿元，小學生每人繳會費十元；規定其中五分之二繳教育廳之教職員福利金管委會，充作教職員之福利，另外五分之三由學校留作充實學校設備之用。家長負担逐年加重，此項會費雖跡近苛捐雜稅，但己習非成是，見怪不怪，而只是怨尤學校當局並未將會費眞正用於充實設備。例如教師旅行多以會費作盤川，聯誼聚餐亦在會費項下開支等等，使充實設備云云，成爲幌子。而高雄市長陳啓川太夫人華誕，市教育科竟通令各校每校由家長會費撥出七十五元，特定製豪華壽屏一座，作爲市長太夫人的壽禮，太不成話！這是教育科揮霍高雄市民血汗最好的例子。

△台省中小學，除徵收家長會費外，教育當局並明文規定對學生收取班級費，據說，班級費之用途，除了訂閱教育行政機構所指定的報章雜誌以外，其餘數作爲學生班級活動費用。儘管巧立名目，總是師出有名，學生家長也就認了。無如事有不然者！高雄市府教育科却迫令全市國校長，以學生班級費購置參考書籍，計「王明德教學研究」每本十五元「單元教學設計選集」每本二十元；全市小學教師約兩千餘人，人手兩冊，教師們以學生化錢，爲自已購書，固不亦樂乎，但學生家長們則怨聲載道。熟悉內幕人士透露：教育科此一違章通令，並非爲教員教學方便，而是勾結書商圖利云云。

香港與大陸

毛共毒整逃亡者家屬
待遇視同「五類分子」

廣東省沿海地區，年來由於農民大量外逃（包括逃到大城市和港澳地區），因而造成農村嚴重缺乏勞動力，影響生產至鉅；中共爲解除此一危機，乃實行惡毒的兩項辦法——取消逃亡者家屬的粮食配給；對逃亡者家屬加以鬥爭，例爲「逃亡戶」，待遇視同「五類份子」。

去年逃亡潮中逃抵香港目前在某紗廠做工人的黃××，最近接到由惠陽家裏寄來兩封內容完全不同的信，一封含糊地報導家鄉今年已經「豐收」，粮食供應「改善」了，家中各人亦均「平安」，唯最希望黃君快些回去，共享天倫之樂云云；而另一封信，也是同一日發出的，則告訴黃君千萬不要回家，說那封信是共幹迫她們寫的，所云完全子虛，叮囑黃君寄粮食回去。這封信又說：由於近一兩年來，有大量的青壯年或逃往城市或逃往港澳，造成農村勞動力的眞空現象，有些生產隊竟祇有幾個主要勞動力的，致今年的生產工作大受影響，使中共感到異常的恐慌，實行毒着，遏阻農民繼續外逃。

中共所實行的兩項有關遏阻農民逃亡的辦法，其一，是凡有家屬在逃的，勒令在一個月內動員其回家，否則，將取消逃亡家屬的粮食供應，一直到逃亡者回家爲止；其二，是把全部逃亡者的家屬，宣佈爲「逃亡戶」，一切的待遇都與「五類份子」一樣。可隨時加以鬥爭或逮捕判刑勞改。

來信說：這等毒辣辦法確實難爲了好些人。一些逃往大城市的農民，聽到是項消息之後，惟恐連累家人受苦，紛紛回家，因爲中共斷絕了逃亡戶的粮食供應，不少逃亡戶簡直是無法生活，何況還要被鬥爭呢！因此有些暫時不能逃來港澳而「盲流」在大城市的農民，便硬着頭皮，回家去了，雖然明知會受大罪，也祇有讓「命運」去安排了。

在此同時，却也使社會治安異常混亂，因爲不少逃亡戶，都不願自己的親人再回到農村受苦，而寧願自己在家裏挨餓，甚至被鬥爭；但食的問題總不能不設法解決，所以，有膽量的便去偷去搶，膽小的而又有一些錢的便想法大做黑市交易。大家祗爲了要活下去，一切嚴重的後果，在所不計。

黃君對記者說：現在他家裏既沒有粮食的配給，其苦況是可想見的，爲維家人的生活，他祗有在這裏拼命找錢，寄回粮食去之一法。他說，他自己自然不想回去，且回去亦解決不了問題的，回去無非是全家人都被困死。（敬斯）

在立院檢討葛樂禮風災
袁良驊高呼振飭紀綱

爲何水庫不用放水呢，因爲他有溢洪道，水滿到邊緣在溢洪道可以溢出，流下來的水是在上層，沒有水壓力，滿多少流多少，流勢亦是和緩的。一年三百六十五日都是這樣，如果要說溢洪道能造成災害，那世界上便無人築水庫了。我對顧總工程師的說法認爲不可信。同時方才我看了他給我看的那幅圖，使我越看越糊塗。我不明白溢洪道之上還有水門，豈不成了水庫上又有水庫。我懷疑這是故弄玄虛的，所以我很贊成營委員爾斌的主張，請監察院調查其責任誰屬。

現在我先說這回洪水在大溪流域所做成災害的情形了。該流域的右岸地方是三峽，大溪浮州里板橋到江子翠，那洪水以其萬馬奔騰之勢，橫越過淡水河，衝到台北市的建成大同等區。至於左岸，就是二重三重埔蘆洲鄉，都受此災害。我們很易分別出來的，凡是大　溪流下來的水造成的災害，積泥至少有兩尺到三尺半，因爲石門水庫放出的水把首當其衝的三峽溪和大溪沿岸一冲，不但房子沒有，連地皮都翻轉起來，所以有兩三鄉村都失了蹤找不到。據板橋人說，約有二、三千人，他們有親戚住在那裏，找了兩天都找不到，地形都變了。水庫的水和洪水將地上泥土都翻轉，使受災區域有如此慘重，徐鼐先生要不要負責。至於新店溪所造成今日的災害，很多人都明白就是築堤爲害的結果。雙圈堤築好，把水壓」到永和板橋，永和又來築堤」把水壓到木柵新店，因爲永和堤與雙園堤是斜斜相對，洪水一來不能暢流，把歐帕颱風一來之後，又築景美堤，此次再遇到葛樂禮的洪水，大　溪的水以雷霆萬鈞之力湧到江子翠合流處，再因石門水庫放水原因，加重阻[illegible]力，將新店溪水流[illegible]住，沒有出路，水位當然提高。三個堤以前的地方應負担的水現在不再負担，所以向無堤的地方冲去，因此台北的中山區士林陽明山區都慘受水災。這很容易分割出來的，凡是受新店溪洪水的災害，因爲沒有人在上游放水，所以水比較清得多；水退了，泥土只有一寸至三吋，一經調查便很清楚。這責任應由誰負，該由台北市長周百鍊，台北縣長謝文程共負之。

現在政府鑒於此次水災慘重，有決心整個將河流整理，照防洪小組第三個方案將兩條溪水分流，大　溪的水從新莊附近堀子川出海。這是高明的辦法。但這大計劃據報載要十二年。在此十二年中，難保沒有像此次發生一二次現在的災害。今天台北區元氣大傷，再能經得起一二次淒慘的災害嗎？計劃雖好，可是緩不濟急，我爲此很感焦慮。在無可奈何下，我想出一個舊事重提的辦法，回憶在波密拉颱風過後，我曾向本院提出意見，疏濬河道，逢灣截角，遇淤挖心，此原則是放之四海而皆準的。國父孫中山先生在建國大綱中對治河之道，亦是如此主張。將河道疏濬修直，河床挖深，利用水暢其流，便可將河床冲刷加深，這是古今治河的道理。現在要修濬河道，必須先修關渡的出水口，現在關渡冲積的泥已經占淡水河出水口三分之二的面積，兩條溪水冲來，僅有一小出口，當然會造成泛濫。（中）

命數

方南

說來也是笑話，因為忘了我自己的歲數，偶然心血來潮，寫信向隔居遠地的哥哥詢問一下，他不只把我出生的年月日時告訴給我，還把他早年替我向算命先生請教得來的一部厚批全抄給我看。這的確使我看得津津有味，但笑話畢竟是笑話。

我並不是主觀地完全否定命數。每當把自己幾十年的往事回溯一下時，我總會啞然自笑，恍然若失，覺得冥冥之中似乎有什麼奇怪的東西把我安排這個樣子，叫我走上這樣的一條崎嶇路。這大概就是受了「定數」的支配吧！但是，我決不肯信有人能夠把我的命數「算」得出來，而且算得那麼清楚詳細。

人裏的腦子確實奇怪，由腦裏伸出的一雙怪手向冥冥之中摸索，居然摸索出許多數學公式，化學和物理公式，並且憑這些公式做基礎，「幹出上則升天，下則入地」的偉大事情。但是，若說誰能把全世界二十多億人中每一人的命數算得準確，所憑的計算公式卻是如此簡單，那是我無論如何不敢相信的。

記得小時候，跟母親去找巫婆招請亡兒在陰間的靈魂。巫婆口中念念有詞，說是憑藉神力的驅使，先把亡兒靈魂的確實下落調查明白，然後把它請到陽間，附托在她的身上，和我們談話。這當然是一宗神妙的事，她曾經使我驚奇的不得了。後來我長大了，知道每一個地方的居民有戶籍，而管理戶籍的工作是如此麻煩，由此想起陰間戶籍檔案的繁重，和那些巫婆、占算者等等對於鈎查諸般檔案的非凡本領，便只好付之一笑了。

但是，我認為「知命」與「畏天命」也不是一件壞事。我一向懷疑，孔夫子晚年也愛好這一門玩意。孔子說，「五十而知天命」。為什麼要到五十才知天命呢？他晚年唯一的希望是：「假我數年以學易」，說他越老越對命數發生興趣，確不為過。孔子是老實人，不論「怪、力、亂、神」，對「上帝」與「神」不作「假設」。這是他的可愛處。他活的歲數越大，歷事越多，越發覺「人事」上的化合是這樣紛繁，互相影響是這樣微妙，此中的一個「未可知之數」是這樣奇異，於是要下決心對「易理」研究一番。「易」可解釋為「變化」。他尋求「事的變化」的「微積分」，希望找到「公式」與「定理」，要由「不可知以達到可知」。這如用莊子的話去批評，這就是：「吾生也有涯，而知也無涯，以有涯隨無涯，殆而已矣」。但孔子不是莊子，他會認為「以有涯隨無涯」才是知識份子「求知」的本份呢！

諸葛亮被三國演義披上八卦衣，是能夠驅使六丁六甲的神人，歷代中國小說家大都是佛道兩教的宣傳家，當中有不少更是宣揚「宿命論」的好手，三國演義作者亦然。但就諸葛亮的本身來說，未出茅廬，三分已定，雖非料事如神，也算得是有預知之明了。但到他晚年寫「出師表」時，便會說出「難平者，事也」，「凡事如此，難以逆料」的話了。「難平」是起伏不定的意思，世事猶如波浪起伏，而且一波與一波之間的影響，會牽連到很遠很遠的地方去，一波才動萬波生，難以準確地預料諸般可能的變化。所以，諸葛亮也只好說：「鞠躬盡瘁，死而後已」了。人而「知命」，便會「畏天」，唯其「畏天」，越要「盡己」與不能「違己」，所謂「盡人事以聽天命」，由孔子到諸葛亮都有這樣的認識。

個人命數固不可知，「新聞分析家」預言世事亦屬同樣渺茫。對着「一波才動萬波生」的自然律，抱着「以有涯隨無涯」的執着觀，如是而已。佛說，「不可說，不可說」，何會真的不說？

劇氛傑鄉錄

婁婆生

是晚所演各劇，皆是崑曲，為故都堂會中之別開生面者。記得有朱蒔青的佳期，而袁寒雲特自沽上趕來，演伯嚭回營，飾丑角太宰嚭，極盡奸詐諂佞之姿態，精采百出，闔座叫絕。

厚齋特演輕易不唱的彈詞，飾李龜年，白髯帽，黃褶衫，一副衰邁而飽經世故的老伶工，活現如真。敘述天寶當年遺事，表情好極。開始述及選妃承寵，以及霓裳宮舞，皆為喜悅之聲，須有眉飛色舞，熱情奔放之概。再則祿山犯闕，明皇西巡，埋玉歸真，即到無限悲慘境地。老伶工受恩深重，情緒與他人不同，須以嗚咽出之，略呈似泣似訴之姿。全劇發音唱出，其沉重與輕滑，恰為相反的對照，彈詞之難如此。侗五把它唱得極夠情味。能有如此地步，寓居故都十四年，獨聽此妙曲，自慶幸事。

什錦花園　初見三拉

販馬計一稱奇雙會，其中精采，以哭監，寫狀，三拉，團圓四折為最動人，以前的雖不瘟，但無多唱，情調亦不甚雅。荀慧生曾排過全本，因他沒有嗓音，而吹腔並不易唱，未能叫座，即不再演。此戲在四大名旦中，梅尚均能演，小雲雖不賴，難勝梅氏，這因為氣氛很有關係。梅能大方得體，風光旖旎，不浮不躁，實擅勝場。四十年前，正月初四，大雪之夜，偕沈氏表兄在香廠新明大戲院，專聽此戲，迄今猶在腦際，名曲一顧便難忘也。

民九，關冕鈞為其母壽，在東城什錦花園寓宅，舉行堂會。關氏為舊交通系一份子，賓客因此甚盛。是夕佳劇，當以侗五蘭芳奇雙會，叔岩蘭芳御河灣為最好。侗五的小生前已見羣英會，屬於武的方面，這次再唱吹腔小生，[illegible]曲沒有根底，不易應付的。首先是他的書卷氣味為重，態度大方，夠個氣派。而對李桂枝的疼愛憐惜，真做得出神入化，力寫閨房之樂趣，刻木三分。闖轉閨門，那副着急神情，幾有呆傻不能說出的妙態。聽到按院無眷，茫然無計；卻不料也被拉入後堂，渾身抖索，可云不能方物。後來在新明見程繼仙，開明看朱素雲，雖可列入三絕，但總不如之。蘭芳表情小心翼翼，但調侃之間，傳神阿堵，實是夠勁，功力悉敵。所以眾客矚目，其評價似在御河灣之上。配李壽峰的李奇，在民初為第一手，唱腔極醇。妙香的保童，亦是應工不弱。

言樂會成　崑曲大盛

民初，故都劇藝，有兩大傑出，講皮黃有春陽友會，是譚派名票王君直主之。其時票房極多，但皆以春陽為翹楚。論崑曲有言樂會，為侗厚齋主之，那是僅此一組織，絕無第二個。侗五辦此會，實在為提倡崑曲，因其高陽戲班入都，雖有崑曲，多半弋腔，有韓世昌，白雲生，侯益隆，郝振基，王益友，朱小義等，其音多激昂，與崑曲距離尚遠，南曲當然一無蹤影。而姑蘇趙逸叟子敬，見韓世昌確是一塊材料，有意栽護之，適逢原已有曲社，常在舊刑部街鍾叔岩家拍曲，因以擴大而演明場。不意旅京仕女，爭相傳學，蔚然成習，劇壇氣氛，頓為改觀，變為到處絃歌，成風雅之聲，恍見乾嘉當年之盛，甯非侗五督促之功！

（十八）

藝術叢談

抽象藝術漫談

趙雅博

任何知識都應該具有客體與主體。主體要達到客體，必需與客體同化，然後再將這個同化表現出來。這種表現是來自主動的努力，而使自己再同化那被認識者，成為我這主體的知識。美的觀賞或默觀也是一種知識，自然也需要有這種要件。要主體被同化而又同化客體，透過這種情勢的知識，才能最多的顯出人的存在的真正形上的構架。

知識的要件既如上述，唯有人才真是知識——共相知識的這個主體。他是偏愛的將自己的知識指向那為他是同化或同性的，他所認識的乃是與他同化的，他的工作是與從他本有天性中流溢出來的可能性相符，並且他也憩息在喚他同化的客體上。理智是這樣指向着，意志呢？它則依附在那個藉着認識官能而出現在人前的客體，依附的程度則是依照適合它的程度的深淺而有不同。精神所有美地滿意於那些工作，乃是更正恰地適合於存在的形態者。為此，我們要說，在由同化而來的知識的背後，隱蔽着人的人格的形上根子。人格就是規定我們成為我們現在所是的有肉有骨的人；在他以後，就只有本體深深的神祕了。透過這個由同化而來的知識，人的存在的衝力，使我們理會，是指向着那些同化它們能完成自己的有和事物或客體。不錯，人是符合着這個存在的形上根子，在它一面，這個存在的形上根子推進着認識官能，而安排而構造他的宇宙，一個屬於它的宇宙，是與他同性質或同化的宇宙。為此那由於精神性相表裏的貧之而確定的人的具體現存在，由於限度的界限，由於破壞性而指定的人之具體現存在，對於那偉大的姿態，偉大的作品，偉大的事業，都是常常盲然無視的。

在我們對我們具體而本有的有或物的最深層有關的時候，往往我們是乞援於同化或由同性而來的知識的協助，因着這一協助，使我們達到人格的最後本體的指定。不錯，我們的意志是由於那稱為實踐——實踐的判斷的最後選擇，而指向那為它是更同性更同化的東西；就是這一種要件，產生出了對知識也需要有同性或同化的事實，我們要認識什麼，就該變成什麼。在認識的最高最後境界，就是物我不分，渾然如一的境界！

美的默觀是對於一種美的形式的瞭解，由於這種瞭解而生出了心靈的喜悅，喜悅在這個被瞭解的形式中；在給予喜悅的當時，可以說與這個喜悅的形式，化而為一，成為同性或同化了。因為這種瞭解，自然是一種知識，知識是應該屬於同性或同化的。（未完）

寡君續夢

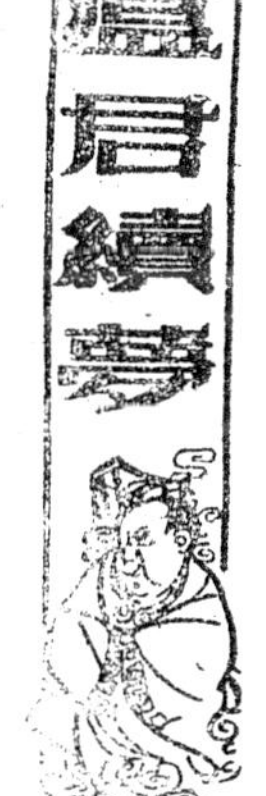

第十一回：

舊債新仇　索逋遭白眼

內憂外患　平憤以蒼頭

赫魯曉夫瞪起大眼說道：「照你說的就算了吧！這筆賬不要了。」

米高揚笑道：「我沒有勸你不要了，不過，你也要考慮一下討債的方式要技術一點，假若得罪了人再要不到錢，就犯不上了。」

赫魯曉夫說道：「我不管這麼多，一定要追債；假若追不上來，也讓我們的人民知道，是受了毛澤東的害。」

米高揚笑道：「你這個辦法實際上是政治重於經濟，不在乎討債，主要是給毛澤東難看，讓他丟臉，那就是另一回事了。」

赫魯曉夫大笑道：「你這個阿美尼亞的商人，居然也懂了政治，真算難得。」

米高揚笑道：「我就是因為不懂政治，才活到現在，若懂得政治，恐怕也同伏茲賁勝斯基一樣，早被史大林殺死了。」

赫魯曉夫說道：「不過，這一次你是猜準了，我的主意就是要叫毛澤東丟人，他現在自以為了不起，要領導亞非共產黨，又到處去招搖援外，好似比美國還富，我就要他現現原形，欠了債都還不起，正是一窮二白，還想冒充大人物，看看還有那些傻瓜跟着他走。」

米高揚說道：「這樣說，事情就容易辦了，乾脆派一個代表團到北京去坐催，要中國還債就是了，至於討得到，討不到，也不必太認真。」

赫魯曉夫說道：「事情就這樣決定，你回去派出有關對外貿易人員，組織一個代表團，命令他們去北平催債，不必客氣留餘地，越惡越好，無論鬧多大事，責任由我來負」。

米高揚回去挑了對外貿易部副部長庫米金，國家對外經濟委員會第一副主席阿希波夫，再加幾名財經人員，組成代表團。

代表團動身時，米高揚把大家找到一起說道：「你們到了中國，要作一次實地考察，了解中國的經濟情形，到底他們的經濟力量如何，在現階段能還清多少債，要作一通盤清算，然後再同中國代表談判，要他們在力所能及的情況下，還我們一部份債，他們就沒有辦法推辭了。」

庫米金說道：「假若中國不肯還債，又怎麼辦！」

米高揚摸摸小鬍子說道：「他不還債，你們就不要回來，這是赫魯曉夫同志說的。」

阿希波夫說道：「據我們大使館商務參贊報告，中國現在已經精窮，軍隊口糧都減了，正在打主意向澳洲、加拿大買糧食，那有力量還債？假若他們一定不肯還債，我們應該怎麼辦呢？真的住在北平不回來嗎？」

米高揚說道：「到時候看情形再說吧！我們不是預言家，算不準中國究竟怎麼辦！也許毛澤東一怒之下，全部清償呢？」

庫、阿兩人只是苦笑，第二天，率領代表團逕飛北平。

中共當局接到劉曉電報，蘇聯派來一個經濟代表團，上下都十分興奮，以為蘇聯又來談判恢復援助了，尤其是李富春更是眉飛色舞，連咳嗽都忘了。

（二六九）

接受教訓。策勵未來
大陸是怎樣淪陷掉的？

吳文蔚

但這是戰略的失敗，不是軍事的無能。比方渡海用汽車，入海百輛沉百輛，入海千輛沉千輛。不知汽車不能渡海，怎能反責汽車不夠良敏，和司機的技術不夠熟練。

說到這裏，我們可得如下結論，就是不論我們如何改善，若續以汽車渡海，入海萬輛沉萬輛，仍然難以有濟。要免去沉沒，必須改造渡海工具，走上輪船渡海之路，至低限度，亦須走上汽船帆船渡海的工具，才能達到目的。

共匪的造亂，既是集歷史、超歷史的，共匪的政權強化，也是集歷史的超歷史的。所謂組織力量無窮大，棉花紡成綫是組織，綫的效用，棉花絲毫不能代替，綫比棉花的效用是無窮大；綫織成布，是組織，布的效用，綫絲毫不能代替，布比綫的效用也是無窮的大。

共產黨由組織而強化了牠的政權，與世界各國的自由政體，情形完全不同。以前，豎型政治的專制國家，對人民有政治的區分，如古時的里、閭、隣等，可以說不是侵略性的企圖組織。今日橫型政治的民主國家，有政治目標的結合，如各政黨，亦不是侵略性的企圖組織；惟共產黨是一黨統制的國家，有政治目標的權威，與共產一黨專政的形態，及世界革命的政治慾望，加以經濟的條件，生活的控制，一面沒收，一面惠予，組織住芸芸衆生，把握住芸芸衆生的生產勞動，就是把握了國民經濟的樞紐。牠這一種貫徹鄉村的生產勞動者爲骨幹的組織，完成之後，牠的所作所爲，無處不是「民意」；無處不是「合理」；要人民負担，人民還得出之「自願」；要人民效死，人民也得出於「自動」；令人民自裁，人民還得「自動」的說「甘心情願」。

以上是檢討共匪的政策、政略，戰略、戰術與戰鬥，以及牠集歷史的、超歷史的一切造亂行爲與做法，和成功企圖，我們再就我們在大陸上極顯著的事實，拿兩點來檢討，藉以證明其理由：

第一：我們的部隊，已往守的幾百個據點，幾乎完全是全軍覆沒。這是我們最大的失敗。我們爲甚麼會造成這個失敗？答案是：並不是我們主動造成的，也並不是我們的優良器械，優良幹部，和超越兵力開到前綫做樣子，甘心把人槍都送給匪而失敗，而是共匪拿上牠的方法，使我們處處陷入被動而失敗。從這一點，我們便可以昭告盟國友人，我們在大陸上的失敗，並非是眞正戰敗，而是共產黨的政策力量，逼迫得我們不得不敗。（十一）

中國科學的輝煌成就

黃肇珩

有人說：處在今日這個時代裏，一個有志氣、有担當的中國青年，有兩條路可供選擇：獻身解救大陸同胞的戰爭；或是精研科學，發揚民族優秀的稟賦，盡我們對國家對人類應盡的責任。

多年來，中國青年也的確是朝着這兩條路上走，儘管這些路是艱辛的、崎嶇的、長遠的。

在政府的倡導、鼓勵，和海內外科學人士的携手合作，埋首苦幹，這幾年國內在發展科學的里程上，堅苦地奠定了基石。像長期計劃的厘訂，進修制度的建立，科學儀器的購置，國際學人的交互訪問，雖然國家財力是怎樣的艱難，仍全力以赴，而有了具體的事實表現。

更令人興奮的，是自由中國第一座原子爐，由一羣國內青年科學家裝置完成，開始生產同位素。以及教育電視廣播電台，由一批師生自製成功，正式開播，這兩項歷史性的工程，爲中國科學奮鬥史寫下光輝燦爛的一頁，同時也更加強了國人研究科學的興趣和信心。

很多人說，有關教育、科學的事，是不能談克難的，可是教育電視台倒眞是一件名符其實的克難成果。

今年十二月一日，這座被視爲奇跡的電視台，由教育部長黃季陸按鈕正式開播，成了自由中國第二座的電視台。人們面對這一千瓦「土製」發射機播映在電視機上的清晰畫面，都不禁爲它兩年的「慘淡經營」，伸出大姆指喝彩。

那是五十年十一月，中國工程師學會慶祝五十週年，舉辦了各種工程展覽，其中一項突出的展覽，是國立交通電子研究所教授李恆鉞帶着學生們製作的一部五十瓦的電視發射機，借在教育電台表演。

那時候，台灣還沒有電視，這部由交大師生挖空心思，用各種舊機件改造拼湊出來的發射機，發射起來，當時也眞吸引了不少人來看這新鮮的洋玩意兒。

黃季陸看到後，更喜出望外，認定它就是教育電視台的起點，一面要求他們展覽後，仍舊繼續「表演」，同時更把正式設台的大部份希望，也交付給了他們。

這部五千瓦拼湊，簡陋的發射機，說明了我們並不是沒有電視工程人才。（上）

後樂詩

杜成立　黃伯遠

十五年來無一是，四千餘日去匆匆。先憂未見功何有，後樂雖知道易窮。天下匈匈誰伯主？人才靡靡盡豪雄；蒼生五億猶孤負，我輩酸吟亦半翁。

憶香江

前人

太平江水日悠悠，五里滄波萬里流；商女後庭花有恨，詩人眼底月無愁。神州天漏誰能補？大塊椎埋鹿未收；孰舉驪山一炬火？漢家兵馬渡瀛洲！

我的社會生活

雷嘯岑

某日，我在國府陪着譚李二公午餐後，不免閒話一番。我請教譚公以寫字的要訣安在？他指示道：「多寫之外，更要多看——看各種名家的碑帖，體會其神韻。臨寫碑帖時，切忌看一筆，寫一筆，要把字帖放遠些，先行熟視某一字的全部結構後，一俯首落筆即一氣呵成，決不半途抬頭。寫多了，自然會像的，而且能得其神髓。如果一筆一筆地摹仿，結果等於木匠門架子，絕對寫不出好字來。」他又敘述了一則寫字的故事，說清道人李梅庵，一天跟曾農髯（熙）和譚先生三人，在上海小洞天吃飯，談到書法問題，李梅庵自詡他的魏碑字，無一筆不像古人云云，曾氏即答道：「所以無一筆是你的啊！」譚先生認爲寫字必須表現自己的個性，方不致成爲木匠門框架式的書法。他主張用硬毫寫軟體字，如臨顏魯公，劉石庵的字帖；若寫漢魏碑帖，即非用軟毫不可。他指出何紹基的字，是用雞毛特製的筆所寫的，都是爲要加強腕力而已。他如斯循循善誘，誨人不倦，眞不失爲先賢楷模，可惜我資質譾陋，而懶散性成，有負長輩期望，一生學書不成，思之不勝愧恨也。

在蔣總司令下野的短期間，我在南京目擊着兩椿事情，深深地感覺政治生活實在卑鄙齷齪，不是人幹的！

一爲國軍西征討唐（生智）戰役勝利結束後，南京市民舉行祝捷大會之際，羣衆游行秩序甚佳，迨走到「復成橋」一帶，忽聞人叢中發出槍聲，當場擊斃一名學生，於是朝野人士皆大爲震動，國府常委李協和聞訊連說「非嚴辦肇事人不可！」旋據報國府秘書處同事陳海澄君有從中導演這幕悲劇的嫌疑，李協公更震怒，即下令將陳君拘押，幷囑副官處購置棺材一具，擬將陳君迅予判處死刑，以平公憤。當時我與陳君雖屬同寅，而彼此殊少接觸，固不知其是否罪有應得，但認爲人命攸關，應該審愼處理，乃向李公建議，此案似可交由軍委會軍法處訊辦，他沒有肯定的表示，只說「看譚主席如何吩咐。」當天晚上中央特別委員會的主幹人覃振、謝持，以及担任組織部秘書的景定成（梅九）諸先生，一起來到成賢街李公館，商談這項慘案問題，我從旁竊聽着，據說這是一項政治陰謀，有人故意製造慘案，以嫁禍於特別委員會，作爲推翻特委會的口實。此中眞象如何，我至今茫然，但陳君幷未遇害，尋且開釋了。等到次年四月間，蔣總司令回國復職，胡漢民亦重返南京主持黨政事宜，正式改組國府與中央黨部時，所有在京的黨國要人，都有適當的職位安排，唯獨李協和一人屈居閒散，譚組安先生引爲遺憾，曾在政治會議席上提起此事，而胡漢民卽謂：「他是復成橋慘案的禍首，政府不處分他，算是很寬大了，還能讓他過問國事嗎？」衆人聽罷皆默然。馮玉祥頗抱不平（他已被遴任爲行政院副院長兼陸軍署長），次日寫了一封親筆長函致蔣總司令，教薛篤弼（新任內政部長）當面遞閱，內容是爲李協和說項的。蔣總司令囑與胡展堂先生商洽，表示他個人沒有成見，這是薛氏親口對我談的經過事實。至於胡展堂對李協和何以如此憎恨呢？實係他倆由來已久的宿嫌所致，不過假藉復成橋慘案來打擊、排斥李氏罷了。此中詳情說來話長，只好從畧。（十四）

康有爲的觀對

丘峻

康：「今日之患，在吾民智不開，故雖多而不可用。而民智不開之故，皆由以八股審士爲之。學八股者，不讀秦漢以後之書，更不考地球各國之事，然可以通籍，累至大官。今羣臣濟濟，然無以任事變者，皆由八股致大位之故。故台灣之割，不割於朝廷，而割於八股；二萬萬之欵，不賠於朝廷，而賠於八股；膠州，旅大，威海，廣州灣之割，不割於朝廷，而割於八股。」

帝：「然。西人皆爲有用之學，而吾中國皆爲無用之學，故致此。」

康：「皇上既知八股之害，廢之可乎？」

帝：「可！」

康：「皇上既以八股爲可廢，請即自下明詔，勿交部議！若交部議，部臣必駁矣。」

帝：「可！」

至此，德宗以國家奇窮，問籌欵之法。

康乃重述前在總理衙門所談，日本銀行紙幣，法國印花，印度田稅等等，皆可取法。並奏陳築路，開鑛，興學，譯書，與派遣遊學，遊歷，及其他可行之事甚詳。且謂：「中國地大物博，藏富於地，貧非所患也，但患民智不開耳！」

康氏在召對中，每畢一事，即稍息待命，而帝不命退，乃復奏關於用人行政，及推廣集會結社等，以啓發民智，而激揚民氣。

帝點首：「你可退息！」繼謂：「汝尚有言，可具摺條陳！」康氏退出，帝目送之，大有相見恨晚及惜別之意。

此次召對，達二小時半，實屬破例。從此，德宗以氏爲奇才，倚爲維新之指南，即令樞臣傳旨授以卿銜；但因恭親王、榮祿、剛毅等多方阻撓，結果只得面諭軍機大臣着在總理各國事務衙門章京上行走，惟特許專摺直奏，參預大政，統籌全局。氏籍口編書，終未就職，德宗亦不之強。於是乃將所編著之「突厥削弱記」，「波蘭分滅記」，「法國革命記」，「德國變政考」，「英國變政考」，「列國政要表」等書，繼續進呈，而每書冠以序文，或加按語，引證國事，斟酌損益，藉以表達其對變之條理與次序。中有「守舊不變，壓制其民，必至亡國」之語，痛切感人。德宗讀其書至「波蘭分滅記」，了然於波蘭被俄與分滅之慘，士民受俄人荼毒之酷，國王被俄人控制之害，守舊黨過抑之深，後國王憤圖變法，俄使列兵禁止不許，終至滅亡，尤深感動。特賞氏編書銀二千両，亦屬空前之舉。待遇之隆，誠可謂「另眼相看」矣。

總觀康氏前後兩次會談，一對大臣，一對皇上，均能侃侃而談，旁若無人，一如其上書之慷慨悲壯，痛快淋漓，言人敘事，無所忌諱，可謂有識有膽。孟子云，「說大人，則藐之」。康氏有焉。是固氏之所以被稱爲「狂士」也歟？（五。完）

南宋偏安有人才

李仲侯

風波亭舊址，現因改建監獄，已無遺蹟可尋。然在從前曾建有土地祠，祀飛爲土神，庭前並有精忠柏一株，相傳岳飛被誣，同日枯槁，歷七百餘載堅赤若鐵，僵立不仆。明項充汴、清彭玉等均會繪圖繫說，立碑紀異，彭氏銘語且有：「精忠有柏，在浙司獄，宋大理府，昔風波亭，今土地廟」等句，可資考證。

杭州九曲叢祠遺址，爲今杭州市衆安橋河下十七號、忠顯廟，其地在南宋爲北郭叢葬之所，傳即岳飛死後初瘞處。考朝野遺記：「王薨於獄，臨安義士隗順痛王冤，潛負王屍踰城葬於九曲叢祠；王素佩一玉環，隗順仍置之腰下，樹雙橘以誌。將終謂其子曰：異日朝廷必求改葬，汝可告之。」金佗時事錄則謂：「隗順爲大理寺獄卒，王薨有棘寺符勒順瘞屍，順負屍潛瘞北山之濱，上置鉛筩，藏符爲記」。北盟會編則謂葬臨安菜園中。南宋相眼則謂其壙在錢塘門外，當時私號賈宜人墓。鄂王事實且謂：飛卒，檜未知其屍，一士人賣螺殼以掩其墓，遂成塚，堅如墻壁。衆說紛紜，莫衷一是。

及孝宗即位，詔復飛原官，並懸三班借職錢五百緡爲賞，購求飛屍。隗順子始以告，敕改葬臨安府西湖上棲霞嶺之陽，即今墓是也。

（一一四）

內政部台誌字第〇三〇號內銷證

自由報

THE FREE NEWS
第四〇六期
中華民國僑務委員會頒發
台誌港字第三二三號登記證
中華郵政台字第一一二八二號執照
登記為第一類新聞紙類
（本報每星期三、六出版）
每份港幣壹角
台灣本售價新台幣貳元
社長：[illegible]
督印人：黃行[illegible]
社址：香港銅鑼灣高士威道二十號四樓
20 CAUSEWAY RD 3RD FL.
HONG KONG
TEL. 771726　電報掛號：7191
承印者：田風印刷廠
地址：香港灣仔高士打道二二一號
台灣分社
台北市西寧南路[illegible]號二樓
電話：三〇三四六
台郵撥儲金戶九二五二

日本的二重外交

薩孟武

二重外交，這是日本的技術。抗戰以前，二重外交由陸軍部及外交部分任之。陸軍部執行侵略的政策，若遇外力阻止，不能成功，則外交部出來緩和。日俄戰爭之後，日本都是利用這個方法，以實現其侵略的野心。

戰爭敗北，日本的軍部勢力顛覆了。於是二重外交不由同一內閣內兩部來執行，而由同一政黨內兩派來表演。這種兩個面孔的外交，行之得法，未必不能收功效於一時，然而世人的眼睛是明亮的，那會永久受其欺騙。

最近日本連續做了三件媚共的事：一是將尼龍製造工廠成套設備，賒給毛共，二是明年在東京舉行的世界運動會，只許中華民國選手用台灣名義，三是要將投奔自由的周鴻慶送至匪區，同時又派自民黨副總裁大野伴睦以日本首相池田勇人特使身份，前來中華民國訪問。這種雙面的外交，巧妙固然巧妙，所可惜的，我們中華民國不會受其欺騙。

國際上只講利害，這是事實。但只顧利害而忘信義，又常不能得到良好的結果。日本以尼龍工廠成套設備，賒往共區，只就利害而言，已有問題，大率日本願把海外尼龍市場讓與中共之故。美國以小麥賣給蘇俄，使奴工能夠苟延殘喘，不想反抗，已經錯了。而日本更以工業設備賒往中共，使中共能夠發展輕工業，用意何在，吾人實難了解。

日本提議中華選手在世界運動會內，只能用台灣名義，更是荒唐之至。中國有大使派在日本，不曰台灣大使，而曰中華民國大使；日本亦有大使派在吾國，不曰日本駐台灣大使，而曰日本駐中華民國大使。中日兩國之有邦交，是很顯明的。對於運動選手，竟然不用中華民國名義，這種自相矛盾之事，日本能夠做出，無非是兩面外交之作祟。事如成功，自能討好共匪，不能成功，則誣稱非政府之意，乃民間團體之意。

至於將投奔自由的周鴻慶送往匪區一事，不但道德上違反人道，而且法律上又違反聯合國憲章。聯合國第三次大會曾發表「國際人權宣言」，其第十四條云：「凡人均有權在別國境內覓取並享受避難處所。但犯罪非由政治的原因，或其行為因違反聯合國的目的與原則而受處分者，不得享受本項權利」，即不但政治犯不得引渡，因為受了本國壓迫，而避難於別國者，亦不得引渡。日本現已加入聯合國，而為聯合國之一員，自應遵守聯合國憲章，否則就是違反聯合國的目的與原則，是否有資格繼續為聯合國之一員，大有問題。

日本從事各種媚共行為之時，又派了一位大員大野伴睦，前來中華民國訪問。行為上的媚共與口頭上的親華，能否抵消？這種二重外交未免太過幼稚了，幼稚得連小孩子都不會受其欺騙，而日本竟然能夠做出來，我真嘆息今日日本的政治人才太不像樣了！

當然日本這種行為尚有一番用意，就是不希望中國統一。就中國的歷史言，統一則強，分裂則弱。當一九二七年我國革命軍北伐成功之後，中國快統一了，於是繼續不斷的發生日本挑釁之事，西安事變之後，日本知道蔣委員長聲望極高，於是又急急忙忙的在蘆溝橋進攻中國軍隊，終而引起中日戰爭。日本狃於舊有對華政策，當然不希望中國反攻。池田勇人以內閣總理之地位，竟然口不擇言，謂中華民國沒有反攻的希望。這種話難道是一個友邦的當政人物所應說的嗎？

兩個德國是歐洲許多國家所希望的，不但蘇俄而已。殊不知德國不能統一，歐洲即永久要受共黨的威脅，全世界不能安定。兩個中國也是日本所希望的，中國有一句話：「王業不偏安，漢賊不兩立」，這種思想深深印入中國人的腦筋，誰都不能制止。今日中原遺黎受苦深矣，各地暴動頻生，即其明證。大陸人民希望王師之至，有甚於在台灣和海外人民之希望反攻。王莽的井田聖制與五均六管，尚且引起民衆暴動，終有光武的復興，則所謂人民公社及資財國有制度，更必引起民衆反抗，自不待言，我們光復大陸，不過時間問題而已。所以，日本人若狃於舊有思想，而以幸災樂禍的態度，對中國搞兩面人的外交把戲，那就是怙惡不悛的帝國主義作風之復活，中國人民永遠不會忘記，亦有對付的方法可尋，決不默爾而息的。自二次大戰結束以來，印度尼赫魯師承其宗主國的衣鉢，對我國採取幸災樂禍的策略，而在國際間偽裝中立主義面目，結果招來毛共的武力攻擊，國家瀕於危亡之境，若不是世界三數新舊帝國主義國家間充滿着矛盾因素，不願印度淪於毛共之手，則印度洋岸早已赤旗飛揚了。日本在戰後的處境，比印度更危險，因為共產集團明白宣示以日本為假想敵人，必欲得而甘心的。然日本竟想玩弄二重外交魔術，企圖混水摸魚，寧非愚妄耶？日本過去留在亞洲人心目中的惡劣印象，尚待消除，而又故態復萌，重施其失敗的故技，覆轍相尋，不知禍至之無日，實在太可悲哀了！

袋裡乾坤

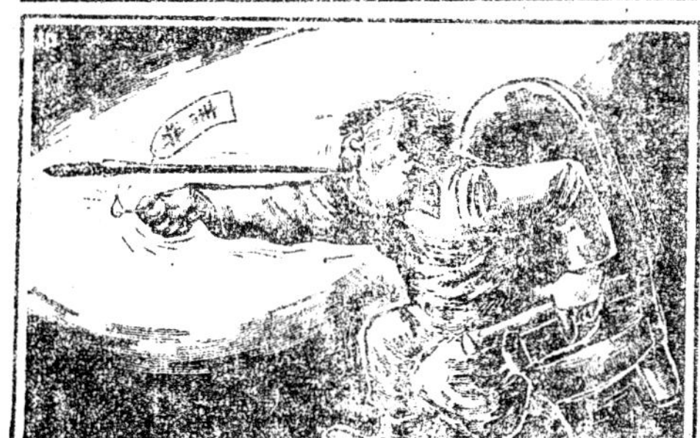

鞭長莫及

今日與明日

新興國家怪事多

西方國家常把亞非地區叫作落後地區，乍聽來十分刺耳，但是經過戰後亞非各地紛紛獨立，一些新興國家的領袖所作所為看來，雖欲不承認是落後地區亦不得了，這裏就有三個活生生的例子。

亞洲蒼蠅施哈諾

高棉的那個施哈諾，自以為自己是個了不起的要人，實際上完全是個綠頭蒼蠅的作風，蒼蠅之為物，要說對人類有什麼大害，到也不見得，可是，牠一天到晚在耳傍嗡嗡的聲音，實在使人討厭。以施哈諾來說，日日都有他的新聞，風頭是出足了，但是任何人聽到他的聲音，都會捧腹作嘔。最近幾天，一再叫嚷要世界強國及其隣邦開會保障高棉的中立，否則他就投向毛共。其情形有類一個小兒要挾父母，不給糖吃就跳樓，但是你真不給糖吃，他還是要乖乖回來吃飯，只是讓大人多皺兩次眉頭而已。

世界上的真正中立國家，經各國公認的前有瑞士，後有奧地利，但這兩國是真正中立，瑞士沒有加入聯合國，奧地利雖然加入聯合國也向不問世事。即以有關中國代表權為例，奧地利年年棄權。而施哈諾一貫惹事生非，今天要管寮國事，明天要理越南的事，去年聯大會議竟同毛共尾巴阿爾巴尼亞聯合提案，要求准許毛共偽政權加入聯大，世間那有這樣的中立國，自己根本不中立，却要別人保證其中立，荒謬到了極點，却恬不以為恥，日日在世人耳邊嗡嗡，以此為榮。

風流總統蘇加諾

蘇加諾的風流事跡人所共知，此公還有一個特點是愛旅行，當今世界元首論到足跡之廣，蘇加諾似乎不作第二人想。最初我們還以為到各國訪問為了愛出風頭，那知道還是為了風流，到一處留一處艷跡了，在日本帶走一個藝妓，在瑞典為命令領事代找一女人，此領事竟被瑞典政府以妨害風化罪驅逐出境。蘇加諾風流之餘，竟然拉開架式要破壞大馬來西亞，究竟蘇加諾目前還有什麼挑釁的本錢，想起來就使人為之捧腹。

新獨裁者恩克魯瑪

非洲迦納總統恩克魯瑪，未獨立前頗負時望，獨立後却大量誅鋤異己，判反對黨領袖以死刑，最近又發動人民複決憲法，是否贊成他的一黨專政，把戲越變越新鮮，此公的聲望却也越來越低落，相信被推翻的日子已不在遠。

寸步荊棘

俗言「寧為太平犬，莫作亂離民」，這話確有至理存焉。

亂世的人民，縱然安份守己，不問政治，甚至堅守着「莫談國事」的戒律，而以「不識不知，順帝之則」為生活軌範，亦會感受到若干意外的痛苦，遭遇到不必要的麻煩。例如：居民要有身份證，外出旅行需用通行證，出境入境必須經過官府許可等等，這在太平時期是少見的。

身份證的來歷，創始者是希特勒的納粹政權，他為着排斥猶太人，提倡人種優越感，表示日耳曼民族是世界上最優秀的人類起見，乃訂立「國民身份證」制度，藉以消除猶太人種。嗣後其他國家雖無種族鬥爭的事實，亦繼起效尤，凡在統治之下的人民，皆得領取身份證，旨在加強其管制民衆的政治力量，實與希特勒創立這項制度的用意大異其趣了。至於出門必需通行證，旅客出入境內，事先須經過官方許可，這原是鐵幕地區首先發明的。共產政權以人類為芻狗奴役，要榨取全民的勞力，控制每個人的思想行動，又害怕外來的旅客是間諜，就用「通行證」「許可證」以嚴密管制之，人民由甲村到乙村，亦須持有通行證，而其他非鐵幕地區亦相率採用同樣方法，一體施行。如是乎，全球人類在日常生活上，平添了許多煩擾，發生了許多困難，連行路之自由亦沒有，真是寸步荊棘，有如昔人所謂「八表同昏，平路伊阻」的現象。人類文明越進步，而人生的樂趣與幸福，乃每況愈下，不亦大可悲乎！

十四年前，人們出進香港時，除着接受照例的行李檢查而外，來往自由，沒人過問；而今呢，天空、地面、海洋這三大空間，皆有嚴密的封鎖線，絕無自由出入之可能。前年有個外來旅客，因為缺乏各種證件，坐船到香港不許上岸，送到澳門亦禁止登陸，解來解去，竟在海洋中飄流了兩年，才徼幸得到澳洲官方許可入境。我在報紙上看到這項消息，即為之惻然不歡，深深地感覺亂世人生的價值太低賤了。追究本源，納粹與共產政權殆為罪之魁。孔子曰：「始作俑者，其無後乎！」納粹法西斯主義已自斃了，多行不義的共產主義，在全人類憎恨詛咒之下，若說它能夠永久存在，吾斯之未能信也！

馮正先生

在立院檢討葛樂禮風災 袁良驊高呼振飭紀綱

我一提到修港關渡出水口，眞是感慨萬千。因爲歐珀颱風來了之後，政府馬上組織一個防洪小組，請沈怡先生主持其事，我們知道沈怡先生是國際上都有聲望的水利工程專家，當然會不負衆望。而他也就跟着宣佈第一年治標第二年治本的計劃，我們民衆聽了眞是開心極了。不料這次葛樂禮颱風來了之後，他的眞相可暴露了，原來他所標榜的治標工程，對於最重要的水口關渡，仍是原封未動，只是把河道旁邊的草寮和小樹給剷平了。各位知道這些事原是拆除大隊的事，現在勞動國際知名的水利專家來搞這種事，未免大材小用了。我也眞不知道過去在國際上著有聲望的人，回到國內就會如此不濟事，我請問你有什麼苦衷，告訴我們一下好不好。

最後我要求政府振刷紀綱以安民心。我們知道中國自堯舜以來即重視水利，因爲他關乎國計民生的利害太大了。在舜帝時洪水爲災，他派鯀去治水，鯀只知築提圍堵，而放水又無方，因而使洪水泛濫，於是舜帝就把鯀給殺了。又要他的兒子禹去治水，禹改採疏導的方法疏了九河，使洪水暢流出海，因而得以消弭水害。後來舜帝見禹確是有功於天下，就把自己的皇帝位讓給他。這是表示有功則賞，有過則罰，綱紀分明，所以造成了歷史上有名的堯舜之世。而後代對於治水的方法，亦均本此原則去做。一直到滿清時代在我十五、六歲的時候，還看到過報紙登載，當黃河出了毛病之後，治河督辦砍頭，下面的人依次或充軍，或革職。而今我們自來台灣之後，每逢天災大家就說這是天公所賜，與我無關，可是實際眞的是天公所賜嗎？

我可以舉兩個例子來說明這完全是人爲造成的：首先說彰化的水災，該縣的河道本身就曲度過大，犯了逢灣不截角，遇淤不挖心的大忌，水流湍急，因此在每段河水轉角之處的河堤，就很容易被沖垮，而兩座公路橋，大肚橋和烏日橋，偏又和鐵路橋建得很相近，相距不到八十公尺，並且它們之間的橋礅不一致，公路橋的兩端引道也太短促，因此每有洪水，就互相衝撞，造成迴旋的激流，以致那裏的鐵路和公路橋就在這樣影響之下相繼倒塌了。所以在八七水災的時候，彰化附近就以烏日橋和大肚橋一帶最爲嚴重。你能說這是天災造成與人無關嗎？後來當波密拉颱風水災過後，水利局呈報行政院說這一次的洪水是三十二年一頻率，就是說三十二年才有一次這樣大的水；可是現在天公好像要打他的咀巴來懲戒他說謊似的，年年都來一次大水災，政府爲什麼也不追究責任？這一次葛樂禮颱風所造成的災害更是嚴重，如果政府還不追究一下責任，那麼我想就是天大的本事如沈怡先生也無所施其技的。因爲對於整個工作是要大家合作才行，如果光靠他一個人，你緊張我不理，橫豎只有賞而無罰，樂得玩忽職務，你叫他一個人有什麼辦法呢？所以政府一定要振刷一下紀綱，否則水利前途是不容樂觀的。（下）

香港與大陸

士兵一致不滿其暴虐政治 毛共軍紀實在一榻糊塗

規避參加練武與政治思想學習 逃跑甚至入山打游擊者多有之

中共爲了穩定軍心，提高共軍士氣，近月來又在辦理冬令救濟「軍烈屬」的工作，一方面分派一些特殊的物資，名之爲救濟慰勞，一方面卻又要那些「軍烈屬」寫信給自己的子女或子女生前的「同志」報告家中「幸福」的生活和鼓勵他們好好練武，「保衛社會主義」。

據上月中旬曾同大陸探親甫返抵港的某君向記者透露：中共軍隊最近幾年，實在是「吊兒郎當」，一般中下級的官兵，他們不但不是政治思想覺悟最高的人，也不是像共產黨宣傳那樣「勤奮地練武」，「隨時準備消滅冒犯的敵人」，而是大部份都對中共各項政策不滿，他們有消極的抗拒，也有積極的反對。

某君稱：他有一位堂弟是現役的軍人，這次聽到他從香港回去，因爲十多年沒有見面了，乃特地向「組織上」請假，欲返家一行，藉作良晤，卻雖幾經哀求，「組織上」都拒予批准，逼得只能寫信回家向他這位堂兄問好算事。

某君說：但那封信與其說是問好，不如說是發牢騷，因爲他堂弟的那封信，清楚表明不滿軍隊那種單調的生活，强調他自己原是希望能多讀一些書，將來成爲一個有智識的人，可是卻爲了被中途停學，强迫參軍而告幻滅。接着又報告他們在軍中的情況，說：他的同志大部份都是年青的剛離開學校的學生，大家的思想都異常的接近，一致對共黨各項政策不滿，因此也不約而同的，不願參加「練兵」，也不願參加「政治思想學習」，而是整天「睡大覺」，或「嘆其小說」。逃跑的事件司空見慣，甚至持槍逃跑上山打游擊的事也所在多有。所以共軍的「軍紀」，實在一榻糊塗。

某君又說：中共近月來又在全國範圍內展開所謂冬季救濟「軍烈屬」的工作，中共是把這等「軍烈屬」，說成如何「光榮」啦，「祖國」和「人民」應該如何感謝他們培養出「優秀兒女」啦……之類的話，以爲如此可使人民崇敬他們；接着是由公社負責分派救濟金，和救濟的寒衣等等，用這些小恩小惠去拉攏「軍烈屬」。

某君說：這些舉動，表面上看起來是如何的「擁軍優屬」，其實拆穿其「西洋鏡」，則還藏着一個不可告人的陰謀，其目的並非眞正救濟「軍烈屬」，而是利用「軍烈屬」，因爲共幹「示意」這些「軍烈屬」，都得寫信給自己的子弟或子弟的生前的「同志」，報告「政府」的這種優待。而且，有的地區的共幹還公然表示：如果「軍烈屬」不寫這樣的信，便得不到「救濟金」與「救濟寒衣」。有的共幹還公開說：寫一次這樣的信還不夠；必須繼續的寫下去。中共辦理冬令救濟「軍烈屬」，目的何在，不是清清楚楚的了嗎？

世界第二雨港

基隆旅居記

仲公

此外市區內流向海灣的還有三條小溪，曰田寮溪，曰蚵殼溪，曰牛稠溪。田寮溪發源於舊宜蘭街道遺跡的西方，中間匯合許多小溪，到了基隆東明路，水勢稍大，再經博愛橋入海；自海口迄潮水能達該溪之處，約一公里長，於宣統二年，開鑿爲運河，寬廿七公尺，深一、二公尺，對搬運上游的工業品和煤炭，頗稱便利，也是小型船隻最好的避風所。蚵殼溪發源於大竿林溪谷，流至獅球嶺橋畔轉基隆隧道口成爲瀑布，再向西北流注於海；海口至上流約五十五公尺的一段，同樣被開鑿而成爲運河。牛稠溪發源於西方大武崙，在牛稠港入海，此溪流甚細，無甚作用。

基隆第二大缺點就是氣候。基隆以全世界第二雨港著聞於時，不但雨季長，而且雨量多，全年平均雨日達二一三天。冬季十月至翌年三月間，每月平均之雨日爲二〇點八天，其中以十二月爲最多，計爲二二點七天；夏季自四月至九月間，每月之平均雨日爲一四點八天，其中以七月爲最少，計祇一〇點三天。全年平均雨量，多達二，八九九公厘。每月平均雨量，都在一〇〇公厘以上。雨最少的七月，亦爲一三四公厘；雨最多的三月，竟達三〇二公厘。

在雨季的時候，常是連雨兼旬，恰似內地的黃梅雨，終日終夜，淅淅瀝瀝。而且雨是挾着風勢對人橫掃。在基隆居家的人，到了雨季，如想出門，必須穿着雨衣，兩足蹬上長靴，頭上還得頂着雨傘，纔不致打濕身體。（十五）

服裝表演第三次 工姐競選益激烈

（本報訊）第廿一屆香港工業出品展覽會爲發揚本港棉紡、毛織各業出品，及提倡香港人用香港貨，在工展期間，舉辦服裝表演，第一次第二次經於日前舉行，第三次定於一月二日下午八時，在工展會表演台舉行。

二日晚蒞場表演服裝之小姐仍爲二十一個單位，多數仍照舊派前次代表之小姐參加，但服裝全部更換新裝表演。

△工展會宣傳部，以「促進香港工業評議」爲題所舉辦之徵文比賽，業經評定甲乙。

△工展小姐競選，迄元月一日之前五天，仍以莊淑嫻居首，先一日尚居第四位之曹珍妮，則突以接近萬票冒升至第二，與莊淑嫻已頗爲接近，今後競爭勢必益烈。

訂正：本報四〇三期第二版「行政院改組前前後後」通訊中，有「中央委員會」，央字誤植共字；第三版迄「雜想」一文，作者「南方」漏植，合亟訂正，拜致歉意。編輯部

周宏濤談銀行利率

——本報台中記者熊徵宇——

省議會三屆二次大會，從十二月十九日開始，到十二月廿七日截止，都是審查審議預決算的日程。各被審議的單位主官，都得照例列席「被審」。那是說在各部門業務中的預決算，碰到有疑問的時候，議員們就得提出意見，由主管單位的首長答覆。

在這幾天的審議過程中，最引人注意而表現得具有聲色的，可以說是財政小組。在這一委員會裏，不但是議員們對於本省的財經問題提出很多有意義的建議；而主管單位的答覆，也都非常中肯，是一種可喜的現象。大家對問題都很認眞。

議會討論熱烈

在許多財經問題中，議員們對於應當降低目前銀行利率問題，討論得很熱烈，目的乃在藉以鼓勵工商業的發展。

財政廳長周宏濤對這個問題做過很有價值的分析，答覆得很詳盡。在台灣的報紙上，似乎都是斷章披露，未見全貌。我覺得有專欄報導的價值。

這是目前很重要的問題，值得關心財經問題的人看看；從他答覆裏也可以研討。

周宏濤做分析

周宏濤說：一般言之，利率乃係利用資金的成本，而決定利率的高低，似乎有五個因素：

首先要看國內資本市場資金的供求情形；第二在於貨幣價值的指數；第三要看利率在生產成本及產業利潤中所佔的比率；第四視乎國際的利率標準與第五銀行成本會計與貨幣價值等，各方面予以綜合考慮。

他說：本省銀行存放款利率，年來已一再調整降低；目前市場的利率，約爲百分之十八左右。而行庫押質放款利率，則僅爲月息百分之一點七。

本省現行的銀行利率，本年七月間甫經調整，如減除貨幣物價等因素影響，與一般國際利率的年息百分之六比較，也很接近。

周宏濤說：外銷放款現在已經達到國際利率的標準，跟別的國家比較，並沒有多大的出入。

他說：我國現行利率所以較其他國家偏高的原因，也不外乎是五個因素：

（一）國民所得太低；（二）市場資金缺乏；（三）政治性的風險較大。第四個因素，乃在工商本身所隱藏的風險。而第五則是貨幣與物價的風險因素。

他說：任何補救或改進之道，似乎都必需縝密防止或者是減少這五個因素的發生，才能希望有效果。

各國差距比較

周宏濤指出：目前我國一般金融機構，對於現行放款的利率所以不便率先降低的原因，其目的無非是在謀求獲取高利。這也實在是因爲存款與放款之間，差距過低的原因。

他說：我們可以就世界各主要國家現行存放款利率的情形來做個比較：

存款利率：在美國是百分之三點五〇；英國是百分之二點〇；法國是百分之二點三七五；西德是百份之二點七五；日本百分之五。我們中國是百分之十二。

放款利率：在美國是百分之五點九〇；英國是百分之五點五；法國百分之六點一；西德百分之七點五；日本百分之八。我們中國是百分之一五點八四。

比較差距：美國百分之六八點五；英國百分之一七五；法國百分之一五六點八；西德百分之七二點七；日本百分之六十。我國百分之三十二。

値得縝密考慮

「根據這一比較，可見我國現行存放款利率間之差距，較之世界任何國家爲小」。周宏濤說：「這也就是說明我國的銀行經營利潤率較低，而其經營亦較其他的國家爲難」。

他說：在這種情形之下，欲求放款利率降低，似乎就必需以降低存款利率爲前題。而降低存款利率，就必須考慮是否將導致社會資金退出有組織的金融市場。所以要求金融的安定是重要的。

對這個問題，我國在過去已經有過長期的痛苦經驗；尤其是在此時此地，我們實在不能不預爲計慮。

而同時，銀行所經營的存放款業務，都是契約行爲，在其所訂契約尚未屆滿之前，銀行無法擅予更張。

周宏濤說：「今後能不能夠就這點謀求改進？値得我們重視。這確實是一個大問題。」

他說他要根據事實力陳得失，建議中央迅賜考慮；使本省工商漁農各業獲得進一步的發展。

周宏濤的分析與答覆，當然是贏得了財政委員會的鼓掌。

但是這個分析値不値得我們再研究哩。

父親

文芬

我考到第一名，高高興興。嘴裏吹口哨，腳踢石子。這被父親看見了，狠狠地瞪了我一眼。

到晚上，父親叫我把成績單拿給他看。我以爲父親看到會高興的。我雙手遞上去，父親的老花眼鏡在成績單上看着，臉孔更加拉長。

父親把成績單放在一邊。

「你以爲考個第一就是了不起，」父親責備我：「如果你這樣下去，你就是失敗者。」父親這樣的澆我冷水。

父親脾氣古怪。那年災荒，家裏什麼東西都沒有，吃稀飯都成問題。我的身子本來就不大好，身子因此更加瘦弱下來，變成了皮包骨頭。

外婆家是有錢的，父親就是不去。有一天，媽媽和父親帶我去看外婆。外婆看到我，就把我抱住。對媽媽說：「把芬留在這裏。」

就在這時，父親不見了。外婆祗是搖頭。「他也眞是的，到岳母家來，連口水也不喝的。」

「我也要走了，」媽說：「芬就放在這裏。」

外婆對媽望了一眼：「你也是。你也受了那書呆子的影響。」外婆在箱子裏拿出五塊袁大頭塞在母親手裏。

父親就是喜歡看書。他的書房內都是書。桌上是書，架上是書，連架子下面也是書。每年到端陽時候，大太陽天，父親就把我找去，給他搬書。

一堆堆的書，一箱箱的書，搬到太陽下面曬。父親一面曬，一面翻着看。太陽曬着父親，父親一點都不理會，媽媽看到祗是搖頭，然後在屋裏拿出草帽，給父親戴在頭上。說：

「你這樣曬下去，中了太陽的毒，又要……」

父親的眼睛在玻璃後面對着媽微笑。

父親讀書，有時到深更半夜都不上床，冬天也是這樣子的。

有一個夜晚，我和媽睡的很熟。我的腳亂踩，把被子踩落到地上。父親放下書本給我蓋好。這把我和媽媽都驚醒了。

媽問父親是什麼時候了？這使父親看看手錶：「四點了。」

「你還沒有上床？」

媽馬上爬起，捉住父親的手。我也爬起。我的臉孩在父親臉上，他的臉冷冰冰的。

父親爲人正直，不畏權勢。那時我唸初中。地方上有個惡紳，侵佔王寡婦的土地。王寡婦找上父親，父親氣的祗是吹鬍鬚，瞪眼睛。父親說：「這還成什麼世界。我就不怕！」

惡紳也怕父親出頭，就在晚上拜訪父親。父親不肯見。第二晚惡紳又來了；一見父親，祗是拱手，然後就送父親很多袁大頭。

父親把袁大頭都抛到外面，說：「這太不像話了！把我也看成一般人一樣。」

於是，父親代替王寡婦出面，打官司。惡紳就來威嚇父親。說要用武力對付父親。父親不理會，終於打贏了官司。

父親在大陸上沒有出來。每當聽到恭賀新禧聲，鞭炮聲，我就想起父親。

父親給我的印象太深、太深了。

劇氛縹緲錄

婁婁生

言樂會彩排地點，在宣武門外江西會館，每逢星期六舉行，每次約有四五齣，全是崑曲，而人才濟濟，多爲度曲專家，除侗五以外，滬上袁寒雲克文，長洲吳瞿安梅，姑蘇趙子敬、王君九、汪棣卿，嘉興劉鳳叔、朱荇青，滿族鍾秋岩，有時孫菊仙、陳德霖、韓世昌，偶爾參加。坤票則不太多，皆坐池座靜聽。每次聽衆不多，僅有二三百人。唯一特點，開戲以後，絕無談話之聲，一片靜肅，雅樂悠揚，有助聽覺。向外概不售券，每券約值銀元一枚，其辦法是每次彩串，須用四五百元，（約值新台幣六千）先由演員取券，例如四五十張，則付二百元，餘由其餘社員分攤，二三十元不等，由他們送戚友也好，付推售也好，因此每週不斷，風雨無阻。這個組織，頗震撼內行。在排演遊園驚夢之夕，由侗五與陳德霖來唱，蘭芳、硯秋、小雲等內行，到十餘人，皆是觀摩，終場始去，其號召威力可知。除了上海的崑曲傳習所，差可比擬，其他則無此也。

言樂會成　崑曲大盛

言樂會的特色甚多，首先談平湖朱荇青，名杏卿，在崑曲的旦行戲很豐富，尤其足傲內行的，是唱昭君出塞，當場彈奏琵琶，雖未彈完胡笳十八拍，也有半小時之久；歷觀無數的出塞，誰有這一手，現在想來，此曲祇應天上有。他演小宴，折柳陽關，琴挑問病等，皆有精采的唱腔與身段，爲該社中堅份子。嘉湖兩郡，多度曲之士，每逢六七月間，必在嘉興南湖尋趣，荇青絕藝，想不到在故都獨占鰲頭，時勢造成歟！

更名貴的是某次演釵釧大審，特約孫菊仙溢止，與侗五合演，是夕到客竟至四百餘人，孫氏在外間也從未排過，祇是這遭。袁寒雲亦頗精於律，常在週末由津沽趕來，某次演慘覩，飾建文帝，描寫出奔情景，大有自演身世，極力烘托，得入微，無不贊許之。而唱鑽狗洞的鮮于佶，又十分諂媚，滑稽之至，與前戲大異。寒雲嗜劇，所到之處，興至必有登場，在上海亦串多次，於天馬會在夏令配克戲院，演藏舟，飾清河王，徐淩雲會稱爲不同凡響。

每逢其他社友串演不多，侗五郎親自袍笏登場，凡是崑曲中的生或小生，皆可配唱，得心應手，妙在自然，間或串演皮黃，如打鼓罵曹、除三害、達隆店等，均甚精到。更有名票包丹亭亦偶串演，如探莊、雅觀樓等。有一次唱翠屏山代殺山，尚慧生自動來配，分文不取，眞演得聲色俱佳，感動座客，假使再遲五年，慧生名噪，亦不易致之。許多社友屢請侗五一試別母亂箭，卒以無相當的老旦，終未實現。他能唱周遇吉與周母，若有人能唱周遇吉，仍可成功，惜乎此戲祗有他與叔岩能之，並無第三人。他所學的周母聞投自姚增祿，在梨苑爲獨步。（十九）

藝術叢談

抽象藝術漫談

趙雅博

這以上幾句話的意義，乃是說主體（我們也可以就是人）爲了領會，得到一個客體或者一件藝術品的美，他應該秉賦着一種能力，這個能力在主體的運用下，能審美的符應着這個客體的美。爲了使人造美或自然美的事物，能讓主體發生美感，首先是應該要這個主體佔有使自己美感的能力，也就是使自己在其中得到喜悅。如果在談美的默觀，或者說是身臨其境，在作美的默觀時，沒有這一容積或展開面，就是說使所默觀的事物或作品與主體本人成了同性或同化的，則主體想得到一件事物或一個藝術成品的美的意向，一定要完全失敗無遺的。因爲我們的美感並不是一種本能，也不是天生就現成的，一如知識乃是後天的，那末對美的默觀，也需有一種美的欣賞興味的教育，有了這種因教育而來的知識——這種教育能夠從學校，教師，書本或大自然的事物中得來，才能使我們整個的人，有力符應從美中所溢出來的美感流波，才能使我們的精神，從我們因感官或理性所得到的美的形式中，獲得喜悅。然而由於人之爲物，人的這個現存在，乃是歷史的，是歷史的自然多多少少是他的時代的產物，也就是這樣藝術的產品有其時代性，有其適合於歷史時代的演變性，因之對藝術默觀，對美感欣賞的興味，也自有其時代性，兩者互爲表裏。藝術品的美與不美，就是這樣的含有了時代風，也就是這樣的才有了變換，但是其所以變換的目的，無非是在求獲絕對美，絕對美既不可得，因之便有相對美的變換不已。而藝術成品之變革以成，而人類對相對美之藝術成品的欣賞趣味，也就有各式各樣的不同了。

總結前述，我們要將對藝術的主觀容積或開展面，加以歸納，其結果：（一）藉着感官或理性領會一個美的形式並對它有了瞭解。（二）精神在領會的形式上感到喜悅。在這種領會美的主觀容積中，能夠發生的情形是：沒有獲得美的形式；再則是把握到美的形式，而對它並沒有瞭解。最後還可能是把握並瞭解了，但是在精神中卻沒有喊醒了美感，對那個東西或作品，沒有興味或喜悅。這其間的原因，或者是由於我們的天生如此，沒有這種美感的銳敏，這其間我們知道有很多人是有部份的美感盲目的。或者是因爲我們沒有得到足夠的教育，使我們喜悅或愛好這種作品，這樣的情形，我們稱之爲部份的能力盲目。如果我們對這一切因素都有注意，我們便知道爲什麼今天對抽象藝術很少有同道，這是因爲它太年輕，還沒有一個共同瞭解的基礎或標準，讓我們很難瞭解並實行！（未完）

畫眉續夢

第十一回：舊債新仇　索逋遭白眼　內憂外患　平憤成蒼頭

中共頭目未能高興幾天，蘇聯經濟代表團一到，就同負責接待的中共對外貿易部副部長李强說明此來是清理債務的，李强不禁渾身冰冷。

庫米金說道：「由於你們積欠的債務不還，應該運去的糧食沒有運到，把我們的經濟計劃整個打亂了，莫斯科日用品、食物商店都擺了長龍，蘇聯政府對此萬難容忍，所以派我們來催討這筆債務，希望雙方面能作一個清結。」

李强陪笑道：「副部長同志，中國這幾年所遭受的天災情形，你們不會不知道，我們國內除去幾個大都市，都已斷絕配糧。但是，我們仍然把糧食及日用品運到蘇聯去，只是在數量上要缺一些，請你們多多原諒了。」

阿希波夫笑道：「副部長同志，我們可以原諒，祗是蘇聯人民的肚皮却無法原諒。我們蘇聯同中國不同，你們中國人民可以去吃野生植物、野生動物，我們不成，第一，人民的胃口吃不慣，不是你們中國人窮日子過慣了，什麼都能吃，第二，也找不到，冰天雪地之下，那裏來的野生植物。動物也少得很，打了也沒有用，再說誰也沒有閒空去搞這些玩意，沒有糧食就只有挨餓了。請問你，叫我們怎麼原諒。」

李强說道：「這件事可是眞難了，我們去年運到蘇聯的糧食，有些都是在加拿大買的，上面有加拿大的商標可以爲證。現在加拿大已經不肯再賒給我們。我們正在向另外想法，只要能賒到，馬上就送給老大哥還債。」

庫米金說道：「其實你們少援助外國一些，也可以多還點賬，譬如阿爾巴尼亞現在整個吃你們，數目也不在少。」

李强曉得這是蘇聯逼債的原因之一，當時不敢多搭訕，恐怕引起政治上的責任。只好含糊說道：「其實我們援外，也是爲了整個社會主義陣營的團結與發展，大都是同老大哥配合行事，有關政策方面的問題，我也掌握不了。」

阿希波夫說道：「現在的問題還是這筆債務，究竟如何解決，我想你還是向你們領導同志作一次會報，看看他們的意見如何，有沒有辦法？」

李强覺得事實也只好如此，當時結束了第一次會議。回去見到李富春同李先念把會談經過報告一遍。

李富春嘆口氣：「這眞是屋漏偏逢連夜雨了，蘇聯要是全部追討欠債，我們憑什麼去還。」

李先念說道：「問題還不在於欠債，這樣以來，就證明雙方邦交要進一步破裂，必須告訴總理，要他小心。」

兩人說過就去找周恩來，報告蘇聯派出代表團討債的事。

周恩來沉吟一下，說道：「我們目前所欠蘇聯的債，究竟有多少，是不是現在能還一部份。」

李先念說道：「這個問題並不簡單，所牽涉的不止經濟一方面，總理考慮一下，要不要報告毛主席。」

周恩來說道：「當然要請毛主席決定，不過，你們事先要有所準備，他見面問起數目字，你們要能答出來，不然他又發脾氣。」

三人趕到毛澤東的「官邸」，只見劉少奇同鄧小平均在。（二七〇）

接受教訓．策勵未來

大陸是怎樣淪陷掉的？

吳文蔚

我們今後要轉敗為勝，必須變被動為主動，才能夠脫離了以往的失敗覆轍，爭取到最後的勝利！

第二、共匪給我們打了大小幾千個仗，連徐蚌會戰在內，可以說牠沒有被動的給我們打過一次決戰。就是日軍遺留物資最多的張家口，與共匪政治中心的北延安，也是沒有與我們來打決戰；牠不惜蒙受政治的影響和物資重大的損失，棄而不守。假使他在延安和張家口與我們堅決打一次決戰的話，牠在以上兩地的守軍，必然全數被我殲滅，那裏還會有今日？

共匪既以不打決戰為牠成功的條件之一，我們就應檢討其所以然的究竟，而決定我們的根本對策。牠所以然的究竟，擇諸以上所言，總括的說起來；匪的造亂是利用資本家剝削勞動者的不平；再利用工業發達的國家，為解除其自身工人失業，社會恐慌的危機，在實行經濟的侵略之下，使我國的勞動者勞動報酬不及工業國家勞動報酬的十分之一，且無法予以提高的暇隙，造成工廠工人與工廠的衝突，於是牠推波助瀾，煽動起他所謂無產階級的工人，準無產階級的佃僱農，作為他造亂的資產；又加上殺富人剝削窮人的造亂手段，更加上牠生產工具公有的經濟條件，把人民組織成，離了牠的政權，不能生產，便不能夠生活的堅強國力。這可以說產業落後，資本剝削和經濟被侵略的我國，給共產黨造成了許多造亂的空隙，又以財富不正當的集中，與畸形的發展，形成社會上貧富懸殊的現象，更給了共產黨一個收買造亂者的機會；牠再拿上生產工具公有作為他組織造亂者的綱索。因為牠有了這種種的優越條件，所以牠就能用上人民的耳朵和眼睛，以明擊暗，以大吃小，以不決戰的姿態，隨着時間與日發展，這就是牠所以勝我所以敗的有力因素。甚於這個因素，所以牠的兵力由少數而壯大，由劣勢而優勢，由點而綫，由綫而面。而我則由大而小，由優勢而劣勢，由面而綫，由綫而點，最後點也逐漸覆沒，以至退出大陸。這是我們的痛處和苦處，同時也是國際友人對我們最不諒解和不明瞭處。我們現在對於共匪，如果再沒有適當的對策，想去致勝，便會有很多的阻障。

我們今日要完成反攻復國的艱鉅使命，一定要培植出足夠擊潰共匪的軍力，拿出有效的對策，以三民主義的遠大企圖，鼓舞幹部，號召國人，變靜為動，變防禦為進攻，變生活的希望為成功的企圖，方才能夠振奮起人民的進取心，來表現我們的第一等力量，以爭取戡亂剿匪與反攻復國的最後勝利！（十二。完）

中國科學的輝煌成就

黃肇珩

李恒鉞教授承當了教育部的託附，和少得可憐的經費，帶着一羣學生繼續努力，三個月後，四屆全國教育會議開幕那天，他們交出了一套一百瓦的電視發射機。教育部還選購機器，開辦了教育電視實驗台，同時向行政院申請正式設台，到去年七月行政院核准了二十人的編制和新台幣九十三萬一年的經費。

接着是原班人馬，開始為正式設台時需用的一千瓦電視發射機試製。李恒鉞說，他毅然在許多「試驗一定失敗」的規勸中，決定要試試看，是因為黃部長一句鼓勵的話：「即使失敗，也是科學試驗必經的過程，失敗之後，教育部決不課以任何責任。」

就這樣，這部「土」產發射機裝置成功了，它是克難的果實，心血的結晶。現在每天播出兩小時教育節目。在它五十公里範圍內的人家，都可以分享到交大師生的這份成果。

當教育電視台的發射機，由一百瓦馳向一千瓦的里程中，國立清華大學原子研究所的原子爐，也由運轉達到生產各種同位素。

這座工程浩大的原子爐，雖然由美國奇異公司供給大部份的器材，和它的設計概要，但是全部工程的進行，以及裝置發動，卻從未假手於外人。一羣國內年青科學家和工程技術人員，經過二年又四個月的努力，於五十年十二月二日落成，並順利運轉。打破國外原子爐起初運轉時重重障礙的慣例，這足夠證明中國科學人才的優秀。

兩年來，這座耗資美金一百多萬元的原子爐，不僅供給了教育、科學研究的用途，同時已開始生產各種同位素。根據台灣省所需放射性同位素的調查，清華研究所決定第一步開始生產 Na-24 P-32 S-35 K-42 Gr-31 Fe-37 I-131 和 Au-198 八種。

今年夏季以來，Na-24 K-42 I-131 和 Au-198 四種同位素，繼續不斷地供應醫院與醫藥研究機構。美國海軍醫藥研究所台北的總部，已經將清華研究所原子爐生產的放射性同位素使用在中華民國的疆域以外。

今年三月，交大原子研究所宣佈：該所已將科學界最新發明的「雷撤」（Laser）安裝完成，並順利運用。這個能產生或放大「純光」的電子儀器，它的強力可利用作為熱源，高達攝氏五千五百度，比太陽的溫度還高，交大現正做這種高溫特性的研究。

「雷撤」的應用幾無限止，它還可用於雷達、航行、導航、電療和眼球外科手術等。

教育當局為了普遍提高科學教育的水準，曾先後修訂完成了中小學課程標準，現又着手修訂大學課程標準，和全力充實大學研究所的師資和設備。

教育部並於今年十一月宣佈：決定撥新台幣數百萬元，研究發展中等學校科學教育。編譯新的教材教法，提高學生數理水準，培養學生研究科學的興趣和精神，同時由二十多位專家組成的中等學校科學教育教材研究委員會，也開始翻譯自各國搜購最新科學教育的教材，和影片，預定在五十三年完成，然後選擇符合新修訂的中等學校課程標準的，納入正在編著的物理、化學、生物和數學各科新教科書中。

又有人說：「中國的科學是落後的，但是中國人的科學並不落後。」這句話似乎很值得我們深思的！（下）

我的社會生活

一為白崇禧統軍北伐時（蔣總司令在日本），曾檄調駐防上海，無錫一帶的革命軍第十四軍賴世璜部，渡江參加作戰，而賴氏遲遲未行。旋白氏歸自前綫，即由軍委會（此時軍委會主席是程潛）下令，將賴氏扣押訊辦。賴氏原係李協和的舊部又是江西人，當時軍委會常委李宗仁曾來李協和寓所，請教他對此案應如何發落？李協公答以「賴紹周帶兵多年，頗有積蓄，可飭其全作贖刑，捐出一筆軍費來，不妨貸其一死。」宗仁謂就這末辦罷！我在旁親聆二公言談，覺得李協公對舊部似乎未盡援救之力。迨宗仁辭去，我向協公表示意見，他卻說：「賴紹周當年曾經參加過陳炯明叛亂行列，對不起總理，我現在救全他的生命，算是盡盡友誼了。」我對他這種正義凜然的詞色，當然不敢再說甚末了。到十月間，蔣總司令由日本回到上海，就要入京復職，某夕忽聞賴世璜已被處決，事前既未經過審訊，臨死亦未宣佈罪狀，等於「黑整了！」李協公得訊殊惱怒，對着我大呼「傷腦經」不已。過了兩天，協公語我道：「你知道賴紹周忽然喪命的原因嗎？就是因為蔣總司令快要復職了，有人害怕蔣復職後，勢必釋放賴氏，即無從援取他的軍隊。這項主意，我想十四軍的將領亦知道的，真是人心不古呵！」相予慨歎一番。

我担任革命軍總司令部參議職務時，常到上海走走。民十六年七月間，正是陳羣、楊虎在上海嚴厲清共之秋，某夕我在法租界環龍路楊宅跟朋友打麻將（同席的記得有冷欣兄），楊氏深宵回來，一上樓即對我們說：「今天捉到了著名的共產黨周佛海。」我與佛海在日本就認識的，但回國後彼此不通音問，談不上深交，基於同鄉人的關係，乃問楊氏對佛海如何發落？他笑道：「我與陳人鶴商量過，準備用蔴袋將他裝好，加些石頭，於夜間丟到黃浦江中就得了！」我心裏很惶遽，却不便說甚末，次晨急忙打聽周太太的行蹤（她娘家住在上海），把消息透露給她。這位周大嫂真能幹，馬上跑到南京，找到總司令部秘書長邵力子暨政治部副主任陳銘樞（正位是吳稚暉）求救，由邵、陳轉請蔣總司令致電楊虎、陳羣二人，指說周佛海是共黨重要份子，必須親自訊究，飭令即日押解南京，這纔使佛海幸免葬身於魚腹之中。後來楊嘯天跟我談及此事，曾謂若不是總司令的電報指明要親自訊問的話，他們於奉到電令後，亦可將佛海置之死地，復電總座，說是早已處決了。不久，佛海恢復自由，且拜命担任中央軍校政治總教官，曾聘我為政治教官（我未到職），我把上述情形告訴他，他說：「好危險呀！我這條性命是檢來的。」

當蔣總司令未辭職去日本之前，某星期日上午，我到總部參謀長辦公室寫私函——因星期日沒人辦公，很清靜。旋見蔣總司令駕臨，進入簽押房，即按鈴教值日副官請參謀長，答以不在；再命請副官長（何競武兄），亦答不在。蔣公厲聲謂：「怎末一個個都不在呢？」值日副官回說道：「報告總司令，今天是禮拜日，他們都到外邊玩兒去了。」蔣公并未再說甚末，俄而聽到他說了一聲「十年以前之中正」這句話，即離部別去了。參謀長辦公室緊接着總司令室，我在室內聽得極清楚，但不明白他這句話的意義如何，曾與朋友閒談叩教，據謂這是一種感慨之詞，覺得自己在未居高位的時候，有暇即可隨便到外面游樂的，而今地位崇高，責任繁重，就是星期日，亦沒法安閒了！這與莊子所謂「寧曳尾於泥途」，而不願被人擺佈在神龕上供奉着的神龜思想相脗合。政治地位越高，人生樂趣即越少，所以我要提出這則故事來談談，藉留佳話焉。（十五）

且談刺客

黃葉村人

以匹夫而狙擊諸侯王相者，漢太史令司馬遷，稱之曰：「刺客」！史記且著有「刺客列傳」，使其人其事，名垂後世而不朽，可謂鄭重其事矣。

余觀列傳：由曹沫（穀梁，左氏作曹劌。沫音同劌）至荊軻，相隔四百五十六年，（曹沫至專諸，一百六十有七年，專諸至豫讓，六十二年，豫讓至聶政，五十七年，聶政至荊軻，一百七十年，合如上數）從諸侯王國言：齊魯會盟于柯，曹沫刼桓公！二國也。專諸刺吳王僚！又一國也。豫讓刺趙襄子于廁！又一國也。聶政刺韓相俠累于濮陽！又一國也。荊軻由燕至秦而刺秦王嬴政！此牽涉于國與國者，又二國也。由是言之：合七戰國，四百五十六年，始得五刺客。刺或刼持五箇諸侯王相。而且成事者，曹沫、專諸、聶政三人耳；他如豫讓、荊軻、秦舞陽、高漸離皆無成！而荊卿死最烈，車裂并滅七族！

美國之勃興也，為時尚不滿二百年。從一千八百六十五年、四月十五日，林肯總統被刺算起，至一千九百六十三年，十一月二十二日，甘迺迪總統被狙逝世之日止，為時只有九十八年；為國却是一國，而總統之被刺殞命者，包括林肯、卡非德、麥金萊、甘迺迪，竟多至四人。而且每一「刺客」的謀殺，皆成功；豈此四總統皆不孚民望邪？顧如林肯，不僅美國人擁戴之，稱為賢總統云爾，亦舉世所公認其解放黑奴，對美國對世界，皆有貢獻，以及積極的奮鬥者也。美國前三位總統的被刺殺不具論，至如甘迺迪之被害，若說與國際陰謀無關，而僅是「刺客」奧斯華單獨的行動，未免抬高了奧斯華的地位，而低估了國際共產集團的陰謀！

現在，先說奧斯華，他是一箇謀殺國家元首的，唯一的被捕獲的嫌疑兇手。因此，保護這箇嫌兇的安全，比保護總統，有同等的重要，且以將來案情的發展，破全案，究主謀，緝餘黨，應付國際陰謀，一切都寄望在奧斯華的身上。何以像這樣一箇重要的兇嫌，在由達拉斯城起解前，警方、市政廳、情報機構、保安人員，事前都一無戒備？慢條斯理的，將他從登記處提出，而給一箇站在五尺以外的矮小老頭子，舞場老板盧比，一槍射死！（一）

南宋偏安有人才

李仲侯

至九曲叢祠故址，則因杭城徙築，屬在鬧市，人烟叢集，久失其迹。清道光間，杭州府司獄桐城吳廷康，因監修棲霞祠廟，爰及初瘞之所，謂城內衆安橋下螺螄山扁担巷，或呼扁担衖，或呼瓦巷，即為古祠基地，遂指引履勘。其時已為句容倪大有據開紅紙染坊，儘依濤營，墻外側留高坡，突起六尺，長約二丈，濶計丈餘，短垣層級，二面縱護，士人稱為長塚，傳即飛初瘞處。靈爽昭然，無人敢佔，爰醵金購地，創建祠墓，因困於經費，及中經洪楊之役，經始於道光十三年，迄光緒二年，前後幾四十年，始獲全部竣工，即今之忠顯廟是也。廟內楹聯及石刻甚多，湘鄉楊昌濬撫浙，曾題聯云：「白日竟沉冤，相傳九曲叢祠，曾傍城闉瘞忠骨；青山雖改葬，還崇廟貌對棲霞。」

棲霞廟貌在西湖棲霞嶺之陽，其地即名岳墳街，為宋孝宗以禮改葬岳飛父子處。考孝宗於紹興卅二年六月受禪，七月詔復飛原官，以禮改葬，子雲附。同年並賜給顯明寺充功德院。（一一五）

內警台報字第〇三壹號內銷證

自由報

THE FREE NEWS

第四〇七期

中華民國僑務委員會頒發
僑報新字第三二三號登記證
中華郵政台字第一二八二號執照
登記為第一類新聞紙類
（本報逢每星期三、六出版）
每份港幣壹角
台灣本售價新台幣貳元
社長：雷嘯岑
督印人：黃行猶
社址：香港銅鑼灣高士威道二十號四樓
20 CAUSEWAY RD 3RD FL.
HONG KONG
TEL. 771726　電報掛號：7191
承印者：四風印刷廠
地址：香港灣仔高士打道二一一號
台灣分社
台北市西寧南路壹叁零號二樓
電話：三〇三四六
台郵劃撥儲金戶九二五二

從甘廼迪總統三年功過看美國對外政策（上）

·郭甄泰·

美總統甘廼迪在職兩年十個月零二天，不幸於十一月二十二日慘遭橫禍，勳業未竟，齎志以歿。甘氏既去，詹森繼任。詹氏穩健篤實，且有卓識，他說：「一九六一年甘廼迪總統就職時說：『讓我們開始』。現在，在這一立定新的決心的關頭，我要說：『讓我們繼續』」。又說：「我們的政策和目標，是尋求光榮和平，自由國家的友誼與聯盟，建立無仇恨，分裂，壓迫和絕望的負責世界，無何改變，亦不可改變」。「被害的甘廼迪總統的對外和國內方案，將予實踐」。從可知詹森之對外政策，係蕭規曹隨，將不致有何大的變更。於此，檢討甘廼迪對外政策之功過，看詹森對於甘廼迪之政策與計劃，將如何予以「繼續」，「實踐」，似甚有其必要。

甲、甘廼迪功績談往：

甘廼迪三年總統，其勳業就軍事言，動用每年五百億美元之空前國防預算，使普通武力與核子實力齊頭並進，有限度戰爭與核子報復戰爭雙方並重，一改從前專重核子報復力量，致對蘇外交常處被動地位，陷於進退維谷之境地。就對共黨集團戰略言，採用『圍堵』，『戰爭邊緣』戰略，一步不退，終於使驚心動魄之古巴問題，危而復安。就世界和平政策言，簽署核子禁試條約，推行和平戰略，改善國際關係，使世界的自由與和平，顯露曙光，隱約在望，予世人以若干希望與鼓勵，舉其大者，約有下列：

一、扭轉核子劣勢，嚇阻核子戰爭。甘廼迪競選總統時，民主黨指摘共和黨的標準話題為「飛彈缺口」。甘廼迪亦曾以飛彈居於劣勢，攻擊共和黨的國防政策。實際上美國飛彈當時就數量言，蘇俄擁有三十五枚以上T三型洲際飛彈，美國僅有九枚可用之擎天神飛彈；就彈頭言，蘇俄的巨型洲際飛彈，估計可以配帶七百萬噸級至八百萬噸級的氫彈頭」，美國的擎天神僅能攜帶三百萬噸至五百萬噸級的氫彈頭，亦確係居於劣勢地位。及甘廼迪執政後，擬具美國國防五年計劃，決心以全力繼續發展核子武器，三年後之今日，據美國國防部長麥納瑪拉十一月十六日稱：「美國現在具有洲際飛彈五百枚」，約為蘇俄之五倍；另外美國儲存之戰術飛彈核子彈頭尚有五萬枚，約為蘇俄之十倍；現在美國之核子力量，復急速與日俱增，北極星潛艇與建之速度，已由每年五艘增加至十艘，洲際飛彈每日可出一枚。遠東軍事權威人士稱：「美國用十艘飛彈潛艇，分開在海底活動，蘇俄本土百分之九十有人烟的城市，百分之九十工業區，便在潛艇射擊範圍下。」美國現在已有北極星潛艇十四艘，國防五年計劃完成後，將有北極星潛艇四十一艘，長程飛彈至一九六六年將增至一千七百枚。從可知美國之核子武力，現較蘇俄已居於壓倒之優勢，以與三年前美國之「飛彈缺口」時比較，殆有恍如隔世之感。蘇俄現在如敢對美採取攻擊行動，立將遭受報復，有化為焦土齏粉之危險。因此核子戰爭，在過去三年間，雖數臨爆發邊緣，但結果均逢凶化吉，未得發生，此為甘廼迪總統任內偉績之一。

二、增強普通武器戰爭力量，實行泰勒戰略。艾森豪時代的防務，寄托於「大規模報復」，及「核子阻嚇」戰略，集中於大規模核子武器，對於不用原子武器的普通戰爭的人員與武裝，均減至最低限度。試觀美國陸軍戰後祇有十師且不足額；在甘廼迪就職前，五年內削減了四個師，人數一九四五年至一九六〇年間由一百五十萬減至八十七萬；購買非核子軍火，亦由一九五四年之三十億元，減至一九六一年之六億元；兩棲作戰船隻，在韓戰期間約為二百五十艘，亦已減少至一百一十五艘；即可明瞭。甘廼迪就職後，重用泰勒將軍，並採納其主張，決定建立強大的普通武器戰爭能力，實行新軍事政策。當其第一次向國會提出咨文時，即提到『伸縮的軍事姿態』，要求國會撥出新款項，以供普通部隊增加人員，訓練及裝備。他說：「非核子戰爭，構成有限度游擊戰爭，一九四五年以來對自由世界安全最活躍及往常的威脅。對於那些普通力量不能壓制的侵略行為，我們一定要準備便用任何適當的軍事行動及武器。不過我們現時的目標，是增加應付非核子武器的能力」。現在美國陸軍已由十四師增至十六師；人數由八十七萬增至一百萬；海軍陸戰隊由十七萬五千人增至十九萬；添設新裝備裝甲軍車，五十一噸M六〇坦克，自動大砲，潘興飛彈及大衛克羅吉飛彈等，共計用欵二十五億四千三百萬美元；戰術空軍由十六隊增至二十一隊，擴充了百分之三十，空運能力增加百分之七十五；海軍艦隊的現代化及艦隻建造提高了百分之一百；海陸空軍之機動性及火力均已大為增加。現在美國對於核子戰爭，已有毀滅蘇俄之報復力量，對於陸海空普通戰爭，亦有應付大戰從事小戰的準備。「祇問需要，不必顧慮開支的限制」的甘廼迪預算徹底實現，為甘廼迪總統任內偉績之二。

三、不惜戰爭邊緣，拆除古巴飛彈基地。古巴距美國九九哩，蘇聯在此設置飛彈，等於在美國的後門，燃着了一個冷戰火頭，是在美國的屁骨上綁了一顆炸彈，輿情譁然。

笑裏藏刀

各不相讓

今日與明日

印尼同大馬的糾紛

自從大馬來西亞成立以來，印尼同大馬來西亞的糾紛即已表面化，到了最近，似乎更為激烈，這一股暗流，很可能化為局部戰爭，將有幾個國家會牽入漩渦。

糾紛的起因

最近印尼政府組織志願軍，由大馬叛徒阿薩里任名義領袖，在北婆邊境活動，襲擊暫署，刦掠人畜，已變成小型游擊戰爭。大馬政府雖在英軍協助下，仍有防不勝防之苦，不得已只好向聯合國秘書長宇丹提出申訴，要求聯合國派員調查，宣佈印尼侵略，另一方面印尼又向聯合國控訴英國破壞菲馬印尼三國馬尼剌協議。印尼政府大員更發出恫嚇之詞，蘇加諾及陸軍參謀長耶尼，均誓言要摧毀大馬來西亞。

英國的態度

英國支持大馬，態度十分堅決，必要時決不惜一戰。大馬邊境發生戰爭之後，英國即時調兵增援，另外兩個英聯邦國家澳紐也答應派兵進駐大馬，協助英軍佈防。印尼控訴英國案提出後，英國態度更為堅定，毫無畏縮之意。假若真的引起戰爭，必然是一個小型國際戰。

蘇加諾的真意

就印尼目前情況來說，決沒有向外冒險的可能，尤其是面對着英澳紐聯合支持下的大馬，更是蚍蜉撼大樹，真的碰上去，被摧毀的絕不是大馬，而是蘇加諾政權。

那麼蘇加諾何以偏要冒這個險？分析其動機大概有三點：第一、轉移國內目標，掩飾本身困難。印尼目前情況實較鐵幕內東歐國家還要慘，經濟實際已經崩潰，所以仍然維持表面的平靖，全靠軍警的鎮壓，但這種情況是不能持久的，一旦失去控制力時，整個國家即將土崩瓦解，蘇加諾及其親信屆時將步俄國沙皇尼古拉二世的後塵。挽救之法只有向外發展，轉移目標，過去蘇加諾在最困難時，因為訛詐取得西新幾內亞，得苟安一時，目前仍想重溫舊夢。第二、希望獲得美國支持，壓迫英國讓步，如同過去壓迫荷蘭；即使不成，也可以勒索美國，增加援助。第三、藉此建立威信，以取得不結盟國家領袖地位，取代尼赫魯。

美國的困難

目前對印尼大馬之爭，最得意的當是毛共，最恐懼的莫過美國。美國深恐英澳紐與印尼發生衝突，將難置身事外；但英國與荷蘭不同，決不會在美國壓力下屈服，唯一辦法只有勸誡蘇加諾不要妄動，但蘇加諾目前也騎上虎背，是否還能收得住，也很難說，這就是今日危機所在。

自由談

助人為快樂之本

馮王先生

中國國民黨制定「黨員守則」十二條，我最感興趣，認為具有崇高意義和價值的，就是「助人為快樂之本」這一條。

人類生活應以互助為本，從互助中纔可以創進事業，發展文明，表現着人性的優點，而不愧為萬物之靈的高等動物。孟子認定惻忍、是非、羞惡之心，人皆有之，然社會上許許多多違背人性與理性的事情，累見不鮮，基本原因就是缺乏互助精神，使人性本善的優點亦相應汩沒，而打抱不平的革命運動，即從此滋生了。

一個人憑其力之所及，幫助別人解決了一種困難，或者成功了一項事業，無論成就的大小如何，總覺得甚為快慰，於己固無損，於人卻有益，何樂而不為呢？助人與救人的意義有別，孺子匍匐將入井，悲觀主義者要跳樓或投水自殺時，急起救援，使其免於死亡，這是救人，救人的事情不常見。唯獨助人的情形，所在多有，一句話亦可以減少或消弭別人的困難，一項行為、一種意見、一點財力，更可以贊助別人解決面臨的艱苦危難問題，因而增加人間和諧奮發的氣象，詎不懿歟！

社會上能以財力助人的，雖不能說絕無，但屬僅有之事，這也難怪，孔子已說過：「為富不仁矣，為仁不富矣。」有錢而又兼有仁心仁問的人，究竟不多。可是，有能力、有機會可以助人時，自不妨量力而為之，即令有所不慊而不願予對方以助力，至少亦不必從中破壞，這是我的人生觀。不幸，社會上贊助別人的不多見，而破壞別人、陷害別人的，比比然。他們似乎是以「整人為快樂之本」，而使荀子所謂「人性本惡」之說，得到有力的證明。這種「整人」的現象，尤以官場最為顯著。

官吏的職責是為人民服務，但我國的官吏則認為是專門管制人民的「大老爺」，擅作威福，罔恤民艱，對於人民依法申請辦理的事項，那怕是芝蔴綠豆般大的事，而且毫無問題，不費吹灰之力即可處置的，亦復故意留難，多所挑剔，極盡「整人為快樂之本」的能事，是誠何心，竊所未喻。今之官吏，十九皆係國民黨員，每逢紀念會中，必讀「黨員守則」，然其服務的心情，乃恣意「整人」而不助人，即此一端，可見咱們訓政廿年，而三民主義未能實現，終致大陸淪陷，非偶然也，噫嘻！

立法委員如此希望
嚴家淦應敢作敢爲

（本報記者張健生台北航訊）新任行政院長嚴家淦首次列席立法院作施政報告並答覆質詢時，有的立委寄望嚴家淦振作精神，敢作敢爲。

大連市籍的立法委員侯庭督，他指嚴家淦的施政報告爲「舊式演講」。侯庭督對「蕭規曹隨」的「規」字，認爲應作法規意思的解釋，而不應把「蕭規曹隨」視爲：前任行政院長的施政，後任行政院長「自當努力執行」。因爲後任沒有執行前任的政策之必要，而不提出新的施政方針。侯庭督所希望嚴家淦者：係「青出於藍而勝於藍」，不希望「蕭規曹隨」。

天津市選出的立法委員溫士源，對嚴家淦的施政報告的感想是：「不夠充實」。溫士源說：「嚴院長做人面面顧到，所以他的施政報告也是面面顧到，而沒有中心和重點。但將來也很可能面面都顧不到。由於國家所交付嚴氏的任務，非太平時代的宰相所能勝任。在此非常時代，嚴院長要能幹，而且要肯幹的精神。但是我懷疑嚴院長敢幹的氣魄。假如沒有不怕隨時摔紗帽的勇氣，恐怕不會有什麼成就。」

溫士源又說：「當前的財政，多年來使大家最痛心的，是世界上沒有一個國家，能夠依賴另一個國家的援助而成爲强國的。如欲不依賴援助，而使財政平衡，就必須從節約浪費做起。爲什麼我們不能減少浪費？比如，政治風氣的敗壞，由於官邪，爲什麼不把官邪清除呢？又如嚴院長曾說過，政府財政如果允許的話，將考慮調整公教人員的待遇。假使不能戢止貪污，改善政風，則調整待遇於事又有何濟？對公教人員有何裨益？故撲滅貪污，整肅貪官污吏，改善風氣，乃當前的急務。嚴院長對此敢幹嗎？我懷疑。」

北市無黨派議員候選人
決定聯合一致共同競選
政見中有中央民意代表即日改選

（本報記者吳越台北航訊）台北市十位參加第六屆市議員競選之無黨派人士，今（十二月廿五）日集體前往選舉事務所領取登記表格，並決定使用共同政見，競選期間設立聯絡處，齊一步驟行動。此一計劃若果能實行，將是北市自有市議員選舉以來的創舉。

北市第二選區（古亭、雙園、龍山、城中）的李賜卿、謝世輝、宋霖康、何宗儀、陳益勝、張詩經；第三選區（建成、延平、大同）的李鑒堃、李福春、陳天來、黃信介等十位有意競選第六屆市議員的無黨派人士，十二月廿五日上午十時十四分，集體至市政府民政局台北市議員選舉事務所領取登記表格，然後相偕至中山北路二段四十三號甘露寺餐廳共進午餐，密商聯合競選事宜。

席間，決定與會的無黨派人士，使用一份共同的競選政見，大家向選舉事務所呈報的是這份政見，向選民發表的也是這一份政見，從元旦開始，他們即將以聯合的姿態出現；首先與選民見面的，將是他們的聯合宣傳海報。

一月廿六日投票前的一段競選期間，無黨派議員候選人計劃設立一個聯絡處，地點預定在二、三區間的中央菜市場外水門附近，由聯絡處統一設置政見發表會場，統一辦理宣傳，既可節省人力財力，又可擴大聲勢。

一位參加十人聯合行動的人士告訴本報記者：他們主張聯合政見的用意，是在想集合在野人士的力量，以促進民主政治和地方自治的進步，並希望由這個聯合政見，能將所有參加議員競選的無黨派人士，都集合到一起來，成一個堅强的陣綫，公平爭取選舉的勝利。

據說，第一選區（松山、大安、中山）的林水泉，林頌和已經同意參加聯合行動；第一選區的聯絡處，將設在大安區東門附近。

廿五日與會的人士預料，其他各選區的無黨派議員競選人，將陸續還有人要來參加。

聯合政見的精神和內容初稿，已在廿五日席間通過，文字還須整理，但其精神和內容當不致變更。茲探誌其所草擬的聯合政見初稿如下（文字未經整理，以存其眞）：

競選精神

糾合在野諸力量，喚起野黨精神，以對立，妥協，制衡等方法，奠立政黨政治基礎，期在議會與執政黨議員，以民主方式分庭抗禮，務成民富國强之目的。

政治主張

一、反對政黨經費列在市府預算，打破府會一家之作風。

二、反對違警罰鍰之提獎制度。

三、主張提高縣市長及議會職權，完成眞正之地方自治制度。

四、主張中央級民意代表即日改造，及省長區長爲民選。

五、建議政府早日解除戒嚴令。

六、建議廢止戶稅，板車稅，脚踏車稅，收音機稅，確立直接稅制度。

七、舊有違章建築，除了妨害交通安全，侵佔私人財產以外，一律暫緩拆除。

八、嚴格監督市政，力求平行建設，以免颱風等引起局部嚴重災害。

九、爲台北市開闢財源（如左列），興建教室解決學荒，及建設大排水溝，整理環境衛生，國民住宅興建。

A、官營公司舊欠稅約二億元即時催繳。

D、土地增值稅億餘萬元即時解決凍結。

C、公路局十年來養路捐累計約億餘元，撥還台北市政府。

D、省府應撥還屠宰稅，印花稅等，本屬地方財源收入。

E、原屬台北市政府收入財源之經征費約一億元，應如數歸還市府。

十、響應總統「革新」「動員」「戰鬥」之號召，以期早日反攻復國成功。

監察委員與人權問題

本報台北記者

監察院司法委員會於五十二年十二月三日，在第八二三次院會提出對一般政治設施的檢討意見，其中分爲：一、法院改隸案應限期實施；二、延長羈押辦法應從速修正；三、流氓管訓辦法應完成法定程序；四、受理提審案件應恪遵憲法及提審法規定。這四個問題，都是有關保障人權法治的老問題，監察院在若干年前就不斷地檢討，並且把檢討意見，送請行政院注意改善，有些問題，且曾提案糾彈；但這些問題，行政機關并沒有改善，致使問題一年比一年複雜，一年比一年嚴重，好比癌症一樣，形成爲無法醫治的絕症。到底監察委員們對這些問題在檢討會議上所發表的意見是些什麼？這裏擇要報導，用知其癥結之所在。

一、高地法院的改隸

司法委員會認爲：「高等以下各級法院之改隸，爲國家行憲之重要措施，乃自四十九年七月大法官會議解釋後，歷時三年有半，行政、司法兩院迭經會商，方將調整司法監督之重要事項，原則分別同意，但有關法案及預算總務等問題的準備工作仍未完成，而推事檢察官人事審議委員會組織條例草案，因涉及總統府組織法第二十六條修正問題，尚在總統核定中」。

關於司法方面的問題，近六、七年來，監察委員都有慷慨激昂的檢討意見；黃寶實委員這次會兩次公開檢討，第一次是十一月二十五日，第二次是十二月二日。黃寶實在第一次檢討就把高地兩院改隸擱淺的原因源源本本說出來：

司法行政部長不願讓出權力

「……由於某一部份的力量，極力不願把權力讓出來，所以他們要把法官、推事、檢察官都包括在內，設立一個共同任用的委員會，擺在總統府裏面，但是總統府組織條例當中並沒有這一條。本來是很單純的事件，由大法官會議決議下來，行政院就可以實施的，但是現在又涉及總統有任用法官的權力，於是這個案子又不得不送總統府；但送到總統府之後，就整個案子擱淺了，可以說擱淺的原因整個在這裏。……因爲司法行政部不願意一口氣把權力放得乾乾淨淨，可以說，他們的理由是一種不成理由的理由，因此也成了一個踢皮球的狀態，也可以說是胎死腹中了！」

黃寶實又說：「過去司法行政部是管理全國司法行政的，尤其是對於人事方面。不過，過去在大陸上，各省地面遼濶，職權都集中於高院院長一身，全省各地院人事考核進退任用都由他負責執行，現在此地地面小，司法行政部直接管到地院去了，乃至於書記官他都管，所以當司法行政部長的權力範圍很大，而且過去差不多已經養成了不願意把這種權力放棄的習慣。」（監察院五十二年度會議第八一六次會議紀錄）

黃寶實係司法委員會前任召集人，他一再强調問題的嚴重性，他在檢討中指出：由於這個問題的擱淺，進而影响我國在聯合國人權委員會常務理事國席位的當選，並且使美軍在華地位問題的協議，再度陷於停頓。因此，他在第二次補充檢討司法制度時，毫不保留地把他參加國民黨小組會議的經過，全部說出來。

（一）

香港與大陸

毛共又將趕人落鄉
說教運動如火如荼
胡謅所謂典型人物特別姑娘

中共近月來正在大陸地區掀起「上山下鄉」的學習運動，揚言將有計劃地擴大這一政策的實施，幾乎所有學校、機關、商業機構都在如火如荼的學習這一政策，然後由中共決定抽調一部份人於今年春下放農村。

據聖誕假期間曾回廣州探親的小學教師王君透露：廣州市的許多學校，機關和商業機構，近月來正在搞「上山下鄉」的學習運動，準備迎接今年春的「下放」運動。

王君說：這一學習運動的方式仍然是「聽取報告和小組討論相結合」，學習的「主題是：「上山下鄉」政策是否正確？或我對『上山下鄉』政策的認識。王君說：在這項學習運動中，首先是陸續聽取各級共幹的專題演講，當然都是一律地爲「上山下鄉」的政策進行說教。共幹們都强調了下列數點：

1、大陸多年以來，已有四千萬名智識份子「愉快」的「上山下鄉」，這對於農村和山區的經濟、政治，文化等方面的「進步」都起着重要的作用，使「農村城市化」具備了雛型。

2、在這些「上山下鄉」的智識份子中，有不少「典型人物」，也有不少「特別姑娘」；他（她）們「爭挑重担，忘我勞動」，爲建設「社會主義的農村」，甘願拋棄城市中「溫暖的家」，而到最荒僻最艱苦的地方去安家立戶。如廣州的陳嘉鯤，北平的侯雋，山東的張惠英……都被宣傳爲典型人物。

3、在「下鄉上山」的運動中，是「一視同仁」的，這些智識青年有高級共幹的家人，如「革命媽媽」陶承的孫女；大學教授侯仁元的兒子，畫家關山月的女兒，更有「元帥」、「將軍」、「老紅軍」、「部長」、「省長」、「市長」……等的家人。所以「下鄉上山」並無一點「迫害性」，而完全是建設社會主義農村的「光榮」使命。

4、指出「上山下鄉」的任務是一件「了不起」的，祇有先進的具備强烈的「愛國主義」的青年智識份子才能勝任，因爲目前農村由於曾受「自然災害」的影響，生產和生活的條件仍遠不及城市，是極爲艱苦的。

5、强調大陸的青年智識份子的「政治思想覺悟」已經提高，都圍繞在「黨」和「團」的領導中心，他們對於建設「一窮二白」的農村是「極具信心」的。

王君說：學習運動除了聽報告以外，還要討論各種「文獻」，如「人民日報」及「中國青年」半月刊的社論等。

王君說：大陸青年們都對這種學習運動既感厭煩，亦誠惶誠恐。大家都說：要我們到農村勞改，一道命令就行了，誰敢不服從？又何必轉彎抹角？所有的人都認爲：這是中共騙人的技倆，中共所說「典型人物」、「特別姑娘」，以及共幹子女「上山下鄉」，更是胡扯一通，那些人根本就沒有回農村，而是到農村「旅行」而已！旅行夠了便假籍調往另一農村工作，其實是跑回城市去了。（敬斯）

工展觀衆必破紀錄
工姐競爭益白熱化

（本報訊）截至元月三日，工展會觀衆已超過一百十萬，後此七天節目衆多，觀衆勢必更擁擠，破紀錄勢所必然。最後七天的節目計有（一）參展攤位廉價週，（二）廠商救貧助學義賣，（三）工展小姐競選揭曉與加獎，（四）各項比賽頒獎，（五）商台與綠村兩電台在工展會舉行的各種節目。

△第廿一屆工展小姐競選，在團團轉輪票攻勢下，形勢大變。白花油小姐曹珍妮元月三日一天內獲票一萬七千餘票，首次壓倒振與之莊淑嫻達八千票。振與則聲言全力反擊。聲言「盡管競選潮合有暗影，但莊淑嫻屹不爲動。」何智煌滿壯密圈，可能有奇謀操勝之算。好戲還在後頭，不妨拭目以待。又九龍總商會理事長謝伯昌、九龍樂善堂主席柳子元、鐘錶業商會理事長潘遠生及若干電影明星，亦均熱烈支持莊淑嫻，投她一票。畢竟鹿死誰手，下期可分曉了。

散步

方南

離我家不遠處有一個球場，在場邊有一條長長的小徑。這是我每天早晚散步的地方。我把它當作我自己的教堂。每當散步的時候，照例我要仰看天空，把天空看作一本「無字的聖經」。因爲我不是任何宗教的教徒，我要每天找一個悠閒的時間，靜靜想一下自己認爲值得用心去思索的事情。

宗教並不是平白產生出來的。因爲人類心靈有一個可以遙望向渺渺茫茫的窗子。它需要尋求一種解答或者一種滿足，於是產生了宗教家來因應這種需求。每一宗教都有它所信奉的上帝，每一創教者都是上帝的代言人。上帝從來不直接對任何人說話。他的話總須借一個人的口來宣揚。這是事實。每一宗教都給人以洗罪與懺悔的機會。人不可能沒有錯，也就免不了有罪孽。人終竟是含生負氣之倫，有了罪孽而負咎在心，只有宗教才可替這種人在心靈裏做一點工作。宗教家的工作並不是政治家、教育家所能代替的。宗教家的心源不離一個慈字，宗教家的心境不離一個悲字。人類有層出不窮的罪孽，也有演不完的悲劇，有些人只做到「懺其已往」，不一定能夠「悔其未來」。宗教家有的是做不完的工作，人類永遠需要宗教，猶如需要其他的永不可缺少的東西。

我沒有認眞讀過任何宗教的聖經，所以我要有我自己的教堂。我在獨自散步時每會感到天地之悠悠，不覺愴然而涕下，也會想到「天何言哉，四時行焉，百物生焉」的佳句，因而欣然有喜。

我的科學知識貧乏得那麼可憐也總知道天外有天，太空是如此其廣闊無涯，更知道我所踏的地並不是靜止的實地，而是一個常在轉動的地球。我以爲是靜的，其實是動的；我以爲是不變的，其實在變動中。我仰而看天，俯而觀地，中而自觀我的心。天地的未來是不可知的，還是問問我自己吧！我也和所有的人一樣，都屬含生負氣之倫，心境裏面常有汚垢的積聚。比如草叢中堆疊的落葉，除了我自己能夠將它拂掃，還要靠誰？

除了在散步當中，我很少想到這些。而在散步當中所想到的也決不只這些。千百個「爲什麼」會在我腦子裏出現，我卻不肯令到腦子在這時候活動過度。因爲，這該是它休息鬆弛的時間，決不該讓它仍然緊張工作。我總是使它適可而止，保持我在散步當中應該得到的享受。但是，每有所思而偶有所得，這種喜悅是不能用言語形容的。陶淵明好讀書，不求甚解，每有會意，便自欣然忘食。這是有來由的。我如沒有散步閒思的經驗，想不通這個道理。

晚飯前後，球場裏面經常有人打球，喧鬧得很。這仍然無礙於我的散步和閒思。好在附近有一座教堂，早晚常有好風把鐘聲吹送到我的耳邊。我覺得每一教堂的鐘聲，都是最清潔的聖泉，不管它來自佛教或耶教的教堂。它由耳朵裏灌入我的心靈，足以清除我的鄙念與俗念。我每聽到一次鐘聲，便自覺受到一次心靈上的洗禮。

藝術叢語

抽象藝術漫談

趙雅博

談靈感

靈感，靈感！靈感究竟是什麼東西？古往來今，沒有人不在談論它，談論的結果，對它仍然是惟恍惟惚。如果要詳徵博引，萬言十萬言或不能竭其究竟；而其結果仍然是談論自談論，靈感復靈感。

靈感是西方名辭，在我們的文學，則另有不同的稱呼。杜甫稱之爲「神」，所謂「讀書破萬卷，下筆如有神」。陸機則稱之爲「隨手之變」。這個神，這個變，大多認爲是可以意會而不可以言傳。陸機也說：「亘難以辭逮」。但是我們又不能不說，且看蘇軾的「行雲流水，行乎其所當行，止乎其所當止」。而陸氏的說法，更是比較詳盡：「其始也，皆收視反聽，耽思旁訊，精騖八極，心遊萬仞；其致也，情瞳矓而彌鮮，物昭晰而互進，傾羣言之瀝液，漱六藝之芳潤……觀古今於須臾，撫四海於一瞬……籠天地於形內，挫萬物於筆端」。西方的哲人柏拉圖，在他的對話錄中，也有很多次說到了靈感，在裴特祿斯對話錄中，他曾說：「有第三種迷狂，乃是佔有了詩神，她憑附着一個心靈纖細而純樸的人，而激發着狂熱，喊起他的詩才和其他的節奏，由此而飾美着古代英雄的豐功偉業，用來教訓後世。但是無論誰，如若沒有被激發而在心靈中被狂熱所催動，來到詩的大門，想以技巧的協助，而入詩的大殿，我要說，他和他的詩是永不能被許可進去的」。這種詩人的狂熱，就是我們一般人所說的靈感。

神，變，狂熱，都是靈感一辭的代名辭。靈感自來就被人們認成是藝術事象的本質要素，藝術作品的產生，端賴着這種行雲流水，沛然而莫之能禦的浩然之氣。沒有它便沒有藝術，沒有它更沒有藝術上的神品，妙品的出現。它是什麼，它究竟是什麼？

有人說它是神之所賜，直接來自神明，並且是特別由於神的賜予。也有人說它是一種潛意識，是一種超出理性控制的力量，是一種性的昇華。是……是……總是人的特別力量。

其實在人的整個有內，是有一種構成的本根的，它推動着我們，使我們走向一個指定不紊的方向；它好比是一個羅盤針似的，指導着我們整個的精神生活。它可以說是我們人類的精神生活的圓滿，是我們內心一種特別狀況，也可以稱它是我們內在的一種衡力。它比超潛意識更深潛，比起性昇華更高明。它不是具有這樣多的內在感覺的感覺物質性，它更是精神的，與其說它是潛意識，倒不如說它是人精神內力的創造意識的精華，一種生活力量的精神頂點，它讓我們審美性的喜悅於一個客體或一件作品，而不喜悅另些個。這個構成的根子，我們也可以稱它是精神意識之先的東西，它推動我們整個的意識，它帶領我們，我們並不曉得什麼原因走向一個指定的目標，在不知不覺間，它便爲我們決定了生活一世的方向。（未完）

劇氛縹緲錄

婆婆生

高陽韓世昌，隨崑弋班入都，在鮮魚口天樂園演唱。初來之時，人多以爲有類鄉間草台之類。吳門趙子敬、汪棣卿等見之，認爲能有北曲之大半，有意提挈之；世昌亦虛心肯學，子敬乃大加督促，其戲路越寬。即以扮相論，初演則臉部脂粉太不平勻，甚至有部份帶黑，逐次改變，來京二年，世昌的化粧，漸臻妙境，倍增姣艷。友人顧江葉、王小隱等，爲捧韓的健者，見之爲異；經余爲告，皆子敬一手造成，大加欣慰。子敬爲投崑曲，輒令在言樂會試串，經其審視報可，乃在天樂登台，於是每次彩串，常有世昌加演，因其晚間無戲，所觀甚多，余獨欣賞其「痴夢」一折，描摹力刻入微，而外間亦無人能串也。

梅氏想演遊園驚夢，迄未實現，以釋戡伯平雖富劇藝，但未見過，不敢交排。子敬爲使世昌觀摩，商之個五，爲排此戲，雖以示韓，實即教由個五自串柳夢梅，請陳德霖陪唱，雖是雞皮鶴髮，但足以示範。堆花一場，使故都梨園爲之奇異，十二花神，各有妙態，前此所無。後來蘭芳在一年之中，堂會唱了近卅次，皆爲看堆花，使斌慶富連成兩社的學生，嗓子多唱啞，可知其盛矣。

在言樂會成立以後，有一股力量，是轉移劇壇的風氣，皆個五的魄力，值得大書而特書。想不到使蘭芳得了大成，在這二三年，崑曲學成的戲，有十五六齣，如瑤臺、喬醋、跪池、三怕、思凡、琴挑、學堂、遊園、驚夢，即後來之太眞外傳，皆從此脫胎，更其充實了他的劇技。所以言樂會的收穫，是在梅氏，硯秋小雲均無份。也足見各個人的天賦，使大有不同。對於崑曲復甦，個五確有不能磨滅的功績。所惜台灣無斯人，以致各劇團支離的不成格局，隨意編排來唱，每加深惜。

一齣宛城，內行驚服

顏韵伯爲母稱壽，設彩觴，辦堂會，於金魚胡同那桐花園，名劇不少，但稱絕唱者，惟戰宛城。賀客特衆，熱烈情況，並不遜於馮宅堂會（蘭芳演四齣）因爲是個五飾曹操，余叔岩飾張繡，楊小樓飾典韋，王長林的胡車兒，九陣風的鄒氏（此齣甚拿手），許德義的許褚，配搭之整齊，再找不出第二份，是民初的傑作。

個五嗓子本來略帶沙音，唱黑頭就要那股味兒，當然他是反串，不能與金秀山、黃潤甫來相比擬，可是沉穩有勁。坐帳遣將：馬踏青苗，割髮代首，威風凜凜，不可一世之概，做得極夠聲色。調情勾引，那副神態，骨頭之輕，幾乎不像魏武的身份，可說渾身是戲。帳中逃出的樣兒，令人噴飯。叔岩當然極好，尤其刺嬸一場，與九陣風配合，劉氏在地打滾，雙龍絞柱之熟，任何花衫所不及。小樓大氣磅礡，把猛將活畫如眞。對籐牌手，如拉枯摧朽，好像其力甚大，皆是顯出功夫。長林的胡車兒，並不弱於傳小山，口齒之乾脆，架子之得體，是上上的選配。戲完已半夜四時許，好戲能壓定觀衆，樂而不倦，猶如過屠門而大嚼，可無間言。（二〇）

盧君續夢

第十一回

舊債新仇　索逋遭白眼
內憂外患　平憤仗蒼頭

毛澤東看見周恩來，說道：「剛才派人打電話給你，辦公廳人員說你已經出來了。據我們在莫斯科人員得到的消息，肥猪正在打算秘密召集修正主義份子開會，商量對付我，我們要計劃一個應付之策。」

李富春忍不住說道：「他們派來一個討債代表團，大概就是這個計劃的第一步。」

毛澤東吃驚道：「什麼？肥猪竟然派來一個討債代表團，由誰率領的。」

李先念說道：「名義上是個經濟代表團，由對外貿易部副部長庫米金率領，實際上卻是來向我們討債的，李强同志和他們談了半天，態度十分强硬，非迫還不可。」

毛澤東從圈椅上一躍而起，拍着枱子說道：「不還，不還，一毛錢都不還！叫他回去告訴肥猪，派兵來打好了，就說姓毛的說的，一定不還錢。」

李富春戰戰兢兢說道：「要求緩還，少還可以，不還怎麼能說得過去。」

毛澤東再拍下桌子：「不還就是不還，我是從蘇聯方面學來的，二次大戰時，蘇聯根據租借法案向美國借的債，戰後何嘗還過一文，我們今天就算吃了他，也心安理得，橫豎是不義之財。」

李富春看看別人都不敢開口，只好硬着頭皮又說道：「我們同蘇聯的關係同蘇聯與美國不同，他們是敵人。……」

毛澤東跺脚罵道：「就是你個癆病鬼的話多，美國同蘇聯是敵人，我們蘇聯是什麼？美國並沒想整死蘇聯，肥猪卻硬要整死我們，明知道我們這兩年困難萬分，借貸無門，眞正是同志或者是朋友，應份送點來才是，現在卻上門逼債，比敵人還兇！高低這次同他幹上了，就是不還，無論他派誰來索債，要他來同姓毛的談。」

大家看到毛澤東額頭根根青筋爆出，知道他是眞氣極了，沒有人敢再多嘴。

毛澤東又嚷道：「肥猪派誰來討債，把他找來我看看。是不是三頭六臂，我要當面吐他一臉唾沫，看他怎麼樣對我。」

鄧小平聽到越說越不像話，當時勸道：「不還債就算了，主席也犯不上同庫米金、阿希波夫見面，這兩人都是副部長階級，主席同他們鬧起來，成何體統。」

毛澤東聽到鄧小平說不成體統，火氣頓時消了一些，說道：「無論如何，就是不還債，看看肥猪有什麼本領，我候教就是了。」

周恩來同二李都不敢開口，李富春回去告訴李强，決定不還債，要他自行應付。

李强自不敢同庫米金硬來，卻一味打太極，每天好酒好菜欵待蘇聯經濟代表團，庫米金一談到要債，李强就推說暫時實在困難，稍遲一定設法歸還。

庫米金後來眞的急燥了，就同阿希波夫商量道：「看北京城裏情形，中國並不算太窮，可是，他們爲了賴債，硬說窮透了，依我的意見，我們不如到鄉下去看一趟，到底情形怎麼樣，作一個切實調查，可以作爲討債的參考。」

（二七一）

畧談大舌馬達良

谿公

「大舌頭老生」，乃是老戲迷們送給馬連良老板的一個徽號；這位馬老板雖是舌大不掉，却是很肯用功！以此在藝術上也自有他的成就，加以擅長交際，到處拼命的拜客請人「捧場」，終於把他捧成了一個名角。

前見報載，這位大舌頭老生，自向洪歌王朝、鼻攏後，由於匪會之特別待，竟使馬老板面目全非！揮灑自如之「做工」「身段」，因為身手僵硬，已經遠不如前！早晚市價不同之「嗓音」，雖在某一時期，曾經由「扒調」長到「工牛」，也因受了特別的優待，居然退回了「扒調」原位！如果長此以往，馬老板可就完了。

查馬連良係「富連成科班」的學生，也是「門馬」（係阜成門馬家茶社之簡稱）家庭之一員。這個「門馬」是由他的祖父傳給他爸爸的；據說開始也是一個營運的茶社，後來不知怎樣，竟形成了戲迷集中的地方！好在他家有一個寬大院落，等於一個天然的「露天舞台」！因之戲迷們就天天在那裏，「吊嗓」「練工」「排身段」；簡直與「科班」不差什麼。

來客既已如此，為社主者，雖欲不與之同化亦不可得；因之連良之伯父寬山，叔父沛霖等，先後投師習藝，成了梨園的角兒！他們所學的都是老生，雖無赫赫之名，舞台上也自有他的地位。

基于上述的一切，可知馬連良與戲是有相當淵源的！加以天賦明敏，耳濡目染，習慣自然，很早就具備了習劇的初步條件！

加入「富連成」後，又經名師葉春善，蔡榮貴，蕭長華等之嚴格訓練，故對劇藝之造詣，確在水平綫上。

然而「倒嗆」是童伶們成長時必須經過之階段；連良當然也不例外。

他是「出科」不久就「倒倉」的，經過相當時期之休養，才得逐漸的恢復過來，而可惜「嗓音」很低，低到只能唱「扒調」！他第一次到上海，即是以唱「扒調」之本錢，在「亦舞台」出現的。

按照梨園舊例，任何角色登場，均以唱「正調」為準則，只可加高不許減低！否則沒有唱戲的資格。這在一般的顧客固然莫名其妙，可是瞞不了玩兒票的「票友」，以及愛好劇藝的顧曲周郎！

因之他的介紹人張汲清君（係上海「久記票社」的名票），為了要給他那不夠水準的「嗓音」加以辯護，只得勞神苦思巧為措辭說：

「馬連良嗓雖不足，韻味有餘。」

同時把他的「做工」，盡量的加以神化！說的比唱的還要好聽。又不時的把他領到各處去拜客，其目的，是要各方都給他「捧場」。（一一）

楊利見其人其事

淡翁

伙夫，古稱「火」，隸卒也。南史：「東方曼倩，發憤於侏儒，遂與火頭倉子，稟賜不殊」。又宋史：「差官卒，充使令，置火頭，具飲膳。」所謂掌飲爨者曰「火頭」，本此。今之軍旅中，猶沿這伙夫若干人，稱為「炊事兵」，位甚卑，列於士兵之下也。

唐代薛仁貴，龍門人，少貧賤，據說應募從軍，初為火頭，有膽力，後由行伍出身，征高麗，破吐蕃，伐突厥，討賀魯、屢立奇功，官至左武衛將軍，太宗稱之曰「虓將」，足見其人之勇猛。小說家極力描寫之。

遠者勿論，滿清咸同間，有楊利見者，以一伙夫，因患腹瀉，遇敵夜襲，報警戒備，得以轉危為安，後並屢戰奏捷，積功升至提督軍門。或者以為事出巧合，有不期然而然，所謂「無心插柳柳成陰」也。因記其事，以佐筆談。

楊利見，原名中明，湖南邵陽人。家貧，幼為陳家牧牛，以性聰穎，見愛於主人。一日，有星相家至，以傷鼻如懸胆，眼有精光，魁梧而舉止大方，日後必貴。詢其姓字，應之曰：「楊小明」。該星相家以此兒落於牧童中為可惜，即入門而訪其主人曰：「此兒非凡，可領萬軍，毋令在畎畝中虛度歲月。同時，小明之名，亦有更易之必要」。因此，主人對小明之鍾愛，更甚於前，並易其名為「利見」，寓「利見大人」之意焉。

主人納星相家言，不再令小明牧牛，而隨其子弟讀，視若己出。不數年，畢讀四書五經，學有大進。可是，利見不拘拘於章句學，有投筆請纓之志，適洪楊事起，曾國藩奉旨練鄉團於湖南，後改為湘軍，利見聞之喜，得主人資助，拜別父母，匆匆作長沙之行。

當時無火車輪船，步行需旬日，抵埠後，因額滿補為伙夫。不數月升夫目：隨軍開駐岳陽。時洪楊軍以長沙固若金湯，改由贛邊取岳陽以搗武漢，大軍雲集，先鋒夜襲九華山，而駐岳湘軍，猶在夢中。適利見因感冒而患腹瀉，見山上烟火有異，即報警派查，果然！乃全軍登城堡，嚴密戒備，使洪楊軍不敢進犯，得以轉危為安。

旋大軍由長沙馳援，追洪楊軍於瀏瀋而圍殲之。事關於曾國藩，知此役為伙夫楊利見之所發覺，着升哨官，即今之連長。數年間，轉戰於湘鄂贛皖各省，無役不從，亦無役不克，積功由標統而協統，等於今之旅長。及攻入金陵，厥功尤偉，國藩保為兩湖提督軍門，名噪一時，果驗二十年前星相家之所云。

利見雖在戎馬倥偬中，猶手不釋卷。年六十餘，始辭官歸里，舍為善讀書，別無歡樂。即養花種樹，亦有經綸。晚年與地方宿儒吟風弄月，所寫詩歌頗多，不忘當年卑賤，茲記取七律一首於次：

「我本弘農一小明，荷戈志欲請長纓；三更病瀉緣奇遇，廿載功成慶太平。莫笑騎牛過曠野，也曾跨馬取名城；而今把釣垂楊下，縱酒狂歌度此生。」

利見之孫楊蔭，與余善，嘗道及乃祖之出身與戰績。其家藏古今名人墨蹟甚多，以余愛書畫，承贈不少，置諸箱篋，如獲至寶。今則滄桑變幻，當不復存在矣，每一念及，感慨係之！

我的社會生活

雷嘯岑

少年得志的壞處

國府於民十六年十月上旬，將武漢叛將唐生智討平之後，原在唐軍制據下的安徽省統治權，亦即收回，改組省政府。這時我適患惡性瘧疾，偃臥在李協和先生寓邸內，一日閱滬報載，皖省府新任人員，竟列有我的名字，位居省府委員，老友張秋白、湯志先則以委員兼建設與民政廳長，而以楊杏佛兼財政廳長，何世楨兼教育廳長，主席是陳調元。另有委員二名為皖人韓安（竹坪）湘人寧坤（督凡）等等。我心裏有數，這又是李協公栽培的，但我素來深惡行政機關的委員制，認為有害無益，常對朋友們評論，幸而中國的縣政府未改為委員制，否則天下早已大亂了！因此，我對這項新任命并不感興趣，曾向李協公申請辭謝，願意在國府作秘書。李公以為我是發牢騷，於是，他將這次改組皖省府的經過內幕告訴我道：「原來擬定的名單，本是由你兼任民政廳長的。當國府委員會議通過省府各委員廳長人選時，照例由主席分別宣示各人的履歷籍貫。首先提出省主席陳調元（河北人），衆無異議，次即提出財政廳長楊杏佛（江西人，是譚組安先生推薦的。）亦通過了。再提民政廳長雷某（湖南人）。即有人說是省政府的重要職位，都非安徽人，似有斟酌必要。說此話者亦非對私人有甚麼好惡，他根本就不認識你。當時譚先生問我（李公自稱）的意見，我說後面有幾位委員都是安徽人，大家就主張不如改任一位本省人，乃以湯志先君承其乏。可見這是機會不湊巧，你的運氣差一點而已。好在志先亦是我（李公自稱）薦舉的，又係你的老朋友，無分彼此，來日方長，機會多着呢！」他說了這番安慰我的話，倒使我很難為情，不便堅辭，然我還是避免跟陳主席晤面，準備遙領着空頭委員職銜，而仍在南京工作。可是老友張秋白兄聽說我不願就委員職務，即向李協公表示，他亦請辭。李又找我當着秋白之面，勸說一番，秋白更以老大哥的情誼，一定要我「委屈」合作，以全友道，於是我勉强答應了。但與秋白相約：陳主席是北洋老軍人，將來如果跟他相處不融洽，我即刻離皖不幹。秋白拍着胸膛答謂：「你放心，到那時我絕對與你一致行動就是。」

省府委員的職責究竟是那些？我實在莫名其妙，隨着同寅到了安慶後，即住在省府內，跟陳主席朝夕相處之下，覺得他很客氣，亦很謙虛，不是我所想像的那種老粗式的北洋軍人，心情稍告安詳了。他兼任着卅七軍軍長，部隊駐在皖省。軍政治部主任吳醒亞常跟我往來，暢談革命問題，彼此甚為契合。既而教育廳長何世楨來電辭職不就，陳主席即電請國府任命我兼任之。我對教育事業完全外行，由衷地表示不敢濫竽，但秋白、志先暨省黨部委員葛曉東、路錫祉諸老友，一致敦我擔任，以後再說。我剛剛接事之始，忽接到曾在安徽省黨部擔任婦女工作的女同志章含貞來信乞援（我於夏間應省黨部邀約到安慶籌備安徽大學時，見過她。），說她受後母虐待管束，不許她出門，要我設法派一工作給她，即可脫離苦海云。我想到自己係為教育廳長，年紀又輕，若因援助一位「怨女」而鬧出謠言是非，以致影響名譽，殊不值得，祇好作罷。（八十六）

且談刺客（續）

黃葉村人

關於盧比之槍殺奧斯華，筆者有幾點疑問：一、盧比從何處獲得奧斯華將于是時解往郡獄的消息？以及時間如此準確？二、他只射一槍，自然也是箇槍擊能手，因材器使，有計劃，有步驟！而論者竟說他是一時衝動，豈非痴人說夢？三、據盧比的解釋：他之所以要射殺奧斯華，是同情甘迺迪。這更足證明他所說的話，是荒唐無稽！蓋奧斯華刺殺甘迺迪總統，如果情眞罪當，法律自會加以制裁，用不着盧比「越俎代庖」！今以一箇夜總會老板，而且又是滿頭白髮的人，竟而關心一箇被謀殺總統而又「素昧平生」的人的「生死問題」，提早的將天字第一號兇嫌殺掉，這，與其說是替甘迺迪總統夫人雪恨，毋寧說是為生存的同謀者，消滅口供之為愈也。

不過，奧斯華是死了！現在始談保護，雖則嫌晚，還是不無有所補救的。不要前車已覆，來軫復遒，把僅餘的一箇

花間月上樓小品

證人盧比，又發生了什麼意外的問題。那就眞的「無巧不成話」，「無鬼不生怪」了。說到奧斯華這個人，不管他是受共產蘇俄主使，謀殺甘迺廸總統也好；或是受古巴卡斯特羅操縱，而甘心給人利用也好；或是一時惡性衝動，自取滅亡，不惜億萬人唾棄，千百世指罵也好；充其量，他只是一個殺人的暴徒！卑鄙而殘忍的兇手！給本世紀史官書盜書賊的一名妄人而已。既無資格配稱「刺客」！也缺乏可歌可泣，可與可羞的史迹；給後人以思慕慨歎，如司馬遷所謂：「自曹沫至荊軻五人，此其義、或成或不成？然其立意較然！（較與皎同，明也）不欺其志！……」不能一樣的等量齊觀也。

蓋奧斯華殺人而不肯承認，而手段又復卑鄙，而且貪生怕死，致為同謀殺以滅口，如此之「刺客」，豈不貽笑天下人邪？

案：我國之曹沫，魯人，為魯將，與齊戰，三敗北。魯獻遂邑以和。其後，齊桓公會魯莊公于柯，沫出匕首，刦桓公於壇上，責桓公侵魯不義！桓公許還侵地。沫乃投刃下壇，仍就臣位，顏色不變，辭令如故。此等義正辭嚴，光明磊落的行動，不流血而使敵國元首感動，歸還侵地！夫豈隱伏狙擊，陰謀殺人之徒，所能望其項背邪！

又如荊軻，為六國報仇，身入虎狼之秦，在死生俄頃之際，猶鬚眉轉動，侃侃而論，事雖不成，足褫秦政之胆！豈若奧斯華，身為美國人，而受外國人操縱或利用，以殺害自國明哲有為之元首者可擬？

（未完）

南宋偏安有人才

李仲侯

續因大宗正趙士錢上言，以顯明寺與太傅儀王趙仲湜安攢妨碍，嘉定十四年別令指占北山智果觀音院賜額褒忠演福禪寺，以奉祠祭，此即棲霞廟墓所由創。宋亡廟墓俱廢，飛六世孫士廸重建，未幾復廢。至元間杭總管府經歷李全初力為恢復，相度經營，廟制復備。至正中加額曰保義。尋燬。明洪武四年正祀典，即寺址復建。景泰天順間，杭州府同知馬偉重修祠廟告成，請於朝，賜額曰忠烈。厥後代加葺治，廟貌常新。今廟係濟陽盧永祥督浙時倡修，計經始於民國七年，至十二年工始告竣，閱時幾及六稔，靡欵十有五萬，故廟貌宏麗，為湖上諸祠宇之冠。迄今過西湖者必展謁岳廟，而言岳廟者必聯想西湖，馬鬣崇封，足使湖山生色矣。

岳墓在廟之西，墓門左右分置四鐵像，反縛羅跪，胸鑄姓氏，為秦檜、王氏、万俟卨、張俊。此像仿自前明。據光緒杭州府志，正德八年都指揮李隆范銅為檜及王氏、万俟卨三像，皆赤身反縛跪墓前，久為游人撻碎。萬歷二十二年按察副使范淶重鑄，又益以張俊像。此後人有「青山有幸埋忠骨，白鐵無辜鑄佞臣」之咏也。

（一一六）

內龍警台報字第〇三壹號內銷證

自由報

THE FREE NEWS

第四八〇期

每份港幣角半

社長：雷嘯岑

督印人：黃行實

社址：香港灣仔高士打道一二二號四樓

20 CAUSEWAY RD. 3RD FL. HONG KONG

TEL. 771726　電報掛號：7191

承印者：四風印刷廠

地址：香港灣仔高士打道一二二號一樓

台灣分社

台北市西寧南路壹壹壹號二樓

電話：三〇三四六

從甘廼廸總統三年功過看美國對外政策（中）

・郭甄泰・

一九六二年十月，甘迺迪鑒於古巴情勢嚴重，美國人民對此不能再事容忍，遂決定採取強硬態度與直接行動，其措施爲：一、決定於必要時征召十五萬後備兵服役。二、發表公報：『古巴問題必須視爲共黨在全世界威脅和平所作挑戰的一部份……美國準備任何必要手段來制止這政權採取侵略西半球任何一部份的行動』。三、堅決主張粉碎蘇俄古巴基地，辦法爲施行海軍封鎖，阻截運載攻擊性的武器的船隻進入古巴。四、二十二日晚向全國廣播：『任何一個核子彈由古巴向西半球任何一國射擊，美國均視爲蘇俄向本國進攻，一定向蘇俄施行大舉的核子報復』。五、美國全世界武裝部隊，均立即部署，準備應戰。綜觀甘迺迪之佈署，堅決，周密，示蘇俄以有進兵古巴的決心。如果蘇聯敢動，亦有乘勢毀滅蘇俄的準備。結果，蘇俄遂於美國宣佈封鎖之第五日，宣告停止飛彈基地工作，并拆除運返蘇俄，在冷戰上作了一次重大而迅速的退却。此爲甘迺迪總統任內有聲有色的重大行動之一。

四、堅守柏林，保障西歐。一九六二年春夏之交，赫魯雪夫在莫斯科發表好戰演說，重申要準備與共黨東德簽署一個單獨和約，其中最重要的一點爲：『這美國不能承認的和約，不能使西柏林成爲東德不能移易的一部份』。而軍事方面，蘇俄兵力衆多，裝備新齊，動員迅速，北約組織軍力，當時既無機械師，亦無砲兵師，步槍有三種口徑，野戰砲有二種口徑，不備補給困難，武器陳舊亦屬顯而易見。以如此素質不齊武器落後之軍隊，應付動員迅速裝備精良之蘇俄，而現代勝負之數，又係決於戰火最初之六小時，蘇俄軍隊顯佔有壓倒之優勢。次就西柏林形勢言，北約僅駐有軍隊一萬二千人，四面受敵，四圍蘇軍人多械精，大有氣吞河嶽，呼喝之間即有予以佔領之勢，顯不易守。但甘迺廸力排衆議，大聲疾呼決定：『美國要堅守西柏林』！並採取下列措施：一、委任一九五九年告訴國會一個委員會：『柏林是可守的，而且必須防守』的退休將軍泰勒，充當私人軍事顧問。二、發表演說：『對自由人的迫切威脅是在西柏林』。『如果戰爭開始的話，那將是要在莫斯科開始而非柏林』。『西柏林的自由是無法談判』。『西方無法容許蘇俄結束西方在柏林的合法權益』。『我聽說西柏林是守不住的（在第二次世界大戰時），亦有人說巴斯丹尼是守不住的：且事實上史達林格勒亦如是；其實祇要勇敢的人願意使它守得住，任何危險地點，都是守得住的』。以示決心。接着並提出各項軍事建議：包括增加軍事經費三十二億四千七百萬美元，將陸軍實力從八十七萬五千人增至一百萬，海軍增加二萬九千人，空軍增加六萬三千人，新兵徵召增加兩倍至三倍，延遲「B－四七」式轟炸機的停役，以十八億美元購買非核子武器，彈藥及裝備，以作準備。三、在戰略上決定在德國堵截共黨攻勢三十至六十日，然後被迫決定是否使用核子武器，以示有必勝之把握。

赫魯雪夫鑒於甘迺迪有堅決保守柏林的決心與準備，恫嚇無效，其所說的：『與東德簽署一個單獨和約』，『美國承認也好不承認也好，這件事總會在十二月發生』；『吾人將簽訂對德和約，任何侵略者對蘇俄或吾人之友邦動手時，吾人將命三軍對侵略者施以有效打擊』；『倘因柏林爆發戰爭，世上之二億人可能滅亡』；『二十枚蘇俄核子彈，將足以毀滅英法兩國』等支票與恫嚇，遂均悄然束之高閣，烟消雲散，不再提起矣。此爲甘迺迪在其任期內僅次於古巴勝利之重大行動，亦爲其偉績之一。

五、出兵泰國，凍結寮局。寮國爲整個東南亞的戰略關鍵，可以揻南越與泰國側背的走廊，寮國有失，泰越兩國唇亡齒寒。一九六一年五月六日寮共發動攻勢，寮國北部要衝南塔首被攻陷，十一日又繼續攻至南塔西邊湄公河沿岸的會西；會西失陷後，共軍復直趨湄公河，威脅泰境，寮國政府軍約有一千五百人渡過湄公河退入泰國，寮局岌岌可危。甘迺迪此時，進恐戰局擴大，危及世界和平，退恐寮國喪失，影響泰越安全；乃於無可奈何間決定出兵泰國，實行以下措施：一、十五日令以五千名美國軍隊開往泰國，在泰國東北區與寮國隔湄公河相對的地方佈防。二、海軍包括第七艦隊的三艘攻擊航空母艦「中途島」號，「大黃蜂」號及「珊瑚海」號，反潛艇「邊靈頓」號及進攻母艦「科治谷」號，並有隨伴各母艦的大批驅逐艦與補助艦，陳佈南海。三、以菲律賓爲基地的美國第十三航空隊派遣F一〇〇式超軍刀式戰鬥機開曼谷，打卡里戍防。四、美國空軍的C一三〇式與C一二四式巨型運輸機分別由日本、冲繩島與菲律賓繼續飛往曼谷。五、第七艦隊之一部份，約有數萬美軍隊進入泰國海面，準備作戰。六、命美國戍防於冲繩島與夏威夷的陸戰隊與步兵作爲預備隊。在形式上水陸並進，空運蔽天，表示必要時不惜一戰。蘇俄憚於美國之強硬態勢，遂令寮共採取守勢，並於二個月後，在日內瓦簽訂了一項條約，成立一個寮國聯合政府，寮國局勢，因此遂得以暫行凍結。

六、太空競賽，後來居上。蘇俄太空競賽，自一九五四年十月四日第一枚伴侶號人造衛星發射以後，等於開闢一個新時代，全世界對於蘇俄此舉均目眩口呆，刮目相看。一九六一年四月十二日蘇俄太空人發射成功，蘇俄更聲勢炫赫，不可一世。美國對於此項挑戰，既不藐視，亦不恐懼，苦苦緊追，卒於一九六一年五月五日發射太空人成功，方使蘇俄所謂『美國對太空科學落後十年』者改爲『落後二年』。

自投羅網

絕招

今日与明日

戴高樂的打算

法國軍援柬埔寨

亞洲蒼蠅施哈諾因爲憤於美國不尊重他，未能禁止反對派罵他，一怒拒絕美援，當時表現得十分強硬，毛共也立時宣佈予以大力支持，看情形好似毛澤東要挺身而出代美國付出這筆援款。可惜毛共太窮，雖然不理人民生死，仍然打腫臉充胖子，但是也榨不出這筆款項（約三千萬美元），這不以來施哈諾的願望落了空。轉而去求蘇聯，赫魯曉夫正爲援外事搞得焦頭爛額，各方面已經答應的尚且付不出，未應承的自不敢再多開戶口，施哈諾四處碰壁之後，不由得又想起了老主人，回頭再向法國求救。

正值此時，戴高樂總統有意爭回中南半島的控制，因爲這裏在一九五四年以前原是法國的天下，後來逐步被美國取而代之。此時美國同柬埔寨鬧翻，法國正好乘虛而入，當時即派出國防部長梅斯默到金邊訪問，答應給予軍經援助，其中包括一隊現代化之車輛，十二架訓練飛機，六架雙引擎之偵察機，一百架加工車輛。另外尚有文化及經濟援助，使施哈諾絕處逢生，不怪施哈諾在皇宮宴會上稱法國「爲柬埔寨少數友好國家之一」。

施哈諾在致詞時又說：「在一次的長期沉默之後，法國又再次担當了其在亞洲的角色。」這一段話當然含有嚴重的挑撥性，企圖增加美法之間的裂痕。

法國的錯誤

戴高樂總統的雄才大畧以及他的愛國情操，是世人共同敬佩的，他要恢復法蘭西往日的光輝，也沒有什麼不對之處，問題是在兩大陣營鬥爭中，萬不能自己拉自己的腿。就以美國同柬埔寨交惡經過來說，美國絕對沒有對不起柬埔寨的地方，美國可以爲了柬埔寨而開罪泰國，但是仍不能使到施哈諾滿足，沒有別的原因，施哈諾爲了製造新聞，再加上毛共的特務人員慫恿，作出這種魯莽滅裂的事，西方國家更應當乘此機會給這個小抖亂一次教訓，使他改變一些蒼蠅的作風。或者有人會說，逼急了他會投向毛共，其實他要眞能投毛共，縱然戴高樂親自到金邊來，也挽留不住他。施哈諾所以不能投毛共，第一是毛共養不起他，他也不敢這樣作，毛共的作風他並非不知道，過去只是利用毛共向西方敲詐，眞的要他一面倒，他還是不幹的。

孔子說「惟女子與小人爲難養也，近之則不遜，遠之則怨」，施哈諾就是一個這樣的人，美國人過去接近他，他就反美，今後法國人承繼了美國人的地位，不久他又要反法了，等着瞧吧！

自由談

生活環境與人生觀

生活環境影響人類的氣質，似屬必然的結果。島國之民總是缺之泱泱風度，日本即其最著者。英國人如其不是以航海爲生存發展之資，殖民地遍佈於全球，而僅僅生息於英倫三島之中，他們那種「紳士派」的性格，就絕對不會養成。這是專就地緣關係而言，若再加上生活因素，則原有的人生觀亦將丕變——有變好的，亦有變壞的——目前台灣的情形，便是很好的例證。

許多從大陸上來到台灣的各省人士，在大陸時氣宇軒昂，都不失其爲泱泱大國民的風度，然在台島住上十餘年之後，漸漸地發生了質變的現象，眼光短淺，胸襟狹隘，遇事看不穿、放不下，所見甚小，而不能從大處落墨。這不但是普通一般人如此，即飽讀詩書，久經世故，且曾經在外洋留學鍍金的高級知識份子，亦莫不然。

由於壤地褊小，生產力微弱之故，人們謀生的途徑即相應偏側，雖屬鷄蟲得失的事情，亦就視爲莫大的利害所在，攘臂爭奪，莫肯退讓，而社會上乃充溢着乖戾之氣，所謂禮義廉恥的觀念，縱非蕩然無存，亦就微薄之至。這種影響在政治上尤其深鉅，首先就是腐敗偷惰之風盛行，大家抱定維持既得利益的主意，相率以多做多錯、少做少錯、不做不錯的原則爲服務要訣，政治動態有如死水一泓，微波不興，暮氣沉沉。次則小圈子主義大作，任何問題皆憑人事關係爲肆應解決之方，無所謂制度，亦無所謂法規，而其作風之渺小，精神之墮落，言行之虛矯，實足以驚世而駭俗，例如行政機關的「人事凍結」辦法，古今中外亦是罕有的。

若干年來我心裏潛存着一種疑問，無法解釋，即一般素所熟悉的師友長官，他們過去在大陸上對人對事，都表現大氣磅礡的精神，何以到台灣來就變成小家氣了呢？於是對他們大感失望，因失望而不免表示譴責。現在纔把思想搞通，原來是生活環境所使然，非有大智大勇的識力，是不容易衝破現實環境之限制的。要改變這種形勢，甚本條件是光復大陸，還我河山，開拓國民生計的廣場。否則地小人多，生寡食衆，社會問題必然日益嚴重，政治現象亦將永無革新之可能，年復一年，積重難返，這情形實在太可憂慮了！

馮玉先生

此事以往未之有 三個教育科長出而競選縣長

（本報記者熊徵宇台中航訊）執政之中國國民黨舉辦台灣省第六屆縣市長黨內候選人提名登記以來，出現了以往未之有的特殊現象。

這一特殊現象，乃是有三個教育科長參加提名，競選縣長。這三個教育科長，是雲林的蘇本煌，台南的劉博文，新竹的陳昌瑞。

這三個縣市教育科長的參加競選，似乎是受執政黨蔣總裁的期許。蔣總裁曾一再期許從事司法與教育行政的人員担任地方行政工作。

這三位科長都受過高等教育，業績操守都還不錯，如果能獲黨內提名而當選，則可爲台灣實施地方自治以來的一種新猷。

這幾天，傳說省政府的文書科長廖禎祥對外宣稱，他受省府主席黃杰之囑，回里參加競選雲林縣長；又傳說，省主席黃杰曾召見台南縣議長廖乾定，促其競選台南縣長。

但據記者採訪，此說全屬子虛。據有關方面表示：台灣縣市長係由民選，黃杰若有意思表示，自多是非；尤以辦理縣市長提名，係由黨中央內部抉擇，在未決定前，任何人都不能事先公開表示意見。黃達雲素以穩重謹慎見稱，何致於出此？

這也許是競選人的一種手法，亦爲黨內提名「競爭戰」之一起插曲。

這則新聞，台灣報紙未刊，用特報導，餉我讀者。

談談總比不談的好 立委要檢討「家務事」

已有議案提出來結果如何尚不知 吳延環修正立委罷免法案受重視

（本報記者台北航訊）立法院內部家務事，可以說層出不窮，如員工互控案，失竊案等等。最近，有三十多位包括立法院各政團的立法委員，共同署名提案談「家務」。該提案說：「查本院一切措施，多未符合理想，近數年來，情形更甚。本院爲國家決定政策，制定法律機關，所處地位甚高，所負責任至重，而內部事務不能自理，何以決大計，立大法？酌衡情勢，實有由全體委員共同討論院務之必要。爰提請院會決定，每會期開始一個月內，由程序委員會於院會日期以外，定期舉行院內事務秘密討論會一次，以廣衆思而策改進。是否有當，敬候公決」。

提這個案子的立法委員是：周雍能、鄧翔宇、冉寅谷、梅恕曾、王孝英、劉衡靜、黃震煥、夏晨如、于汝洲、唐嗣堯、陳紫嵐、吳望伋、郭登敖、高廷梓、周紹成、楊寶琳、宋述樵、李公權、羅霞天、李雅仙、黃煥如、潘衍興、錢雲階、袁其炯、龔舜衡、宋梅村、魏惜言、劉錫五、程福炯、張其彭、嚴延颺、夏濤聲、潘廉方、朱點、郭德權、邵鏡人、王兆民、延國符、杜光塤等三十九人。

當這個提案送由立法院程序委員會列入議程的時候，立法院長黃國書與副院長倪文亞二人具名，邀請立委茶會，意在希望提案委員諒解，而撤銷該提案。但結果事與願違，該提案終於列入議程。該提案是立法院的創舉，有人說：將來定有精彩的好戲哩！

△立法委員吳延環提案修正立法院立法委員選舉罷免法第四十五條第三項條文。因爲現行條文內，僅有「一會期內無故不出席者，視爲辭職」的規定，而對於因故請假不出席者，則無時間限制，認爲顧慮未周；應對於因故請假不出席者，硬性規定其時間爲三會期（一年半），逾限則視同解職，方見周妥。這個提案很惹人注意，但恐怕很難在院會中通過。其原因：

比如說，立法委員趙連芳奉命爲多明尼加共和國推動中（國）尼（國）農業技術合作，所以不克回國出席立法院會議，以往立法院都是以公假論處。

據聞：現有四位立法委員沒有出席立法院第三十二會期的會議。一是王黻芬委員，係我國駐菲大使段茂瀾的夫人，因患腸癌赴美醫治，已接受外科手術，現正休養中，由於該病每隔六個月須檢查一次，所以不能出席而請病假。二是汪少倫委員，因在巴西聖保羅市被車撞傷，經數月來休養，左腿仍不良於行，而告病假。三是民社黨籍的梁朝威委員，出國時間較久，現患糖尿病與高血壓症，頗爲嚴重，亦不能出席會議。四便是趙連芳委員。

此外，尚有若干因故不能回國出席的委員，仍以病假逍遙國外作寓公；顯然吳延環的提案主要就指這些人。

但假定趙連芳非病告假，仍能獲得續假的話，則就成爲「例外」，而其他委員即可援例了。如此這般，試問吳延環委員的提案，豈不要落空嗎？

△管理外滙條例修正草案，行政院已向立法院函請撤回，理由是：撤回重行修正。

按修改該條例會於四十八年六月四日由立法院「修正通過」，但一星期後，即同年六月十一日，行政院再度提修正案，送立法院審議。正當立法院以牛步化加以審議時，行政院來要回去了。箇中文章，不是外人所能盡知。

但望勿歷史重演 港再除疫埠頭銜

（本報訊）香港又已於元月七日宣佈不再爲霍亂疫埠。香港此次於去年六月廿七日發現首宗霍亂症後，迄十二月廿日首次宣佈不再爲疫埠；計凡發現霍亂症一一四宗。但三天後之廿三日，復發現第一一五宗霍亂，而再宣佈爲疫埠。此後連續十五天無新症發現，因而於元月七日再次宣佈解除疫埠之頭銜。

香港與大陸

花言巧語無非爲錢 毛共逼僑眷增討僑滙 安排工作云云更使僑眷胆戰心驚

中共最近又召開了「歸國華僑」會議，目的在逼他（她）們向海外親人多討錢，「建設」「國家」，說是可以「公私兩利」。

據聖誕節假期間曾回廣州「華僑新村」探親甫返抵港的張師奶透露：目前，在廣州市聚居最多華僑的地方的華僑新村，中共召開了華僑、歸僑、僑屬的聯席會議，首先傳達了「華僑事務委員會」副主任方方除夕在「歸僑聯合會」的座談會的報告，要點是1、要求海外僑胞保持僑滙，中共「保證」僑滙證的「優待」供應，不單做到供應「快」「好」，而且還將增加一些海味物資的供應；2、要求海外華僑加股「華僑投資公司」；3、宣稱對歸僑，僑眷等作工作安排；4、進一步加强歸僑僑眷的「愛國主義」和「社會主義」的「教育運動」。

張師奶說：在聽取報告之後，即行分組討論，決定是要每個歸僑、僑屬、僑眷都訂出一九六四年爭取僑滙的新計劃。在中共的佈置下，有的僑眷起來發言，竟說：現在我雖然在銀行中有存款不少，但我仍然要外面按時寄錢給我，這一方面爲自己生活打算，另一方面也『爲外面親人着想』，因爲萬一形勢有什麼變化，在外國的財產毫無保證，隨時會被人搶得精光，那時回到家裏才有食有住呀。至於方法，那太多了！譬如，妳可以說明投資『祖國』是『名利雙收』的生意；或者妳可以說要買屋；妳更可以向親人『報大賬』……，就算方法如何不對，但我們的動機是好的。」

張師奶說：但一般歸僑、僑眷等，對中共的陰謀雖敢怒不敢言，却決心儘可能不加理會，她們決定祇要求親人繼續寄回維持生活的費用，因爲多寄是白白送給中共。張師奶又說：至於中共說替歸僑、僑屬、僑眷安排工作，更祇使她們嚇怕，因爲所謂工作安排，表面好聽，實際不過是把那些沒有工作的歸僑、僑屬、僑眷調配到各個「華僑農塲」去當農奴而已！大家都因此惴惴不安，就心更要受罪了。（敬斯）

工姐選票最後結算 莊淑嫻得票列第一 名次決定有待緊急會議

（本報訊）迄至元月八日的統計，香港廿一屆工展會觀衆已超過一百二十萬。本屆工展定十二日閉幕，最後四天的觀衆，估計可得二十萬光景；若然便是一百四十萬了，打破歷屆工展觀衆的紀錄。

△爭持甚烈的工展小姐競選，問題重重，如會一度位列首席的白花油小姐曹珍妮，五日起便交出票箱，但未聲明正式退出選舉。到八日上午選票最後總結，振興小姐莊淑嫻得七萬四千三百六十八票，居第一位；已退票箱四天的曹珍妮，獲五萬八千六百零二票，尚居次席。但曹珍妮是否算第二名呢？因她交出票箱，不無問題。所以工姐選舉委員會定八日下午開緊急會議處理。究竟如何決定，須待公佈後始知，希望再不多出什麼枝節才好。

監察委員與人權問題

本報台北記者

黃寶實說：「自從（行政、司法）兩院磋商意見送到總統府之後，總統即批交到國民黨常會研究；該會於接到批示後，成立臨時性十人小組，開會時，陶委員百川和本席都應邀參加，我們均強調必須注重大法官決議案執行問題，同時我們也反對在總統府設立一個審議委員會管理法官任用遷調的辦法。結果小組經兩次會議後，作成三項意見，推翻兩院（行政、司法）協議。關於在總統府設立法官任免審議委員會辦法，原則上審判系統屬於司法院，檢察系統屬於行政院，小組隨將意見簽報國民黨總裁，總裁的批示是：『暫從緩議，應俟詳加研究再定。』於是國民黨中央方面和政府人員，均認爲本案擱淺了。但是本席（黃寶實）與陶委員百川曾去訪問小組的召集人谷鳳翔和陶希聖兩位先生，共同研議，於黨員大會中提議請中央設立專案研究小組，後來中央接受我們的意見，即重新成立十二人小組，本院李（嗣璁）副院長也參加了。第一次開會時我們都去了，會中李副院長也强調本案必須重視。……如擱置下去將無法交代。結果大家因對於總統的批示不瞭解，我主張請召集人谷鳳翔、陶希聖兩位再請示總裁有什麼指示？怎麼改隸？有什麼原則？以便小組遵循原則去擬方案；但是後來，總裁沒有任何指示，因此本案至目前的情況，已經完全擱下來了。如果監察院再不努力，勢將使本案石沉大海。」

法院風氣不良 引致惡劣後果

近年來，由於法院風氣不良，而影響審判的公正。黃寶實說：「由於審判的不公正，又引起人民對於法院失却信心；更重要的是王鎮案辦理的經過，即引起國際上對我們最惡劣的印象。結果聯合國連年當選人權委員會常務理事國的中華民國，今年竟落選了。其次，也使外交部和美國大使館談判有關美軍在華地位問題，陷於停頓。本來外交部與美方屢次討論均有相當進展，但因王鎮一案而前功盡棄。本來美軍在各地駐軍，都服從所在國法律管轄的，日本同樣的也爭取了這種管轄權，唯獨在自由中國的台灣，美軍不受我們法律的管轄，主要的是我們的法律和做法的問題。當年的黑暗時代，不平等條約，想起來是令人痛心的，也是不可磨滅的事實，爲何要使某人犯罪？某人不犯罪？法院不得單獨審判，影響國際上的批評呢？一個國家立國條件，固須地大物博，然而公正嚴明的司法制度，乃是國家的根本，怎能因遷就個人的榮辱而不惜法律制度的被破壞呢？所以我想一想眞不服氣，也覺得不上算，但是到了這種程度怎麼辦呢？在目前政治風氣下是沒有人敢勇於負責的，所以唯一救濟的辦法，就是根據我們的權責向行政院提出糾正案。……今天報告這件事情，把國民黨中央方面處理的經過報告出來，是不大適宜的，社會上可能會說國民黨仍包辦一切；不過，今天我們講政黨政治，事實上，凡是一個重大政策的變更，從沒有不須經過執政黨決定的，這是無可否認的。」

二、法官任用審議會

此外，監察委員陳大榕、張秉智等，對高地法院改隸的問題，以及由總統府設立一個司法人員任用審議委員會，認爲很有問題，並表示反對。

第一、陳大榕說：「關於人事方面，在總統府設一個委員會，由副總統兼主任委員，這點，我認爲很有問題。我曾問法學界有地位的人：『爲什麼想到這點呢？』他回說：『法國憲法上有這樣的規定。』我說：法國憲法是法國憲法，在我國憲法裏毫無關係，怎可混爲一談？過去，最高法院的人事，是歸司法院來管，現在高地兩院的人事，難道比最高法院更重要？他回答：『這當中有難言之隱。』」

陳大榕委員說：「機關屬司法院，人事屬總統府，這一個做法，我覺得很特別，很奇怪。我們自己的憲法不遵照，而遵照人家（法國）的憲法，這點我以爲期期不可。同時，我還有一個疑問：爲什麼我們有司法行政部？我沒有看到過考試院有什麼考試行政部。因爲有行政部的『行政』兩字，有些人就藉此想到要歸行政的部門，所以我覺得這個名稱很奇怪。我認爲法院隸屬的問題，應該連人事整個隸屬於司法院；否則的話，與其這樣的改，不如不改的好。」（二）

「哥哥」

文芬

日本鬼子端着槍，在後面追着，我拐進一條巷子。

我又轉進一條更窄的巷子，繼續跑。我跑到巷子盡頭，回頭望望，日本鬼子追了過來。口裏叫着：「停步，不然我就開槍」！

我不理會轉入大街。人很多。我跑，大家望着我。我又由大街轉到小街，再到了郊外。

我祇是跑。好久，回頭望望，日本鬼子不見了。但我還是跑。

前面有座獨立屋，茅草蓋的。我跑到門口。門是關着的。我敲門。門開了，我倒在地上。我太疲乏了。

他是個中年人。把我抱了起來，放在床上。他問我為什麼弄成這樣？我手指着門外，說：

「日本鬼子追來了！」

「你沒有良民證？」

「沒有。」我照直說：「我是國軍游擊隊員」。

他把門關緊。他說他有法子對付日本鬼子。「我常常和日本鬼子來往，我是做生意的。你在床上睡好。」

外面有人敲門。他叫我把被子蓋住頭。「假使真的是日本鬼子來，你就說你叫王文來。」又說：

「我弟弟的名字，就是王文來。」

門打的更厲害，他就出去開門。我的眼睛從被子裏射出去望着。

一羣日本鬼子荷槍進來。他沒法擋住日本鬼子。為頭一個同他講話，另外幾個就在屋子裏面搜查。床底下，壁角上都搜到。

那日本鬼子問他：「就是你一個人？」

「還有一個人。」

「誰？」

「是我弟弟。」

「你把良民證拿出來。」

「良民證簿在這裏，」他說：「良民證拿去校正，沒有拿回來。」

日本鬼子看着良民證簿。良民證簿還貼着照片。先把他對了，然後日本鬼子就把我的被子掀開。我的手又把被子拉住。日本鬼子祇看了一下，點點頭。日本鬼子把良民證簿交給他，說：「你有沒有看見一個游擊隊員過去？」

「沒有。」

「有的話，就來報告。」

「我會照着你的話做。」

日本鬼子們走出去。差不多就在這時，門外有叫喊聲。我從被子裏抬起身。他走出去。我看見一個和我相仿的青年人，衣服有點破爛。那青年人一見到他，就撲過來：

「哥哥！他們不相信我住在這裏。」

他的眼睛張的很大。日本鬼子望着他。他轉半個身，看到我。他咬住嘴唇皮。

「我不認識他！他不是我的弟弟！」

「哥哥，你——」

日本鬼子把那青年人拖出去。

我從床上跳下來。他馬上把門關上，擋住我。我叫着：「不，讓我去！你不能把自己親弟弟——」

他一拳擊倒了我。我覺得天旋地轉，但我仍然聽到「砰砰」兩聲槍聲。

我掙扎起來。我看見他在哭！眼淚就像斷了線的珠子，一顆顆的落了下來。

我抱住他。我也流淚了。我說：

「我願意做你弟弟。你是我的最偉大的哥哥。」

他的手撫摸着我的頭，點了點頭。

「哥哥！」我叫他。

但我第二天就歸隊了。從此沒再見過我那位「哥哥」。

× × ×

上面是一個國軍軍官對我講的他自己的經歷。他四十多歲了，念念不忘打回大陸。

藝術叢話

抽象藝術漫談

趙雅博

在這裏我們已經是進入了一個最大的奧祕之中了，恐怕也是我們生存中所包括的最大奧祕。正是這個奧祕之內在的火，在燒熱着我們的存在，它彷彿給我們人顯示出了神的本性，如同是一股不能抵抗的力量，推迫我們走向一個指定的目標。我們踏上了這道路，我們在這個道路上奔跑如飛，我們一級一級的上着，一幕一幕的揭着，但是在許多的情景下，我們不能解釋我們工作行為的動機。它是一個命令的必要性，是不能忽視的一種必要性，指揮我們的生活，順着某些個指定生活的河流；它從我們身心中提出一股強有力的力量，衝破一切的範圍，掃蕩一切的限界，引導着我們，指揮着我們，彷彿是一個機械人似的，使我們鞠躬盡瘁而後已。

甚至我們的心願是盡瘁鞠躬而不已，永恆的不息！

不錯，這個不知的內在力量，在推動着我們精神的整個生活，指導着我們大部份的行為，如果就它刻印在我們生活的方向來說，我們可以稱它為我們心性的特別天秉，也有人稱之為神的召喚。如果就它是一種特發的力量，來推動我們實行決定的工作，這時候我們則可以稱之為靈感！蘇格拉底稱這種衝力為天神，孟子則稱之為浩然之氣。藝術的靈感普通則表現於作品的兩個時間：概念時間與創造時間。一切的藝術作品都要符應着一個首先的靈感，由於這個靈感，藝術家要取得它應要塑成的藝術品的形式或多個形式，規格。安淇樂在赴佛城的路上，看見了一塊半埋在泥土中的雲母石片，立刻狂熱大發，他取得了一個特別美麗的人像；吳道子於舞劍之中，取得了鬼神畫壁的概念。這種形式的取得——是一個真正美麗的形式，是可以得之於感官，也可以得之於理智，能夠是神祕經驗的結果，因為它普通總要一個重新製造的程序，或者是一個有意識的創造過程。從這種過程中——傳統中我們也稱之為腹稿——藝術作品，在創作者的心靈中，已經是完全完結的出現了！在這種情形之後，賸下的是要實行這個腹稿打好了的藝術作品了。但是在這樣的時間，也一樣需要靈感，以便有無意的推動着藝術創作者的手，來完成這種作品，很多次是出乎作者意外的成就。

但是為了藝術品有最高的成就，而如果要使這兩個期間要有靈感，而得到良好的結果，藝術作家也要是真正的藝術作家，這是說，他後天的也要有高深的修養。有了這樣的修養，才能好好的運用這內在力量的指揮的手，而不在行動或材料上遭遇到困難；行動材料，在這種情形上，不但不加多作品完成的困難，而還更使它容易完成！康丁斯吉的第一幅抽象畫，就是在這種情形的產物！

靈感對人生對創造是極為重要的力量，但是我們並不贊同義人利高伯羅認為藝術與靈感一而二，二而一的講法，因為那已經是純粹的唯心論的主張，混物我為一了。同時讀者也不要誤會，靈感只是人的力量，而並不等於人的內在結構，對人的本體來說，它仍然是一種附加物！（未完）

劇藝縹緲錄

婆娑生

為演趙旺 割棄留髯

侗五演劇，極富風趣，興之所至，竟至剃鬚，登台施技，以過戲癮。當民十八年，遜清尚書陳庸庵夔龍八十壽，特請在堂會中露演，迭經商懇唱荷珠配。此齣是玩笑戲，無唱工而重在做作，昔年田桂鳳精擅此荷珠ㄚ頭，荷珠冒充小姐，嫁了狀元郎，祇怕趙旺為她洩漏。趙旺大展噱頭，把荷珠弄成唯命是從。不過其時侗五已留鬚，以庸庵交誼不輕，寧願割剃留鬚，那真是一絕；陪演荷珠，似為小翠花，所以聲色不凡，為壓軸好戲。最後是梅蘭芳顧傳玠的奇雙會。事後蘭芳語人，生平演此戲，以此次為最愜其意，以後留傳佳話。余以侗五演出，祇有且行的金山寺水門的白蛇，風箏誤的醜ㄚ頭，未會見到。因斯時其年事稍高，不願多演旦角，非如田桂鳳陳之方（票界名花衫）輩，老年猶能賣弄風騷也。

兩曲佳音 初次聆聞

侗厚齋除擅書法，能寫畫，精平劇以外，復善彈七絃琴。某次，曲會同人假舊刑部街鍾秋岩丈之花園，作賞月茗敘，情懇厚齋彈奏二曲，始得幸聞：（一）漁樵問答，（二）高山流水。同坐約廿餘，屏聲靜氣，猶如坐禪。琴桌之前，擺設小几，几上置小銅香爐，爐中插宮中藏香三枝，並以燃點，烟氛繚繞氤氳，琴聲丁冬錯綜，閉目傾聽，心曠神怡。琴音之疾徐抑揚，宛如兩農問答，與水波相逐，浪濺灘頭，極致悠遠，要在細聽。余固不諳琴之奧妙，但見其手法之快慢，低則緜邈，高則激昂，一撫之下，有幾個音節，方知七絃之不易彈。彈而能精，尤為難得。民卅四，客旅浦城，李苑庭葆珊會為一奏，但祇一節，未彈整曲，良以其年已六十餘，力不勝也。來台後，有朱龍厂胡伯昂梁致平能彈，亦甚精，惜不易北上一奏之。

宗卷既妙 罵曹亦佳

盜宗卷為十老安劉之一部份，為老生做工戲，在近今伶界，當以余叔岩馬連良為猶可，票友演者不多。癸亥上元節，惲匡岑為其母六十設帨，在本宅堂會，約集內外行演劇。是夕，有紅豆館主與劉景然合串此戲，從陳平回府拈卦，差人邀張蒼入府飲宴起，雖未帶金殿，但佳點甚多，即以陳平向張蒼賠禮時，時伶演此，多取椅墊作陳平頭上撲灰，此種動作，殊失爵尊體統。侗五特刪此節，足徵劇學很深，其不同流俗，即此可知之。（廿一）

瘟君續夢

第十一回

舊債新仇 索逋遭白眼
內憂外患 平憤仗蒼頭

阿米波夫也同意這個計劃，兩人就同李強商量，要到各地旅行一趟。

李強滿口答應，把他們帶到山西、河南一帶去視察。過去中共招待外賓，一向指定靠近大城市的幾個人民公社，表面佈置的十分整潔，每到外賓參觀時，社員伙食照例有四菜一湯，蒙哥馬利之流就是在這些地方參觀，回去大贊中共人民公社的成功。這次李強改了作風，專門把庫米金、阿希波夫兩人向普通地方引導，只見到處都是荒蕪的田畝，骨瘦如柴的人們，吃的都是野菜，小球藻，整個鄉村一片死寂，連家畜都看不到。

庫米金說道：「你們鄉下怎麼會窮到這個樣子，看情形比我們大革命以後還慘。」

阿米波夫笑道：「也不會慘過那個時候，我聽老年人說，當時因為人餓死的太多，狗吃死人吃得眼紅，假若有單身人經過，就會被一羣狗圍上來吃了。中國無論如何還不到那個程度。」

李強笑道：「要照這樣說起來，恐怕還是你們那時候好得多，因為你們還有狗，我們卻連狗都吃光了。」

庫米金等一行到了遂平去參觀衛星人民公社，這是整個大陸第一間人民公社，毛澤東就是在此地得到靈感，才把人民公社推行到全國；庫米金同阿希波夫也久聞這間公社的大名，那知到這地方一看，比其他公社更慘，田裏長滿了野草，公社辦公大樓周圍就堆滿了垃圾，來往疏疏落落的人羣，面黃肌瘦，衣裳襤褸污穢，庫米金宛如進入地獄，水也不敢喝一口，恐怕傳染了疾病。

公社支部書記卜士仁出來招待，庫米金忍不住問道：「聽說你們這個公社是最先進的，怎麼這樣窮困。」

卜士仁說道：「就因為公社先進，許多事情都跑在別人前頭，所以窮困也考了第一。」

阿希波夫說道：「你們因為收成不好，人民生活窮苦，這本是難免的事，不過，應該清潔一點，我看了許多人穿的衣服都好似從垃圾堆揀回來的，自然就要影響了健康。」

卜士仁說道：「沒有辦法，因為每人只有一條褲子，假若除下來換洗，將穿什麼呢？說來不怕老大哥見笑，我們鄉下要看見那一家門前晒出一條換洗褲子，一定會引起許多人的驚異。」

阿希波夫聽出興趣來了，問道：「這話是什麼意思。」

卜士仁說道：「大家一定會揣測，他怎麼可以換洗褲子？他穿什麼去上工？是不是可以為了洗褲子請一天假？像這些情形，每一個人都要仔細想一想，或者進去詢問一番。」

庫米金搖頭道：「我們在北京看見情形還好，鄉下怎麼窮到這個樣子。」

李強陪笑道：「我們全國物資除去運到莫斯科還債之外，剩下的就留在北京同上海幾間大城市，當然比較好些，其他城市同鄉村都是這種情況，小城市比鄉下還慘。因為鄉下沒有辦法還可以上山下河去找野生植物，動物，小城市的居民，除去一點配給品之外，是什麼辦法都沒有，只好瞪着眼乾餓。」

（二七二）

畧談大舌馬連良

豁公

這時香江人士，對於玉鑒先生之評介，明知其口角春風，不足置信；但礙於情面，不得不爲之一壺「捧場」之義務！於是不約而同的定座請客，贈之以花籃，銀盾，銀鼎，錦旗等物；加之以鼓掌喝彩，大夥兒盡量一捧，就把馬老板給捧紅了。

時「亦舞台」登在各報的廣告，正以特號大字標着「本台特請，平津獨步，「譚派」正宗，文武不擋，全材老生馬連良……」云云；吾友徐裕雲先生，看了就搖頭說：

「豈有此理！馬連良是「譚派」的正宗嗎？」

徐先生的話是不錯的，因爲馬連良的頑藝兒，原本是從各方面零星剽取而來！根本說不上是那一派。之後他才拜在賈洪林門下，經賈予以澈底的改造，唱做一切，大多以賈爲依歸，但也不完全是賈！

至馬之於譚，雖有少許摹擬的地方，但因限於環境以及天賦之不同，可以說直等於零！而他於老譚故後，竟以「譚派」頭銜爲號召，實未免自欺欺人！倒是改稱「賈派」或「馬派」，似乎還合式些。

但不管怎樣，馬老板的肚子確是寬的，不但對一般老生所常演的戲應有盡有；並且些冷却多年的老戲他都會唱，而且都唱得有個譜兒，這一點却是很可取的。

歸納起來說，馬老板的文戲的確不錯；武則頗有問題！正式的「武戲」，他根本就不能動！即「靠把戲」如「南陽關」「定軍山」之類，他也只能對付，談不到勝任愉快！那麼「文武不擋」的頭銜，又將作何解釋呢？

再說他唱的優點，止於小巧玲瓏！既不如譚富英之大氣磅礴痛快淋漓；更不如楊寶森之古樸渾厚一氣呵成！可是他慣使「小腔」（包括「花腔」「貧腔」「疙瘩腔」在內）常翻花樣！雖不爲顧曲周郎所重視，他却很能「中羊」。譬諸濃裝艷抹搔首弄姿之輕狂女性；長的雖不甚美，急色兒是會趨之若鶩的。

「做工」確是相當的瀟洒，小動作如運用「髯口」，「甩髮」，「水袖」等，都很細膩而精巧！特別是「翻袖」，「投袖」，「甩袖」，「撥袖」之姿態，妙造自然，不落迹象！實不愧爲賈狗（洪林乳名狗子）之嗣音。若如×報所云：「馬連良現已手生荊棘！」則彼此後之「做工」，也就「不足觀也矣」。

他個人之獨有劇，如「安五路」（即諸葛亮安居平五路），「十老安劉」（即漢高后崩，諸呂爲亂，欲危劉氏。（二）

鳥語

藤花館主

來到台灣，約莫十多年了。由於「克難」，一直就住在一箇偏僻的鄉下。那兒地勢很高，不是風季，也會遭受暴風的威脅；到了風季，住在堅固樓屋的中上人家，固無所謂，若是就在破舊爛泥屋的老百姓，或是沒有得到配給房子的退伍軍人眷屬，一旦颱風來了，就要躭心那一夜能不能捱過了。

我是一箇「準老百姓」，租住一所深不滿丈二，橫不過一丈八尺的民房。牆是用乾泥磚砌成的。屋頂的橫木，有三分之二是粗不及孩臂的竹，三分之一是爛木架着新舊夾雜，破霉彙有的瓦片，瓦片上用圓的，折斷的，三角的種種不同的石子壓住。颱風一來，竟直是「飛瓦走石」！白天還可以逃避，若在夜裏，風狂雨驟，電燈給管制了的話，是只有躲在屋裏，聽天由命而已。

幸而，時間住久了，在屋邊有株大龍眼樹，平時常有一些「小朋友」，飛集這棵龍眼樹上，大開其「聯合國」會議。其中有兩隻黃毛白頭的夫妻鳥，人們都喚牠做「白頭鵠」的，對於我來說，是可以算作一見如故了。牠不但不避開我，常時見我獨自箇兒聽牠倆吟唱的時候，還故意的賣弄風情，多唱一會兒。這不是應了昔人所說的：「白鳥有情留我住，青山無語看人閒」？所以，我也就不知不覺的，一住便是十多年。

自從有一次大颱風，險些把我夫妻倆葬身風雨瓦礫之中之後，我便特別的提高警覺。經常一朝一暮，都要和這對夫婦鳥——白頭鵠取得聯絡，聽一聽牠倆今兒所唱的是什麼東西？因爲這對白頭鵠，和我相處久了，牠倆所說的話，「察言觀變」，我也有了不少的經驗了。大約在今年秋間，「葛樂禮」暴風來的前夕，我聽到牠倆不同的問答，首先是雄的唱：「骨戟！骨戟！朝水！朝水！」往常雄的唱完後，雌的便跟着唱：「吱喳吱！吱喳吱！」但今天却不同了，牠唱的却是每次有颱風徵象而唱的「骨戟骨！骨戟骨！朝朝水！朝朝水！」

原來，「骨戟骨戟！」是「天氣好！天氣好！」「朝水！朝水！」是「無風！無雨！」「吱喳吱！吱喳吱」！是「對啦！對啦」！至於「骨戟骨……」云云，便是：「你知乜？你知乜？風快到啦！風快到啦！」我覺得牠們今天所唱的不對，趕忙轉身回家，準備捲舖蓋。隔隣屋主老太婆，見我跑得有點慌張，便走過來問我：「到底發生了什麼事啦？」我告訴她：「颱風快要到了！我今晚還是借住小教堂過一夜的好！」她很詫異的說：「你是聽到廣播電台的颱風預告嗎？」我說：「不！我是從兩隻白頭鵠得來的消息。」老太婆笑了笑，她道：「想不到你們讀書人，頭腦頑固比我們七八十歲的老太婆還不如。放着天文台的廣播不去聽，却把鳥語當作神話來嚇我！青天白日，無虹無雲，那來的風雨？」我說：「[illegible]蚱夜飛，白蟻出梁，這都是風雨將來的朕兆啦！我們固然信科學，但物類的知識，有時也會比科學更靈！信不信由你！我還是準備我的好啦！」

果然，日將落的時候，天色果變了，猛烈的風，漸漸的愈來愈怒吼了！這一夜，幸而我先有了準備，在堅固的教堂裏，睡了一夜，雖然戶外狂風暴雨終夜怒吼，却不必躭心牆會倒下，瓦片和石子會打穿頭！如果聽天文台的播音報告，這一夜縱不受到傷害，也要徬徉不得安枕而睡啦！直到翌日中午，風雨方息，回家一看，窗門倒了半邊，房裏瓦面穿了兩個洞，幸而棉被取出，衣服濕了還可補救。這是信科學好呢？還是信鳥言好呢？所以說：人在無聊的時候，能隨處留心體物知情，隨處都可增加學問，正不必自矜高明，一成不變，如老太婆之類是也。

第二天，當屋主老太婆，對着那棵龍眼樹，哭哭啼啼，唧着淚說：「我不聽李先生的話，把龍眼摘下來，如今是半顆都沒有了！還有什麼可怨的呢！」我見她哭得可憐，安慰她道：「你這株龍眼，是兩年始一結子的，等明年國軍回大陸，我從我的故鄉莆田，寄回一笠「莆元」送你，包你嘗所未嘗啦！何必傷心呢？」她也轉悲爲笑了。正在這時，那對夫婦鳥白頭鵠，又在樹巔：「吱喳吱！吱喳吱。」了。

且談刺客（續）

花香月上樓小品

黃葉村人

再如專諸之刺吳王僚，吳王使兵陳（同陣）自宮至光之家，（由王宮列陣至姬光之家），門戶、階陛、左右、皆吳王之親戚也。左右侍立者，又皆持長鈹（兩刃小刀、鈹、音披），密不透風。而專諸居然以匕首藏炙魚腹中，得近席前，擘魚刺殺吳王僚！僚立死！僚左右亦殺專諸！此其胆識與勇畧，以及視死如歸的精神，都非委瑣如奧斯華者，所得而比儗！尤其專諸之助姬光殺吳王僚，乃爲吳季札逃不肯立，論理光爲諸樊子，當立。而不應傳夷昧子吳王僚，是亦有所爲而爲者也。

至於聶政之爲嚴仲子而殺韓相俠累，豫讓之爲智伯而刺趙襄子，皆各有其可取之義！可得之名！與及可泣之事迹！不忮不求之立場！所謂「立意較然！不欺其志」者也！

試問：奧斯華爲國際共產黨，而刺殺美國總統邪？爲卡斯特羅政權，而刺殺甘廼迪替外國人鳴不平邪？抑另有其他不可告人的使命邪？雖皆不可得而知，但其所行不正！所取非義！爲「刺客」而不能公其心迹于天下，如荆軻、高漸離之刺暴秦，曹沬之刦齊桓，豫讓之報智伯，聶政之酬嚴仲子；亦無專諸之勇敢，赤身踏白刃之林，而視若無人。此而值得稱爲「刺客」者，則天下滔滔，謀財害命者；盜賊掠奪，挺而走險殺人者；一言不合，五步流血者；皆可稱「刺客」矣！那嗎，「疊床架屋，汗牛充棟，」恐亦無法收容如許之多的「刺客」也。

一說：奧斯華行刺之對象，爲德薩斯州州長曾任海軍部長之康納利；以康納利曾予以不名譽之退役，令奧斯華退出海軍陸戰隊也。余謂：爲此宣傳者，縱非共黨，亦奧斯華之同路人耳！因爲以神槍手著稱，一擊而中甘廼迪總統，三擊而又中甘廼迪總統，而謂他之對象爲康納利，其誰欺？欺天乎！

我的社會生活

這時全省的學校，除却安慶，蕪湖以外，皆因戰事而停閉了，皖北一帶的學校，盡被軍隊佔據着，非從速恢復不可。民黨前輩柏烈武（文蔚）以安徽宣撫使，領軍駐在皖北，他跟李協和先生交情甚深，我利用這種關係，很恭敬地寫了一封信給柏先生，請他提携晚輩，把皖北各學校的駐軍移去，以便開學。柏先生登時回我一長電，保證除將直屬部隊尅日遷離學校外，更由他向友軍交涉，一律不得再佔住學校，我甚感滿意。詎料老友張秋白兄認爲我對柏氏太恭維了，殊不謂然——他與柏氏早有嫌隙，但我并不知道。同時陳主席亦以害怕柏氏可能要奪取省主席職位的心病，頗贊助秋白一般人與柏烈武對抗。於是，秋白兄常派人在蕪湖碼頭上散發攻訐柏烈武的傳單。我以年青少閱歷之故，對秋白等人的作法，表示反對，而且毫無隱諱的加以批評，以致老朋友之間亦發生了芥蒂，然我自信無他，滿不在乎。

安徽大學原是我開始籌備的，現時我又主持全省教育行政，自應正式成立。首先就要物色一位大學校長，商由張秋白兄推薦，用陳主席名義，聘請北大教授劉文典先生担任之。我並不認識劉先生，他到安慶後，初次與我在省府晤面商談安大的組織問題，彼此意見稍有出入，他即回至廳所，把省府那張聘書拿出來，氣虎虎地退還給我，又說些負氣的話，當時我很詫異，也很憤懣，認爲此人太沒有道理，幸而張秋白兄在座，他拉我到室外籲下說道：「他素有『瘋子』之名，你莫理他，由我來對付罷！」這纔未告決裂。後來劉校長因爲對蔣主席出言不遜，曾被撤職看管，良有以也。

陳主席不特對我禮貌有加，聽說我要結婚，會親自贈送我現金四千元（等於現時的港幣四萬元）作賀儀。他的意思我也明白，即因爲我是國府常委李協和的親信幹部，又係譚組安主席的同省人，在政治上多少能夠幫他的忙。假使我不是青年浮燥，經常要以革命的新人物自任，遇事不肯妥協，且又懂得作官之道的話，正可以跟他沆瀣一氣，利用他的地位，在官場中互相標榜、勾結，還愁宦運不亨通嗎？然而我太不會作官了，竟使陳主席大爲失望，那就是我極力反對他爲着彌補軍費，而在安徽境內實行鹽觔加價一事。我認爲軍隊隨便搜刮民財，乃係軍閥行爲，革命政府之下，不應該有此現象。食鹽是民生必需品，連告化子每天亦要購用的，自由加征鹽稅，此風決不可長。自忖這樣纔不愧爲三民主義信徒，毋忝人民公僕的職守，得意洋洋，自我陶醉。但張秋白兄一般皖籍朋友，却默然不作聲，聽憑陳主席行事，加征鹽稅案提出省務會議時，又是我和同寅寧委員坤這兩個湖南人唱反調。住在京滬一帶的安徽人乃爲之大譁，說外省籍的委員能替皖人謀福利，而本省人竟助桀爲虐，指爲可殺，且集矢於張秋白兄一人——此中潛存着柏烈武一般人反對張秋白的私人恩怨——陳主席覩此情勢，親赴南京向國府財政部疏通，加征鹽稅案終於實行了。於是乎，我與寧坤先生（他是程潛的老幹部）即成了陳主席及其軍部同人的眼中釘，我因此更與張秋白兄將陷於凶終隙末的下塲。靜言思之，實在是由於我少年得志，不通達世故人情，亦不知稼穡之艱難，一派幼稚病，誤己誤人，有如今日美國朋友的外交言行一樣，可哂之至！（十七）

南宋偏安有人才

李仲侯

武穆被殺，宋室終告沉淪，千古惜之。歷朝論武穆之枉死者多矣，茲錄明胡世寧「岳武穆論」，以結斯篇。

「武穆之寃，史以爲秦檜專殺，而高宗不知也。然高宗豈不知哉？迹其平日召至臥內，有金盤之賜，有精忠之書；有中興專委之託，有手書數十之與，且在當時忠勛才傑如武穆者，舉目能幾，其存其亡不知問耶？（一一八）

剃頭刀及其他

「聞道頭堪剃，無人不剃頭；有頭皆可剃，無剃不成頭。剃自由他剃，頭還是我頭；請看剃頭者，人亦剃其頭！」此「獨剃詩」，清初，明遺民爲剃頭司務詠也。按：清人入關，漢人最感頭痛者爲剃頭；當日，漢人之因不肯剃頭而死者，全國各地，無處無之，初不止「揚州十日」，「嘉定三屠」而已。故詩人感慨而言之，有餘痛耳。

清代之剃頭方式是怎樣的？我相信從民國出生的人，是見不到的。它並不是把頭髮全剃，而只是剃去前額的一部分，把後面的留下；留下的約當全部三分之二，有幾長留幾長。

（未完）

自由報
內僑警台報字第〇三壹號內銷證
THE FREE NEWS
第四〇九期
中華民國僑務委員會頒發
台僑新字第三二三號登記證
中華郵政台字第一二八二號執照
登記為第一類新聞紙類
（本週刊每星期三、六出版）
每份港幣壹角
台灣本售價新台幣弍元
社長：劉曉岑
督印人：黃行富
社址：香港銅鑼灣高士威道二十號四樓
20. CAUSEWAY RD 3RD. FL.
HONG KONG
TEL. 771726　電報掛號：7191
承印者：田風印刷廠
地址：香港灣仔高士打道二二一號
台灣分社
台北市西寧南路壹叁柒號二樓
電話：三〇三四六
台郵劃撥儲金戶九二五二

從甘迺廸總統三年功過看美國對外政策（下）

·郭甄泰·

去年五月二十八日赫魯雪夫說：『在美太空人卡本德升入太空繞地飛行成功後，蘇俄已不在太空佔有優先地位』，表示美國太空競賽，已與蘇俄並駕齊驅。去年十月二十六日赫魯雪夫聲明：『蘇俄將退出和美國爭先送人類去月球的競賽』，『目前我們不計劃送太空飛行員登陸月球的飛行』。是知難而退了。美國則於十一月二十七日成功的發射了一個革命性氫燃料「半人馬星座火箭」，開未來將人類送上月球的太空飛車的先驅。美國太空競賽至此後來居上，業已完全領先，佔居優勢。

不寧惟是，美國於太空競賽，蘇聯退出後，復堅決聲明要於十年內送人登陸月球。此項計劃，以氣概論，超越了哥倫布乘長風破萬里浪的冒險旅行；以規模論，了戰時的原子彈計劃，每日需款一百萬美元，共為四年，今日美國的登陸月球計劃，每日需款一千萬美元，需時十年，使戰時創製原子彈計劃微乎其小，渺不足道。甘迺迪排除一切反對，不惜如此鉅款，堅決應付蘇俄伴侶號衛星的挑戰，實行太空競賽，其目的不僅為保持美國的榮譽，維持美國頭等國地位，且予世界人類以燦爛的希望。此舉之正確性，無可置疑。

七、核子禁試，緩和世局。甘迺迪在其就任總統一年以後，曾在一次記者招待會中說：『未能與蘇俄達成一項核子禁試協議，是他在該年中最失望的事』，但去年七月蘇俄終於同意美英兩國禁止一切核子試爆（除了地下核試），達成協議，八月五日，復在莫斯科正式簽字。此項禁試條約，從軍事上看，作用並不大，但因此種核子試驗的停止，第一可使危害人類健康生活的原子放射塵不再散佈空中。第二可作為全面裁軍的第一步，十八年來東西的冷戰，可望因之解凍。第三美蘇兩國關係可以開始調整緩和。，世界局勢可以因之緩和。第四可望抑制正在發展或尚待發展的核子國家。詹森總統說：『前總統甘迺迪的政績中，最使人永銘不忘的，將是核子禁試條約』。此亦為甘迺迪任內成就之一

八、和平戰略，安定人心。一九六三年六月十日甘迺迪提出「和平戰略」，九月二十日在聯合國演說，復具體的予以闡揚，其內為一、管制核子武器；二、繼續談判防止突襲及禁止地下核試；三、全面裁軍；四、太空合作；五、種族平等；六、支持聯合國，七、援助發展落後國家；八、禁止載有原子武器之太空工具在太空飛行；九、避免發生戰爭；十、開闢一個合作之新時代，以成就的競爭代替恐嚇的競爭。此項和平戰略的構想，至少抑止戰爭發生的機會，使世界和平露出曙光，足以在一定程度上安定人心。要亦為甘迺迪有心追求世界和平的表現。

乙、甘迺迪失敗之跡

甘迺迪三年為政，亦有其失敗之跡，舉其大者有四項：第一為進攻古巴問題。一九六一年古巴流亡人士受美國支持武裝登陸古巴，以部署既不周，戰略又錯誤，特別是因為甘迺迪虎頭蛇尾，臨陣而縮，致受到全軍覆沒的嚴重打擊。事後加斯特羅復以一批被俘的流亡人士作為人質，勒索了美國一批鉅款。甘迺迪對於此舉所表現的，為既無經驗，又無自信，完全為少數顧問人員所左右，實為其一大失敗。

第二為「積極領導」，完全不顧歐洲、亞洲美國盟邦的現實，引致自由世界內部的隔膜甚至矛盾。美國與歐洲六國共同市場國家間的心病，特別是法美之間的各自為政，為其最彰明較著者；英國之被拒於共同市場之外，此其種因。此事儘管戴高樂法國亦有其責任，甘迺迪「積極領導」更需負較大責任，要為事實。自由國家不能充份團結，無論如何是自壞長城，徒予共產集團製造機會。

第三為處理寮越問題的錯誤。把反共的寮國變為莫名其妙的「中立與獨立」，為甘迺迪一九六一年六月與赫魯雪夫維也納雙高峯會議的決定，但此舉之為甘迺迪上了赫魯雪夫之當，無人可予否認。寮國之成為不了之局，甘迺迪責無可辭。至於甘迺迪政府製造南越政變，其做法之「難看」，翻雲覆雨，將友作仇種種行事，不但構成甘迺迪的污點，更簡直是美國的污點，其影響有不堪言狀者！

第四為對中國反攻大陸，迄無信心，以致美國亞洲政策面臨失敗邊緣。甘迺迪之遠東政策為圍堵中共，維持現狀，因之對於我國反攻大陸，迄持消極態度。在就職時，即恢復華沙美毛談判，縱容太平洋學會之「兩個中國」，「建立中台國」的謬論。嗣後甘氏本人亦曾屢次發表不贊同我國反攻大陸的言論。而一九六三年十一月四日，甘氏復在記者招待會中表示：「祇要中共肯表示願與自由世界和平相處，美國便將重新考慮改變對中共之政策」。更當然是美國綏靖主義抬頭的象徵，無異是美國「又一次出賣中國」。中共為遠東禍亂之源，中共不除，亞洲和平永遠不能保持。甘迺迪對於中國反攻大陸，採取消極態度，以致美國亞洲政策漫無中心，漏洞百出，實非明智之舉。

丙、美國未來之對外政策

甘迺迪被刺殺以後，詹森繼任美國總統，詹森老成練達，經驗豐富，今後美國對外政策將如何呢？

一、追求和平維持實力。詹森對外政策之基本目標仍為追求和平與維持實力。他說：『要保持美國强大的軍事力量，打擊共黨的顛覆活動』；『對於美國軍事力量維繫世界和平與安全的能力深具信心。』

（下轉第三版）

如何入手

無能為力

今日与明日

巴拿馬運河區的衝突

巴拿馬運河區發生流血事件，巴拿馬學生被美軍開槍擊斃十三人，傷者達二百人以上。這次衝突無疑地是自由世界的極大不幸事件，就事論事，過失顯然在美國方面。因為巴拿馬學生衝入美國管轄區掛旗，無論是否合法，美軍斷不應當開槍殺人，傷亡竟達二百人以上，二次大戰後除去蘇聯對付匈牙利之外，似乎尚無其他同類事件發生。以美國今日的地位，美國人平日對民族自由所持的信念，我們雖然對於美國的外交政策，有所不滿，但對美國國民的道德信念，一向備致推崇，今日不幸發生美軍槍殺巴拿馬學生的事件，對美國的聲譽將受到嚴重打擊，尤甚於美國國內所發生的小石城種族歧視事件。

無法善其後

巴拿馬總統齊亞里本是美國的朋友，也是一個堅强的自由主義者，可是美國此次槍殺學生事件，首先損害了他的地位。他若稍事妥協，就可能被軍隊或羣衆推翻。齊亞里總統只好下令同美國絕交，要求收回巴拿馬運河主權。

絕交十分容易，只要宣佈一次就成了，要收回巴拿馬運河主權就並非如此簡單。因為巴拿馬運河區簽署條約時，就沒有規定可以收回的年限，甚至根本沒有磋商的餘地，除非美國自動願意交回，又當別論。但是美國決不會放棄巴拿馬運河主權的，尤其是美國本年即將大選，詹森總統更不敢冒這麼大的風險，以免影響自己的選舉地位，參衆兩院更不會通過，所以必然是個僵局。

可慮的形勢

目前中南美國家的當政者，除去古巴、海地、巴西三國之外，對美國都十分友好，但是，每一個國家都存在有反美意識，尤其是巴拿馬、瓜地馬拉、委內瑞拉三國為甚。甘迺迪封鎖古巴時，寧願冒着與蘇聯開戰的危險，却不敢向古巴用兵，就是恐怕引起中南美的民族主義浪潮。而此次巴拿馬運河區事件，不幸正觸發此種危機，美國若不能善為自處，後患是不堪設想的。假若中美洲小國再有一兩個被左傾份子奪去政權，美國所受到的威脅，將較蘇聯的飛彈更嚴重。

我們的立場

巴拿馬總統已令其駐華大使飛向台北，尋求我國在安理會的支持；中巴邦交素篤，巴拿馬當局居然會向我們求援，並不是簡單因為我們在安理會有一席位，而是中國代表當年曾經有為了支持埃及而寧願開罪英國的光榮紀錄；這次如何應付，願劉大使好自為之。

自由談

民族文化的危機

馮玉先生

最近台北市舉行老年人國語演說競賽，台灣鐵路局贈送了一面錦旗獎品，上書「老氣橫秋」四字，得到這項獎品的一位陳先生說：「我今年纔六十三歲，指我老氣橫秋，不知是獎我呢？抑是損我？」可謂藝林佳話也矣！

誰都瞭解「老氣橫秋」這句成語，是純粹諷刺性的詞彙，難怪那位國語競賽得獎者受寵若驚，感覺啼笑皆非了。實則題詞的先生並非故意惡作劇，只是望文生義，以為老年人在秋冬時節作演說比賽而榮膺上選，氣概甚盛，有如疾風之橫掃秋葉，用意確係恭維得獎的人，這等於有些洋秀才對着長輩掉文，說是「您老精神很好，眞是老態龍鍾！」毛病在少識字義，不知所出。這事如果發生在香港的華人社會中，并不稀奇，因為海外的高等華人皆以能識洋文為第一義，例如報紙上常有令人難解的華文大字標題，亦無所謂。但在中華民國領土內，且係政府機關的傑作，却未免太笑話了！

輓近四十年來，國人盛倡新文化運動，而視舊有的書籍文字為時代落伍的死文學，認為不值一顧。實則文體有新舊之別，文字抑無所謂新舊，多識字義乃是基本工夫。咱們學習外國語文的要訣，就是要多識生字，熟練文法，學習中國語文亦無例外，非多讀舊書，試問從何處多識字義呢？識字的程度若膚淺，無論是寫文言文或語體文，一例謭陋不足觀，更談不到優美的話。我有朋友某君，瞧見兒子的高小作文課本中，有「四十而不感」一語，即告知兒子這是把「惑」字誤寫為「感」，應改正。第二天兒子從學校歸來說道：「先生說沒有錯，是爸爸搞錯了！」這與上述「老氣橫秋」的趣事，可以媲美爭輝，即證明現代的國文教育完全失敗，再過二三十年之後，不特「老氣橫秋」這類詞彙沒人懂得，即對筆畫較多的中國字能夠認識的人，亦將被識為老朽頑固的死文學家了。及其弊也，必如今日大陸上的共黨，把「零陵縣」寫成「〇〇縣」，「保衛」寫成「保P」，而使具有五千年歷史和優美構造的中國文字，淪為注音符號之用，即告斬盡無存，有所謂民族精神，乃由空虛墮落而趨於毀滅之途，言念及此，實在可悲可怕，不審今日主持國家教育事業者，亦憬然於這種危機否耶？

香港與大陸

粵共蠻幹又亂攪水利 宣稱春節在工地過年

粵共又動員人民進行修築水利工程——宣稱要拿出一切的力量，以「力爭儘快改變災害頻仍的歷史面貌」；但人民卻怨聲載道，以事實引證共黨所搞水利不但勞民傷財，且使災害越來越大。

據曾回惠陽縣探親甫返抵港的某紗廠職工李尚×君透露：惠陽縣去年（一九六三年）的秋季又是歉收，共幹除了歸咎於一些「落後」的農民的怠工外，主要罪過推之於「天災」的影響。所以冬種以後，中共又下令總動員，宣稱要在這個冬季，拿出一切可以拿出的財力、人力去修建水利，以改變「災害頻仍的歷史面貌」。

李尚×君說：現在惠陽縣的共幹正忙於一面調查和組織可以利用的勞動力，包括從小學三年級起至中學大學的寒假回鄉學生，從十二歲起到六十歲的農民，都在組織之列；另一方面卻又要在頻頻開會，要「打通」人們的思想。

李尚×君說：中共這次攪的「總動員」，仍然採取以往的慣技，在會議中利用小組，個人的挑戰、應戰，而那些小組的發言人及個人，自然都是共幹暗中先行安排好的；他們盡量提出「積極」的建議，表示願意在「黨」的領導下苦幹硬幹，並要求「領導」准許春節期間（卽舊曆新年）在工地上過年……而使共幹在接受民意的幌子下，說是爲了滿足人民的「積極的情緒」而宣佈了許多苦幹硬幹的條例了。

李尚×君又說：人民聽到這種宣佈後，怒火中燒，怨聲載道。人民說：我們沒有這種「積極的情緒」，是它們那些共幹自己的主意，應該就由它們自己去苦幹硬幹好了。對於這些眞正民意，共幹卻當作耳邊風，不加理會。人民更指出種種事實以示共幹此項主意之不當，他們引用中共的話說：「從一九五九年至一九六三的五年中，政府在興修水利的工程上花了八百萬元（僅指惠陽縣）。」又引「公社」共幹的話說：「我們賣餘糧的錢都投資到水利建設中去了。」以證明共幹之搞水利是勞民傷財。又指出：在一九五九年以前，惠陽很少有什麼影響收成的自然災害，祇因中共要亂攪什麼水利工程，才帶來了頻仍的旱災、水災。共幹的答覆，卻是把領頭「講怪話」的「典型人物」進行公審，以殺狗儆猴的手段，使人民敢怒不敢言。

另據此間一位大學生最近接到老同學由梅縣來信稱：梅縣各中小學生在今年的寒假中，除了一部份學生留校組織「文工團」，向羣衆宣傳外，全部學生均要回鄉參加「水利建設」。每個學生在下學期回校時，都要持有「公社」的「鑑定表」，否則不予註冊。學生回到家裏，便要和其他的農民組織在小組裏，任由共幹擺佈役使。（敬斯）

儘可激烈爭論。未可遽下結論 初中入學應否考試常識 貴能平心靜氣擇善而從

（本報記者吳越台北航訊）初中入學考試，應否恢復常識一課的爭論，最近成了熱門問題。立法院開了好幾次會，想迫出教育部作一個肯定的答覆，尚未成功。公說公有理，婆說婆有理，如何結局呢？

前幾年，教育當局鑒於國校盛行惡性補習，學童健康大受影響，省教育廳乃下令初中入學免試常識，以減輕學童課業負担，已行之有年；最近突掀起這場熱門爭論的起因，是一個教育學會發表一項調查報告所引起。調查報告中說，由於初中入學免試常識，一般國校教學就不注重常識課，而將應授常識課的時間，改授其他要考試的科目，以致學童常識低落；而且原來以爲免試常識卽可消除「惡性補習」的目的，也未達到，因此認定：初中入學還是應該恢復常識考試。

這篇調查報告出來之後，省教育廳卽認爲恢復常識考試，是有必要，而且擬定計劃，送請教育部核定。但所有學生家長及多數教師，則懷疑那個教育學會的調查資料是否普遍可靠。甚至有人以爲是推銷常識補充教材書商的配合。還有人懷疑這項調查報告是教育廳想恢復常識考試而預先安排的伏筆。

與論新聞界以及由他們約集的各個專家學者的座談會中，大半都是，反對初中入學考試常識的。監察委員陶百川就公開反對。師範大學教育學院院長田培林說：學童的健康受到影響，並不是由於惡性補習，因爲嬰兒並未接受惡性補習，但也有生病的；而且惡性補習既不因免試常識而停止，多考一項常識又有甚麼關係？因教授這一席話，贏得輿論界的一致「倒采」，認爲這是「强詞奪理」「似是而非」。

報紙上發表過好幾封讀者投書，有人指說這次突然掀起初中入學考試恢復常識的主張，是印製常識補充教材的書販在暗中發動的。有的國校老師還投書說，是否恢復常識考試的爭論還正在進行，有些書販就已經開始向國校熱烈地展開推銷書籍運動了。

立法院部份委員，也是主張恢復初中入學考試常識的，不過有一個很特出的現象，就是若干贊成的立法委員，其大名並不常在報紙上見到，這次卻力爭不休。其中有一位且「振振有詞」，說是「免試常識足以動搖國本」，「國民學校法第一條就確定了常識的重要性，如要免試常識，就要修改本法」。在這兩頂「大帽子」的扣壓下，教育部長黃季陸實在說不出話來，只好推說這是政策問題，要由行政院決定。但與論又責備他，說這種事教育部都不能定一個決策，而要「推、拖」的話，教育部長還算什麼政務官，教育部該稱爲「不管部」了。

有些國校教師說：免試常識並不就是不教常識，反而由於不考常識的關係，學童不須生吞那些生硬而不合理的教材，教師可以活用教材教學，增加實驗，領導觀察，獲得的實際常識還更加豐富而有用。

千萬的學童家長則認爲，學童目前的課業負担已經很重，補習常從清晨到深夜，健康情形普遍低落，家長無不憂心。免試常識，國校仍在教授常識，教育行政當局且訂有稽核教學進度和成績的辦法。如果說除了採用考試一途之外，就不能督促教師教授常識，這只證明教育當局的無能，行政力量的失敗，怎麼可以用學童來作犧牲？學校既然仍在教授常識，學童就不至缺乏常識，則「不考常識足以動搖國本」的話就變成「危言聳聽」不切實際了。

更有人在報上投書，提出十個小學課本中常見的常識試題，請主張恢復常識考試的立法委員們自己做一做，如果他們能答對一半，就有資格談這個問題，否則那就不要硬性主張了。因爲既然稱爲「常識」，便該是每人都應具備的，主張的人都不懂，又何必強求小孩子？所以，目前這種硬背年月日、官吏姓名的不合理常識教材，實有重新檢討改進的必要。

初中入學是否應該恢復常識考試的問題，因爲涉及學童、家長、教育人員、民意代表、政府官吏這許多人，台灣差不多有一半人口都捲入這個問題的漩渦，大家精神上的負担也大很重。教育是國家的百年大計，實在不容許草率與兒戲，希望大家都能平心靜氣，爲國家民族的長遠着想，研究出一個妥善可行的方案來。

監察委員與人權問題

本報台北記者

司法斷不可以淪爲行政附庸

這樣沉痛的呼籲，謀國的大人先生們，應該對之深加檢討，切實反省，是不是司法審判失去了獨立精神，變成了行政的附庸，因而沒有盡到保障人民權利的責任，使聯合國人權委員會認爲中華民國的司法不能保障人權？

有些人認爲今日台灣的司法比日據時代還不如。這種批評，不是空穴來風，而是有事實根據的。過去，監察委員曹德宣在監察院司法檢討會有一段悲痛的陳詞，值得謀國者與司法當局反省。曹德宣說：

「我們看着台灣在日據時代，人民受日本的奴役統治、壓迫，可是今天台灣人對日本還念念不忘。原因他們看到日本的司法是尊嚴的，是平等的，上至台灣總督，下至一般人民，在法律之下，一律平等。台灣光復後是否能做到這樣？台灣老百姓對於法院的觀念是一落千丈，這實在是值得我們警惕的。」

三、取締流氓的辦法

中華民國憲法第八條第一項規定：人民身體的自由應予保障，除現行犯的逮捕，由法律另定外，非經司法或警察機關依法定程序，不得逮捕拘禁。非由法院依法定程序，不得審問處罰。非依法定程序的逮捕、拘禁、審問、處罰，得拒絕之。所以刑法、刑事訴訟法、與違警罰法的規定，便是那裏面所稱司法或警察機關逮捕拘禁及法院審問處罰的法定程序。

但事實上，人身自由的保障，卻被「台灣省戒嚴時期取締流氓辦法」與所謂「台灣省檢察官與司法警察機關辦理刑事案件聯繫辦法實施要點」，破壞無遺。過去，監察院爲此曾提案糾正，可是非司法、警察機關仍我行我素，置之不理。於是監察院司法委員會又在最近的總檢討會中「舊話重提」說：「流氓之管訓，爲台灣省當前維持治安之必要措施，惟事關人權，必須依照法定程序辦理。現行台灣省戒嚴時期取締流氓辦法，係行政院以命令施行，與憲法第八條第一項人民身體之自由，應予保障」的規定不合。監察院「於五十年二月間提案糾正，促請行政院從速完成立法程序，迄未見辦理；仍望行政當局於短期內提出流氓治罪法案，完成法定程序，俾符憲法規定。」

按照戒嚴時期取締流氓辦法所定：所謂「流氓」，係指「一、非法擅組幫會招徒結隊者。二、逞强恃衆要挾滋事或佔據碼頭車站勒收陋規搬運費者。三、武斷鄉曲，欺壓善良或包攬訴訟者。四、不務正業，招搖撞騙或包庇私娼者。五、曾有擾害治安之行爲，未經自新或自新後仍企圖不軌者。六、曾受徒刑拘役之刑事處分三次以上，仍不悛改，顯有危害治安之虞者。七、因游蕩或懶惰而爲違警行爲之習慣者。」卽由各縣市警察局逮捕，分送保安機關警備機關按其情節，爲下列的處置：「一、依刑法規定予以保安處分。二、依違警罰法規定施以矯正或令其學習生活技能。三、無不法事實者，予以釋放。」凡包庇利用流氓活動而意圖造成地方權勢的私人或團體，其本人或團體，主持人爲首要流氓，均由保安機關或警備機關予以逮捕法辦。

流氓如不犯法 不能擅予拘罰

由此可知，流氓當然非軍人。其所定構成流氓條件的情形，卽使達成犯罪的程度，也無一是屬於軍事審判的範圍。就字義上看，流氓，本祇是無業游民。但站在法的立場而言，祇能就事論事，看他們（流氓）的行爲是否犯罪或違警，分別按照法律程序，適當懲治。所謂「經調查登記之流氓」，由保安機關或警備機關「審查不法事實明確後，通令各縣市警察局執行逮捕，解由台灣省警務處轉解」核辦，這便與憲法第八、九條直接衝突。由於事實須經「調查」「審查」，才知其爲不法，則其非現行犯，已不待論。司法警察機關處理流氓事件，竟不依照刑事訴訟法第二〇九條第二項與第二一〇條第二項規定，報告法院，而由保安機關通令逮捕；逮捕後不解送法院，而轉解保安機關或警備機關，顯然爲非法剝奪人民身體的自由。（三）

基隆旅居記

仲公

基隆落雨有連續達兩個月的，例如光緒卅四年，基隆在一月廿日至三月十五日之間，曾經連續下雨達五十五天之久。因在這樣情形之下，容易影響市民的戶外活動，故基隆歷屆選手，在各項運動競技場上，祗有吃鴨蛋的份兒，實在是不足爲怪的。也因而基隆的一切的建設工程、必須在晴季趕工完成，一至雨季，就須住手了。

基隆多雨的原因，有說是雨季期間，因南洋方面有暖流北上，東海黃海洋面有寒流南下，雙方在台灣北部海面相遇，釀成多量的水蒸氣，觸到基隆背後一帶山脈，便凝結成雨而降落。其說是否可靠，尙屬疑問。關於基隆之多雨，氣象家至今還聚訟紛紜莫衷一是。

基隆很少快晴的天氣，（雲量平均在十分之二以下者）全年獲得快晴的日數，平均不到二〇天。各月之中，以八月份爲最多，亦不過四點二天，二月份最少，僅〇點七天而已。反之每年平均曇天或陰天日數，則多達二二二天；以十二月份爲最多，計二四點四天，七月份最少，但亦得九天。（十六）

工展觀衆創紀錄 曲終人散有手尾

（本報訊）香港第二十一屆工展會，元月十二日晚閉幕，閉幕時曾有儀式舉行。本屆工展於去年十二月三日開幕，凡四十一天，購票入場之觀衆一百三十餘萬，較以往歷屆最高觀衆紀錄尚多出二十萬光景。如連同配帶來賓章及各社團、學校免費入場參觀者合計，則超過一百五十萬人。曲終人散之本屆工展會，唯一未了手續爲工姐加冕禮，此係因有會員反對選舉延期，請求法院頒禁制令之故；工姐加冕須待該項問題解決，始得舉行。

我

方南

「別動手，這是我的東西！」一個幾歲大的孩子很認眞地說出這樣一句話。我在看一羣小孩子在玩耍，聽了這話，忽然想到一個「我」字包含了許多問題。

記不起是那一部論「相學」的書說過：兒童顴鼻不甚發達，是因爲「自我觀念」尚未成熟。凡顴鼻有勢的人大都是掘權的人。因爲顴鼻代表「自我觀念」，權力慾望熾盛的人多數是「隆準公」，「我見」與「我執」都極爲堅强。這可由開國皇帝和末造皇帝的顴鼻拿出例證來。

這種說法對不對，我不知道。在我的認識裏，把「我」字說得最響亮的人物要算希特拉之類。他所著「我的奮鬥」一書，「我的」兩字似乎具有千鈞之力，擲地可作金石聲。無疑的，把「我」或「我的」說得這麼響亮的人，應該是權力慾望特別熾烈的人。

西方人寫「我」字照例用大寫，我們中國人却是相反，對人稱兄，自稱爲弟，一個「弟」字還要小寫偏寫，還有「僕」、「下走」，「愚」，「不才」，「不佞」等等，都成了我的代名詞。這是不是中國人的「自我觀念」不夠堅强的象徵麼？想來雖値一笑。

少時讀孟子書，知有「無我」與「爲我」的兩派主張。孟子認爲絕對的「爲我」固然要不得，「無我」也同樣不行。他嘲笑「拔一毛以利天下不爲」，並且痛駡「無父無君是禽獸也」，顯然要走中間路線，對於一個「中和的我」有所辯護。

在路上，看到許多美麗的女人和男子携手同行，我不會呷醋，因爲她們全不是「我的」。假如看到我的太太或我的戀人是這種情景時，那就不同了。這是「我執」。除了像莊子那樣的哲人，絕不可以破這「我執」。

話話如此，叫莊子之流去做盜跖之事，莊子必然會說：「這樣的事我不做。」這仍然是有「我見」與「我執」的。

曾子臨死易簀，說：「啓予手，啓予足，身體髮膚，受之父母，不敢毀傷」。這以完成一個完整的「我的人格」爲極樂。同樣，文天祥在從容殉國之時，說：「孔曰成仁，孟曰取義，讀聖賢書，所學何事？吾今而後，其知免乎！」這種樂趣只有醉心於追求一個完整的「我的人格」者才可享受。

由此而想到「自我觀念」極强的霸王與名將。楚霸王項羽兵敗垓下，高喊「此天亡我，非用兵之罪也」，一個「我」字說得悲涼極了。日本名將乃木希典於日俄戰役，有「征馬不前人不語，金州城外立斜陽」之句，雖未着一「我」字在內，却用一個堆滿屍骸的死寂戰場來烘托出一個「我」字來。這個「我」有光榮的滿足，也有無限的悲愴，極可能悟到太滿足的我便是極空虛的我。

我有不少精研佛學的朋友，說「空」說得很到家，但事實上破不了「我執」，一切談「空」都成了空談。

羣是面，我是點，無點不成面，有面必有點，這區區的我，無異如恆河中一粒沙，大倉中一粒粟，算得什麼？不算得什麼也罷，自己還是要珍重它，不許人抹煞它，自己也不該抹煞它，我之爲我，要在自己心境上有一個好安頓，要在「羣」「己」之間有一個好交代，說來是易，做來便難啊！

[illegible]劇豪傑錄

娑婆生

某次，在江西會館的言樂會，侗五絮唱罵曹，此劇之唱工，完全要靠嗓音充沛，非此不能對付。厚齋在中年天賦獨可，惟其時年事向晚，調門不高，不能苛責。余所評者，一般打鼓者，多以手握槌之末端而打，侗五打法，當至聲最急響時，竟將手之兩指，捏住槌之中端，用尖末兩端敲動鼓面，着心已異，而聲則一樣，似仍好聽，配合琴音，更窺其抑揚，功夫之深，爲其他伶工所不如。先叢師孫化成亦譚派名票，亦善演罵曹，後在余家胡同遇，當郎請其對侗五的打鼓，賜予評隲。孫師見告，論其唱則不如我的嗓朗，講其打鼓，則我不及其手法，在叔岩菊朋之上，餘可不必論。

少年金山　壯歲風箏

侗五於崑曲極有根底，而在少年時，亦能武功，因此在三十以前，曾演金山寺中水門之白蛇，唱得固好，且亦步亦趨，起落綽約。此戲在四大名旦中，梅氏早年也唱，後來祇尙小雲擅，因爲身段之繁，唱曲之多，沒有着實的嗓子，不易爲之。聞說其曾演數次，內行咸稱服。風箏誤亦是崑曲，其中主角爲丫頭，却不易演，以長得醜陋，唱來須有風韻。有一次某王爺壽辰，特煩侗五試演，演得精采百出，能與連陞店並美。在此看來，幾乎生旦淨丑，無所不擅，求之伶工間，恐亦未必有其人，余故稱爲曠絕前代，後無繼起，百年劇史，獨此一人。（廿二）

藝術論

美的創造

創造一字，原本是神學內的用字，在士林哲學中，指的是一個整個自立體，從沒有自己也沒有主體中引出來。換句話說，就是從沒有自己的形式與質料中，引出一個事物來。現在我們在美學中，所使用的創造字眼，乃是擬意的，廣義的，而非本義的。它的指義是：一個美的觀念，實現於藝術品的完成上，這便是美的創造。這種由觀念到現實的過程，構成一種程序，這個程序我們即稱爲美的創造程序。這種創造是從沒有自己，但却從有主體而來。換句話說，藝術品的創造，是從沒有自己的形式，但却有應用的材料而來。也就是說，不是從絕對無而來，而是從一面無（形式），一面有（材料）而來。比如巧婦以米爲炊，炊不是米，米也沒有炊的形式，但是如果沒有米的材料，非米形式（炊不是米的形式）的炊也無自產生。這是人與神的創造最基本的分野，最大的不同。

但是在美的創造中，我們也可以說在某種狀態裏，人是在自作神明了。因爲神是自然而創造萬物；藝術品是人爲的，是人從沒有它的形式中，將它引出來。二者就沒有一物的形式而使之成爲有的境界上則是相同的。如果就神的創造人類來說，與人的創造藝術品，在其間更爲相同了。在創世紀上以及希多許多原始世界的神話中，我們找到了神摶土爲人的史蹟；創世紀上說：「於是雅厥從地上的土內作了人，給他吹了一口生命之氣，便使人成了生活的物」。神造人用了材料，人創造美的事物，也用了材料，這其間更可以看出相同了。這個材料，人們可以付給它本體的形式，也可以付給它附加的形式。是的，每個材料，都可以成爲藝術品；在每種不相同的形式，變成每種不相同的藝術形式，人對於物的加工，都有藝術製造的意義。人對於各種材料的組合，而成爲一個新的事物，這其間的過程，本都可以稱之爲創造過程，也都可以說是美的創造。因爲嚴格講起來，世物只有美，而沒有醜；所謂醜是比較更美的事物的不足不及而已。

抽象藝術漫談

趙雅博

我們人類爲製造藝術品的事物所使用的材料，乃是一個本身具有形式，本身也美的東西，它有最大的純淨，佔有出顯形式或使形式成形的最大可能性。這是說，這些材料可以最高最大最美的表現形式，也就是說這種材料能無限止的（至少到最後限止的）表示出自立體的形式。並且我們可以說，這同一的形式，在自然的狀態內，能夠遇到無數的困難。這些困難在透過自然物質的表現美上，可能使美的表現不能盡情盡量而使之受阻受礙，可是在藝術的材料裏，則可以看到更大的表現能力。此無他，由於自然物是一成不變的，就其爲自然物來講，它已具有了完美的形式與質料，如無外力，不會自己改變而成爲異類異種；卽是在其範圍內的改變，也有一定的定則，而不會有所突變。並且這種具有形與質合一的自然物，將它作爲材料，而加以藝術化，也只是人的事，而人在這種當它作爲材料的物質，在加工上，在藝術改變，雖然不說是無窮，但却可以說是無限止。藝術的改變自然材料，既是無止無休，那麼藝術家呢，他却不能不該胡亂的去改變它，而應該尋找在使用材料的時間中的常存者；就是說在使用的材料中，在其時間觀念與事實內，要尋找常存的東西，予以表現：顏色的持久性，石塊的硬度與聯合的力量美等。（未完）

從甘迺迪總統三年功過看美國對外政策

（上接第一版）

「我絕不打算放棄美國在過去三年中所獲得的力量」。「美國外交政策的基本目標，是要建立一個自由的世界和避免北半球的毀滅」。此可知美國之軍力自將爲維持現狀，大致上爲繼續甘迺迪之政策。

二、改善美法關係，加强西歐聯盟。美法關係有隔閡是事實，此對自由世界不利更是事實，詹森較甘迺迪圖通和平，對於此後英法關係，必將設法改善，以免歐洲與美國之裂痕，逐漸加深。

三、協助中國反攻大陸問題。甘迺迪之亞洲政策，係頭痛醫頭，腳痛醫腳之圍堵方式，係一種無貽利之等待戰略，其對華政策尤然。詹森「蕭規曹隨」，對此難望其有何更張。因此之故，我國反攻大陸之舉，仍須由如何團結內部，努力準備，藉以爭取與國援助着手。茲事體大，容再另文論之。（完）

寫君續夢

第十一回

舊債新仇　索逋遭白眼
內憂外患　平債仗蒼頭

庫米金同阿希波夫面面相覷，無話可說。

李強說道：「我們確非有心賴債不還，實在是力不從心，兩位這次可以看清楚了。」

庫米金說道：「目前的問題不在於你們是否賴債，而是你們不還債，我們的經濟也支持不下去，所以赫魯曉夫同志才派我們來催討，現在你們絲毫不還，我們將怎樣交待？副部長同志，我們社會主義國家的情形，彼此都是知道的，我們眞的辦不好這件事，可能要被下放到西伯利亞的。」

李強笑道：「這件事，我們實在抱歉的很，希望兩位同志在赫老面前善爲解釋，只要挨過去今年，一旦農業生產情況好轉，我們一定會本利奉還的。」

庫米金同阿希波夫看看談來談去不得要領，只好發一封電報去莫斯科請示。

赫魯曉夫接到電報，氣得暴跳如雷，當時把米高揚、柯茲洛夫、布列日涅夫找來商量。

大家把電報傳閱一遍，赫魯曉夫說道：「庫米金同阿希波夫剛到地方，我就接到報告，毛澤東準備賴債，而且還指我們二次大戰後賴過美國的債，今天他賴我們的債，叫做一報還一報，公平合理，你們說惱不惱人。」

布列日涅夫冷笑道：「這簡直是大笑話，我們賴美國的債，是我們同美國的事，毛澤東怎麼能代替美國討債，他口口聲聲反美，這樣說來，他不是變了美國的走卒。」

米高揚笑道：「毛澤東的話，還有另一種解釋，他是按照佛家因果報應說的，由於我們欠了美國的債，他就可以欠我們的債，當然將來別人也可以欠他的債。」

布列日涅夫說道：「毛澤東並不信佛啊，他信的是馬列主義。」

赫魯曉夫瞪起銅鈴似的眼說道：「他信什麼馬列主義，他什麼主義都不是，硬是混蛋主義。」

米高揚摸摸小鬍子，笑着說道：「說到這裏，我到想起一件笑話，當毛澤東剛剛佔領中國大陸，組織政府時，中共同志在宣傳上習慣用的字眼是馬克思主義，史大林主義和毛澤東主義，那個時候他們是不提列寧的。史大林七十大壽那一年，毛澤東跑到莫斯科來拜壽，當時到莫斯科火車站去歡迎的有我同莫洛托夫、馬林可夫、布爾加寧幾個人，毛澤東到旅館暫事休息之後，當晚就進宮叩見史大林，寒談了幾句話之後，史大林突然正色說道：『我聽說中國同志在宣傳時，除去馬克思主義、史大林主義之外，還有毛澤東主義。不知道毛澤東主義同史大林主義有什麼不同的地方，請你告訴我。』」

赫魯曉夫搖頭驚道：「史大林死鬼就是這個地方厲害，他常常一句話擊中要害，使你沒有轉身餘地。毛澤東當時怎麼答覆他呢？」

米高揚笑道：「毛澤東當時可眞慘了，額角直冒冷汗，停了幾分鐘才說道：『恐怕是翻譯錯了，我們說的是毛澤東思想，就是說毛澤東學習史大林主義的心得，作爲各級同志的參考，並不是主義』。」

（二七三）

於是丞相陳平、太尉周勃、朱虛侯劉章等十人會謀，誅諸呂以安劉漢。）「三顧茅廬」（即司馬徽再薦名士，劉玄德三顧草廬。）等，都是過去「老三慶徽」（即故伶聖程長庚所領導之三慶班）之老本戲；由他的特請老師蔡鈺亭，掬心窩傳給他的！一般人不明眞相，竟謂馬連良能自編戲，眞是笑話奇談。

抗日期間，馬曾爲某漢奸所誘致，率領他的「扶風社」全班人馬，號稱「使節劇團」，前往日人所製造之「滿洲國」，參加「慶祝滿洲立國十週年紀念」之大典！這倒很像扮演了一齣「探母」「盜令」帶「出關」；當時雖然被國人罵得體無完膚！他却視爲當然，不以爲意。

之後他又到上海「搭班」，逐日登場，還是很活躍的！某一天，係吾老友陳定山兄之文郎，與名票友羅企園兄之令嫒結婚，一時張燈結彩，賀客如雲，而大舌頭馬老板亦爲來賓之一！他一到達禮堂，就熟練的向雙方主人道喜，隨即不慌不忙，用「小鑼上」之步伐，走入來賓羣中，向在座的每一個來賓拱手爲禮；繼至下走面前，便很親善的握手問安！隨即將眼光四圍一掃，輕輕的向下走說：『我要「暗下」！（平劇慣例，任何角色「下場」，必有幾句「唱」或「白」，有時不聲不响的走進「後台」，那就叫做「暗下」。）您可千萬別給我說穿，冤得主人見怪！』

畧談大舌馬連良

谿公

我（筆者自稱）給了他一個會心的微笑，他便用「借東風」裏武鄉侯溜下壇台之「身段」，偷偷的溜着走了。

這也足見他「台步」工穩，「身段」靈活，「表情」週到！不愧爲「做工老生」。然而倒楣的事情，也就跟着來了！距此不多幾天，北平地方，就有一位嫉惡如仇之愛國人士，把他前此以「使節劇團」之名義，參加「慶祝滿洲立國十週年紀念」之罪狀檢舉出來；因之，北平地方法院，就發出了提人的拘票。

馬連良實迫處此，只好自動的辭班輟演，不聲不响的離開上海，回到北平去投案！這就等於又來了一個「暗下」。

據說邇時馬以犯人之身份回到北平，一舉一動，都顯得怪可憐的！他一到家，見了他那年邁的老娘，便用悽潤的聲音叫道：『媽……』這一聲叫的很長，彷彿是「起叫頭」！可是他未及「開唱」，已經暈了過去！過了好大一會兒方始甦醒；斷斷續續的說：『兒子我對不起您！』說的聲調，有類於「二黃搖板」，實在是夠個味兒。（三）

談古來稀

漁翁

古稀者，謂年逾七十，爲古所罕有也。淮南子云：「凡人中壽七十歲」。是人活到七十，可慶遐齡矣。孔子有言：「吾十有五，而志於學；三十而立；四十而不惑；五十而知天命；六十而耳順，七十而從心所欲」。說到七十，就不再說下去。唐代詩聖杜工部「曲江對酒」，於是而有「酒債尋常行處有，人生七十古來稀」之載詠也。

杜居官無以爲樂，惟典衣沽酒，盡醉江頭，以酒債未償，乃平常事；惟人生自古難活到七十歲，不如隨遇而安，及時行樂的好。清隨園老人，是一風流才子，壽至八十以上，他以唐宋詩人，如李白，杜甫，韓愈，蘇軾，皆得年五十至六十之間，故有：「韓蘇李杜從頭數，那個詩人七十春」之語以自豪。

按「古來稀」三字，實係指用腦力的智識份子而言，蓋智識份子往往逐逐於富貴，眷眷於名利，汲汲於享受，偶一橫逆，便消極悲觀起來，抑鬱窮愁，是易於促短壽命之最大原因。

可是也有不盡然者。益壽之方，離不開達觀兩字。達觀者，意無沾滯也。凡喜怒哀樂，不爲境遇所拘束，逍遙自在，確是人生益壽延年的妙丹。賈誼賦：「達人大觀，物無不可」。蘇軾詩：「自足高僧解達觀」。今遇人有憂傷之事，常用爲慰藉之語。

古之人最達觀者，莊周是其一，所著「南華經」，一味追逍遙快活，無往而不自得。凡讀過「逍遙篇」與「養生論」的，便知道他是一無憂無慮之曠達人物。其次，宋朝愛國詩人陸放翁，也逍遙物外，隨遇而安，所詠秋思，有曰：「日長似歲閒方覺，事大如天醉亦休」。可見其曠達的一斑，縱有天大的事，一醉便可了之。在離亂中，如我輩飄泊於天涯海角者，更不要爲艱苦環境所囿，自然而然的抱着樂觀，以達成從心所欲，便可望打破古來稀之紀錄。

再說，智識份子，在二十到三十歲時，便問他學業怎樣？到三十至五十歲，便問他事業如何？五十以上，便問他年齡多少？筆者爲了避免客來問年起見，在壁上貼七言一首：「人面黃花一笑同，心如鐵石氣如虹；客來問我年多少？六十三齡即此翁」。

其實，讀書人只要虛心養氣，七十韶華，自不算稀奇的。

筆者雖在飄泊中，而時登山頂，效牧童牛背之歌，時泛水涯作漁父鴨頭之釣，將來河山還我，得賦歸來，也學隨園老人說兩句豪語：「同庚多不在，獨我慶長春。」

我的社會生活

雷嘯岑

曾聞李協和先生於聽到陳主席報告我在安徽的作風後，對朋友批評我一句話：「提拔得太快了！」至今我想起這些前塵舊夢，即懺悔不安，深自怨艾，認爲辜負了長輩的厚意，而堅信昔人所謂「少年得志，終非人生之福」這兩句話，確有至理存焉。今人每以用新人、行新政之說，認爲年紀大了的人，都是些廢物，縱不拋進垃圾桶內，亦得放置古物陳列所，除却國家元首以外，政治上的事務，一律要由年輕人担負着，才有進步的希望。用新人、行新政的原則是不錯的，然若不分靑紅皂白，教血氣方剛，少不更事的小伙子，一步登天的躋於高位，根據我自己的教訓，殊屬危險。政治人才的必備條件爲學識、智能和體力，凡居中級以上的職位，更需要經驗，其他的說法，都是我們湖南話所謂「扯卵談」而已。

民國十七年四月間，陳主席晉京活動，改組安徽省府，關於人選問題，他事先已與張秋白兄秘密决定了，我和寧坤二人當然是不受歡迎的人物。我亦早有信給李協公，表示不能再留戀於安慶，他復信說，已與譚主席商妥，擬任命我承乏國府所屬「勞工局」局長（原任局長是馬超俊先生），教我準備一切。既而中樞明令改組皖省府，張秋白兄由於國府委員柏烈武之堅決反對，名落孫山，旋由中央建設委員會主任委員張靜江，給秋白以建設委員名義。秋白兄本有相機取得安徽政權的企圖，陳主席亦會以此相許，因而他竭力爲陳幫忙，初不料原有的省政府委員兼廳長亦保不住，最後連生命亦弄掉了！政治場中的波譎雲詭情形，就是這樣的，實屬可怕而又可鄙！我離開安慶之前，陳主席聘任我爲卅七軍總部高等顧問，聘書上註明每月支伕馬費伍百元，我接受了聘書，却未領取過一文錢的伕馬費。他固然並不在乎這戔戔之數的支出，我則不能不顧念着辭受取予之間的義理，明明是敷衍面子的玩藝兒，若視爲眞有其事，老着面皮去要錢，那就未免太不知自愛了。

我回到南京後，中樞新成立「工商部」，易培基任部長，國府勞工局亦併入了該部，李協公原有的計劃自不實現，他又推薦我給新任內政部長薛篤弼，担任該部參事，亦是個任官。張秋白兄則以建設委員資格，携其新夫人名「愛秋」者，卜居於「楳溪山莊」之內的一座西式樓房，僱用了兩三名職員，照樣辦公。由於住址相隔太遠，我很少跟他往還，某星期日，老友寧坤先生過我，談到秋白兄，我倆即聯袂往訪，走到秋白寓所前，瞥見他的隨從齊順在門口大燒楮燭，我問「張廳長在家否？」齊愀然答曰：「廳長被刺了！」我們大驚失色，急足登樓省視，只見秋白兄俯伏在客廳內的血泊中，以頭上太陽穴槍傷一洞而制命，尙待地方法院派員來檢驗，方能成殮。隨即下樓來細詢詳情，據說是安徽人幹的，刺客得手後，曾在楳溪山莊內散發傳單，指述秋白是「皖奸」，扶同軍閥，爲害桑梓，特爲安徽人民除此蟊賊云云。這當然是仇家預謀殺人的行爲，主使者殆可想見。我倆旋赴衞戍司令部（司令官賀耀組），請該部趕緊緝兇，據該部檢查郵電的人員說，前幾天曾檢查一封由上海發來南京某某人的信件，內容是吩咐收信人務必嚴密偵查張秋白的行動，莫讓他離京。因不知張秋白是何許人，故未特加留意云。輦轂之下，白晝公然刺殺政府官員，我們認爲此案必可破獲，且皖省陳主席與建委會主委，亦必籲請中樞緝兇歸案，以申法紀而彰友誼，然結果毫無下文，政治上有甚末道理可講呢？（十八）

花香月上樓小品

剃頭刀及其他（續）

黃葉村人

男子，有錢的，用絲連髮，從半中間起，分三綹結成辮；小孩自六、七歲便打辮，用紅絲綫。有的人直到娶婦生子，還是用紅絲綫的。中年和老年則用黑絲綫。貧窮的，則用紗綫。要漂亮的，則用鬆結，謂之「大鬆辮」。較誠實的，則打「結實辮」，取其耐久不散亂也。婦人則留全髮，年輕的梳辮，前額剪劉海；（少男亦可以剪劉海）至出嫁始梳髻，謂之上頭。在清代有「婦人、小兒、死人不降」的規例，即婦人不薙髮，孩子可以穿明服，人死了，入棺時也可以着明代衣冠。但限於明遺老，已入仕清朝則不許可！故現在六、七十歲的人，少時都會穿過明代服裝也。但不許稱明服，而曰「斜領袍」！又曰「和尚袍」！即明服也。

有清一代，剃頭所用之剃刀，今日已成陳迹。其模型微像短斧，長僅寸餘，頭闊，背厚、及鋒漸次而薄。柄木製，長約二寸，可廻合。刀鋒雖夾入精鋼，然非用久，磨擦愈多，使刃銷削則不甚利。故在當時，漢人多以剃頭打辮爲苦；因辮在背後，須把髮轉到面前而梳，然後又撥回背後，反手打辮；打到頸際，始能再轉回前面慢慢結束。仕宦富貴之家，多僱有剃頭司務，或常住家中，或由剃頭店包辦，以月計費；其他，概係自梳自結，日必一、二次，殊苦也。

我國自有史以來，男女多係蓄髮。男以簪押髮而束之，故出必冠！女則梳髻！降及五胡亂晉之胡，史無明文，不知如何？宋以後之遼金元又如何？元爲蒙古族，蒙古人亦薙髮者也。至明，仍復漢衣冠。滿清入關，除仕宦制服，命婦禮服有規定外，普通漢滿蒙回藏人民，都隨其習慣，不加干涉。又如戲子可穿戴明裝，和尚、道士、尼姑也可着明服。不像漢晉唐宋，某一種行業，應穿戴某一類服裝，不能紊亂也。明高傑舊部李成棟者，降清後，在粵桂屢立戰功；虜明臣陳子壯妾爲妻，妾未嘗一笑。一夕演劇，伶人戴兜牟，披大氅，挿雉尾，背令旗出場；妾爲之忍俊不禁。戲罷，李問妾：「今夕何樂？」妾曰：「妾明人，今得重覩漢官儀，故一笑耳！」時李方受制於總督佟養甲，即向伶工假得鋼盔甲冑，易以照鏡，妾贊曰：「眞將軍也！」明日，李即以兵脅佟，叛清投明！此妾亦奇人也。（未完）

藍田種玉

吉庭

陝西臨潼縣東南，有「驪山」，其陽即「藍田山」。漢置縣，以山名。周幽王死於山下，秦始皇葬於此。其麓有溫泉，唐明皇屢幸之，置「溫泉宮」，後改爲「華清宮」。山出美玉，故又以「玉山」名之。

唐初，分藍田之地，置玉山縣。尋廢。後改爲「玉山營」，以屯禁軍。明清皆屬西安府。今稱藍田縣。山海經云：「玉山是西王母所居」。

據搜神記載：有陽翁伯者，漢盧龍人，一作楊伯雍，事親孝，葬父母於「無終山」，廬於墓側。山高無水，伯雍引流至路旁，烹茶以餉路人，行者咸德之。一日，有人出石一斗以贈曰：「可種美玉，且得賢婦」。伯雍從之，果生白璧，長二尺者數雙。求婚徐氏，徐氏謂媒曰：「得白璧一雙可矣」，伯雍以白璧五雙聘，遂婚徐氏。天子聞而異之，拜大夫，且於種玉處，鐫一碑曰：「玉田」。

南宋偏安有人才

李仲侯

「蓋高宗寧偏安事虜而不願父兄之返者，乃其素志也！故其初立，家族盡遷，而止一親弟信王榛起於河北，尙不肯援之爲助，而竟令馬擴譏察之，以坐視其敗滅，其肯樂使武穆恢復中原而奉迎欽宗以南還耶？武穆初起偏校，歷著忠勇之績，高宗故所深契也。及其密疏請建宗室，即以劉苗之事見疑，而深忌之矣！故後中興之事，屢請踐約而莫之許！想當檜賊留身奏事之時，探知此意，建議迎合，以爲祖宗家法，素抑武臣，爲社稷計也。況才勇如某，天下無敵者，使其縱兵滅金，淵聖而歸，將置陛下於何地哉！其或遂爲劉裕滅秦歸篡之事，陛下亦焉得而制之也？且金人得中原必不能有，故始以封楚，繼以封齊，而不以遂歸我國者，恐我得中原而遂令某得長驅也。若某戮則彼無所忌，必孚我事大之誠，而中原母后必皆見歸矣！就使中原終不可得，而偏安江左，亦不失爲帝王宗廟血食也！使某而得志，陛下可得安枕而帝江南哉！某不可留！而帝心之所深合也！故令殺某！而檜以爲上意。及後檜死，而帝任和議之事以爲己意。檜特贊之者，蓋皆道其實也。言者乃獨罪檜，而諉高宗於不知，何耶」！（一一九完）

內僑警台報字第〇三壹號內銷證
自由報
THE FREE NEWS
第四一〇期
中華民國僑務委員會核准
台教新字第三二三號登記證
中華郵政台字第一二八二號執照
登記為第一類新聞紙類
（半週刊每星期三、六出版）
每份港幣壹角
台灣零售價新台幣弍元
社長：雷嘯岑
督印人：黃行霖
社址：香港銅鑼灣高士威道二十號四樓
20 CAUSEWAY RD 3RD FL. HONG KONG
TEL. 771726　電報掛號：7191
承印者：田風印刷廠
地址：香港灣仔高士打道二二一號
台灣分社
台北市西寧南路壹壹零號二樓
電話：三〇三四六
台郵掛號金戶九二五二

從詹森的思想傾向看美國外交

·宋文明·

美國現任總統詹森，在三十年代剛開始踏上美國政壇時，完全以羅斯福的忠實追隨者自居，竭力標榜為新政派人物。待後來羅斯福去世，新政作風在美國內部開始趨於式微，詹森個人的政治觀點，也便日益迎合美國南方的一般口味。可是自從一九六零年開始爭取美民主黨總統候選人提名，至六一年出任副總統一職，詹森的整個政治立場又在開始作新的轉變，以配合民主黨的主流趨向。及至最近，因甘迺迪遇刺去世而正式繼任美國總統，詹森在這一方面便又作更進一步的表現，竭力向北方民主黨維新派謀靠攏。

詹森個人政治立場及作風的一再發生變化，并不表示他是一個機會主義者，而是由於：（一）他具有精明的政治頭腦及靈活的政治手腕，足以充份適應實際環境的需要。（二）時代在變，美國在變，一個人的政治認識亦必須要跟着改變。（三）他出生在保守的南方，但并不是生來就是有錢人，因此在基本上，他的性格也包含有保守與改革的兩種傾向。當其一開始從事政治，他是為理想而求改革。及至在政治上獲有成就，與南方社會建立密切關係，他又因現實理由而趨於保守。現在當他超越南方區域利害，而開始着眼於整個美國與世界的共同問題時，他也便重新為更大的理想作變革打算。所以詹森的由改革而趨保守，再由保守重新向美國民主黨改革派靠攏，并沒有什麼前後不一致的地方，而正表示了我們這個時代的變化，詹森政治環境的變化，以及他個人性格上本來就具有這種因時制宜的改革與精神。

詹森總統的這種重向北方民主黨看齊，強調他在政治上改革觀點，我們可從如下各種表現看出來。這種表現中主要者有：（一）詹森自繼任總統之初，即堅決挽留甘迺迪在白宮的原有班底。在這班人物中，包括了很多被稱為有左傾色彩的北方學人。尤其當甘迺迪的特別助理斯萊辛格提出辭呈時，詹森總統不僅不予批准，反而更予以格外的尊崇。（二）詹森在聯大演講，除了強調他和羅斯福的一段關係外，并表示將以世界性的新政，來解決各地人民所面臨的生活難題。（三）詹森自繼任總統以後，即和李普曼和艾奇遜兩人，保持密切的接觸。這兩位都是屬於自由派的人物，也都是美國新政的同情者與支持者。（四）詹森在日理萬機之中，親往紐約與費城，為前參議員李門及眾議員格林弔喪，這兩人也都以思想進步而著名。（五）詹森已一再表示，將擴大美國的社會安全計劃，準備消滅貧困，為一般平民提高生活水準。（六）最近不久，他已與一家出版公司洽妥，將他過去所作演講編印成書，以供世人瞭解他的思想與主張。詹森這一切作法，都有一個共同的目的，即在設法抹去他自己身上的「南方佬」的色彩，準備與民主黨的北方主流派合而為一，使他自己由此變成一個眞正屬於正統民主黨的總統。尤其他第一次將過去的演講編印成書，使世人瞭解他不僅是一位敢作敢為的總統，而且也是一位有思想有頭腦的總統，對於爭取北方學人及一般知識份子的同情，一定是有很大的幫助。在美國搞政治，祇要能博得知識份子，尤其是具有進步思想的知識份子的好感，他的成功便已有了一半的保證。

詹森總統的如此拉攏北方民主黨北方學人，竭力設法與他們合而為一，也是具有一種現實政治上的重要目的。因今日美國民主黨的力量，大半在於北方，若一位民主黨人想競選總統而不取得北方黨人的支持，他不僅沒有獲得黨內提名的機會，即使獲得提名，亦無法在競選中獲勝。尤其詹森出身於南方，這次繼任總統完全出於一時的機會，若不擺脫他過去的地域色彩，而能設法與北方民主黨合一，他在下屆大選中獲得連任的可能性，實在微乎其微。因此，在國內政治上，詹森總統現須全力以赴的，就是先要使他自己在北方社會建立良好的印象，與羣眾奠定基礎；其次，就要選擇一位能代表北方，而為北方所愛戴的人物，來作自己的競選伙伴，以贏取下屆大選的勝利。假若詹森總統作不到這兩點，他在白宮的時間勢將無法維持很久。對此一點，詹森個人實在是瞭解得非常清楚。

由於詹森總統正全力向北方民主黨看齊，以迎合黨內改革派的要求，所以詹森在國內政策上，不僅不想改變過去甘迺迪總統的改變政策，而且也不能改變這種政策。所以不想改變這種政策，是由於不願由此而得罪北方民主黨人及知識份子。所以不能改變這一政策，也是由於任何違悖既定路線的政策改變，會使民主黨趨於分裂。但在事實上，不論國內的政策或國際外交方面的政策，要想長期固守一隅是不可能的，必要的改變也是勢所不能避免的。不過就是要作必要的改變，也為了上面的同一理由，這種改變也只能設法更加迎合北方民主黨的要求，而不會和他們的願望背道而馳。因此，詹森總統縱使在不得已下改變政策，這種改變也只是方法的，步調的，而不是原則和方向的。甚至在最初一個階段，唯恐北方黨人說他企圖改變政策，使民主黨政府開倒車，詹森的某些政策趨向，可能還要更趨激進，而不會走向溫和。這并不是詹森的個人想法有意如此，而是基於政治的需要，和不得已。

詹森總統既然不願也不能改變過去甘迺迪政府的既定政策，至少在今年以內不會作這種改變，所以在短期內，美國在外交上的作法，仍將繼續維持過去的一套，絕不會有何更張。換言之，今後詹森總統的外交政策，仍將是過去甘迺迪總統的外交政策，絕不會變得更好，也不會變得更壞，絕不會變得更強，亦不會變得更軟。假若有人因詹森上台而恐懼美國政策會發生改變的，實在大可放心；同樣，假若有人因詹森上台而希望美國政策有所改變，也沒有理由感到高興。至於詹森是否眞正有他獨到的一套辦法，這要等到明年這個時候才能看出來。至於明年這個時候詹森究竟能作何種改變，又要看他在大選中所獲得的聲勢如何來作決定。

高棉那裏去？

破壞者

今日與明日

桑給巴爾的叛亂

非洲最小的國家，也是世界上最新的獨立國，桑給巴爾突然發生政變，國王（蘇丹）已逃亡，總理被迫辭職，由親共份子組成新的共和國，外電認為是非洲第一次出現的共黨國家，其影響之大，是難以估計的。

桑給巴爾的現狀

桑給巴爾孤懸非洲東海岸，由兩個小島組成，人口共有三十萬，其中有二十二萬是非洲的黑人，八萬阿拉伯人。黑人在這個地區居住了五百年以上，阿拉伯人尚不到兩百年，是隨着阿拉伯的軍隊侵入該島，建立了蘇丹統治之後，陸續遷來的。阿拉伯人口雖少，但在該島卻是統治階級，國王是阿拉伯人，獨立前一次大選，得勝的兩個政黨又是由阿拉伯人組成，其中是否公平，我們不得而知。但是新政府全由阿拉伯人組成，埋下了不安的種子。

英國人統治桑給巴爾將近一百年，不過英國人對殖民地政策，一貫是與舊有統治者携手，以維持現狀，到了英國人退出之後，土著黑人仍然要受阿拉伯人統治，他們就不肯接受了。

舊政府之誤

桑給巴爾舊政府在未獨立之前就十分親共，獨立之後，態度更為明顯，毛共政權曾派駐坦克尼加「大使」何英往賀，並宣佈建交。不料尚不到一個月時間，桑給巴爾政府就被推翻了。

桑給巴爾舊政府所以特別左傾，大概是犯了尼赫魯同樣錯誤，以為媚共可以自保。不知道共黨個性，當他力量足以摧毀你時，無論怎樣表示友好，都挽救不了本身的惡運。桑給巴爾舊政府的覆滅，應可以給施哈諾作個參考。

前途展望

桑給巴爾全國只有三十萬人，而且分處在兩個海島上，平時靠英國人保護，根本就沒有軍隊，政府本身缺乏保衛力量，反對黨也同樣沒有武力；此次輕易推翻政府，據逃出的西方人士透露，是由古巴軍隊首先發難，假若此說屬實，桑給巴爾無疑地將成為第二個古巴。

東非各國皆左傾

非洲靠近東海岸的幾個國家肯雅，坦克尼加，烏干達皆左傾；桑給巴爾政變後，三國爭先承認。桑給巴爾蘇丹乘船逃到肯亞，竟被拒絕登岸。假若由於桑給巴爾之變，導致上述三左傾國家變色，黑色非洲的前途將不可樂觀。西方國家仍在醉心和平，實在應該正視現實了。

自由談

周鴻慶事件

共幹周鴻慶已離開日本返回中國大陸了。中華民國駐日本使館重要人員已全部奉令回到台北，中日邦交不絕如縷。我政府為周鴻慶事件而採取嚴重措施，不惜與日本實行絕交，世人頗滋惶惑，認為代價太高，何以容忍日本政府允許以尼龍工廠設備賒給中共，而對於區區周某個人去留問題，竟如斯重視，得無小題大作之嫌嗎？其實不然。

過去日本政府對於工商業者向中共區域進行貿易勾當時，曾再三聲明只限於經濟事項，而與政治無關，同時西方國家亦以同樣理由，跟毛共從事商務往來。中華民國政府顧念國際間的一般情形，祇要日本眞是限於商業行為，決不涉及政治關係，亦就不為已甚，僅止於警告抗議，希望日本不要飲鴆止渴而已。邇來俄共對西方國家的和平攻勢日見猛烈，國際間的姑息主義大為抬頭，所謂「兩個中國」的陰謀詭計，倡導者大有人在，日本當局勢利成性，亦暗中效顰，罔顧信義，其首相池田勇人竟發出不贊成中華民國政府反攻大陸的乖謬言論，而日本工商界與毛共的勾結行為，愈演愈烈，池田政府藉周鴻慶事件向毛共獻媚，顯示此中含有重大的政治作用，我政府如再加容忍，日本當局即可能忘乎其形，肆無忌憚，而視中華民國為無足輕重了。如此，禍患之來，無可究詰，是可忍也，何以立國？

現在日本當局有所顧忌，表示要請政治元老吉田茂到台灣訪問，協商今後中日兩國的外交原則，我政府對此當然不拒卻，但須日本說明吉田訪台的具體用意何在，如果僅止於禮貌作用，對我們說些抱歉的話，那就不必多此一舉。我政府已有各種準備，必要時斷然封閉駐東京使館，斷絕邦交。所以，周鴻慶事件實際上關係甚大，決非孤立的問題，這是大家應該認識的。

馮正先生

立委袁良驊向當局建言
治河之道與急救之方
濬深拓寬淡河水關渡的淤積區 濬深各河床修直河岸藉暢水流

（本報台北通信）立委袁良驊為最近台灣境內因風災釀成水患問題，對行政當局提出洋洋有力的質詢內容，已誌本報。現袁氏又向當局建言治河之道，急救之方，頗中肯綮，他說：

「成語說一誤豈容再誤，連年各級政府治河的措施，一誤於建築雙園隄，二誤於建築永和隄，三誤於建築景美隄，四誤於石門水庫防洪無計，放水失時。由於以上四次以鄰為壑的錯誤措施，已經把整個政治經濟中心和工業商業樞紐的台北次第慘遭洪水淹浸過，以致元氣大傷。嚴院長、請試想一想，如此慘重洪水之為禍，那麼台北區還能夠容許第五次嗎？但是，如果不急圖補救之方，自是意中的事，到那時行政院長是責無傍貸的。

「治河之道把大科崁溪分流自是好辦法，但非經十年時間不辦，這是難救目前之急的。因此，本席提出兩個急救之方：其一就是火速發動工兵五百人，準備費八百萬元把淡水河的關渡已佔去出水口三份之二的淤積區濬深拓寬。好在這個魚游鶴立的地方只是淤積泥灘，沒有礁石，在工程人員視之為輕而易舉之工作，只要費三，四個月的時間，那就可以竣工。其二就是從速向美國訂造六艘新式挖泥船，每艘約需美金十萬元，六艘合計伸算新台幣約為二千四百萬元而已，該挖泥船到達後，即着手把大科崁溪，新店溪，淡水河濬深，挖起來的泥土沙石把兩岸修直，使水暢其流。

「國父孫中山先生的建國大綱中，對於治河之道也有如下的主張：把河床濬深，兩岸修直，利用水暢其流把河床冲刷加深。而中外水利專家也有一個治河歌訣說：「逢灣截角，遇淤挖心」。這是治河的原則，放之四海而皆準。獨惜現在我國在台的水利專家竟不懂這個道理，不但聽任河道變成不止九曲十三灣，而且河心可以魚游鶴立，甚至有些在河心種起西瓜來，不知冰利局所司何事，無怪各處水患頻聞了。

「嚴院長如果對本席提出的兩個急救之方，所花的經費認為太多的話，請問這次葛樂禮颱風洪水所造成的公私損失，其為數不下二十五億元，至於人命的死傷其價值更無從估計！兩相比較，其相差之數有多少？個中利害得失，願嚴院長熟思之。何況由現在起計再過七個月又是颱風季了，時不我與，對水災急救工作是不容猶豫的。

「嚴院長下決心吧！施政之所以易得民心的無過於治河，而容易表見其功績的也無過於治河；如果能把治河工作做得好，那麼嚴院長的令名將永垂不朽了。」

基隆市下屆市長 提名爭奪白熱化

（本報台北航訊）話說四年前基隆市第四屆市長競選，執政黨提名李國俊為市長候選人，當時李以壓倒的優勢在選民面前出現，民社黨候選人林番王，則自己背着一隻大喇叭，胸前斜掛一條紅綢帶，上面寫着市長候選人林番王幾個大字，終日躑躅街頭巷尾，用他那種帶點煽動性的口氣，向每個選民發表政見，爭取同情，他完全採用的哀兵戰略，以對抗李國俊。投票前夕，全市各機關以及民間各團體，都貼出了擁護李國俊的大字標語，篤定之勢，泰山莫移；乃結果，投票林番王超出李氏六千多票，一躍而跨登市長寶座，使執政黨遭遇一場失敗。

現在第五屆市長選舉在四月裏又要投票了，執政黨方面登記候選提名的，有謝清雲、蘇德良、夏松、黃樹水、張金鐘、錢沈生、周鳴岐、李守彬，共計有八員之多，正各顯神通，爭取提名，已進入白熱化。

謝蘇兩人 一時瑜亮

謝清雲出身日本長崎大學醫藥系，曾連任四屆市議員及兩任省議員，現時仍任省議員，論資望地位，與現任基隆市議長蘇德良，均屬基市議壇之雄，稱得上一時瑜亮。不幸的是，兩人由於前兩屆選舉的結怨，現已到了冰炭不相容的地步。二氏結怨，實起因於第二屆省議員競選，當日省議員增額為二人，蘇謝兩氏爭取提名，至為激烈，後來謝氏當選省議員，蘇氏亦出任基隆市議長，總算緩和了一個時期。到上次第三屆省議員競選時，蘇會揚言要公開支持張振生以最高票當選，結果謝清雲獲得三萬五千多票，張振生較諸上屆競選，還短少了數千票；這足以考驗蘇德良的力量並不雄厚，而兩人在政治上的結怨，至此愈深。

論競選資本，謝清雲有岳家杜氏兄弟撐腰，蘇德良則是煤礦大老板，兩都財力雄厚。不過也有人批評，謝清雲是不失為基隆後起之英，一枝獨秀，只微嫌其市儈氣尚未脫盡，過河拆橋，投票完後，就不大理睬人。拉票時作揖打拱，票投後白眼相向，這都是台灣民選官吏的通病，祇要謝氏知過能改，實亦算不了什麼大疵。上月台北某晚報一篇報導，指蘇德良有五項難以獲得黨的提名，其中主要之點，指出蘇氏黨性不強，地域觀念太重等等，但這恐未免言之過甚。現時台灣的在野黨，都鬧得四分五裂，蘇如當選市長，他的黨性自然會隨之堅強了，在這樣一個環境之下，還怕他不盡心竭力去執行執政黨的政綱政策嗎？至於說蘇氏心境狹隘，對本省籍和外省籍界限分得很清楚，這點倒值得蘇氏特別注意，加以改善。

（上）

監察委員與人權問題

本報台北記者

法院對刑事被告的保安處分，通常應於裁判時一併宣告，此為刑法第九十六條前段，刑事訴訟法第三百零一條第六款明文所定。至於因假釋或於刑之赦免後始發覺有付保安處分之必要者，應由檢察官依刑事訴訟法第四八五條規定，聲請法院裁定之。此為法定程序，除法院外，任何行政機關是無權變更而越俎代庖行使職權的。

至於違警罰是屬於行政處分，其法定行使權為警察機關；祇有在未設警察局的地方，始由地方政府行使違警罰的權（違警罰法第三十二條）。違警事件與刑事案件很容易互相牽連，同一行為，經法院判決後，即不得予以違警處罰。倘經法院不起訴處分或免刑不受理或判決無罪，違警部份仍得處罰。但法院不得於裁判時逕代警察機關行使裁決權。軍人違警者由所在地憲兵機關管轄，無憲兵機關時，由普通警察機關管轄（違警罰法第三十五條）。因為軍人都是老百姓，而老百姓不一定都是軍人，所以管轄軍人的機關管轄老百姓便違憲，管轄老百姓的機關管轄軍人並不違憲。

四、司法警察的權限

保安機關的保安人員，像警備總部遊查小組，是不是刑事訴訟法第二〇八條、第二〇九條、第二一〇條所規定的普通司法警察呢？答案應該是否定的。

根據司法行政部答覆立法院司法委員會第二十八會期第四次全體委員會委員質詢後所發佈的五十一年二月十七日台（五十一）令刑（五）字第〇六九三號命令中說：「前台灣省保安司令部遊勤查緝組組織規程第一條：『為加強緝私，補助警察機構查緝業務之不足，以穩定本省經濟，特置遊動查緝組』。及台灣省烟酒專賣暫行條例施行細則第三條第二項：『違反本條例規定者，其查緝或扣押，由憲兵警察或其他治安機關執行之』的規定，並參照本（司法行政）部台四三令參字第一〇七一及四八二七號先後（命）令（解）釋，該查緝組人員為刑事訴訟法第二〇九條第一項第三款、第二一〇條第一項第三款：依法令關於特定事項之司法警察官或司法警察。則該組人員之職權，應以查緝違反上開條例之經濟案件為限，非經檢察官依照調度司法警察條例第六條之規定；於必要時，商請協助，即無司法警察或司法警察之職權，如有逾越，自屬違誤」云。

監察院對取締流氓辦法有嚴正的批評和檢討。如監委黃寶實對這個問題的檢討，其發言便激昂而沉痛。

（四）

讀者投書

市長提名難於決斷 彭德主委再受考驗

善善

執政黨對台北市長提名人選，究為誰屬，刻尚猶豫未決，看來頗是椿難產的事。站在局外的人，冷眼旁觀，對執政黨人選之不能遽決，也頗有代古人担憂之感！蓋其人選稍一不愼，即有重蹈九年前覆轍之可能。惟此次提名人之難決，其關鍵不在於登記及活動之人數過多，而是在於「來者不善，善者不來」也。明知其無勝選把握者，偏偏要千方百計的鑽營，且有不達目的誓不甘休狀；至有能有為者，則又潔身自好，趦趄不前。誠有「黃鐘毀棄，瓦釜雷鳴」之概！

對市長活動營謀最力者，厥為周百鍊；但周是否有當選之希望，這是稍知北市政情者，均可毫不遲疑的予以否定之答案。因周在台北，其人緣之壞，可說已至十手所指之境。周若被提名，無疑的執政黨將再失去這首善之區的政權。想必執政黨不致愚昧的作此決定吧！

至於何人可獲黨之提名，現雖有待中央之決定，不過在已盛傳之諸人選中，逐一加以分析，當可抽絲剝繭的現出一些端倪。以下畧加檢討：

張祥傳已由黨徵召參加市議員競選，以便再作馮婦，重主議壇。但張一再宣稱絕不放棄市長提名之爭取，如周百鍊獲提名時，張則不惜自行競選，以與周百鍊週旋到底。是以張之競選市長與否，係以周之被提名與否為轉移。如周百鍊不獲提名，張不一定堅持非競市長不可。惟周被提名時，張則勢必不讓矣！且張對此事之堅持，已至無可通融之餘地。果爾則兩敗俱傷，執政黨不可不預為察及之。

執政黨中央副秘書長徐慶鐘，聞黨有徵召之意後，曾再三表示其決無意於市長一職。乃徐氏度德量力，恐有所未逮也。其謙抑自知，確為熱中之輩所不及者。

台北市主委彭德，其標格才學均臻上選，惜彼始終未介入提名之爭取，在此祇得畧而不予論列。

至如今日之黃朝琴，已非區區市長之池中物矣！而王民寧，雖頗有捲土重來意，然一敗之為甚，豈可再乎？王成章在黨以輔導省籍人士從事地治工作為政策下，殊無被考慮之可能。至辜振甫與林挺生二人，對市長一職，雖均心旌搖搖，有見獵心喜之意；而二人均雄於資，在今日之台灣，雄於資者多有盛德之累，且優於為政，二人之志雖可嘉，惟是否為市長之適任人選，當需由中央從長考慮。除以上所述諸人外，其餘登記諸子，固無足為論矣！

姑不論執政黨之提名人選為誰？然以競逐者衆，且彼此意見多而不諧，在在均將增加輔選工作之困難，市黨主委彭德，顯將遭受較選省議員時尤為艱苦之鉅任。猶去春省議員選舉時，市黨部以化費歷屆選舉以來最少之經費（較以往大約減少十之六七），遭遇歷屆所未曾有之困難阻擾（周百鍊代市長時，深恐彭氏與之競逐市長，故對彭之輔選工作，千方百計予以擾阻之，以減低彭氏之輔選成果，思間接打擊彭氏競選之可能性，實際上彭迄未有逐鹿市長意。周氏之用心未免無的放矢），但選舉結果，不但使「怪物」郭國基鍛羽而歸，而且在六名議員中，執政黨竟獲五名之多，輔選之成績，可謂達到百分之九十以上。至能擊敗郭大砲，尤令執政黨引為快慰。

然則彭氏以何戰術擊敗歷屆之勁敵？乃彭氏採取打不還手，罵不還口之策略，任由對方侮罵訾詆，彭氏均不加反駁，反以基督精神寬恕容忍之，是非黑白，均訴諸市民良智之裁判。郭大砲雖以善罵亂轟馳名遐邇，但遇此不採以牙還牙，以眼還眼之對手，其砲彈之射出，亦頗覺無聲無力，已不足以引起市民之同情與共鳴。是以郭大砲雖善罵，亦無損乎執政黨，且反而使得市民對郭生厭惡之感！此乃郭大砲遭受慘敗之主因也。

此中尤有足稱述者，即歷屆之選舉投票所人員，均為執政黨所安排，以致歷屆黨外之競選者對此均嘖有煩言。此次選舉，彭氏力排衆議，為黨方打破往例，竟不派一人往投票所服務，示人以大公無欺之用心。為此，在選舉前，黨內人士對彭氏此舉，頗懷惴惴之念。而黨外人士，尤倍感錯愕！如郭大砲之流，且直詢彭氏究弄何玄虛？是以選敗後之郭大砲，乃對彭氏之開明公正之作風，甚為心折，其不僅未埋怨執政黨之一語，甚且彼原擬在選敗後所準備之抬棺哭街之鬧劇行動，亦竟告取消。該次勝選之功雖小，而其弭患於未發，其功大矣哉！至此彭氏之品德才華，始為衆所欽敬矣。

此次市長選舉局面之艱苦，以視省議員時期為尤甚，疾風識勁草，事難知幹才。彭氏應一本其信實公正之作風，再接再勵，沉着應付，以贏取市長選舉之勝利，想台北絕大多數市民，均將寄厚望焉！

女裁縫

劉杰

在清泉堂下面的裁縫店，新來一個女裁縫，大眼睛，小嘴，圓圓的臉；年紀看來不到廿二歲。

她姓林，這是我們經過好多天才問出來的。頭次看見她時，有個同學問她：「妳姓什麼？」

她眼睛朝上一翻：「我姓何。」

「那妳的芳名？」

「必問。」

我們知道上了她的當，也就不敢再問什麼，訕訕地走開了。

我們後來又打聽出：女裁縫是在家事職業學校出身的。有回，我們問她：

「像你這樣讀過不少書的人，怎麼做起女裁縫來？」

她頂過來：「女裁縫有那裏不好？」

「總覺得對你不合適。」

她的兩手按在面前的布上：「我看你們就是因爲自認爲讀了一點書，才把你們弄成這個樣子：莫名其妙。高的事情做不了，低的事情又不做」。

我們不敢再說什麼，又訕訕地走開了。

女裁縫的生意特別好。我們這些同學的衣服，百分之八十都是請她改的。她改衣服的工錢，有的多，有的少。我們去質問她，她的杏眼一睜：

「你們要怎麼樣？我要怎樣收錢就怎樣收錢。」

「我們希望你公平些。」

「我是最公平的。」

我們都楞住了。她繼續說下去：

「你們同學中間，有的家裏環境不好，有的却有個財主爸爸。有錢的人我就多要；沒錢的人我就少要。」

我們簡直是給震懾住了。我們這次不再是訕訕地走開，我當時自覺血充面龐，簡直對她崇敬起來。

有次下了課，我們又到她所在的店裏去。有個同學還同她開玩笑，問她：

「什麼時候吃你喜酒？」

她的手停止工作：「我不願和你們談這種問題。」

又有個不知趣的同學繼續問她：

「林小姐，以你的眼光，我們同學中那個適合你？」

她連頭都不抬一下，繼續做工，就像根本沒聽到那個問題一樣。

「你一定是看中有錢的同學。有了錢，你就不需要做裁縫了。」

她有些激動了：「胡說八道，莫名其妙。」又說：「你們該回去好好用功讀點書！」

從此，我們再不敢和她開玩笑了，但仍時常跑去裁縫店望望她，她也若無其事。

最近，我們發現：一到下午六點鐘，女裁縫便不在店裏了。這使大家騷動起來，跑進店裏打聽是怎麼一回事。所得到的答覆是：「她每晚回到家裏」。

「她家住在那裏？」

「聽說在鳳凰村。」

大家一頭霧水，我也祇抓頭皮。

當我們回到學校，經過夜間部的教室，我們的眼睛亮了起來！她不是在裏面上課，等她下課，我們圍了上去。問她是唸幾年級？

「大二。」她說時平靜得很，一派若無其事。

我們歡躍起來。我們說：「現在我們是同學了。妳唸夜間部，我們唸白天。」

上課鈴響了，她又回到教室去。我們每個人心頭都有着慚愧。又還不祇是慚愧「她是在半工半讀的」。我們這時才明白了一切。而我們呢？我們都是用家裏的錢到來唸書，却并不知道好好唸書，成天鬼混日子。

從此以後，我們再不多去裁縫店。我們每想到女裁縫，我們那個姓林的女同學，我們就規規矩矩自動自發的往圖書館走去。

叔岩藝價晚年始彰

劇氛傑鈔錄　婆娑生

民十九，名劇評家馮小隱曾寫顧曲隨筆，約有四萬餘言，載大東書局發行的戲劇月刊，對余叔岩的評價，有云：早年戲界風尚，非嗓音高亮者，不易受人歡迎，必正宮調，方能登臺。張二奎汪桂芬楊月樓無論矣，即譚鑫培盛年，亦習正宮調；孫菊仙雖以津音飄字，猶能爲人所重者，即是其天賦佳嗓，一時推爲黃鐘大呂。厥後許蔭棠亦以喉音宏亮，享一時之名。如雙克庭韋九峯識者已譏其爲驢，可見嗓音之大。若前之紀壽臣，後之劉鴻聲，皆能生淨兼唱，亦有佳喉。自余叔岩出，乃有六字調之鼎鼎盛名老生，以後凡倒嗓老生，皆以余氏爲法矣。

余叔岩在「小小余三勝」時代，年齡不過十三四歲，雖已露頭角，多半如野狐參禪，惟嗓音特佳耳。民國初元，猶在下天仙，觀其演盜馬拜山，時已倒嗓，不復成聲。自是以後，紅氍毹上，不見其人。嗣楊小朶語我，謂叔岩方刻苦自勵，志在繼譚，而執鬚生行之牛耳，不屑作第二人想，其時蓋已執贄於譚氏之門矣。厥後於春陽友會聆之，雖嗓音未全復，其技藝與前已判若兩人。比及譚氏物化，叔岩踵起，小朶之言已驗。惟譚技得天獨厚，而人事方面，又經若干之鍛鍊，方臻爐火純青之候。叔岩於譚，僅窺鱗爪，復從陳彥衡請益。醫界有所謂「望，聞，問，切」，叔岩之學譚，多從望聞問上得來，及其成名，并將三字亦復恥爲，專從竊字上用功夫，所謂質美未學也。

前數年，下走曾著闢余篇，（到現在則尊余，尚不逮）載在晶報，有以之詢余，叔岩莞爾曰：笑駡由他笑駡，有錢我自賺之；且云一戲將至千金！其自負有如是者。近年來，余氏不常登台，而下走於余氏之觀念，亦復一變。蓋其雖未登譚氏堂奧，但兢兢自守，未敢逾越範圍，即所備行頭，猶爲舊式，堂皇大雅，不染時習，其才雖未足以繼譚，其志確屬以譚爲法。今高慶奎馬連良，或效旦角之以新戲惑衆，或加入海派，以博多金，在營業計固得矣，以云技藝，則日入歧途。惟叔岩值此潮流，韜晦家居，不再思鬻技，則其貞固不磨，殊有足多。（此時尚未出演新明）

小隱的評價，從開始到後來，已有轉變。吾人論其技藝，張肖傖藜青力斥其列入譚派則不可，以譚氏有靈妙瀟遠渾圓委婉之音，得剛柔相濟之妙。余氏無厚音氷音，即是不能。但說到成派別，則其仗氣韻，拱口勁，托得圓穩，玲瓏剔透，確甚可貴。名琴師孫佐臣謂「譚沉余纖」，分別在此，是一語中的。沙遊天曾告以余氏博聞強記，苦心磨練，其唱法因嗓音衷氣不能渾厚有勁，乃自闢蹊徑，求其適合客觀條件，而幽遠綿邈之致，低徊宛轉之情，自有其獨得之秘。（廿三）

藝術叢談

關於這些材料原素，我們也該理會，並不是粗糙的材料就是美，弄來這些材料就是美的創造。不是的。這些材料，需要經過藝術家的安排；也就是說，這些材料的美的製成，需要藝術家使用它作爲表現形式的方法。藝術家的目的是製造美的形式，材料只是爲形式的運用而已。一切的美術在目的方面，都是相同的，其不同而又成爲特殊者則是由於方法。

爲此，在最近半個世紀以來，有些藝術家在藝術上，會想將方法引歸到目的，這乃是形上學的顛倒，本末倒置。方法是爲目的而用，目的並不是方法，方法也不能當作目的。這種混淆的作法，不但不能加富藝術的創作與美麗，反而更使藝術貧乏，極度而根本的限制了藝術的作用功能。特別是限制了藝術的基本功能：用新的精神道路，引導社會的作用。實在，如果我們仔細留心，在藝術創造的過程中，我們可以理會藝術品並不是什麼神妙難言，它不過是將精神的一部份，顯示給我們而已。需知這種精神的美麗，彷彿是一種閃電光明的反射形的，隱藏在事物之中，如果要它表現出來，那麼的要對它「千呼萬喚始出來」；同時即使是出來了，它也要「猶抱琵琶半遮面」的表露在事物之外！

我們說美是隱藏在事物之中，表現在物事之外，不離事物，在於物而出於物，隱於物而歸於物，這不是矛盾嗎？不，形式表現事物的美，這個形式是隱遮在事物之中，而聚得於事物之內，表現於藝術作品之外，而這個形式仍不外是自然形式，也就是說其所表現的乃是事物的自然形式——縱然藝術品不是表現我們所見物的自然形式，但無論如何，總有形式，而這些形式，總須有由若干自然事物形式中搜來，剪裁，改造，但究其實是出不了事物的形式的——而事物的自然形式，不能來自事物自己，因爲事物是受生者，受生者生於相同的受生者，受生者不能自生，必須有生之者，而此生之者不受生，那末事物的形式必該是來自事物的典型形式，也就是說來自不受生者的觀念。這個不受生者不是接受事物後天觀念的我們，而乃是最後原因，來自造物者的神：「天生神物」；「天生蒸民，有物有則」。一切事物的形式是神思想中典型觀念，那自然在某種情態下，也是神的反映了。當然，藝術品呢，它是人的創造。我們知道人的創造不是憑空而來，憑空而去，他需要利用事物——材料，他也需要藉事物而得來形式的觀念，因之，在藝術品內所塑成的形式，乃在反映着創造藝術品的藝術家的精神。我們知道藝術家的精神，正如藝術家本人，他也是屬於歷史的，具有歷史性，並反映着一個時代的精神。也就是說在反映着藝術家所生活的時代的精神。這種反映：可能有二個方面的表現：一個以合於當代的精神方式來反映，另一個則是以反抗時代來表現。這也可能有兩種方式，一個是落伍的守舊方式，一個是站在時代前鋒，爲新時代開路的方式。（未完）

抽象藝術漫談

趙雅博

瘟君續夢

第十一回

舊債新仇　索逋遭白眼

內憂外患　平債仗蒼頭

赫魯曉夫大笑道：「也虧他有急才，不然可眞不得了。」

米高揚說道：「就從那時起，毛澤東主義字眼在中共報刊上絕了跡，一律改爲毛澤東思想。」

赫魯曉夫冷笑道：「什麼毛澤東思想，硬是無賴思想，眞正是好漢，那有欠債不還的。」

米高揚說道：「現在言歸正傳，中國欠我們這麼多的債，眞的賴着不還，問題可也眞不得了；應該擬訂一個討債的戰畧，把這筆債討回來。」

赫魯曉夫說道：「毛澤東這人只認識力量，同他說好話是沒有用的，對付他的戰畧，只有予以重重打擊。或者是軍事，或者是政治，或者是經濟，必要時也可以三頭並進，到時他才會低頭服輸。」

米高揚笑道：「軍事方面予毛澤東打擊，在目前還談不到，政治方面也無從下手，唯一可行之道，只有在經濟方面下手。」

柯茲洛夫說道：「經濟制裁已經實行，我們去年撤回專家，撕毀合同，對毛澤東的打擊總算不輕，他還是又臭又硬，不肯認罪悔過，目前再施經濟制裁，恐怕他還是不理會。」

米高揚笑道：「柯茲洛夫同志，你不主管經濟，不了解眞正情況。我們過去向中國實施的經濟制裁範圍，都是在重工業方面，毛澤東拚着工廠關閉，建設停止，大不了再餓死兩千萬人，他還是可以挺下去，我們若是在軍事方面的援助一旦停止，他就不能挺下去了。」

赫魯曉夫拍手說道：「這是妙計，你同柯西金再商量一下，通知中國方面，有關汽油及軍用品一概不再供給，由他們自己設法。」

柯茲洛夫問道：「這樣會不會逼狗跳牆呢？」

赫魯曉夫咧開大嘴笑道：「你放心吧！我算定了，毛澤東會向西方國家購買粮食，機器，只要有現欵，就算欠點賬也還買得到；要是買軍火、汽油，就沒人敢賣給他了。再說他買了西方軍火，也沒有用處，除非他的軍隊所有武器全換西方出品。恐怕沒有人能賣這麼多的軍火給他吧！」

赫魯曉夫打定主意之後，果然命令契爾沃年科正式通知中共，停止供給汽油、汽車、飛機零件、軍火。

中共「外交部」得到通知，登時亂成一團，趕快找到陳毅，把蘇聯大使的口頭通知紀錄，拿給他看。陳毅也慌了，趕快去找周恩來，把經過情形報告一遍。

周恩來嘆口氣：「我們同蘇聯這樣硬頂，絕對不是辦法，他整我們的辦法多得很，我認爲毒招還在後頭哩！這樣下去，總有一天要搞到不可收拾。」

陳毅說道：「目前的問題只能頭緊顧頭，脚緊顧脚，先過了這一關再說，將來的事也就管不了這麼多了。」

周恩來說道：「你把這項紀錄送給毛主席看去，請他想辦法解決好了。」

陳毅遲疑道：「總理不去嗎？」

周恩來笑道：「我當然要去的，不過，大家不必一道，你自己先去，比較好些。」

（二七四）

畧談大舌馬連良

豁公

第二天他就教他的令郎(宗義)，撥着他到地方法院去投案！可算把「四盤山」裏的「見娘」「回令」全唱到啦。

於是某名士贈以詩云：

『出關媚敵馬連良，未入囹圄且見娘；何意叫頭方暈厥，一聲搖板又還陽。』

嘿！「唱工不好做工好」，馬老板眞不含糊。

大陸淪陷以後，馬老板會以義民之姿態，出現於香港皇后大道！凡是認識他的，都說「馬溫如是覺醒了」。又誰知道他的劣根性迄未鏟除！就在人們予以謬讚時，這位莫名其其妙的大舌頭老生(按馬老板是個天生的大舌，以此「咬字」不清！例如在「慶頂珠」裏唱「責打我四十板趕出了頭門」那一句；他是把「四十板」三字，唱成「死屍板」的！)早又鬼使神差的潛往北平向匪帮靠攏；致被匪幹們牽着鼻子帶到窮鄉僻壤去，不分晝夜的巡廻演出，根本就不容許他們半小時休息！加以撲撲風塵，睡眠不足，遂致形神俱疲，發生嗓音失潤，手生荆棘的慘狀！雖欲不爲程艷秋第二(按程係於昨年爲匪帮壓榨而死的。)殆不可得！正如飛蛾投火，自焚其身，而聰明之大舌頭，竟於受過前番教訓後，又有此一番荒謬行動，也未免太那個了。

(四・完)

談全姑案

漁翁

有清一代之風流案，如楊乃武與小白菜，訟纏多年；王大儒與陳彩鳳，玉成美舉；而最不愉快者，莫如全姑與陳生一案，使有情人受盡折磨，陳生終且自殺，而劉孝廉與隨園老人袁枚爲代抱不平焉。

全姑，蕩山茶肆女，潔白婀娜。年十九，與其隣陳生私通。陳乃一美少年，且饒於資財。里有痞徒，藉捉奸索詐，陳以百金賄之。縣役思分其贓，因不勻而牽扯到江南區域之金匱縣而審究焉。

縣令某，爲一所謂理學家，以陳之所爲，有傷風化，杖之。全姑泣，伏陳臀上，請代。令以爲無恥，命隸杖男女各四十。隸拉女褲時，以通體嬌柔，如無骨者；又受陳生金，故以杖撲地而不及於肉，蓋亦有憐香惜玉之意。而令怒猶未息，剪其髮，脫其鞋，置案上，傳觀之，以爲合邑女子戒，並將該女由官發賣以結案。

可是，陳生與全姑，一往情深，大有生不同衾，死則同穴之概！陳每思女不已，而賄人以重金買之，仍娶以爲妻。不一月，縣役知其情，紛來索賄。事聞於縣，令大怒，復擒二人到案。女知不免，私用敗絮草紙置褲子內以護其臀，令見下身纍然，即下堂親自扯去褲中物，裸而杖之。陳生請代，掌嘴數百，又再決滿杖，因受辱過重，歸家自經死。女則賣爲某公子妾！可謂慘矣！

有劉孝廉者，俠士也，與令交好，直入署，以義責之。令曰：「全姑美，不加杖，人道我好色；陳生富不加杖，人道我貪贓。」劉曰：「爲父母官以他人皮肉，博自己聲名，可乎？行當有以報矣！」奮衣出，與令絕交。

太史蔣心餘與隨園老人談此事，隨園聞之大憤！即作札以責之。首謂：「蔣心餘來，道足下辦全姑案，大殺風景！案定後，聞其仍歸陳某，復加拘杖，並弛祖衣，而親臨觀之，必使玉碎花殘而後已。此豈仁人君子之所爲哉！」又曰：「全姑與陳某身被官刑之後，猶能冒死相從，殊有觀過知仁，從一而終之義。方謂足下將旌之以徇於國，而乃橫加以僇辱，不已謬乎？」最後又云：「焚琴煑鶴，好惡拂人之性，三尺童子，皆知羞之。而足下以此求名，名於何有？僕明知事不說，既往不咎，而無如聞不慊心事，骨在鯁喉，必吐之而後快！」此札長達五百餘言，爲全姑與陳生抱不平，合情合理，揭穿該「理學家」縣令之其實極端卑鄙而齷齪之行事與心理。

數年後，該令遷守松江，方午餐，其僕見一少年從窗外入，以手拍其背者三，遂呼背痛；已而背腫尺許，中有界溝如兩臀然。召醫視之，醫曰：「已成爛桃子色，不可救矣！」未旬日，卒不治而死，果如劉孝廉「行當有報」之語云。此案若落於通明達德人之手，必已成爲眷屬，而偏落於所謂「理學家」掌中，致作成慘案，可歎息也。以視王大儒與陳彩鳳之成爲佳偶，其有幸有不幸何其遠哉！

有感一首呈雷先生

留得頹唐百劫身，寧知尚友竟無人？
未忘東閣書空咄，不賦閒居拜路塵。
禮失自憐家破碎，瓦全猶冀迹能新。
滔滔天下吾誰與？之子生涯富有文！

中華民國五十二年嘉平月

黃伯遠　於心浩然齋

剃頭刀及其他(續)

花香月上樓小品

黃葉村人

洪承疇，福建南安人，明三邊總制也。初傳：洪與清兵戰陣亡！崇禎帝設九壇以祭！未竟，續報洪未死，乃撤壇。洪降清，清攝政王多爾袞，贈以鎏金剃刀以薙髮；因此後世遂有「南安三把刀」之稱。三把刀者，一、洪承疇之金剃刀，二、黃培松之關刀；三、黃弈住之斧頭刀也。培松字菊三，清末武狀元，中式時，所舞之關刀已落地，黃福至心靈，用足踢之起，復舞如式。試官以爲能，遂中式云。黃於光宣間，官粵爲總兵，民國建立，隨岑春煊入閩，一度爲廈門護軍使。現此，以洪黃與陳妾較，則又鬚眉不如巾幗矣！

古人不僅蓄髮，而且壯年即蓄鬚，故男人有「鬚眉男子」之稱。也許剃鬚是極麻煩之事，除了清人的剃刀，如今六、七十歲的人，曾領教過外，更上一代，宋明之剃刀，是否和清代同樣，已無從考證了。不過，我聽前一輩老人的說法：清以前的人，他們的剃鬚，不一定是用刀，有的是用鉗拔，因爲用鉗是連根拔掉，不會重生；縱會，時間也很久。用刀，也許那時既無人剃頭，也就沒有刮鬚刀；要保持年青，就不得不借助於鉗和綫了。(案：婦女拔臉毛，是用綫交义而拔之)但，由於鉗拔，是會出血的，也極痛楚，故一之爲甚，不如索性留鬚。此留鬚與剃鬚，古今所以異趣也。

其實，留髮與留鬚，只有增加不潔和麻煩，幷無什麼美觀好處。像王猛對苻堅捫蝨而談，千古傳爲佳話，事實上，他的蝨子，由髮而鬚，粒粒可數，定不止一隻！如果在今日，他不被「副官掉出」，才是怪事哩。施耐庵云：「朝日初出，蒼蒼凉凉；澡頭面，裹巾幘；如是等時，起問日中，中已久矣！中前如此，中後可知。一日如此，三萬六千日何有？」自然還是不留鬚的好。

在清代，凡是當兵的，春冬天，都是以黑巾裹頭；像昔年「紅頭阿三」一樣，紮得又緊又實的。因爲背後多了一條辮，如果不裹頭，打起仗來，那條尾幌過來，擺過去，是很容易被敵人的刀槍絆倒擲倒的，所以要裹頭！夏秋天則戴「竹析帽」；所謂竹析帽，係以硬竹版爲之，狀如今日台省鄉村男女所戴之雨笠。這種竹析帽，上漆桐油數遍，用老竹爲之，又硬又滑又堅實，刀砍下，頭一側，便避開了。當時的阿兵哥，辮纏於頂，護之以竹析帽，與今日之鋼盔，亦有同等效果也。惟往時商工店鋪，凡夥計學徒，每月初二，十六上下禡，可以向店主，師傅領取剃頭錢，每人每次三、五十文不等，最低銅錢十六文，不能更少也。獨綠營阿兵哥，則無此項津貼。那麼，綠營兵餉糧微薄怎辦？於是，甲和乙，丙和丁；你剃我的頭，我剃你的頭，便成爲習慣。我們試回味一下獨韵詩中的「請看剃頭者，人亦剃其頭」！不僅阿兵哥如此，即貧窮老百姓，亦大多是「你剃我的頭，我剃你的頭」也！

我的社會生活

雷嘯岑

五載閒曹滋味

無論東西各國任何一種政體之下的內政部，都是居於政府中的首要單位，以其職責繁重，關係深鉅，諸如民政、警政、土地、禮俗，以及文物古跡之管理，鴉片毒品之查禁，戲劇歌曲之審核等等，皆屬於內政部的主管業務。所以，東西各國執政者，對於內政部各級首長的人選，莫不特別愼重，必求適才適任，決不亂來的。唯有咱們中華民國的內政部，實與駢枝機關相伯仲，它既像一座安置政客、策士的招待所，亦像一間災梨禍棗的檔案製造場，又好似是收留殘廢人物的養老院。總之，虛有其表，點綴場面而已。可是，我就在這種不必要的冷漠衙門裏，混過了五年的寶貴光陰，可謂背時也矣！

民國十七年首夏，國民政府內政部成立伊始，我被任命爲參事，據說，參事的職務是撰擬、審核內政上的法令規章，我原非法學之士，不知如何恪盡職守，同事孟廣澎君雖然比我懂得多些，但也不是行家，而部長薛篤弼先生更爲粵語所謂「唔係個皮」——即不是這塊料也。幸而參事室尚有兩位助手深通法律，一爲江蘇人曹壽麟(前內政部次長胡次威的岳丈)，一爲湖南人劉武，遇事由他二位擬稿，交孟君核閱，我祇是照例蓋章罷了。

但，我每天的心情却很緊張，因爲這位薛部長原係革命軍第二集團軍總司令馮玉祥的親信幹部，他把馮總司令那套治軍的方法，與夫西北軍獨具一格的生活方式，依樣畫葫蘆的搬運到內政部來實施。例如全體員工皆得穿上西北軍特定的制服——黃色或藍色短裝，馬褲，袖口用紐子緊扣着——清晨七時要上早操，星期天要輪流值日，超過了規定的上班時間即不許簽到等等，應有儘有。逢到西北軍有甚末紀念事情，如所謂「灤州起義」「首都革命」之類，內政部全體同人亦得照樣舉行儀式。當時我懷疑自己究竟是在國民政府服務呢？抑係在西北軍効勞？內政部是主管全國禮俗事宜的，而本身乃胡亂創造禮制與習俗，形同小王國，這又成何體統呢？可是，儘管如此，中央黨部和政府皆熟視不以爲意，這象徵着軍閥割據的國家形勢，却號稱爲革命政府，不亦怪哉！

在薛部長任內，內政部大小職員的工作情形，亦復忙碌之至。主要任務就是關着房門製造檔案——擬訂各種內政法規，形形色色，琳瑯滿目，隨時通令頒發出去。至於是否可行，行之利弊孰多，皆置不問，這便是成績！現時政府各級機關在台灣之專門搞會議紀錄，繪統計圖表，此物此志也。

薛任最大的一項內政建設，就是頒訂「自治法」。當時我對於自治法草案中所規定的若干專門名稱，如鎮、坊、閭等類，認爲跟南方人的習俗不同，恐難通行，主張參照全國各地區的傳統習慣，兼籌併顧，但未被採納。結果那自治法始終未能實施於全國，而中南部各省區根本就束之高閣，不予理會。

薛部長的第二項傑作，即是强制驅逐南京城內的公娼。這問題在部務會議討論的時候，我極力反對，指述這是一項嚴重的社會問題，原因複雜，不可顢頇從事。公娼驅逐後，私娼即繼起發展，又將何以處置？公娼按月要納花捐，容易稽考，私娼的臉上幷未刻字，試問如何查禁呢？

(十九)

米蘭——西歐散記之一

項退結

旅居西歐差不多十三年，一年前方纔東回。除去挪威、芬蘭、冰島以外，竟不折不扣地走遍了西歐的其他各國。這裏希望能藉自由報寶貴篇幅，陸續替讀者介紹一些在我腦中留下印象較深的幾個地方。

——作者——

我在米蘭曾經整整的住了四年，以後屢次重遊故地，小住一二天不等。去年東歸途中，也曾在飛機場停留數小時，和一位友人晤談。

米蘭的名勝古跡很多，現在把主要的幾個畧爲說說：

米蘭最值得看的是市中心區用大理石建造的主教座堂，這座大堂建造形式如同是一個長形的十字，長一四八公尺，寬八七點八公尺，高五七公尺，教堂頂有一個高塔，其上有聖母升天像；由地上計算起到聖母升天像，最高點達一〇八點五公尺。這個大堂的特色是有數不淸的用大理石雕刻成的石像，內內外外處處都是，爬到屋頂上面還有許多，一共竟有四四四〇尊石像。這座雄偉的建築物是在一三八六年開始興建的，開始時的建築師是法國與德國人，一四〇〇年以後則由意大利建築師負責建造，一直到一八五八年才告成功，一共經過了五個世紀。但是我們也可以說，一直到現在，米蘭主教大堂還沒有完全竣工，因爲自從一八六五年至一八七七年重新修葺以後，一九四八年又加上一個銅製的大門，門上雕刻了許多歷史性的事跡，一九五〇年再加上兩扇銅製的大門。(一)

內僑警台報字第〇三壹號內銷證

自由報

THE FREE NEWS

第一一四期

中華民國僑務委員會頒發
僑敎新字第三二三號登記證
中華郵政會字第一二八二號執照
登記為第一類新聞紙類
（每週刊每星期三、六出版）
每份港幣壹角
台灣零售價新台幣弍元
社長：曾曉岑
督印人：曾行賢
社址：香港銅鑼灣高士威道二十號四樓
20. CAUSEWAY RD 3RD. FL. HONG KONG
TEL. 771726　電報掛號：7191
承印者：田風印刷廠
地址：香港灣仔高士打道二二一號
台灣分社
台北市西寧南路壹壹零號三樓
電話：三〇三四六
台郵撥儲金戶九二五三

當前海外反共救國運動的路向

石堅

抗戰勝利後，共匪稱兵倡亂，竊踞大陸，海外廣大僑胞基於一貫的愛國傳統，掀起反共救國運動的高潮，在國家民族最危難的時期，又一次表現出革命救國的昂奮精神。十餘年來的華僑反共救國運動，隨時隨地支援祖國軍民，直接間接展開反共鬥爭，表明了華僑反共愛國的堅定立場，壯大了祖國及自由世界的反共力量，提高了祖國的國際地位；到今天我們反攻形勢的有利形成，反攻力量的結集，海外反共救國運動確也盡了其應有的努力和貢獻。現在，反攻機運已臻成熟，全面戰鬥就將展開，我們更要掌握機運，加緊奮鬥，迎接現階段繼往開來的重大任務：

第一、擴大海外團結反共運動——團結才有力量，團結才能集中力量，發揮力量。十餘年來，我們海外忠貞愛國的僑胞，已經在反共救國的共同大目標下趨於團結了；今天我們為了迎接就將來臨的更艱重的全面戰鬥，必須在既有的團結基礎上，更加擴大，更加緊密地團結所有非共反共愛國僑胞，站在一條堅強的戰線上；肅清潛往海外，從事陰謀滲透活動的匪偽份子，並喚醒少數被誘騙脅從的附匪親匪份子，棄邪歸正，共為反攻復國的偉大使命而努力奮鬥！在這一項的任務目標底下，我們更要加强實踐「華僑反共救國公約」和「華僑反共救國綱領」，繼續推展，貫徹實施，用宏效果。

第二、積極準備支援反攻工作——目前我們反攻復國的戰備已經完成，大陸同胞反共抗暴的時機也臻成熟；在這全面戰鬥就要展開的前夕，我們海內外同胞更要加緊準備支援反攻戰鬥的工作，迎接全面勝利的早日來臨。海外方面，各忠貞僑團僑校僑報，以及所有僑辦事業，必須緊握時機，斟酌各地區實際環境，盡可能籌劃各項支援反攻的準備工作，切實推進；務期反攻的號角一響，立即動員全僑力量，共起摧毀匪偽暴政，光復神州，重建大陸家園，建設三民主義的新中國。在這一項的任務目標底下，我們可以提出若干海外地區曾經倡議推行的反共抗俄月捐，以及最近菲律賓地區擴大推行的支援反攻種子會員運動，作為其他地區僑社的參考，普遍展開支援反攻準備工作，滙成一股壯大的巨流。

第三、結合國際民主自由力量——我們的全面反攻戰鬥，雖然是出諸本身的掌握形勢，主動展開；但是在整個世界的反共局勢下，這一戰鬥也終將演進成為自由世界反共鬥爭的主要部份，息息相關，彼此是分不開的。因此我們的反共抗俄路線，自始即係以促進民主國家的團結合作，結成反共抗俄的聯合戰線為目標。散居海外各地的華僑，基於在居留地的各種主客觀關係，以及發展國民外交活動的便利，目前更要在迫切的反共復國大任下，一方面擴大並鞏固與國際民主自由力量的結合，進一步促成反共聯合戰線的實現；另一方面更要廓清國際姑息妥協的陰影，尤其是對於日本資匪之類破壞民主國家立場，分散對匪制裁力量的謬誤行為，更要予以當頭棒喝，促其及時醒悟，澈底改正。

第四、加緊發展華僑社會事業——擴大海外團結反共運動，是要安定華僑社會，藉以結合國際民主自由力量，杜絕共黨陰謀滲透活動；進一步便要發展各項華僑事業，厚植華僑支援反攻復國，以及支持自由世界反共鬥爭的力量。現階段時代突飛猛進，日新月異，華僑社會各項事業要非加緊發展，誠不足以趕上時代。而在當前的時代環境裏，無一不求其科學化，集體化，亦非羣策羣力，採取互助合作的途徑不為功。因此我們不但要在反共運動上團結，同時還要在各種事業上密切配合，共策進展，然後才能不斷壯大，強化陣容，和團結反共運動相輔相成，擔當我們反共復國的偉大使命。

回顧過去十幾年來反攻復國的奮鬥歷程，我們不但已經完成了反攻復國的準備工作，而且也不斷開創了反共復國的形勢。海外華僑在這一歷史發展的重要過程中，也已進入了一個新的階段，發揮重大的貢獻。今天我們迎接全面戰鬥就要到來，光明在望勝利在握的新階段，更要掌握時代所賦予我們華僑的神聖任務，同心一德，共朝偉大的目標邁進。

自投羅網的舉動

最壞的設計

今日與明日

非洲的警號

非洲東海岸桑給巴爾政變後，已經暴露出政治面目，首先是那位自稱總統的卡魯姆居然自己帶着手槍趕到酒店拘捕美國代辦皮卡德，開外交史的怪例，另外美國四名記者：新聞周刊的諾根，時代周刊的史密斯，先驅論壇報的蘭德，紐約時報的康萊，都被拘禁，後來經過英國駐桑給巴爾高級專員克羅斯韋特從中疏通，一律驅逐出境。

美國駐外人員雖然良莠不齊，經常引起駐在國當局的不滿，但是對於剛成立不到三天的桑給巴爾新政權，無論如何是不會有何冒犯之處的，卡魯姆這種瘋狂的反美行動，已不能用民族主義來解釋，因為美國並未侵犯桑給巴爾的主權。而卡魯姆的反美原因，只能證明他是一個共產黨員，受到上級的命令，要他這樣作。

卡魯姆的第二件事，是把前內閣的閣員除去兩名之外，全部處死。第三件事，就是宣佈為人民共和國，其步驟較之卡斯特羅似乎還急進一些。

桑給巴爾赤化以後

桑給巴爾正式變為「人民共和國」之後，毛共、蘇聯、北韓及東歐附庸國均予承認，無疑地將在非洲播出了共黨的種子，今後會不會再有「人民共和國」出現，就要看西方國家的做法了。

本來桑給巴爾孤懸海外，小國寡民，對整個非洲來說，根本起不了什麼作用。問題是非洲東海岸與桑給巴爾隔海為鄰的國家坦克尼加、墾亞、烏干達都十分左傾，在東非沒有一個有力的大國如阿聯、奈幾尼亞或者阿爾及利亞，可以起一種防護作用，假若說共產主義是洪水，東非就缺乏了防波堤，只有讓洪水氾濫進來，相信上述三個左傾國家將成為下一目標，赤化之期將不在遠。

桑給巴爾孤處海內，所起的作用畢竟還小，如若東非陸上出現了一個共黨國家，以共黨的高度滲透技術，對落後地區的政治機構，簡直如摧枯拉朽，不出十年，東半部非洲將全部赤化。

當前世界的危機

目前自由世界對共黨鬥爭，始終處於防守地位，共黨可以在古巴，在桑給巴爾製造共黨政權，西方國家却不敢援助匈牙利，以擺脫蘇聯的控制，長此下去，即使共黨平均十年赤化一個國家，也是不用一千年，整個世界就會赤化的。無論年代究有多遠，長此下去，全世界人類終有披髮左袵的一天，施哈諾要迎頭趕上，未嘗不是見機呢！

自由談

談外交人才

外交工作是人才第一，沒有適才適任的外交官，縱然擁有強大的國力，亦將在國際坫壇上吃敗仗，若夫弱國，那更不用說了。

目前國人對於日本政府與民間之親共媚共、不顧信義的種種行為，表示極端憤慨，理有固然。但若以恕道來觀察，咱們亦就不無自怨自艾之處。戰後十六七年來，我們派駐日本的使節，無論是佔領期間的軍事代表團長也罷，和約簽訂後的外交大使也罷，不特是說不上得力的人才，而且很多都是替國家丟臉溺職的輩之。尤其是佔領期間，日本人認為我國已因戰勝而躋於四強之列，相率另眼看待了。然我們派去日本的兩個軍事代表團首長，竟是辱君命、玷國格的傖俗人物，至今無面目歸見江東父老，此外的若干外交使節，亦未見有勝任愉快的。

談到國民外交，咱們既有「中日文化經濟協會」之創立，又有「中日合作策進會」之繼起，表面上隨時開會，彼此交互訪問，好像很積極，實際是虛有其表，專事官式應酬，而參預其事者，十之七八盡是些不懂得日本情形，不認識日本語文的官場中人，罔知國民外交為何事，濫竽尸位，莫名其妙。

官方與民間的外交人才如此，種瓜得瓜，種豆得豆，在國運迍之秋，能希望日本人在外交上跟我們患難與共，久要不忘嗎？所以，今日發生的周鴻慶事件，是果而不是因。

歐美各國對於外交人才之選拔任用，特別縝密，除學識智慧與能力必須夠標準以外，即儀表亦得講究，決不馬虎。咱們的外交官乃多見其為隨便派遣者，并非為事擇人，而係因人排位，從不考慮適才適任的問題，有如讓廚師去作裁縫，教跛子從事競走，寧有倖理乎？

在未來的歲月中，我們在外交上可能受到的閒氣還多，這是意料中事。唯一急務就是刷新外交陣營，遴選幹練的外交官，因地因時而分別器使。原有一般庸庸碌碌，毫無表現的老油條式人物，尤非澈底甄別整飭一番不可。內政上用人失當，補救尚易，外交上不得其人，一著失敗，全盤皆非，雖欲挽救，來不及了！

馮五先生

香港與大陸

詛咒現實·逃避現實

大陸智識青年沉迷神怪小說

大陸智識青年正千方百計找尋武俠神怪小說和歐洲的古典文藝作品，用作精神食糧，企圖把自己的思想情感寄托在另一個世界裏。中共認爲這是一種「不良的傾向」，是危害「社會主義」的「歪風」，而對之進行思想的批判。

據回大陸探親甫歸來的何姓作家說，中共出版的「文藝小說」，是千篇一律的「赤色八股」，諸如歌頌「黨」的偉大，描述人民忘我的勞動，思想覺悟的提高……等。這些作品，中共通過組織，强迫青年去集體閱讀。但青年智識份子是討厭這些東西的，他們認爲閱讀這些東西，實在是精神虐待，因此便千方百計去找尋那些怪誕的武俠、神怪小說和歐洲古典文藝作品，祈求把自己置入一種超現實的境界中，減少思想情感的苦悶。

該作家留住大陸期內，曾經會見過一位任中學語文教師的親戚，那位親戚對他說，他們學校中最近曾舉行了一次不記名的測驗，題目是：「我最喜歡的一部文藝作品」，學生的回答，竟有百分之四十强爲外國的作品，諸如莎士比亞，白朗寧夫人，海涅……等，另又有百分之三十以上是喜歡那些武俠，神鬼小說的，其中以聊齋志異」爲最。

鑒於此，中共於是又在各學校中提出這一思想的批判，說青年智識份子已染上了「歪風」，讚美愛情至上主義，說他們完全取消了無產階級的立場和批判的態度，跟着資產階級文藝中的觀念走，或者追求那些怪誕神奇的東西，自我麻醉，認爲非予糾正不可。

但該作家的親戚告訴他：大陸青年智識份子對於中共的指責，根本不接受，祇當耳邊風。（敬斯）

監察委員與人權問題

本報台北記者

管訓流氓之重遠越過了主罰

黃寶實說：「關於取締流氓辦法的問題，早在民國五十年，本院王委員文光看到保安處分的執行場所，設備欠週，即已提出糾正案，也就是涉及流氓取締辦法的立法根據。這個糾正案在五十年二月提出以後，同年六月，行政院即有一個覆文到院，覆文中說：這是一個程序的規定，無需乎立法，因爲凡是犯了軍法即受軍法審判；凡是犯了司法即受司法審判；犯了違警罰法，亦有違警罰法可以處理。所以在（監察院）院會第八〇六次會議時，決議：將本案交由司法、國院兩委員會聯席審查。那麼關於這個問題的本身，所謂違警罰法，該法第十八條規定，亦有主罰與從罰之別。主罰規定最高限度拘留不得超過十四日，罰鍰不得超過銀元一百元，罰役不得超過十六小時。可是同法第二十八條另有規定，就是關於游蕩成性，且有違警行爲習慣的人於被執行第十八條的主罰之後，還可以送到適當地方加以矯正或令他學習生活技能，也就是對於流氓的管訓。但是這個管訓可以管訓幾年，其處罰之重，遠超過了主罰。取締流氓沒有適當的法律根據，也就是在於此。其次，警備總部有個靖民小組，就是如果發現你有賭博行爲，就可以視作流氓，送往綠島管訓。

「我們常看到「警察是人民的褓姆」的標語，或有「除暴安良」的標語；其實因爲有些人令他們稍不快意，隨便就可以把流氓的帽子加上去，所以所謂褓姆也者，無異乎是（台北市）寶斗里（風化區）的褓姆，以他人靈肉作爲自己生活的基礎。但是她們（指妓女）受寃屈時，至少還有婦女會呂錦花的保護；然而被視爲流氓的人，縱然告到監察院來，我們也把它們沒有辦法，所以我想想，我們（監委）連呂錦花都不如。

貪污紗廠經理竟爾藉此整人

「我可以舉一個例子來說明，就是在今年九月間，台北紗廠的姚總經理把出品一萬七千碼的府綢，以每碼三至五元的價錢賣出來，於是被職員告發了。姚總經理爲報復計，就要安全室主任以思想問題把這兩個人加以處置；但是安全室主任良心上不忍這樣做，因此這個總經理馬上把安全室主任調走，由張廠長接任，同時這兩個人立即以思想問題，被送警拘押，後來這兩個人根據流氓取締辦法，加以矯正處分，送往外島去管訓五年。所以問題是：從思想問題變成流氓，這個角度轉變的太快了，今天爲了保障台灣的治安的檢肅匪諜條例，竟然爲貪污份子拿來利用，憑它藉以報復別人。」

同時，黃寶實指責「取締流氓辦法居然可以對抗法院的提審」。他說：「提審法是我們民主的一大進步，凡被非法逮捕的人，可向法院要求提審，而本案經高等法院提審，竟因警察局說此人已受矯正處分，依取締流氓辦法予以矯正，而不再提審。取締流氓辦法可以對抗提審法，這提審法如何保障人權？我要問（高院）孫德耕院長，你當了三十多年的法官，以取締流氓辦法來對抗提審法，這是什麼法律觀念？這個問題，台灣向來講警檢聯席會議，前幾年，在警檢聯席會議時，（台灣）警備總部副司令居然對法官訓話！他怎可對警察訓話？怎麼能對法官訓話呢？我討厭警檢聯席會議，這種會議，祇是把警察的違法行爲合法化而已，可說是禍國殃民的根源，令人深惡痛絕。取締流氓辦法固然無須經過立法程序，可是根據違警罰法，所謂拘禁不得超過十四天，現在用這個辦法，竟不經法審判，而喪失人民的自由所以我們無論如何應督促行政院予以修改，使之符合現行法律，以一切立法化，不能以命令來對抗法律。」（詳五十二年度監察院總檢討會第八二三次會議紀錄）（五）

基隆市下屆市長提名爭奪白熱化

（續上期）蘇德良自是目下基隆政壇上少壯派中的佼佼者，處事有魄力、有胆識，三年議長任內，表現總算還不錯，惟急應養成一付休休有容的氣度，腦襟要儘量放寬些，尤其對外省人不應加以歧視，纔可贏得外省人士的同情和合作，不致功敗垂成。

鷸蚌相持坐待得利

其次，處在這二大爭奪戰最激烈中間的是夏梅；他是浙江警官學校第一期畢業，曾任貴州省會警察局長，吉林省警務處長。聽聞他原本在執政黨中央黨部第六組當總幹事，後來由民社黨劉政原牽綫，介紹到現任民社黨籍市長林番王處當主任秘書，還不到兩年，林氏向另一派系蔣匀田靠攏，就把夏松一脚踢出。執政黨將他派在基隆市黨部當副主委兼代理主委，本來是預伏的一着棋子和林番王對抗的，上次第三屆省議員競選，執政黨提名謝清雲、張振生，他以孤臣孽子的心情，捐起這個十字架，晝夜奔跑，團結黨員，號召勤王，他的努力，總算不曾白費，結果黨外人士如曾金元、謝再城、郭發仁等，一個個都被挑落馬，謝張二人都以最高票當選了。不知怎的，執政黨要培植他，而又中途變望，選舉完了，把他調任省黨部設計委員。一般咸認夏松是這次基隆市長提名選戰中的漁翁，看目前情勢，如果夏松在謝清雲蘇德良爭持不下時，執政黨當局爲免兩敗俱傷，或者夏可能脫穎而出。倘要計算票源，據他自己的估計，外省票可得七成以上，本省票有蔡大炮曾金原一班人馬爲他出力拉扯，也不會太弱。不過這種機會，恐怕不多；他是坐一望二，窺伺機緣，競逐提名，並不如謝清雲，蘇德良强烈，祇是坐待成熟的時機到來。

黃忠老將也爭提名

黃樹水，是基隆最馳名的好好先生，論老一派的聲望，鮮有出其右者。他曾連續三任基隆市議長，號稱政壇上的不倒翁。想當年謝貫一時代，要找市長替人，推舉他競選第二屆市長，那時炙手可熱，立可馬到成功。乃他殊無此興趣，竟薄市長而不肯爲。現久已脫離政治羈絆，息影林泉有年，僅在行政院做一名參議，忽而老興勃發，想當起市長來了。不過這位黃忠老將，執政黨如果要重用他，應該安車駟馬，徵召出山，如要他自己爭取提名，已算落第二乘了。目前他必得三面作戰，當謝清雲蘇德良兩下殺得人仰馬翻之際，他從斜刺裏一彪軍趕到，打得他們兩敗俱傷，再追上夏松，使出一記殺手鐧，要打得他抬不起頭來。試看當年這位大樹聲名，具有八面威風的老將，能否制服羣雄了。其餘張金鐘，錢沈生，周鳴岐，李守彬諸人，一般認爲均無多大力量，畧而不論。

林氏番王志在必勝

現任市長林番王是有競爭連任雄心的，他的競選基礎，據說打得很結實，競選技術亦頗高明，他早已放出空氣，執政黨提名如果是蘇德良，他只坐在家中競選，他如是謝清雲，他還得出外跑跑。此說若實，顯示他確實是志在必勝。（下）

吳兆棠會辭職嗎？

江水寒

（本報台灣通信）台灣省教育廳長吳兆棠博士，上月底起臥病台北榮民醫院，最近並動了一次不算太小的肺部局部切除手術，顯示其病況之相當嚴重。因此，又引起了外界的許多揣測，大家所揣測議論的，計有下面三點：

第一，吳兆棠的病，到底是眞病，還是假病？他是不是眞的「頭痛」？或是由於最近幾件大事始終困擾着他，而感到「頭痛」，因此想託病，甚至想拖一段時間後，乾脆辭職不幹了？

第二，吳兆棠的病況究竟如何呢？聽說他的朋友上月底去看他，都被院方拒絕了，而這位朋友還見到吳兆棠的太太眼睛紅腫，顯然是因過度憂心流淚或疲勞所致。

第三，如果像外界所傳說的，吳兆棠病況很嚴重，而他這次的病，又是由於担任廳長過度勞累所引起的，則他在病愈出院之後，是否還「能」繼續肩此重担？是否還「願」肩此重担？

上面這三個疑竇，說來都是很有來由的。尤其是在此時此地，教育廳長一席，地位特別重要，無論是對國家前途來說，或是對地方建設來說，今天的台省教育廳長，幾乎相當於在大陸時期的教育部長。

頭痛！頭痛！頭痛！

尤其在劉白如（眞）卸任之後，閻光夏（振興）接下來，幹了九個多月就幹不下去了，丟下這個殘破複雜的局面，很多問題都亟待解決，人們睜大了眼睛瞪着教育廳，看看教育廳究竟作何處置。因此，大家關心吳兆棠的病況。說得明朗點，與其說是關心吳兆棠個人的健康或去留，不如說是關心本省兩百萬學生的學業甚或前途。雖然事實上，一位教育廳長未必能做像一般人所想像中的那許多事情，但在我們這個向來重視「人」的因素的環境裏，個人的去就行止，往往成爲大家注視的焦點。

不過，這次吳兆棠的突然因「頭痛」而入院，甚至施行肺部局部切除手術，所以如此引人關切，也是別有原因的。

第一，劉白如下野後，閻光夏來去匆匆，先存觀望，一隻脚踏兩隻船，繼之受不了幾方面的困擾或壓力，終於一走了事，留下來的殘局，比劉白如留給閻光夏的更糟；這個局面，正待有識見有魄力的人來整頓，吳兆棠接事未久，成敗雖未見，但從幾件小事上看，他是存心想把教育辦好的，經過三個多月來的接觸，他已抓住了本省教育上幾個大的問題，此後正是他設法解決問題的時候了。

第二，教育上的幾件大問題正在社會、中央和立法院熱烈討論的今天，國校惡性補習之風正在向中等學校蔓延的今天，省議會三屆二次大會質詢期業已開始的今天，不早不晚，偏偏吳兆棠在此刻病倒了，這是巧合？抑或別有隱情？

第三，前些時，當行政院改組期間，曾有省府亦可能同時改組的種種傳聞，包括黃達雲、周宏濤等人的行蹤，還有閻光夏出任教育部長等消息，絕非完全是空谷來風。政治上是變幻莫測的，吳兆棠的突然請假療病，是否與此有關？（上）

基隆旅居記

仲公

多風亦是基隆氣候特徵之一，十一月份的平均風速，大至每秒三點八公尺。在東北季風盛期，亦即從十一月以至翌年二月，平均風速計爲每秒三點七一公尺；其平均最大風速爲每秒一〇點五公尺，極端最大風速則爲每秒一六點七公尺。夏季的平均風速雖小，但常有颱風過境，對航海與漁業皆成一較大威脅。

基隆與高雄同是台灣兩個最大的商港，基隆在台灣的東北，高雄在台灣的西南。這兩個商港，遙遙對峙，分據南北縱貫鐵路兩端，本省對內對外的貿易，幾乎全部要經過這兩個港口。基隆發展較早，爲淡水的後繼者，高雄興起較遲，代替了當日的安平。今日基隆和高雄的貿易，都遠較淡水與安平爲發達，但這是經過產業發展，商務繁盛，交通運輸改進之後，適者繁榮，不適者衰退的必然結果。

基隆在台灣貿易上所處的地位，過去經常要超過高雄。自民國十年以來，基隆的貿易額，常佔全省貿易總額半數以上。光復初期，自民國卅四年十一月至三十五年年底這一段期間，由於高雄港口在太平洋戰爭末期，被盟機轟炸，損失慘重，一時未能修復利用，客貨運輸，大部滙集基隆，故此期內基隆港之貿易額，包括對內對外，就獨佔全省貿易總額百分之九四。民國卅六年以後，高雄港逐漸復興，基隆在全省貿易總額上所佔之比重乃相對下降，民國卅六年度約佔百分之八四，民國卅七年度再減爲百分之七九；民國卅八年起，因國內政局改觀，台灣對內地的貿易銳減，基隆港所佔全省貿易總額的比率，再降爲百分之六二。（十七）

養貓

方南

家裏為了防鼠，沒法不養貓。貓的繁殖十分可觀，依的是幾何級數增加，使我再不敢養貓了。可是，老鼠鬧得太兇，貓還是要養的。怎辦才是？劁貓是一個好辦法。看報上刊載的小廣告，發覺有一些劁貓專家正在招徠生意，收費很廉。但我還未決心這樣做。不過，在路上看到許多被人家遺棄的小貓，也着實不忍多看幾眼。

貓自己不會節育，所以要麻煩養貓的人代它們劁割生殖機能。但是，貓類之中，也沒有像從前那些甘願自宮去做太監的賤丈夫。細想來，說人不如貓也不會錯到那裏去。

養貓有兩種最討厭的事情，一是「貓口問題」，二是貓兒喊春。紅樓夢寫貓兒喊春有一段好文章，耐得玩味。貓兒喊春和狗交尾都是常見的事。這是物性自然，人類既要養貓養狗，總該原諒它們，休怪它們失禮才是。

我認為：人類有絕慾和素食的僧尼，便是人類具有超越各種動物的高度靈性的證明。人有性慾的自然要求，和所有別的動物一樣，僧尼能以心理尅制生理，便是用後天心靈的悟覺來控制先天肉體的自然要求。嚴格來說，這是「違天」的。絕慾的僧尼悲天憫人，並不叫人人向他們學樣，但他們本身要把有用的生殖機能變為無用，憑一己的意志來廢棄「天然」的賦與，說是「逆天而行」也未嘗不可。

我不懷疑有些高僧辦得到完全禁慾，也不懷疑有些道學家可以做到「目中有妓，心中無妓」。但這種「道行」決不是人人可學的。習靜的人忽然會中魔走火，那無非在極度壓抑當中遭到突然強力反抗，猶如決堤一樣可怖罷了。某些道學家會忽然鬧出桃色事件，亦可作如是觀，我並不覺得這是值得大驚小怪的事情。人畢竟是含生負氣之倫，性慾的過度壓抑和過度放縱，照理說，總會有些不妥。

其實，貪圖性慾的享受也是一種可笑的罪過。我從來看不起所謂性博士說的什麼性學理論。人之所以有性慾，是因種裔的延續而有此，上天作了如此安排，冥冥之中實有妙理。為母的要因生產而冒險受苦，為父也要盡力保護和共同負起養育的責任。這是一種苦果。為了誘人吃苦果，免不了給些甜頭。性感的一霎愉快享受只是長期吃苦的一些酬報罷了。人們在提倡節育，又在研究如何盡量享受性的快感，忘記了原始為什麼會有性慾的總源頭，豈不是想到太便宜的地方去了？

對青年阿飛施行「性教育」，我以為第一課應該使他們看看某種小動物的殘忍交媾。據說，有一種雄性蜘蛛和雌的交媾，是給雌的把整個身體吃掉的。這可教他們認識，不要先問享受的「權利」，先該知道「義務」，包括「不惜犧牲。」

關於「節育」的新發明，口服的避孕丸當然比較其他方法合人道得多，但仍然未算盡善盡美。墮胎當然是殘忍的，大量「諜殺精子」的方式無非殺之於「知覺較少」的第一階段而已。這和孟子說的「君子遠庖廚」沒有什麼分別，素含主義者總會說徒然「遠庖廚」是不夠徹底。照我的理想，醫學界不妨向另一方面動動腦筋，發明一種令人吃了可以暫時停止「思春」的藥丸。假如停止的期間可照各個人自己的意願，由幾個月幾年以至終生都可以，那就妙極了。天下太平之道，其在此乎？

這種試驗可不可以由貓開始呢？我在想。

藝術叢談

抽象藝術漫談

趙雅博

總之，從這其中，我們自然也可以看出[illegible]代的消[illegible]時代的精神。實在說，人是自由的，在本質上是不附屬於物質的；時代環境是物質的，照說是可以不反映時代精神的；然而由於人也是肉體物，在作用上是屬於物質的，因之，他也無法完全脫離環境，脫離時代，自然要多多少少帶有時代精神的。藝術品是在本質上屬於藝術家的，是藝術家由無形式而給予它存在的東西，因之它也絕沒有辦法完全不反映時代精神。

因為藝術品是藝術家的產品，藝術家又受着時代的影響，同時藝術家又在想如何解決他當時代所發生的問題，而作為在新世界中的新路徑，藝術品自然多多少少也獻給當時代的人們有限而限制的出路；藝術家在藝術的作品上，在以美的觀點表現的形式中，自然也發露着他精神生活的強力，而企圖達到他的願望，使人們透過他的作品，跟隨他而走。實在，藝術家在創作的過程與程序中，他無非是想將材料生活化，將自己的靈魂吹入其中，而並使他的靈魂生活其中，透過作品，而將自己傳遞到當世以及未來的世界。藝術家在藝術品上願意使自己不死永生，同時藝術家也願意使自己的藝術品不死永生，也就是說藝術家願意創造靈魂。

藝術家的製造藝術品，是用形式在內容上，也就是在材料上加入形式。因之，形式是藝術作品上，乃是它的基本要素；沒有形式的製造品不能是藝術，不能是真的藝術（事實上不會有一點也不具形的藝術品，因為藝術品在本質上是物質的，現在的一切物質都是第二手材料，都有形式，人的作品，自然也不能例外）。但是，如果形式只是死寂的，技術的，沒有精神的表現，縱然它再完美，它也是沒有生命的，機械物的不是藝術品，其理由就在於此。此外如果藝術品只限定於物質領域內，否認精神生活，也不能作為真藝術品。

在上述的兩種情形中，美的觀點是沒有達成一個真正的美的感觸，美的欣賞的，因為這樣的藝術品是在精神以下的產品（相對的說），只好說它是欲的產品。一種藝術，一個藝術品，如果只是欲的產品，而不能度過欲的範圍，作品絕不是好作品。我們一般不都說作品是藝術的靈魂嗎？為此藝術不能是純感覺的，也不能並不該只是表現感性。不過，我們也要知道，在藝術品內所佔有之形式的基本特徵，在任何情形下，也不包括着排除物質（材料）的可能性。為此，我們在前面已經說出，藝術品乃是藝術家精神的嵌入，藝術家有物質部份，所作的有物質成份的藝術品，也不可能不局限在物質的牢獄中。

為此在一切藝術的成品中，也可以說在藝術家創造藝術品的當時（以及他的一生），應該作着雙重戰爭：一是同精神來作戰。因為在藝術品中，作家在想辦法發掘精神宇宙的神奇而想使它出現我的手掌中。二是同物質（材料）作戰。在藝術製造中，藝術家一直想使材料完美的表達出形式。總括來說，在藝術創造的程序中，是要把形式不物質化，以便使它重新在物質化於一個更相稱的元素中，而更表現它的本質美。希臘人於此製定美術品的比例規則，合諧土張，以表現人類形式的光輝。而我們的畫家則主張藝術創造生命，「畫龍點睛，破壁飛去」，同時又要它物質化於人間。（未完）

劇家傑鄉錄

婆娑生

一般崇譚之流，譏余叔岩為靡靡纖巧，實則余氏在音韻上，尚不離乎譚氏風格。筆者認為叔岩之佳，在於腹笥之博，取材之宏，譚氏以後，未嘗有他人。試問譚歿於舊京，能嗣響者，舍叔岩其誰歸？

叔岩一生，在劇壇上聲勢最盛時期，為民十至民十五，約六年，所謂翱翔容與，譽滿都下。其成名不得不稱楊小樓荀慧生實佐助之。餘如陳德霖，王長林，程繼仙，錢金福，裘桂仙，許德義，傅小山等，皆其股肱之良輔。出演新明，在前門外香廠，陣容之強，為任何戲班所無。其票價較蘭芳為貴，其時蘭芳在開明售一元二角，而新明售一元五角，可以見之。所以晚年始彰，為叔岩成名的結果。

三代享名　梨園世家

在與程長庚同時享名者固多，如盧台子王九齡等，但求其正宗，當以長庚及余三勝張二奎為鼎足並峙。三勝是湖北羅田人，亦是大族，為皮黃發源地，亦其天賦之特點。譚鑫培的唱腔，雖吸收各家，仍以程張而獨多採三勝，為一鐵證。三勝無所出，抱紫雲為養子，而叔岩是紫雲所出。紫雲唱旦行，與梅巧玲同時爭座，其腔調崇尚剛脆，比之陳德霖又相異。後來名票蔣君稼，從德霖學余氏所唱，僅有十分之三四，已夠其響朗。但三代業伶，均享大名，猶如仕宦之世代簪纓，所謂梨園世家也。譚鑫培既尊事三勝為師，其視叔岩，猶如魏武之誇仲謀，期許甚遠。而叔岩之奉譚氏，敬若神明，前後行藏，如同一轍。所惜叔岩中年倒嗓，否則其造詣不在老譚以下。在倒嗓後，尤其善養其性，自珍其身，養晦苦練，方得承譚餘緒，蔚然成家，成為後一代之宗匠。其待時之際，倘是荒廢，焉得傑出乎當時，輝映於後世，其間蓋不容髮矣！

三勝唱戲，因刻苦自養，畧有積蓄；待紫雲成名，則所開玉器行，資本頗充裕。叔岩出世，其家庭環境已甚佳，雖非豪富，但已小康。因此點皆較譚梅兩家為優，是叔岩命運所致，頗養成其傲氣，迨後來軍閥恣睢，頤指氣使，視名伶如傅婢，受不住這股怨氣，而成為心灰意懶，終至謝絕歌壇，而成永訣。就劇藝來講，軍閥是摧殘伶工唯一的毒媒；猶憶張效坤在石老娘胡同堂會，看了蘭芳的八五花洞，竟生妄想，要試後庭花，設無辭大可李徵五的苦勸，則蘭芳亦早成殘缺矣。（廿四）

瘟君續夢

第十一回：

舊債新仇　索逋遭白眼

內憂外患　平債仗蒼頭

陳毅若有所悟的點點頭，馬上趕到毛澤東「官邸」，只見李富春同李先念也在會客室坐着。

陳毅笑道：「你們先來了」。

李富春說道：「蘇聯經濟代表團兩位團長要見主席，我們來問問主席見不見。」

陳毅不好開口，坐了一時，毛澤東出來了，看看三個人，說道：「你們是一道來的嗎？」

李富春說道：「我同先念同志先來，陳毅同志是後來的。」

毛澤東噴口烟圈問道：「先來的有什麼事？」

李先念說道：「蘇聯經濟代表團兩位團長庫米金與阿希波夫兩位同志要來見主席。不知主席有沒有空。」

毛澤東向空噴個烟圈，冷冷說道：「空呢？我到是有空，祇是我不見他。他們大概是討債討不到，現在找正主了，找到我，我也不會還賬。你們乾脆告訴他，就說姓毛的說的，這筆賬是賴定了，無論誰來，也是不還。叫他們回去報告肥猪聽，蘇聯有的是核子彈，可以到北京來擲兩顆，雖然要不到錢，也可以出口惡氣。」

二李不敢再開口。

毛澤東轉過臉問陳毅道：「你是什麼事，是不是又關於蘇聯的。」

陳毅陪笑道：「正是有件要緊的事報告主席，蘇大使館剛才派人到外交部作口頭通知，他們本年汽油減產，鋼鐵生產也不足，所以從下月起，有關汽油，軍火全部停止供應，要我們自行設法。」

毛澤東登時跳起來，罵道：「供應我們沒有，供應紅頭阿三怎麼就有了？肥猪手段太鄙卑了！世間居然有這樣的共產黨人，老實講，我都覺得丟臉。」

陳毅同二李面面相覷，不敢插嘴。就在這時，周恩來進來了。

毛澤東問道：「恩來同志，蘇聯通知從下月起停供汽油同軍火的事，你知不知道。」

周恩來點頭道：「我就是接到外交部的報告，才趕來見主席，商量辦法。」

毛澤東向陳毅說道：「你同蘇聯大使商量，我們買軍火汽油一定付現欵，絕不拖欠，叫他轉告肥猪不必害怕。」

陳毅怯生生的說道：「蘇聯大使館並未說因為我們欠債不還，斷絕供應，他只是說自己需要不夠，無力供應兄弟國家。」

毛澤東小聲說道：「你怎麼這樣蠢，說來說去還不是因為我們欠債欠的太多，不敢賣了，你只要跟他們說清楚，一幕歸一幕，普通貿易上欠債慢慢地還，軍火汽油錢保證一文不欠，這樣他們就會賣了。」

陳毅還是不肯動身，就在這時，劉少奇同鄧小平也得信趕來了。

毛澤東又把自己的計劃說了一遍，催促陳毅快去。

劉少奇說道：「蘇聯代表團在這裏未走，莫斯科突然斷絕汽油軍火供應，決不是個別事件，應該有一個通盤計劃，想局部解決恐怕是作不到的。」

（二七五）

長沙大火案紀實

瀟湘散人

民國廿八年十一月十二日長沙大火之役，其慘烈程度，倍蓰於楚漢紛爭中的咸陽一炬。事後雖依法處決了幾個軍警大員，以平民憤，但此中經過實情，言人人殊。筆者當時於役長沙，且與軍警當局過從密切，見聞綦詳，現已事過境遷，不妨縷述眞象，藉存信史焉。

預定的焦土計劃

在大火以前，國軍失利於前綫，第九戰區司令部亦轉進到了長沙（戰區司令長官係陳誠將軍）。最高統帥蔣委員長此時坐鎮南嶽督導全局戰事，逆料敵寇必乘勝進攻長沙，而我軍勢難固守抗敵，即決計於必要時實行「焦土撤退」，先以長途電話對湖南省主席兼保安司令張治中指示機宜，繼由侍從室主任林蔚密電治中曰：「奉諭：敵人若進薄長沙，我即焦土撤退，寸草不留，希準備一切為要。」張氏急召集省府保安處長徐權，保安旅長岳某（岳森的侄兒，名字忘記了），長沙警備司令酆悌，省會公安局長文中孚等，舉行秘密會議，決定執行方法暨指揮人員，而以長沙警備司令為總指揮，公安局長與保安旅長分負實地執行之責。是時湘省府從香港購來了大批汽油，尚未入庫儲存，乃將這批汽油分給長沙市街保甲人員保存，規定每三戶人家保持着汽油一桶，等到命令一下，各街道即同時放火，以期徹底焦土，使敵人有如獲得沙漠，無可利用。同時又製印了大批日文標語，擬於撤退之際，張貼各地墻壁上，對敵宣傳。計劃可算是縝密極了。

何以張皇失措

焦土撤退的唯一條件，是要在敵騎已進薄長沙郊區時，纔可付諸實施的，而其大前提即須隨時確實瞭解前綫的戰況，一點也馬虎不得。可是，張治中自命為直接最高統帥的親信大員，湖南雖屬於第九戰區司令長官統轄範圍，而張氏妄自尊大，竟與九戰區司令長官少所接觸，表示不買帳的氣派，因而對前綫戰爭情況殊隔膜，又不飭屬跟在長沙的戰區司令長官部參謀處切取聯繫。到了十一月十二日，原是國父誕辰，長沙市民尚準備是夕舉行火炬大游行，表示慶祝。詎料是日下午，省府保安處長徐權宣稱敵軍已進抵「新河」了。新河在長沙郊外數十華里間，認為省城陷落在即，乃一面派遣保安隊與警察，在市內到處截扣大小汽車，倉皇疏散各機關留守人員和重要案卷，一面通知長沙警備司令趕快執行焦土計劃。（一）

妾與婢

漁翁

妾，小妻也。男子謂正室曰妻，副室曰妾。妾亦為女子自稱之謙詞。以字義釋之，妾為立女，站在正室之旁，謂之側室，猶言偏房也。

按漢書：「朕，高皇帝側室之子。」師古曰：言非正嫡所生也。此文帝自謂居於側室之子，即左傳所云「趙有側室」，乃專指庶子而言。後人始謂妾為側室，如南史陸展染白髮欲以媚側室是也。

一夫一妻雖為中國從古正制，但納妾之風，由來尚矣。「齊人一妻一妾」，而更有一妻數妾者，[illegible]日所謂三婆兩嫂，即今俗語三妻四妾也。富豪之家，驕奢淫佚，往往以納寵為樂，也有因正室無所出，而納妾以求生育者。

妾之名稱，不僅僅曰「小妻」，「側室」，「偏房」，還有詩經所云：「嘒彼小星，三五在東」，註：「衆妾進御於君，不敢當夕，見星而往，見星而還」。因此，乃稱之曰「小星」。又左傳：「齊桓公內嬖如夫人者六人」，故妾又稱「如夫人」。

妾，雖非正室，而多為其夫子所寵愛，以其年往往少而多姿也。尤其仕宦之家，往往驅正室於冷宮，而以偏房專寵者。

妾因非正室，故可以贈送，此在唐時已見之。詩人韓翃君平，為大曆十才子之一，少年落拓時，與李某善，李以其無室，以幸姬柳氏贈。明年，翃擢第，回家省親。適朱泚亂，柳以色艷恐見辱，落髮為尼。亂定，翃遣人奉金帛並章台柳之詩致柳氏，柳裁詩寄意。不幸為蕃將沙吒利刦去，迨翃至京，過之於途，始知已入侯門，不勝沮喪。時有俠士許俊者，聞而不平，單騎造沙吒利第，以計刦柳氏出，歸翃借老。許堯佐為作章台柳傳焉。

又有借妾生子而復遣還者，事見宋稗類鈔：陳了翁之父與潘良貴之父交好，潘謂陳曰：「吾人官職年齒相若，惟恨一事不及公」。陳問何故？潘曰：「公有三子，而我獨無。」陳曰：「無妨，吾有一妾，已有所生，可以奉借。他日生子，當即見還。」潘喜謝，陳送妾去，即了翁之母也。在潘家一年後生良貴，後二子皆為一代名儒，而母往來兩家，不以為嫌。清人高南卓詠其事云：「贈妾生兒古人有，兒生還妾古來無；宋賢豁達竟如此，寄語人間小丈夫」。又隨園老人亦有「嫁妾生兒仍返璧，兩家合事太夫人」之絕詠者。此事可謂空前絕後者矣。

婢，女子中最卑者也，可買亦復可賣，更以作贈送之品。以人為貨，買之者，供呼使之用，服卑賤事，且常受主人之凌辱，如奴隸然，則較之偏房之小妾，更下一等矣。

婢女長成後，以實與人為妾者多，若列為正室，一躍而貴為皇后者，其惟明太祖朱元璋之馬后乎！馬為郭子興之婢女，許元璋為妻，在元璋起義前，得馬氏之救助頗多，得天下後，思不忘本，立為后，不以其出身之卑而輕視之。馬脚大，某年元宵為民間所識笑。一夕，太祖微服出遊，見家家戶戶所懸花燈，有書：「淮西女人好大脚」者，認為有剌諷皇后，乃令禁軍按戶檢查，如懸有上項花燈者，悉殺之無赦。以婢進而為皇后，誠千載一人而已。

又有贈婢為妾之一段佳話，即揚州萬近蓬秀才，年少風流，因感唐人眞眞故事，託李北硯繪「紅袖添香圖」，一日，萬友裴姓入室見畫中人，謂絕似其家婢姓花者，見萬之香花供奉畫前，疑為情痴，遂邀至其家，出婢贈萬為妾，一時題畫者紛然，吳玉墀云：「紅樓翠被知多少，如此消魂定姓花」。此事雖不及馬后之貴，亦出巧合而得一知心者矣。

我的社會生活

雷嘯岑

我還敘說了一大段社會學的理論見解，希望大家仔細研究一下。但是，部長急於要表現成績，其餘人員自然不以我的書生之見為然，決議尅日執行。方法是使用若干輛大卡車，商派武裝警察，開赴城南夫子廟一帶，按圖索驥，挨家挨戶捉拿妓女，弄得鶯啼燕閭閻騷然，一律押解到下關車站，教她們各自還鄉，另謀生計，毋得逗留，致干法辦。這不是兒戲行為嗎？當時却對外發佈消息，說首都娼妓禁絕了！豈知過了半月之後，南京對岸的浦口鎮，忽然笙歌處處，艷幟遍張，市面無端繁榮起來，每日午後六時，由南京輪渡前往浦口的尋芳客，多如過江之鯽，而且十九都是些文武機關的公務人員。至於南京城內私娼逐日猖獗，固不待言。堂堂中央政府機關，竟有如此荒謬絕倫，貽笑中外的行政措施，可恥孰甚！這時陳立夫先生在南京創辦了一種綜合性的月刊雜誌，教我譔寫內政方面的文字，我對這次「逐娼」的政令，曾經痛予抨擊，薛部長看到很不高興。

不過，這也難怪薛先生昧於治道。內政部既然無事可作，閒得無聊，而應該做的事又管不着（如禁烟一事，即另設機關辦理），他祇好幹些這樣的笑話事體了。內政部最重要的職責，莫過於整頓警務，嚴密戶籍組織，然全國警務上的體制與人事進退黜陟，皆別有系統，內政部是無從過問的。沒有掌管人事任免的權能，而欲改良警務，策進戶政，這是廢話！數十年來，社會人士總是把「軍警」二字說成固定名詞，視同一物，因而警察亦被視為特種軍隊，辦理警務的即非軍人不可。於是乎警務機關乃自成體系，與內政部不相干，將錯就錯，一直錯到今天，竟演化為當然的不成文法了！實則警政是屬於行政學的範圍，主持警務的，不特必須任用文人，而且需要懂得行政學的文人纔行。這項錯誤觀念與作風如不改革，中國的警政再過一百年，還是黑漆一團，不會進步的。

到了民國十九年春間，第三集團軍總司令閻錫山在政治行市上的價格，已高過馮玉祥了。於是，內政部長這份照例送人的禮物，就改送給閻氏的親信趙戴文先生，但原任薛篤弼又須敷衍安置，而無適當的去處，怎末辦呢？還是從內政部身上打主意，即將內政部的衛生司改為部，教薛先生担任部長，駕輕就熟，毫不費力，善哉善哉！我想：如其不是對日戰爭發生，而內戰又繼續下去的話，內政部所設各司，很可能一律改成部，使內政部本身變成切八塊，作為餽贈各個大軍頭的禮品。至於原有內政部這一空殼子，自應保存着，阿貓阿狗皆可以來作部長，構成名實相符的招待所或養老院，亦非意外的事。主持內政事宜的中央機關，乃是如此這般的毫無作用，覘國者即知中國政治之不上軌道，實為勢所必至，理有固然，不須別作考證了。

由於政局動盪急促之故，趙部長到任不及半載，即升任為監察院長，而以閻錫山的第二號親信幹部楊兆泰接任內政部長。趙先生臨去之前，曾擢升我為首席參事，楊先生到任不久，又教我兼任常務次長。我跟趙、楊二公素昧生平，他們對我特別垂青，大概是因為我久居此冷廟中，有如住持和尚，比較熟悉廟裏的情形吧？但無論如何，我對他們二公總有知遇之感。既而中原發生大規模的內戰，閻錫山成了叛亂之徒，內政部長楊兆泰悄然離京，部務沒人主持，旋由行政院譚院長命令我以常務次長代行部務，直到戰事終結，才把內政部長這份禮品送給張學良方面，而東北名人劉尚清（海泉）部長來也！（二十）

花香月上樓小品

談攝護腺腫大病

黃葉村人

「攝護腺腫大」，（腺、讀如綫）西醫稱為老人病之一種，歸入於泌尿科。但在三、四十年前，中醫界尚未聞有「攝護腺」，或「前列腺」的名稱；有之，則為「五淋」之「沙淋」！中醫對之，多感棘手；聞其治療之法，純採以藥內攻，效驗殊微。是否亦用手術，則未詳悉。不過，凡是淋、濁等症，中醫皆委罪於「花柳」，而西醫則謂：「并不一定！」而列為老年人經常病之一，即「攝護腺腫大」也。

嘗聞某西醫言：攝護腺腫大之因素，相當複雜，蓋攝護腺在人體下部小便出口，與大便出口相連之處，即肛門和膀胱交界腺，那兒有如夜壺與便桶然，經年累月為去垢納污之所，日日與污穢結緣，日子久了，自然會發生毛病！何況人身，少壯時，血氣剛强，隨積隨滌，不易蘊毒；晚年血氣衰敗，通達不易，自難免積穢成災，結成毒物，阻塞通路，此攝護腺腫大所由致邪？故治療之法，必須開刀！將腺割除，乃得痊可，此標本兼治也。其言近理，視中醫確比較高明多矣。

民國以來，如袁世凱，徐世昌，曹汝霖諸氏，近時如英國首相麥美倫，我國孫連仲氏，皆患攝護腺腫大病。袁徐以畏開刀而不治。曹孫麥則皆動手術而愈，非絕症也。即如筆者，五十年春，曾患斯疾，初起時，小便輒劇痛，時余年已六十有八，認為既非染患色毒，故亦淡然視之。不料一夜之間，小便竟閉不能出。遂即用水狂飲，意欲迫之使出。孰料尿道已為攝護腺所塞！水飲愈多，腹愈膨脹；輾轉床上下，汗出如瀋，毛管條條直企，鼻孔生烟，睛欲突出，瀕死者數！時在深夜，鄉村無法求醫，待死而已。延至天曉，醫至，以橡皮管插入膀胱，尿始導出！管粗如指，而陰孔則極小，一伸一縮，如以鉅釘穿肉，其慘痛實非筆墨所能形容也。

嗣後入醫院割治，其間一而再，再而三，以至不可計數的電視檢查，手術檢查，藥物檢查，攝影檢查，迄今猶有談虎色變之感！又以年老血衰，手術恐不能支持，遲遲未即施行焉。余以入院歷時一月有餘，橡管日以繼夜，長插膀胱內，睡臥坐行，都不能自由，食量亦日見減退，再不開刀，待死而已。廼請醫生從速開刀！自春徂夏，始動手術。由上午七時起，至下午二時方竣事，前後共歷七小時，輸血三千西西，并割出血瘤大小五枚，即所謂攝護腺也。此症就余所經歷之痛苦而言：一為時間拖延太長，橡管插在膀胱，每次換洗，拔出固痛，插入更苦，有如昔日女囚之慘受「穿乳」毒刑。二為膀胱注入五百西西藥水，施行電攝檢查時，門窗全閉，藥力在膀胱內發作，閉不許出！電光從全身各部分照入，展轉反側攝成照片，時在六月下旬，天氣酷熱，竟忍受一小時半始畢；既出，汗如血，尿全赤，人亦半昏，不知身在何許也。（未完）

米蘭——西歐散記之一

項退結

一般人欣賞米蘭主教大堂，都是因為它外面的許多石像和雄偉的氣派；我却最喜歡它裏面的特殊氣氛，每次進入這所大教堂，總是喜歡站在門口，向內凝視。說也奇怪，這樣大的一座建築，四邊竟沒有窗子，只有一些微弱的光綫從上面射下，因此氣氛非常神秘，由大門這邊向上面望去，不由自主的就會發生崇高的感覺。我最喜歡爬上屋頂去。由屋頂再向塔上的聖母像望去，可以仔細觀察銅像體態的輕盈，雙手展開，雙目向天，萬分令人感動。

米蘭主教大堂附近有一所世界聞名的歌劇院，名為絲卡拉（Scala），這裏有的是世界第一流的演員。這座劇場曾在一九四三年大戰時被炸燬，以後又重新修建。（二）

內銷警台報字第〇三壹號內銷證

自由報

THE FREE NEWS

第四一二期

每份港幣壹角

社長：雷嘯岑

社址：香港銅鑼灣高士威道二十號四樓
20, CAUSEWAY RD. 3RD FL. HONG KONG
TEL. 771726

台灣分社
台北市西寧南路

貶值的戴高樂

·方南·

法國將要和中共打交道，建關係，已是勢所必行之事。這不必諱言是中華民國外交上一種挫折，但法國並未因此而得益，由此而引起的長遠變化亦並非對中共眞正有利。

首先我們要有一個主要認識：中共所求於法國的不外如下幾項：

一、請求法國接濟石油。自從毛、赫翻臉，蘇俄停止供應石油以後，中共需用的石油根本不能自給。它那副「戰爭機器」很可能因此不行了，向英美求取石油是它不願爲的事，這使它不能冒充「反美」急先鋒。因此，它求法國把撒哈拉沙漠出產的石油供應給它，藉此打開外交的出路，乃是順理成章的事。我們應該注意中共與法國的石油談判，其中可能包括開採西北石油的技術協助。雙方在這方面討價還價的眞正條件如何，値得我們用心探索。

二、利用法國現在的國際地位，增加本身外交與宣傳的力量和聲勢。第一，向蘇俄表示本身並非「孤立」；第二，藉法國和法語非洲國家的援助，進入聯合國，拆美國的台。

三、藉此進入非洲，開闢一個活動的新園地，同時利用法國在東南亞的殘餘影響力，瓦解東南亞公約組織，鋪平將來進軍東南亞的道路。至於透過法國巴黎之路以與東歐共產國家接觸，並使北大西洋公約組織因此事而發生分裂，也是它整個計劃的一部份。

我們留心看中共最近的宣傳風向，便知它在患着「石油渴」，以及「孤立的恐懼」。這幾天，它在發狂似的叫囂慶功，充份表現出上述兩點心理。毛澤東大概以爲，戴高樂這個大傻瓜業已進入他的牢籠，他的一切困難都可由此解決了。戴高樂誠然荒唐得可憐，但毛澤東的算盤可會完全打得響麼？

就法國總統戴高樂的野心，及其因此而招惹麻煩與災難來說，可分幾點：

一、撒拉哈的石油庫埋下了紅色火藥庫。大家都知道，戴高樂這幾年在法國建立起來的兩個基本條件；一是國內經濟穩定，撒哈拉沙漠的石油開發帶給法國以一筆意外的財產。靠了這，他才可使法國發展核子軍備，岸然自大，與美頡頏；二是堅決主張使阿爾及利亞獲得自主，憑「毒蛇纏腕，壯士斷臂」的勇敢精神，力排衆議，把這個流血的漏卮和沉重的包袱卸下。在這兩件事裏面，後者是他冒性命的危險去完成的。他被世人視爲開明的政治家，原因在此。現在不同了。他已因援助中共而成爲共產黨的幫兇，亦卽成爲世界爭自由反共產的志士們的公敵；而最不智的就是，把中共勢力帶入非洲，尤其帶入阿爾及利亞。將來足以威脅撒哈拉石油資庫的力量，必然出自阿爾及利亞的左傾狂熱份子。我們這時便要開始注意中共在阿爾及利亞與法國之間幹些什麼勾當。患着「石油渴」的中共拉攏法國是一時之計，將來必向這方面打主意，決可斷言。戴高樂的「遠見」是否足以及此呢？依毛澤東的性格來看，他將來是要幹戴高樂的。所以，周恩來今天非洲之行，要躭心的倒該是法國本身才是。

二、「回亞洲去」是一個迷夢。好大喜功的戴高樂業已揮手向高棉去，「回亞洲去」是他們的口號。使越南「中立化」是他們的新建議。這將會有什麼效果呢？法國將會得到什麼利益呢？

照戴高樂自己的想法，西歐應該以他爲中心，非洲法語國家應該唯他的馬首是瞻，甚而至拉丁美洲也該有他的影響力，如能於此時牢籠中共，打着「回亞洲去」的旗幟，向美國與蘇俄耀武揚威一下，那該是平生的大快了。但在我們亞洲人眼裏，看他，算是什麼東西？毛澤東當他是傻瓜與豎子，可愚而弄之，亞洲各國的自由主義者，民族主義者，正在一致加以指責。由南韓，菲律賓，南越，以至泰國，處處都騰沸着叱罵之聲。除非是聾子才聽不到的。

打開天窗說亮話，法國殖民主義者在亞洲人牢牢記憶之中，它有何功德敢說捲土重來？「中立主義」如眞的可以保障亞洲小國的安全，何待它提倡？印度尼赫魯是「中立主義」的開山大師，戴高樂憑什麼資格攘尼赫魯之席？而尼赫魯此時又如何？東亞南公約組織的破壞，法國實爲禍首。它這樣胡爲妄作，能得到什麼？

三、西歐聯邦的理想破產了。戴高樂倡組西歐聯邦以穩定歐洲現局，塞蘇俄西出之路，同時吸東歐共產附庸國家西向，積以時日，便可蔚成勢力，將有貢獻於世界和平。這原是一個很好的理想。揆之秦因晉國三分而始强大莫制，則俄因西歐聯邦崛興而被迫發伏，在地緣政治上不妨有這種看法。但這必須以法德衷誠合作爲唯一先決條件。到現在，戴高樂的眞正野心顯露了。製造「兩個中國」亦卽是永遠分裂德國，這種企圖是顯而易見的。戴高樂挾西德以增重法國主宰世局的聲勢與地位，那種跡象越來越更顯明，西德離心的趨勢也必越來越無可挽回了。欲得之於渺渺無憑的亞洲，必失之於國運攸關的西歐。除了破壞東南亞公約組織，還要使北大西洋公約組織在精神上陷於分裂，戴高樂還算是一個「公忠體國」，眞正其有雄圖遠畧的傑出政治家麼？

戴高樂對於「小國爭盟」的歷史悲劇仍然沒有深刻認識，狂妄的程度和毛澤東沒差多少。毛澤東本已心慌意亂，走投無路，才會拿那些充滿衰氣妖氣的「詩詞」來從事宣傳，偶然發現戴高樂這一條綫是救命的曙光，一方是死抓不放，一方是虛矯之氣頓增，越要向非洲和拉丁美洲做工夫，賣氣力，掛起正宗「世界革命領導」招牌，「反美」「反赫」同時並舉，實則底子空虛，窮拖死賴，也不過是撐得一時算一時，有一條路可走便要走，更把狂妄的程度提升一級罷了。

世局變到這樣的地步，原在意料之中，在中華民國本身來說，除了提起革命精神，打破當前僵局，再不必指望世界還有什麼正義感和純潔友情。法國不必深責，美國亦復如此。自今以後，聯合國遲早要完的，天下大亂自此始。一切危疑震撼都足以刺激自己，磨礪自己，只怕自己不奮發與無能，有能者不怕危難，要從亂與變當中創造新局。這便是革命者的責任。

找着敵人虛矯與狂妄的弱點，善於運用我們本身具備的一切力量，面對着這個必亂必變之局，我們應該有所作爲。

沒有好東西

非洲

乘機放火

今日與明日

法國承認中共

近一周來，法國政府承認中共僞政權的傳說，已經漸由謠言變成事實，由於美、英、日本都已接到法國的通知，料想承認只是時間問題，也許本文在報上刊出時，法國已經公佈了這項醜惡的消息。國際間沒有道義可言，時至今日尤其顯著。我們也不必單單責怪法國。平情而論，法國較英國已多等了十四年，就處朋友而論，法國這個朋友比英國還算可交。我們今天要檢討的是法國承認的動機及我們外交當局的坐失時機。

法國的動機

法國承認毛僞政權，西方報紙的看法是爲了爭奪大陸市場。實際上作生意並不一定要作政治承認，如日本與毛共大作生意，並未承認毛共。又有人說戴高樂想重返亞洲，必須先同毛共修好。這種說法尤其不通。法國如想在越南三邦恢復昔日地位，第一個遭遇到的敵人必然是毛共，法國卽使同毛共建交，也無助於雙方的對立形勢。毛共目前已視中南三邦爲嘴邊的肥肉，遲早都會落入口中，法國已經筋疲力盡，支持不住，法國若在此時插手，只是對毛不利，法毛之間又如何能取得妥協。

戴高樂此時要承認毛共，是基於他自己的獨特想法。自從赫毛分裂公開之後，西方國家就有兩套對策，美國主張聯赫制毛，認爲毛比赫更危險，赫魯曉夫已經充實，可以和平共存，毛已經一窮二白，不冒險，沒有出路，因此與赫魯曉夫可以和平共處，與毛澤東則無法共處。美國基於此一信念，數月來已作了多種嘗試，如簽訂局部禁試核子條約，安裝白宮通克宮「熱線」以及最近出售美麥濟蘇聯的措施。

法國的對策則是聯毛制赫。法國認爲自由世界大敵仍是蘇聯，毛幫不過疥癬小疾，應當扶毛以制赫，只要毛澤東能站得住，共產世界要分裂爲二，赫魯曉夫自無力發動大戰，設若毛幫倒下去，蘇聯在共產世界又定於一尊，到時必然要向西方國家尋釁，說不定會引起一場大戰。戴高樂就基於此一錯誤信念，才作出冒天下大不韙之事。

我們的錯誤

從日本遣周鴻慶返大陸，到法國承認毛共，均可見我外交當局的低能。尤其是法國承認毛共，醞釀已久，其間未聞外交當局作任何直接行動，仍託美國從中轉圜，不知美國一插手，更火上澆油，促使戴高樂早日攤牌，現在則木已成舟，想挽回都難了。

自由談

法令多如牛毛

馬五先生

我始終相信老聃所說的「法令滋彰，盜賊多有」這兩句話，具有顚仆不滅的眞理。

譬如中華民國政府現行的法令，舉凡訓政時期、剿匪抗日時期所頒佈的，連同憲政時期經過立法程序而製訂的，不下千百種，一律照樣使用。還有各級行政機關獨出心裁的施行細則，竟可以否定母法的原則，甚至趨於相反的道路，亦無所謂。法令之繁複，以極盡五光十色的現象。所以，無論處理任何事項，皆可以從心所欲，隨意裁定，亦決無違法之嫌，總有堂而皇之的現行法令可資依據，誰也不能說是不對。因此之故，一些不肖官吏，乃可藉法令爲護符，上下其手，舞弊營私，政治永無淸明之日，而一般老百姓苦矣！以之求治，則治絲益棼，適所以「勵精圖亂」而已。以之虐民，則恢恢有餘，構成作威福的合法工具，老子之所謂「盜賊」，殆指此也。世人對於官吏貪汚行爲，不勝痛心疾首，主張訂立懲治貪汚的嚴刑峻法以濟之。殊不知貪官汚吏之所以肆無忌憚，最大原因就是有繁複的法令漏洞隙可尋，且加以世謂「人事關係」，貪汚的機會卽相應廣泛，雖有嚴法，實際是無用之長物耳。

法令旣過於繁複，實行起來卽不免障礙多端，因而玩法以遷就事實的情形，迭有，良有以也。如是乎，法令的尊嚴性乃告折損，終致有法等於無法，回復到純粹的人治主義時代，然又以憲政國家自認，不亦傷乎！

多年來，據聞行政院設有整理法規委員會，却未見有下文，而行憲的立法院，對於這種雜亂無章、法令多如牛毛的情形，亦漠然不以爲意。法令旣不發生新陳代謝的作用，你能怪政治上的人事凍結，到死方休嗎？

所以，今日要想革新政治，首先必須革新法令，把人治主義演化爲法治主義，奠定法令的尊嚴性，誰也不能冒犯踰越。如果在同樣的情形下，甲犯了法要坐牢，乙犯了法又可以宣告無罪，好官自爲，那就不如乾脆厲行人治主義，連憲法亦可廢止，以免贅瘤，到也痛快之至！

香港與大陸

毛共勒令人民按時貢獻雞鴨

中共為了爭取其亟需的外匯，在大陸猛括「出口商品」，比如人民自養的豬、雞、鴨之類，並採取分配任務的方法，強迫人民完成。

「一」，但不可諱言，仍然是一個一窮二白的國家，有一些特殊的商品，還須要來自外國，因此必需爭取一些「外匯」，還就要靠勞動人民的「支援」了，辦法是把飼養的家畜賣給「政府」。但人民上當多了，不願再上當，乃偷偷地把飼養的雞鴨宰殺了。

據曾回梅縣探親的僑胞何師奶透露：最近梅縣地區的人民，紛紛把自己所飼養的家畜宰殺了，大吃一頓，有吃不完的，還用鹽醃着，慢慢的吃。這一反常的現象原來是因為共幹又在該地區進行搜括「出口商品」之故。

何師奶說：共幹在挨戶挨家搜刮時，人民以各種理由搪塞，或說雞瘟死淨了，或說被人偷去了……共幹知道人民的「陰謀」，乃改變方法，實行強迫的分配任務，按照家庭人口，原則上每一個人口在三個月內要賣給政府雞、鴨各一隻，如果不能完成任務，則扣除十斤的配糧。（薇斯）

監察院為它算出帳來 中信局濫帳知多少

原因「制度未盡嚴密及失慎」

（本報記者吳越台北航訊）中央信託局歷年濫帳有多少？監察院替他算過：新台幣八千多萬，美金、港幣各一百多萬，利息損失八九百萬。何以會造成國家這樣重大的損失？據監察院的意見，似乎還是由於該局「制度未盡嚴密及失慎」所致，是則人誰不感覺難辭其責。

監察院財政委員會十五日舉行第二一六次會議，討論該會「五十一年度國營事業機關綜合決算審核報告之審議意見，經院會決議並經整理竣事：其交由本會研究處理者」計二案：一案是關於中央信託局，一案是中國物產股份有限公司的；該公司產銷數量未達到預期標準，有無繼續由政府經營之必要，有關當局似應加以考慮。

中央信託局案其他重要審項中，所述該局歷年貸放及應收等款項，截至年底，經到期未能收回者，計有新台幣八一，五〇三、七二三元七角一分，美金一，一九六，六九〇元四角六分，港幣一，三五九，二九八元七角八分，屬數至鉅；對資金之繼續經營，殊受影響。

決算審核報告指出：上項呆欠帳項中，歷經催收仍無結果，該局已認為一時難以收回而轉列於「催收款項」項下，並停止作利息之計算者，計有信託處廿一筆二八，四八一，二二六元二角一分，購料處九筆一五，一七四，三九九元三角三分，高雄辦事處三筆一，五八一，三二五元四角二分，基隆辦事處二筆一，八〇七，七二一元九角四分，易貨處（處收款及託辦往來代墊付物部份）五筆七，三二八，九二一元五角八分，及產險處二，五四九，六六六元三角二分，壽險處一八，五二九元七角九分，共計~~五~~六，九四一，七九〇元五角九分。該款資金如概以放款利率月息一分五厘六計算，則一年之間相差利息收入有八九百萬元之譜，影響於盈餘實非淺鮮。

呆帳發生的原因，審核報告認為有好幾種：

一部份有由於處理及保管押品之未善，致發生被竊挪用或失却控制等情事者：如仲鐵公司，唐榮公司之廢鋼，協進造紙公司，百代企業公司之機器，源豐鋸木廠之木材，及上海實業公司之船舶等。

一部份有由於檢驗抵押品之疏忽與未慎致發生糾紛者：如竹化公司之機器，中國羽毛廠之鴨鵝絨毛等。

一部份由於逾期之後，未能迅速處理，利息日增，終至處分押品後仍不足請償者：如經緯絲織廠，聯和實業公司等戶。

一部份由於到期之後，未能迅速處分押品，而致押品發生變質、損耗，已顯然不足清償者：如光明皮鞋公司，菲台企業公司，黃珍製藥廠等戶。

一部份則為未經取得抵押品者：如中國紡織貿易公司，東亞熱水瓶廠等戶。

此外數額較鉅，逾期多年，尚有同裕紡織公司，美昌印染廠，泰隆織染公司等，將來如何，尚未可逆料。

凡此種種，按諸成因，要以事前對於借款人信用及經營狀況之調查，收受押品之估價檢驗保管，及逾期之後，對於催收之進行，押品之處分，與監督管理之制度方面，均有未盡嚴密及失慎之處。除本院歷年發現會先後通知該局注意者外，本年度復通知對於已往種種缺點，應在制度與監督方面全面研究，防止再有類似情形。對於結欠各款，應分別積極嚴催；無結果者，依法迅予處分抵押品，並追償保證人。

本案在審議意見，綜合整理小組的整理意見都是「送財政委員會研究處理」，由院會決議照審議意見通過，交由財政委員會研究處理。該會正研究處理中。

監察委員與人權問題

本報台北記者

五、如此的保障人權

關於法院受理提審案件的情形，據監察院本年度中央機關巡廻監察司法組委員張秉智報告稱：「台灣高等法院及所屬各法院，五十二年度受理提審案件共四十二件，其中准予提審者二十件，駁回聲請者二十二件。在准予提審案件中，計提到四件，提不到者十六件；提不到的原因，計由檢察官羈押者四件，警察局回復未逮捕者三件，已移送檢察官偵查者一件，依違警罰處拘留者三件，由靖民小組送職訓總隊安置就業者四件，依取締流氓辦法移送職訓總隊管訓者一件。查靖民小組移送就業及依照取締流氓辦法移送管訓，均非法律上規定之逮捕拘禁原因，執行逮捕拘禁之機關，既不得以此為拒絕提審之理由，而法院亦不得承認其理由，即不予提審。」

憲法文明規定廿四小時提審

按照中華民國憲法第八條第二項明定：「人民因犯罪嫌疑被逮捕拘禁時，其逮捕拘禁機關應將逮捕拘禁原因，以書面通知本人及其本人所指定之親友，並至遲於二十四小時內移送該管法院審問，本人或他人亦得聲請該管法院於二十四小時內提審。」

因此，提審法便於第一條明明白白的規定：「人民被法院以外之任何機關非法逮捕拘禁時，其本人或他人得向逮捕拘禁之地方法院或其所隸屬之高等法院聲請提審。」同法第二條明定：「人民被逮捕拘禁時，其執行機關應即將逮捕拘禁之原因，以書面告知本人及其本人指定之親友，至遲不得逾二十四小時。本人或其親友，亦得請求為前項通知」。

法院對前項聲請提審，不得拒絕。否則法院即便違憲違法。憲法第八條第三項規定：「法院對於前項聲請不得拒絕，並不得先令逮捕拘禁之機關查覆；逮捕拘禁之機關，對於法院之提審不得拒絕或遲延。」提審法第五條之規定：「法院對於請提審之聲請認為有理由者，應於二十四小時內向逮捕拘禁機關發提審票，並即通知逮捕拘禁機關之上級機關。」同法第七條規定：「執行逮捕拘禁之機關，接到提審票後，應於二十四小時內將被逮捕拘禁人解交，如在接到提審票前已將逮捕拘禁人移送其他機關者，除即聲復外，應即將該提審票轉送受移送之機關，由該機關於二十四小時內逕行解交。如法院自行移提，應立即交出。執行逮捕拘禁之機關，在接到提審票前，已將被逮捕拘禁人釋放者，應將釋放事由及時日，速即聲復。」同法第九條並規定：「執行逮捕拘禁之公務員違背第二條第一項或第七條第一項規定者，處二年以下有期徒刑，拘役或一千元以下罰金。」

靖民小組所為於法均有未合

憲法之所以對人民身體的自由特予重視，詳細規定其保障之道，實因身體自由為一切自由之本，失去身體的自由，非但其他自由無從說起，任何權利也都失其意義。有關保障人民身體自由的法律不止於刑法，刑事訴訟法，違警罰法和提審法，不過這四種法律特別重要。提審法雖極簡單只有十條，但它與中華民國憲法第八條的關係最深，所以把它們列舉對照比較，藉以說明人民身體的自由應該徹底保障，以及自由民主國家的法治是如何的重要，而民主政府不是形式的輪廓，而應該有民主的實質和內容。但今之實際情形如何？誠如監察院司法委員會於十二月三日的書面報告稱：

「靖民小組移送就業及依照取締流氓辦法移送管訓，均非法律上規定之逮捕拘禁原因，執行逮捕拘禁之機關，既未將逮捕拘禁人解交，又不將提審票轉送受移送之機關，由該機關逕行解交，該管法院亦不自行移提，並不向逮捕拘禁之機關追究依法處理，核與憲法與提審法規定，均有未合。事關憲政實施及人權保障，仍望有關機關切實注意。」（六）

吳兆棠會辭職嗎？

江水寒

第四，吳兆棠到任之初，曾開有意對廳內人事大加調整，後來查查各人的底細，似乎都各有來龍去脈，五科科長何讓的出任，暗示出他調整人事的夢想無法順利達到；加上他到任時又發言倚重本省籍的副廳長賴順生，是不是在這些問題上出了毛病？

內憂？外患？健康？

看了上面這些猜疑，我們不難明白，這次吳兆棠突然臥病，所以如此引人注目，是有種種原因的。

當然，猜疑終歸是猜疑，吳兆棠生病畢竟是鐵一般的事實，而且病還不輕，的確如外面所知道的，動過肺部局部切除手術，現在還在榮民醫院靜養中，除了少數幾位至親好友外，一般客人，都為院方拒絕接見。

更妙的是，前幾天還突然傳聞，吳兆棠病情惡化了，言之確鑿，甚至說是出自某某上層人物之口。不過事後證實，這是好事者的誤傳。

據經常接近他的人說，他的手術經過情形極為良好，「頭痛」的毛病已經除去了。他們並說，吳兆棠的頭痛病，非自今日始，不過最近更為嚴重，所以才不得已而入榮民醫院檢查及治療。至於頭痛為什麼要動肺部切除手術呢？這就是今日醫藥的高明處，它不用「頭痛醫頭」的辦法，而是要找出病根來。此乃題外話，就此打住。

次一個問題是，吳兆棠既是真的病了，而且病的還不輕，那麼，當他病愈之後，是不是會辭職呢？他的身體狀況，是否還允許他繼續肩負如此沉重的担子呢？他如果為自己健康打算，真的向上面提出了辭職的請求，會不會獲得上級的諒解，而順利准其所請呢？

的確，這倒是很有意思的問題。現在就讓我們來探索一下這些問題的可能答案吧！

局面。責任。榮譽

首先我們必須曉得，吳兆棠今年還不到六十歲，平時生活相當嚴肅，身體也還相當結實健康，此次縱然經過肺部手術，在設備良好，醫術高明的榮民醫院看來，顯然是極其平常的事。同時也絕不會有任何意外，這是我們可以預料，並隨後即可獲得證實的。

至於說，當他病愈之後，會不會藉機辭職，及辭職會否獲准，這就要看今後的事實如何了。如果他的健康情形的確因此而驟然轉壞了，事實上已無法繼續任此艱鉅了，我想他自己和他的至親好友們，也會考慮到及時請辭的事；何況聽說這次他自己本來就無意出來，不過情勢所迫，才不得已出而應卯的。

果如上面所說，如果他一旦提出辭呈，我想不但上級會諒解他而准其所請，即一般省民也會寄以同情。（中）

基隆旅居記

仲公

基隆的貿易以進口為較盛，不論戰前戰後，或對內對外，經常大量入超。推究原因，主要者當不外：一、接近省會台北，而台北即為全省最大的消費中心。二、台灣進口的消費物資，戰前幾全部來自日本，戰後則大部來自上海，而基隆的位置，實最接近上述二地。高雄為一輸出港口，進口貿易遠不及基隆。在民國二十年至廿九年之間，基隆的進口貿易，獨佔全省進口貿易總額百分之六〇點四，同一時期高雄之進口貿易，則僅佔全省貿易進口總額百分之三二。出口貿易，基隆不如高雄發達。

基隆的人口日據以前不必論矣，在光緒廿二年約為九六，五〇〇人，光緒廿六年為一〇二，民國元年為一四六七，人民國九年為五三，三二一人，八〇四人，民國十九年為二九，五九八人。其後增加率迅速，至民國廿九年，就增至九三，七七三人。基隆市區雖廣達一三二方公里，但真正市街部份僅佔三一．一三方公里，或佔三一點三公頃，約當全市土地總面積百分之二點三七，而全市百分之八七之人口，都集中於此。基隆的人口分佈，最集中的地方為港口南端一席，即日據時所稱福德町，旭町，高砂町，玉田町與元町。（十八）

小鳳

文芬

小鳳剛來到食品部做事，很多男人便都很喜歡她。她的風度好，很大方，又還有足夠的學識。

她雖然在高中祇念了一年，所學的東西應不太多，但她是個很用功的人，在學校、在家裏總捧着書本。她離開學校兩年了，但書就念的更多。其中也有好幾十本文藝書。

她對客人總是帶着微笑。她還自動的去招呼客人，又能不厭其煩，總能使客人滿意而去。在食品部不到兩個月，她就建立了良好的人緣。

她和同事的李小姐，最談得來。李小姐比他年長，閱歷也多，而人很良善。每天在中午休息時，她就和李小姐出去走走。有時也一道看看電影。

很多人寫信給她，當然是追求她咯！但她一點也不理會。有一次，食品部沒有客人，我對她說：

「這地方對妳並不合式。野男人太多，打擾妳做事、讀書，求上進的情緒。」

她的黑眼珠，對我眨個不停。

「我這還是就善良的一面來說的話。」

我說：「我這話，妳或許是不歡迎的。小姐們喜歡的是恭維。」

她搖搖頭。

「我聽人說過，」我的雙手按在櫃枱上：「妳的書念得很不壞。如果你在那方面繼續努力，妳就會有成就的。」

「生活使我不得不出來做事。」

她告訴我，她所以出來做事，除生活的需要外，還想要把自己好好訓練一番，將來眞能作一些對國家社會有利益的事。她說：

「我在學校裏，就想着如何來創造自己。但就是找不到機會。這次總算有了這個機會。」

她也承認那些野男人不好應付。男人都喜歡佔小便宜，甚至於祇是一句話的小便宜。她說：「有時候，我在這裏感覺一分鐘都待不下去。」她的手把頭髮向後攏一攏：「但我還是忍下來了。我要自己堅強。我一定要在這人海裏，把自己訓練成材。」

她原來有個溫暖的家庭。但父親爲了公職去世之後，便艱難起來。她提起她父親眼裏還泛着驕傲，同時也有多少餘哀的影子。那是在她念中學的時候。她父親在飛機場修理飛機，正在趕修時，另一架飛機突然從後面衝過來，把他衝倒在飛機房裏。他當時就暈了過去。大腿破了皮，最糟是流了不少的血。當她趕到時，父親已住在醫院裏，已在死亡的邊緣上掙扎。

父親告訴她：「我就有一件事，心裏放不下來。」

「爸，」她俯在父親身上：「什麼事，女兒給你做去？」

父親喘息一陣說：「你知道你哥哥吧？」

她搖搖頭。

「他在家裏的時候，和你一樣的可愛。可是——」

父親的淚珠滾落下來。她的淚水也在臉上爬動。

「他是死在共匪手裏！」父親說：「你別忘了你哥哥的死。」

她抱住父親，哭得許久說不出話來。

「我不會忘記的！」

她父親就是這樣死掉了。

我知道這些後，我就問她真正的志向在那裏？

「我是在等機會。」

「什麼機會？」

「祇要有機會上前線，我就是一個女兵。」

我告訴她女青年工作隊的組織。她當時高興得就和孩子看到糖菓似的。

「什麼時候招考？」

「招考時，我就告訴你。」

「好！」

藝術叢語

抽象藝術漫談

趙雅博

存在論者海德格將藝術的創作程序，歸納於物質與精神的戰爭，他稱之爲他與可理解的元素的戰爭，他說藝術品爲這一衝突的中心。是的，我們知道在事物的表面裏，深藏着一個可瞭解，有意義的底子，如果要使人們瞭解它，必需要深入的發掘它，這自然是一種戰爭。同時，這種發掘也是一種創作，一種眞理的發現，一種神奇的披露，爲此，藝術品的出現，實實在在可以說是美的創作。

藝術美

從前段文字中，我們已經看出什麼是創造的美術品，現在我們要提出的是這樣的藝術品是具有雙重的美的價值：第一種美的價值乃是原始的。這種原始價值，無疑的要是形式的內在價值，而形式則是每個藝術品所標出的形式，也就是說一個藝術品完成了以後所具形式。第二種美的價值乃是基本的。這種基本的價值，乃是這一形式的實現價值，而這一形式的完成乃是藉着藝術家的任務，對於材料（物質）的工作行動。

這雙重美的分別，用傳統哲學名詞來說，乃是理性的分別。也就是說這種分別乃是理論上的分別。在同一藝術品上，用兩種不同的看法，去看它表現的藝術美，在事實上，這兩種價值彼此在一起，建立起藝術價值。它們在一起是要給予藝術品的唯一價值的來源，而這個唯一價值又使藝術品成爲唯一的藝術品。其餘仿製品就是再完美，再卓越，而這個原始的藝術品仍然是唯一的藝術品，在它被完成了時是這樣，直到它的毀滅永遠是如此。誰的就是誰的，什麼就是什麼，個體性是具有與其他個體不能絕對相同或一致的特徵的。在其他事物如此，在藝術品又何獨不然？

我們在藝術創造過程中，可以理會出來，藝術家所使用的材料本身，是佔有本有的價值的。這一材料，藉着藝術家的責任和職務所獲得的情勢或布局，更能加增這一材料的價值。特別是這一材料，由於藝術家的處理，透過材料關係，而成爲對形式的表現更有辦法，更爲方便的時候，比如在具像藝術中就有這樣的情形。或者在這一材料成爲美的觀念與形式表達的單純方法，在抽象藝術中就有這樣的情形。不錯，抽象藝術首先要剝去形式中所有的偶有性指定，在這兩種情形下，材料的價值都在處理後增加了。眞的，在這兩種情形中，我們可以看見，形式在那裏是更純淨與更明淨的，它在美之外，並給予藝術品一致與生命。因爲使藝術品統一與生活的並不是材料，乃是形式。因爲唯有形式才可能使藝術品一致而又有生命，形式使藝術家在材料上嘘入精神的活力。（未完）

劇秀縹緲錄

婆娑生

津門馳名　春陽養晦

叔岩初進梨園，以小小余三勝之名，在天津演唱，其時嗓音甚佳，聲譽鵲起，人相爭捧。這初出茅廬，即享大名，猶之後來的李萬春同樣，且有過之，不意幾乎斷喪他的一生。因爲當時風氣未開，任何戲院，不能男女合演，獨上海天津漢口等處，以有租界，不受一切管制。將坤班另有組織，不容男角滲混的成規，在租界內，祇須當局之許可，即能混合，完全打破。叔岩在津旣走紅，同班也有花旦，爲其配搭，據余在平有人相告，是王克琴，其時尚未爲辮帥所攫，以她的技藝，在民初可稱一尤，明眸皓齒，豔麗動人，看到叔岩的英俊丰姿，配搭之間，時在厮磨之中，方寸焉有不動情愫？互通欵曲，約期私會，或至嚙盟，男女兩造，各遂心意，焉得不燬？在精神愉悅中，却敗其嗓，逐漸嘶不成調，專習武生戲，卒難持久。其時克琴調班，張勳媚惑，斥金二萬迫嫁，恩情斬斷，叔岩已自悔，急速鍛羽返平，咬牙切齒，決定養晦保嗓，以圖再起。此中似有因果，才造成後來之享名。

叔岩鍛羽養晦，在家常常吊嗓，功夫仍是擱住。適會譚派名票王君直，爲大家觀摩起見，組織春陽友會，在前門外東大市浙慈會館，每週彩排一次，邀請叔岩來串，列在大軸。每在星期日下午一時半開鑼，六時打住，有戲碼四五。其時程硯秋常唱青衣戲，列在開鑼。他如恩禹之，松介眉，郭仲衡，喬蓋臣，林鈞甫，莫敬一，玉敬臣，鐵賓甫，陳遠亭，賈福堂，楊林森，楊寶忠等，不下三四十人，可說人才濟濟，成爲平市票房之權威。觀衆如係會員，僅收銀毫兩約合一角。非會員則收銀毫兩角。每演輒有二百餘人。自民五開始，迄民七停止，約有三年，爲故都最大之票房，亦即叔岩成名之發祥地，與其歷史極深。

在民五時期，平市坤角[illegible]起，先君諳誡，不許多看，以免捲入捧角團。爲向春陽友會報名入會，入會費銀幣一元，常年費二元，可看四十八期彩串，以歲初元宵開鑼，歲尾送竈封箱，要除去四星期。得此機遇，大飽眼福，見叔岩所演，不下四十餘齣，尤以掃雪打碗，打姪上墳，一捧雪，青石山，戰樊城，魚腸劍等，以後在外間均未見。他如仲衡，硯秋，介眉，敬臣諸人，也在廿次以上。春陽諸名票，後來下海，均成名角，見重於舊京之士大夫。

每週彩排，叔岩爲練藝試嗓，故絕不稍苟，悉全力以赴，演得非常精采。即以與孫慶堂喬蓋臣等演青石山而言，飾呂洞賓，戴文陽巾，穿淺黃帔，背寶劍，持雲帚，道骨仙風，似不食人間煙火者；後來與楊小樓再演，更是絕活。與韋曉珊演打魚殺家，曉珊力摹瑤卿，所以並不遜於蘭芳，已知其定可超越儕輩。一年半的苦練，漸次恢復他的嗓音，但祇限於六字調，不能再高，倒嗓後有此收穫，已是萬幸。梨園慣語，祖師爺賞飯吃，即是指此也。（二十五）

瘟君債

第十一回：舊債新仇　索逋遭白眼　內憂外患　平債伏奇頭

毛澤東頹然坐下，自言自語地說道：「肥豬太狠了，他明知道國民黨就要動手，故意在此時斷絕了軍火同汽油的供應，我眞懷疑肥豬同國民黨已經勾上。」

李富春說道：「蘇聯此時斷絕汽油供應，當是與討債有關，我想主席能同庫米金和阿希波夫見一次面，承諾短期還債，汽油同軍火的供應，也許可以恢復的。」

毛澤東[illegible]說道：「還債，還得起嗎？你比我有數，如若答應了不還，到時候將更麻煩。」

李富春說道：「還債要是一次還，當然有困難，假若能分期按年還，若干慢慢自然可以還清。現階段爲了汽油軍火，不妨對肥豬讓一步，過了這一步再說。」

周恩來說道：「我想暫時也不要答應他們幾時清還，能多拖一天就多拖一天，只是設法把目前爲了討債引起的緊張情況緩和下來再說。」

李先念搖頭說道：「看庫米金的意思，假若這次討債沒有個結果，他是一定不肯干休的。」

毛澤東說道：「旣然如此，就許他個日期好了，橫豎先弄來汽油軍火再說，也許有幾年時間，我們可以自足自給，到時再賴債也還不遲。」

李先念問道：「主席是不是準備接見阿希波夫呢？」

毛澤東說道：「旣然是這樣，讓他來一趟就是了。」

李先念同李富春起來要走，陳毅也連忙起身。毛澤東用手一指：「你不要走，我有話問你。」

陳毅只好坐下。

毛澤東問道：「你看見契爾沃年科沒有。」

陳毅連連搖頭道：「未會看見過。」

毛澤東說道：「你身爲外交部長，應當抽出時間多同兄弟國家的使節聯繫，目前朝鮮勞動黨同我們站在一條陣綫，越南還是搖擺不定，你應該同東歐方面多聯絡，假若能在那方面爭取一兩個國家，肥豬的威風就大減了。」

陳毅連聲應是。

毛澤東問道：「外交部有關東歐兄弟國家的情報，是否顯示出那些國家同肥豬有了意見。」

陳毅說道：「有阿爾巴尼亞。」

毛澤東一瞪眼：「你簡直所答非所問，阿爾巴尼亞還用你講嗎？我是說另外的東歐國家。」

周恩來插嘴說道：「據我聽說，羅馬尼亞最近同蘇聯似乎有點分歧，只是尚未明朗化。」

毛澤東大喜說道：「這個消息是怎麼打聽出來的呢？」

周恩來說道：「我們派駐羅馬尼亞大使許建國是公安部出身，對於搜集情報另有一手。」

毛澤東一拍大腿，說道：「還是公安部的人員有用，以後重點國家的大使，最好都派公安部人員出馬。」

周恩來說道：「羅馬尼亞眞同蘇聯鬧翻，對我們到是有利的，首先是石油以不受蘇聯控制，其次也打擊了赫魯曉夫的聲望，他以後就不能放手蠻幹，在思想鬥爭上他就處於孤立地位。」（二七六）

長沙大火案紀實

瀟湘散人

迫傍晚，全市警察已完全撤走，警局長文仲孚和保安處長徐權，警備司令酆悌，皆陸續出走，徐權且坐着小汽車逃到了湘潭，只有張治中尚躲在南門外何鍵的別墅內，保安旅岳旅長亦因公早赴邵陽，團長徐崑騎着一匹白馬，馳至各街道發市民一齊放火。於是乎，每三戶人家就將保持着的一桶汽油，同時潑在建築物上，再加以市民原來準備遊行的火炬，烈焰四起，炸煙蔽天，連省府大廈亦燒得精光！市民在睡夢中被焚斃，或在逃難中被踐踏而死者，不可勝計，光是在走過小吳門外通往水陸洲的那座浮橋上，被擠落水中淹死的即有幾千人！實則此時敵軍尚在距離長沙二百里外的「新墻河」，由於省府不明瞭前綫情況之故，誤以「新墻河」爲「新河」，臨時又不向九戰區司令部詢問實情，相驚伯有，以致張皇失措，闖下這種亙古罕見的大禍事，追本窮源，張治中殆難辭其咎，而其保安處長皖人徐權，實係罪魁禍首。

張、徐何以無罪

大火發作後，各方皆知道敵軍尚遠在新墻河，認爲省府顢頇胡爲，該死之至。不特省內外的湖南人齊聲憤慨責難，即其他各地區人士亦對湘省當局多所抨擊。如中央輜重學校（設在長沙）教育長徐庭瑤（安徽人）於大火第二日走到湘潭時，即對人大罵「張文伯不是東西，無故把我那輜重學校存在長沙的大批器材和裝備一概燒光了，我非到委員長面前同他打官司不可！」蓋此時杜聿明在湘潭成立機械化部隊第二百師，專靠徐氏管理着的新式器材來裝備，一旦化爲灰燼，對國家損失滋大，故徐氏憤然莫釋也。省保安處長徐權，早已潛逃在湘潭城內，且四出偵查省府張主席的座車是否到了湘潭？嗣知張治中未來，又聞徐庭瑤要到蔣公面前告狀的話，心裏頗爲恐慌，即於大火後次日下午，悄然馳回長沙南門外何宅，與張治中晤面，並將徐教育長在湘潭指摘張治中的言論，如實報告。張亦知道事體嚴重，馬上親自撰寫「長沙大火三日記」一篇，交由隨從書記鮑某替他整理文字後，遞呈蔣委員長核閱，旨在解脫責任。

蔣公在南嶽應得長沙大火的內幕詳情，甚爲震怒，即電令張治中謂：「長沙警備司令酆悌，魯莽滅裂，釀此巨禍，此人早知其未可重用，只以兒再三力保，致有此失，言之殊堪痛恨！着即扣留，聽候查辦」！然張治中并未執行。過了幾天，蔣公蒞臨長沙，偕同張治中登臨「天心閣」觀覽，見全城一片瓦礫，滿目悽慘景象，極爲愴痛。（二）

想起韋莊

漁翁

唐末五代時，有韋莊者，爲當代最負盛名之詩人兼詞人，自稱「洛陽才子」，時人謂其才秀異茂美，而亦以「洛陽秀才」讚美之。

韋字端己，陝西杜陵人，幼顯異而善文學。二十八歲，至長安應試，適黃巢亂而傳考，不但未展抱負，且此地已爲狐鼠所據，不能容身，乃倉皇東奔洛陽，飽經患難流離之苦。

韋在離亂中，用長達一千六百十六字，寫成一篇「秦婦吟」，傳誦一時。但此篇未見載於「浣花集」，失傳已久，近年發現於敦煌文庫中，復面於世，故韋又有「秦婦吟秀才」之雅號。

此篇文字，可與「孔雀東南飛」媲美。把當時戰亂中之人民生活，如婦女被奸淫，老弱被傷害，壯者流離而散之四方，以及大火災，大搶劫，大屠殺，種種慘劇，使繁華化爲烏有，富庶變成貧困，再逢以靦顏事仇之徒，迎諂媚，醜態百出，繪影繪形，描寫備至。借陷賊三年然後逃出之秦婦口中所述悽慘事迹而撰成，與今日之大陸情形，如出一轍。爲晚唐文學史上七言中之第一篇長詩，難能可貴，馳譽文壇。

韋入洛陽後，生活較安定者將近十年，以此地繁華幸福，竟忘却當年「秦婦吟」之離亂苦痛，一變而成風流浪漫之生活，於是又有「菩薩蠻」之作。

按「菩薩蠻」爲曲調，唐大中初，女蠻國入貢，其人危髻金冠，瓔珞被體，人謂之「菩薩蠻」。當時倡優遂製菩薩蠻曲，蓋出於唐之晚季。今李太白集中有其詞，係人妄托者，此詞一名「重疊金」，一名「子夜歌」，見「唐音癸籤」。

讀韋之「菩薩蠻」：「如今却憶江南樂，當時年少春衫薄；騎馬倚斜橋，滿樓紅袖招，翠屏金屈曲，醉入花叢宿。此度見花枝，白頭誓不歸」。確然前後判若兩人，居安忘危，而飽暖思淫逸矣。迨黃巢亂平，回返京都，於乾寧元年，考取進士，已四十餘歲，被任爲校書郎。奈不爲昭宗所重用，乃悄然入蜀，當地節度使王建愛其才，以禮聘之。前蜀建立，王以韋爲宰相，所有開國之一切典章制度，皆出韋手。於是重修杜甫之「浣花草堂」故居，作爲別墅，從事於著作，「浣花集」一書，即在此地寫成。

韋以才名，生逢世亂，既則逃脫虎口，而放浪形骸，試一讀「秦婦吟」與「菩薩蠻」，則知其由憂患而入安樂矣。今之流亡海隅者，何一非飽經患難，而嘗過秦婦口中所述悽慘之苦味；但經過十五年來，王師遲未發，有家歸不得，棲身繁榮之海島，恐難免不居安忘危，而有不效韋之所爲，「翠屏金屈曲，醉入花叢宿」的「菩薩蠻」之吟，撫今思昔，不禁感慨係之！

談攝護腺腫大病（續）

花香月上樓小品

黃葉村人

三爲治愈後，至今兩年又半，小便仍失禁，不能復原。四則肛門被手術檢查次數過多，亦不知電檢時是否受有損害，迄今每逢大便前，肛門便覺刺痛，大便亦不正常，不無遺憾耳。至於攝護腺腫大的由來，據醫學界說：「一、是全身血管硬化。二、是內分泌失去平衡。三、是攝護腺慢性發炎。可能這三者之中，佔有其一二。」又云：「攝護腺之爲物，形似胡桃。」這與余所割除者同。此物生於肛門前尿道與膀胱交接處，據有經驗的尿泌科專門醫生說：「攝護腺腫大，是本體組織力的擴大，而不是另外長出瘤子」。但余被割除者，卻有五枚之多，亦異已！

目前台省各大醫院之泌尿科醫生，對此症之割治，已多有經驗。據說，動手術有四種方法：一、是切開恥骨上部根本摘除。二、是從恥骨下部摘除。三、是就陰部切除。四、是由尿道切除。四除之中，大都採用第一種。余亦是被取用第一方法者。而第四方法則爲最新者，目前聞尚未被採用。

依據醫理，年老血衰者，應用第四種，因手術時，對於止血，特別困難。而第一項手術，可能太量出血，蓋切腺時，必須用手擠出！如無適當方法，則危險較大也。余動手術時，醫初囑備血二千西西，後又加一千西西，割除後，四肢仍感乏力，頭常眩暈。今二年餘矣，行時，首重足輕，非杖不可！足見當日出血之多也。

又：割攝護腺，手術之老練固爲第一；老練云者，即技術純熟，經驗宏富，不能慌張，與舉動失措。如果臨事而懼，所用方法，處理失當，則受治療者，可能終身漏尿或尿失禁也。同時，手術後，護理亦屬第一；若護理不得當，亦可以發生諸多毛病，妨礙病者康復。因此，無論醫院與病人家屬，後有同病者，都值得注意者也。

現代醫術昌明，新奇病症，亦層見疊出；非昔時無此病也，乃不明其病理與名稱，而統以淋症或奇難雜症目之，致數千年來，患攝護腺腫大而死者，不知其恒河沙數耳。即如袁世凱、徐世昌輩，在四十年前，他們都是以泌尿症而死！其時各大都市雖有醫院，但手術既無今日之進步，設備亦欠完備，益以國人畏懼心理，視手術爲畏途，故以袁徐地位之尊，財力之富，尚不能保其生命，況其他乎！

據一位曾爲孫連仲氏治療成功攝護腺腫大病之劉秀景醫師言：「此症患者以白種人爲多，黃種人則較少。根據統計，白種人中，五十至六十歲患者，佔百分之二十至三十。七十歲以上，佔百分之五十。」依此類推，凡人能活至五、六十歲者，一百人中就有二、三十人會染斯疾。能活至七十歲以上者，便有五十人要等着醫生開刀。如此數字，豈非大得驚人！（未完）

我的社會生活

雷嘯岑

劉氏曾任奉天省長，與王永江同爲張作霖將軍的政治智囊，素有「劉鐵嘴」的綽號，擅長言詞。他接任內政部長後，我跟他幾度接觸，認定他很有些才幹，而其氣度亦相當大套，暗許其爲歷任內政部長中之佼佼者。他亦有如薛部長的心情一樣，很想有所作爲，但其見識和才華，遠勝於薛氏，因而決不幹傻事或笨事，如以武力驅逐公娼之類，他是不屑爲的。他任內作了兩項比較有意義的事情：

一是將內政部積壓有年，沒人敢清理的南京市內逆產問題，徹底予以解決了。這是民十六年革命軍進入南京時，沒收下來的一些民有房地產業，迄未作最後的處理，每逢新任內政部長接事，當事人必來呈訴冤抑，乞予發還，然歷任部長皆怕處理這種容易招致物議的事項，置之不問。劉部長卻認爲民有財產糾紛，政府不應該擱置不理，且革命已告成功，全國歸於統一了，所謂「逆產」案件，更不宜讓它存在。他先教我根據上述意見，謄一說帖，面呈蔣主席核示，繼即派我爲「逆產清理委員會」主任委員，限期辦完此案。我表示人言可畏，不敢負責，他說：「我不怕人說閒話，你怕甚末？只要公正從事，若有任何是非，都由我承當就是。我相信你，幹罷！」這樣，我就大胆地幹下去，只花了兩個月工夫，即將所有逆產積案，全部搞清，而且盡是發還原有業主，並未沒收尺地寸土，社會上亦未發生過謠言是非，幸矣！

二是他要求行政院，嗣後關於任免各省民政廳長暨南京警察廳長時，內政部應有事前審核人選之權。行政院於正式發佈上項任免令之後，須通知內政部備查。他認爲民政、警政皆屬內政部職責，政府任免誰個作民政與警政首長，內政部雖不必過問，但審核資格與功過的權力，卻不應放棄，否則內政部未免有虧職守，太說不過去了。他這項建議旋經當局採納，從此以後，各省民政廳長與南京警察廳長們，乃對內政部稍爲客氣，公文來往亦較多了。

劉部長在立身行己方面，有些地方亦令人欽佩。譬如他決不用公家的信紙信封寫私信，更不將私信交到機關裏的收發室。他對僚屬並不提及此事，只是自己如此實行而已。這事因爲我某次到他的寓所叩見時，一進門即聽到他正在大發雷霆，持着一疊內政部的信紙信封，詰問左右，是誰拿回來的？要趕快送還！然後告訴我，說這是他數十年來的習慣，在那兒都是一樣的。有時他對人言談亦很幽默，如江西民政廳長王尹西向內政部呈請核示民家打麻將，可否按照賭博罪處辦？我當面請示劉部長，他答道：「這怎末使得呢？我自己就每天非八圈不樂，豈不是作法自斃嗎？」我謂那就照違警罰法辦理可也。他又說：「亦不好！怕別人笑我自私自利，咱們乾脆轉請司法院解釋罷！」不久，劉部長出作封疆大吏，主持安徽省政去了。

內政部自成立以來的三年之間，雖然隨時走馬換將，更易部長，但其餘各個大小職員，很少變動。原因是幾位新來的部長盡係北方人，並且是老於政事的人物，懂得一些爲政的道理，同時覺得自己對革命政府的情形很生疏，人事上亦不便多所更張。祇有第五任部長粵人李文範先生，他下車伊始，即大刀闊斧地撤換各級職員，譬如四位參事之中，就換掉了三位，祇留下我一人，其他可以概見。但是，在位日子最短的亦是他，我尚未見過李部長一面，他就去職了。大約接任還不到卅天，即隨着行政院長孫科一道下台的，眞是多此一舉啊！（二一）

雞口與牛後

吉庭

諺云：「寧爲雞口，無爲牛後」，見國策。又顏氏家訓載：延篤戰國策音義云：「尸，雞中之主；從，牛子也。口當爲尸，後當爲從，俗寫誤也。」史記亦作雞口牛後，索隱據延篤注正之，正義解爲雞口雖小猶進食，牛後雖大乃出糞；進食，能嘗美味，出糞，則臭不可聞。

譬如一間大公司之店員，比一間小店之店主，則寧爲店主，而不願爲店員。何也？蓋店主雖小，猶能自主，不俯仰由人。彼公司雖大，嘗受限制與指使。所以雞口較牛後，可落得自由自在也。

今日之國際形勢，與戰國擾攘時代，並無二致，一般高唱如雲之「中立主義」，與「姑息政策」之國家，均蹈六國時妥協苟安之覆車，而猶自以爲得計，其將演成顛覆失敗之惡果，勢所必，理所然也。

米蘭——西歐散記之一

項退結

還有一座很有名的恩寵之母瑪利亞教堂，從主教大堂廣場乘電車約需五分鐘的功夫。和這座教堂相連的是一座古代的隱修院，隱修院飯廳內有一張壁畫，那就是名畫家達芬奇（Leonardo da Vinci）所繪世界著名的最後晚餐圖。這個廳堂在大戰時也被炸燬，幸虧那面墻還未被殃及。

除此以外，聖盎博大堂也是非常值得一看的地方。聖盎博在三七四年曾任米蘭主教。（三）

[illegible]警台報字第○三壹號[illegible]

自由報

THE FREE NEWS

第一三四期

[illegible]

社址：香港銅鑼灣高士威道三十號四樓
30, CAUSEWAY RD 3RD FL. HONG KONG
TEL. 771725　電報掛號：7101

[illegible]

台灣分社

[illegible]

台灣省公職人員選舉罷免監察會組織之檢討（上）

·張筌·

（一）

台灣省地方自治法規，近經台灣省政府作第四次的全面修正，行政院核准的有六種（省府公報四十二期），其中最為人注意的，除縣市長及縣市議員任期由三年改為四年外，就是「選舉罷免監察委員會組織規程」了。

台灣省縣市公職人員選舉罷免監察組織，以往雖有設置，但卻未規定於法規中。換句話說，以往的監察組織，是臨時性的，不合法的，也沒有地位的。但事實上各縣市以往時有罷免及補選情事發生或醞釀，為謀選舉罷免工作之順利進行，及基於事實上的需要，故省府在這次第四次的全面檢討修正中，於「台灣省各縣市實施地方自治綱要」第六十條中，明白規定：「各種選舉、罷免活動之進行，應設置監察機構，……」同時「台灣省各縣市公職人員選舉罷免規程」第七條也規定：「公職人員選舉、罷免，由台灣省縣市公職人員選舉罷免監察委員會監察之。」於是台省選舉罷免的監察組織由是確定，而成為正式的合法機構了。

依據「台灣省縣市公職人員選舉罷免監察委員會組織規程」第十三條規定，選舉罷免監察委員會（以下簡稱監委會）之職權有三：「一，關於縣市以下主辦選舉、罷免機關或鄉鎮縣轄市選舉、罷免之監督機關違反選舉、罷免法規之監察事項，二，關於候選人、罷免案提議人、被罷免人違反台灣省妨害選舉罷免取締辦法之監察事項。三，關於縣市以下其他妨害選舉、罷免之監察事項。」同時該會委員於選舉、罷免時，尚得分派前往各地分區監察（同法第十四條）；而投票所、開票所之主任監察員、監察員，由各縣市監察小組或候選人共同組成（同法第七條第二項），受監察委員會之指揮監督（同法第十六條）。可知現行選舉罷免監察委員會不僅職權龐大，而且直接組成並指揮監督各縣市之監察小組，及選舉罷免投票所開票所之主任監察員及監察員，所以選舉罷免監委會之組織特別為人注目。因選舉罷免監委會一有偏差，整個民主法治就此破產，地方自治也就流於形式了。

冬眠

面目全非

（二）

據修訂後的法規看，現行選舉罷免監委會，在性質上是一個隸屬於省政府的超然監察機關。他不僅監察縣市以下「主辦選舉、罷免機關」，及「鄉鎮縣轄市選舉、罷免取締辦法之監察事項，」而且關於「候選人、罷免案提議人，被罷免人違反台灣省妨害選舉罷免取締辦法之監察事項，」亦在監察之列。前者在預防政府（現任縣市鄉鎮長）藉現任之便，坦護其自己或同黨之人選舉、罷免；後者在防候選人之不法競選，或罷免案提議人之不法罷免，以作民主公平之競爭，可謂法良旨美。

然就該組織的整個體系、組成、及職權上看，仍留有幾點瑕疵，難遂上述優點之發揮。

第一，監委會組織之檢討方面，可分三點說明：

（一）監委會的組織不夠民主，且過於草率：選舉罷免監委會組織規程第三條規定：「本會置主任委員一人，委員十人至十六人，由省政府就有關機關團體及地方公正人士分別聘任之。主任委員，綜理會務。」可知該會之組成權操之於省政府。主任委員及委員，雖受該條「有關機關團體」及「地方公正人士」之限制，然那些機關團體為「有關」？那些人士為「地方公正」？漫無具體標準，任由省府決定。省府從政主官（首），皆為有黨派之士，因此省府對該會主委及委員之任免，盡管如何公正無私，仍不免遭人口舌，為人疑慮。

（二）現行監委會之組成員有違憲法規定：現任監委會之主任委員及委員，部份即為立法委員。依刑法總則第十條第二項規定，及司法院大法官會議釋例三七年解字第九二二號解釋：「稱公務員者，謂依法令從事於公務之人員。」選舉罷免之監察為公務無疑；因此選舉罷免監委會主委及委員自亦為官吏。從學理上看，監委會既由省府組成，監委會之主任委員及委員自亦為省府之屬員。依據憲法第七十五條：「立法委員不得兼任官吏」，及司法院院字第一九二八號解釋：「地方官吏不得兼任中央官吏」之規定，今該會之立法委員及中央官吏自屬違憲，而應立即辭職，以符「民主法治」。

今日與明日

法國承認毛共

法國承認毛共，到目前為止，已成定局，除非法國內部發生意外變化，戴高樂承認毛共偽政權，任何力量也無法挽回了。我們無意責備法國。因為目前的世界完全以利害為主，道義兩字久已被丟進大海，受我國深仁厚澤的日本尚且在明裏暗裏支持毛共，何況同我國實際上未有眞正患難深交的法國。

外交當局誤國

我們所感到悲憤的，還是我們外交當局的顢頇誤國，站在輿論立場，不能不要求當局對幾個疑點提出解釋。

我們的外交從大陸淪陷以來，重心只在美國，以後又加上日本，但是，除去駐美大使確稱一時之選外，駐日大使就一個不如一個，到了那位被稱為儒者大使的張厲生，到任以後，整個大使館比殯儀館還要冷靜，與各國駐日使節沒有來往，與日本外交當局也沒有來往，以致於周鴻慶逃出之後，坐上的士而司機竟然不知道中國大使館在何處。如此大使，假若國家有紀律，他應該判死刑，假若他自己還有羞恥之心，也應自殺以謝國人。但是卻輕輕以辭職推掉責任，相信不久又將東山再起。

在日本，雖然派去的大使不過是個能吃飯的木偶，可是，還畢竟有個大使，在法國卻連大使也未派過，當駐法代辦陳雄飛升任駐比利時大使，戴高樂破例為之餞行，殷殷以我們的總統為念，再三提到二次大戰的元勳，東西就剩下他們兩人，當時情形極端融洽，為什麼不打鐵趁熱，派出一位駐法大使，此其一。

當法國醞釀承認毛共偽政權消息傳出時，空穴來風，其來有自，外交當局何以始終認為謠言，不加理會？就當時情形來說，戴高樂不過有此意念，我們若能馬上展開外交攻勢，派出特使（當然要是元老最好是二次大戰時戰功彪炳的將領，如何應欽等），或者安排副總統訪法，以中國的艱苦處境，東亞的危險情勢，面告戴高樂總統，動之以感情，曉之以是非，喻之以利害，我們相信形勢並非不能挽回。外交當局何以毫無打算？此其二。

到了最後階段，法國決定要承認毛共了，我們還有辦法可施，首先可以請總統直接去信戴高樂，請他以當年我們支持戰鬥中法國的心情，來支持正在戰鬥中的國，相信還是有效力的。另外又可以發動民間團體，立監兩院，致電法國議會，請求主持正義，也未見得沒有一線希望。外交當局計不出此，仍然找美國出頭，那知道以來正觸戴高樂大忌，迫得承認步伐也提前了，外交當局何以眼光如此之短？此其三。

以上三點，希望沈部長能明白宣告國人，以釋群疑，而平衆憤。

自由談

民主的衛生素

馮王先生

女兒在美國求學，最近來信希望我能去新大陸遊覽一下。我告以美國的社會生活過於緊張而有拜金狂，且視老年人如芻狗，不願意去受那種活罪，覺得住在香港這塊殖民地還安閒好過些。

她回信說：「爸爸不是喜歡談民主生活嗎？美國別的不說，民主生活卻是世界第一」。她舉出三點事實作證，一是杜魯門總統曾在清晨散步時，電視公司派人跟住他攝影，有一大酒店的看門人見着，大聲說道：「那是庸才杜魯門！」（That is Harrys Nothing Truman）後來這段影片并未剪裁，原封放給大衆看，杜魯門瞧着為之大笑而已。二是有酒吧老闆夫婦倆赴棕櫚灘渡假，住在一所豪華旅館中，夜間鄰室住客鼾聲如雷，這位酒吧女主人鬧之不能安眠，即放大嗓門連聲高叫「吔，閉住！」（Oh Shut—Up!）鄰客被驚醒，亦不能成寐了。旅館老闆急忙來告知這位大聲叫喚的女客，說那鄰室的客人就是艾森豪總統啊！女客夷然答曰：「是他惹起來的！」（He Started it!）滿不在乎，艾克祇好自認晦氣。三是甘迺迪總統在芝加哥棒球賽行擲球典禮時，簽名於球上作紀念，因字迹很潦草，不易辨識，那位投球者拿着簽名的球，走到甘氏面前說道：「我不知你們的哈佛大學是什麼垃圾學校，教出來的人連簽個名字亦沒人看得清楚。我以後說給別人聽，一定不相信這是你這總統先生的手筆啦！」甘氏立即端端正正地再簽名一次，且在球場上不斷向這位球員招手，表示親熱之意。

女兒在信內詢問我：「像這種民主風度，爸爸在祖國瞧見過嗎？」的確，在咱們這號稱為中華民國的社會中，但見官尊民卑的現象，肉麻當有趣，恬不為怪。時代雖已進化到原子世紀，一般人的文化思想，還是固閉膠着於君主時代的觀念中，譬如報紙上逢有「總統」字樣，便得抬頭空格排印，這與舊時每有「聖上」或「九重」字句，必須頂格的情形一樣。實則「總統」二字原係行政上的法定名詞，并不是有機體，我們若提到「蔣總統」而抬頭書寫，表示對元首本人的敬意，那還可以，僅僅是「總統」這一法定名詞，何必另眼看待呢？可是，話又說回來，我復信告訴女兒，祖國如要實現美式民主生活，至少還得經過半世紀纔行，而其責任乃在她和他們這般下一代人的肩上，我的任務，最大限度只能提倡宣傳，此生是目擊不到民主盛況了。因此，我還是不想到新大陸去自尋刺激，不如過屠門而大嚼，比較衛生嘛！

蔣渭川被檢舉

先後被配三棟屋　豈眞狡兔有三窟

（本報記者台北航訊）前內政部次長，現任台灣產物保險公司董事長蔣渭川，頃被人檢舉佔有政府宿舍而不依法交還原服務機關，要求監察院澈查蔣渭川有無將政府宿舍出租圖利之不法嫌疑。

據檢舉書指出：本省仕紳蔣渭川，自台灣光復後，先後出任省民政廳長，內政部次長及台灣產物保險公司董事長，迄今仍任台灣產物保險公司董事長。他任省民政廳長時，省府配有濟南路二段十號大厦一棟，為其住家之用；嗣轉任內政部次長期間，政府復撥有銅山街三三巷五號大厦一棟；其後他出任台灣產物保險公司董事長，該公司又撥有中山北路一段一〇五巷十四號巨厦一棟。他一個人前後佔有三大棟房屋之多，政府雖催討，而他卻置之不理，故請求監察院依法澈查之。

台省府審計處長　王肇嘉頗多不法行為

用私人收紅包玩弄變相報銷等　經被人檢控引起監察委員注意

（本報記者台北航訊）台灣省政府審計處長王肇嘉，頃被控為「官僚政客」，專搞「派系」，「任用私人」，「收取紅包」，「玩弄變相報銷」等不法行為，已引起監察委員們的注意，該院財政委員會第二一六次會議上，會討論這件事。

台省府審計處長王肇嘉被檢控的第一個罪狀，為「政治販子」，控訴書揭發其在省政府前會計處長任內，因案被勒令離職後，由於前審計部長張丞栖贊賞，而向監察院推薦任命為審計部審計，兼派任駐國庫審計室主任，後來又出任台灣省府審計處長之職。自此，他平時遇到上級有所交代，唯唯是諾，對同仁則刻薄而不負責任。又提拔私人，任用親信，如「將其親信而任職台北縣政府主計主任之陳炳星，薦為審計部協審，派在審計處辦理縣市財務抽查工作，並命其在各縣市按撫親信；又將任職彰化縣稅捐處主計吳國仁（又名元良）拉攏在審計處辦理縣市財務抽查工作，復將專事迎上欺下之陶××大事重用。據稱，陶其於抽查財務時，遇有於法不合之收支，即對被查機關說：「此項報銷，雖於法不合，如能拜託某某立法委員、監察委員或省議員，向王肇嘉說情，管保核銷。同時並介紹他所認識之某某委員……。」被查機關，得此秘竅，除感謝加倍招待之外，當如法備禮拜託某些立監委員及省議員，前往王肇嘉處「求情」。果然王肇嘉欣然接納，如數核銷。王肇嘉對陶於抽查財務之外，拉攏立監委員關係，大感興趣，故每年對陶某之考績，均名列甲等。」此亦所以「王肇嘉近將陶提昇為巡廻審計室主任」。

按審計法第二條規定：辦理抽查縣市財務工作，應以監督預算之執行，核定政府機關收支命令，審核計算決算，稽察財政上之不法、或不忠於職務之行為。故審計人員行使其審計職權時，其行為不得超越上述規定。然而控訴書指出：「王肇嘉則倒因為果，專以查征納稅義務人漏稅為職志，而對於政府機關之浪費支出，則不予重視，姿意核銷。而其核銷則具有代價。緣抽查人員報告中之剔除經費，包括被查機關主計人員致送『紅包』，及主計會計人員吃喝嫖賭之變相報銷在內，被查機關經費一經剔除，主計會計人員即持『紅包』前往台中王肇嘉官邸，說明來意，放下紅包，即行轉往中興新村審計處第二科，再事拜託袁科長，放下禮金，乃打道回府，草擬申復公文。當申復核銷公文到達袁科長手時，即交由一位聽話的職員簽辦；萬一因處長面諭簽辦人員也無法自毁法令而簽請所請於法不能核銷時，袁則另附上一紙條，上書『查並無不合』，但不在原簽條上留任何字跡。隨即將該項『紅包公文』密送王肇嘉核閱；王肇嘉將袁簽紙條取去，照袁意一一核批：『姑准核銷』。凡屬『紅包』案件，其核銷程序，均用同一方法，如法泡製，同仁對於不應核銷而予以核銷者，聞之莫不切齒！此事，一查歷年抽查公營事業機關及縣市財務報告，以及被查機關申復公文，兩相印證，無待列舉，即明瞭矣！同時，審計法規定申復期限為三十日，申復之次數『以一次為限』。而申復之期限超越者有之，聲請復議數次者亦有之。」

控訴書進一步指出：比如「剔除及追繳案件，屬同一法令限制範圍而剔除者，結果此銷彼剔，致使查帳人員啼笑皆非。銷者，紅包作祟；剔者，無紅包關係。令人質疑，莫衷一是。

王肇嘉知情不巧，為轉移視綫，密令「福建系」之吳國仁澈查漏稅案件，以為遮掩手法。又列舉事例說：「王肇嘉對於紅包案之處理，不留痕跡，且在公文上推得一乾二淨。例如前年台北市公車管理處案發時，王肇嘉明明收下鉅額紅包，但事發後，則王肇嘉並無責任，此係王之高妙手法。」

一般判斷該控訴係審計處的職員所為，蓋否則外人是不會如此清楚的也。至此案如何發展，要看監察院的作為如何而定了。

吳兆棠會辭職嗎？

江水寒

問題的關鍵是：吳兆棠病後的健康情形，究竟該如何估量？即在怎樣的程度下應該辭職，並應予照准？怎樣的程度下不應辭職，或不予核准？這一尺度是很難確定的。

不過，我們似乎還可作進一步的分析探索，並預作推測：吳兆棠的辭意是很難表達出來的，而且是很不容易得到上級的核准的。

第一，由於閻光夏的淺嘗輒止，引起外界對政府的許多責難，以為政府用人，不應如此兒戲，賦予一位在政治上既無興趣，在行政上又乏經驗的人，到頭來弄得不上不下，徒然浪費了將近一年的時間。因此，政府這次搬出吳兆棠來，顯然是下了很大決心，和經過審慎考慮和妥當安排的。吳兆棠既然在這種情勢下出任斯職，在自己來說，當然也是經過深思熟慮，甚至下定決心的，而且還敢斷言，他在接受任命之初，對有關人士一定還有所表示或承諾。在此情形下，試問客觀環境和主觀動機，能不能輕易允許他辭職呢？套一句成語說，他此時此地是「義不容辭」的！他的辭呈正有如一付千斤重的托盤，是很難端出來的；即使勉强端出來了，上峯也是難於接受的。這種僵持的局面，恐怕要在相當重大的變故之下，才能予以打開。否則，就要等「時間」來逐漸予以融解消蝕了。這個「時間」，最少也得三年。

補考。常識。案件。

第二，在吳兆棠本身方面，也還有另一些苦衷，迫得他非繼續留任不可。最顯著的是，他上台以後，一直還沒做過一件稱心快意，而值得人們稱道的事。首先，他接事的第一個星期，就遷就了省議會，答應議員們的「無理要求」，命令全省公私立中等學校，准許五十一學年度留級生補考一次，為教育上開創了一個令人難忘的「惡例」，受到與論界的交相責難。其次，國校惡補之風愈來愈熾，他在等待着教育學會的調查，而不會適時表示其明朗的態度。又次，教育上的六大問題調查結果，雖一一有了分析和統計，但截至目前為止，還不會見到他對這些問題表示過任何具體踏實的意見。最後是教育廳本身和部份學校，近一個多月來，接二連三地發生不幸事件：省立台南盲聾學校學生毆辱校長，教育廳未能適時解決，致使事態惡化；接着是高雄私立國際商專公文中途調包事件，涉及教育廳某些人員瀆職，正在司法機關偵辦中；還有台南北門中學、女中等個別性糾紛，也都在演變階段中。基於責任和榮譽，吳兆棠也不致於在此時輕易言辭，這是可以斷言的。

不過，政治和個人健康這兩件事，都是詭譎多變的，吳兆棠會不會辭職，雖是政治上的一件小事，但其本質畢竟是相同的。我們雖如此分析探索，並作了一些大胆的假設，但事實如何，還有待時間來加以證明了。

（下）

監察委員與人權問題

本報台北記者

六、法院不遵守憲法

由於法院檢察官和推事未遵守憲法第八條第二項的規定執行有關法律，由於法院對非司法警察機關及司法警察非法逮捕拘禁、非法審問人民的非司法警察及司法警察沒有依法追究刑責，所以才發生轟動國際而影響中華民國在國際上地位的王頌案。此一教訓，還不夠警惕嗎？

偵查權與調查審問權係屬於法院的職權。而被告有沒有羈押之原因及羈押的必要，刑事訴訟法有明文規定。但司法機關為了行使職權，得請求司法警察機關協助，而現在，法院往往將偵查審問之權，一併囑托司法警察機關行使，這就不對了。

逮捕羈押審理法有明文規定

比如，被告的羈押或延長羈押，必須具備下列情形始得為之：一、無一定之住居所者；二、逃亡或有逃亡之虞者；三、有湮滅證據、變造證據、或勾串共犯或證人之虞者；四、所犯為死刑或最輕本刑為五年以上有期徒刑之罪者（刑訴法第七十六條、第一〇一條）。而被告羈押之權，不得由司法警察機關擅予拘押後又聲請延長寄押，必須由檢察官依職權認定之。同時，被告被「執行羈押，由司法警察將被告解送指定之看守所，該所長官驗收後，應於押票附記解到之年月日時並簽名。」（刑訴法第一〇三條）所謂「看守所」，即羈押法第一條所規定之：「刑事被告，應羈押者於看守所羈押之。」但刑事被告的羈押，在偵查中不得逾二月，審判中不得逾三月。其有繼續羈押必要者，得於羈押期未滿前，由法院裁定延長之。在偵查中延長羈押期，應由檢察官聲請所屬法院裁定。延長羈押期，每次不得逾二月。偵查中以一次為限。如所犯最重本刑為三年以下有期徒刑之刑者，審判中延長羈押期以三次為限。羈押期間已滿，未經起訴或裁判者，視為撤銷羈押（刑訴法第一〇八條）。羈押之被告，有下列情形之一者，如經具保聲請停止羈押，不得駁回：一、所犯最重本刑為六月以下之有期徒刑，拘役或專科罰金之罪者；二、懷胎七月以上或生產後一月未滿者；三、現罹疾病，非保外治療難痊癒者（刑訴法第一一四條）。司法警察機關逮捕人民，縱有檢察官簽發之拘票，仍應於二十四小時內移送法院。

法官違反規定本身便是違法

然而台灣司法警察機關，對於犯罪嫌疑人之逮捕，既未切實依照法定程序，逮捕後又不於規定時間內移送法院審問，竟藉口「台灣省檢察官與司法警察機關辦理刑事案件聯繫實施要點」，以聲請延長寄押為規避非法拘禁之依據，就司法警察機關言，實係侵越檢察官職權，就法院方面言，非違法授權，即放棄職責，不但核與憲法、提審法、刑事訴訟法、羈押法各有關規定均有違反，而司法警察且有妨害人民自由之罪，應科以五年以下有期徒刑、拘役或三百元以下的罰金。（刑法第三〇二條）

關於延長羈押的問題，監察院歷年來都有檢討或提案糾彈。最近，監委黃寶實抨擊司法機關違法失職時稱：「本人在巡察的時候，就曾經在司法部調查局以及司法行政部都强調這一點：保障人權總是監察院要求，似乎與貴部不相干。如果先調查證據，再逮捕人犯，二十四小時以內，一定可以把犯人移送法院。刑事警察應先調查證據，再逮人犯，不要用修理求口供。為什麼外國人做到，我們做不到？我們是先逮捕人犯，羈押偵查，就是如我們說的，我們監察院在注意人權，一般機關都不注意人權。」（七）

香港與大陸

毛共學習運動　攪得狀怪百出

據曾回福建晉江探親，甫返抵港的電器職工江先生透露：每年的冬閒時期，中共都要掀起各種運動，諸如修水庫，修公路，積肥，學習運動……等。其目的一方面是更多搾取農民的無報酬的勞動，另一方面卻還有一項政治陰謀，就是使農民無有一點空閒的時間，用以思想，以致做出反共的行為。

江先生說：最近福建省各地，共幹又要求市民、農民、教員，學生等各階層的人士進行「冬季積肥運動」和「業餘學習運動」，規定市民，農民以業餘學習為主，積肥次之；而教師，學生則以積肥為主，業餘學習次之。「積肥運動」有嚴格的任務數規定，中等學校的學生和小學教師，每人要完成積肥三百斤，小學生每人也要一百斤，而農民因為主要進行學習，所以也祇規定每人一百斤。

在此同時，所有的農民，不管男女老少，卻被日夜集中在「公社」的大堂裏，進行「學習」。學習的資料主要是毛澤東的「著作」，和「人民日報」的若干關於「修正主義」的社論。江先生說：這種學習，眞是怪狀百出，多數的形式是由共幹在台上邊讀邊講解毛澤東的著作，歌頌他的思想和理論的「正確偉大」，但一般的聽衆——農民，尤其是那些目不識丁的婦人，卻一句也聽不懂，祇在那裏打瞌睡，不時還有小孩哇哇的大哭大叫。（敬斯）

妹妹

劉杰

穿着西裝畢挺的客人，到我們店裏來買糖菓，給了十元新台幣。妹妹抓了一把糖菓放在紙袋內，然後在磅秤上一稱。我看淸了那數字：一百公分。

妹妹把糖菓交給客人後，就又轉到櫃枱後面登記賬目。

那西裝客人剛走出店門，又來了一個穿着很襤褸的中年人，他在袋裏掏了半天，才掏出捲了又捲的也是十元新台幣，也是要買糖菓。

妹妹又是熟練的，把糖菓裝在紙袋裏，又在秤上稱。我又讀出那數字：三百公分。

客人走後，我拉住妹妹，我說：

「妳是不是弄錯了？妳剛才給了他三百公分的糖菓。」

「沒有錯。我是給了他三百公分。」

我狐疑着：「那為什麼第一個客人，妳祇給他一百公分呢？」

妹妹笑了一下，說：

「你看到第一個客人吧，他穿的那麼講究，自然是有錢的人。後來的客人，却是那麼可憐，自然是沒有錢的。有錢的人，對糖菓多少，一點也不注重，祇是注重包裝的好看些。你不是看到我，替第一位客人包的那麼講究，外面還用了包皮紙。第二個客人呢，因為他窮，不能不講究實惠，而并不講究外表。他的錢不是那麼輕易得來的，所以我就給多些。」

我還是不懂。我說：「既然第一位客人有錢，你可以隨便給他一點糖菓，那你為什麼又要上秤稱呢？」

妹妹一面登記賬，一面說：「那是為了使他安心。如果我隨便抓點糖菓，客人就不免懷疑起來了。」

「但這是不公道的。亦非做生意之道。」我說。

「我明白。但我樂意這樣做。十元應得二百公分糖菓，我祇是截長補短，本身未佔便宜。」妹妹的辯護。

我說：「什麼截長補短，你是刦富濟貧。」

妹妹說：「任你怎麼說好了。」

妹妹不愛虛榮。我在她生日那天，買了一件肉紅色的風衣給她。

妹妹打開來時，拉長了臉孔。

「你為什麼要買這貴重東西。你的錢是不是太多了？」

我紅着臉。

「如果我喜歡穿時髦的衣服，我隨時都可以買。你知道我一個月也有一二千元的收入呢。」

我望着妹妹。她又說：

「國家處境這麼困難，現在是我們吃好穿好的時候？固然「人要衣裝，佛要金裝」，但只要過得去也就算了。大家一味好吃好穿，奢侈成風，國家如何得了？」

我簡直感到無地自容了。但我其實就因為覺得妹妹穿著過份隨便，才花錢送她那件風衣，那知竟給她教訓一頓。

妹妹還沒有對象。她今年廿一歲了。我以前曾暗地裏為她躭心。她却一點也不在乎。現在我也放下心來。

我感到：像她這樣懂事的女孩子，必然是幸福的。那還愁沒有對象？當然我是不會忘記祝福她的。

藝術叢談

抽象藝術漫談

趙雅博

但是我們也要知道，藝術家所取得的這一形式，再由他播傳給藝術品，已經不是自然的形式，而從藝術家方面，已經有了一些改變；不錯，藝術家藉着這個改變，獲得了雙重而又相反的效驗：（一）一方面藝術家從原本形式中剝去了一切附加與無關的指定，而使這一形式得到更高尚完美的光榮輝耀；這些附加與無甚關係的指定在其自然狀態中，往往隱蔽了形式的輝耀，或者使形式的光輝晦暗，在這種意義下，藝術品的美是超越自然的美。在這種意義下，藝術美其所以超過自然美，是因為它從藝術家那裏接受了一個永常的特徵，它使這個形式在其藝術的化身中比起在自然的化身中，延長得更久更久。自然的物品往往比人造的藝術品壽命更短，更易變化，古人說「花無百日好，月無十日圓」，而人為的藝術品，又豈止百日千日萬日呢？站在這種類似的壽命中，自然美普遍是較藝術美更短的。（二）但是如果就另方面，也就是說就自然物一面來說呢，不錯，藝術家是將這個本質美的形式移到他的藝術品上來了，但是在同時却將隱蔽於自然狀態的形式所有的無窮的可能性給限止住了；這是說人為的藝術品的形式，在一成難變的型態下，受到了限止。自然物的自然形式，是有着無限的含蘊：沒有辦法為藝術家全部取得，不但不能取得，即使知道也沒有辦法發揮與表現。藝術品只是自然形式的無限美的可能性，引歸到一種可能性，而將這種美的可能性，在藝術品內，由藝術揀擇而與以現實。實在，我們知道人是有血有肉的人，他佔有空間時間，自然受着時空的限制，時空的限制並非一端，生活環境，特別是歷史環境，都在給藝術家以限制。藝術品形式自然也是藝術家的製造，藝術品為藝術家的心血，他將自己的藝術品中注入這個形式，而這個形式自然也與藝術家一樣在受着限制，這是無可懷疑，人人皆知的事。藝術的形式，如果就這後者意義去看：藝術品的形式，藝術家所塑造的形式是比自然形式為低的。自然形式無窮含蘊，無數的藝術家可以用許許多多的方式，也可以用許多不同的方式，來紬繹成為藝術形式，但自然形式的可能性，並不因此而窮盡。

至此，我們還可以指出一個新的特徵，對藝術的創作是有利的，就是藝術形式有一種可能性，使若干因着自然物質紊亂而歪曲了形式，可以得到改正，修剪，而有更美麗的表現。在自然物中，我們站在一些觀點，認為它有缺陷，不美觀，人為藝術則能夠給以新的輝煌的色調，給它加上藝術美，巧奪天工，洩露天美，表現一種特殊的藝術美，將蔽於自然物的美，或是將被自然物醜化與歪曲了的美，藉着人工的藝術形式，而予以宣洩發揚。藝術美能引人發生愉快的美感，自然物自然形式表現在物質的醜中，對觀賞的人，是要引起痛苦與抗拒的情緒的，改去了這樣醜陋與抗拒的藝術美，能將這樣元素，提升到美的行列中，引起來的美的情緒自然也能遮掩——並不取消因自然缺陷的形式引起的不快的情緒。

藝術美可以補天之不足，可以聚諸美之大成，這便是藝術家的創作。藝術美的崇高就在這裏可以現出來了。

（未完）

劉家傑紗錄

婆娑生

初演戲鳳 折服梅氏

民八，叔岩再度獻藝，同行均未尊重之。其時蘭芳獨步京壘，有鳳卿為配，未曾計及於余氏。因此是年窩窩頭義務戲，余唱打棍出箱，戲碼列倒數第五，即開鑼之第三，根本距離大軸甚遠，但渠處之泰然。不料初次合作為遊龍戲鳳，竟折服了梅氏。

平綏路局副局長何瑞璋，為其母稱壽，舉辦堂會，局中同人羣集公議，大家不愛看梅氏的古裝戲，有點發膩，主張唱老式戲，有人提出演戲鳳，蘭芳已有十餘年不唱，看在戲份六百，可以允許。托交通系大員商之叔岩，送五百，也得到答允，於是衆目睽睽在金魚胡同那家花園上演。兩人心中，各有會意，均不示弱。在後台絕未對詞，祇說在台上見。迨登場，叔岩的姿式極其灑脫，予人良好的印象。蘭芳的嬌羞，倍覺楚楚憐疼，眞是各有千秋。打諢說笑，恰合分寸，生角不涉於蕩，旦角不過于嬈，互相戲耍之中，仍是大方態度，把一個不離君王風姿，一個情竇初開的村姑，成為活如其眞。座客在欣賞之餘，無不驚奇，盛贊那位戲提調安排此戲，比其他的高明多多。蘭芳於卸裝後，覺得舒服愜意，漸生欽佩之緒，對余氏評價，份量加重。自此以後，堂會中連接演戲鳳，約有廿餘次，叔岩之名大顯，任何堂會必有，成為梅氏所需要。

再唱珠簾 竟列大軸

自從戲鳳馳名後，內行尊余，情緒轉高，電燈公司史總理家堂會，叔岩首演珠簾寨，戲碼在梅氏之後，列在大軸，夜半一時上場，眞是噸數。配角之整齊，幾疑是老譚登台，配陳德霖的大皇娘，王瑤卿的二皇娘，錢金福飾周德威，王長林配老軍，李順亭的程敬思，來賓僉稱。是晚嗓音特亮，精神充沛，自出場迄收束，始終不懈，無論那段，均唱得韻味醇和，當然以數太保，及三大賢兩段，更為跌宕出色。收威的姿勢，在射箭時，兩眼閃閃，一若不勝，活畫老態。而雄心不小，志在智取，將晉王心理，曲曲傳出，的是不凡。幾次揮刀的式樣，看來輕鬆不沓，此是眞功夫。王拴子的老軍，與克用的調侃，妙在冷雋有味。瑤卿究屬名家，欲擒故縱，念白的乾脆，俏勁的夠味，均大增聲色，後來外間所見，無此嶄力的配搭，故終未有過之者。

馮宅堂會 技藝超羣

民九，中國銀行總裁馮幼偉，為太夫人壽，其兄弟皆在陸海軍方面，官至少將，亦有在國外充任領事負責外交者，可稱是一門皆笏。馮氏為蘭芳的老斗（即監護人，但有肉體之親），所以這場戲，蘭芳唱五齣，計鬧學的春香，跪池的柳氏，滿牀笏的公主，長坂坡的糜夫人，虮蜡廟的黃天霸，為一生所無，而風光旖旎，又兼英氣勃勃，且任後台戲提調，佐以李釋戡齊如山黃秋岳，一呼百諾，祇要玩藝好，化錢不在乎，如何不好？

（廿六）

廬肩續夢

第十一回

舊債新仇　索逋遭白眼

內憂外患　平債伏蒼頭

毛澤東說道：「這個消息大概不假，羅共第一書記喬治烏德治同我都是老一輩的共產黨員，自不肯接受赫魯曉夫的領導，最後必然會同肥猪破裂，目前已經有機可乘，陳毅同去同羅馬尼亞大使多談談。」

陳毅笑道：「主席剛說過要還蘇聯的債，馬上又拉攏羅馬尼亞反蘇，會不會又同赫魯曉夫衝突。」

毛澤東說道：「沒有問題，這叫做既團結又鬥爭，我過去就是這樣鬥垮國民黨，現在又用來鬥肥猪，相信我最後一定會把他鬥垮。」

第二天，李先念、李富春、李强果然陪着庫米金同阿希波夫去看毛澤東。庫米金同毛澤東見過面，阿希波夫到是第一次，只見毛澤東坐在一個大型鋼寫字枱後面，枱上一套新式文具，枱燈，疏疏落落幾本書，一疊報紙，幾個人走進去時，毛澤東正在看報，當時也站起身和大家握握手，伸手讓坐。

大家坐下之後，毛澤東說道：「你們辛苦了，說來是抱歉的很，我們這幾年因為工業停頓，農業失收，所以欠老大哥的債就誤下，可是，决非有心賴債，兩位同志回去告訴赫老可以放心。」

庫米金說道：「我們這兩年因為農業失收，糧食供應特別緊張，因此，只有希望中國原來答應供給的食物，日用品能以如期運到，使物資供應緩和下來，蘇聯全國人民都會感激主席的。」

毛澤東笑道：「我們兩國之間的賬目也實在太複雜，其中有貸欵，有軍火欠欵，有利息，究竟欠多少，相信誰也說不上來，我的意思最好兩國推派代表組織一個委員會，先把賬目結算清楚，然後中國决定分幾年清還，舊賬未清之前，决不再借新債。你們把這個話回去先告訴赫老，他要同意，我們就派出代表，清理賬目，會議在莫斯科開或在北京開，都沒有關係，完全看你們的意見。只有這樣，才是根本解決的辦法，像這樣你們來催一次，我們就還一部份，實在沒有意思。」

庫米金連連點頭道：「主席說的明白極了，我回去就向赫魯曉夫同志報告，等候他的指示。」

毛澤東說道：「這個辦法，赫老一定會同意的。我看你們兩位還是趕快回去，不必在這裏守候。你們回去之後，當面向赫老報告清楚，然後來封電報，我們這邊馬上就派人去，在莫斯科把賬目作一總結，這樣你們的任務就完成了。」

庫米金同阿希波夫連聲應是，站起身來就想走。毛澤東擺手說道：「你們兩位坐下，我還有話未說完。我[illegible]手清理，限期償還，新債絕對不欠。你們回去同赫老說，我們國防必需的汽油同軍火，一定要繼續供應，横豎該多少馬上照付，現欵或者是粮食，悉聽尊便，我說的話絕對負責任。」

庫米金同阿希波夫一齊點頭，兩人第二天就飛回莫斯科，見到赫魯曉夫把經過情形報告一遍。

（二七七）

長沙大火案紀實

瀟湘散人

蔣委員長即令飭張治中先將長沙警備司令槍決示儆，張氏却還故意主張組織軍法會審，將各個有關人員詳細審訊明白，依法處置，蔣公納其議，派任「湘（湘潭）株（株州）」警備司令」俞濟時爲審判長，尅日會審具報。張治中所撰的「長沙大火三日記」，是本案的重要資料，他在日記中，先說自己始終未曾離開長沙，住在南門外何宅等情，這係事實，蔣公認爲可信。繼即說他於大火發生之夕，曾到市街巡視，已不見有一名警察站崗，亦找不到局長了——這就是文中孚處死的罪證。又說保安團長徐崑事前亦未來謁見請示過——徐崑即因此送命的。再就說祇有保安處長徐權於大火發作後，即來叩見，且共起居——這是徇私罔上的證言，但徐權的腦袋藉此保全了！

軍法會審結果，奉核定酆悌、文中孚、徐崑三人處死刑，於十一月終某深夜在長沙城外執行。豐氏夫人是長沙孫慕百的妹妹，未育有兒女，而以慕百的一個女兒爲嗣，時年方十二歲。次晨隨家人前往刑場收屍，時値嚴霜天氣，冱寒忒甚，該女覩義父僵臥血泊中，痛不欲生，一躍而投入刑場側邊的深池內，將以身殉，適省府保安處人員與張治中的副官崔某在場，他們知道崔氏善游泳，乃促其趕快入水搭救她上岸。現在這位義烈女子已成人出嫁，且住在香港，生活情形亦很好，殆其節孝之報也。

酆悌是個好漢

實施焦土撤退計劃的總指揮，雖係長沙警備司令，但省主席兼全省保安司令張治中是發號施令者，而實際負責執行的，則爲警備部參謀長許權。許氏於大火禍事發作後，潛逃無蹤，嗣由軍統局長沙站負責人李某，在湘南郴縣將許權緝獲了。張治中得訊，欣然語左右曰：「許權緝獲歸案，力予（豐悌別號）的事情就好辦得多了！」他們旋向豐悌道賀，並將張氏這番話告訴他，豐氏却謂：「這與許權何干？事情如果做對了，他不會得到獎賞的，如其錯了，責任亦不在他，我應該負担用人不愼之罪過，不關他人的事。」既而軍法會審組織就緒，一干人犯必須拘囚候訊，一日，豐悌手持皮包，腰繫手槍，進入省府保安處，張治中教秘書告知豐氏說：「主席請你到他公館去一趟，有事面商。」他隨即應命而往，張在樓上窗口中看見他進門來了，急下樓在客廳相見，對豐說道：「我們一道赴俞司令那兒去談談，你身上的手槍可以解下。」豐即將手槍取交張氏的副官。（三）

守窮篇

漁翁

王子安序滕王閣，有曰：「君子安貧，達人知命」。所謂安貧者，即守窮之代名詞也。人之窮也，而貴乎能守；不憂慮，不諂諛，不貪婪，不爲任何物欲所囿，而改變其固有衷腸。能安貧樂道，可謂君子矣。

歷史上最善守窮者，首推孔門四配中之顏回。回魯人，字子淵，他「居陋巷，一簞食，一瓢飲，人也不勝其憂，而回也不改其樂。」在居無以爲屋，飢無以爲食，寒無以爲衣之貧困下，顏回窮且益堅，悠然樂在其中，此孔子所謂君子固窮也。

東晉陶潛，字元亮，又字淵明，潯陽人。性高尚簡貴。爲彭澤令，郡遣督郵至縣，吏白應束帶見之，潛歎曰：「吾不能爲五斗折腰」，因棄官去。家甚貧，不但常無米炊，且窮到無鞋可穿，客來不便見，從家丁取鞋着之。雖然如此，陶全不在意，猶「采菊東籬下，悠然見南山」，貧而無諂，何等超脫！

詩聖杜甫，字子美，襄陽人，少貧，後爲工部員外郎，生活猶未見改善。尤其丁天寶之亂，過流浪生活日久，甚至沿途乞食，讀其所詠「朝扣富兒門，暮隨肥馬塵」，辛苦之狀，躍然紙上。可是窮而有大志，詩尤工，元稹所謂：「上薄風雅，下該沈宋，言奪蘇李，氣吞曹劉……，詩人以來，未有如子美者。」甫雖一生坎坷，而志未稍窮，在草堂所寫「老妻畫紙爲棋局，稚子敲針作釣鉤」，猶陶然自得也。

北宋呂蒙正，字聖功，河南人。家貧，一日，竟不能舉火，乃質青衫於典肆，並賦詩云：「不敢妄爲些仔事，只因曾讀數行書」。時蒙正已入邑庠而爲秀才，如不守窮，未必不能自給，而彼薄此不爲也。

南宋陸游，字務觀，自號放翁，山陰人。一生廉介。休官歸田後，仍過着「半饑半飽過殘冬」之寒酸生涯，自然不免有「家人竊惱乃翁饑」，「明朝雪惡凍復餓」，「饑腸雷動尋常事」，「今朝得米無薪炊」……等。如果陸不爲國家前途着想，與世俗浮沉，則生活上決不悲慘如此！

上述不過舉其犖犖大者，顏回雖窮，無憂無慮，陶然自得；陶潛雖窮，不諂不諛，視富貴如浮雲；杜甫，呂蒙正，陸游輩雖窮，而一介不取，廉節可風。凡此，皆爲善於守窮者。今日吾人飄泊海隅，有幾個人不窮？生活不安定是不成問題的。然而，祇要吾人能努力，療肌亦非做不到的。同時吾人倘以顏回，杜甫等人的事爲法，不怕窮，幷能守窮，以此立身行己，亦復何憂何懼之有也。

談攝護腺腫大病（續）

至於黃種人患此病者，雖尚無統計數字披露，但是，也恐不少。就在我入院前後，在我所住的三人一房之中，先後住院而已先我治愈出院的，就有三人之多。可見黃種人一樣的染此惡疾，也日見其多了。

也許白人，和貴族化的黃種人，諸如袁、徐、曹、（曹汝霖，見其所著「我的一生」）孫（孫連仲），都是生平營養豐富，食肉者鄙，所以易患此病。但我却是嚼慣菜根的人，不幸，也和貴人富人同命了。可能這是不能確定的理由！

又：婦女子宮內，也有同樣的病，一位年輕的小姐，醫生爲她割除了五枚鷄子大小的「胡桃」，這是我在開刀前，一位護理告訴我的。她恐我驚慌過度，故用事實說明，攝護腺病，老少男女都一律要開刀，而不必憂懼者也。

我的社會生活回憶

民國二十年春間，我的小叔叔雷嗣尚（他是馮玉祥的幕僚，曾在北平參加汪精衛主持的擴大會議之役。）從上海租界上寄給我一封長信，分析國內的局勢，認爲今後再無人能與蔣先生爭天下了。他盼望我跟陳立夫一般人作進一步的結合，以求發展云云。的確，當時我與上海社會局長吳醒亞兄來往很密切，醒亞常到南京，下榻「中央飯店」，必約我去談天，每至深宵不散，而陳立夫亦隨時來訪吳，有時我要避嫌走開，他倆即笑謂：「我們談的事情，你都可以聽聞的，不必客氣。」可惜我生性好爲人謀，而拙於謀己，對於作官之道尤其笨拙，鑽門路，走小圈子這套本領，完全缺之。憑我與吳醒亞兄的交誼，若要參加陳氏兄弟的所謂CC派系組織中，那是輕而易舉，水到渠成之事，即我後半生的政治生涯亦就不致陷於落寞的境况吧？然而我始終是個門神式的國民黨員，被視爲異端份子。迨是年秋初，汪精衛又由「反蔣」的立場，變爲「擁蔣」了，他欣段入京，官拜行政院長，再兼內政部長。我素來討厭他那種反覆無常的政治節操，民國十七年他在上海宣稱擁護蔣總司令復職時，我在安徽省府教育廳長任內，曾與本黨同志張秋白，湯志先等，致電蔣先生痛斥汪氏，電文是我起草的，內有：「去年我公下野，以汪力主東征，今日歸國復職，又由汪來擁護，一征一擁，於意云何？」等語。所以，這次汪氏到內政部就職發表演說時，我事先就請假未到部，不願跟他見面。既而他派遣政務次長彭學沛，常次羅貢華來部視事，我和彭氏在日本東京學生時代就認識，而且同在留日學生總會共過事，他邀約部內各單位負責人晤談，我欣然應命。詎知他見着我若不相識然，擺起長官架子，裝模作樣，像煞有介事，反而那位眞是素昧生平的常務次長羅貢華，却對我相當客氣。我覺得彭某是個器小易盈的鄙夫，也就裝着陌生的面孔對待他，以後再也不和他談話了。

彭學沛在內政部時，年紀與我相若，不過三十多歲，女朋友當然有的。一夕，他化名跟一位女友關室於「安樂酒店」，度其安樂生活，夜半憲警來查旅館住客，指說他帶的是私娼，犯違警罪，要把他和女友押到警局去訊究。他惶急了，只好自報眞姓名和官職，警察疑信參半，打電話報告分局長，局長不敢作主，再請示警察廳長（記得是姚味莘兄）嗣經廳長親至安樂酒店驗明正身，果然是彭次長無訛，這纔教憲警們莫再嚕囌，一哄而散，但消息次日即傳遍九城了。再過些時日，又有一個姓蕭的女人，說是彭學沛的原配太太，從江西來京尋找新貴的丈夫，而彭氏拒不相認，她一氣之下，即在南京報紙上刊出訴寃的談話，指斥彭學沛昧良不認糟糠之妻，轟動一時。以一個主管內政的大員，而有這些帷薄不修，簠簋不飭的情事，喧騰於世，國家如果稍有紀綱，豈能漠視嗎？然而，革命政府却不理會這些，說是私生活，與公務無關。革命革命，天下許多罪惡，皆假汝之名義以行！

民國廿一年初春，號稱爲廣西三傑之一的黃紹竑，忽然脫出「桂系」集團，輸誠中樞，被歡迎到南京來了。如此一個風雲人物，當然要給以相當的官位，內政部長即是現成的禮物，汪精衛不用再兼就得了。當黃部長尚未就職之前，某夕我在南京龔家橋陳調元公館初次遇着他，適唐生智亦在座，稍事寒暄後，唐氏提倡打麻將，要我參加，我說黃公是我的長官，未便放肆，唐氏即以其粗獷性格答曰：「做官就是演戲，在前台講地位階級，到了後台大家都是一樣的，管那套幹嗎？」我笑笑，黃部長說道：「我未到任，還不算是部長，來，玩八圈罷。」我覺得此人幷無官僚習氣，對他頗有好感，往後他到內政部視事，我常向他請教關於廣西的地方自治實況，他亦很扼要的告訴我。（廿二）

花香月上樓小品

捕獺者言

黃葉村人

民初，余僑居廈門，與逆旅主人羅文祈善。文祈，福州人也。好交遊，其父樂善好施與，而家並不豐，故人以大爺稱之而不名。先是，文祈祖老無嗣，嘗求子於錢爐灰埕（街名）「大爺二爺」廟極虔。「大爺二爺」者，即世俗所稱：「閻羅王殿」之皂隸也。已而，妻有孕；及期，誕一子，貌頗類廟中「大爺」。既長，長身而馬面，人遂以大爺呼之。大爺生平無他長，生二子，文祈其仲子也。

一日，余訪文祈於其所營之逆旅，見一人箇子短小，容貌憔悴，手執獺皮數張，向文祈求假百金，謂將治病。文祈有難色，余憐之！即以百金予羅，曰：「獺皮存爾處，錢我借他可也。」其人聞語，拱手欲謝，幷叩姓名里居。余曰「毋須」！遂千恩萬謝而去。

其人既別，羅告余曰：「此君名李本立，湖北黃岡人，以捕獺爲業，旅店之熟客也。得錢非賭即嫖，所云：治病，僞也！」余曰：「彼得錢，我得獺，即僞何傷？」居無何，李忽詣余家，長揖曰：「曩蒙慨假鉅金，病賴以痊，今特來拜謝大德耳」。言訖，袖百金呈案上，另又以一襲授余曰：「此白獺，視貂尤名貴。江湖流浪之人，留之無所用，售之太可惜，因百年難一遇也。願以贈先生！」余峻拒不受！李有慍色，曰：「先生不受，豈以僕爲不足交耶？君亦知人間世有捕獺者李本立其人乎？暇當煮酒痛飲，一吐平生爲快耳」。余聆言，亟改容笑而謝之，受其獺，乃欣然珍重而別。（未完）

米蘭——西歐散記之一

項退結

據說他就在這座教堂內替聖奧古斯丁授洗，又在這座教堂門口禁止羅馬皇帝狄奧多西入內，因爲那位皇帝曾經在希臘殺死許多無辜的老百姓；狄奧多西竟也乖乖地向主教認罪。這座教堂的形式簡樸、古拙，可以說是古代教堂建築中的一個傑作。聖盎博大堂附近有一所在學術上頗有地位的私立聖心大學。除去聖心大學以外，米蘭還有其他三座國立大學。

米蘭還有許多博物館與圖書館，最重要的是柏雷拉（Brera）藝術博物館；這是研究藝術的人非去不可的場所。由天主教辦理的聖盎博圖書館與博物館也享有很大的名氣。此外，米蘭的紀念墓地，也是很値得一看的地方，裏面的雕刻曾經兜攬了無數遊客。

除去著名的教堂、博物館、圖書館以外，在米蘭市中心區不遠，有一個很大的方形的堡壘，堡壘四週都有深溝，大門前設有吊橋，堡壘上面還有一些舊式的砲和直徑數寸的石彈。（四）

步入台北市有感

藤花館主

心傷故國人頭賤，淚濕蓬山草木低；
兒女傷懷天地外，瓦存玉碎豈能齊。

又

遲暮低徊入國門，初陽照眼到黃昏；
堆胸尚有沸騰血，不化青萍化淚痕。

又

晚來禍福無須卜，少日豪情今尚思；
物換星移情未改，風雲孕育霸才知。

又

無心論世亦難言，一飯能甘死報恩；
却恨時無嚴仲子，徒將白髮染黃昏。

自由報
THE FREE NEWS
第四一四期
20, CAUSEWAY RD 3RD FL. HONG KONG
TEL. 771726 電報掛號：7191

台灣省公職人員選舉罷免監察會組織之檢討（中）

·張笙·

（三）選舉罷免監委會的地位應該超然：現行選舉罷免監委會，在組織上是隸屬於省政府的。政府含有政黨色彩，故宜辦理選務，却不宜監察選務。否則監委會爲政府所控制，間接的也就爲政黨所掌握，這又有什麼民主法治可言呢？地方自治爲整個國家民主政治的基礎；地方不能確實推行民主自治，則中央的民主政治也流於形式了。國父主張實施民主憲政的步驟由地方而中央，又說「地方自治爲建國之礎石，」其理亦卽在此。故要使地方自治能眞正的有效推行，對於監察地方選舉的組織，在實質上必須超出於含有政黨色彩的省府之外，然後才能確保公平競爭的實現。因此筆者以爲監委會由省府直接全權組成，監委會主任委員及委員由省府就「有關機關團體」，及「地方公正人士」中聘任之，均不妥當。

在筆者看來，監委會應由監察院、司法院、各黨派荐兼，及無黨派之大學法政教授組成，然後由省府間接任命之。換言之，監院荐兼之監委，司法院荐兼之法官，各黨派推荐的代表，分向監院、司院及其黨派負責，不向省府負責。省府對監委會無命令督導權，亦無審查其處分內容權，這樣才是公平合理。

現任選舉罷免監委會之主任委員及委員，雖包羅了中央立監委員，及各黨人士，然此等立監委員及各黨人士，非由立監院及各黨派推荐，而由省府個別聘任。故在理論上亦不對立監院及各黨負責。監委會的立監委員及各黨人士，不向立監院及各黨報告，也不接受立監院及各黨之訓令，而直接對省府負責。此不僅有失超然的立場，且失各黨派共同監察之實質意義。

同時立法委員專司中央立法，與監察選舉罷免不生關連，況憲法第七十五條已規定立法委員不得兼任官吏，故立法委員不應參與此一工作，甚爲顯然。其他監委及各黨人士改由監院及各黨推荐，較爲妥當。

西歐各民主國家，主辦選舉之事務人員，均爲無黨派之公務員；而監察人員，則由超然的法官及黨派推荐之代表組成。今本省選舉監察員雖由候選人推荐，但罷免之監察員則由監察小組組成。監察員受監察小組指揮監督，而監察小組又由監委會組成，受監委會指揮監督；監委會由含有政黨色彩的省府聘組，豈不失去實在之意義？故衡諸國情及世界潮流，以愚淺見監委會宜重新修訂組織。

甲、組成人員方面：

（1）各黨派推荐；

（2）監察委員（因監委有糾彈中央及地方公務員之違法失職權，其人選可由監院荐兼）；

（3）司法檢察官（因檢察官有實施偵查提出公訴，協助自訴，擔當自訴及指揮刑事裁判之執行權，其人選在檢察未改隸司法院之今日，暫由檢察署荐兼）；

（4）無黨派之大學法政教授。

乙、主任委員：由委員互選產生。

丙、形式上由省府聘任，實質上由監察院、司法院，及各黨派共同組成，不對省府負責，超然於省府之外。

第二、監委會內部組織之檢討：依據選舉罷免監委會組織規程第四條規定：「本會置秘書一人，荐派，承主任委員之命，處理日常事務。設監察、總務兩組，分置組長一人，幹事二人至五人，雇員一人，分別辦理各項事務。」同條第二項規定：「前項秘書由主任委員遴選合格人員，報請省府核派；雇員由主任委員僱用，報請省政府備查；其餘人員由主任委員洽商有關機關調派人員兼任之。」可知該會主任委員，對內部事務人員有全權之任免，而超然於省府人事機關之外，破壞國家考銓制度甚大。現舉兩例引證於後：

（一）該會組織規程第四條規定該會秘書爲荐派，而現任秘書却爲委任。此與同條第二項「遴選合格」顯然抵觸。查公務人員任用法第四條規定：「公務人員之任用資格，以左列各款爲限。一，考試及格者。二，依法銓叙合格者。三，依法升等任用者。……」否則須經銓叙機關叙定最高俸級後滿三年以上，總考列一等以上，並經升等考試及格）專科以上學畢業校得免升等考試）者方可荐用（第十一條）；各機關任用人員違反本法規定者，銓叙機關應通知該機關改正，情節重大者，並得呈報考試院核轉監察院依法處理。該會秘書據筆者所悉，並無公務人員任用法第四條之資格，且不合第十一條之條件，又非專科以上學校畢業，而該會主委竟報請省府核派，其人事之亂可見一斑。總統於行政院長嚴家淦就職典禮中指示要建立文官制度，做到「不濫用人員」的地步。今監委會違法濫用人員，省府銓部及監察院實有查糾之必要。

（二）該會組織規程第四條規定：該會監察總務兩組組長及幹事，由主任委員洽商「有關機關」調派兼任。所謂「有關機關」，自指本省所屬之「政府機關」而言。而且依筆者研究，必須限於與選舉罷免有關之機關或監察機關。

冤家路窄

自甘墮落

自由談

說把持

馬五先生

人們長期間主管[illegible]項事業，每容易被別人指斥爲把持，而以涉及權利性的業務爲尤甚，如政治職位是也。

凡是被指爲把持職權的人，總覺得自己抱有莫大的理想和志事，然別人認爲你是貪戀權位，知進而不知退，阻塞賢路，敗壞國事，有若長期蹲在毛廁上而未見大小便，不足爲訓。此中的是非曲直，就在把持者能否以績業來證明自己幷非志在戀棧？有了事實行動作證，即可以間執他人之口，使反對的人亦無話可說，乃至於心悅誠服，由衷地表示贊許。

滿清中葉太平天國之亂初期，胡林翼主張對於戰爭地區的一切用人行政事宜，皆請清廷授權統兵的主帥便宜行事，曾國藩認爲逐近把持，人言可畏。胡問曾氏：吾人是否要完成戡亂討賊的時代使命？答案如係肯定的，那就非把持不可！結果曾氏採納胡的建議，實行包辦主義，終奏中興之功，而後世歷史家亦不以爲曾胡等人是把持權位啊！

久負政治職責者，祇要奮發有爲，表現成績，自不怕別人說話，事實勝於雄辯，攻訐於我何有哉！如其尸位素餐，低能腐敗，而又門戶森嚴，唯恐別人參預其役，且搞出所謂「人事凍結」的戲法來，藉以遂行把持操縱的私慾，這就是夸父死權、貪夫殉財的愚昧作風，長久佔着毛廁而不出恭，怎能怪事急的人說閒話呢？有曾胡之志則可，無曾胡之志則害也。我希望一般自命爲當今天下舍我其誰的政治人物，要拿出一點良心血性來，反省自己究竟是在替國家人民服務呢？抑是抱着苟且因循的鬼混主義？如屬前者，則不愧爲時代英雄，允符衆望；如屬後者，即係政治垃圾，應予掃除。

韓文公有言：「中朝大官老於事，詎知感激徒媕婀」。當國運艱危之秋，政治上所需要的，是踔厲奮發、勇於任事的志士仁人，彼麻木不仁的老官僚，決不宜讓他們長期把持權位，貽禍國家。因此，今之所謂人事凍結令也者，實爲一代惡法，除之便！

今日與明日

法國承認毛共以後

法國與毛共建交，終於在二十七日發表了，這本來是既定事實，不過，若非美國出頭逼了一下，也許還會再拖幾天。法毛建交似乎有一個漏洞，何以要在三個月後交換「大使」？按照過去的例子，一個國家政府承認毛共之後，一定要把我們的大使或代辦邀到外交部，當面告知，我方外交人員自然下旗回國。只有這次例外，法國外交部既未通知我方代辦，也未要求我方外交人員離去，可以看出法國目前辦法是仍然維持中法邦交，把毛共當成一個「新國家」承認，這個「新國家」並不包括中[illegible]能行使治權的台灣金馬地區，這個辦法說穿了就是「兩個中國」！毛共假若眞的有「國格」、有民族自尊心，這種條件是無法接受的。但是毛共畢竟接受了，却埋下一條伏線，就是三個月以後換大使。

我們不妨等三個月

毛共所以提出這樣一個怪條件，大概以爲中國政府站在漢賊不兩立的原則下，必然命令外交人員下旗回國，如此，毛共自然可以從從容容派出一位「大使」到巴黎去馬上任。我們明白了[illegible]點，不妨等三個月再說，除非法國政府請我們離境，我們決不自動下旗返國，看三個月後法毛之間怎麼辦？毛共如若觀顏派出一名僞大使去巴黎，就證明毛共甘心接受兩個中國，其無恥必大白於天下，到時我們再撤退也不遲。

目前僞外交部已發表聲明，要求法國和中國政府斷絕外交關係，如若法國竟然接受了毛共的條件，也可以告訴其他國家兩個中國之路絕對走不通，對於一些騎牆國家，也可以作當頭棒喝。

痛定思痛

此次法國承認毛共，對我們的外交自是一個嚴重打擊，倘能因此痛下決心，檢討自己的外交政策，整頓不法瀆職的外交人員，未始不是轉禍爲福的一個契機。

首先政府當局應該下決心破除情面，對於最近外交一連串失敗，從頭追究。譬如駐日大使館一羣人員，自張厲生以下，這些年在日本作過什麼事，應該派人去日本作一詳細調查，聽聽僑胞的意見。對於此次法國承認毛共，沈昌煥究竟有無瀆職之處，也應加以公開檢查，以平海內外的民憤。還有一些專門在外國耗外滙，睡大覺的使節，如希臘的溫源寧，葡萄牙的王化成，應該請他們休息了。至於最近在南美任意開快車傷人，損害邦交的劉增華更應調回國查辦。如此，則外交耳目一新，未始不能打開目前的僵局。

監察委員與人權問題

——本報台北記者——

黃寶實委員又說：據高檢處首席檢察官夏惟上「告訴我，就是所有犯罪嫌疑人，應於二十四小時內，連同案卷一併送請該檢察官核辦……恐怕刑警方面人員，警察方面人員，還有爭議，不見得能夠順利通過。我說：……在民國四十六年，也是監察院糾正行政院劃分軍法、司法管轄以後，軍法機關還說，案件雖歸法院管轄，但我們有權偵查。監察院繼續糾正：在法院管轄的案子，軍法機關無權偵查。行政院接受監察院的意見，於四十六年十月廿六日令所屬機關，應由法院審判的案件，應認爲包括偵查、訊問，逮捕等權在內，軍法機關今後不能使行此項職權。最後有一條附件，就是我們說的，不得先行拘禁爲調查之方法。今天找出這個理論爲說服他們的根據，不能夠先行拘禁，再行調查。假定對於這件事情能夠做到，對於人權保障稍有進步；如果人權保障有進步，這個國家就是好國家。」

黃寶實說：「政府對老百姓有不便之處，老百姓向政府訴願，政府會說事關政府威信，不能朝令夕改，爲何行政院四十六年的命令，竟被司法警察機關忘掉了！與老百姓有利的，就不准，說是破壞了政府威信；可是政府有命令而不實行，這威信何在呢？」

七，免於恐懼的自由

基本人權是人人應該享有的權利，是人人生存的必要條件，也可以說是人之所以異於禽獸者的基本差別。這種權利之所以應予保障和尊重，因爲這該是與生俱來的天賦權利，在法律制定以前就已經存在的權利。基本人權是什麼？其內容如何？這可以從聯合國在一九四八年十二月十日所通過的「世界人權宣言」中獲得答案。由於共產極權所造成的廣大災難，使人類的這一代以至下一代，在人權方面仍受到嚴重的威脅。

今天，共產極權之所以成爲全人類的公敵，主要的便是其從根本上否定了人權的原則。共匪政權之所以也成爲人類的生死大敵，就是因其不承認人權。

所謂權利，即人人都享有一切權利的自由，人人都有生存、自由、身體安全的權利。禁止拷問及非人道的措施，法律之前人格的承認，法律之前人人平等。基本權利受侵害時有向法庭求助的權利。不受任意逮捕、拘禁、審問的權利。要求獨立公正的法院作公平的公開審理的權利。換言之，人人應免於一切恐懼的自由，他才是一個堂堂正正的「人」。

因此，法庭是保障人權的最後一道防綫，如果這道防綫不能保障人權，則勢必天下大亂了。民主政治是自由人的政治，是保障人權的政治，所以經得起考驗。

行政當局從內心深處眞正建立起現代民主國家的法治觀念，是必要的。今天談切實保障人權，不必另訂什麼法律，而只需要一切的政府機關和人員，都能「依照法律」程序行使權力便已夠了！

（八。完）

政壇人士如此盛傳
黃國書有些不安於位
還說他已表示了倦勤之意

（本報記者台北航訊）此間政壇人士盛傳：立法院院長黃國書已向有關方面表示倦勤之意。

此一傳說，據云並不是空穴來風。原因則傳爲立法委員中有許多人不滿意該院秘書處，同時對黃國書在處理若干院務之未盡妥善，亦感不滿，加上一些人事上的恩恩怨怨，累積起來，此所以才有周雍能委員等三十多人提案檢討院內事務之舉（詳本報第四〇九期台北通訊）。接着，一位東北籍的立法委員，公開指控黃國書帮助另一委員誹謗他，涉嫌妨害他的名譽；該東北籍委員在「致黃國書院長一封公開信」中，要黃國書將下列三項案件，在院會中宣佈。否則，依法究辦。

該委員所提三項案件，爲：「一、立法院建議塌舞弊案。二、立法院庭園中種柏樹一株，報銷一千元等全案，及遺失錄音帶等，據尹靜夫秘書長曾聲明調查公布，迄未公布眞相如何？三、黃院長國書先生兼理合會董事長任內，據報載：監察院與省政府公布證實，黃院長臨行時，詐取新台幣四十萬元一案，請說明經過。」

此外，該東北籍委員並揭發立法院財政委員會某召集委員，以請願案爲敲詐方法，向中信局易貨處所（行使）詐欺等行爲；以及某立委與殷台公司、石油公司新竹某醫院等關係，而產生之報復行爲等。

而立法院財政委員會在審查修正統一稽征條例第十六條案時，竟發生立法委員之間因發言問題，崔唯吾委員與劉兆勳委員，由一言不合，而「拍案指罵」，繼則劉委員拳擊崔委員，於是茶杯與眼鏡齊飛，坐椅當武器。這些立法院的「醜事」，不僅外傳，而且列入國會紀錄。

過去，在張道藩做立法院長任內，根本就沒有發生過這些醜聞，許多問題，都在一笑中化干戈爲玉帛，委員與委員之間，沒有發生這些「武打」的悲喜劇。因此，有些人對張氏還念念不忘呢！

而就在這個時候，總統突然召見立法院副院長倪文亞，更加使立法院易長之說，甚囂塵上，爲外界所重視。據說，主要原因爲黃國書在合會董事長任內，留下污點，成爲話柄，而帶給他今日難以收拾的後果。

該有成就的主計工作檢討會

——本報台灣中部記者熊徵宇——

自從本省光復台省建制以來，主計處舉行全省性的工作檢討會，這回還是首次。從元月廿三日起，爲期三天的會議，集聚了全省各級單位的主計負責人與各縣市的主計工作人員，從事於工作上的相互了解與共同性的全面檢討。

會議態度嚴謹

在這三天的會議過程中，我們發現，在事務性的各種安排與政策性的各項提案，都呈現一種謹嚴與肯要的現象，一切都有條不紊，似乎較之一般掛掛圖表談談議題，吃吃喝喝然後「各自回衙」的會議有不同之處。

總務組長周錫祺與議事組長陶家偉曾經和我們聊說：處長劉紹志副處長稽昌先與主秘胡克杭，在會議之先，曾一再反覆的，在把握議題中心與簡約議案的原則上作過多次的否決。籌備的認眞，就其成就來看，是沒有言過其實的。

中心議題實際

黃達雲主席對這次會議所揭櫫的，乃在如何澈底做好五十四年度全面推行的績效預算，在公務的計算成本上，使每一塊錢都發揮最高的效用。

主計處長劉紹志則要求建立一個健全的主計人員的人事制度，以合理的晉升標準，制訂嚴格的職務升調順序。把優秀人員的存配制度與任期制度做好。

而省級與縣級實施績效預算的廿三個單位，對於推行績效預算，也提出了三點建議。認爲擬具工作計劃，必需要依據工作本身的計劃而定，凡是具有績效價值的，應該單獨設立，否則予以適當的合併以資簡化。

書表的格式，應在不違背績效預算的目的下，由各機關參照自身的業務狀況，視乎實際需要，酌量予以節省。而同時，希望建立有效的核檢制度，以達到與績效預算相輔相成的目的。

基於這些觀念，形成了：一、加强推行績效預算制度。二、切實推行會計制度與財務管理。三、配合省政建設加强推行統計工作。四、主計人員革新方案。這四大中心議題的結論。

素質應該調整

由於這議題的本身把握住了主計工作的基本重點，所以討論的結果也產了令人滿意的結論，那都是些具有建議與建設性的，不空洞的方案。執行機關如主計處，若果採善而行地澈底去做，對於主計工作的前途是有貢獻的，是應該有成就的。

但是大家覺得，革新方案中應該强調的，該着重於主計人員的素質。大部份的素質固然很好，有一部份則確實太差；這些人，都是寅緣附會的由助理員而做到主計主管，既不是憑職務上的考核而晉升，也不是有什麼特殊的績效，全靠依門傍戶受提拔，所以意識觀念都很卑下，操守之惡劣與作風的腐化，早爲社會詬病，使他所服務的單位主管頭痛。

這種人不少，消極地在革新的原則下，是不可能有滿意的結果的，只有一種積極的整肅，才能提高所要求的水準。在革新制度的原則上，似乎不止於就存在的狀況加以革新，而該有一種「去腐生新」的做法。

切實「安營佈寨」

如何在這個原則上促進革新的人事制度？如何在一種很公平而不夾帶着藉革新與輪調的題目「安營佈寨」，形成一種「人事換防」的澈底整飭是必要的。

劉紹志處長氣質敦雅，持事公元，他到任以來，各科室都沒有動，只是把第一科長胡光杭調爲主秘，而應該換的總務科，堅辭三次他不准，在省級廳處來說，也是一種很難得的現象。而他所提出的健全人事制度，與所要求的職務升調順序，也都是很有理想的做法，已經初步的贏得了主計界的擁護。

若果他本着現在所持的態度，澈底執行這次會議的結論，那末在省政府乃至所屬單位的財力支配上，在經費的稽核上，在會計的控制原則與預算的管理上，必能取得優越的績效。

主計制度在我國已有卅多年的歷史，提供建立一個理想的主計業務的規模，對國家是有貢獻的，尤其是在這　家多難的時候。

香港與大陸

一年辛苦全無好處
粤省農民捱番薯
生油每月仍二兩

香港一間大排檔的何老闊，潮安籍人，最近接到其留居鄉間的親人來信說：在去年秋收以後，中共曾號召人民搶種秋作物和越冬番薯，以預防今年的糧荒，來信者所屬之公社，就曾付出了三千二百多個勞動日，搶種了一千三百多畝的番薯。

共幹當時要人民搶種番薯時，曾向農民保證，這些搶種的收成，都將用來增加人民的糧額。及後番薯收成了，共幹確把番薯配給農民，但同時卻把大米的配額抽了回去，使農民不得不「挨番薯」。共幹甚至把「吃番薯」作爲每個人的「政治任務」，提出了荒乎其唐的「番薯掛帥」的口號。

共幹的辦法是三斤番薯折合一斤大米（有些公社是二斤半折合一斤大米的），並規定每人都得配給一半大米一半番薯。例如，主要勞動力原配額每月爲廿二斤大米，現在卻一律減爲十一斤米，另配三十三斤的番薯。農民對此，氣惱萬分。因爲番薯本來只是副食品，現在卻變了主粮了，如何不氣惱呢？不要說好吃與否，就數量的抵折也不夠合理；因爲一斤米怎祇抵得三斤番薯呢？

另據一位林先生所接到的其留居五華縣的親人來信說：家鄉去年的收成雖不算壞，但人們的粮食配額仍然沒有增加，就拿生油來說，現在每人每月仍然是配額二兩而已。去年五華縣的花生於收成時，共幹監視極嚴，實行「邊挖邊晒邊揀邊運走」，不准農民收藏一點，花生都被「公社賣給政府」去了，農民一年辛苦，可說毫無所得。（敬斯）

基隆旅居記

仲公

據民國廿九年普查結果，此五町每公頃的平均人口密度，都在五〇〇人以上，其中福德町竟達一、一一七人，成爲當年基隆全市人口密度最高之一町，

基隆在上次大戰末期，日本快要投降之際，因迭受盟機轟炸，損失慘重，據光復初期不完全的統計，說僅有六六，一七一人。光復後，人口增加甚迅速，尤其在港口附近一帶，在卅六年至四十年間，有不少地區人口都突然增加到一倍或兩倍。到了民國四十年，基隆市的總人口爲一五一，七九六人，四十一年爲一六三，〇一一人，四十三年就增至一七四，二五四人。以後逐年都有增加，截至本（五二）年九月底止統計，現已有二五五，八九六人了。

基隆居民的職業，以工商業人口所佔比率爲最高，如以四十年的統計爲例，全市商業人口所佔的比率爲百分之二四點六；工業人口爲百分之二十；交通運輸人口佔百分之一八點三。此三者已佔全市人口百分之六十以上。此外水產與農業人口佔百分之一〇點四，公務員佔百分之九點九、礦業人口佔百分之九點三，自由職業人口佔百分之三點二，人事服務佔百分之二點一。

目下台灣人口的職業別統計，漁業和農業不分，基隆市官方統計中的所謂農業人口，幾全爲漁業人口所佔，實際在基隆所轄七個區中，祇七堵暖暖兩區有少數農民而已。

（十九）

雨天

小風

天正下着雨。

她在雨中走着。頭髮上是雨珠，衣服上是雨珠。雨珠亮晶晶的，就像星星眨眼睛。

地上的小草，嫩得就像嬰兒的臉龐。綠葉被水浸濕，却瀟洒得有如仙人。

她祇是往前走，往前走。她頭低着。她在想着他。

她認識他是在雨中。

她愛他也是在雨中。

他到外島去了。常有信來。他是個軍人。他說：

「我不會忘記妳給我的愛。在這一生中，我祇有愛妳，就和我愛軍營一樣。」

他確實愛軍營。他把軍營當做家，當做學校。他住在台灣時，過年過節也不離開軍營。他對她說：

「我要靠這些伙伴們，和我一起打回去。」

她淸楚記得分別時他對她說的話：

「共匪的仇恨，永遠刻在我的心版上。」

「我在大學唸書時，共匪就把我父親鬥爭死，把母親掃地出門。」

「母親後來也被共匪害死了。」

「我哭着。我發誓不與共匪共戴一天。」

「在我收拾父親的屍首後，共匪也找我。叫我給他們做事。我怎麼會幹？共匪用刀子抵住我，我還是不幹。」

「共匪把我關起來。關在茅草屋裏。」

「好心的老太婆放走了我。我叫老太婆也走。但她不走，她說她老了，怕甚麼？」

「我於是走了。我到山上打游擊。」

「老太婆眞的被共匪逼死了。這更使我痛哭。老太婆是因放我而死的，這血債非報不可。」

「我不是只為這幾個人報仇；要為全國同胞報仇，殺盡共匪，使大家過好日子。」

她也就因為他這樣，她才愛上。她說：「他為人眞好。有恨就有愛。」

他離開她遠遠地，遠遠地，就是常常寫信給她。

她現在是趕到郵局去，他寄來的信在郵局。郵票沒有貼得夠，被罰一元二角錢。

他的信對她就是粮食，她趕着去取。天下雨，媽媽不要她去，說：

「雨停了去也不遲。」

「不！」她說：「就是下再大的雨，我也去。」

媽媽搖着頭：「你這孩子。」

媽媽到屋子裏拿雨衣。轉過身，她就跑了出去。

看到信，就像看到他一樣。他的信寫的很長很長。

「我要使你，」他在信中說：「在整個晚上都看我的信。」

她歡喜他這樣。她覺得，他了解她。

她寂寞時，她就拿出他的信。

她把他的信唸了無數遍。早上起來，讀他的信。晚上也讀他的信。

「他什麼時候從外島回來？」她想：「祇要和他在一起，我就有永恒的快樂。」

雨還是在落。

她望望天空。天空都是雲。不過，她知道：雨天不會太長久的。雨天過去，就是晴天了！

劇壇傑妙錄

婆婆生

從白天二時開鑼，至天亮四時止，非特平市伶工網羅殆盡，即寓平的賈璧雲唱打花鼓，韓世昌唱思凡，侯益隆唱惠明下書，劉鴻聲唱上天台。劇目之精彩，前所未有。用大紅宣紙，由詩人羅癭公，工楷仿靑玉版十三行，字體之整齊，宛如前淸殿試卷帖，題名曰「玉晨注籙」，古雅已極，舊京一盛事也。地點在金魚胡同那家花園，臨時搭棚，容坐一千餘人，從未有之。

大軸八蜡廟，上場已在夜半三時，配搭驚人，祇記得楊小樓飾費得功，叔岩的褚彪，蘭芳的黃天霸，鳳卿的施公，慶奎的院公，硯秋的小姐，俞華庭的賀人傑，九陣風的張桂蘭，僅蘭芳是反串，餘均是本工。叔岩雖僅短短幾場，可說聲容並茂。好在進莊時之搶背，乾淨俐落，手腳如飛，姿式的佳，後來即未再見，座客驚贊。天將曙曉，均未離去，眞是集余楊梅俞四大家之大成，亦知此戲之硬力有如千觔。而小樓更露一手，對人傑說道：「師弟你怎麼打起師哥來了」！全場鼓掌。因小樓是毛包的高徒，而人傑為小包幼子，活潑生動。武工亦硬，煞是有趣，生平所見好劇，此亦其一也。

三里河畔　高登逞威

叔岩對武工，甚是到家，故其才技，可稱文武全材。所演之戲甚多，但從未串演武淨。蘭芳祖母八十壽，在三里河織雲公所稱觴慶壽，當時文人投送壽屏立軸極多，尤以樊樊山增祥自撰頌詞，以及自寫，頗稱佳妙。其他名畫家所繪名畫，殆不下六十餘幅，眞為他家所無。當時約計詩文字畫，不下三百，並非如普通人家，盡是幛額可比。巧玲之婦，眞可云是享盡後福，有此賢孫也。

是日，戲碼不多，僅有八九齣，但非常別緻而留人追憶。除蘭芳演三齣麻姑獻壽、艷陽樓、是打麵缸、以艷陽樓因有叔岩的高登，為是晚特別的好戲。因余梅兩家，三代交誼，情非泛泛，特為反串此戲；武工當然不賴。妙在捧袖舉足，處處摹仿俞毛包（菊笙），即小樓未必勝之。老友王片石時年六十四，為筆者忘年交，他是見過毛包的戲，連稱極有神似！可知非假，確屬不易。尤以舉起仙人擔，盤旋如風助，互相拋投，一些不亂，台型好看。再講配角，有蘭芳的花逢春，玉芙的呼延豹，硯秋的秦仁，三旦對一淨，亦是佳話。三人開打，種種武把，居然純熟，有很好之對仗，歎觀止矣。（廿七）

藝術叢語

抽象藝術漫談

趙雅博

藝術的社會面

如果我們仔細留心觀賞美的創作的程序，我們一定可以理會藝術家的工作，並不只是模仿自然，而也在剪裁自然，改造自然，發揮自然，開創自然，將自然中所蘊藏的實在性的一部份，與以提出，將有的出現的部份與其可註解的部份——這些東西都是深藏在事物的深處——紬繹出來，供給精神世界。為了將自然物這種深藏部份公佈於人世，藝術家必定要先深入於存藏於自然物內的精神性；在自然物中，與他的物質構成相聯貫着的，除了外現的以外，還有精神堅強的接連物，宇宙觀念的堅强的結合，由於相似這個精神堅强的接連物與宇宙觀念的結合，才有了千千萬萬的事物，也是從這裏才出現了宇宙萬事萬物的神奇秩序，使我們人類對自然界的事物，愈觀察愈留心，愈感到精美神奇，愈研究愈發掘，愈感到含蘊無窮。大自然實在是一個無盡無休，無停無止的圖畫面，大自然實在是一張愈看愈美愈美愈看的藝術品。

在這種意義下，藝術家的作品，用精神的語言來說，可以說它是事物自然語言的翻譯，在同時這一翻譯又為在事物中的「有」的出現所制約，「有」的出現乃是一種共同根基，構成自然與藝術的可瞭解性。讀者知道，天地間的萬事萬物，無論是自然物，是人為物，那是「有」，都是「是」。物莫非有，物莫非是。事物是「有」，藝術品也是有。人的理智對象，人的知識標的，絕不會是無，而乃是「有」。無是消極的，是無有，不可見，不可知，不能捉摸。自然無法理解，理智或感覺無從「有」物來接觸，來瞭解，無法瞭解「沒有」，無有並不是對象，也沒有實在性。為此無論藝術的可瞭解性，也是自然物的可瞭解性，都是站在「有」的出現上，這是絲毫不能懷疑的，並且也是不可懷疑的。

自然物的「有」是客觀的，在翻譯出於藝術品中，自然物的「有」乃是客觀要素。這個客觀因素是出於自然形式，而保留於藝術品中。藝術家的手段高低，就在乎對這自然形式的有發掘並表現的程度的高或低。這種發掘或表現，如果是恰到好處，在藝術上便可以算作超凡入聖，由逸品而化品而神品了。在這種表現與發掘之中，自然也有着使人對事物的或對藝術品的可瞭解性——如果藝術品而成為不能瞭解，不可瞭解，或無意義，則失之為藝術品了。當然這種可瞭解性也該是藝術家對自然形式的一種瞭解，他將這種瞭解翻譯到藝術品上，藝術品自然就成了人類精神的一種告白（寫到這裏，在新聞紙上讀到米蘭有猴子畫展的消息，如果屬實，猴子的畫品不足以構成精神的告白，因為猴子只有模仿性，並沒有理解能力，就是說沒有脫離物質而獨立的精神作用，牠的作畫只是感覺的，接近機械的，並沒有心思與靈魂在內。如果說它們有意義，那也只是人們自己「他人有心，」「予忖度之」的自我瞭解，而並不是猴子意旨。猴子也不會有意旨），這種精神的告白，並不定是為現在，也很多次是為未來，人類是可以並也顧及未來的，並且可以不受許多限定。（未完）

第十一回

舊債新仇　索逋遭白眼

內憂外患　平債仗斧頭

赫魯曉夫笑道：「尾巴還是强不過頭，他不還債，我斷絕軍火汽油供給，就要了他的命了。」

米高揚說道：「毛澤東既然低頭，我們也應該讓一步，現在不說別的，有關汽油及軍火，暫時還要供給。實在逼得急了，他會被國民黨打倒的。」

赫魯曉夫說道：「暫時可以供給，不過毛澤東既然答應還債，依你看要他幾年還淸呢？」

米高揚笑道：「中國欠我們的貸款，截到一九五七年為止共為二十三億八千二百五十萬盧布，這筆錢自一九五六年已經開始償還，不過，現在究竟償還了多少，其中還夾着利息，到也很難算得淸楚。我想仔細核算一下，限他到一九七〇年還淸算了。」

赫魯曉夫聽說到一九七〇年，登時眼睜得似銅鈴一樣，瞪着米高揚說道：「一九七〇年，還有十年哪！你知不知道。」

米高揚笑道：「你覺得十年太長是吧？不過，十年眞能討得淸，都還算是萬幸哩！」

赫魯曉夫搖頭道：「我到不在乎時間長短，我是怕毛澤東撐不了十年，到時國民黨不會認這筆賬的。」

米高揚摸着小鬍子笑道：「放心吧！等到毛澤東垮台時，我們先出兵把滿洲同新疆佔住，國民黨軍隊就算是神兵，這兩個地方也不會趕到我們前邊去。到時把兩地機器拆下來，也就差不多了。再進一步可以向國民黨政府提條件，他不還賬，咱們就不退兵。」

赫魯曉夫拍下肥頭說道：「話雖然是這樣說，這筆錢還是早討上來為妙，一旦國民黨反攻時，誰也不知道局勢怎麼變，我們是否還有插手的機會，都難料的很。我看毛澤東若能早還一天，我們就算是多走一分運，你還是儘量催他快還。」

米高揚回去找到柯西金，兩人磋商一下，決定限中共於一九六八年底將所有新舊賬目全部淸償。並即時通知庫米金同阿希波夫，兩人拿了電報去找李先念同李富春。二李一看限期如此短促，也都頗為担心，恐怕到時還不淸，只好拿了去見周恩來。

周恩來說道：「這種大問題我也決定不了，只有捧給毛主席，看他怎麼說。」

李富春縐眉說道：「毛主席的脾氣總理是知道的，他一高興就信口亂說，也許會講明年還淸都不一定，到時向什麼地方打主意。」

周恩來說道：「有意見可以向他提，不讓他知道誰敢負這個責任。」

李富春無話可說，三人一道去見毛澤東，把情形說了一遍，毛澤東一拍大腿，說道：「富春同志，你告訴庫米金同阿希波夫，就說中國決在一九六五年以前還淸，要他回去告訴肥猪，安心睡大覺好了。」

李富春遲疑道：「答應了不是鬧着玩的，到時還不出怎麼說。」

毛澤東一拍桌子：「不用你管，我自有辦法，還不上我就送去莫斯科給肥猪釣海參。」

（二七八）

又將公事皮包亦一併交給副官道：「這皮包亦用不着了，裏面裝着一些現鈔是公欵，另外還有些重要文件，請你好好保存，將來或許有用的。」這樣，張治中就把長沙大火案的第一被告親自解交軍法會審公辦了。

當軍法會審宣判諸人的死刑時，文中孚當堂大呼寃枉，徐崑聲言「我只是奉命行事的，有罪亦不應該歸我負呀！」二人齊聲要求轉請委員長開恩。豐悌却正色語二人曰：「事到如今，還說這些話幹嗎？」表示其視死如歸的鎭靜態度。後來據委員長侍從室主任賀耀組告訴筆者，當三人執行死刑之夕，他在長沙與二三朋友，曾設筵招宴豐悌，相約共勸他多飲酒，使其大醉，然後行刑。豐在宴席中自知不免，暢言大丈夫作事決不逃避責

長沙大火案紀實

瀟湘散人

任，雖死爲辭！慷慨激昂，不愧軍人本色。

綜觀豐氏自大火案發生以來，不諉過，不逃避，亦不作告哀乞憐的詞色，更沒有任何怨言，毅然不惑不懼，且不留一句遺囑，從容就死，眞是難得的好漢。張治中則以謊言欺上，袒護其罪在不赦的鄉人徐權，却不爲豐力予說句方便話，原因是要解脫自己的責任，他知道蔣公對豐氏感想已壞，乃樂得以豐力予作替罪羔羊，其心可誅，其行可鄙。

當時湘人用他的名字做了一副聯語云：

治術無方，五年計劃一把火；中心安忍，三顆人頭萬古寃。

橫額爲「張皇失措」。張氏在湖南標榜治湘「五年計劃」，故上聯加以指出，蓋紀實也。

（四．完）

蘭亭序故事

介人

王羲之寫蘭亭序時，他才三十二歲。當時中國受外族侵畧，王羲之也是在南方過着流浪生活。文物很容易散失。他對「蘭亭序」特別珍愛，不肯輕易給人看，並且囑咐子孫好好保存。

傳到了第七代孫，是個和尙，法名智永。智永也是大書法家，大家稱他的字爲「鐵門檻」。他把蘭亭序藏在佛殿的樑上。智永死時，傳給當家和尙辨才，那時隋朝結束唐朝開始，唐太宗李世民非常愛王羲之的書法，收集了一千件王羲之和他的兒子王獻之寫的字，但就是得不到蘭亭序。

丞相魏徵聽說蘭亭序藏在佛寺，就派御史蕭翼去接洽，想把它買來。蕭翼化了裝，携了幾件王羲之的眞跡，去訪辨才和尙，大談其書法，十分投契，因此時常往還，成了熟朋友，慢慢談到蘭亭序上去，蕭翼說：「可惜世間已經沒有這件寶貝了。」這句話，竟激動了這位八十多歲的老和尙，把藏在佛殿樑上的蘭亭序取下來讓蕭翼鑑賞。蕭翼見了眞跡，這才說明來意，辨才知道上當，只好獻給國家。

李世民得到蘭亭序，就請書法家湯普徹，湯承素，諸葛貞，趙模各臨摹許多本，贈給大臣和王室裏的人。大書法家褚遂良和歐陽詢也都有臨本，可是他兩人自成一派，不拘泥點畫，後世稱褚臨的叫「唐絹本」，歐臨的叫「定武本」，刻石在宮苑內，民間的拓本極少，當時每本拓本已值數萬錢，可見其名貴與難得。那本王羲之的手書蘭亭序，傳說李世民去世時殉了葬。

後世臨模的石刻，多至二百種，以歐陽洵臨的定武本最珍貴。歐陽洵的蘭亭序刻石，也曾經多少磨折，終於佚失。梁代這刻石被運往汴梁（開封），後來被契丹人刦去，遺棄在殺虎林，宋人尋得後存在定州，屬定武軍區，所以叫「定武本」蘭亭序。

宋仁宗慶曆間，刻石歸一位李學究收藏着，定州太守宋景文出資替李氏的兒子，繳足積欠的糧賦，李氏獻出刻石，藏在府庫。過了三十年，薛師正做定州太守，據說因爲求拓的人太多，薛氏另外仿刻了一塊刻石，於是定武蘭亭就有眞僞兩種刻石[illegible]，眞的藏在長安薛氏[illegible]宅，傳到他孫子竟把這珍貴的刻石用作醃肉的壓石。

宋徽宗大觀中，無意中被人發現，立刻轟動，朝廷派人來保存這國寶，薛氏的後人倉卒間連夜趕着拓印，每次用三重紙拓印，第一張紙濃，字跡細瘦，第二張紙墨較淡，第三紙更淡，字跡較肥。天明政府來人到時，他又把刻石的「湍帶流左右」五字鑿殘，所以薛拓的定武本有蟬翼本，肥瘦本，五字不損本的稱別。這定武刻石四塊，藏在汴梁宣和殿，以迄靖康之亂失落，不知所終。

羲之的祖先王融，本是瑯琊臨沂人，羲之是他的四世孫。羲之和羲之的子姪王凝之，王徽之，王獻之，都服務晉朝，隨東晉南渡，全家搬到江南會稽（今浙江紹興）。羲之，字逸少，是右將軍，會稽內史，所以後來人稱他王右軍。他「臨池學書，池水盡黑」，既有獨秉的天賦，又用功練字，所以能有不朽的成就。

王右軍的軼事很多。傳說有一天，右軍看見一位賣芭蕉扇的老太婆，訴說沒有生意之苦，右軍把老太婆的扇子都拿過來，在每把扇子上寫上字，叫她再到市上去賣，有人看見右軍的字，一轟搶光。老太婆以後天天挑了扇子求他寫字，右軍常常一見老太婆就躲在一塊石頭後面，所以這塊石名爲「躲婆石」，至今猶在。

右軍爲人性豪放天眞，當時宰相郗鑒派他的門生到王導家裏物色女婿，王導把兒子一個個叫進東廂見客。門生回去對郗鑒說：「王家的子弟都很好，但是聽到這件事，都裝模作樣，只有一個在東床上敞開肚皮吃東西，好像毫不在乎。」郗鑒說：「這個正是好女婿」，再派人去打聽，原來是羲之，就把女兒嫁給他。「東床快婿」的典故，便是出在這裏。

我的社會生活

當〔〕

這時羅貢華兄仍任次長，他去過武漢一次，回來對我說，蔣總司令在武漢組織豫鄂皖三省勦匪總部，要網羅一批政治人才相助爲理，問我願意去否？表示他可以作曹邱生。我一方面固然厭倦現有的閒曹生活，很想換換環境，同時又由於京官待遇好，工作清閒之故，多少養成了一些惰性，却不熱中於外放，談談亦就算了。等到是年夏六月，老友范熙績（紀陔）新任湖北省府保安處長，綜持全省各縣的自衛事宜，他知道我曾在湖南家鄉辦過團練，又在內政部呆了四五年的，對於地方自治法規總是熟悉的，即寫了一封長信來約我到武漢去走一趟，幫忙他擬訂各項有關地方團隊的法制規章。我據情請示黃部長，他亦同意，准予給假一個月。詎我從此離開首都，即永遠流落在外，不復徜徉京華了。

我在這五載「小京官」的歲月中，可用「過得舒服，閒得無憀」這兩句話，作爲日常生活的寫照。中間曾在國立中央大學法學院政治系作過一年多的講師（從十八年春，到十九年秋），起初担任「政黨學」和「地方自治」講座，差堪應付。繼而系主任劉師舜（琴五）兄要我兼授「三民主義研究」這項特別課程，這一講座原係爲戴季陶先生而特設的，戴先生主講了不多時，即舉周佛海以自代，旋佛海隨蔣總司令出發前綫，無暇兼顧，學校一時找不到接替之人，乃要我嘗試充數。我告怕不能勝任，事前曾致電佛海，請教他以講授的方法，他復電指示概要，說是根據近百年來中國所受國際列強的侵凌壓迫諸事實，以印證三民主義的妥當性。我就依照這項方針，登壇說教，講過三幾次後，會有學生當堂問我的思想是相信唯物論？抑相信唯心論的？這時候，陳立夫先生的「唯生論」尚未創立問世，我祇是說，三民主義既非純粹的唯物觀點，也不是一貫的唯心理論，兼容併包，精深博大。然學生們認爲不滿意，使我不無惶惑之感，曾跟朋友們談及此事，中有段錫朋（書詔）兄就不贊成我担任這講席，認爲這是吃力不討好的工作，而且容易惹起是非。適以我要到上海結婚，乃援納段的意見，馬上向學校告辭，連原有的兩門課程亦不教了。這是民國十九年九月間的事。

閒曹生活既然多暇，總得有所排遣，而以南京城內龔家橋陳公館爲經常行走之處。主人陳雪暄（調元）先生素有孟嘗君的風度，我原是他舊日的僚屬，出入更方便。當時在南京工作、或由外省來首都公幹的中級以上諸文武官員，幾乎沒有不是陳公館的座上客，吃喝玩樂，各從所好。主人自稱爲「組織部長」，客來即請作雀牌之戲，四客成局後，每人的身旁茶几上，已置有現鈔一小包，數目是一底賭本，盡係主人給客官預備的，輸了不負責，贏得的就入袋，如其漫不經心，將主人那副本錢亦順手牽羊帶着走，固無所謂——事實上是少有的——不會打牌的朋友如周佛海之流，則在客室中一榻橫陳，另由主人派汽車赴夫子廟平康里，將那些艷名鵲起的歌女名妹接來陪伴消遣，其樂只且。此外還有枱球、圍棋、胡琴等等。總之，任何人來到了陳公館，決不會有寂寞之感。某日午間，我在陳宅客廳跟主人聊天，忽見邵力子（這時他是革命軍總司令部秘書長）蒼黃進來，說昨夜遺失了一樣東西在此，陳雪公即拉着他到裏面小房間，嘻嘻哈哈談了幾句話，邵氏很高興地走了。我問雪公：「邵先生丟了甚末東西在這兒？」他笑謂：「昨夜邵先生在此間脫却長袍，躺在烟燈旁邊消遣時，裝在短褂口袋中的一張廿萬元支票掉出來了，他亦不知道。今早佣人掃房間，拾得這張支票交給我，我一看，原是昨天貴省主席何芸樵（鍵）託我轉致給邵先生的。所以他一進門，我就知道是爲此事而來，立即原璧歸趙了。」（廿三）

捕獺者言（續）

黃葉村人

逾歲，閱報見漳郡有捕獺人被控傷害而入獄者，疑爲李；亟買舟往探，果然！既詢悉李被繫原因，知爲行道者誤踐其捕獺網，幾死！乃託人與受傷者家人說項，賠償醫藥費了事。李既釋歸，告余曰：「先父嘗諭僕，吾家業捕獺三世矣！若不改業，宗祧必絕！因獺殖仁獸，有傷天地之仁也」！言已，欷歔不置。余慰之曰：「若苟有志，余將爲爾圖之！無憂生活不繼也」。李曰：「雖然，先生亦非富厚者，今以僕故，損失幾及千金，余必有以報先生，始罷手耳」。

居數日，李來別，謂將赴閩北捕獺，留之不可！曰：「適卜卦，大吉，利在東北。此行當有穫」。遂去，半載無信息。一夕，忽喘汗而至！以五百金還余，曰：「本欲捕獺，而竟得雌雄鹿，售之得六百金！今以五百金償先生。僕亦將從此洗手矣」。余笑曰：「前項早經付出，余豈放債者？且

花香月上讀小品

若聆我白獺，値千金，我不言謝也。請收回；否則，我亦以白獺還爾，可乎？」

李默然久之，徐徐曰：「若然，姑寄先生處，何如？」余曰：「此亦無妨！但時間不能延久。果爾，余必爲君設想用途耳」！李唯唯。是夜、余邀之至酒家樓小飲，李豪於酒，飲高粱二斤不醉。遣夥至逆旅取所自製獺肩以啖余，味香甜，較贛省出產之「南安臘鴨」尤佳。李曰：「僕捕獺，剝其皮，求善價而沽諸！臘其肉而曝之，一年三百六十日，不憂無肉食也！而生活亦不劣焉。然而偶一懷想，獺羣被網捕死掙扎時之情狀，則肉顫肺喉而不能下，何以爲恨！今而後，余將無機會再嘗此味矣。篋中所餘者，歸，即舉以贈先生耳」。

越日，余訪文析，復過李於文析之會計室。見其眉宇間似有憂色，問之，據云：「昨與君暢叙甚歡，歸即寐不意，恍惚中，見一戴竹笠之長人，持牌來，謂僕壽盡，奉命來召，明將復至，故不無感戚耳」。余極力慰解之，曰：「幻由心生耳！君夜來飲酒多，心有感觸，發而爲夢耳」！李仍怏怏！正談話間，文析父忽至，李見之大驚！倉皇奔趨而出。余隨之出，問曰：「君何爲者」？李喘喘曰：「僕夢中所見，即此人也！安得不憂？」余力闢其妄，李始默然而歸。文析怪而問余，余適作何語？余不以實告，但曰：「此君似有神經病者」。時文析父在座，聞而微喟曰：「此公面有晦紋，壽恐不久」。余心異而默之，不復話。（未完）

米蘭——西歐散記之一

項退結

由現代人的眼光看去，這些武器簡直有些像兒戲，但是無疑地過去曾發揮過很大的威力。其實在火藥發明以前，人們還不是用手用腳，甚至用牙齒相咬？原來武器並不是戰爭的原因，不講理的好勝心纔是戰爭的原因呢！堡壘的附近就是大公園。米蘭是意大利的工商業中心，因此住在裏面並不好受，市中心一帶比較寬敞的地方就是堡壘和公園，因此四年的居留期中，不知道曾到過這裏多少次。

米蘭的居民以勤勞著名的，經濟情形也居整個意大利之冠。因此意大利南方的人都喜歡遷居到米蘭來。米蘭之對於意大利南方，是以「米倉」姿態出現的，那不勒斯以南的人在米蘭當警察公務員的特別多，米蘭本地的人大都不喜歡這樣的職務，他們大多喜歡直接從事生產與工商業。意大利每年所舉行的最大的國際工商業展覽會就在米蘭舉行。

大約是在第一次大戰前後，有一批來自浙江瑞安，青田一帶的華僑，開始在米蘭經商。他們開始時的商業十分簡單：每人拿着一些領帶，往四處叫賣，尤其是到鄉村去叫賣。（五）

自由報

內政部台報字第〇三壹號內銷證

THE FREE NEWS

第四一五期

台政新字第三二三號登記證
中華郵政台字第一二八二號執照
登記爲第一類新聞紙類
（本刊每星期三、六出版）
每份港幣壹角
台灣零售價新台幣弍元
社長：雷嘯岑
督印人：[illegible]
社址：香港銅鑼灣高士威道二十號四樓
20. CAUSEWAY RD 3RD FL. HONG KONG
TEL. 771726　電報掛號：7191
承印者：四民印刷廠
地址：香港灣仔高士打道二五一號
台灣分社
台北市西寧南路壹壹柒號二樓

論法、毛、結交問題

·孟廣樸·

法國與中共僞政權建交這回事，對我國固然是一大損害，對自由世界亦係一項激烈的擾亂行爲。戴高樂這種措施的由來，除却他個人要與美國分庭抗禮的爭霸野心而外，尚有潛在的國際背景，使他悍然冒此大不韙。所以，我國朝野人士儘管表示反對，自由世界各國儘多不贊許的批評呼籲，戴氏皆無動於衷。此事的後果如何，只有讓未來的事實答復，而其前因所在，我們却不能不加以瞭解，光是憤慨或憂惶，皆於事無濟也。

國際背景

自從中共竊據大陸後，西方國家即有「兩個中國」的陰謀詭計，暗中流傳着，英國倡首，美國點頭，法國同意，蘇俄不表示態度，乘機觀變。迨韓戰發生，美國派遣第七艦隊協防台灣海峽，不讓中華民國政府對大陸採取軍事行動，同時杜魯門總統聲稱「台灣地位尙待國際決定」，而英首相邱吉爾當年援任閣揆伊始，即有「我們不會讓住在台灣的人，受到共黨屠殺」的公開言論，這就是「兩個中國」陰謀的醞釀表現。等到韓戰結束，史大林暴斃後，赫魯歇夫倡言「和平共存」，跑到美國與艾森豪總統進行「大衛營會談」時，「兩個中國」的陰謀已取得赫魔諒許，而金門砲戰之役，蘇俄亦就採取袖手旁觀態度，種下了赫、毛反目的甚因。這時候，「兩個中國」的計劃，已由醞釀而進入嘗試階段了。所謂世界四强之間，對國際政治，英法是伙伴，美俄是主幹人，一切問題皆由美俄綜持處理，教英法靜觀後效。赫、毛反目鬥爭的情勢劇化，美俄妥協的勾當乃更積極，美國只望中共在「華沙談判」中，承諾不以武力進犯台灣，即可將「兩個中國」的既定方案，公開實行，第一步就是讓中共僞政權進入聯合國，構成「兩個中國」的法定形勢。但因中共始終不放棄以武力奪取台灣的政策，使美國荏苒歲月，猶有所待。

戴高樂戳破這種內情，知道中共對美國的要求，一時不容易妥協，認爲如此迂迴遷延，不是辦法，美國既害怕以戰爭手段解决國際糾紛，又不願對中共低頭忍讓，既不能强，亦不能弱，法國等得不耐煩了，要挺身出來執行「兩個中國」的既定方案，以免曠日持久，夜長夢多。美國對戴高樂這種作風，眞是「其情若有恨焉，其心實深喜之」，希望通過法國的關係，使中共稍爲改變反對「美帝」的政策，便告心滿意足了。所以，美國目前乃再三勸告中華民國政府，不必因法國與中共建交而與法國絕緣，也就是說，「你就同意兩個中國存在罷！」

個人野心

戴高樂在二次大戰期間，因爲法國在北非的海軍問題，與美國鬧別扭，很不愉快，當年羅斯福總統於開羅會議後的歸途中，曾電邀戴高樂到「卡薩布蘭卡」晤面，戴氏拒絕不去。戰後美國躍居世界盟主地位，由於外交上缺乏高度藝術之故，使戴高樂對美國採取遠距離立場，繼以北大西洋公約的軍事組織，美國總攬全權，而使身爲地主的法國軍人普遍發生反感，戴高樂更有甚焉。美英兩國聲言非擁有原子彈的國家，即不配稱爲强國，相互交換原子能情報，然對法國却見外，且不贊成法國發展原子武器，戴氏因此對美國的反感乃越深。他一面悉索敝賦，從事製造原子彈，一面拉攏歐陸國家，組織共同市場，加强經濟合作的機能，且峻拒英國參加，理由是英美關係太密切，英國若加入了六國共同市場，即等於美國的勢力亦滲透於其間了。同時又跟世仇的鄰邦西德修睦結盟，旨在對抗英美體系。這一切佈署的目的，就是要搞自由世界的第三勢力，不接受美國的領導。當兩個越南的惡作劇演出後，又有寮國與高棉之動亂，美國插足於其間，頤指氣使，而法國在這些舊有勢力範圍內，痛感向隅之苦。戴高樂素來倡言强國必須擁有殖民地之說，目前東南亞的大威脅，就是中共，它與美國勢不兩立，戴氏認爲這是法國「回到東南亞」的大好時機，藉承認中共僞政權以與美國在東南亞角力抗衡，殆有事半功倍的效用——共黨是否願意給法國打通這種如意算盤，自當別論，但爲分裂西方國家陣營計，暫時亦將投合戴高樂之所好，樂予某種限度的便利，以加深戴氏的政治野心，殆屬意料中事。法國不肯參預美俄核武器禁試條約的簽署行列，就是以自由世界第三勢力自居，有所不爲。

基於上述情況，即知戴氏與中共建交的用意，政治性大於經濟性，他要在冷戰持續的國際局勢中，奠定法國左右世局的地位，增加他個人在國際問題上的發言權，除非世界形勢突變，或者戴高樂垮台，他的政治野心必將繼續擴大無疑。

我國何以自處

我們如其接受美國的勸告，於法國承認毛共僞政權後，依然保持着中法邦交，那就是默許「兩個中國」存在，不須等到本年秋間聯合國大會時歡迎毛共參加，即將有若干自由國家相率與毛共打交道，殆爲勢所必至。第二步俄帝和英國將提出所謂「台灣地位」問題來嘵嘵譊咋，而我們自己的內政上，亦就有些事情要特別研究了。牽一髮而動全局，這對我國有百害而無一利，决無考慮之餘地。若因法毛建交，毅然斷絕中法外交關係，將來勢非退出聯合國不可，我們在國際間，一時勢必處於孤立的邊緣。

然則我們究將何以自處呢？治標方法，且看毛共是否能夠進入聯合國也就是看美國的最後决策如何？假使毛共闖進了聯合國——美國如果反對，殊不可能——我們即應退出，并與承認毛共政權的國家絕交，固其宜也。治本之策，必須自己有作法，至少亦要表現對國際間「成事不足，敗事有餘」的魄力，譬如美國若不堅决反對毛共參加聯合國，我們就宣佈中美安全互助條約已不必要，請第七艦隊離開台灣海峽，聽由我們與毛共拼個你死我活。與其坐以待亡，不如乾坤一擲；與其任人宰制，毋寧自己主宰命運。假如我們混不下去，也得使那些陰謀出賣我們的國際惡棍混不成！從今以後，海內外一切反共力量，皆應自動的切實團結，共赴國難，大家到了最後關頭，離此便是死地了！

附啓：「台灣省公職人員選舉罷免監察會組織之檢討」一文未完稿，留下期刊出，請注意。·編輯部·

吞毒的人

不受歡迎

今日與明日

越南政變

越南又發生政變，原任第二軍團司令阮慶少將，推翻了楊文明領導的政府，截至目前爲止，前政府中人只有楊文明被任爲軍事委員會的顧問，其餘如總理阮玉書，參謀長陳文敦、內政部長宗室訂均下落不明，逆料當不致遇害，但恐怕要受到麻煩。

變的動機

據阮慶在記者招待會宣佈，指舊政府人員未能施行革命時所擬訂的政綱，大部份人專權怙勢，營舞弊，其中且有部份人欲響應越南中立化的政策。違背了國家人民利益，因此加以推翻。

理論似是而非

舊政府當權人士如陳文敦、黎文金，都是法國聖西爾軍校畢業，與法國關係密切，自不待論，但是要說他們會贊同法國中立化政策，恐怕也無此可能。

因爲法國的中立化政策，實際是從施哈諾那裏學來的。既然中立越南，就應該一齊中立，怎麼單獨中立南越同寮、柬。北越仍作共黨國家，這種中立政策，無疑是有利於共帮，而身受其害的就是南越。在政變前一個禮拜，西貢學生曾在街上作示威遊行。到了法國承認毛共後，越南人的情緒達於頂點，恐怕法國進一步會承認胡志明政權。在此時機，越南政府曾經部份禁止法國貨物進口，並拒絕法國所派大使，情形已經決裂到了極點，那有勾結法國，進行中立化的事。

就這次政變經過來看，還是私人之間的意氣之爭，也許阮慶比較急進些，主張馬上同法國斷絕外交關係，而阮玉書、宗室訂等人則主張慎重，據外電傳出，當政變早晨，軍委會委員會舉行會議，經過激烈爭辯後，始發生政變，陳文敦等人當係在會議後被捕。

與法國以打擊

這次越南政變，對法國打擊比較嚴重，事實上也是戴高樂所激起，若非戴高樂承認毛共，主張越南中立，政變必不致發生。政變後新政府雖然尚未宣佈對法政策，但可以斷言，必較舊政府更爲疏遠，甚至可能導致法越斷絕邦交。

就一個國家來說，時刻發生政變，自非佳事。已經政變之後，就必須趕快把局勢安定下來。目前阮玉書已被罷黜，究由何人負起政府責任，大堪矚目。據阮慶表示要軍人入閣，則未來內閣是否和泰國一樣，成爲一個純軍人執政的政府，要看最近的演變了。

自由談

明察秋毫

近閱台北報紙刊出監察院公務人員懲戒委員會發佈的一批懲戒案，當事人都是些地方小吏，而其所受處分的行爲亦微末不足道，其中有彰化縣鹿港鎭公所「里幹事」某君，因連續不請假而未參加會議，該鎭公所另一「建設幹事」某君，因打麻將被警察抓到，各予以記過處分。

這情形若從好的方面說，臺諫御史們如此秦鏡高懸，明察秋毫，證明中華民國的政治已臻於太平盛世之隆的景象，猗歟盛哉，增輝史乘，垂訓千秋。可是，放眼瞻觀一般高級官吏瀆職溺職的情況，令人怵目驚心，而不禁有「豺狼當道，焉問狐狸」之感也！一個鎭公所的幹事被糾舉懲戒，當然令出唯行，無從逃避，而一些鐘鳴鼎食、峨冠博帶的達官貴人，因違法失職，乃至於貪污有據者，雖被臺諫彈劾，亦復逍遙法外，好官自爲，其他未被正式檢舉糾彈的，所在多有，以視上述那兩個地方自治小職員的失職情事，相去何殊霄壤之別呢？「竊鉤者誅，竊國者侯，侯之門，仁義存焉」，這是衰世之治，是綱紀敗壞的危亂現象。監察御史斤斤於小行末節，見蒼蠅擾人而大洒DDT，滅此朝食，却對虎豹豺狼之橫行噬人，莫可如何，吾爲此懼！

我們亦瞭解臺諫御史們的苦衷，打老虎既感覺力不從心，拍蒼蠅即在表示并未尸位素餐，藉以取得社會人士的諒解，其行可憫，其志可嘉，而其心情則殊堪悲痛。然一個鎭公所的幹事，因爲不請假而缺席會議，這與某些顯要人物，長年不出席於其職責所在的會議中，却照樣領取俸給薪津的行爲，相形之下，孰爲輕重？地方自治小職員搓搓麻將，便膺受懲戒處分，其他高官名宦，得暇即呼朋引類，從事各式各樣的樗蒲之戲者，又當如何？按照民國廿年司法院的解釋，只要不在公共場所，集合多衆，以聚賭爲目的而打麻將，即不構成賭博罪。鹿港鎭的警察干涉該鎭建設幹事打牌，在法律上即有問題，不悉懲戒委員會諸公，於决議處分之際，亦會注意及此否？

法律之前，人人平等，明察秋毫而不見輿薪的作風，是亦不可以已乎！

中華民國五十三年二月五日

自由報

大雪山林業公司總經理
兪友田涉嫌舞弊

（本報台北通信）在談這個案子以前，先談談這個公司的概况和目前的情形。

大雪山林區，在台灣中部，介於台中縣的大甲溪與大安溪之間。面積共有五萬七千七百六十六公頃；全部林地的面積有五萬四千四百四十六公頃，佔全區的面積百分之九十四點二。全是原始森林。針葉林最多，針闊葉混合林佔第二位，其他都是闊葉林。

地區的高級樹，是雪杉、冷杉、鐵杉、堅石、石楮、烏心石、紅檜。是台灣最大最好的林區。

當年的構想

省政府當年的構思，是希望把這個藏量最豐的林區的經營計劃，以多目標的角度啓發性的修正台灣落後的經營觀念與技術，用新的設備與新的技術開發森林資源，改善本省的林業經營，繁榮國民經濟，充實省庫收入。

所以在四十八年五月八日成立時，稱之爲「大雪山示範林區。」原則上，提出：除供應木材作爲民生日用及森林工業之原料外，闢宜牧之地爲牧場，在林區內劃出若干區域供一般人民遊樂。

而其基本精神在於建立「森林工業化」。使其成爲全省森林工業的製造中心。

當時構想而列入定案計劃內的方針，確實皇皇大觀。就森林方面的製作上延伸到化學工業，可以說，凡是木質可做各種大型工業都有藍圖。我們從當時所訂的計劃中的十五個廠，就可以看出這「示範區」的作業，確實是夠龐大。

這十五個廠是：針業樹鋸木工廠一所，木屑炭工廠一所，闊葉樹鋸木工廠一所，人造木材工廠一所，簡便鋸木工廠二所，動力工廠一所，木材防腐工廠一所，紙漿工廠一所，夾版工廠一所，針闊葉木乾燥工廠一所，刨板工廠二所，闊葉樹乾餾工廠一所。

仍然責材

大雪山林業公司的資本總額是一億六千萬台幣。省政府認繳了一億五千四百萬；各省屬金融機構認繳六百萬。另外，借美援器材與相對基金九四二，五四九，九一元。還有一筆數字不小的台灣銀行的流動資金。

像這樣一筆龐大的資金，與五萬四千四百四十六公頃的高級原始森林的伐材收入，應該是可以達到省政府當年所釐定的計劃與目標的，但是這個成立了將近五年的林業公司，不但沒有設立一個計劃中的工廠，而經營的方針，比台灣一般木材商人沒有兩樣，在山上伐木，出售原材。大原材，整批賣；枝莖殘材，包給商人賣。既沒有利用殘材，也沒有把木屑燒炭，更談不上製作紙漿與利用刨產上的各種化學作業。（一）

香港與大陸

爲了加强搾取百姓勞力
毛共又在吶喊「大躍進」
掀起所謂「比學趕幫」的運動
明知一窮二白於是屁話連篇

此間一位大專工科學生王×亦君，最近接到其留居廣州市的哥哥來信，指出中共在大陸最近又重新喊着五年前「大躍進」的口號——「鼓足幹勁，力爭上游」。在工廠和農村掀起「比、學、趕、幫」的運動，以加强搾取人民的勞動力。

來信說：這個「大躍進」的運動在五年前如火如荼地實行，而得個「大躍退」，帶來空前大饑荒的，現在中共又重提這個「大躍進」的口號，據稱是要藉此打開工業和農業停滯的死結。

來信說：這次的所謂「比，學，趕，幫」運動，其目的是如何提高勞動生產率，也就是如何進一步搾取人民的勞動力。來信的人所屬的那家罐頭食品廠曾爲此召開了全廠職工大會，由廠黨委提出兩項任務：大力提高生產技術水平，讓那些一直居於先進地位的產品精益求精，更上一層樓；積極地向外地學習，讓那些落後於外地的產品，迎頭趕上去。又强調：要完成這兩項任務，必須實行「比，學，趕，幫」的運動，即要「比先進，學先進，趕先進，幫落後」也。

來信說：中共搞這種運動其實是完全沒有任何物質條件作基礎的，因而要在「一窮二白」的情况實行。爲此中共特別發爲妙論說：能夠有先進生產企業，原因殊多，物質的因素當然是重要的，如先進的機械設備等；但是，最主要的「却還是人的精神面貌。」說是祇要人有「社會主義」的觀念，鼓足幹勁，力爭上游，那就再好的機械都可以製造；就算在機械設備較差的條件下，生產品的質量和成本方面，都能創造出新的成績。所以中共的此項運動，歸根結蒂，還是以搞思想爲主，即要人們提高「社會主義覺悟」爲主。

目前，各地的工廠都在實行關於「大躍進」的理論學習。包括：提高生產率的因素在那裏？「大躍進」所具備的條件是什麼？「比、學、趕、幫」的優點何在？等的專題學習和討論，無非要工人們把握一個結論：「在黨和毛主席的正確領導和人民思想覺悟普遍提高的條件下，大躍進是有可能的」之屁話。

來信者是一個技術工人，在這次運動中，更是忙得不可開交，精神上則痛苦至極。每天在別人已放工時，他還要留在車間，進行「提高技術水平」的「研究工作」。

來信說：這次的「大躍進」運動，規模畧可與一九五八年相比，而似乎壓力更要大些，人人都可以發覺到自己是在被監視中進行勞動因而精神上也特別的痛苦。（敬斯）

從省議員的意見談當前財經問題

——本報台中記者熊徵宇——

台灣省議會三屆二次大會，從去年十二月二日進行議事以來，對於財政問題的審查與質詢，在各個委員會中都表現得很認眞，對於許多存在的問題也討論得很澈底，似乎較之以往各次會議表現得好，角度也是多方面的，不同於議員個人的財團背境與自己所經營的事業。是一種可以稱之爲「進步」的現象。

利率。貸款。投資

財政小組去年十二月下旬所舉行的審查會議中所通過的幾個主要案件，都經過與政府主管單位的折衝與僵持的場面，可以說每一件案子都經過不輕鬆的爭執。

這幾個主要的案件是：

降低工商業貸款利率。

要求財政廳與台灣銀行，同意將六億餘萬元的工商業貸款的利息，自月息一分五厘六毫，降低至一分一厘七毫。

降低建教基金利率。自百分之六減低至百分之四，以利教育之發展。

要求土銀將剩餘之六億餘萬之資金，長期低利息貸放給農民漁民，扶助土地改良，發展遠洋漁業。

改進台銀營運方針，重新檢討轉投資政策；指出放款方面有優惠特權存在。

降低銀行存放款利息。

降低漁業保險費率。

這幾件經過綜合審議的案子，不一定能完全獲得政府的接受，但是我們可以從這些問題上了解公衆的需要。

我們再從財政質詢中，議員們所反映的意見上，可以更進一步的了解台灣省當前財政上的諸種問題。

頭寸放不出　工商少資金

在金融措施方面，財政組的召集人陳重光說：四年前，我們的財經當局，爲了鼓勵國民節約消費，增加生產加速經濟發展，採行高利政策鼓勵儲蓄，因爲存款利息優渥，又無投資的風險，民間的游資乃大量湧入銀行。

但是所吸收的游資，以高利儲蓄存款爲多，而放款方面又低於存款利率之公營企業貸款月息九厘；外銷貸款六，二五厘等。所以貸款愈多利息虧損就愈大。

而一般儲蓄存款之放款利率，爲月息一，三八分，工商業者又以利率過高而不向銀行借款。所以銀行的存款愈來愈多，而放款却愈來愈少。

銀行本身存有大量的爛頭寸放不出去，苦於利息的負担過重，而工商業者又不能因爲游資集中在行庫而得到所需的資金。

儲蓄不能形成資本

雖然儲蓄與投資並沒有必然的連帶關係，而儲蓄也並非必定爲投資。但是儲蓄的結果，若不能形成資本，則其儲蓄對於經濟的繁榮便毫無意義。

而同時，人民因爲節約而儲蓄，減少有效的購買需要，反而阻滯生產的發展。特別是民間儲蓄的游資不入生產事業，而流入證券市場興風作浪，或者用之於屯積居奇，其後果將不堪設想。

存款倒賠利息

目前，本省的金融，一方面有充分的游資，正在投資與否之間徘徊；而一方面，生產企業却急迫地等待資金的充實。在這種情形之下，政府必需要迅速的作明確而有效的金融措施，挽救這種不協調的局面，挽救面臨的經濟危機。

政府鼓勵國民儲蓄的計劃是成功了。但是如何溝通儲蓄與投資，將儲蓄形成資本？是目前財政措施上的重要課題。

許新枝議員也說：目前每一家銀行都有數億元的存款放不出去，倒賠利息，這種情形繼續下去，後果實在不堪設想。

地方財政枯竭

要求修改財政收支劃分法，藉以充實地方財政的問題，省議會與省政府間，已經討論了七、八年，可以說，每次會議都在質詢，都在提案，但是一直沒有結論。這次會議，老調重彈，這問題似乎不能再拖。

賴森林說：大家都在要求修改財政收支劃分法，以謀確立地方自治財政。就是財政當局，也認爲縣市財政到了山窮水盡的地步。

而提出修改收支劃分法的草案，已經省政府建議中央採納，但是中央始終沒有核定。希望省政府再度建議中央早日修訂公佈。

這位台北籍的省議員說：就台北縣的稅課收入而言，全年收入不過八千餘萬，而用人經費則高達九千餘萬，以全部地方稅收抵充，還要短絀一千餘萬，而其他的經濟建設事業根本就談不上。老是靠省府補助不是辦法。（一）

基隆旅居記

仲公

基隆的交通，對外當然隨貿易發展爲轉移。太平洋戰爭以前，基隆與東南亞各主要港口之間，都有定期航運聯絡，如民國二十八年，那是日據基隆最盛時期，進港船隻，共達三、五五五艘，一一，○七三，○○○噸，其中輪船二，五一二艘，一一，○四○，○○○噸，帆船二九五艘，二八，七八○噸；出港船隻共達三，六五二艘，一一，一二二，○○○噸，其中輪船二，六○三四艘，一一，○五五，○○○噸，帆船二九四艘，二八，七二○噸。同年進口乘客一五六，七八八人，出口乘客一四三，六七八人；進口貨物一，二五五，四一八噸，出口貨物二，二八二，六三六噸。到了民國卅八年，基隆的進口船隻，共爲二，一一八艘，三，九○七，九五五噸，其中輪船一，一六三艘，三，八四○，五八一噸，機帆船三七五艘，五六，一九五噸，帆船五八○艘，一一，二七九噸；出口船隻共爲二，○○○艘，三，八七一，九○三噸，其中輪船一，一三六艘，三，八○七，四○二噸，機帆船三六八艘，五四，六二八噸，帆船四九七艘，九，八七三噸。進口旅客爲五六，七四七人，出口旅客爲二二，四三二人。這十年間相差的比例，自然太遠了。

至基隆到大陸沿海各主要港口，距離多在五○○浬左右，例如至上海爲四百二○浬，至廣州爲五六五浬，至青島爲七一二浬。基隆與東南亞其他主要港口間之距離，計至神戶爲九三○海浬，橫濱一，一三七浬，馬尼拉七三○浬，海防九六一浬，西貢一，三二四浬，曼谷一，三○○浬，星加坡一，八二一浬，香港四七五浬。

陸上對內交通，向南有縱貫鐵路，可直達高雄，全長四○八公里，快車約需八小時；向東有宜蘭綫，經瑞芳、宜蘭、羅東以至蘇澳，全長九九公里，快車約需二小時半。二者都以基隆爲起點。據民國四十年的統計，基隆火車站，每天平均乘客爲一三，一六一人，貨運每日平均爲二，八五九噸，每日開出的火車，計達二九次。（二十）

大陸劇團整風運動

中共「戲劇協會」最近又要求每一個「分會」和劇團進行思想整風運動，强調戲劇要爲「無產階級」的政治服務，並且批判了「爲戲劇藝術而戲劇」、「投其所好」等的觀念，認爲戲劇要反映「現實生活」才有意義。

最近曾回廣州市探親的中學教師廣州××稱：這次他回廣州，主要想和一個闊別十多年任職於「戲劇協會廣東分會」的妹妹見面，但在他回廣州的一星期中，和妹妹相會的時間却僅有一個鐘頭，原因是她任職的那個「戲劇協會廣東分會」，正在思想整風運動，在職人員不得請假，甚至外出亦困難。

據說中共要求每一個劇團都要宣傳「人民公社」，歌頌社員在「抗旱鬥爭」中的「忘我勞動」，反映的智識份子「下放」到農村後的「卓越表現」。

路口

方南

一角小樓的前面有一個十字路口，在十字路口中間有一個交通崗位。我每次站在樓前向路上閒眺，多時會看到一位交通警察在指揮着來來往往的車輛。

交通警察在指揮車輛時的雄姿很值得欣賞。他們的手勢總是那麼熟落，制服總是那麼整潔而堂皇，看來很似一位指揮幾萬大軍的將軍。

我覺得每一個交通警察在「登台」時都有一種軒昂的神氣。但在「下台」以後，我却看不出他們和普通人有什麼不同的地方。我想：大概因為他們只是負責管車而不是管人吧！

不記得是那一年了，我在某一個地方和一位青年「鄉長」偶然訂交。他帶我巡視他的「轄區」，曾經很豪氣地舉手指了一指，說：「這地方是我管的。」這一句話和他說話時的神氣深深留存在我的腦子裏。直至現在，我仍如聞其聲，如見其人。當我看到樓下十字路口那些交通警察的雄姿時，我就常常想到那些以「管人」為榮的「英雄」們。

其實，一個交通警察和一個大將軍原沒有什麼分別。這個管過十萬大軍，那個也管過十萬車輛，學這一行便該管這一行，在這樣的位應該有這樣的權，離了崗位也就職責完了，一身輕鬆，還有什麼架子和雄風？我以為在各種「公僕」之中，交通警察最容易樹立「非以役人，乃役於人」的好榜樣。

有感於此，我便不只用心欣賞交通警察登台時的雄風，兼且特別欣賞他們下台時那種灑然自得的君子風度了。

夜深了，路上一片寂靜，「車如流水」的熱鬧景象消失了，交通警察的影子也不見了，紅綠燈仍在那裏執行任務。紅綠燈靜靜的統治着這個十字路口，經過這裏的駕車人總要聽從紅綠燈的指揮。我每在靜靜欣賞那盞紅綠燈時，也看出一種在城市裏最顯而易見的守法精神。

我覺得：叫那些學做阿飛的放浪青年人靜立在紅綠燈前面，仔細看看和想想，這是一宗好事。他們總可以領悟到：人類社會需要有禮教和法律之類，只等如十字路口需要安裝紅綠燈。人與人交往與相處，如沒有適當的調節和限制，便等於行車路上沒有交通規則，任由車輛互相胡亂碰撞，這怎可以？

放眼看去，人類社會有許多東西都是如此。牢獄、警察、法律，本來都不是人類喜歡的東西，但它們都因事實的需要而產生了。交通警察和紅綠燈却有它們值得驕傲的地方，因為駕車的人大都尊重它，只有少數人偶然會埋怨它。

對着街頭那盞紅綠燈，我曾經想到古代某些名士們說過的一句名言：「禮教豈為我輩而設？」不錯，禮教是無須為某一種特殊的人而設的。猶如交通規則無須為深山巨嶺上面的窮鄉僻壤而設一樣。老實說，我也是一個「無政府主義」的憧憬者，但我的幻想被一盞紅綠燈的閃光衝破了。

劇氛傑鄉錄

婆娑生

後孫公園初見瓊林

問樵鬧府，打棍出箱，是譚氏名作，據說是從盧台子那裏偷學得來，因為長庚、三勝並不唱此戲。後來故都許多伶工，也就是叔岩一人為獨擅，其餘的誰都不敢唱。馬連良王又宸尚可勉强，不過最精采的出箱時，一個鯉魚打艇，叔岩優為之，他們多是爬出來的。試問一個人睡在箱中，要想出來，把兩腿一挺，腰部沒有功夫，如何得成？就此一點，余氏所以使人望塵莫及。現在台灣的生行，功夫不深，更無從談起。

中國大學校長姚恨吾憾，為其母稱壽，在宣武門外後孫公園安徽會館舉行，前面均是富連成科班，祇有大軸，為余氏的全本瓊林宴，眞是精采絕活。前面問樵，配拴子（王長林）的樵夫，兩人一步一趨的身段，確為精采無匹，猶如磁力吸引，步步不鬆，宛如畫面，任何人所學不到的。後面開府，出場的「邁開了大路往前闖」一句方停，隨即輕鬆的一個吊毛，音停跌完，如何的合拍，緊接得好極！書房的甩髮，又以錢金福配的煞神，極有神氣，此煞神有獠牙吐出，更冠儕輩。出箱的打艇，好在似乎毫不費力，而極便當，其實旁人一個也不會！此瓊林宴的確是絕活，占時間在兩小時，配角極少，非精警不可。拴子故世，其子福山也能接替，所以義演中常排此戲為壓軸；大軸讓小樓唱武戲，是舊規例也。

戰太平片　傲視菊壇

叔岩初次灌片，為百代公司，首灌捉放曹「聽他言」一段，寶馬耍鐧一段，法場換子一段，戰樊城「兄長說話欠思論」及一封書信各一段。片出後，龐奉之世叔邀請先君往聽，余即隨侍，時在新正，祇聽三段，覺得唱得極乾脆簡練而韻味特醇，配李佩卿之琴，眞不可沒。在座諸長者異口同聲，多說余氏那裏來這樣好的嗓音，誠奇妙矣。

越三日，余赴城南粉坊琉璃街，賀方孝吾（地山子）兄納寵，又在其家聽得寶馬片，玲瓏剔透。孝吾的如君，更出高亭的戰太平空城計魚藏劍三片相餉，是更為清楚佳妙，其音調之朗潤，幾疑非余氏之唱。兩家唱片，先由南而北，在北平銷售四五千張，而回溯到漢粵，兩月之間，售數各達萬餘，大賺其錢。以兩千代價而獲五六倍利潤，與梅氏相較，未有遜色。於是銷售的成功，全國之中，凡是伶票以及唱劇者，皆無不知有余叔岩，且並奉為圭臬，就片研腔，播種了余派的因子，到民廿五後，幾有無腔不余，其傳播力量，有勝其他方式的宣傳。

綜其所灌各片，約有十七八張，後來國樂公司所灌，已不及高亭遠甚，惟其代價倍昂，沙橋餞別摘纓會，伐東吳打嚴嵩，則須一萬二千，較之小叫天在民四於琉璃廠土地祠為百代所灌六片，僅二千八百，相去何啻倍蓰。各片之中，據小余自稱，最愜意者為戰太平，即「頭戴着紫金盔齊眉蓋頂」的一段，據言胡琴為王宦，其欣忭者，不在腔調之愉快，而是嗓音的勝任。細聆此片，似覺得眞有神助，一抑一揚，其味無窮。以後的伶工，無人敢灌，誠是珠玉當前，弒砍何能再隨？風格遒上，堪為伶界模範，人多視為神聖，亦云奇矣。

（廿八）

藝術叢語

抽象藝術漫談

趙雅博

以上我們所說的這種精神的告白，可以稱之為普遍的言語，在發掘與表現的方面，又另有一種特殊意義，表現時代並表現藝術家個人的丰度，情調，「風格」，適用到藝術品上，也同樣有效。藝術品實實在在又是個人的語言。

藝術作品的兩種語言，一個是普遍的，共相的，這可稱之為藝術的客觀面。一個是特殊的，個人的，這則我們要稱之為藝術的立觀面。從這種觀點去看，藝術的歷史面是在表現或說明在本質上也屬於歷史的人的存在；實在，人的存在是屬於歷史性的，是有時間性的，而藝術品又只是人為的，只有人可稱之為本義的藝術家。人的存在屬於歷史，人的能力，人的活動，自然也都是屬於歷史的。人的動作又多是為表現自己，或者為表現他人，事物無人的欣賞，對人便無意義，有人的參加，自然對於人的存在有關，說藝術的主觀面是為表現或說明人的存在，也是很自然的事啊。

人之生也有涯，而知也無涯，時代是有限的，是繼續的，然而我們却不知它是何限何止，也不知道它能繼續到多末久遠。事物的含蘊呢，雖然不能說是本義的無限，但是我們却也沒有辦法指定它們界限。我們不但對它們願意有知，我們對他們且是每時每日加深認識。為此，每個時代我們都可以視之為對事物形上深度比較前代更深入的時代，也可以說是比較前代對事物中所蘊藏的可理解性更多的階段。這樣說來，這種深入或瞭解乃是漸進的，有等級的。就歷史觀點去看，前代的發現或表現，是可以作直接後代的基礎根基的。在事實上，各種的進步，也都在接衡着，並沒有所謂眞正跳級的。不過這却不是說沒有一個例外，尤其是在屬於精神上的發明，往往為當代人所不瞭解，可能在許多代以後，才能為人們所瞭解，所利用，作為進步的基石。我們知道，人類對於事物或藝術的瞭解，並不是人人有同感，時時有同然的，我所瞭解的你未必能瞭解，我所知道的你未必能知道，此時代所欣賞的，下一時代可能為人唾棄，這一代所主張的，下一代可能為人否認。只有當前的瞭解才能使言語成為普遍的，而這個瞭解必需要建築在表達的適當方法。如果有這樣適宜的方法，普遍的言語自然有力；如果缺之了這樣的要素，就缺之了這個可瞭解性。藝術家與其他理論家，同樣能不為當代人所不瞭解，所不重視，反之，這樣的表達，這樣的語言却是前代所最欣賞所最暢行的東西，或者在較後的時代，則深入了學者或人們的思想，而為人們所欣賞瞭解。（未完）

第十一回：

舊債新仇　衆逋遭白眼

內憂外患　平憤仗盲頭

李富春不敢再爭，只好回去告訴庫米金，庫米金同阿希波夫聽到喜出望外，連忙去電報向莫斯科報喜。赫魯曉夫也大出意料，當時告訴米高揚同柯西金道：「你們去封電報給庫米金，告訴他們，中國眞能在一九六五年以前還清，現在的利息我們就不要了，大家都漂亮些。」

莫斯科要債事件剛過去，毛澤東又打主意要對付赫魯曉夫，當時去封電報，召駐羅馬尼亞「大使」許建國回來。許建國原是中共公安部的人馬，最初担任天津市「公安局長」，一九五二年三反五反，商人、資本家被逼死盈千累萬，連同中共高中級幹部也被處死了一大批，就是許建國經手。

以後上海市的「副市長」潘漢年、「公安局長」楊帆因為犯了錯誤，竟被指為「美帝特務」，遭受清算，為了主持這一次大審判，毛澤東特地挑出了許建國到上海接替楊帆任公安局長並兼任副市長，主辦潘楊的特務案，在許建國主持下，潘漢年同楊帆都俯首認罪，以後如何處理，未有下文。不過，既被判定是「美帝特務」，恐怕一定凶多吉少，想去勞改亦不可得了。

許建國在上海得意不久，潘漢年遺缺調來了現任「重慶市長」的曹荻秋担任。曹荻秋在中共內，是出名的城市工作專家，中共最初攻下的城市，缺之有管理城市經驗的人，曹荻秋就是其中佼佼者，先後任過蚌埠「市長」、重慶「市長」，最後調到全國第一大都市的上海任「第一副市長」，負實際的行政責任。

以後曹荻秋到了上海，正是一山不能藏二虎，曹和許建國起了衝突。以後許建國在辦公處被人開煤氣，差點毒死，許建國就指是曹荻秋所為，兩人告到中共中央，當然許建國不是曹荻秋的對手，被擠出上海；中共中央一時又沒有適當位置給許建國作，恰巧駐羅馬尼亞的「大使」出了缺，就把許建國塞了去。

許建國雖然不懂外交，但由於他是公安部出身，搞特務工作却較別人內行，在羅馬尼亞住了幾年，人事也搞熟了，居然被他鑽出門路，探出羅馬尼亞與蘇聯發生歧見的事，報到北平。

毛澤東正在聯絡世界共黨組織反赫統一戰線，其中最難下手的地方就是東歐，忽然聽到周恩來的報告，頓時大喜過望，就去電找許建國回來詢問。

許建國回到北平，先去「外交部」見陳毅報到，再去見周恩來，然後由周、陳兩人帶着去見毛澤東。

毛澤東看見許建國十分高興，問道：「建國同志，你在羅馬尼亞很有成績，我看到你的報告，羅馬尼亞竟然和蘇聯鬧翻，究竟是怎麼回事。」

許建國說道：「據我知道，大概有兩個原因，一是受不了蘇聯的經濟壓迫，目前蘇聯在東歐所施行經濟政策，要把東歐同蘇聯建成一個經濟共同體，以對抗歐洲共同市場。實際說穿了只是要工業蘇聯，農業東歐；對於各國工業發展，分配又十分不均，例如羅馬尼亞除去出產石油外，只准發展輕工業，不准發展重工業，羅馬尼亞對此自然感到氣憤。」

（二七九）

祀灶瑣談

漁翁

灶神，爲五祀之一。周禮說：「祝融爲灶神」。淮南子云：「黃帝作灶，死爲灶神」。五經異義載：「灶神姓蘇，名吉利，夫人姓王，名搏頭」。酉陽雜俎亦云：「灶神名隗，狀如美女。又姓張名單，字子郭，夫人字卿忌，有六女，皆名察治。」據上所言，雖姓名不一，而皆謂有婦，故俗有灶公灶婆之稱也。

按灶君上天奏事之說，始見於晉葛洪所撰抱朴子之微旨篇：「月晦之夜，灶神亦上天白人罪狀」。但晦爲每月之末日，今提前至臘月二十四日夜舉行，以是俗稱小年也。祀灶之舉，古於夏季行之，至漢始改爲臘日。據熙朝樂事載：「十二月二十四日，謂之交年，民間祀灶，以膠牙糖、糯米花糖、豆粉團爲獻。」又帝京景物畧載：「十二月二十四日，以糖制餅黍糕棗栗胡桃炒豆祀灶君，以糟草祀灶君馬，謂灶君翌日朝天去，白家間一歲事。」此俗以唐宋爲最盛行，每逢祀灶之夕，都人備酒菓餞行，貼灶馬於灶上，以酒糟塗抹灶門，謂之醉司命。

後漢書有紀陰子方事云：陰爲漢宣帝時人，性至孝，臘日晨炊，見灶神形現，子方再拜受慶，家有黃羊，因以祀之，自後家至巨富，田七百餘頃，官至執金吾，三世繁昌。故後之人嘗以臘日祀灶而薦黃羊焉。

北俗稱灶神爲「灶王」，自唐已然。又有稱之曰「灶君」者。李廓鏡聽詞：「匣中取鏡辭灶王，羅衣掩盡明月光」。蓋唐人每於除夕，抱鏡出門，密聽人語，以卜吉凶，謂之鏡卜或鏡聽。又羅隱送灶詩：「一盞清茶一縷烟，灶君皇帝上青天」。可見祀灶之風，由來已非一日。

尤以北宋呂蒙正一首祭灶詩，爲最有神趣。句云：「一柱清香一柱烟，灶君今日上青天；玉皇若問人間事，爲道文章不値錢」。緣呂微時，家甚貧，當祀灶日，無錢賣肉，在屠婦賒肉數兩，屠婦向其索還，而肉已入釜中，竟撈起而去，呂太息之下而有此作。後呂氏登第，爲太宗朝狀元第一人，不特飛黃騰達，揚眉吐氣，且三膺首揆，統攝國政，一洗昔日寒酸之恥。

清平樂佟太守鋐之妻趙恭人，早寡，鞠子濬成進士，所居曰「殘夢樓」，因號殘夢主人。通翰墨，尤善吟咏，灶祀之夕，成詩一首，以夫亡子幼，如灶有塵土，乞灶神憐其寡，向玉皇進一言而寬恕之。其詩曰：「再拜東厨司命神，聊將清水餞行塵；年年破屋多塵土，須恕夫亡子幼人」見國朝詩話。

又古俗，祭灶婦人不能預，有男不拜月，女不拜灶之諺。但中饋爲婦人事，何以終日在厨下，而不得與灶神之祭，此理誠不可解也。

我所知之攝護腺病

李培淨

昨見本報載有攝護腺之西醫療法，甚爲詳明。惟以筆者所見所聞，中醫視此病並不疑難，服中藥即能治愈。友人患此病者，初則往往就診西醫，始知此攝護腺之名。據一有名之西醫云，輕者可服藥及打荷爾蒙針而愈，至腫脹發炎，則須動手術。因此種手術甚不簡單，年老之人，恐不相宜，則用一種不澈底之辦法，在近膀胱處，劃開一口，以膠皮管啣接，俾其通尿，常年使用，若平素營衛得宜，亦可如此帶病延年。如曹潤田（汝霖）林康侯二先生，即係如此。（二人同年，均八十九歲，曹居美國，林住本港。）然膠管通便，常須洗換，行動不靈，種種困苦。曹潤田彼時尚住日本在醫院中，諸醫會商開刀與否，結果不敢冒險，只得用管通便。現在旅美，身體常感不適時，每服高麗參，即可徐徐健復。林康侯係在台北旅遊中發病，而亦如此，至今看護不能離人，行動不能如常也。

中醫能愈此病，毋須開刀，此語在今日言之，或難免被視爲開倒車，令人難信。筆者自幼而老，一生多病，以自身之經驗及所見所聞，覺中醫中藥，確有不可輕視之處，即以攝護腺病而言，中醫治愈者，姑舉一二如次：

一爲李彌龕（名星家李翊龕兄之胞兄）年六十餘，體弱血壓高，繼患小便不通，經西醫診斷爲攝護腺發炎，非開刀不可。但入院開刀，動須數千元，彌老兩袖清風，向不願與人借貸，如何籌措？不得已，爲治標計，由西醫打針以通小便，每日往打一針，通便一次。迨後雖去打針而張痛日甚，困苦不堪，坐以待死。其戚楊先生爲本港名中醫，（不舉其名，以避代爲宣傳之嫌）見之不忍，雖明知彌老不信中醫，仍開方强令煎服，乃服二劑而小便通，再服數劑而諸病愈，由此體力漸復；在港大附設之中文學院任教矣。

一爲粵人某翁，（忘其名）年八十三，亦患小便阻塞。西醫診云，攝護腺腫脹，醫治太遲，必須開刀。翁懼，往中醫費老先生處求治，費先生爲之疏理氣血，不數劑而愈。余嘗以詢中醫丁濟萬兄，何以中藥能見效？答曰：凡年老之人，大多氣血衰敗，甚或虧損，對於疾病抵抗力弱，今補益其氣血，復加疏導，故能止腫消炎。西醫無所謂氣血，專在有形之上研究，故動輒開刀，則元氣先傷，縱愈而精神總難恢復矣。

最近之例，則有友人劉君，小便混濁，常常帶血，遍請各名西醫診治，驗血驗便，照X光，而終不能確斷其病源，尤其不審血之來源。嗣至小便阻塞，則又疑或係攝護腺病，令其入院開刀。（妙在或係二字）劉君不得已，往請教中醫朱先生，朱謂恰好近曾治好二人亦係同病，乃先與丹方，後用調理，連服十四劑而霍然。劉君本人，初尚以爲偶然碰巧，然病愈總是事實。

筆者經年多病，不離湯藥，絕非揚中醫而抑西醫。香港西醫，學養功深虛心接物之士，固然亦有，但事實總是事實。目今社會擾攘日甚，年老之人，患攝護腺病者似較多，特爲縷述，以供世人之參考耳。

鷓鴣天——示兒輩

黃伯遠

往事回眸未化烟，忍將遺憾記當年；
兒孫莫問爺甘苦，時勢誰爲我輩憐？
貧易固，福難全；寧堪得壽更錢田。
從來不作春之計，春與窮愁不結緣！

又

不是英雄誰賣帳，瀕臨腐朽孰憐材；
人情易結恩和怨，生命難逃樂與哀。
勤養壽，忍消災；成仙化佛自安排。
而翁最怕窮愁苦，說與人知總不該！

花香月上樓小品

越數日，文祈遣人走告，謂：「李病危」！余亟往視，則李已氣息僅屬，見余至，以手指其遺篋曰：「煩先生爲我沉諸海……」語未終，目已瞑！檢其篋，有捕獵網，及獵區地圖，袖箭，利鉾等物。從其志，皆沉之於海焉。李無親屬，所還余五百金，余盡付以營喪其葬焉。其後，余以李語告文祈，文祈乘間問父：「何以知李壽不永也」？其父惟掀髯微笑，不置答。

余生平不信鬼神之說，然亦往往目覩耳聞而不自解其所以然。如此之類事，殆不一端也。後數年，文祈先其父去世，未幾，其父亦卒。葬某山，其同鄉曾受其恩惠者，歲時伏臘往祭，咸稱之爲「大爺墓」云。後亦無他異。李嘗告余捕獵事甚詳，以其非善業，故不具述。

吳石卿其人其畫

黃葉村人

吳帝，字石卿，號伯琴，別署青桐居士，福建同安人。世居厦門，清故記名提督、溫州鎮總兵吳鴻源之長孫也。余識石卿，在清末宣統元二年間，時，二人猶辮髮長垂也。余家觀音亭，石卿居丹霞宮，相距密邇，故常過其家，觀其作畫，頗有心得；然，性鈍，能辨畫之眞僞好醜，而不能自爲畫，亦生平一大憾事也。

石卿家小院落，有桐樹一株，其父朝午輒塊然坐立其間，若有所思者。見余至，輒招手笑迎曰：「好孩子！亦喜畫乎？來何早也？」余唯唯而已。某日，余至稍晏，見石卿蟠辮作髻，髻插石榴花，持大葵扇，著琵琶襟衫，大搖大擺，逗引其父，以相娛樂。此情此景，迄今猶深印心中腦際也。其後，石卿父子先後謝世，余過石卿故居詩云：「石榴花照鬢邊紅，戲綵曾看娛乃翁；彈指卅年傷兩代，客來猶撫舊青桐！」可謂慨乎其言之也。

石卿畫，初無師承，自言：少時喜取三國演義畫像爲模範，晝夜臨摹，偶爲鴻源公所見，驚曰：「此吾家道子也！」遂多購古今名人畫譜，供其臨摹，且時加獎掖而噢咻之！故石卿每爲余談其祖德，輒不禁泣下數行也。淸季光宣間，先後官厦防廳者，有香山鄭鬻林，煦；紹興鈕耕孫，承蕃；鄞縣趙叔孺，時棡；皆嘗代書畫名家也。見石卿畫，皆樂與訂交，石卿由是得縱觀諸家所藏古人眞跡，畫日益晉，名亦鵲起。晉江孝廉李幼岩，評其畫云：「古今兩吳道子，風骨八大山人」。非過譽也。

（未完）

我的社會生活

雷嘯岑

民十九年，我住家南京城北高樓門，內政部在城南夫子廟附近的舊藩台衙門，我每天坐着黃包車來回奔馳，陳雪公見到，認爲太辛苦了，即送給我一部用過的小汽車以代步，內政部總務司供應我的汽油，繼又替我支付司機的工資，初時覺得蠻寫意。迨經過將近一年之後，不禁黯然心憂，急將汽車奉還原主，雪公詫問道：「怎末，你嫌車子太舊了？換部新一點的罷！」對曰：「決不是這個意思。我想現在內政部可以替我付司機工資，又供給汽油，當然不失爲汽車階級人物。將來一旦離開了內政部，自己又沒有力量保養這部汽車，再要乘坐黃包車出入，被親朋瞧見時，一定取笑我。到不如始終保持着黃包車階級的本色，無論窮通，心裏總是泰然自安的。」他又說：「你想得那末遠幹嗎？」我堅持己見，只好感謝他的厚誼，不再叨光了。

陳雪公如此好客，而且好得格外周到，經常的消耗亦就很可觀，世人或許懷疑他那有這末多的錢來花呢？他的家當究有多少，我不知道。但我瞭解他自從參加革命陣營以來，雖然歷任皖、魯等省主席，縱不賠本，亦決無賺項收入可言。他對於川流不息的賓客招待應酬費，另有個特別來賓間接贊助過，那就是北洋政府時代的河南督軍寇英傑。此人於民國十六年夏間，在津浦路北段與革命軍作戰失敗被俘，解到南京囚禁，靜候發落。當時黃河以北地區，尚在北洋舊勢力控制之下，革命政府爲要收拾華北的軍心，拊循一般人心，對寇英傑表示寬大爲懷，未予法辦。他在幾個月的牢獄生活中，由於鴉片烟癮過大，獄中不甚方便的原故，大發其病，乃由陳雪公以北方袍澤的關係，請准保外就醫，即住在陳公館休養，不許離京。然寇氏住家天津，生活優裕，姬妾盈前，他蟄居陳宅，飲食起居雖比監獄好得多，究竟不如自己家中那末舒服，思歸之念綦切，再三要求陳雪公從中說項，宥其既往，免予究處，讓他還家終老，旋經政府核許了。他臨走時，深感老友救護照顧的德意，對陳雪公致送了一筆相當數字的謝儀。所以，陳主席曾對我說笑：「大夥兒朋友，只管到我家來消遣，反正花的錢並不是我的哪！」

鬼怪之說，識者所譏，然我在南京僑居時，雖未見到過鬼，却遭遇了兩次怪事，迄今記憶猶新，不妨作齊東野語之談。民國十八年秋間，我租賃了城南夫子廟附近「大夫第」（街道名稱）的一座西式樓房，作私人住宅，以其距內政部甚近，而屋宇殊寬敞淸雅，前有長形庭苑，後有大塊空地，附古井一，井旁古槐矗立，枝葉扶疏，兼以房租極廉，環境亦頗幽靜，視爲難得的居家之地。迨我搬進來第二天，替我司厨的人（是我的從堂兄弟）悄悄語我，說他昨夜睡夢中被鬼捉弄，到天明方已。我斥其荒誕不經，但他從此即在客廳角落上打地鋪，不復下榻於厨房旁的屋中了。住過一個月之後，我對於上下樓梯，以及出入前後院的路徑都已熟悉，夜間雖無燈光，亦隨便登樓入室，極爲順利。詎某夕十二時從外面回來時，星月在天，亦無風雨，走入客廳內，滿目漆黑一團，四向摸索，竟尋不到原來很熟悉的樓梯口，心裏頗爲納罕，逡巡了十分鐘，依然如在五里霧中。這時不免胆怯了，乃取出懷中的白朗林手槍開放一响，驚醒了睡在客廳角落上的堂弟，他起來用電筒四照，即見我站立在後苑古井旁的槐樹下，問我怎末走到這兒來？我自己亦莫明所以，祇說是在後苑小解，內心上却有些嘀咕，暗想未必這屋裏眞有鬼怪不成麼？

（廿四）

米蘭——西歐散記之一

項退結

意大利人因爲好奇，往往就喜歡買他們的東西。慢慢地這些華僑積蓄了一些錢，自己開始製造領帶和女人用的小提包。現在他們在卡諾尼加路和附近一帶就開設了許多很不壞的店舖，裏面也僱用了好多意大利人做皮包。除去一二家以外，一般華僑都與意大利女人結婚。他們的生活現在是不成問題的，但是由於欠合作，也不容易有更大的發展。正如同其他各地的華僑一樣，米蘭的華僑熱愛祖國，他們是多麼希望有一天能夠重新回到他們的故鄉哪！

（完）

自由報
THE FREE NEWS
第一四一六期
3G. CAUSEWAY RD 3RD FL. HONG KONG
TEL. 771726　電報掛號：7191
台灣分社

台灣省公職人員選舉罷免監察會組織之檢討（下）

張堃

因監委會事務人員辦理選舉罷免業務，必須懂得選舉罷免法規，然後才能勝任愉快，克盡職責，符合「有關機關」之眞義。今據筆者所悉：選舉罷免監委會中之事務人員，乃有執政黨台灣省黨部之人員參與其事，實不明其依據爲何？黨務人員辦理黨務，如何懂得選舉罷免監察事務？且黨務人員純係民間政治團體人員，而非國家之公務員。今以不懂選舉罷免監察之民間人員，不依公務人員任用法規定，參與國家公務，豈不違法背理？

選舉罷免監委會之事務人員爲國家之組織份子，其人員之任用應遵守組織法規定。該等黨務人員無公務員資格而從事公務，究竟依據什麼？如果其他黨派要求派員參與該會，該會主任委員能否接受？選舉罷免監委會是超黨派之監察組織，黨務人員自應迴避，才能顯示其公正超然。

從上論證，可知該會人事之紊亂。其效率之良窳，士氣之高低，情緒之好壞，亦不難於此可推測大概。從學理上來說，監委會是合議制機構，關於監察方針、技術指導、及監督縣市監察小組，主任監察員，監察員等事宜，由監委會會議決定；監委會之事務人員，則依法執行監察業務，負有忠誠之義務。因此，筆者認爲監委會之事務人員，必須爲受有選舉罷免監察專長之合格公務員專任，才能達到「人盡其才，各適其所」的目的，而掃除人事濫用之弊。

第三，監委會的責任不明：從該會組織規程第二條看，監委會由省府組成，應隸屬於省政府之下，受省政府之監督，對省政府負責的。但就實際而言，監委會並不受省府節制。監委會與省府的文件來往，以「代電」行之；而省府致監委會的文件，則以「命令」行之。可知現行監委會的地位不僅未能確定，責任亦不分明，而有爭權奪利之勢。省府對監委會以「代電」行文不能糾正，證明省府對監委會已失去控制能力。監委會不以「呈」行省府，亦證明監委會不受省府監督。因此省府對監委會職權的行使是否有當，就失去審查糾正懲處之力；在體制上，監委會與省府的統屬關係，也因此消失。監委會的責任爲何？對誰負責？也就令人難解了。

政府機關職權的劃分，有其一定原則：實權龐大，相對的所負責任亦大；反之，無權虛位，亦不負政治責任。世界各國政制權力的劃分，莫不以此爲準。今監委會有監察縣市以下各級議員選舉、罷免，縣市長之選舉、罷免，鄉鎮縣轄市民代表之選舉、罷免，鄉鎮縣轄市長之選舉、罷免，村里長之選舉、罷免權（監委會組織規程第二條），及審查有無妨礙選舉罷免之取締（同法第三章）實權，而不負任何責任，這實在是一件奇怪的事情。同時監委會主任委員及委員沒有任期，去留操之省府，因此在主任委員及委員方面，必日久情惰，工作消沉，易爲候選人及被罷免人勾結舞弊，破壞民主政治的地方自治。另方面因任免權由省府掌握，監委會必以省府馬首是瞻。省府主席爲政黨黨員，因此監委會亦間接爲執政黨所控制，有失平等競選之意義。故爲示公平，達到國事以民爲本之目的，現行縣市公職人員選舉罷免監察委員會的組織，宜加修正爲：

（一）委員會主任委員及委員任期四年，於每屆縣市長選舉前，依上述第一項規定改組之。

（二）秘書由主任委員遴選合格人員，經委員會通過後報請省府任命之；組長及幹事列入正式編制，依公務人員任用法規定任用，受省人事處節制。

（三）

政治以昭信於民爲本。人民信任政府與否，在視公職人員之選舉罷免是否公平；而選舉罷免之公平表示，在於監察人員能確實對人民負責，不受任何黨派拘束包圍。故政府如何謀求監察組織之健全完善？如何謀求各黨派共負監察之責？實爲當今有效推行地方自治之急務。

守法，守份爲健全地方自治之根本要務。候選人固應以此奉爲圭臬，主辦選舉之事務人員更應矢守不移。但其中最重要的，還在於監察人員之是否守正不阿，廉能公正。候選人不守法，祇是一個人的品德問題；主辦人員毀法包庇，亦祇影響某地區的選務；而監察人員的影響所及，不僅牽涉到整個選局，而且直接的亦助長選風的良窳，與政治的好壞，及地方自治的成敗。查「台灣省妨害選舉罷免取締辦法」規定，選舉罷免監委會對本省一切選舉罷免事項之是否違法？應否取締？有審查認定權，並得送各該上級機關從嚴懲處；觸犯刑事者，並分別送請司法或軍法機關依法辦理（第十五、六條）；對候選人有違犯第十九條情事，得轉送選舉監督，轉報上級主管機關取銷其候選人資格；已當選者，於選舉結果公告後十五日內，向法院訴請爲當選無效之判決（第十九條第二項）。可知選舉罷免監委會的職權是很大的。故公職人員選舉罷免監察會組織是否健全，實爲地方自治成敗之關鍵。筆者之撰此文，抱拋磚引玉之心，期促有關機關人士注意改進，國家幸甚！人民幸甚！

枉作小人

來者不善

今日與明日

論吉田茂訪華

據日本國務大臣佐藤榮作宣佈，池田勇人已請前首相吉田茂於本月二十日赴台北，晉謁蔣總統解釋誤會，和緩中日緊張關係。假若沒有其他阻力，吉田這次大概是可以成行的。吉田以八十多歲的高齡，僕僕於東京台北之間，其熱誠自然可嘉，但是，中日關係決非吉田來一趟，就能全部解決的。

日方的用意

當周鴻慶事件發生時，日本自民黨長老石井光次郎氏會向池田建議派吉田茂訪華，當爲池田拒絕，池田拒絕的原因，是當時中國朝野正在羣情憤激時，吉田若到台北，談到實質問題，中國政府可能索價過高，無法應付。

池田此時何以忽然又變了計，說起來十分簡單，自從法國宣佈承認毛共之後，舉世都在注意日本態度，而池田同太平均先後聲明決不承認毛共僞政權。他自以爲當中國政府處境艱難時間，並未落井下石，大概以此居功，此時派吉田茂這種元老人物，到台北走一趟，給中國一個面子，一切問題也就雨過天青了。

關於日本承認毛共問題

池田這種想法，將是一個大錯。日本不肯承認毛共僞政權，我們並非不領情，但基本因素決不是爲了報答蔣總統的恩德，敦睦中日邦交，而是日本有兩關通不過。

第一，日本與法國不同，法國目前無求於美國，所以在外交方面才能與美國背道而馳。日本不同，儘管日本左派人士怎樣高呼反美，但日本從國防到經濟都離不開美國，美國雖然限制中國政府反攻大陸，無意摧毀毛共，但對於承認毛僞政權卻決無商量的餘地。據傳羅拔甘廼在東京就面告池田同大平，只能在美國與毛共之間選擇一個，語氣堅決而凌厲。魯斯克也面告大平，如若毛僞政權被大多數國家通過加入聯合國時，美國將不惜使用從未用過的否決權。以中國政府與毛僞政權來比，日本十之八九會選毛共，但以毛共與美國相比，日本就只有選擇美國了。此其一。

第二，假若日本承認毛僞政權，就須另訂和約，結束戰爭狀態，毛僞政權有無其他條件不得而知，只賠欵一項據傳周恩來就透過口風，打算需索五百億美元。試問日本如何招架？因此我們相信即使美國承認了毛僞政權，日本也還要大費躊躇的，何況在目前。所以池田要想緩和中日緊張關係，必須拿出誠意來，勿以不承認毛僞政權向中國朝野市惠，這一點我們看得十分清楚。

自由談

世人對於中華民國政府的行政效率，多不滿意，認爲腐敗低能，不足以適應戡亂救國的要求。可是，據我在若干年來的考察體驗所及，台灣有一項行政事業的效率，卻特別高强，那就是郵政！

在台灣發出的信件，除卻被別的機關人員檢扣以外的，沒有不遞送到收件人之手的。我最近寫了一封平信寄給住在台北郊區的朋友，而收信人已於兩年前遷居別處，原信退還台北郵局後，經執事者再三查詢，過了兩天，終將原函送達我那朋友的新住所了。這表示郵務人員的服務精神很好，決不疏忽，否則一封平信，雖棄置亦無所謂的。如果其他的行政人員，遇事皆有這樣的責任感，政風何致於腐敗沓泄，爲世詬病呢？

在一般行政機能皆陷於疲玩因循的環境中，郵政何以如鶴立鷄羣，特著績效？此無他，制度的關係甚大。吾國郵政與海關制度，皆由外國客卿創建管理的，歷時數十年，不受政局變幻的影響，人事頗安定，舊時的待遇亦較好——現在不然了——因而奠立了制度的信用與尊嚴性，在外國人監視之下，誰也不便亂來。這項傳統的優良作風，只有郵政方面，到今日還保持着十分之九，未告隳落，制度之效用，大矣哉！

制度與效率

即此可以反證一項事實：一般行政機能之敗壞，最大原因就是不講究制度，隨便胡來瞎搞一陣之後，又弄出一種所謂「人事凍結」的奇方妙計，讓那些破壞制度信用，紊亂人事法規的低能兒，永遠抱着鐵飯碗，到死方休。如此的政風，能勝救國之任嗎？

郵政的效率雖然比較優善，但有一種外來的潛力，不可不注意，即郵件檢查工作是也。政府在非常時期，實行檢查郵件，固屬未可厚非。唯檢查的目標必須確立，除非有洩漏國家機密，或有叛亂嫌疑的郵件，自不宜任意檢扣，諸如人民對庶政得失有所批評，對政治人物表示臧否，皆係法定的自由權利，不能侵犯剝奪的。這類郵件如視爲違禁品，加以檢扣，則不特是摧殘郵政的信用，而且公然蹂躪人權，踐踏憲法，使政府枉遭民怨，然其所得的效用乃等於零，可不慎哉！

馬五先生

從省議員的意見談當前財經問題

——本報台中記者熊徵宇——

田賦增收稅率沒有用於縣市

他說前三年調整田賦征收率時，省議會決議應將增收部份，悉數作爲地方經濟建設之用。但是賦率調整後，若干縣市表示省方並未按照省議會的決議執行，議員們也一再提出質詢，財政主管當局却始終說是保證用在地方經建上。

但是依據台北縣議會所提出的資料，指出該縣在田賦調整後，經建支出反而減少了五百二十餘萬元。原因何在？實在令人費解。

而台北縣政府爲平衡收支，唯有虛列省府補助。這種辦法，必然使縣市的財政愈加困難。而地方的建設事業也無法推進。

「緊拉不放」政策

台中籍的省議員蔡鴻文說：地方財政是應該歸地方征課運用的。縣市鄉鎮財政，今天已到了山窮水盡的時候，照目前的情況看，將來也不會有新的轉機。長此以往，地方建設將受嚴重的影響。

所以政府當局必需改變觀念，放棄「緊拉不放」的政策，將所有的地方稅，除現在的房捐，筵席娛樂稅，使用牌照稅，契稅等地方征課運用以外，再將經由當地人民所繳納的屠宰稅百分之廿，田賦稅和地價稅的百分之五十，營業稅的百分之七十，歸由地方征課運用。

如此，則縣市鄉鎮財政不但會綽有餘裕，地方建設亦可因此而獲財源。同時也可以鼓勵納稅人對建設地方繁榮的納稅觀念，祇要計算公平，不會不樂於納稅，而欠稅的情形也必然減少到最低限度。

稅目繁，稅率高

關於稅目稅率問題，這次會議談得很多，我舉幾個具有代表性的意見。

賴森村說：當前本省經濟問題又告萎縮。原因雖然是由於經濟蕭條人民購買力薄弱所致，但是現行的稅目繁複，稅率過高，是爲最大因素。

目前每一營利事業所負之稅課，有：所得稅、營業稅、印花稅、貨物稅、地價稅、房捐及戶稅等，重重疊疊，不勝負担。這種殺雞取卵的辦法，殊不足以促進工商事業的發展，反而使資本家放棄事業的經營，轉入投機事業。

於是，失業者衆，造成社會不安。故必需研擬統合稅種，降低稅率，刺激工商發展，繁榮國家經濟。

衆人指責房捐

房捐稅的課征標準，大家都認爲過高。張松生議員說：房捐課征標準雖有法定，但是各地課稅人員，均不按照規定。例如：前年課一百元，今年就應該折舊課額。不但不減，反而增加五成或一、二倍，好像是故意向納稅人爲難。應該嚴加防止議處，以防弊端。

黃堯說：今年的房捐普遍提高，甚至較之去年增加一倍，似乎有欠公允。因爲年來全省各縣市的地產價格普遍下跌，過去二、三千元一坪的地，目下只值千元左右；十萬元價值的房屋，目下六、七萬元亦尚乏人問津。

政府反而將房捐提高，使一般民衆負担過重，實在是不公平。

豁免勞工所得

黃堯同時對於碼頭勞工課征所得稅問題提出質詢。

他說：納稅乃國民的義務，碼頭勞工課征所得稅固屬當然，但是碼頭工人所得的工資，都是用血汗換來的工資，並且爲了配合戰時軍事運輸，不分晝夜，不眠不休，苦不待言，而且所得的工資僅爲半數，其工作乃以服務國家爲重任。此種所得的工資，再課征所得稅，似欠公平合理。

而夜間工作加成所得的工資，只能供應加餐費用，而重量及危險品的加成工資，亦均以血汗與生命換得，若均予課征所得稅，不但難能負担，實在是屬於過苛！

政府爲保障勞工提高生活水準，應該不征碼頭勞工工資所得稅，才是德政。

蔡文玉對於地價稅的累進率往往高得超過地租金額，認爲太不合理，要求修改地價累進率。（二）

六屆縣市議員選舉顯示

選風有改善但尚不理想

有若干問題且為從前所無

（本報記者台北航訊）台灣省地方第六屆縣市議員改選與第五屆鄉鎮縣轄市長的選舉，業已結束，而第五屆縣市長的選舉，定於今年四月二十六日，由全省選民投票改選。

這次選舉的結果，縣市議員中，執政黨籍縣市議員候選人當選者計：七百三十四人，黨外人士當選者計：一百七十三人。鄉鎮縣市長執政黨籍候選人當選者計：二百八十七人，黨外人士當選者計：二十五人。

此外，執政黨員違紀競選縣市議員者有十六人，當選者有五人。違紀競選鄉鎮縣轄市長者有三十三人，當選者只有十一人。其中最使人注目者，一是台北市第一選區黨外候選人林永泉，以管訓列爲學經歷者，竟獲得三千九百四十票而當選市議員。一是剛剛從監獄裏出來的蘇洪月嬌（女，即現任雲林縣議員因案被判無期徒刑的蘇東啓的太太），在其故鄉雲林縣第八選區參加競選，以六千二百七十七票當選縣議員，名列全省女候選人得票的冠軍。

這次的選舉風氣改善沒有？是大家所關心的。根據政府官員的說法，選舉風氣已較前改善了。這說法不能說遠離事實。祇是各報的新聞報道，則說選舉風氣並沒有達到理想，還有若干問題，是從前所沒有的。

在選舉前，即十二月廿四日晚間，台北縣林口鄉鄉民，發現鄉長候選人，用大卡車運來幾十名大漢，以味精換選票。翌日，該鄉鄉長候選人陳萬經的助選員林建章之子林子柏，在途中即被一批持刀動棍的「好漢」殺死。另一位鄉長候選人林來春，即被警方傳去問話。選舉結果，陳萬經落選，林來春當選；但落選人公開指控當選人林來春賄選，用金錢和味精換選票。

十二月二十五日報載：台北選舉監察小組接到市民電話報告，謂發現有人以實物或金錢賄選。並說，那天清晨，有一輛競選宣傳車在台北漳州街、克難街、南機場一帶巡廻宣傳時，曾向貧苦住戶拋丟味精，毛巾等物，窮苦住戶聞訊，幾乎家家都開門等候競選宣傳車之到來云云。選舉監察小組曾派幹員調查，結果如何？由於監察小組沒有把這件事公開說得一清二楚，所以外間不知內情。

台北市中山區有一位七十二歲的老先生，他對人說：「我一共圈了七位。」「爲什麼？」他又說：「人情嘛！收了人家的味精、香烟、零錢，怎好意思圈這不圈那呢？」

彰化縣溪湖鎮長選舉前，在元月廿四日，溪湖印刷工廠的工人林銀池偷了二百張選舉鎮長的空白選票，向鎮長候選人楊連甚的弟弟楊瑞堂洽售，楊瑞堂即告訴他哥哥楊連甚，決定購買，並先付了一百元的定金。據警方說，此事係由另外一位鎮長候選人楊滄淵所檢舉。該案由台中地方法院檢察官劉啓仁將工人林銀池扣押偵辦，並將所印選票全部作廢，改印新選票。不料，在投票的那天，又發現新印的空白選票，再度失竊一百張。

在元月廿六日投票的那天，台灣省政府所在地南投縣第二選區的議員落選人魏秋煌，認爲該選區第五投票所主任監察員簡秋東在執行職務時，故意把圈選用的印台加水，致其票源地的廢票多達二百多張，同時，投票的時間到下午五點鐘截止，而選民尚有三百餘人，排着長龍等着投票，該所不准選民投票，要選民回家，因而引起選民不滿，而包圍該投票所，幸警察人員及時趕到，才未發生意外。

同一天，台北縣新店鎮設在大坪林豐國校的第七投票所，由於選務所職員發票太慢，在一聲喊打的氣氛中，數十名選民湧進投票所，而主任管理員林建發及職員張環禎、黃珠原等被揍一頓，在紛亂中，遺失空白選票一千一百二十三張，其中議員選票八百張，鎮長選票三百二十三票。

台中市執政黨籍議員候選人曾日章的父親曾仁汀，於元月二十六日上午九時，在台中市西區公民里活動，拿着鈔票換選票。據調查，曾仁汀收買選票的公民，計有選民廖不六十元，潘元慶三十元，吳屋三十元，王葉二十元，蘇賓鏞三十元。在這位曾日章的父親正爲兒子買票的活動時，由另一位候選人林阿成目睹而檢舉。該案由台中地方法院檢察官高廷彬偵辦中。另外，中市金山路一帶，有人以每票十元的代價，爲議員候選人曾日章購買選票。選舉後，台中市總工會代表十餘人，向台中市政府選務所要求解釋曾日章涉嫌賄選是否合法？這些代表們並表示：如果曾日章事件不能獲致正當合理的解決，他們考慮解散總工會，以示抗議。

大雪山林業公司總經理

俞友田涉嫌舞弊

大雪山林業公司，比省林務局所經營的林場以及一般商人所經營的林班，唯一不同之處，是伐木集材的設備比他們好，伐樹伐得多，運材運得快，藏量豐富，取之不竭而已。

所謂「森林工業化」，所謂「森林工業製造中心」，所謂「示範林區」，野狐禪而已！標榜而已！一種別人不能侵犯的獨佔性伐寶原始森林的機構而已！

利用率何在

省議會不只三次討論過大雪山的存廢問題。我也非常懷疑這種林區的獨佔存在，對國民經濟的好處在那裏？對國家資源的利用在那裏？對於木材的利用率又在那裏？

就省庫的收入方面說，去年的盈餘不過是三千二百七十三萬八千五百八十六元。但是木材伐了多少呢？而這個盈餘，不能算是盈餘，只能說是木材賣了那多錢。因爲並不是以資金的總額從事於一種貿易行爲或者是投資所賺的，而是直接了當的伐木賣錢，所以不能稱之爲盈餘，而是伐木總值。

既然是這樣，那末又何必需這樣一個用度浩大資金雄厚的公司？

何況現在主持大雪山林業公司的總經理俞友田，既不是農業專家，又不是森林學者，也不是化學工程師可以用木材造纖維品什麼的，而是一位「壯志凌雲」玩飛機的空軍。

我們天天講「業務分類」，時時說「專業訓練」與「用人惟才」，但是用空軍人材來主持那麼龐大的一個林業機構，就令人不能了解！

許多有理想的事業，似乎都是在這種情形之下弄糟。

涉嫌舞弊

再說到俞友田涉嫌舞弊的案子，是前三、四個月就有人揭發的，省政府目前還在查辦，聽說有人要送法院。但是全案的結果如何，目前我不夠了解。但是我費了不少的時間，弄到了一份檢舉揭發俞友田涉嫌舞弊的幾點概況：

盜運木柴

第一、俞友田勾結該公司貯木廠經辦人楊雄傑，唐聰哲、楊景星等，將原木夾於棄材內運出，而商人僅向該公司繳付每噸三百餘元之棄材價款，實際取得每M3價值約二千元之原木獲利朋分。另外又以地磅不準爲詞，每車七噸左右的棄材，僅作五噸計算。這件事爲林務局大雪山林區管理處所悉，乃先後以（五二）五、十，雪業字第二四七號函，及（五二）五、十八，雪業字第二七〇號函該公司糾正。

但是該公司不但沒有就此收手，反而更進一步地，借五月廿一日該公司場內火警，焚毀棄材約百噸之便，於五十二年六月廿四日，以雪廠字第三一六一號呈報省府，請核准棄材九〇〇噸，原木五二、一九M3，製品五M3以求彌補歷次盜運存貨所生的差額的一部份。

虛盈實虧

第二，該公司五十一年度的結算，對外宣稱的盈餘淨額爲四千餘萬，而實際是虛盈實虧。而這一盈餘數字的形成，是俞友田勒令主計室僅計直接成本，未將貨物稅等間接費用分攤在內，並且儘量將費用支出列入資產增值。

而實際經營情形，因經營不善，虧損甚大，如築路與集材不能配合，使集材機無法工作，而集材與運材不能配合，聯車閒置，無材可運，而所有工人雖無工作，工資仍需照付，增加工資支出甚多。（二）

基隆旅居記

仲公

基隆與台北間的鐵路，動工於光緒十三年六月，從台北大稻埕開始，至光緒十七年十月完成，爲台灣全省最早的一段鐵路。光緒二十一年至廿四年間，經局部改築，民國八年鋪設雙軌，全長二八、九公里，快車需時卅八分鐘。縱貫鐵路開工於光緒廿五年，完工於光緒卅四年。宜蘭綫鐵路開工於民國六年，工程係由八堵蘇澳兩端分別進行，蘇澳宜蘭間於民國八年三月通車，八堵瑞芳間亦於同年五月通車，但全綫接通，已是民國十三年十二月了。

公路方面，郊區計有基金公路，基北公路，基瑞公路，瑞八公路，以及港口公路等六條。其中基北公路（基隆至台北）爲省道，屬高級混凝土路面，全長二九、八公里，公路局汽車約四十五分鐘可達。前年由基隆到台北開始增築一條新的公路，始名北基二路，後來正名爲北基新路，現在全綫工程大部都已完成，即可通車。這是快速公路的建築，沿綫不設站，據說通車後由基隆到台北，祇需二十多分鐘，比原有公路行車時間要減少了一半。（廿一）

寒流

文芬

寒流來的頭天，天空佈滿了雲，風呼呼的吹着。

小鳳立在櫃枱後面，兩隻手插在衣袋裏，嘴唇變成紫色。她從南部來時，氣候還是那麼好，萬里無雲，暖和得就和十月的小陽春。

想不到寒流一來，就冷到如此的地步，快結冰了。

但小鳳還是守住櫃枱，責任使她不能離開。她想到假使父親在的話，她就不會到這裏來的。

她父親是空軍機械士，修理飛機刮刮叫。每天在她父親上班時，她就到學校念書。她放學時，就到父親的工廠去。

父親工廠有很多機器，也有很多工人。父親叫她對那些工人都叫叔叔。她叫了，那些叔叔說：

「眞是可愛的小姑娘。」

叔叔們買糖給她吃，又親她的臉。她的臉白嫩得就像春天的花朶。

她在等着父親下班。

父親有輛單車，把她安坐在前面。在車上，父親問她念些什麼書？有沒有被老師罵過？

「沒有罵，老師還說我好。」

「什麼事說你好？」

「我的算術考了九十五分。」

「這麼高？」

她的頭在車把那邊轉過來，望着父親的臉。

「嗯。」

父親高興的說她是個好女兒，還在糖菓店買了一包糖給她。

有這麼好的父親，她是多麼幸福，多麼快樂！

她在學校裏，也常常誇耀她父親。

她還記得，有一年她在台北補習英文，也是突然寒流來了，她和同學們冷的直打抖。一下課，幾個人就跑着步，在身上增加暖氣。

就在第二天，她父親送來毛衣和棉被，是特地來的。父親一看到她，就心疼的把毛衣叫她快點穿好。

她穿上毛衣，暖和多了。

父親說：「南部氣候還是和夏天差不多，還穿不上毛衣。我昨天下班時看報紙，才知道北部有寒流。」父親握住她的手臂：「沒有凍壞身體吧？」

「沒有。」

父親又帶來她愛吃的糖。在同學面前，她不好意思收起來。父親硬是塞到她手裏。在父親走時，她送到車站。父親叫他快點回去，不要就誤功課。

她想到這裏，彷彿父親就在眼前似的，又像是一團火。有父親在，就是再冷些，她也是不怕的。

她的手揩着眼睛，手上濕濕的。她不知道自己什麼時候淌出淚水來。

父親是因公殉職的。她修理好一架飛機後，飛行師問他：

「今天可不可以試飛？」

「可以。」

就在試飛中出了事。她父親和飛機都毀了。

她失去了這麼可愛的父親。

「如果父親在的話，」她想：「多好！但……！」她不敢再往下想去。

她望着門外的天。天還在刮着風，寒流正洶湧……

藝術叢談

抽象藝術漫談

趙雅博

在前者的情形中，藝術家的作品，是膠着在過去，而沒有引起自己時代的任何反響，這是因爲與當時代顧慮不發生關係，並且也不符合當時代所提出的問題。至論後者的情形，則是由於藝術家的精神衝動，超越了當時的歷史可能性，在對於事物的瞭解或註解的程度，他的深入拖曳着藝術家越過了進步律所指定的界限。這是說，在藝術家所生活時代，在藝術的進步程序上，還沒有到達了藝術家所瞭解所認識的深度，藝術家所表現的還不是他當時代的人所能瞭解的。爲此，這樣的藝術品可能停留很久而不爲人們所理解，一直迴了一個相當時期，人類演進的程度到了適當的程度，對於這個前進的作品，才可能有所瞭解。

不過我們要理會，藝術品（或其他人爲物）在上述的兩種情形下，無論其爲膠著在過去，也無論他是投射在未來，在藝術品的本身，並不是不可瞭解的，而只是就歷史時間方面，爲人類所不懂得，就歷史時間方面，缺乏當時代的時髦或有力的力量而已。如要使一個藝術品完全爲人們所不瞭解，除非是作者本人，完全有意的，使自己的作品，絕斷了「有」的可理解性，因爲只有可理解性才是瞭解的基礎。不過理論是理論，事實總歸是事實，儘管藝術家有心使自己的作品，讓人完全不瞭解，可是在實際上，是無法想像，也可以說不大可能的。因爲人總是有理性有意志，要作事要作藝術品，總是有個意義在的，並且人與人之間也有共同官能與理解，對有的表現，儘管是不相稱，但對象終歸是對象；對有的表現，縱然不像，縱然不稱，縱然有僞裝，縱然對有加以輕視，但是「有」總是出現在藝術家的工作結果上，這是一定的，因爲在事實上藝術家的作品不能是完全不能爲人瞭解的。

這樣說來，我們知道「有」的可註解性使藝術品的普遍可瞭解性成爲可能，在適當的歷史時光，成爲屬於歷史的可瞭解性。然而瞭解的心理現象，正正恰恰是事物對人類精神的一個表現，一種顯示，人的存在因它而安置在「有」的當前的行動，也使人因着這個共同的當前，而與其他的事物其他的存在者相聯結一起。這是說有了「有」的顯示，有了「人」的存在，再有人的瞭解，人與有便發生關係了。瞭解是一種行爲，它使人與「有」成爲當前的一起，用句認識論上的術語說：那便是實在的意識，或意識的實在；這個意識的實在或實在的意識，就是共同的當前（Presence in Common）。就它現有與歷史的兩面容積來說，它是交通（彼此瞭解就等於交通，也等於會談）可能的唯一根基，它被指定爲「同一當前的交換聯繫」。（未完）

菊部憶舊錄

婁萋生

佳劇寧武 曠絕梨園

甯武關一齣，爲鐵冠圖曲本，前有封刀步戰，名票包丹亭曾演之，伶工可稱無人能演。在這場戰爭，雖是獲勝，但闖賊人馬衆多，依然壓迫下來，遂有甯武關壯烈悲慘的序幕。在數千年歷史上，如此的忠孝節義，又稱一門忠烈，恐怕沒有第二回。有明一代，足以傲視千秋，則寧武關應爲第一件；而第二件是貞娥刺虎。唐宋元三朝的覆亡，決無有此類似事件。在南朝更有「三百年來養士朝，如何文武盡皆逃？」忠義出在勾欄院，誠是可敬也。

余的觀劇，最喜忠義勃然而生的戲，例如八義圖即是其一。但不及寧武關甚遠。太夫人自盡，周侯戰死，是爲忠國。周侯從母命，周子從父訓，是爲孝。周夫人自殉，是爲節。周僕蹈火焚死，是爲義。尤其皆烈也。先君觀叔岩演此，寫寧武關行，有「力戰而死全其貞，凜凜鬚眉照今古！」已概言之。

民初的伶票，能演寧武關者，僅紅豆館主與叔岩兩人，其他名伶無人敢試，也可以說是不會唱。叔岩既現身手，聲譽頓起，先試行自組一班，在大柵欄三慶演唱，且角邀尚小雲爲助，其餘德霖、金福、長林、繼仙等皆羅致，在週末的一夕，貼出平市從未露演之別母亂箭，頗驚動無數的顧曲家。此劇從前老譚唱崑腔，余氏亦如之。（大鵬哈元章唱皮簧，不知其何來）財政部庫藏公債兩司同人，定座六排，約去四十餘人，余隨先君往觀，未到八時，座位悉滿，以園小大概有八百餘，走廊均圍繞，可云盛哉。叔岩出場，眉鎖愁緒，臉帶憂思，一派忠孝，靜肅不躁。當其母問以爲何歸來，他說特來爲娘拜壽，強作歡容，此笑是慘！因面部仍處處流露不自然之態，似有大禍之將臨，描摹得刻畫入微，活脫如眞。後遭母斥，始行上馬，頻頻回顧妻兒，難捨難分之情，曲曲傳出，咬定牙齦，出征殺賊，勇氣勃發，何等忠烈。其後焚宅，母亡妻死子折，一門之中，「何其壯也」的成仁，觀者皆動容而流淚。十五年京塵，僅見此好戲。配錢金福的一隻虎，趙芝香的周夫人，傳小山的馬童，皆精極無匹。飾周母者，聞是票界名宿，以前推姚增祿獨一，他是私淑有素，故極出色。孫養農兄編「談余叔岩」一書，有寧武關劇照，神采奕奕，英氣勃勃。

三星聚會 蒲闈初見

余氏在未與小樓、慧生組班以前，因蘭芳情商相邀，先在香廠甫經落成之新明大戲院上演，不意此地却爲其後來聲勢最盛的發祥地。其格局爲梅唱大軸，余唱壓軸，有時戲碼稍輕，遂演雙齣。某年歲初，正月初四，已下大雪一日，時霖表兄以銀行休假，自津門來平，心想聽戲，遂同往新明，是晚特有收穫，爲大幸事。（廿九）

廬君續夢

第十一回：

舊債新仇　衆邇遭白眼

內憂外患　平憤仗蒼頭

毛澤東問道「：第二個原因是什麼呢？」

許建國說道：「第二個原因是思想分歧，喬治烏德治與赫魯曉夫之間本來就有宿怨，尤其是赫魯曉夫鞭屍史大林之後，東歐兄弟國家老一代的領導人，都被指爲史大林份子而遭整肅，只有喬治烏德治由於得到全體黨員一致擁護，赫魯曉夫費盡力氣也推不掉他。兩人的意見就更加深了。」

毛澤東一拍大腿：「他跟我的處境一樣，都是肥猪的眼中釘，同病相憐，更應該團結在一起。你回去把我的意思告訴喬治烏德治，必要時我們聯合起來宰肥猪。」毛澤東說過哈哈大笑。周、陳、許也陪着笑一陣。過了幾日，許建國就飛回羅馬尼亞去暗地活動。

毛澤東對外交涉雖然暫時告一段落，國內情況却越來越嚴重了。首先是天災方面，北方發生百年未有的旱災，就以山東省來說，全省有三千九百七十多萬畝田地受到嚴重旱災，其中有一千二百多萬畝田地的含水量僅存百分之五左右，已瀕龜裂。小麥及其他越冬作物也多焦黃、枯萎，最慘地是臨沂、濟寧、荷澤、濟南一帶二十多個縣市，所種的高粱、玉米，完全沒有收成。

河北、內蒙東部，遼寧西部，也發生乾旱，不下雨，日日刮乾風，不但把田地吹得龜裂，連人的皮膚也被吹裂。原爲熱河省屬的朝陽地區，一百多天未見雨雪，土地乾到一犁深，根本就無法下種。湖北方面也受到大旱，全省許多塘堰乾涸，荊州地區中稻因缺水無法下苗的有一百多萬畝，有些地方簡直飲水也成了問題。安徽情形也是一樣，尤其皖中地帶，更爲嚴重，稻田無法插秧，田土龜裂。

發生旱災地區，還有河南、山西、陝西、廣西、湖南、雲南、青海、江蘇、浙江、福建、四川，甚至新疆同西藏也在內。至於出現水災地區則有湖北、湖南、廣東、廣西、江西、福建、浙江、江蘇、安徽、遼寧、新疆、內蒙。其中情況最嚴重的是福建，五月間九龍江上漲，到了六月閩江普遍上漲，福州市造成歷史上特大洪峰，大小圍堤崩潰了二千五百九十八處。

其次要說到廣東，全省有半數以上的縣市被淹，光是新會一縣，就有八十五萬畝作物被淹死。

江西情況也相當嚴重，境內信丰、崇仁、上饒、玉山、弋陽、撫州、貴溪，都出現了歷史上最大的水災。

水災之外，還有虫災，受災地區計有河北、河南、安徽、山東、新疆、陝西、四川、江蘇、山西、浙江、福建、青海、湖南。虫的種類也千奇百怪，除去蝗虫之外，尚有麥蜘蛛、棉牙虫、地老虎、黃銹病、金龜虫、螟虫、挖泥虫、浮塵子、毛臘虫、捲葉虫、剪葉虫、鑽心虎、精虫等，加上禾稼發生的條銹病，稻瘟病，可以說是應有盡有。

虫災之外尚有風災、冰雹災，外加草荒，幾乎中國五千年來所有的災荒，都在毛澤東時代出齊了。

（一八〇）

立春雜話

漁翁

春為四時之首，大寒後十五日，曰「立春」，在陽曆二月四日或五日，陰曆則為正月節。今世界各國雖行陽曆，而我國以農立國，民間仍以陰曆為依歸。曆書開宗明義第一頁，印有「世界行陽曆，民間紀夏時」句焉。

我國舊俗，每於春季開始，而有作「春書」，送「春牛」，造「春盤」之例。酉陽雜俎：「北朝婦人，常以立春進春書」，張子容詩：「帖牖作春書」。按春書，即春帖子也。宋制，翰林書春詞，以立春日剪帖於禁中門帳，號「春端帖子」。一日，仁宗見春帖子愛而讀之，問左右，對曰：「歐陽修之辭」，乃悉取宮中諸帖閱之，歎曰：「舉筆不忘規諫，眞侍從之臣也」。

東京夢華錄：「立春前一日，開封府進春牛入禁中鞭春，開封祥符兩縣，置春牛於府前，至日絕早，府僚打春如方州儀。」因此，民衆多做而效之。在舊曆上首頁，印有牛象，並註：「最好立春晴一日，農夫不用牛耕田」等句，其實亦經驗談也。

又據四時寶鑑：「立春日，唐人作春餅生菜，號「春盤」。武林舊事：「春前一日，後苑辦春盤，翠縷紅絲，備極精巧。」各富家巨室，每於是日，以此互相餽遺，演成今日送節禮之風。

作春詞，以宋代為最盛行，有辛稼軒者，字幼安，歷城人，為湖南安撫，治軍有聲，歷任至知江陵府，豪爽尚氣節，所交多海內知名之士，所著有稼軒集，其詞，與蘇東坡齊名。辛於立春日，曾作「蝶戀花」與「漢宮春」二詞，不僅把立春之風習，描寫盡致，而感時諷世，別有所懷，分錄於次，儻亦可以為立春之獻歟。

蝶戀花：「誰向椒盤簪綵勝？整整韶華，爭上春風鬢。往日不堪重記省，為花長把新春恨！春未來時先借問，晚恨開遲，早又飄零近。今歲花期消息定，只愁風雨無憑準。」

漢宮春：「春已歸來，看美人頭上，裊裊春旛。無端風雨，未肯收盡餘寒。年時燕子，料今宵夢到西園。渾未辦黃柑薦酒，更傳青韭堆盤。却笑東風從此，便薰梅染柳，更沒些閒。閒時又來鏡裏，轉變朱顏。清愁不斷，問何人會解連環？生怕見花開花落，朝來塞雁先還。」

上二調，寓意於南宋之宴安，雖措詞不如林洪「暖風薰得遊人醉，直把杭州作汴州」之明顯，而幽怨之聲，也流露於字裏行間，與風花水月應節之辭有別；今日讀之，感慨萬千矣！

雷鳴遠司鐸追悼會雜憶（上）

方豪

一、從逝世到追悼會

民國廿九年初夏，雷鳴遠神父被八路軍俘虜的經過，論述者已多。當時我正在重慶，于野聲主教營救最力，我亦常供驅策。但其時于主教已計劃挈余到前綫勞軍，所以在營救事稍有眉目之後，我們即出發；第一站是遵義，于主教和我，各在浙大文學院演講一次。第二站為貴陽，第三站為柳州，謁張發奎將軍。一路均與重慶聯繫，途中常懸念雷神父安危，夜不成寐。

第四站到桂林，接電報，知雷神父已脫險，由洛陽抵重慶，由是轉憂為喜。此後，輾轉至衡陽，韶關，長沙，向薛岳、余漢謀等將領及士兵慰問。在衡陽時，已接雷神父病危消息，我們本想從長沙，由宜昌返渝，到長沙正過端午，宜昌吃緊，于主教即返衡陽、桂林、乘機飛返重慶。我乘商車，從衡陽、貴陽而歸。所以六月二十四日晚九時雷神父臨終之時，我正在重慶南岸海棠溪，而未能趕上；次日渡江，匆忙趕到歌樂山，幸而參加了十一時的大殮和追思禮。

接着，益世報改組，牛若望有西北之行，于主教自兼社長，由我担任副社長兼總主筆。同時並積極籌備雷神父追悼會，定十一月二十九日下午二時在重慶臨江路石板街留法比瑞同學會舉行。追悼會的資料，我至今還保存一部分。當日益世報還出了特刊。追悼會中還分送了我所撰的雷神父傳。今乘此機會，特錄一二，藉留紀念。歲月不居，不覺已逾二十三年矣！

二、追悼會發啟人

籌備追悼會的第一件事，是徵求發啟人。因要顧到各方，而雷神父生前熟人又多，所以當時擬定原則，自己教會中人儘可能不列入，所以全部六十六人中，教會中人僅推陸徵祥、吳經熊二人署名。茲將名單列後：

馮玉祥，孔祥熙，于右任，居正，孫科，閻錫山，周鍾嶽，何應欽，王寵惠，張嘉璈，戴傳賢，陳立夫，翁文灝，陳濟棠，王世杰，張羣，朱家驊，白崇禧，李宗仁，張治中，葉楚傖，谷正綱，張繼，陳誠，衛立煌，薛岳，顧祝同，徐永昌，張發奎，朱紹良，余漢謀，傅作義，許世英，彭學沛，鄧錫侯，蔣鼎文，龍雲，龐炳勳，鹿鍾麟，潘文華，張蔭梧，秦德純，蕭振瀛，陳樹人，馮治安，劉峙，徐思曾，賀耀組，張伯苓，蔣夢麟，陳垣，梅貽琦，黃炎培，吳國楨，陳訪先，毛慶祥，吳經熊，張季鸞，謝冠生，李家鈺，陸徵祥，曾萬鍾，寸高奇，唐淮源，唐毅。

追悼會的前一日，上午八時半，在石板街上慈母堂，舉行追悼大禮彌撒，由尚惟善主教主祭，彌撒後，于主教講道，題為「無所有，無所不有。」

三、追悼會輓聯一斑

追悼會收到輓聯極多，美不勝收。其中蔣委員長一聯至今為人傳誦，文曰：「救世精神，博愛之謂仁，無愧基督；畢生事業，威武不能屈，盡瘁中華。」

我的社會生活

再過些時日，天氣沍寒，室內要燒煤爐了。一夕我在書房內，閉門燒着火爐撰寫一篇文稿，到一句鐘尚未完成，忽聞砰然一聲，房門洞開了，好似有人排闥而入，舉目省視，寂如也。我認為是風吹的關係，即起身把房門關好，並將門上的「斯普林」洋鎖扣緊。不料等我回到書桌上，提筆寫稿不到五分鐘，那房門又發出比上次更響亮的聲音，轟然開啟了！這時候，我疑心眞是有鬼怪，乃走到房門口大聲言道：「如果是冤鬼，就對我訴說冤情，不要搗亂嚇唬我！」說罷，讓房門敞開，回身坐到椅上，試覷動靜，終無影響，我亦停筆就寢了。

第二天：我到隔鄰一間理髮店去理髮，店中人早就認識我了，那位理髮師笑問道：「先生，你住在這屋內沒有甚末吧？」聽他的語意，即知必有下文，乃反問他有甚末情形，不妨見告。他就敘說這棟樓房，原來是江蘇民政廳長茅祖權租住的，一日下午，茅先生辦公去了，茅太太在樓上午睡，忽然間，茅太太從樓上直奔到大門口，頻呼有鬼不置，教鄰人跟她進去打鬼，大家湧進至樓上她的臥室查看究竟，茅太太還是嚇得臉青唇白，說有一生面孔的人，進房裏來搖醒她，拉她走到樓下，她叫了一聲「幹甚麼？」那人却不見了。於是，茅家立即搬場，這房子空着半年亦未租出去。如今你先生入住已兩月有餘，所以我們問問是否相安云。我答以沒有甚末，但心裏已有一大疙瘩，不能釋然，祇好迅速遷地為良。自我搬遷後，這座樓房空着近年亦無人問津，後來被東北軍駐京代表秦華租去作辦事處，駐上許多丘八哥，我曾經問過秦氏有無鬼怪？他說：「我不住在那兒，就是有鬼，這些老粗們亦不會怕的，鬼見着他們，也要退避三舍呢！」吾友周佛海借眷屬初到南京時，即卜居於明故宮菜園旁一所沒人敢住的荒宅中，並不要一文租金，我問他有無鬼怪，他說「我不怕鬼，鬼就怕我」，這話頗有道理。大概人口衆多之家，晝夜熱鬧，縱有甚末响動，亦不在意，人少而屋守廣濶，就容易滋生鬼怪的觀念，這其間，心理作用的成份很多吧？

遇到第二個知己

——楊永泰

民國廿一年六月間，我乞假到達武漢，住在法租界「中央飯店」，在最初的十天內，常與鄂省保安處長范紹陔兄見面，商洽如何整理地方團隊問題，因武漢天氣奇熱，擬月底即回京。一夕，我與范兄在漢口「民生公司」茶座納涼中，遠遠瞧着「豫鄂皖三省剿匪總部」副官處長陳希曾兄，跟一位穿紡綢長褂的中年人走進來，范兄指說道：「那穿長衫的就是總部楊秘書長！」我笑謂：「他就是楊永泰嗎？很像個裁縫師傅的樣兒。」既而他們瞥見了范氏，即走到我們這方座位來，一道談天，范兄當然給我介紹一番，他指着我對楊氏說：「這是內政部參事某，他過去在家鄉作過土豪劣紳，我特請他來幫忙擬訂關於整理各縣團隊的法規。」楊氏聽罷，即坐在我鄰近的竹椅上，以親切的姿態向我說道：「我想社會上各界人士，有時候皆可以跟共產黨妥協，唯有土豪劣紳是共黨的死對頭。我們擬利用地方上的土劣勢力來打擊共黨，却不可為土劣所利用。雷先生既是過來人，很希望領教。」我遜謝不遑，也約畧表示了一點意見。大概他認為在公共場所不便多談，旋亂以他語，等到彼此分手時，他約我於次日早晨九時到他的住宅早餐。（廿五）

吳石卿其人其畫（續）

花香月上樓小品

黃葉村人

石卿山水善摹石濤，八大；人物則效法新羅，章侯；尤擅長南田草衣沒骨花鳥，及北宋院本雙鉤；深得宋徽宗崇嗣筆意，可謂無體不備者。徐其雙鉤牡丹，活色生香，更為名貴一時，然非至好，不易得也。嘗為余作雙鉤牡丹，大小十餘幅；其中仿我聞居士（柳如是）牡丹翠鳥一幀，見者歎為精絕。今皆「金杯羽化」矣。石卿嘗云：「吾畫雙鉤，正如紀曉嵐所說之唐打虎，十年練目，十年練腕，非倖致也。」

大抵畫家作畫，多喜習靜，非偶然與會，欲其對客揮毫，殊不易覯也。惟石卿則反是；其作畫也，每喜與詩人墨客，或知交勝友，邊談邊畫。若無客至，雖亦時時作畫，但半小時後，不倦亦停矣。他嘗對二三知己云：「我之作畫也，正如黃葉村人之飲酒，不閉戶獨斟獨飲也！必也有敵人或知己在旁，然後鉤毫著色，畫乃勃然有生趣！己亦不自知其所以然也。」

尤奇者，苟有雅客至，伊定必一邊作畫，手無停揮；一邊說話，口無停語；忽而擱筆，洗盞淪茗，烹我的茶，以饗嘉賓。忽而據案，引毫著紙，添美人的髮。可謂：五官並用，四肢同舉者，誠異禀也。善乎蘇二庵之論石卿作畫曰：「人所不能者，伊能之！人所不為者，伊為之！有時與夫人對罵，而筆下之紅拂、虬髯，若為鬢眉？若為鬢髮？仍絲毫不苟！非有手揮五絃，目送飛鴻之概者，殊不足以語此也！」

石卿祖，鴻源公，余未之見；其父則時時覿面，身材中等而秀偉。而石卿則魁梧壯偉，不類其父，蓋南人而北相者。六十歲後，猶能不戴老花眼鏡，作雙鉤人物虫鳥，翎毛鬚髮，條條可數也。然竟以此致疾；初起，僅目痛耳，然猶作畫，致病益劇。病劇時，陰囊忽腫大如五石瓜。中西醫束手！惟靠賣書籍骨董畫譜供醫藥費。余每臨視，見「打鼓者」朝午出入其家，絡繹不絕，不禁潸然淚下！其時，共匪已陷北平，直迫徐淮，各有難言之痛苦，自謀不暇，故多不能有所幫助，惟量力而已。其病遂卒不治。余挽石卿詩云：「刦餘還訪故侯家，問病床前眼未花；打鼓聲酸兒送客，不堪回首淚如麻」！逝者如斯，良可慨已。

石卿於近代畫家，最服膺頤頤老人，顧余每持任氏精品囑臨，輒遲遲不肯下筆。或偶一為之，亦自歎勿如！嘗語余曰：「新羅，南田；石谷，章侯；都可力學而致！石濤難矣！然，苟有興趣者，吾亦能得其什之七八也。至如伯年？天分特高，非謭陋如我者，所能望其項背也。」其辭雖謙，然亦衷心語也。此外，虛谷，昌碩；胡公壽，楊伯潤；石卿亦多贊許。惟對齊白石則有微詞，謂：白石以善蝦蟹稱，然以伊觀之，死蝦蟹耳！言時，且以白石眞跡見示。又謂：吳湖帆不如吳待秋，吳待秋不如吳伯滔。且以吳伯滔白描羅漢棕櫚扇面一葉贈余。扇面為白金箋，題句從畫面空隙處下筆，無一空地；不僅畫絕！字絕！句更絕！此伯滔傳世之作也！可惜，三十八年出走，一物不攜，懷人思物，徒增數恨而已。案：伯滔名滔，待秋之父。（未完）

雷鳴遠神父頌

天降聖哲，造化靈光；霹靂為姓，名聲永揚。誕生比國，不同凡响。中華領聖，業績輝煌。宣教禹甸，慧眼獨創。教難未艾，予聖自強。力排衆議，愛民如傷。食衣住行，悉如我俗；言動儀節，悉做鄉邦。詩書禮樂，力尊周孔；學界名流，競與交往。士農工商，爭相歸向。過化存神，如應斯響。響應方興，磨難頻降；衆口爍金，一心憑當。動心忍性，不忮不惶；堅貞為主，益增榮光。教廷通牒，「夫至大」降。更為學子，奔勞異邦。照護寒著，猶勝慈母；監督反共，更勝大將！再度來華，入籍歸化；從此聖哲，屬我中華！當我外患，陣前救護；傷患之父，中央嘉許。抗戰老人，全國頌揚。共黨刦持，不為所屈！胼手胝足，牧羊辛苦；老而彌篤，惟尊天主。小兄弟會，師尊耀漢；訓全眞常，永為典謨。德來設院，澤彼修女。服務人羣，口碑載道。明德於天，萬古流芳。

再傳弟子　段宏俊敬撰

自由報
內政部台報字第〇三壹號內銷證
THE FREE NEWS
第一四七一期
社址：20 CAUSEWAY RD 3RD FL. HONG KONG
TEL. 771726
台灣分社
台北市西寧南路

當前中國教育的病態及醫案

·李應元·

打開台灣出版的報紙，經常刊載着教育界各種不良現象的消息，以及各界人士對此類問題的觀感和評判，見仁見智，其說不一，我認爲皆屬皮相之談，并未搔着癢處。

一般人對於現時教育病態的診斷，不外是師資不健全，待遇太菲薄，教師則專事惡性補習工作，學生風氣不良，考試方法不適當等等。實則這些都是後果，并非原因，若根據這類現象以求改進，不管倒果爲因，決非正本清源之計。

人們皆認定教育是關係國家安危，民族興亡的神聖事業，不能隨便亂來的。政府除了確立教育宗旨，釐訂教育政策而外，最應注意的，就是愼選一般辦理教育事業的人才，而其標準即是爲教育而教育。換言之，辦理教育的人，必須具備着夠格的學識與品德，足以勝任師表人倫的職位，這是常識。至於官僚政客固不宜混迹於教育界，即一般喜歡搞民衆運動，弄團體組織的時代英雄人物，亦不是辦理教育的材料。政治上所謂人事制度，以教育界最關重要，沒有釐嚴的人事制度，教育事業一定大糟特糟，毛病百出，終致貽誤青年，危害國家民族，無可救藥也。準此以衡量教育人才，則不特各級學校校長，必須選賢與能，切忌濫冒，就是主持教育行政的官吏，上自教育部長，下迄各縣市政府的教育局長或科長們，亦應杜塞倖進之路，馬虎不得的。這其間的利害得失，可從兩方面來觀察。

一個主持教育事業的首腦人物，無論他是行政首長，或是學校校長，如果他的學識與品德不夠標準，首先即給社會大衆以不良印象，認爲不是那塊料，更對學生們缺乏感召力，而其本人亦不是爲教育而辦教育。上焉者以教育機構爲傳舍，別有所圖，待時而動；下焉者藉教育爲營利事業，循私作弊，無所不爲。因此，他們對於教師之遴聘，即不在健全師資上着想，而以呼朋引類，造成個人勢力爲目的，既無尊師重道的觀念，亦沒有爲事擇人的心思，因而對於學生之管理、訓導，漠不關心，對於教師的服務情形，昧於考查。如是乎學風相應敗壞，「阿飛」青年所在多有，教師敷衍塞責，不修職守，又利用青年升學困難的機會，大幹其惡性補習的勾當。這等於一般校長和教師們，先在教育園地上挖掘若干陷阱，再讓學生們跳下去，構成教育界莫大的危機，基本因素就在主持教育者不得其人。我不承認世人所說社會風氣影響莘莘學子的心性，以及待遇菲薄，使教職員無法安心服務的論據，否則台北省立一女中的江校長，新竹省立男中的辛校長，高雄省立男中的王校長，何以又能表現着優良的成績來？這三所學校的學風何以即不受社會風氣的影響而趨於惡劣？該校的教師們如其不夠標準，而生活亦不能維持的話，又怎能恪盡職責，造就學生的良好成績呢？由此可以證明，只要校長得人，基於爲教育而教育的神聖務，愼選師資，嚴於管教，學業沒有不進步，學風沒有不純良的。現時台灣的公私立中學校，數以百計，而眞正有成績的不過這三所而已，癥結所在，不難瞭解矣。

教育機構的首長如不得其人，而讓一般官僚濫竽充數，因而產生派系作用，乃使神聖的教育生活與操縱的政治生活，沆瀣一氣，狼狽爲奸。講師資，他們并不著服於學問品德，而以結合、培養自己的羣衆嘍囉爲首務；論管教，他們不顧、亦不能對學生作嚴格的管治訓育，但求學生們不鬧風潮，相安無事就得了。政治上的派系主義傳染到了教育界，自然而然的使政治勢力暗中阻礙着教育事業，教育行政機關要想淨化黌舍生活，形成學術空氣，固不可能，即爲着充實需要，想調動一個教育機構的人員，也很困難。據聞前任台省教育廳長閻振興，命令調動某縣教育科長，亦受到外來的壓力，行不得也。閻氏以學人担任教育行政職務，本想有所作爲的，因爲抵不住派系作用的潛在力量，又不願放棄自己的理想與抱負，祇好知難而退，望望然去之。派系作用之危害教育事業如此，你能怪教育界的惡劣現象層見迭出嗎？

目前台省的人口已超過一千萬，中等以上的學校，深感不足，時人每主張多設學校，若政府力量來不及，即不妨獎勵民間私人興學，放寬學校立案的尺度，這當然言之成理，持之有故。可是，教育事業如不能淨化，確立嚴正的人事制度，把一切妨礙教育發展的障礙物掃除乾淨，雖多設學校，對國家民族前途，亦將是害多於利的。譬如台灣的師資，盛言缺乏，但有若干早已成熟而適任的學人，由於所謂「人事關係」——即派系作用」不夠，有的抱殘守缺，自甘淪落，有的受聘異域，寄人籬下。新一輩的大專學校畢業生，每年亦有數千名，其中自不少品學兼優之士，凡爲沒有派系上的人事關係者，縱想充當一個中學教員，也不容易。去秋郵政總局在台北招考一種與郵差相去不遠的職員「郵務佐」，而報名投考者逾千人，且多大專學者校畢業生。一方面感到師資缺乏，一方面又有人才過剩的現象，不亦怪哉！

有了適才適任的校長，而教育行政機關能夠加以尊重保障，使其不受派系作用的干擾與抑制，他就可以愼選師資，唯才是尙，進賢退不肖，所有濫兼他校課程，一星期担任五六十小時講座，而以輪流缺課爲原則的惡劣作風，以及從事惡性補習等行爲，在校長的嚴密監督之下，即不致肆無忌憚。教師既忠於職責，學生自不敢偷情，而「阿飛」「太保」也就不會產生，學風必告純良了。

所以，今日台灣教育界發生的種種問題，皆導源於人事制度之不健全，又因此而派系主義朋興，社會上沒有公平競爭的作用，不講究學問品德，不重視能力資質，而以所謂人事關係爲進退黜陟的標準，大家把神聖的教育事業，與污穢的政治生活等量齊觀。這纔是構成教育病態的根本原因。如不從消除病根着手，只是就病象亂投醫藥，絕對無效的！

傻子主義

狂贊心機

古巴封鎖美軍基地食水

古巴卡斯特羅政權，爲了營救被美軍拘留的三十六名化裝漁民的特務，竟然封鎖了關達那摩美軍基地的食水。此項事件，無疑地是一九六二年十月美國封鎖古巴之後的又一次危機。

美國在關達那摩的海空基地，在目前來說，本已處在不正常狀態下，儘管卡斯特羅無力逐出美軍，但是，總要想盡辦法與美國爲難，封鎖食水不過是手段之一，再推下去一定有更惡毒的花招出現。

美國將如何

卡斯特羅封鎖美軍基地食水後，詹森總統已經召開兩次重要會議，商討對策。美國兩黨議員一致表示擁護政府採强硬措施，但詹森是否眞能採取强硬政策，仍不無疑問。美國目前可行之道大約有兩途：消極辦法是派機船運送食水，同占巴從事外交交涉，積極辦法是仿效甘迺廸封鎖古巴辦法，迫使卡斯特羅低頭。另外當然還有兩個極端相反的辦法，最積極的辦法是支持古巴流亡志士推翻卡斯特羅共黨政權，最消極辦法是乾脆釋放三十六名古巴特務，但以上兩策，美國似乎都不可能實施，目前所能實行的仍不外經過外交途徑提出交涉。

西方國家的矛盾

目前共黨內部日趨分裂，本予自由世界以可乘之機，可惜西方國本身的矛盾較共產集團本身爲大，祇有眼看着大好機會失去。

最近幾件事可以看出西方國家政客的自私已不可救藥，前者如英國售賣巴士與古巴，後者如法國之承認毛共。一方面是貪圖眼前利益，一方面也是同美國鬥爭，大敵當前而自相摩擦，只有讓敵人高興。此等事英法固然不對，美國又何嘗沒有錯誤，美國執政者也應乘此時機作一深切檢討，不能一味責怪別人的。

非洲的古巴

非洲東海岸的桑給巴爾，一般公認將是非洲的古巴，本來以親共爲榮的東非前英屬三邦，坦噶尼加，烏干達，肯雅已深受共黨威脅，若非英軍空運得快，此三邦可能已經變色。三邦最近拒絕周恩來去訪問，坦噶尼加總統也自動取消去北平訪問，都是受到連續政變的刺激，過去以爲共產主義還在天邊，受害的只是歐亞兩洲人，不料禍變來到眼前，才看出共黨的禍害，原是無遠不屆的。

可是，三邦雖然看透共黨面目，却不敢公開決絕，今年聯大投票必然還會支持毛共，這種沒有是非的世界，又安得不亂。

自由談

赤色

古巴卡斯特羅政權斗胆截斷美基地關達拉木水源供應，美總統詹森其始像煞有介事，在白宮連續召開外交、國防大員密議，故示緊張，而結果却祇是下令該基地美軍「自給自足」；逆來順受，再一次的給卡斯特羅塌了美國的臉面！所謂美國決不退出關達拉木云云，只是遮羞掩醜的自我解嘲而已。

卡斯特羅剛剛訪問蘇俄歸來，便有此番「精采」的表演，雖不能就此認定其必然出自赫魯曉夫的授意教唆，蛛絲馬跡，却亦不能令人無疑。至低限度，卡斯特羅這次先教幾艘古巴漁船侵入美國領海，任美拘捕，然後即引此作爲口實，斷然截斷關達拉木基地水源供應，總說明其爲處心積慮的有計劃的安排，是存心向美國挑釁示威，其目無美國，彰彰明甚。乃美國竟爾唾面自乾，隱忍退讓，而卡斯特羅得其所哉矣。

卡斯特羅此舉，誠然并不足以逼走美國；然而，掃了美國的臉面，却正可以顯示赤色古巴的威風，這就關係很不在小。因爲如此作成了榜樣，今後世界各地的麻煩正多，一消一長，將何以善其後呢？詹森爲了今年是大選年，顧慮到民主黨的政權及他個人的權位之私，犯而不校，欲給美國民衆以「天下太平」的假象，苟安自娛，好官自爲，尙自以爲計所良得，不知如此即使能收矇混之效於一時，却爲世局帶來長遠而重大的禍害，豈謀國以忠者之所應爲？古巴赤化以來，艾森豪的作風如此，甘迺廸的所爲亦然，詹森復依樣畫葫蘆，如何得了？

逆施倒行

此事件設使確爲赫魯曉夫之傑作，問題尤其嚴重，同時并又一次證明其所囂嚷的「和平共存」狗皮膏藥之絕無眞實內容可言，而美國却一直自作多情，認赫某爲可交者，優容拉攏，無所不用其極，雖非存心自誤，必也見事不明。有其因自有其果，今也天下匈匈，到處出事，固其宜也。戰後美國公然以自由國家領導者自覦，却對盟邦極盡打擊，如越南之事，對敵人唯欲是從，今次赤色古巴事件即其最新例子，這般的逆施倒行，等於助紂爲虐，天下事尙堪問耶！

馬五先生

大雪山林業公司總經理 俞友田涉嫌舞弊

大雪山五十一年度所砍的木材，實際數字是一〇二，三〇三MB3，超過省議會核定之八三，七一四MB3達百分之二十以上。而且又都是砍的價昂的一級木，所以數量超過預算百分之六〇以上。而低價的闊葉樹則只砍了省議會核定數的百分之五十，造成表面盈餘增加的幻覺。實質上，完全是自欺欺人，粉飾功績。結果還是國家吃虧。

三部汽車

第三、俞友田恣意享受，一人專用三部汽車。一部吉普車，是在該公司所在東勢鎮坐的，僞裝樸實，不坐轎車。但是一離開東勢鎮，就改坐另一部一九五八年的雪佛蘭轎車，經常到台中跳舞，交際權要。而每逢星期六，就坐這部轎車回台北。在台北公館裏，還有一部旅行車給太太享用。這三部汽車的消耗，一年就需要二十萬左右。

勾結圖利

第四、俞友田透過物資局，供應某空軍少將所主持的一家公司上等外銷檜木一千五百立方公尺；這批外銷價格配得之外銷木材，由俞友田與那位空軍少將轉手脫售，獲取暴利朋分，再以低價在市面收購普通木材製材輸出。

低價售材

第五、該公司五十一年度預定生產棄材三萬噸，於八月二日第一次標售一萬噸。參加投標的木材商，有新豐木行等十二家。最高標價爲每噸三百三十二元。

但是俞友田故意在事前提高底價，以致無法決標。至八月廿二日，舉行第二次投標，仍以提高底價的手段使其不能決標。

嗣後，邀請前此未曾參加投標而與俞友田關係密切的，嘉義市林森路二一七號廣榮木行老板蔡水濤去該公司，以每噸三一五元，用議價方法售於該行，較之開標價格，每噸反低十七元。就以這個數字來算，圖利就有十八萬。

而且，還將未經鋸製之高價圓木混入棄材中，交該商運去。所以實際貪污的數額，當數倍於十八萬。

幾點意見

檢舉書中所列的事項共有十點，有幾點涉嫌到很多人。所以我只列舉這六點。但是已經夠了，已夠說明俞友田是爲大雪山的事業前途在作事？還是爲自己在營私？

國家這大的一筆資源，交給這樣的人主持，公營事業怎搞得好？我同意省議會審議大雪山林業公司五十三年度預算時所作的兩點附帶決議：

一、該公司爲營業機構，所有造林保林等林政部份，應請政府劃歸林務局掌理。今後並應逐步減少標售，而以製材爲中心業務，以符木材工業化之旨趣。

二、該公司造林面積仍比伐木面積爲小，應在剩餘資金額下，儘量籌措經費，加強造林。

是一個考驗

而同時，我們要提出兩點疑問：

一、省政府查這案子，若果都是事實，那麼是根據事實來處理？還是以其人事關係爲準則？

二、這公司今後的林政，是尊重省議會的決議，交由林務局掌理？還是仍然照舊，而運用種種關係使省議會妥協決議？而我們的林務人才，是不是缺乏之得需要空軍人才來代替？

這件案子是整飭公營事業的一個考驗。

我們也希望立監兩院和行政院，注意這個問題。大雪山林業公司擁有的國家資源，是很龐大的，似乎不能「明足以察秋毫之末，而不見輿薪」。

（三．完）

執政黨作了最佳選擇
張豐緒競選屏東縣長
膺選成定局必無困難

（本報屏東航訊）本報於五十二年十二月七日（第三九八期）所刊「執政黨提名登記展期後，屏東縣長競爭益見激烈，張豐緒是否出馬最爲各方所注意」之報導，對屏東選局作有系統之分析後，各方人士，備極矚目。

本來屏東許多人都以爲現任縣長李世昌，被執政黨提名競選蟬聯的可能性較大。另亦有若干人以爲執政黨將同情現任議長董錦樹主持議會十年之勞跡，可能給予提名競選縣長的機會。但執政黨提名張豐緒競選五屆縣長消息傳來，不但粉碎了有志於下屆縣長的李世昌，亦使董錦樹、黃道宜、葉顯源等人的美夢成空。無疑執政黨此一選擇是明智的。

目前雖有人顧慮到李世昌、董錦樹二人，或會違紀競選，但據接近李世昌的人士肯定答覆，他不但不會違紀競選，相反的他將全力支持張豐緒競選；簡單的理由是李世昌尚年輕，如果他有政治抱負與遠大的眼光與理想，那他將服從黨的決策，而不作任何冒險；何況他眞的那樣做，無非是自尋末路。因此，屏東地方人士，均希望李世昌在未了的四個月任期內，好自爲之，以更多的優良政績，告慰選民，如此則將來機會正多。

至於董錦樹，他元月三十日雖在寓所與青年黨籍縣議員黃振三研商大局，但據某權威人士談稱：董如果違紀競選，除哀兵政策，能獲得若干同情票外，要想當選，絕不可能。因此，董如明白時勢的話，最好從此息兵，並爲張豐緒助選，則將來他亦未始不能得到對方的支持，使其有償願的機會。素稱政壇老將的董錦樹，以爲如何呢？

再如黃振三，雖然雄心勃勃，但他如與李世昌之流抗衡，也許會拼出結果，對張豐緒就萬無倖理了。縱然他與董錦樹聯合作戰，也不過枉費心機而已。

另一黑馬爲三屆省議員落選人，也是被執政黨開除黨籍的陳朝景，他剛以無黨派身份當選六屆縣議員，而初入政壇，據云亦可能競選，但亦未必眞的不惜以卵擊石，冒險一試吧？

在本報三九八期報導中，我們曾指出張豐緒很年青，論個人聲望，不算什麼，但他父親張山鐘老先生在地方上，確有振臂一呼，萬山齊應之勢，相信他當選必無困難。

張豐緒經常在台中或台北，記者尚未晤及他本人，這次他受命競選下(五)屆縣長消息傳抵此間時，記者曾訪問了他父親張山鐘先生，據張老先生談稱：「本人及小兒蒙受黨國栽培，得爲地方服務，衷心感激。豐緒若蒙地方父老兄弟姊妹愛護而徼倖當選，本人當更督率其盡忠黨國，克盡職責，爲桑梓服務，有所貢獻云云。」

（袁文德）

從省議員的意見談當前財經問題

──本報台中記者熊徵宇──

各省營事業盈餘都太小

省營公營事業之不盡理想，經賴森林提出質詢。他說：

就五十三年度之公營事業綜合預算而言，其收入總額，經省府核定爲八十億五千二百餘萬元；支出總額爲七十三億五千六百餘萬元。而盈餘僅六億九千五百餘萬元。反較上年度核定之盈餘七億八千九百餘萬元，減少九千三百餘萬元。

由此可見各公營事業之經營狀況沒有起色。何以不能下決心作徹底的整頓？

而政府曾一再表示，陸續將公營事業開放民營。但到目前爲止，不但無意開放民營，事業單位反而增加。如台灣書店，高雄食品公司、農工企業公司等。

尤其是農工企業公司的經營狀況，一年不如一年。

上年度，算是差強人意的列了盈餘二百萬。而今年度則僅列盈餘一百四十萬。

像僑泰興麵粉廠，年產麵粉三千九百餘噸，盈餘一千萬元。而農工企業公司所屬麵粉廠之產量亦達三千六百餘噸，但是盈餘只有一百多萬。像這樣的情形，有公營的必要嗎？

而同時，省府投資的台灣合會儲蓄公司及三家商業銀行之官股，爲什麼不儘量出售使股票市場活躍？

賴森林說：我們認爲將公營事業開放民營，是繁榮經濟增加財政收入的措施。

公賣利益可恃？

蔡鴻文對公賣事業提出檢討。他說：

公賣利益是不可恃的。省庫的負担必需要求公平。我們根據公賣局的報告，本年度的公賣利益繳庫，要差短一億二千五百八十二萬元。這筆鉅大的差額，如何平衡預算？

用緊進方法遞年增加其負担省庫的分配是不足恃的。因爲一千一百多萬的人口，吸烟飲酒的主顧，充其量祇不過二百萬人，要二百萬人用不良的嗜好所浪費的財力，來支持全省地方總預算的半數，實在太冒險了！也實在太不公平。

希望今後編擬省與地方概算時，不要再重蹈覆轍虛列這筆鉅額預算。

蔡鴻文說：提到公賣利益的差短，就使人聯想到營運方法的缺點。比如飲譽十四年的雙喜香烟，自從去年從每包九元調整爲八元以後，跟着品質立即降低，這種做法，無異是不願信用自毀前途。

雨天背簑衣

他說本省公營事業共計有三十一個單位，而本年度審定繳庫的不過三億五千五百八十六萬四千五百六十一元二角四分。以超過幾十倍於繳庫投資的，平時又予多方面的方便與支持，僅得如此少數的繳庫，實在太說不過去。

可以證明所列成本的偏高，開支過於浪費，營運的不善以及人謀的不臧爲主要原因。

而省府以前所列的幾點整頓辦法，如今未見下文！而現在，財政廳又提出八項意見，似乎都是有名無實。政府如其揹這沉重的包袱，倒不如求精求簡，忍痛開放民營或予結束。否則就像下雨天揹簑衣一樣越揹越重。

放寬貸款業務 輔導工商發展

對於外銷問題，現任台灣紙業公司、天香化工公司，以及兩家煤礦公司董事長的省議員賴森林議員說：

雖然本省工資最低，但是各大型工業，無不缺乏週轉資金，所以工業仍然滯留在萎縮階段。

他認爲台灣銀行負有輔導工業發展的責任，不應該完全以營利爲目的。尤其是在外銷貸款方面，利率還是太高。而西德日本等國，對於外銷貸款不但免息而且還有許多優待與獎勵的辦法。目前各銀行其所以有爛頭寸，原因乃在現行利率（月息一分）仍較其他工業國家（年息五厘）爲高，所以希望政府再度降低利率，放寬貸款業務，藉以刺激工商業的發展。

（三）

基隆旅居記

仲公

基隆的公共汽車，開辦甚晚，民國十四年纔有商營公共馬車一輛，民國二十七年始有商營公共汽車二輛，後來改爲公營，增至小型公共汽車三〇輛。光復後，民國卅五年四月成立公共汽車管理處，當時僅有舊汽車一輛，卅六年增至一〇輛，到了四十二年基隆市的公共汽車就增至了四十五輛。以後年有增加，現有公共汽車六五輛（不過有些太過陳舊，應該汰舊換新）。行駛路線共十四條，每日行駛平均約九千四百公里，每日乘客平均約五萬三千餘人。

基隆的自來水，有兩個來源，稱爲第一水源地與第二水源地。第一水源地在暖暖區以南，基隆河支流東勢溪和西勢溪匯合點下游，始建於光緒廿八年。當時以供給三萬人用水爲目標，每日最大配水量爲四，一七〇立方公尺，後來隨市民的增加，屢經擴充，大戰前每日最大配水量爲一九，二〇〇立方公尺。民國三〇年的總配水量，達七，三〇五，八〇〇立方公尺。第二水源地在台北縣萬里鄉境內，其地較基隆市街高一八〇公尺，全部水源可藉地勢傾斜流入市區。日據時已打通隧道四處，後來因戰爭停工，光復後因人口增加甚多，夏季水荒嚴重，市政府於卅九年四月繼續施工，翌年五月完成送水，每天最大配水量爲一四，〇〇〇立方公尺。第一水源地方面，光復後，經過整修改良，每天最大配水量已增至二六，八〇〇立方公尺。如以一二水源地及四十一年增建七堵分廠出水合計起來，基隆自來水每日最大配水量已超過四一，四八〇公噸；不過基隆人口日益激增，原有的給水設備還配合不上人口的增加，上年雖完成了增建一萬噸濾廠工程及祥豐街加壓站，一到旱季，依然容易發生水荒。

（二二）

香港火警 去年逾三千宗

（本報訊）據消防事務處紀錄指出，去年度香港共發生大小火警三千一百零二宗，死者廿四人。平均每月超過二百五十宗，或每天超過八宗，確屬驚人。

去年所發生之火警，以下午三時至四時之間者居首位，幾達三百宗；上午十時至下午六時之間每小時的火警紀錄，亦超過二百宗。而上午四時至五時發生之火警則最少，全年合計尚不足四十宗，但生命財產之損失，則以此段時間之火警最爲重大。

去年元月份爲火警在下午發生最多之一個月；該月僅下午三時至四時即有八十宗火警。同時間六月份則僅九宗而已。

樹葉

劉杰

窗外就是一棵樹，樹上有很多葉子。他望着那些樹葉，眼珠一直凝注着。他在樹葉裏找到了她，在對他微笑。她，單鳳眼。眼睛裏投射過來的情感，使他的心也像春天那麼暖洋洋的了。

他和她同學，又是同一個學系的。三十八年四月，他和她正在圖書館看書，同學們湧了進來，把他倆人包圍住：

「你倆人要不要參加遊行？」

他望着她。她也望着他。

他說：「我是來念書的，我——」她用手臂碰碰他，意思是要他不要說的太露骨，得罪了那些同學。

那些同學當時都以「左翼份子」自覦，在學校裏從不念書，却專門製造風潮。弄的學校裏烏烟瘴氣。

政治系的王文，手揷在腰上，大家早知他是共產黨的職業學生。王文直逼着他的面問：

「你到底去不去？」

他就瞧不起王文這種人。他說：「不去怎麼樣？」

「把她拖出去！」王文臉孔一拉。其他的同學，也就聽着王文的話。她受了侮辱。他更被狠狠打一頓。

事後，她偷偷約他到校園裏，在一棵樹下，她說：「我們不能再在這學校讀下去了！」

「局勢也不好。」他說：「我準備先到上海，那邊有叔父做生意。」

「我也要走，但——」

「我明天就走。」他說：「我一到上海，就寫信給你。然後你也到上海來。」

她點點頭。

這時，樹葉在他倆的頭上搖着。他還伸出手來，搖了一片樹葉。

他到上海，却沒有找到叔叔，因爲局勢不好，叔叔已搬家到香港去了。叔叔家的用人對他說：「你來遲了一步，昨晚才上船走的。倘若你昨天來，你還看得到他們。」

「你知道香港的地址吧？」

「不知道。」

上海他就祗有這個親人。現在這親人走了，他身上又沒有多少錢。急的直是在街上走來走去。

那時，安慶也緊張起來。報紙上登刊着：安徽大學已經解散。

「那她到那裏去了呢？」他每天都在煩惱，苦悶。

有一天，他在四馬路碰到李方同學，他問：

「小鳳出來沒有？」

小鳳就是她。

「沒有。」

「你知道她在那裏？」

李方把頭低下來。

他有預感：「是不是出了事？」

李方點點頭，表示是的。

「什麼？」

「被王文——」李方還是說了出來：「王文逼着她出嫁，她不肯。王文强姦了她。」

「她受了這侮辱，她就在當天晚上自殺了？」

王文點點頭。

他哭了。但隨即他就緊握拳頭：「我不會忘記她的死。我要爲她　仇！」

他就這樣投了軍。

他現在望着樹葉，想到了她。他這些年來都在拼命鍛鍊自己的戰鬥技能。他在心裏面對自己說：「我的志願，不久就會實現的！」

藝術叢語

抽象藝術漫談

趙雅博

共同的當前仲張在空間與時間中，與「有」的普遍長寬廣褒相等，這種共同的當前不但可以作現在人與人的交通，瞭解，談話，並且也可以與前代後代的人類交通，瞭解同談話。如果有另些世界，在另些世界也有人類的話，還種共同的當前，也會有交通，瞭解，談話。這種交通，瞭解，談話，比起我們日常的往來，談話要高明久遠與深厚得多了。因爲日常的談話，它的唯一根基是在共同生活，這個共同生活乃是人們在這種偶然的遇合中的一種彼此擠當，只是一種偶處的當前，是外在社會的迫力。我們上面所說的共同當前，它的所以生出交通，瞭解，會談，那乃是從內的，從我們自己本有的存在的形上深處出來，發展而爲一種自然的力量，透過這種發展的結果，表現出我們內心深處的眞正東西。那是表現我們自己，表現出我們的可憐，有毀，並表現出我們本質的無常；但是也一樣在表現着我們的偉大，表現我們以此交談的聲音，能上達天聽。藝術是由於這種來自共同當前的可瞭解性而生出了它的社會面，展開了它的社會容積。社會是多人(神也可括在內)共組的社團，互相交通，互相瞭解，互相傳達，藝術正是這個交談的基本方法，工具。藝術在本質上是具有社會面或社會展開的。從這裏我們也看出來，藝術與道德(另一個社會容積品)的關係是如何的。

最後我們也要說一句：藝術在本質上是展開在社會容積上，是有社會面的，但並不因此而需要成爲普遍的，人人皆知的，也就是說成爲通俗的。

抽象與其等級

談抽象藝術，不能不談抽象。如果不瞭解抽象的眞意，那自然對抽象藝術也是很難瞭解的。並且抽象藝術之所以與其他一切藝術表現不同的地方，也就是由於它的抽象觀念。爲此，我們不能不先將抽象觀念弄個一淸二白。沒有抽象的正確觀念，我們是沒有辦法談抽象藝術。沒有抽象的正確觀念，也無法建樹抽象藝術的理論根據。

抽象一詞，原是哲學名辭，來自希臘哲學，更具體的說，乃是完成於亞利斯多德。它的意義，並不是一般所說的否認形象，不要形象。不是的！抽象所是現給我們的意義，首先是表現爲一種悟性的工作，一種知性的工作，而不是感官的動作，也不是想像的工夫。是的，關於後者的說法，我們要特別注意，因爲我們往往將想像的工夫與抽象的開啓，混爲一談，認爲一事。在藝術上，則有人往往認爲抽象不過是一種象徵，爲想像的工夫所鑄成。

不錯，我們要得知識，要得到抽象的觀念，感官與想像乃是一種要素。沒有感官與想像的輔助，我們無從得到知識，更從得到超感官超經驗的知識。

（未完）

劇氛傑鄉錄

婆娑生

開場爲朱桂芳的演火棍，隨接余梅王之戰蒲關，由叔岩飾劉忠，蘭芳飾徐氏，鳳卿飾王霸，戲雖不大，但各個表情，工力悉敵。鳳卿以叔岩之紮硬，不敢苟懈，特別卯上，蘭芳精警，自不待言，遂成一時無兩，三星聚會，流傳佳話。霖兄返津來書云：今正敉穫，是看到戰蒲關，以後休想再見，眞是曠遇。蓋戲愈僻而愈出神，做愈緊而入化，一點靈犀，固不必須在大塊文章，可以識斷也。而在此戲之後，尚有蘭芳繼他的奇雙會，叔岩李順亭的盜宗卷，一夕見三好劇，在戲院中是不易之事。

改組新明　譽滿京華

蘭芳與叔岩同台，終有些兒畏其逼，不久解散，由姚玉芙組班，每逢星期六星期在西珠市口開明演唱，力排新劇，太眞外傳、西施、洛神等，皆於其時推出。叔岩即與小樓茴安，另組崇林社，仍在新明，並約荀慧生爲輔；是小樓叔岩互唱大軸，另一格局，售價一元五角，比開明貴三角，可是上座情形，有時却是過之。其時排出一冷門戲，爲摘纓會，爲楚莊義釋唐蛟，唐蛟救駕，由叔岩飾楚莊，小樓配唐蛟，慧生許姬，即於其時唱紅。海報一出，座票即行購空，實是權威傑作。而勸梓量的一段，灌成唱片，從茲流入坊間，爲家絃戶誦，迄今勿衰。摘纓會經此唱過，一致好評，成爲名作。以後義務戲，大軸必是此戲，改由蘭芳唱許姬；三賢聚台，盛況更空前，此是民十二後之一奇事。次爲戰宛城，此戲的張繡，純粹以武生扮演，楊小樓唱過。但在新明，又別有安排。由叔岩飾之，改以小樓扮典韋，郝壽臣扮曹操，錢金福飾許褚，荀慧生飾鄒氏，侍小山飾胡車兒，陣容之紮硬，哄動了日下，爭相快覩。在演出之前，撩沙避天所聞，叔岩慫慂小樓曰：師哥；你露露你的絕活吧，楊始首肯。以楊氏爲譚叫天的義子，故作如此稱呼。大概新明時期，先後共演過三次以上，印入腦際，而

顏韵伯家堂會，遂有此安排，再以侗五反串曹操，列在大軸，其精采在於各個爭能，火熾功候，驚異了觀衆，爲民初最最的好戲。余氏聲名，遂更扶搖直上，奠定了生行寶座，克享令譽，在此一局。

精絕探母　音韻超邁

四郎探母爲生行吃重的戲，自坐宮起，以迄回令止，足足要演到三個小時。民國以前，演此齣概至別家郎終，後來譚鑫培與王瑤卿合演，王將旦角鐵鏡公主唱詞改變，即現今所唱之腔，成爲典型。陳彥衡編「燕台菊萃」，其中有詳細的記載，而遂有回令，無非烘托這旦角，因此花旦份量增重。而正旦四夫人孟金榜，屈居附庸，現在多用遊旦，則面目更非矣。或云是陳德霖爲梅氏所編，則瑤卿已唱過，未必符合。

（三十）

昏君續夢

第十一回：舊債新仇　索逋遭白眼　內憂外患　平憤仗蒼頭

中共幹部對災情束手無策，只是要人民自救，糧食配給也日漸降低。鄉下人民公社每人每日配給糧食只有市秤五兩、四兩，三兩、二兩、一兩不等。由公社用大鍋煮成稀粥之後分給各人吃。稀粥能看到人影，但是還只限定食兩碗。民間沒有顆粒存糧，黑市雖然有，誰也買不起，老百姓餓急了，就去剝樹皮，挖草根煮了吃，到後來草根樹皮都成了珍品，也論價出售。

人民長期挨餓，不死也患了重病，其中最普通的一種病是水腫病，從北平到廣州，由城市到鄉村，人人都患水腫病，腫了一個時期，自己也會消腫，過一個時期又腫起來，中間再消一次，第三次腫起來，就要死了。這種水腫病硬是營養不足，只要吃點糖和油，馬上就會痊癒，但是老百姓從那裏得到糖油呢？只好眼睜睜死去。

水腫病是流行症，各地還有一種特殊病，江蘇省各地發生一種青紫病，患者渾身青紫，疼痛難忍，痛了幾天就死去。經過醫生檢查，斷定是多吃了野菜中毒，中共幹部當即展開宣傳，要人民以後煮粥，每斤米只能加野菜一二斤，不能過量，以免發生青紫病，不過老百姓也管不了這麼多，大家都抱着毒死也比餓死好的心理，依然照吃，結果死亡人數日漸增多，中共幹部對此自不關心，反正餓死的都是老年人，死了反而省一份口糧。

老年人束手待斃，年輕人就挺而走險，各地小偷、土匪都出現了。過去中共經常自詡治安良好，到這時治安也成了問題。單身人行路常常會被土匪刦掠，雖然大家都窮，都沒有東西，可是每人總要一張糧票，兩件隨身衣服，土匪小偷所需要的也正是這兩樣東西，到處你搶我奪，被搶的無以爲生，只好再去搶別人，好在共幹認票不認人，不問是誰的票，只是憑票配給東西。苦就苦了老弱婦孺，一旦有票被搶，只有束手待斃。

不過，民間物資究竟可以偷搶的不多，大膽的人就下去搶倉庫，搶公糧，但是，倉庫一旦被搶，共軍即開來鎮壓，搶糧的都是當地人，很容易查出。於是大家又出了新主意，出境搶刦，專搶途中運送的公糧，搶過一鬨而散，查也無從查起。

四川省幾次搶糧事件都出在巫山，巫山是三峽中的一峽，形勢異常險要，一次由四川運出一船米，裝有一萬多袋，預備運到漢口，供應軍食，那知船到巫山，因爲水勢太急，撞壞了一塊，當天不能開船，只好停在峽口修理。不料夜間忽然闖來一批人，明火執仗，趕來把船包圍住，高叫把糧食卸下來大家吃。

押船的共幹向空放了幾槍，兩岸人一齊吶喊：「不要開槍呀！我們是飢民不是土匪」；「同志們你家裏有沒有人餓死」；「糧食是我們收的，爲什麼不給我們吃」；「老百姓都死光了，誰養活你們」。

兩岸一呼百諾，山鳴谷應，押船共軍只好乖乖把槍收起來，任憑老百姓搬運。經過一天一夜，一船糧食完全搬空，及至大批共軍趕到，飢民已逃得無影無踪，後來雖然也抓到一批，可是，找不出主腦，只好算了。

（二八一）

談春聯

漁翁

春爲歲首，除舊布新。在新正初，彼此見面，離不了「恭禧」兩字；非僅宣之於口，抑且筆之於書，家家門戶，各貼吉祥語，名曰「春聯」。

據簪雲樓雜說：「明太祖都金陵，除夕，忽傳旨公卿士庶門上，須加春聯一幅」。是爲春聯之始。太祖少孤，嘗爲人牧牛，後入皇覺寺爲僧。時元祚已衰，羣雄並起，元璋佐郭子興起義於濠上，歷十五載之艱辛而成帝業，建元洪武，爲開基創業之明太祖。太祖得天下後，揚眉吐氣，甚得意忘形，故於新年開始，而有「與民同樂」的春聯之創作。

可是春初之有聯，始於桃符板，早在戰國時代，已有戶懸桃符板之記載。荊楚歲時記：「門旁設二板，以桃木爲之，而畫神荼鬱壘象以壓邪，謂之桃符。」一年一換，除舊更新也。

至五代時，有在桃符板上題聯語，名曰題桃符。史載：後蜀主孟昶，在蜀未歸宋之前一年，歲除日，命學士辛寅遜題桃符板於寢門，以其詞非工，自命筆云：「新年納餘慶，嘉節號長春」。楹聯叢話以此爲楹聯之權輿。宋趙庚夫歲除即事詩：「桃符詩句好，恐動往來人」。是則今之春聯，乃原本於桃符板；其無板而以紙代之，別立春聯之名者，自明初耳。

太祖朱洪武，雖崛起隴畝，而猶明亂天下以武、治天下以文之旨，開科取士，八股文，創於此時。嘗微服出遊，偶見一民戶未貼春聯，詢知爲劁豕苗者，因不諳文字，尚未倩人代撰，即爲書一聯曰：「雙手劈開生死路，一刀割斷是非根。」居戶得此御筆，喜出望外，懸諸中堂，燃香祝聖，以爲獻歲之瑞。

又一日，太祖借內臣劉三吾微行，入一小酒家，欲飲而無餚，乃廢然吟曰：「小村店，三杯兩盞，無有東西；」店主亦通翰墨，即應聲對曰：「大明國，一統萬方，不分南北。」太祖稱其才，欲官之，店主辭不受。

春聯本由楹聯轉變而成，春聯盛行，楹聯亦隨之而興起。尤以明代，上至官吏，下至庶民，莫不措詞練句，精益求精。如王陽明題忠肅祠聯云：「赤手挽銀河，公自大名垂宇宙；青山埋白骨，我來何處弔英賢。」張江陵初賜第於鄉，神宗帝親勒堂聯云：「志秉純忠，正氣垂之萬世；功昭捧日，體光播於百年」。又有贈張江陵聯曰：「上相太師，一德輔三朝，功光日月；狀元榜眼，二難登兩第，學冠天人。」對偶工穩，語亦渾厚，足見明代對聯語之講究，皆由於朱洪武提倡春聯之故，上行下效，盛極一時。

後之人，對楹聯之編輯，列春聯一部門，有四言，五言，七言，九言，以至十數言不等，以供新春之選用。如「春回羊石，運轉鴻鈞」；「歲歲平安日，年年如意春」；「瑞日芝蘭光甲第，春風棠棣振家聲」；「爆竹三兩聲，人間是歲；梅花四五點，天下皆春」。今日港九，每逢歲暮，市面有書懸上項春聯於坊間，以供人們之購用者。是此風由明而清，以至現在，已有六百餘年之歷史矣。

雷鳴遠司譯追悼會雜憶（下）

方豪

此外，如谷正綱輓曰：

四十年鄉化敷文，迹比鳳麟，殊國奇材終致用。五千里纓冠赴義，心傷豺虎，高秋何處可挽魂？

薛岳聯曰：

觀光駐上國游跡，智於擇仁，勇於赴義，唐奇舒翰，漢金日磾，千秋共黃胄尊榮，允合紀勛輝竹帛。

逝世動中樞悼念，褒以明令，存以清香，斷將軍頭，飛健兒血，一樣增青山色彩，豈徒表墓艷梅花。

朱家驊輓聯曰：

請纓塞北，實贊其行，漢水低回思往事！

撤瑟山阿，頓驚不起，楚材搖落痛斯人！

孫科輓聯曰：

佈道揚仁，卅載勤勞留禹域。

匡時仗義，千秋景仰在巴山。

戴笠輓聯曰：

大智大仁大勇，立德立功立言。

祝雅琴輓聯曰：

物與民胞，孰如其惠？惡衣菲食，孰媿其廉？數千里投命忘身，俯仰人天無遺憾。

他山攻錯，君輔我仁；簡書馳驅，君將我母；三十年情親道合，淒涼蒿萊有餘哀！

當時我亦代某教會機關撰聯曰：

以出世精神，作入世事業。

是異國容貌，懷中國心腸。

四、蔣委員長祭文

追悼會前，戴雨農先生一再視察會場，並發覺會場太小，且只有一個大門出入，參加的人擁擠不堪，他向官邸連通了幾次電話，很誠懇的對我說：「蔣委員長實在想親來致祭，但會場情形如此，爲他老人家安全計，你看，還是不請他來吧。」我連說：「我也怕責任太大！」結果，蔣委員長派商震代表致祭，祭文由我宣讀。讀祭文有一定的腔調，而我不會讀，祇是朗誦。文曰：

「作中華民國二十九年十一月二十九日，蔣中正謹具香花清酒之奠，致祭於雷司譯鳴遠先生之靈曰：嗚呼！賢哲於世，爲釜爲薪，磨頂放踵，將心澤人。君來自西，實爲國賓，涵濡文教，振導羣倫。惟主造物，萬族斯仁。君體聖心，泯絕畦畛。東寇侵疆，痛毒揚塵，流離道路，慘惻誠閭。君心如傷，投袂救民，馳驅晉冀，棲皇苦辛；積勞致疾，以隕厥身。夙儀未遠，蹤跡已陳。曠世仍希，豈惟鳳麟。公理不滅，正義終伸。上告眞宰，下啓無垠。嗚呼！尙饗！」

我的社會生活

雷嘯岑

屆時我如約馳往楊宅，老友曹浩森（他是勦匪總部參謀長）兄已在座，三人吃過早點後，楊氏即提出昨夕談過的問題來研討，我乃放言高論，陳述其所見，楊氏頻頻點首，最後對我說：「希望你就在武漢勦匪總部服務，我馬上請總司令致電內政部黃部長，作爲調漢工作，不以告假論，薪俸仍照支可也。」我表示同意。從此每天赴總部秘書處行走一番，有時候楊先生亦到我住的旅館來商談政事。他首先教我審核保甲條例草案，務須簽註個人的意見，俾資參考。次爲初步核閱來自各方面的勦匪條陳，蓋蔣總司令曾經登報求言，各方人士上書者絡繹不絕，且多長篇大作，不能不先事鑑定其內容如何，然後擇尤轉呈核示，以節長官之賢勞焉。

我跟楊先生相處一個月之後，知道他是個勇於負責，而行政經驗極其豐富的人，頗爲敬仰。他對我亦認爲孺子可教，特加青睞，並不以普通僚屬相看待。譬如他某日上午偶爾看到胡林翼論吏治的文字，中有「吏治不振，則民生無依，雖日殺千賊，無補大局」這段話，大爲激賞，即約我同到他家午飯，把胡氏此文給我看過後，命我依據這項義理，起草一道通令，指示整飭吏治的要務，用總司令名義頒發給豫鄂皖三省主席遵照執行，限期三個月要有實績表現，作爲獎懲的根據。再又提出整理勦匪區域內各級黨務方案，主要是黨部不得干涉地方政務，黨費不由公庫開支。我對後者認爲要愼重考慮，恐怕引起大問題，使秘書長個人亦受到攻擊。他答道：「只要對勦匪有利，得到了委員長的許可，我個人的毀譽，何足道哉？」當年武漢總部頒佈的十六條整理黨務綱要，就是楊先生跟我二人，在他家裏交換意見後擬訂的。再過些時日，某夜大雨之際，我在旅館接得楊先生電話，告以蔣總司令次晨九時要召見我，詢以何事？他說：「總司令準備教你到安徽省府接任教育廳長。」我想這一定是楊先生推薦的，乃答以「我對教育事業是外行，素無興趣，不敢奉命。」他即謂「你自己想法子去答覆總座罷！」次晨蔣公問我對此職責有無把握？我陳述自己對教育素無研究，決不敢說有把握。實則我害怕跟那位北洋軍人主席劉鎭華處不好，却是眞的。結果另派葉元龍接替了。

世俗所謂「人緣」之說，我是相信的。例如我與楊先生素不相識，他的政治地位又那末高，學識更比我優越多了。偶爾萍水相逢，言談投契，竟視我爲忘年之交，格外親切。當時在他的幕中担任幹部工作者，有陳芷町、徐道鄰、羅君強諸位，都是一時俊彥，性情亦不像我這樣吊兒郎當的。但楊先生却對我另眼看待，交淺而言深，甚且關於用人問題，亦常垂詢區區的意見。如我的老同學王次甫（前江西民政廳長），曾經勦匪總部軍法處長仇鰲函介於蔣公，請以行政督察專員任用，原函存在楊先生手中，根本就未遞上去（仇氏與楊相處不甚融洽）。次甫在漢口久候無消息，託我打聽一下，我便中向楊先生提及，他問：「你深知此人嗎？」我說王君是我在中學和大學裏的老同學，知其頗有肆應之才。他答道：「好，你教他先來見見我。」我即將楊先生見客時不願說客套話，而喜歡談問題的個性告訴次甫，要他注意。一見之後，楊先生對次甫的印象果然不壞，旋簽呈蔣公派任爲河南省洛陽區的行政督察專員，這亦是我對楊先生建議的。因我曾將次甫在河北省府作過商震主席的秘書長這段經過告訴楊先生，此時商震領軍駐在洛陽勦匪，所以就派次甫去。我自從日本讀書歸來，受知於李協和先生，在政界混過六七年後，李協公不得志於時，隱居匡廬，蕭然物外，我亦落落寡合，不求聞達。偶遇楊暢卿先生，乃賞識我於牝牡驪黃之外，相見恨晚，成爲我的第二個知己者，這不是「人緣」嗎？（廿六）

吳石卿其人其畫（續）

黃葉村人

在廈門得石卿畫最多者，當以余爲首屈一指。其中精品亦什之六七。然此皆二十年來精神物質之所積聚，非易得者也。蓋石卿作畫，非有閒工夫與周旋終日，互相交換智識，精神，而益之以物質，則一畫之成，不被捷足者先得，幾希耳。故終其一生，罕見其開畫展者；無他，畫成，見者先得耳！坐是，求畫者，始而慕，繼而怨，終而怒；這是他唯一的短處。故臨終到者，惟故交繡伊，余，振煜，鴻元，三數人至耳。抗戰勝利後，余返廈晤石卿，已垂垂老矣！既，詢悉余所存伊畫，已遺失殆盡，慨然曰：「某將以劫餘之身，爲君補百幅，藉見吾二人之交誼也。」余笑應之曰：「固所願也！但亦不必有此事，不可無此情耳」！

花香月上樓小品

自茲而後，余每至其家，石卿必爲余作畫，其第一幅乃臨任伯年「關河一望蕭塞圖」。在廣漠無垠中，畫一馬，雕鞍；一健兒，腰弓，佩劍；戴貂冠，側其面，仰鞍而望，天空墨雁一行，數之七隻，皆一筆成者。觀其狀，首或俯，或昂；或廻，或直，無一筆同者。翅如矢，如匕首，如戈戟；栩栩生動，不可方物。余喜極欲狂！石卿顧而笑曰：「昔日吳下阿蒙，今何如耳？」余亦笑曰：「自當刮目相看耳」！歸即裱而張之以香檀鏡焉。見者睞覩而未讀題，幾疑任氏眞跡也。侵尋二年，共得七十餘幅，而石卿病作。病重時，以其最心愛之金箋長聯一副，贈余；清宣統太傅陳寶琛所書贈石卿者也。及今回憶，故人已歸道山，遺物亦付之不可知之數！造物弄人，有如是者！可不痛耶！余挽石卿句云：「聚散難消恨亦休」！蓋紀實也。

石卿長余十歲，卒年六十有六。有三子一女，長子倫先石卿卒，遺寡妻及二子。次子斗，與其父不相中，父子避道而行，不交語也。三子年，人尙聰明，石卿逝時，旅滬未歸。彌留之際，惟女阿琳在側耳！先是，日寇據廈時，日人慕石卿畫，多有往還，並遺耳赴日留學。石卿不能拒！迨日本投降，石卿緣是入獄，被繫數月，旣而釋出，每與人談及其子斗，則痛恨切齒！謂：「伊之入獄，乃斗所檢舉也。」

（未完）

昆明十日的感想

雷鳴遠遺著

抗戰期間，二十八年的六月，雷鳴遠神父二次奉蔣委員長電召從前綫中條山到陪都重慶接洽要公，並到昆明一行。在昆明僅住十天，到處演講，宣傳抗戰，把一個後方的後方——昆明，鼓動的瀰漫了抗戰空氣而且比前方還要熱烈。他和昆明告別的前夕，寫了一篇「昆明十日的感想」，發表在昆明益世報上。這篇文字充分表現了雷神父「抗戰必勝」信念的堅强。讀起來，好像他是在勝利以後的講話。現值台灣鳴遠館落成，同時我們又是在「反攻大陸」的前夕，重新發表這篇宏文，不是沒有意義的。原文如次：

本月十九日從重慶來，二十九日到成都去，在昆明這十天中，新舊朋友都問我對昆明的印象，我眞不知怎樣回答，這幾日我太忙；會朋友，演說，印象都是片段的，都理不出頭緒來，一切都覺得好，但一個好字太籠統，這印象又太單純，我還是說說我的感想罷！

到昆明以後，我的抗戰必勝的信念更增强了。中國多麼偉大，到昆明，彷彿到了一個新國家，昆明蓬蓬勃勃的新氣象，令我感覺到又到了一個新興國家的首都。我在華北住了幾十年，走了許多地方，當時已感覺中國偉大，後來華北許多地方淪陷，我相當着急，後來在中條山工作一年多，那東西三百里南北三百里的山區，日寇攻了七八次，攻不下來，且白費了許多生命和器械。那時我已經感嘆中國眞偉大，絕非日本所可滅亡。其後我到四川，看見世界上所稱的沃野千里的四川，我感覺這就夠一個大國的條件。哼！我們還怕日本島國嗎？這次我到了昆明，氣候的調和，物產的豐富，人情的質樸，民氣的振奮，我更受到感動。雲南又不是一個偉大的抗戰基地嗎？這不又是資源無窮盡的抗戰大後方嗎？我們怕日本小鬼子嗎？中國眞偉大。我心中「中國偉大」這一信念，在我的心理上已戰勝日本了。的確，我的抗戰必勝的信念更堅定了。

從前我在前方山窰裏工作的時候，老聽着一些謠言，說後方民衆不振作，民氣不奮發，我不大相信，我想到後方走走看看。

（上）

自由報
THE FREE NEWS
第一四八期
中華民國僑務委員會頒發
中華郵政台字第一二八二號執照登記為第一類新聞紙類
（逢星期三、六出版）
每份港幣壹角
台灣零售價新台幣貳元
社長：雷嘯岑
社址：香港銅鑼灣高士威道二十號四樓
20. CAUSEWAY RD 3RD. FL.
HONG KONG
TEL. 771726　電報掛號：7191
地址：香港灣仔高士打道二一二號
台灣分社
電話：六四五〇三

我們「心力」的衡算

•方南•

目前國際大勢所趨，美法趨於分裂的災害恐將越鬧越大。而「兩個中國」的製造也將是國際政治野心家陰謀家共同趨赴的目標。我們固可能利用這個錯綜複雜的亂局，進行多方面的外交活動，維持現有的國際地位，但不管這方面的活動獲有若干成功，恐怕仍不能打破「兩個中國」的圈套。主因是：美法雖然分裂，但美國實際仍是「兩個中國」的熱心製造者。因此，我們決不該沾沾自喜於小就，認為可利用美法分裂的空隙，藉美國之力以圖保中華民國在聯合國的一席位。須知國際陰謀家第一步製造「兩個中國」成功之後，第二步必然企圖用「謀殺」的手段，將中華民國在台灣消滅，而以另一方式保留台灣為利便於他們運用的「基地」。這種趨勢必隨時間而增進，除非我們能夠振奮「心力」，把外交因應的小巧工夫看在次要，而以扭轉乾坤為己任，以自創新局為天職，否則未來局勢必將不利於我們，直可斷言。

我們既不是唯物主義者，便該注視「心力」所可發揮的作用。時局發展到現在這一階段，我們更應該檢討一下自己的「心力」是否有了病態，是在向前奮發抑在向後退縮。凡是曾經參與民國建立、北伐、抗戰諸役的人們，都該在這個課題上面考究一下。

竊嘗思念：毛澤東這個瘋子闖禍作孽到了今天，確屬罪如山積，該死之至，有一點卻值得注意，那是他的「心力」之橫肆發揮的問題。

這裏抄錄梁啓超先生的話，希望引起大家研究。他在「中國歷史研究法」書裏說過兩段話：

「社會倘永為一種勢力——一種心理之所支配，則將成為靜的死的而無復歷史之可言。然而社會斷非爾爾。由人類心理之本身，有突變的可能性。心理之發動，極自由不可方物；無論若何固定之社會，殊不能預料或制限其中之任何時任何人忽然起一奇異之感想。此感想一度爆發，視其人心力之強度如何，可以蔓延及於全社會。」

「據事實昭示，則曾國藩之收穫，乃遠不逮袁世凱。袁世凱能於革命之後，將其所屬之腐惡垂死的舊社會擴大之，幾於掩覆全國；曾國藩事業之範圍愈大，而其所屬之賢士大夫的社會，其領土乃反日蹙也。此其故，固由近六十年間之中國，其環境宜於養育袁世凱的社會，不宜於養育曾國藩的社會，兩者所憑藉之勢，優劣懸殊。然而袁世凱着力之強，始終以一貫精神，絕無反顧，效死以扶植其所屬之惡社會，此種積極的心理，殆非曾國藩所能及也。」

就這兩段話來引伸，我們也不妨說：毛澤東正在憑持其「執着力」，一方要維持兇殘腐惡而搖搖欲倒的中共政權，另一方要把共產的中共政權毒菌普遍散播，加倍造孽，企圖藉以淹覆整個自由世界。這正符合了一句恆語：「上帝欲令其人死亡，必先令其人瘋狂」。毛澤東的「心力」正在加強發揮於自掘墳墓的方向，這在我們看來，只應警惕奮發，絕不該作偷惰僥倖的樂觀。並且，我們尤要反觀本身處境的艱危，看看我們「心力」曾經如何發揮？和發揮到什麼程度？目前是否有收縮的傾向？

正如梁任公所說，曾國藩士大夫的社會，本不致於「領土日蹙」的，只因曾國藩這一羣人不會執着地積極地發揮他們的力量。自從太平天國被他們消滅了以後，他們的「心力」靜止了，為首的曾國藩完全把「心力」斂縮於一個「家族」和一個集團的「保泰持盈之道」，結果便使一個「史蹟集團」消逝於無聲無臭之中；而相反的一方面，像袁世凱的一個集團所掀起的波瀾，竟如此巨大而洶湧，根因亦在乎袁氏一人作惡的「心力」發揮到盡頭，乃至死而後已。

觀此，我們再考按「國民革命運動」以往三個階段，由建國時期迄北伐時期，以至抗日時期，「心力」總是每一階段每一活躍的原動力，所謂「革命精神」也者，原即「心力」用之於革命事業而已。孫中山先生一生屢歷艱危，屢敗屢戰，屢仆屢起，所恃無他，也就是強盛絕倫的「心力」而已。今天我們讀他的遺著，觀他的史蹟，便知他所憑以創造和推進「國民革命運動」者，眞眞就是他的絕強「心力」。他每以「革命精神」感召羣倫，並在其多次演講中強調「革命精神」的重要。這豈不是一一可以覆按的麼？

台灣今天兵精粮足，中華民國正統猶存。國軍如要反攻大陸的話，當然在物質上猶有所欠缺，但總不能說沒有良好的物質憑藉；但國際束縛總難擺脫，一個可以時刻實施反攻的「戰鬥體」仍未構成，氣象不夠發揚，警覺似有鬆弛的徵象。那麼，將來局面能否開展，便不只關乎物力問題：最主要還是心力問題了。

我們必須正視事實，要從今開始，發揮「心力」，展拓另一階段，採取戰鬥行動，創造「國民革命運動」新的高潮！否則因循敷衍，蹉跎自誤，被人看成一個日趨萎縮的「史蹟集團」，可以任意愚弄之，欺侮之，消滅之，乃致謀殺之，那便是「哀莫大於心死」了。

其實，三十多年來，中山遺教也只有了一個稍為實驗的機會，即以台灣施行「耕者有其田」的成績來說，便已引致亞洲非洲許多個國家派人前來考察與學習。這決不是敗亡之象，反之，可說是生機眞正萌發之象。這個革命集團，決不應被看作已在萎縮中的「史蹟集團」。但，這便要看「心力」能否再次發揚來作判斷了。當然，以往十餘年中，台灣也有戰鬥成績可以舉述。例如金門防務苦心經營，竟導致整個共產集團侵略巨輪分裂破碎於一役，如非有堅苦奮鬥精神，亦決不足以臻此。可是，過去十多年的一切作為，用之於鞏固台灣根基者較多，用之於其他方面者較少，假如不即在這時充份利用十五年生聚教訓的一注本錢，毅然為光復大陸而展開積極浩大的行動，恐怕時不我與，多年來辛苦經營的成果也會斷送於今後國際縱橫捭闔的醜惡風氣中，而中山遺澤也同樣就此斷送了。

十五年是一個階段的結束。另一新階段應即由現在開始。我們且休說什麼困難，首先要問自己「心力」如何。只要「心力」能夠發揚，無可以變有，小可以變大，弱可以變強。當毛澤東把「心力」用之於自殺的時候，為什麼我們不能把「心力」提振起來？

沒用的鑰匙

開花野草

今日与明日

寮戰又起

就當戴高樂承認毛共偽政權，提倡中南半島中立化時，寮國戰爭又起，右派軍在越共，寮共，可能也有中共的聯合進攻下，大為失利，永珍市內醫院傷兵已經安置不下，北汕、他曲都受到威脅。

越共及寮共何以在此時發動攻勢，也許想在中立化之前多佔一部份地區，此等手法，毛共在大陸已經得到利益，越寮共又來學樣，可惜西方國家始終看不出。

法國是禍根

寮國局勢發展到目前情況，法國要負百分之八十的責任。沒有法國人員的慫恿，康黎就不敢叛變，以中間偏左姿態，引狼入室。所以說康黎是破壞寮國和平的罪魁禍首，法國則是幕後導演；此次法國又出而提倡中立化，更加促使越寮共的進攻，依目前情況來看，寮國赤化殆不可避免，整個中南半島也將從此多事。康黎近年來受了共方的侵犯，已經有悔意，頗後悔目前雖然當了「將軍」，到沒有以前任上尉營長生活得安逸，可惜的是，康黎覺悟了，法國仍未覺悟，寮國局勢也不可挽救了。

越南問題也不安定

越南自從吳廷琰政權被推翻之後，始終動盪不安，前線軍事不斷失利，統治的軍事委員會內部意見紛歧，終於導致越南再度政變，由阮慶將軍出掌政權。

阮慶當政後，雖然高呼全國團結一致，但顯明地並未得到全國一致支持，最近西貢市內不斷發生示威，阮慶新政府遲遲其組成，在在都顯出新政權前途多艱。

阮慶政權能否得到長期安定，很難斷定，如若阮慶再垮了，則越南前途就凶多吉少了。

西方應有的覺悟

西方國家目前專作自己抵消的工作，美國支持越南剿共，法國卻要越南中立化。英國支持大馬來西亞，美國卻仍然援助印尼。美國孤立毛共，英國卻專替毛共捧場，法國更在此時承認毛共。

過去西方國家的衝突，多緣於商業利益，今日大家在亞洲都沒有特殊利益可言，實際上已流於意氣之爭，長此下去，只有替敵人幫忙，促使東南亞早一天赤化，身臨前線的反共國家，中、韓、越、泰、非及大馬，應該自行團結起來，過份倚靠外人，最後要誤盡蒼生的。

政治把戲

自由談

馬五先生

原本已經劍拔弩張的大馬糾紛，上月下旬，先之以美總統詹森以息事寧人的姿態派出司法部長小甘廼迪東來奔走調停，繼之泰國外長乃他納亦出馬拉攏撮合，甚至連莫名其妙的妄人柬埔寨元首施漢諾，亦插進去湊一份熱鬧，跑了一趟吉隆坡，又跑一趟馬尼拉，於是馬印「停火」之餘，既有馬菲印尼三國外長的曼谷會議，再有金邊的馬菲雙高峯會談，熱熱鬧鬧，似模似樣，不少人乃以為三國首長之重行聚首已呼之欲出，糾紛的最後和解希望甚濃了。我卻并不如是觀。

我倒并不很懷疑三國首長終於極有可能再見一次面，但我敢於斷定，那結果亦無非是勞「官」傷財，徒費脣舌。論證很簡單：蘇加諾答應「停火」與坐下來談，祇是其策略的運用，而非其目標的改變，是明明白白的。他這策略的運用，一是給美國一點面子，再則偽示他亦還和平為懷，以爭取宣傳效用——有可能他已因此取得若干美國的「禮品」。是則，除非蘇加諾能夠在會場上不費一兵一卒達成其「粉碎」大馬的「宏圖」，他是不會罷手的。而要大馬被「粉碎」，大馬肯幹嗎？英國肯幹嗎？再者，眞要同大馬為難的，是共產集團而非蘇加諾，蘇加諾祇是其馬前走卒而已。蘇加諾本身也許略得甜頭便可洗手，但捏着他脖子的「老板」卻不容他半途而廢，他騎虎難下，自己并作不了主，糾紛如何而和解得了？

我還實在懷疑美國的突然插手於大馬糾紛確乎是為了息事寧人的。詹森捨國務院人馬不用，而偏派小甘廼迪出作魯仲連，其眞正用心，未必不是為美國大選而作佈置。詹森將是民主黨總統候選人，事屬定局，「副車」為誰，自必已在他的盤算之中，他知道民主黨左派力量不小，「弟以兄貴」，小甘可能已被他考慮到，派其出馬，蓋欲使其及時建功，以增聲望也。這推測如果確當，詹森祇是假大馬糾紛要自己的政治把戲而已！詹森當然明白，英國不似荷蘭的可欺可壓，美國出賣得了西新幾內亞，卻無力決定大馬被「粉碎」的命運。然則，美國的出頭，并眞非欲平息大馬糾紛者，「詹森舞劍，志在白宮」，今而後他大可不再理會這公案了，糾紛又怎能和解呢？

高雄地檢處李首席連續被人檢控監院

（本報記者台北航訊）高雄縣市農工商各界負責召集人林立等，具名向監察院檢舉高雄地方法院檢察處李首席到職以來，「措施乖張」，「顢頇無能」。由於該首席最近被人向監察院控訴，連續有二，三案件，因此，監察院司法委員會將把林立等所檢舉之案，一併交由前案調查委員調查。該檢舉書說：

「古時立法必先樹信，繼以立威；今日民主時代，法律之前，人人平等，雖不得以威臨之於民，然守信仍爲立法之首要。」溯自高雄地方法院檢察處李首席到差後，「威信掃地」。比如：

「（一）高雄縣長余登發被起訴後，該首席對報界發表談話稱：『余某有罪無罪，應由法院來推斷』。以檢察官之立場，自唱廢除檢察制度論調。（二）高雄醫學院陳（啓川）、杜（聰明）交惡，在報端互相與[illegible]侵佔校欵，濫收學費，包庇兵役等，該首席竟畏權勢，裝聾作啞，噤若寒蟬，未見依法偵查，社會人士嘖有煩言，令人齒冷。（三）近又强迫高雄吳天受醫生交付死者家屬四萬元和解，醫學界大譁。該首席明知死者家屬有妨害公共衛生，借屍恐嚇詐財，竟不檢舉，反利用職權，强迫被告吳天受醫生在過失致死案未判定之前，交欵四萬元了事，顯有觸犯刑法第一二五條第一欵第二欵及第三欵之罪，此事亦經全省各報登載，並見市民散發傳單質問，事實俱在，當局亦視若無覩。（四）（去年）十一月十三日新聞報登載：李首席在醫師節紀念會會上致詞稱：『我自到任以來，對醫療糾紛案件，從來沒有起訴者：……』，尤爲荒謬。蓋醫生爲人治病，如無過失，當然不起訴；若經偵查確有過失殺人時，又當別論。該首席到任後之所有醫療糾紛案，是否均爲無過失？未見該首席加以說明，各醫療糾紛案件之不起訴，是否係檢察官自動偵辦結果之處分？抑或由該首席命令檢察官一律不得起訴？殊令人費解。然則上述吳天受醫生案，既經檢察官解剖送請鑑定，而在眞相未明前，死者家屬借屍勒索，該首席爲何對勒索者不加究辦？反强迫醫生交代四萬元鉅欵和解，原因何在？該首席言不顧行，自相矛盾，無怪傳聞其中另有文章。（五）法院修建費用，既呈請上級撥欵支應，乃該首席利用職權，强向商人攤派，某者油漆若干桶，某者水泥若干包，某者木料若干才，某者工作若干日，而被募者以迫予權勢及自身安危，心雖不甘，仍不得不作不樂之捐。凡此種種，均有事實可證，消加追究，立即瞭然，似有觸犯刑法之處。」

查該首席被控之案件，現正由監委毛以享進行調查中，眞相不久可望大白。

香港與大陸

毛共奴役學生無微不至 寒假中被規定嚴格任務

巧立名目叫做接受「實際的教育」

大陸各級學校放寒假了。可是，對那些學生來說，寒假已失去了原有的意義，因爲，大陸的學生們在寒假期中，被「共靑團」和學校當局所「組織」，逼他們去接受各種「實際的教育」。

最近由廣州市申請來港的十三中學生趙××向記者透露：廣州市的學校都放假了，但是，學生們幷不能在假期內自由自在一下，全部時間都受「共靑團」和學校當局所控制，比之平日在學校之時更無自由。

趙××說：廣州市的學生在這個寒假中被規定必須完成兩件任務——「教育與自我教育」；寫「家史」或「街史」。

所謂教育與自我教育者，即是要負起教育羣衆（尤其是落後的羣衆）的責任，而又要在「先進」的羣衆中求取自我教育。在這項任務中，學生們一方面被組織在「街小組會」中，每天晚上輪流給市民讀報，及教市民讀書識字，並且嚴格地規定了任務，每個學生都要在寒假中使自己的「學生」（即市民）升班，即是說，要使文盲的化盲，初小程度的要達到高小程度，高小程度的則要達到初中程度。在另一方面，這些中學生們却還要「自我教育」，他（她）們每星期有一部份時期是被組織起來集體訪問工廠的「老工人」，農村的「老農民」及「勞動模範」，還要請這些「老前輩」講過去的「光榮傳統」、「革命故事」及「舊社會的罪惡與痛苦的生活」。學生們每星期有三天的時間，要回學校的「俱樂部」去接受「革命傳統教育」、「艱苦樸素教育」和「耕田光榮」的教育，還要聽那些「故事員」講那些聽膩了的「古」！諸如，「二萬五千里長征」，「紅岩」，「血淚仇苦菜花」，「白毛女」……等。

趙××說，學生們在寒假中，完全沒有關於課本上的作業，而却被規定要寫「家史」和寫「街史」。在寫「家史」和寫「街史」時，要特別寫出「反面」和「正面」的人物和事實，例如，一個「資本家」成份的家庭，必需要盡量披露自己的親人在過去是如何千方百計做投機倒把的買賣，如何苛刻剝削工人……而現在，又如何在「黨」的反覆教育下，徹底認識了自己的錯誤，「改邪歸正」，做一個好「勞動者」了；寫「街史」時同樣要注意「反」與「正」的激烈鬥爭。

另據曾回梅縣探親甫返抵港的某君稱：梅縣地區的中學生，在寒假中一律被趕回農村，每天都得參加築水庫，積肥，和培植「越冬作物」；而這些「勞動工分」當然是無償地贈給公社的。（敬斯）

毛共害怕農民革命

已決定要在舊曆新年中大規模利用話劇麻醉之

（本報訊）中共將在舊曆新年大規模的利用話劇的活動，目的在消除農民的反共思想。單就廣東省而言，新近就組織了一千二百多「文工團」或「宣傳隊」，分派到農村巡迴演話劇，劇目盡是最近才完成的「具有階級教育」的。農村的共幹則負責組織農民看戲並要農民陳述「觀後感」，以達到「廣泛教育」。

此間一位文員曾先生接到其留居東莞的弟弟來信，對中共此項活動敘述綦詳。來信說：早在兩個月前，中共便下令把大批的劇作家和導演「下放」農村，進行所謂「訪貧問苦」，挖掘「階級仇根」、「往深處挖」，並要求寫成具有「三世仇」和具有「愛國主義」的現代劇本。在此之後，大陸各地的學校、機關，和農村的知識青年，便也被强迫組織「文工團」或「宣傳隊」，排演上述的劇本，以便在新年期中演出。

來信說：粵省的農村中，平均每一個公社中有二個這種負有「教育農民」使命的「文工團」或「宣傳隊」，它們所演出的節目都是以煽動「階級仇根」爲主題的，如「劉胡蘭」、「劉介梅紅旗譜」、「紅色風暴」、「邢燕子」、「英雄小八路」、「白毛女」、「雷鋒」……等。

來信者便是宣傳隊的成員，除了每天要練戲外，還要研讀毛澤東的著作，讀「革命文獻」和「革命小說」要他們在農村的「階級仇根」中動學苦練，精益求精。中共還已宣佈，過年將不休息，因爲那時候是農民「休息」的時候，他們正需要精神食糧，而所謂「精神食糧」便要我們劇團供給云云。

基隆旅居記

仲公

基隆市區電燈用電，向由台灣電力公司八堵變電所輸送，再經基隆、仙洞，八尺門等三個變電所後供應市區，並另有專用變電所供應台灣肥料公司第一廠。電話方面根據四十年底統計，基隆電話用戶僅八六〇戶，平均四四〇戶有電話一具；自四十九年開始，改用自動電話，現全市有電話二千二百餘架。

工商業爲一個都市經濟活動，市面繁榮的兩大支柱，基隆市在民國卅年生產總值爲三二，三四一，八八五日圓，其中工業產品爲一七，一〇五，六四三日圓，獨佔百分之五三；次之爲水產，爲一一，三一九，六一五日圓，約佔百分之三五；礦產第三，爲二，八〇四，六七四日圓，約佔百分之九。三者合計，已佔基隆市生產總值百分之九七。此外畜產價值爲八六九，三七八日圓，農產價值爲一八六，二五一日圓，林產價值爲五六，二三四日圓，皆微不足道，合計僅佔全市生產總值百分之三而已。

基隆市的工業，除少數公營者外，大多數都是小規模的經營，據民國卅年的統計，全市共有工廠四九九家、職工總計二、九〇七人，平均每一工廠僅有職工五點八人。（廿三）

從省議員的意見談當前財經問題

——本報台中記者熊徵宇——

轉投資對嗎？

關於金融機構投資企業的問題，黃堯議員在質詢財政時提出檢討。

他認爲，金融界投資各種企業爲股東，似乎違背本身的業務，因爲金融界係利用客戶存欵輔導工商界，促進資金的週轉爲主要業務。然而政府所辦的各金融機關投資於各種企業的數額，超出了本身資金的數倍。

像這樣利用客戶存欵投資，似乎具有危險性，萬一所投資的事業發生倒閉，投資的股本不能收回，又將如何處理？

而且金融機關應該做存放欵活動，工商界才能靈活，市面才得活潑，才能穩定經濟。所以不應該以固定的投資，凍結金融，使工商業蕭條不振，經濟困乏。

他要求政府設法將各項投資收回，並且限制今後金融機關投資企業認股。

邊際效用何在？

我們綜合這幾個財政問題的質詢，就可以看出目前財政上的幾個大問題，確實存在着嚴重的困難，而急需謀求解決。

台灣省政府目前必需擬具對策的，乃在如何降低工商業貸欵利率，使工商業者目前普遍缺乏資金的困難得以解除，充實其新的設備與購置原料所需要的週轉，進一步的打開目前的蕭條局面，促進其繁榮。

目前台灣的工業產品有的水準已經很高，只是因爲資金缺乏與外銷市場的局面還不夠，所以因之不能大量推銷亦難降低成本，缺乏刺激生產的功效，以是招致一種不可否認的萎縮現象。

若果政府能本着四年前鼓勵節約消費，增加生產加速經濟發展的基本原則，降低貸欵利率，這種情況自然改觀；而各行庫所吸收的游資，也不致於因爲放不出去而苦於利息的負担。否則，銀行有大量的「擱頭寸」，工商却缺乏之必需的資金，在邊際效用的意義與重覆生產的原則上，實在是一種鉅大的浪費！

當年構想的如今怎不行

我們不了解政府何以形成這種現象？這似乎不是用經濟理論可以解釋的，雖然其中有許多牽牽扯扯的因素。

溝通儲蓄與投資，將儲蓄形成資本，是當年構想中的要求。何以現在又不能放手去做？假如說沒有某種特殊原因存在的話，那該是金融最高決策者存在某種錯覺。如果有這樣的抉擇領導者，我們還能談什麼經濟發展？

人盡皆知，沒有一定程度的資本，就不能採用新的技術，就盤旋不進，就發展迂緩，就因之萎縮，日趨蕭條。

民主政治的工商資本，應當就是人人所有的資本，應當儘量排除官僚性的獨佔資本。不有個人工商資本的發達，民主政治無由鞏固。

我們必需普遍充實廣大工商業的資本，使工業革新，商業繁榮，不冒險。

公佈劃分法！

財政收支劃分法，一直討論了好幾年還沒有結論，使縣市鄉鎮各級政府的財政收支不能得到適度的平衡，這對本省的地方自治發生重大的影響，使地方政府各種經建事項受到阻撓，而中央與省委托縣市政府的課稅事項，也自然在潛意識上產生一種淡漠感覺，鼓舞不了納稅義務人與收稅人的情緒，所以欠稅的數字，全省鉅達近十億萬元。

這筆欠稅的呆滯，多是地方大戶，乃至縣市長之流。若果有些稅，是取之於地方而用之於地方的話，縣市議會與鄉鎮民代表會也不會放過。

既然這劃分法的要求早年就由省議會通過，經省政府建議中央採納，就該予以公佈。這劃分法實施後，地方政府就能充份的發輝其自治力量，而省方也減除各種建設上的專案補助與年度補助的煩擾。

稅政值得商榷

稅務的改革爲各方面的一致要求，省政府爲了處理稅務上的問題，由陳漢平當財政廳長的時候就着手改革起，而謝耿民繼任廳長以後，也一直在鬧着要改，但都沒有搞出明堂。一年多前，周宏濤繼掌財廳，總算是在具體辦法上成立了稅務處，也做得很認眞，但是許多制度還是不能有合乎要求的改革，手續仍然過繁，稅率仍然過重；所遭受到的批評與民間具有的反映有過於稅負問題。

也就是說：稅政的問題可能比稅法上的問題更爲嚴重。改進稅法得兼顧稅政的革新，才能收到實際的效果。

（四）

懷中文

莉莉

有智慧、有毅力。說話硬硬的，說一不二。做事就如快刀劈甘蔗；一刀到底。就因爲他做事有毅力，就因爲他作事情很爽利，他才倒了下去。

但倒下的，是他的肉軀，他的精神、他的靈魂，却活在我們無數人的心上。

三十六年，安慶正在緊張的戰役中。他那時帶着一連人打防禦戰。

共匪像老鼠似的，白天鑽進洞裏，晚上爬出來。

他對部下說：「我們要和城共存亡。城存，我們存；城亡，我們亡！」

他這話有了很大的效力。共匪迭次來攻，弟兄們都以「不怕死」的精神來抗禦。共匪來的多，就死的多。

共匪恨透了他們。

共匪攻不下城，而且傷亡太重，也就緩和下來。兩方面都加强防禦。

有一天，他巡視防衛工事回來，聽說有個小姐找他。待他看見那小姐，却不認得。

但那小姐遞給他一封信。

信是他大學裏的一個同學寫來的，是介紹她來，希望爲她想想辦法。他看着信，問：

「妳需要我幫妳什麼樣的忙？當然必須在我能力範圍以內。」

「我祇是希望隨部隊撤退。」

這自然是辦得到的事。

於是，她就住在軍隊裏。他吩咐勤務兵，單獨爲她整理一間房子。

他每天都到工事上去巡視，研究敵情。雖然，敵人的攻擊暫時沉寂下來，他仍特別警惕着。

這天，他巡視工事回來，已是太陽落山的時刻。勤務兵不在，部隊也都在工事地方。他向自己房內走去，房內竟有人翻動他抽屜文件的響聲。

起先以爲是傳令兵。當他把門推開，却使他楞住了。

翻抽屜文件的，就是她。

她知他進來，身子一反轉，槍就掏出來。槍是在屜子裏面的。

「舉起手！」

他對她冷笑。兩隻手剪在背後。

「不舉手，我就開槍！」

「你那槍裏沒有子彈。」他說：「我沒有把裝子彈的槍，放在抽屜裏。」

她臉色由青變白。槍從手上滑下來。

「但是，」她說：「他也是活不了的。如果你要想活，你就投降到共產黨陣營裏去。不瞞你說，我就是共產黨派來的。」

又說：

「你那同學寫的介紹信，祇是騙騙你的。你的同學，已經被殺死了。因爲他太頑固了。」

「你——」他咬住牙齒。

「老實說，」她說：「你的防禦工事，我們統統都探悉了，而且今晚就發動攻擊。你想想，現在投降就有條生路，還可當官帶兵！」

「胡說！」

他掏出手槍，把她殺了。

晚上，果然有大規模的戰事。共匪來的就和螞蟻似的。他的第一排傷亡過重，第二排補上去。第三排抵抗不住，連部排支援。

到天亮時，他帶着衝鋒槍，跑到第一線，領導着還沒有傷亡的弟兄衝上去。

他殺死了不少敵人，他自己也陣亡了。

他就這樣的死了。他就這樣壯美的死了！

藝術叢論

抽象藝術漫談

趙雅博

感官輔助我們，將客體的各方面分開或隔離，眼睛看見的顏色與大小，觸覺所接觸的軟硬的抗力，只用眼睛便不知事物的抗力大小，只有觸覺便不知道事物的顏色，那末它們自然也可以協助我們的理性分開或分離事物的特性，這種分開或分離並不足以嚴格的稱爲抽象，而只是一種類此義的稱謂。如果我們給予這種分離以抽象之名，我們可以稱它是分割的抽象，因爲這種分離乃是將其餘的原素分割，而只注意那些要注意而有關係的東西；這樣的話，我們稱一切藝術都是抽象藝術，乃是正恰而又適當的。因爲，一位寫景藝術家，他所注意的只是景物的一些要素，而將其餘的分割開來；一個畫像的藝術家，能夠塑畫一個頭顱，而將身體等與它分開；一個虫魚的畫家，只在注意虫魚，而不管其他；逐如此類的例證，眞是不一而足。但是我們却沒有人，肯承認這種藝術，是抽象藝術的開啓，因爲抽象藝術之所以稱爲抽象藝術，正是要同其餘的一切藝術分別開來，其分別的嚴格出發點，乃是嚴格意義的理智抽象。也恐怕是因爲這樣的緣故，有時候，人們也稱抽象藝術爲腦的藝術。

理智的抽象，當然也不能不有分割或分離行爲，很自然的，也要從這個與那個分開；但是它與感官的分離或分割行動是不一樣的，它並不是從相等與相等的分開，也不是從感覺與感覺物分離，這只是想像的工夫。理智的分離乃是將低級的與高級的分開，將內在的與外在的分離，將精神與感覺物隔離，將理性的與感覺的別異。感覺的對於事物來說，它是構成事物的偶然與外在的浮皮，理智的則構成事物如此的核心，構成事物的本質。這種深入事物本質，深入事物本身的漸進等級，我們乃稱之爲抽象的程序。士林哲學派以及亞利斯多德，對這種抽象的程序與等級，計共分爲三等：

一是物理抽象，乃是將對象（客體）與其嚴格的物質指定分開，排除一切的，普遍的形態下去看事物的固有性或主動與被動的質素，這些質素是接受時間與運動的約束的。

二是數理抽象，這種抽象自然也是理智工夫，它將客體與這些物質的固有性，主動與被動的質素分開，而只看它量的本質。

第三級的抽象則稱之爲形上抽象，也可以稱它爲本質抽象，它將事物與其量也要分開，而只看事物的本質。

這種本質的抽象，我們還可以給它兩種形態，一種形態是根據它對對象的個體性特徵注目，在這種注目的特徵中，乃是將共相的本質或形式引到個體來，而使它成爲個體化，這時候的結果乃是個體的自立體形式；另一種形態，則是根據它將這種個體本質的特徵也忽略不看，而予以分離，這時候抽象的結果，我們則稱之爲共相的自立體形式或本質了。（未完）

劇氛傑紗錄

婆娑生

．四郎探母之妙，是每一個人物有他的個性，爲特異之點，如延輝之孝思，公主之明義，太后之恩威，太君之慈祥，六郎之友悌，四夫人之貞嫻，與及國舅之滑稽突梯，八姐九妹之穎慧，描寫得合情入理，於劇情發展，編排得井井有條，既無冷寂的場幕，猶有剝繭抽絲，愈演愈趨高潮，哭堂一場，有如母子兄弟夫妻各表其心緒，現出極悲難捨的情景，是倫常的大表現。羈客舊京，姻長劉龍伯寫有四絕，曾記結句：「悲歡離合關倫紀，安作尋常雜劇看。」已言之坦眞矣。

叔岩生平演探母，也有六七次，與蘭芳配過二三回，而以與尚小雲合唱爲多。當俞振庭組雙慶社在三慶演出，余曾親聆其唱，其配角之齊整，也是少有。小雲配鐵鏡，德霖飾蕭后，琴儂之四夫人，松介眉飾太君，妙香之宗保，莫敬一特演六郎，可說上上的特選，精采非常。更有特點，生旦對唱的快板，因爲嘴上有功夫，氣口好，一點也不顯得費力，而快爲加鞭這一句，獨目快字已加重，所以加鞭兩個字，既俏而好聽。見娘的末句，「兒到後面看一看受苦的女裙釵，兒的娘啊，兒去去就來來」，在這第二個去字，用一個妙腔，顯得夠其淒悲，聞之令人心酸。

鹽業銀行經理岳乾齋，爲其母壽，在內務部寓所稱觴，叔岩自告奮勇，唱探母。其時蘭芳去滬，小雲在津，滿以爲徐碧雲可以對付，即以充數。那知生旦對唱的一段，差不多的旦角，對於這幾段，視爲畏途，而碧雲漫不經心，未加注意，以致岔子迭出，弄成草草終場，到了出關後始復振精神，仍是飽滿。事後叔岩向乾齋道歉，答應異日重行再唱，以補此過。惟第二年再行慶壽，則改唱珠簾寨，爲免找旦角之罪，因此余之所聽，僅此兩次，此戲在外面戲園不易見到之。

定軍斬淵　媲美兩老

司法界有名的律師汪子健，爲其父母慶雙壽，亦借金魚胡同那家花園舉行，劇目雖不多，而精采的特有，即老十三旦（侯俊山）王長林的小放牛，孫菊仙張紫仙高盛麟的三娘教子，梅蘭芳楊小樓劉鴻聲王鳳卿的五花洞，但缺叔岩的戲。汪宅未曾搭棚，即就屋內戲台演唱，地方不寬敞，祇可容四百左右的來賓，可是那天有近千的顧曲者，於是許多來賓，把杌子搭成高台，自建包廂，在兩廊之間，即有二百人左右，場中空氣極劣，時在二月初，已用電扇，平市所少見。是晚劇目開場即是好戲，記得第二齣，是小雲慧生的頭二本虹霓關，下爲小樓狀元印，蘭芳的麻姑獻壽，其間插入一齣定軍山代斬淵，爲臨時點送的，劇目無之。

（三一）

瘟君續夢

第十一回

舊債新仇　索逋遭白眼
內憂外患　平憤仗舊頭

後來押運糧食不敢再用共軍，改派公安部隊，因爲公安部隊畢竟可靠些。雖然如此，搶糧的事還是所在多有。

儘管鄉下農民苦到極處，共幹有機會依然大吃大喝。不過，也不敢公然在公社食堂開伙，而是偷偷摸摸在家裏吃。

本來按照公社規定，每戶人家每季要向公社繳幾隻雞、鴨、鵝，也就是所謂三鳥，收購的數目與上繳的數目並不符合，大概上級要一百隻，下隻就要派一百二十隻，多餘的二十隻，就變成公社共幹的「副食品」。

安徽霍邱縣開山人民公社，黨支書吳仁，民兵隊長王守義，在收繳三鳥之後，留下二十幾隻，悄悄養在王守義的家裏，被民兵衛本忠看在眼裏，就暗暗聯絡幾名民兵，注意着這件事。

這天晚上，王守義宰了一隻雞，一隻鴨，一鍋煮出來，還有過去偷留下的一瓶酒，一齊搬出來，又約了社裏面幾名重要幹部，正在開懷暢飲，突然門一打開，衛本忠率領幾名民兵走進來，用槍一指，說道：「你們身爲幹部，竟然帶頭盜竊國家財物，破壞經濟政策，好了，我們到縣委會講理去好了。」

吳仁仍然扳起上級面孔，申斥道：「我吃的東西是公社節餘，一上繳三鳥已經繳清，你也管不着。這種無組織，無紀律的行動，一定要受到處分。」

衛本忠冷笑道：「你們從中間中飽三鳥，自己偷吃，反而說別人無組織，無紀律，好了。我們一齊去縣委會，請縣委評評理。」

王守義看見大事不妙，當時改口說道：「老衛，咱們自己同志，有事總好商量，何必傷了和氣？你請坐下吃杯酒，回頭帶兩隻三鳥回去。這叫做有飯大家吃，來！來！來！先喝一杯。」

衛本忠搖頭道：「那不成，我自己吃了，全公社的人還是挨餓，除非你們把剩餘的三鳥拿出來分給大家吃，我就去縣委。」

吳仁大怒道：「現在就去縣委會，看看到地方誰吃虧。」

衛本忠也不服氣，兩人一齊扭着去了霍邱縣城，過了兩天，吳仁得意洋洋的回來，逢人就說：「衛本忠那王八羔子這回要去趟遠門了，組織上決定派他去北大荒勞動改造，以後他就不再逞能了。」

果然衛本忠從那以後未曾回去。

王守義似信不信的問道：「明明白白我們偷吃三鳥，爲什麼衛本忠却被判了勞改？」

吳仁笑道：「吃三鳥是小事，任意糾衆威脅上級是大事，假若要從重處罰，以後鄉下就要普遍起反了，我這些話一說，縣委自然不支持我。」

王守義問道：「縣委有沒有追究我們偷吃三鳥的事。」

吳仁大笑道：「沒有的事，他們要是追問偷吃三鳥，我也有話說，那一個縣委未吃過我送去的三鳥？再說各公社送繳的三鳥數目與縣裏上繳的也不符合，家家都有一本難唸的經，誰也管不了誰，只有衛本忠那小子才會拿着棒槌當針。」

（二八二）

理想與實踐

為慶祝遠鳴館落成而寫

趙雅博

孟子說：「天之生斯民也，使先知覺後知，先覺覺後覺」。所謂先知先覺，乃是察末而悉本，見微而知著，理想的揭櫫，未來的憧憬；不錯，理想的揭櫫，未來的憧憬，只要是有理智而又能用理智的人，便都能作到，并不是難事，因為只要是人，便會分辯是非，想及未來，沒有實現的未來憧憬，便是理想。但是理想與理想不同，憧憬與憧憬或異，有的可以實行，有的則只是空中樓閣，無與實際，前者可謂眞的理想，後者只是幻想而已。所謂先知先覺的知和覺，應該是屬於前者，絕不能是屬於後者。想人之所不敢想，言人之所不敢言，這并不是難事；人人會想，人人會說，但是如果腳踏實地，按部就班，實踐其所思想，實行其所講話，而這一思想，這一講話，不特可以見諸實行，并且也應該見諸實行，不特是可以或應該，抑且是先於人的思想或覺悟，見人之所未見，知人之所未知，發人之所未發，覺人之所未覺，這樣的理想，才可以算作眞的理想，有這樣理想的人，才可以算作眞的先知，眞的先覺，而不是空想家！

只有可以并應該實行的先知先覺理想的人，可以算作偉人，但並不能算作非常了不起的偉人。必也是那即有這先知先覺的理想，而又肯一生一世，弗屈弗撓，圖謀將此理想見諸實行的人，才可以算作了不起的偉人，但這仍不能作曠世奇人。必也自身無瑕疵可指，諄諄君子，而又排萬難，解萬紛，使此一先知先覺的理想，不折不扣的見諸實行，才能算作非常了不起的曠世奇人！如果我們用這樣的尺度，來衡量當今中外的歷史人物，眞正能當得住這樣事實的人，實在是不可多覯，英雄傑士，正人君子，皆不足以當此；一定該是聖人賢士，大智大仁，才能列入此數，算入此行呢！

二十世紀，四十年代，一個渺乎其小的人物，即無財又無勢，即無憑復無藉，而能具有先知先覺的理想，并能將此理想，揭櫫提倡，宣傳播佈，排難解紛，見諸實行，挽救我國教會於無形，對整個的世界國家，且有無上的貢獻，鳴遠司鐸，實在可說是當之而愧了。

他生在比國，長在法國，在帝國主義的極峯時代，滔滔者天下皆是也，而他獨能特具慧眼，復有慧心，能了然於超國際的理想，排拒強暴，扶助弱小，為他們請命；并且所排拒的強暴，正是他生斯長斯的西方，這眞可說是難能可貴了。

（一）

昆明十日的感想

雷鳴遠遺著

到了昆明，我到了後方的後方了，那點兒不振作？那點兒不奮發？在昆明我所聽到的，我所看到的，我所接觸到的，人人抗日，並且人人在抗戰上，願盡義務，願負責任。這不是空話，這次我在昆明短短期間，得了許多幫助，是雲南同胞在抗戰上肯盡義務肯負責任的證明。回憶起我們在前方看到敵人的景況，他們頹喪，他們憂鬱，他們因厭戰而集體自殺，因怕死而乞哀求饒。那印象與今日的昆明對照起來，我們抗戰必勝，不是有萬萬分的把握嗎？

我這一年多的時間，都追隨着第三軍工作，第三軍的將領士兵，都是雲南子弟。他們堅苦耐勞，他們勇敢善戰，他們忠誠愛國，他們質直處友。對雲南同胞我早有認識，素深敬愛，這次我在雲南昆明住了十天，我感覺從第三軍所得到的印象，不是特殊，而是雲南普遍的性格。眞的，我對雲南同胞更增加了敬愛。這次在昆明，我看見雲南女子身體健康，工作努力，我看見雲南壯丁，都雄糾糾，氣昂昂，壯年男女的體質，較許多省份都好，亦令我興奮，亦令我快樂，令我看見中國有無限的希望。

在重慶我晉謁蔣委員長，我看見全國最偉大的領袖，我精神上受了許多感應，我就覺得中國的民族復興有了依靠。

這次在昆明，短短十天，我居然為前方將士募捐了大量物品藥材，我並沒有費心血氣力去要求，這是昆明政界領袖及一般民衆愛國心自動的表現。聯大教職員，在七折八扣的薪金上，自動捐出一部份生活費，慰勞前方將士。這是精神動員，這眞令人感動，我對自己的使命，眞感覺愉快，一方面我可以代表後方民衆慰勞前方，一方面我又可以代前方感激後方，這眞是光榮的使命。我無量忻幸我到了昆明。

這次在昆明，在演講場中，和許多青年見面。恐怕在昆明求學的青年我都見面了吧？他們都用誠懇熱烈的態度接受我的演講，我費了他們許多很寶貴的時間，却不知對他們的知識情緒，有什麼補助，有什麼安慰否？臨去我眞想念他們，當我看到他們的時候，我看見了中國建國的隊伍。中國的新前途、新生命，一切新希望，都湧在我的眼前。我口裏在向他們演講，我心裏却在為他們祝福。當這一班青年的天眞純潔的眼睛，針對着我的時候，我到前方去抗戰的勇氣更增加，決心更堅定。

我應憑我這老邁餘年，去和敵寇拼命。我要替我的心愛的青年去爭自由、爭幸福、爭生存權。我與青年分工合作，他們目前努力修養，他們將來担負建造新中國的責任。

（中）

鷓鴣天—望月

黃伯達

地獄天堂異一般，人間傳信不相干；月兒站在雲端上，忍見精禽顧影寒。山未塌，海仍寬；頻年銜石補天難；幾時飛到碧空去？簪挽嫦娥刮目看！

舟抵基隆口占

前人

人困天疲意願違，隔重山海判雲泥；漢家旌幟迎風展，淚洒重襟望眼齊。

我的社會生活

雷嘯岑

行政督察專員制度創立之初，楊暢公問我願不願意幹這種工作？對曰：「我並不稀罕專員這項官職，但對於兼縣長却很感興趣。自念開始從政即躐等居於高位，不悉地方基層政治是何景況，很想實地體驗一下，藉闚眞象，而增閱歷」。他贊許我的說法，便謂：「豫鄂皖三省地區，任憑你選擇一區可也。」我說：「無須選擇，請秘書長轉達總座，把我派到共禍最劇烈的地方去，讓我跟共黨較量較量罷！」他聞之極表興奮，笑語我道：「你很不錯！」即明令發表我為湖北第七區行政督察專員兼江陵縣長，當時共匪賀龍的巢穴—洪湖，就屬於第七區管轄範圍，是在監利縣境內。一日，楊暢公對我說：「總司令要你先到監利縣就職，那兒匪患甚深，你坐鎮該縣督導一切，比較好些。」我說可以，但請總座指派一團紀律良好的部隊歸我指揮。繼由湖北綏靖公署令飭國軍第十軍軍長徐源泉，先行遴派所部一營兵力，隨我出發。迨要離開武漢的先兩天，楊暢公又指示我道：「你還是先到江陵縣接事罷，前言是我想考驗你的胆量如何，現在我相信你是不怕艱苦的了。」

江陵是鄂西重鎮，為明代著名宰相張居正的家鄉，扼水陸交通咽喉，幅員廣，素號難治。我於民國二十年十月中旬，先到該縣所屬沙市，與駐防當地之川軍第四師長范紹增，獨立旅長劉光瑜接洽一切，范氏因在洪湖圍剿共匪受傷，已赴上海就醫，由副師長羅君形代行職權。我對川軍情形完全隔膜，人事更不熟悉，但羅、劉二位軍事首長皆彬彬有禮，欵洽甚懽，且於范氏師部中，得識久聞大名的白話詩人康白情，跟他晤談之下，覩其精神萎靡，沒有踔厲奮發的氣象，頗為失望，繼據旁人說，他已染上很深的鴉片烟癮了，可歎可歎。

這時候，盤踞洪湖的大股共匪已被國軍擊潰，匪首賀龍率殘衆竄入湘西，但各縣的土匪暨共匪游擊隊，遍處騷擾，民不聊生，江陵縣境內除却縣城附郭暨沙市尚安謐以外，也就沒有一片乾淨土了。我於十月廿日由沙市馳入縣城（相距十華里）正式就職，滿目荒凉景象，不禁愁然憂之，而轄區常有告急求援的呼聲傳來。記得到任不久的某一雪夜深宵，沙市電報局請我接電話，說有緊急電報一件，無法送入縣城（城內未設電訊局）只好將密電碼在電話中唸給我聽。我於睡夢中起身，披着皮袍，左手接聽電話，右手抄寫電碼，急忙譯出，乃是枝江縣屬「董市——接近江陵——商會電告大股土匪來襲，乞速救援。幸而我帶來了一營兵力，黎明即督隊出發剿匪，給地方民衆以特別印象，認為行政專員究竟比過去的地方官不同，民間較可信賴了。若要利用原有的地方團隊來清剿散匪，不但無用，且多危險。這些團隊的構成資料，即係散兵游勇與盜匪的揉合體，他們白晝是官兵，晚間就作土匪，老百姓知道得很清楚，却敢怒而不敢言。我往日在家鄉辦過團練，現到江陵來又聽得地方紳耆的情報，認定原有的保安隊，實係擾民有餘，保民不足的廢物，決不可恃的。

（廿七）

吳石卿其人其畫

（續）

石卿不善治生，得錢則購置書畫古董。有多餘則屋角床次，破絮敗灶，隨處亂塞，以備不時之需；久而久之，或遺忘，聽任腐蝕。或為家人婦子所取用，而不自覺。尤其勝利前後，幣值一日數變，而石卿見鈔即塞，懵無所知，迨發覺，已什不值一。李繡伊贈石卿詩云：「平生拜倒地瓜廬，小米雲山潑墨圖；天予聰明工作畫，不妨餘事盡胡塗」！有以也。

民初，石卿為余臨石田山水一幀，並錄原句云：「一山一水一孤舟，一枚漁竿一釣鈎；一水一洲歌一曲，一人獨釣一江秋」！余得之甚喜，曾語石卿云：「他日若能得此勝地，老于是鄉，雖萬戶侯不易其志耳」！庸知二十餘年來，兩遭曠刼，一家破碎，萬里流離，今日處境，正如獨釣寒江，親朋散盡，非死即亡；兒女凋零，非離亦散；縱此畫尚存於香江者，亦不得而見耳！因追記石卿二三事，而憶及此畫或尚保留兒輩手中，以余愛之切也。聊咏一絕，以當書紳：

「寂寂滄波逾十年，故人遺墨散如烟；他時若許重經眼？記取留題沈石田」。

書後，不禁憮然悵惘者久之！

花香月上樓小品

閒話劉國軒

黃葉村人

「既作清臣復仕明，受恩三世再降清；低能莫笑馮延己，一樣為家重死生」！此黃葉村人為劉武平國軒詠也。國軒、鄭成功將，閩西汀州人。初受知於滿清漳州鎮左營游擊林世用，世用委為漳州城門樓總（城門一樓之把總也）國軒驍勇有謀畧，以不得重用，乃遊說世用歸成功，世用許之，命至廈門見成功。國軒至廈門，先見參軍馮澄世，澄世以為能，甚器重之。引見成功，成功大悅！命速歸，俟機開城內應。清順治十一年，甲午十一月朔，成功軍入海澄。連夜至浦頭拔號箭，國軒應之！清漳州鎮總兵張世耀，倉卒乃降。

成功以國軒為護衛後鎮。國軒歷事成功，鄭經，經子克塽，克塽三世。戰無不勝，以功封武平伯，晉武平侯。經死，馮錫範謀殺監國鄭克臧，國軒時執掌兵權，舉足重輕，以受知馮氏，不敢制；克臧遂被害！克臧既死，其弟克塽，錫範婿也，年幼庸懦，國事遂一聽馮氏。其後施琅攻澎湖，國軒率兵迎戰，敗績。以內受馮氏之制，外受施琅之誘，年老志喪，遂堅決主降！時錫範正圖取呂宋以自保也。蓋錫範老奸，國軒亦狡猾，如取呂宋，事成則錫範居功，不成則同盡；若降清則已為主動，且有施琅力保，富貴仍不失也。二人見解不同，而自利則一。鄭氏之亡，坐此二人也。國軒降後，清僅投以天津鎮總兵，以壽終。

初，成功得台灣，設招賢館。有粵僧來見，刀槍不能害，試之驗。成功優禮有加；久，而跋扈，成功患之！謀於國軒，國軒曰：「此事我能了之！」遂詣僧，呼酒！既酣，國軒笑謂：「聞師道力深，然不見可欲耳！苟遇摩登伽，恐師亦猶人耳。能一試乎？」僧大笑曰：「『老夫已作沾泥絮，不逐東風上下狂』矣！」

（未完）

訪問美國議會的觀感

陳翔冰

我這次承美國國務院邀請訪問美國，所考察的範圍是以議會政治為主，而旁及地方自治的各種體制，再兼及一般的經濟社會情形。在美國為期兩個月，行程遍各大都市及鄉鎮，並至中美的波多里各自治領。回國時訪問英法德意約一個月。現在先將訪問美國議會的觀感與歐洲的議會，作一印證，做個簡畧的報告：

美國的國會與州議會

美國的國會係根據一七八七年所頒行的憲法第一條第一欵而成立的。計分上下兩院，即參議院和衆議院。第一次國會於一七八九年召集於紐約聯邦會堂，參議員僅二十人，衆議員五十九人。現在的參議員計一百人，任期六年，每州二人。原為州議會所間接選出後來根據一九一三年之第十七號修正條欵，改為直接民選，並於每二年改選三分之一。衆議員計四三七人，依人口比例選出，惟每州最少有一人。任期僅兩年。參議員之被選年齡最少為三十歲，且須常住於該州而為美國之公民最少十年。衆議員之被選年齡最少為廿五齡，且須常住於該州而為美國公民最少七年。另波多里谷選出一名為常駐代表任期兩年，有發言權而無投票權。因波多里谷為自治領而非美國本土之一州也。

（一）

自由報
THE FREE NEWS
第四一九期
內警台誌字第〇三一號內銷證
中華民國僑務委員會頒發僑報字第三二三號登記證
中華郵政台字第一二八五號執照登記爲第一類新聞紙類
（逢三、六出版）
每份港幣 角
社長：
督印人：
社址：香港銅鑼灣高士威道二十號三樓
20. CAUSEWAY RD. 3RD. FL. HONG KONG
TEL. 771726　電報掛號：7191
承印者：四風印刷廠
地址：香港灣仔高士打道一二一號
台灣分社
台北市西寧南路東京大廈二樓
電話：三〇五四六
台北郵政信箱二五九二號

國際逆流與我們的生存前途（上）

李應元

本報上期刊載方南先生所撰「我們心力的衡算」一文，指出「國際陰謀家第一步製造『兩個中國』成功之後，第二步必然企圖用謀殺的手段，將中華民國在台灣消滅，而以另一方式保留台灣爲便利他們運用的基地。這種趨勢必隨時間而增進，除非我們能夠振奮心力，把外交因應的小巧工夫看成次要，而以扭轉乾坤爲己任，自創新局爲天職，否則未來局面必將不利於我們，直可斷言。」這眞是鞭辟入裏，洞見癥結的見解，值得國人猛省的。中華民國現時確確實實處於危疑震撼之秋，大家再不振奮心力，而以生於憂患的革命精神，自立自强，猶復偷惰苟安，虛矯自娛，則禍至無日，唯有束手待斃而已！

要振作心力，發揚革命精神，只是喊口號、貼標語、發文告等等，皆屬陳腐無用之長物，首先即須澈底改變惰性觀念，拋棄舊有作風，非如此，一切都是廢話。何以見得呢？請看事實：

基本的惰性觀念

自從政府播遷台灣以來，十餘年間我們念念不忘的，就是反攻復國，而寄望於自由世界盟主的美國援助。可是，美國當道卻認定我們這項願望爲「傳奇性的構想」（Fiction），不值一顧。既以「安全互助條約」規定我們軍事防禦地區，限於台灣和澎湖列島，另以換文相約，我們若對外採取軍事行動，須徵得美方同意；又以「蔣（總統）杜（美國務長官杜勒斯）會談公報」，聲明不以武力反攻大陸；迨一九五八年九月，中共砲轟金門，我軍予以反擊時，美國務長官杜勒斯且公然指斥我政府當局爲「愚蠢」，說我們駐軍金、馬爲「不智」。這是明明白白地表示美國早就預製着「兩個中國」的藍圖，待機實現。然而咱們朝野上下，似乎并無警覺，一味地偷惰苟安，自我陶醉，認爲縱使厄於國際形勢，一時不容易對大陸實行反攻，必不得已而思其次，大不了接受「兩個中國」的計劃，前途亦大有可爲。充此一念，即可使中華民族淪於萬刧不復之境，太可怕了！

殊不知美總統杜魯門於一九五〇年七月廿七日宣佈派第七艦隊進駐台灣海峽，揚言「台灣中立化」的文告中，即說出了「台灣將來的地位，必須俟太平洋恢復安全，及對日本恢復和平後（指對日簽訂和約），纔能決定，或由聯合國考慮決定之」這種內心話。美國當局此項心計，無論民主黨或共和黨執政，都是一樣的信守不渝。所以一九五五年十二月廿二日國務院發表由「法律專家」艾利．穆佛（Ely Mauver）執筆的文告，題爲「有關台灣及沿海島嶼的法律問題」，結論即謂：「台灣及澎湖列島，不能認爲是中國領土，此兩地究應屬於那一國，現在尚難遽下定論，因其法律地位猶未確定也。」繼而又有所謂「中國問題專家」鮑奈特（A. Doak Barnett）刊行所著「共產中國與亞洲」一書，肯定地說：「美國雖然繼續承認國民黨政權爲全中國的政府，而美國始終堅持着台灣及澎湖列島的法律地位尚未確定之主張，意思就是說，這些島嶼也許根本不是中國領土。」（見原書四〇九頁「美國與台灣」一節）嗣後更有「康隆報告」、「洛斯托建議書」陸續出現，直至最近國務院管理遠東事務的大員何斯曼發表對中共獻媚妥協的言論，無一不是遵循着否定台灣爲中國領土的那項心計而然的。若再看看美國對中國留學生中之台灣籍與大陸各省籍者，故意予以隔離分化的搞法，寧非「司馬昭之心，路人皆見」嗎？

誠然，美國在最近十餘年來，不惜給中華民國政府以軍經援助，教我們整軍經武，發展企業，充實自衛力量。但是呀，用意祇在希望我們能夠守住台灣這塊基地，聽候它隨意擺佈，換言之，它把我們政府看作僱傭集團，台灣爲美國去名取實的一州罷了。所以我們一談到反攻大陸，他們就認爲「不符合美國利益」，再三搖頭之外，還要發出否定的言論，決不像俄帝與毛共雖然反目成仇，而俄帝尚隨時發出「進攻中國大陸即等於進攻蘇聯」這種顧全大體的態度哪！

看清了這一連串的事實後，如果我們還在幻想着不妨苟安於「兩個中國」的現狀，以待天下之變，還我河山，那就是韓非所說的：「無參驗而必之者，愚也，不可必而據之者，妄也」，愚與妄的觀念積結不散，結果便成爲「哀莫大於心死」了！

這說明我們若不澈底改變基本的惰性觀念，將來即欲取得「兩個中國」的下等生活，亦不可能，終必落得「不知死所」的悲慘下場而後已。誰能辯證我的說法是杞人憂天，或是有厚誣友邦之談嗎？請有以語我來，願聞明教焉。

相應的惰性作風

由於上述惰性觀念之存在，如是乎住在台灣的人，相率表現着以不變應萬變的作風，認爲台灣永遠是安全的，決不愁落入共黨之手，因爲美國亦絕對不會讓共黨侵佔這個關係太平洋地區安危的戰略重鎮。上焉者相信共產主義必爲中國人民所唾棄，在蔣總統領導之下，一定能夠光復中原，否極泰來，只要耐心等待，則對日抗戰結束時的接收美夢，不難重溫。下焉者感覺前途遼遠，歲月不居，反共救國的時代使命，祇好交給後輩人担負了，自慚老大，逸豫爲佳。因此之故，大家實行混世主義，得過且過，政治上陳陳相因，重視小我的既得利益，而以開會爲服務之本，請示爲負責之本，弄錢爲從政之本，事無鉅細，專靠一個最高領袖躬親裁決，誰也不願有所獻替，對人對事，但見其胸襟狹隘，眼光短淺，沒有恢閎氣象可觀，而虛矯之氣盎然。社會上充滿着麻木苟安的生活情調，講求個人享受，而置國家安危、人民死活於度外，我們試將對日抗戰時期大後方的一般生活情形，跟現時的台灣社會狀況加以比較，即不覺惄然心憂如焚了。

物以類聚

白費氣力

自由談

美援的效用

綜察二次大戰後十餘年來的國際政局，有一項現象殊堪注意，即凡屬接受美援的後進國家，總是動盪不安，常在多事之秋。這是甚末道理呢？我認爲這不是美援之過，而係運用美援的方法頗有問題。換言之，華府當局對自由世界的領導策畧缺乏妥當性是也。

就經援而言：目的原在改進受援國家人民大衆的生活水準，而其方法應以發展生產力，增加國民收入爲第一義。可是，美援所到之處，首先就是促發個人生活的躐等享受慾，諸如洋房汽車、電視、冰箱，以及各種新鮮的奢侈品，袞然充斥，儘量社會化，當地的生產力與消費力表現着極端不平衡，二者有如龜兎競走，因而使貧富的懸殊程度日益擴大，人心更不安定了。就軍援而言：旨在加强受援國家的自衞力量，一面足以抗拒共黨的侵畧威脅，同時防制共黨的內部滲透顛覆活動，使受援國家的政府基礎穩固，克奏反共之功。然而，美國人每以自己的尺度，衡量別人，要求別人向美式生活看齊。譬如美國共黨可以合法存在，即教受援國家如法泡製—日本就是顯著的例證—美國實行兩黨交互執政的制度，即希望受援國家亦然。如果該國沒有反對黨，乃不惜多方鼓勵製造之；有反對黨而不能奪取政權，則設法煽起政變。前者以中華民國政府在大陸時爲最佳的詮釋，後者以越南吳廷琰政府爲確切的說明。如是乎，只見一般接受美援的後進國家，經常皆在危疑震撼之中，本來安定統一的，亦變成動亂局面了。抵消了反共的機能，增進了共黨滲透顛覆的機會，少數人固然得到了美援之益—生活高度奢侈—多數民衆卻先嘗到美援的苦果！

民主政治誰也不反對，後進國家尤其需要。但實行民主政治的條件孔多，決非一蹴可幾的，若用揠苗助長的方法，結果必無是處。戰後美國以鉅量美援投之於若干自由地區，其志可嘉，其情可感，用意亦極良善，由於策畧偏差，且全憑主觀以行事，則致美援所到之處，但聞怨聲繼起載道，可惜亦復可歎！

今日與明日

新疆變亂劇化

新疆省的維吾爾民族，由於反抗毛共的思想改造—主要是否定宗教信仰，年來迭起變亂，發生抗暴行動，事敗即逃入蘇俄境內，待時捲土重來。俄帝對新疆的蠶食陰謀，自滿清中葉迄今，百餘年間，一貫施行，并無二致，最近由於中俄共交惡之故，維吾爾族的變亂日烈，據毛共宣稱，新疆「亂民」託庇於俄境者有八萬餘人，情形相當嚴重。俄帝藉此給毛共以困擾，畧示顏色。毛共不甘屈服，陸續調遣軍隊馳入新疆，已逾三十萬人，這場鬥爭，恐怕不是短期所能了結的。

同時，毛共在西藏厲行思想改造，強迫僧民還俗，亦倚靠着二十萬軍隊來進行鎮壓工作，藏民的抗暴運動，并未平息，雖不如維吾爾族之劇化，而毛共還是到處棘手，憂患孔多的。

光就這兩省五十萬軍隊的補給問題而言，毛共內在的艱危情況，即不難想見，再加以沿海地帶爲防禦國軍反攻而佈署着大軍的經常消耗，毛共的經濟惡化情況，只有日甚一日，所謂「人民生活基本改善」之說，不過咒語而已。如果台灣的國軍大舉反攻，這時機確有事半功倍之效，可惜這不是領導自由世界的美國人所能理解的！

東南亞日趨危亡

寮國的戰禍重啓，共軍節節勝利，且有波及泰國之虞，而柬埔寨的施漢諾竟對美國提出警告，說美國若不保證它中立，它就要跟中、越共簽訂「軍事協定」，并乞取蘇俄的援助了。乘機敲詐，咄咄逼人，且看華府作何反應？美國務長官魯斯克聲言「決不讓共黨接管東南亞」，可是，寮國已在美國的「聯合政府」政策壓力之下，快要全部赤化了，柬埔寨變成了粉紅色，越南的前途更未可樂觀，泰國亦有風聲鶴唳之感。由今之道，不變今之策，東南亞自由地區之被共黨接管，恐怕只是時間問題吧？

吉田茂訪華

日本執政黨元老吉田茂，即將到台灣訪問，這是打開目前中、日外交僵局的契機，咱們當然表示欣慰。

吉田茂對日本政界的影響力，有遠甚於大野伴睦一流人，他既然有此一行，即表示日本執政當局尚有維護邦交的若干誠意。我們應從大處遠處着想，很坦白地提示幾項原則，推誠商討，以期獲致共同的協議，而不必斤斤於細微末節。中日外交關係恢復正常之後，我們自己關於對日外交的作法，以及人事安排等等，必須大加革新，實事求是，否則前途還是未可樂觀的。

馮五先生

基隆旅居記

仲公

基隆的各項工業之中，當時以食品工業為最主要，生產價值計七，〇五五，二四〇日圓，約佔工業總生產價值百分之四一點二；化學工業次之，計為五，一二六，二五三日圓，約佔百分之三〇；金屬工業第三，計為一，七九四，四一〇日圓，約佔百分之一〇點五；第四機械器工業，計為一，四七一，九二一日圓，約佔百分之八點六；其餘各項工業的生產價值皆不足一，〇〇〇，〇〇〇日圓。光復後，基隆工廠僅餘四十二家，至民國四十年，已有工廠一六三家。據五十一年度的調查，全市工廠已發展至四百四十四家；工廠的分類，大致與過去變異不多。

基隆在民國四十九年即開始闢六堵示範工業區，共征購土地六一三，七八八甲，合計五九五，三一三平方公尺，現這個工業區早經開闢完成，正待陸續出售，建築廠房，估計可新建工廠百多家，這是基隆市工業發展的一副美麗遠景，現在全市人民莫不翹首引領，盼其早日完成。

基隆市雖說有工廠數百家，然其中最大的且具備了現代化的工廠祇有兩家，一為肥料公司，一為造船廠。先說肥料公司：

台灣氣候溫暖，本來適宜於農作物的生長，但因高溫多雨，淋溶太甚，土壤漸漸變成了淋餘土而少鈣質土，故土地都貧瘠異常，非施以肥料，自難維持地力。日人竊據時，施用化學肥料，使稻米產量自每公頃一五點二公石，增加至每公頃二八點三公石，同一耕地面積內收穫幾可增加一倍。植物的生長，需要補充者為氮、磷和鉀三者，台灣耕地面積達八百五十萬方公里，每年需要的肥料，計氮二十九萬公噸，磷肥十二萬公噸，鉀肥一萬四千公噸。台灣肥料公司為全省生產氮肥和磷肥的唯一機構，該公司第一第二兩廠均建在基隆區內，第一廠生產氰氮化鈣，第二廠生產過磷酸鈣。

當年日人為發展台灣肥料工業，在民國九年組織台灣肥料株式會社，於基隆成立工廠，製造過磷酸鈣，年產濃硫酸八〇〇〇公噸，過磷酸鈣一六，〇〇〇公噸，配合肥料二〇，〇〇〇噸。大戰前最大產量曾達二四，七七一公噸。民國二十四年台灣電化株式會社亦設廠於基隆市外木山，生產氰氮化鈣，設計生產能力每年為一二，〇〇〇噸。太平洋戰爭時期兩廠都被盟機轟炸，所有設備及廠房，被毀達百分之八十以上。

（廿四）

高雄一椿耐人尋味案件

改良太極拳．一打就二年

百姓告法官．為了幾個錢

（本報台北航訊）一件由高雄地方法院主持拍賣標購物，得標人已將全部價金繳足，承辦法院延未依強制執行法第九十七條及第九十九條之各規定，發給權利移轉證明，亦未將拍定物點交與得標人。其間拖延竟達二年之久，然後始將全部價金無息退還得標人，得標人不堪蒙受損失，到向台灣高等法院台南分院提起訴訟，控告法官違法及請求損害賠償。

緣有市民李漢川，於民國四十九年九月十二日向高雄地方法院標受運星輪船一艘，計拍賣價金新台幣一百六十七萬二千元。李漢川當即依照如數繳足，並由該高雄地院出給第九四〇號第九四六號收據。距料拍定之價金全部繳納後，該院延未將拍定之運星輪一艘依法點交與李某管業，李某乃於民國四十九年九月廿七日，去狀催請高雄地院速予點交，其內容大意如再延不為點交，應將已繳出之全部價金如數加息發還。旋於民國四十九年九月卅日獲高雄地院通知，除保證金新台幣三十三萬二千元外，其餘價金新台幣一百三十四萬元准予發還；李某接獲通知逕往該院具領，當場由高雄地院簽給國庫支票第一〇八六九七二二號一張，李某將國庫支票持向中央信託局高雄辦事處兌現時，該辦事處拿出高雄地方法院同年九月卅日安執字第四五八號通知止付函件，作為退票理由，李某深感驚異。該欵係奉高雄地院民國四十九年九月卅日准予發還之標購物價金，何以在同年同月同日又函請付欵處止付？既已通知止付，為甚麼又給付國庫支票？其間玄機，實堪玩味。李某認受愚弄，旋向高雄地院查詢，亦無肯定答覆。復屢狀屢催發還價金，均置不理，以致公文旅行，拖延竟達二年之久。直到民國五十一年十月廿二日，始由高雄地院通知李某具領，全部價金無息發還。李某不甘受損，具狀向台灣高等法院台南分院控告高雄地方法院院長岳成安法官黃國耀、莫德融、侯肇會、劉日昌等五人違法，拍定物已將全部價金繳足，逾期不為點交，又復將發還之國庫支票任意止付，顯係故意侵害權利，訴請損害賠償，經高等法院台南分院發交屏東地方法院受理該案。

．這一件控告法官違法及請求賠償的當事人李漢川，所持的訴訟理由，係根據中華民國憲法第二十四條及民法第廿八條之規定為依據。按前條所定，凡公務員違法侵害人民之自由或權利者，除依法律受懲戒外，應負刑事及民事責任；被害人民就其所受損害，並得依法律向國家請求賠償。後條所定，法人對於其董事或職員因執行職務所加於他人之損害，與該行為人連帶負賠償之責任。故請求自民國四十九年九月十六日起至民國五十一年十月二十二日止，以新台幣一百六十七萬二千元標的，按照中央銀行放欵日拆計算之利息，共計新台幣六十六萬六千八百六十十元零四角八分，作為賠償之損害。該案已於五十二年十二月六日經屏東地方法院判決，「原告之訴及假執行之聲請均駁回，訴訟費用由原告負担」。李漢川不服屏東地方法院之判決，已向台南高分院提出上訴。迄記者發稿時止，該案仍在進行訴訟中。對於這一民控官的案件，這裏僅就發展經過作

從省議員的意見談當前財經問題

——本報台中記者熊徽宇——

會計師制度

如何杜絕漏稅與欠稅？實在是兩個很嚴重的問題。商家請人造假賬的事件，如今仍然存在。

我與本報社長馬五先生在台北談過漏稅與欠稅的問題，他老認為香港會計師的制度很好。政府對各工商課稅，根據各該工商戶所請的會計師的簽字賬目為準，而若果在抽查賬目時發現其中有弊，就調銷那會計師的執照不准再執業，同時重罰商戶；而各商戶如有欠稅，亦以會計師是問。

因為每一個會計師都担任好幾家工商業者的賬務，待遇很好，生活安定，誰也不願為人作弊而使自己受罰失業。

像這樣的原則是值得我們的稅務處研究的。造假賬的現象必需根除。

尤其是欠稅，數字那樣龐大，如能清理征起，對於財政上的調度有很大的滑潤之功。

公營事業差勁

公營事業之不如理想，確實可以從過少的盈餘數字上獲得佐證。

但是我對於省議會主張與省政府提出開放民營的構想與打算，認為值得研究。假如長話短說的話，已經開放民營年數不少的四大公司，經營得並不理想，對於經濟的成長與繁榮並沒有提供很顯著的貢獻。

實質上，企業是公營也好，民營也罷，那不過是出資股東的不同；資本由政府直接轉撥的為公股，由民間籌集的為民股，同為事業的股東則是一樣的。

很客觀的說，自從本世紀兩次世界大戰以來，公營事業成為很普遍的現象。這固然是出於事實上的需要，但也是一種新的嘗試，所以在這個新領域裏就不必要遭遇到很多困難，誠如英國一位對公營事業問題有深刻研究的學者羅勃遜教授所說：「它引導我們進入一個充滿希望的天地，但是這個天地裏仍然存在着它的問題，這些問題，雖然與民營企業所發生的不同，但確為同樣的嚴重和困難」。

人謀不臧！

而我們的公營企業所遭受的困難，可以說並非經營上的困難，而是人謀不臧！概約而言：乃在缺乏政策性的指導，乃在腐化浪費；各公營單位的組織都像衙門，工作的態度，官僚味重。人事制度又不健全，財務制一榻糊塗！缺乏科學管理的觀念。

搞不好的責任是該政府負的。在目前，全省大規模的金融，完全為政府所支配。絕大部份的「公經濟」，都在政府的手裏，掌握了決定台灣整個經濟的前途。

公經濟的發展，固然可以造成整個經濟的繁榮，但其衰落也可以使整個經濟趨於蕭條萎滯。而公經濟最重要的部門就是公營事業。是決定經濟榮枯的樞紐。目前的經濟 現狀如此蕭條，可以說公營事業的失措最大！

人未盡其才 運用欠靈活

台灣省的卅個公營單位，都遭受一種同樣「枷鎖」。

這把枷鎖銬得很緊，乃是政府對於所選任的經理人員採用一種防範抵制的態度；規章法令多如牛毛，繁文縟節動輒得咎。事事請示，全難作主。

所以只能養成許多奉令惟謹的雇員，或者是認為靠得住的親信，而無法培養深謀遠慮敢作敢為的企業家。而具有高瞻遠矚，雄才大畧，敢於担任風險，盤算精密的人，誰也不願担任這份公職，而政府也不一定想用。（五）

一客觀報導，勝負亦不敢臆測，「欲知後事如何？且聽下回分解」。（李犇）

香港與大陸

共軍內部危機深重　反抗逃亡色色俱全

據一位甫由廣州來港的暨南大學生透露的「內部消息」：中共軍中存在着非常嚴重的危機，包括反「黨」、逃亡、抗怠值勤……等等。中共於是又在軍隊中掀起「三八作風」運動和「反對官僚作風」的政治運動了。

該大學生說，這項「內部消息」是他高中時的同學——現在是駐沙河的一名共軍士兵告訴他的。

據說：共軍中的此種嚴重危機，開始於一九五八年毛共搞人民公社等「三面紅旗」之後，主要是因「三面紅旗」造成大陸空前未有的大饑荒，成千萬的百姓活活被餓死（有些是因為營養不足而病而死的）、「軍屬」，甚至「烈屬」，亦在浩刼之中。「解放軍」眼看自己的親人悲慘的死去，誰不痛憤？另一方面，軍隊中的精神生活和物質生活也實在是難煞得很，部隊於是存在種種的嚴重問題，如：

1、政治上的右傾：其主要表現在反對「三面紅旗」；違抗「黨」和「政府」的命令；害怕戰爭，祇想當「和平兵」；有軍閥殘餘思想，以特殊身份者自居；「埋怨上級，責難地方」；鬥志衰退，無組織無紀律等。

2、官兵的對立：共軍的軍官都極粗暴地對待士兵，「亂整亂鬥」，濫用紀律，公開訓斥；對待有病士兵不關心不體貼，甚而指為裝病，強迫出工值勤；隨時假公報私仇，遇有對自己不滿的士兵，亂扣帽子予以鬥爭。

3、生活的痛苦：由於饑荒，不單百姓遭殃，就是被毛共視為命根子的共軍也受難受苦，他們每個月只有二兩油和廿四斤米（最近增為半斤油卅斤米），曾經有一個相當長的時期是「瓜菜代」或「副食品代」以維持生活。

4、婚姻的問題：有不少共軍都是老共，當然是些老粗，他們長期在軍隊中度過，不容易請假回家，就算獲准回家了，姑娘們也看不起他們，對他們抱着「畏而遠之」的態度；而且有若干共軍的妻子被農村共幹培養為「積極份子」，成天與一班男女共幹胡混，丈夫出門好幾年她們居然生子女的事司空見慣。

該大學生說：上列的問題不單祇是表現在思想上，而且早已有了行動，幾年來，共軍士兵槍殺軍官，貼寫「反動」標語，發牢騷，逃亡等事件到處有之。

至於毛共所推行「三八作風」和反對「官僚作風」者，是毛澤東提出的三句話和八個字，即「堅定正確的政治方向，艱苦樸素的工作作風，靈活機動的戰略戰術」；以及「團結、緊張、嚴肅、活潑」。而所謂反對「官僚作風」，主要是妄想調和官兵的對立，辦法是將一些中下級的軍官作為批判鬥爭的對象，以偽示毛共對士兵的「愛護」。但結果却證明徒勞而無功。（敬斯）

新年三天之內　火警七十七宗

（本報訊）據香港消防事務處長報告，陰曆除夕至新年初二午夜之三天內，共有火警七十七宗，幸而都是小型火警，損失輕微。

此一紀錄，比之前兩年頗有減少；消防事務處長認為此係由於氣候濕度高所致，而非因為當局硬性限制居民燃放爆仗的時間。事實上，香港當局雖然三令五申不得在規定的時間之外燒爆仗，不少人却我行我素，不加理會，因而消防事務處長對此表示「遺憾」。

編者與讀者

台灣省立師範大學王花龍先生：二月十日來函敬悉。承告師大前任史地系主任某君之若干敗行，固屬有忝師表，但以涉及人身攻擊，未便披露，乞諒察為幸。——編者——

小李

林寶桂

我從訓練中心出來，小李就同我說：

「你到裝甲兵團，那眞是好極了。」

我問他怎麼叫做好極了呢？

「有戰車，有汽車。坐在戰車上，那眞是夠神氣的。」

「你是不是因爲這一點，就著實嚮往裝甲兵？」

小李說是的，但不完全爲了這個。但還有什麼他未說出來。

我一到訓練中心，就認識小李。他的個子不高。他是在辦公室裏面當文書。我報到時的身份是受征服役的老百姓，我向辦公室裏的人鞠躬，所有人都瞪眼睛的看着我，只有小李，他居然從他的座位上站起來，說：

「有什麼事需要我們幫助嗎？」

「我祇是問問，如果我朋友寫信到這裏來，該怎麼寫法？」

他就把信箱號碼告訴了我　又說：

「請你把名字告訴我，我會注意你的信件的。」

「林寶桂。」

他還在白紙上，把我的名字寫下來，放在玻璃板下面。

就由於他代我收信，我們漸漸熟悉起來了。

小李是安徽人。在安徽他就念完了中學還念了一年大學。

「要不是共匪和百姓過不去，我現在該是碩士了，說不定是博士了。」

我相信這個。他家裏的環境很好，是世代書香，他哥哥是工程師，父親曾在大學教過書，他對做學問亦肯下力氣。

可是，共匪來了，一切也就沒有了。

他說：「我所以落到這個地步，什麼都不恨不怨，我恨的怨的，就只是共匪。」

小李臉上有個疤，相當影響了他的面容。起先我以爲那個疤是不小心碰傷的，後來我才知道，原來是共匪給他造成的。

「我不會忘記的！」他說：「共匪的刺刀，直刺進我臉上，我就——」

那是他在大學時，共匪的職業學生，要他參加遊行，他不肯。那些職業學生恫嚇他：

「我們先是要求你。倘若你不識好歹，就不要怪我們無情。」

「你們要怎麼樣？」

「到時候，你就會知道的。」

一天晚上，共匪的職業學生，來了三個人，他們把他叫出去，用刺刀抵住他的臉上：

「現在你要聽我們的！」

他一點不怕。憤怒使他勇氣百倍。

「如果不順從我們，就要你的命！」

他冷笑說：「這就是你們的作風？」

「你答應不答應？」

「不答應怎麼樣！」

他這話剛一出口，刺刀就在他臉上刺一個洞，血就像水似的淌了出來。

那些共匪的職業學生，看到血就把他鬆開，一溜烟地跑開了。

終於他臉上留下來這個標記。

「我不會忘記這個的。我永遠也不會忘記的。」

小李爲人很豪爽。我在部隊時，他還請了我到福利社吃過幾次，我亦請過他。我退役時，他說：

「有時間就給我的信。」

「好的。」

我此後就時時和他通信。我的信一寄出去，他的回信就來了。他的信都寫的很長，熱情揚溢，文字修養亦不錯。

我在軍中的朋友有很多很多，小李要算是我很好的朋友之一。

劇氣傑鄉錄

娑婆生

在汪宅堂會的時候，梁燕蓀士詒已再度出山，任參議院議長，於政海復有權威，亦來道賀，即與葉譽虎恭綽兩人，以無叔岩演唱，特煩其唱定軍山，戲份一千二百，由兩人合送。叔岩以後面有孫侯兩氏的戲，特別賣力，此戲又名黃忠十三功，多半從青龍門口（即下場門）上，各種亮相之姿態，與拖刀之武工，有不同的式樣，皆甚好看，觀衆均加欣慰；而斬淵以前所唱幾通鼓，佩卿托得很好，皆斬截有勁，其音悅耳，四座掌聲興起，即菊仙、俊山二老，站在上場口，亦頻頻點首稱許。與放牛教子，同爲是晚之三絕。是年歲末，臨時窩窩頭義務戲，即與小樓唱定軍山湯平關帶五截山，自譚氏唱過，未有第二人也。

烏龍八錘　田侯贊許

余氏生平有兩次，與成名的老角相配，一是與田桂鳳演坐樓殺惜，即烏龍院的全部；次爲與老十三旦演八大錘代斷臂說書，皆是異數，而均告成功，並爲田侯兩人所贊許，認爲前途可造，准可享名，叔岩頗自欣慰也。

烏龍院演出，也在堂會中，記不起誰家。余爲了看過侗五的，特商某銀行經理同去，登場已十一時。桂鳳此戲在民初年間，當推獨步，票友陳之方差堪相擬，其時慧生翠花皆不能相比。叔岩謹慎應付，尚不及田氏的路路皆通，老辣潑悍，簡直有些毛骨皆悚，看上起似較些微的差，幸不甚顯。當開玩笑時，有云：「小余兒，我是你師傅的好朋友，你怎麼也敢玩起來了。」此語妙在切合文遠偸師娘，在宋江面前來講，故博得無數采聲。尤其殺惜一場，桂鳳被叔岩掐在手中，好像渾身軟棉，一無彈力，這份功夫，實難學到！叔岩於鬧院殺惜二場，那種表情，誠是後來菊朋連貢所萬萬趕不上，棋高一着，心手服貼。

舊刑部街鍾家花園中，舉行烏澤聲家慶壽堂會，這台戲也是精采無匹。前已記過有侗五叔岩菊朋硯秋慧生如香的雙搖會，那是十四年客居故都，從未見過。而况尚有叔岩程繼先的鎮潭州，並再與老十三旦演八大錘代斷臂說書，在舊京也祇看到一次。當然八大錘唱過多次，但與老十三旦則無，此因烏澤聲是蒙古籍議員，而侯俊山却家居張家口，素有交誼，否則辦不到，也可見好戲不易常有。

侯俊山以梆子花旦著稱，譽滿京城。他的玩藝首先是極生動，極細緻，唱來也極響朗，而所貼戲碼亦大。旁人唱皮黃，他唱梆子照樣的紅，也爲老譚當年一勁敵，與想九霄份量相等。他不僅是花旦，也反串小生，我看過他的鳳儀亭的梳粧擲戟，那呂奉先也無人能及。是晚的陸文龍，與四將開打，雙槍耍得熟透而極好看，與小樓不多讓。叔岩的王佐，那「聽譙樓」的一段，與唱片完全相同，以後原板皆每段精到，說書的神完氣足，我知其心中因陪侯老，當然卯上。羅福山飾乳娘，也獨一無二的好配角，沒有第二人。所以天亮回家，不覺其累。（卅二）

藝術叢論

抽象藝術漫談

趙雅博

這三級抽象，從亞利斯多德到士林哲學的衰落期，是沒有什麼改變的，我們也給它一個共同名稱，稱之爲形式抽象。所謂形式抽象，如同我們以上所說，乃是在於從事物感覺的或物質的與件中，抽出它的本質或者本然偶有的（附加體的）形式。可是到了賈耶當（Cajetan 1469—1534）時，他又分出一種抽象，稱爲完全的抽象，也可以叫作整體的抽象。它是在於從個體中抽出整體，從部份中抽出全體，從殊相中抽出共相；個體，部份，殊相不過是補充共相而已。也就是在這種方式中，從張三，李四，馬五中抽出來一個共相人。

這種完全的或整體的抽象，乃是比對或針對着一種對客體混然與未指定的知識，對這個客體是在共相的形態下審視的。這個完全或整體的抽象乃是一種基礎，在這種基礎上，我們才能上溯到形式抽象。形式抽象則是在其形上等級上給我們一個對事物本質指定而分別清楚的觀念。從此看來，我們可以看出完全或整體抽象的特徵與其名稱，顯然的表出了對理性知識的方法的不足性，這是說理性的知識，並不能以完全抽象的結果爲滿足，因爲它不給我們對事物的恰切而正確的知識。爲此，我們稱那出於整個抽象的知識爲先科學或在科學以下的知識。

在我們解決抽象問題之先，我們需要强調並指明：形式抽象，雖然是深入於事物本質之中，但是它距離汲淨對事物的認識，還差得遠甚。也就是說，我們由形式抽象而來的知識乃是眞正的知識，在其性質上，不再有什麼變動了。就是說，這種知識是不會有錯誤之處的。但是如果說，在知識的深度上，也不能再前進，再深入，這則是不可以的。我們的知識，抽象的知識是無涯的，時時刻刻能夠前進，時時刻刻能夠加深，時時刻刻也能夠更加清楚的。在這裏我們也可以看出未可知論者的說法是錯了！不過我們認識是可以認識，認識到完，認識到了，這則是不可能的！

抽象的產物

抽象的意義談過之後，我們自然要談一談抽象的結果了。我們知道抽象程序的起點乃是事物，更好說是對象，對事物或客體作了抽象之後，其結果我們則稱之爲概念，觀念，類，事物的本質，事物的自立體形式。但是如果要得到這樣的結果，作爲主體的人（這個主體也只有人，因爲比人更低下的動物只有感覺作用，不能抽象，比人較高的天使，則無感覺而只有悟性，只有直觀，沒有推理，自然也沒有抽象了。）需要作兩種應作的事件。（未完）

廬君續夢

第十一回

舊債新仇　衆道遭白眼

內憂外患　平價仗蓄頭

人民生活太苦，幹部普遍貪汚，農村出現了怠工，全國人民不用商量，幾乎採取了同一行動，每天共幹帶着大家去種田，到了田塍上一睡，再也不動，最初共幹用鞭打，正是打得東來西又倒，共幹只有一根棍，又能打得幾人？到了後來，監工的共幹沒有辦法執行命令，只好向羣衆投降，到了田裏，農民不作，共幹也不理，大家坐在田裏睡覺、談天，熬到下工時間，回到食堂喝兩碗稀飯。日子一久，公社的黨支書看出毛病，當即召集幹部開會，商量怎樣防止人民偸懶，最後議決一個辦法，凡是在田裏睡覺的，一律不算工分。這個辦法施行之後，果然收到效，沒人再敢睡覺。可是，過些日子發現莊稼都死了。仔細檢查起來，原來是被人連根拔掉的。經過一番調查，才發現農民被迫下田種莊稼，蹲在地裏不拔草專門拔苗；南方農民在揷秧時，故意揷不夠深，於是各地莊稼，經過短時期大部枯死了。

共幹抓到幾名農民，審問他們爲什麼毀壞莊稼，有意毀壞國家財物，農民也都說的很乾脆，橫豎收成好我們也是沒得吃，不收成不過是大家都沒得吃，反而痛快。

共幹雖然捕了一批農民判刑，送到邊遠省份勞改，但是對於這種全國的怠工，却始終沒有辦法可施。

怠工之外，就是偸竊。許多農民住得與兵營相近的，看見軍中仍然吃米飯饅頭，有時且能吃點魚肉，大家就看得眼紅，有機會就去兵營偸東西。共軍糧庫同副食庫，甚至養的雞、鴨、猪，有時都會被農民偸走。共軍崗哨只要發現農民偸食物，一律當敵人處置，格殺不論。雖然打死的不少，但是死者自死，偸者自偸，因爲在農民看來，只有偸竊公物，尤其是偸竊軍物，才是眞正的死裏求生之道，因此，各地共軍與人民的衝突，也就越來越多。

在湖北省京山縣的石板河鎮，駐了共軍鐵道兵第六師二十八團九連。平時爲了改善生活，與民爭利，已經同當地老百姓不斷發生摩擦。後來這一個連調防走了，可是在石板河鎮還留有一批副業生產未結束。連指導員就決定留下上士副排長楊如興率領五個士兵留守石板河，繼續搞副業生產。

八連指導員所以要留下楊如興，就因爲他惡！八連在石板河駐防時，凡是毆打農民的事，都由楊如興出頭，當地農民送他個渾號是「帶脚閻王」，因爲閻王雖然惡，畢竟是巍然高坐殿上，不能遇事躬親，只能讓小鬼判官牛頭馬面出頭。楊如興就不同了，既有閻王之兇，又有牛頭馬面，小鬼小判官之勤，閑了就提一條大棍，到處巡邏，只要看到民間有任何東西被認是軍中的，馬上就找到物主重打一頓，然後把東西拿走。

當地農民對「帶脚閻王」恨之刺骨，但是，人民越恨他，他也就越得到寵信，這次部隊移防，指導員特地把他留下，告誡要嚴密保護「人民財產」的副食品，不要被人民偸去。

楊如興地位本來很低，過去雖然窮兇極惡，到底還要請示上級，這次變成了領導，雖然只領導五個人，正如小鬼陞了城隍，一時好不興頭，更在周圍鄉村生事，硬向雞蛋裏頭去找骨頭。（二八三）

理想與實踐

爲慶祝鳴遠館落成而寫

趙雅博

這個難能可貴的程度，高深到若何程度，試看一秉大公的光主教都說他能愛中國，簡直是怪物，他不要說在當時他遭到反對，就是在他死後的十七年代，傳記出日，還能引起軒然大波，而比而法而意而德的若干人們，連名指責，攻擊，控告，而英而美而荷而瑞而傳教區的客籍人士，也都怒目裂眥，無上不快。甚至傳說控到了教宗比約十二世之御前，而聆到了不要怕眞理的箴言！

他來到遠東，看到了帝國主義欺侮弱小的土著，他憤不欲生。他來到中國，看到西方在華的種種，他說出了「我和義和團一條心」。此後他實行他篤愛中國人的理想，一言一動，一念一行，無非是爲在物質在精神方面，實行他救我中華的大志。他鼓勵文化傳教，他興辦學校，他出版日報，他振興實業，他代雪國恥，他抗議侵畧，他更多作正義良好的宣傳，抵消誣蠛垢污的散播，他倡導國際平等，更要免除宗教精神的殖民，他主張教宗與我國使節的互通，他提議國籍主教的祝聖，俾得教務的倡興，眞理的廣揚，福音的普被，天國的來臨。他披肝瀝胆，椎心泣血，自遠東開教以來，凡四百年間，本地主教只是曇花一現的出現了一次，然後聖教體制的前奏，本籍主教的產生，便決定性的宣告死亡，認爲是大逆不道，異端邪說。他爲了本籍主教祝聖的實現，爲了殖民地的消滅，眞不知吃了多少苦頭。他充軍，他流徙，然而終於上達天聽，此一志願，始於告成，而爲比約十二世譽爲先知的預言！

一九一九年上，他便看出共產主義的危機，尤其在我國的危機。在歐洲時，他風塵僕僕，席不暇煖，目不暇給，食不暇咽，在爲成千成百的我國留學生的生活讀書而工作，以期使他們獲得正確思想，眞正學問，而能使共產主義在中國消滅於無形。當時他曾受到三方面的打擊，但是他仍然努力不懈，雖然他這一大志，未能竟得全功，但是至少在法比瑞荷有上千的我國留學生改變了思想，使很多醉心共產主義的學生，懸崖勒馬，唾棄了共產主義，而投向了光明！

在中國他首倡公教進行會，較之公教先進國家的意大利都早已上了十年。他組織教友傳教，他在比國建立了兩個特別團體，輔助傳教，不使他們染上把持勢力與喧賓奪主的惡風。他在中國也成立了兩會，以平民化，苦幹實幹爲其傳教救人、服務社會的方法。中日戰起，他三次投筆從戎，終於馬革裹屍，效死疆場，中外動容。

他對教會禮儀，提倡本地化；對傳教事業，提倡教會正統以及現代化；這在今天六十年代，爲教會大公會議討論的主要論題，而遠在六十年前，他已有此先知先覺的理想，眞可說是超人數等。無怪徐恩斯樞機在演講時，大聲疾呼：「大公會議的論題，乃是雷鳴遠司鐸與包德瓦教長的翻版」了！

雷神父不但在思想方面，是一位先知先覺，並且也是一位不折不扣的實行家。就是在作人方面，他也給我們留下來萬古常新的教訓，生活有力，簡單乾脆；他終身不忘其揭櫫實行的格言乃是：「全犧牲，眞愛人，常喜樂！」

全犧牲的精神是着重在一個「全」字。這個全字，是排除了時間空間，無時無地，無不犧牲。在消極方面，表現的精神是打倒我，不自私，不自利，不拘於成見，自我犧牲一切，理想所在，道義所趨，眞理所需，無不可犧牲者！犧牲一切，所有一切，無有而無不有；在積極方面：「工作高於一切，工作當緊張化！」「有百分力量，絕不用九十九分！」「苦幹，强幹！」「天下本無無辦法的事，不辦才是無法！」

眞愛人的理想，着重在一「眞」字。「時時事事，先人後己」！「寧願天下人負我，不願我負天下一人！」「眞愛人就是使自己吃虧，教別人佔便宜！」「愛人不上當，便不是眞愛人！」

常喜樂的精神，是要求的一個「常」字。這個常字，也免除了時空的極限，時時處處，疾病痛苦，事事行行，無論順逆，我們都要常常喜樂。要常喜樂，一定要全犧牲，眞愛人。前二者是方法，後者是結果；捨方法而求結果，乃緣木而求魚也。

雷神父死了，但是他的精神不死，他的遺言遺行常存。他沒有理想而不去實踐，也沒有實踐而沒有理想。

（二）

我的社會生活

雷鳴遠

就職一個月後，決定以全力進行兩樁事，即安撫地方人心與改造各縣團隊是也。由於轄區久受共匪盤據蹂躪之故，一般民衆都經過了赤化生活，如今共禍平息了，地方人士的恩怨是非大作，每個未曾逃出的人，皆有匪共的嫌疑，動則被戴上「通匪」、「從匪」的帽子，以致人人自危，惶惶不安。尤其是一些逃避共禍在外的舊有土豪劣紳們，回到鄉里即肆行報復，隨時向政府指控某也是「赤衞隊份子」，某也是「革命法庭」的司法委員，某也是「少年先鋒隊」隊長，殺人刦財無數，罪大惡極，證據確鑿，非嚴究不可。假使這樣株連窮治下去，那還得了嗎？我乃反其道而行之，隨時出巡各地區，集合民衆講話，聲明從我到任之日起，凡屬安份守己的人，都是良民，一體保護，當場散發「良民證」，教大家安居樂業，不必驚擾，只要不與匪徒來往，倘有人妄加侵害，馬上報告我，決不致受冤屈的。同時對於著名的土劣，毫不容氣的予以懲辦，如江陵縣土劣最多，素有十三太保的稱號，中有著名劣紳周某，他從武漢還鄉，拿着武漢方面的文武要人介紹信來見我，以反共健將姿態，表示願爲桑梓服務，且示意將盡力爲我「帮忙」——即是替我弄錢的暗語——我首先就拿辦他，人心爲之翕然大悅。江陵縣的保安隊人數較多，隊長十九都是些地方匪首，我分別將他們調防，表面是加緊訓練，決不更動人事，只派員督練，規定黎明即須上操，又繼之以各項課程講習與射擊教練等等。這些人從來沒有幹過這種勤勞的活路，隊長們且多有鴉片烟癖，當然受不了，士兵紛紛開小差，隊長相率辭職；開小差的抓回來軍法從事，辭職的一律照准。這樣便將舊有的團隊全部等於遣散了。另向農村實行徵兵制，以一年爲期，期滿絕對退役，信用樹立立後，人民皆樂從之，有些壯丁且不願退役了，但我否決他們的要求，非如期告退不可。江陵縣如此辦理，所屬各縣亦照樣進行，一年之內，江陵境的散匪已告肅清，即逃到漢口日本租界的著名土匪頭目，亦把他們弄回來處決掉，閭閻安定，人民生活日見改善了。

此外，江陵尚有一害，即沙市一些爛文人，隨便創刊一張不成格局的報紙，或用鉛印，或用油印，向商店和居民的富裕之家，強迫推銷，又常常揑撰社會新聞稿，說某家商店專門販賣日本貨（此時全國實行抵制日貨），或指摘某商人的妻妾與店員通姦，先將此稿送給當事人看，勒索金錢，即不刊出，商民頻頻向我訴苦，請求保障。我痛惡這種新聞界的害羣之馬，但未便採取嚴峻的對付手段，以防被指爲摧殘輿論，惹起中樞監察委員的糾彈。乃據情密呈蔣總司令，請示處理方法，另私函楊秘書長，說明一切。旋奉蔣總司令訓令一道，說是：「據本部密查：該員駐在地區之沙市，常有無賴文人，非法發行刊物，敲詐商民，肆無忌憚等情。該員到任已逾半載，何以不加取締，殊屬非是！限於令到之日，即將本文佈告當地，倘再有同樣情事發生，該員應即嚴予究辦具報，毋得瞻徇。」我瞭解這是楊暢公替我解除困難的高明手法，極爲感奮，即將訓令抄錄公告，不到十天，那些爛報紙皆自動收場了。商民額手稱慶，說我爲地方除去一大害，實則這是行政經驗豐富之楊秘書長的傑作，我更要感謝他暗中維護的德意呢！即此一端，可見居高位的政治人物，如其沒有相當的學識經驗，而又勇於負責的話，政治即永無清明之望。

（廿八）

花香月上樓小品

黃葉村人

閒話劉國軒（續）

國軒立命召伎！盛宴欵僧。使伎裸而相逐，作諸般淫戲。僧初猶飲笑自若，既而閉目不視！國軒遽拔劍一揮！僧首立斷！蓋僧所恃者，練氣功而已。所謂神存則氣固，白刃可以不入；神亡則氣散，氣散則形舒，刀下首斷矣！然此時此際，若非心有主宰，臨事鎮定，時機稍縱即逝，倘被發覺，則國軒亦岌岌乎其殆哉！

故紀文達之論國軒曰：「椎埋游俠之徒，而有此胆力與見識，其能縱橫海島數十年，所向無敵，豈偶然哉！」予亦謂：「向使國軒能主持正義，不與錫範黨同伐異，全力支持克塽，益以克𡒉之精明有爲，不以私誼而廢公理，排除馮氏，以安鄭氏，則鄭家基業，固如磐石；施琅雖狡，能奈我何也？乃不此之圖，一錯再錯，惜哉」！

按鄭成功之興，其部將如施琅，甘輝，黃梧，蘇茂，劉國軒，爲諸將中之傑出者，著績亦多。奈何鄭氏以一時之憤，而迫走施琅；又以一著之失，而致北征敗績，甘輝戰死；再以一忿難釋，殺蘇茂，致黃梧舉海澄以降清，金厦遂失屏藩；甚至因極微小之兒女私情，而竟欲殺妻誅子，自毀倫常，用致叔侄爭位，啓導後來權臣擅柄，兄弟相殺之局。這些是非恩怨，無不一一收入國軒眼中，逆知少主庸弱，權臣當國，內憂外患交迫，事必無成，因而變志改圖，亦勢所必至，理有固然也！故尚論者以爲鄭氏之敗，非敗於施琅，亦非國軒迫宮之過，而實創業者貽謀不善，驕矜自是，徒憑意氣，不謀百年，有以致之。

夫北征之役，成功不聽甘輝之謀，拒梁化鳳之詐降，而速攻南京；又不聽橫斷瓜州，以阻山東之兵之議，而固執己見，遂致一敗塗地，猶有可恕；而其因縱施琅而殺蘇茂，不罪之於縱琅之日，而刑諸於戰敗之時，其居心之隱密，無恕人約己之大度，而有睚眦必報之居心，寧不使人寒心？故諸將之搖擺不定，多有散亡，無一死生不貳之士，以受六尺之託，如甘輝，朱術桂之倫者，以輔弼左右。同時，成功，鄭經，又都不壽；雖尊禮明室宗臣，而不肯重用，惟子弟鄉里之是謀；故憑錫範之當權，乃得力於外家之親，而非有任何豐功偉績也。（未完）

迎甲辰年

蔡俊光

禮壞久乎荒告朔，俗醇今也迎盲年。
用夷變夏知何補？使酒尋春夢亦妍。
射虎聲聞空及後，屠龍技試合當前。
平生學養差無忝，素位而行最樂天。

訪問美國議會的觀感

陳翔冰

參議院以副總統爲主席，副總統缺席時，由參議院所選出的臨時主席主持之。衆議院之議長由議員選出，缺席時由議長指定之議員爲主席。

參議院之秘書由參議員選任之，在副總統缺席而臨時主席未選出時，可主持參院，該秘書爲秘書處之首長，管理印信，經費及統率屬員，處理院務，且須附署各種議案，以及經已通過之條約等。另有衞士長一名，負責警衞，典禮，如總統就職典禮，以及侍衞外國國會議員列席參觀參議院會，如參議員在任內死亡，且須主持其葬式等。

（二）

昆明十日的感想

雷鳴遠遺著

國民到前方去參加抗戰工作，是義務，是權利，是辛苦，但辛苦可以得到學問，是疲勞，但疲勞中可以得到經驗。這次抗戰，是我們中華民族四千餘年歷史上空前最偉大的革命。我能躬逢其盛，親經其事，勉竭個人的棉薄，共襄民族偉業，這不是權利是什麼！參加這種空前偉大的革命工作，該增加個人多少經驗與學問。對我個人過去這兩年的工作，我個人的收穫，不止身體更健旺，精神更奮發。我多看到了農村眞情況，我明瞭了許多風俗民情，我多認識了許多古樸純厚的老百姓，我對許多的中國問題，增加了瞭解。這些學問與經驗，不是課堂上所能得到的，所以對學校已畢業的青年朋友，以及社會上年富力強而有專門技術的人，我很鼓舞他們到前方去工作。特別是醫生、看護士及宣傳等工作人員，戰區非常缺乏，果有這樣的同志，我歡迎他加入我們的團體，共同到前方去工作，到戰區去，到敵人後方去，我是識途的老馬，我願來領路。

我今天就要離開這氣候溫暖、風景秀麗、情緒熱烈、友誼眞實的昆明了，我不能分別辭謝長官及朋友招待與協助的厚意，我的時間短促，我要趕緊把昆明精神的物質的慰勞品，送到前方去。中條山健兒，最近又有一次大勝利，昆明的慰勞品，正是時候。這些慰勞品可以使前方將士的凱歌聲更悠揚更雄壯更響亮。此時中條山勝利的歡呼，前進的曲調，正是山鳴谷應風起雲湧，我捨不下昆明，我更捨不下中條山。我留戀昆明的朋友，我更留戀中條山數十萬殺敵禦侮的健兒。我去了，我回到中條山了。此去我渡黃河、出雁門、過得勝口，濯足於玉泉，整草履於西山，我要站在北平正陽門的樓頭，揮手與昆明正義樓的朋友們，共祝抗戰勝利。（下）

內政部台誌字第〇三〇號內銷證
自由報
THE FREE NEWS
第四二〇號
中華民國僑務委員會發證
台僑新字第三二三號登記證
中華郵政台字第一二八二號執照
登記爲第一類新聞紙類
（每逢星期三、六出版）
每份港幣壹角
台灣零售價新台幣弍元
社長：雷嘯岑
社址：香港銅鑼灣高士威道二十號四樓
20 CAUSEWAY RD 3RD FL HONG KONG
TEL. 771726　電報掛號：7181
承印者：[illegible]印刷廠
地址：香港灣仔高士打道二二一號
台灣分社
台北市西寧南路壹壹叁號二樓
電話：三〇五四六
台郵撥儲金戶九二五三

國際逆流與我們的生存前途（下）

李應元

大家如果警覺到國際逆流之日益氾濫，對我凶多吉少，即深深地瞭解自己再不振作，今後縱然想偏安台灣一隅，亦無可能。南宋偏安局面之得以長期持續，除却奄有東南半壁的河山而外，尚能不斷地出師禦寇，振奮人心，我們今日的情形却不如南宋遠甚，而國際陰謀家竟要造作謠言邪說，否定我們國家復興的根據地——台灣——是中國領土，且不讓我們有「錯把杭州作汴州」之餘地，這是何等惡劣的趨勢呢！我們如不大徹大悟，振奮心力，而以革命精神來圖存，則時不我與，將有噬臍莫及之憂。祇要大家痛下決心，剷除惰性觀念，改變陳舊作風，那末，中華民國的生存發展條件并不缺乏，事在人爲，前途絕對光明的。

澈底改革政治

越王勾踐以十年生聚、十年教訓的心力，終奏沼吳之功，我們政府在台灣整軍經武十五年的結果，軍事上的長足進步，堪以自信了。然軍事只是政治的一種手段，如果政治機能配合不上軍事的進度，即令沒有國際形勢的牽掣，可以隨時反攻大陸，掃蕩共禍，勢必覆轍相尋，還是要失敗的，因爲時代不同，環境迥異，人民的政治意識和能力，皆不是「吳下阿蒙」了。此理淺明，不待贅述。

可是，回顧這十五年來的政治現象，但見陳陳相因，缺乏蹈厲奮發之氣。隨時強調團結海內外反共力量，而事實上十分散漫；隨時提倡革新、動員、戰鬥，而偷惰苟安的心情，與日俱增；隨時主張政治反攻、增進行政效率，而一般行政人員皆以請示爲負責之本，抱定多做多錯、少做少錯、不做不錯的宗旨，不見有勇於負責，而以政見爲出處進退之據的政治家。因而政治上乃如一池死水，微波不興，靜態深厚，暮氣沉沉，人事上換來換去，總是像籮裏選瓜，離不了那幾塊舊料，假使這些「中朝大官老於事，詎知感激徒婀婀」的政治人物，都是國家棟樑之材，那我們又何至於退出大陸呢？曠觀史乘，凡屬撥亂反正，國家中興之秋，必有若干崛起田間，或擢自微末的奇才異能之士，竭智盡忠，奮身報國，使社會大衆耳目一新，希望無窮，而對政府發生強固的向心力。目前我們要想改革政治，必須有大開大闔，拋棄歷史包袱的勇氣與作爲，纔能夠轉捩舊習，振作人心，只是補苴罅漏，枝枝節節的措施，那是無濟於事的。尤其用人方面，更要打破一切派系觀念，唯才唯賢，內舉可以不避親，外舉更應不避仇。國父孫公所倡「人盡其才」的遺教，此時此地，尤有身體力行之必要了。因此，我認爲蔣總統最近提倡的「反共建國聯盟」運動，不失其爲革新政治的有效方案，應該以嶄新的方法、勇敢的精神，眞正聯成全國反共力量大團結的績效，使現時這種因循偷惰的情形爲之改觀，而在國際上給人以另眼看待的觀念，一反俯仰由人的頹勢，實爲當務之急。否則軍事反攻的時機有待，而政治反攻的事實無聞，又怎能阻止國際陰謀家有出賣我們的打算呢！

種多因

靠不住的路牌

台灣永遠是中國版圖

儘管國際陰謀家胡說八道，妄倡「台灣地位尚待國際決定」之說，但根據我們千百年來的史事，台灣乃是中國領土，毫無疑問，何況二次大戰期間的國際會議，亦明白宣言台灣應交還中華民國，今日豈能盲目否認嗎？所以，今日我們決不害怕台灣這塊領土發生問題，就怕我們自己毫無作爲，予人以覬覦的機會。職是之故，美國與毛共的「華沙談判」，我們即不宜僅僅聲明不受該談判的約束就算了，應該要求美國在「華沙談判」中，只能談美、毛間的事情，不可越俎代談台灣問題。台灣并無甚末問題需要美國來費心代作談判，縱有問題，如果我政府認爲可談，自己儘可自主決定，不需友邦鰓鰓過慮的。這并非夾二的說法，實係國際陰謀所在，關係中華民國的生存發展前途，至爲深鉅。因爲美、毛華沙談判的主題，是要毛共承諾不以武力進攻台灣，美國即願跟毛共修好論交，只以毛共不肯作此承諾，始終表示反美態度，這纔至今不得要領。如果毛共他日一變態度，願與美國苟和，那我們豈不是要變成「豬仔」，被人出賣嗎？其始也簡，將畢也鉅，似此關係國家生存發展的大問題，政府決不應該緘默的。

國際陰謀家明明白白地擬訂一套詭計，先以利誘威脅的手段，企圖擬出「兩個中國」的把戲，然後再進一步，藉口「台灣地位尚待國際決定」，利用聯合國作工具，將台灣淪爲「託管」地帶，即使中華民國與台灣脫離關係，而我們反攻復國問題，自然無從談起了！是可忍，孰不可忍呢？

結語

由於內外形勢的各種因素，我們軍事反攻大陸的行動，不無瞻顧之處，而國際逆流又洶洶襲來，令人怵目驚心，我們如不急起振作，自立自助，即將陷於人爲刀俎，我爲魚肉的境況，政府當局在歷史上亦就沒法交代。振作之道無他，改變舊觀念，拋棄舊作風，一切從新作起，一切以革命精神爲出發點，首先要能夠把海內外的反共力量眞正團結起來，一致奮鬥，使各界人士皆有爲國家馳驅效力的機會，必要時，雖將現有的政制全盤改革，亦無所謂。至於外交工作，尤須特別重視，過去那套因循敷衍，只是沾沾於聯合國席位，而置其他外交工作於次要的策略，非改變不可了。昔人謂「風俗之厚薄，繫於一二人心之所嚮而已」，我們認爲政治之隆替，國家之盛衰，亦繫於當道一二人的轉念之間，時危事急，不能怠忽了！

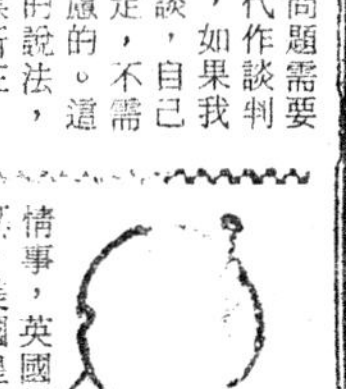

世界動亂之源

塞普魯斯島上居民——希臘人與土耳其人——發生打鬥情事，英國趕忙派兵前去鎮壓，美國亦皇皇然派員馳往調解，又命令第六艦隊從旁警戒，聯合國安理會亦急起過問，大家熱心過度，不請自來。可是，該島居民的打鬥行爲乃愈演愈烈，并不因爲那些國際大老倌挺身干涉而表示和緩，可怪也矣！

據說，塞島是獨立了的小邦，而由英、希、土三國共同保證它獨立的。現在保證它獨立的希、土兩籍人民自相殘殺，希、土兩國政府各事左右袒，英國又不能毅然制止動亂，且對於聯合國所擬解決糾紛的建議表示反對，聲言不惜行使否決權。這究竟是甚末要法呢？

許多地方的動亂，祇要有那些所謂世界強國來過問，亂象就越見劇化，問題即更加複雜，最後乃搞出「兩個」勢力對立的把戲來，如兩個德國、兩個韓國、兩個安南、兩個寮國、兩個剛果……等都是，慢慢地還想攪「兩個中國」，我看兩個塞島的玩藝，十之八九會出現的！

吹縐一池春水，干卿底事？一個小島上的居民打架，跟英、美、俄各國有甚末關係，大家何以爭先恐後地熱心干預呢？既然好管閒事，就應該本諸正義公道，爲弱小國家的人民，創進安全幸福生活，纔不失其爲息事寧人的大國作風。然事實適得其反，這些大國一經插手，事情即大糟特糟，結果只是增加當地人民的痛苦和後患而已。

這些所謂世界列強，開口閉口不離「和平」，而一舉一動都在製造禍亂。他們自己害怕戰爭，却喜歡別人從事戰鬥，藉此既可以推銷軍火，搜括金錢，又坐在黃鶴樓上看翻船，欣賞別人血肉橫飛以取樂，精神物質，兩有裨益也。

假使把那專說廢話，徒亂人意的聯合國解散，各個弱小國家發生任何事情，皆拒絕那些自作多情的強國來過問，我敢保證，世界形勢一定比現在要安定些。「聖人不死，大盜不止」，因此，我們有理由這末講：世界上的帝國主義，始終存在着，只是染有各種不同的色彩罷了。帝國主義的幽靈不消滅，若說人類將有永久的和平生活可享，這不是童言，便是神話，誰其信之？

馬五先生

今日與明日

所謂經濟制裁

美國宣佈停止對英、法、南斯拉夫的軍援，理由是這些國家不接受對古巴貿易禁運，與美國利益不符合。

所謂經濟制裁的政策，原係韓戰期間由聯合國決議實行的，韓戰結束後，共產國家禁運政策早已廢棄了，今日忽然舊調重彈，令人不無新奇之感。

美英法德各國，近年來競向蘇俄與中共區域大做其買賣，洋洋自得，蕞爾古巴，不過是俄帝的一個小小貓腳爪，何足道哉？若說卡斯特洛政權是共產主義，然則南斯拉夫難道不是共產國家嗎？何以美國又不惜給以大量的軍經援助？此外如印尼的蘇卡諾政權，緬甸的宇溫政權，無一不是親共的，美國亦不惜予以軍經援助，獨對古巴另眼看待，不許別國跟它貿易，自難怪英、法、南斯拉夫各國相應不理了。

美國領導自由世界反共，而自己隨時應援俄共集團，認爲符合美國利益；古巴地小民貧，購買力不強，且又公然與美國作對，這是不符合美國利益，所以非實行經濟制裁不可。如此的自由世界盟主，共產主義那有不猖獗之理呢！

強權主義大作

法國以軍隊鎮壓北非舊屬地「加蓬」的革命動亂，英國以軍隊鎮壓塞普魯斯島人民的內戰，又以軍隊應援馬來西亞與印尼的鬥爭，美國更隨時以兵力協助一些動亂的自由國家，而俄帝對這些動亂地區亦不顧袖手旁觀，極盡煽動鼓勵之能事。整個世界只見強權主義國家劍拔弩張，各行其是，別有所圖，若謂這是世界和平的象徵，寧非咄咄怪事乎！

即此一端，所謂裁軍會議的結果，亦不難想像了。

「公約」體系的潰散

所謂「東南亞公約」會議，正在曼谷舉行，作用是餼羊告朔而已。

煊赫一時的北大西洋公約，由於法國不接受核子武器共管政策，拒簽禁試核武器條約，已經陷於癱瘓了，而中東公約早告幻滅了，剩下一個先天不足的東南亞公約，名存實亡，還要像煞有介事地舉行會議，能有甚末作用發生嗎？

公約體系的時代過去了，誠不知當年熱心倡組公約的美國人作何感想？

自由報

屏東縣長競選現階段
張豐緒獲選被認為十拿而九穩
董錦樹將否違紀競選最受注意

（本報屏東航訊）屏東縣第五屆縣長選戰，雖尚未達短兵相接階段，然由於執政黨的提名人選確定，已有高潮迭起之勢。

董錦樹是否違紀競選，成為目前屏東最受注意的問題。在執政黨提名未確定前，外界即有風風雨雨，盛傳董錦樹如不獲提名為縣長候選人時，將計劃再度冒險，重演一次違紀競選的紀錄，但當時他個人及其智囊人物，均一致否認此種傳說。

唯二月二日晚上，董錦樹曾在枋寮他自己的家裏，召開了一次高度秘密會議，據說便是磋商違紀競選策略的，到會的計有現任省議員蔡李焱，前任水利會長黃道宜，縣議員林文銓，以及兩位鄉長。由此一會議行動所顯示，至少說明董錦樹可能違紀競選的傳聞並非是完全空穴來風。

董錦樹為什麼要再來一次違紀？這是大家所要瞭解的問題，一般的意見以為不外乎是：①他曾因違紀競選議長，執政黨以他不服從黨紀為由，開除了他的黨籍，但事後又因他協助縣長選舉有功，而給他恢復了黨籍，這多少顯示執政黨黨紀的不嚴，難免使董認為違紀亦非什麼大不了之事。②董主持議會十年的老議長身份，自認功在黨國，以為執政黨應該給予他這一次競選縣長的機會，使他更多為黨國為地方服務。③受一些不肖份子挑撥，說獲得提名的張豐緒既是新進黨員，且對地方毫無貢獻，更缺之地方政治行政經驗……等，黨提名張豐緒，便是看不起董錦堂，又何必死心塌地對黨唯命是從？

此間不少人的意見，不管張豐緒個人在地方的聲望如何，但起碼他被執政黨提名後，地方上百分之九十以上的人，對他沒有絲毫壞的反應，更沒有任何人說執政黨此舉不當，更認為張的當選，十拿九穩。至於黃道宜，在屏東被認為是最不甘寂寞的人，這一點可以從他參加下屆縣長提名爭奪證實；外傳他之所以支持董錦樹違紀競選，他唯一的目的，是在爭取董任縣長後的主任秘書一職。而蔡李焱之所以參予此一行列，據說是因她與黃道宜有深厚關係，所以有黃必有她云云。

另據某權威人士透露：執政黨此次之所以沒有提名董錦樹競選下屆縣長的原因為①因他曾有違紀紀錄，故為考驗他對黨的忠貞程度計，如他在這次競選時能做到絕對服從黨的命令，將在縣長選舉結束後，給他某種適當的安排。②董在平時因與青年黨籍縣議員黃振三接觸頻繁，也是造成他這次不被提名的主要因素之一。此間凡與董錦樹私人關係較厚及關心他政治前途的人士，都希望他慎重考慮，不要行差踏錯。（袁文德）

從廢墟中建起金字塔
德國迅速復興的四大因素
其一人才衆多·其二企業環境
其三政治清明·其四人民務實

——何培生寄自西德

筆者於一九四九年六月一日由瑞士到德國，成行前一位瑞士教授及若干瑞士朋友，均謂德國無食無房子，勸我勿去。但我抑未接受彼等忠告，而以冒險心情，毅然前往。當時德國戰後民生艱苦，糧食尚有一部份實行配購——如肉類、白麵包、牛油等。配購物資，外國人比德國人多一倍，此即優待戰敗國之表示。但約半年之後，此種配購即全部取銷，市面物資已甚充足，完全自由購買。惟因戰後聯軍拆遷西德工廠，失業者百餘萬，職工報酬低微，人民滿懷消極，悲觀心情，有「德國永不抬頭」之感。

一九四九年，德國聯邦政府（西德）成立，聯軍軍政府將大部分主權交還聯邦政府（因戰後德國受軍事管制，軍政府代為行使德國主權），至此德國有一中央政府，一面從事整理內部，一面與聯軍交涉，停止拆遷工廠。一九五〇年即未聞再有拆遷之事。自此時起，德國戰後殘餘工業始告安定，且逐漸擴充，建立新工廠。至一九五三——四年，在短短三、四年間，國際貿易即成為出超。一九五五年即無失業現象，且逐漸發生勞力不夠問題。由於工業之不斷擴充，商業隨之發達，勞力需要更多，但因工會要求，工作時間又日益減少，自一九五七——八年，勞力缺乏，即成為嚴重問題。若干工廠，手工匠及商業機構，幾無法招到學徒及工作人員。目下小型企業僱用人員，亦幾乎成為「不可能」，雖有八十餘萬外籍勞工（以意大利人最多，西班牙人次之，土耳其及希臘人又次之），勞力缺乏之問題，仍未能解決。去年報載，甚多公寓，即因缺乏勞力而停業，德國企業膨脹，勞力缺乏之情形，可想而知。

筆者在德十五年中，見其從一破爛廢墟，建設成為新而富的國家，從失業現象變成勞力缺乏，前後比照，有如兩個不同國家。目下房屋，大部是戰後新建，有現代化之衛生及暖氣設備，工業已超過戰前生產力甚多，僅次於美國而為世界第二位工業國家，與第一位出超國家。其在短短十餘年中，能有此種奇跡般的成就，據個人觀察，有下述四大因素：

一、人才衆多

德國強迫教育，原為六年，近來已改為九年。但大多數人均受九年以上教育。且有學徒制度，繼學校教育為其職業訓練。學生離校前，即覓定適當學徒位置，離校後開始學習專業。例如餐館招待，商店店員，花園工人，工廠職工，商號職員，律師助手，醫生掛號小姐……，均須經過三年學徒階段，其他各手工匠業，則更不例外。學徒期間，每週免費往政府所辦之學校上課一天，授予理論課程，期滿考試及格，始有受僱資格。未經學徒階段者，極難覓得職業，即使覓到，其薪給亦較經過學徒者低微。因其如是，不升學之青少年，均視學徒為教育過程，雖工商業鉅子兒女，亦願充當學徒，均不例外。以是德國人民，絕大多數學有一種專門職業，各種人才，亦因而養成。其在工業界，更有「師傅制度」，即經過技工或匠人學徒並考試及格後，倘可參加「師傅班」之課程。照目前規定，此種課程，為四百八十小時，其中包括各該專門知識及工業、匠人領導等，在匠人業，則更包括會計課程，以造成能獨當一面之技術領導人才。必須考試及格，始授予「師傅」資格。但學徒考試後，最少須有三年以上之實際工作經驗，始准參與師傅考試。故經過師傅考試者，既有實際經驗，亦了解理論，成為實際工作之領導人才，其工作既較輕，薪給又較高，亦為一種獎勵工人上進之制度。在匠人業，須經師傅考試後，始准招收學徒，其人才素質，因以提高。故德國除大學及專門學校訓練高級計劃人才外，此種「學徒制度」及「師傅制度」關係重大，訓練出實際工作人才，人民各有其長，一國人才濟濟，舉辦任何事業，祇須資金有着，人才一呼即齊，且均純熟優良。此即德國兩次戰敗，均能迅速復興之主要原因。（上）

港又發現霍亂症

（本報訊）十九日香港又發現霍亂新病例，因而再宣佈成為疫埠。香港係於本年元月七日始宣佈解除疫埠頭銜的，為時僅四十餘日。寒凍季節發生霍亂症，且其型式不同於去年，說明香港有須經常保持警戒，一點鬆弛不得。當局經已緊急呼籲居民接受防疫注射。

從省議員的意見談當前財經問題

——本報台中記者熊徵宇——

於是，經理人員就人不盡才，唸化學的可以主持航業，學飛機的可以主持森林業。完全是「因人擇事」，無事「置人」，而外邊經驗，又難免依照主管人員的喜怒好惡，結果是人員衆多而份子複雜，組織龐大而運用不靈。

管理政策矛盾

站在一個新聞記者的立場上，我一直不了解我們的公營事業，在管理政策上，到底是以企業化？還是以行政單位化在管理？股東會和董監事會構成了企業化的形勢，但是卻沒有依照公司法進行業務，一切由董監事來決定，甚至於董事根本不能負責。超乎行政法以外的干預情形又特別的多；而審計會計和人事制度，又必須要遵守行政系統，而政府機關也一直以管理機關的辦法來管理公營事業，同時也以管理行政官吏的辦法來管理從業人員。

所有的法令，凡施於之普通行政機關的，幾乎全部加之於公營事業頭上，而有些只用之於民營事業機關的，也強令公營事業機關非遵守不可。

像這樣，不但扼殺了企業精神，反而增加了事業上的紛擾。公營事業不能充份發揮應有的效能，當然也是必然的其來有自了。

所以要求公營事業多些盈餘能搞好的話，必須要貫施公司組織法，樹立企業的正確觀念。

缺乏統一制度

金融機構投資於各種企業，確實對於本身的業務是一種妨害，也可以說形成了一種獨佔性的官僚資本，而其使用上的資本價值卻使人懷疑，因為那些投資的股本，並不能獲得應有的利益，只是一種近乎輔助性的集資。

談到我們的經濟貿易行政，確實有些紊亂，機關重疊，職權不清，缺乏統一的政策與統一的制度。中信局、外貿會、台灣銀行、中央銀行都管，各有各的小組審核，標準有時相互矛盾。尤其是「差別匯率」種類太多，非僅官價與黑市之別，而其標準又不統一，所以有些進出口貿易者，只請外匯賺錢，並不實際經營，這類的事件當然不多，但卻是外匯上的一大漏洞。

國家苦難多　莫再用盾牌

有關法令必須修改。積極貸款於農工業的生產事業，配合出口的輔導，減輕出口品的稅率，統一的把握重點，是為必要之圖。否則如何能談配合經濟發展？如何解除目前的離條現狀？

由於事實的需要和困難，財政政策是不能和經濟政策步調一致的。為了財政目的而牽制了經濟政策，使工業建設的途程上，遭到許多障礙，阻滯經濟的發展，不是適合於目前和將來正的確政策。我們必須不用任何牌盾來擋住問題的真象，必須要使儲蓄變為資金，機動的與社會加強聯系，使穩定的貨幣量與生產有適當的配合，滑潤增長民間企業資金的週轉，支持民間的各種需要，鼓勵生產。養成民間節約儲蓄與投資的意識。使民富裕，以供國用。解開經濟上存在的許多環結。

我所談的這些財政與經濟上的問題，只是根據省議員的質詢範圍而言，經緯萬端，自難盡意。

國家面臨重重苦難，我們的財經領導者，特別是台灣省的財經政策領導人，該是使鐵腕受考驗的時候了！（五·完）

香港與大陸

毛共農貸的笑話
閉門造車任意胡來
共幹乘機無惡不作

中共為了挽救其農業危機，最近曾大肆宣傳，要擴大對農村的「農貸」工作，但閉門造車的胡來，加以共幹上下其手，或貪污，或用為投機買賣的本錢，其前途絕不樂觀。

據由五華縣來港的江君對記者透露：中共這次的「農貸」，包括現金、農具、肥料、種籽……等，其「農貸」的款值也確比以往任何一次為大，但其效果則可以說是最差。其原因，一方面是由於中共不按照一般生產的實際需要而作，另方面則是共幹的乘機胡來。

江君說：中共這次的發放「農貸」，是由共幹在「辦公」室中依據自己的主觀觀念而決定的，他們不曉得農村生產實際所需的東西，只憑物資部部門有什麼物資，便發放什麼。例如：有些山區多半是「湖洋田」的（註：湖洋田是長年都有水浸着的鬆軟的表層很深，不能用牛犂耙的）但中共卻貸了大量的犂耙，而不管那些長的鍋頭。這樣不單所貸無用，還徒增農民的負擔。

至於一些現金的農貸，則因為要通過共幹之手，彼等相率從中漁利，有放高利貸的，有投機買賣的，有幹私人副業的……好像公社的共幹利用此等款項強行壓低價錢向農民收購雞鴨，然後又把價錢提高，賣給「政府」，從中取利等，至於「報大數」以自肥更比比皆是。

江君說：這次的「農貸」，對於農村生產是沒有益處的，因為農民們並不歡迎這樣的農貸。農民們說：「你們的這種「農貸」，貸在比「舊社會」高利貸還要厲害，「舊社會」的借高利貸者，還可以得到應急或實用的好處，而你們的「農貸」，卻不單要我們還利，而且我們就沒有得到一點好處。這是什麼「農貸」，其實是搶奪我們勞動果實的一種手段而已」。（敬斯）

鄉下姑娘

勞克

一、

星期天，在國文家裏吃飯，我見到李小姐。

李小姐，彰化人，一個道道地地的鄉下姑娘。

她不會說也不會聽國語，我不會說也不會聽台灣話。於是，你望着我，我望着你，瞪住大眼。望着，望着，只有時彼此笑笑。

她有一口潔白齊整的牙齒。尖尖的下額，還有兩個小酒渦，樣子很甜。

二、

對這個鄉下姑娘，我祇知道她的姓，不知道她的名。我又不好意問她。

但她有一件不平凡的表現我是知道的：四十三年，某軍在中部大演習。那天，正好是風雨交加。她在門口看到一個軍人，荷着兵器倒地，她立刻奔出去，不顧一切把他抱起，接着把他揹回家裏。

他發着高熱，顯然是生了病。她燒了熱紅糖水，又把他的濕衣服換掉。他喝了熱紅糖水，還是沒有好轉多少。她按他睡在自己床上，又把被子把他蓋得緊緊的。

她再跑到小街，找來醫生，替她打針，給吃藥。到半夜，他的高熱降低，睜開眼睛，看她坐在床沿上。他要爬起，她不要他這樣做。

「你的病還沒有好。」她說：「現在還早得很。」

「但我……」

他的頭還是很重。他又躺了下來。

第二天，天氣好起來了，沒有風雨。他的病也好了些，就離開她趕上自己的部隊。臨行，他感激流涕的說：「你待我這樣好，又找醫生給我治病，我該說什麼呢？」

「你們軍人辛辛苦苦，好偉大呀！還在這種天氣，操練保衛我們的國土。你病了，我們給你照顧，這點點，我們是應該的呀！」

這事件鄰居知道後，逐漸傳開去。於是全村都知道，全鄉都知道了。大家都傳為美談。

在選拔敬軍模範時，她就當選了。

三、

她有一付健壯的體格。皮膚很黑，手掌的皮很粗。原因是她經常下田種秧、上山砍柴，而又下厨房做飯。

她有父母，還有一個弟弟。母親在去年死掉，家的担子全部落在她肩上。她和父親一起到田裏做活路，又把弟弟送到學校裏唸書。從早到晚，她就沒有停止過工作。

晚上，她在燈光下洗衣服，或者補父親和弟弟的舊衣服，破襪子。冬天，事情少一點，但她依然那麼勤快，要給父親和弟弟織毛線，又要做衣服。同時，又還準備冬天用的柴與米。

她赤脚時候多，也很少出門。偶而出門，一番修飾打扮，確實是一個美人。

四、

她還沒有結婚，連對象也沒有。我請國文給我當翻譯，我說：

「你這麼能幹，心地又這麼好，那個男人討了你做太太，那眞是太幸福了。」

她笑笑，還把眼睛望着自己的胸口。

「李小姐，」我說：「你的心中人，是要個什麼樣子？」

她還祇是笑笑，同時透露出一種少女的嬌羞姿態。

國文也一再說這鄉下姑娘的確可愛，能幹，勤儉，質樸無華，而又懂事。

嘉莉的日記

汶津

九月十六日，星期二

這學期我初三了，總好像有點跟以前不一樣，也說不上來到底不同些什麼，還不是一樣的上學、放學……

第一次上歷史課，我們就在課後對歷史老師竊竊私語了——不，簡直是公開的評頭論足。有人說他還像個大學生，有人猜他近視有五百度，我却在心裏想：為什麼那麼瘦？

今天是第四次。他教到希臘，說了一大套文化啊，民族性啊……總之我是只聽了個一知半解。誰要他說那麼多！書上有的講講不就行了？有時間還不如跟我們聊聊電影的好；以前有一個老師就是這點受人歡迎。

九月十九日，星期五

眞氣人，本來以為這個歷史老師會對人公平些的，誰知道也是一樣的。今天可給我發現他的秘密了。他的眼光老是往左邊那個角落投去。起先我還以為那兒牆上有什麼特別，後來仔細一看，才算猜到底細。

陳芳華坐在那裏。她平常很少跟人說話，有時面對面見着了，也只是淡淡的笑笑，看起來總好像比我們都成熟似的；眞教人看不慣。可是你又想不出什麼理由好反對她。她功課好，品行好，以前的女導師就當着全班的面誇獎過她，說她文靜、懂事。其實，一半還不是裝出來的？

我看的準沒錯，要不可不是冤枉了我那「小精靈」的綽號？除了看她，還會有什麼別的原因？他說到「荷馬」，底下好多同學都忍不住笑出聲來了，我可沒笑，不是說我就那麼呆，誰不知道那個教二年級的什麼老師外號叫「河馬」？他有些發楞，但繼續講他的。說到「愛琴海」，我前面的吳敏又咧着嘴笑，前排也有人笑起來。他頓了頓，說：「不要聯想力太豐富了！」哼，他自己的聯想力才太豐富了呢！

回家的時候，還是滿肚子的不痛快。一路上李吉明還口口聲聲說他講書有意思呢。

九月二十三日，星期二

今天班上發生了一件「大事」——少了兩個人！不是失踪，是升了日間部。陳芳華當然漏不掉囉。好了，升日間部也沒什麼了不起！

可是今天又有歷史課呀。我竟有些暗暗開心。他該有什麼反應？打上課鐘的時候，我好奇的猜着。

他上台後，第一眼就看左角落，我的心好緊張。他的眼光墜落下來，那兒已經變成滿臉雀斑的「王小生」的位子了。他的聲調也墜落下去……

下課時，吳敏以評論家的姿態說：「看他神不守舍的，大概昨晚想女朋友鬧失眠了！」

哼，她們都沒我的眼睛尖！不過，他會不會眞有什麼女朋友呢？不像；可是誰又摸得透？

（一）

藝術絮語

抽象藝術漫談

趙雅博

第一，它需要走向客體，走向對象，需要透過它的感覺外衣，透過它的具體外形，而深入到事物的本質，深入到客體的內臟，這要藉着抽象的三重程序，在最後的程序，也就是結束的步驟中，我們的悟力或理性進入而佔有了事物的本質與其自立體的形式。其次，在理性或悟力一次獲得了客體本質以後，理性要在客體的本身中，可以取步回身，轉向自己，將客體的本有轉移到自己固有的內在性來，轉移到悟性或理性的本身來。在經過了這兩種步驟以後，在自立體方式下審視過的客體（對象），能夠向外表現，而直接成為一種作品，或者是在藝術家的一面，經過了一種新的構造以後，客體也能夠外現，在這兩種情形中，都是有眞正的抽象存在的。

在第一種情形下，藝術家在直接這樣作的時候，他乃是在自己的作品中，自限於描塑自然本有的美，也就是美的自身，而祛去了它們附加的指定；第二種情形，也就是藝術家經過一種新的構成，藝術的對象經過了藝術家的匠心，乃是在這自然事物或客體（對象）的本形式上，加多了新的美。而這種加添能夠是加添在事物的的自身內，也能夠是在對象事物以外，加入一些新的東西，比如寫月的美，而加入拱璺，寫人的愁而蓋上陰雨陰雲，在這兩種情形中，都有很大的困難，留待藝術家去戰勝，去克服。

在結束這兩種步驟時，在開始藝術的外現或顯露以前，作為是對象本質的觀念與抽象的產物，已經是存在於人的悟性之中了。也就是我們作文作畫時，一般所說的腹稿或成竹在胸。不過這個腹稿或成竹在胸的存在，並不是一個實際的存在，而只是一種觀念或意向上的存在而已，這也就是主觀上的存在，而非客觀的存在。

這兩種存在可以發生在一個並同樣的事物上，這是說一個同一的客體能夠有兩個式樣的存在：實在的存在，它是在理性以外的，意向或觀念上的存在，則是在意向之中。在這個方式中，人就是為藝術家來說，他使一切的東西，進入他的方寸之中，構成自己的小世界，小天地，足不出戶，神遊世界，悠然天地之中之外，混物我為一，天上人間，人間天上！巴賽納（Bazaine）的語言，至此便有其意義了，他說：「沒有一點晦暗，他成了繁星，樹葉與石塊」！這個觀念，這個形式，在意向上，它是存在於悟性之中，然而就是為抽象的產物來說，它必要的從抽象工作中流出。我們知道，沒有抽象的產品，便是沒有抽象，也沒有觀念；觀念是不能沒有對象的，因為意向有，或者稱之為觀念有的，乃是觀念本身的本質。這是說，觀念有意向有是一定要與客體有關。在認識論內給我們分析一個觀念或判斷的構成，一定要有立體，客體與主客合一的工作，實際上，在知識中絕無所謂純主體或純客體在，必需是主客的合一，我們稱之為觀念，或稱之為意向有，理性有。如果我們對觀念的本然性質，加以分析，這其中的道理是可以清楚的。（未完）

盧君續夢

舊債新仇　索逋遭白眼
內憂外患　平憤仗鋤頭

第十一回：

從一九六〇年九月中旬八蓮移防起，到了十二月六日，當地農民被綑綁吊打的共計九人，其中有經共幹劃定階級成份的貧農四人，中農三人，富農二人。而且有四個男孩，兩個婦人，也被同樣吊打，未能稍爲減輕。

楊如興雖然這麼兇，但是老百姓實在餓極了，有空還是要偸，十一月十四日，當地一個女社員葉祥書，也是貧農，偸偸摸進了菜園，砍了七顆白菜，共有六斤重。當時楊如興同五名部下正在房內打牌，並未發覺，可憐葉祥書成年時間只是在公社食堂喝兩碗照影子的稀粥，渾身皮包骨頭，實在沒有力氣，抱着六斤白菜，跑了不到三步，跌進一個乾壕裏，再也爬不上來。驚動楊如興養的幾隻肥狗過來圍着葉祥書汪汪狂叫。

楊如興聽到狗叫，趕快吹熄了燈，六個人提着槍躡脚躡手出來，趕到地方一看，原來是葉祥書倒在壕裏，懷中還抱着七顆大白菜。

楊如興這一氣非同小可，過去踢了兩脚，擺手說道：「把她架起來，帶回去慢慢制治。」

一行六人，四條狗，把葉祥書押回隊部，先把她吊在樑頭，離地二尺高，楊如興自己拿起皮鞭抽了一頓，打的葉祥書鬼也似的嚎。

楊如興打累了又交給助手打，把葉祥書打昏過去幾次，楊如興自己的怒氣未消，葉祥書已經一息奄奄。覺得很不過癮，當時眉頭一綁，就想一個找替死鬼的辦法，問道：「誰主使你來盜竊國家財產，你只要照實說出來，我可以釋放你。」

葉祥書哭着說道：「我實在是餓極了，出來偸棵白菜回去煑了吃，那有人主使我。」

楊如興獰笑道：「你不供出主使，我還要打你。」說過又掄起血淋淋的鞭子。

葉祥書實在嚇極了，說道：「我偸白菜時，我的男人也知道。」

楊如興「哼」了一聲：「我知道有人主使，不怕你不招。」說過就派人去把葉祥書的丈夫周興榮抓來，要他供認過去曾經偸去多少白菜。

周興榮說道：「我幾時偸過白菜，就連我的女人出來偸白菜，我也不知道。」

楊如興罵道：「該死的東西，還敢強辯，你女人偸東西不是你主使，她敢嗎？」說過舉起皮靴狠狠踢了他兩脚。

周興榮痛得在地下打滾，楊如興問道：「你招也不招。」

周興榮忍痛說道：「同志請想一想，我想偸白菜爲什麼自己不來，却要使我的女人來，况且我明明知道她拖不動幾顆白菜。」

楊如興說道：「我不理你的強辯，總而言之，你不承認我就不饒你。」說過把周興榮、葉祥書夫婦反綁雙手，面對面吊在籃球架上。

吊了十幾分鐘，葉祥書的手腕已經勒破，順着手臂流血，口裏不斷哀求：「楊同志，你槍斃了我吧！不要叫我活受了。」

（二八四）

戲劇氣[illegible]錄

娑婆生

尊譚為師　辛苦研求

叔岩的尊譚為師，是的確磕頭拜過，其中有很多因素，蓋譚氏器量氣度，遠不及大老板程長庚，樂於施教。尤其自視甚高，特別珍秘，凡獨到之技藝，有五子皆不成器，雖子亦不肯傳之，即偶傳授，那些賢子，以玩唱為樂，均不在意去苦求。覓徒以傳衣缽，煞費苦心，終未如願，遂寄託於女壻，王又宸與夏月潤。惜乎又宸是票友，武工靠把不勝，雖部份似譚，但能唱者不多。月潤向在南方，其戲路走入革命途徑，與京朝派脫節。以致叔岩刻苦耐勞，達到所願望。不過正式所授，僅太平橋狀元譜，與失街亭之王平例，僅二齣半之數，微乎其微。與他能演者比，祇三十分之一。何以琢磨有此許多，則片段零錦，蒐集而成。在無事之日，每往譚宅，侍候甚謹，恭坐煙榻之旁，一俟譚氏飽啖以後，癮意已足，精神抖擻，叔岩故意請益，譚即令唱唱試試，或比畫幾下。余氏却存心唱得平淡，做得離經，譚氏立指其謬，加以校正，默記於心，回家苦唱刻摹，常常如此。友或見答，以瓊林宴的問樵身段，隨便求譚說說，以及比畫，即有半年以上。所以譚氏精華，皆在無意中為叔岩所揣摹，非朝夕之事，使非辛苦以求，則何能頭頭是道，可見名伶之非易易能致者。

一齣王平　傳為美談

余氏生前的好友，在金融界，祇有鹽業銀行岳乾齋張伯駒，伯駒為振芳子，振芳曾任鹽業的總理。他的積儲，均存鹽業，偶有緩急，則岳張亦願無抵押借撥，交情並非泛泛。還有山陰魏鐵珊，為其得力與成功的良友，否則咬字吐音，沒有那樣的嚴準。魏氏素喜與梨園中人結交，他不但學問好，而字寫六朝碑帖，功夫很深，平常人家需要碑誌，無不請其書丹，所入潤墨不貲。伶界除叔岩以外，尚有王鳳卿時慧寶皆與交好。慧寶的字體是學魏，叔岩精書法，也是鐵珊的薰陶。

鐵珊不但學問好，書法好，更精於音韻，因他喜愛戲劇，對於譚氏更熟悉，但聽到叔岩吊嗓，有不妥當的地方，就替他矯正過來。相處日久，常聚一起，把每齣戲中詞句提出討論，務使每個字，都協於音律，更改的地方，皆經過一番推敲，必要使唱出來鏗鏘，唸的時候平順，因此余氏的倒字極少，非若馬連良祗顧着字，而唱出怪腔，有時連字音多不正確，倒字之多，令人可驚。（卅三）

龍年談龍

漁翁

松館贅言：「辰者，三月之卦，正羣龍行雨之時，故辰屬龍。」在鱗虫三百六十中，龍為之長，能興雲雨，利萬物，居四靈之一。

韓愈文：「雲，龍之所能使為靈也。若龍之靈，則非雲之所能使為靈也；然龍弗得雲，無以神其靈矣」。故易曰：「雲從龍」。又曰：「飛龍在天，大人造也」。後人即以君上喻之。

左傳：「深山大澤，實生龍蛇。」以喻非常之人。劉備訪世事於司馬德操，德操曰：「識時務者在俊傑，此間有伏龍鳳雛」。備問為誰？曰：「諸葛孔明與龐士元也。」於是訪伏龍於草廬者凡三，卒得之以成三分鼎足之局。

又東漢荀淑，潁陰人，字季和，桓帝時，補朗陵侯相，蒞事明理，稱為神君。有子八人，儉、緄、靖、燾、汪、爽、肅、敷，並有才名，時人號曰「八龍」。唐代崔家，有琯、珙、瑨、璪、璵、玢、球、瑀；宋韓億八子，綱、綜、絳、繹、維、縯、緯、緬，亦俱有才，世人以荀氏八龍擬之。

在天者，有角、亢、氐、房、心、尾、箕，為蒼龍之宿。在地者，山勢蜿蜒起伏，有來龍去脈之說。劉禹錫陋室銘：「水不在深，有龍則靈」，是龍之為物，較四靈中之麟、鳳、龜，更高出一等矣。

龍有龍子，龍女之稱。所謂龍子者，古之賢人，見孟子，其事跡不詳。焦循曰：列子有龍叔，謂文摯曰：「吾鄉譽不以為榮，國毀不以為辱，得而不喜，失而非憂，視生如死，視富如貧，視人如豕，視吾如人，處吾之家，如逆旅之舍，觀吾之鄉，如戎蠻之國，或其人歟！」

小說家載龍女事者頗多，其最著者，莫如唐明皇夢中，遇凌波池中龍女，鼓琴倚歌為凌波之曲，龍女拜謝而去。見唐逸史。又柳毅下第，過涇上，遇洞庭龍女牧羊，毅為傳書，龍女得歸，後柳再娶，貌似龍女。見「柳毅傳」及「異聞集。」莊子：「葉公非好龍，好其似龍，非真龍也」。晉書：「陶侃於雷澤得一梭，掛壁間，雷雨至，化龍而去。」又房琯修學終南山谷中，忽聞聲若物墜銅器之響，問父老，云：「此龍吟也，不久雨至矣。」此乃屬於神奇之一類，筆記所載，大都如此。

相傳龍之靈氣，鍾於兩睛，據畫史載：「梁張僧繇，於金陵安樂寺，畫五龍而不點睛。人固請，點其二，須臾，雷電破壁飛去」。明張汀洲寧，字靖之，七歲題畫龍詩，有「莫點金睛恐飛去」之句。

去歲香港天旱，人苦無水。今年屬龍，龍能致雨，然則在不久將來，可望不再兩日或四天輪水矣，固所願也。

理想與實踐

為慶祝鳴遠館落成而寫

蕭維博

他的一生行為，實實在在的證明了這一點。這個是值得我們念茲在茲的效法，也值得我們時時刻刻的宣傳。鳴遠館的籌建，實不外使雷神父的精神，在人的心目中，更顯得生活具體活潑鮮明。為此在慶祝它落成的日子，我們又特別提出了雷神父的精神理想，以此，不特可以正己，並且可以淑人；以此，不特可以救國，并且也可以揚世；但願有心人，注意并實行！（三，完）

閒話劉國軒（續）

至於施琅案，以一豎子之微嫌，竟殺其父弟而不卹；後來施琅入澎湖祭廟告靈，不作蘆中窮士，畧迹原情，則其襟懷之濶大，以視成功之狹隘，春秋責賢，悲鄭氏冥而有知者，亦當有觀過知仁之感焉。昔諸葛公有言：「親賢臣，遠小人，此先漢之所以興隆也；親小人，遠賢臣，此後漢之所以傾頹也。」成功固精明有為，然明遺臣之流竄來投者，多不得伸其意志，致有：「若使幼安肥遯老，芒鞋皂帽亦徒然！」之識。鄭經才智雖不逮乃父，然能重用國軒，因亦頗得其力，以繼遺業；有得有失，未為小人所蔽。不幸，二人皆短命，後繼無人，遂令小人得志，壯士灰心！讀志至此，不免掩卷而三歎耳。

我的社會生活

雷嘯岑

原來駐防鄂西的川軍，我到任後不久，即陸續回川了。另由第十軍軍長兼鄂西剿匪總司令徐源泉接防，總部設在沙市。他起初對我很好，遇事接受商量，予以協助。往後由於處理地方事務偶有不完全相同的意見，左右從而媒孽挑撥於其間，以致漸滋芥蒂。尤其是他的部隊紀律甚差，（原係張宗昌褚玉璞的舊部）某日白晝，曾有身穿國軍制服的徐部士兵三人，在江陵城內飛機場公然刦掠過路商民，經我拿獲，依法審訊明確（行政專員皆兼任軍委會行營軍法官），然後以「保安司令兼行營軍法官」名義，正式行文請示徐總司令如何處理，他指為冒充該部士兵的匪徒，飭即槍決，但我還是不執行，將人犯送給徐總部去發落。這樣一來，他的左右僚屬和部隊長官，却對我很透了！一日午間，我微服單身由沙市乘坐黃包車遄返公署，行至城內大街上，前面有一排徐總司令擅行稱制的所謂憲兵，彳亍道左，悠哉游哉，我的黃包車走過他們身傍時，並未絲毫妨礙他們的行動。不料他們大怒，指我的車子不應該搶先而行，拳打車夫，再將我拉下車來包圍着，指戟謾罵。初以為他們不認識我，只得和顏對付，其中一人洶洶然問我：「你懂不懂得新生活運動？」我愕然答道：「是呀！新生活運動可以隨便打人的。」如此糾纏了幾分鐘，居民佇足圍觀者甚衆，有一商民揚聲語該憲兵道：「老總，這是雷專員啊！」那憲兵竟答謂：「我曉得他是雷專員，專員又怎樣？」這纔知道他們是有意侮辱我，不禁大冒其火，適有一保安隊長走過來，我即語該憲兵頭目道：「我若是犯了軍法，請你們把我拘送到沙市總部去訊辦，否則我就要逮捕你們啦！」那些傢伙此時乃面面相覷，木然無所表示，於是乎，我即吩咐保安隊長：「快去帶一連人來，把這些非法橫行的爛軍人給我拿下！」繼而保安隊馳至，我命令先把這擊偽憲兵的槍械繳掉，即將其押解入公署，登時改穿少將軍法官制服，開庭親自訊問，教他們大膽陳述剛纔為甚末要給我下不去的理由？可是，他們前倨後恭，祗說是一時誤會，懇求原諒。我就加教訓一番後，將他們發[illegible]再通知該憲兵營長來署領回去自行究處。從此以後，對我方面的文武人員，對我更嫉視如眼中釘，却莫奈我何。徐軍有一團人駐在江陵城內，且司城防職責，竟對出入城門的保安隊官兵，故意為難，以示報復，我就調集了駐在四鄉的保安隊千名到城內來，隨帶機槍兩挺，迫擊砲兩門，準備隨時跟他們武力周旋，表示決不怕事的態度。那位團長是北平人，姓李，他瞧着這種形勢，覺得不妥當，即自動的把城防責任放棄，由我派隊接替，但保安隊對他的官兵出入，却極其禮貌，彼此也就相安無事了。（廿九）

花香月上樓小品

談吃飯的常識

黃葉村人

世間無人不吃飯。但是，假使執途人而問之：「你吃那一種飯？那一種飯，適合你的胃口？」恐怕答得出的，是少之又少。無他，愈是經常接觸的事，愈會使人茫然而答不出其所以然來。這是人的通病，而不必尋根究底者也。原來白米煑成飯，各地有各地的不同，各人有各人的偏愛。下面只就我的目擊，和身所經歷研究，試作概畧的敘述，便可以知人但知吃飯，而不知吃飯並不簡單也。

先說廣東人的吃飯，大別之有三種：一是「燜飯」，一是「煲飯」，一是「煑飯」。經常三五口的普通人家，多是用「瓦罉」燜飯。此種瓦罉，是用沙泥混合的質料燒成；有一人的罉，二人三人的罉，以至七八人的罉。但不能超過七八人以上，因為罉過大，沙質脆弱，提起放落，過重極不方便，且易於損壞也。廣東人有句老話：「要吃香飯，最好用銅甑，其次用瓦罉；（讀如撐）……」因為煑飯的「銅甑」蓋是凸起的，和現時通用的鋅鐵輕質而平蓋的製品不同。銅甑的好處是放多少水，便有多少水輸入米骨，不會有一點一滴洩出甑蓋和邊沿。蓋甑蓋凸起如拱，可以容納水蒸汽，甑沿有圈闌，甑蓋嵌下，密勿無縫，且蓋重有分量，任衝不出也。以視近時鋅鐵製的作品，水一滾，蓋即浮起，壓之以物，則米湯溢出；不壓，則非把蓋揭起，聽其爆乾而後蓋下不可。如此燜飯，飯安得而香？這是近時製作鋅鐵品的工廠，沒有「燜飯的常識」，便其自便，而不適人之所用的一項缺點。

而從前的製作工人就不然。他們製作一件事物，都是經過相當時期，一再研究改善的。當年廣州就有一條打銅街，專門製作銅甑（音贈），銅茶壺，銅面盆等用品，以供顧客採用。他們不用宣傳，唯一能把握顧客不會「走雞」的工具，便是「貨眞價實手工好」這七箇字。由於談燜飯，不能不說到銅甑，瓦罉，就因為，飯欲善其燜，必先利其器也。這是燜飯的先決的條件。時到今日，就香港而言，銅甑一物，恐已絕了迹，有之惟餘瓦罉。諸如中環合利街、堅道，摩理臣山道等處的酒家，食物館，到了夜晚九、十點後，你到那裏光顧「消夜」，從一人起碼，至若干人，你要吃原罉燜臘味飯，還是經常有供應的。至於一些大酒家，大茶樓，恐怕多已改採「原盅」而不是原罉了。原因是：原罉是要臨時燜的，而原盅則放在蒸籠蒸熟，隨時都可供應也。（未完）

訪問美國議會的觀感

陳翔冰

衆議院之書記官於衆議院議長未選出時，主持大會，其經常任務在常川負責院務，為該院行政首長，且須有法律修養。並須附署於提案，議決案和一切傳票。餘如掌印，準備表決名單等，亦其經常之任務。

在參衆兩院內，一切立法事務，俱以委員會為中心。參議院有十六個常設委員會，衆議院則有二十個常設委員會。其他臨時性的調查委員會尚未計算在內。常設委員會由大會選出之。調查委員例由主席指定之。

所有初讀的提議和決議，俱先送該管委員會審議。在委員會中或將提議照原文通過，或予以否決，或加以修改，或予以保留，可以說委員會實操各項議案的生死大權。（三）

自由報

THE FREE NEWS

第一二四期

20 CAUSEWAY RD 3RD FL. HONG KONG

TEL. 771726

承印者：田風印刷廠

台灣分社

正視中日外交關係的新階段

・宋文明・

由於周鴻慶事件，致中日雙方關係一度惡化之後，現又開始逐漸重趨和解。二月十四日，日本參議員大竹平八郎抵達台灣訪問，為這種和解首先作鋪路工作。接着，二月二十三日，日本前首相吉田茂又抵台訪問，與中國當局舉行更進一步的會談。就在採取這些行動的同時，日本首相池田勇人與外相大平正芳，在國會連續發表談話，重申日本承認國府為唯一中國合法政府的政策，并準備於稍遲時日，由大平正芳本人親自訪問台北，設法使雙方關係完全恢復正常。

日本朝野的這種種表示，使台北方面的對日觀感已發生相當改變，尤其在法國剛行承認中共，國府在國際間正面臨嚴重困難之時，日本的這種態度，誰不失為一種照顧之詞。可是就在這種稍感滿意之中，台北方面也明顯看到，日本與中共二者的接觸，不僅絲毫沒有稍形減緩的跡象，而且還有變本加厲之勢。其中主要者，如：

（一）日本政府已正式批准一百五十名中共人員入境，以籌備本年四月及六月的兩次大規模商品展覽。

（二）依照上次整套工廠設備售予中共的同樣條件，第二座維尼龍工廠售於中共一事，正在積極商談中。

（三）日本外相對國會作報告時，對於中共最近所提擴大貿易往還，建立直接航空聯繫，互相派遣非官方常駐商務團，及交換記者四項建議，并未作斷然的拒絕，甚至暗示其中有些建議是值得考慮的。

（四）日本外務省發言人談話，日本將循三年前遣派官員訪問外蒙的先例，正考慮派同樣的官員赴中共區，實地考察具體情況。

（五）日本企業界人士，包括造船業代表，仍繼續前往大陸訪問，爭取中共的大批訂貨合同。

以上這些跡象已充份證明，日本的設法與國府重新接近，繼續保持雙方的友好關係，并不意味着：第一，日本從此要放棄它在中國問題上的兩面外交；第二，它和國府的重拾舊好，并不以放鬆和停止對中共的接觸為條件。既然日本現在仍無意放棄它的兩面外交，和對中共的接觸，同時也再一次表明它絕不在任何情形下作這種讓步，所以今後不論日本與國府的關係如何演變，不論日本如何對國府友好，而日本仍將與中共擴大貿易，繼續進行文化與經濟上的更進一步的接觸。

由於這種原因，今後日本與國府的任何友好談判，只能在現有基礎上實行和解，而無法使雙方關係再度回復到日本售維尼龍工廠設備予中共，及周鴻慶事件以前的狀態。換言之，在今後一段很長時間內，日本的對華外交，仍將是「經濟大陸，政治台灣」的雙軌作法。即在政治上，將儘量滿足在台中華民國政府的要求，支持其為中國的合法政府，及其在聯合國的代表權；但在經濟上，它將全力發展對大陸的貿易關係，以為日本的經濟需要找出路。因此對於台灣，在政治承認的大帽子之下，將儘量減少其他方面的義務。對於大陸，則在不作外交承認的限度之下，要儘量擴展其經濟與文化接觸。這種雙軌作法，同時也給日本一種討價還價的力量，即對於台灣，它要於獲得繼續外交承認的保障之後，勿干涉日本對大陸的貿易與文化關係；對於中共，它亦要求於建立密切的經濟與文化接觸之後，勿干涉日本對台灣的外交關係。即使雙方不願接受日本的這種兩面作法，要求日本作更大的轉變，在事實上恐怕也是不可能。

日本現在所以不能承認中共，需要繼續承認國府為中國的合法政府，除了它與國府簽有和平條約，對國府負有重大承諾以外，主要便是由於美國和聯合國繼續承認中華民國政府之故。美國繼續承認國府，表示美國絕大多數民意仍支持國府的合法地位。聯合國繼續承認國府，亦表示全世界絕大多數民意仍站在中華民國政府這一邊。當美國和全世界的絕大多數民意仍表示支持國府時，日本便沒有理由甘冒得罪美國的危險及世界輿論指責，而貿然承認中共。祇要這種情勢一日不發生改變，日本亦便一日不會承認中共。祇要日本不願承認中共，它與國府的外交關係自可繼續保持不墜。

在相反的一面，日本現在所以要與大陸通商，要求建立密切的經濟與文化關係，也并不完全是基於貿易觀點和日本內部的左右翼權力鬥爭，而多少也還為將來的建交作打算。就通商來說，在國際競爭日益激烈，國際市場日益縮小情形下，日本面對中國大陸這樣一塊市場，要說完全無動於衷，實在很難。尤其已有許多國家，現在不僅與大陸通商，而且還積極進行嘗試建交，日本在現時不能直接建交的限制下，只有先行從經濟與文化聯繫來着手。加之日本內部左翼勢力老早即要求與中共建交，并獲有部份黨衆的支持，若不善於應付，此一問題即將被左翼利用為爭取國內政權的工具。由此之故，今日世界沒有一種力量，包括美國的壓力在內，可以有能力有辦法阻止日本與中共通商，并建立密切的經濟與文化聯繫。美國的不能阻止日本與中共通商，正如日本不能在美國反對之下承認中共一樣，在某種程度之內，也構成了一種相互的交換條件。即日本在政治外交上越是不想承認中共，而美國允許日本與大陸通商的尺度亦愈寬。這也間接說明何以日本現在一面越是高唱與國府友好，另一面推動對大陸的貿易亦越積極的理由。

總之，日本的與中共通商，以及今後更進一步建立密切的經濟與文化聯繫，已為一項既成事實。此一既成事實，對於今後日本與國府的關係，具有一種決定性影響，也為台北方面提供了一個重大難題。假若國府願意睜一眼，閉一眼，從此不再過問日本與中共通商，及其次於外交承認的這種關係，則東京與台北間的交往即可很快恢復友好。反之，假若國府不願意接受這一既成事實，要求日本停止與大陸通商，作為雙方恢復正常關係的代價，那麼不論任何一個人的訪問與談判，都不會有何眞正的結果。

因此我可以說，周鴻慶事件的發生及其那樣的結束，已為台北提出了一項警告，即在中日外交關係上，像過去那種日子，將永遠不會再來。

蘇加諾：「這是我的政策！」

尼赫魯：「冬眠？」

今日與明日

越南的惡兆

美國參議院民主黨領袖曼斯菲爾，衆議院議員巴特勒，日前發表言論，大意是主張美國對越南問題，可讓戴高樂嘗試其「中立化」政策，認為越南剿共戰爭除非美軍直接介入，即無勝利的希望，然美國人的生命不能為越南而隨便犧牲云。這是越南前途的一種惡兆，也是美國民主黨對亞洲政策的傳統作風，可怕之至！

二次大戰結束後，美國杜魯門政府的對華政策，初則派遣軍事顧問團協助中國政府整軍戡亂，同時迫使我政府實行民主憲政；繼見中共釀亂日亟，軍事稍有失利，即認為除非美軍直接參戰，當無勝利可言；最後乃指我政府腐敗低能，停止軍經援助，撤退軍事顧問團，宣言一筆勾消中華民國的邦交，為中共張目助勢，終使共黨攫奪了大陸。越國共黨作亂之初，美國甘迺地總統，誓言全力支持反共政府，決不讓越國落於共黨之手；最後亦認為除非出動美軍參戰，難以制勝，又迫使越國接受「中立化」政策，與共黨組織聯合政府，遺禍至今為烈！細察美國這套亞洲政策的歷史證據，看看越南戰局的情況，聽聽曼斯菲爾等人的說法，越南前途總是凶多吉少的！

誰是誰非？

美國指英、法、西班牙、南斯拉夫諸國對古巴貿易，殊不友好，宣言停止對這些國家的軍經援助。英國人反唇相稽，指美國經常以軍經力量援助英國的敵人——印尼蘇卡諾政權（見本月廿三日倫敦「星期快報」）。其他各國認為美國既可以大量小麥售予蘇俄，他們跟古巴作些軍輛和機器的貿易，不管小巫見大巫，何足道哉？

笨伯李宗仁

僑居美國的李宗仁，行年七十以上，缺乏政治資本，而乃不甘寂寞，被一個「政治垃圾」人物牽着鼻子走，最近這繼發出媚共言論，靜極思動。把不如那一垃圾人物，由於要求作中華民國出席聯合國代表不遂，總利用李氏這塊沒有甚末剩餘價值的招牌，胡亂招搖，以洩憤的。

張某不足責，獨惜李宗仁不明保持晚節之義，自行作踐，毫無代價，寧非愚蠢得驚人嗎？

自我陶醉

美國總統詹遜最近在加里福尼亞大學發表演說，認為中俄共分裂日益擴大，而自由世界力量則在穩健地增進中。此乃自我陶醉之言，吾聞之，莞爾而已。

十餘年前，南共頭目狄托與俄帝史大林的反目交惡情況，遠比今日毛共與赫魯歇夫的內鬨程度更為嚴重。當時美英兩國欣然以為鴻鵠將至，相率無條件的給狄托以軍經援助，慨慷大方，無所吝惜，結果不特對自由世界沒有益處，迨史大林一死，南共又與俄帝水乳交融，宣稱蘇共生死了。直至而今，南斯拉夫在國際坫壇間，事無鉅細，始終跟美國的意旨背道而馳，近更悍然資助美國的敵對者——古巴共產政權，肆無忌憚。

若干年來，英美當局昕夕祈禱盼望的所謂「亞洲狄托」，如今出現了。可是，它堅決以「英帝」為死敵，視「英帝」為帮兇，即令中俄共的內訌擴大，請問這對自由世界究有甚末值得欣慰的地方？相反地，東南亞局勢在毛共煽動支持之下，岌岌可危，自由世界力量只見逐漸萎縮衰頽，一蹶不振，「增進」云乎哉？

或許西方政治人物相信中俄共將由爭論而成仇，因仇視而火拼，因火拼而兩敗俱傷，讓西方列強坐收漁人之利，稱霸全球，壟斷貿易市場，「增進」財富，克享安全繁榮之福。那末我們不必談其他的理由，只問問美英法各國現在歧見叢生，各行其是的結果，是否將有拔刀相向，拼個你死我活之日？答案若係否定的，則中俄共在其共同的世界革命目的尚未達成，面臨着大敵當前之際，竟會產生自殺的行為嗎？雖笨伯愚夫，亦決不出此，何況陰賊險狠成性的共黨呢！

巫師藉符咒為病人降魔驅邪，對人表示不怕鬼的英勇氣概，自命為鍾馗不如也。迨黑夜在外間步行時，驀地見聞着一點怪影異聲，乃嚇得魂不附體，「鈴鈴都丟埋」。美國今日領導自由世界反共的作風，得無類是乎？我很懷疑！

馮王先生

基隆旅居記

仲公

處後，兩會社所設工廠，經濟部台灣特派員辦公處派員監督各廠原有員工維持工作，於民國卅五年接收完竣後，由資源委員會及台灣省政府，合組台灣肥料有限公司，乃將日本的電化株式會社基隆工場，改名台灣肥料公司第一廠；台灣肥料株式會社基隆工場，改名台灣肥料公司第二廠。接收後，積極從事修復工作。第一廠於民國卅五年三月開始生產電石，同年五月修復原有製氮機，至七月開始生產氰氮化鈣，繼並增建廠房與倉庫，添置石灰爐，空氣液化製氮機，法蘭克肥料爐等機器設備。復收回所屬蘇澳石鑛，購入民營木山煤礦，分別擴充，大量開採石灰石，自行採煤煉焦，以求原料自給。產量每年有增加，至民國四十二年，已可年產氰氮化鈣量三三，〇〇〇噸，早已超過日據時期最高產量兩倍以上。

第二廠於民國三十五年九月復工，開始生產硫酸，同年十一月，修復製造過磷酸鈣設備，至民國卅六年五月後完成配合肥料各項設備，又因機器陳舊，操作效率，難如理想，再逐漸進行換新工作，增建硫酸塔，至四十二年，每日可產五十度（波美）之硫酸五十公噸，六十度（波美）濃硫酸鈣每月為八十公噸，至今產量仍逐年都有增加。台灣農用肥料，大部份都由此二廠供應。

台灣四面環海，對外交通，多賴海運，要維持海島的繁榮，必須控有龐大的船隊，如西方的英吉利，東方的日本。更必需有規模宏大的造船工業，鞏固航運基礎。在日本竊據台灣時，各項重工業均設在日本本土，僅在台灣建立船渠工廠，從事船舶修理，此即台灣船渠株式會社及基隆船渠株式會社之所由來也，亦即現時台灣造船公司之前身。台灣船渠株式會社，起源於仙洞的「大阪鐵工所」，該所創設於民國五年，本以修造礦山機器及製糖機器為主要業務，後改為「木材鐵工所」，至民國七年日本政府飭令該所建築船塢，從事修建港內浮橋，兼修船舶，是為台灣修理船舶之始。民國九年初建三千噸船塢一座落成，除修理船隻外，並能製造小汽船。後於民國十一年十月乃再改組成立基隆船渠株式會社。民國廿六年日本政府在基隆之社寮島（即今和平島）開始建築第一號船塢，同年六月日由三菱重工業株式會社投資組織台灣船渠株式會社，仍在社寮島興建工場，從事艦艇修理，並曾建造一萬五千噸及二萬五千噸乾船塢各一座，預備修理大型船艦。（廿五）

香港與大陸

不務其本・專幹傻事

大陸普遍缺乏煤電　晚來盡成黑暗世界

人民洗臉沐浴經常都用冷水

大陸自被中共竊據後，便一切缺乏，如煤電便是。中共一向便要人民「節省煤電」，現在且公然的毫不諱言這是長期性的措施，且由所謂「勸導」進而為強迫的「節省煤電」了。

據春節曾回湛江市探親甫返抵港的陳小姐透露：湛江市十幾年來的煤電供應都慘得可憐，目前尤甚，人民大吃其苦頭。湛江市的市民自然也和大陸各地一樣，購買一切東西都憑「糧簿」（即粮食供應簿），必須是有戶籍的或有其原籍的「粮食遷移證」的正式市民才能有這種東西）購煤也不能例外。每月每個戶口（多人或少人均一樣），僅得五市斤柴及一百二十市斤煤的供應。

陳小姐說：每月僅得如此數量的煤炭，市民們無論如何都不夠用的，所以就祇好想方設法去進行黑市交易，價錢當然貴得驚人，每百市斤的柴要拾到十五元人民幣，每百斤煤也要十元左右的人民幣，而且還不容易買到。黑市煤與柴多半是由鄉間偷運出來的，買的自必須偷偷摸摸行事。當然有些「路綫」的人，他們是可以向「煤炭公司」的共幹購買黑市貨，價錢也比較便宜一些，因為那是共幹們「肥水」之一。

陳小姐說：她回鄉一星期中，最不習慣於洗臉甚而洗身都只能用凍水，這就是因為缺乏煤炭，誰也不能有洗熱水的福氣。她的親人除了一位六十多歲的老祖母幾個星期才給洗一次熱水浴以外，其餘的人，包括四十多歲的姨母和八歲的表弟，成年都是「冷水浴」的。還有也是使她感到不習慣的是飯和菜，吃餸菜缺乏油以及根本沒有肉類，自不必談了。由於要「節省煤電」的關係，大家在煑飯時，都是把米先行水瀉，待米漲了然後一煲滾，便算熟了。這種飯實在的極不好吃。至於餸菜大家也都是把菜切成絲去煑，原因之一，也是為了「節省煤電」，還說真是可憐到極，什麼味道或營養呢？

陳小姐又說：電也是極不充足。湛江算不小的城市了，但是，每到晚上八點多鐘，便幾乎成為黑暗世界，人們都不敢多用電。有一次，陳小姐在家看書，不覺已是晚上九點鐘了，他的親人本已睡了的，後來發現她仍在看書，便大驚起來，告訴說：「快點熄燈呀，不然的話，公安局的『同志』又要來查的了，他們會說妳『浪費電的』。又說：在檢查電錶時，如果超過了用電的度數，電費就會被「幾何級數」的遞增，那怎麼受得了！

陳小說：在湛江各街市的「居民委員會」還專門組織有「節省煤電委員會」任務就在於向居民進行「思想教育」及隨時檢查居民的用煤用電情況。中共凡事不從根本解決，却專門浪費許多力氣去幹些莫名其妙的傻事，而還作古正經，儼然在辦大事，實在愚蠢得可笑又可憐。如此做法，要說中共會把國家攪好，簡直是等於做夢。（敬斯）

從廢墟中建起金字塔　德國迅速復興的四大因素

——何培生寄自西德——

（二）企業環境

所謂英雄造時勢，時勢造英雄，擬言之，即人才造環境，環境亦造人才。一個國家，需要大量人才，故亦需廣大環境以造就之，二者互為因果。人才衆多，始能建設富强康樂國家。在企業不發達國家，即有少數具有企業天才，企業學識及企業精神之人，亦英雄無用武之地，必迫而改行，以教書或公務員等為職業，既無企業以養人才，有人才又無法辦企業，故企業無法發達。我國人才之逗留國外及回國後之用非其才情況，即為明證。然在德國則不然。

如上所述，德國人才之養成，有「學徒制度」、「師傅制度」及專門學校與大學種種，惟學徒及師傅，均非在正式學校訓練，而是以實際工作為主，學校或訓練班訓練為輔，而此種實際工作之訓練，均是各企業自行為之。例如工廠學徒，於工廠訓練；匠人學徒，於匠人工作場所訓練；商業學徒，於商店訓練；商業學徒於商業事務所訓練；律師助手於律師事務所訓練；不過每週赴學校受課一天而已。此等學徒，經常與富有經驗之人一起工作，耳濡目染，無形中承受了許多寶貴經驗，再加上學校中理論課程，即成為知其然，亦知其所以然之實際工作人員。此大批人才，人人從事企業，造成龐大之企業社會，形成企業環境，來者步其後塵，促進企業之發達，延續企業生存。

德國以工商立國，除工業本身能容納大量人力外，又因原料之買進與成品之賣出，促成商業之繁盛；貨物之運輸，促成運輸業之發達；工廠設備及貨物之保險，促成保險業之發達；商人間匯兌及賬目之往來，促成銀行業務之發達。企業需人，人民有工作，市面有購買力，乃促成整個市場之繁榮。人民於工、商、運輸、保險、銀行各業工作，養成企業頭腦，企業精神及企業興趣，一旦時機成熟，即自行創辦其本身企業，因其為純熟老練之人，故新創企業，大多能向上發展。且自立營業之人，又較受人重視，享有較高之社會地位，乃激起人民之向上意志。一般職工，大多抱「將來自立」之意志。據估計，德國人民職業，約百分之六十為工，百分之十五為商，其所謂商，乃廣義的，包括買賣商及銀行，廠家，運輸，保險各業，故其人口幾乎百分之七十五以工商為職業，在企業環境中薰陶，訓練其企業技能，養成其企業頭腦，懂得企業的管理，資金的運用，此亦德國工商業發達的原因，亦即其戰後經濟繁榮的道理。此外，德國各邦議員，及聯邦國會議員，甚多為企業界人士及與企業有接觸之律師，彼等了解企業情形，能制定對企業有益的法律，領導並幫助企業的發達，促成德國的復興。

（三）政治清明

德國政治清明，貪污、舞弊罕見，為世界所共聞。做了大官之後，大富特富者，根本無其事。在希特勒之獨裁政治下如是，在今日之民主政治下尤然。其小額貪污之事，雖不敢言絕跡，但却少之又少。一旦有貪污謠傳，其邦議會或聯邦國會，即予質詢，追究，且不避權勢。數年前德國國防部採辦局曾發生數次貪污案件，鬧得滿城風雨，有關人員，均被拘法辦，連採購時受工廠招待、留宿之人，亦視為貪污，同樣法辦。前總理阿登諾之秘書，因協助某汽車工廠，售三百輛公共汽車予波斯（伊朗），該廠為報答起見，但又避免賄賂嫌疑，乃秘密將汽車一部，無限期的借予該秘書使用。後此事為人所知，國會大鬧，該秘書即被拘法辦，總理阿登諾亦被傳訊做證。自此數次大風波後，即未再聞貪污之事發生。兩年前，其當時國防部長史特勞斯，因美軍眷屬建築住宅事，有舞弊謠傳，國會即成立調查委員會，予以追究，後查明並無其事。對有權勢者如是，對其他之人，可想而知矣。（中）

蘇加諾亂來結果　印尼物價猛漲　十年四十六倍

（本報星加坡通訊）蘇加諾統治下的印尼，經濟問題越來越嚴重，比如物價，一直便是直綫冒升，而且了無止境。根據印尼中央統計局將自由市場中，包括大米、食油、鹽、鹹魚、馬鈴薯、玉蜀黍、餅乾及砂糖等十九種食品的零售價格編成的指數表，以耶加達生活指數為例，一九五三年十二月份基數一〇〇，到一九六三年十二月的指數上升到四六七四，十年來，漲了竟達四十六倍；特別是在去年內，漲勢尤厲，去年一月份的指數是二三一九，到十二月份却上升到四六七四。

耶加達的生活指數，並不是印尼最高的，例如萬隆到去年十一月份的統計就已上升到四七八七。一般來說，爪哇各地和蘇島各地的物價不相上下，馬辰、錫江和岩埔等地則較廉宜。

去年物價飛漲，主要是去年五月廿六日公佈的十四項經濟條例促成的。印尼政府已承認五月廿六日條例失敗，因為這個所謂穩定經濟計劃的條例公佈後，所預期的外國貸款並沒有源源而來，於是迫而增發通貨以應付增加了數倍的開支。因通貨膨脹再刺激物價上升，因此，漲勢越發凌厲了。

印尼通貨也是在一九六三年升幅最大，原來不過幾百億而已，據最近印尼基本工業和礦業部長海魯沙勒在一次談話中透露，現在達到數千億盾了。

然而蘇加諾還要亂來，不惜自毀前程，居然要賭國運的接受共產集團的教唆，硬要「對抗」馬來西亞。看來非使印尼經濟崩潰，蘇加諾政權亦由茲葬送不已。

基隆港破獲　港台犯毒案

（本報台北航訊）農曆除夕的前日，基隆港又破獲了一個販毒集團。該被破獲的販毒組織，係活動於台灣與香港之間，據說該組織專以西裝夾帶海洛英，自香港郵寄台灣。最後一次運帶五百四十一公分被搜出，有六名疑犯被捕，其中一名是香港客。

據悉，這個販毒集團在去年十一月間籌組完成，由基隆的一名當舖老板羅冠英斥資一千元美金，寄交香港其弟羅××負責購買毒品，然後寄運到台灣。第一批毒品海洛英一兩半，藏於西裝上衣兩個肩墊之內，然後郵寄到台灣羅冠英處，由羅交給馬仔銷售。

香港人口壓力重

六年後將達五百萬　廿年後更達八百萬

（本報訊）據香港工務局土地及測量部副主任郝勒指出：本港人口在一九七〇年早期將為五百萬；至一九八四年將增至八百萬。這批人將安置在那裏呢？他們那裏去找工作崗位呢？

且勿談工作與如何養活這許多人，居住與交通，便是嚴重問題。郝勒說：一九六一年三月舉行人口調查時，九龍一個三又三分二平方哩之地，有人口七十五萬人，即每平方哩之總密度為三十萬人，亦即每畝三百人。目前拆卸三、四層高的樓宇而興建十二至十五層高大廈正在加緊進行中，若果新建樓宇佔地與舊樓相同的話，以前一個人所佔的地方將會有三人居住。

郝勒又稱：現時我們的車輛交通問題並未達到與本港同樣大小城市的嚴重。我們目前只每六十人才有一部車輛——如果我們達到了波多黎各一比十二的程度，將會發生怎樣的事情？

習靜

方南

在塵囂的都市裏，度着繁忙的生活，能夠習靜是最好不過的事。

有好幾次，跟人學習靜坐，却是苦也，怎也學不來。有關靜坐的理論我也參究過，並不難懂。像怎樣鬆弛腦筋，放開思慮，要做到「空空如也」的一類說法，誰也懂得說，但在實行起來時，那也是「空空如也」而已。因爲根本沒有「空」那一回事，只是拿一個「空」做想像中心，勉強做到「如也」，結果便是「苦也苦也」了！

這到底不是一個好玩意，玩了幾次以後，我便懶得「充空」了。畢竟是性好閒靜，我還不放棄「習靜」，這不是在蒲團上面習，只在閒步時習。每天我總得抽取一點點時間，偷一下閒，找個幽悄的地方靜靜地踱步，靜靜地想些不大傷腦筋的事，心要平，氣要和，這樣習靜倒還有些意思，日子久了，居然樂在其中，覺得靜中有動，動中有靜，比較呆呆的坐在蒲團上面習靜爲好。

這個習慣養成之後，每在電車上或渡海輪上要找座位時，總是不自覺地座在偏僻的角落，而且總要靠近窗口。縱使那是很短暫的時間，我也愛享受一下閒靜，放眼望向天空海瀾漩，悠悠然吐一口氣。人生難得是偷閒，「偷得浮生半日閒」既已不可常得，偶然能夠偷一刻半刻，也不可放過機會啊！積少成多，未嘗不妙，在渡海輪上未嘗不可以習靜的。

就因爲這樣，麻煩來了，在車上船上碰着半生不熟的朋友，扯着你談似是而非之論，怎辦才是？隨口敷衍應酬也不算怎樣困難，只苦是習靜的機會給他剝奪了，等如小偷剛把難得的東西拿到手裏，給人一把奪去，心裏當然不甘呢。這便使我變成好似一個孤僻的人，看到遠遠有這種人物出現時，便眞的似是一個見不得人的小偷，倉忙閃身一躲，要躲到一個自認爲安全的地方，才覺心裏下放一塊大石。習靜如此，何苦來哉，想來每自發出苦笑。

現代科學知識幫助我們了解物質的本原，以及天體運行的眞相，使我相信世間沒有眞正靜止的東西。我不妨用「看空一切」的眼光破除「執着」，但必須知道空中有實，我自己也是實實在在存活着的。「天行健，君子以自強不息」這句話很有意思。孔子說的：「逝者如斯夫，不舍晝夜」，更是論語裏面少有的富於「詩意」的一句話。它們同樣給我以「哲學」的啓示。但是，永遠大忙特忙的動當然不妙，唯其如此，才有習靜的必要，而「愛好閒靜」也是一種合理的期求了。

陳白沙先生教人「靜中養出端倪」，一個「養」字刻劃出了非常美妙的動態，每讀此句，閉目一想，便會看出無限生機。可見靜中的「養」，原就是動，一顆心蓬蓬勃勃地「養出端倪」，便是「動」於「靜」中的良好收穫。爲什麼要「動」於「靜」中才會如此呢？這是愛好習靜的人應該仔細思索的。

其實，我只配說偷閒，不配談習靜。當今天下最令我羨慕的人，想來就是有閒階級了。

嘉莉的日記

汶津

九月二十六日，星期五

上歷史課，我偷偷的看他的眼睛——老是那麼嚴肅幹嗎呀？陳芳華是走了，看你也無可奈何！再找個中意的多看看吧！最好還是少裝點道學相。

今天的書講得好聽些，尤其奧德賽的故事更精采。我都有點替他可惜起來了，如果陳芳華在，就憑他這一套說故事的本事，也可以贏得「芳」心了！哎喲，難怪媽常說我「貧嘴」。

猶力西斯眞棒！他如果有猶力西斯一半強就好了！不過這也不太公平，人家有學問啊。

下課，有人說猶力西斯把那些求婚的人都射死未免太殘忍了。

九月二十七日，星期六，雨。

早晨起來，窗外下着不大不小的雨。我一看時間不早，就去張望一下哥哥的寢室。哈，還在蒙頭大睡呢。我大聲叫他「懶鬼！」沒回應。再叫，他可吼了：「少管閒事！」哼，狗咬呂洞賓！讓他遲到、曠課去！我看這個哥哥眞沒出息，不像人家……

中午早早的到了學校。因爲操場上還有些細雨，大家都留在教室裏。邱鳳英在前面的位子上和吳敏講什麼珍聞呢。「眞的啊，」吳敏很有興趣似的。

「什麼新聞？公開！」我推了邱鳳英一把。

「小妮子，嚇了我一跳！好，告訴你吧！」她轉過頭來，「你可得仔細聽着。是有關你的英雄的新聞。」

「什麼我的英雄？」

「就是咱們的歷史老師啊。別裝了，坐在你旁邊的老早就留心到了，你一上歷史課哪，從頭到尾就拿眼睛盯着講台上的那個人……」

我一把摔住她的嘴，「你再敢說！你……」邱鳳英豬叫似的，大家都回過頭來看，吳敏趕緊拉開我。

我的右手也被邱鳳英的指甲抓了幾個紅印子。

眞倒霉！他是什麼研究生又關我屁事！下次上歷史課我乾脆裝睡好了，免得她們這些臭嘴丫頭又來造我謠言。

九月三十日，星期二。

今天的歷史課眞難受，我一直盯着書本看，簡直不敢抬一抬頭。他到底講些什麼也沒聽到。心癢癢的，恨不得把那些亂說閒話的人教訓一頓。

巧得很，下了第三節課，經過走廊的時候，他迎面走來。我對他點了點頭，他的臉笑了一秒鐘。

十月二日，星期四。

在上學的公共汽車上，有兩個男生老盯着我，還在那兒指手劃腳的，我最看不慣這種鬼鬼祟祟的樣子。下了車，趕緊往校門口走，怕他們還隨在後面呢。也不知道他們是那班的，眞死相！

（二）

藝術叢論

抽象藝術漫談

趙雅博

觀念，觀念，究竟是什麼神奇玄妙的東西呢？它並不是什麼玄之又玄，衆妙之門，它乃是士林哲學家所稱之爲形式的標識的東西。所謂形式的標識，乃一種標識，它的本質必需歸原到有指義的境界上。這就是說，一個形式的標識一定要有指義的記號，這是絕不可缺的。因之，在其本身方面，形式的標識，並不是我們的知識的本有客體，本有對象，而乃是一個方法，由於這個方法，我們本質的認識客體。名哲學家馬利用說：「形式的標識，並不是出現的爲人認識的客體，而乃是在客體前不現的（失去出現的），因爲它的本質，是在於使精神與自己不同的某種事物，發生關係。」形式標識的這種本質上有指義的特徵，是與工具標識有分別的。這種工具的標識，在其本身方面是佔有一個固有的意義，並且在其本身方面，也爲人所認識的。這種標識使我們認識與其不同的事物，比如，我們說煙是火的記號，由效果而窺知原因，因果律的建設，在初步上是由於這種工具的標識而抽象，而推演！至論形式的標識，乃是後天的創製，它的形成觀念，純是來自意向的，主觀的，所謂約定俗成者是也。它的任務是帶領我們到客體上，爲此這樣的觀念，在其自身來看，它乃是不可知的，它與事物之間，並沒有實際上的連繫，並不是客觀的存在着關係，雖然這並不阻止它成爲我們所有認識當前於悟性的對象的唯一方法，我們對於它仍然可稱之爲形式的客體，而稱這種抽象的結果爲客觀的觀念。

實在說，我們以後還要看得清楚，只有從抽象藝術才能懂得美的表達的方式。這個美的表現的方式是在注意於作品之中，塑成客體（對象）的本然本質。而這個本然的本質乃是由悟性的抽象工夫而得到的。這是說，那尋找在題目的表現的，並不是尋找事物的外形，而是尋找事物的本質。藝術觀念可能性的限制，要我們在後更深的研究，此地我們要知道的，是所謂觀念，就是對象的本質，但是這個本質與觀念並不是混然一體，而是有其分別的。對象如果就是爲對象來說，就是外在的實在性來講，它與存在於悟性中的對象是不同的，這個我們已經說過了。此外，我們還要注意實在的對象以及在意向上存在於悟性中的對象，即已成了觀念，與那我們用語言或者藝術的創造所表現出於我們理性之外的對象或客觀的觀念，又是不一樣的。現在我們已經知道，事物的觀念或本質，在我們的理性中只有一種意向上的存在；觀念在實體上，在事物中，是在使事物物質化的外衣（附加性的）遮蓋下存在着；而這種觀念的表達在藝術上，普通是很難一樣，而有距離的，由於技巧，程度，手法的高下，其與觀念或實物的距離，自然也有多少的不同。語言道路，不但是在語言文章上如此，就是在藝術的表現上，也是同然。爲此藝術即是在我們的主觀方面，也有時時的進步。不特是在觀念中的存在，可以進步，就是在表達這個觀念，也一樣有進境。我們於此要不止息的前進前進，而不能有以爲觀止而止足不前的想法！

觀念藝術表現的止境

「語言道路」，我們在前文中已經約畧的指出了。在藝術的表現上，我們知道，人人都多多少少的算作藝術家，人人皆是從事物的抽象中，得到對事物的知識，認識，也就是有對事物的觀念。這種觀念的表達，有語言的方式，也有動作的方式，藝術的表達觀念，可以說是混合語言與動作，是一種很好的表達方式。但是其表現的境界究竟如何，是不是與原來的對象一樣？是不是與原有的觀念一樣？我們在上文中也已經概乎言之，現在我們再更詳盡加以說明：（未完）

瘟君續夢

第十一回：舊債新仇　索逋遭白眼　內憂外患　平憤仗鋤頭

楊如興冷笑道：「我沒有工大槍斃你，就是要你活受。」

周興榮無計奈何，說道：「楊同志，是我主使她來偷的，你把我們放下來好吧！」

楊如興哼了一聲：「不怕你們不承認，我自有辦法，就算你是鐵打的，我也能把你融化成水。」說過就派部下「戰士」去把公社小隊長何開珍找來，要他召集羣衆開鬥爭大會。

何開珍問道：「楊同志要鬥爭誰？」

楊如興說道：「周興榮同葉祥書竟敢盜竊國家財產大白菜，要不予以鬥爭，將來整個公社社員都要起來作賊了。」

何開珍說道：「葉祥書平素爲人最老實，目前大概眞是餓極了，纔作出犯法的事。請楊同志原諒。」

楊如興聽到何開珍竟然替葉祥書夫妻說情，不由得勃然大怒，一拍桌子說道：「你站在什麼立場同我講話，盜竊國家財物的人，就是幫助敵人，也就是反動份子，和國民黨特務都是一鼻孔出氣的，你同情他們，是不是同他們一黨，你說！」

何開珍一見楊如興用大帽子壓他，不敢再多說，回去就通知本生產隊的隊員，到公社前面廣場上開鬥爭大會。

社員聽說開鬥爭大會，不知道鬥誰，都不敢不來，共到了三十多人。

楊如興站在台上說道：「周興榮、葉祥書夫婦盜竊國家財產，應不應該受罰？」

台下一齊說：「應該受罰。」

楊如興問道：「怎樣罰他們？」

台下登時沒有聲音。

楊如興說道：「我現在提出兩個辦法，由他們去選擇。第一個辦法要他們賠三千斤白菜。」

楊如興說出三千斤白菜，周興榮、葉祥書固然驚得面無人色，台下羣衆也都嚇呆了，停了幾分鐘，人們恢復了知覺，紛紛議論起來，有人說：「周興榮家裏連口鍋都沒有，燒飯都用瓦罐，他怎能賠得出三千斤白菜。」

又有人說：就算周興榮眞有錢，又從那裏能買到三千斤白菜，在咱們這個公社裏，想買一百斤也難。」

又有人說：「葉祥書偷了七顆白菜，總共不過十多斤，竟然要他賠三千斤，這是一個什麼罰法。」

還有更聰明的人，就說：「楊同志說明有兩個辦法，這只是第一個，不過是個陪襯，眞正的辦法還是第二個大概要槍斃他。」

又有人說：「這個日子，死了到也乾淨，最怕的是死不了，活不成，就慘了。」

大家正在議論紛紛，楊如興拍拍手，台下登時沒有聲音。楊如興問道：「罰他三千斤白菜，公道不公道。」

台下沒有一個人開口。

楊如興又氣了，跺脚罵道：「到底公道不公道，你們不說就是同情盜竊犯，同情反動份子，與他們是一樣的罪。」

經這麼一逼，台下有氣無力的說一聲「公道」。

楊如興掉轉臉向周興榮、葉祥書說道：「人民都要求處罰你們三千斤白菜，你們自己肯不肯答應。」

（二八五）

劇藝漫錄

婁婁生

張伯駒雖是軍閥的公子，但學問很深，精於音韻，不過他與余氏結交，對平劇是門外漢，皮黃分不清，而開蒙的是余氏。才交遊了有二十年，文武崑亂，都下過很深的功夫，也是在烟榻上，獲得成就。民國廿六年正月，伯駒四十初度，在隆福寺福全館宴客自慶，舉行彩觴，唱堂會一晚，末齣是失空斬。伯駒自飾孔明，楊小樓的馬謖，王鳳卿的趙雲，程繼先的馬岱，特煩叔岩演王平，這是票界的豪舉，史無前例，閧動故都。在四個人的起霸一場，各逞其能，互不相讓，精彩紛呈，令人目眩神移，歎爲觀止。更以叔岩在整個起霸中，自頭至足，綫條之美，可稱絕倫。可貴的是外表靦若無骨，內含千鈞之力，可謂化境。

二齣好戲　終未上演

孫養農先生著談余叔岩，說太平橋是開蒙戲，可是這次極不容易，爲了拜師以後，老譚仍舊走梨園的惡習，所謂「寧給一文錢，不指一條路」。其教授方式，並不是從頭至尾，仔細來講解，祇是躺在烟鋪上，用烟籤子比劃了幾下把子，及如何上場與下場，何時在大邊，何時歸家邊，說說地方而已。嘴裏再把唱調哼幾遍，就算教完了。而叔岩於學戲之前，爲了求學心切，就將家藏三代祖傳的古月軒鼻烟壺，孝敬老師。譚氏素喜鼻烟，得了如獲至寶，明白他的用意，高興的傳授，才有成就。但這齣僅在民國八年三月八日，在新明喜群社夜戲，貼唱一次，以後始終未再演，眞是可惜。

以前在三慶班坐科，有一位正工青衣，名周長順，出科後，曾至天津上海唱過一時期，待等再回北平，改唱老旦，也被昇平署挑選合格，進內庭當差。譚鑫培，唱寧武關，這位周母，非請長順不可，精絕無比，梨園同行奉以譚號曰周老旦。迨周歿世，姚增祿繼起。焚棉山一戲，述介子推不言祿，自焚而死。爲老生老旦的並重戲，民國以前，在舞台上常見。民國以後，馬連良爲尋本戲，予以推出，不過質已大變，迥非從前的規範，因他把不易討好的，改以纖巧出之，人以爲異，也竟唱紅。周老旦爲陪過前輩唱此戲，關於介子推唱做，知之甚詳。叔岩爲求充實自己，竟破費二百兩銀子（等於當時京官五月的俸祿），向周氏學此戲，可知其重視藝術，不惜高的代價。

此齣學會以後，却從未唱過，爲了戲中有一身段，名叫硬僵屍，是站在台口，直挺挺的向後摔倒，躺在台板上，非十分强壯的身體，不能辦到。因他身體不好，又不肯把這個身段減去不做，辛辛苦苦得來的好戲，棄置不演，台上從未一露。（卅四）

元宵談詩

[illegible]翁

農曆正月十五日，唐宋以來，例稱上元佳節，較之七月十五之中元，十一月十五之下元，更爲熱鬧，上至皇宮，下至民間，皆舉行燈市，成爲普天同慶之良宵。

上元之夕，曰「元夕」，一名「元夜」，又稱「元宵」。元夕，元夜，每爲詩人所吟詠；如元吳師道有元夕之作，楊奐在一歲歲逢元夜」句，而民間則皆稱之爲「元宵節」。

宋周必大園平續稿：「元宵煮浮圓子，前輩似未曾賦此，坐間成四韻。」後人因元宵煮圓子，遂呼圓子爲元宵，故韓渥有「元宵淸景亞元正」之截詠也。

元宵觀燈，起源於唐代，時帝王多御午門縱觀，金吾不禁，歌舞昇平。蘇味道有詩紀盛云：「火樹銀花合，星橋鐵鎖開；暗塵隨馬去，明月逐人來」。

宋時，此風更爲盛行，蔡襄上元應制詩：「高列千峯寶炬森，端門方喜翠華臨；宸遊不爲三元夜，樂事還同萬衆心。天上淸光留此夕，人間和氣閣春陰；要知盡慶華封祝，四十餘年惠愛深。」王洪上元應制亦云：「雪消華月滿仙台，萬燭當樓寶扇開；雙鳳雲中扶輦下，六鰲海上駕山來。鎬京春酒霑周晏，汾水秋風陋漢才；一曲昇平人盡樂，君王又進紫霞杯。」此皆上元天子觀燈賜宴之傑作，上行下效，遂成一元復始最熱烈最快樂之令節。

大觀初年，京師以元夕張燈開宴，時再復湟鄯，徽宗賦詩羣臣，有曰：「午夜笙歌連海嶠，春風燈火過湟中」，和者皆莫及。又明詩綜載：遼藩朱術𤏲，字均焉，爲簡王楨七世孫，作元夕詞結句云：「一聽到家中喧笑處，老年人少少年多」，與白傳「歌舞屏風花障上，幾時曾畫白頭人」，同一傚已！

自唐、宋以至明、清，此風習猶未稍替，尤以清朝以舞龍燈、熱鬧不在唐宋之下。袁隨園老人上元觀燈詩云：「嫦娥也讓燈光佛，捧出銀盤不敢明」。足見元夕燈光之燦爛，此時此景，歷歷如在目前。

行蝸一首寄杜負翁

黃伯遙

蝸緣牛角似乘舟，人笑虫天未入流。廣土自荒求蟻附，孤崖不越看龍游。書空莫咄仍藏閣，賦作雖新懶上樓。何日重來輦轂下，老人院裏話春秋。（翁現任中國老人會副主任）

老馬一首寄余放勳

前人

安下盤床六尺寬，衝鋒無望且盤桓。仁人觀物求平等，老馬能馱忍卸鞍。蕉鹿夢長多得失，溪湖流淺少洄瀾。十年馳騁終孤負，莫想他時驗骨看！

我的社會生活

雷嘯岑

我在江陵的一切措施及其作風，所屬各縣長自然洞悉，也就照樣進行，雖因主觀條件與客觀環境各別，情形不盡相同，但大致皆不差，我又時時親赴各縣督導，私淑楊秘書長勇於負責的精神，盡力爲各縣長克服障碍，消除困難，而對於一些實行官僚主義的縣長，却毫不客氣地糾正他，再不然就向省府彈劾他，教他走開。所以，各縣長和地方紳耆皆知道我是個硬派作風的人，一切敷衍塞責的行爲，決不敢嘗試。我在江陵縣一天之內，曾經槍斃過十二名土匪，分別在四條城門外執行，風聲所播，人心大震。某日我由沙市單身便裝乘坐黃包車入城，在路上跟車伕談談，問他生活如何？車伕不認識我，答道：「生活雖苦，還勉强過得去，祇是我們這位雷專員很厲害，他一天就殺了十幾個人，將來我害怕犯了甚末事，也會被他殺掉啦！」我說：「雷專員殺的是土匪，老百姓旣不是土匪，他怎能格殺呢？像你這種人，即是良民，誰也不會無故要殺你的！」話雖如此，我心裏却深感難過，爲着懲治土匪而使人民震驚不安，這亦有悖父母官的職責，決意嗣後不輕於殺人了。未幾，我因公赴武漢，順便跟友人黃伯韜（四十八年在碾莊對共匪作戰殉職的兵團司令，這時他是徐源泉部下的旅長。）赴星相家胡紹陶處請教，胡氏亦特別提醒我道：「老弟，我看你是個替國家作事的人，莫要隨便殺人呵！」經過這兩次心理刺激之後，我再不願處決人犯。保安隊在監利縣的鄉間淸匪時，拿獲了一個湖南籍的劉姓共幹，送到專署訊問之下，他的右臂全部鋸去了。據供是統帶共軍作戰時，受到砲彈傷之後鋸掉的，沒有了右臂，當然不能再領軍，乃在洪湖編印「紅旗報」，專用左手寫鋼板，他是莫斯科孫文大學出身的。我認爲此人不愧爲好樣兒的知識青年，很想說服他改變思想，並不以犯人看待，跟他談談革命理論。但他侃侃然指摘三民主義一無是處，說國民黨是個資產階級的反動集團。彼此的論點毫無接近可能，依法這人即須處死。但我因爲受到了上述黃包車伕和星相家的啓示，乃將他押解赴長沙，交由湖南省府發落，要殺亦請省主席何鍵自由決定，我却不再開殺戒了。

幹過一年的縣級行政工作後，發覺內政部歷年來頒訂的若干地方自治法規，與現實社會情形完全鑿枘，眞是該死之至！曾上書內政部長黃紹竑，痛陳此弊，希望他多用有實際行政經驗的人才。我又準備將轄區內的各縣土地重新分配，因經過共匪盤據幾年之後，土地的產權已混淆不清，經界亦多變遷，此時實施土改，可收事半功倍之效，請示他是否可行？但他復信說茲事體大，不宜人自爲政，須由政府統籌劃乃可，否則糾紛必大，地方官勢難担當這種重大的責任。我祇好作罷了。（三十）

談吃飯的常識（續）

花香月上樓小品

黃葉村人

其次是洗米。普通無經驗人的洗米，不是用雙手去磨擦，便是用沙盤（一種盤裏綫紋可以磨擦的粗沙盤）以右手去磨擦；這樣的磨擦，不但米被磨碎，米骨恐也不免融透，乾淨是乾淨了，其奈好米要有十成之幾變爲碎米，不變質也失其原來的韌性彈性了。必也用雙手輕鬆的一攪勻遍，[illegible]至於用何種方式作標準？舊米多放些水，新米少放些水，很多人是用手放在米上，水過手背爲度。事實上，什麼米，受水不受水？只要燜過一二次，便了然於胸，無固定的準繩也。

至於燜飯的工夫，第一是較準火候，未煮前，火候要猛；待水大滾之後，揭蓋攪勻，廣東人多數不喜飲米湯的，多少水和多少米是有限制的；攪勻後，立即蓋好，把火弄慢，直到收水，從不揭視。福建人則多杓出米湯，或飲或漿衣服，取其硬淨也。固然燜飯是極簡單的事情，可是，飯要煮得香，是全靠火候調節得宜。要燜得粒粒一樣大小整齊，是要在洗米時用工夫，不使米粒傷損，這就要看有無常識和經驗了。從前廣州香港大行莊或公館的「伙頭軍」，每箇月的薪水不過三、五元。但是每天午晚燜兩餐飯，人多的，那一鍋熟底飯焦就有一斤或十兩重，平均算他十兩，一日二十兩，一月便有六百兩；如果晚上還要消夜的話，那就更不止此數了。這是「伙頭軍」一項公開的收入，任何「事頭」，都不能加以干涉者也。

因爲燜飯，一定要有飯焦，飯才會香；而且那底飯焦要燜到色黃如金，而又不焦黑，不黏底，才是好手。你如果要限制他，使沒有好飯吃，夥計會不同情，也僱不到「煑飯師傅」也。至於飯焦的用途，一、可以賣給餅舖製一項硬性的餅。二、有一些收買飯焦店，專供舊貧民泡開水當飯吃。三、最起碼是餵牲口。還有人用作點心吃哩！

其他，用大灶大鑊煑的，叫做煑飯。和燜飯相較，自然要遜色多了。原因是：大鑊多數是平面木蓋的，一、米多，洗不淨，煑時也攪不勻。二、米湯常會滾出木蓋面，連木蓋煑在一起，既滲入不潔物，也嫌飯中帶有木味。煲飯和燜飯原是沒有什麼差別，不過，是用大的器具，在慢火焗飯的時候，小型的瓦罉、銅煱，可以輾轉反側，使它四面都能夠受到慢火的焙烘；而大的器具就不能！所以，香味就會差勁。此「大鑊」飯與「小鑊」飯不同之點，亦即燜與煲之分野也。（未完）

端方之詼諧

司馬不如

端方好色懼內，自北洋被放罷官後，放蕩不羈，常私至江南，與京口焦山住持僧名存者暱，并微服冶遊、暗中摸索，京江諸名妓滋味，竊嘗殆徧。嘗語其親陳慶年曰：南北名花，予稍稍物色，惟京江妓女風騷，別有風味，他處無以過之也。慶年聞言，以寇萊公愛花，白香山嫪樊素小蠻諛端。端方竟爾得意莫名。

端妻貌醜而善妒，且悍。先是端蓄有漢人雛姬二人，貌頗艷麗，將欲納爲小星，其妻知之，日夕藉他事凌虐二姬，以巨鞭鞭撻，體無完膚，卒致死。至是端終身不敢提議置妾。猶語人曰：余平生不二色也。

端小有才，好嘲弄人，上海某中書者，發起一拒賭會，時端正開府江南，某中書趣謁節轅，痛陳賭害。端曰：我猶彷彿憶之，麻雀牌中，他牌均四，惟白板則五。某君急辯曰：大帥誤矣，白板亦四也。端熟視某中書半晌，笑曰：然！足下亦箇中人也。

訪問美國議會的觀感

陳翔冰

國會議事程序和過程俱詳載於國會公報。此項公報於國會開會期間，每日發刊一次。最初編印於一八七三年三月四日。此後又於一九四七年三月十七日編印每日提要，以備附編於國會公報之後。此項每日提要係將每日兩院的議事情形，簡要予以摘錄，舉凡各委員會或附屬委員會所審查之議事內容，都須加以記載。且於週末將下週所欲審議之議案詳爲報導。

兩院召開大會日期，依據憲法第一條第四款的規定，如依法沒有其他變更，應在每年十二月的第一個星期一。到一八二〇年止，都沒有變更過。自一八二〇年起至一九三四年止，曾有十八次的變更。一九三四年起，始依據第二十號憲法修正案改爲如依法沒有其他變更，應於每年的元月三日召開大會。並規定總統有權於非常事故時，可臨時召開一院或兩院的大會。

國會的職權係根據憲法第一條第八款所規定。其最主要者爲徵稅，調節國內外商務，造幣，設立最高法院以下的法院，建立海陸軍或徵召民兵以平亂以及對外宣戰等。後又以憲法修正條款予國會以修改憲法之權。

參議員所獨有之權，爲：（一）參議院具多數票時，可否決總統之任命；（二）條約須經參議員之同意（三分之二同意票）。衆議院所獨有者爲建議增加稅收，餘如彈劾權（自總統以下）雖亦爲衆議院所獨享，而被彈劾者之審問，則爲參議院的職權。（四）

自由報
THE FREE NEWS
第四二一期
社長：雷嘯岑
20 CAUSEWAY RD 3RD FL. HONG KONG
TEL. 771726　電報掛號：7191
承印者：田風印刷廠
地址：香港灣仔高士打道一二一號
台灣分社
台北市西寧南路[illegible]二樓
電話：三○三四六
台郵撥儲金戶九二五二

當前外交應取的方略

·劉子平·

殷憂啓聖，多難興邦，我們決不能因日本資敵，法國親共，便洩氣自餒而懈怠戒愼自強的鬥志。

孫子云：「屈諸侯者以害，役諸侯者以業，趨諸侯者以利。」。英國人說：「英國無永久的友人，亦無永久的敵人，只有英國的利益」。這都是道破外交原形的眞詮。因為國與國的分合，純以利害為前提，合於利害相一致，分於利害相衝突；所謂情感與道義，在外交上言，都是利害的副產品，尤以亂世外交為然。明乎此，對日法玩弄兩個中國之侮辱我們的手法，便見怪不怪了。

人必自侮而後人侮之，國猶人也，我們將如何自處以使列國不敢侮我呢？這就是筆者要探究敷陳的問題，且從中日（法）關係說起。

中日外交關係的檢討

日本忘恩負義，罔念我政府戰後迅速遣返其三百萬的軍俘降民，免受共匪屠戮，並於媾和時毅然放棄賠償要求的善意，一再對中共獻媚，不惜以經濟力量支援毛共政權，而其首相池田勇人，更公然發表侮辱性的言論，指中華民國沒有反攻復國之可能，甚且連一個想投奔自由的匪幹周鴻慶，亦將其遣返大陸。這一連串見利忘義，欺友媚敵的措施，乃使中日外交關係急劇惡化。檢討起來，我們的對日外交，可說是始終陷於「昧情失策」的境域中，以致造成今日這種失敗的局面。「當我國之積弱，非善用外交，不足以求存。然欲運用外交，非具世界之眼光，不足以盡其用。中國向來外交，無往而不失敗，蓋以不知國際上相互之關係，一遇外人虛聲恫嚇，即惟有讓步之一法，是誠可傷心者也」。這段本黨在民國二年發佈的政見宣言，不啻是為我們近十餘年來對日（法）外交關係所作的預言！

外交工作重在「權術」的運用，所謂「權，姑且也」，所謂術，方法也。運用之妙，固然要配合政治經濟文化的力量；但其尤重要的還在先明瞭情況。我們對日外交，表面看來，並未忽略政治經濟文化的策進，可是由於明瞭情況的知彼工作做得太不夠——方法更不足道，致使對於日本（法）外交動向的觀測警覺與反應，在在顯得鈍滯而麻木，馴致[illegible]失機先，事變猝來，便拿不準明敏果敢的解決對策，此應檢討者一。

日本政府與毛共的勾搭並非自池田始，石橋湛三執政時期，日、毛秘密往還已甚頻繁，不過到池田柄政才公然肆行無忌而已。它是以「政治台灣」「經濟大陸」為策略，以加強與毛共貿易為重心的。記得民國五十一年十一月十日泛亞新聞社曾發佈一次電訊說：「日本工商界九日以備忘錄方式，與中共簽署以貨易貨的貿易協定，規定雙方貿易額為三千六百萬鎊，中共將以煤斤、鐵砂、鹽、大豆、玉蜀黍、雜糧、錫及其他商品供給日本。日本以輾鋼、肥料、殺虫劑、農業機械、農具、整套工廠設備及其他貨品供給中共」。該「備忘錄」第五條且有：「雙方同意關於日本向中國大陸出口的某些貨品之延期付欵的支付辦法」的優惠協議。日本通產省當時對此項協定極表歡迎，稱之為「兩國貿易關係的踏腳石」。日代表團長高碕達之助且說：「此次簽署的貿易文件，不但為雙方貿易關係之發展的良好開始，且為恢復日中外交的巨大紐帶。」他更強調稱：「我將再活十年，直到親眼看見日中邦交的恢復」。

此種日、毛勾結而有計劃步驟的露骨言行，自不尋常，然我外交當局對此似乎不關痛癢，只是表示抗議就算數，直到去年八月間，日本以全套尼龍工廠賣給中共時，我們才着急起來，但事情已大不可為了。現在它又要以第二個尼龍工廠賣共匪，且擬進一步與共匪拉攏[illegible]共！因為這是日本與毛共早在五十一年冬所締結的貿易協定中列舉的項目之一，決非我們的一紙抗議照會所能取消的。假如我們當時，斷然聲明[illegible]在海上截[illegible]匪的日船，也許可使日本政府有所顧忌，無奈我們的想法和做法太過天真軟弱了。此應檢討者二。

在戡亂復國的對共匪鬥爭中，拓展國際關係和派遣反共武裝，在大陸沿海突擊人，其重要性是等量[illegible]的。我們須爭取與國，毛共亦要爭取與國。共匪深知強化其對日本的勾結，便自然損害我們與日本的正常邦交，因此，它便不擇手段，運用謀略，企圖促使中日關係逐漸惡化。我認為周鴻慶事件就是共匪細針密縷的一套計謀，我們若再進一步探究，就要說它是日本與毛共特務機構串演的雙簧相聲，目的在激使我們自動為日本解除兩個中國問題的困惱，[illegible]又敢保其必不可能？如果一味直覺，認為周鴻慶只是[illegible]的投奔自由，那不但[illegible]，且被共匪[illegible]，這跟我外交當局過去所謂「法國與共匪建交為時尚早」的論調，同樣是「予彼已」的錯覺與「一味麻木的表現！此應檢討者三。

今後外交工作改進之道

綜上析述，即知我們由於情報欠靈，實[illegible]，決策太遲鈍，因應不得法，以致外交情勢逆轉；實為無可否認之事，今後非改絃更張不可了。孫子云：「百戰百勝，非善之善者也；不戰而屈人之兵，善之善者也」。欲實踐此一外交思想原則，必先建立健全的外交情報網，以求知彼知己，洞悉並世各國千變萬化的情況，和國際間錯綜複雜的利害關係，才能肆應明敏，恰到好處。

國父云：「中國欲於此危[illegible]之交，[illegible]惟有[illegible]之精神而[illegible]」。這[illegible]指出了[illegible]外交[illegible]。[illegible]交這項遺教，堅持獨立自主的原則和立場，不肯中途妥協，終於贏得最後勝利。勝利後由於過份信賴美國，失去自主精神，終致助長共匪叛亂，迫使我們退處台灣一隅，在戡亂中痛定思痛，今日反共抗俄戰爭中更非堅定獨立自主外交方針，堅守不渝，不淺見以為足以圖存也。[illegible]前。[illegible]三原則，團結抱持[illegible]

[illegible]

手足無措

今日與明日

今後的對日外交

吉田茂訪問台北後，陷於僵局的中日邦交，可望恢復正常化了。可是，即令中日關係好轉，前途[illegible]，國際形勢的演變，隨時影響日本的對外策略，今後我們的對日外交，如果不得其人，終歸要失敗的。

以國力為外交後盾，固然是談外交的第一要義，但[illegible]和人才的關係亦很重要。第一次世界大戰後，[illegible]

[illegible]一些重工業的潛力」包括設備和人才[illegible]

[illegible]今後的對日外交工作，首先需要有[illegible]外交官[illegible]是須[illegible]的糾正！

魯斯克的聲明

美國國務長官魯斯克，日前聲明：美國堅守其對中華民國的承諾，決不讓[illegible]在台灣居留着的一千二百萬中國人[illegible]；又說中國大陸上若有一準備放棄武力政策的政府，[illegible]國際責任。這些話，咱們已耳熟能詳，並不感覺興奮。何以故？[illegible]

越南共禍何時了？

美國五角大廈的將軍們，主張轟炸越北的共黨大本營，以根本解決越南戰爭，而國務院的官員，[illegible]。這使我想起韓戰時期的往事，麥克阿瑟元帥因為主張要轟炸東北的中共基地，即被華府撤職。[illegible]美英兩大盟邦的政治家，[illegible]自己製造的理論：如果對越北用兵，中共必然參戰；中共參戰，蘇俄必然起而援助，結果乃釀成全面大戰！[illegible]不願[illegible]「兩個中國」[illegible]統一，要實行分而治之，以致越南共禍[illegible]有日[illegible]，終必[illegible]。

[illegible]以[illegible]出賣我們的國家的狂想！

自由談

法治的觀感

香港有偶警察，曾向街邊無牌照的熟食檔，先後收取了六塊錢規費（一次兩元，一次四元），被當局查覺之後，指為貪污非法，判處徒刑五個月。當之於法理，被告律師以該法官定罪時，沒有犯罪行為的底案，請求法外施仁，改判罰鍰，藉示矜余，但法官認為此風不可長，拒不接納。

香港原是殖民地，一般人對於殖民地的政風皆另眼看待，認為黑暗而大過光明，區區六元港幣的規費，何足道哉？然而，法院卻執法不苟，對公務人員的貪污行為，決不饒恕，收受六塊錢賄賂，本質上與六十萬元求金幷無區別，其為貪污非法則一也。這便是法治精神。

法律有若泥塑木雕的偶像，它貴在人人奉之如神明，即發生靈驗，准有禍福人羣的權威。假使執法者受着人情或某種外來壓力的干擾，稍有瞻徇，而枉法或執法以從事，法律的尊嚴性即蕩然無存，誰也對它不發生信奉的觀念了。

因此，我想到中華民國司法界在台灣的若干現象，其法治精神似乎尚不及香港殖民地遠甚。例如同樣是公務人員經由太太之手收受賄賂，貪污有據，然有的夫妻一併判刑坐牢，有的竟自告無罪，還要官復原位，顧盼自雄。法官可以聲稱「奉命不上訴」，訴訟處理必須「配合國策」。這算是世界上那一類型的民主法治精神呢？至於行政人員遇事收取紅包，已視為義所應爾的常情，肆無忌憚。像這回事，如果是在台灣，他會招來徒刑之災嗎？

咱們隨時喊着「法律之前，人人平等」的口號，而事實上，法律的效用因人而異，等差甚多，這是人治主義，與法治不相干。所以，我不禁要發思古之幽情，讚許一百年以前的舊政制，行政和司法不分，集中於一個官吏之身，聽他隨意處理，他受着「王道」「仁政」的思想影響，對一般人民反而比現在這樣口稱法治、行屬人治的後果好得多！

法律如其不具備着神聖不可侵犯性，議親議貴，甚於無假借，則有法之害，甚於無法，天下沒有不大亂的，謀國者豈可忽乎哉！

馮五先生

香港與大陸

中共又在廣東各地强迫農民「做好」春耕的準備工作，它要農民實行「三擺」運動，並再在黨，政，學校，工廠，礦山等單位抽調勞動力，以便掀起一九六四年的「大躍進」。

毛共又推出三擺運動
花樣翻新陰謀仍舊
為的是要再來一個「大躍進」

曾囘廣東河源縣探親甫返抵港的大專學生余小姐透露：河源縣的農民，自秋收冬種以後迄今，又奉令進行大張旗鼓的春耕準備工作，春節期間也僅放假一天。所謂準備工作，是包括：修築水庫和水埔，積肥，拔禾根等。

余小姐說：中共在鼓吹此等「準備工作」之餘，又搞出所謂「三擺」運動，即「擺成績，擺進步，擺經驗。」目的在於再掀起一個「大躍進」。

余小姐說：中共的所謂「三擺運動」，是要求各級黨，政，學校，工廠，企業及農村公社，把過去的「成績和經驗」以及「進步」（包括個人的和集體的）都盡量擺出來，以達到所謂「一人有功，衆人祝賀；一人進步，大家學習」的「生動活潑」的局面。

余小姐說：此一運動與過去不同的地方是：在批評別人或自我批評時，都祇能說出好話，祇能贊揚人家的成績；甚至還鼓勵人們在敘述自己的成績、進步和經驗時，不妨誇大。

余小姐說：中共這一「突然改變」的作風，大家都有着不知它在搞什麼鬼把戲的感覺，且耽心到頭來不知道那類人要遭殃了。所以他們，在「三擺」時，都至爲小心，敘述自己優點時，不單不敢誇大，而且還加上一句口頭禪——在「黨」和「毛主席」的領導下，我們才能取得如下的成績。因此中共企圖利用「三擺」運動以掀起一九六四年的「大躍進」似乎又化爲泡影了。因爲它已顯然流於形式。這當然是因爲中共整人騙人太多了，大家對於「大鳴大放」運動記憶猶新，誰亦不敢再領教「陽謀」，自討苦吃。

余小姐又說：中共在「三擺」運動的同時，又號召各級黨，政，學校，機關，抽調一部份勞動力，以支援農業的春耕工作。這一次的抽調可說是空前的。而又以學校爲主要抽調的對象。河源縣有幾家中學，最近就搞得「熱火朝天」。中共「要求」那些成績差劣，年齡較大的學生，要無條件的放下「個人主義」的思想包袱，做一個「毛澤東時代」的青年；另外，又對這些青年實行「不服從分配便不供應粮食」的毒辣手段，使那些可憐的學生不得不走向農村。據說河源縣在近兩月來，使有兩千多名不同崗位的人，走向「農業戰綫」了。（敬斯）

屏東六屆議長選舉
曾演綁架議員活劇

（本報屏東航訊）屏東縣第六屆議會正、副議長，於二月二十一日議員宣誓就職典禮中，在極度緊張的氣氛下，經過五十七位議員投票選舉產生了。

這次屏東縣正、副議長選舉，由於陳恒隆與李福隆的競爭激烈，在選舉前的會外活動，居然會經上演綁架議員的醜劇，其中到底有些什麼文章，當然祇可會意，而毋待言傳了。所以有人這樣說：這次議長的選舉，不管是勝利者，抑或是失敗者，却未見其光榮何在？以及正義何在？

據敏感人士的推測：由於陳恒隆的當選議長，可能成爲董錦樹違紀競選下（五）屆縣長的前奏曲。此說雖屬是推測，「道理」却是存在的。因爲陳、董二人，同屬林石城派是大家知道的，而況陳恒隆這次競選議長，事實上亦多得董錦樹、李世昌、葉慶源、黃宏基、黃振三等被認爲反對張豐緒的人士所助選得來的？

屏東地方人士中於是又認爲：陳恒隆既屬林派，如張豐緒將來果眞當選下屆縣長，則在府會合作協調方面，難免會發生問題，如此對縣政的推行，便有所阻碍，而影响於地方建設。但這一點，根據接近陳恒隆的人士的肯定答覆，乃是不必要的顧慮。其所舉理由是：①陳恒隆當選議員先後已歷四屆之多，他每在議會發言，以團結地方，協助縣政推行爲前提；如現任縣長李世昌原亦屬張山鐘派，陳恒隆就從未對李世昌有所攻訐。②陳恒隆於歷屆議員任內，從未爲選民及個人，向有關機關說過人情，要求過什麼事情。③陳恒隆爲人忠厚誠樸，向爲各議員及各機關主管首長所推重。④陳恒隆的父親陳坤治老先生，與張山鐘（張豐緒之父親）老先生私交甚厚，何致出此？

不管新任議長陳恒隆與極有可能當選下屆縣長的張豐緒彼此派系如何？個人立場如何？然而他倆同樣負有屏東七十萬縣民所賦予的四年施政使命，爲求地方建設，經濟繁榮計，爲縣民們一致的期望，他們放棄個人派系恩怨，同心協力，互策互勵，爲國家，爲地方，爲選民而和衷共濟，促進地方建設，而始不辜負屏東選民的神聖之一票。（袁文德）

監察院黃案調查報告
在台灣掀起軒然大波。
報紙見仁見智有的攻擊有的捧場
是是非非讀者可就事實自做判斷

（本報記者台北航訊）台北市長黃啓瑞涉嫌公車處囘扣案及市民住宅瀆職案等，經台灣高等法院與最高法院分別宣判黃啓瑞無罪確定在案後，監委陳訪先等三委員，於去年十二月十日監察院舉行第八二九次會議中提臨時動議：關於台灣高等法院審理台北市長黃啓瑞夫婦貪污瀆職一案，涉嫌違法枉法，影响社會政治風氣與觀感極大，迭經本院指摘，擬請推派委員二人加以調查，當否請賜決定案。大會決議：推黃寶實、陶百川二委員調查。

黃委員等二人，奉命調查黃啓瑞夫婦貪污瀆職之審判是否涉嫌違法枉法一案後，在限期兩個月內，即今年二月六日，向監察院院會提出調查報告。由於監院該次院會是公開會議，黃、陶二委員之書面調查公開報告後，在塲之各報記者因當日院會係公開會議，即要求主席發給該案之書面調查報告，經主席徵求院會同意後，記者們遂得人手一份，因而晚報得能及時將該案之書面報告全文公佈。而當日之晚報被搶購一空，足見民間對黃案之審判，是頗爲關切的。

我們不厭其煩地說明黃、陶二委員處理黃案調查報告的程序，完全基於新聞記者應有的職業觀念和責任感，希望讀者能從這篇通訊，完全明瞭此公案的前因後果。

報紙反應不一

監察院黃案調查報告公諸報紙後，此間即有兩極端的與論反映，仁者見仁，智者見智。有的說監察權之行使，不應該干涉司法權之行使；有的人甚至以「自由心證」爲論據，指摘黃寶實、陶百川委員之調查報告公佈爲違法行爲，並說監察院之彈劾枉法司法人員爲「第四審級」。如某大報的社論說：「司法官依職權所爲之審判，監察院不得以之爲彈劾之對象，否則即屬監察權侵害司法權之行使」；「馴至審判之是非不分，國家之法制動摇，淆亂人心，震動國本」。

而另一大報的社論則說：「我們深以爲：在司法風紀亟待整飭的當際，監察權的伸張，無論在『政風』的意義上，抑或在提高法律尊嚴的意義上，都毋寧是應予支持的。」

因此，本通訊就我國憲法所賦予監察委員的糾彈權與司法官應否受監察權的拘束？以及黃案之審判是否違法與自由心證等問題加以探討，是是非非，讀者當可就事實自己做出判斷。

監察權的行使

關於監察權行使的問題：中華民國憲法對監察院行使之監察權，明文規定：凡是總統依法任命之文武官員，無論中央政府及地方政府之公務員，監察院認爲有失職違法情事，得提出糾舉案，或彈劾案；而彈劾案之提出，須經監察委員一人以上之提議，九人以上之審查及決定，乃可成立。監察院對於司法院或考試院人員失職或違法之彈劾，監察委員有權調閱司法機關或考試機關的有關文件，提案糾彈。這些規定，在我國憲法「監察」一章內寫得明明白白，小學畢業生都看得懂，毋庸解說。

不但如此，憲法第二十四條更明白規定：凡公務員違法侵害人民之自由或權利者，不僅要負民事或刑事責任，被害人民就其所受損害，並得請求國家賠償。所謂公務員，當然包括法院法官在內。刑法第十條第二項說：「謂公務員者，謂依法令從事公務之人員」。而刑事訴訟法第二條所指「實施刑事訴訟程序之公務員」，即法官是也。如果「公務員」枉法失職審判，得處一年以上七年以下或三年以上十年以下之有期徒刑，亦爲刑法「瀆職罪」一章所明文規定，而非任何人得能變更這種規定。準此，監察權之行使，司法官爲當然對象之一，毫無疑義。

而且在過去，監察院對枉法裁判之司法官，亦都曾提案糾彈。如台中地方法院前檢察官胡經明承辦羅文煉被控盜伐保安林案，檢察官秦復鴻承辦黃枝玉被控恐嚇詐財案，因枉法裁判一案；該院前首席檢察官焦沛澍奉令再議羅文煉被控案，由於偵查不實，而被監察院糾舉（四二年四月十九日監台秘一字第五七七號）。台灣高等法院刑二庭審判長推事霍維四，推事夏華夏、楊萬選等三人，審理台中地方法院院長池彪僞造公文書一案，明知池彪爲有罪之人，而故意爲之袒護，駁囘上駁，不使其受處罰，違法瀆職，監察院依法糾舉（四二監台秘一字第八八八號）。台南地方法院前首席檢察官曹偉修對黃祺彼等被控侵佔公欵等案，有明知爲有罪之人，而無故不使其受追訴之罪嫌，監察院提案糾舉（監台秘一字第二一一六號）。（一）

從廢墟中建起金字塔
德國迅速復興的四大因素
——何培生寄自西德

德國不但絕少貪污，亦無假公濟私之事，顯要不能假公幹之名，自己或批准其心腹做國際或環球旅行；亦不得利用職權，安插親屬或心腹爲冗員；更不得利用權勢，送兒女出國留學；其家屬不得使用其職務上之公車，上街購物或外出旅行。前總理阿登諾會乘國防部飛機由波恩往漢堡競選，後遭各方攻擊，且見諸報章，謂競選乃爲黨，而非爲國，不應乘國家飛機，於此可見一斑。因其政治上絕少貪污及假公濟私之事，故其國家稅收，均取之於民，用之於民，毫無漏洞，雖戰後之龐大賠欵及社會支出（贍養孤寡殘廢，並安排歸俘，難民等），其幣制亦能穩定，且有餘力，以購買軍備，提前償還債務等方式，協助美英鉄諸國，平衡國際收支，穩定幣制，並援助各落後國家。其在國內，則低息貸欵予人民，建築房屋，舉辦企業，促成戰後之迅速復興。

（四）人民務實

德國人支出一分一文，均事先考慮計算，審其是否合算，於事有補。買一件較大用品（例如衣服、大衣、家具），數日前，即利用晚間閒暇，散步街頭，於各店窗櫥觀看比較，然後擇合算者購買。買時又反復查看該物有無缺點，化一分錢，買一分貨，不枉費一文。其購物之原則，乃經久耐用，美觀則在其次。衣服以布質堅厚爲主，家具以堅固爲主，實事求是，不好虛榮，不張門面。筆者之德國朋友中，不少富有之士，但却未見彼等用過一部美國汽車，一枝派克鋼筆；人謂此種「不購外貨」，是德國民族排外觀念所使然，但筆者則認爲是由於彼等自信心太強之故，彼等相信德國產品經久耐用，價錢又不貴，故購買本國貨物也。

德國人對房屋甚爲講究，住宅佈置甚好，但不注重「吃」。願化很多錢買好的家具，租好的房子，但却不願多化錢買口味最好之飲食。渠等認爲好的家具一身受用，飲食則一過口即消耗，雖工商鉅子，亦不花天酒地，請友人吃飯，以夠吃爲原則，且先計算用多少錢，絕不像我國請客之浪費。渠等認爲每一分錢，均要用得有意義，絕少揮霍。工商人士所賺之錢，繼續不斷投諸其本身企業，以擴大其範圍，鞏固其基礎，故工商人士，轉眼即窮困潦倒者，甚少見之。

此外，德國社會制度健全，人民以生命保險，失業保險，失業保險，疾病保險，養老金保險等方式，積錢防老，尚有餘力，則儲蓄於銀行，保險業及銀行業吸收資金，轉入工商業，促成工商業之發達，繁榮，造成今日之復興景象。

以上四點，乃筆者在德國十五年體驗之所得，認爲係德國迅速復興之主要因素。當然，仁者見仁，智者見智，各人以其觀點之不同，尚可找出其他種種因素。但筆者此種見解，相信不至爲人所否認，是敢斷言者也。（下）

號角

劉杰

除夕早上，我正在甜蜜的夢中，被號角驚醒了。

我是習慣於早起的。當我在晨光熹微中看到那號兵，在寒風中站的軒昂畢挺，一隻手握住號角，另一隻手垂在腿旁邊；嘴巴因吹號而鼓的大大的。

我被這工作着的畫像，深深吸引住。也使我想起一次最難忘的號角。

那是卅七年底，正是白雪紛飛，大地結冰的日子。我那時是排長。我帶的弟兄們駐在大關前的一個小村莊裏。

突然接到命令，要我們這個排立即戰備檢查，担任攻擊大關。

大關是在兩山之間。山上都有共匪把守着。這任務顯然十分艱鉅。

但軍人祇有服從命令，雖明知必死也亦不能不執行命令。

在早晨，我們這排就開始攻擊，彈如雨下。我們從山下面往山上面攻，地形對我們儘管很不利，却着着進展。但當攻到半山時，共匪的歪把機槍，把我們打的抬不起頭。

我還是下命令攻。

弟兄們對共匪的炮火，有點吃不清，個個臉上都有難色。但由於我的決心，他們還是支持下去。

有兩個班長曾悄悄向我建議：「等會再攻，不然——」我也在考慮着。

就在這時，號角響了起來，是在部隊的中間。聽到衝鋒號音，弟兄們都特別振作起來，接連幾聲：「衝」！「殺」！就又前進了一段路。

共匪的炮火亦更加強了。我們在炮火下，傷亡得很多。我們始就心我們再也衝不上去。

三個班長都悄悄要求轉進。

「不，」我命令着：「如果攻不上去，我們就要死在這裏！」

「排長……」

我把槍舉起來，班長們就不再說什麼。

但共匪的炮火確實猛烈得很，要向上衝鋒，確實幾乎不可能。

我突然看到一個影子在前面往上爬，但我看不清楚那是誰。

我極力想把他看清楚時，那影子接近共匪所在的高地上；他還是伏在地上，但又吹起衝鋒號來！

這一下弟兄們如服興奮劑，一鼓氣的往上衝。

共匪顯然沒有料到號角的巨大力量，就在衝鋒號中，我們把高地佔領下來。

共匪慌了手腳，紛紛奔逃了，我們達成了任務。

當我們清掃了戰場，班長報告我，說號兵還在高地上。

「把他請來！」

「他已經殉職了！」

我跑過去，他躺的直挺挺的，號角嘴還對住他的嘴巴，一隻手還緊握住號角。

他是在吹起衝鋒號時，被共匪殺死的。

在他身邊默禱了好幾分鐘，我才吩咐弟兄們把樹枝和花草都搬了來。把我排上的軍旗蓋在他的身上。

我們全排人都同意他是「最偉大的號兵」。

藝術叢談

抽象藝術漫談

趙雅博

一切的觀念，如果要將它抽到外面來，如果要使它脫離知力，脫離人的思想，而存在於外面的話，這個觀念，可以隨時隨地有更多的淨化，更多的洗鍊。從這個理論，或者說從這個在事實上看到證據的理論，我們可以看出觀念在藝術的表現上是有其止境，有其界限的。是的，觀念一轉移到實際上來，它要使用物質的材料，與物質相接觸，而物質是沒有辦法完全表達出我們那無形而精神的觀念的。因之物質的表現，準是有觀念的劣化的要減少或取消這個劣化，一定要時時提鍊。但是究竟提鍊到什麼程度呢？究竟能接近到如何的境界呢？我們需知精神與物質，事實與觀念的劣化或不相稱，乃是本質與整體的。物質的原素，在我們人類來說，不外是語言動作或形象聲音的東西，如果用它來表現事物的觀念，我們需知觀念乃是形式的標幟，而語言動作形象聲音不過是工具的標幟而已，二者不但不同，並且在本質上還是互異。為此在哲學中，我們可以說：物質原素在本質劣化觀念。實在，觀念在出離了悟性，穿上了表達的衣服，從自己一面，它能夠是為人認識的，可是一經露面，它便獲得濁氣，而失掉了清明，因此，縱然觀念在著作家或藝術家的腦海心智中，是光明清楚的，可是一經轉移到實際上，往往或陷入歧義之中。為在此藝術戰場裏，有一個長期的戰爭該打，那就是質料失敗的戰爭，這是說，用以表現形式的物質，應該常打敗仗，它愈發屬下於形式，愈是屈尊於觀念，愈是精鍊自己，便愈能使自己的表現能力高明，而至於終極。

觀念要用物質來表現出來，是不可避免的不相稱而劣化了觀念的，使用的材料愈少，語言愈少，來完成觀念的終極，其相稱的程度便愈加增。換句話說，就是使用的材料對觀念的表達愈發合宜，物質材料的表達能力，就愈為提高。從這裏我們也可以看出，在我們本質上有感覺性，本質上接近物質的人，要表達自己的觀念，又不能不用物質，物質對於人將觀念作一種美的表達，是不能不有，是不能取消的；但是一如我們前面所說精神或無形的觀念，根本與物質是兩回事，為此在表達上是有其基本的距離與缺點的。為此，在表達觀念美的程序上，一方面，不能沒有物質，一方面物質又不能全盡其質。這是說表達也是一部份，不能表達也是一部份；其能表達的，乃是透過有形，推知無形，透過不明而猜到有明。一個作者或一位藝術家，往往因為缺乏適宜的材料，或者在材料上有着不可戰勝的困難，因之不能紬繹出自己的感情來，用以表示心願的對象，也多次不能使他人感覺到我們的心願意慮。

藝術家們的一生一世，藝術歷史的整個過程，可以說都是在與這不可避免的物質方法來作戰。藝術的偉大與悲劇，正是在於這個不間斷的奮鬥，這種奮鬥的目的，是要藉着精神來挽救物質，藉着物質來提高精神。這樣說來，物質的使命有二：一方面，物質（材料，語言，顏色，畫布）使作者或藝術家的觀念表達，成為可能的！當然我們也要知道，這一物質的表達是要犧牲觀念的原始清純與光輝的；另方面，物質的作用則是限止住觀念無限與無量的美的可能性，而使它定於一範，賦給這無量美的可能性之一的一個個體特徵，使這個觀念或題目成為唯一的範本。只有一個形式，被唯一的，特殊的，特別表徵的材料所接受，這種接受是假於藝術家的手。

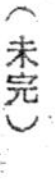

（未完）

嘉莉的日記

汶津

十月三日，星期五

他今天請假！一星期才兩節課，還偷懶！也不像是生病，前天還好好的嘛。事假吧，哼，也許是有約會！

那一堂課我用紅筆劃歷史書上重要的地方，一面回想他講每一段時的神情。倒也蠻有意思的。

十月十日，星期五

，這一陣放假眞多！多放掉兩堂數學，理化最痛快了；可是今天連歷史也放掉了，眞沒有意思。禮拜三上歷史課的時候，我還是不大敢往前面看。有一次偷偷向黑板望去，却接觸到他的眼光，我趕緊低下頭去。我有些心虛。

這幾天不知怎的，日記也停了幾天沒寫了。

十月十二日，星期六

晚上九點多放學回家，媽正在客廳裏和爸爸聊天。我放下書包，坐在一旁聽。是說的報上的一條怪新聞，一個十六歲的男孩刺傷了一個十五歲的女孩。太保、太妹嘛！

「嘉莉，你聽聽也好！」媽回過頭來對我說，「在你高中畢業以前，我一定不許你交男朋友！」

「我永遠不交！」我大概就是喜歡和媽抬槓。

「做尼姑？」

「做修女！」

「好，到時候爸爸送你去看『修女傳』。」

爸爸最壞了，去年他帶我去看「修女傳」回來的路上，就問我羨慕不羨慕那位女主角。

「先謝謝我的好爸爸！」

我一轉身進房間去了。

十月十三日，星期日

讀夜間部眞倒楣！禮拜天還得上課！

想到昨晚的事，我就不禁笑媽媽的頭腦落伍了。我們班上還算好的呢，可是我就知道有不少人跟男生有「往來」——「往來」是很含蓄的字眼，誰知道她們背着人搞什麼鬼！

最看不順眼的就是崔荷香了。今天下課時間又看到她在走廊上跟一個走過的男生眉來眼去。簡直不害臊！眞想在週記上來一下「春秋之筆」，又怕人說我多管閒事。

十月十四日，星期二

那些男生簡直讓人噁心！自己乳臭未乾，還像煞有介事呢！尤其是在公共汽車上講那些髒話，簡直丟盡人了！我用兩根手指塞住耳朵。男人（爸爸當然不算）就沒有一個乾淨的！

上歷史，他倒沒有說過什麼不中聽的話。只有一次，他說海倫是特洛戰爭的導火線，「所以後來有人說：女人是戰爭的起源。」大家迫不及待的齊聲抗議起來。我們很佩服他的鎮定：「不必抗議，這話也不是我發明的！」反正男人總是會替自己辯護的。

十月十七日，星期五

今天他新理了髮，大家相視而笑。我現在覺得他有些怪。為什麼老向我看呢？我又沒多長出個腦袋來？

難道拿我作陳芳華的……

……？該死！

（三）

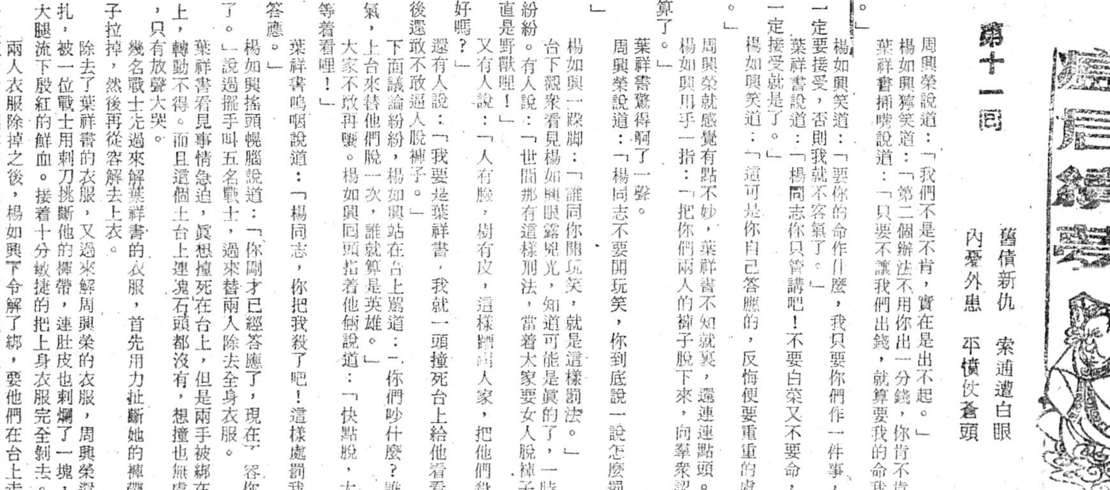

第十一回　舊債新仇　索通遭白眼　內憂外患　平憤伎蒼頭

周興榮說道：「我們不是不肯，實在是出不起。」

楊如興獰笑道：「第二個辦法不用你出一分錢，你肯不肯？」

葉祥書插嘴說道：「只要不讓我們出錢，就算要我的命我也肯。」

楊如興笑道：「要你的命作什麼，我只要你們作一件事，你們一定要接受，否則我就不客氣了。」

葉祥書說道：「楊同志你只管講吧！不要白榮又不要命，我們一定接受就是了。」

楊如興笑道：「這可是你自己答應的，反悔便要重重的處罰了。」

周興榮就感覺有點不妙，葉祥書不知就裏，還連連點頭。

楊如興用手一指：「把你們兩人的褲子脫下來，向羣衆認罪就算了。」

葉祥書驚得啊了一聲。

周興榮說道：「楊同志不要開玩笑，你到底說一說怎麼罰吧！」

楊如興一跺腳：「誰同你開玩笑，就是這樣罰法。」

台下觀衆看見楊如興眼露兇光，知道可能是真的了，一時議論紛紛。有人說：「世間那有這樣刑法，當着大家要女人脫褲子，簡直是野獸哩！」

又有人說：「人有臉，樹有皮，這樣糟蹋人家，把他們殺了不好嗎？」

還有人說：「我要是葉祥書，我就一頭撞死台上給他看，以後還敢不敢逼人脫褲子。」

下面議論紛紛，楊如興站在台上罵道：「你們吵什麼？誰不服氣，上台來替他們脫一次，誰就算是英雄。」大家不敢再嚷。楊如興回頭指着他倆說道：「快點脫，大家都等着看哩！」

葉祥書嗚咽說道：「楊同志，你把我殺了吧！這樣處罰我不能答應。」

楊如興搖頭幌腦說道：「你剛才已經答應了，現在不容你反悔了。」說過擺手叫五名戰士，過來替兩人除去全身衣服。

葉祥書看見事情急迫，眞想撞死在台上，但是兩手被綁在木樁上，轉動不得。而且這個土台上連塊石頭都沒有，想撞也無處去撞，只有放聲大哭。

幾名戰士先過來解葉祥書的衣服，首先用力扯斷她的褲帶把褲子拉掉，然後再從容解去上衣。

除去了葉祥書的衣服，又過來解周興榮的衣服，周興榮還想掙扎，被一位戰士用刺刀挑斷他的褲帶，連肚皮也刺爛了一塊，順着大腿流下殷紅的鮮血。接着十分敏捷的把上身衣服完全剝去。

兩人衣服除掉之後，楊如興下令解了綁，要他們在台上走三轉給大家看看。葉祥書首先蹲下去，兩名戰士又把她拉起來。葉祥書趁勢在地下檢一張破報紙遮住下體，又被戰士們劈手奪過去。

（二八六）

烏龍院裡話田余

谿公

誰都知道「水滸傳」中「宋江怒殺閻婆惜」，戲名兒叫做「烏龍院」的，是個精彩的摘曲，也是生旦丑合演的好戲！那裏面包括「宋江鬧院」，「坐樓殺惜」，「活捉張三」（按此節書中無其事，戲中演之，則頗動人，亦勸善懲惡之意也。）等折；但在他（她）們貼演時，泰半只演「鬧院」，至多亦不過演至「殺惜」，至於「活捉」，大多另作一回！很少有一次演全的。

考其原因，蓋在於時間甚長，角兒太累，是以分日演之。

惟老名旦田桂鳳每演必全，從不肯掐頭去尾！和他合演的生，丑，見他如此賣力，也只好勉爲其難。

但這是說他中年以前的事；及至年力就衰，嗓音失潤，唱工遠不如前，也只好避重就輕，隨着大衆去掐頭去尾；儘管這樣，他的一舉一動，一字一腔，仍足爲後學示範！這是誰也不能否認的。

梨園行的朋友們嘗說：「十生易得，一淨難求」！那個意思就是說大面難唱，比生角要難的多！其實唱大淨的只要有一副闊大嗓門，有炸音又有狠勁，加上相當的工架做工，沒有不成名的！

倒是花旦一角，非常的難唱！因爲他是扮演潑辣淫蕩婦女的旦行之一，但與青衣，刀馬，和武旦各各不同。

原來青衣以誠靜端莊爲主，花旦則應以輕盈活潑爲主，文靜殊非所宜！而且名是「重做不重唱」，實際上唱也不輕。例如「探母」的鐵鏡公主，你若沒有相當的唱工，頂得住嗎？

刀馬旦名爲刀馬，其實扮起女將來，止於做一點升帳閱兵，跨馬出戰，彎弓射敵等「身段」，至「開打」時，大多是來一個「么二三」一個「過合」，再來一個「么二三」也就完了。花旦卻要眞實的跌撲功夫！如扮「虹霓關」之東方氏，於被刺時，要能從帳中竄出撕個「一字」，接着空手與持刀之王伯當性命相撲；這若沒有地道的武工，如何能做得到？

但他這武工，又與武旦的不同！因爲武旦是以「交手」（空手爭鬥）「對壘」（器械交戰）和「打出手」（即與對方互將所持之兵器拋擊敵人，而接敵人拋來之兵器輪換作戰。）爲能的；花旦則不用這些，祇於某些情況下，運用跌撲騰挪的軟硬武工！特別要有一副美麗的「扮相」，以及各種「走漏」的「身段」；要想適合這許多條件，你說容易不容易呢？（一）

附啓：婆婆生先生之「劇氛縹渺錄」續稿未到，暫停一期，俟稿寄到即續刊佈。　編輯部啓

補天

漁翁

天可補，海可塡，南山可移，此類故事，散見我國古籍者，不一而足。在科學昌明之今日，移山塡海，已成家常便飯，等閒均可付諸實施；惟補天一幕，尚在縹渺虛無中。

周禮：「天有時以生，有時以殺」。朱子：「三辰失行，則必天翻地覆」。淮南子亦云：「往古之時，四極廢，九州裂，天不兼覆，地不周載」。是則天有時而窮，地有時而盡，不能覆載，故有天穿與地裂之說也。

相傳天穿而補之者，女媧也。女媧爲上古帝伏羲氏同母女弟，三皇時，天不足西北，乃鍊五色石以補蒼天，斷鼇足以立四極。鼇爲大龜，天廢頓，以鼇足柱之，即楚詞鼇戴山抃，其何以安之是也。

可是，天非玉石之質，女媧長不及天，豈得補之！見論衡。惟列子湯問篇革言，張湛注云：「陰陽失度，三辰盈縮，即是天不足，女媧鍊五常之精，以調和陰陽」。言之尚屬近理。

考天穿節日，各書所載不同，拾遺記曰：「江東俗，正月二十日爲天穿日，以紅縷繫煎餅投屋上，謂之補天穿」。李白詩：「一枚煎餅補天穿」。廣東花縣志：「正月十九日，烙糯粉爲圓塊，加綫穿其上，謂之補天穿。」廣東郝通志所載亦然。明韓汝慶朝邑縣志：「正月二十三日，置煎餅屋上補天，是日仍不得食米」。又荊楚歲時記：「江南俗，正月三十日爲補天日，以紅絲縷繫煎餅置屋上，謂之補天穿」。與拾遺記大同小異。而蘇軾亦有「一枚煎餅補天穿」之句。凡此，雖記日各殊，而用絲繫餅於尾上以紀念此一節令則一。

古以立春，驚蟄，雨水，春分，穀雨，清明，爲春季之節氣，至漢改爲立春，雨水，驚蟄，春分，清明，穀雨，則雨水改早十五日，穀雨改遲十五日。自正月中氣至二月節氣，爲今古雨水之日，故正月十六日至二月一日，皆可謂之天穿。而宋代以正月二十日爲天穿，二十一日爲穿地，亦祝雨水屋無穿漏之意耳。

今俗以正月二十日爲天穿節，女子於是日用針穿耳，見龍頭谿語。按古穿耳施於蠻夷所爲，中國人尤而效之。三國志注：諸葛恪曰：「母之子女，恩愛至矣，穿耳附珠，何傷於仁」。杜甫詩：「玉環穿耳誰家女」，則穿耳始於漢代，而以正月二十日之天穿節行之，由來已古。女媧氏補天故事，口耳相傳，人所樂道。詩人李白蘇軾又從而歌詠之。當然道是神話，茫茫霄漢，天倘可補，世間那裏豈區區一枚煎餅可以補得了？但這種神話，比如今之消滅赤禍，光復神州，力能鼓勵人羣之進取心，則是眞的。之功業，亦有志者事竟成也。（本文完）

鷓鴣天　有感寄懷復紓兄

黃伯遠

未投地獄難成佛，已到蓬山總算仙。百歲不歸華表鶴，千春誰貸杖頭錢。君莫笑，我依然；文章活命亦因緣。蠅頭換來絲絲血，只歎人謀莫恨天！

又

求賢求官非所宜，名山名世亦懷疑；老生談義人誰聽？匹婦言貞世不奇。神留未可，去安之！爛柯山上看殘棋。神仙也是無聊賴，一樣飢疲一樣痴。

我的社會生活

雷嘯岑

江陵縣有一項幷非取之於當地人民的地方附加稅，旺季每月可收到現洋四千元以上，淡月亦有兩千元收入。這筆稅收，名義上是作地方團隊的薪餉補助，實際百分之九十都歸入縣長私囊，而且早已經過省府核准有案，又由蔣總司令重新審核，准予照收的，那就是四川方面運出來的鴉片烟，通過沙市時，繳納附加稅後，方許放行，由縣府直接派員稽征。我翻閱縣府舊卷，發現歷任縣長呈報省府的收支表冊，最多只說每月除了團隊津貼外（實則幷無其事），剩餘五百元作縣府行政費。當時我很詫異，偌大的一筆金錢，何以省府置之不問，任由縣長吞沒呢？曾跟沙市商會會長何瑞麟（江西人）談及此事，他說：「這是公開的秘密，此項稅收作爲縣長私人的應酬費，歷來如此，大家都知道的。」我說這明明是貪汚，地方人士應該告發才對。何君笑道：「專員，你放心，決不會有人多事的。」我派員征收了兩個月，總覺得收受這種非份之財，大不應該。不啻是公然貪墨行爲，而要求各縣同寅實行廉潔政治，自身乃不廉潔若是，寧非笑話！旋將這項稅收交給江陵縣財務委員會經理，作爲興辦地方公益慈善事業之用，保安隊的薪餉已有的欵，幷不需要津貼！但昭告地方人士，務必好好經理，涓滴歸公，每月向縣府列報收支實況，若發現有舞弊吞沒情形，我一定槍斃人，決不姑寬。地方紳衿聞之皆大歡喜，錫我以「廉幹」的評語，我自己亦就感到心安理得，無所愧怍了。後來蔣總司令會經兩次通令剿匪各省區嘉獎我，指出我整理地方團隊與地方財政皆有成績，又每月增加我個人的薪俸四百元。大概我不貪圖上述這筆可以中飽的巨額金錢，多少亦有點關係吧？我不要這筆錢，到今天亦未餓飯，要了這項偏來之物，或許還會造出一些罪惡來，亦非意外之事。古人說：「天生我才必有用，千金散盡還復來」，又說「子孫如其賢，要錢幹甚麼？子孫如不賢，要錢幹甚麼？」我平生最服膺這些話的義理，認爲是透闢精湛的人生哲學。然社會上隨時見到貪官汚吏東窗事發的案情，犯之者又多係有智識的士大夫，不亦怪哉！

民國廿三年四月，蔣委員長在南昌行營召集剿匪區域內的十省府秘書長，各廳長，各行政督察專員，舉行會議七天。我在會議期間，接得江西省主席兼行營辦公廳主任熊式輝先生的通知，定期邀赴他的公館早餐。我跟他素無往還，過去知道他在上海警備司令任內與其老長官李協和先生反目交惡的情節，頗不謂然，這次在南昌又聽朋友說，他提倡「用人必疑，疑人乃用」的政治哲學，尤覺駭異，因而對於他的禮遇欵待，不無受寵若驚之感。旋據老友陳[illegible]汀兄透露消息，熊主席要在各省行政專員之中，物色一位民政廳長。[illegible]汀兄且以半開玩笑的神情語我道：「老兄，你很有希望！」我苦笑而已。（卅一）

談吃飯的常識（續）

黃葉村人

我到過江西的贛州，寧都，南城；以及龍、虔、定三南。尤其在龍南住有半年之久，那裏的人，多數是吃「炊」的飯。福州人也喜吃炊飯。在厦門的一些福州人，他們所經營的旅館、飯店，也都是用大鑊炊飯。什麼叫作炊飯呢？把米先放在大鑊煮到八成熟，然後用細眼鐵絲罩撈起，倒入一隻圓型高筒子的木桶內，加上了蓋，再放在大鑊，外加水蒸熟便成。吃這樣的炊飯，有好處，也有壞處。從好的方面來講：先煑後炊，用閒接的火，使飯成熟，沒有火氣；這是好的。早上煑一次飯，午、晚再一炊便可吃，而不必三餐皆燜，省工慳力；這也是好的。還有：吃炊飯，剩下來的冷飯，放在大竹箕上攤開，第二天仍可再炊！也沒有飯焦的損失。

若從另一方面講：一、在大鑊煑到八、九成熟，米的精華已全在米湯裏，這在營養上，是炊不如燜；所以，吃燜飯可捱六點鐘，而吃炊飯只能忍四點鐘。這是最明顯的對照。其次，炊飯固然可以省回不必損失的損失，諸如飯焦、冷飯等。但，柴要多燒，一日一煑三蒸，時間也是一樣的長。尤其小家庭，兩口子，大都市，普通房屋，寸土尺金，更沒有大廚大灶，給你炊飯；所以，時到今天，炊飯已逐漸的淘汰。但在往時，煮飯還是以炊爲正宗；例如俗語所說的：「巧婦難爲無米之炊」。他不曰：「巧婦難爲無米之燜」，即此理也。

花香月上樓小品

閩南人，如泉州，漳州，厦門，經常都是兩粥一飯。朝吃粥，午吃飯。吃粥省饌，吃飯則非有魚肉菜不可！不過閩南人所吃的粥，是熬得像「燜頭飯」一樣的。不像廣東人的粥，只是米湯和糜沫而已。故粥又叫作「稀飯」。外省人之通稱也。自由報讀者葛文俠先生，把稀飯譯作廣白的「屈股」，可謂「妙語解頤」！蓋粵語稱屁股爲「屁弗」；弗即窟，即藏便的地方也。以屁弗爲稀飯，和以「奴爸」爲「郎罷」，同有「異曲同工」之妙也。又：廣東人稱大便曰：「出弓」！人多誤弓爲恭，或曰「出恭」；其實皆誤也！蓋古以「弓」爲「矢」！故將軍有「一飯三遺矢」之譏。廣東人是專好找字風的，你們說：矢是屎！我便以弓代矢，更爲別致也。此出弓之典實也！其然？豈其然耶？附此作結，以博一粲。（本文完）

訪問美國議會的觀感

陳翔冰

最後依據憲法第一條第六欵，議員如不因叛國等重罪，不能加以拘捕。並規定：「議員在兩院議會內任何言論或辯論，不受外界審問」。因此法院對控告議員在議會內所爲之言論，即有觸犯刑法之處，向不予受理。惟依憲法第一條第五欵，則須受議會本身之制裁，該條欵云：「各議院規定各該院之議事規則，處罰各該議院擾亂秩序之議員，並得經全體三分之二以上議員的同意開除之。」

美國各州議會亦採兩院制，大體與國會相同，如州參議院之主席由副州長兼任，臨時主席由議員選出之；州衆議院議長由議員選出，而議長可以指派議員主持大會。其中惟尼布拉士加州，議會爲一院制，仍名參議院，而無衆議院。其制度與參議院無異，不特簡便節省經費，而且廢除政黨對立制，而以議員個人爲本位，所以會內無政黨領袖。

二、美國地方自治的體制

美國地方自治的體制，大約可分爲三種，就是議會委員制，議會經理制及市長議會制。其中市長議會制又可分爲權大市長制和權小市長制。以上三種體制是州以下的自治體制，最爲分歧。但是欲窺美國議會政治的全貌，則不能不有所了解。

（一）議會委員制

議會委員制係合立法與行政爲一體的制度，宜於小市鎭。通常由民選委員五人組成委員會，其中一人爲市長兼委員會主席。所有地方政事，俱由委員會議決執行之，無立法行政的分別。執行責任則由五個委員共同負責。所謂市長形似一名譽首長。這種制度，雖淵源於英國，其制度實至一九〇〇年始成熟及確立。

（二）議會經理制

議會經理制爲美國所首創，其制以議會爲地方的統治機關，不但有立法權，且有行政權。市議會由市民選出三至九人爲議員，互選一人爲市長，不負實際行政責任，而另聘一有才能，有經驗的專才爲經理，掌理行政事務。（五）

內僑警台誌字第〇三號內銷證

自由報
THE FREE NEWS
第四二三期

中華民國僑務委員會核發 台僑新字第三二三號登記證
中華郵政台字第一二八二號執照登記為第一類新聞紙類
每份港幣壹角 台灣零售新台幣貳元
社長：雷嘯岑
督印人：黃行富
社址：香港銅鑼灣高士威道二十號四樓
20 CAUSEWAY RD 3RD FL. HONG KONG
TEL. 771726 電報掛號：7191
承印者：四民印刷廠
地址：香港灣仔高士打道一二一號
台灣分社
台北市西寧南路壹壹零號二樓
電話：三〇五四六
台郵帳戶二九五二

監察院彈劾四推事案平議

·李聲庭·

監察院於二月八日發表陶百川、黃寶實兩委員的調查報告，其中指出最高法院審判長推事陳綱、推事廖源泉，台灣高等法院審判長推事陳思永、蔣伯邪，先後主持審理黃啓瑞等涉嫌台北市市民住宅瀆職案，庇縱罪犯，有辱職守，應予彈劾。這一調查報告經監察院於二月二十四日審查成立，提案彈劾，移送公務員懲戒委員會依法懲戒。

由於這一案件的重大，便發生了許多爭論。

第一是憲法上的問題。我國憲法第八十條明文規定：法官須超出黨派以外，依據法律獨立審判，不受任何干涉。這一條是保障司法審判案件的獨立。但法官的獨立不是無限制的。第一他要超出黨派以外。第二他要依據法律。如果有法官，他的黨性高於一切，凡與其所屬黨有牽連的案子，他便發揮他的堅强的黨性；這時他的獨立性便喪失了。最重要的還是他要依據法律。如果有位法官，他存有偏心，或持有成見，或想邀功貪賞、有所希冀，或出賣情面，或受人囑托，或甚至納賄圖利。這時候他的獨立性也喪失了。這些因素，在通常情形之下是找不出確切而直接的證據證明他何以枉法裁判的原始動機的，那末只有調查他所主審的案卷了。這便牽涉到「自由心證」的問題。

第二是刑事訴訟法上的問題。我國刑事訴訟法第二百六十九條規定：證據之證明力由法院自由判斷之。這一條文賦予刑庭推事取捨證據之權非常之大，失出失入可以漫無標準。但推事運用這一條的權力時，也有一個大前提必須嚴守：即拿出良心來。如果是憑良知與良能，以及人類同情心與厚道而自由取捨證據，那末刑事訴訟法這一條所賦予推事的權力算是達到了立法的目的。但如果有位法官，他的黨性堅强，凡對黨有利的證據，他便自由心證取之；凡對黨不利的證據，他便自由心證棄之。或者說：他存有偏心，持有成見，想邀功貪賞，有所希冀，出賣情面，受人囑托，甚至納賄圖利。這時候他的所謂自由心證便靠不住了。（此處所謂有所希冀，是指推事想升庭長，庭長想升院長，地方法院推事想升高等法院推事，高等法院推事想升最高法院推事，最高法院推事想升大法官、司法部長及其他更大的官）

第三是判決錯誤的問題。如果法官沒有上述各種不公正的態度，確實秉良知良能，自由心證的取捨證據來判案，原則上是不會發生多大錯誤的。但一個人的天賦、環境、教養、信仰、性格、學識、經驗等總不能完全與外界的事物合得上。因此，審判案件便免不了有錯誤。這種司法上判決錯誤（無心之失），是有救濟方法的，即上訴。審理這類上訴案件的人數總是多數，即由三人審理。如果案件重大，還可再上訴，這時上訴審的人數增加到五人。這是指無心所引起的錯誤判決的救濟方法。如果有位推事，因為他的天賦、環境、教養、信仰、性格、學識、經驗等不能與外界事物完全合得上而生的錯誤，即他的自由心證發生了問題，因此取捨證據便與外界事物發生偏差，這種錯誤是不負責任的。因為有上訴的救濟。但是，如果有位法官的自由心證，取捨證據不是由於這些原因；而是由於前面第一、第二兩項所述的不公正態度。在這種情形之下所造成的錯誤判決便叫做枉法裁判，上訴審是查證不出來的。如果這些錯誤發生於最終審，更無法可以救濟。豈不是司法變成了這些人利用作為拍馬屁，賣人情，升官發財的敲門磚了嗎？為了防止這些人為的有心的錯誤發生，和阻止以後再度發生，便設有救濟方法，即監察院的彈劾。

如果說，監察院對推事的不公正態度審判案件是第四審，是干涉司法；那末憲法第九十七條第二項規定：「監察院對於中央及地方公務人員，認為有失職或違法情事，得提出糾舉案或彈劾案」便落空了。法官判案如果有失職、違法情事，監察院由憲法賦予糾舉彈劾之權。法官果有違法與失職情事，監察院出面調查，怎麼可以亂指為第四審，干涉司法呢？這裏必須提醒大家的是：監察院對法官提出糾舉案或彈劾案，乃是因為法官於審判案件時有違法或失職情事，而不是因為他犯罪。憲法第九十七條第二項最後有規定：如涉及刑事，應移送法院辦理。有人不明白這一重點，也不懂美國的憲法，却妄指「今後對於法官應否彈劾，惟一應改進的，應先由法院確定原為裁判的法官是否犯罪，纔不因彈劾權的行使，而致侵害司法認定犯罪的權限。」這種說法，完全誤認彈劾為刑事處分。憲法第八十條規定：法官為終身職。非受刑事或懲戒處分，或禁治產之宣告，不得免職。此處懲戒處分是指監察院提出彈劾案，經公務員懲戒委員會依法懲戒而言。此人又誤述美國對法官的彈劾案是「其審查情形，却是先決定有無犯罪，而後決定應否彈劾」」事實上，美國衆議院於一八〇三年對地方法院法官皮克林提出彈劾案的理由，是指他在審案時在酒醉狀態中，同時出言不遜。一八〇四年衆議院提出彈劾最高法院推事蔡斯時，是指他於審理當時的叛亂案件時，失了公正的立場，以及他曾指摘國會廢止巡迴審判制損害到法官的獨立和他曾公開演說攻擊過現任總統。這兩件有名的彈劾案都不是因被彈劾的人有犯罪嫌疑，而是他們的言語和行為不當，以及審理案件時態度不公正。監察院對法官的彈劾案，盡情指責法官違法是對的。因為憲法賦予監察院的權力是只能彈劾公務員的違法或失職；如有犯罪嫌疑，便應移送法院辦理。自己的觀念混淆不清，反說監察院將違法與犯罪同視，觀念已有混淆。這眞是笑話！同時監察院提出彈劾案是移送公務員懲戒委員會依法懲戒，而公務員懲戒委員會所依法懲戒的法，是公務員服務法第一條至第二十二條所規定的各款，及公務員懲戒法第二條所規定的：公務員有左列各款情事之一者應受懲戒：一、違法。二，廢弛職務或其他失職行為。如果這些區別都弄不清楚，自然就可以認為監察院不對了。

由於這個彈劾案而發生了一些不必要的糾紛：

一、監察院的調查報告發表後，最高法院推事陳綱及廖源泉，公開向報界發表談話，指摘監察委員違法。而所指摘的並不是針對調查報告書的內容，却節外生枝的說調查報告不應當對外宣洩（誤指調查報告為彈劾案，可見其心虛；同時也證明兩推事的自由心證能力確有問題）反控監察院違反監察法第十三條之規定。正如有警察抓現行犯時，現行犯不辯說自己未曾犯罪，却反說警察犯罪，以圖掩飾自己的罪行，或者想借此轉移輿論界的注意力。其次，自由心證應在法律範圍之內取捨證據，方不致受人指責即憲法所定「依法獨立審判」。如果只獨立而不依法，便不能排斥享有憲法上的監察權的干涉。而且這種干涉，不是干涉審判的進行，而是事後追究有無違法失職情事。基於這一點而論，兩位最高法院推事對法律的見解確有商議之處。

二、立法委員依憲法第五十七條之規定，有向行政院長及各部會首長質詢之權。憲法規定質詢的對象是行政院的施政。對於監察院的提出彈劾案是不在質詢範圍之內的。如果徒逞意氣，濫用質詢權，想給予監察院以打擊，那是不智而可笑的，希望以後立法委員先研究憲法第五十七條的文字與精神再說話，免得我們這些納稅義務人看了傷心——傷心的是立法委員居然有不懂憲法的！

政府機關報對立法委員這種超出憲法職權的質詢，居然不惜篇幅全文刊載；更令人墮入五里霧中。此外，二月二十日司法大廈內出現署名「全體司法同人告發」的鉛印「刑事告發狀」，其中指監察委員「既享國家豐祿，而居心叵測，處處以破壞政府為能事，甚至高唱民主，攬權其實，更不惜以共匪「鞭屍」之清算鬥爭手段，打擊政府忠貞人士。」這些話眞是無聊到了極點，如果眞出於司法同仁之手，則司法界太可怕，也太可悲哀了！

（二月二十六日於東海大學）

附啓：本期頭條論文字數較多，為使讀者得窺全豹，短評之「自由談」暫停一期。·編輯部啓·

這是絕症麼？

他說：向資本主義學習

今日與明日

樸素的幼稚病

美國當局表示擬轟炸越北的共軍基地，而中、俄共即囂然指摘抗議，說是將引起大戰。如是乎，美總統詹遜急忙聲明決無此事，只希望中共勿以武力支援越共而已。這眞是超級的樸素幼稚病，可憐亦復可哂！

軍事行動貴乎機密，如果眞有進攻越共基地的決策，那就不宜事前曉曉譁炸；既是一句空話，而敵人聞之已驚懼失色，那就讓敵人去猜好了，夫是之謂「心理作戰」，又何必信誓旦旦地加以否認？難道一句空話就會招致俄帝的洲際飛彈襲擊到華府來不成麼？

美國的政治人物喜歡高談「嚇阻政策」講甚末「雙料報復主義」，大言炎炎的結果，只見自己隨時隨地被敵人嚇阻得退縮不迭，而自由世界乃在美國的「雙料報復主義」之下，斷送了不少的地區。越南乃至整個東南亞區域之淪於赤化，祇是時間問題罷了。嗚呼哀哉！

駐日使節的人選問題

中日邦交在最近的將來，大概是要恢復正常狀態了，新任駐日大使的人選問題，值得特別注意。

歐美各國對於駐外使節的銓衡，其愼重周密的程度，比在國內的任何政務官尤為考究。咱們却不然，一般「使於四方」的外交官，不是老油條式而暮氣沉沉的「營混子」，便是在國內不受歡迎信任的謫遷之士，今日在外交上所受到的挫敗，由來者漸，非偶然也。

未來的駐日大使，其人選條件必須以外交作用為標準，為事擇人，再不好隨便了。或徵辟一位在日本社會上具有若干潛在影響力的知名人物，或遴選一位在外交界素著聲望、且有肆應之才的賢士大夫，二者必居其一。至於大使館內那些不懂日本語文的高級幹部，尤應實行大掃除，全部撤換掉，而使才智之士承其乏，外交部那種所謂「內外互調」的閉關主義的人事系統，更非打破不可！

還有關於國民外交工作的「中日合作策進會」，我方的代表亦應重新遴派，一些毫無學識能力，又不懂一句一字日本語文的官僚份子，不好再濫竽於其間了。

這樣，中日外交前途，今後或許有若干好轉的希望，否則咱們祇好等着吃更大的虧，嘔更大的氣罷！

兵役疑問

內政部長連震東報告中華民國政府在台灣實行兵役法，成績優良。這是可鑽的消息，筆者在八年前曾於台北親見壯丁奉命入伍的情況，台省籍的適齡壯丁，沒有一個不應卯的。

可是，現時居留在台省境內的二百萬以上的內陸各省人士，他們的子弟是否都在兵役年齡之內，依法服役而無逃避的行為呢？殊堪疑問。我們盼望兵役機關切實考核，嚴令執行，以符憲法的規定纔是。

來函照登

（一）

逕啓者：頃閱貴報三十五年二月十五日報導高雄地方法院李首席消息，內涉及醫師界事實兩項，甚有出入，事關高雄市全體醫師清譽，情難緘默，特說明如次：（一）查吳天授醫生之醫療糾紛，因憫其病死家屬貧寒，黃口稚子，衣食無依，本於人道立場，由本會有關會員決定，除吳天授有無過失責任已由法院偵辦，聽候明斷外，先給予死者家屬撫慰金，以期安生慰死，既非由人强迫，更非可得恐嚇；（二）高雄地方法院首席李鐘聲氏，於去年醫師節在會上致詞，全部言詞有五十二年十一月十三日台灣新聞報刊載，閱讀全文，對本市醫師界並無過譽言詞，近年以來，本市醫師確未因醫療責任而被追訴事實。乃心懷叵測之徒，佛頭著糞，聞之於貴報，妨害本市醫師界信譽，用特聲明如左，敬祈惠予披露，以正視聽爲感。順頌

撰安

高雄市醫師公會敬啓

（二）

自由報社編輯先生惠鑒：

頃閱貴報五十三年二月十五日刊載本處李首席新聞，殊與事實不符。李首席自五十二年二月到任以來，銳意革新。經查所謂「檢舉人高雄縣市農工商各界負責召集人林立等」，純屬捏名。茲因所謂檢舉書捏詞欺世，說明如下：

一、我國法制，凡被告經檢察官提起公訴，由法院爲有罪與否之判決，任何人不得預加論斷，影響審判獨立。高雄縣長余登發瀆職案，經本處承辦檢察官提起公訴後，李首席答記者訪問稱：余某有罪無罪，應由法院審判。非可强解爲倡論廢除檢察制度。

二、高雄醫學院糾紛，事關教育行政，現已協議解決。國內報紙報導雙方爭論基金保管及財務處理當否，並未提及兵役字樣。本處蒐有資料處理中，如涉違法情事，當然依法檢舉。

三、吳天授醫師同情死者葉清覩遺孀身孕待產及孤兒二人，給予四萬元，是他們雙方的事，死者家屬並不犯罪。該醫師有無刑事責任，函請台灣省醫療糾紛鑑定委員會鑑定中，本處有卷可稽。檢舉書所謂全省各報刊載醫師被迫，醫師界譁然，均出虛構，此有當時（上年十月間）各中、英文報紙可證，尤有台灣省醫師公會或高雄市醫師公會可詢。

四、李首席上年十一月十三日在高雄市醫師公會慶祝醫師節紀念大會致詞，其中有云：就任以來，高雄市醫師未有因醫療糾紛被提起公訴者。是根據本處辦理案件統計資料，以讚揚高市醫師界。

五、本處修建偵查庭、辦公室等，呈請上級撥有專欵，依照會計法令收支，絕未强向商人攤派。當前我國厲行法治，寧有可能？

上述，攸關本處信譽，國家法治。敬請賜予刊載更正，以明眞象。並頌

撰祺

台灣高雄地方法院檢察處

書記室敬啓

法國僑民敘述中國大陸近況

人民常以樹葉充飢　共黨強迫婦女避孕
共酋們的生活皆極荒淫　大學畢業生多下放農村
民衆咸望國軍重返大陸

（本報訊）據香港「星島晚報」載：一位剛從北平抵港的法國人，以客觀的態度向本報記者透露今日大陸民生、教育的普遍情況，他說：粮食恐慌仍威脅着大陸每一角落，在北平成人一月只配得粮食（包括米和雜食）廿斤，油一兩半，布則每年九尺。人民常以樹葉充飢，以補粮食的不足。北平現有人口六百萬，但每年只有二萬名小學生入學，即三百人中只有一人進學校。大學生的生活更學非所用，畢業或在校的大學生，如僥倖沒有被迫下放的，多出來當公共汽車售票員，修理皮鞋，賣菜小販等，以謀糊口。

當記者問及，近來國軍游擊隊，常進入大陸沿海山區，予中共極大威脅的事是否知悉時，他說：中共報章均隻字不提這類事件，但人民間却盛傳國軍游擊隊登陸的消息。就他觀察所得，人民均欽佩蔣總統，及希望國軍重返大陸。

該位法國人，爲本身安全起見，不願發表姓名。他於二月廿六日經深圳抵港，並擬廿九日乘輪返法國馬賽，投靠其兄及姑母；他在大陸出生，父母均爲法國人，其母及三弟二妹，仍在北平。住在北平貟鄉。他經過一年多的申請，方獲准來港。

他又說：中共極仇視外國人，爲對外僑折磨和鄙視，不特不容許外人有固定職業，他並被迫半年不准與家人見面和通訊。與他相熟及受同樣迫害過的有六位外僑，其中有奧大利亞人，蘇聯人，朝鮮人和日本人，他們在北平，被共幹視若貓狗，但普通平民，則態度較爲友善。他並向記者出示一雙粗糙的手說：在來港前的職業是電鋸工人，每天工作十二小時但換不回一天的粮食。最近北平「陳設」了所謂自由市場，不過，只是幹部的銷金所，人民不能購買，如發現購買或收藏食物或貨品，則强迫沒收。

記者又問及最近大陸各地全面提倡節育的實際情形時，他說：共黨厲行節育的措施，不准百姓每家多過三個孩子，如超過，則降低工資，或罰欵，以爲懲處，因此婦女不得不進行避孕。唯一般百姓家無餘粮，缺少金錢去購買避孕藥品或施行避孕手術，並且醫藥缺乏，避孕運動給百姓無比的痛苦。有些婦女超過三個孩子而又懷了孕，往往自行或找人墮胎，很多婦人因而喪生。

他又說：共黨規定人民一夫一妻制，但毛澤東，劉少奇或軍團長等高級幹部，大多有兩個老婆。如劉少奇的姨太太就是一位紅極一時的電影明星，人人知曉。共幹的生活是天堂，物質、權力應有盡有；而人民生活却如在地獄，行動和思想均受共幹所控制，完全失却自由。

他最後向記者透露：去年自台灣駕駛飛機逃大陸的徐廷澤，現於北平所謂「北京航空×部」任職，職位很低，行動沒有自由，受監視和跟蹤。領得的二萬五千兩黃金，全部捐回「國家」，等如變相的沒收，自己一點都不能動用。該F八六型戰鬥機，則在福建前綫某空軍基地。

基隆旅居記

仲公

太平洋戰爭時期，台灣及基隆兩個船渠會社，被盟機炸毀廠房及一切設備，損失達百分之八十以上，機器亦損毀了百分之卅。不過船塢尚稱完整。光復後，台灣及基隆兩個船渠會社由台灣行政長官公署與經濟部台灣區特派員辦公處共同監，民國卅九年四月資源委員會與台灣行政長官公署訂會省合辦事業辦法，遂將高雄株式會社台灣鐵工所與台灣船渠株式會社合併組織，定名爲台灣機械造船有限公司，於同年五月成立。民國卅七年三月資源會及台灣省政府兩方爲便於管理起見，將台灣機械造船公司劃分改組爲台灣機械公司，及台灣造船公司。

台灣造船公司成立後，乃積極擴充，增加設備，計向中央造船公司籌備處租用日本機器五十部，在台灣配得日本賠償機器三千餘體積噸，其中包括空氣壓濾機，衝孔機，製印釘機，大型車床，曲軸車床，鉋邊機，變壓器，抽水機，高週率電爐等，一面打撈附近沉船，先將沉沒於第一號二萬五千噸船塢口的定州輪打撈，歷時八月纔竣事，使大型船隻得以入塢。一面增建廠房，開闢修船碼頭約長一千尺，並疏濬航道水深十八呎，復利用舊鐵駁輪兩艘，改裝成工作船，使修船能力增加。至民國四十一年，修船能力已較六年前增加百分之五十；在那時已可建造二千噸以下的船隻，成爲自由中國唯一之大型修造船廠，所有航運船隻，幾全賴其修理保養。（廿六）

港除疫埠頭銜

（本報訊）醫務當局廿九日宣佈香港解除「霍亂疫埠」名稱。香港係二月十八日發現霍亂病例並宣佈爲疫埠者，由於此後十六天再無新症發現，根據國際衛生條例之規定，可宣佈解除疫埠之名稱。

港處置毒犯有新的措施

（本報訊）最近甚多道友被控藏毒或吸毒罪，在本港法庭受審獲判緩刑，法官着令被控告之毒犯具結，以保證其在一年之內不再犯案。

法庭於判令犯者具結時，必對犯者作鄭重之警惕，聲言倘被告人在具結有效期限之內再犯案，尤其如犯同樣性質之案件，則犯者必受雙重之處罰。

法官警告：倘被告人在簽保有效期限內再犯案，則法庭先向犯者「追算舊賬」，此即先將其上次犯案時簽保之欵額如數判罰，倘無欵繳則入獄作抵，然後審判其新犯之罪行，加嚴懲處。」

監察院黃案調查報告在台灣掀起軒然大波

——本報記者台北航訊——

台灣高等法院前院長史延程，台南高分院前院長程元藩，因處理台西汽車客運公司不服嘉義地方法院爲漏稅之裁定抗告一案，越權干涉，變更審判，有違憲法規定，而被監察委員陳達元等提案彈劾（四四監台字機字第六三〇號）。最高法院推事涂懷楷，台南高分院推事趙公茂，辦理台省粮食局與輝明碾米廠因侵用虧損倉存公粮訴訟賠償案，有枉法裁判情事，致粮食局損失，而被監委李不違提案彈劾（四六監台院機字第二三八二號）。

遠在十年前，由於司法行政部前故部長林彬，違憲弄法阻擾監察權之行使，因而引起極大多數監察委員的憤慨，而由監委曹啓文等三十六人提案彈劾。在當時，這個問題，會轟動一時。這段歷史佳話，沒有理由竟要在今天重演。

當時，監察院彈劾案所持理由：「查憲法第九十五條規定：本院爲行使監察權，得向行政院及其各部會調閱其所發布之命令，及各種有關文件。監察法第二十六條又規定：本院爲行使監察職權，得……赴各機關部隊公私團體調查檔案冊籍及其他有關文件。是此項調查權之行使，對司法機關及案件是否在進行中，殊無例外規定。」云。

司法行政部前故部長林彬在四十二年六月二十三日簽呈行政院，畧以「……據台灣高等法院院檢雙方所陳事實，監察委員中有於訴訟案件進行中調閱案卷，查詢案情，甚或作成筆錄，强令簽名等情事，殊足影響公平偵審之心理，有損司法獨立之精神。」云。而行政院對此見解如何？從該院第三〇三次會議通過審查司法行政部意見中指出：「經就法律與事實詳加研究，僉以法官依據憲法獨立審判，爲司法獨立精神之所在。監察委員對於案件審理，加以詢問調查調卷，或對審判結果，認爲違法不當，而提出糾舉，亦係憲法及監察法所明訂，對其於司法機關行使調查權，殊無例外規定。」

司法審判獨立嗎

我國憲法第八十條規定：「法官須超出黨派以外，依據法律獨立審判，不受任何干涉」。但「獨立審判」「不受任何干涉」，並非可以枉法裁判之謂。何況黃啓瑞夫婦的案子，在法院的審理已經終了；確定的案子，監察院無權調查嗎？調查終審的案子，從何能謂之干涉審判？

司法官應有「有則改之，無則自勉」的精神和腦懷。而且，果眞不曾枉法、玩法，也就不必耽心監察委員之調查。比如說，黃寶實、陶百川兩委員在黃案調查報告中，就曾澄清該案被告在法院攻訐警備總部刑求迫供之辯解爲無稽之談，因爲該被告等在法院之供白，已經承認了。而台北地方法院檢察官之起訴，或台北地方法院刑庭及高院之判決，均未以呂志超、徐德綸等在台灣警備總部遊查一組訊問時所爲之自白爲依據，而係根據台北地院檢察官偵查中、及推事審理中所獲得的資料及供證，作爲審判之基礎。

黃案之審判，是否違法？假使監察院之調查報告所引庭訊筆錄不假的話，審理黃案之司法官似應負枉法裁判之刑責。這裏就公車回扣案和市民住宅案中之被告在法院的口供，摘其要者誌下。下面是台北地方法院檢察官沈獄華於五十年四月十一日下午四時在台北看守所訊問筆錄所載：

公車案的筆錄

問：（上畧）沈獄華問：你錢是怎樣分配的？

被告張伯英（台北公車處股長）答：分配的標準是市政府百分之二十，餘下百分之八十，再以百分比，秘書得百分之四十五，我得百分之十五，主計室得百分之十五，課長得百分之十五，餘下百分之十，作爲公家應酬，如登廣告及捐欵等之用。

問：你們怎樣商量分配？

答：這是四十七年九月份，莊課長到差後，說市長開支大，要我想辦法；我說只有向商人要，我沒有辦法，以後才談分配辦法。（二）

圖書

方南

偶然到圖書館小坐，呆呆看了一會。靜靜的書架上面擺列着許多內容意義完全相反的書，好在它們從來不會跳起來打架。它們眞的是「和平共處」了。

圖書館裏沒有戰爭，看書的人可以在這裏享受到寧靜與和平。但是，許多戰爭曾經出自這些塵封的書本裏。

圖書館是歷代大思想家、大文豪、大詩人的「公墓」。誰能夠永恆地在「公墓」佔有一塊小小的地方，誰就可以勉强說是不朽。這何只是寸金尺土而已？它是用錢買不來的，也是用武力覇佔不來的。這是多麼美妙的牛眠地啊！

不過，用陰謀去僭據墓地也有可能的。據說，有些權威的著作原非出自權威作家的手筆。權威作家把別人的作品用他自己的名號發表了，印行了，成名了，而且垂名於不朽了。原著人反而湮沒不彰，生時無聲，死後無名。據說這類疑案不只中國有，西方也有，莎士比亞便是最著名的一宗。這類事情不想也罷！想起來，我覺得這些「墓地」也不値羨慕了。

因此我想到一部不朽的著作用什麼名號流傳下去也可以，張三固可，李四亦可，名號畢竟是一個虛假的符號罷了。作者能藉這些作品引起當時及後世無數讀者的欣笑或嗟歎，或者在某種知識學問上達到啓發與增加纍積的目的，其他都可不管了。

著作的目的應該是什麼？自娛嗎？發洩牢騷嗎？引起共鳴嗎？造福人類，嘉惠後學嗎？求友嗎？自我炫耀嗎？沽名釣譽嗎？賺錢嗎？我對着書架上的圖書在默想，念着「著書只爲稻粱謀」那一句好詩。

記不起是那一位西方著名作家說過這樣的一句話：「爲了錢，我才努力著作。」這話好像是「著作等身」的小說名家毛姆說的。這該是任何一位「多產作家」的最佳自供狀。

不知是那一年了。我也曾動過念頭，把自己寫的不是材料的東西輯成一本小集，在序言裏面寫上「藉留雪泥鴻爪云爾」之類的句子，終於因爲逛逛圖書館而把念頭打消了。對着「汗牛充棟」的圖書，拿起一本研究「目錄學」的巨著看了兩行，我就覺腦昏了，眼花了，再不敢希望在圖書館佔取一方寸的「墓地」了。「藏諸名山，傳之其人」，什麼「禮堂寫定，傳與其人」，都不是我這一類人的事，何必勉强擠向「著作之林」妄想插足呢？這地方已是插一管針也不容易，久葬的殘腐骨頭正在等待檢拾和拋棄，我們何必要教未來「檢骨」的人增加麻煩？

有一位朋友完成了一項研究工作，寫成了一本歷史性的巨著，因我曾替他做過一些校訂工夫，他便指定要我寫一篇序跋之類。他對我說：「這是必傳之作，你在書裏寫上幾行字也可保證留名」。他這種盛意是可感的。當我在圖書館裏看到那本煌然傑構時，我只有虔誠地祝頌：這是永遠不腐不朽的舍利子。

嘉莉的日記

汶津

十月十八日，星期六

這學期的國文老師實在差勁！今天自習課的時候，導師沒來，大家就開起小組會議來。有的捧凌波，有的談家常，我跟吳敏她們就說國文老師的壞話，吳敏的嘴裏本來就吐不出象牙，建議全班奉送他一個「最佳勇氣獎」。

十月二十一日，星期二

我眞不敢再上歷史課了。會心跳的。他很聰明，現在不再老向我望了。可是我好像知道他的心思……

十月二十四日，星期五

不知誰出的主意，向他問國文的問題。他也教男生班國文的。眞的，他解釋得清楚多了。我也舉手問了他兩句，他竟一口氣回答了好幾分鐘。神經病嘛！其實我也不見得眞不懂，試試你罷了！

我有一絲絲的得意。明天班上也許又會有我的謠言了，無聊！

十月二十八日，星期二

他也學乖了，跟我們講電影。今天講到貞德，就拖出兩張舊片來，「英格麗褒曼可惜太容光煥發，不適合演貞德那一型……」聽他說得頭頭是道，誰知道他心裏是不是暗暗喜歡上了褒曼的「容光煥發」？他雖然是老師，總也難保不會言不由衷吧。我是非常欣賞褒曼的；什麼凌波、凌淚，眞比不上人家十分之一呢。

十一月六日，星期二

明天月考，今天個個都忙着抱佛脚。

吃過晚飯，我和吳敏她們六、七個同學一起往辦公室跑。

謝天謝地，國文老師不在，他卻端坐在那兒改作文。我們一起走過去，他起先沒有察覺。我們走到靠他的桌子兩三步遠，便都停下來，誰也不好意思先上前。他轉過頭來，手裏的筆一落，在作文簿上映出一大團紅墨水。

「有事嗎？」他看看我們。

「有問題想問老師！」王佩佩壯了胆先說。

他含蓄的笑了笑：「我道是什麼事，一大夥的上來。」我們也都笑了。上課的時間裏，他也會一本正經的說些俏皮話，光這點就比國文老師强多了。

他不假思索的替我們解釋。文清楚，又乾脆。今天他穿了一套墨綠色的新西裝，難得還打了領帶，看起來神氣得多。

我指着一小段課文，他望望我，我有些窘。「……這些例子都是特別著名的人物；至於那些小嘍囉，就略去不提了。」我聽到「小嘍囉」三個字，不禁噗哧出來。

我們一起說：「謝謝老師。」他穩穩的回答：「不謝」

（四）

藝術叢語

抽象藝術漫談

趙雅博

因爲材料一到了藝術家的手內，由於藝術家藉着自己的技巧，他會對這個物質給予一個屬於個人單獨方式的安排與處理，於是它列成了有特徵的，成了唯一的。

是的，藝術家的職務，才能和技巧，在作品中，除去了使觀念的物質表達更容易化的基本責任以外，還有兩個主要的責任：一、從物質中提出一切表現的，審美的可能性來；二、將物質正針對了觀念的表達的必要性。藝術家的這兩種責任，乃是純粹方法上的責任，這種責任對於更優良的實行或達成目的：美的藝術的創作，乃是必要的與不可或缺的。如果是技巧或職務超過了靈感，就是說只有技術而沒有靈感，那就是目的爲方法所改變了，於是藝術品就會失去了天眞純樸美感，而成了機械化的東西。然而如果是沒有技術，則藝術品也就不成其藝術品了，對於美的表現的全部可能性便沒有實現的境地。「華而不實」固然不是美的眞境界，「言之無文」也不足以稱爲眞藝術。孔子所說的「文勝質則史，質勝文則野，文質彬彬，然後君子」。使用在藝術的技巧與靈感上，也是極爲恰當的考語。在藝術上過猶不及，與道德上的過猶不及是一樣的。爲此，無論古的或新的藝術，無論是古典的或近代的藝術，也無論是保守的或前進的，都不能沒有運用物質的技巧，以使適當的表現，將精神納入物質所成的典型中。不這樣，藝術品是無法產生的。

物質的運用，料材的融通，以之爲表達美的唯一方法，這個在心智觀念的作品中，雖然不說塑形是不可能的，但是其困難則是可以概見的。在知識表現中，這是常常遇到的事件，我們誰人不感到辭不達意的境界，有意說不出的時候？在藝術的境地，更是如此。在任何畫布或紙張上所畫的圓圈，也不能是一個觀念上的純圓，自中心到四周是同樣距離；很自然的，我們不可能將任何本質，任何我們觀念上所瞭解的本質，在藝術上保留着其原始的純精，而完美的實現。本質的世界是不願意降凡而爲物質的。如果要使它降凡而成爲具體，那只有藉着强力，將材料的無限抗力與以撕碎而使它屈服，就是這樣，在藝術的戰場內，也是浸滿了鮮血，飽嘗了苦痛。一個觀念在它戰勝了物質時，它的勝利中也夾雜沈羅，浮飄不淨鍊，這當然是由於材料或物質的不淨鍊。就是更大的勝仗，也無法使物質的不純取消，只不過是程度的多寡，勝利是無法一毫無缺，圓圓滿滿的！

物質雖然在本質上是不純精，不淨鍊的，表現在觀念上，它的本質還依然存在。可是另方面，這物質的不純，也沒有辦法將觀念的意向性，理智性與以完全剝奪。這是不可能的，因爲觀念在本質上就是非物質的，無形的，兩者兩反，可是兩者又不能分離而不相成，一個觀念必定有對象，不能有關於對象，不能不企向於對象。觀念在本質上是具有意向對象（理念）特徵的，它却也常常與對象有關；如果它與對象沒有關係了，那末觀念也便不能成其爲觀念了。爲此，觀念的審美表現，無論它多末洗鍊，它總要與對象發生關係，就是我們要作嚴格意義的抽象畫，我們也無法不有對象，無法不有一個客體相關。（未完）

盧君續夢

第十一回：

舊債新仇 索逋遭白眼

內憂外患 平憤砍蒼頭

楊如興命令戰士架着他倆在台上走了三圈，許多人在下面不肯看，低下頭去。楊如興在台上嚷道：「誰不看，我就要他照樣表演一番。」大家又驚得抬起頭來。

周興榮、葉祥書夫婦被剝光衣服向人民謝罪之後，楊如興又逼着他倆站在台前說幾句悔過、感謝解放軍寬大的話，然後才宣佈散會，准他們穿上衣服回去。

羣衆出了會塲，胸中都沸騰着怒火，其中有人說了一句：「我一輩子也忘不了今天的事，等到那一天再說吧！」

許多人都在點頭。

說起來楊如興還不算最惡的，安徽懷遠河溜人民公社黨支部書記姓白，人民背後起個渾號叫他白無常。白無常同黑無常據說是陰曹地府兩個勾死鬼，活人只要遇到無常鬼，是一定要死的，所以老百姓也替白書記取個名字叫白無常。

河溜是渦河邊上的一個市鎮，渦河是皖北一條有名的河流，河床大，河水特小。就其深度來說，把一座五層樓放進去，也現不出樓頂，但是，河水在秋冬季節却涉水可渡，所以無論發生多大洪水，渦河也沒有過泛濫之災，大體渦河水能有半槽，整個長淮平原就成澤國了。

不過，到了「毛澤東時代」，任何不可能的事也會變得可能了，這一年渦河水竟然出了灣，由兩岸泛濫開去。

因爲渦河兩岸地形高，從來未受過水患，中共的糧食倉庫都集中在這一帶，河溜周圍的倉庫就有幾十座，這以來如何得了？倉庫裏面的糧倉是供給軍食的，平時戒備森嚴，老百姓向不敢接近，水泛濫了之後，白無常想起了倉庫，當時命令所有公社男女老少，丟開家中雜物，不准搬動，一律去救倉庫。老百姓到了倉庫邊上，不知道如何下手，就請示白無常。

白無常命令每個人手拉着手，結成一個長圈，團團圍住倉庫，據說這叫做「人牆」，是得自遼寧省的先進經驗。「人牆」如何能擋住水？河水依然滲進倉庫；最後加了三道人牆，還是擋不住河水。平時堤壩上有一個小孔，水都可以滲入，而「人牆」中間的空隙，決不止一個小孔，又那能擋得住河水？只是把整個公社老百姓困在水裏，飢寒交加，當塲就有幾十人倒在水裏，被水冲了走！這時急風暴雨，河水大量向外湧，人們手拖着手，站在那裏動也不敢動，恐怕一動就會被水冲走，勉强支持了一天一夜，天色轉晴，水勢也退去，再看倉庫下層，全被淤泥阻塞住，糧食與淤泥已經分不淸楚。

白無常一看這個情形，大爲着急，當時回去就召集幹部開會，商量補救之策。

大家都感到軍食重要，人命至輕，把軍糧損失了，都要負連帶責任。

白無常說道：「倉庫上層的糧食，曬乾了還可以用，下層糧食硬是同泥漿混在一起了怎麼辦法，除非要人民用水淘淨，曬乾，才能上繳。可是，這個時間太長，天又陰晴不定，整個霉壞了怎麼辦呢？」

（二八七）

烏龍院裡話田余

豁公

我對這位田桂鳳老板，是很早就心嚮往之的；但因地北天南，經過一個漫長的時期，迄未一聆雅奏！據老顧曲家穆詩樵先生說：「桂鳳老闆之現身舞台，是在滿清光緒中葉開始的！那時他搭的是「同春班」，與譚鑫培，王楞仙（名桂官），羅百歲諸名角在一塊兒；經常與老譚輪唱「大軸」！「叫座」力量，亦在伯仲之間！這無疑的是他的極盛時期。

後來不知道爲了什麼，突然與老譚發生意見，竟自捨「同春」而搭「玉成」！「玉成班」的「台柱」黃月山，（外號叫黃胖，是以武生側重唱工之怪傑，嗓音甚低，只能唱「軟六字調」，可是四平八穩，韻味醇然！「劍鋒山」，「銅網陣」，「請宋靈」，「風波亭」，「槍挑小梁王」，「泥馬渡康王」等劇，都是他的「絕活」。）是與老俞毛包（名菊笙，字潤仙，係俞派武生鼻祖，即小毛包俞振廷兄弟之父也）齊名的武生元老，亦爲黃派武生之創始人！後起之馬德成，李吉瑞，何月山等即其嗣音。他在舞台之地位聲望，是與老譚不相上下的！但他對田桂鳳之劇藝特爲嘉許，竟自動的把「大軸」讓給他唱。

這在黃老板，無疑是提攜後進；可是要把「戲碼兒」，排在他——黃月山——的戲後，那可決不是輕易的事！

加以「玉成班」名爲京秦合奏，「班底」却有一大半屬於「秦腔」！田既未帶「配角」，當然不得不就地取材！可是班裏的皮簧老生，祇有一個周長山，丑角祇有一個董志斌，小生竟無其人！祇好以秦腔小生馬全祿勉强充數。故田之拿手好戲「烏龍院」，尙可與長山合作。至「戰宛城」，「翠屏山」等劇，武生雖然有黃月山，配角殊不可知，祇可讓給唱秦腔的想九霄（即田際雲）他們去唱！而他——田桂鳳——自己則專唱「頑笑小戲」，如「雙沙河」，「眼前報」，「小過年」，「下河南」，「送灰麵」，「打麵缸」，「闘王廟」，「百萬齋」，「雙搖會」，「打櫻桃」，「鴻鸞禧」，「拾玉鐲」，「小上墳」等劇；像這一類的小戲，若由乏角演出，是會把座上客送入睡鄉的！

但一經桂鳳演來，頓覺逸趣橫生，精神百倍！因之演在黃之大武戲後面，依然「掛得住座」。而所得到的彩聲，往往較之黃老闆還要多些！

這也不爲旁的，祇因他的聲色藝一樣樣登峯造極，故能化腐朽爲神奇，令人百觀不厭！（二）

談木屐

晉漢周

兩廣與福建人現在還普遍愛穿的木屐，是道道地地的中國東西，已經有頗爲悠久的歷史，既適用，實實亦並非不美觀，實實在在是個好東西。

根據古籍的紀載，春秋時代便已有木屐了。而且我們的大聖人孔夫子，便亦穿木屐的。劉敬叔所撰「異苑」中便說：

孔聖人亦穿木屐

「介子推辭祿隱跡，抱樹燒死。文公拊木哀嗟，伐而製屐，每懷割股之功，俯視其屐曰：『悲乎！足下。』」

這紀載如果正確無訛，說明在晉文公之時，就已經有了木屐，距今幾達三千年。孔夫子亦穿木屐的紀載，則見於太平御覽所引的論語隱義疏，據稱：

「孔子至蔡，解放客舍。人夜有取孔子一隻屐去，盜者置屐於受盜家。孔子屐長一尺四寸，與凡人屐異。」

「孔子屐長一尺四寸，與凡人屐異」這一句話，最可注意。因爲它不但指出孔夫子亦穿木屐，還顯示那時「凡人」皆穿木屐。孔子是戰國時人，戰國距今亦二千多年，那麼最低限度我們中國人穿木屐已穿了這麼些年。在耶穌降世之前，中國人便大家都穿木屐，木屐的資格之老，還用說嗎？

古時木屐甚樣子

古時的木屐是什麼樣子呢？這個値得研究的問題，古籍缺乏詳盡的描寫，「搜神記」書中有一條是關於這方面的，很値得寶貴。它說：

「初，作屐者：婦人圓頭，男子方頭。蓋作意欲別男女也。至太康中，婦人皆方頭屐，與男無異。此賈后專妬之徵也。」

搜神記是晉人干寶的著作；依干寶的說法，中國自有木屐以至西晉初年，都是「婦人圓頭，男子方頭」，到太康年間，則婦人所著的木屐亦是方頭的了。這說法的前半段，未必可信，後半段却當然可信。以意推之，男女木屐形狀畧有不同，是常經常法，到了晉初曾經一度男女無異，這祇是其變，而非其常。這樣的變，可能此前此後曾有多次，只是最後仍然會返樸歸眞，趨向於常態，應無問題。現在流行的木屐，不也是男女用的小有差別的嗎？

正如「羅馬不是一天造成的」一樣，木屐必然也是隨年代的推移，而愈來愈考究，愈來愈漂亮。我們今天所慣用的木屐，必然比孔夫子所穿的木屐，「靚」得多了。關於木屐製作的進步之跡，亦因文獻缺乏，我們已不可能多所敍述，但知在晉朝的時候，木屐已開始上蠟了。當時大名人阮字所穿的木屐，還是由他自己上蠟的，不肯假手於人。

有名的木屐故事

關於中國人穿木屐的故事，漢代而後，如後漢書戴良傳，說他儉德可風，居然把木屐作爲嫁女的陪[illegible]。而南齊大官虞玩之，甚至穿著木屐見皇帝，而且據說他那對「面駕」的木屐，早經一穿就穿了二十年。（上）

一夕

黃伯遠

一夕思鄉萬念浮，三春尋夢與誰謀？十年不辨羊公鶴，百歲難歸漁夫舟。欲乞陰符忘進履，爲酬解結贈輕裘；重重恩怨重重恨，撇却今愁又古愁！

答友問舍

前人

湖海棲遲賸幾身，何時落葉盡歸根。天涯游子仍飄泊，白日他鄉孰故人？稍喜亡家猶有國，敢嫌無屋可居貧；行蝸自有埋名地，帶水拖泥不染塵！

我的社會生活

雷嘯岑

屆時應命前往熊公館，則見湖北行政專員呂著青（咸）石幼平（毓靈）及其他省份的同寅，共有五六人在座，飯罷，主人分別與來賓作個別談話，旨在測驗才華，以定去取。他跟我談話時，第一句就說：「聽說雷專員在湖北做得很有成績，究竟是採取甚末方法做的呢？」我想必須給他以不良印象才好，乃根據心理學的原則，投其所「忌」，即答道：「我的方法就是依法跋扈！」他問何謂「依法跋扈」？對曰：在法令範圍內行使職權時，不顧個人的利害得失，也不賣任何惡勢力或達官顯宦人物的帳，實行王荆公所謂天命不足畏，祖宗不足法，人言不足恤的三不主義，這就叫作「依法跋扈」——實際情形亦如此——他聽罷儼然無語，我即與辭告退了。後來吾友呂著青兄中了選，他們彼此相處的情况如何，不得而知也。

將要離開南昌時，楊秘書長暢公於某日深宵約我到他的住宅談話，座無他客，只見熊天翼主席在裏面房間內看書報。暢公問我：在湖北作專有甚末困難嗎？」答以別無困難，只是駐軍不容易對付，徐總司令本人還好，他的左右和部隊長官，都不脫舊有北洋軍人氣習，對地方行政官吏很蔑視，我固然無所畏懼，但遇事諸多掣肘，如果遷就他們，則前功盡棄，否則不免有事倍功半之苦。暢公再問：「你的轄區內，尙有別的駐軍否？紀律如何？」我說：「江陵和公安縣境內，駐有潘善齋的獨立旅，紀律很好。」於是，暢公吩咐道：「你回去好好的幹，只要不貪污瀆職，有困難即告訴我，不必畏葸。」三天之後，我由南昌到達漢口，即見報載蔣委員長嘉獎潘善齋旅長治軍有方，另犒賞該旅官兵大洋十萬元的電令，並召潘旅長赴南昌謁見。當晚我遇着徐總司令源泉，他笑謂：「你瞧見了委員長犒賞潘旅的命令嗎？這大概是有人秘密上奏的關係呵！」這話明明是暗指我在南昌替潘旅說了好話，頗有醋意，我祇好答以完全不知道這回事。等我回到江陵不及半月，徐軍部的政訓處長韓濬（仲景，現被共黨囚繫在大陸。）秘密告訴我，說蔣委員長近有密電致徐總司令，指摘他的部屬有干涉地方行政的非法行爲，飭其切實制止，否則將予以解散該軍的處分云。韓謂這樣嚴厲的命令是少見的，徐總司令大傷腦經，登時召集各單位主管人員會議、決定今後對於建造沙市公園的事體亦不過問了。我對韓氏當然表示驚訝而又惋惜之意，不便說別的話。但心裏領悟到這是楊暢公採納我的報告，轉請蔣公處理的，實際就是維護、鼓勵我。在政治上得到這樣一個知己的長官，雖粉身碎骨，亦甘之如飴。過去李協和先生對我可謂愛護備至，提拔甚力，尙不及楊暢公之獎許護持得法，無微不至，而魄力甚大，又不着痕迹，眞教我感激萬分，不知何以圖報。古人謂「得一知己，可以無恨」，我何幸而遇到了李楊二公，又不幸而李公後半生不得志於時，鬱鬱以終，楊公中道被刺殞命，失所瞻依，人生際遇若斯，蓋有難言者矣。（卅二）

花香月上樓小品

也談二寡婦

黃葉村人

在報章上，看到「何凡」先生所寫的：「三寡婦」，令我感慨萬千！據說：到上月中旬止，甘迺廸夫人，自從甘迺廸總統被刺逝世後，所收到的慰問信，已有七十萬封。現在每天還有五千封左右，估計至結束時爲止，至少可以達到一百萬封。美國國會爲了處理這些信和禮物，特別通過一箇議案，准許甘夫人免費寄信。同時還可以請四位秘書幫忙，而且已有三百位白宮和國務院職員的太太，義務從事翻譯和回信的工作。上述的七十萬封信，據說：有十萬封是從美國國外寄來，其餘六十萬封，都是由本國寄到白宮的。這一分國內外對甘迺廸及其夫人「生榮」「死哀」的友情，可以說是：「空前」。因此，我對美國人的熱情是欽佩的，羨慕的。

撇開甘夫人不談，而談另一寡婦；奥斯華的遺孀，一樣也沒被人遺忘。她也收到三萬美金的贈儀；雖然比較另一寡婦戴伯特的太太（達拉斯城殉職警察），所收的美金五十四萬（前月九日止），相形見絀，可是，身分地位不同，人情也就不免要有分別。反之，如果奥斯華在極權國家，共產集團幹了這樣的事，他不被拿去五馬分屍，連帶妻子也要坐監受審，追究根苗，百般凌辱，然後「公審」問罪，才是怪呢！可是，幸運的奥斯華的遺孀和老母，不但奥斯華下葬時，一樣也有人去送，沒有受到干擾；而且還有人送禮致唁。若在別的國家，（不一定每國都如此）恐怕縱不受嫌，被傳偵訊，也要受人議論也。

本來美國人在這些地方的是非，是分得很清楚的；既不因死者而遷怒於生者，已是難能可貴了。而且還有人同情周卹她們，使生者（奥斯華的妻孥）感戴，死者（奥斯華）無恨。這一種眞眞實實自由民主制度的博大的恩情，只有我國的民族性，才夠配稱有過之而無不及。不覩乎，我國對日抗戰八年，人民破家蕩產，普及全國廿餘行省，戰士和無辜百姓，死傷殘廢於日軍日人砲火槍刀炸彈鐵蹄下者，更不可能以屈指計算，然而，經蔣總統提示以恩報怨！不向日本要求生命和損失的賠償！六億人民，翕然擁護服從；無一貳言。以此例彼，則美國人之同情於一箇兇手的遺屬，和中華民國人民的擁護蔣總統偉大的主張，寧甘放棄以億兆計的損失不談，以千數百萬人民的死亡傷殘不論，還自動地將二百多萬遺留在中國的日俘，平安，儘先遣送回日。豈止小巫見大巫而已，竟直是天之與淵了。（未完）

訪問美國議會的感觀

陳翔冰

經理執行議會的決議，並向議會提出適當的建議，以資採納。經理須向議會負責。這種制度已有一七〇〇城市採用。

（三）市長議會制。

（甲）權大市長制——市長與議員俱由選民直接選出，使立法與行政分立，其用意在補救議會委員制的權力過度膨脹，並以適應大都市的發展。議會權力縮至最小範圍，僅限於制訂規章，議決財政案及通過一度提案。市長有任免人員，編列預算等權。市長可向議會提供立法意見，並召集特別大會。其經議會通過的法案，市長有否決權，惟經三分之二的出席議員維持原案時，市長應即採納。採用此制之城市約佔百分之五十。

（乙）權小市長制——此制曾一度盛行於十九世紀下葉，現僅爲小城市所繼續採用，大城市已不多見。市長及各部門首長俱爲民選，惟任免職員俱須經議會同意。市長爲議會主席，並處理一部份政務。議會內設若干委員會以審議議案，並監督指揮各行政部門的工作。編列預算之權歸議會的委員會。（六）

內政部台報字第〇三一號內銷證

THE FREE NEWS
第四二四期
中華民國僑務委員會頒發
台僑新字第三二三號登記證
中華郵政台字第一二八二號執照
登記為第一類新聞紙類
（每週刊星期三、六出版）
每份港幣貳角
台灣零售價新台幣貳元
社長：雷嘯岑
督印人：黃行靈
社址：香港銅鑼灣高士威道二十號四樓
20. CAUSEWAY RD 3RD FL. HONG KONG
TEL. 771726　電報掛號：7191
承印者：四版印刷廠
地址：香港灣仔高士打道二二一號
台灣分社
台北市西寧南路金倉莘號二樓
電話：三〇五四六
台郵撥儲金戶九二五二

所謂「兩個中國」的涵義

·鮑遜夫·

編者按：鮑君此文認為所謂「兩個中國」之說，只是一種新聞詞彙，并無事實。我們但願如此，特予刊佈，藉供讀者參證云爾。

昔唐太宗曾謂諸將曰：「今之將臣，雖未能知彼，苟能知己，則安有不利乎！」近者國事日非，同盟相煎太急，於是衆口悠悠，奇談百出，或謂親日有助於反攻，或謂聯俄足以制共，吾每閱台北報紙，未嘗不廢書而長嘆也。昔蘇格拉底教人『瞭解你自己（Know Thyself）』。印度聖雄甘地訓其女曰『反躬深省，查明你自己的處境（Dive deep into yourself and find out where you are）！』老聃有言：『知人者智，自知者明。』蓋以『知人』固難，『知己』尤非易事。孫武『知己知彼』之言，雖販夫走卒，引車賣漿之徒率能誦之，然世人之知己者百不得一；若夫立國於世，識知本國之情者，萬人之中未必有一人。此唐太宗所以望其部將先做知己功夫，其固不敢苟求一般人知敵情也。

自韓戰以來，國際間有所謂「兩個中國」之策略，此美國反共策略之一部份也。華府外交策士名之曰「有限度的孤立政策」（Limited Isolation Policy）。以此政策，在外交禮節上支持台北，認為合法的中國政府，以為世界上受美援諸國有所瞻顧，不敢輕易與中共建交，而攝於美國財勢之諸國，則追隨華府繼續承認中華民國，使中共於政治上陷於孤立之境。然世界各國之中，既有共產國家，又有獨行其是者，未必完全受美國之影響，故策士稱之為「有限度的孤立政策」，謂不能無限度的推行也。至於「兩個中國」之名詞，乃洋文報紙用橫行文字便於排版之簡稱，謂之新聞語彙，亦無不可。循名責實，非名之正者。美國既以外交姿態孤立中共，再配合禁運政策，使中共之經濟發展蒙受阻礙。故多年來中共不斷大聲疾呼：「反對兩個中國之陰謀！」意在提醒中立國家！勿追隨美國，陷中共於孤立也。

至於近年來在各種國際會議席上，凡有中華民國代表出席者，中共代表則以憤然姿態退席。其實中華民國代表之行踪，中共必事先已有情報，且報章亦有新聞刊佈，斷不致事先毫無所知，懵然出席，到場始發現中華民國代表赫然在座，因此憤不可遏，拔足退出。退席（Walk Out）為歐美各國習用之外交姿態，中共亦用之，意在明示各國以嚴格之態度，破壞華府之「有限度的孤立政策」，而不在與台北代表爭虛榮也。

昔後趙石勒，據中原，即皇帝位，大饗群臣，酒酣，謂徐光曰：「朕方自古開基，何等主也？」光對曰：「陛下神武籌略，邁於高皇；雄藝卓犖，超絕魏武；三五以來，無可比也。其軒轅之亞乎？」勒笑曰：「人豈不自知，卿言亦已太過！朕若逢高皇，當北面而事之，然猶與韓（信）彭（越）競鞭而爭先耳。倘遇光武，當並驅於中原，未知鹿死誰手……朕在二劉之間耳，軒轅豈所擬乎？」南北朝時，五胡領袖多才學，有遂於春秋者，有精通諸家兵法者，有深於毛詩者，有能明左氏者，有習於縱橫者，獨石勒不識字，然其人明敏有膽識，洞燭形勢，長於用兵，其自知之明，又非常人所能及。雖酒酣耳熱之際，猶不失其自知之明，讀史至此，令人拍案叫絕，宜乎後趙能雄踞中原，稱覇一時也。十幾年來美國推行「有限度的孤立政策」，若就蔣公領導之國民黨之處境而言，誠可謂敗而能善其敗，不幸中之大幸矣。

兩個中國之形勢，在歷史上遠者出現於東晉及南宋，近者出現於太平天國之據南京以抗北京，兩京對峙凡十五年，當時英法各國皆有非正式代表在南京，以觀鹿死誰手。今無兩個中國之形，而有兩個中國之名，此中大有蹺蹊，即華府之「有限度之孤立政策」也。尹文子曰：「有形者必有名，有名者未必有形。形而不名，未必失其方圓黑白之實。名而無形，不可不循名以檢其差……察其所以然，則形名之與事物，無所隱其理矣！」刑名家教人先有思想方法，其邏輯方法不外於此。今日如有人以為真有兩個中國之存在，妄想親日有助於反攻，聯俄足以制毛共，則其人雖識字，不如石勒之不識字，雖未飲酒，其沈醉甚於石勒酒酣耳熱之際。當局者切忌惑於浮言，在外交上掉以輕心，致貽他日噬臍之憂。所謂「兩個中國」之形勢，自從民國卅八年中華民國政府退出大陸，毛共政權僭立以來，即已存在，但此乃暫時之戰爭狀態，世界大多數國家仍認定蔣總統領導下之政府，為代表全中國人民之合法政府，毛共政權有如對日抗戰時期之汪記政府而已。

假使美英各國將來利用聯合國為工具，眞欲造成「兩個中國」之實質，則吾人自應鳴鼓而攻，竭力反對。目前誠宜借取甘地之言，「反躬深省，查明你自己的處境」，而於禍福存亡之機，多加留意，先從健全本身設想，改革庶政，團結人心，構成踔厲奮發，有為有守之新興氣象，示人以未可輕侮之力量，當能否去泰來，徐圖甦生。若內政不修，民力渙散，一遇外在橫逆之來，即急不暇擇，但欲憑其縱橫捭闔之外交手段以圖存，則前途茫茫，禍至無日，其後果將有出人意外者。易曰：「尺蠖之屈，以求信（伸）也；龍蛇之蟄，以存身也。」其斯之謂歟！

自由談

凡是「銀成沒奈何」的豪富人家，他們對着親友們總是裝窮訴苦，身上經常懷着當票，隨時舉以示人，證明自己眞係貧窶非常。若有人為着舉辦公益慈善事業，想向這類人募捐十元八元的欵項，那比造飛船登陸月球還要困難若干倍。可是，假使有江洋大盜或山寨悍賊，把這類人家的男丁綁擄而去，秘密通知其家屬，勒索鉅額贖金，限期交付，否則實行「撕票」的話，這些人哭窮的鄙吝富翁，却乖乖地將金銀如數奉送，不短分文，對外還得賭咒發誓，說他并未送給盜匪以絲毫銀錢，信不信由你！因此，我對於共產黨在大陸上勒逼富戶把祖宗三代積蓄下來的財物，完全繳出之後，再加以全家人掃地出門的殘酷行為，就某些守財虜而言，認為自有報應，殊不足惜也。

金錢與人生

我們日常在社交場中，瞧着有人對於交際應酬之資，慷慨大方，爭先解囊，滿不在乎的樣兒，其人十有九都是窮措大，很可能他的衣袋中當票與鈔票齊飛，內心上苦水共淚痕一色呢！我根據這項原則來觀察芸芸衆生相，百分之百都是正確的。此無他，越是窶人，越就不願顯露窮乏之相，害怕被別人瞧不起，有玷顏面，這叫作自卑感。至於豪富之徒，他相信自己有的是金銀財寶，無求於人，裝窮乃是效法下等動物之具備保護色，以防被同類識破，不使為非作歹以積財，這叫作貪慾狂。

富人拚命哭窮，而黑錢一擲萬金無所惜；窮人極力裝濶，而家裏縱然斷炊亦無所謂。所謂資本主義社會的生活現象，大率類是。孔子說：「為富不仁矣，為仁不富矣」，至理名言，永垂不朽。時至今日凡屬經過或見過共產社會那類惡作劇的人，如果還是愛錢如命，不肯拔一毛以利天下，乃至於招待親朋吃頓便飯亦心痛不已者，可謂冥頑不靈，至死不悟。若夫為官作吏之輩，還要違法貪污，聚斂非份之財，那更是蠢如鹿豕，唯有替共產惡魔培育角茸與肉體，靜待屠殺宰割而已！

人們皆認為金錢具有萬能與萬惡的能力，這是就其使用價值而言，使用的後果是萬能抑是萬惡？那完全在於使用方法和目的如何？與金錢本身無關。換言之，就是會用錢的問題。搞政治的人如其不會用錢，他搞一輩子亦是個跑龍套的角色，連小丑地位都爬不上。這是放諸四海而皆準的必然律，可惜一般人很少懂得其中的妙諦啊！

馬五先生

熊兇爲患

如何收拾

今日與明日

東南亞公約名實俱亡

所謂「東南亞公約」的組織，本來是美國在日內瓦贊成「兩個安南」的越戰停火協定後，為着遮羞掩醜，勉強拼湊而成的玩藝，毫無作用可言。

現在參加東南亞公約的八個國家，有三個是中共政權的友邦了（英、法、巴基斯坦），以反共為職志的公約體系，早已變成贅疣，而菲律賓還要照例舉行東南亞公約國外長會議，誠不知其所為何來也。

二次大戰前的「國際聯盟」，由於英法與意大利之互不相諒，各行其是，終致無疾而亡，宣告解體。鑑古觀今，東南亞局勢之日益惡化，殆可斷言，而整個世界亦就惶惶不安，永無和平共存的希望，等着瞧罷！

兩個玩火的狂徒

印尼與馬來西亞和菲律賓關於婆羅洲問題的和談工作，宣告破裂了，蘇卡諾揚言向蘇俄乞取軍援，繼續對馬來西亞挑釁，而高棉的妄人施漢諾，亦洋洋自得地申謝俄帝應援。

這兩個在東南亞玩火的狂徒，原來都是美國收買過的，因其慾壑難塡，而美國當局又肆應無方，以致凶終隙末，給俄帝以滲透煽惑之機。

假使美國當年於安南戰役危急之際，與法國合作，實行干預，有如今日對越南戰事然，越共即無生存之餘地，安南自不會搞成兩半拉，而高棉妄人施漢諾，更沒有招搖撞騙的機會了。美國當年對印尼反蘇卡諾的革命軍，如其不是始亂終棄，半途改變初衷，轉而以軍經援助給予蘇卡諾，則印尼今日已是自由世界的一員忠勇鬥士，俄帝固然無從煽誘，馬來亞與印尼的糾紛亦不致發生了。孰為為之，孰令致之，美國當局不能辭其責也。

美國的競選運動

美國總統競選運動，近來趨於劇化了。兩黨人物皆以外交問題作武器，各逞長舌，互有所見，但誰也不敢作積極的主張，要顯露着「和平」面目，用「和平」牌膏藥換取選票。

因此之故，共和黨名人尼克遜乃有召集英美法意四國高峯會議，以協調對中共政策的高見發表，這只是誆騙一般素來不過問政治的美國選民——特別是婦女們——的說法，難登大雅之堂的。此外，如洛克斐勒，高華德等人的言論，亦缺乏新鮮的意義。區區愚見所及，這次大選結果，八成兒是民主黨得勝，共和黨人太不行了！

日本人胡為乎嘵嘵？

日本首相以及外交部長，近來不斷的發表日本應否承認中共政權的議論，自言自語，津津有味，這眞是莫名其妙！

池田政府正為着打開日本與中華民國的外交僵局，陸續派遣大員到台北作親善訪問，為甚麼亟亟於談論承認中共偽政權的問題呢？這種動態，至少是要給中國人民以日本贊成「兩個中國」的印象，對日本大大的不利，何苦乃爾。

記得日本剛告獨立時，首任駐美大使某（名字忘記了）曾謂對中國問題應以日本意見為依歸，大言不慚，肆無忌憚。日本有在東亞居於領導地位的能力，可惜日本人的氣質太過褊小，遇事忘乎其形，表現其窮得富不得，富得看不得的醜態，令人失望之至！

經營雖確實必須改進
公賣局仍維持現制
行政院答復立委侯庭督質詢
該局原料損失不如所傳之甚

（本報記者台北航訊）台灣省烟酒公賣局仍將維持現制，這是行政院、財政部、主計處與台灣省政府一再研究的結論。關於該局經營不善，在原料方面的損失，據行政院在答覆立法委員侯庭督質詢所指述，僅約損失百餘萬元新台幣，並不如侯委員所說的那麼多。

緣立法院在審查台灣省烟酒公賣局五十一年度事業預算時，有的立委會提出：「烟酒公賣局組織規程應從速送審完成立法」之議；後來，台灣省政府認為：「依照台灣省烟酒專賣暫行條例施行細則第二條規定所稱專賣機關，係指台灣省烟酒公賣局而言，又依據台灣省烟酒公賣局組織規程第一條之規定，台灣省政府為管理酒之產購運銷事宜，特設台灣省烟酒公賣局，是則該局在行政體制上確認該局為該省事業機構」；至「其法律地位究宜如何規定，俾與行政體制配合問題，經交由前政務委員現任行政院副院長余井塘，於五十二年四月六日約集有關部、處和省府研討，其結論為：「值此積極加强準備反攻時期，本案仍以暫維現狀為宜。」」

烟酒公賣局經營不善，確曾引起立委們的注意，時有質詢。現在，從行政院書面答覆所得到結論：烟酒公賣局的經營，確實必須改進，比如說：該局近三年來之變質香烟數量，五十年度退廠處理各種變質香烟，計六十一箱餘，損失金額三萬零二百九十五元；五十一年度之變質香烟，有十六箱餘，損失二萬一千六百十二元；而五十二年之變質香烟，計一百一十三箱，損失新台幣二十六萬四千七百九十七元。

又如酒的部份：中央信託局於四十九年四月間，向國外公開標購啤酒原料啤酒花，由美國John P. Haroler公司得標承售啤酒花十五噸，每噸價格七二五美元，全部價款一萬零八百七十五美元，經美國公證行化驗合格，但運抵台灣後，經化驗不合格；現該批啤酒花尚未驗收，如調解不成的話，則將依法訴訟。再有五十一年三月向西德標購啤酒花六噸，運到後經化驗不合格，由審計部等單位決定，要求其賠償美金二千四百二十四元；最後，由原供應商較原價格低廉美金五百九十元，供應六噸，抵補賠償該批啤酒花，惟其香味較差。

但公賣局之經營必須改進是一回事，至其將仍維持現制，則亦屬確定不移者。

香港與大陸

毛共宣傳。全非事實
大陸民生仍然極其慘苦
餓死的人多得很盜賊亦多得很
農民恨透毛共工作情緒等於零

新近曾囘潮州探親甫返抵港的張師奶對記者說：家鄉近幾年來變得太多了，而且是變得那麼糟！如果定要說上一件「好事」的話，該是人力不值錢，好像坐三輪車，太便宜了，由城裏坐車到她家鄉十多里路，收費祇是五支烟仔而已。

張師奶對記者說：她已有七年沒有囘大陸了，而在這七年中，却竟然變化這麼大！她舉例說：

第一，人死得多。她的同宗四十多家人，在七年內共死了卅二個人，其中有四個老年人，廿二個壯年人和六個青少年。大部份都是死於五九年——六二年的飢荒期間，可以說都是餓死的。

第二，家鄉的人都面帶菜色，瘦弱得可憐。在大陸的人民，無人吃得飽，體重超過一百廿磅的人可謂絕無僅有，許多青壯年都在一百零五磅之內。因營養不足而發育不全、或「老左未大」的人，比比皆是。

第三，盜賊很多。在大陸隨時隨地都可遇到盜賊，而這些盜賊又最愛光顧那些歸僑（包括港澳客），她在親人口中，已聽到了不少關於謀財害命的事，早已惶惶然，亦因此非常謹慎小心，但當她囘去的第五天，仍然被賊偷去了不少衣服和食物；但未被謀財害命，已屬不幸中的萬幸了。

第四，農民勞動情緒低落。過去，農民都極為勤勞，而現在農民們在「公社」勞動都是悠哉游哉，不當一囘事的。有不少農民，表面是在出工，其實在田地裏休息，甚之者還破壞農作物。

第五，被迫停學的青少年很多。在農村裏，有許多青少年，他們多是小學，初中，或高中的畢業生，畢業以後，皆不能繼續升學，而被「統一分配」到農村，安家立戶，作一輩子的農民。

張師奶說：這些例子不勝枚舉。一句語是變得太糟了！不過，這次囘去招呼我「最週到」的要算三輪車工友了。他們不單態度和靄，而且價錢極便宜，他們都極樂意為香港客「服務」，付錢時總是一句「隨便給一點東西。張師奶一次由城裏囘鄉村，路程十餘里，但三輪車夫却只向她索取五支「三5牌」的香烟。若再給一些糖菓餅干或罐頭，便會使他們感激涕零了。

張師奶說：中共宣傳大陸物資供應有了「好轉」，其實不然！事實是物資仍然是異常的缺乏，人民的生活仍然是極其慘苦。（敬斯）

台北警局濫用職權
常常隨便出票傳人

（本報記者台北航訊）立法委員周樹聲，對台北市警察局各分局，不依法定程序，濫用職權逮捕人民，非法審問事，提出質詢，頗為人所注目。

周樹聲的質詢說：台北市警察局各分局，常常隨便出票傳人，其隨便程度，是分局長不知，刑事組長亦均不知，可見只要是警察局之一份子，便可出票傳人或審問，與憲法上保障人權之精神大相違背。查憲法第八條內載：「人民身體之自由應予保障，除現行犯之逮捕由法律另定外，非經司法或警察機關依法定程序，不得逮捕拘禁，非由法院依法定程序，不得審問處罰」。由是證明警察機關對人民雖得逮捕拘禁，但必須依法定程序，而審問處罰之權屬之法院。今警察分局之一局員，不經直接主管長官之核可，便可以出票傳人或審問，濫用職權至於如此，寧不駭人聽聞！應由行政院嚴令所屬警察機關，嗣後無論逮捕或票傳，必須依照法定程序；而在內部必須經其長官核可並負責簽署，否則以違法失職論。此項情形，不知行政院及內政部以前有所聞否？今既知之，不知有矯正之決心否？尚希答復云云。

屏東縣政府大牆上
出現稀奇古怪標語

（本報屏東航訊）二月二十八日的上午八時二十分左右，在屏東縣政府樓梯下——新聞股左側的牆上，發現一張白底紅、黑字的圓型剪貼字體標語，其形式為：在上端左右各分貼着「恭賀」、「新禧」紅色直式二字，緊接着的下面是一號紅字橫貼「世昌商行」，又下面是橫貼着二號黑色「調動教員」四字，再下面是三號黑色直式分貼「勒索」、「紅包」、「貪污」六字分三行，最下面又是橫貼二號紅色「大發財」三個字。

這些稀奇古怪的標語，由於它完全是剪貼字，到底是那位缺德的惡作劇，雖筆跡當家亦無所措手足。不過根據一般人的推測，當不外乎是兩種人所為：①不滿縣長李世昌平時所作所為者幹的。②曾經送過「紅包」而被調動的不感滿意的教員幹的。一般且以為，前者的成份較少，而後者的可能性則甚大。

凡知道有這些標語出現的人士大概都認為：假若這件事是前者所為，他其實不應該有這種打「落水狗」的舉措，因為李世昌的縣長任期，僅祇有三個月即告屆滿了，執政黨既沒有提名他競選蟬聯，而他却也沒有違紀競選的打算，那又何必出此「暗箭傷人」，使他難堪更甚呢？若果真是後者所為，同樣亦認為殊不應該，因為既有當初志願獻媚，餽贈「紅包」，以獵取理想的職位，而又何必有今朝的攻擊呢？

此一「新聞」，儘管台省各報均未刊載，在屏東，目前已成為街頭巷尾談談笑笑的趣聞了。（袁文德）

基隆旅居記
仲公

民國四十七年由美國殷格斯公司投資租用，改名殷格斯台灣造船公司，擴展船床，增加設備，始初建造了一艘三萬噸信仰號油輪，後來又造了一艘二萬五千噸的油輪，最後造了幾隻小船；到了民國五十一年因蝕虧過巨，就壽終正寢！現在由經濟部收囘，仍恢復原名為台灣造船公司。

基隆的煤礦和漁業，可以說佔了本地生產和勞務三分之二，這兩樣東西，也可說是基隆本位經濟的命脈，牠是造成今日基隆工商興盛，市面繁榮的主要因素。先說煤礦。

基隆煤礦開採的歷史，已有三百多年，清康熙五十六年所撰的「諸羅縣志」，已有紀載。該志說：「煤產於雞籠八尺門」（即現今的基隆八尺門），荷蘭人佔領雞籠淡水後，已行採掘，用於製鍊鐵器」。基隆之發現煤礦，可謂由來已久。

咸豐八年與英訂立天津和約，開放基隆為通商口岸，福州稅務司即於同治三年陳採煤之利，請允許英商租地開辦。淡水稅務司，亦同時有這樣的建議。但未得清廷許可。（廿七）

監察院黃案調查報告
在台灣掀起軒然大波
——本報記者台北航訊——

下面是台北市政府總務秘書徐德綸的口供。

沈獄華問：你當秘書負些什麼業務？

徐德綸答：除核文稿外還兼辦黃市長私人的交際應酬費用的分配。

問：市長開支不夠嗎？

答：是的。

問：為了開支不夠，黃市長才叫你同莊謙義商量？

答：我因開支不夠，無法應付，數度請求市長調職，他說在前任市公車處曾幫了忙，去問莊謙義，看着是否可以幫忙。……我同莊說市長的困難；約二星期後，莊來回答說，公車處的同人願意幫市長的忙。又過十幾天，即送錢來。

問：第一次送了多少錢？

答：我轉送而已，不知道。

問：前後收了多少錢？

答：前後送了十幾次，約達三十萬元左右。……在市長競選時，送了四萬元左右。

問：莊謙義送錢與你時說明數目否？

答：他說的，我沒有點數，即轉送市長家，交與市長太太。有一次市長太太不在，我交給市長說，這是公車處送來的，錢放在鋼琴上。

問：你在（警總）遊查組說的實在嗎？有無受刑求情事？

答：我所說的均實在。他們（遊查組）未刑求我。

下面是莊謙義的供白。

沈獄華問：你先後分得若干欵？

莊謙義答：三十餘萬元。

問：其中你有幾次送給黃市長？

答：送二次，一次是送一萬二千元，一次是一萬四千元，是我直接送給黃市長，在四十九年七八月份，當時徐秘書（德綸）離開，無人轉手。

以下是黃啓瑞夫婦和徐德綸、莊謙義二人在偵查庭偵訊對質的口供。

沈獄華問：黃朱金鳳說她並未收過你給他之回扣錢，到底你有給他否？

徐德綸答：有的，這是事實，不過這錢是作為競選費用。

問：至於你轉給他裕隆公司代理商給的三十萬元回扣錢，黃朱金鳳說這筆錢是你妻賣地之錢，自動借與他的。

答：不是這樣的，我是公務員，那裏有錢借他。

當時，朱金鳳插口說：你（指徐）當時不是說是你妻賣地之錢，並未對我說明是回扣，現在這樣說害了我。

徐回答：事已至此，沒有辦法，我所說的均是事實。

問黃朱金鳳：你向徐拿二十四萬元錢，你夫知道嗎？

答：他根本不知道，經濟方面他一向不管。

沈獄華問：黃啓瑞否認他曾叫你同莊謙義商量經濟幫忙。

徐德綸答：有叫我同莊商量。

問：同時他又否認親手收過你錢。

答：他平常是不經手錢，但有次他妻不在，我將錢放在鋼琴上由其女收下，他上班經過客廳看到的。但沒有問錢，的確沒有由他親手收過。

問：公車處收的回扣怎樣比例分配，市長是知道嗎？

答：不知知否。我是向市長報告說公車處裏同人說在不違法的範圍內願意帮忙市長經濟困難。

問：現黃市長否認知道公車處送回扣事，到底知道否？

答：事實上是知道的。但我特別聲明，這是為競選用的，不是他私人拿去。

問黃啓瑞：徐德綸剛才所說的話你聽到嗎？你有何說？

黃啓瑞答：他送錢與我家，我根本不知道。徐說那次送錢來，我看到，請問他對我說過錢之來源否？

徐德綸答復黃啓瑞說：我確實沒有對他說是什麼錢。（三）

困水記

莉莉

當我感到絕望時——我不能說不是絕望，水勢就像猛虎似的衝過來，衝過來，把俯伏在屋頂上的我也搖動着。水位又漲高了。我俯在屋頂上，下身已經浸了水。倘若水位再增加，我豈不就會隨波臣而去？一個像我這樣的女性，又在這麼黑的夜裏，風又大，雨又大，連呼救也無從呼救。看來我是祇有等待命運的安排了。

就在這時，我突然看到水中有燈光。生的希望油然而起。我不肯放鬆機會。我以最可能大的聲音叫着：

「救命呀！救命呀！」

我的呼救終於發生了效力——那燈光漸漸近了，而且燈光裏也發出聲音。

「妳在那裏？」

「在這裏。」我把雙手做成喇叭形，放在嘴上喊：「朝左邊。我在左邊的小屋頂上！」

終於，他到來了。我從他手裏面的電筒發出的光綫裏，分辨出他是個年青人，他駕駛着橡皮舟。

「請妳跳下來。」

我看得真切，橡皮舟正被浪頭衝打，左右搖幌着。我怕，我不敢跳下去。情勢非常明白：假定我跳不到舟中而落在水裏，他也無從救我，那是準定必死無疑了。

「跳下來！」他鼓勵我：「我會接住妳。妳把眼睛閉住跳下來！」

我真的乖乖聽了他的話。我聽男人的話，還是第一次。以往我和那些男子在一起，祇有他們聽我的話，我從沒有聽過他們的。但我現在卻聽了他的。他的話似乎有種力量，促使我跟着他所說的去辦。

我跳了下去，居然十分順便，一點沒有岔子。他叫我扶住橡皮舟的繩索。「不要怕，」他說：「我一定會把你送往安全的地方。」

當我到達安全地方，那是所國民學校，裏面有了很多災民，老老少少都有。

而他祇把我送到學校便又轉身走了。他說：「也許還有人被水困住。」

他跳上橡皮舟，又去執行救人的任務了。我們在學校裏一直等到天亮。我一心要見見他，——這個救我命的男人什麼樣子。

當我問我的旁邊的老太太，老太太祇是搖頭：「我也不知道。但我們都是他救出來的。」

「啊！救我們出來的恩人，我們連他的名字和身份都不知道，太說不過去。」

「也許另外有人知道。」

問另外的人，大家還是和老太太一樣，也祇是搖頭。

早餐是部隊裏送來的。這就使我意識到：「也許那駕橡皮舟的也是軍人？」於是我就問了一個班長。

班長說：「小姐，你說對了。」

「他現在在那裏？」

那班長真是熱情：「我現在去喊去！」說着轉身就走，而且跑着步。

那救我們的人，身體壯得就和小牛牯一樣。我向他「謝謝」時，他卻像小孩子似的，害羞得頭都抬不起來。

「眞是謝謝你。」我說：「你姓什麼？」

「黃。」

「黃同志，」我說：「颱風過後，請到我家裏去玩。」

「唔。」

現在，我眞的常和他在一起，而且——我可以說我是十分的喜歡他。至於他的官階，祇是個上士呢！

藝術叢語

抽象藝術漫談

趙雅博

實在，一切的藝術，當然連主張是抽象藝術者在內，它總是借着抽象的程序，將觀念塑造成形，那末在根本上，而與以美的表現。抽象藝術正是由於要把握客體（對象）的本質，它才有自由權力，隨意抛棄客體一切的有關個體，附加的，不重要的原素；這些各別的原素，它們不但不顯示出客體的本質，而更是給客體的本質，帶上面具，將本質遮掩起來，而將眞的純美給埋沒了，華而不實，華而掩實，正是這個意思。

抽象藝術的目的，是在想以美的方式，表達一個對象，一個客體的本質。因之，抽象藝術家的自由，也很無情而嚴格的受着限制，它應該發掘那個眞的本質，注意它，表現它！

客體的本質是視之而不見的東西，是我們的感覺不能接觸的。我們的理性，雖然能把握了解無形，然而他的這一把握了解，也並不是直觀的，一定要藉了有形的物質因素。物質因素是有其價值的，我們的理性無法予以否認。但是物質與形式之間，也有一個不可否認的鴻溝，用物質物來對那無形的純美觀念，予以表達，在藝術品中，想塑造純粹的觀念，這是絕不可能的，一切的企圖，是不能不宣告失敗的。同時，如果我們想辦法，來將物質的物質本質剝削，而使它精神化，或者精神的超越物質，也就是說使物質化爲精神，這也是不可能的。在今天，在現世，在目前我們人就其爲人來說，藝術就其爲藝術來講，我們是沒有辦法使精神的世界——美的世界——用精神來表達的。也就是說任何藝術的表現使爲藝術品，不能不借助物質，不能不乞援於客觀的表達。如果放棄客觀的表達，而只乞靈於主觀，乞靈於精神，乞靈於無形，這個藝術便成了不可了解的，也最好是不要有藝術了。客觀的表達，是使藝術成爲了解的必要條件，也就是使藝術成爲眞正藝術的必須。沒有客體的表現，便沒有所謂藝術。如果只是憑想像，玩技巧，就興趣，像彌羅，克來，和康丁斯吉多次所作的，抽象藝術就不成爲眞的藝術了。（未完）

嘉莉的日記

汶津

十一月八日，星期四

今晚差一點爲他鬧出大笑話來。

考完最後一堂，大家一起去趕車。他也搭上同一部車。在車上，我們都偷偷的觀察他。有一次他不知爲什麼自己微笑了。邱鳳英嘴快，說：「笑了，笑了！」好在車上人擠，他大概沒聽到。

到終站下車，有幾個男生跟着他，好像是去幫他改考卷的。我們幾個，也不知怎麼回事，竟跟蹤上去。

他的家就在車站旁邊的巷子裏。轉進一個大院子，他和那幾個男生消失在一扇門裏。我有些失望，他根本沒注意到我們。吳敏和邱鳳英兩個可眞是一對活寶，竟在門外嘰喳起來。門又打開了，他站在門口。我們嚇得趕快往回跑。

他走出來兩步，老遠對我們笑着說：「你們也跟來了？要你們進來又怕擠不下！」

「老師看不起我們！」吳敏這小妮子好厲害。

「好吧，歡迎進來，要不然該說我不公平了！」其實我早就不覺得他不公平了。

我們七個人在院子裏商量。吳敏、邱鳳英是「主進派」。「男生在裏面，我們進去多蹩扭。」我堅決地反對。也許是我的理由硬吧，她們放棄了。一直到現在，我還不知是什麼力量讓我這樣做的。總之我不想進去，我不想和她們一起去他家。

我們向他道「再見」，他也回了聲「再見。」在夜色裏，只覺得他的聲音比在學校的更美些。

十一月九日，星期五

他是世界上最勤快的一個老師。今天上課的時候，他就替我們把成績報了。開場白妙得很：「每個人都及格了，可是成績不太理想。」

報完分數，他頓了一頓，抿抿雙唇說：「有一位同學（！）在考卷上多寫了幾個字——『人格重於分數。』我不知道是不是有人有相反的意見。」

我早低下了頭。「有一個同學！」就是我！有一題問答我忘了，心血來潮，就寫了幾個字。現在想起來多幼稚！可是他故意不說我的名字！並不是他忘了是誰，因爲他是望着我而說那幾個字的。他懂得我的意思——

「……並不是說我不相信你們。」同學們都鴉雀無聲，「有些人該是有點慚愧吧，不過既然提起了，我就順便說說。人格也像別的可貴的事物，一失去就不容易找回來的……」

他很會說教，我服氣。還有他說教時的神情，眞該入畫的。

十一月十三日，星期二

我現在又敢正眼的看他了，他也一樣。他講的書比以前更精采，更引人。班上的秩序也更好。我爲他慶幸。

今晚，我忽然發覺他是蒙哥馬利克立夫加約翰克爾。回來，哥哥又在聽貓王的歌，眞膩人！他還兩隻腳直蹬呢！眞看不慣！爸媽也不管。

十一月十六日，星期五

他說下星期開始他將被召集去受訓一個月，今天是臨行前的最後一課了；他不想再講新課，隨便聊聊好了。

有人要他談最近的電影。

他笑得那麼溫雅，「好。」他講了「手提箱女郎」、「龍種」、還有一張西部文藝片，眞過癮！不止是講劇情，而且，簡直是個影評家嘛！

他深深的注視着前方，注視着後排的我。我竟也沒有低頭，只覺得有些暈眩。

十一月十八日，星期日

聽說那種受訓是很苦的，他捱得起嗎？

十一月二十日，星期二

代課的歷史老師不行，除了四肢發達以外，沒有一點比得上他的。此刻他也許正在操練新兵吧。多無聊！

十一月二十四日，星期六

昨晚我在夢裏見到他。他更瘦了。我撲倒在他身邊，一條蛇從他的眼眶裏鑽出來，我嚇得大叫起來。早晨醒來，只覺得頭痛得厲害，媽拿手試了試我的額，說是發着高燒，教我別起床，請一天假。

請假就請假吧，反正他也不在學校了。（五）

瘟君續夢

第十一回：

舊債新仇　索逋遭白眼

內憂外患　平債仗蒼頭

民兵隊長尤勇說道：「這些沾了泥漿的麥子，不如發給老百姓吃掉，收了新麥要他們還新的。」

白無常想到也是個辦法，當時規定凡領去泥漿麥子一百斤的，麥後要還一百五十斤，因爲新麥潮濕，洒乾了要耗去三分之一，「政府」不得不提高數字。

老百姓已經餓慌了，只要現在有得吃，誰還管得到麥後的事，大家爭先恐後前來「借貸」，不用半日工夫，把倉庫下層的泥漿麥子「借」光了。

白無常以爲這次立功不小，連忙上了一個報告給縣委，敘述自己在這次水災中如何奮力搶救，如何應變有方，說的活靈活現，滿以爲這個報告上去，一定可以得到獎勵，也許會刊在人民日報第一版，通令全國學習。

那知中間隔了一天，縣委第一書記吳天艮打電話叫他趕快進城。吳天艮同白無常是革命老同志，過去在一起吃喝賭博搞女人，都是合作的，有高度的「同志愛」。

白無常以爲要他進城領獎，興高采烈地去了，那知見了面吳書記劈頭就問：「老白，你想死還是想勞改。」

白無常愕然道：「老吳，你的話是什麼意思。」

吳書記說道：「你要想死呢？我這裏有上好的毒藥，回去喝一包，馬上就完了，一點苦也不受。要打算勞改呢？我替你安排個近地方，也不枉我們在一起拚過命流過汗。」

白無常瞪着眼說道：「你無頭無腦講了這麼多，到底是什麼意思，我還有點不懂，我到底犯了什麼錯誤，這麼嚴重。」

吳書記冷笑道：「你還以爲我同你開玩笑，難爲你也入黨十多年，竟然不知道盜竊軍糧的罪名有多大。」

白無常聽說「盜竊軍糧」，登時急得頭上青筋根根暴露，連忙分辯道：「我是爲了搶救軍糧，才把爛泥麥子借出去，麥後可以收回淨麥，好不容易想出這個竅門，怎麼能叫做盜竊呢？」

吳書記冷笑道：「軍糧何等重要，誰敢動它，你竟然未得上級允許，私自分給人吃了，這個罪名已經夠勞改有餘，何況你又收利息，放高利貸，更是罪上加罪。」

白無常聽到這裏，臉孔拉得更長，面色也更加蒼白。

吳書記又說道：「更要命的一點，麥收後繳過公糧，自動賣給政府之後，人民那裏還有餘糧，此時他們無論許你什麼樣的利息，到時若歸還不上，試問這個責任誰負得了。」

白無常坐不住了，站起身拉着吳書記說道：「老吳救我，我永遠也忘不了你的好處。」

吳書記說道：「我還救你哩！將來我自己也不得了，活活地要被你累死。」

白無常聽了這句話，稍微安心一些，又回身坐下，問道：「既然錯了大家都有份，就要想個辦法，我一個人犯了罪不要緊，千萬不要一鍋羹，都關進去就糟了。」

吳書記瞪眼看了他一下，說道：「你自己也應該能想出解救辦法，何必儘是纏我。」

白無常嘆口氣：「我現在是事到臨頭迷，一點個辦法也想不出了。」

（二八八）

後來譚鑫培立「同慶社」，特約託人邀排[illegible]參加，並常與之合演「戰宛城」，「翠屏山」等劇；[illegible]整合，相得益彰，田之張[illegible]氏、潘巧[illegible]而周[illegible]人愛；而譚之張繡，石秀，今[illegible]天上來……」詩機先生[illegible]，確是很[illegible]單的，但已特田老闆精湛之劇藝，盡出一個很精緻的輪廓來！使聞名而未識面之我，更爲之涎羨不置。

然而機會來了！那是民十七年的仲春，筆者以事赴津，特地就便至北平，一過戲癮！時楊小樓余叔岩合組之「永勝社」剛成立；更給了我這戲迷，精神上一大安慰！因爲他倆是彼一時期伶界三大傑（即楊、梅、余）之二；除應「堂會」偶在一台演出外，餘時各自東西，連會面都不容易！今竟共同組班，老在一塊兒上演，當然是很難得，也是我初意所不料的。

按說楊余合作，過去原有過兩次。但我都在南邊沒趕上，此番適應其會，當然特感興奮。

烏龍院裡話田余

公豁

而尤令人興奮者，即是他們這班裏，除了楊余二傑外，還有青衣泰斗程德霖，丑角元老王長林，以及名架子花兼武二花侯喜瑞，硬裏子張春彥等；同時又有好戲的名流（好像是張次溪，汪俠公，蘇重威諸君。）建議，把這位息影有年之典型花旦田桂鳳請來，俾與楊余諸人，合演幾齣好戲！這一理想之提議，居然也實現了。

因之，我這一次到北平，竟看到了許多過癮的好戲！如小樓之「白龍關」，「狀元印」，「長板坡」，「連環套」，「挑滑車」，「冀州城」，「水簾洞」，「安天會」。叔岩之「罵曹」，「樊城」，「定軍山」，「戰太平」，「失空斬」，「瓊林宴」，「四進士」，「洗浮山」，「討魚稅」，「上天台」，「金榜樂」。德霖之「祭江」，「祭塔」，「孝感天」，「三擊掌」，「賀后罵殿」。長林之「時遷偷雞」，「老黃請醫」，「連陞店」，「打瓜園」，「祥梅寺」，「丑表功」什麼的。（關於這一切，我將另文報導，茲故從畧。）而田余合演之「坐樓殺惜」，尤令人嘆爲觀止。

蕭郎時之田桂鳳，已是花甲老人！儘管循例抹着濃厚的脂粉，但掩不住面頰上歲月造成的皺紋！嗓音相當的瘖啞，有時幾於唱不成聲！然而做工之細膩，與夫面部之表情，眼神之靈活，做鞋之手勢，以及下樓之碎步，一舉一動，均足爲後學示範！是日座客裏面，竟有不少的名優，後起名旦荀慧生（即白牡丹），于連泉（即筱翠花），朱幼芬等亦在其中！他們都是凝神靜氣的一心觀摩，連話都不願多說一句；這就可看出，桂鳳老板的力量。（三）

談木屐

魯漢周

最有大名氣的木屐故事，當然還推淝水之戰那個鼎鼎大名的謝安「不覺屐齒之折」的那個故事。晉書謝安傳說：「玄等既破堅，有驛書至。安方對客圍棋。看既竟，便攝放床上，了無喜色，棋如故。客問之，徐答云：「小兒輩遂已破賊。」既罷還內，過戶限，心喜甚，不覺屐齒之折。」

古代的金玉木屐

儘管木屐的考究與漂亮必然今勝於古，卻亦還有局部的特殊例子存在，比方木屐的齒，便曾經有玉做的，在唐代則曾盛行金齒屐。玉齒金齒的木屐，今天倒不曾聽見有什麼人如此豪奢闊綽了。

玉齒屐見於文惠太子傳：「襄陽有盜發古塚者，相傳云「是楚王塚」，大獲寶物，玉屐，玉屏風……。」至於唐代的金齒屐，唐人的詩文中多有提及，詩仙李白便有句云：

「一雙金齒屐，兩足白如霜。」

周密所著「齊東野語」裏面的「隱語」，有關於木屐的，亦寫得非常出色。那條隱語（謎語）說道：

「可以託六尺之孤，
可以寄百里之命，
遇剛則鏗爾有聲，
遇柔則沒齒無怨。」

不完

木屐好處說

木屐是便鞋，或稱拖鞋，它的用場，只是在家裏穿的，像齊晁之把它穿起來去見晁帝（齊太祖），並不足以爲法。但作爲便鞋在家裏面用，實在再好亦沒有了，皮製的、布製的，以及目前很是時興的塑膠製的便鞋，便沒有一種比得上木屐。

木屐的佳勝之處，我以爲有下列幾項：

第一，木屐穿起來非常之洒脫而安逸，它可以給你以輕快、爽利，無拘無束，十分自在自如的感覺；其他質料的便鞋，統統遠不及它。

第二，皮製的、布製的、或者塑膠製的便鞋，穿起來總使人作慵散狀，懨懨欲睡；木屐則不然，它既舒服，還給人以精神，其鏗鏘的聲響，實在虎虎有生氣。

第三，木屐還有一個好處，便是它最能襯托出足部之美，特別是女性的足部之美。現代婦女對足部美是很肯用心思的，搽寇丹，修趾甲，極意講求；但有了這樣出色的足，若不穿上木屐，將何以而能大「顯顏色」呢？露孔的高跟鞋於此一點也不能同木屐比，何況其他的便鞋？

第四，木屐的價錢便宜。香港最稱摩登的木屐，幾角錢便可買到，人人都不愁穿不起。（下）

也談三寡婦（續）

花月上樓小品

黃葉村人

再說達拉斯城警察藏伯特的太太，丈夫雖然是死了，但截至前月九日止，她收到的慰問金，已有二萬八千多筆，五十四萬多美元。自然還有源源而至，不限於此數。據說：除了這筆現金以外，德克薩斯大學，並且送給藏太太兩箇男孩子的獎學金，藏太太每月並且可以領二百三十二元的撫䘏金。這樣一來，藏家遺族不動那筆現金，每年也有二萬三千元的利息及其他的收入，超過藏伯特的薪金三倍。自然生的價值，不能和金錢等量齊觀，但在無可奈何的情形下，人是不能免於死的；能盡所職而死，不特可以榮身，而且可以榮家裕後，至少本身、妻、子都可以得到人們的尊敬，懷念，而無後顧之憂。關於這一點，我對美國人討情公務員殉職，而特別贍卹給予他的遺族的安慰，是寄與無限的敬意和同情的。

不過，這些的深情厚意，都是用在自國一家一人的身上，和我舉國上下的受了人家百年來的深仇大根而不報，還給他恩上加恩；至竟，只希望人家發回一箇求生的人而不得！我們還是忍受，不與決絕。相爲比較一下，那嗎，這些，這些的微眇的熱情，也就沒有什麼希罕了。看吧！「戰後中國大陸，給毛共這樣容易的關入鐵幕，是美國當政者害了中國」！這話是美國自己人說的，而不是中國人說的。然而、美國人害了中國人，使中國六億人民關在毛共鐵幕中，求生不能，求死不得，却無一些子悲天憫人的同情心；而對一箇謀殺總統的兇手的太太，一箇共產黨徒的太太，却寄予十二分的同情；這和日本人的二百多萬俘虜遣返無恩德，一箇垂死哀鳴的羔羊，却看作比天還大，不還就不還！有什麼差別？

吾人又看另一箇寡婦，越南前總統吳廷琰的弟婦、吳廷瑈的夫人，論地位身分，也相當於一位總統的夫人。論事實，她的夫兄、她的丈夫，也是不明不白的給人殺死！可是，美國人對她就無一點的同情！一箇殺了美國總統的兇手奧斯華的俄國籍太太，能夠於事後安居美國，得到美國政府和人民的照顧，不受任何干擾，而一箇外國總統弟弟的夫人，由於夫兄和丈夫不見容於美國，雖則丈夫、夫兄已死，而仍不得也不願居留美國，迫而遠走他邦，從這一點觀察，美國人的人情，骨子裏是仍有區別的！我們若不舉國上下，一致的覺悟！一致的團結！一致的有所振作！那嗎，親者痛、仇者快的事情，恐怕還多着呢！（未完）

巧辯飾非

陳宗敏

史記殷本紀：「帝紂資辨捷疾，聞見甚敏，材力過人，手格猛獸，知足以距諫，言足以飾非。」於是醢九侯，剖比干，其臣祖伊諫，紂曰：「吾生不有命在天乎？」而其結局則是赴火自焚而死。這種「知足以距諫，言足以飾非。」正是中外歷史上所有大壞蛋所必有的本領。不觀乎今之共產黨人，它們所行所爲，惡極了，混帳透頂，不可名狀；但它們口中，却居然也說仁道義，欲以之文過飾非，還想別人誤信它「有道理」嗎？

孔子厭斥巧言者好，剛忠毅木訥近仁，却爲眞知灼見。大小壞蛋都是不肯承認自己的錯誤的，甚至明知所行所爲壞極了，但爲逞一已之欲，往往設辭掩飾的。但其實又何嘗掩飾得來呢！

我的社會生活

雷嘯岑

潘旅長善齋到南昌晉謁蔣委員長回來後，即跟我見面，他進入我的辦公室，很恭謹地先向我行軍禮，我詫問「緣何如此客氣？」他說：「蒙專座栽培，全旅官兵皆感戴盛情，特來致敬道謝。」我否認其說，他答道：「不管怎末樣，今後專座如有需要善齋効勞的地方，請隨時給我命令就是。」這樣，我無形之中又擁有了一種實力，認爲更可以放手做事了。可是，亦因此遭受到徐軍方面的嫉忌，徐總部的一位楊參謀長（浙江人）尤其不慊於我，悻悻然隨時見之於詞色，我祇好佯爲不知，我行我素。行政專員依法兼任本區保安司令，軍事上即須接受鄂西剿匪總司令的指揮，換言之，徐總司令管不着行政專員，卻管得住保安司令，而且必須絕對服從的。迨民國廿四年春間，毛共從江西突圍流竄時，徐向前大股共匪，由鄂北進入鄂西的恩施一帶，把徐源泉所屬四十一師長張振漢捉去。賀龍與夏曦率衆萬餘人，經湘西竄擾鄂西的松滋縣境，轉趨來鳳以達川邊。松滋縣是我的行政督察區域，徐總司令即命令我這保安司令負責防守，他再密呈湖北綏靖主任何雪竹（成濬），直接令我督率保安團隊，前往松滋防禦共匪，毋得違誤。軍令所在，當然服從。但我所掌握的保安隊，人數不到三千，且係未曾經過戰陣的民兵，而械彈皆不完備，恐難勝任，至於潘善齋旅，已調往鄂西前綫作戰了。乃親赴徐總部陳情，請派國軍一團人在第二綫督戰，藉壯民兵之膽，同時亦可以對匪軍大張聲勢。詎被拒不許，說是無兵可派，實則徐軍駐在江陵城內的一團人即未使用。我不得已而求其次，請他補助我兩三挺重機關鎗和若干步槍子彈，亦完全拒卻。於是，我祇得硬着頭皮賭運氣，派遣保安隊兩千人赴松滋縣與湖南津市交界的「西齋」地方佈防，又親赴防地督導一切。然共匪始終未向松滋大舉進攻，只以偽襲行動，將松滋縣長江文波捉去殺了。既而賀龍已逕由來鳳竄至鄖陽一帶，我的防務即宣告解除，保安隊亦復員了。這時，我曾赴武漢公幹，鄂省保安處長老友范熙績密語我道：「你眞是運氣好！別人料定共匪必然進攻西齋，而你的保安隊絕對抵禦不了，那時即可加你以作戰不力，失守城池的罪名，按照軍法從事，縱然不把你宰掉，也要你夠受的啦！」我纔恍然大悟，當日我要求徐總部補助一些槍彈亦不許可的原因，實係一套陷害我的預謀，危乎殆哉！

經過此役後，深感仕途險阻，軍閥萬惡，地方官可爲而不可爲，此時楊暢公已隨從蔣委員長入川剿匪，軍書旁午，亦勢難隨時照顧我了。乃密電楊秘書長提出辭職的要求，然他復電謂：「兄在鄂政績漸著，何遽言去耶？」我不能再强聒，唯有繼續幹下去。但從此以後，不特徐總部跟我不合作，即素來對我很親切的徐軍部政訓處人員，自處長韓濬以次諸君（他們都是中央軍校出身的）亦突變爲反對態度，遇事對我採取敵視破壞的言行了。（卅三）

訪問美國議會的觀感

陳翔冰

三、歐美議會的比較

（一）歐美議會的議席問題

英國的巴力門爲議會之母，其衆議院採長圓形，議長坐中央，右爲執政黨，左黨爲反對黨，左右對立。辯論時各以前面第一排爲主體，其次各在後面，其無坐位者，則分立於走廊上。衆議院全體爲六三〇人，議席僅可容三四六人，照規定有四十人則可開議（貴族院八七六人，有三人則可開議）。在傳統上資深議員有優先發言或主持辯論權，其他議員僅有表決權，如被推選出而發言辯論，則爲無上光榮。其答辯部長亦坐於議長右邊之前排。無論何黨，其發言辯論，但就席次發言，侃侃而談，並不如歐洲議會須上台發表演說，所以形式比較輕鬆。

美國則採用半圓形議場，民主黨坐右邊，共和黨坐左邊，亦就席次發言，並不設立講台。所不同者英國兩黨對立而發言，針鋒相對，而美國則對主席而發言。惟坐近中綫者則兩黨議員相近，恐難「君子動口而不動手」。然美國已習以爲常，亦未發生嚴重事故，實爲「民主風度」之强有力表現。英國於二次大戰時衆議院被炸毀，戰後重建，仍守舊規，不增加坐位，不增設電動表決機。

荷蘭議場爲長方形，右爲執政黨，左爲反對黨，與美國相彷彿。法國議場爲半圓形，有講台，其座位左派在極左邊，右派在極右邊，較左較右者各與左右派爲隣，中間路綫在中央的席位，形成黨派紛立的現象。（七）

內僑警台報字第〇三三號內銷證

自由報

THE FREE NEWS
第四二五期

中華民國僑務委員會頒發
台教新字第三二三號登記證
中華郵政台字第一二八二號執照
登記爲第一類新聞紙類
（每週刊每星期三、六出版）
每份港幣壹角
台灣零售價新台幣貳元
社長：雷嘯岑
督印人：黃行富
社址：香港銅鑼灣高士威道二十號四樓
20 CAUSEWAY RD 3RD FL HONG KONG
TEL 771726　電報掛號：7191
承印者：田風印刷廠
廠址：香港灣仔高士打道一二一號
台灣分社
台北市西寧南路壹壹零號二樓
電話：三〇三四六
台郵劃撥儲金戶九二五二

政治家的責任感與廉恥心

·雷嘯岑·

號稱爲政治家的行政人員，其地位是居於廟堂之上，其職責是參預密勿，奄有決策的權力。這些國家大員，舊時謂之宰相或閣臣，今日名爲政務官，就我國現有的政制而言，五院院長與各部會首長皆屬之。

政治家旣綜持着國計民生問題，凡百措施，皆與國家安危暨人民禍福攸關，不是隨便可以濫竽倖進的。上焉者應以志願和客觀環境爲從政的標準，道不同不相爲謀，視富貴如浮雲，辭萬鎰而不受；次焉者以政見爲出處進退之據，如諸葛亮在隆中與劉備暢論天下大勢，擿述自己的見解，得到了統治主的共鳴，然後投袂奮起，竭智盡忠以効力；次焉者亦須擇人而事，必求有以自見。所以，政治家立身行己的方針，是難進易退，有所不爲的。若夫志在干祿，依違立朝，臨事患得患失，無所主張，而以因循敷衍，保持地位爲急務；對上煙視媚行，逢迎備至，而以邀寵承歡，但求無過爲得計。這是官僚小政客的本質，不配躋於政治家之列也。

凡是眞正的政治家，必有他的一套政見，可以行則行，可以止則止。爲着實現自己的政見，任勞任怨，含垢忍辱，在所不惜，否則雖有鐘鳴鼎食的優越生活，位極人臣的崇高地位，亦將掉頭不顧，望望然去之，決不留戀。因此，政治家的責任感與廉恥心皆極强烈，視國事如家事。在朝謇謇諤諤，知無不言，言無不盡，一是皆以政見爲本，而置個人利害得失於度外。漢初的文景之治，唐初的貞觀之治，史籍艶稱，後人仰慕，如果沒有一班勇於負責、恥作佞臣的政治家如張釋之、晁錯魏徵諸人，正色立朝，獻替可否，而專靠君主一人的智能以求治，豈可得乎？

責任感與廉恥心是相因相成，互爲表裏的，有責任感的人，其羞惡之心亦很充沛。蜀漢章武六年春，諸葛亮統兵北伐，因部將違悖節度，致有街亭之敗，他將其素所親信贊許的幹部馬謖置之大辟以謝衆而外，上書後主，自承「明不知人，恤事多闇，春秋責帥，臣職是當，請自貶三等，以督厥咎。」這就是責任感與廉恥心的表現。蓋以諸葛亮當時政治地位之崇隆，權勢之顯赫，後主且事之如父，他縱然不殺戮愛將，不自請處分，亦沒人敢說甚麼；他若飾辭諉過，封鎖消息，更不會招致物議。然而他是政治家，基於責任感與廉恥心，非如此，則羞愧難安，引爲一生的慚德。即論現代的政治人物，如英國陸軍大臣普洛佛穆，爲着私生活不檢點而受到輿論批評後，會在議會發過假誓之故，內疚神明，自行檢舉，黯然去職，以謝國人，亦不失其爲負責知恥的政治家之風度。諸葛亮去古已遠，可視爲時代不同的流風餘韻，但普洛佛穆乃係眼前健在的政治人物。他這樁事情若發生在咱們政府的政務官之中，會有問題嗎？不特毫無問題，而且認爲這是個人的私生活，與公務無關呢！

矚觀近數十年來，我國一般居於政務官地位的大員們，有那一個是以政見爲出處進退之據的？幾曾見有爲着施政失措而引咎自劾之人呢？滔滔者盡是些言僞而辯，行僻而堅，順非而澤的官僚小政客之流，罔知廉恥，不負責任，當其受命任職之初，大言炎炎，聲稱「我是來作事，不是來作官的」，而實際則伈伈倪倪，但知阿諛逢迎，邀寵固位之訣，遇事以開會爲服務之本，請示爲負責之本，見權利則你爭我奪，而不舍，有責任則推彼諉此，莫可究詰，政務如有缺失挫敗，且靦顏自稱「我是奉命行事」，却忘記了自己原是「參預密勿的決策人士」，對於政治事項的成敗得失，負着應有的責任，決無諉卸之餘地。去歲有某政務官在立法院答覆詰詢，聲言「台灣有特權階級存在」，藉以塞立法委員對其失職事項的追究，却不顧自己負有剷除特權階級的職責，若感覺無力制勝惡勢力，即係政見不能實現，應該投劾掛冠而去，表示其來去分明的政治家作風，而乃笑罵由人，好官自爲，又從而爲之詞，企圖諉過卸責，這那有絲毫責任感呢？既無責任感，當然無所謂廉恥心了。明末崇禎帝以天下大亂，賊寇頻發，曾於聽朝之時，譴責宰輔閣臣們迄無安邦定國的建議，有虧職守，而宰相周延儒竟答言「臣等職司票擬而已」。所謂「票擬」也者，卽指漢中樞政務官與地方大吏這類事，宰輔大臣的職責如其僅止此耳，那又何貴乎設置三公九卿之官位呢？周延儒之言，充份表現着亡國大夫的眞面目，難怪崇禎帝要發出「君非亡國之君，臣盡亡國之臣」的憤慨語句了。今日我政府中的袞袞大員，[illegible]周延儒的[illegible]相[illegible]何，眞是搢紳先生[illegible]言之矣！

自古迄今，[illegible]之盛衰，繫於政[illegible]隆汚，而政治隆[illegible]所以然，就在一[illegible]青紫的政務官，皆有責任感與廉[illegible]，隨時以未能致堯舜爲殷憂。[illegible]大臣具有責任感，則臨事戒愼恐懼，常虞不濟，而求才尚賢以相弼助的意志亦必強烈，政治上的小圈子主義自然消弭於無形。如是乎智勇辯力之士，人人草茅思奮，願効馳驅，蔚成旺盛進取的政治現象，任何國難沒有不能克服的。由責任感而滋生廉恥心，則知恥近乎勇，決不以苟且偷安爲職志，既敢作敢爲，亦有所不爲，而砥礪廉隅、惆悵無華的政風，卽油然興起，沛然莫之能禦，貪夫廉，懦夫皆立志，國事未有不向上發展者。人亦有言，政治家雖有責任感與廉恥心，假使統治主不能言聽計從，亦是枉然。這問題就涉及政治家的出處進退了。政治家既以政見抱負爲行藏的主臬，那末，在釋褐從政之始，應以良禽擇木而棲的心情，察看統治主是否可輔，有如諸葛亮對劉備的作風然，而不宜盲目輕進；既進矣，自己的抱負如果不能實現，則急流勇退，適可而止，固其宜也。政治家原非爲貧而仕的官僚政客，獨立特行的風範非保持不可，否則與倉俗吏何殊呢？沒有一個配作政治家的人，於折覆餗之餘，受人民指摘和輿論批評，而漠然不以爲意，恬然不知其厚顏自安者，貪戀棧豆，卽是無恥的官僚，敗壞政治的垃圾，適足以禍國殃民而已。

動亂之世，需要忠貞幹部的政治人才，相率以摩頂放踵的犧牲精神，勤劬國事。然忠貞的氣質乃導源於廉恥，這叫作政治節操，未有寡廉鮮恥之徒而能夠作孤臣孽子的。當國者如不懂得這種道理，則其所信任的政治幹部，祇是些唯唯諾諾，專作表面順從狀態以希寵求榮之一「五色瓶」式的「搖變」份子，人才云乎哉！

不知死活

毫不吸引

今日與明日

政治敲詐

標榜中立主義的寮國內閣總理符瑪，最近到高棉訪問歸來，發稱美國若不協同英法各國，保證高棉的中立安全，則施漢諾親王必與中俄共締結軍事同盟，然後辭職不幹。符瑪表示：施漢諾果若是，他自己亦祇好藉然引去了。意在警告美國，如果不接受中立親共主義者的主張，寮國和高棉便要投入共黨懷抱，而東南亞從此不可收拾矣。這是美國人素所稱說的「政治敲詐」，不知白宮當局作何感想？

過去咱們中國在對日[illegible]國以前，內戰連綿不輟，一些[illegible]舊軍隊擺出中立姿態，實行兩[illegible]作風，隨時敲詐勒索，大行[illegible]道，而內亂即日見劇化，終無[illegible]局，如果沒有日本帝國主義之[illegible]略，中國的動亂可能至今猶未[illegible]也！今之高棉與寮國，在國際間有如一小撮雜牌隊伍，它們對美俄以及英法各國，乘機敲詐，搖首弄姿，而去年在寮國盛氣凌人，揚言美國決不援助不聽話的國家之美國大員哈里曼先生，何以「有鼬表情」了？十餘年來，美國一方面領導自由國家從事反共產極權侵略運動，同時又讚許中立主義。如是乎，若干投機份子應運而起，大玩其政治把戲，無往不利，如尼赫魯，蘇卡諾之流，皆以國際英雄自命，現在連綠頭蒼蠅式人物的施漢諾，符瑪，亦居然向美國作政治敲詐了。美國當局咎由自作，於人無尤，可慮者東南亞已陷於無可救藥的局勢了！

池田勇人信口胡說

日本首相池田勇人最近連續發出一些無稽之談，一則曰台灣地位尚待國際決定；再則曰日本與中華民國要保持邦交；三則曰日本承認中共政權需有四項先決條件。一派胡言亂語，矛盾混亂，不知其政治理路安在耶？身爲一國的行政首長，而其政治言論如此幼稚荒唐，可謂咄咄怪事。可是，如果瞭解池田勇人原係催從小吏起家的人物，那就毫不足怪了。蜀中無大將，廖化作先鋒，戰後的日本政治界，老成凋謝，新進低能，而其民族性又偏淺多慾，器小易盈，宜乎有此怪象也。看看日本的情形，再證以印度和緬甸、印尼的政治作風，亞洲人的前途還是多災多難的！

枕戈演習

國軍在台灣海峽與美軍聯合作「枕戈演習」，據說成績很好，當然可信。僅是隨時演習，而不作實際的軍事行動，成績雖好，亦奚以爲？俗言「枕戈以待旦」，如此長夜漫漫，何時得旦，好不悶煞人也！奉告美國朋友，如果你們不贊成軍事反攻中國大陸，以後就少搞軍事演習爲佳，徒亂人意，殊屬無謂之至！

自由談

多言多敗

「言多必失」，這是一定的道理。尤其是居於領導地位的政治人物，說話更要謹愼，若遇事有如粵語所謂「牙擦擦」，未做而先行夸其談，結果却不是那末回事，卽沒有不誤盡天下蒼生的！

世界上最喜歡「牙擦擦」的政治人物，美國朋友眞不愧爲首屈一指的老大哥。他們無所謂機密問題，亦不管宣傳技術，更不問言談的後果對自己利害得失如何，總是隨興所至，想到就說，說了又不算數，誤己誤人，莫此爲甚！

例如越戰問題，美國當局既聲言要轟炸越共基地，像煞有介事，等到中俄共譁然反對，英國亦表示異議，又急忙宣稱「并無進攻北越的計劃」，這是所爲何來呢？軍事行動最講究機密性，做的決不說，說的未見得做。轟炸越北共區之說，如果旨在宣傳，那就讓敵人猜測驚震，陷於神經戰可也，又何必否認呢？再如寮戰初起時，甘迺廸總統鄭重聲明，美國決不讓寮國淪於共黨之手，雖直接參戰亦所不惜；繼而又以停止軍經援助，壓迫反共的諾薩旺政府與寮共合作，貽禍至今爲烈！

詹遜總統近日宣稱美國與法國總統戴高樂并無歧見云云，亦係多餘的廢話，徒然令人聞之失笑而已。這種外交詞令，實係下乘之作，戴高樂固不會發生絲毫好感，世人亦覺得這是欲蓋彌彰的說法，屬於「牙擦擦」之列呵！

有人說，美國是最民主的國家，庶政公諸輿論，政府的凡百措施，必須取得民意的贊同纔行，因而執政者遇事不能不先說以徵民意的趨向。這話并不盡然。第一次大戰初起時，威爾遜以「不參戰」的孤立政策爲號選總統的政見，他當選就職後，美國馬上實行參戰了。羅斯福總統在二次大戰初期，亦以中立政策號選連任後，美國卽一變而爲對德作戰各國的「兵工廠」了。可見民意多半隨着政治家的主張爲轉移，關鍵只在政治家有無領導輿論的智慧和技能。光是說空話，作大言，既無正確的決策，又缺乏運用策畧的技術，嘵嘵然，皇皇然，聚訟紛紜，莫衷一是，祇有落得「言多必失」的後果，非失敗不可的！

馬王先生

香港與大陸

精神磨折永無止境 毛共再攪階級教育

大陸人民所受的毛共精神奴役與磨折永無止境，幾個月前，毛共曾廣泛地要求各地人民學習毛澤東的「著作」，現在，又要求人民熟讀幾部具有「階級教育意義」的文藝書籍，還要對該等書籍提出意見和寫出讀後感。

據由廣州市來港的第二中學學生江小姐透露：毛共對大陸人民的「思想教育」運動，一波接一波，連續不斷，幾個月前，毛共會在大陸地區掀起過學習「毛澤東著作」的高潮，學習毛澤東在軍事，政治，和經濟的「戰略和策略」。它們極力指出「毛澤東思想」是中國「革命」的最正確的「指導方針」，是「馬列主義」和「中國革命的實際」之結合，要人民認識「國際修正主義」和「帝國主義」者，是有同樣的「反動性」，要求人民提高警惕，並且向之作不妥協的鬥爭。

江小姐說：上述的「毛澤東著作」的學習運動，其實顯然是失敗的，其原因主要為人民都厭惡共產黨和其領導人，歌頌毛澤東的「東方紅」早已被人民改為詛咒毛澤東的「東方窮」了。次之則為共幹所說的人民的文化理論水平不夠，許多人根本就弄不懂亦不要弄懂毛澤東的著作理論。

現在，中共「共青團」中央「向各地「共青團」組織，發出一項通知，要求每一個組織都要發動團員和青年，熟讀若干具「階級教育的讀物」，並要他（她）們對該等書籍提出意見和寫讀後感。

江小姐說：該等所謂「階級教育讀物」如下：

（一）「三代人的腳印」，其主題是描述農民在「舊社會」中如何受「地主階級」的壓迫剝削，以及在「新社會」的「翻身幸福」；

（二）「青山血淚」，其主題亦如同前書，不過其主人翁卻由農民變為工人；

（三）「紅色保壘」，是描述上海「楊樹浦發電廠」的「奮鬥史」，寫出工人們如何的「忘我勞動」，並強調指出這種「忘我勞動」的原動力，是由於「黨」和「毛主席」的領導；

（四）「烽火春秋」，乃以陝西省禮泉縣的「烽火人民公社」名義撰寫的，無恥地吹噓「人民公社」的「優越性」，歪曲地敘述人民在「公社化」後生活的改善和思想覺悟的提高；

（五）「仇恨的火花」，是在毛共報刊上發表過的「憶苦思甜」的文字集子，含有強烈的「階級仇恨感」；

（六）「回憶長征文選」，主要敘述「人民解放軍」的「偉大愛國主義的革命精神」……

江小姐說：毛共對此次「學習運動」是非常重視的，在學校裏，上述的若干書籍是當作「國父」，「政治」兩科的主要課本和這兩科考試（包括考大學和考中學）的主要範圍。而在農村，則要求農民隨身攜帶，以便在「工間休息」時隨時閱讀。（敬斯）

調人于斌等奔走有成就 青年黨獲初步團結協議

發展如良好可從茲結束分裂局面 促成民社黨團結努力亦着手進行

（本報記者台北航訊）青年黨分裂的局面，經由于斌、莫德惠、王雲五、阮毅成等多人的奔走調解，已達成初步的團結協議，是值得高興的；祇是該項團結協議不但是初步的，且還有着「但書」式的條件的，其成效如何？那就得看在協議書上簽字的人的誠意為如何了。

話得從頭說起。

青年黨的團結問題，何以過去經過無數次熱心人士的奔走而沒有成效？此時卻能以相當快的速度便達成團結協議呢？其經過說來話長，只好長話短說。顯然的，假如不是蔣總統號召舉行反共建國聯盟會議，以期達成全國朝野上下一致大團結的話，青年黨的團結，絕對不會如此順利，便告達成協議。

因為，政府倡組反共建國聯盟會議，意在完成反共建國的大團結，故對於在國內國際有地位有聲望的在野黨人士，均希望其能一體回國參加，俾得衆志成城，提早反共建國的大業之實現。為此，政府曾經側面探聽在海外的反共民主人士的意向，藉使反共建國聯盟會議，得以早日開成。據說：在海外的反共民主人士，沒有一個人不支持政府當前的國策，也其實沒有一個人不擁護蔣總統的，祇是他們總覺得，政府在若干內政措施上，稍欠民主法治的精神，因而希望政府能夠開誠布公先做幾件事給大家看看，以確實表示政府的誠意，他們就都樂意回國出席聯盟會議了。此亦所以，執政黨的阮毅成，乃邀同于斌、王雲五等人，奔走於青年黨的中委會陳啓天、整委會余家菊、以及臨全會三方面，數度接觸之後，由於調人的熱誠，以及青年黨人何嘗不亦愛國心切？該黨的三方面，於是都殊感確有團結的必要。

團結協議內容

據說，團結協議係由調解人王雲五等根據青年黨中委會、臨全會在去年所提團結方案，再加以折衷，而提出來的，並首先獲得該黨中委會的陳啓天和整委會的余家菊之同意。該方案內容為：

一、於民國五十三年十二月二日前，舉行全國代表大會。

二、由中委會、整委會、臨全會三方面各推定五人為全代會籌備委員，就有關全代會代表人數、資格、產生方法等問題，作具體決定；並以三分之二的多數，為開會及決議之法定人數。前項籌備委員會以三常任主席為召集人，並輪流主持會議，但不參加表決。

三、在全代會未舉行前，設立中央聯合委員會，以中委會、整委會、臨全會三方面現有之中央常務、中央執行委員組織之。中央聯合委員會開會及決議，以現有三方面之每一方面出席人為一權，以得兩權者為多數。

四、中央聯合委員會設主席九人，（即臨全會於五十年全國代表大會所選出之李璜、左舜生、何魯之、陳啓天、余家菊、李不違、于復先、胡國偉等。）並以（陳啓天、余家菊、李不違）三人為常任主席，共同對內綜理黨務，對外代表全黨。

五、中央聯合委員會設執行秘書三人，由三常任主席共同選派之，並每三個月輪流担任秘書長。但秘書長不直接對外。

六、三方面現有之中央、省、縣市黨部及其各種組織，暫只辦理黨內例行事務，並均停止對外活動。

諒解事項三點

此一團結方案，於二月上旬，由阮毅成作東，于斌、莫德惠、王雲五等亦均出席，邀宴青年黨臨全會主席于復先，執行長陳祖貽的餐會上，向他們提出的。當時，于復先表示：臨全會對該方案須兩個星期左右的時間，始能作具體的決定，提出答覆，理由是：臨全會中執會是否同意該項方案？須由大家來決定。

其間，經臨全會推張希為等與王雲五洽商，並曾提出「諒解事項」協議書一件，但被王雲五拒絕了，而形成僵局。之後，由於臨全會之王[illegible]僭，與王老之私交頗洽，乃又使團結之門重開，而同意該「諒解事項」。「諒解事項」的主要內容計為：

（一）全代會籌備會，必須在團結方案由三方面簽字後，在一個月內（三月份內）就有關代表資格問題，代表人數、產生方法等作具體的決定。（假定說，三方面在一個月內，未能就前項問題達成協議，則所簽字之團結程序方案，當然無效。）

（二）前項諒解未達成前，三方面之中央、省、縣（市）黨部，不受團結方案「均停止對外活動」的限制。

（三）三方面各推壹人為常任主席，負責籌開全代會；凡是黨內外重大事件，則由九主席共同商討，並以多數取決為原則。

青年黨獲得了初步團結協議，總是事實，如果一切順利，十年來該黨四分五裂之局，可望成為陳跡，這對該黨固是好消息，甚至對國家亦是好消息。但願不再出岔子！

又據說：反共建國聯盟會議籌備委員之一的某委員，現正進行民主社會黨的團結運動，使該黨內的團結也真正得到團結。遠在三個月前，本報記者就寫了一篇「反共建國聯盟會議問題與在野黨團結」，在本報第三九九期、四〇〇期發表，說明在野黨的團結與否，對反共建國聯盟會議之召開成功與否，有着相互的因果關係。現在有了這些發展，總是值得高興的。

監察院黃案調查報告在台灣掀起軒然大波

——本報記者台北航訊

市宅案的供詞

以上引用之偵訊筆錄，完全係檢察官在台北地院偵查庭所問，而非在警總調查詢問。現在再看一看市民住宅案中被告在基隆地方法院的供詞。

檢察官葉正背問：四十八年一月二十八日送黃市長一百萬元，是否二次工程所獲利益三分之一？

被告許江富答：是的。當時黃太太說市長還欠債很多，所以我們先付黃一百萬元。

檢察官問楊逢春：送黃（啓瑞）百萬（許江富）何時何處同你說？

被告楊逢春答：有天，許（江富）找我到市長公館報告工程進行情形，適市長不在，黃太太說市長競選花去百餘萬元，要賣不動產還債，許說不可，如我們工程有賺錢，可送市長百萬元。我們退出來，我即對許說，我們工程尚未賺錢，何能先允送黃百萬。許說今後還有工程可做，如賺不到百萬，一切他（許江富）負責。

問：以後百萬元何時送？何人收受？

答：四十八年一月廿八日上午，他（許江富）電話叫我送去。

市民住宅案被告楊逢春和許江富，已經把案情說得清清楚楚，如何送黃市長太太一百萬元，後來，又共同串供，其經過情形，高院檢察官上訴書中也把被告許江富的太太在探視其夫時，乘看守所監視人員不注意之際，教唆其夫如何翻供的情形，加以指出。

自由心證的界限

刑事訴訟，係以適用刑法，確定國家具體的刑罰權為其任務。為確定國家具體的刑罰權，以有一定事實之存在為前提。為使刑法得以正確適用，必先明瞭事實之真相。為求事實臻於明瞭，自有待乎證據。足以直接證明犯罪事實即主要事實之證據，為直接證據，以直接證據認定事實，較為確實。然犯罪事實之認定，亦有由其他事實，而推理主要事實。這種事實，謂之間接事實的證據，亦稱間接證據。但一個證據或間接事實，認定主要事實，所得之心證多屬浮動，其所為之推理，真確性較差。如綜合數個證據或間接事實而為推理，當能得到確信的心證，其所為之判斷自較為正確。

儘管我國刑事訴訟法第二百六十九條規定：「證據之證明力，由法院自由判斷之。」固採自由心證主義，惟法院所得自由判斷者，僅證據之證明力；證明力之有無，以有證據之存在為前提。如本無此證據，自無依其心證自由判斷之餘地。換句話說，認定犯罪事實，須有積極證據，雖證據之證明力由法院自由判斷，要必先有證據存在，始有自由判斷可言。故認定犯罪事實所憑之證據，較其他事實為嚴格，刑事訴訟法第二百六十八條規定：「犯罪事實應依證據認定之。」即此旨趣。

故依自由心證判斷證據之證明力時，應先盡其調查證據之能事。如未盡其調查證據之能事，其所得之心證，當非真實無疵。因之，依刑事訴訟法應於審判期日調查之證據，未予調查，既無從獲得正確之心證，其所得之自由判斷，即屬有背證據法則。

是故自由心證，並非漫無限制絕對自由之義。然則黃案的認定事實與適用法律，是否矛盾？是否合乎邏輯？是否違背理性與違背經驗法則的？

如果法官違背法律所作的裁判，當然是失職，應負「故意枉法之裁判」與「明知為有罪之人，而無故不使其受追訴處罰」的責任。違背職務的法官——公務員，監察院當然有權糾彈的。（四。完）

基隆旅居記

仲公

咸豐九年正月，總督英桂命署道黎兆棠派員查勘，當委江蘇候補道胡斌與淡水同知會勘，據報海港東邊的深澳，八堵，土地公坑，竹篙厝，偏坑，田寮港，后山石，梗港，暖暖，四腳亭、大水堀等處，已經開採的煤礦達九十二洞，閉歇者二十三，停辦者廿一，尚在開採的四十八洞，於是傳集山主和鄉民，議訂開採章程，立石為界，開放七十洞，由官督辦，並限定礦區不准租與外人，及私相典賣，規定煤戶須本地人，所產之煤，必須繳交公家，按公定價格出售。至此官督商辦之局，始粗具規模。那時基隆滬尾已成通商口岸，台灣之煤運銷福州廈門等處，年可達十餘萬担，多時可達三四十萬担。同治七年決大量開採煤礦，先派福州船廠洋員法人都逢（Duront）勘測，後來沈葆楨親自到台視察後，總知全台之利，以煤礦為大宗，故竭力經營。光三年又經沈奏准減輕出口稅，復聘英人台札為礦師，並購機器安裝於八堵，是為台灣有機器開礦之始。

（廿八）

比較

方南

早上散步去，見兩個頑童在路上吵鬧，似乎快要打架了。看體格，一定分明是強者，只見他豎起一個大姆指，對準自己的鼻尖，睜着眼向對方喝道：「不識相的傢伙，你敢比我？」

看了他這副樣相，再聽聽這種口氣，很像是一個了不起的傢伙。他是否眞的了不起，那是另一回事，可知的是：至少在此時此地自視甚高，濃厚的「優越感」使他自信比對方高強得多。

頑童不足責，淺看是可笑的。深思之下，問題却不簡單。人有較高級的「比較心」和「比較的知識」，那恐怕就是人類高出其他動物的主要因素之一。假如沒有「比較心」，何來「階級觀」？更何來「階級鬥爭」？由於有了「比較心」，個人或一個民族才會產生「優越感」，幹出侵凌別人或別一民族的事，像德國納粹和日本軍閥在第二次世界大戰時替日爾曼民族和大和民族所作的狂妄宣傳，和這個頑童說「你敢比我」有什麼分別？今天在世界各地仍然鬧着可恥的「種族糾紛」，可還不是「優越感」在作祟？

「比較心」也有好的一方面。「希聖、希賢」也是由此而來的，假如不然，誰敢說「舜、人也，我亦人也」。那類的話？由於有這一比，從「比較心」生出「奮發心」，許多偉大的事也會由有志之士幹出來了。

楚霸王項羽說的「彼可取而代也」，漢高祖劉邦說的「大丈夫不當如是耶」，語氣雖有分別，總須心裏有了比較才成。

由「比較心」生出「奮發心」，乃至「鬥爭心」，「仇恨心」，「報復心」，或者「反省心」，「原恕心」，應該想及的問題太多了。我們常說：「己所不欲，勿施於人」，也說：「民吾同胞，物吾同與」，這一類見解也是經過比較才會成立的。

假如人類沒有高級「比較知識」，恐怕也不會有科學頭腦和科學知識了。由歸納到演繹的思維活動都離不了比較，沒了它是不成的。再想下去？一朝得意暴發戶會嘲笑一個潦倒的老朋友，很優越地對人說：他是一個窮光蛋。同樣，飽學之士會嘲笑失學的人是無知識者。聰明人嘲笑拙魯的人是蠢才或者低能兒。我們隨時隨地都會看到各式各樣的人表現或多或少的「優越感」，不經不覺地在「比較」的範疇裏面說出各種刻薄話。甚至賭博遊戲場上，偶然碰彩贏了的人也會對輸錢的人挖苦一下，總得享受一下「優越」的樂趣。

這是事實，由小到大都是如此。貧窮的知識份子受了有錢人的白眼而嘔氣，轉臉用白眼去睥睨那些笨人或者失學的人，那也沒有什麼稀奇。彼此比較，以我所有，驕彼所「無」，那正是人同此心，心同此理呢！別的「比較心」當然不是人類所獨有。動物也有。何以知之？看狗兒打架可知。狗兒打架的原因，大都是爭食和爭偶。我猜一些狗兒在打架之前會這樣想：「你有骨頭吃，我沒有，不打不成！」另外一個想法是：「哼！你有了發洩的對象，我還沒有，不打不成！」

我不知道「階級鬥爭」何時始了，也不知道由共產黨建立起來的「新階級」到幾時才給完全打倒，只念着孟子書裏的一句話：「物之不齊，物之情也！比而同之，是亂天下也！」他把一個「比」字活用得眞好。

母教的回憶

藤花館主

我在七歲的時候，因爲家貧，還沒有啓蒙。那時，父親又因失業，病倒在床，家裏的字畫、衣服、甚至陽江皮椅、皮桌、皮馬箱，都當竊賣光。我的姊弟妹，連我五人，一衣、一食以及父親醫藥種種，都靠母親兩隻手，日則浣衣，夜則刺繡，或剪裁縫補，維持一個很長的時期。如是一年多，父親病好了，找到職業，母親才鬆了一口氣。但是，父親是在外縣謀生，家屬留在廣州，有時青黃不接，有時遠水救不了近火，還是要靠慈母的雙手，日夜勞作，兒弟姊妹們，方有飯可喫，有衣可穿，有屋可蓋頂。時到今天，看到一般別人的母親，和初做人母親的諸姑姊妹，眞不知有隔了幾個世紀的感慨？但「撫今追昔，觸目傷心！」所以寫下這篇「母教的回憶。」給普天下的爲人母親者，作一參考。雖則時代不同，不能以今律古，但是：「禮義廉恥，國之四維；四維不張，國乃滅亡。」這是管子的格言，我們中華民國之不會滅亡，就是立國之本，端賴「仁孝忠信、禮義廉恥」這八個字，得以維持，永恒不替。而共產邪說的一定毀滅，共匪政權的必然覆亡，也是從它的廢棄人倫，打破中國四千多年傳統的家庭制度，而可以斷定他遲早必敗。當此人類爭存時代，探源究本，非從根本上的「家庭教育，」重新打下基礎不可！這便是這篇「母教的回憶」，有其發表的必要。

我的媽，是曾經讀過書，而且是一位仁慈識禮，能體貼兒女痛苦的母親。那一年，我已經八歲了，因爲沒有機會入塾讀書，母親白天要收衣服，到外邊去洗晒，非待乾了，不能回來；回來了，又要洗米下鍋，種種工作，一天到晚，忙不開交，那還有時間，教兒女讀書呢？因此，她只能在夜裏，費半小時的時間，教我讀「三字經。」然後，她又要繡鞋面，縫衣服了。媽的教書，是極有次序的，譬如說：今天教我讀「人之初，性本善」三遍之後，就自己去念熟，明天便得背誦；背誦熟了，教我對着書本習寫；背寫得不錯，了，她才教我默寫，如果沒有默錯，她才教第二頁的：「昔孟母，擇鄰處……」。之後，一直教完了全部……，她才把本書，一段一段，從頭到尾講解給我聽，說：「這樣讀書，讀過之後，便一生不會忘記的。」果然，媽教我讀的那幾本書：「人之初」，「天地元黃」，「大學」，「中庸」，「論語」，以及「孟子」，還可以背誦九成。可惜，讀不到一年多，媽病倒了！媽的病便是三年，使我不能在媽的督導下，完成四書的學業，這是個人畢生的大恨。（上）

附啓：「抽象藝術漫談」續稿未到，暫停。編輯部

劇氣傑鄉錄

婆婆生

祇有在家調嗓，常唱這頭段「介子推坐草堂前思後想」的西皮慢板轉二六，唱腔與摘纓會的勸梓童一段類似，極動聽。二段的「翠柏青青景物奇」，是西皮倒板接原板，最末的快板，尺寸很快，也很聳耳。違艮把此句倒板，改爲「春草青青隱翠溪」，則不如前句之明顯。

兩齣好戲，終因種種關係，未能上演，我今一談，使愛好者，知道焚棉山，並非馬氏所首創，而叔岩早已精擅，未嘗推出；更得到結論，余氏能唱者不少，人家已唱即不唱，自己會唱的，人家也不敢唱，例如摘纓會是一證，旁人未唱。甯武關更不必談。試一回想，有好多戲，覺得成爲祇應天上有，平劇如何能挽救起來，後生小輩不肯下功夫，焉得再振。

收李授孟　藝技有傳

余叔岩生平不願收徒兒，因爲如果弟子品德不好，會落到貽永久的譏評。在他心目中，爲報師恩，實寄托於譚富英，故在休養時期，特約富英而面授之。這番心意，完全出於至誠。無如富英嗓音寬亮，近於張二奎路子，當其由童伶而趨入大路活兒，小培又拘於自授，務使仍維於譚派之閫，近乎自私之見，耳提面命，不遺餘力。唱得固然痛快，另有蒼勁，可是不接近譚，而對余氏，所惜優曇一現，曾不須臾，卒使富英龍伺，未成大器，爲叔岩所深痛。

當余氏成名以後，求列門牆者，有十餘人，均始終未接受。但在民國廿七年十月，連收兩徒，是李少春孟小冬。兩人拜師，相距不過三日，十九日先收李，廿一日又收孟，兩人如願以償，其中經過，截然不同。少春是李桂春（小達子）之子，爲得寵姨太太所出，生於上海舊法租界愷自邇路芝蘭坊，自幼聰明，愛弄刀槍，桂春即延名師給他練習，好好培植，其子決難成就，後知非北上赴平，遍訪同行中人，方知叔岩最好朋友，是鹽業銀行張岳兩家，遂着手宴請，並卑詞厚幣，聯絡結交。張岳兩氏爲其說情，加以少春在北來以後，於新新戲院曾演打鼓罵曹和夜戰馬超，余氏認爲他能文能武，到是塊材料。乃擇定煤市街泰豐樓行拜師禮，內行票友到者，約三百餘人，識余氏的友好，認爲肯收少春爲開門弟子，必有可取之處，悉皆驚奇。拜師之後，首授文武均全的戰太平。薛觀瀾首云，英銳飄逸，知學殖之不沾。千里尋師，作擔登之就教。不圖拜師之儀邇猶懸，高徒之聲聞已揚，指顧之間，邇邇爭聘，其成名之易，近今所未有也。是少春纔學兩月，於十二月三日在新新貼演戰太平。自從露過此戲，余對他力爭上流，存另眼相看心理，以爲付託有人。

收徒之始　提三戒條

在收李孟爲徒，余氏特提三事，以作規矩。（一）無論何劇，以字音爲基礎。字音的講求爲要素，未有不諳聲韻，能見重於當世。粗知音調，不明變化，是俗伶也。（二）根基未固，不可問世。未經實授，不得出演，藉免抨彈。（三）毋習藝當淬勵品性，毋岸忽戲豫，不可睢肆以欺世，不可作踐其所授，入道之始，無誘於勢利，勢利着於胸臆，根株不斷，學藝便難深入。不過此三戒條，小冬守之，少春違之。在平未久，少春即到關外演唱，好久回平就跟師門漸疏。其故是他的拜師，根本沒有存盡棄所學而再重學，祗想礎個頭，學一點大概，列名弟子，就算滿足。最要緊的是少春年紀太輕，看事太易，余氏藝術，豈能一蹴而幾。他所唱出工尺雖對，韻味索然。即定軍山與殺家，雖經余氏指點，演來精彩毫無。簡直如入寶山而空回，非常可惜。（卅五）

盧君續夢

第十一回：

舊債新仇　索逋遭白眼

內憂外患　平憤仗舊頭

吳書記冷笑道：「在黨的鬥爭上明白規定遇到困難，推向羣衆，你怎麼忘記了。」

白無常說道：「我還是不明白，糧食是水淹的，要推也只能推向天，怎能推給羣衆呢？」

吳書記翻翻白眼說道：「你推給天當然可以，祇是咱們共產黨却管不了天，你推給天有屁用。」

白無常哀求道：「老吳，別賣關子了，你的意思是要我怎樣推給羣衆。」

吳書記說道：「你今天怎麼這麼胡塗，這批糧食不問是水淹的，還是你借給羣衆吃的，總之，已經不在倉裏了，是不是？」

白無常點頭稱是。

吳書記說道：「既然這樣，最乾脆的辦法，就呈報上級說倉庫糧食被羣衆搶去了。」

白無常「啊」了一聲，說道：「這樣一搞得了嗎？」

吳書記說道：「你大概是又犯了溫情主義，不得了是人民不得了，不這樣辦，我們可就不得了哩！你不妨算算這筆賬，到底是留着自己好，還是留着別人好。」

白無常躊躇一時，跺跺腳說道：「就這樣辦，我回去就報上來，你說的對，先救活了自己再說。」

白無常回去眞的秘密上了一個報告，指控民衆乘水災搶糧，幸而他防護得力，只搶走了一部份，報告後面附上借糧的花名册，除去少數親信的名字被勾掉，其餘的都被指爲搶糧戶。

吳書記接到報告，馬上呈到合肥省委會。省委第一書記曾希聖，省委書記兼「省長」黃岩，省委書記桂林栖看到報告都吃了一驚。

黃岩說道：「我在定遠、鳳陽一帶打過游擊，對那邊的民情有點了解，尤其是渦河沿岸的人，都是勇敢的鬥士，那裏的人一旦反了，可眞不能輕視。」

曾希聖說道：「我每次進京開會，毛主席總要問淮河兩岸有沒有出事，我有一天問到主席爲什麼特別關心淮河兩岸的人民，毛主席說道：『你不明白，那裏的人一造反就難收拾了，試看劉邦、項羽、朱元璋都是淮河流域的人，所以你要特別小心。』不料眞在那裏出了事，可見主席的意見是永遠正確的。」

桂林栖問道：「現在搶糧的人數還不多，提前鎭壓也還來得及，再遲蔓延開了，想剷除就難了。」

曾希聖同黃岩一齊點頭，當時派桂林栖到蚌埠專辦這件事，由蚌埠調出一團「解放軍」開去河溜，按照吳天良呈報的名單，在白無常指認下，一共抓了去五十七人。整個河溜頓時鬼哭神嚎，眼看着親人被裝上卡車，一車運去蚌埠，吉凶不問可知，再去找白無常理論，白無常已經因功升到縣委會任職了。

中共幹部這種無法無天的作風，時間久了，毛澤東也知道一些，當時就決計親自到鄉下看看，第一站先到了武漢，會見王任重。（二八九）

烏龍院裡話田余

谿公

同時叔岩也特別「卯上」！[illegible]上唱一大堂上打罷了退堂鼓……」那段夾白的「平板」，差不多句句都有彩聲！而於進院之後，見閻氏撒嬌撒痴，逕自就坐時，加一句自白，「這是我自討無趣」！至搬坐椅時，又加一句「自家的椅子自家搬」，俱見精細！而猜心事之作派，不即不離，尤多獨到之處。

田則倚老賣老，就着劇情之趨勢，和他開起玩笑來，於宋公明索觀花鞋時，就笑着說：「瞧你的手多麼僵，盡是大烟！」（因爲叔岩是有烟癖的）

又在反目時，宋白：「我把你這個賊淫婦！」閻即答白：「哎唷！我把你這個活忘八啲。」叔岩循例曲身把手伸到頭上去，比劃一忘八的樣子，閻氏又白：「你們諸位瞧余叔岩像個大忘八不像？」叔岩扮的宋大爺，只以微笑答之！若是扮閻氏的換上另一個人，我想叔岩是會大發脾氣的。

這位老牌花旦，雖有時開點頑笑，對於表演劇情，却一點也不含糊！如在宋江去後，急忙揭被下床，把耳朵貼在門上偷聽，並不開門！這比一般的花旦，拉開門來張望的作派，可就高明得多了。

自然叔岩也不甘示弱，故對唱，念，做，表之技巧，同樣的盡力施爲！如唱「都道你私通了張文遠」那一句煞末三字，高唱入雲，極控縱抑揚之致！與「戰太平」「倒板」裏「齊眉蓋頂」之腔，有異曲同工之妙，那是太好聽了！

又在臨睡時，特把右手墻上窗戶的紙帘放下，然後摘下方巾，和衣而臥。而閻亦卸去首飾，睡在宋江的脚頭！至天拂曉時，宋公明睡醒下床，復將方巾戴上，同時捲起窗上的紙帘，以覘天色。對於左手的另一小窗，因爲牠是關閉的，所以祇將眼角抹了一下，並不動牠！及至閻氏睡醒，起拾招文袋時，才將此小窗打開，就着窗下的亮光，折看袋裏的書信，（即梁山泊都頭領晁蓋，寫給宋江的信。）表演的如此週到，眞是難得。

迨宋江中道折回，尋招文袋不得，本能的以手擊額，追想先時挾袋而行之經過，一抬頭，瞥見左面之小窗已開，（這裏所說的門與窗，舞台上並無實物式「切末」，完全要從演員做工表情上虛擬出來！這個正是國劇藝術上一大優點！顧曲者幸毋忽之。）方始恍然大悟，揣知閻婆惜必會起床，招文袋當然是她拿的！

（四）

發財與散財

漁翁

在一年一度的舊曆新正內，彼此見面，離不了「恭禧」兩字。恭者，敬也，禧者，福也，吉也；統稱之爲相互祝福。同時，在恭禧之下，又添上「發財」二字，「恭禧發財」成爲新年口頭禪。

過去大陸上，家家戶戶，都歡喜張貼發財的吉祥語，如：「抬頭見喜」，「對我生財」，「方方得利，處處生財」等等；又於所設土地神位兩旁，大書：「土中生白玉，地內發黃金」，都希望一年勝一年，所謂勝者，即財源湧進之意也。

西人恭賀新年，也有興旺之吉祥語，如「新年快樂」，雖不直接提及錢財，却也包括發財在內，是蓋「發財」之念頭，西人其實尤甚於中國人也。

財者，錢幣器物之總稱，凡有價值者皆謂之財。出債與生利者，謂之「財主」，又稱「財東」，以其擁有大量資產也。財固有用，可以解決人生衣，食，住，行之四大需要，所以爲人人所歡喜，所爭取，一而十，十而百，百而千，千而萬，多多益善焉。

可是，人爲萬物之靈，不僅僅求溫飽與享受爲已足，山之獸，林之鳥，水之魚，皆需食物之滿足，如人類專爲溫飽打算，則與禽獸魚虫何異？必也，除溫飽之外，須尋求比溫飽更重要的東西，才有眞正意義。

孟子見梁惠王時，王曰：「叟，不遠千里而來，亦將有以利吾國乎？」孟子對曰：「王何必曰利，亦有仁義而已矣」。認爲仁義比財利爲更重要，要以義爲利，而不以利爲利也。諺云：「君子憂道不憂貧」，又曰：「君子謀道不謀食」，還有：「錢財如糞土，仁義值千金」……這類的話，無非警醒世人，不逐逐於富貴，汲汲於享受，而要以道義爲依歸。

孔子有言：「富而可求，雖執鞭之士，吾亦爲之。」猶言生財要有道，非其道，雖一毛而不取。尤其財聚而有害，左傳：「匹夫無罪，懷璧其罪」，謂以璧爲寶而懷之，則人將艷其璧而加之以罪也。

財富之家，即或不受橫禍，而堆積不散，有如糞土，有如銅臭，更有視若阿堵物者，據世說新語：王夷甫口未嘗言錢，婦欲試之，令婢以錢置床前，夷甫晨起見之，呼婢曰：「舉却阿堵物！」按阿堵物爲當時俗語，即今說「這堆東西」之意。所稱阿堵物爲錢者，本此。

財是流通的，要聚而能散，大學：「財聚則民散，財散則民聚」。但能知聚散之法者不多見，以孟嘗君之豪爽，馮諼爲之市義，猶不悅於色，其他可知矣。惟有陶朱公范蠡，治產積至巨萬，三聚三散，而能惠濟民間，這才是第一等的人物。

再說：美國石油大王洛克斐勒，蓄財稱富，據說也很能知調濟與散發之道，做了不少的公益事業，如：洛克斐勒醫藥研究所，教育普及會，洛克斐勒基金會，以及捐助醫院，救濟院，青年會，各大學等，他說：「我是財富的受託人，應該散給大家」。足見洛氏之聚財，不是爲了自己一家一族，是個亦知發財與散財的道理之人。

新年恭禧發財，我不反對，但發了財以後，最要緊的，還要知道散發之道，使大多數人得蒙福利。像陶朱公，像洛克斐勒，救困濟貧，以義爲利纔是最有意思的事。

我的社會之路

雷嘯岑

我認定此間已無可再留，即將內幕情形，函告正在四川萬縣作行政專員的友人羅經猷，請他代向楊暢公說明一切，准我告辭。恰好是年八月間，江陵境內的大堤崩潰，洪水氾濫數邑，江陵縣城亦幾被洪流淹沒。我雖不負堤防之責，另有專管機關，然在防洪工作中，迭受駐軍故意爲難，令我困苦萬分，省政府亦以敷衍地方軍事巨頭爲重，對我愛莫能助。到十月下旬，正好是三年任期屆滿，我親至武昌向省主席張岳軍先生堅請辭職，且請他即日派員代理，再轉呈行政院明令任免。

我在湖北做了整整三年的地方行政官，認爲是一生最辛苦，最有意義，也最感興趣的工作，比作甚末部院長的價值還高，若不是受着軍人的干擾仇視，雖教我再幹十年，亦復樂此不疲。因爲中國的老百姓實在很善良，地方官只要實心任事，不貪財，不虐民，任何政令皆行得通，而且深獲人民的愛戴，令人感奮。例如我在江陵任內時，曾有一老年乞丐到公署要求見我，衛兵不許他進來，適被我看到，即走出大門外，問那乞丐有何事要我處理？他說：「兒子在鄉里作保長，有吃有穿，竟不贍養老父，要請縣長主持公道。」當時我送給他一塊錢，教他回家去靜候消息。隨將該區區長找來，問他是否眞有此保長？答謂確有此人，父子間感情素來不好，老父氣不過，就出門去行乞，大罵兒子不孝。我吩咐區長回去告訴那保長，對父母一定非照顧不可，教他具結以後負責養活父親，如有困難，可向我申述，設法解決就是。過了數月，我騎馬赴江陵鄉區巡視時，忽有一老年人跪迎馬前，說是「感謝縣長成全，現在兒子對我很好了」。審視之，原來就是那行乞的老漢。憑此小事，即知中國的老百姓是容易管理，也容易滿足的。

我辭職後，楊暢公來電調我入川，指派我担任四川縣政訓練所政治教官。我認爲這類人才到處都是，何必遠徵及區區呢！乃流連武漢，遲遲不行，同時亦擬將江陵任內的移交手續辦妥，纔安心作別的事。不料兩湖監察使高一涵，此時不惜落井下石，竟向監察院提出我「貪污橫暴」十大罪狀的彈劾案，且要求監察院長轉請中央政府作「緊急處分」，要把我先行扣押，靜候查辦。我在湖北作了三年地方官，最堪引以自慰自豪的，就是不貪污，而一旦卸職，乃被堂堂台諫大員，認爲貪官汚吏中之最不可恕者。言官的信用如此，焉能怪社會上沒有公道是非呢！

（卅四）

也談三寡婦（續）

話又說回來：甘迺廸先生國葬之日，我們沒有派特使飛美參加，以中美關係而言，自然是一大失著，不能委責於任何理由。但事後細加回味，也未嘗無有理由的理由。我們看到法國强人戴高樂的假惺惺，當面送秋波，背後抽大腿的醜態，那麽，我們「無言」的致唁，「不特」的執拂，還是名正而言順的，無有失禮！而甘迺廸的屍骨未寒，戴高樂的與匪建交，至少已向詹森總統踢了一脚了！豈獨日無美國，目無「死者」而已。

又不見，周鴻慶是被遣回中國大陸了！我們還是忍！卒之日本人也有自救之日，而有前首相吉田茂訪華之行了。無他，他們也知道日本與中華民國斷絕關係，是害多而利少；因爲一箇蘇俄虎視眈眈，一箇北韓近在咫尺，他已吃勿消！再加上一箇「攪屎棍」的中共，日本不被變成南北韓，或南北越者幾希矣！他們也覺得日本之太過於媚共親共，致戴高樂之卒然承認毛共，是不無或多或少關係的。趁此回頭，或仍有與我恢復舊好，共謀對策，阻遏毛共在東南亞擴展，和日共在日囂張的可能；否則，他們的媚匪資匪，也就不旋踵而要自食其果矣！至於如何因應此一環境，相信在我最高當局統籌並顧之指示下，中日外交復敦親善的展開，未嘗無觀成的希望。因談三寡婦而連帶及之，亦聊紓箇人觀感云爾，非著論也。

花番月上談小品

粟毓美別記

黃葉村人

少時喜讀筆記，尤喜讀筆記小說，如：「唐人說薈」中所蒐集者；以及干寶搜神，虞初各志；聊齋，觚賸；閱微草堂，螢窗異草；[illegible]開天傳信記，劉賓客嘉話錄等；無不窺也。比長，亦嘗摘取各書之精華，並抒以己見，作爲每書之提要；以小窺大，亦自擬於紀文達之作四庫提要也。自是，侵尋卅餘年間，都一百二十餘則。分編爲上下二卷，上卷曰：「提要」，著各書內容，及作者生平，暨編者對是書之觀感、心得。下卷曰：「摘奇」，乃采錄各書之折獄，異聞；凡哀感頑艷，可歌可泣，可興可羣者，無不著之於篇。然未嘗鈔原文，以其間亦有參考他書，或得之耳聞也。

不幸！書已觀成，只有若干待考證未補入，及未複校，序行付刊而已。而日閥侵華之難作。兩書及其他已盡亡失於鶯門故居，可不歎邪！及後，抗戰勝利，異域歸來，又從海內外各地集得如干遺篇斷冊；以及故人之所贈遺，舊書攤之所物色，方擬重新編摘，而匪禍又作，經此再刦，縱不物化灰飛，亦已心餘力絀，萬念都灰矣！顧其間，如湯應求之審理麻城獄，（隨園文集，志之最詳）及粟毓美之冤獄，張文祥之刺馬，小白菜之[illegible]楊乃武，暨北通州之「殺子報」等，所謂：「滿清十大奇案」者，余皆采集多方面之見聞，費了不少心血以成篇者，今皆不可得而憶述，與得而重見矣。蓋自五十年割腹療創後，輸入新血，幾逾原有之半，致愈後記憶力全失。來台後，雖有時間可資用神，然書籍之搜購參考談何容易也，故不如其已耳！

（未完）

訪問美國議會的觀感

陳翔冰

至戴高樂執政後，衆議院形勢始大變，因戴高樂派佔絕對多數，衆議院幾可無異議通過任何議案，所餘者僅質詢之聲而已。據云丹麥衆議院不分左右派之席次，係以名字之字母爲先後而排位。瑞典，挪威則依選區而排列席次，所以各黨各派俱分散，其優點在減少黨派之磨擦而增加選區之利益，但爲一種別開生面的席位安排法。

（二）衆議院的議長問題

英國衆議院的議長須脫離政黨關係，且多數係從後座中起用者，有時候執政黨改變後，舊議長因得人和，仍爲新的執政黨所擁戴。如勃朗安（Colonel Clifton Brown）原屬保守黨，一九四〇年出任議長。一九五〇年工黨組閣，仍以勃朗安爲議長。足見議長脫離政黨關係，實爲英國議會的特點。據專家之研究，英國衆議員共六三〇人，不易發生票數相同的事情，不需要議長投最後之一票，以決雌雄，所以議長較易守中立。議長退休後，例派爲貴族院議員，此實使爲議長者能中立之另一原因。

美國則不同。美國的議長例由多數黨領袖出任之。因此黨派的色彩很重，常常能貫徹本黨的政策，成爲政府的一種安定力量。

（三）議會的表決法

美國有三十州採用電動表決機，而國會尚未採用。據云法國下議院每次計票須費時一小時半，美國亦須三十分至四十五分。據專家統計，美國衆議院如採用電動表決機，每一會期可節省一個月。英國以無固定席位，當然無法採用，其他各國之採用者已日多。

（八）

內政部台報字第〇三一壹號內銷證

自由報

THE FREE NEWS

第四二六期

中華民國僑務委員會頒發台教新字第三三三二號登記證
中華郵政台字第一二八二號執照登記爲第一類新聞紙類
（本報逢星期三、六出版）

每份港幣壹角
台灣零售價新台幣貳元

社長：雷嘯岑
督印人：黃行寬

社址：香港銅鑼灣高士威道二十號四樓
20 CAUSEWAY RD 3RD FL. HONG KONG
TEL. 771726　電報掛號：7191
承印者：田風印刷廠
地址：香港灣仔高士打道二一二號

台灣分社
台北市西寧南路壹壹壹號二樓
電話：三〇三四六
台郵撥儲金戶九二五二

我國在非洲之農業外交（上）

張默君

非洲，此酣睡已數世紀之神秘大陸，當二十世紀六十年代，終翟然醒矣。且發出既明且熱之萬丈光芒，照耀寰宇！

非洲似一團力量充沛之酵母，其作用不僅及於政治、經濟，而且及於社會、文化、宗教，其有志青年，多正在英國牛津大學暨我國政治大學深造。

今日之非洲，已成爲國際舞臺上重要角色，對西方世界，對中華民國，關係非常深切，不僅具有重大之戰略地位，且有富裕之資源，而同時它是西方最後防綫。對中華民國而言，如世上還有一地區足以施展我輩外交才猷者，此一地區，即是非洲。同時在世界環境中，對我國際地位具有至大影響者，此一地區，也是非洲。對非外交洵吾外交活動成敗之關鍵所在！

當十九世紀末，與二十世紀初，極大部份非洲地區，皆淪爲西歐國家之屬地，就中以英法佔地最廣，其次爲葡萄牙、義大利、比利時、西班牙等。第二次世界大戰後，非洲尚只有四獨立國，即埃及，賴彼瑞亞，衣索匹亞，南非聯邦。曾幾何時，因民族自覺浪潮飛騰澎湃，以及英法開明之殖民政策，迄二十世紀六十年代，新國旗一面面自地平綫上迎旭日而湧現，至今非洲大陸已有三十五新獨立國，獻身國際舞臺，扮演舉足輕重之名角。

三十五面新國旗，如雨後春筍蔚然壯，乃東西陣營冷戰之結果；而新國之產生，又增加冷戰之銳利化，激盪互爲因果。於此場冷戰中，民主陣綫，竟佔上風，中華民國厥功甚偉。

吾儕爭取非洲與國之工作，實有雙重任務：

一、爲鞏固自身之國際地位。

二、乃打擊共產集團滲透陰謀。

誠如美國華盛頓郵報所說：很幸運的，在阻止中共於非洲的擴張中，有一比美國或蘇俄更爲成功之國家，是中華民國。中華民國竟獲得十八個非洲國家之承認，而中共僅得十個。

我外交能夠在非洲『登陸』，外交部楊次長西崑已作最大貢獻，自無疑義；而我農耕隊卓越之表現，使不毛之地，化爲綠洲，成爲樂土；僅一年餘時間，使非洲諸邦大慶豐收。如解決其經濟艱苦。如賴比瑞亞、利比亞等十國，並受其福，莫不喜心翻倒，與我建交，而樂投支持我國同意票。此卓著聲譽之中華民國「農業外交」，洵我外交活動之新天地，且於外交史上大闢一新蹊徑焉！

中華民國於一九六〇年，開始在非洲活動，雖後於共匪四年，但一九六一、二年間，力量增强，速度猛晉，始終不渝；相反共匪初具雄心，於一九六〇年竟達顛峯，而未幾日趨下游，勢成衰落。

我國經濟日進繁榮，對資源能作最佳之運用，而共匪則在經濟上既遭失敗，自徒呼負負。

我國於非洲爭取多數新興國友好合作，不惟已鞏固在聯合國之地位，而最大收穫，乃在爲自由世界粉碎了共產集團自亞洲迂迴非洲困擾歐洲之侵略陰謀。

非洲情況變化至大者，乃一九六〇年一年之中宣佈獨立者，即有十七國。彼等大部進入聯合國，使拉丁美洲集團相顧失色。一九六一年又有兩新國獨立。（獅子山及坦干尼加），一九六二年（盧安達、蒲隆地、阿爾及利亞及烏干達等四國），一九六三年又有（肯亞）獨立。在一三個聯合國會員中，一有三十五個非洲國家，如果彼等聯合投票支持一方，即足以影響大局。我國一直在努力保持此一席位於不墮，因此「非洲集團」對我國極關重要。過去五年非洲國家在此問題上投票趨勢見表：

年　別		支持票	反對票	棄　權	總　數
一九五九年	聯合國會員	四四	二九	九	八二
	非洲會員國	二	五	三	一〇
一九六〇年	聯合國會員	四二	三四	二二	九八
	非洲會員國	二	九	一六	二七
一九六一年	聯合國會員	四八	三七	一九	一〇四
	非洲會員國	九	九	一一	二九
一九六二年	聯合國會員	五六	四二	一二	一一〇
	非洲會員國	一七	一四	二	三三
一九六三年	聯合國會員	五七	四一	十二	一一〇
	非洲會員國	一七	一二	四	三三

從上表，可見一九六一年，我國已增加七票之支持，而共匪所獲者則與前一年同。一九六三年中華民國乘機追擊，共匪慘敗，此因非洲會員國大增之結果，中國所得之支持票自多過於共匪。所有『非馬聯盟』國家，都支持我國，使我獲得過半數之非洲支持投票。

我國此項勝利大部歸功於我在非之農業外交。當然美國有力支持及共匪對印度之敵對行動，亦有助於我。

以我農業外交之建樹，既堅定其自信力，且使非洲及世界人士益深知吾中華民族崇高之道德，暨匡濟之精神。

一、我農耕隊在非推進，已使非洲多數邦人認識中華民族己立立人與捨己助人之德業，對彼掛羊頭賣狗肉之匪幫，益增其厭惡。

二、農耕隊之有成，更祛除了吾儕多年來之自卑心理。過去國人視自己之農業技術如一盞「破燈」，而今卻發現「此」是一盞「阿拉丁神燈」，經過七十七位遠在非洲之農耕隊員一擦拭，立刻出現奇蹟——將沙漠變成綠洲。

至於來臺參加「非洲農業技術人員講習班」之非洲青年，更是踴躍，計第一期廿五名，第二期四十九名，第三期四十三名，包括喀麥隆、查德、達荷美、衣索比亞、加彭、肯亞、賴比瑞亞、馬拉西加、茅利塔尼亞、尼日、尼亞薩蘭、盧安達、塞內加爾、南羅德西亞、多哥、上伏塔、尚西巴。

自從我大陸[illegible]後，共匪便[illegible]力滲透，曾利[illegible]新興國家之急於經[illegible]濟開發之願望，[illegible]宣傳，謂共匪經[illegible]是低度開發[illegible]發展之捷徑，[illegible]誇張共匪之經[illegible]工作，可爲之新經[illegible]榜樣。

同病不相憐

一塊熱鐵

今日与明日

美援問題

近年來，常聞美國人稱贊台灣經濟發展情形優良，可能自給自足的話，實際是爲着將要停止對我國的經援作伏筆文章而已。

八九年前，香港大學經濟系主任教授葛璧（Kirbby），先後到台灣考察經濟事業二次，筆者偶然跟他晤面，請他說說咱們經濟上的缺點——不要說好話——他慨然曰：「專靠外援是很危險的。漫說外援必有限期，即令永遠可靠，而你們經濟上亦會發生大毛病啊！」我把他這項見解，曾經不斷的在「自由人」及本報再三揭出，希望政府注意。然而時至今日，聽說美國經援將告停止的消息，當局者頗感憂惶，而輿論界亦有「美援有如鴉片煙」的說法。這至少表示咱們自己對於經濟上的努力太不夠，惰性沉重，俯仰由人，而證明葛璧教授的見解是正確的，可惜當局者不知警覺，自貽伊戚耳。

如何開拓生產事業，如何減少純消費的支出，如何簡化苛擾性的法令與機構，以便利民間工商企業之發展，幷由政府積極維護贊助，實現「藏富於民」的效用，這纔是自救自立之道。否則外援的鴉片煙癮成了痼疾，其後患將不堪設想也！

中日邦交仍在僵持中

吉田茂訪問台北後，中日邦交似有春[illegible]之勢，[illegible]日本政府二三其德，又[illegible]現象。日方岸信介等民間領袖人物，主張暫緩舉行「中日合作策進會」特別會議，固其宜也。爾許我廣的說空話、搞空事，何必呢！

揣測日本當局之意，他們既已派大員到台北訪問，算是對我很客氣了，必須我方自動派遣使節前往東京，恢復外交常態，然後再談其他的問題。筆者認爲兩國既未宣佈絕交，我國的外交官似可重行回任——但大使是否另派新人，那是別一問題。如果藉此以打破僵局，未嘗不可吧？

高棉的反英美暴動

高棉發生反英美暴動，施漢諾急忙道歉，承認[illegible]美一定欣然滿意，而所謂高棉中立化的「四國會議」，亦將從速實現。

誰說弱國無外交？綠頭蒼蠅式人物施漢諾，就能夠相度時機，利用强權國家的弱點，施其伎倆，爲幻爲張，且將大有所獲呢！

强權主義者有如財多而生活安樂的富貴人家，害怕發生[illegible]，祇要對他表示搗亂的言行，他即不惜委曲遷就的。如果一味地向他乞憐告饒，那便是自討沒趣！

自由談

報載：紐約的青年學生，在學校隨便侮辱毆打教師，行所無事。那些被毆辱的男女教師們，爲的是在學校實施訓導職責——禁止學生在課堂內戴着帽子，或干涉學生們在授課時的胡調行爲——以致膺受到意外的災害，而學生家長以及社會人士，對此怪狀似乎「當伊唔介事」，滿不在乎。

世人描述美國社會生活實況，認爲是青年人的樂園，壯年人的戰場，老年人的墳墓。換言之，少壯子弟是寶，奉之若天神，長老之輩是廢物，與衆共棄之。所以，前年美國曾有一青年子弟，因母親不肯多給零用錢，即用手鎗擊斃她。消息遍見於報紙上，而社會輿論亦未表示驚震譴責呢！

美國是民權極其伸張的國家，尊重個人自由，犯了罪，雖被法庭究問，亦有不答辯的權利（憲法有此規定）。平時隨便携帶武器，更屬家常便飯，而且可以利用郵政局購寄鎗械，如行刺甘迺廸總統的那支備有瞄準器的步鎗，就是兇犯從芝加哥用郵寄方法購來的。近年來，美國人民因爲種族歧視問題，常常發生以炸彈或手槍互相殘殺的行爲，令人怵目驚心。美國社會大衆如其沒有一些宗教精神制約於其間，其情況更將不堪設想啊！

人類皆有其天賦的劣性根，法律祇是禁制於已然的行爲，而不能消防於未然的心性，陶冶性情的唯一利器就是教育，而以家庭與學校教育爲基本工夫。可是，美國的一般家庭教育如彼，學校教育又如此，加之以所謂實驗主義的教育思想，泛濫於高級智識份子的腦海中，美國今日的社會現象，由來者漸，非偶然也。

物質文明高度發展，日常生活享受特別優越，這都是受着實驗主義的教育作用之賜，及其弊也，學生打師長，兒子殺母親，黑白人種互相仇殺。我很耽心美國社會有朝一日被共黨潛力大量滲透之後，那種基於實驗主義的民族思想，究竟有多少抵抗能力可靚呢？

常聞美國人以華僑子弟知禮守義，不似美國青年乖戾囂張，引爲詫異。此無他，中國人崇奉儒學倫理，而以家庭教育爲基礎耳。願美國朋友三思之，幸甚！

教育與民族性

馮[illegible]先生

鹿死誰手四十天後分曉
台北市長競選縱橫談
形勢將是周百鍊高玉樹的較量
另盛傳李萬居亦考慮問鼎中原

（本報記者台北航訊）關於台灣省地方第五屆縣市長選舉，政府已宣佈於今年四月二十六日星期天，在全省各地由選民投票改選。而國民黨中常會於一月二十九日通過該黨所提名的縣市長候選人名單，在二十一縣市中，除台中縣、彰化縣、嘉義縣、台南縣等自由競選外，其餘十七縣市的候選人均已提名並公佈。

為各方所矚目的台北市，國民黨提名前代理市長、現任省府委員的周百鍊為下屆市長候選人。本報記者早在四個月前，即報道國民黨將提名並支持周百鍊競選下屆市長（詳本報第三八〇，三八一期專欄報導）。

在國民黨正式提名周百鍊為台北市長候選人的同時，該黨台北市黨部主任委員彭德以健康欠佳為理由而堅辭主委職務，而另一位被市民目為周百鍊政敵的市議長張祥傳，且一度力爭黨提名市長候選人，則對新聞記者表示服從組織，支持黨的決策。這兩件事，湊合在一起，瞭解台北政情的人都認為不平凡。按常情言，周百鍊和張祥傳、黃啓瑞、彭德等三人，都是國民黨的黨員，應該通力合作，為黨爭取光榮，然而事實上，並非一般人所想像那麼簡單，原因是他們在黨內的政治背景略有不同，各有所宗，故形成同黨而不同派，這可以從周百鍊代理市長任期內，市政府與市議會及市黨部之間的種種不愉快事件，即可瞭然。

周百鍊勝敗契機

周百鍊何以獲提名呢？歸根到底一句話，這是由於他過去對黨的貢獻，得到上級賞識所致。至於周百鍊是否獲得選民的支持而當選呢？若照目前的形勢觀察，應該是沒有問題的。假定有問題的話，那就是例外。

所謂例外，當然包括國民黨地方幹部是不是做到真正的精誠團結，同心協力，以及選舉策略的運用，暨黨外人士是否開誠布公，共同推出一位有實力的市長候選人，來和周百鍊較量一番而定了。

自從國民黨提名周百鍊為台北市長候選人之後，黨外人士即紛紛舉行餐會來商討市長候選人的事宜，並且以種種方法來製造新聞的高潮，甚至不惜相互指責——內鬨，這些不融洽的氣氛，說穿了，還不是黨外人士利用報紙達到宣傳的目的？

現在有意競選五屆市長的黨外人士，計有：高玉樹、郭國基、李秋遠、郭雨新、張詩經和黃信介等多人。在這些人中，真正決心問鼎市長的是高玉樹，其他的人，不過做做陪襯而已。黨外人士向以高玉樹為中心，而高玉樹也以領導者自居。不過，高玉樹由於平時擅玩手段，所以失去若干人的支持。

高玉樹其人其事

高玉樹有自知之明，他決不會輕易放棄有利於己的任何機會。這就是說，他對下屆市長的競選，認為周百鍊非其對手。他是在台北生長的，對黃啓瑞、張祥傳、周百鍊之間所存在的問題，知道得一清二楚，他將利用這種微妙關係，擴大自己的基礎，來爭取此一千載難逢的良機。同時，他更清楚他今天所處的環境。他的處境是：他如果競選台北市長，他的政敵郭國基，絕對不肯輕易讓他順利競選，勢必出而拼個兩敗俱傷。因為郭國基在去年競選（台北市、省議員時，屬於高玉樹一派的李福春和楊玉城等，曾在政見會上猛力抨擊郭國基，結果郭落選，高的胞弟楊玉城當選省議員，而結下怨仇，使郭國基耿耿於懷，念念難忘。由於這個緣故，凡是高玉樹一派的任何人競選台北市長，郭國基也一定競選，互相較量一番。

高玉樹之所以還沒有公開宣佈競選，其故在此。其次，是高玉樹缺乏政治道德觀念，更沒有一諾千金的性格。比如，前公論報社社長李萬居與張祥傳為公論報案訴訟時，台北地院敗訴，斯時，李萬居若能提供二百萬元新台幣担保，即可免於假執行——辦移交；於是，高玉樹自告奮勇，有一次，在會中公開宣稱：他籌備五十萬元，給公論報社作担保金。結果，據說他連五百元也沒有拿出來，這就是他輕諾寡信而又沒有誠意的事例。

再次，黨外人士，甚至高派的大將如李賜卿等，也不滿意其作風，故主張黨外人士應有二人以上競選台北市長，以防止高玉樹中途撤銷市長候選人的登記；上一次高玉樹就曾中途撤退，而使黨外人士看不起，其政治聲譽頗受影響。

李萬居如其出馬

更出高玉樹意料之外的事，即前任新生報董事長、公論報創辦人、省參議會副議長、現任省議員的李萬居，外界盛傳他正考慮競選台北市長。李萬居競選台北市長的動機，不外下述二點：

第一、李萬居的健康已漸漸好轉，同時，他是要藉競選市長的機會，來測驗一下台北市選民對他的觀感如何？至於會不會當選，據說他並不很在乎。

第二、李萬居原籍雲林縣，該縣有兩大派，屬於李萬居一派的地方人士，在參加這次縣議員暨鄉鎮長選舉中，全部順利獲得選民支持而當選。不但雲林縣如此，即嘉義和台南兩縣亦復如此。說明他在地方上還有些影響力。

假定李萬居將出而競選的說法不假，不僅黨外人士驚訝，即執政黨亦會感到意外，而不得不重視，甚至要設法說服李萬居。

高玉樹既有上述弱點，乃又有郭雨新競選之說。其實呢，郭雨新是不會在台北競選市長的，圈內人都知道這完全係高玉樹玩的把戲。老實說，郭雨新志在南山人壽保險公司的經營和發展，早就無意競選縣市長了。

據說：春節期間，高玉樹曾深入低層，拜訪鄰里長，並且曾在其住所設宴款待這些平時不為人所注意的公務員，足以證實高玉樹過去的言行，完全是言不由衷。

目前的形勢，將是周百鍊與高玉樹一較高低，至於鹿死誰手？那就得看國民黨內部是否真正精誠團結而定。

在這次縣市長改選中，最使國民黨感到頭痛的縣市，計有：台北市、基隆市、雲林縣、高雄縣市等地方。其原因，像雲林縣國民黨提名民政廳長陳錫卿的乘龍快婿廖禎祥為縣長候選人，因而引起地方上資望極深的國民黨黨員的反對；像基隆市提名省議員謝清雲，而致前任市議長蘇德良公開指責。這些問題的發生，無他，若干人私心作祟，沒有天下為公的精神而已。

立委劉錫五指摘政院
不尊重立法院質詢權

（本報記者台北航訊）立法委員劉錫五指責行政院不尊重憲法賦予立法院的質詢權；另對「戰地政務局」的設置問題，劉委員亦催促完成立法手續，藉符法治精神。

劉錫五在質詢中指出：「質詢權」是立法委員重要職權之一，在憲法第五十七條中，規定的極為明白。本此原則，又在「立法院議事規則」內，從第六十七條到第七十二條，一共六條，都是關於立法委員質詢權的引申規定。其中指明：「立法委員：即席提出之質詢，被質詢人應於每一質詢後，即時答覆；但經質詢人同意，得於十日內，以口頭或書面答覆。」又還規定：「被質詢人，除為保守國防外交秘密者外，不得拒絕答覆。」歷任行政院院長，對於質詢之答覆，大體上，尚能按照規定行事；但亦時有不盡然者，不無漠視質詢權之事發生，未免與法治精神有違。

劉錫五舉例說：去年九月二十日，本席第二十七次質詢「國防部組織法送審案」；在當時，陳院長因病提前銷假列席院會，於報告施政後，即行離席，以故未能予以當面答覆，而王副院長雲五當時在座，則云「請俟查明答覆」。乃時至今日，經過一個會期，終未見口頭答覆，亦從無隻字片紙之書面答覆。似此漠視質詢，違背法治精神，誠屬行憲行政院之怪事，殊為遺憾。

關於「戰地政務局」的設置問題，劉錫五認為：「戰地政務」者，戰地內政行政事務也。查內政部組織法第一條規定：「內政部掌理全國內政行政事務」。故無論「平時」、「戰時」、「戰地」、「非戰地」，凡屬「內政行政事務」，依法均應歸內政部主管。倘有必要，專設一「戰地政務局」於內政部，固無不可，否則因便於與軍事作戰相配合，專設一「戰地政務局」於國防部，亦無不可。惟其中有一緊要關鍵：在於有法以為依據耳。所謂「有法」也者，如歸內政部，則內政部組織法應予修正，予以增訂；如歸國防部，則國防部組織法之擬訂，應予列入必要之條文。總之，此一「戰地政務局」之本身，必須具有法案之確立。惟有如是，始可謂為有法，始可符合法治精神。查目前之「戰地政務局」所，隸屬於國防部，成立歷有年，蓋以在反攻時期，前方戰地應採「以軍管政」之理論，及「軍政合一」之體制，於是成立此局，專責研究推進戰地政務工作及儲備戰地政務人員，並擬訂各種有關規章；數年以來，努力推進，頗多建樹，獨惜法案尚未確立，至關重要，亟應早日辦理。

香港與大陸

毛共又在想方設法
驅趕城市人口落鄉

中共在大陸地區又開始在大搞「下放」和「支援農村春耕」的運動，學校、工廠、機關都同時進行，中共還製造了各種「模範」與「典型」，目的是弄一些城市人口到農村「安家立戶」。但反應卻表現了另外一種「典型」。

最近曾回廣州市探親的紗廠職員某君向本報記者透露：廣州市中共當局，新近又發出一項通知，動員廣州市各行業單位之負責共幹，實行大張旗鼓的「為建設共產主義的農村問題」的學習運動，規定社會大眾在「學習」了此項運動的「理論」之後，付之以「實踐」，換言之，是要城市居民認識「共產主義」的農村之「美好前途」，而樂意地到農村去「安家立戶」。

該紗廠職員某君說：中共是項運動之重點是放在城市中的社會青年和大中學校。社會青年之「學習」，係由所屬地區的「團支部」負責，它們從當地的派出所掌握到所有的社會青年的「資料」，然後書面通知，定期到「團支部」報到。至於「學習」的內容，仍不外乎贊美「共產主義農村」的遠景，另又用共幹的案枱上的「計劃和數字」加以「證實」，又還製造一些「張加耕」、「董田」等名字和熱愛農村嚮往農村的「感人事跡」，以麻醉青年。中共的目的，無非是要青年認識農村的「前途」，而「安心」的到農村「安家立戶」—而其實是做「共產主義農村」的農奴。

該紗廠職員某君說：廣州市的大中學校，也在如火如荼的進行是項運動，不過比之「社會青年」，又小有不同。原因是中共的目的有差異：社會青年的「學習」，是要他們立即到農村「安家立戶」，大中學生的「學習」則是要他們在春耕期間下鄉支援，而先作思想上的動員。

該紗廠職員某君說：儘管中共是項運動是如何的「熱烈」和「普遍」，共產黨宣傳機構更極力配合，「表揚典型」；但人民的反應卻又是另一種典型。如社會青年是想方設法在製造不下鄉的條件，好像請醫生寫不能參加劇烈勞動的證明，教海外的親人寫信回去，囑他、她們要在城市中等待，萬不可到農村去荒廢學業……林林總總，各式各樣，目的無非是儘可能的拒絕到農村去。

至於青年學生，他（她）們知道要想逃避支援農村春耕的厄運是做不到的，悲憤之餘，卻對共黨學校生活大加諷刺，如他（她）們說：我們是上課「化學」（草率之意），功課「勿理」（勿與物音同），考試「靜止」（靜止音近政治），勞動開支「袋數」（袋與代音同）云云。（敬斯）

基隆旅居記

仲公

卒因經營不善、流弊孔多，經手辦𢡟的人隨處浮報，光緒八年台灣兵備道劉璈會稟督撫有云：

「八堵以總炭一萬九千八百五十餘石起解，基隆祇收一萬六千五百五十餘石，十餘里間，竟少三千三百餘石，已屬不解。而八堵以粉炭九千零十石起解，基隆僅收三千四百三十石，竟少五千一百八十石。基隆收發之時，又各有失耗，大較又去一成。既減成色，又失斤重，一轉移間，一月之內，耗致八千餘石！揆之於理，似欠圓通。又工匠等聽燒官煤，月至數千石，洋人三名，月燒官煤九千斤，路旁三燈，月燒官煤四萬斤！其間不應濫支之處，不可勝數」。

這樣浮冒濫支情形，確實驚人。後來劉璈派補用同知史悠[illegible]，候補通判李嘉棠會同整頓，就一年產煤一百四五十萬石，盈利每年達十六七萬元；並設台灣煤礦分局於上海，汕頭，廈都，委商承銷，積極推廣銷路，基隆煤業至此，纔大有起色。到了光緒十年中法戰役爆發，基隆煤局被毀，煤務又陷入了低潮。（廿九）

手錶

劉杰

我在台北火車站買票時，有個年青人走了過來，對着我微笑，說：

「你還記得我吧？」

我想了半天，就是想不起來。

「我們都是從大陸逃難來的，您府上——」

「我是安徽。」

「對了，」他說：「我倆是同鄉，我也是安徽人。」

我還是記不起來他和我究竟在什麼地方見過。

他掏出低級香烟，遞給我一支。

「您到那裏去？」他問我：「他鄉遇同鄉，眞是難得。」

我應付着：「嗯，嗯。」

他兩手搓搓：「您在那裏念的書？」

「安徽大學。」

「我也在安徽大學念過書。眞是巧！我倆還是同學嘛。」

火車快要開了，我對他說我要進站了。

「你到台中？」

「不，到湖口。」

「湖口？」他說：「那好極了。我到台中，我們正好同一班車。可是——」

我望着他，沒有做聲。

「我實在說不出口。我到台中是去找事，這事情已沒有多少問題，祇是——」

我還是望着他，還是沒有做聲。

「我身上一個錢都沒有，連買車票都沒辦法。我這話是在同鄉同學面前說出，想來也不算丟臉。」

我還祇是凝視着他，沒有做聲。

「您可以借我的車票錢吧？」他說：「我到台中後就還給你。」

我就是因為身上沒有多的錢，所以一直沒開口。但我對他是確實很同情的。我把手錶脫下來，說：「你可以把手錶拿去當一當。」

他一臉感謝的走了。我則充滿了助人之急的快樂。

我回到湖口的第五天，一個朋友來看我。這朋友手上戴了手錶，我一見便認出那是我的手錶。

談了一陣話後，我的眼睛停在我朋友戴的手錶上。

「這手錶我祇花一百元買的。」朋友說：「是一個年青人在館子裏大吃大喝，然後才賣這手錶的。」

[illegible]發覺我注意他戴的手錶，所以朋友這樣說。說着說着，他便脫下手錶給我看。

我仔細檢查，一點也不錯，這就是我的手錶。朋友說：

「本來我是不要的。但我一看這手錶不壞，我不要，就給老闆抵賬了。」

我問他：「那青年人是不是長臉？」

「是長臉。你認識他？」

「臉上還有顆黑痣？」

「一點也不錯！這是他的兩個特徵，我記得很清楚。」

「說話有安徽口音？」

「是呀！你認識他？」

「他有沒有對你說：他是安徽大學的學生？」

「說過。」

於是，我就告訴朋友他這手錶是我的。我把經過全部說出來。

朋友大搖其頭，立刻表示應該物歸原主，不要代價。我則不肯這麼辦。兩人你推我讓，最後他勝利了，願收我一百元了事。

「他是個騙子，」朋友說：「我絕對沒有想到他那麼年紀青青的，卻——」

「眞是可怕，」我說：「現在社會上似乎難得找到誠實人來了！」

「我們就是為了要誠實，」朋友說：「所以我們做什麼事都是吃虧的；然而我們也就寧願吃些虧，不願讓社會還保留一些厚道……」。

母教的回憶

藤花館主

媽，教兒子這樣，教女兒更加嚴格！當她看見我的姐姐或妹妹，坐着向老人家說話，邊兩條腿撐開，或是邊說話，邊把一隻腿搖動時，媽一定要叫到跟前，切切實實地，教訓她一頓。然後說：「這樣的動作，是賤格！你看，那一個正經的夫人、小姐，是有這種醜態的？正經的女人，如果坐，一定要合攏雙腿！和不准翹起一隻腿，邊說邊搖！那是娼妓的行為！習慣成自然，將來嫁人，給舅姑看到，也不說你沒家教，帶累父母，也會給你終身的鄙視的！」

媽，雖然說得很嚴重，但她色厲而心慈，從不夏楚兒女。奇怪的是，我們幾個姊妹兄弟，經過媽一次斥責之後，便不敢再犯。媽也常對我和我的姐姐說：「我不[illegible]打你們，是要你們知恥近乎勇！要知道，媽打你，就像自己打自己；是不會打成好的兒女的！只有教，諄諄善誘，才會教出好的兒女來！我希望你們，將來做了爸和媽，最好教兒女的方法，是『以教為經，而不必以打為緯。』」這些達情關微，至理名言，直到今天，我還是念念不忘。而我的子女，也像當年的我，對父母就只有恭敬孝順，從無違忤或失禮。

可是，來到台省後，我時常看見很多做母親的教兒女，不是打即是罵，其打也，像專制時代，官府之打囚犯，甚且關着門打，不令人見。其罵也，甚麼粗口，都罵得出來！這樣的家庭教育，長成的兒女，是只有學壞，而不會學好。尤其一般太太，拿着菜籃，上街買餸菜，打扮得粉妝玉琢，再從頭到尾，端詳一看，穿睡衣褲的，有之；着短[illegible]，背心，或衛生褲，而露胸糾背者，有之。有些丈夫不放心，則扶着自由車，帶着小孩，跟着太太買「餸」。這一類的同志，尤以中年青年的，從大陸來的軍公教人員，而娶有本地太太者為然。我並不是揚己之長，暴人之短，事實上，這種不良的風氣，關心社會的人士，大家都已有目共睹，不必為之諱。本省給滿清代遺棄，受外國統治了五十多年，而他們的習慣，是一「有禮無禮」的。現在，此一域中，仍然是我們自家的天下了。為什麼作為一個大國的國民，好丈夫，不能轉移一個妻子的不良習慣，使其習于儉樸、端重、不事[illegible]飾？同時，為人之太太者，我相信賢妻良母，也都比比皆是，並不稀有！不過，天下興亡，匹婦亦都有責！不一定匹夫而已。我看到很多、很多同胞，不[illegible]是有錢是無錢，家裏有妻子的，就有一具收音機；妻子在家，不是打牙較，搓麻將，便是聽歌仔戲，平劇。丈夫回來了，還要自己洗米下鍋，才有飯吃；自己洗衣服，才有得換。這些，都是隨時隨地，可見的事。美國是已經富強的了，他們重女輕男，是無可無不可的。而我們呢？山河未復，國家猶在危難之中，非夫妻同心合作，一個為家，一個為國，使丈夫得有安慰，全心全力以服務不可！若只徒目前享受，則丈夫為守法安份者，不提襟見肘，也要動輒得咎；反之，則貪污，失敗難免，于國于家，兩俱無利也。（中）

劇苑繽紛錄

[illegible]

小冬在未列余氏門牆，已名聞南北，震動整個梨園。嗓音非常動聽，做工相當精細，大家公認非池中物。天資聰穎，鑒別力強，加以好學不倦，祇要一知半解者，無不請教殆遍。她的學戲與旁人不同，完全基於崇拜藝術，名利二字在所不計。在經楊梧山介紹，投入余門，毅然放棄舞台生活，專心來學，把賺錢機會，棄如敝屣，是凡人所不能。可證她對師藝的如何欽仰，志趣之高超，確乎不同凡俗。

天下事多有前定，也可說有緣份。在離她拜師二三年前，某日，余氏為孫養農言，在他心目中，內外兩行，一切條件接近其戲路，如經指點，能接其傳授，可以成功的，祇有孟女一人。其餘諸人，就是肯教，也是白白糟塌。其時余氏認定衣鉢傳授，心目已定，觀乎孟氏的成就，深佩巨眼卓識於前矣。

孟氏最感動人的，是投入範秀軒後，每日到余家用功，寒暑無間。余氏嗜烟，說戲總要在子夜，老師興至而身體好，多說一點，如果精神欠佳，停止講授。可是余氏常病，她仍每天必往，從未間斷。這百折不撓，不畏艱辛，後來所以為師契重，竭力造就，甚至不顧病痛，仍予比劃，一直到余氏病歿而止。白雲在天，龍門不見。師徒之遇合至難，彼此之會通亦寥。孟以一介坤伶，悟鑽仰之方，膺慶賞之延，以肫懇而感[illegible]，受親厚之獨至，為余氏唯一的傳人，確是運也。

小冬力學不輟，如是凡五年。當余氏在德國醫院割治，終至不治，即侍奉湯藥，情若子女，在院相伴，幾有四十餘日，形容[illegible]不堪。後來出院，回家調養，叔岩覺其敬師之誠，有逾骨肉，自己知道，永無登台之日，為了不使失傳，加緊的口授，仔細的講解，觸類旁通，有二三十齣，認為此女弟子，是有望的傳人，可以無憾。迨叔岩之逝，孟哀毀備至，杜門守孝，約有一年。其敬師尊藝的義行，梨園稱道。稍久，有請義演者，即以「念先師之深恩，實無心於歌舞」婉却。余氏之藝，幸得孟而傳，舞台下的觀衆，也渴望着她，不是因她有迷人的容止，是由於她能表演小余的神韻和風貌，是個眞有氣派，有技藝的匠人。

錯綜雜因　謝退菊壇

余叔岩於民國三十二年謝世；但是在廿六年正月，福全館張宅堂會唱過了王平以後，即不再唱。實際是民國二十五年，舊歷十二月二十三日，吳幼權家唱李陵碑，為最末的一次。名伶出處有些奇異，譚鑫培以洪洋洞而終，余叔岩以碰碑而歿，皆造化弄人。叔岩自廿六年至三十二年，約有五年餘，身體[illegible]弱，堅[illegible]，終因割治而不勝，謝絕菊壇；然外在的錯綜雜因，使其萌息影家園之念，用以[illegible]煩惱，免受欺凌，為退隱的主要因素。約略述之：（卅六）

虛君續夢

第十一回：

舊債新仇　索逋遭白眼

內憂外患　平憤使[illegible]頭

王任重聽到毛澤東問起鄉間幹部虐民的事，說道：「湖北情形還好些，廣東、湖南更差。」

毛澤東奇怪道：「報紙上刊出的消息，出事多在湖北，你怎麼說廣東湖南更差。」

王任重笑道：「人民日報消息是各地特約記者供給的，省委會不同意，特約記者怎麼會寫。」

毛澤東聽了點點頭，表示同意。

王任重又說道：「湖北省委會從不護短，下級有了錯馬上就在報紙發表出來，這樣各級幹部自然就提高了警覺性，要少犯錯誤。」

毛澤東連連點頭道：「是呀！諱疾忌醫是不對的。」

王任重笑道：「但是廣東就不同了，廣東省委會從來抱着家醜不肯外揚的心理，有事也都設法掩蓋，所以他們從來不會有什麼錯誤在報上發表的。」

毛澤東縐下眉頭未開口。

王任重又接着說道：「其實廣東鄰近香港、澳門，受資產階級思想傳染最深，內地幹部貪污，不過是吃得好一些，穿兩件乾淨衣服，有時還買不到，所以他們搞了錢並沒有多大用處。廣東幹部就不同了，他們隨時可以到香港澳門出差，凡是香港澳門有的東西他們都能買到，有的人甚至把貪污的錢存在港澳，留着將來作退步，所以廣東貪污風氣最盛，要想整頓必須從廣東起。」

王任重為什麼苦苦地咬廣東呢？說來還是為爭權奪利。在中共高級頭目來說，廣東的陶鑄同湖北的王任重都是新起的人物，不過，陶鑄畢竟爬起來的早些，「八大」就當選了中委，王任重卻到「八大」二次會議才當選候補中委。本來兩人各有地盤，井水不犯河水，到也相安無事，偏偏中共在九中全會時，恢復了六個中央局，湖北、湖南、江西及兩廣歸中南局領導，由陶鑄任第一書記，王任重任第二書記，這以來兩人之間的衝突就開始發生。

本來中南局過去是設在武漢的，此次恢復還應該設在武漢才是，但是，陶鑄又捨不得廣東省委第一書記的肥缺，竟藉口廣東地處前線，形勢重要，請將中南局遷到廣州，當時陶鑄正紅得發紫，他的意見中共中央也就無保留批准。湖北共黨對這件事就相當憤恨。

接着陶鑄同王任重之間摩擦又起。

陶鑄眼裏根本就看不起王任重，當陶鑄被任華南分局第四書記，代理第一書記並兼廣東省長時，王任重不過是武漢市委書記，以後因緣時會，出了許多花招，搞什麼「試驗田」，又在「三面紅旗」下大顯身手，一路扶搖直上，居然追上了陶鑄，陶鑄自不甘心，中南局的事，從來不准王任重過問，簡直就不當有他這個人。

王任重當然嘔氣，他以為你陶鑄是第一書記，我是第二書記，你得着湖北，我也管得到廣東，現在有關廣東的事不讓我知道，甚至中南局對湖北的指示，事前也不讓我過目，純粹把我當成湖北省委第一書記看待，未免太欺負人，於是遇到機會就整他一下。

（二九〇）

兄弟

吉庭

兄弟居五倫之內，爾雅：「男子先生為兄，後生為弟。」後人專稱弟曰兄弟。星相家十二宮之一，主兄弟之事，星命家由命度逆推第二宮，相術家則以兩肩為兄弟宮，故說兄如弟手足，不可分離。李華文：「誰無兄弟，如手如足」。其親愛與父子夫婦相衡并重。

兄居長，對弟尚友愛；弟屬幼，對兄宜恭敬。讓梨分棗，千古傳為美談。萬一兄弟不睦，互相忿爭，而外侮之來，往往仍團結一致以禦之。詩云：「兄弟鬩於牆，外禦其侮」，蓋天性使然也。

三國時，曹操之子丕與植，植之才學勝過乃兄，為丕所忌，欲害之，限七步成詩一首，植應之曰：「萁豆燃豆箕，豆在釜中泣；本是同根生，相煎何太急！」丕見此哀感沉痛之詩，內疚羞慚，為所感動，蓋亦天性之表現耳。

漢太邱縣令陳實生兩子，長曰元方，次名季方，皆有文才，遐邇咸艷稱之。一日，元方之子長文與季方之子孝先，各論其父之才德，爭之不能決，結果請其祖父陳實下一評判，祖曰：「元方難為兄，季方難為弟」。其意彼兩人之才德，半斤等八兩，兄固難做，弟亦不易為。見世說。「難兄難弟」之成語，本此也。

此句成語，原為恭維人家兄弟；可是，現在被引用，作為刻薄人家者，罵人同惡相濟，如兄做強盜，弟為小偷，或兄做貪官，弟為奸商，即以難兄難弟諷之。

又以棣華喻兄弟，詩有之：「常棣之華，鄂不韡韡，凡今之人，莫如兄弟。」故以為兄弟親愛之詞。說文韡下引詩作韡。宋燕王世清愛諸弟，作棣萼會於邸中。今人以兄弟騰達，而稱之為棣萼聯輝。如宋代三蘇中之蘇軾蘇轍，兄弟同舉進士，文章書畫，亦俱有名，至今猶膾炙人口。

還有一故事，在滿清舉行縣府試時，其中有不識之乎者，相傳兄弟二人赴縣應考，在試場內，弟問兄曰：「下字一點，點在何處？」兄責之曰：「暫且不點。」弟固無知，平日不發憤，暫且點在左邊。兄更為蒙昧，並答用「暫且」二字，豈尚有改正之處？此亦可謂難兄難弟矣。

余命不辰，幼年喪父，賴兄撫育督課以至成立。兄長我十五歲，替國家做過不少事情，待人接物，較余為溫和。大陸淪陷後，以余性亢直，恐不容於毛共，力促遠行，並曰：「爾去我心安」！臨別，送之十里外，見堤邊楊柳，不免有依依之感。誰知一別十五年，而莫獲消息，頃得噩報，知久已物化矣！聞之淚涔涔下，悲不自勝焉。

粟毓美別記（續）

黃葉村人

雖然，弋一漏百，無補于記憶；聊一以概什，錄而存之，亦不無覩過知仁，闡微揚幽，潛移默化之感焉。用是，特將心目中猶能記憶之「粟毓美案」，錄存於花香月上樓小品。事皆默憶，文非鈔襲，此則可以自信耳。豈亦「奇聞共賞」之意云邪？

粟毓美，山西渾源人，少嗜讀，家貧不能供束修。其隣塾師某，德行君子也。設於市肆，見粟從受業甚勤，但每逢初一、十五，粟輒曠課，疑而詰之。粟曰：「有母舅居城外，病廢，身不能入城市，故奉母命，餽望往一視，兼餽些少食物耳」。師信之，且嘉其孝而有禮，益愛重之。會有事詣粟家，適逢朔日，見粟自外糴米歸，狀頗尷尬；遂默不言。明日，粟上學，師屏人而告之曰：「讀書人最忌撒謊，以敎品勵學之始也！汝今欺師，他日欺君父矣！……」語未終，粟跪泣曰：「實告師，因家貧，朔望來須拜聖人（孔子），奉香燭錢須十五文，此生家一日之膳費也！故從母命，借詞塞責；家實有舅，亦時往視，非僞也」！師聞，與相持而泣！感慨不勝。

自是，師不僅不收其束修，且命留宿塾中，與其子同室，視同子婿，陰有相攸意，供其食宿薪火，不受值也。蓋師有一子一女，子年與粟相約，女則少粟二歲，貌美而才，與兄及粟均同讀塾中，不相迴避也。師且嘗舉粟事告其婦曰：「此子貌端正而又力學不倦，他日必有成！吾決以女妻之」，其妻亦首肯。兒女皆知之，惟未正式文定耳。隣子乙，窺女美，亦來就塾，蓋醉翁之意別有在也。顧乙輕佻，資質又劣，不為女及父兄所喜。然乙不自量，竟託人向師求婚。師拒之！答以有婿。既，詢知師所屬意者，乃粟生，心恨之而莫奈何，乃陽與親近，而時詣宿舍向女兒及生獻殷勤，女時或迴之即避去，不與交談也。

一夕，乙携酒肉詣舍，飲粟及女兒。粟拒之不得！覩女兒已醉，乙始巡收拾去。女兒醉，臥藥榻，推之不動，恐其嘔，不得已，易榻而睡。是夜，盜入室，刺殺女兒；事發，官疑粟殺之，拘粟刑訊。粟不承，官曰：「非若殺，何以易榻？」粟以夜來事告，官傳乙證之，乙云：「是夜未出，何來飲酒事」？乙家亦證乙未出。詰之師及女，則各宿他舍；早睡，不知也。粟不堪酷刑，日久遂誣服。師憤怒病死！其妻痛夫亡子死，亦相繼卒！一女無依，隣子乙復來議親。以一家三棺未葬，不得已，遂嫁之。逾年，且生一子矣。（未完）

我的社會生活

雷嘯岑

一面有駐在武漢的監察使，以嚴重方式對我提出彈章，同時又有人揑造江陵縣以及本行政區內各縣的民衆團體名義，透過中樞派駐鄂省的特務工作人員，逕向蔣委員長呈控我貪污瀆職的種種罪行，說來像煞有介事，而且駭人聽聞。蔣公嚴飭湖北省政府澈查具報。省府自不敢怠忽，既正式派員赴江陵縣明查，又密遣幹員實地暗訪，歷時頗久，用力至勤，總以為我既已去職，倘有劣跡敗行，地方人士無所忌憚，必然據實舉發的，誰知大謬不然，竟使忌我者大失所望。江陵縣各界領導人士，聯名備文答覆省府，替我辦誣鳴不平，原文有「雷專員在本縣不特不貪污，且將其應得之特稅附加鉅款，亦交給地方作興辦公益事業之用」等語，這是我事後接得蔣委員長「准予免議」的訓令中，附有鄂省府查辦經過的全案文件，纔知道江陵士紳有此公道作證之詞，殊堪感慰。是年十一月初，我到達成都，晉見楊暢公時，他曾以詫異的口氣問道：「你在湖北怎末搞得亂七八糟呢？」我夷然對曰：「請派人實地詳查，即知我決不是亂七八糟之人！」他亦說：「是呀，我不相信你竟會搞得那樣糟的！」到次年四月，即奉到蔣委員長「准予免議」的訓令了。

至於監察院的彈劾案，照例經由公務員懲戒委員會將彈劾事實通知我答辯，當時我在成都自撰自寫，費了兩晝夜的工夫，纔將答辯書遞上。但經過了三年亦未見下文，直至民國廿八年夏間，中央政府遷至重慶時，纔由懲戒委員會宣佈，給我以「停止任用一年」處分的官樣文章，其中唯一的理由，就是指我曾用軍棍責打土豪劣紳（這是我在答辯書上自認的），對於貪污等九大罪行，皆認為不成立。此時我到處打聽那位兩湖監察使高一涵的行蹤所在而不明，否則一定要跟他見面談談此案，問他作何感想？像高一涵這種言官，只有「勵精圖亂」、「除良安暴」的作用，眞可謂國家之蠹呵！

關於我曾以軍棍責打土劣這樁事情，說來很有趣，也可見吾國各地方土劣作惡之無所不用其極，而使從事地方行政工作者知所警惕焉。民國廿三年上季，我奉到蔣委員長一道訓令，說是據湖北荆門縣人民蕭某（名字記不起了）控訴我勒索他的鉅額罰欵，無從籌措，他有個兒子某某，是中央軍校第六期畢業生，現在江西某軍中担任連長，努力剿匪。特請委座核許，即將他兒子每月應領的餉項扣交雷專員，抵繳罰金，藉保蟻命等情。蔣公聞之震怒，嚴飭我自行申復，以憑核辦。我奉讀這項訓令，如墮五里霧中，因我根本不知道荆門縣有蕭某其人，從來亦未在轄區各縣，對人民採取過罰金的措施，這話從何說起呢？繼而想到徐總司令所屬四十一師是駐防荆門的，或許有好事之徒教唆蕭某出面，對蔣公揑造此種刺激性甚大的控訴，藉以打擊我的信譽。假使蔣公因此一怒而撤我的職，不亦快哉！於是，我悶聲不響，先教荆門縣長查詢有無蕭某其人？如有，他是幹甚末活路的？家住何處？旋據縣長密報，確有此人，且係出入公門的紳士人物，住在該縣一個市鎭上，當地設有郵局，所上蔣委員長的呈文，就是由該鄉鎭郵局掛號寄出的。我即命縣長將蕭某拘捕查究，但他矢口不承認有此事，指稱別人陷害他。這樣，該縣長自無法定讞，即我亦為之束手無策。（卅五）

新年散記

漁翁

一元復始，萬象皆新，筆者在舊曆元辰至元夕之間十五日，自覺頗有可記者，寫在下面：

今歲甲辰，辰屬龍，龍能興雲雨，利萬物，當有日新又日新的氣象表現，把酒之餘，作元旦獻辭一首：「一聲爆竹展愁眉，好向都門再[illegible]辭；萬里烟雲悲戰馬，十年生聚望王師。恰當駭浪驚濤日，正是沉舟破釜時；但願河山光復早，放歌縱酒賦歸期」。

是日訪親友於某店，店主以余粗識翰墨，囑撰寫春聯一幅，嵌「甲辰」兩字於內，援筆應之曰：「大地回春，四面八方；三陽啓泰，銷堅甲；千門萬戶慶甲辰」。用顏字體書之。試客港十五年，未得家鄉消息，思親與王摩詰同，佳節感想！忽於人日得兒孫照片，喜出望外，亦為之浮一大白也。

客日同素且不速之客，入其門拜訪，不問姓名，但云「以漁翁名之」。其客上座，曰：「余年近七十，刊有漁翁之詩已久，以一晤談為心」……

烏龍院裡話田余

谿公

明知道這事相當棘手，落在她的手中，也只好勉強照辦！也只得斗胆向她根尋；閻氏就藉此逼取宋的休書！宋問：「如何寫法？」閻就毫不猶豫的把她想定的意向直說出來：「任憑改嫁張某某」。那裏，自覺有些礙口，不由的把這下來！宋大爺抓住這個破綻，一面將筆向桌上一擲，一面厲聲問道：「張什麼？張什麼？」發，只好說出了張文遠的名字來！是時宋公明憤恨已極，但因晁蓋的來書信不還？閻氏便奸笑着說：「哈……吓，你想殺我，你敢！」宋大爺勢成騎虎，欲罷不能，只得殺之以滅口！

沒想到照辦之後，那刁惡的閻氏，非但吞沒了袋裏黃金，（即晁蓋贈與宋江的黃金）連那性命交關的書信也不肯還！因此激動宋江的殺機，就拿搶信檢起的小刀，指着她的咽喉，問她「還信不還？」

在這一短時間中，宋與閻（實際上是余與田）懷着種種不同的觀感，遂使面部的表情，口中的語氣，以及身上的動作，一瞬息百變，針鋒相對，那一切的一切，實在是夠瞧的！

但在座的其他人，按說客觀上得聽事中人唱的戲，到這樣是本然不人戲的藝術們，是一定的要覺即唱戲。（五）才是眞正優秀的戲文（全文完）

段宏俊著天籟集題詞

雷嘯岑

人的生活過程中，總是逆境多而順境少，而逆境和順境給予人們的生活體驗，極盡酸甜苦辣的滋味。凡是逆境多於順境的人，他的生活經驗必豐富，心性的鍛鍊亦很周全，對於人生意義的領悟自應透闢，祇要「持其志，毋暴其氣」，不為一時的拂逆而喪其所守，那末，處逆境實係增進智慧的大好機會，眼前的憂患，即是未來的幸運所寄，孟子所謂「苦其心志，勞其筋骨，餓其體膚，困乏其身心，行拂亂其所為，所以動心忍性，增益其所不能」是也。

段生宏俊青年有為，勇於進取，而志行純潔，不尚詭隨，曾在轗軻的生活階段中，泰然信其所守，不憂不惑，時以文字攄發心聲，日久乃告盈，特付剞劂，名曰「天籟集」，藉留紀念。愚不多其文藝，然嘉其器識之淵默。孔子謂「士不可以不宏毅」，君之毅力，吾無閒言，但願再從恢宏的修養上，多下工夫，前程固未可限量也，君其勉旃！

快」！客去，乃戲成一首：「素無謀面亦未姓，交融為愛斯文道」；窮但云拜訪漁翁，不問佳味，……元月十五日，同王摩詰，湖南庚年作為臘味，節禮多，由台灣有饞口以可寫詩欲，狂之謝文章：無報所有忽，杜甫君，……正津情難熬，短期相待，忘太厚望，到結伴有筆者寓有好居，此地尚且九龍港者，會指欵香港繁榮，興建英聯邦區域之一，所以三年已巳，為一部民社年份。區為中心，觀塘以服務中心之圖書館，會有婦女樂團，康樂居，福利會，在此成年，為樓宇，中區大會堂以新年大廈落成，開幕典禮，在徵聯，所以在成新年盛大之前，舉辦有新者筆，居亦在寓中，云「一聯一」，且，而聯，所云爰居，成春新年好對，盛會紀念，亦樂更覽。錦旗一文，新年好人盛盛觀明，面類欲却，無來並從之臘乃更樂物味得，然而有一，……矣一獎春；成，旗啟年好觀替。

內僑警台報字第〇三三號內銷證

自由報

第四二七

中華民國僑務委員會發行
台教新字第三二三號登記證
中華郵政台字第一二八二號執照
登記為第一類新聞紙類
（半週刊每星期三、六出版）
每份港幣壹角
台灣零售價新台幣貳元
社長：雷嘯岑
督印人：黃行富
社址：香港銅鑼灣高士威道二十號四樓
20 CAUSEWAY RD 3RD FL HONG KONG
TEL. 771726　電報掛號：7191
承印者：四風印刷廠
地址：香港灣仔高士打道一二一號
台灣分社
台北市西寧南路壹壹本號二樓
電話：三〇三四六
台郵撥儲金帳戶九二五二

我國在非洲之農業外交（下）

張默君

現在大陸之饑荒消息，已傳遍世界，非洲國家明瞭共匪之饑餓輸出，和拿金錢收買之陰謀。此次周匪恩來和陳匪毅之赴非活動，只是一種馬後炮的作用，此兩個匪首之陰謀自絕難得逞，因為中華民國對非農耕技術援助工作之開展，已使非洲多數邦國人士深識我舍己助人之道德及精神。

楊次長西崑指出：「非馬聯盟」乃今日非洲之主要因素。非洲於一九六一年間，出現了兩個政治外交立場相對之集團，即「卡薩布蘭加集團」和「非馬聯盟」。

卡薩布蘭加集團之外交政策，多與俄共相呼應，其組成份子包括阿聯、迦納、幾內亞、馬利、摩洛哥、阿爾及利亞等國。

至於「非馬聯盟」係由十四個非洲法語國家所組成，他們是達荷美、喀麥隆、中非共和國、剛果、象牙海岸、加彭、上伏塔、馬拉加西共和國、茅利塔尼亞、尼日、塞內加爾、查德、盧安達、蒲隆地、多哥。「非馬聯盟」各國元首常至馬梨行會議，以促進彼此間之友好與合作，協調各該國之共同對外政策，以增強該集團對國際間重大問題，尤其是有關非洲問題之發言地位。

非洲正加速步入新時代，極感缺乏適當人才。在一九五〇年中期，整個非洲，實際由歐洲國家所統治，而且由歐人在非洲大陸治理，非洲之教育既不普及，接受高級行政管理訓練之人數更少，當非洲國家紛起宣佈獨立之際，立刻發現其國民中人才缺乏，極需要外籍人員，以推動政府及經濟機構之工作。但是，非洲各國之新任官員均極敏感，他們於白種人過去對非洲人之輕蔑態度，不免懷有怨恨，而且彼鐵幕國家對非洲渴望人才之情況下，採取非常謹慎而具伸縮性之滲透方式，倘有機可乘，必迅速介入。

此極堪注意之事，故中國必須始終努力協助非洲開發，否則自有陰謀家願意效勞。而此於非洲固然不利，而影響世界，則尤嚴重！

我在非之農業外交，一切遙遙領先。吾儕恥與共匪一般以金錢收買，乃就自己智能辛勤勞動範圍內，自力謀推展。於二三年中，我國計劃已大有成就，規模小而效率高，並享得良好聲譽。

我在非洲外交戰場主要收穫，即我推誠尚義之傳統立國精神，以促進非洲人民之自覺運動。

民族自覺運動，竟已為非洲大陸帶來新生命，且足以影響國際局勢。以前之殖民主義，已剝奪非洲人民一切責任及自信心。歐人要他們相信非洲文化是野蠻的，絕無價值的，所以今日非洲領袖們認為：彼輩最大勝利，不是打倒殖民主義，贏得獨立，而是克服自己從殖民地主義抑鬱感中解救出來，並自豪地表現非洲民族之真正價值，且與其他人民一切是平等的。

此更證明一項主要趨勢，乃非洲國家在反殖民之基礎上，同時亦反國際共黨之赤色侵略），但對真正平等互惠、友愛合作之國家，則又樂與建立深厚之關係。此正與我傳統之立國精神相融洽。

鄒梅此苦幹實幹，超然傑出之青年，乃已故黨國元老鄒海濱之子。謹守乃父受得苦中苦，方為人上人之嚴訓，於民國五十年率領十四富有農耕經驗人員赴非洲任賴比瑞亞農耕示範隊隊長；當其抵非前，聯合國會經聘請多批美國及歐洲之農業專家，到該國去作農耕示範工作，但每次均告失敗。惟鄒梅到達了當地一荒漠之農場後，率領若此十四位農民大使，只靠雙手、鋤頭及簡單之耕耘機械，從開墾、建設水壩，到引水灌溉做起。渠等住在人煙稀少之荒野中，既無鄰居，且無生活憑藉，白天忍受酷烈之太陽，夜間要忍受成羣之蚊」；然而鄒梅憑着其堅強之毅力，受國家榮譽心之鼓舞，努力工作，決無休止，終得奏空前之成功。

鄒隊長水稻豐收後，計算之下，每公頃產量達四千公斤，等於賴國農民每公頃產量一倍到四倍。此一成功，轟動了賴國朝野，抹除了以前歐美農業專家多次之失敗紀錄，使賴國政府及人民重新建立對於自己國家農業前途之信心。

我在非洲之農業外交中，友好同意票之爭奪戰，自應推楊次長西崑為功首。鄒梅隊長既已建立優良空前之示範工作，影響非洲諸邦於我農業之重視，紛紛要求派隊前往工作。其促進我與非洲之邦交貢獻至大！其勞苦功高，均應請政府主管予以晉級重用，以示獎勵。

甘為寄生虫

「好東西！好東西」

今日與明日

越戰的前途

美國五角大廈的將軍們，對越南反共戰役很樂觀，認為能在現行所謂「反游擊戰」的策略之下，獲得勝利。這是幻想。

西方人士根本就不懂得共黨的游擊戰術是怎末回事，美國人尤其不能在湖沼山林地區從事游擊戰爭。如果不把戰火延展到河內去，搗毀越共的巢穴，則殷鑑不遠，韓戰經過即是很好的教訓，「紙老虎」之名，其能免乎？

「懸日看越寇飛來」，中國歷史上這句古話，大可移作今日的越戰預言也。

塞普魯斯風雲

塞島居民內鬨，由於英國熱心干預，美國表示關切，情況乃日趨惡化，而蘇俄亦聲稱要插手過問。如是乎，西方又大呼「狼來了！」認為勢將觸發世界大戰，相驚伯有，怯態可掬。

聯合國臨時拼湊遣赴塞島的「和平部隊」，又是以加拿大的軍隊為主體，在當地居民看來，不過是一部份英軍增援而已。若謂該島動亂即可平息，誰其信之？

法國當局獨出心裁，主張塞島的希臘人與土耳其人分而治之，設立兩個政府，英國素來喜歡搞這套把戲的，然對塞島問題卻不接納戴高樂的建議，怪哉怪哉！

如此這般，塞島的風雲永無澄清之可能也。

再看高棉的亂象

高棉妄人施漢諾，一面教唆民眾發生反英美暴動，同時揚言投共，而中共即聲明：高棉若受到外來攻擊，決予應援。這幕雙簧表演，一定使英美政治人物為之相顧失色，不敢仰視。

英美既不能忘情於遠東，遠東的禍根便是中共，而英美對中共又畏懼到失魂。因此，施漢諾以及印尼的蘇卡諾之徒，即挾中共以自重，對英美實施政治勒索敲詐，無往而不利了。

假使施漢諾再表示一下嚴守中立、決不一面倒向中共的姿態，筆者敢斷言：他不但是不須賠償英美使館被搗毀的損失，而且還可以得到更多的美援。

整個世界就是讓一般低能而自大的所謂「領導」人物搞壞了的！

對日外交的決策

日本人的天性是趨炎附勢、怕強欺弱的。他們托着美國的庇蔭，逐漸翻身，根本就瞧不起我們，這是顯見的現實情況。

我們如果認為中日有合作的必要與可能，即不妨忍小忿以全大謀，否則一切表面應酬皆可停止，靜觀世變可也。事態很顯明，若想日本不跟毛共做生意，決辦不到，美國且熟視無睹，它會顧慮我國的反感嗎？

自由談

本報創刊到今天，歷時整四年了。在這四年之中，我國人為着報業問題，艱難困苦備嘗之矣。但心情十分愉快，因有許多文壇上的新舊朋友，熱心贊助鼓勵，惠我良多；尤其是幾位經常替本報寫稿的作家，從創刊之日起，即以道義精神相支持，始終如一。這是生平最感榮幸之事，永不能忘的。

記得本報出版之前，向當地政府申請登記時，主管單位很快就予以核准了。他們認為我是個「有政治理想而無政治行動的自由主義者」，這項考語實獲我心，深為感奮，因而本報的言論方針，始終遵循着自由主義與理性主義的範疇，明心見性，不激不隨，但問耕耘，不計收穫。可是，亦引起了若干讀者不同的觀感：有人認為本報對國內政治問題的評判太過保留，不若舊時在台北發行的「自由中國」雜誌那樣勇敢夠刺激；也有人說是不夠忠貞的異端之言，且把我看作國民黨內的「社會賢達」呢！

我們對於上述兩種觀感，可襲用一句古文詞以應之，曰：「唯唯否否」。其所以「唯唯」者，乃於自己國家今日所處的艱厄環境，亙古罕有，在批評庶政得失之際，似不宜過於猖激，致令親痛仇快。所以「否否」者，人民利益至上，黨派利益次之，本報原非官營的言論機構，在不違背國策與黨義的原則下，遇事自應以中華民國公民的立場，述所見，聊盡報人天職。前者是以理性主義為基準，後者是以自由主義為依歸，在思想上并不矛盾。至於這種態度是否合式，則見仁見智，殊不可必。辦報紙有如開設飲食店，其口味無法使社會大眾皆感到滿意，但求衛生清潔，莫貽害顧客的腸胃而已。這點責任，我們是隨時注意到的。

挺勁

我，年來每有至親友好規勸我，說是與其在海外獨力撐持一張報紙，吃盡苦頭，效用又未必宏大，而且費力不討好，歲月不居，年華老大，何如收拾攤位，回到台灣安居息養之為愈呢？這種盛意當然可感。無奈我生就了一副又窮又硬的臭皮囊，不信邪，不服老，在未瞑目入殮之前，吾舌尚在，我筆猶存，對於看不慣的事情，不通的問題，不順眼的政治人物，一定要口誅筆伐的，於心乃安，知其不可為而為之，為而不有，亦無所謂，目的只在為天地存正氣，為社會彰公道，而個人利害得失不預焉。

古人謂「秀才造反，三年不成」，今人亦有「殺人無力求人懶，千古傷心文化人」的悲憤語，我所不承認這種說法。自古迄今，所有打江山，闖革命，殺人盈野，流血成渠之稱王稱帝的英雄好漢，那一個不是倚仗着「秀才」和「文化人」作智囊纔成功的呢？而亡國失天下者，亦都是由於眞正的文化人羞與為伍所使然也。咱們長衫朋友不宜妄自菲薄，總以為筆桿敵不過鎗桿，這是極其錯誤的觀念，實在要不得。問題就看你是否不信邪，而有曾國藩所謂「挺勁」精神？有之，那就是紙彈的威力強過氫彈，文化人的智能高過上將軍和大元帥。

本報的生存，即是以挺勁為經，以不信邪為緯，挺到幾時算幾時，義之所在，雖挺而走險亦所弗惜。希望讀者們進而教之，毋任企幸！

馬五先生

立委不滿金融政策 紛紛質詢挖出病根

存款放不出濫頭寸達三四十億 工商缺資金萎縮凋零應急為計

（本報記者張健生台北航訊）關於金融政策問題，立法委員們紛紛提出質詢，認為銀行業者沒有靈活運用資金，使存款放不出去而成為濫頭寸者達三、四十億元之多，原因是銀行放款業務弊端百出；比如銀行職員承辦貸款時推諉責任，辦事遲緩，而放款且有掮客從中漁利，外加特權干擾，所以放款業務未能擴展。

立法委員曲直生的質詢說：近年來雖高唱企業自由的口號，但對銀行業則仍在牢不放鬆。為了應付工商業的需要，為了充分達到金融業扶導工商業的使命，我們是否可對銀行業的管制稍為放鬆，或改弦更張，酌情開放私營銀行？

現在的銀行業，除去信用合作社及一個純粹私人資本的銀行外，其餘都是公營。政府對行銀業的管制，當然不限於公營，但公營銀行受到的拘束更甚。一切利率以及放款比例，都有限制。

曲委員直率地指出：銀行業放款為社會所詬病，尚有多端：（一）上下推諉責任，辦事遲緩。比如一件申請案到行，主管對申請人情形不明瞭，只有靠低層之簽報意見。低級行員，明明認為可以，亦不敢簽報確實意見，怕的將來萬一有收不回的情形，自己負了責任，因此一件放款案，很難迅速確定。即使確定後，如為土地房屋抵押放款，地政機關，據稱案件過多，如果不加特別力量，遲延一二個月，也是常事。上下何以要推諉？據說是怕發生呆帳，受到民意機關的指摘。

（二）放款掮客漁利可恨。徵信資料不完備，銀行主管又無機會多與外方接觸，因此放款，常特有人關說。因此就傳說有放款掮客；既有掮客，即難免有手續費，其數目據傳甚為可觀。這樣，信用好的商人，如有其他辦法，即不肯光顧銀行，光顧銀行的，有好些是存心即不還錢，這不啻是在放款之初，即已註定要發生呆帳。究竟手續費，誰拿到手，成了一個謎團。

（三）抵押放款，困難滋多。銀行業為防止呆帳，只感覺抵押放款，最為確實，因此銀行有當舖之識。但抵押放款，亦有困難。以往工商界渴望有工礦財團抵押法的頒佈，以為資金可從此活潑，但根據近來的經驗，亦發生困難，銀行如以財團的全部財產為抵押，其數目可觀，但一旦不能還錢，整體拍賣，甚為困難，反不如零星抵押，比較容易出手。因此工礦財團，在銀行並不歡迎，理想並不合實際，為初料所不及。

（四）特權干擾，應付困難。銀行既為公營，則有干涉力量的人，很容易利用職權，影響銀行放款，積難成是，銀行當局，有時竟忘掉銀行的正當經營方法，應當根據借款人的紀錄，應當考察借款人的信用，應當研究所營事業的前途。

曲委員指責說：抗戰以前，金融業的經營，要靠服務賺錢。台灣銀行業大部份是公營，有獨佔性，主持人都是官，行員都是公務員；好的行員，寧可不負責任，免得自找麻煩，壞的行員，則要利用職權，從中漁利。商人向銀行借錢，好像是懇求恩典，這是否都因公營的關係？

關於濫頭寸問題，曹煥如委員的質詢中說：年來因糖價上漲及農產品出口增加，農村鈔票充裕，各銀行進多出少，濫頭寸達三、四十億元，為減少利息損失，已停止半年以上長期存款。過去獎勵長期存款，現在停止長期存款，有錢不會用，是否充分表現財經之無能？

他說：過去一度號召「工業起飛」，台銀大量貸放，結果目標錯誤，運用失當，多數工業，鍛羽收場，放出頭寸，迄今不能收回，變為呆賬，半呆賬，以停止付息，改為股款，派人監理者，達數十億元。繼其事者，懲前毖後，絲毫不敢有所作為，造成工商萎縮，失業增加之現象。如國營事業之招商局、鋁業、鹹業、漁業、以及造船機械等業，均趨向萎縮，需要擴充整頓。他如工程打撈，機械工程、物產公司、農化公司等，更暮氣沉沉，僅存一殼。整個紗布業，病根尤深，亟待汰舊換新，徹底整理。僑資工廠，民營企業，亦多數困難重重。政府應有大氣魄大眼光，選擇最需要之輕重工業，提前舉辦，擬訂長期發展經建有效計劃，分期完成。目前農產品之發達，亦屬一時之現象，小小繁榮，不能持久。應以科學技術，輔導改進，使能對外競爭。如果農工商均能有計劃有步驟的走向繁榮，資金之用途自廣，決不愁再有濫頭寸。化無用為有用，變浪費為生產，整個失業問題，亦自然迎刃而解。又稱：此為當前財經當局最大課題，未諳新內閣有此打算否？

香港與大陸

生活苦悶兼怕當砲灰 共軍內部問題很嚴重

毛共又在搅軍隊思想教育運動 同時却還要老百姓向軍隊學習

中共又在對其命根子的共軍實行思想教育運動，企圖「解決官兵的思想問題，鼓舞鬥志，加強階級觀念和勞動觀念。」但可笑的是，中共同時卻還要求人民普通學習「解放軍」，要人民過軍隊般的生活。

據曾返出江探親的何老先生向本報記者透露：中共正在對其官兵貫徹「三老」、「四嚴」、「四個一樣」的思想運動，所謂「三老」，是「當老實人，說老實話，做老實事」；「四嚴」是「要有嚴格的要求，嚴密的組織，嚴肅的態度，嚴明的紀律」；「四個一樣」是：「幹起工作來黑夜和白天一個樣，壞天氣和好天氣一個樣，領導不在場和領導在場一個樣，沒有人檢查和有人檢查一個樣」。

何老先生說：中共之所以搞這一套運動，大陸百姓認為它是鑑於國軍的游擊隊到處活躍，而且民間紛傳國軍行將反攻大陸，使它們劇怕了；共軍的官兵，確實已產生恐懼的心裏，恐懼隨時被調去當砲灰，不能當「和平兵」。共軍官兵在這種想法籠罩下，其士氣遂大見低沉，而表現出若干嚴重的無組織無紀律的行為。

何老先生有一堂姪，是在共軍中任炊事員的，一次，乘探購時溜回家裏，對何老先生說了許多關於共軍中的情況，據說：「解放軍」絕大部份都厭惡軍中的生活，他們近年再也不像往時那麼積極學習毛澤東的「著論」了，更根本無心於如何「練本領」了，大家經常談論的，是如何吃或「女人經」。不少的共軍官兵，因為談論這些問題而感慨萬千，實行消極抵抗（諸如痛哭，沉默，詐病……）甚而逃亡，甚而拿起槍去殺共幹。一次，有一名共軍士兵姓梁的，因為思想得大多了，結果犯了神經病，提着一支步槍，走來走去，嚷着要殺人，當堂便被一位軍官拔槍擊至重傷。

何老先生說：就因為上面這些現象，所以中共便要「解放軍」學習「緊張」、「苦幹」；學習「堅定政治立場」；學習「以戰畧戰術作為工作的方法」；學習「團結和有高度的紀律性」。而其標準就是「三老」、「四嚴」和「四個一樣」那些口號般的東西。

但在此的同時，中共偏又號召人民「向解放軍學習」，真是笑話！據說中共如此做是為了一方面想重行提高共軍在人民心目中的「威信」，亦使「解放軍」重新自覺有「光榮感」和「自豪感」；另一方面則是希望人民能進一步的「吃苦耐勞」，實行更加勒緊褲帶，以提高勞動率為中心的「增產節約」，而最理想的是要人民一切都像軍隊那樣的「紀律行動」，「過軍隊的生活」，馴服地接受中共的控制和壓榨。（敬斯）

屏東六屆縣議會 表現有好也有糟

（本報屏東航訊）屏東縣議會第六屆首次大會，於三月二日揭幕以來，頗有幾點值得一提的地方，已大都未為台省各報所刊載，用特報導，餉本報讀者。

一、過去歷屆議會進行對各單位質詢時，均採混合方式，也就是說：議員想問什麼，就說什麼。因此，以往當議會進入質詢程序時，縣政府各單位主管官，及縣屬機關主官，得一律按時到會，列席備詢。這次在新任議長陳恆隆領導下，則一反往例，於預備會議時使通過，實施分類詢問方式，按議程一個個的進行。這樣一來，既不紊淆，且又明細，同時亦實在節省了甚多主管官的時間。議會此一革新舉措，雖屬試辦性質，却已贏得各方讚許，許之為新猷。

二、議會進行民政詢問時，有青年黨籍議員黃振三提出兩點：①他呼籲民政單位，於辦理各種選舉時，應杜絕「選舉選錢」的作風，說是非如此不足以改革選舉風氣。黃振三的這些話，固然說得很動聽，也確實深獲好評；不過，大多數選民的意見，認為必須先從議員諸公自我倡行。諸如賄選，收取紅包等等，議員們得首先有則改之，無則加勉，否則徒呼口號而已。②黃振三認為民政局長馮鎮，有助選行為。他說公務員助選是與選舉法有所抵觸的，又說，他希望馮局長能在未來縣長選舉時迴避。關於他所說的這一點，選民希望是縣府能予澈查，如馮鎮真有助選情事，應即依法辦理，否則，黃振三亦不好再多無的放矢的時攻擊。

三、另一位女議員對民政的詢問，是有關貧民施診經費方面的，她的意思是問貧民施診經費有多少？現在編列的預算是否夠開支？貧民又有多少？這裏便是這位女議員的發言單是怎樣寫的：「貧民免費施醫」——這是題目。下面又寫「實在要多少」？「貧民有多少人」？「扁出來的金額是不是有到沒有到」？以上統是原文。從茲可以很容易的看出，今天屏東縣議員的教育水準，是怎麼回事了！「選賢與能」云乎哉！

四、屏東縣本屆議員計五十七席，除了在大會揭幕時一席不缺，全數到齊而外，就沒有一天會議時有超過三十席以上的出席數字。難怪有的選民很幽默的說：「他（她）們在大會開幕時仍然會到齊的。」這是說「大會開始辦報到，大會閉幕領出席費」也。也因此，選民們對議員們的這種作風，深表不滿，而希望議員們能盡到責任。（袁文德）

基隆旅居記

仲公

光緒十一年劉銘傳撫台，奏設煤務局，投資四十萬兩，新聘外國礦師，新購機器，重新招工開採，到光緒十三年，產煤量仍可觀。官辦不得其法，劉銘傳欲委商辦，部議不許。至光緒十七年巡撫邵友濂接事，遂將該局裁撤。至今基隆市的八斗子，還留有當時採掘的遺跡。

自官辦煤礦裁撤後，民營煤礦，乘時崛起，採礦區域日見擴大，東南至瑞芳頂雙溪，西南展至五堵，汐止；這時的產量，無正式統計，每年約產一萬噸至五萬噸。

光緒二十一年，日本佔據台灣後，對基隆煤礦，竭力經營，並增加機器採煤，產量日增。民國五年第一次世界大戰爆發，香港，華南，南洋各地，均告缺煤，至此台灣煤務，頓告活躍，那年煤產增至五十一萬七千餘噸。次年各礦加強組織，擴充設備，實行大規模的開採，民國八年宜蘭鐵路綫通車，頂雙溪一帶煤產，可由鐵路直運基隆，是年產量竟突破一百萬噸。

第一次大戰結束，基隆的煤，由於外銷困難，生產過剩，煤價慘跌，惟有機器設備之廠，無法中止，於是盡量利用機器，減低成本以圖渡過難關。至民國十三年，台煤年產量增至一百五十萬噸以上，其中百分之八十產自基隆。

民國十六年，華南反英，開灤煤南運減少，台煤乘機開拓華南香港市場，煤業轉入好景。那年產量達一百八十五萬公噸，外銷達七十五萬噸之多。民國十七年濟南事件發生，大陸各地反日，至此台煤喪失了華南市場，煤業再度陷入困境。民國十八年，世界經濟不景氣，台煤更受影響，基隆附近之煤坑，相繼減產，停工亦不少，所以民國廿一年的煤產量，減低到了一百卅二萬噸。當時又因撫順煤南來傾銷，台煤大受影響，價格慘跌，基隆附近煤礦，紛紛停歇。日本統治者遂組織統制機構，調節生煤及煤價，至此昭和石炭株式會社產生了。自該組織成立，到民國廿六年，台灣的煤增產至一百九十餘萬噸。是年夏，蘆溝橋事變發生，日本統治者頒布重要礦業增產令，台灣亦訂立煤礦增產計劃，於是基隆煤礦，紛紛復工，到了民國卅年，統制台煤的台灣石炭株式會社成立，更加努力增產，次年即創產二百八十五萬三千噸的最高紀錄。基隆區產量約當全台煤產之半。（三十）

中華民國五十三年三月十八日　自由報　星期三　第三版

廣告

方南

「遺世獨立」並不是一件容易辦到的事，而且縱使辦到了，也不見得有什麼樂趣。人畢竟是喜歡合羣的動物，怎可以獨居無侶？可是，住在這個擠滿了人的都市社會裏，我常覺有一種力量在包圍着我，使我無可逃避。我正要動筆寫這篇文章的時候，收音機播放着一個熟稔的廣告聲音，使用重複的語調替某一個牌子的香烟說好話。

這聲音太吵耳了。一天裏聽它幾十次也只是這幾句話，到底有什麼意思？我把收音機關閉了，暫時寫不下去，獨坐冥想一會，忽然一笑，覺得這只是暫時的逃避，到了我要走到路上散步時，同樣的東西仍會用另一方式向我包圍的。

在巨幅的牆壁廣告上，那個牌子的香煙依然吸引我的視線，賣弄那幾句重複的話，依然騷擾我的神經。我不願看它，但我不能緊閉雙目。老實說，它在干擾着我。它是無所不在的。我的眼睛和耳朵都被它利用了。我的腦神經遭受到無形的侵畧。它是一種勢力。我在事實上被它包圍着。它的侵畧是合法的，而我却沒有「免於包圍與侵擾的自由」的。

出產一種很小的東西也可以賺大錢，只要能夠大規模做廣告便成。一包香煙，一樽汽水，一紙廁紙，一張刀片，一包糖果，一塊香皂，那都是小東西，但是，小東西和大廣告配合起來便可以統治這個世界，使到大多數顧客被統治於它們。而它們的成功秘訣只有一句話：要使廣告長期發揮包圍浸潤的功效。

我覺得美國人做廣告的魄力最大。他們做政治宣傳並不高明，做商業廣告却是厲害得很。美國商業廣告和共產黨政治宣傳該是現世紀的雙絕。兩者都懂得進行「全面包圍」，運用「人海戰術」的原則，達到預定的目標。

受廣告包圍的痛苦，比較受政治宣傳和「特工」包圍的痛苦當然輕可得多。前者只是痛苦而已，後者還要加上恐怖。納粹宣傳大家戈培爾曾說：把一句謊話說上一百遍便會成爲眞理。我認爲：這決不是一句笑話。因爲包圍與浸潤的力量確是不可思議的。

我沒有詛咒廣告的意念。從前我曾讀過「廣告學」，可惜沒法勉强讀得入，到現在才認識它有一種無可抗拒的力量。有好幾位書生型的朋友曾經請我合作辦雜誌，他們的第一個信條是：永遠不刊商業廣告。當我把美國最暢銷的第一流雜誌送給他們參考時，他們發覺這本雜誌的全部篇幅被廣告佔去一半，幾乎要齊口喊一句「我的天」！這使我認識中國頭腦書生和現代商業社會協調的困難。而事實上，我對那種充滿廣告的雜誌也沒有什麼好感，雖則那還不是該受詛咒的黃色廣告。只要有錢，誰都可以仿照美國商人那種手法去做大廣告，說穿了這「是「以錢賺錢」，沒甚巧妙。據說，日本商人近年染了美國「廣告風」學得相當到家，也懂得進行「大包圍」了。讓他們長期向台灣「進軍」也不是好事。

外在因素，有四點：（一）獨子摔死，余氏在最末一次到上海，閒時常與楊梧山陶湘談天，三位同犯一病，就是缺乏子嗣，皆引爲憂。恰巧有浙江師長陳樂山，其妾請求下堂出來，亦是北里中人，年歲不過二十多，容貌很美，品性也好。幾位老朋友相勸，叔岩之妻陳氏既沒有養兒，祇生兩女，爲了子嗣，不如納妾。此姝現無歸宿，一切合乎理想，就給他作媒。余氏未加思索的答應，並租好房子，預備傢具，打算金屋藏嬌，且已發生關係。此事爲其在平的好友，孫陟甫，張古甫知道，趕着連夜來上海，見到叔岩，極力反對，認其身體不好，再納少艾，實不相宜。陳氏爲患難夫妻，現在得意，藉詞納寵，已有兩女，家庭之間，萬難相安，何必自尋其苦。余氏感其直言極諫，在無可無不可之中，取銷此議，送給對方銀元兩千，以寢其事。翌年春，滬友相告，該姝舉一雄，願意奉送北來。余氏得之大喜，酬謝三千，雇乳娘撫養，時加溫存。惟乳娘好串門兒，稍長，抱之遊豫，而與男僕遊戲，不愼脫手摔地，送院醫治，已告斷氣！此爲其最傷心者。以其子死時猶未足兩歲。

（二）軍閥恣睢，叔岩雖是名伶，但軍閥對之，仍不假詞色，頤指氣使，視如傅婢，禮貌極劣。有時讌會，還飾陪座，叔岩常攢眉不快，異常局促，如居積薪之上。一經不演，謝絕指使，身心較安。（三）其家三代業伶，自其父紫雲開設玉器舖，生涯不惡，頗可小康，固無須必演戲，以謀生活。息影杜門，勤儉亦可自給。（四）少年斵喪，有耗元氣，身心交瘁，及壯即恃阿芙蓉以延命，煙癮愈大，體力愈差，每日伴榻吹吸，間或玩玩蟋蟀，無所事事，總總交匯，心灰萬狀，音容遂成可望，而不可聞，亦足傷歎。

青石一齣造成重視

婆娑生

梨園行每逢農曆歲首，在故都各園均須演戲，梅蘭芳多演醉酒或御碑亭、金榜樂，獨有青石山一齣，如果各園角色必演，因爲一開台，就是關公顯神，在他神座前，燃燭點香，氣象威嚴。不過其中的請神的呂洞賓，原由以二路老生應工，不受重視，自從余叔岩唱過，遂成名戲，非有好唱工不敢嘗試。短短的一段，深印觀衆腦際而垂不朽。余氏演此角，其好在戴文陽巾，穿澄黃帔，背寶劍，持雲帚，道骨仙風，似不食人間煙火者，氣息之佳，似乎眞是純陽道人。我在春陽友會看過一次，由郭仲衡飾關公，孫慶堂飾關平，錢寶森飾周倉，當南天門摸召，錢寶森口中噴火，很夠勁。民國十四年元宵在楊小樓的雙勝社唱過，由小樓飾關平，錢金福飾周倉，王長林扮老道，可說是珠聯璧合。後來在上海華龍路陶宅堂會，演定軍山青石山，那次小樓未去，缺少關平，急壞了金福，找到亦舞台的韓長寶，原是田際雲的小吉祥科班，與羅小寶同科，略爲一說，非特不差，且有樣兒，竟是滄海遺珠，大爲動人。（卅七）

閒話少說，還是回到原題，我又常常聽到母親在夜裏孩子都睡着的時候，靜悄悄的，教導我的姐姐，媽說：「要作爲一箇賢妻良母，首先要懂得四不犯，和十當戒。何謂『四不犯？』即是一、非禮勿視。二、非禮勿聽。三禮勿言。四、非禮勿動。」媽說：「未做母親的，當她要出閣的時候，母親要指示她：如果懷了孕，到了四箇月，就要遵守這『四不犯』。『四不犯』古人叫作『胎教』，便是胎教的第一課程。所謂：勿視，勿聽，勿言，大家都知道，凡是汚穢，淫猥的事，都不要寓目。聽到別人在談說，便得走開，自己更不能形諸口。這是誰都明白的。至於『勿動』，就要深入一層了。因爲勿動，除自動禁制在胎教期內不得沾染床笫之愛外，還要有制止妄想，停止邪思的概念，所謂『不動心者』是也。一箇孕婦能照這一古訓去做，生下來的兒女，自然是十全十美的。」說到這，母親更進一步誘勉姐姐道：「你不要羨慕人家爲什麼會做一品夫人，而自己却沒有這福份。要知道他們的父母，是幾世的修德行仁，然後才能夠產生一箇了不起的忠臣孝子。賢妻良母，只要人

母教的回憶

綠花館主

能遵照古訓行事，暗室不虧，自然，能與古人相表裏，自有明珠結蚌胎！不見之於自身，也必孕諸於後一代，殊不必自卑也。」

母親說到這裏，我還沒入睡，聽得很有味，便從床上爬起來，拿張椅子，在母親身邊坐下，伸長着兩耳，聽母親繼續的說下去。姐姐，那時十歲，我八歲。姐姐對我說：「你不要聽，快去睡！」母親說：「讓他坐下吧！男子也要成家的，將來娶箇媳婦，他也可以轉告媳婦的。」我們姊弟年紀雖小，但不許裝鬼臉，或相互譏嘲的；我聽了母親的話，只有向姐姐一笑，作爲不同意我聽的報復。當日情狀，今日偶一念及父母姊妹都已謝世，弟弟生死難得知，兒孫遠隔一海，來不易，去亦難，雖則「人生到此，天道難論。」但是，母教常新，豈無善應，正不必怨天尤人耳。

「何謂『十當戒？』」母親向姐姐繼續講述『胎教』，「即是一、戒動怒，怒則傷肝。二、戒憂愁，憂愁則傷心。三、戒思慮，思慮多，則傷腦。四、戒勞動，勞動過度，則傷身體。五、戒輕舉妄動，輕舉妄動則傷胎盤，傷胎盤有流產之虞。六、戒濫食，濫食則傷脾胃，傷脾胃，則胎兒先天機構受影響。七、戒看戲、觀把式，（按即演戲法者 看戲、觀把式，胎兒會反常，生兒亦複雜怪僻，容易夭。八、戒參加喜喪，參加喜喪，易受傷感，與過度興奮。九、戒塞孔鑿壁、修屋補漏，否則，生下兒女，有眇目、折足、種種禍患。十、禁行夫婦之道。能如此，則兒女縱不能爲聖、爲賢，爲孟母、爲曹大家，也必能爭取正人、君子、賢妻、良母、一席位，不忝爲人一生啦。」謹按：時代不同，母之所教，未必適合於現代環境。然古訓昭然，苟能遵而行之，亦未始無補世道人心也。（下）

第十一回：舊債新仇　柒浦遭白眼　內憂外患　平憤仗蒼頭

毛澤東聽了王任重的話，第二天就去了廣州。由於毛澤東近年經常在外面跑，來來去去，大家都不十分介意，尤其是已經得信他到了武漢，必然要到廣州，所以毛澤東雖然匆忙趕到，陶鑄等人也不感到驚奇。

毛澤東到了之後，略微休息，即召開會議，由陶鑄、趙紫陽、陳郁、曾生等人逐個會報。

各人的會報仍是按照毛澤東的意旨，大吹三面紅旗，把農村生活說得家給人足，人民個個擁護「政府」。

正說得高興，毛澤東突然問道：「鄉間幹部近來違法亂紀的事故很多，你們知不知道。」

陶鑄不妨他有這一問，遲疑下答道：「農村工作是由趙紫陽同志主管的，請趙紫陽同志答覆。」

趙紫陽連忙起身說道：「我雖然主管農村黨務，不過，行政却是陳郁同志領導的。……」

陳郁一翻眼說道：「各級行政幹部都要服從黨委書記領導，此處情形，主席又不是不知道，你亂推什麼？」

毛澤東把手上烟蒂用力擲進痰盂，指指趙紫陽道：「不問誰的責任，我就是要聽你說。」

趙紫陽看看賴不掉了，搭訕說道：「基層幹部不服黨紀，任意胡爲的，到是有一些，不過，總還是個別現象，大部份同志都是奉公守法的。」

毛澤東說道：「什麼地方，什麼人違法亂紀，你說出來我聽一聽。」

趙紫陽紅着臉說道：「我要回去查一查。」

毛澤東一瞪眼：「要你記別的記不住，記幾個壞人也記不住還有什麼用，就儘你腦子裏有的，快說。」

趙紫陽被逼急了，說道：「汕頭地委會農村工作部長時有餘是一個著名違法亂紀份子。」

毛澤東拿筆記下來名字，又繼續問道：「他作些什麼壞事呢？」

趙紫陽想了一下，說道：「貪汚、舞弊、盜竊公糧。」

毛澤東點點頭，又問道：「這是對黨和國家犯罪，對人民又如何呢？」

趙紫陽說道：「對人民也不好。」

毛澤東追問道：「怎樣不好法？」

趙紫陽又想了一陣，說道：「任意吊打人民，强姦婦女。」

毛澤東又問道：「打了多少人，有沒有打死，强姦了多少婦女？」

趙紫陽再想了一陣，說道：「吊打過八十多人，死了五六個，强姦過十多名婦女。」

毛澤東縐着眉頭說道：「數字說得準確些，到底是多少，不要含糊。」

趙紫陽只好硬着頭皮說道：「一共吊打過八十一人，打死的有五個人，重傷一個，强姦婦女十二人。」

毛澤東用筆記下來，點頭道：「這就是了，還有什麼人呢？」

趙紫陽想想又說出中山縣前山公社的黨支書鄭好彩，番禺縣沙灣公社的民兵隊長麥士報，罪名都和時有餘大同小異。（二九一）

薛篤弼的二三趣聞

吳文蔚

——民國時代，在關老爺的家鄉（山西解州，民國改州爲縣）出了三個聞人，一是孫楚，一是薛篤弼，再加上馮欽哉，就號稱「晉南三傑」了。

孫楚是三方面軍的一個軍長，一直都在晉軍中任職。以山西人的眼光看，「外來的和尚會念經」，在人們的腦海裏，孫沒有馮、薛二位的名氣大。因此，「晉南三傑」中，被人們時常提到的，就只有馮、薛二人了。在那裏，一提起晉南兩要人，人們連想也不要想，就知道是指的馮欽哉和薛篤弼了。這兩個也才眞正是名符其實的西北軍的大員。尤其馮欽哉，他的部隊，久住西北，凡陝甘寧人士，無不知之，他在西北的名氣，可以說足與馬家相埒，雖三歲孩童，亦能道出其大名。

馮欽哉的部隊，自抗戰勝利後，即不大聽人說起了。薛篤弼則在勝利後還在南京出任過水利部部長。民國三十七年，筆者因公過滬，曾在上海與其相見。時薛氏經常身着淺咖啡色中山裝，外表斯文爾雅，談起話來，還是道地的解州腔，樸樸素素，看樣子極似一個中學教員。如果不爲人說破，誰也不會知道他是中央政府的一位現任部長，更不會聯想到他就是出身於耍大刀的二方面軍（即西北軍）的馮玉祥的親信大員。那天我見面是在一位同鄉長輩的家裏。我那位同鄉長輩，在以後我留滬的那幾天中，曾經不厭其詳的給我叙述薛的爲人處世的種種，其中頗有值得一記的幾點趣聞。

話說彼時適逢薛氏母壽，氏爲母稱觴舉祝，親朋滿堂，很是熱鬧。在與親朋談笑風生之中，薛氏突然疾步大廳中央，當着那許多男女老幼的親戚朋友面前，以天眞無邪的孩提姿態，對其母親說：「媽呀！你還沒有見過一新時代的人跳舞吧？你看，我跳一個舞給你看。」說着，便跳將起來，且當衆搔首弄姿，活靈活現，其狀儼如馬戲團裏的一名小妖精，蹦蹦跳跳，得意忘形。那情景，誰也不會想到他就是一向外表斯文謹嚴的部長先生。薛氏在他母親前，簡直還是一個調皮的孩子的舉動，一時引得賀客哄堂，樂不可支。他的母親看見他那樣子，亦張開秃牙的老口哈哈大笑不已。按：那時薛氏的年齡已經六十多了。

中國社會裏有句俗話說，忠臣出於孝子之門。薛篤弼對其母堪稱爲一個孝子是不成問題的，而薛氏對於馮玉祥的「忠」，也可以說已到了死心踏地的程度，俗所謂「愚忠」，差堪擬之。

雷嘯岑先生在其「我的社會生活」中，叙述薛氏於內政部長任內，把二方面軍的那一套整個搬到內政部去，每逢二方面軍大小紀念節日，內政部全體官員都要參加紀念，尚有一件事，是雷先生未嘗語及的，特記之如左。（上）

談模稜

漁翁

模稜之模，一作摸，以手握物之謂。稜，是物體的稜角。以模稜兩字聯起來說，就是握不到一定方向，可左可右，可上可下，可前可後，四面八方，都可以說是，而其實都不是。

今人凡遇到處理事情或者談話時，不作明確決斷與不表示鮮明的態度，而無可無不可者，謂之「模稜兩可」。譬如人們時常慣說的「大概」，「約莫」，「差不多」，「可能範圍內」，等一切字眼，便都是不肯定性之辭，這亦是「模稜」。

模稜的故事出自唐代的蘇味道。蘇，趙州人，九歲能文，與李嶠齊名，時號「蘇李」。二十歲成進士，初作吏部侍郎，武則天稱帝時，拜爲宰相。因他不走極端，但知唯唯諾諾，官運很亨通。就因他日常處理政事，從不表示明確的態度，故時人呼之爲「蘇模稜」。

據唐書所載，當蘇就命相位時，深知武氏厲害，戒懼恐懼，躭心身居一人之下，萬人之上的相位不易於保持，偶一不愼，即難免身敗名裂，乃實行事事作模稜兩可的辦法，欲以之固位保寵。凡武氏說某事可行，他接着說一「可」字；武氏說某事不可行，他亦隨聲說一「不」字。他便這樣糊裏胡塗，莫名其妙的得過且過的混下去，雖無功績表現，倒亦不惹出罪過來。居然便成了做官的妙訣，許多人都在效法他。

史載：有一日，武氏與他商量可否把盧陵王殺掉，他沉思頗久，答曰：「殺也可，不殺也可；只以你的意思爲可否。」又一次，武氏以開武科考試好不好相問，他答曰：「開也好，不開亦無不可，你認爲好便開，若認爲不好則不開」。因此，武氏喜歡他，同時却也很看不起他。喜歡他的，是他有如奴僕，非常順從；看不起他的，則是以其庸庸碌碌，絲毫無所表現。

蘇味道常對人說：「處事不好作明確決斷，因爲萬一發生了錯誤，你就要負失職的責任。模稜而持兩端，才是明智的！」所謂明哲保身也。」他由於祇知保身，當然祇能事事「模稜兩可」了。

後之人，以蘇味道做人處事的態度，而稱之爲「圓滑大家」。眞的，還有不少人向他學習，還深恐不得其中三味。於是而唯唯諾諾之輩多矣。今日所謂「好好先生」者，正就是蘇味道之高足弟子也。好像今之政治塲中，那些遇到較困難之事件，不去作肯定性解決，而慣用「推」，「擱」，「拖」方式去處理的人，上級來文，接到後，往往錄其全文，加「等因奉此」四字遞轉下去便了事，正是此輩。這樣的官多了，政風便形同一潭死水，沒有了改進、創造的精神，是一定的。「公文世界，表冊乾坤」，又何怪呢？

蘇味道是不值得學的，特別是當此國家多難的時候！

粟毓美別記（續）

時生尚繫獄未決，以兇刀，血衣未得，屢申屢駁，故延未處決。會中秋節，乙與女設席慶秋節，席半，女抱兒仰視明月，意若有所感觸；忽平視，見一人立乙背後，即之則無有。方驚疑間，乙忽衝口而曰：「曩日若非聊施小計，買盜入室，「則何能得卿？」但苦乃兄耳！」女聞，色立變！窮詰之！乙以言既出口，且與女成婚年餘，已生子，不慮有他，乃直告賄盜殺粟，不慮二人因兄醉易榻，致被誤殺也。

女詢得實情，及兇手、兇刀藏處，翌日，俟乙出，即扼殺抱中兒！懷狀詣縣，擊登聞鼓以聞！官得狀大驚！立簽差捕乙及兇手，起出兇器，一訊而服。粟既出獄，與女相見於縣堂，謝其昭雪恩，意欲有詞，而未能形諸口；女似已會其旨，乃正容告粟曰：「身所以不即自爲計者，以兄之仇雖雪，父母之恨雖消，而君猶困囹圄中也！今君既出，生者寃白，罪者服刑，死者目瞑，妾事畢矣！身已被辱，既不能更事君子，亦無顏更事君子！君大度如海，明德必昌，祖宗必有餘蔭，使兇人自言者；世間淑女儘多，幸自勉！不必以妾爲念也」！

言訖，探懷取所預置利剪，剪喉而死！粟伏地拜，哭之痛！令亦嘉其義烈，表而葬之以禮。邑之士夫，無不歎欷悼惜焉。

粟後成進士，歷官至河道總督。其人廉潔無嗜好，惟身佩一木主，書：「恩太太某某某之靈」。每朝暮，必閉室置木主案上，自燃香拜之！然後仍佩諸胸，出視事。年四十，不娶。親友苦勸，乃納婢爲妾。且與約：生子即異室居，肯乃立。既而果生子，妾如約，乃別室而居。室置兩床，設女神主於椅，每膳或進點，侍者必以二簋進，坐對相食，視死如生然。此咸、同間事，余於幼時聞父執言之如此。或言女父姓某，以無實證，故不書。

按：清人毛對山墨餘錄，亦載此事；但不如此之詳，亦無女方姓名。余鄉舊有木魚書名「香柴扇」，事與此傳稍有異同，謂女生前有香柴扇墜贈生，墜之一面刻「燕羽雙飛圖」，另一面爲空白；女死後，粟鐫女名於墜後，事之如生云。並錄存之。

花蕊月上樓小品

黃葉村人

我的社會生活

雷嘯岑

十年一覺巴蜀夢

我因此赴荆門縣巡視，於接見該縣士紳時，談出此案，表示自慚誠信未孚，致招來意外的誹謗，認爲世道人心太險惡了。我這樣公開的言談，立即引起當地人士紛紛議論，風聲傳到了蕭某的市鎭上，當地鄉政局的一個職員，於我巡返江陵後，親到荆門縣府指證，說蕭某那封上蔣委員長的呈文，是他經手掛號的，寄信人確係蕭某，經當堂質證之下，蕭某乃俯首無詞。

案情既已查明，荆門縣長即備文詳報內容，將蕭某解送到江陵來，我親自訊問，然該犯又狡展不承，大呼寃枉。見其口辯捷給，而神情刁鑽，乃一典型的土劣份子，實屬可惡已極。我原是以軍事委員長行營軍法官的資格審理此案的，當堂用軍棍打了他卅板，然後備文將他解送武漢剿匪總部軍法處訊究，蓋本案涉及我本身，不得不迴避也。所以，我爲着曾用軍棍責打土劣而受到監察機構的懲戒，內心上十分安泰，且引爲光榮哩！

綜觀上述我所遭受的各種構陷、打擊、誣告等情形，發源地只有一處，那就是沙市的駐防軍人及其政訓處，利用匪患與土劣，串通監察御史，更間接透過其他軍政機關，千方百計，萬弩齊發，必欲置我於危難境地而後已。主要原因並非我過事不妥協的實幹硬幹作風，乃是楊暢卿（永泰）先生對我太信任，太維護了。他們認爲我是不折不扣的「政學系」份子，即係「楊永泰的忠實走狗」，直接打擊我，間接就是打擊楊暢卿呀！殊不知我與楊先生素無淵源，在武漢纔偶然相識的，他是否有所謂「政學系」的小組織，我至今還是不清楚。不過，假使楊先生不死，我絕對誠心誠意地替他作走卒，赴湯蹈火，在所不辭，呼馬呼牛，更無所謂，此無他，「士爲知己者死」，義無返顧也。我這樣分析是有根據的，凡屬洞悉近卅年來的中國政壇內幕情節者，都瞭解此中經緯，即楊先生之被刺，亦純係政治鬥爭的結果，言之殊堪嘅嘆，以其不屬於本文範圍，存而不論焉。

民國廿四年冬十一月初，我到達成都，祇跟楊暢卿公晤談兩次，他就離川了。這時陳芷汀、羅君強皆隨從楊秘書長工作，楊公於飯後跟我談到陳、羅二君，說芷汀總想出去作行政官，但他離不了陳君，而且陳君亦非行政人才，所以他就保薦陳君兼任「武漢特稅處」會計長，月薪八百元。楊公笑語我：芷町的俸給收入，現在超過林主席了！（國府主席薪俸每月八百元）他又慨然曰：「人生在世，不是爲名，便是爲利。我既不能滿足陳君的求名慾，只有在利字上替他想點辦法，否則他何必跟我作苦工呢？」繼談到羅君強，印象頗不佳，楊公說：「你這位貴同鄉——羅係湘人——自命不凡，我看他將來要闖禍的！」楊公逝世後，君強果然闖下了叛國的大禍，不亦怪哉！（卅六）

盧大伯

每逢想起做孩子的時候，便會想到盧大伯。一箇方面、大耳、滿臉鬍鬚，年紀在四十五六歲將近的盧大伯。他是福建汀州上杭人，一家條絲烟店的掌櫃，和我的先伯父子餘公，是結拜兄弟。當我在五歲的時候，他常常到我家裏，不久，我的伯父棄世，每逢先伯父生死祀辰，他一定買了一大籃子鷄和燒肉、魚、水果、酒等物，到我家來，向先伯的神主，祭奠一番，然後，給我們大家享受一頓豐富的肴饌。我伯父還沒結婚，便去世了，我是過繼給伯父的，所以他很喜歡我，要求我父母，把我拜他做契爺。因此，他不來便罷，來了，準定先抱我上梁廣濟，飲「三分六」一盅的上等普洱茶。飯完，還帶回一大紙包的蝦餃、燒賣，分給爸媽和姊妹們。（未完）

訪問美國議會的觀感

陳翔冰

據上所言，美國的議會制，聯邦與各州大約相同，州以下的議會，則各不相同，而以市長議會制爲多數。

總之美國議會政治的精神實淵源於英國，加有獨特的發展，其最重要原因，在美國採用總統制，而英國則採用內閣制，政制互異，不能不有不同的發展。（九。完）

少婦之謎

周伯臣

一個少婦躺在街頭，無聲無息地躺在那裏，躺在台北一家豪華的大酒樓的騎樓下，這是昨天夜裏的事（三月十二日）。昨天夜裏，風很大，雨也很大，料峭的春寒挾着風雨的尾巴徘徊在島上，使四季如春的寶島也突然被這一襲擊而變得冷酷起來了。少婦的身上罩着一件法蘭絨的大衣，大衣被雨水淋濕了，被風掀開來，使她的大腿露在外面。她躺在那裏，不動也不响，也沒有人叫醒她或給她加上點什麼，譬如能禦寒的氈子之類。

在台北，有少婦露宿在街頭不能不說是一件怪事，而更怪的是這個少婦其實生得很美，那露出的大腿便實在不能不說富有誘惑力，這就費人疑猜了。誰不知道啊！女人在台灣是最值錢的，「好」的動輒幾十萬，整腳一點的也得一萬八千新台幣，像我這個窮書生，一千字四十元，不知爬多少方格才能弄倒老婆本呢！如今竟然有這個頗美的少婦露宿街頭，不是奇聞是什麼？

天亮了，她仍然躺在那裏，仍然一動也不動。湊撓來看熱鬧的人却越來越多了，還七嘴八舌，議論紛紛。有人說活的，有人說死了，有人說她自殺，有人說是被殺，還有人估定她是姨太太，是酒女……一連串的議論，一連串的問題，就是沒有人提倡弄個明白，以及如果還是活的，該怎樣救她！過了一會，警察來了，他用腳踢了她幾下，仍然一動也不動。看來是死的了！又好久，才有一輛汽車來把她截走，那汽車的蓬上有「市立殯儀館」的字樣。那一連串問題却還是沒弄明白，可能永遠是謎吧？唉！

自由報

THE FREE NEWS
第四二八期
中華民國僑務委員會頒發
台教新字第三二三號登記證
中華郵政台字第一二八二號執照
登記爲第一類新聞紙類
（本報刊每星期三、六出版）
每份港幣壹角
台灣零售價新台幣弍元
社長：雷嘯岑
督印人：黃行審
社址：香港銅鑼灣高士威道二十號四樓
20. CAUSEWAY RD 3RD FL. HONG KONG
TEL. 771726　電報掛號：7191
承印者：四鳳印刷廠
地址：香港灣仔高士打道二二一號
台灣分社
台北市西寧南路壹壹零號二樓
電話：三〇三四六
台郵撥帳戶九二五二

自取滅亡

消化不了

「隨份報國」的心境

方南

讀本報上期刊的兩篇文章，引起我寫這篇東西的動機。我覺得，「隨份報國」的風氣應該在這個時候普遍發揚，這點精神也應該有人大大提倡。這一篇東西只是拋磚引玉，聊盡個人心事而已。

馬五先生在「自由談」裏提及，本報由創刊迄今，已歷四年，艱難困苦都已備嘗，只因主辦人抱着「挺勁」精神，纔能夠撐到今天。文裏還有幾句話：「爲而不有，亦無所謂。目的只在爲天地存正氣，爲社會彰公道，而個人利害得失不預焉。」這正好用「隨份報國」這句話詮釋一下。

我們份屬拿筆桿的文人，而且份屬報人，這時唯一可以報國之道，便是就着這個本份說所應說之話。只要自己發言的動機是公正的，與私利無涉的，獻可替否，問心無愧，便是報國最佳之道。目前在香港辦報要發財，最好是走「狗馬聲色」的路線，幹嗎還有人肯辦自由報這類報紙呢？我以爲，「隨份報國」四字便是最簡單的解釋。

張默君先生寫給本報的「我國在非洲之農業外交」一文，說及十四位「農民大使」在非洲的奮鬥成績。力稱他們只靠雙手、鋤頭、及簡單之耕耘機械，從開墾、建設水壩，到引水灌溉做起；住在人煙稀少之荒野中，既無鄰居，且無生活憑藉，白天忍受酷烈之太陽，夜間忍受成羣之蚊蚋，努力工作，決無休止，終得奏空前之成功。她建議政府主管予以晉級重用，以示獎勵。這當然是她個人的好意。但在事實上，這一批農民大使已盡了「隨份報國」的心願，而且確實令到國家得到大利了。他們原不因希圖獲得獎勵而出此。今天中華民國在非洲藉以抵抗共黨滲入宣傳的最大力量，就是這區區十多位的農業科學家苦掙得來的。而中華民國在聯合國一席位的保持，亦與他們的奮鬥成績有關。試想幾年前他們在埋頭做研究工作，怎會想到在這個「份」上會產生「報國」的偉大成績呢？

由此可見，「條條大路通羅馬」，不論職位高低，不管所執何業，只要「素乎位，行乎其位」，念念在於報國，永保這一顆心，誰也不該低估自己，以爲自己所走的路必難達到羅馬呢？

當今國運艱困已極，我個人却從不消極悲觀。本諸「樹大有枯枝，族大有乞兒」的恆諺，我們可向相反的一面找出樂觀的理由，「族大有新苗」正是中華民族必可復興的憑藉。像這批「農民大使」便是出乎預料的「新苗」了。他們儼集「武訓精神」「吳鳳精神」「丁隆精神」於一身，在最艱難的處境中，爲中華民族把和平博愛種子散播向非洲大地上，這正是「隨份報國」的成功例子，人人各有一「份」呢！

在朝執掌政柄的應該特別盡最大的力量去報國。等而下之，當一個中下級的公務員，也有可以報國的一份。良好的公務員依據法律，認識政策指標所在，決不貪污，盡忠職守，切切實實爲老百姓服務，但得給老百姓多一點好觀感，給社會多添一分好氣象，也可報國於無形了。在野無官守的各界從業人員亦各有報國之份。打一個比喻：當權掌政的政府大員等如出場比賽的球員，必須表演得像一個受人喝彩的良好球員。任何球員都要「在狀態中」才會表演得好。因此，是否「在狀態」是很重要的。「不在狀態」的球員挨罵是應該的。球員都有挨罵的度量，而在職的政府大員亦然。他們必須明瞭，「隨份報國」這種精神尤須在他們當政之日充份發揮，假如連這種精神也沒有，棍本就不該站在台上，這猶如一個沒有打球興趣的球員不該被派出場一樣。

一個在政治重要崗位退下來的人，或者在重要崗位退到次要崗位的人，最好也能本着「隨份報國」的心情，盡可能作適份的貢獻。大家如能把權位利祿的慾望放淡了，多向貢獻報答方面着眼，蔚成風氣，乖戾怨悵必可潛消，傾軋衝突無由而起。這點心理的善根確宜在這時努力普種，將來收益之大，必然勝過百億千億元美援。常語有道：「施比受有福」。今天我們該說「貢獻比抓取有福。」當此神州未復，國步維艱，人家正以「國幾不國」的眼光來視我，多少人爲國犧牲了？多少人爲國貢獻了財產？求之於大陸反共志士，求之於海外熱心愛國的僑胞，眞的有不少啊！自己沒有什麼貢獻還罷了，怎還可以花心思去抓取不當得的權利？倘使由這一點消極的羞恥之念，演爲積極的「隨份報國」之思，大家心裏善芽齊發，各有其份上的成就，將來把它帶回大陸去，必可使百廢俱舉，諸善俱興，誰說中華民族沒有眞正復興的希望？我們如只以垂垂老去之身回大陸去，沒把心裏蓬勃的生機帶回去，便算反攻大陸眞的開始了，有多少人能夠認眞幹得出色，不負這許多年的渴望？

回顧以往十五年，國軍在台去腐生新，「三七五減租」導致全台農業生產勃興，國軍退役就業輔導成功，金馬成爲不可破的堡壘，幣値沒有大變，經濟可稱小康，外交形勢由飄搖而臻於穩定，凡在業績上有過實際貢獻的人，都會博得好評，播爲口碑，人人心裏有數，不會抹煞的。有貢獻的人，首先得之於自心，再得之於公論，或更得之於史頁，這不比只問「抓取」的賤丈夫「有福」得多麼？稽之於古，朱舜水以明末遺臣，[illegible]東渡，艱苦極了，今天我們看朱舜水在日本留下的業績，能說他不是偉大到絕頂麼？是亦「隨份報國」一念使然，確實做到「顚沛必於是，流離必於是」那兩句老話吧！

台灣地狹人稠，農業固然容不了由大陸遷來的許多人口，不幸是工商業也沒有像香港目前那樣的出路，大家都向官門的狹路上擠，那當然不是一個好現象，若干人由此而致心境不愉快，器量變得淺狹，精神變爲頹唐。那麼，最佳的對症良藥，還是洞徹明瞭「隨份報國」的一點簡單道理，找個固定目標，作些有益之事，一人之力如不足，儘可聯合一些目標相同的人，各把心思才力貢獻出來，孳孳矻矻以赴，對於我們的科學發明，學術研究，以及風氣改造等等，料亦大有裨益呢！昔者「左丘失明，乃有國語」，便算是名山著作之業，這時候也應該產生不世出的傑構吧！這也是「隨份報國」的一條途徑呢！

我個人對整個時局的看法是：天下必將有變。我們目前的大患，仍在人心。「美援」是「援我以物」，此物亦能塞我們的心。我們自己要做的工作就是「援心」，如果心被物迷，救不活回來，則心死身亦隨之，是亦大可哀矣！

我們天天在喊反攻大陸，如要切實追問一句：我們精神上的準備是不是比物質上的準備還較缺乏？這如訴之於各個人的內心，恐怕都有愴惘之感啊！

向長遠處看，我們當前急要之務仍是「治心」。

今日與明日

李宗仁休矣

讀白健生（崇禧）將軍本月十八日致李宗仁書，纔知道當年李氏以代總統的國家元首身份，臨難棄職逃往美國時，中樞仍盼其以副總統兼特使之職責，在新大陸爲國効勞。然李氏貪戀「代總統」名位，而不舍，倒行逆施，終致日後閙幾許笑話，貽議萬邦，丟盡了國格與人格，而爲親者所痛，仇者所快。這眞是所可道也，言之醜也！

不料李氏年逾七十，罔知自愛，竟於將就木之前夕，棄其所守，靦顏爲毛共張目助勢，以自毀其數十年來辛勤創造的革命歷史，愚蠢至此，匪夷所思矣！

白將軍指述毛共有畀以僞人民政府副主席暨「民革」主席名義的消息，但據我們所知，這乃是李氏自己的幻想。毛共對於李氏的剩餘價値，估計得很清楚，只歡迎他回到「祖國」去頤養天年，聊作宣傳工具，保證照顧他的生活，其他即應毋庸議。尤其不希望李氏談台灣的事，認爲李氏對台灣沒有絲毫的影響力了。

人的歷史是自己創造的，也唯有自己纔能夠加以毀滅。李宗仁謭陋無知，日暮而途猶未窮，乃不甘寂寞，作此蠢事，不亦大可哀乎！

先生休矣，夫復何言！

那些是眞難民？

英國殖民部大臣山茨，在議會答復議員關於香港遣返難民到大陸的質詢時，指說從大陸偷渡來港的人，都不是眞[illegible]的難民。這話實在費解。

凡是冒險犯難，從中國大陸上潛逃來港的人，即係不堪奴役壓迫的政治難民，至少至少亦是在大陸上飢寒交迫，活不下去的苦難羣衆，若謂這些人并非眞正的難民，然則他們算是甚末人物呢？

狹隘的香島，人口已擁擠不堪，無法容納源源而來的難民居留，這到是事實。英倫當局若老老實實的據述這種苦衷，尚可得到世人的諒解，强辭奪理的說法，反而辱沒了英國素來庇護政治犯的傳統榮譽，胡爲乎來哉？

僵化的中日外交

日本政府一面表示要改善中日邦交，同時又繼續對毛共實行進一步的經濟援助，却希望我國迅派使節赴東京，俾便談判一切。如此一廂情願的作風，只有陷邦交於僵化狀態而已。

暫時僵化以待變，亦無不可，但以日本人的藐小而短視的民族性，很可能由僵化而趨於衰退沒落之境，那就要貽東亞以無窮之禍。

爲禍爲福，完全繫於日本政治人物是否知所自擇了！

自由讀

不忍卒讀

長年累月閱讀報紙上所刊載的各種新聞、寫作，五光十色，琳瑯滿日。在我個人的觀感中，有幾種經常出現的紀載，實屬不忍卒讀，不勝聽心之至！

一是關於一班電影女演員——亦叫作「明星」——的結婚離婚消息，乃至於腰圍與大腿的形色等等，大書特書，不一而足，如那專以結婚離婚爲兒戲的伊麗沙伯泰萊，力大喜禍夫之流的私事，即常常佔着寶貴的篇幅，糟塌紙張油墨不少。這類不足爲訓的私人[illegible]生活行爲，試問與藝術何關？對世道人心又有甚末益處？如此違篇累牘地紀錄報導於讀者大衆之前，是必要的嗎？西方的適訊社——尤其是美國的新聞記者喜歡搞這些無聊的玩藝，咱們中國人幹嗎亦跟着學習呢？若說電影「明星」的結婚離婚經過，以及腰圍、大腿形色等類消息，是值得紀載的，然則男明星的同樣事情，何以又多付缺如了？

二是內容千篇一律的武俠小說，總不外是描述「劍仙」「飛客」之類的神奇技藝，跟孫悟空媲美爭輝。人類文明已進化到了原子世紀，還要用這類神話時代的作品來麻醉人心，這豈是報紙應有的職責？所謂社會教育的作用，顧如是耶？

三是香港報紙特有的一種現象，即一般「先生不知何許人也」的兒女們出洋留學，或者男婚女嫁，皆在報紙上刊登消息，且附印照片，恍若一項重要的新聞，這是甚麼意思？難道說這就是社會教育不成？報紙原係社會大衆的精神食糧，把這樣的消息供給讀者，這比共產仁兒教民衆吃觀音土、吃枯樹葉更妨害身心啦！

新聞學上所謂「可讀性」，界說分明，義理顯著，像上述三種紀載，似乎都不在「可讀性」之列。若專爲報紙銷路着想，但求迎合讀者的低級趣味，志在廣招徠，賺銀錢，那就不必辦報紙，搞文化事業。因爲報紙畢竟與一般公司行號的商業性質不同，是負有教育社會大衆的責任的。對最不可解的，一些官營的機關報亦隨俗浮沉，而昧於宣傳的任務，不能站在時代最前綫，發揮指導的作用，惜哉惜哉！

馬五先生

大陸

中共對大陸各地工廠，在繼「增產節約」、「一厘錢精神」、「比學趕幫」和「三老、四嚴、四個一樣」的政治運動以後，現在又推出一個「五好」運動，目的是要掀起大陸工人的「牛馬精神」。

關於「增產節約」、「一厘錢精神」、「比學趕幫」和「三老、四嚴、四個一樣」的運動，本報早有詳細報導，其如意算盤無非是要大陸人民更勒緊褲頭，老老實實地為中共做牛做馬，勞動生產。現在，據由惠陽縣經港赴星的僑眷某某說：中共所攪的那些運動顯然未能達到目的，因而又推出一個「五好企業」和「五好職工」的政治運動，且公然宣稱要藉此重行掀起大陸工人的「牛馬精神」來。

該不願透露姓名的僑眷某某說：多年來，中共在大陸施行的暴政，早已使全體老百姓都對它厭惡透頂了，所謂「當家作主」的「工人階級」亦全無例外。工人們早經使用各種消極的和積極的方法，去反對共產黨，大陸工業的凋零殘破，全無起色，是亦其原因之一。

工人厭惡毛共見諸行動
惠陽糖廠曾屢遭破壞
毛共念咒語運動接二連三

該僑眷某某說：就以「惠陽糖廠」為例（按：惠陽糖廠是中共中南區最大糖廠之一），其破產的原因，一方面當然是由於中共盲目的將大量的蔗田改為稻田，造成糖廠的原料——甘蔗的不足；但另一方面，卻也由於工人的消極怠工和積極破壞的結果。去年，該糖廠曾由各地運來不少的甘蔗，但是，負責「起貨」和保管的共幹，卻未能迅速合理的分配到各個車間，任其在露天的廣場上堆積，因而雨淋日晒，使許多甘蔗變壞了，一部份則是被工人乘機偷取糟蹋了。該糖廠在近二年來，曾迭次發生工人的破壞事件，諸如工人把尿屎之類的汚物拋進糖水中或把機器錘至不堪使用等事件，便經常有之。有一次，工人們不知從那裏弄來了炸藥，（有說是自製的）放在鍋爐的下面，卒因炸藥的爆炸力不大，祇能給炸開一個洞而已。

該僑眷某某說：中共為了挽救「工業危機」，乃不斷的攪出種種「運動」，企圖死馬當活馬醫。中共這次所攪的「五好」運動，是含有競賽的性質的，正在大陸各工廠中推行。所謂「五好」，是包括：「五好企業」——政治工作好，執行政策完成任務好，經營管理好，生活管理好，幹部作風好。和「五好職工」——政治思想好，完成任務好，愛護公共財物好，經營學習好，團結互助好。

據該僑眷某某說：中共的此次運動，除了要工人熟記這些「五好」的條文之外，還要工人檢討如何達成「五好」，其結果，則無非是像念咒語一般的提出「增產節約」、「一厘錢的精神」、「比學趕幫」和「三老、四嚴、四個一樣」的「精神」等等，工人們口是心非，陽奉陰違，而中共也就自我欺騙的以為「達成任務」，工人甘願做其牛馬了。實際，那裏做得到？」（敬斯）

監察權司法權之爭暗潮仍烈
監院黃案調查報告新發展
——政治評論半月刊的一篇社論 引起監委惱怒決送法院辦理——

（本報記者台北航訊）監察院黃案調查報告餘波蕩漾；監察權與司法權之爭，儼然仍暗潮起伏，方興未艾。

三月十四日，監察院舉行第八四六次會議時，通過葉時修委員等所提臨時動議，對政治評論半月刊「惡意誹謗，公然侮辱」的社論，「由秘書處將有關資料函送最高法院檢察署依法辦理」。該臨時動議說：

「本（三）月十日出版之政治評論，其社論第二篇『評監察委員與法官之爭』文內，論及發生調查報告之責任問題有如下辭句：『……這就是說，出席院會的監察委員全體違法。難道院會不是由出席的監察委員組成嗎？情形好比：個人犯法；若干人開會後去偷東西，若干人全部犯法。這是不容懷疑的事！』又說：『監察委員違法濫權已成習慣。』公然發布文字毀損本院名譽及全體監察委員之人格，顯已觸犯刑法第一百四十條，對於依法執行之職務公然侮辱罪，及刑法第三百一十條之誹謗罪。該刊自詡為『宣揚法治』，乃竟任意誹謗全體監察委員，乃至比之如偷東西之小偷，實已令人無可容忍。吾人對於彈劾法官案之各方言論，向極尊重，倘就法理方面發為評論，縱對本院有所指責，本院亦僅據理以辯，從未涉及意氣。乃該刊一再以本院為對象肆意謾罵，公然侮辱。此次更存心誹謗，顯已越出辯論事理之範圍，妨害他人之人格，該刊負責人，實應負法律上之責任，擬請本院秘書處依法交涉，以重法治，而保院譽案。」

監察委員們在討論該提案時，都帶着沉痛的心情而冷靜的發言，結果此一臨時動議通過了。

政治評論那篇社論，除監察委員葉時修等所提臨時動議案所引用者外，尚有若干要點，茲摘錄如次：

社論說：「同時，院會也不能開脫陶黃兩監察委員底違法責任。當『主席徵詢院會同意』，陶黃兩監察委員在場。他們心目中如有監察法第十三條和第二十六條（按：調查和彈劾案不得對外宣洩）之規定，便應起而發言，提起院會注意。……」否則，陶黃兩委員「不起而發言」，當然違反監察法第十三條和第二十六條的責任。所以公布調查報告，乃陶黃兩監察委員違法之證明。……」

社論又說：「法官『依據法律，獨立審判，不受任何干涉』。『審判』底內容，第一是採證，第二是用法。怎樣採證？怎樣用法？這是法官底權，由他決定。這叫做『獨立審判』。」

社論又說：（法官）「『自由心證』之自由，當然要受限制。」而不是「由他決定」。受什麼限制？「受經驗法則和論理法則等等之限制」。

社論又說：（法官審理案件）「同樣要負責：但那是對良心負責，對法律負責，對職守負責，不應是對監察委員負責。如果採證不當，以致枉法裁判，要由監察委員來彈劾，必須找出所以採證不當，所以枉法裁判的原因來」云云。

按：監察院黃案調查報告公諸社會後，先是有人說，監察院無權對法官行使監察權，否則，便是干涉審判獨立。繼之有人說，監察院雖有權對法官行使監察權，但限於法官個人的範圍，而不得干涉審判。現在有人說，監察院院會洩露調查報告，院會違法；調查委員不起而發言，應負宣洩之責。畢竟這場引人注意的爭論還將如何發展呢？「且聽下回分解」。

基隆旅居記

仲公

第二次世界大戰太平洋戰爭發生後，基隆各煤礦最初一二年仍維持原產量，到了民國卅三年以後，盟機轟炸台灣至為猛烈，工廠大部停工，煤礦亦由於器材缺乏，產量減少，同時外銷復受船舶缺乏的影響，基隆各煤礦，遂陷入苟延殘喘地步。民國卅四年八月日本投降，當時各礦停歇，煤的產量幾等於零。同年十月，我國政府派員接收，成立煤業監理委員會，着手監理日本人經營的煤礦，基隆附近有卅幾個煤礦由台灣煤礦公司籌備處接管，劃為基隆、永建、七星三個礦區直接管轄。民國卅八年五月，台灣煤礦公司併入台灣工礦股份有限公司為其分公司。民國卅九年，該公司緊縮，將基隆煤礦與永建煤礦合併，改稱永基煤礦；木山煤礦則由台灣肥料公司第一廠出資收購，自行開採，所產之煤經洗選後，煉成焦炭，以供製造電石等之需。

台灣煤業自經整理復工後，民國卅五年已維持正式生產，當時因國內動亂，北方之煤南運者少，台灣之煤大量銷運京滬，促成煤業復興的繁榮。計民國卅六年至三十八年外銷之煤達一百七十餘萬噸。民國卅九年，大陸撤退以後，外銷困難，台灣煤業生產，一度萎縮，不久遷台工廠增加，消費激增，煤業又逐步向榮。根據統計，自民國卅五年至五十一年十六年來的煤產量，增加了六十七萬五千二百九十三公噸。五十一年生產量為九十八萬六千七百廿公噸。礦工由六千四百五十八人，增加到了二萬一千零五十四人。此較諸日據全盛時期的產量，固瞠乎其後，究因失去了大陸，即失去了銷場，台灣雖在努力工業化的途中，仍屬內銷有限；又因基隆原有煤坑，多已洞老坑滿，生產逐漸萎縮，如欲再造黃金時代，恐怕要在光復大陸以後了。

台灣通史載：「基隆自乾嘉以還，耕漁並耦」。這是基隆有關漁業紀載之始。按當時內地人逐漸移居本市，八斗子，和平島，仙洞等地，漸有漁民於沿岸操小型舊式漁業；琉球漁民，曾一度遷居和平島，結成沖繩部落，以極原始的方法捕魚。是時漁業未為本地居民重視。據傳在一百二三十年前，由福建漳州等處傳入鰛棼寄網，捕魚技術，總較已往改進。

日據時，日人重視漁業，積極從事漁業的調查和開發。宣統元二年間，小型機動漁船，先後傳入蘇澳及本市，漸向離岸較遠的海區，從事撈捕，獲利頗豐。至此從事漁業者衆，遂創立了本市漁業的新紀元。民國元年輪船拖網漁業創立。民國八年機船底曳網漁業傳入，皆幾經改進，始蒸蒸日上。加以交通漸次發達，漁業設施漸臻完善，漁獲物之保藏，運銷，亦漸稱便利，基隆遂成為本省最主要漁業根據地。（卅一）

台省選舉風氣有待認真改進
立委潘廉方質詢指出

（本報記者台北航訊）立法委員潘廉方希望行政院加強督導本省地方自治工作，革除選舉弊端。

潘廉方委員在質詢中說：台灣省最近於本年一月二十六日，全省各縣市舉辦第六屆縣市議員及鄉鎮長選舉，大體上說，都有進步；惟在首都附近的台北縣新店鎮，竟發生有搶票櫃的事件。彰化縣溪湖鎮新當選第六屆縣議員蔡錠，在該鎮天華酒家吃夜酒後，邀約酒女簡阿菊陪宿，因而與廚師發生口角械鬥，被人砍殺死亡。報載新貴蔡議員，本為賭徒，恩怨甚多，故遭此不幸！這兩件事，都說明了本省地方自治，雖已實行十二年之久，每屆固均有改進，但選舉風氣很壞，弊端很多，還沒有達到「選賢與能，節約守法」的理想。請問嚴院長今後應如何認眞督導地方政府，加強地方自治工作，革除選舉弊端？本年四月二十六日，又將選舉各縣市長，要達到總統所指示的「選賢與能，節約守法」的理想目標，是否行政院應考慮做到左列三項行政措施：

第一、舉辦公職候選人資格檢覈，認眞辦理，以取締地痞流氓，土豪劣紳，混進選舉陣營，營私舞弊。

第二、建立公費選舉制度，嚴遵選舉法規，使各縣市地方眞正的賢能人士，不因金錢的限制，而不能當選；使有錢的劣紳，亦無法恃其金錢勢力而能當選。

第三、加強一般人民的政治教育，提高其運用四權的智識與能力，知所選擇，而能愼投其神聖的一票。

麻雀耍樂一場虛驚
在酒家打牌並不犯例
香港居民透過一口氣

（本報訊）最近，因為警方在九龍的四個酒家拘控打麻雀者以及酒家持牌人，引起許許多多人的關心，酒家業者更憂心忡的發為意見，說是如果顧客眞的在酒家打麻雀牌是犯例的行為，有被拘控的危險，勢必影響及於酒家的生意。

原來香港居民在酒家宴客——無論其為紅白喜事的宴客，打麻雀牌已成了必有的節目，宴會之前固然大打特打，動輒十桌八桌甚至三二十桌，全視宴會規模大小而有等差，甚至宴會之後，如其客人尚未盡興，還可繼續「開枱」，一直打到晚間十二時始止。這是不成文的習俗，以往亦未聞警方有拘捕之事。這次突然發生了，而且被拘控的有四個酒家之多，便成了社會大新聞，酒家業誠然感到不安，許多好此道者同樣忽忽若有所失，認為「如此一來，那還了得！」

現在總算問題弄清楚了：在酒家牌照範圍內打麻雀牌並不犯例的；那被拘控的四個酒家，是因為它們的地方偏窄，但為滿足顧客需要，就近租地給顧客打牌，出了範圍，才有被拘控之事發生。香港居民至此也才透過一口氣來，而放心的打其四圈八圈。

國立台灣藝專校長
鄧昌國被人檢舉
檢舉書指他五點失職

（本報記者台北航訊）國立台灣藝術專科學校校長鄧昌國，頃被人分別向行政院、立監兩院、司法行政部、救國團和省警務處等機關檢舉他「違法舞弊」。檢舉人為羅世傑、石本高等；他們在檢舉書中說：倘若檢舉各點查有不實，「檢舉人願負法律上之一切責任」。因而很引起各方面的重視。

檢舉書指出鄧昌國五點失職之處：一、造成葛樂禮颱風水災鉅額損失，達九百萬元之多；二、招考新生舞弊，五十二學年度新生楊建飛本應錄取而不錄取，另一新生王論英不應錄取而錄取了；三、擅將五十一年度剩餘經費約四萬多元，變相支出；四、聘任無教授資格的陶克定為副教授兼夜間部副主任。五、超支鐘點費達六十多萬元。

「樹」

文芬

她正從外面回來。氣候很不好，又是刮着風，又是落着雨；冷得就像十二月的天氣，溫度大約也祇有攝氏表五六度吧？她的臉凍得紅紅的，連她的雙手也凍的難以伸屈自如。

這種天氣，就是和沒有錢的人過不去。她現在已沒有許多錢。在當年，她那會跑路回家，叫一輛的士豈不一切問題都解決了？在民國卅五年的時候，他，她的丈夫，在大公司裏做事。她們住在上海霞飛路。那裏的馬路是坦平的，發亮的。而她出門就有車子。

有一次她看完電影後，在公共電話亭搖了電話，的士就來了，就停在她身邊，司機還爲她打開車門。

車子一直開到家裏。

他已從公司回家來，火爐也生好了，他坐在火爐旁邊，對着她微笑，立起身來張開手臂歡迎她。他是萬分愛她的。

她也是萬分愛他的。她把他當做她心靈上的「樹」，使她有依靠，這樹欣欣向榮着。

「我也剛回來，」他把她的手捏住：「不然，我就去接你了。」

他爲她脫下大衣，掛在衣架上，說：「我的寶貝，沒有凍壞你吧？」

他又爲她拉了椅子，就放在火爐邊上。他還是捏着她的手。她的手柔軟得像牛奶糖似的。他情不自禁的，把她的手放在嘴唇上親吻着。

她對他笑，眼睛瞇成一條縫，然後順勢倒在他的懷中。

他們就這樣甜美的生活着。生活得如一首詩，如一幅畫，如六月的綠浪，如八月的湧蒼。在這種生活中，她祇有快樂，沒有苦悶；祇有幸福，沒有煩惱。

終於上海進入戰爭了，她慌了。而公司卻不讓他走。要他把公司的業務處理後再走。他說他不能讓太太在戰爭中受到驚嚇，受到恐怖。

「太太可以先走。公司裏可以購買飛機票。」

他拿着飛機票回去，手祇是發着抖。他確實捨不得她離開自己。但是，戰爭使他倆必須分開。她和她都了解：戰火不饒人，共匪更是認眞可怕而可惡。

他有心事的臉色，一眼便給她看了出來。她問他，他開始不說，她再逼問他，他才說了。

「沒有法子。」他的聲音有些嘶啞：「妳先到台灣。祇有這樣，才是最好的辦法。乖乖，你就先走。我把公司的事處理好，我就來。」

她有點發抖，臉色也變了。

「我知道妳是不好受。但戰爭！我不能讓你在戰爭中得到殘酷的記憶。親愛的，堅強一點，我會很快就跟着來的。」

在臨上飛機時，她哭了。他扶着她上了飛機。

她就這樣在台灣住下來，一面工作，一面盼望着他。他卻至今被關在鐵幕，沒有能出來。

但他還是她心靈上的「樹」。她而且相信他會出來的。要不，當國軍打回去的時候，她又可看見他了。

今天，當她冒着風雨回來時，他的影子，一直在她眼前幌動，幌動……。

藝術叢話

抽象藝術漫談

趙雅博

談藝術中的觀念

前面我們已經談過：觀念要物質化的話，一定要較原觀念劣化的理論。現在我們更要進而再談一談，這種情形一定不能與兩種關係分離：一種是形上的，一種認識的。前者是關於觀念的存在問題，後者是關於觀念爲人認識的問題。

觀念只有在物質中，才能找到它可以存在於心智以外的存在支柱，沒有物質，觀念是無法存在於心智以外的。其次，存在於懷有這個觀念的人心智中的觀念，也只有藉着物質才能過到其他的心智中；也就是說，觀念只有藉着物質的表達，才能爲在有此一種觀念以外的人所認識。我們常說，知人知面難知心，心是無形者，由心而孕育的觀念也是無形者，無形者爲有形者所不能見，由無形而生之附加體（觀念），本身不藉着材料（物質），自然無法獨立存在，同時也無法爲其他藉形色而能認識者的主體（人）所認識。這是盡人皆可以知道的事實，不必細講。

具體說來，在藝術的園地內，只有物質原素，才能作爲車乘，工具，以便透過視，聽，接觸的感官，通過感覺的領會，而爲理性所瞭解，爲人智知道藝術家的觀念。光線，顏色，聲音，塊物，體積，它們是構成視覺，聽覺與觸覺的固有或共有的可感物，也就是所說的認識對象；從這些感官的協助中，人們開始了活動程序，從這程序中，才成功了美的觀念與美感。這種物質的效果，我們知道，在初時只是提供一種反面，它本是在使觀念實現時，污損了觀念的；可是在以後呢，它也有正面的供獻，那就是說，非它不能使藝術家，有創造藝術的實施。這是說，只有物質才是藝術家實現他的藝術觀念成爲藝術創造品的唯一方法。如果無有這樣客觀物質化了的觀念——普通說的是美感觀念，如果不藉着物質才使觀念實現，藝術家是沒有辦法創造藝術品，藝術品捨去了這唯一表現的方法，便根本沒有存在的可能！

物質對於觀念的實現，可說是絕對需要的，它是觀念實現的車乘，是觀念表達的唯一條件。在任何藝術品的塑造中，不能沒有觀念。然而如果要觀念出現藝術家的思想以外，不能沒有物質，因此物質在關於造形藝術的可能性方面，也有着不可否定的限制。這樣說來，我們要嚴格的講，是不能有一個純粹抽象的藝術的——即不能有純抽象主義的藝術，正如在現在世界，在今日物質的園地，是不能有一個無形的觀念具體而當前獨立存在的。實在，觀念是主體主觀的物，不能脫離主體而不藉物質而存在。爲此，有些當前藝術家們，他們一力主張要實現純觀念——即觀念在藝術家心智中的原始狀態，這是絕對不可能的，註定要失敗到底的。（未完）

國劇藝壇鈔錄

婁婁生

申克常君對余氏此戲唱腔，分析極詳。唱工祇有一句二黃倒板，一個迴龍腔，兩段原板而已。但要跌宕生姿，奇峯突起，章法清新，一氣呵成，便不容易。「赴蟠桃辭王母離了仙境」的倒板，開口就高。「邁步兒出洞府散淡精神」的迴龍腔，把「邁步兒」翻一高腔，好聽已極。原板的「一派美景」，腔較一般唱法延長一板，眞妙。台北名票李心佛唱來，頗有神似。

最後出箱　險遭不測

問樵鬧府，打棍出箱，自民元以來，在伶工之間，要以叔岩爲其絕活，他人無能問鼎，其故在「出神入化」，「精采百出」。但他輕易不肯露演，以此齣自問樵起，至出箱止，唱做繁重，相當費力。尤以身段之帥，台步之洒，一有差池，便覺不倫不類，眞可說神乎其技，百觀不厭。戲報一出，確能轟動九城，先睹爲快，爭來定座者至少近千人。在近六十來的伶史，叔岩以此戲與寧武關爲絕唱，而戰太平則絕少登台，此三齣戲爲其畢生傑作。

民國二十六年；旅居北平的湖北同鄉會，爲救濟湖北水災，哀鴻盈萬，特辦一場義演，余氏爲了桑梓情重，義不容辭。原定唱定軍山斬淵，因許久未唱，先在家中練習，以試身手。拿刀幾試，終以身體太弱，腰部挫痛，不能耐勞，改唱打棍出箱，而險遭不測。在當時，他舊日的配角，不是早已故世，即老病不能登台，長林、金福皆無法再見。問樵的樵夫，與出箱的公差，是王福山（長林子），煞神是錢寶森，代替錢金福，扮葛登雲的是蔣少奎，陣容不弱。樵夫也非功力到家，要武功好而不露，一個是斯文儒雅，一個是老邁龍鍾，與長林合演，二人的手眼身法步，緊湊嚴密，可合爲一。這天看得出，完全是余氏在領着福山，所以加倍賣力，不言而喻，但福山優秀，已是鳳毛，一些不差。

是日演出與過去同樣的精采，把一個對惡勢力無抵抗的文弱書生，表現得入木三分。出場時候，兩眼直瞪，面色蒼白，把失魂落魄，茫茫無主，刻劃入微。問樵時候，在「是高子還是矮子，是胖子還是瘦子」兩句中，有四個身段，忽高忽矮，忽肥忽瘦，妙不可方物。在「黑漆門樓八字粉牆」一句，與樵夫之高矮，飛翔偃臥，水袖及身上，嚴密合縫。在鬧府時候，還有個小動作，是旁人所沒有，就是唸「難得呀，難得。」用右手無名指在桌面上，慢慢的劃兩個小圈圈，身和頭都隨之微動，表示書生迂腐之氣，逼眞之至。出箱之後，神情又變，加重瘋態，與兩丑角逗話的時候，盤一腿伸一腿坐在箱上，用左右二手的食指和中指，夾起髯口之左右兩小綹，眼隨着公差的棍子轉，而腳尖向相對的方向轉，（眼向左轉腳尖向右），確爲超羣絕倫，可以拍案稱奇。

這次演出，小余以久病未演，心頗惴惴。先時其家人爲焚香禱祝，經某卜者相囑，云於十時後出台，當大吉。即遵囑上場，果然嗓音清亮，一切皆出意料之外。至出箱時，以精力不繼，一個鯉魚打挺，雖已從箱內翻上來，但無法使勁，在這千鈞一髮的時候，幸賴檢場人閻七，見情景嚴重，急忙輕輕托他一下，經過一推，始克完成，雖免出岔，惟已爲板釘所傷，受創頗重。以後復病，即不再演，因精力有所未逮矣。（卅八）

宦官續夢

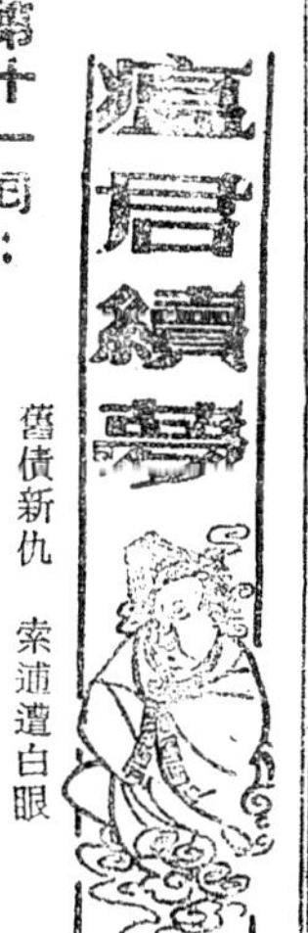

第十一回：舊債新仇　索逋遭白眼　內憂外患　平憤使蒼頭

毛澤東用筆記在拍紙簿上，交給陶鑄說道：「這三個壞蛋派出省級幹部到當地召開羣衆大會鬥爭，當場槍決好了。」陶鑄大吃一驚，趙紫陽也面無人色。毛澤東一連噴了幾個烟圈，說道：「沒有什麼問題，現在就散會了。」說過他先站起來走出，陶鑄趕快跟在後面，一道出去。

毛澤東一走，會場登時吵起來。

陳郁指着趙紫陽說道：「鄭好彩同麥士報兩位同志情形我不清楚，但時有餘同志決沒有壞到你說的程度，而且有些幹部眞比你說的還要壞，你怎麼不講，單提出他們三個。」

趙紫陽苦笑道：「毛主席逼得我連氣都喘不過來，一個勁的催我報幾個名字，我當時腦子裏只記得他們三個名字，順嘴就說出來了。」

陳郁問道：「全省幾十萬幹部，你爲什麼單單記得他三個人。」

趙紫陽苦笑道：「說來眞是冤枉，上個月我到汕頭視察，因爲主要任務在農村方面，當時就由時有餘同志負責招待，陪我吃喝玩耍，在一起共處了半個月，招待十分周到，所以我對他印象特深，剛才毛主席一味苦追，我腦子裏只記得他，一張口就先把他說出來。至於鄭好彩同麥士報兩位同志，我也不認識，是好是壞，更不知道，只是今天早起收到他們的縣委會來信，要求嘉獎他們，因此名字我記得，剛才毛主席追問要我再說兩個，我只好把他兩個湊上。」

趙紫陽說過，會場登時笑成一片。

陳郁搖頭道：「糊里胡塗把他三個殺了未免太冤枉，我去同毛主席說去。」

趙紫陽知道陳郁想趁這個機會打擊他，但是自己也實在理虧，只好眼光光看着他去。

陳郁離了會場，趕到毛澤東的「行轅」，只見毛澤東躺在長椅上，一名護士正在替他搥腿，顯然疲之不堪。

陳郁走進去，毛澤東聽到腳步聲，緩緩睜開眼睛，問道：「有什麼事麼？」

陳郁說道：「我來向主席會報，剛才趙紫陽同志所提的三位同志，實際都是優秀幹部，他搞錯了。」

毛澤東睜開大眼，問道：「怎麼搞錯的。」

陳郁賠笑說道：「因爲主席追問得緊，趙紫陽同志腦子裏不記得別人，糊里胡塗把他三個說出來，其實這三個人都是優秀幹部，所以他才能記起他們的名字。」

毛澤東說道：「趙紫陽誰的名字不記得，專記得他三個的名字，證明他三個是命該如此，殺了不是正好。」

陳郁說道：「這樣未免太不公平了。」

毛澤東一瞪眼：「咱們是共產黨，不是公平黨，我這次到廣州來，就是聽說你們廣東幹部違法亂紀太多，要殺幾個人以平民憤。橫豎要借幾個人頭，殺誰都好，你不讓我殺他三個，你再替我找出三個人來。」

陳郁嚇得魂不附體，恐怕再多講話會把火頭惹到自己身上，毛澤東要借他的頭以平民憤，那可就糟了！當時不敢再多管閒事，趕快退回去。正是各人自掃門前雪，莫管他人瓦上霜。（二九二）

前言

我是一個很平凡的人，但我却有遠大的志向，出身貧苦，一生全靠奮鬥的精神，冒險犯難早已成爲習慣。從十二歲起我就一個人離家奮鬥，四十多年來，我曾經歷過千百次危險，也遭逢過千百次的困難，但憑藉我的堅強意志與刻苦奮鬥精神，終能逢凶化吉，履險如夷，而這其間亦確實吃盡了苦頭。

我喜愛旅行，樂山樂水，遊高山，泳深水，都有十次以上的危險記錄。

我到處尋師訪友，尊師重道，友直，友諒，友多聞。同時我也結交販夫走卒，軍人，文化人及各種職業的人。曾遇到好幾位嚴師，他們對我嚴格管教，毫不客氣。也遇到不少朋友，他們欺我、負我、賣我。我曾經幫助不少的人，但却未得到很多人的幫助。然而在這革命、戰爭、亂離的時代，良師益友，誠不易多得，當茲黨派鬥爭激烈，現實利害優先的時會，道義之交，肝胆相照的事實，同樣亦是不易多見的。

我是軍人，曾參加革命軍東征，統一兩廣、北伐、討逆、統一中國、剿匪、抗日等戰役；在抗戰建國，戡亂建國的時代使命中，我雖很少指揮軍事作戰，但我配合軍事作戰從事政治作戰，諸多重要戰役，可說是無役不從。在諸多軍事政治戰役中，我所遭逢的危險，總在百次以上，至於大小困難，也許成千成萬。由於我習慣並亦喜歡冒險犯難，所以對一切險阻艱難別人視爲畏途者，我却不大介意，看作家常便飯，而亦每在不知不覺之間就過去了。

冒險犯難記

鄧文儀

我四十年來的軍人生活，十之八九的時間，都是在政治工作與政治鬥爭中渡過。組織、訓練、宣傳、調查、秘密鬥爭、心理作戰，這些屬於文化宣傳方面的革命工作，或革命方法，我全都做，亦做得很起勁。我喜歡說話，口直心快，開門見山，到處講演，逢人便想說服。我尤好寫文章，經常寫作，才識雖淺，但研究廣泛，加以經歷的事情多，並習慣於不恥下問，也好學不厭，這樣教學相長，經驗尚能彌補學識之不足。惟專門知識仍時感不夠，所以在我的說話和文章中，更發生許多糾紛；言多必失，禍從口出，形諸文學，白紙黑字，這其間滋生出來與不經意結下的仇怨，而引起別人的傾害，譏謗、誣蔑、攻訐，不知凡幾。師友們中有很多都時常告誡我少說話，少寫文章，我也時常引爲誡鑑，試行三緘其口，謹言愼行，並於每年元旦在日記上大書作爲座右銘，可惜江山易改，秉性難移，到頭來仍是我行我素，糾正不過來，眞是沒有法子。（一）

赴奉先途中

汶津

北風一路纏繞着他。從昨晚出發以來，杜甫已經趕了五、六十里路。十一月的天氣，嚴霜結滿着屋瓦，山崗都好像要凍裂似的。出門的時候，他的衣帶都折斷了，手指僵硬得像臘腸。他沒有理會它，便套上馬鞍上路了。

那匹瘦骨嶙峋的老馬！杜甫好容易呵暖了雙手，拉起冷得刺骨的轡繩。奔馳吧！爲我急迫的歸心再奔馳這一遭吧！他不禁又想起幾年前的那匹大宛馬來——「所向無空濶，眞堪託死生。」如今呢？那年秋天，爲了家裏孩子生病，恰好有人看中了牠，杜甫便忍痛把牠賣了。牠聽到馬的嘶聲，好像是發洩着一種被遺棄者的幽怨，熱淚便頓時沾濕了衣襟……

如今這一匹，蒼老如他自己，如整個的時代。他眞不忍心拿鞭子來抽牠！牠還是像往常一樣，低沉的鳴叫了一聲，舉步了。

天亮了，遠遠的，高聳雲霄的，那可不是皇上駕幸的地方——驪山！音樂、舞蹈、金盤玉帛……杜甫不忍再想下去了。皇上倒是個堯舜之君，可是，神仙似的貴妃，還有……朝朝暮暮的盛宴、美食，如雷的「萬歲」的呼聲，嬌娜的私語……

杜甫拉緊轡繩，那件舊棉袍已經有好幾處磨損了，做那個芝蔴大的官兒，不但施展不了一點抱負，連吃的，穿的都整日裏發愁。這還是好的呢！前面路邊上不又是一個餓得不成人樣的乞兒？

唉，朱門酒肉臭，路有凍死骨……

杜甫下馬來摸摸那人的臉頰，冰冷的；那人微微的睜開一隻眼。杜甫把馬上的乾糧取了一份塞在他手裏。

穿過一個小市鎮，家家戶戶都緊閉着門窗，好像在守哀。而街邊突然傳來一陣怪叫聲——

「今朝有酒——今朝醉，啊呀，我的明天子……」

瘋子！杜甫在心裏輕嘆着。襤褸的衣衫，蓬亂的鬢髮……說明了這是怎樣的一個悲劇。

「我本楚狂人，狂歌笑孔丘。」不知怎的，杜甫又憶起他的老友——李白來了。太白別來無恙嗎？那幾年在長安的交遊！唉，人生的歡樂總是有限的！太白的狂放天眞，眞是可愛到讓人繞樑三日。雖比他自己大上十來歲，有時却顯得比他更年輕。「子美，你太少年老成了！」太白曾在醉後笑着對他說。

他又能說些什麼呢？除了苦笑，他只是默默。如今，太白啊，你還是達觀一如往昔？還是那麼清狂？像一道旋風，又像一罎醇酒？

馬兒昂起頭來，似乎在仰望浮雲。馬兒也有牠的傷心事麼？唉，人生如此，世界如此！爲什麼不能像太白那樣適然於一切、看破了一切？庸人自擾啊！杜甫在心頭嘲笑着自己。（上）

日月潭

黃伯遠

仙蹤縹渺紫雲間，
紅是杜鵑綠是山；
王氣不沈明泥碧，
伯才重起漢師班。
雲中蒼犬隨時變，
眼底黃河天上還；
狂欲放歌驅鱷去，
靜如止水看鷗閑。

盧大伯（續）

花香月上樓小品

黃葉村人

盧大伯知道爸常時賦閑，而又生平廉介，不輕易向任何人開口借錢；所以，臨去，多多少少，必然的，用紅紙包定一封「利是」，塞在我的荷包裏，等到走的時候，才喊着我的名字道：「阿阮！你袋裏的東西，不要丟掉啦！」這時，大家才明白他的對亡友的生死交情，給予亡友弟弟一家，永會不會，忘却的感戴。可是，造化無情，好人總是先死的！

有一天，也可以說是我一生，除了雙親棄養，和我的長男幼男亡故外，最感痛苦的一天。這天，有人來報：「盧大伯患了急症，要請爸爸去看他，並帶我去！」爸爸匆匆忙忙的，來不及穿衣服，便抱着我去了。到時，盧大伯，已經一息僅存，想用手來抱我，已沒有氣力了。他用右手牽着我，左手握着爸，沒有說出話，喉嚨裏「咯咯」的響了幾聲，便含着兩泡眼淚去了。這一天，爸忙了一天，張羅盧大伯的喪事，至深夜才回家。爸帶我上山，把盧大伯的靈柩，葬在伯伯子餘公的墓右。我那時年紀雖小，却整整哭了一天，沒有吃飯。過了兩三天，我雙眼還是紅腫的。媽知道我傷心，那幾天，都替我特別買了幾兩精肉，蒸香山（今之中山）鹹蝦給我食。因爲我幼時喜歡吃它；盧大伯來時，每次都給我帶肉和鹹蝦來。可是，從此，我便不想吃這東西，因爲我一見它，眼淚就流出來！古人說：「情之所鍾，端在我輩！」不知盧大伯對我，是因爲他和我先伯父有八拜之交，因而「愛屋及烏」？還是三生石上，本有因緣？而我呢，自有生以來，什麼都可以忘掉，獨對盧大伯這樣的一箇富有人情味的人，這幾十年來，可以說：「未嘗一日忘也。」下面是我記憶所及的，盧大伯生前幾件故事，用以紀念他在天之靈。

盧大伯，善技擊。但他從未向人說，他如何如何。不過，從我眼光所見到的，他是一位了不起的「拳頭師傅」。（福建人稱善技擊者，爲拳頭師）他每次抱我到「雙門底」，買東西，或是往「城隍廟」看雜耍，都是用左手抱我，直到目的地爲止，就未易過手。回來的時候，左手抱我，右手挽着一包又一紮東西，還把一大包較爲平穩的或是用紙盒裝的，頂在頭上，一直回到老城獅子橋，這包頂在他頭上的東西，就像磁石吸鐵一般的，把他吸住了。爸曾問他：這是什麼一箇玩意？他說：十一二歲的時候，跟人學賣「嚮刀糖」，把架子頂在頭上，頂慣了，沒有其他神秘。其實不然！

我還記得有一年，正月十四，上元燈節，那一天，他買一盞繡球燈給我，一盞走馬燈給妹妹。把我騎在他的肩上，我一隻手拿一盞燈，一隻手摩着他的頭，雙腳箍緊他的頸，他也沒有用手扶我，却是坐得很平穩的！我有時在他肩上轉動，或一邊偏重時，他只用頭歪左，或是偏右一下，我便即平穩下來。行經洛城街，冷不防有箇莽漢，給我一撞，我險些跌下來；只聽他吼了一聲，他那條垂在背後的辮子，竟然的，會從背後拂過前面來，將我雙腿穩住！同時，他把頭一壓，我的身體也回復原來的姿勢。由今思之，這全是我國國粹中之所謂：「氣功」。可惜！當時我還是小孩子，否則我對於盧大伯，應該還有更多的瞭解，更好的資料，介紹來者嚮往。（未完）

我的社會生活

雷嘯岑

第二次與楊公臨別長談時，他當着我大發陳芷町兄的脾氣。原因是當時川軍田頌堯部新任軍長孫德操氏，曾在川北江油與共軍作戰失利。孫氏係黃埔軍校出身的，蔣委員長以師生之誼，寫下一道措詞殊嚴厲的手令，譴責孫軍長，囑楊秘書長用電報發出，電文末尾的韻目字後，照例附一「秘」字，表示是秘書處辦的稿。楊公曾將手令的原詞句更易爲比較和緩的語氣纔拍發，但孫氏軍部的人，震於楊公素來的鋒厲作風，認爲這又是楊秘書長罵人的手筆，頗感難堪，有孫軍高級幹部到成都來向陳芷汀談及此事，陳即將委員長原手令翻出來給他看，證明楊公暗中維護之意，那人自認怪錯了楊先生，急忙叩見楊秘書長申謝眷顧盛情。楊問「你怎末知道內容？」答言是陳秘書告知的。如是，楊於休息時，呵責陳氏不應該洩漏機密，陳謂：「他們怨怪秘書長，我只好說明實情」，楊公說：「讓他們怨恨我好了！中國沒有我楊暢卿，算不了甚末，沒有蔣委員長，行嗎？作幕僚長的人，就是要替長官分謗受過，如其有功則歸諸己，有過則推在長官身上，這就不配作幕僚長啦！你們應該懂得這種義理。」他說罷，我謂：「今天在秘書長這兒上了一堂政治課程，很有益處」。暢公答道：「你亦有粗枝大葉的毛病，今後務須注意於細針密縷的工夫乃可！」愚唯唯受教，謹記不忘焉。

楊公出川後，羅君強來旅舍引領我赴四川縣政訓練所——專爲培育地方行政人才——面晤該所主任李福夫（粵人，保定軍校出身。）「强說，這是楊秘書長臨行吩咐他的任務，教我不要推辭，若實在不願幹，亦得報告楊公，取得他的同意。我瞭解楊公的性情，祇好暫行受任該所政治教官的職務，主講「機關管理」與「地方行政問題」，居然很受諸生歡迎，殊出意外。旋得識四川省府教育廳長李伯玉（爲綸），在閒談中，我表示不屑久幹現有職務，擬稍停即回上海去。他却說：「你別性急，必須楊老暢同意乃可。因爲他早就在劉甫澄（湘）面前游揚你是幹才，叮嚀甫澄對你要另眼看待。他們談話時，我亦在場，我想這是有計劃的安排呢！」李氏與楊先生都是舊國會的衆議員，交誼甚深，他的話自屬可信，我就安心留在成都了。

四川縣訓所辦了三期，到民國廿五年四月宣告結束。劉湘主席又聘任我爲省府高等顧問，月薪五百元，並囑秘書長鄧漢祥邀我住進省政府，協助鄧氏辦理日常公務，我亦無可無不可，蓋此時我對成都這個文化氣味很濃郁的都市，潛滋着留戀心情了。（卅七）

薛篤弼的二三趣聞

吳文蔚

某次，馮玉祥囑薛篤弼辦一事，（大概是不重要的小事，薛氏未加注意，用致事後始有受責之說）薛疏而未行，過了幾日，馮在西安來了一個電報謂：「薛篤弼行事未果，着罰跪二小時具報」。

薛氏接到電報，不暇申辯，馬上跪地二小時，覆電曰：「遵命受罰」！

堂堂的中央政府的一個內政部長，竟接受方面軍司令官跪地的處罰，豈非天大的笑話！可是舊日軍閥部隊有軍閥部隊的傳統，你曾經是他的部下，以後你官做的再大些，你也永遠是他的部下。這和中國舊日傳統的老師與學生，師傅與徒弟的關係，頗相彷彿；你是他的徒弟或學生，任你以後的發跡如何大，你對老師和師傅仍要恭敬三分呢！

第二方面軍的袍澤，也確乎是團結親誼，有如一家之人，像秦德純、馮治安、劉汝明等與宋哲元，就是膠着一起的。張自忠的更不例外。孫連仲也是一樣。有次，筆者晤及孫連仲將軍，孫將軍的個性，甚至一舉一動，活像戲台上長板坡裏面的張飛，戇直勇猛，口快心快，看見他這個樣子，總教人喜歡樂與親近。在談起西北軍往事時，孫將軍說：我當甘肅省主席，馮先生（指馮玉祥）要調我出來，我說：「好！我拿武漢，保打他個落花流水！」這時的孫連仲將軍，已經一大把年紀了，却還是個「活張飛」的塑形。（中）

自由報

內政部台誌字第〇三壹號登記

THE FREE NEWS

第九二四期

中華民國僑務委員會核發
台教新字第三二三號登記證
中華郵政台字第一二八二號執照
登記爲第一類新聞紙類
（半週刊每星期三、六出版）
每份港幣壹角
台灣本售價新台幣貳元
社長：雷嘯岑
督印人：黃行審
社址：香港銅鑼灣高士威道二十號四樓
20. CAUSEWAY RD 3RD FL.
HONG KONG
TEL. 771726　電報掛號：7191
承印者：四風印刷廠
地址：香港灣仔高士打道二二一號
台灣分社
台北市西寧南路壹叁零號二樓
電話：三〇三四六
台郵劃撥金戶九二五二

斥海外高等華人的邪說詖詞

雷嘯岑

自從歷任中國國民黨中央委員、中華民國副總統兼代行總統職權的海外寓公李宗仁，最近在美國投書紐約「前鋒論壇報」，勸美國考慮承認中共僞政權後，新大陸的華文報紙和旅美學人，羣起指斥其謬妄，義正詞嚴，深得吾國海內外人士的共鳴，而使李氏自慚形穢，啞口無言。

詎事隔多日之後，乃有過去曾以國民黨爲衣食父母，歷歷政治上的顯要職位、而於大陸淪陷後即遠走高飛，逃避救國責任的旅美高等華人吳尙鷹、李鐵錚之流，居然在舊金山「世界日報」和紐約「中國時報」，爲李宗仁幫腔。一個悍然說：「凡我公忠體國的人民，即應排除意氣，認淸事實，然後方有公正言論可見也」——「然後方」這詞句就欠通——他認爲「李等原函要旨，不過對時局作客觀的分析，希望美國珍惜中美兩國傳統友誼，共謀妥協之道，無論李宗仁是以前任中華民國總統身份，或只站在中國人民立場，均於國家利益無損」；一個自封爲「說公道話的資格」，教別人「如果喜歡談政治問題，似應多多討論甚麼是祖國的國家利益？」他認爲「國際在急劇變化中，我最耽心的是美國聯俄制華運動。今日誰在抗俄？蘇聯是否稱爲反共？如果形成制華運動，我們應該何以自處？」最後勸告別人「靜以觀變」，意思就是教大家對於李宗仁的胡言妄語不必指摘，要「先從團結本身做起」，表示他是個精研「國際關係」之十足的愛國主義者。

吳某在十年前，即曾經上書「毛主席」暢論國事，表示投靠合作之意，而尊稱毛共集團爲「貴黨」，媚態盎然，秋波蕩漾，當時我在香港時報已爲文痛斥之，他今日悍然替李宗仁辯護，大作邪說，固不足奇。唯李氏裝成第三者的客觀姿態，發爲詖詞，當此國際逆流氾濫，人心浮動之秋，若不予以闢斥，難免淆惑觀聽。昔孟軻拒楊墨的邪說詖詞，自信非爲好辯，我與吳李二人皆素昧生平，并無私人恩怨之可言，基於良心血性，亦未能默爾而息也。

綜觀他們哥兒倆的言論思想，其主要觀點，多半相同，那就是：他們心目中之所謂「國家」、「祖國」云云，都是以毛共政權爲對象，而將現時仍受世界大多數國家承認爲合法政府的中華民國政府，置之度外，視爲無足輕重、無所愛惜的了。所以他們就贊成美國珍惜「中」美兩國傳統友誼，不妨與毛共政權共謀妥協之道，這纔算是排除意氣的「公忠體國」的主張，纔能夠抵抗美國的聯俄制華運動。憑着這種觀點作基準，他們對於共產主義奴役人民，泯滅人類自由生活這回事，乃覺得無關宏旨，存而不論，只好承認事實，靜以觀變，因而詰問今日誰在抗俄？蘇俄是否稱爲反共？（這所謂「反共」的語意，似係指蘇俄幷未反對毛共政權之存在，否則不知所云了。）又詰問「甚麼是祖國的國家利益」？假使他們原是已經公開自詡於「中華人民共和國」的「人民」之列了，隨時高呼「跟着毛主席走」的口號，那他們這種論調即無怪其然。然而，他們或是投靠未遂的望塵懷遠者，或是觀望風色的見機而作者，他們躲在異域的護身符，亦是中華民國的一張護照，依然以自由世界的一份子自居，而其言行矛盾混亂若此，其甚，論之爲邪說詖詞，誰曰不宜！

至於李某所指述的美國聯俄制華運動，這是世人皆能知能言的問題。事實上，西方人士不特現時希望聯俄以制華，而且由於毛共之好戰行爲與世界革命策畧，更抱有傳統的「黃禍論」觀念，他們希望中國永遠作西方資本主義的尾閭，而不願中國有統一強盛之日，過去那套「分而治之」的策畧，并未放棄，此即所謂「兩個中國」之說的根源所在也。可是，我們若要阻擋這種國際逆流，抑萬萬不能寄望於共產主義者，共黨根本否定「國家」這一階級之存在，更無「祖國」觀念可言。毛共今日對中國人宣傳「愛國主義」，還等於史大林在二次大戰中，被希特勒打得半死不活時，對俄人高倡愛國主義，對世界聲明解散第三國際，藉以減少內在與外在的反對壓力，挽救其垂危的命運，完全是一種手段。只要危險階段一旦度過，他那世界革命的猙獰面目即暴露，而指愛國主義和祖國觀念爲反動思想，罪在不赦了。我們不能爲着防範強欲來打家劫舍，即希望跟[illegible]賊合作以保身家性命。要想遏制美國人的聯俄制華運動，唯有全中國的反共非共人民一致努力，先打倒毛共政權，還我自由，實行信義和平的建國方畧，祛除西方國家的「黃禍」恐懼心理，纔是正本淸源、一勞永逸的自處之道。即退一萬步設想，我們今日跟毛共合作以反抗美國的聯俄制華運動，縱使如願以償，試問毛共能否改變其奴役人民的共產主義措施，而給六億以上的中國人民自由生活？如其不能，則利用毛共以反抗國際上制華運動的結果，何異潛薪救火之所爲，適所以自貽焚身之禍，國家利益安在邪？若謂這就是愛國行爲，即係「祖國的國家利益」，那末，吳某李某就應該及早回到「人民祖國」去，爲你們那創國的國家利益而跟着「毛主席」走，[illegible]何以長期呆在「聯俄制華運動」的敵國內，流連不返，大放厥詞呢？

李某謂今日誰在抗俄反共？這更是荒乎其唐的言論。中華民國政府就是以反共抗俄爲國策的，李某曾任中華民國的外交官多年，身經目擊着政府戡亂剿共與對俄絕交的情形，難道今日竟憒然無知了？即西方國家如英、美、法、西德等國，你能說他們都是贊成共產主義，願與中俄共眞正親善結交的嗎？李宗仁愚魯無知，忘其所以而胡言亂道，已屬失格之至，而乃自命爲研習國際關係者，亦作此狂悖之言，不亦可恥可哀乎！說到「先從團結本身做起」，誰也不會否認，但團結的對象是中國反共非共人士，跟共產黨固無團結可言，跟親共媚共的投機主義者，亦不能說團結的話，若認爲對那主張承認毛共政權的李宗仁有所指摘，就是本身不團結，然在堅決反共的中國人看來，這正是淨化反共陣營的高度團結運動。

由思想團結以發生行動的力量。凡是投機取巧，坐觀成敗的可左可右之人，都是反共陣營中的垃圾，非加以摒除不可，團結云乎哉！

總之，今日的中國問題很單純而明顯，爲人民爭取自由生活，爲國家爭取獨立生存，非反共不可，爲世界人類保持和平安全，更非反共抗俄不可。中華民國以反共抗俄爲國策，政府當局負担着反共救國的任務。凡屬崇尚自由生活的中國人，祇有站在中華民國的旗幟之下，精誠團結，爲着自身及其後代子孫的禍福而努力奮鬥，纔是唯一的生路。這其間無妥協之餘地，無旁觀之可能，漢賊不兩立，王業不偏安。像吳李等人，既自外於中華民國，臨難苟免，而又對反共問題嘵嘵諱昨，淆亂是非，不惜爲共作假，僞裝前進。是可忍，孰不可忍，詞而闢之，與衆共棄焉。

戴高樂的鼻尖和墨西哥帽子

赫魯曉夫對着破褲子發愁

今日与明日

自說自話

英國前首相艾登，日前在紐約發表談話，呼籲西方國家應不惜任何代價以避免分歧。他認爲「共產集團內分歧，不應鼓勵我們之間亦有類似的分歧」。他這番話是說給美法兩國當局聽的，可惜這是上海人所謂「自說自話」，嘸啥道理！

自從中共竊據大陸，利用暴力向外擴張侵畧，使整個自由世界惶惶不安以來，西方國家對亞洲問題即歧見叢生，而以英國爲戎首。如搶先承認中共政權，如韓戰之虎頭蛇尾，如安南之被分割爲南北越，如自由國家對共產地區禁運政策之瓦解，如東南亞公約之虛有其表等等，無一不是由於英國與美國發生歧見所使然，而這些分歧事情，又多半都是艾登先生在外交部長和內閣首相任內搆成的。到今天再來說這類風涼話，我們可用一句滬諺答道：「阿要難爲情」？

西方國家若要避免分歧，英國政治家應該切實反省，深自悔悟，法國的戴高樂，不過是有樣學樣的小巫而已。

人爲財死

西方國家爲着賺取貿易暴利，紛紛向中共區域進行各種商業勾當，皆以美國出售大量小麥於蘇俄爲藉口，因而東方的日本亦瞧着眼紅心癢，急起效尤了。

美國自然亦不忘情於中共區域的貿易利益，可是，中共一向視美國爲死敵，決不妥協，儘管美國出席聯合國代表史蒂文生之流，再三發表演說，希望中共跟美國和好，言甘而意哀，但中共漠然置之不理。怎末辦呢？有辦法，即教別國的美貨代理商出面，把美國的所謂「非戰畧性」物資，源源販運到中國大陸去爭取利潤，俾免向隅之痛。

西方國家所謂「非戰畧性物資」，和日本所謂「經濟與政治分開」之說，都是些狗屁不通的自欺欺人之談，實際是不擇手段的志在漁利罷了。俗言「人爲財死，鳥爲食亡」，我看俄共集團決不需要核子戰爭行爲，即可以按照預定的進度表，把資本帝國主義國家埋葬掉，嗚呼哀哉！

自由談

公務人員退休說

馮子先生

據說，我國家的公務人員—尤其是行政官吏，遵照「公務人員退休法」自願退休者，百不獲一，加以所謂「人事凍結」的奇怪措施，乃構成了暮氣沉沉的政治現象。大家以但求無過爲服務的圭臬，永保祿位，死而後已。

公務人員到了某種年齡即退休的辦法，原係西方國家創行的。退休之後，每月按照本人在職時的薪給額，八折或六七折領取退休金，所以有生之日，照領不誤。一般公務員到了法定的退休年齡，皆樂於遵循國家法令，爽然告退，因爲自己的最低生活費用不愁，即使平日少有積蓄，亦無凍餒之虞也。

咱們學習別人的辦法只是半拉，屆時給予一次微乎其微的退休金，教你走出公門後，即生死不問了。中國士大夫多是「爲貧而仕」，靠從政來解决生活，無恒產又無恒業，一旦告老還鄉，便是失業羣衆，即不免有啼飢號寒之苦。除非他是個貪污有得的豪富之輩，誰願淒然委身於溝壑呢？而豪富的貪官污吏，他們決不會告退的—他們在政治上必是顯要人物了！

因此之故，一般中下級公務員不願自動「乞骸骨」以頤養天年的心情，實屬良非得已，殊堪憫恕。人類的求生慾都很強烈，誰也不甘隱居以挨餓的！問題在政府立法欠周密，有如川諺所說：「撈起半節就開跑」，且不惜自相矛盾，又實行所謂「人事凍結」的非常政令，乃將公務人員退休制亦無形扼煞了。

我認爲咱們若要學習別國的玩藝，就得完全成套，不使橘逾淮而成枳，有損無益。譬如有些年已耄耋的大老，過去對國家諸多貢獻，暮年精力衰憊，難任繁劇了，政府即不妨予以優裕的生活照顧，讓他退出政壇，安娛晚景，而使後進人士繼踵前修，爲國効力，豈非兩全其美乎？

政治上要想達成革新、動員、戰鬥之實績，必須實事求是，從妥切的制度着手，平易近人，毋尙詭隨。光是貼標語、喊口號，那是虛有其表的空事，不會發生絲毫作用的。

香港與大陸

毛共作惡花樣翻新 騙誘青年腐化毒化

中共在廣東省境農村大搞政治活動，「要求」婦女向「黨」交出兒女，使之成爲「革命的接班人」；又「要求」青年，拋棄「狹隘個人和家庭的圈子」，多參加集體的「活動」和「學習」，欲使成爲共黨馴伏的工具。

曾回大陸探親的李小姐對本報記者稱：廣東省興梅地區的農村，中共最近又在搞婦女的思想運動，已先後舉行了多次的聽報告會和小組討論會，目的是要婦女們認眞聽「黨」和「毛主席」的話。

李小姐說：中共這次的運動所提出的口號是：婦女們應學習「解放軍」的「革命精神」，「公而忘私」，拋棄對兒女的「溫情主義」，讓兒女在「黨」和「毛主席」的「教導」下，成爲共黨事業的「接班人」。

李小姐說：中共這次運動，在大陸婦女界中，引起了極强烈的反應。一些較爲大胆的婦女便公開說：兒女是我們經過十月懷胎，並辛辛苦苦哺育而來，那有這麼容易被別人（暗指共黨）搶去？我們偏不讓孩子出去，要永遠跟在自己身邊。另一些婦女，她們是曾讀過書的，則不聲不响的找出一些古書，如論語，如孝經，或有關倫理的書籍，要兒女學習。而更多的婦女，她們却表現出「無所謂」的態度，對兒女也不怎麼熱情照顧，有什麼東西也盡可能自己[illegible]，她們的理論是：這個「[illegible]」世界，都是各顧各的，兒女早都要不是自己的了，還有什麼値得顧忌的呢。而一些年紀比較大的婦女，她們則表現得極爲悲哀，恍恍忽忽，認爲自己確已一無所有，連生活不生活的問題也覺得是無需關心的了。

另外李小姐又對記者說：興梅地區的農村共幹，正命令「共青團」大量組織「農村俱樂部」，目的是利用這種「俱樂部」去吸引青年，要他們去「開會」去「學習」，藉使他（她）從而拋棄「狹隘的個人主義和家庭的圈子」。

李小姐說：這種「俱樂部」在目前，的確是吸引了不少的青年男女，因爲大陸農村青年的生活太單調了，他（她）們除了奉命勞動以外，便是倒在床上睡大覺，絕少有文娛活動的調節。因此，這種「俱樂部」裏的一兩枝胡琴或長笛，便也很容易吸引一些青年了。

李小姐說：這種「俱樂部」的發展有兩項是最値得重視的：其一爲它成爲共產黨組織青年毒化青年的「抓手」和橋樑，成天在「開會」和「學習」；其二爲增加了男女間的犯罪行爲，正和「解放」初期「民兵」和「戰勤隊」（戰勤隊是由婦女組成）一樣的亂七八糟，他（她）們的行爲使父母們不忍卒覩。（敬斯）

立法委員請教行政院長 如何發揮廉能政府功能

要政治革新首先得要行政院革新 部擬法律案一壓十年是怎麼回事

（本報記者台北航訊）喊了十年多的「加强團結」的口號，而今仍然停留在喊的階段，以「促進全民的大團結」爲目標，而以舉行反共建國聯盟會議爲手段的號召，行政院的表示是「全力支持這一聯盟的早日實現」。至於何日可以舉行反共建國聯盟會議，則尚在不可知之數。

說到「發揮廉能政府的功能」，如嚴家淦在施政報告中所提到的，結果是否講過算數，還得「以觀後效」。記者僅就立法委員對後者的質詢，摘其要者，報道於讀者，藉便大衆瞭解當前問題的所在。

誰是「革新政治」的對象？誰是「提高行政效率」的對象？河南籍立委楊一峯在「行政院本身問題」的質詢中，說得頗爲直率而淸楚。他說：要政治革新，先要行政革新，尤其先要行政院革新。因爲行政院爲國家最高行政機關。

楊一峯說：查憲法第五十四條規定：「行政院設院長副院長各一人，各部會首長若干人及不管部會之政務委員若干人。」可知所謂「行政院」，即包括各部會在內，各部會乃構成行政院之一部份，而不是行政院下面之一級。又查憲法第五十八條第二欵：「行政院院長各部會首長，須將應行提出於立法院之法律案，預算案……及其他重要事項，或涉及各部會共同關係之事項，提出於行政院會議決定之。」可知各部會首長和行政院院長同樣有提出法律案……及其他重要事項於行政院會議之權。

現在事實上如何呢？楊一峯指出：

行政院現在院內有各組，組設組長，藉以審核各部會的公文。審核各部會的公文，也許是援引行政院組織法第十二條有關參事的職掌：「關於審核所屬機關，行政計劃及工作報告事項」的規定。須要知道各部會並不是行政院的所屬機關。退一步說，即假定是行政院的所屬機關，參事有權審核，其審核範圍也祇能限於行政計劃及工作報告這一類公文，而不能涉及法律案及其他重大事項。現在事實不是如此。各部會要向立法院提出的法律案或其他重大事項，都須先呈送行政院，透過各組審核，各組組長即握有准駁之權。

舉例來說：即如內政部呈送行政院的禮儀規範修正案，其中新加一項成年禮，原是經過內政部所聘的專家學者組成的委員會，經過多少次會議決定的。行政院專管內政部公文這一組，認爲所擬不盡切合實用，發回另擬。內政部又交由原設委員會切實修改一番，以爲這一次總可以順利通過；那知行政院主管組仍然認爲不行，迫得內政部只好將成年禮刪除了事。可憐多少專家學者，一兩年所研擬的成果，就這樣一聲不響地胎死腹中。這還不算最驚人的，卽握有擱置之權。一擱就是多少年。例如警察法於四十三年公布之後，四十三至四十五年之內，內政部曾依據警察法規定，分別擬訂各種子法，有如警察機關組織條例，警察制服條例，警察人員管理條例，警察勤務條例等等草案，送到行政院。行政院主管組一壓就是八年乃至十年，到如今還沒有核定……可憐內政部辛辛苦苦所擬的這些法案，就這樣束之高閣，迄今不知蹤影，使警察法有母法而無子法，十年之久，不能完成整個體系！

楊一峯因此請問嚴家淦說：目前行政院和各部會的關係，行政院儼然成爲各部會上面的一級，對所擬法律案，既可准駁，又可擱置；是否符合憲法的本意？行政院內設有各組，組設組長，這是「行政院組織法」所沒有的。不知行政院設這些職位根據何法？行政院對內政部所擬的法律案，一壓就是八年、十年；其他積壓的公事還不知有多少？行政院既然決心「革新政治」，「提高行政效率」，是不是對此要加以注意，着實淸理一番呢？

大雪山林業公司前總經理 王敏慶等貪污瀆職舞弊案 監院經濟委會決提彈劾案

（本報記者台北航訊）監察院經濟委員會第二〇四次會議時，全體出席委員無異議通過王澍霖委員所提調查省營大雪山林業公司前總經理現任台灣省政府參議王敏慶等貪污瀆職舞弊案之報告，並決議提彈劾案。

本案係由劉哲民向監察院呈控，由監委王澍霖調查。被彈劾的官員除現任省府參議王敏慶外，並且大雪山林業公司財務部經理楊根深，會計主任林耀星，財務部副管理師王沐昌與華南銀行台中分行經理吳憲璜，以及薛光祖（大雪山林業公司出納）等多人。而楊根深和薛光祖二人，將公欵以私人名義存入銀行，有侵佔之重大嫌疑，除彈劾外，其刑事部份送法院偵辦。

至於前烏坵防衛司令部台北辦事處主任夏存中，利用職務上之便利僞造文書，套購木材牟利，事證確鑿，惟其業已退役，似無公務員身份；該部前指揮官吳子淸，監督不週，有失察之咎，一併送國防部議處後再議。

這個案子發生於五十年七月間，分別經司法行政部調查局與台灣省政府調查屬實，並於同年十月十八日移送高檢處偵辦。由於案情複雜，曾轟動一時，而涉嫌人員亦多，茲僅述其經過如次。

大雪山林業公司爲省營事業機構，由於王敏慶沒有把美援貸欵新台幣五千萬元按照規定存入公庫，而擅自存入華南銀行台中分行生息圖利，致華銀台中分行經理吳憲璜從中舞弊。吳憲璜利用職權於五十年二月十三日開始，至同年五月六日止，先後用其已死的太太陳敏名義套取大雪山公司存欵單作借欵抵押達八百五十萬元。吳憲璜食髓知味，復於同年七月卅一日揑造事實假借陳衛俊名義向該分行借欵三百四十萬元，因而觸犯刑章。

王敏慶等爲什麼把公欵私自存入華南台中分行呢？因爲該分行經理吳憲璜答應每一千萬元的存欵，每月可付給大雪山公司財務部經理楊根深、會計主任林耀星各四千元，財務部副管理師王沐昌每月三千元，此外，並暗中加付楊根深每月四千元，作爲報酬。

省政府對這個案子的行政處分，大雪山部份：有關官員楊根深、王沐昌免職，會計主任林耀星停職，出納薛光祖未處分，王敏慶調省政府參議。華商銀行台中分行部份：有關人員如經理吳憲璜停職，副理郭西林記大過一次，改調高雄分行服務；襄理莊錫福記大過一次，改調新營分行服務；襄理兼事務股長黃澄訶奉命辭職；出納股長林欽泉記大過一次，並降爲業務員；業務員調麻豆分行服務；業務員陳伯雲暨助理員蔡德源各記過一次。至於大雪山公司事務主任鄧嶼生、管理員陳金察虛報淸潔工五十二名，冒領工資一節，各記大過一次，並追繳冒領的工資。

經台中地方法院判處有期徒刑者，計有：華南銀行台中分行經理吳憲璜連續意圖供行使之用而僞造有價證券處徒刑五年，褫奪公權三年；又公務員對於違背職務之行爲，收受賄賂因而違背職務，處徒刑五年，褫奪公權三年；合併執行徒刑七年，褫奪公權三年。

大雪山公司職員楊根深處刑二年，褫奪公權一年，所得利益新台幣二萬元沒收之。林耀星處刑一年六月，褫奪公權一年，所得利益一萬二千元沒收之。王沐昌處刑一年二月，褫奪公權一年，所得利益八千元沒收之。

大雪山公司副技師康火焜自四十八年四月十六日起，至五十年三月十六日止，侵佔公欵二百九十元九角，處刑六月。又洩露關於中華民國國防以外應秘密之消息，處刑二月，應執行徒刑七月。

該公司技術員蘇强連續意圖爲自己不法所有而侵佔公物，處刑二月，又對於主管之事務直接圖利，處刑一年六月，應執行徒刑一年六月，所得利益五萬四千七百八十元〇二分沒收之。

孰料吳憲璜上訴高院經判決，除吳憲璜減刑改判徒刑二年六月外，餘如楊根深、林耀星、王沐昌等三人均無罪。而康火焜、蘇强等均分別減刑。因而引起監委們的憤慨，尤其是王敏慶竟逍遙法外，仍就好官自爲，監察院委員們認爲豈有此理。

基隆旅居記

仲公

民國廿七年，基隆的遠洋漁業已達極盛時期，那年漁獲量達四千四百餘萬公斤，價値九百五十餘萬日圓，佔全省總產量百分之八十八强。沿岸漁業，則以民國廿八年最爲發達，產量三百一十餘萬公斤，佔全省總產量百分之二十一强。足見基隆漁業的重要。

第二次世界大戰末期，日本失利，基隆漁船及年富力强的漁民，都被徵集，參加戰爭。漁業建設停頓，大型漁船破損無遺，所有漁業，幾瀕絕境。民國卅四年日本投降，台灣光復，重入祖國懷抱，政府於接收時，基隆尚可使用的大型動力漁船，不及十艘！

自從中央政府遷台，極力加以整頓扶植，不但恢復前規，發展神速，較諸日據之時，大有凌駕而上之勢。目前基隆大型漁船已達百餘艘，小型漁業，亦頗發達。計民國卅五年基隆的漁穫量爲四百卅萬零一千九百廿七公斤，佔全省漁穫量百分之八點三五；五十一年漁獲量爲六千二百十六萬六千六百四十八公斤，佔全省百分之十九點四二。十六年來漁獲量增加了五千七百八十六萬四千七百廿一公斤，較諸光復初期，業已增加了十四倍多；漁業從業人員亦由一千七百廿九人加增到了八千七百十四人。

基隆位於東經一百廿一度四十四分，北緯廿五度八分，處本省北端，東西南三面都與台北縣接壤，北面瀕海，港灣優良，漁港之建設，爲全省之冠。海岸綫曲折，沿岸岩礁磊磊，水深十餘公尺至百公尺以內之灣區，夏秋之際，盛產鰹魚，柔魚等；漁場爲和平島，八斗子，木山，大武崙等附近海面，自富貴角經彭佳嶼而至三貂角以東一帶之海區，產鯛魚，鰹魚，旗魚及沙魚等；彭嶼附近，並產珊瑚，爲世界有名的珊瑚場。（卅二）

復活節四天假期 賽馬跑狗打擂台

（本報訊）一連四天的復活節假期將於廿七日開始，假期之內，香港既有賽馬，澳門又有跑狗，而且是一連三日。如此者，乃使好此道者有顧此失彼，不知所從之感。按以往，澳門跑狗日期，總是儘可能的着意安排，不與香港賽馬唱對台戲，藉使兩皆感覺興趣之士，得以馬狗得兼，不相衝突。這次復活節，據說澳營跑狗業者，以爲機會難得，不肯交臂失之，乃不惜與香港賽馬同時舉行，算盤也許打得不差，却就是苦了又要賭馬又要賭狗之人。另據廿三日消息，復活節期內所有三艘港澳綫客輪來回票位，均已預售一空，是可見跑狗已確實很具吸引香港人的力量。祇是香港的賽馬亦並不會因此受任何影響，一般預料屆時馬場仍可收「頂攏」之盛焉。

「不求甚解」解

汶津

初中時代就讀到陶淵明的「五柳先生傳」。「好讀書，不求甚解」這七個字引起我極大的興趣。

後來我對此有了相當的證悟。眞好讀書者，必是「不求甚解」的！只爲力求甚解，便不免向牛角尖中鑽去，直鑽到頂尖，便已興味減了大半。好讀書應等同好看電影、好跳舞、好玩牌看待。若是一味求解，便煞盡那份行雲流水，悠遊自得的至樂了。

我是無書不讀的，只有自然科學方面的書，不免有些敬而遠之的心情。每讀到痛快淋漓處，定是不屑翻一翻字典、辭書的。有時案頭十餘册書都未讀完，一日之間，心血來潮，竟會一口氣讀完它三部五部。如是字字求解，行行要悟，如何能得？讀外文書若必須查字典，興致就差了，於是往往半途而廢。

不求甚解的結果是：「此中有眞意，欲辨已忘言」，是「不恨古人吾不見，恨古人不見吾狂耳。」「言下不知開佛眼，回頭只見翠山岩。」遺其貌而得其神，入遊其樊而不拘形跡，大哉，巍巍乎！

但人間萬事萬理，終不能絲毫不去理會它。不求甚解只是說不必數得清那人的頭髮有幾根、額有幾寸寬、汗毛孔有幾多而已矣。至於斯人的性情、氣味，還是在默默無言中了然於心的。

宗教、文學、藝術的領域中，便多有不可全解的情境。在理致上說，是不可悟；在情調上說，却又絲毫不能拘執。現代文學、抽象藝術，乃至摻着神話的宗教，絕不能用數理公式來求解。人的情感尤其如此。爲何此女戀上彼男，爲何有些情人何合久必分，又絕不是客觀因素所能一一解釋的。謂君不信，請看層出不窮的社會新聞！

英國詩人勃朗寧（Robert Browning，一八一二——一八八九）的詩，要算是易解的了，却也有例外：有一次一位朋友問他某一行詩的意調何在。他端詳了半天，悠然答道：「這行詩寫成時，只有上帝和我知道它的意思；如今我也忘懷了，也許上帝還記得吧！」妙哉！那些斤斤較量於一字一詞的欣賞者，能不赧顏啞口？

讀哲學也無以求甚解。眞能甚解者，往往只是「我見」之甚解，反而掩沒了他人的眞諦。越是彷彿依稀的，越能近乎作者的本旨。我讀唐君毅先生的「哲學概論」，便是抱此心情的，然而自覺意趣無窮，在作者立而又破、破而又立的過程中，只覺忘言忘物，神遊宇宙之玄妙中。至今許之爲第一哲學鉅著，且以善讀是書者自居！謂我謬妄，也在所不辭。「子非魚，安知魚之樂！」懂得讀書藝術的朋友，應是最了解這句話的了。

除了書、畫、音樂之外，不宜求甚解的還有人性。不是說人性不可知，只是不可盡知。尤其女性。這話不含褒貶之意。只爲女性較偏於情感，而情感又往往變幻莫測而已。有人說女孩子的心情猶如台灣的天氣，大寒前後可以暖若三春，逼你著單衣出門；眞是善喻者。女子的生命狀態，不止是男子不易甚解，就是她們本身，怕也不能一一了然吧。有人說佛教是理性的宗教。但我讀佛書，便覺有許多地方不儘是理性可以解悟的，還需要一份額外的靈感。如其沒有那份超乎理解的感應，任何宗教都會落空的。這是「不求甚解」的另一面妙用。

高視闊步的人們，對世界也可能抱着不求甚解的心理。但那是不純粹的「不求甚解」，不純粹的生命意態。他們只是崇己卑人，實則已大悖淵明的本旨。那實實在在只是一種幼稚病。而我們所欣賞的「不甚求解」，既不是有所不及而然，更不欲失之過度。

一竅不通的人，一團糊塗的人，都不配談不求甚解。要知「不求甚解」的終極，便是人間的化境！

附記：李義山詩幾乎是千古公案。近讀詩話，明王世貞有一段話：「錦瑟中二聯是麗語，作適怨清和解，甚通。然不解則涉無謂；既解則意味都盡。以此知詩之難也。」確也是別具慧心。正可以作爲「不求甚解」又一解。

劇氛縹緲錄

婆婆生

誠心報師　富英遊移

余氏當年向譚鑫培學戲，可說是費盡心血，歷盡艱辛，實授的戲，不過二三齣，其餘皆從旁揣摩，悉心强記，所以他的收穫和成就，在學譚的人羣中，當數第一位。後來再加上他自己三十年的研究，因此能做到超越階段，垂名於梨苑。但在他成名以後，仰慕的人很多，心想指授的人亦不少，多在打算作進一步的請求。如陳少霖貫大元楊寶忠王少樓安舒元奚嘯伯楊寶森等，不下十餘人，槧友之間，私淑者尤不在少數。

當譚富英稍有微名，有人向余氏提到他，說道：他在富連成坐科用功，扮像好，嗓子衕，所唱的多是譚派，可惜他年紀小，沒有趕上受他祖父親口傳授。你不如教他幾齣，豈不是把你在譚門中所得到的，仍舊還給他們，就跟你先生在余氏門中所學的，又被你學回來一樣，這樣互相流傳下去，（一）可以把這樣偉大的藝術連續，（二）也可以算報答師恩，並且也是佳話。這段娓娓動聽的話，說服了叔岩，就答應叫富英來試試看。

過一天，富英到余家，說起想學「戰太平」這齣戲，余氏很高興，拿起一個雞毛撣子，來作馬鞭，說出花雲同府的一段—即挑簾出來，脚跟底着「水底魚」的鑼鼓點兒，走到台口勒住馬，見兩位夫人，然後轉身下馬—他把從出場到勒馬的身段和脚步，詳詳細細做給富英看，再叫他照樣子學。

一遍當然不成，做給他看有十遍以上，富英做來略具規模，還不能如叔岩的意。這時候，余氏已累得不堪，滿頭大汗，富英也非常的窘。陳氏夫人從旁解圍，說道今天大夥兒都累了，明天慢慢再說吧！這才停止，各自休息。富英經過這一次，知難而退，從此不來了。這是他不及孟小冬的不畏艱難，虛心研究。後來富英的成就，既非純粹的譚派，更不是余派，略有些微一點歪派味兒，不能繩其祖武。

唱羣英會　向不借風

名伶唱戲，多有格局，不肯隨從附和，凡是不倫不類的角色，不願扮演，視爲邪路不正，演時曲解事實。叔岩心目中，諸葛武侯，是三代以下，伊呂（伊尹太公望）而外，一人而已。對於借東風的孔明，其扮相有類妖道，絕非鞠躬盡瘁的兩代賢臣容貌，故絕對不演。每逢唱羣英會，他祇唱魯肅，永不代借東風，這是後來任何伶工所辦不到的。因此發生了一段笑話：

（卅九）

抽象藝術漫談

趙雅博

我們說這樣境界的觀念是無法實現的，不錯，在現世，在一般人或藝術家們中，誰也沒有辦法使一個觀念存在於心智之外。這不但是在心智的自身，並且也在藝術作品之內。一個觀念形成在人類心智之中，一個觀念實現在人心智之外，一個應有客體，沒有客體，便沒有觀念，每個觀念都是實在的意識，每個觀念也是意識的實在；只要是一個觀念，一定要有一個客體，沒有客體，絕不會有同化客體的觀念。觀念的實現，如果沒有表達它的材料，眞不知如何可能使無形成爲有形，使無聲成爲有聲！無形無聲，或根本無有，或有而未發，除在他本人以外，如何能知道，沒有形成觀念的材料（對象，客體）？又如何能有觀念？這樣的理論只要有思想的人，稍微一想，便會再顯明不過的了。

說到這裏，我們可以想到：馬雷未池主張藝術不要有任何客觀的呈現，這不但是荒天下之大唐，並且也是絕不可能的。還有康丁斯吉有很多次主張，在表現觀念的藝術品內（任何藝術品都是觀念的表現），只有純數學抽象；還是說只要疊與數的表現就夠了。這話是同樣的荒唐。因爲一個觀念絕不是點、線、數字所能表達得恰到好處的。因爲我們所有的[illegible]內，雖然是抽象的，但並不僅是數理的抽象啊！這個前面我們已經寫過了，不必多說。

是的，我們不但說只是數理抽象不能表達觀念，就是任何級的抽象，在藝術品內，都不能在純美的境界內，塑出我們抽象的結果——觀念的純境界。我們的心智乃是給純觀念存在的自然處所，也就是說純觀念只能存在於心智之中；爲此，只要它一出離人們的心智，它一定要與物質發生接觸，必需要藉物質來實現，因爲唯有物質才是唯一的本體支柱，使觀念存在而獨立於我們的心智之外。

觀念，我們言之已經再再了，它乃是無形無象，無聲無息，它必要有物質來協助，才能有美的呈現。爲此無形無色的觀念在美的表達自己時，一定要較自己本身更美化（有形不如無形）；同時，我們由此可以推演而出，來自物理抽象或數理抽象的觀念——這些觀念是當代新藝術常常使用的——的藝術實現，比起實現那來自形上抽象結果的觀念，在藝術上更困難萬分了。盡有形之物易，盡無形之物難；表現一個具體的事象，是有蹟可尋的，表現一個無形的觀念，又那裏有法可依呢？藝術家是知道這一點的，爲此在藝術的表現上，近代藝術家更多的走着前者的路子，因爲這前者的路子是容易解放我們的想像，這是說容易想像，並容易集中於純主觀主義，比起將事物的本質轉移到藝術品來，要方便省力的多了。

（未完）

寮宮續夢

第十二回：

異域購新居　民脂似水
冷宮傷舊夢　妾命如絲

就當中共在國內弄得萬戶蕭疏，一籌莫展時，在國際上却又以肯花錢出了一次風頭。

原來在中南半島的寮國，原是一個與世無爭的小國，國內原有一部份共黨武力，盤據在中寮泰緬交界的山區內，過着打家劫舍的勾當，有類於中共之在江西時。一九五四年召開日內瓦會議，規定寮共參加政府，共軍也接受政府改編爲兩營國軍，寮共首領蘇發努馮任副總理。中間平安了幾個月，寮共又在首都活動，陰謀叛變，被寮政府以迅雷不及掩耳手段，將寮共首領自蘇發努馮以下逮捕入獄，寮共軍包圍繳械，不料事機不密，當時跑掉了一個營，仍然到寮國東北部去操舊營生，中共同越共也暗中加以接濟。本來這也不成太大問題，不料到了一九六〇年四月間，寮共首領突然在首都永珍越獄，情勢頓起變化。

原來寮國有一個傘兵營長康黎上尉，身長不滿五尺，體重不過百磅，但是野心却比天還大。他眼見亞非各國如埃及的納薩，伊拉克的卡森，都是一個中級軍官，一旦發動政變，就當上總統，總理。康黎人小心大，竟然也在八月間乘寮國部隊出發剿匪，在首都永珍發動政變，推翻薩拉尼空內閣，接收政府機構。不過，康黎自忖尚不能一步登天，乃模仿納薩辦法，推出國會議長傅瑪任首相。傅瑪是寮國親王，又曾經任首相，康黎推他出來組閣作爲過度，原是極聰明的辦法。可是由於康黎過於幼稚，親共色彩暴露得太快，本來寮國同蘇聯是沒有邦交的，傅瑪上台後宣佈與蘇聯建交，蘇聯趕快派來一位大使，蘇聯大使到達永珍機場時，康黎親自去「迎親人」，在飛機傍邊鋪上紅氈，大使剛走下飛機，康黎率領的樂隊竟然奏起樂來，康黎在音樂聲中大跳寮國土風舞，其情形好似非洲黑人祭神一樣，搞得蘇聯大使十分尷尬，傅瑪也大爲不悅，康黎仍然我行我素。

寮國部隊的領袖是當時任國防部次長的諾沙旺少將，康黎發動政變時，諾沙旺恰好在泰國，得到消息就兼程回國到寮南沙灣那吉找到彭莯親王，共舉義師。

寮國本來分爲二部，北部琅部拉邦王國，都琅部拉邦，國王是西薩旺，南部是百細王國，都沙灣那吉，國王就是彭莯。二次大戰後寮國謀求獨立，若分爲兩國，勢難自存，於是決定合併，彭莯甘願讓出王位，戴西薩旺爲王，其讓德謙風，較中國的吳泰伯尤難。寮王爲了崇德報功，就封彭莯爲親王，全國巡按使，位在所有王公之上，僅次於寮王，有權稽查全國不法官吏，與首相平行。

諾沙旺將軍趕到沙灣拿吉，找到彭莯親王，商談之後，決計組織政府，通電討逆。由於彭莯親王同諾沙旺將軍的威望，所有被康黎劫持的寮軍官兵，整隊來歸，最後只剩下康黎同他的傘兵第二營，經過幾次戰役，義軍終於克復永珍，傅瑪逃去金邊，康黎率部逃向寮共區，彭莯親王到了永珍，繼位不久的寮王華當也趕到永珍舉行任命，彭莯親王完成了合法手續，本來一切問題都沒有了，可是康黎在中共及越共支持下，死灰復燃，又把寮國帶入兵劫。

（二九三）

冒險犯難記

鄭文儀

以上是我半生冒險犯難約略的種類與統計，現在我想憑我回憶所及，從少小離家時起，把我所經歷的冒險犯難的事實，或有關危險與困難的問題，分別寫出，約略敘述，作爲我這個很平凡的人，遭遇很多不平凡的事情的回憶錄之一鱗半爪。近半世紀來，國家民族多難，常在危急存亡之秋，我們讀歷史，深知「多難興邦」的古訓，足資誡鑑，我寫這冒險犯難記，或可作爲青年們努力於復興民族的大業的一些參考。

一、少小離家深山採礦

當我十二歲，正在讀國民學校的高小二年級的時候，因爲世亂年荒，家境貧苦，家庭由一個小市鎮的布匹店改開一個三家村的豆腐店與雜貨店，父母雖然辛苦操作，終難養活一家九口（祖父母、父母、我及兩弟兩妹），更無餘力培植子女讀書，我是長子，理應學習職業，助理家務。可惜家中人多事少，營商沒有資本，迫得祇有向社會去尋找童工一類的職業。

民國初年，工業尚未發達，農業尚很落後，商業市塲也很冷落，一個少年想找職業，除了當三年沒有待遇的商店學徒以外，是很少有其他機會的。

我有志讀書，我不願做學徒，我很想找一個半工半讀的工作。剛好有一位同宗的叔祖，他約了幾位朋友，聚集了很少數目的資本，要到離我家鄉湖南醴陵縣三百多里的江西萍鄉縣，一個名叫白州的深山裏去，用土法開採鐵礦，要找一個管事記賬的職工，待遇十分菲薄，食住之外，每日僅有幾角零用錢，工作據說不很辛苦，跑來徵詢我父母的意見。

我聽到這個消息，很快就答應下來。我向父親說這是一個好機會，我不妨去試一試。即使祖父母和母親認爲我年紀太輕，一個人離鄉別井，而且又是到一個深山去開礦，危險困難兼而有之，不甚贊同，但父親却很快就允准了。我在民國七年的春天，就隨同那位叔祖父及其伙伴共五個人，經過五天的步行，便到達萍鄉白州深山的礦區了。

那是一個很小的礦塲，塲內員工不到十五人，臨時採運鐵礦礦石的工人約三十左右，礦塲後有草房五間，煉鐵土爐土塲一個。我的工作爲秤量礦石，記賬及發放工錢，事情確屬簡單，工作眞的並不辛苦，每天早晚，我還有充分時間讀書寫字。

不過那裏的環境却很駭人，因爲是在深山，數里之內人烟很少，豺狼虎豹，爲數甚多，夜闌人靜，野獸吼叫，常使得我睡不成寐，恐怖戰慄。自然塲內沒有小朋友，孤單寂寞，十分難過。（二）

赴奉先途中

汶津

國勢像河面的薄冰一樣，隨時都可能破碎、瓦解。杜甫想着想着，身下的老馬似乎也感染了這份莫可奈何的悲哀，脚步顯得更沉重了。

在小店裏匆匆用過午餐，杜甫又起程了。

「恐怕到晚要下雪了！」那藹然的店主人對他說。

「謝謝，我必須趕路。」

馬兒，快跑吧。不要再讓沿途的事故分了我的心。我的情感太容易被觸動；可是這明明是毫無補益的。杜甫在心裏默默的說。

河邊有人想渡向對岸，但已見不到渡船的影蹟，爲什麼有那麼多奔走於路的百姓呢？一個個都是臉色憔悴，神情惶然的！杜甫直視着前方，又向老馬抽了一鞭：轉上右邊的大道，天色已近黃昏了。

少年時代的遊蹤，是他至今難忘的，江南的風光，那一天能再去遊賞呢？

還是想一想家裏的妻兒吧。

好久沒有看到她們了！都安好嗎？

好久沒有詩思了！什麼是詩？這樣的日子，誰還有那些閒情致……

天色變得絲快，又是一片暮色覆壓着大地。再趕一程，家園就在望了。家園？不過是幾間破茅屋罷了——

「安得廣厦千萬間，大庇天下寒士俱歡顏！風雨不動安如山。」

這番宏願只怕今生今世沒法實現的了。杜甫又灑了幾滴莫名所以的清淚。

「子美！」他的妻撲在他的懷裏，痛哭失聲了。

「怎麼啦？」杜甫又驚又悲，一股心酸湧上來。

「你……你總算回來了，我們的小……小寶，他……他昨天……餓死了！」

杜甫擁着他苦難的妻，像是擁着整個時代的苦難。他沒有像妻一樣的哭出聲來，他忽然變得有些心硬了，——如果有什麼更大的苦難，來吧！戰爭、災荒、死亡……

小寶的屍體還躺在寢室裏，老兩口子相互扶掖着進去。杜甫撫着那瘦得火柴棒似的小手臂，眼淚一滴滴的落在床褥上。

那些大孩子們，用失神的眼光望着蒼老過於眞實年齡的雙親，這時代全沒有年輕的生命了！孩子們目睹着小弟的死，也突然長大了。他們不再哭鬧。即使哭鬧，又能有何補益？

「退一百步想，我們還是好的，至少，我這個可憐的官職使我們一家免了那些苛捐雜稅；我們的家人也用不着去邊疆當成卒……孩子死了，也好少受點將來的苦。慚愧的是我這個父親，唉，百無一用是書生！」

他的感喟飄散在風裏、燭光裏。那支被火燄煎熬着的燭，就像杜甫一家人的心。熬過最長的一天，還有更長的一夜。（下）

我的社會生活

雷嘯岑

既而重慶行營主任顧墨三（祝同）先生舉行「川黔康三省行政會議」，電約我去參加，我跟顧主任亦不認識，既奉召，不能不應命。在會議中，我講述地方保甲與團隊問題，因係過來人，材料比較豐富，現身說法，頗爲動聽。會議閉幕後，顧主任即留我在行營工作。論地位和待遇，當然以川省府爲較優，論居停的關係，原無所軒輊，劉、顧都是初識的長官。但此時劉主席爲着若干政治和軍事問題與中樞政策有出入——主要是對劉文輝問題，他主張把文輝的殘餘勢力消除掉，以杜後患，中樞却任命文輝爲西康建省委員會主席，仍兼廿四軍軍長——對中央政府發生了隔閡。我自忖是中央方面的人，萬一將來川省與中央關係惡化了，即不免有進退維谷之慮，因而接受了顧主任的命令，暫在重慶行營作參議。同時致書劉主席婉辭顧問之職，但他復電懇切挽留，我爲顧全楊暢公與劉主席的友誼關係，只負顧問名義，不受分文薪金，仍在行營服務，但不時到成都走走。這時楊先生已出任湖北省府主席，他曾託朋友帶口信，教我切勿離開四川，替劉主席幫忙，我沒有復他的信。繼而我在成都目擊着省府與中樞間的一場政治鬥爭情況，爲之胆怯心寒，亦增加了我要離開成都的情緒，這是民國廿四年冬臘到廿五年春間的事。導源於「民衆訓練」問題，鬥爭的主角是康澤領導之下的別動隊首長葉維（四川籍）等人，吃虧的是省府民政廳長王又庸，教育廳長李爲綸，而以李氏爲最冤枉！

民國廿四年夏間，中央軍入川剿共，協助劉湘統一川政時，康澤率領別動隊在川境工作，主持各縣市的民衆組織訓練事宜。旋康氏受任四川省保安處政訓室主任兼職，關於民衆組訓事宜，名正言順地由他全權辦理，省主席劉湘亦無異議。可是，有些派在各地方組訓民衆的政工人員，革命精神很奮發，對着羣衆講話，常有「劉湘是土皇帝」的說法，劉氏聞之，雖敢怒而不敢言，但對葉維等人深具戒心，害怕他們勢將不利於己。適王又庸因楊暢卿先生的關係，由江西民政廳長調任川省民政廳長，意氣甚盛，跟劉主席相處亦很融洽。當時葉維那般同志，認爲王、李兩位廳長以及小區區，都是「政學系」份子，即係楊永泰的親信，相率另眼看待。

王又庸只知作官，並不明瞭四川情形，他以爲祇要取得劉主席的信任，即百無禁忌了。某日，劉湘跟王氏談到民衆組訓問題，表示對別動隊的政工人員頗感頭痛，王氏爲討取劉主席的歡心，即謂：「依照省政府組織法，民衆組訓業務乃屬於民政範圍，省府可以直接主辦，不必假手於他人的」劉大喜，馬上在省府設立「民訓委員會」，由主席兼任主委，民政廳長兼副主委，電令各縣，將當地的民衆組織訓練職務限日接收，電文內且有「如逾期不交，即以軍法從事」等語。我當時逆料此事必出岔子，乃向王又庸建議，可先與葉維協商辦理，不宜操切從事，王謂劉主席要這樣做。我又跟省府秘書長鄧漢祥懇談一切，鄧說：「這是王廳長的主張，王是中央派來的人，劉主席認爲不會有問題」。我祇好袖手旁觀了。既而各縣的接收工作很順利，並未發生事端，王又庸很高興。（卅八）

花香月上樓小品

荷葉村人

盧大伯（續）

尤奇的是，有一次，他和我姊妹們，捕蒼蠅玩耍。他先伸着一隻右掌說：「你們看我捉蒼蠅！」恰巧，嚶的一聲，一隻蒼蠅飛過，他伸手向前一掃！然後握着拳頭：「阿阮，你估一估，我捉到了沒有？」「沒有？」我答復他的問。他笑着，把手掌一攤！果然沒有。我們姊弟都笑了。他徐徐翻轉手背，一隻蒼蠅，正夾在他的右食指和中指中間，欲進不能，欲退不得。這還不算！跟着，他把右手一揚，左手一拂！又徐徐的說：「你們看！這隻蒼蠅，在那隻手？」這同却給我們都猜中了。大家爭搶着要看左掌。盧大伯說：「不要忙！猜是猜中了，你們都聽明。但是，在那兩隻指縫中哩？」有的說：「在中指、食指。」有的說：「在無名指、尾指。」他把左掌一攤，四指張開，什麼都沒有。大家正在發怔！於是，他又把手背一翻，「在這裏呢！」原來，是給他夾在拇指甲裏面，已給窒息死了。這一遊戲，二十年後，我在「啼笑因緣」小說裏面，見到有類似的記載。但是，微有不同。啼笑因緣所記，是用筷子去夾，而且，只能擒，不能縱而復收。所以，那時我看啼笑因緣，又不免想起了盧大伯。

盧大伯，在廣州沒有家，幼時，我看見他有一張和我伯伯結義的「金蘭譜」，寫有他的三代，連他自己的名字：別字。由於盧大伯叫慣了，反而把他的名字，家世都忘了。這張金蘭譜，抗戰時便已遺失。據父親生前說：「盧大伯的父親，是一箇地主，亦是一箇多妻主義者，因爲生母死得早，不能取得父親和異母的憐愛，被迫脫離家庭。只有伯父知道他的母親的父親，是少林寺的弟子。我的伯父曾問過他一切，他說：「他的母親，可以力敵一二十人。可是，受制於嫡室，鬱鬱以卒，這是他一生的隱痛。所以，他不願成家受室，也不想回鄉……」伯父說：「盧大伯是一箇傷心人，別有懷抱者，他能隻手舉重一百二十斤，日行一百二十里來回，而不改容，足不疲倦。那時中國已有毛瑟槍，和外國輪船的不斷進出，盧大伯嘗慨歎着對伯伯說：「我們縱然舉得起百斤，舞得動三輪大關刀，中了武狀元，也沒有用了。十年之後，這世界是要變的啦！」」由今思之，假有意，亦足深長思也。

飲涼茶在香港

在香港，大街偏巷，所謂「涼茶店」，隨處[illegible]有，而且很講究。兩箇大銅鑊，一甜一苦，甜的是：白菊花或金銀花，苦的是「王老吉」百草涼茶。行人一經其肆，無論老的幼的，男的女的，偶一回，便得從袋子裏掏出一毫或「斗零」，（按即半毫）飲它一大杯而後去。有些大肥老，還要多飲一杯才夠癮。（未完）

述懷四律之一

爲答復紓兄作

黃伯遠

我生也値落花天，
傲骨從來不受憐；
生事艱難憑隻手，
綱常維繫負雙肩。
側身天地空求偶，
放眼江湖不結緣；
此諦也曾參墨佛，
人情難得十分圓。

薛篤弼的二三趣聞

吳文蔚

薛篤弼對於馮玉祥之忠心耿耿，觀此可知。別說他令內政部人員參加三方面軍的什麼紀念，他在內政部長任內既能接受罰跪，如果馮玉祥有命令，他眞敢叫內政部人員耍起大刀來呢。

薛在水利部長任內，樸素節約，倒是聞名遐邇的。某次，他赴中原某地視察，當地主管於陪視公畢，設豐宴招待，席中猴頭燕窩、海鮮美味，極盡一時之盛。該主管自忖已盡招待之至誠，奉侍部長，必然博得青睞。不料薛竟大發雷霆，手舉筷箸，指指點點，連聲責罵曰：「你看，政府經費拮据如此，你們浪費公帑，如此這般，這……這……」該主管面紅耳赤，無以作對。終於有一官員起立解釋道：「我們平時都非常節約，今天因爲特別奉待部長，故而不敢不多備一點菜。」薛氏聞言，其氣漸平，但仍說：「我在部裏，白饃麵條，已經夠享福了。那裏用得到你們如此浪費！」

薛篤弼於大陸淪陷後，據說因其老母在堂，不忍遠離。又據說在中共統治之下，他的生活陷於絕境，不得已，曾經在上海街頭賣起大餅油條來，藉以糊口。但不知他此後又幹了些什麼？以及生死存亡如何？（下）

自由報
THE FREE NEWS
第四三〇期
中華民國僑務委員會頒發
台救新字第三二三號登記證
中華郵政台字第一二八二號執照
登記為第一類新聞紙類
（本週刊每星期三、六出版）
每份港幣壹角
台灣零售價新台幣弍元
社長：雷嘯岑
督印人：賀符富
社址：香港銅鑼灣高士威道二十號四樓
20 CAUSEWAY RD 3RD FL.
HONG KONG
TEL. 771726　電報掛號：7191
承印者：四鳳印刷廠
地址：香港灣仔高士打道二二一號
台灣分社
台北市西寧南路壹壹零號二樓
電話：三〇五四六
台郵撥儲金戶九二五二

時窮節見·力毅功成

——祝第廿一屆青年節敬致海內外青年

·馬樹禮·

當此國際風雲變幻，擾攘不已，而我們神州未復，共禍披猖，大陸數億同胞仍處於水深火熱之中。今天我們紀念革命先烈，迎接民國五十三年青年節，誠不勝感懷與奮！回溯當年國父奔走四方，倡導革命，白手空拳，全憑鐵的意志毅力，來推翻滿清政府，當日海內外的有志之士，風起雲湧地歃血加盟，獻身此一革命大業，爭為先登。五十三年前的今天，黃花崗開國先烈們在廣州起義，攻打兩廣督署，所恃者不過臨時集合各省的未經作戰訓練的數百之衆，手持簡陋而無彈藥後繼補充的武器而已。與擁有海陸重兵的清兵對壘，豈非正所謂「螳臂當車」？但烈士們却絕不顧慮地幹起來。甚至沒有被編配擔任作戰任務的，也爭着參加戰鬪的行列。他們就憑着這種勇往直前的氣概，一舉而攻入督署，使敵酋鼠竄而逃。假如不是於防營隊伍入城響應之際，彼此誤會互擊死傷，則是役即已一舉功成，不必等待後此的武昌起義了。

廣州一役雖然功敗垂成，而且黃花崗殉難先烈之衆，幾將革命黨人之菁華，犧牲殆盡。但到底由此種義薄雲天的浩氣所感召，喚醒了全國同胞，益加振奮。不及半年，武昌黃鶴樓頭起義的槍聲再發，全國各省紛紛響應，而滿清遂倒，中華民國畢竟建立了起來。

今日我們重溫這一課歷史，其意義是十分重大的。我們當前救國救民的責任，與先烈們並無二致。而我們現在所處的環境雖亦險惡異常，但比之先烈們却可說優越得多了。無論就主觀或客觀的條件看，我們反共復國革命大業，都應該比先烈們推翻滿清容易成功得多的。問題只在我們能否步武先烈們那種革命的偉大精神罷了。現在不妨把今昔的形勢，作一番分析比較，即知上述我們的說法之並非虛語。

過去先烈們之從事革命，只是一羣憑着滿腔熱血，以道義相砥礪的結合。大家既沒有一個固定的根據基地，又沒有大量經濟資財足供運用。廣州起義之役不過靠在南洋各地到處張羅捐集的十餘萬元，作為購械活動的一切支銷費用。其艱難拮据之狀可見一斑。況且其時滿清帝室雖然積弱腐敗，但在國際間的地位，仍屬名正言順的中國政府。國際人士縱有同情革命者，對革命黨人仍不便作公開的援助。致每一個黨人的言論行動，即在海外，亦不免受到許多限制和阻礙。

還有一層，當時我國民智未開，社會風氣閉塞。滿清政府之積弱不振，老實說來，它僅是充份腐敗無能的表現，至於它對老百姓的統治態度，尚未至過於暴虐無道的地步。故他們雖自關外入主中原，但經過二百餘年懷柔統治之後，民衆多已渾忘了民族的仇恨。而科舉出身的士大夫，更被惑於功名利祿，不易趨向革命。這些原因，自然也是對於革命的一種阻力。

然而革命先烈們却抱着救苦救難的精神，鼓其破釜沉舟的勇氣，前仆後繼，鍥而不舍。畢竟把一切困難克服，把逆勢完成扭轉過來，最後終於達到勝利成功之途，把滿清推倒，創建了中華民國。由此看來，足見革命之道，環境艱難不足畏，力量薄弱不足憂。國父曾告訴我們：有志者事必竟成的。

我們今日所具備的條件，比之先烈們當日的處境，其優越處相差何止倍蓰？首先看敵人共產黨方面：毛共自竊據大陸以還，不斷施行暴政統治，使大陸同胞家散人亡，饑寒交迫，無以為生。凡有血氣之倫，對於毛共政權，早已深惡痛絕，欲與偕亡；此其一。毛共政權得不到人民的擁護合作，故雖極盡鞭韃奴役，工農業生產始終無法改善，而日趨萎縮凋敝；此其二。共黨常以一套似是而非的唯物辯證邪說，蠱惑世人，世人亦多受其愚惑。但自各個共產國家施行共產制度的實際情形觀之，均已證明其理論之完全破產，時至今日，共產邪說非特不為人所歡迎，且已同感厭惡。因此反共已成為人類普遍的思潮；此其三。有此數者，毛共政權之必然崩潰失敗，乃屬極明顯的事實。

再看我們反共革命陣線的本身方面：我們不獨擁有一個強大的臺灣基地，而且我們中華民國政府，是經由全國人民根據憲法而組織成立的正統政府，也是全國海內外以及大陸同胞所寄託的象徵。不僅為全世界大多數國家所承認，並且是聯合國的重要支柱。我們十餘年來團結海內外，勵精圖治，埋頭建設，飛躍進步，被譽為亞洲最繁榮的國家之一。我們日益壯大的反共革命武力，已成為西太平洋反共的最堅強的攻擊部隊。

我們今天既已具備如此良好條件，如果仍謂革命不易勝利成功，以視當年開國先烈們的白手空拳奮鬪，我們寧不慚愧無地自容了嗎？

或者以為晚近國際局面變幻未已，對共黨姑息安撫之論調，又復囂然不息。誠恐因國際間之諸多掣肘，會影響我們反攻復國革命大業的進程。這種顧慮固然是不無理由。但是我們必須把握一個原則，就是凡事應「盡其在我」！只要我們自己認清義之所在，決心行之，則一切外間的艱難困擾，都絕不能阻我前進之路。孟子說：「雖千萬人吾往矣」，就是這個道理。

我們尤須明白，世上決沒有不耕耘之收穫的，要收穫就不得不辛苦努力耕耘。還有，我們做任何事，遭遇環境拂逆是往往不免的，只要我們有衝破環境的決心和勇氣。而且，在最困厄的環境之中，正是給人們表現其志行的最好機會。文天祥所謂「時窮節乃見」，便是此意。假如我們能夠遵國父「愈挫愈奮，再接再勵」的昭示做去，則何患乎革命大業之不終底成功呢？

茲當慶祝佳節，紀念先烈，謹綴此「時窮節見，力毅功成」八字以自勵，且與我海內外青年共勉。

千鈞一髮

自作多情

今日與明日

南韓學生示威

南韓各大學學生三萬人，舉行示威運動，反對韓國與日本作建交談判，以致跟軍警發生衝突，餘波似乎尚未平息，眞可歎也。

韓、日建交有甚麼壞處？學生們并未指述出來，只是囂然反對，激成事端，這決非純潔青年所應有的行為，對國家前途毫無裨益可言。

我們懷疑這其間潛存着黨派鬥爭的因素，青年學生感情衝動，不知不覺地被野心政客利用了。果若是，便係一幕悲劇，令人不暇自哀，將使後人復哀前人也！

日本治安大員辭職

美國駐日大使被日人刺傷了小腿，據說那行刺的人是個患神經病者，并無政治原因。可是，內閣自治省大臣，以及担負警政職責的主管大員，皆相繼引咎辭職了。夫是之謂責任感，也就是政治紀綱所在。

美大使的傷勢并無大礙，日首相與外交大臣已向美國道歉賠不是，美國當局亦表示沒有甚麼問題了。治安大員雖不引咎自劾，固無所謂。但他們基於責任感，內疚神明，不宜好官自為，而首相池田，亦就一律准予辭職，表現着責任政治的作風。

日本自民黨原係政客官僚集團，然在政治上猶有這點風度，尤屬差強人意，值得贊許。

中俄共鬧劇不休

中俄共的革命理論鬧劇，始終未見和緩，這在西方國家看來，不勝欣然竊喜。

實則中俄共頭目不管誰鬥倒誰，對自由世界并沒有甚麼益處，他們照樣地厲行反帝國主義、反殖民地主義的世界革命陰謀。可是，在他們表演鬧劇之中，西方國家惰性大作，內部已有精神渙散之勢，大家爭着向中俄共進行貿易勾當，替他們消解經濟困難，因而袪除政治危機，迨羽毛豐滿時，實行反噬。

所以，中俄共儘管反目對罵，本身決無損害，而且越鬧得厲害，越可以取得西方國家物質贊助，更可以瓦解自由世界的精神團結力，豈不美哉？

美國當局幻想聯結俄帝以制毛共，而中俄共却利用美國這種阿Q精神，先把西方國家內部弄得四分五裂了。怕鬼者必被鬼祟，所謂「高明之家，鬼瞰其室」是也。

自由談

問非所答

最近有立法委員質詢行政院積壓內政部草擬的法案過久，因而抨擊行政院分設各組辦事為「於法無據」，又說內政部以及其他隸屬行政院的各部會，并不是行政院的附屬機關，大談其憲法問題。

我認為立法委員對行政首長行使質詢權的目標，只能限於政策的利害得失，與夫行政效率的良窳問題，而行政技術不預焉。行政院分組辦事與否，這是處務規程的事項，不管它利弊如何，立法機關皆不必過問。更談不到於法有據無據的話。這等於坐汽車的人，只可指示司機到達的地點，至於司機如何轉動輪盤，怎樣控馭機器，乘車者却不宜多加干預，否則司機將感到手足無所措置之苦。憲法上并未規定行政機關內部應如何組織的法則，無論分組也罷，分科、處、司、室也罷，皆不涉及合法或違法問題。如其行政技術亦要受到立法機關的質詢干涉，那末，行政人員的一舉一動，皆在質詢之列，動則得咎，那還得了嗎？

至於行政院所屬各部會，其體系與考試院的銓叙部，監察院的審計部，司法院的公務人員懲戒委員會一樣，當然接受直屬各院的監督指導。行政院審核內政部擬訂的法制，職責所在，固其宜也，豈能加以非議？可議者只是不應該積壓公文至若干年之久，有損行政效率而已。這與分組辦事毫不相干，拿不相干的事情作質詢目標，問非所答，徒亂人意，是亦不可已乎？

我贊成民意代表能夠充份發揮其對行政機關的監督權力，却不希望毫無所擇的「每事問」，而使行政官吏有若待罪之囚，啼笑皆非。這需要大家彼此守崗位、明份際，不動意氣，莫逞權威，而於責善問難之中，存同寅協恭之義。庶幾乎彌成祥和的政治氣氛，各盡所能，勤求績效，詎不懿歟！

馬五先生

立委質詢強調「真病用真藥」

整飭政風貴在獎善懲惡 令出必行然後弊絕風清

（本報記者台北航訊）關於整飭政風與節約問題，立法委員余富岸、黃煥如對這個「老」問題，特向行政院提出質詢。

余富岸說：單就整飭政風來說，便有待於大大的努力，此時此地，誰不希望國家好？誰不企求有個廉能的政府能作堅強的領導？可是政府威信的建立，實爲首要之圖。譬如政府下命令，事先應該考慮，該不該作？行不行得通？若是該作而又行得通，下令後就得貫徹到底，以示令出必行。否則便是自損威信，自毀長城。舉一個事例來說：如行政院過去在施政報告上會說禁止公務員出入酒家，據說一開始就是政府業務機關高級人員公然違反上項禁令，而未受到任何處分。有人說這是日據時代遺留下來的玩意兒，沒有什麼了不得。自然日本人進出酒家是司空見慣，可是今日我們的國家處的是什麼境地？負重責任的人，還有這份心情去尋歡作樂，而不顧政府禁令，不能不使人認爲是不可思議的！如說不很要緊，行政院便不必查禁；假若實在嚇阻，那就不必去執行；命令下了，警察動員了，高級人員犯禁了，却未予以任何處置，試問政府威信何在？人們的觀感又如何？難道是只准州官放火，不許百姓點燈嗎？又如像大小機關有些貪污舞弊的事，隨時在報端揭露，多數沒有見着下文，請問怎麼可以使人對政府有信心！民無信不立，古訓昭然，是不可或忘的。

余富岸認爲：像我們的高級官員們，每人家庭情形，不難詳加調查，如有利用職權收受賄賂等情，一經查明，即沒收其全部財產，誰還敢以身試法！

黃煥如質詢說：目前政治上因待遇不公不平所造成「非紅（包）不通」之現象，形成暮氣沉沉，效率低落，爲不可諱言之事實。不能除掉暮氣，談不到反攻復國。內閣改組，氣象一新，施政方針以「革新政治，整飭政風，培養政治朝氣，提高行政效率」相號召，可謂針對時弊，對症下藥。惟治眞病須用眞藥，不要說眞話賣假藥。培養朝氣，必須革新政治；提高效率，必須整飭政風；而革新政治整飭政風，又必須從革新預算調整待遇作起。調整待遇，問題雖大，只要腳踏實地，有計劃有步驟的去做，首先修正俸給法，使能符合實際需要，切實革新預算，裁汰閑冗人員，裁併駢枝機構，眞正做到化繁爲簡，化暗爲明，一人一職，同工同酬，住的問題，行的問題，均得到公平合理的解決，自然各安其分，各得其所，弊絕風清，績效至著，廉頑立懦，耳目一新。這是今年施政方針第一個大問題，希望嚴院長能以最大決心，最大毅力來貫徹這個主張，不要枝枝節節，徒勞無補；更不要粉飾太平，徒託空言。

國父紀念碑 將在港出現

（本報訊）以英國人爲主要成員的「皇家亞洲協會」（The Royal Asiatic Society），於三月廿二日晚在香港俱樂部舉行會員年會，出席者有該協會理事香港大學校長賴德爵士，英國文化委員會代表，美國亞洲協會代表等，中國籍人士亦有四位與會。在會中，有一英國人提議：在一八八六至一八八七年國父孫中山先生曾經住過的香港橋街（Bridges street）二號，建一中山紀念碑，藉留勝蹟，而垂久遠。此議一經提出，會議主席及會衆咸表贊同，主席並表示將此議提交理事會詳審，然後進行規畫。據某權威人士語記者，此一富有歷史意義之舉，實現的機會甚大。尤其以一英籍人而作此倡導，實屬難能可貴。

台南市飲食業陳情

——指稽征處查定稅額過高不勝重荷 謂應按照法規派員駐征方爲合法——

（本報記者台南航訊）台南市烹飪公會理事長朱榮三暨台南市的十三家餐廳、食堂、酒家經營者，頃聯名向有關當局，提出陳情，揭發台南市稅捐處課征筵席稅，以主觀亂課稅欵，有欠公允，形同玩弄業者和欺騙手段，要求社會各界主持公道，喚醒稅務人員遵守法規。

陳情書中指出：台南市稽征處，自去年十月份起對筵席之課征，不論使用統一發票之業者與否，一律以逕行查定課征，其所查定之稅額較以前增加，少者六成，多者數倍，已超出業者負担能力。

因此烹飪業者曾推請公會理事長朱榮三，監事魏主默，秘書李文松三人前後八次往稽征處接洽，均不得要領。最初業者接到十月份上半期筵席稅繳納通知書時，因其稅額咸超出業者之負担能力，故以書面陳情，連同稅單送還稽征處，請求復查減輕。旋稽征處又將稅單送交業者，囑繳稅後再行陳情；業者誤對稽征處之吩咐信以爲眞，隨即將稅欵繳清，並依法提出陳情。自陳情書提出後，稽征處竟食言不答。不得已業者推請公會理事長等前往面陳，先後達數次之多，每次稽征處均藉詞拖延，毫不考慮業者之負担能力。迨至去年十二月九日，該處第三課課長答應在今年一月份起減輕。稽征處雖如此答應，業者却已不敢領教，因稅務人員每次說話不實，其實行殊難取信於人。

陳情書稱：查逕行查定，必須有確實課稅資料，否則易偏於稅務人員之主觀意見，使業者不勝重荷。而如所查定之稅額確屬過重，經業者陳情，倘稅務人員能認眞前來實地復查，尚可補救；否則如果竟而置之不理或藉詞拖延，非但業者無法經營，抑且影響政府稅收，莫此爲甚。

陳情書續稱：筵席稅係代征稅，自應依法收稅爲宜，若仍採取查定課稅辦法，其實後果堪慮。依且稅法規定，筵席稅代征稅，有營業者始能代征，但現在南市稽征處不省營業之好壞，均以主觀查定收稅。且如萬一遲延五日繳欵，則移送法院罰欵二倍。如此一味強行，勢難免使業者陷於當子鬻妻的凄慘情況。

陳情書強調：尤其對使用統一發票之業者，更不宜以查定收稅，而最好爲派員駐征。蓋使用統一發票係政府之規定；既有此良好規定，稅務人員應即依此規定爲收稅之依據，方爲合理。乃南市稅務人員竟無視稅法之規定，而以查定收稅辦法行之，本身即已違法，何能使業者遵從？

陳情書指出：五十二年度南市筵席稅預算爲二一五萬元，而上一年之筵席稅實收額爲一八〇餘萬元，爲達到五十二年度預算，稽征處處長會謂：「依照上年之實收額增加二成即可」。如稽征處長對業者之此一談話爲可靠，則自去年十月所繳之筵席稅，應照九月份之各家之稅額加二成，即可滿征滿收。乃事實竟不然，其增加之數，少者六成，多者數倍，業者何能負担？因此該陳情書，請求各界主持公道，喚醒南市稅務人員，必需遵守法令規定收稅，勿以主觀亂課稅欵。

台灣論壇

中國與現代化

陸嘯釗

生爲六十年代的中國人，我們有很多感觸，這五十多年來，我們摸索了很多路，可是這些路都沒有讓我們平平坦坦地到達羅馬。

二次世界大戰以後，德國復興了，日本繁榮了，我們這個曾被列爲五強之一的戰勝國，却偏促在台灣這一隅之地，仍然在十字路口徘徊，爲走那一條路爭執。

年老的一代，一直都在孔孟的道理裏鑽，回想着「萬國衣冠拜冕旒」的風光，年輕的小伙子却乾脆舉起了「全盤西化」的大纛，可惜叫叫嚷嚷並不能解決問題，去蕪求精，也需要一番選擇工夫。

迎頭趕上，超越前進，這不是玩弄文字魔術，耍嘴皮子就可了事的。當前要務是如何使我們這個國家一步一步走上現代化，能夠飛、跑，當然更好。

台灣這幾年來的情形，一切措施不能說沒有進步，可是這些微的進步，是否已經達到了現代化的水準？是否就足以號召海內外人心？是否就值得我們沾沾自喜？

今天讓我們困惑的問題夠多，對外如何應付外交上「兩個中國」的逆流？如何爭取友邦加強反攻的力量？對內如何加速經濟發展，減低人口壓力？一切都要靠我們自力更生。

除非我們甘心做「駝鳥」，甘心認命，一切不聞不問，麻醉自己，敷衍自己，欺騙自己，那就乾脆一切不談，否則祇要是黑頭髮黃皮膚的中國人，都應當從頹廢，散漫，自私自利，爭權奪利中覺醒，先從自己本位做起，一點一滴爲中國的現代化努力。自己爭氣，別人自然尊重我們；「七分政治，三分軍事，」大陸人心依歸，匪僞政權自然崩潰。

如何使中國現代化？這是一個大問題，也是需要我們上下一致全力以赴，方始有成的。我想與論界可就政治、經濟、社會，教育等等項目分得愈細愈好，把每個人心目中的現代化先寫出來，然後再就實際的情況，平心靜氣地研究考察一下，目前我們是否做得很好？爲什麼我們不能做得更好？問題的癥結到底在那裏？實際的困難究竟是什麼？並且提出一個平平實實絕對可行的方案。這種做法，我深信絕對有助於我們的國家。

當然，這件工作十分艱鉅，決不是一步就可登天的，更不是高談主義就能解決得了的事。集思廣益，羣策羣力，大家一齊來花腦筋，挖心血，收集材料，徵求意見，讓我們解決得了一個問題是一個，能走快幾步就算幾步。

與論界似乎可以掀起這麼一個熱潮。

香港與大陸

毛共推出洗腦新工具 在農村攪講故事運動

中共又在大陸農村推行「講故事」運動，要求每一個農民不單要聽，而且都要熟練地講出幾條「故事」；共幹甚至還舉辦「講故事」比賽，選擇「故事員訓練班」，目的則在以之代替枯燥無味的開大會討論會等，成爲「洗腦」的另一工具。

曾回福建泉州探親的商人李××向記者透露：近幾年來，大陸農村一塌糊塗，突出的表現是農民經常破壞農作物與破壞農具農畜，至於怠工現象，則更爲普遍，致嚴重的影響中共的農業計劃。而中共所稱的「反革命」和「特工」份子的活動之滲進農村，更使大陸農民的厭惡共黨情緒爲之高張，反共行動益加無所忌憚。

李××說：大陸農村隱藏着這種嚴重危機，中共是肚裏明白，憂心如焚的，但它們認爲這主要是農民們的「思想覺悟」仍未提高，致使「壞人」有隙可乘。因此，中共除了在農村對「壞份子」加強管制之外，又在「提高農民思想水平」的運動上做工夫，「講故事」運動於是而推出來了。

李××說：泉州的農民，近來都被迫「聽故事」和「講故事」，每在工閒時，農民們便被命令圍攏在一起，輪流講出自己所熟悉的「古」，不管是聽來的，或報紙上電影院所看到的，都可以，祇是絕不得違背一個原則：即故事中的人物必需具備如何的「捨己爲人」或「忘我的勞動」者的優秀品格的。

李××說：中共推行這一項「講故事」運動，其目的是異常明顯的，即想以之代替早已使農民反胃的「開大會」、「聽報告」「小組討論」等等的宣傳形式，使其成爲另一「說數」「洗腦」工具。但「講故事」運動却也有了「偏差」，農民們所講的故事，不是流於胡說八道，便是有意無意地「醜化」了共產黨想要歌頌的人物。

爲此，中共又在農村廣泛舉辦「講故事」比賽，規定優勝者的條件是要①故事主題正確（即要歌頌共產黨的）；(2)表達的技能具有「文藝性」；(3)要有「事實」爲證。不特此也，中共爲使這運動更好的結果，乃利用「農村俱樂部」和縣市的「文化館」，舉辦些「故事員訓練班」，俟「學成」以後，派往農村推動「講故事」運動，而那些學員所學的東西，無非是「毛澤東對文藝戰綫的指示」、讀「革命故事」，以及演講的基本技能之類，司馬昭之心，路人皆知了。

李××說：農民們是很明白中共的這一運動，目的是爲「宣傳」的，所以大家對於這種換湯不換藥的把戲，先就有了厭惡，加上又要他們自己「講」，實在老大的不高興。看來中共的如意算盤斷難有打得響的機會，甚而可能發生相反的效果。（敬斯）

基隆旅居記

仲公

日據時，宣統元年日本設台灣漁業株式會社，經營輪船拖運漁業；繼設台灣水產株式會社，其後又有台洋漁業株式會社在基隆設立。此外日本之漁業會社，亦有多數在基隆成立分支機構。迨太平洋戰爭爆發，日本政府實施漁業統制政策後，基隆所有漁業機構，遂都歸併於南日本漁業統制株式會社，光復後，由中央政府接收，成立台灣水產有限公司。台灣漁業，向分養殖、沿岸、近海及遠洋四類。前三類漁業，現已接近飽和點，惟遠洋漁業，尤其是遠洋鮪釣漁業，還有大量發展的前途。（廿三）

黃麗華

勞 克

我們都常常到百貨部，有時一天要去好幾次。每次我到百貨部，都看到黃麗華；看到她在忙着做生意，又忙着和客人招呼。

這百貨部就祇有黃麗華一個女性。男人們見了小姐，什麼事都好辦，什麼話也都好說。

何況黃麗華長的又認眞的漂亮；大的眼睛，蘋果般的臉，……

有一天下午，我理過髮後到百貨部。這時候，正是男人的眞空，上班的上班，沒有上班的也有另外的事。她在櫃枱後面寫信。她看到我，就停下筆，信紙也反轉過來。

她問我要買什麼？我看了看，搖搖頭。我實在什麼都不需要。但我說：「我是來參觀的。」

「歡迎多指教。」她的嘴角掀起。那笑容確實夠美！就像微風在池水中掀起的漣漪。我在這樣想時，她的大眼睛盯住我，也盯出我的心事。

「你似乎──」我有點尷尬。在小姐面前，這本來是避免不了的嘛。

她的頭低着：「也許你在──」「我很想和你說幾句話，」我簡直不知道怎麼說出的。我知道我的臉在發燒。

我想轉身就走，但兩隻脚却沒有移動。她把身子轉過去，側着面對住我。這時，裏面出來一個男店員，才使這尷尬的場面稍爲調和起來。

我也故意買了一盒皮鞋油。在她給我鞋油時，她輕輕對我說：「晚上九點在淸泉堂後面見，我等你。」

我就這樣拿着鞋油走開。我爲這約會興奮，但又躭心，躭心她幷不來。

她居然來了。

「我知道你對我的情感，」她開門見山的說：「如果你在三年前認識我，我就不會拒絕你。」

我楞住。是否她──

「我有了愛人，」她的自我坦白：「他正在軍營裏。他酷愛軍營，他把軍營當做自己的家。」

「他也和你一樣，也是個大學畢業生。我在你的同事中打聽出來，你是個大學生。」

「但他離開大學，就跑到軍營。他說在萬惡的共匪爲禍國家的現狀下，青年人有責任站起來消滅它。」

「他說他愛國家甚過愛我。」

「他說國家是偉大的，也是永恆的。他希望我明白他的志向。我愛他，我就成全他。」

「我確實多方鼓勵他留在軍營。他現在正在外島。他每次來信，我發覺，在火藥氣味下，他是更加堅强起來了。」

我也更高興了。

「他有堅決的信心：要打回大陸去！」她說到這裏，我問她：她的愛人是那個大學的。

「××大學政治系。」

「什麼名字？」

「鄭國全。」

「國全？」

「你認識他？」

我承認了。我對他說：我不僅認識國全，而且還和國全是最要好的同學。

從此我還是時常到百貨部，但不是再想在她身上打主意，而是以仰慕者兼長兄的心情去照顧她。她也接受我的照顧，幷視我如她的兄長。

藝術叢話

抽象藝術漫談

趙雅博

新藝術對着挑戰性的實在性，採取的是逃亡的態度，沒有在實在性的本質上深入的意願。這種態度是人類工作形態之一。有了這種態度，藝術上由於害怕隱藏在瞭解事物之中的眞理，對於表現事物於藝術上的困難，置之不顧，結果使事物的眞理隱藏於自己反而愈益深晤，而使人有墮入五里雲霧之感。

在實效上來說，康丁斯基曾認爲：透過藝術品，而不乞援於任何實在物的呈現，不必使觀念客觀化，也不必將客體表達出來，人們就可以獲得一種美感。這是可能的，並且也是事實。因爲可塑性的材料，是唯一使美的創造成爲可能性的方法。這個材料在其本身方面是佔有一個出於偶然形式的崇高美與若干價值的，這些偶然的形式，由於藝術的職守，可能生出並激起一種美感。但是這種情形，並不如一般人所說的，能使藝術獨立化起來，也不能使藝術爲藝術。這是不可能的！這種情形只能將美的呈現，從其根本的原素上剝奪。所謂根本的要素，就是自立體的形式要素。沒有這一要素，整個的藝術品就缺了它的主要價值。但是，縱然承認前面的學說，我們也要被迫的承認，這種被人輕視的形式，由於它佔有一個原始的美的價值，也能夠增加流溢於物質價值，這些價值當然是附加的和加上去的。一個藝術品，如果願意歸縮成爲單純的方法，而使它們變爲目的，而放棄了藝術品的固有目的；這樣作，等於取消了藝術品的表現能力，而使它成爲不表現什麼的純表現，成了說話而不是言語。在藝術運動上，這並不指的進步；因爲一切的進步，需要有一種戰勝。可是在這個情形下，不但不是進步，而只可說是一種退步，它所誇耀的特徵，已經早在傳統的藝術作品，顯明淸楚了。但是這些特徵，這些來自物質或材料的特徵，這些美的價值，對形式來說，只是具有一種方法的價值，而在藝術品中還有目的價值。强調方法的價值，取消目的的價值，把方法的價值，當作目的價值，這不是使藝術品成了殘缺不全，由二而減少爲一，部份成了全體，美的縮圖，反而縮小，價值的區域也更緊縮。固然，在破壞全體的一方面，也是一種新價值的出現，但是如果只就它自己單純部份一面來說，它並不算作新的價值。

有人說，讓方法完全附屬於目的，在藝術上是防碍方法在藝術品上阻止其全體可能性的表現。不錯。然而我們也必需强調，全部的方法，或方法全部的可能性的全部表現，並不能改變自己的性質。這是說，方法自方法，目的自目的，方法在任何情形下，就其是方法來講，它是不能代替目的的。藝術品的目的，乃是自立體形式，它乃是美的唯一源泉。（未完）

劇氛傑鄉錄

婆娑生

某年，北平懷仁堂，有盛大的堂會，所邀角色，當然是將有名的，悉予羅致。時余氏常病，很少出演，可是戲提調認爲沒有余叔岩，就不夠份量。主張必須要請，方顯得格外隆重。在演出之前，親自去訪問，極爲謙和禮貌，他才答應唱羣英會，允飾魯肅，後面借東風，由馬連良去玩。此訊傳出，府中同人認以爲異，蓋不知余氏的志願也。

這場戲唱完，座中客人有對戲劇全沒有深刻的認識，竟而有人在問，余叔岩怎麼不唱？旁邊懂戲人告訴他，那魯肅就是他，身上多麼帥！問話的客人，竟說他唱得還趕上馬連良。旁客掩口微笑而已，覺得此人是老粗的一流，烏可來欣賞這精采絕倫的戲。

三千支票打發緹者

叔岩賦性剛健，不願向人低頭，家道小康，無須乞助於同行。尤其深惡軍閥恣睢，不顧個人身份，向不交結此中人物。當北伐成功，中央以晉籍將領有功於國，特派後來投匪之傅作義，衛戍平津，以酬其勞。越歲，晉省炎眚，演戲募賑，必欲余氏登台。余氏以久在病中，情懇乞辭。雖已邀允，傅部各屬仍寄恨甚深，必思藉機會以懲之。授意於警署，以查烟爲名，逕赴余家。入門之時，叔岩正在吞雲吐霧，聚精會神，默默休息。某警必欲拉之入區，余氏苦求爲體弱多病，完全爲藉烟延壽，情非得已。警士告以如不到區，即須罰欵。叔岩願罰欵抵罪，詢以數字。警示以三指，他即就榻上開鹽業銀行支票三千元付之，並表示感謝，緹者遂行。事後，同行中人，均知其因傲慢而受窘，深爲惜之。後來叔岩以告岳乾齋，岳爲疏通，俾延歲月，而區分所中，驟獲額外收穫，亦另眼相待，故未再有事故。

秘本殉葬 小冬失望

從前梨園行的老先生，往往有在病中自知將不起，輒將自己所藏關於戲劇本子，當着尚有氣息時候，用火焚化。這多是自私而極愚笨的舉動，因此前代名伶劇本，大多失傳，便由於此。不想余氏的所有秘本，也在他身後遭此劫浩，這是在中國戲劇史上，一項無法補償的痛事。

余家三代梨園子弟，祖傳的本子，已經不少，再加上叔岩能戲如此之夥，且有許多冷僻的戲，歷年收羅，以及積存，大槪有數百本，可裝幾大箱。在其生前，對其家所藏劇本，非常寶貴，秘不示人，即至好朋友，亦難窺其秘笈。因爲有這些本子，收藏很嚴密，即使有人得見這些本子，對於上面所寫的暗記，也無法瞭解。凡是余氏的朋友，都把這些本子，稱爲「天書」，表示難得一懂，有如「玉淸圖籙」的一樣神妙無窮。

當余氏在醫院養病，弟子孟小冬侍奉湯藥，歷時四十餘日，目不交睫，形銷骨立，叔岩心許這女弟子，眞出於至誠，非常感動，曾透露口風，說到所有秘本，將以部份給孟，作爲替師傳代之寶。

等待余氏故世後，這些秘本，當然在他的姚氏夫人手中。許多朋友，認爲余氏無學戲的後人，又無遺囑，如何處置？而姚氏更無以用之，就打算湊集欵項，作相當代價，買那幾箱本子，轉送他的得意高足孟小冬，也算物得其主。不料商量尚未妥當，聽說姚氏認爲這多本子，是叔岩心愛之物，生前既是寶貴，死後應當殉葬，就把它統統在其靈前，加以焚化！大家知道此訊，搥胸長歎，極爲痛惜。從此余氏技藝，永遠埋在地下，再難重見於人世。（四十）

虛君續夢

第十二回 異域購新居 民脂似水 冷宮傷舊夢 妾命如絲

康黎逃去寮北桑怒之後，越共胡志明就派人運來槍械，糧食，予以接濟，殘餘的寮共軍經過整補後也恢復了戰鬥力，兩部於是編在一起，組織軍事委員會，由康黎任主席，寮共營長辛加坡任副主席。康黎原來是個上尉，覺得未免太低，就自己提升爲准將，辛加坡也升爲上校。

康黎與寮共聯軍在越共的人、俄共的槍炮、中共的技術支持下，大舉叛亂，先攻陷北方邊境的丰沙里、桑怒，進一步又攻陷了中部平原重鎭川壙，在川壙建立了政府，仍遙戴在金邊的傅瑪爲總理。這以來，寮國就出現了兩個政府，西方國家大感焦急，就在這時那位人生以出風頭爲目的的小抖亂施哈諾，看準了機會是出風頭的時間到了，於是在金邊發表意見，主張召開日內瓦十四國會議來解決寮國問題。所謂十四國，根據施哈諾的規定是西方三大國英、美、法加上蘇聯，此外是與寮國爲隣的國家，柬埔寨、泰國、南越、北越、緬甸，還有中共這個「國家」，又是六個，再加監督印度支那停戰的三個國家印度、波蘭、加拿大，還有一個就是寮國本身。

施哈諾並且擬好腹稿，把寮國分成三派，寮國合法政府總理彭薩凡親王算作右派，傅瑪同康黎算作中立派，蘇發努馮同辛加坡就叫作左派；他這一分不打緊，却把寮國反共合法政府變成了三分之一的少數。

蘇聯同中越共當然歡迎這項解決辦法，一致通電贊成，並擁戴施哈諾主持此項會議。這以來更中了小抖亂的下懷，越發鼓吹的厲害。泰國、越南、寮國三國政府極端反對此項會議，美國也有些猶疑，施哈諾一怒宣佈不再主持日內瓦會議，馬上中越寮共聯軍又攻下兩個據點，永珍感到吃緊。

美國這時除非派兵入寮作戰，已不可能挽救寮國的危機，只好委屈求全，答應施哈諾的要求，召開十四國會議，定期在日內瓦開會。

中共正式接到邀請，參加十四國會議，眞是喜事從天而降。毛澤東馬上召集政治局會議商量應付之策。

大家到齊之後，毛澤東問道：「這次施哈諾召集十四國會議，對社會主義陣營是否有利，需要研究一下。」

周恩來笑道：「目前不必談有利無利，只要開會，我們就有辦法。那次日內瓦會議成立了越南民主共和國。萬隆亞非會議我們同施哈諾拉上關係，這多年來，很得這小傢伙的幫助，這次會議起碼可以使寮國成立中立政府，對我們當然是有利的。」

劉少奇說道：「也不能太樂觀，那次萬隆會議遇上了賈瑪利、柯特拉瓦拉等人，硬替我們安上新殖民主義的帽子，假若再遇上這樣的對手，可就麻煩了。」

周恩來說道：「這次不會了，唯一的對手只有美國國務卿魯斯克，他絕沒有賈瑪利那樣鋒芒畢露，老實講像賈瑪利那樣的對手，我畢生只遇到一個。」

毛澤東說道：「你可以同魯斯克拉拉關係，假若能同魯斯克談得攏，勸美國把台灣交還我們，把援助台灣的錢給我們，我們也就不反美了。」

（二九四）

冒險犯難記

鄧文儀

我在那裏工作了十個月，得到了十元大洋的工資後，我終於離開那深山，回到家鄉，以一半的錢交出補貼家用，其餘一半留作次年繼續讀書，讀完高級小學之用。

這是我一生冒險犯難的開始。我如不離家去深山工作十月，我亦就無法完成高級小學的課業，說危險眞危險，說困難也眞困難，一個十二歲的少年竟敢一個人到深山去參加開礦工作，事非經過，不知甘苦，我現在回想起來，倒覺得當時的決心與勇氣亦算難得。常人說：好的開始，便是成功了一半。我往後一生的經歷，多是在冒險犯難的驚濤駭浪中度過，顯見這次深山採礦的工作，更給了我勇氣，增加我天不怕地不怕的向前幹的精神。

二、家貧力學志在四方

民國七年的春天到民國八年同一個時節，我在國民小學的高等學校讀書，雖則家中貧困，常無隔宿之粮，但我的父母節衣縮食，我的祖父年邁猶幫人工作，終於省積下來很少的錢，供給我在小學寄宿膳食之用，使我得以完成國民學校的學業。

我因爲高小一年級讀完之後就輟學入山，這時再繼續讀書，我準備把三年的學業要在兩年時間完成，這在學校本身是相當艱難的事，同時學校亦從無這樣的先例可循，好在教務主任李熙明先生是我父親的朋友，他深知道我的家庭境況，也知道我的志向和我的勤奮努力，所以特別允許我試讀三年級，但須暑期考試能夠及格。我由於在礦山上工作時仍照樣溫習功課，不會荒廢學業，這時更特別努力，連星期例假之類也不放鬆，結果暑期考試，我的功課趕上了同學們，同班同級六十多人，考試結果我的名字列在第五。我的親友老師及同學們深深對我讚許，我也以能以此成績完成學業而自豪，可見「天下無難事，祇怕有心人」。

克復這種越級的困難，絕不是做不到的，我在國民學校雖則功課很多很忙，但仍有餘暇的時間看小說，我這時對三國演義，水滸傳，薛仁貴征東及七俠五義一類的俠義小說，一年時間總看了十幾部，對於我國歷史上的聖賢英雄豪傑，崇拜欽敬的意念非常濃厚，對一般草莽英雄，綠林豪傑，豪俠尚義，刦富濟貧，也引起莫大的同情和敬佩，道些小說逐漸使我立定志向，矢志此生要向四方發展，爲國家爲社會爲人類去作一番事業，披荊斬棘，除暴安良，決心要幹得轟轟烈烈，有聲有色。我當時自語：「大丈夫當志在四方，安邦定國平天下，決不可株守一隅，碌碌一生。」（三）

廉與貪

漁翁

廉者，不苟取也。論語：「古之矜也廉」。爲官清正，謂之廉吏。漢書：「廉吏，民之表也」。管子有言：「禮義廉恥，國之四維，四維不張，國乃滅亡」。廉爲四維之一，關係國家之興亡，至深且鉅。以往各公共場所，往往標榜「忠孝廉節」四字，以昭示世人，使其明忠孝，厲廉隅，尚氣節也。

談藪：「宋梁州范柏年，因事謁明帝，帝言及廣州貪泉，因問卿州復有此水否？柏年答曰：梁州惟有文川武鄉，廉泉讓水」。按廉泉，一名廉水，源出陝西南鄭縣南巴嶺山之鄧家埡，北流經廉水鎮入於漢。寰宇記作廉津，通志作廉泉。范柏年，謂梁州有廉泉讓水者，即指此。又劉宋元嘉中，一夕霹靂，忽泉湧出，時郡守以廉名，故曰廉泉，在江西贛縣治東南四里。蘇東坡有詩記之。

凡人不能明取與，辨是非，僅關係個人之操守，爲害猶小。若位在萬民以上之官吏，而不砥厲廉隅，則遺禍無窮。故古以「清，愼，勤」三字，爲百官守則。所謂清者，即廉之代名詞也。後漢王密懷金十斤，以遺楊震，曰：「暮夜無知者」！震曰：「天知，地知，我知，子知，何謂無知！」震卒後，百姓以其廉，爲之立廟，以「四知」命名，在今山東昌邑縣。見明一統志。

貪者，廉之反，愛財也。詩：「貪人敗類」。凡求得無饜皆曰貪。韓愈文：「貪多務得，細大不捐」。俗謂貪與貧相近；蓋貪小失大，貪小利則大事不成也。凡官吏之好財賄者，曰貪官。左傳：「貪以敗官爲墨」。鶴林玉露：「士大夫若愛一文，不值一文」。因此士人多重名節，而以貪婪爲戒條。晉吳隱之，字處默，性廉潔，爲廣州刺史，未至州二十里，地名石門，有水曰貪泉，故老云：「飲此水者，廉士皆貪。」隱之至泉所，酌而飲之，賦詩曰：「古人言此水，一歃懷千金，試使夷齊飲，終當不易心」。及在州，清操愈厲，民咸德之。

金錢財物，爲人所需要，故爲人所喜悅。見財勿取，道不拾遺者，世所罕見也。反之貪得無厭，多多益善者，則比比然也。相傳呂純陽在終南山得道後，三至岳陽，以賣油爲名，意在測驗世人之有無貪心者？賣幾一年，所遇皆過求增添者，惟一老媼市油不求添，純陽怪而問之，則曰：「既已秤足，何多貪爲！」純陽以其知足，以米投其井中，謂媼曰：「賣此可以致富」，媼視井中，皆酒也，賣之一年，果大富。後純陽至其家，適媼出，問其子曰：「年來賣酒如何？」答曰：「好則好矣，但苦猪無糟耳。」純陽歎曰：「何貪得無厭，一至於此！」乃取米去，媼歸視之，井皆水矣。

湘之南，有邑曰祁陽，距城南五里許，環山抱水，浯溪在焉。唐詩人元次山，與書家顏眞卿，路過此地，盤桓不忍去，所遺墨蹟多起，邑人追念先賢，爲建「元顏祠」以保存之。祠內住一僧，無恆產，崖上有一穴，名「瓮罇」，可容米一斤，傳每日有米盈罇，差供僧一人之食；後僧不知足，鑿而大之，則米烏有矣。此與純陽賣油事，雖均屬齊東野語，亦可爲世之貪婪者戒。

今者，八方風雨，我中華民國，處此風雨飄搖中，府庫不豐，凡我國人，上至官府，下至庶民，應如何仰體時艱，效楚令尹毀家紓難，漢卜式輸財助邊，以共挽一危局。若處處爲一身一家之衣食住行需要打算，置國計民生於不顧，試問皮之不存，毛將焉附？國若烏有，我又何存！故尙廉節，戒貪婪，爲今日復國必要之圖。

我的社會生活

雷嘯岑

過了約莫兩個月，中央忽密電川省劉主席，指逃民政廳長王又庸，教育廳長李爲綸行爲不檢，着即撤職，另任命羅貢華，蔣志澄承其乏。劉湘接電殊驚駭，抗辯不奉命，說王、李二人並無「行爲不檢」的事情，請中樞收回成命，形勢相當緊張，中樞即寄來一種「行爲不檢」的證據——照片，其中攝有兩個鏡頭：一是王又庸躺在床上抽鴉片烟，一是李爲綸在旅館內抱着一個妓女取樂作猥褻狀。然劉主席認爲別人揑造的，仍不接受新命。此時楊暢卿先生在湖北作主席，他感覺事態嚴重，乃從中斡旋，教蔣志澄先到任，讓王又庸於三個月後自動辭職，藉保中央威信。劉主席與楊氏交誼極厚，祇好同意，一場政治鬥爭的悲喜劇纔告閉幕了。王又庸的私生活本來是腐爛的，他那位姨太太就是在重慶「沙利文旅館」中相識的風塵人物，粵語叫作「車貨」，說他行爲不檢，庶幾近之。但他在成都作民政廳長時，除却跟潘文華一班軍頭們搓搓麻將外，尚無其他的敗行。至於李廳長伯玉，行年已逾六十，不吸香烟，也不打麻將，更不會以教育廳長而公然在旅館內玩妓女，他只是偶爾到朋友家玩玩四川的紙牌（川諺謂之亂戳）而已，他是無辜的替罪羔羊。這場風波的主要原因是有人要打擊「政學系」，排斥楊永泰在政治上的勢力。我想當時幸而未担任川省府的實職，否則亦可能被列入「行爲不檢」的罪犯之中呵！當我離開成都時（廿五年五月間），省府劉主席在他的私邸招宴，宴後閒談川政問題，他還提到民衆組訓這樁公案，會憤然作色曰：「有些人罵我是土皇帝，我對中央有那點非份的行爲呢？我從當排長起，一直到今天，從無背畔長官的事情，難道我到了晚年還要作亂臣賊子不成麼？那些說我是土皇帝的人，將來他想到四川來搭個茅棚子居住，我也不會答應的！」可見其憂鬱心情的一斑了。假使他不是在對日抗戰初期下世的話，中央政府在重慶八年之間，恐怕多少總有些麻煩，亦未可料——尤其不會讓劉文輝雄據西康，致貽後患。

是年六月間，我在重慶行營忽接滬電，謂內人吳紓華女士急病嚴重，已入醫院，我趕忙回到上海，未及半月，她竟去世了！中年喪偶，傷感殊深，思前想後，萬念俱灰。適楊暢公因患背疽，亦來滬就醫，我見到他，即埋怨道：「暢公硬要我到四川幹那種無關宏旨的政治教官，如今使我嘗到家敗人亡的痛苦，眞是後悔無及矣！」他說：「這種意外的變故，原非始料所及。我認爲四川地方很重要，將來國家一定需要它，此時我們應該像下圍棋一樣，要在川省擺下一枚散子，以期他日能發生作用。環顧友輩中人，我覺得你可以勝任『散子』的任務，所以教你留在四川幫劉甫澄的忙，前途很可樂觀，我依然希望你回四川去！」我問：「現在重慶行營顧主任亦留我，若回川，不知何去何從？」他答道：「墨三是中央的大員，不若川省情形複雜，關係甚鉅，你還是去幫劉甫澄罷！」我唯唯而退。（卅九）

花香月上樓小品

飲涼茶在香江（續）

黃葉村人

當初我很奇怪，我到過很多大都市，諸如天津、上海、北平、蘇州、南京、杭州、福州等地。除了廣州外，就罕見有像這般的涼茶店。而且，還些店在廣州（指淪陷前而言）香港，或者澳門，地點能夠適中的話，眞像向行道者收「買路錢」一樣，他（她）們都喜喜孜孜的，掏出一角子，飲它一盃而去。這等於俗語所說的：「拿錢買苦吃」是也。

後來經一再的體察、研究和調查，才明白香港人的好飲苦茶，和涼茶店的生意興隆，是有其天時地理人和的必然性的。換句話說，做這行生意的，也要看天時、地利、人事。並不是箇箇都像王老吉，大發其涼茶財。有的涼茶檔，除了兩隻大銅壺，一張茶桌子，一二十隻盌子之外，就只有三、五、七人在門口階下站的地方了。然而，那箇地方，就永遠的像「川流不息」，有時還要排隊而候，才有苦茶可飲。可是，另一方面，也有更堂皇、華麗的涼茶店，却不像這樣的生意如雲了。

此無他！一言以括之，有了地利，便不愁無有人和；有了地利、人和，天時一到（夏秋），便是人們送錢來的時候了。而那些堂而皇哉的店，「皮費」要化多，生意却少做，無他！也可一言而括之：「不得地利也」！地利不得，則人和何來？人和不來，則縱有天時，亦只能望塵而興歎耳。

說到香港人好飲苦茶之所以然，是不無理由的。一、所謂香港人，什之九都是廣東人，廣東人一日兩餐都是吃「燜飯」的，火氣十足；如果再加上「消夜」那一餐，也要燜臘味飯的話，若不飲涼茶，那能受得了？二、自己煲涼茶，也要化更多的錢，還得耗時間，損精神；何如化一毫半毫到涼茶店去，樂得逍遙自在（有些涼茶店、還有收音機可聽，有靠椅可以「傾偈」）？三、香港的自來水，是經過藥濾的，有很多人認爲飲苦茶可以消除這些過濾的汽質，這雖然是不經之談，但却不能免於一般的信。因此種種，涼茶店之在香江，便成爲與茶樓、咖啡室，鼎足而三的行業了。

記得最初在香江飲涼茶，只化一箇「仙士」，我離開香江的時候，已經起價到一毫，現在如何？還不十分清楚。除此之外，香江還有一種「龜苓糕」店，經常把一只蒸熟的龜糕，放在各種藥渣碟上作招牌，這也是廣東茶店的特色。據說：廣東人嗜飲茶而又怕傳染痲瘋，吃了「龜苓糕」，便可預防，信不信由你！（本篇完）

蔡邕與琵琶記

豁公

人們大多知道，後漢之陳留人蔡伯喈（名邕），是個博學多才的孝子順孫；文章經濟，彪炳一時！靈帝特簡爲議郎。以諫靈帝之寵十常侍——張讓趙忠封諝段珪曹節侯覽蹇碩程曠夏惲郭勝——任令干政；致遭張讓誣謗，放歸田里。

未幾董卓專政，廢少帝而立獻帝，攬名流以收人望，特徵蔡邕爲侍中，又擢爲左中郎將，邕遂以卓爲知己，心竊感之！

已而司徒王允，太傅馬日磾等合謀誅董卓，暴其屍於市，蔡邕潛往哭之！王允大怒，命將邕下獄縊死。

邕有女曰文姬（名琰），慧美能文，兼通音律，初適士人衛仲道，後爲胡騎虜去，下嫁於左賢王，已生二子，始爲曹操以金璧贖歸者也；所作「胡笳十八拍」，迄今猶傳於世！這是載於史冊，斑斑可考的。

然而元進士高則誠（名明）所作「南曲」「琵琶記」，則與此根本不同！它的情節是：「陳留人蔡邕，於未貴顯時，娶趙五娘爲妻，伉儷之情甚篤，初無意於功名！會朝廷開科取士，乃父從簡力促其赴京應試；邕不獲辭，遂將家事重託隣翁張廣才代爲照拂；初不自意其獲中狀元，並蒙牛太師招爲贅婿！而邕遂以此間樂不思蜀矣。（一）

內政部警台報字第〇三壹號內銷證

自由報

THE FREE NEWS

第四三一期

中華民國僑務委員會頒發
台教新字第三二三號登記證
中華郵政台字第一二八二號執照
登記爲第一類新聞紙類
（本週刊每星期三、六出版）
每份港幣壹角
台灣零售價新台幣弍元
社長：雷嘯岑
督印人：黃行蕃
社址：香港銅鑼灣高士威道二十號四樓
20. CAUSEWAY RD 3RD FL.
HONG KONG
TEL. 771726　電報掛號：7191
承印者：田風印刷廠
地址：香港灣仔高士打道一二二號
台灣分社
台北市西寧南路壹叁肆號二樓
電話：三〇三四六
台郵撥儲金户九二五二

從美國遠東助卿易人談越南現局

·宋文明·

美國主管遠東事務助理國務卿一職，最近作了更動。原任助卿希斯曼辭職獲准，轉任教授職務，其遺缺由原任國防部主管軍援事務助理部長威廉．彭岱繼任。這一更動爲詹森繼任總統後在國務院內所作的第二項重要人事任免，亦爲近半年來國務院內部僅有的幾件局部改組之一。因此，這一變動亦頗引起外界的極大注意。

主管遠東事務的助理國務卿，爲美國務院內主管地區事務的五位助理國務卿之一，他與其他四位主管歐洲、拉丁美洲，中東南亞，及非洲事務的助理國務卿相較，其職掌與業務性質，并無有何不同。但由於遠東地區北起日本與外蒙，西至緬甸，南至澳洲與紐西蘭，範圍廣闊，環境複雜，所以美國務院內主管遠東事務這一助卿的位置，也常較其他各個助卿更難獲得適當的人選。在其他各個助卿人選，不論是主管地區事務的，或屬其他事務的，都可以由職業外交官來充任。而唯有主管遠東事務的助卿一職，則常常不是一位職業外交官所能勝任愉快。所以自一九四八年至一九六四年，在這一期間由美國職業外交官出任遠東事務助卿者，只有白德華、艾理生，柏森斯及馬康衛諸位，而且任期都很短促，而其他時間則都由非職業外交官所出任。其中著名人物，則有魯斯克、勞勃森，及哈立曼諸人，可見這一職位在美國務院中所佔的重要份量。

前任助卿希斯曼，與現任助卿威廉．彭岱，亦均屬非職業外交官出身。前者在未出任遠東事務助卿以前，曾任美國會圖書館外文組主任，以及約爲時兩年的美國務院情報與研究處長，并長期從事研討國際政治。後者在未出任這一新職位以前，曾在國防部担任主管軍援的副助理部長，在此以前，并在中央情報局的國勢估量委會工作過十年。由於他們兩者的這種經歷，他們對於國際政治都有相當的瞭解，并熟習遠東地區的某些特定事務，但他們兩人都很難稱得上是一位美國的遠東問題專家。所以他們兩人的相繼出任這一職位，與其說是由於他們的經驗，還不如說是由於他們的一般性才華及其與白宮權貴間的個人關係。

前任助卿希斯曼，在其服務於美國會圖書館期間，即與當時任參議員的甘迺廸相識，從此兩人即成莫逆之交。待甘迺廸出任總統，希斯曼即被邀至國務院主持情報與研究處，成了甘迺廸在國務院內的重要心腹之一。現任助卿威廉．彭岱，不但與前總統甘迺廸爲中學同學，而且亦爲白宮紅人麥克喬治．彭岱之兄，與前任美國務卿艾奇遜之婿，因此他在今日華府官場中人事關係之佳，可謂絕無僅有。同時，希斯曼與威廉．彭岱，均屬新一輩的人才，兩人年齡與才氣大致相若，性格與思想亦頗相近。假若甘迺廸不遭遇變故，希斯曼在美國政府中的前程眞未可限量。而威廉．彭岱不論在甘迺廸時代，或在今日詹森政府之下，一直都在扮演一個重要角色。那麼何以希斯曼要求離開這一職位而由威廉．彭岱接任？是否威廉．彭岱的現有人事關係更好於希斯曼？固然，美總統甘迺廸的去世，對希斯曼的政治前途是一項重大打擊，而由於詹森總統與美前國務卿艾奇遜間的非常密切關係，威廉．彭岱自亦沾光不少。如詹森繼任總統後不到三個星期，便在白宮單獨宴請艾奇遜，并作長時會談。像這種情形，縱使艾奇遜無意提及威廉．彭岱的工作，詹森也會注意到這一問題。而三月十六日威廉．彭岱就職式中，艾奇遜的親自應邀觀禮，更可反映出這種關係。但由此就說威廉．彭岱的此次繼任遠東助卿是由於他的人事背景較强於希斯曼之故，實在是大謬不然。

希斯曼的此次離職，以及威廉．彭岱的繼任他的遺缺，自始至終，完全是由於越南問題。因越南自去年十一月發生政變，推翻吳廷琰政權，以及本年一月底再度發生新政變後，越南的士氣與民氣已受到很大不利的影響，致越共的勢力及活動突顯出猛烈的增加。再加之法國的宣布承認中共，及相繼提出東南亞中立化計劃，無異間接反對美在越南的軍事努力，使美國在越南的處境也更爲之艱困。在這種情勢下，美在越南便面臨了兩種困難的選擇。一種選擇是逐漸接受法國的提議，嘗試以政治性手段來解決越南戰爭；另一種選擇，便是更進一步加强在越南的軍事努力，企圖以實際的行動，來排斥國際間對越南問題的任何妥協性建議。處今之時，要美國接受越南中立化，當然是一件絕不可能的事情。可是要美國更進一步加强在越南的軍事努力，準備以實力解決問題，也不是一件容易事情。至少，美國假若不在作風上，執行技術上，以及人事領導上作一番徹底的改革，這種新的軍事努力，亦顯將沒有獲得成功的希望。於是就在這種壓力下，希斯曼便作了越南問題上的犧牲者。

美國在越南作一新的軍事努力，必須要使希斯曼去職者，是由於：（一）希斯曼在過去一年担任遠東助卿期間，是以應付越南問題爲第一要務，并作了相當大的努力。但經過這樣長時的努力之後，越南局勢不見改觀，反而更趨惡化，證明希斯曼個人的價值業經消失，已無法領導一種新的作法。（二）在過去一年，希斯曼先設法搞垮了當時美駐越南大使諾丁，接着又搞垮吳廷琰政府，最後并對本年一月底的越南新政變表示不滿。於是希斯曼對越南的政策及作法，直接間接和越南內部的爭執發生了牽連，并在越南本身引起了各種誤會。美國現在準

（下轉第二版）

鼠視行爲

請君入袋

今日與明日

俄、毛的雙簧劇

俄帝與毛共的所謂革命思想路綫鬥爭，表面上鬧得很兇惡，頗有不兩立之勢。如是乎，西方列強的政治人物大感欣慰，一心以爲鴻鵠將至，主張對俄共集團採取「彈性」政策，而紛紛向毛共表示親媚的言行，期待他們自相火拼，克收漁翁之利。

俄、毛一面罵陣，同時聲言：如果西方國家乘機攻擊共產世界，他們馬上就要合作抵抗。這樣即使西方列強害怕核子戰爭的惰性更爲深沉，而讓俄、毛的鬧劇安然持續表演，無所顧忌。

俄共裝成小花臉，對西方列強笑逐顏開，高唱和平共存俚曲；毛共扮演大花臉，對西方列強喊打喊殺，向亞、非與南美諸落後地區猛力進行反帝、反殖民主義運動。結果呢，全球的弱小民族與落後國家，皆在反帝、反殖民主義的煽動之下，敵視西方列強，成爲俄共集團的別動隊，把自由世界慢慢變色，使國際自由市場逐漸緊縮，而俄共集團乃自立於可戰可守的絕對優勢地位。然後大敲其「埋葬資本主義社會」的喪鐘，教「美帝」「英帝」以及「幫兇」的法蘭西，跑龍套的日本等，束手待斃，後悔莫及，縱有千萬噸氫彈，亦變成潮濕的鞭爆，廢物而已。

這幕精采的雙簧劇，決非英美那般低能短視的政治人物所能理解的！

愚蠢的政客

菲律賓呂宋地區的政客——包括省長，國會議員，市長等人物，爲着爭奪政治權位，竟以金錢暗中接濟菲共，利用共產黨人作工具，隨時謀害政敵，而使菲共的潛力日益擴張。引狼入室，自尋死路，可謂頭等蠢材也矣。

共產仁兄是擅長「利用」魔術的能手，專事利用別人，決不受人利用的。過去中國之所謂民主黨派如「民盟」「民革」「民建」諸政客集團，即想利用共產黨以滿足政治慾望，結果是替共黨做奴隸牛馬之外，還要沿街慘呼「交心」，自認罪該萬死！

菲島的政客們，固不足以語此也，悲夫！

緬甸解散反對黨

緬甸的軍人獨裁政府，最近下令解散國內各個反對黨，并沒收其財產和紀錄，理由是他們反對社會主義建設。

甚麼叫作社會主義？建設社會主義國家的條件如何？我想緬甸這位專政獨裁的宇溫將軍，根本就莫名其妙也。

天下烏鴉一般黑，凡是軍人專政的國家，其前途總是未可樂觀，緬甸更有甚焉，咱們等着瞧罷！

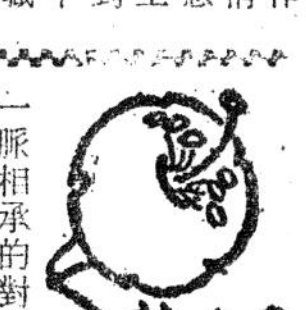

奇談一則

西方國家的執政者——尤其英美兩國——爲着發抒他們一脈相承的對華政策，自從毛共竊據大陸以來，即進行「兩個中國」的陰謀詭計，吾人不斷的予以抗議抨擊，指爲謬妄的姑息主義，也是舊有那套分而治之的帝國主義政策之重演。然而亦有中國人對於「兩個中國」這項惡作劇表示贊許的，說是「兩個中國」的事實，古已有之，算不了甚麼，且舉出對日抗戰時期的汪記政權爲例，夸夸其談。這眞是閉着眼睛說瞎話，莫明其土地堂也！

在中國歷史上，曾有若干個的中國政權出現過，如婦孺皆知的六國連衡以抗秦，即是最顯著的例證，此外如春秋戰國時代的諸侯之國，如南北朝時代之列國紛爭，不可勝數。可是，這些都是中國人自己內部一時的政治鬥爭現象，與辛亥大革命時期的各省獨立情形相同，并非由外國人擺佈玩弄而然，而且到頭來還是大一統的。現在之所謂「兩個中國」，乃是國際強權主義者抹煞中國人民的意志與利益，硬性製造，準備通過國際會議，強迫中國人接受，以適應他們的私慾。這樣一來，中華民國便不能以反共復國爲職志，偏安海島，俯仰由人，若要實行反攻，他們就可以根據國際協約，加以干涉制止，振振有詞，使中國人永遠過着一半奴役、一半自由的生活，這是稍有國家民族觀念的人，所能忍受的事情嗎？

在中國人之中，只有共產黨人可以接受「兩個中國」的計劃——他們是沒有國家觀念的——，他們一方面藉此可望避免中華民國政府的軍事威脅，同時又足以消散中國人民的反共意識，進而瓦解其團結精神，使大家怵於既成事實與國際形勢，聽天由命，自甘奴役。然共黨人士對於「兩個中國」的把戲，其情若有恨焉，表示反對，而號稱爲崇尚自由生活的中國人，竟贊許這種國際陰謀，是誠何心，百思莫解！按照這種思想體系，則汪精衛，乃至殷汝耕之流，都是愛國志士，不應該謚爲漢奸了。

假如我是英美人士，一定建議莫斯科的「史達林和平獎金委員會」，趕快頒給這類中國人以鉅額的「和平獎金」，因爲這類人間接維護、幫助共產政權的生存發展，功勞甚大，殊堪嘉獎也。阿彌陀佛！

馬五先生

選戰進入「熱」的階段
台北市長選情撲朔迷離
陳逸松異軍突起要競選
陳無黨派自謂強過周百錄與高玉樹

（本報記者台北航訊）台北市第五屆市長選舉，距今僅餘二十餘天，選戰已經進入「熱」的階段了。執政的國民黨所提名的市長候選人周百錄，在三月二十二日上午八時，跑到台北市第五屆市長選務所辦完申請登記的手續，成為完成登記的第一位市長候選人。

吳三連捧場周百錄

立法院院長黃國書，和第一屆民選台北市長吳三連（吳非執政黨人士），曾特別表示捧場，向報界發表書面談話，把周百錄推崇一番。黃國書與吳三連，均台灣籍有力人士也，在那時候，儼然顯示周百錄之終於當選，已是水到渠成。

可是這幾天來的台北政治行情，就好比這幾天的台灣氣候一樣，忽冷忽熱，一會兒晴空萬里，一會兒陰雨綿綿，如果一不小心，就難免於傷風感冒。現在距離投票日期不過二十多天，屆時畢竟誰獲得百萬市民支持而登上市長的寶座，似乎還撲朔迷離呢！尤其由於頗有來頭的陳逸松之異軍突起，宣佈出馬競選，更使選情複雜化，予人以墮入五里霧中的感覺。本報記者日前特別跑去訪問陳逸松一次，和他談談他出馬競選台北市長的動機和其抱負種種。

陳逸松目前在台北做律師，他就是在他的法律事務所接受記者訪問的，他首先便說：「我應該包括黨外人士之內，而不應受到排除一和歧視。」他說：據報載，所謂黨外人士一致支持所謂黨外市長候選人高某云云，但「我是黨外人，我沒有支持高某。許多黨外人，都和我一樣。難道除了那些支持高某的黨外人士之外，黨外就別無人了？豈不是天大的笑話嗎？」

陳逸松談競選動機

陳逸松強調：「我是不屬於任何政黨的自由人，我以一個自由人來看市政，來看本省地方自治，來看國家民族的前途。由於時局對我們不利，乃想起『國家興亡，匹夫有責』的古訓；同時看到國民黨所提名的市長候選人，與外傳黨外候選人，都不太妥當，所以參加競選。」

陳逸松又說：「國民黨市黨部主委王成章『臨危受命』，這是很對的。然而周百錄不能謂之『臨危受命』。這是我個人的觀感。因此，決心競選到底。在以往，我不知道高玉樹先生出來競選，就是現在，我還未明瞭他的意向」。

陳逸松還很肯定地表示：「在我們三人中，（按指周百錄、高玉樹和他自己）比較起來，以我競選市長為最適當。」又說：「除周百錄、高玉樹二人外，如有比我再適當的人選，我可以考慮不競選。但我有信心和周、高二人較量一番。」

批評周高惡性請客

陳逸松抨擊政治風氣敗壞，他說政治風氣敗壞的原因，係由於公職候選人不守法的緣故。他說：「外界批評周百錄、高玉樹二人，天天請客，而且惡性比賽請客，請問：台北市的選民所希望的是市長候選人的一餐一飯嗎？或者是一桌豐盛的酒席嗎？因為政治是管理眾人的事，而不是由主政者施予小恩小惠。果如此，則我們的民主政治將永遠無法進步。過去，黨外人士指責國民黨候選人如何如何，而今身為黨外人士的高玉樹為何不以身作則？而且追隨效法其他的候選人，天天請客？他到底有什麼可恃而不怕國民黨人檢舉——值得使人懷疑。」

陳逸松對本報記者表示：「有人說我沒有群眾，可是我從來沒有離開過群眾。比如說，我的平民律師工作，就沒有離群而居。」陳逸松說：「我要大聲呼籲：消滅特權，特惠，不作政治買賣；主政者，一定要在大家需要之下去做，不要使用手段。」

李萬居表明了立場

陳逸松強調指出「現在台北市民們的慾望是清明的政治。」所以他要出而競選。

對於陳逸松的競選，高玉樹表面上是很鎮靜不在乎的樣子，實際上則頗受影響。因為郭國基等都樂意為陳逸松助選。另據省議員李萬居對記者說他不準備競選台北市長了。他說陳逸松為本省不可多得的政治人才，他表示希望他的親友和台北市的選民，支持陳逸松。李萬居稱道陳逸松為「正人君子」。

畢竟陳逸松能否壓倒周百錄與高玉樹呢？這是目前眾所關切的問題。

按：陳逸松出身於日本東京帝大法學部。在東京和台北先後執業律師事務。他曾當選日據時代台北市議員，抗日勝利後，陳逸松曾被選為參政員，並曾任行憲後首屆考試委員，中央銀行常務理事。有的人或許以為陳逸松本人缺乏財力，前途難有作為，但據傳台北地方若干財團願全力給予支持。若然，可真是未可小覷！

台灣論壇

如此怪例

陸嘯劍

最近監察委員陶百川黃寶實兩公，為台北市長黃啟瑞涉嫌貪污瀆職一案，提出了四推事彈劾案，認為審理該案有關的四位法官，認事採證違法失職；四推事則以「自由心證」為護身符，在各大報紙援連聲明，大事攻擊監察院干涉司法獨立。一來一往，形成了監察與司法之爭。目前案子已經移送公務員懲戒委員會，是非曲直，就全看懲戒會的公平裁決了。

值得研究的是高等法院和最高法院審理案件，依法都是合議審判，按法院組織法有關合議庭的組織，二審判決黃啟瑞無罪的推事起碼三人，三審駁回檢察官上訴因而黃案無罪確定的推事最少五人，何以陶黃兩公僅僅祇彈劾了四位法官，而輕輕放過了其他參與審判的四位推事，是何道理？

被彈劾的四推事中，二審三審各佔一半，合議庭的裁決是依評議推事過半數決定的，二審中未被列名彈劾的那位法官，或可認為是反對該判決的少數派，可是三審確定判決中，未被彈劾的卻是多數，這又當作何解釋？

根據報載發表的陶黃彈劾四推事全文，乃是以「例不閱卷，難以認為明知」作為開脫理由的，我們不明白，這幾位「南郭先生」根據的是什麼怪「例」，參與評議而不閱卷，試問還評個什麼東西？議個什麼道理？合議審判的精神，那能不蕩然無存。

如此怪例，依法無據，依理不合，奇怪的是我司法當局竟能容其存在於前，而職司糾察，素博清望的陶黃兩公，也因此默認事實於後。如果認斷事不公採證不當是違法，那麼倖為評議實不閱卷，難道不算失職？

我國刑事訴訟法關於證據的取捨，是決定於法官的「自由心證」，可是「自由心證」的「自由」，究竟到什麼限度，法律卻沒有一個明確的範圍。黃啟瑞案之所以引起爭執，正因為法官的「自由心證」，所憑藉的「經驗法則」，已經「超越前進」到一般常識所無法領會的地步。為防止「自由心證」的濫用，雖然我們沒有實施陪審制度，如嚴格貫徹合議審判的精神，多少也能發生一點牽制作用，黃案審理之未如人意，這未嘗不是一個主要原因。

在「自由心證」上打官司，公說公有理，婆說婆有理，很難打得出什麼明堂。即使明違法失職，也未嘗不可扯成學理之爭。「例不閱卷」的「例」字上，倒可大大做做文章。

陶黃兩公，是賢明察秋毫而不見輿薪乎！

基隆旅居記

仲公

原有中國漁業公司，自四十四年度開始，即積極從事開拓遠洋鮪釣魚業的籌劃，關於漁船的製造，船員的訓練，漁場的探勘，漁具漁法的改良，以及組織經營等有關事項，都已次第準備完成，其第一期建造的三五〇噸鮪釣漁船四艘，業於四十六年竣工，開始作業，現正朝着這個方向，大事發展。

基隆的漁民，都是靠海為生，和驚濤駭浪搏鬥，富冒險精神，這是所有漁民的生活通則。當二次世界大戰未爆發前，基隆漁民，就一般說來，都很優裕，凡從事沿海漁業的，每年不過自四月至十月，出海五、六個月，所有收入，即可安定一家的生活一年而有餘，其餘的時間，都可悠哉遊哉，無須靠其他副業為生。

據老漁夫說：「日據時期，海面時常有小型氣旋發生，漁舟往往不及躲避而遭覆沒，船上漁夫，常有滅頂之禍，氣旋過後，沿岸漁民家屬尋覓屍體，哭聲震天，慘狀不忍目睹。說也奇怪，光復以後，這種現象已不復見，但漁獲量則遠不如昔，此事殊不可解」。漁民大抵生性豪放，嗜酒好賭，亦喜好狎妓，故收入雖豐，鮮有積蓄。而日常衣著起居，極為簡陋，住屋多為泥土或紅磚砌成之矮小平房，從前也有利用海濱石塊因陋就簡砌成之房屋，頗為堅固，至今猶有存者。漁民皆重迷信，每年用以祭祀神明的費用，估計約佔總收入百分之廿以上。最隆重的祭典，為農曆三月廿三日迎天后聖母及十月十五日謝平安。相傳天后聖母常於海上救助漁舟，故漁民祀奉特虔誠。所謂謝平安，即係酬謝神明在過去一年中保祐之勞績，並祈禱未來之庇佑，祭典舉行之日，大宴賓客，觥籌交錯，不勝其樂。從前仙洞一帶漁民，且以赤宗米粉為點心享客的，至今猶傳為佳話。

我國漁民有以漁業為專業者，有以漁業為兼業者，亦有以之為副業者，前者名之曰專業漁民，後者名之曰兼業漁民。基隆漁民向以專業居多，兼業的則極少。第二次世界大戰時，年富力強的漁民，多被強徵入伍，故各漁村生活頓形貧困。光復後，經政府極力輔導救濟，乃漸恢復元氣。但目前生活仍屬清苦。根據市漁會四十二年統計，從事漁業者，每人每月平均收入為新台幣伍百元，生活勉可自給。從事近海漁業者，每人每月平均收入約三百元，不敷家庭支應，須兼工商副業為生。從事沿岸漁業者，平均每人每月收入約二百元，必須以農工副業為補助，纔可勉強維持生活。十餘年來，政府雖積極為漁民謀福利，如漁船放領，漁業生產貸款，及舉辦漁民保險等，然漁民的收入仍提高甚少，一般漁民仍在艱苦中掙扎。（卅四）

香港與大陸

出爾反爾自打嘴巴
毛共大攬節育宣傳
極盡暴露到處挨罵

近幾個月來，中共在廣東各地，大肆宣傳避孕和絕育運動，要婦女們少生孩子，說甚麼「生孩子不是個人的私事」而是「有關國計民生的大事」，因此生孩子也應該按照「國家」的計劃。才能減少「國家」的負担。

據由大陸經港赴南洋的僑眷曾師奶透露：廣東省任何一個城鄉，都在大肆宣傳避孕和絕育運動，中共在這一方面的宣傳，雖係前幾年已開始的，但是，宣傳的廣度和深度，卻以最近幾個月來為最。

曾師奶說：中共首先批判了那些所謂「母親英雄」和「模範母親」的盲目生子女（按：中共在掠取政權之初，曾鼓勵婦女們多生育孩子，並對「多產」的母親授予「母親英雄」或「模範母親」之稱號。）會有多大害處，第一，會給「國家」帶來許多麻煩，因為生了孩子是要由國家負責的，從托兒所到受教育，從教育到勞動就業，都要由「國家的安排」；第二，子女多了，使父母難以照顧，因而是使下一代的健康受到損害；第三，家庭中人多了，便會增加麻煩，破壞了家庭中的幸福：……

曾師奶說：中共這次的宣傳，是通過深入城鄉衛生工作人員的宣傳，及漫畫、電影等方式。幾個月來，它們到每一個農村或街坊，大向人們解釋避孕的智識，而且大用「精蟲」、「卵子」、「性交」等使人們吃驚的名詞，甚者，中共人員所利用的漫畫圖片和各種性器的圖片，以及組織流動的電影隊，在城鄉熱鬧的地方展出圖片和放映有關避孕一絕育的片子，更利用一些共幹的太太不知恥的談其如何與丈夫合作避孕。

曾師奶說：中共是項宣傳，在人們心目中引起了極大的波動，當衛生工作人員深入城鄉宣傳時，人們却背地裏說她們不要臉（宣傳者多為女性，且多未結婚的），認為一個未結婚的女孩子便在亂講生孩子的事，實在羞死人了。當共幹強迫婦女參觀「圖片展覽」時，婦女們都含羞掩一面不忍卒睹，還有一些老人看見到處都是這些有關男女的圖片如流動電影隊，不覺憤然大罵這是甚麼世界！禮、義、廉、恥那裏去了！

從美國遠東助卿易人談越南現局

（上接第一版）

備在越南作一番新的努力，就勢非先清除這種人事障礙及誤會不可。所以希斯曼的辭職，及威廉．彭岱的繼任其遺職，并不表示美對越南的基本政策有何改變，而是表示美將決心一新耳目，準備與越南新政府建立密切關係，從事一項更有力的作法。

由於美國現在對越南的基本目的，并非改變政策，而是僅在改進作法，加強努力，所以威廉．彭岱便成了這一改革中的最適當人選。因他在美國防部任職的經驗，可以幫助他瞭解越南戰爭的實際情況，他和中央情報局的多年關係，可以保險能獲得此一機構的合作，又由於他的[illegible]弟担任白宮要職，他和總統間的聯繫亦無問題。就由於威廉．彭岱代表了美國務院，國防部，白宮與中央情報局四者間的密切聯繫，所以緊接着他正式就職的次日，美白宮發表國防部長麥納瑪拉訪越報告，聲明美國決心加強在越軍事努力絕非偶然的事。

歡送宴

我們大家都把杯子舉起，先先後後的喊着：

「乾杯！」

「乾杯！」

然後，一齊把酒灌到喉管裏，咕嚕嚕，咕嚕嚕而面不改色。

然後又一一盛滿酒。又乾杯。紅露酒的瓶子在我們面前幌着。瓶子上面的紅簽紙，在燈光下發亮，就像星星眨眼睛。

我們是在歡送徐排附。我們先是輪流着向徐排附敬酒，之後簡直就是全體喝。

「這樣子，我們會醉倒的。」徐排附端起酒杯說，却還是乾了。

「醉了才夠意思。」

「當醉的時候不醉，那是傻瓜。」

又是乾杯。

徐排附握起紅色的筷子，就像小洋燭似的。他極喜歡吃香腸，一盤吃完，又來一盤，又來一盤。

徐排附紅着臉。他是有點醉意了，又主動端起杯子。

「我要和各位喝酒。我明天就走了。我的快樂是在此刻。我要醉一下。」又說：

「我感謝各位，我來到這連上，各位幫助我，使我完成使命，沒有過失。」又說：

「我在連上學得許多東西，還在連上獲得這麼多朋友。」

徐排附又告訴我們：他不但有父母，還有個溫暖的家庭，但他最喜歡的還是軍中生活。他說：「我把連當成家。」他說：

「這次過年我不就是在連上過的？我的女朋友在台北足足等了一天，她認爲我會請假回去的。她還和我吵了一場。」他說：

「我早就決定了！我的事業在軍隊，我的事業在戰場，我不會改變的。但現在，我奉命要到另外的連上去了，我心裏眞不大好受。」

他又把酒倒進喉管裏。他連喝了三杯。

我們大家亦陪他喝。結果大家都有了酒意，話也談得更多，無拘無束。

我們都在戰場上生活的，槍林彈雨中，我們覺得最夠刺激。我們每人又講了自己的一段戰鬥故事，愈講愈興高彩烈。

酒杯裏又是酒。我們的影子在杯子裏幌動，就像杯子已變成戰場似的。

「喝酒！」

「喝酒！」

我們的眼睛眨紅絲了，實在是大家都醉了。但我們是快樂的。眞正的快樂的。誰也沒有拉長面孔，沒有肚子裏醞釀陰謀，多麼痛快，多麼開心。

我們又把杯子高舉起來。地上是酒瓶。桌子上也是酒瓶。

但我們還在喝酒，還在一杯又一杯的乾。

「乾杯！」

「乾杯！」

我們記不起是怎樣結束這次歡送宴的。但我們幷沒有一個人在宴會上醉倒，而且每一個人還認眞感到這次歡送宴夠痛快，夠開心，至今念念不忘。

藝術論語

抽象藝術漫談

趙雅博

我們又知道自立體的形式乃是觀念，觀念乃是三級抽象的結果。用方法來表現觀念，方法並不是觀念，這是顯而易見，不言自明的事。現在當代藝術有以方法代目的的錯覺，這是不可以的。總之，材料無形式無美，美無材料也無法表現；材料與形式是兩者兼之才能構成一個整個之物，缺一而不可。現在忽視其一，藝術品便是殘缺不全了。那末這樣的運動，在基本上就要有問題發生了！

抽象在藝術上的問題

今天的藝術家們，好多都在從事抽象藝術，這種流行風氣，並不是由於時代流，潮尚風，或者對原始性過份的愛好，也不是由於想炫惑羣眾，揚名大家，或者是要妄用觀衆的好心，都不是的。今天的藝術家之所以一窩風似的從事抽象藝術，乃是由於遮掩自己的不盡藝術的任務，掩飾自己在藝術許多型態的無知。須知，如果徹底的去作抽象藝術，或者說要執行嚴格意義的抽象藝術，其困難程度，遠遠超過了具形具象的藝術。具形具象的藝術，只要一次佔有了藝術的任務，大部份就算成功了，在最後的極端，是抄襲模仿自然，而告完成了任務大吉。抽象藝術呢，在藝術任務之外，還必須有抽象的能力，這一能力爲深入到事物的內心，乃是不可或缺的。這種達成內心的抽象能力，固然是人人皆有，但是在具體的運用方面，則不是人人皆能；縱讓是人人皆能，但是在瞭解他人因抽象所達成的成果，則不是人人皆能了。這不但是在觀衆方面有困難，就是在藝術家方面，也有不少的困難。藝術家方面在瞭解由抽象而得到的物的本質，在瞭解物的不變眞義，也很難人人相同。爲此，抽象藝術比具象藝術較爲困難的說法並不是無的放矢的。此外，以有形之筆表示物的無形抽象本質，更是一件難事，而也很難大致相同。

這裏人們也有另一個問題發生：即爲何前五個、三個、兩個或一個世紀的時候，沒有抽象藝術的出現，而必定等到現在呢？這個問題，只有一個答案，一個理由，一個歷史的理由。今天的藝術家之所以從事抽象藝術，乃是由於歷史環境，迫使他們如此。是的，我們知道每個時代有每個時代的文明文化，也每個時代有每個時代的思想潮流，大勢所趨，羣赴若狂；人固然有意志的自由，一事之取決在於我們的意願，但是時代環境，習俗風尚，也極能深入人心。在藝術上又何嘗沒有這樣的契機呢？今天的有抽象藝術，並不是來自藝術家的完全自願，這其間也有必需的成份在。當然，我們也需要分清，這一歷史的命令，也就是說這個藝術歷史環境的必要性，並不與物理環境的必要性相同。物理的必要性，我們是不能取消或忽視或無視的，歷史環境的必要性，則是能夠爲我們所無視，或故意不以爲意的；但這並不是應該的。

（未完）

嘉莉的日記

汶津

十一月二十七日，星期二。

想不到一躺就是三天，眞病了！也可以說是「偷得浮生三日閒」吧，今天可再不能賴牀了，於是重新「披掛」（穿上那套難看死人的制服！）上學。

「歡迎小精靈復辟！」吳敏偏會耍小聰明，我一走進教室她就怪聲怪氣的叫出來。倒是邱鳳英、李吉明她們還蠻有人情味的，向我問長問短了老半天。看來這一場病也沒有白生，我和李吉明上星期才嘔過氣，大家好像全忘了。

可是歷史課的上課鈴一響，我仍忘不了他。那位被同學取了個「高力士」的雅號的代課老師啊，教教體育還差不多！學校辦事的人都是飯桶，偏偏請這種寶貝來！

躺着的那三天裏，發高燒不說，睡醒過來的時候，總難免胡思亂想的——如果我大上四、五歲多好啊！那我就可以和他……可是夢裏的那條蛇到底代表什麼呢？回想起來都會出一身冷汗的。

十一月二十九日，星期四。

有一個三年丙班的男生老是不懷好心眼的盯着我看，我得小心。那個人的綽號叫「壁虎」——我看倒有點像一隻蚩老虎。好在現在我都和李吉明一起坐專車回家，不怕他有什麼陰謀。上學期有一個女同學差點被兩三個男同學欺負，後來男生全被老師抓去了，各記了兩大過，我在週記上把它大書特書一番，說是「本校第一大德政」，想不到導師批了個「不宜隨意誇張」的評語，簡直廢話！

哥哥的成績單上兩個大紅字，眞精采！不是我幸災樂禍，像他這樣的寶貝學生，全及格了才沒有天理呢！

明天得看我的分數單了。

十二月一日，星期日，晴。

中午我們一夥五個人跑到操場前面的稻田旁晒太陽，眞舒服。洪秀貞附着我的耳朵說：「告訴你一個祕密！」「好啊，」我滿懷好奇地回答。「先講條件——你那三本電影畫報借我回家！」「小丫頭，到底有什麼祕密！」洪秀貞這個人，早叫我看穿了。

「我們一言爲定。」——是崔荷香和她的那個……」她的「那個」！原來洪秀貞也成了包打聽！

說了半天，「不出山人所料」。唉，世風日下，人心不古！

吳敏她們三個早走遠了，沒福氣分享這樁祕密。

回教室從頭到腳再看看崔荷香，越看越不順眼。

十二月四日，星期三。

那個缺德鬼又替導師安上一個新外號——「一隻眼」。意思是「睜隻眼，閉隻眼」，根本不管事！如果我是她，至少先把崔荷香打上十大板屁股！

國文老師老愛唸錯字音，反正他的國音是這輩子沒希望及格的了！我們私下公推邱鳳英爲統計股長——專統計國文老師的錯字和地理老師的口頭禪「那麼」。

（六）

瘟君續夢

第十二回：異域購新居　民脂似水　冷宮傷舊夢　妾命如絲

周恩來搖頭道：「這件事是作不到的，美國也沒有權力命令國民黨把台灣交還我們，唯一可能只有勸美國退出台灣，然後我們自己派兵解放台灣。」

毛澤東連連擺手道：「假若美國答應這樣的條件，我們千萬不能應允。」

周恩來詫異道：「我們目前在華沙同美國談判，就是提的這項條件，美國始終不肯承認。主席怎麼又說這個條件我們不能答應。」

毛澤東噴個烟圈，十分神秘的說道：「恩來同志，你怎麼忽然胡塗了，美國眞的撤退了，咱們有沒有力量解放台灣？一個金門島就把我們害苦了，那次我們出動這麼大的力量，金門之戰美國人沒出一兵一卒，結果我們吃了大虧。憑什麼去解放台灣？試想到時美國眞的撤退了，我們還是不解放台灣，面子向那裏放？不如留着美國作擋箭牌，我們把不能解放台灣的責任，一股腦兒推到美國頭上。」

劉少奇笑道：「不能解放台灣還是小事，最怕美國第七艦隊一旦撤走，國民黨軍隊必然要渡海進攻，這頭獅子在籠裏關了十幾年，一旦放出來恐怕還眞不易招架哩！」

毛澤東一拍大腿，說道：「一點不錯，我們現在向美國把價錢要得高高的，不但要第七艦隊退出台灣海峽，還要美國負責把台灣交給我們，國民黨不肯，美國就同國民黨打，必須是這種條件，我們才能接受。」

全體政治局委員都不敢笑出聲來，只有賀龍心領神會，坐在沙發上咧着大嘴傻笑。

周恩來問道：「這次去日內瓦開會，派誰率領代表團去呢？」

毛澤東說道：「這還用問，當然是你去。」你的路徑也比別人熟些，你已經去過一趟了。」

周恩來搖頭道：「這次情形同那次不同，出席人員都是外長，我不方便去，因爲我現在已不兼任外交部長了，還是派陳毅同志去吧！」

毛澤東冷笑一聲，指着陳毅說道：「派他率領代表團出國，老實講，我可眞不大放心，他要在瑞士又亂搞女人，被當地警察抓去，那個笑話就大了。」

陳毅陪笑說道：「主席放心吧！我也不會這麼笨。」

毛澤東說道：「你率領代表團去瑞士，到地方一定住在高級旅館，自然也就有許多漂亮女人出出進進，你那個賤脾氣，見了女人連自己姓什麼都能忘記，開會講話也一定驢頭不對馬嘴。那怎麼成？」

陳毅笑道：「主席放心吧，我也六十過外了，對女人的興趣，近來也大爲減低了。」

毛澤東冷笑道：「你不用同我調花槍，山難改，性難移，我已經快七十歲的人了，也還未到了忘情的地步，何況你？」

陳毅笑道：「老爾多情是壽徵，主席同我都要享高年的。」

一句話引起了閧堂大笑。

毛澤東哼了一聲：「你那能同我比，我活一百幾十歲是沒有問題的，試看我到現在還能橫渡長江，你行嗎？」

（二九五）

冒險犯難記

鄧文儀

那時國民學校校長是一位保定陸軍軍官學校的學生，姓王名叫英兆，他雖未有軍籍的，似很失意，方在家鄉担任一個高等小學校的校長，但他的氣宇軒昂，志向雄壯，精神充沛，常和我們一起上體操，講故事。他曾用了半年的時間，每星期在三個夜晚自習的時候和我們住校的高年級學生，講解水滸傳，把梁山泊一百零八名好漢的出身能耐與英勇事蹟，繪影繪聲，刻劃得深入淺出，對水滸寨一班英雄好漢刦富濟貧，替天行道等忠義事蹟，如宋江、盧俊義、吳用、公孫勝以及武松、李逵那些人的智謀，武藝，不滿現狀，行俠仗義的奮鬥犧牲精神，講述得慷慨激昂，悲壯熱烈，眞令我們眉飛色舞，人人都懷抱著嚮往效法的情緒。

王校長更把我們一班同學分別比擬，某人可作什麼人，某人有某人的資質氣概，一一品評。我對他的水滸傳說書演義，印象極深，曾當衆表示，今後一生當以行俠尚義，除暴安良爲立身行事的準則。我之立志，到四方行走，先從尋師訪友，遊山玩水作起，如學問稍有成就，即當爲國家社會，貧苦及被壓迫的同胞，作一番驚天動地的事業。當時我不知這就是革命思想的萌芽了。我的小學學業是在困苦艱難的環境之下完成的，我最高興的是得到賢師指點，啓發，使我立定志向，要替老百姓做好事，獻身國家。

由於在國民學校的遭遇，及各種困難都終於度過了，我開始懂得人生在這時代，苦難是免不了的，每個人每個時間都可能遭遇到危險困難，祇要我們能夠不怕冒險的去克服困難，並存心爲大衆去受難，我們便可到處逢凶化吉，履險如夷。我的父母這時已開始唸佛吃長齋，佛說：「我不入地獄誰入地獄」，佛觀世音菩薩大慈大悲救苦救難的精神，都深印在我心裏。這是我一生念慈在茲，出死入生，置生死於度外，爲了救人救世，立定不惜冒萬險犯萬難的壯志的又一啓示。

三、惡作劇，騙老師

我在國民學校完成學業之後，雖則家庭經濟境況，日趨惡劣，生之者寡，食之者衆，毫無好轉的希望，急需我這個長子參加家庭勞作及設法賺錢，我仍堅持要投考中學，不顧一切困難，以求如願。因爲那時國民學校是春季始業，冬季畢業，而中學却是秋季始業，我們由國民學校升入中學，中間有半年時間，同學四十多人，約有三分之二共同集，在離學校不遠的一所巫家祠廟中補習，以國文算術爲補習的中心課程，聘請了一位鄉賢隱士的周樹芬先生任老師。周老師曾去日本留學，道德學問爲全縣人士所崇敬，是一位難得的良師。（四）

想起賈島

漁翁

以苦吟詩人爲稱的賈島，范陽人，字浪仙，號碣石山人，曾因屢試不第，遁入空門，法號「無本」。其後又接受友人勸說而還俗。

賈島在騎驢途中，曾苦吟得句曰：「鳥宿池邊樹，僧敲月下門」。「敲」字初欲作「推」字，以推與敲，均用手爲之。用推者，門未緊閉，用手可推開也；敲則門已關住，須敲之使人啓開也。既在月下，時至深夜，門應已緊閉，用推字不宜。然寺庵乃幽靜處，若以手敲之，豈不大煞風景？於是推耶？敲耶？賈島頻頻以手作勢，仍不能決。

時大尹韓愈乘輿經過，賈因全神貫注於推敲詩句，不及規避，竟衝韓輿；從者執之，韓以賈口中猶喃喃不休，狀若顛狂者，怪而問之：「爾行路何不小心？」賈以實告，韓始知其爲詩人，下與相與爲禮，並爲言「推不如敲」，兩人遂結爲詩友。今謂斟酌字句爲推敲，本此。

又一次，賈島遊長安法乾寺，與其從弟「无可」唱和，渾忘所以，會宣宗微服而過，聞吟哦聲，入寺，見案有詩卷，取而閱之，賈怒，即奪回之，宣宗悻悻而去，賈島嗣悉爲九五之尊，頗驚悸，入宮請罪。而宣宗不以爲非，且命爲長江主簿，時稱爲「賈長江」。有爲詩以嘲賈島曰：「騎驢衝大尹，奪卷忤宣宗」。傳爲佳話。

賈島爲詩，極其認眞，即一字之微，往往亦經長期反覆推敲，始敢決定。其所詠：「獨行潭底影，數息樹邊身」，據云經過三年之思索與推敲，故有云：「二句三年得，一吟雙淚流；知言曰不賞，歸臥故山秋」。宜乎蘇東坡之以「苦吟詩人」稱之也。

由於賈島不利於科試，且爲詩過於苦索，故不永年，卒時僅五十六歲。或以爲詩寫性靈，快心志，增興趣，能使老嫗與小兒解之，良佳，如唐之白香山，宋之陸放翁，清之袁隨園，皆主曠達，不拘拘於斟字酌句，而亦因之克享高齡，尤其陸袁活到八十五歲。袁且有詩自豪云：「韓蘇李杜從頭數，那個詩人七十春」。

我的社會生活

雷嘯岑

過了兩天，南京周佛海兄轉來重慶行營顧主任給我的信，是慰問我喪偶之事，並附寄奠儀三百元。我剛剛把亡妻的喪事告一段落，佛海又由南京到上海來找我，說是接得顧主任電報，託他給我購買飛機票，即勸我迅速飛渝，因爲顧主任近奉中樞命令，兼任貴州省主席，盼我前去帮忙甚殷切云云。佛海又謂：「墨三對人如此優禮有加的情形，很少見的。他是個誠厚篤實的朋友，你必須接受他的邀約，否則連我亦無詞以對哪！」於是我只好聽從佛海的勸說，馬上飛赴重慶，而顧主任已赴貴陽，我以長途電話向他報告行蹤，他命我尅日搭坐農民銀行運輸鈔票赴貴陽的鐵甲車入黔，因沿途不靖之故。到達貴陽後，跟他住在前貴州主席毛光翔的宅第中，權司秘書工作。斯時兩粵仍獨立自主，中央擬臨之以兵，顧先生奉命担任國軍第一路總司令，他準備教我和黃埔軍校一期生李園（浙江人）隨軍入桂，會將廣西地方自治的全套法規交給我研究。繼而粵局和平解決，化干戈爲玉帛，顧先生正式就任黔省主席，派我創辦「貴州縣政研究會」，儲備縣長人才，而四川劉湘主席亦以密電一通，拍致顧主席轉給我，囑即回川。我以縣政研究會並非急務，乃向顧公告辭，聲明先往成都一行，仍回重慶行營服務。但他答道：「你來了貴州，總得替我做點事纔好。」人是感情動物，顧墨公對我這樣好，怎能夠掉頭絕裾而去呢？

是年冬月間，湖北省主席楊永泰先生忽被刺殞命，時顧墨公適在重慶，某夕，他在長途電話中吩咐我，說是接得湖北綏靖主任何雪竹先生的電報，據刺客施耒（四川人）供稱，指使他行刺楊主席的，是曾任貴州軍頭王家烈部下的旅長樊某，此人現居貴陽某街某號，囑即報告代理主席韓楚箴（德勤），轉請當時駐在貴陽的「滇黔綏靖副主任」薛伯陵（岳）將軍，派兵緝拿，務獲究辦。我立即如命行事，但樊某終未捕獲。此時康兆民（澤）統領的別動總隊，有一大隊駐紮貴州境內，大隊長蕭樹經君常常跟我和李園兄接觸，我告訴蕭大隊長，教唆殺人犯樊其書逃出省城後，一定向廣西方面而去——他決不敢逃至四川省，也不會潛入湖南——請他電令在黔桂邊區一帶駐防的別動隊注意偵查，或許可以緝獲。蕭謂沒有奉到命令，未便越職從事，此案乃不了了之矣。

我在貴陽創辦縣政研究會，剛滿第一期（三個月），而震驚全球的西安事變發生了！顧主席奉召東行，領兵入陝，準備進攻潼關，營救領袖出險，一時不能回到川黔來，我乃乘暇乞假趨返重慶，旋赴成都看看，先晤川省府秘書長鄧鳴階（漢祥），他以興奮而樂觀的口氣語我曰：「中央政府的事情，今後我們亦得問問了！」我領首無言。他又將劉對處理西安事變問題致南京中樞的「刪電」——即事變發作後第三日——原稿給我看，內有「毋得擅啓戎端」之語，問我有何意見？我說沒有甚麼，只是「毋得擅啓戎端」這類命令式的詞句，不像是疆吏的口脗而已。他默然。（四十）

劇氛傑鄉錄

婁姿生

蟋蟀鳴罐唯一酷愛

叔岩生平嗜好，除喜吸阿芙蓉，初時爲了可以養神提氣而染，致後來却因病體而不能祛，迄其謝世，終未絕緣。一般業伶者，多易墜入此阱，即荀慧生、譚富英，皆在中年而酷好之，這與環境也有相當關係，就是禁之不嚴，不免鬆弛，予他們一種機會。馬連良在港，即未除，投匪反被勒戒，祇好唯唯聽從。余氏其餘的愛好，是養蟋蟀。蟋蟀在北平又名蛐蛐，梨園行中人，與富家子弟，多很喜歡喂養，並雇人爲其照料。此種風氣，在國內的南北，極爲普遍。於是十室九戶，多養幾個，甚至收得精品，來舉行比賽，與賭博無二，勝者可獲百金，以至成千，一般專於樂此不疲者，每年秋季，多方邀集比賽，而從中得蠅頭之利。凡梨園行人，因爲業餘無聊，輒藉以消遣。從前譚鑫培喜歡養此物，且很有名氣。余氏爲了目染所及，也遂喜愛，並對賽事特有興趣，每年常能勝得數回，贏得數千，更加其樂愛不止。

余氏養蟋蟀，非特精到，且雇人喂養，尤其對所用罐子，也講究已極。凡是罐子，均用澄泥，罐底並有欵識，倒如趙子玉製字樣，當時很名貴。往往每套多少個，擺成一桌，最上品就有兩桌之多。因此凡來參觀的，打開罐子，裏面的過籠與水淺子，全是精品，古色古香，眞是絕好的古物。當余氏病時，曾擬將此二三十個罐子，送之愛徒孫養農，孫氏以爲是珍品，不肯接受。誰知當其逝世後，姚氏夫人竟以賣給「打鼓的」，所得極微。「打鼓的」是北平專收荒貨的，許多人家婦女，不知古物價格，輒以偷偷賣給「打鼓的」，而他們也有因發現奇珍而致富者。可知一絲一縷，其中變遷，殆有前定，是余氏無論如何，不能計及者。

精於子平　更能書法

余氏才器頗聰，智慧勝人，一生心血，盡耗於藝術而外，對於其他學問，亦喜研究。他的朋友，尤以飽學之士爲多，無形之中，於他有很大的帮助。最使他心折的，即是山陰魏鐵珊先生。魏善書法，寫的字是六朝碑帖，功夫很深，當時名滿平津，人家都稱爲魏三爺而不名。

山陰魏馘，民初在北方，常住天津，學問好，字寫得好，更精音韻之學，當時名伶受其益者，祗有余氏，是因魏氏喜歡梨園行人，故得訂交。相處日久，常相聚晤，把每齣戲中的唱詞念白，予以討論，使協於音律，尤其必要鏘鏘動聽，所以余氏的字正腔圓，魏氏具莫大的功能。後來魏氏故世，余氏致奠儀銀幣一千，無非表示其感激之忱。以魏氏精書，遂使叔岩平日也勤於臨池，終至所寫的字，氣息極其靜脫，很具功夫。他一生師友，要數山陰魏氏爲首屈良朋。（四）

斷機與斷織

吉庭

古之賢母與良妻，載在青史者，不一而足，論教子力學、佐夫成名者，我國莫若孟母之斷機，與樂羊子妻之斷織，爲難能而可貴。

說苑：『孟子三歲喪父，母仉氏賢，孟子既學而歸，母問所學，曰：「如舊」。母引刀斷其機曰：「汝中道廢學，若吾斷斯機！」孟子懼，乃旦夕勤學，遂成大賢。』三字經所謂：「子不學，斷機杼」也。

後漢書列女傳：『樂羊子遠道尋師，學一年來歸，妻問其故，羊子曰：「久行懷思，無他意也」。妻乃引刀趨織曰：「今者，斷新織也，則損失成功。夫子積學，若中道而歸，何異斷斯織乎？」樂羊子因之感動，力學成名歸。』

按：凡發動其所由，以轉軸持緯者，謂之機；以絲縷分縮緯，錯綜，交貫，而結成幅者，謂之織。機與織，同形而異義別，但亦殊途而同歸。

蔡邕與琵琶記

豁公

時邕之故鄉（陳留）大旱，赤地千里，路無行人，乃父若母，復相率去世，五娘無以爲殮，遂賣髮以葬翁姑！更乞畫師爲繪二老遺象背負之，手抉琵琶作歌以行乞，遂行其萬里尋夫之計畫！

同時蔡邕適動思親之念，而苦不得歸，祇率稟明太師，遣僕南下，爲迎二老及五嫂入京團聚！該僕至陳留，晤張廣才，始知二老已歿，五娘乞食尋夫，不知所往？只得據實回報。

未幾，五娘展轉至京師，聞邕已入贅於太師府，不期悲憤塡膺！遂作決絕之書，而委翁姑遺象及琵琶於地，（太師府門前地也）掩面悲泣而去。事聞於蔡邕，不禁痛哭失聲，立派多人尋覓，得之於委巷中！遂爲夫婦如初。」

此劇中人之蔡邕，與東漢時之蔡邕，姓字雖同，而其身世與行實，正如南轅北轍，背道而馳！博雅如高明，爲什麼要把冬瓜扯到茄籐上呢？這我倒不妨代他——高明——一說。原來高明有一個姓王行四，名叫四知的同學，是個懷才不求世用的文人！高氏對他的獨善其身，頗不謂然！特地勸他出仕。但出仕必先取得功名，這是無疑義的！因之王四就在高之慫恿下入京應試；中了頭名狀元，同時並且做了不花丞相的贅婿！遂棄其糟糠之妻於不顧。高明聞而大怒，特作此曲以刺之，但不欲顯揭友人之短！故以中郎之姓字代之。自然高對蔡邕之阿附董卓亦頗不滿；故於恒河沙數古人中，特取其名以名此趨炎赴勢之薄倖者。（二）

內政部台誌字第〇三壹號內銷證

自由報

THE FREE NEWS

第四三二期

中華民國僑務委員會頒發
台教新字第三二三號登記證
中華郵政台字第一二八二號執照
登記為第一類新聞紙類
（半週刊每星期三、六出版）
每份港幣壹角
台灣零售價新台幣弍元
社長：雷嘯岑
督印人：黃行甯
社址：香港銅鑼灣高士威道二十二號四樓
20 CAUSEWAY RD 3RD FL.
HONG KONG
TEL. 771726 電報掛號：7191
承印者：田風印刷廠
地址：香港灣仔高士打道一二一號
台灣分社
台北市西寧南路壹壹柒號二樓
電話：三〇三四六
台郵撥儲金戶九二五二

何以監察院只能「提出」彈劾案？

李聲庭

我國憲法第九十七條第二項規定：「監察院對於中央及地方公務人員認為有失職或違法情事，得提出糾舉案或彈劾案。如涉及刑事，應移送法院辦理。」可是實施的結果，監察院的彈劾權縮小到不及一檢察處的起訴權。因為檢察官對於第一審及第二審之刑事判決，不論對於被告有無利益，均可上訴。而監察院則連上訴權都沒有。作者年來講授憲法時，對此點尤不認為然。孫中山先生原來的意思是要使監察權脫離立法機關而獨立。但現行憲法經解釋後的結果，監察院行使彈劾權的獨立性完全被剝奪了！

「提出」與提出機關

這個問題應從幾方面來說：

第一：我國憲法條文凡關於提出的事項，如果規定由甲機關向乙機關提出，一定明白指出了所向提出之機關（即乙機關）。例如：第五十七條第二項：「行政院有向立法院提出施政方針及施政報告之責……」第五十八條第二項：「行政院院長，各部會首長須將應行提出於立法院之法律案……」第五十九條：「行政院……應將下年度預算案提出于立法院。」第六十條：「行政院……應提出決算於監察院。」第八十七條：「考試院……得向立法院提出法律案。」第九十七條第一項：「監察院……得提出糾正案移送行政院及其有關部會，促其注意改善。」第一百條：「監察院對於總統、副總統之彈劾案……向國民大會提出之。」第一百零五條：「審計長應于行政院提出決算後……並提出審核報告於立法院。」由上面所引的條文看，凡是有「提出」字樣之處必定有一間接賓詞。即所提出之事項為「提出」之直接賓詞；而所向提出之機關名稱為「提出」之間接賓詞。但第九十七條第二項關於公務人員之糾舉或彈劾，在「提出」兩字下面却無間接賓詞。因此應解釋為：本條所謂之「提出」乃向本機關（即監察院）提出，而不是如其他條文所規定的向另一機關提出。換句話說：即是監察院對於中央及地方公務人員認為有失職或違法情事時，得提出糾舉案或彈劾案（于本院）；不必向別的機關提出，這樣解釋才能符合憲法條文的一貫精神。否則，何以第九十七條不跟其他條文一樣寫成得提出糾舉案或彈劾案于某某院，或向某某院提出？而且同條下文即接着有：「如涉及刑事，應移送法院。」可見如不涉及刑事則應由監察院自行處理，其他機關不得過問。

其次，有出席權必有表決權；除非有明文作相反之規定。同樣理由，有提出權也應當有決定權。除非「提出」是向另一機關而為；那末便由所向提出之機關作決定。憲法第一百十五條最後一句：「提出方案解決之。」即是說：提出後應予以解決，不能只提出便算了。如果說提出後應由另一機關予以解決，便應當明文規定所向提出之機關。否則，當然解釋為向本機關提出。

第二：監察院為人民代表所組織之機關，即民意機關，民主國家之民意機關至高無上。何以民意機關認為公務人員有失職或違法情事時，本身反不能決定該公務人員應付懲戒，而只能「提出」糾舉案或彈劾案？而由另一機關（這一機關憲法並未授權）來審核民意機關的行為？而且此另一機關乃任命的機關；然則民意機關的行為尚須受任命機關的審核，這在民主理論上說不通。並且各民主國家也無此先例。（此處有兩例外：一為憲法有明文規定（註）。二為民刑訴訟由司法機關審判。

註：參看洪應灶著：中華民國憲法新論第二一八頁所舉比瑞，挪威諸國憲法條文。

監察權與懲戒

第三：按憲法第九十八條之規定：「監察院成立彈劾案須經監察委員一人以上之提議，九人以上之審查及決定始得提出。」而公務員懲戒委員會只須四人（公務員懲戒法第二十條：「懲戒機關之決議以出席委員過半數之同意行之。」公務員懲戒委員會審議懲戒事件應有委員七人以上之出席。）便可打銷監察院所提出之彈劾案。這樣一來，未免太小看了監察院。何況公務員懲戒委員會為司法院之附屬機關，何以在五權憲法理論上，五權分立，五院平等的原則之下，監察院的行為要受司法院附屬機關的審核？豈不變成了司法院在監察院之上？監察院在彈劾權的地位與公務員懲戒委員會平等了嗎？

第四：憲法第九十條明文規定：「監察院為國家最高監察機關。」何謂「最高」？既是最高監察機關，其一切行為應有最後決定之權，否則「最高」兩字失其意義。同條下文又稱：「行使同意、彈劾、糾舉及審計權。」此處「行使」兩字又應作何解釋？同意權依憲法第七十九條及第八十四條而行使。審計權依憲法第一百零五條而行使。彈劾權及糾舉權依憲法第九十七條至第一百條而行使。何以獨於彈劾案（及糾舉案）監察院便不能自己行使而只能「提出」却委之于另一機關行使？且此種委任並非憲法有明文規定，完全由于監察法之違憲而發生。憲法第九十七條原文並未說監察院向別的機關「提出」彈劾案。監察法第九條則擴張解釋，將「提出」兩字擅自改為「監察院應即向懲戒機關提出之」。這種剝奪監察院享有憲法上職權之違憲法律竟為監察院所接受，十多年來監察院並未申請大法官會議加以解釋，實在使作者驚奇不置！

有些人認為監察院如果既有提出彈劾權，又有審議彈劾權時，則合追訴與審判于一機關，不免有操縱或濫用之危險。這種看法似是而非。所謂追訴與審判分屬于不同機關，實際上只分屬于不同的人員，並非完全分屬于不同的機關。我國的檢察官與推事雖分屬于檢察處與法院，但却同屬于司法行政部或司法院。而且明明是檢察處配屬于法院。（某某地方法院檢察處，並非某某地方法院處。）只有美國各邦的檢察處與法院完全分開，各自獨立成一系統。但我國從未仿做美國這種優良制度。

再有人問：憲法第七十七條規定：「司法院……掌理……公務員之懲戒。」不是明文規定司法院對公務員有懲戒權嗎？何以說監察法及公務員懲戒法違憲呢？作者的解釋是：憲法明文規定司法院掌理公務員之懲戒並不當然指監察院應將彈劾案移送公務員懲戒委員會審議（公務員懲戒法第十條這樣規定也是違法的）。公務員懲戒委員會只有權決定懲戒處分（即其處分為撤職，休職，降級，減俸，記過，申誡等），至于彈劾案應否成立，按我國憲法規定，司法院無此權力。憲法原文是說「司法院掌理公務員之懲戒」，並不是說司法院有權審議監察院提出之彈劾案。（公務員懲戒法第十條係民國二十二年修正公佈的，便知非現行憲法之產物）這與採陪審制之審判一樣：被告是否犯罪由陪審團決定。陪審團決定被告犯罪之後，法官方有權作刑罰之判決。因此作者認為司法院的附屬機關公務員懲戒委員會居然審議民意機關監察院的彈劾案，是侵犯了監察權的獨立性，是違憲。

最後還有一點：憲法第一百條規定：「監察院對于總統、副總統之彈劾案……向國民大會提出之。」是監察院對總統、副總統之彈劾案憲法明文規定應向國民大會提出。至于對公務人員之彈劾案則

（下轉第二版）

愚笨的表演

滿面傷痕

今日與明日

艾森豪的風涼話

美國前任總統艾森豪，日前指摘民主黨政府「未能大膽對付共產國家」，說來很雄壯。可是，我們若回溯一下過去的史事，一却發現戰後美國當道對付共產國家最軟弱者，即莫過於艾森豪總統先生。

如韓戰之屈辱結束，如美國對英法進軍蘇彝士運河之接受俄帝恐嚇挑戰，大力壓迫英法撤兵，如對匈牙利全國人民反共鬥爭之袖手旁觀，讓俄帝血洗匈國，如贊許自由國家之採取中立政策等等，都是艾克在白宮時期的傑作，誠不知這是大膽的應付呢？抑係怯怯的表現？

「不負責任的唱高調，說風涼話，搞政治的人都犯有這種毛病，固不僅艾森豪為然也。如果說，這樣便算是政治家，「我狂簡以應之曰：「鄙的政治生活，可恥的政治人物呵！

尼克遜看越南戰事

美國共和黨領導人尼克遜在西貢發表談話，認為美國決不宜退出越南，而要以「一個主張，一項政策，一種權力」來應付，纔能夠取得勝利。這反映美國對越南問題，至今尚無一定的決策，難怪參議員富爾布萊，摩斯之流，大作其無稽之談呢！

除非把戰火帶到北越地區，美國要想贏得這場反共戰役，希望甚微也。

可是，英美政治家有一固定的邏輯公式：進攻越共地區，必引起毛共參戰，因毛共參戰，而俄共亦必介入，終乃觸發核子大戰。美國就是在這種自我嚇阻的公式之下，對越戰始終舉棋不定，怕痛怕癢，而東南亞危矣！

自由談

好樣不學學壞樣

所謂「愚人節」也者，原是西方社會一種傳統的惡作劇，除了對各界人士弄詐術，開頑笑，胡鬧逞快以外，沒有絲毫意義可言。這跟他們喜歡談論女人的腰圍、大腿問題，同屬無聊透頂的玩藝，絕無模仿學習的價值。

然而，有些中國人，對於西方社會的許多良好習慣，如注意公共衛生，熱心公益事業，在娛樂場所維護公共秩序，深夜不要亂吵亂鬧、妨害別人的安寧生活等等，皆漠然置之，不以為意。

唯獨「愚人節」以及侈談女人的腰圍、大腿這類無益的事兒，却羣起效尤，靡然成風，而自以為是了不起的時髦人物，大可驕其鄉鄰戚友。這表示着中國人舊有那套買辦、西崽生活的意識形態，依然存在，恬不知羞，難怪有些高等華人跟自己同胞談話時，亦要夾說幾句洋文，以示高貴哩！

不佞原是極端贊成「西化主義」的，但其目標乃在學習西方的科學文明、企業精神，與夫民主自由的生活方式，所謂取法乎上也。即如去年有個在台灣留學的西方青年，譏評吾國社會人士缺乏公德心，亦值得咱們反省警覺，知所效法的。至於西方社會的壞習慣，如「愚人節」之類，却不是中國人西化的對象，因為這太過於低級趣味，而且近乎下流，縱使學得維妙維肖，化得沆一氣，對吾國的社會風俗，又有甚麼好影響呢？

幸而西方人士只是發明鴉片煙的性能和種植方法，而將牠輸入中國來，他們自己却決不沾染。否則，中國人且將以吸食鴉片煙為西化的文明生活，竊竊自喜，至今還不認為是毒品，亦未可知也。噫！

馮五先生

三月廿九日在台北開幕
華商貿易會年會規模大
海外代表十四區逾百人
會議設展覽組並舉行分業座談會

（本報台北航訊）三月廿九日在台北開始舉行的亞洲華商國際貿易交誼會第二屆年會，出席海內外代表百餘人，濟濟一堂，極一時之盛。年會日程如次：

三月廿九日上午九時，在三軍軍官俱樂部舉行大會開幕式，十時卅分在中山堂光復廳舉行預備會議，參觀經濟資料展覽會。下午三時第一次大會，徐柏園報告我國對外貿易的政策及其推進，繼由代表報告各地區經濟貿易概況。

三月卅日上午九時第二次大會，由李國鼎報告台灣經濟建設及對外技術協助，接着進行各地區經濟貿易概況報告。下午三時，分組座談。晚八時卅分，各地區出席年會首席代表在台灣電視台舉行電視座談會。

三月卅一日上午九時第三次大會，陳建中報告「共匪對海外的經濟滲透」，接着討論議案。下午三時至五時，討論議案。五時至六時舉行閉幕式。

年會閉幕後，四月一日上午十時至十二時，代表們參觀由全國珠算委員會主辦的珠算特技表演。下午二時至六時在中國之友社，舉行貿易座談，由紡織業等廿六個同業公會主持。四月二日至四日出席大會人員分二組，赴中南部及東北部參觀遊覽。

亞洲華商國際貿易會議海外被邀請出席者共有十四個地區，計爲：日本廿六人、韓國四人、香港十九人、琉球二人、澳門二人、菲律賓九人、泰國八人、越南七人、星馬五人、沙峇一人，共計八十六位代表。海外各地區觀察員計有南非三人、紐西蘭一人、美國三人、占美加一人、蘇利南一人、巴拿馬一人，共十位觀察員。預計海外回國者將逾百人以上。

出席此次亞洲華商國際貿易交誼會年會的國內工商界代表及顧問名單如次：

代表五十八人：陳啓清、辜振甫、汪竹一、董世芳、林挺生，陳其志、陶一珊、黃成金、陳茂榜、林溪圳、謝成源、王繹齋、何德、周夢樓、徐仲祥、鮑亦榮、盧文淦、于豐仁、蔡奇文、潘仰山、陳能才、周塗樹、沈雲階、宋泉璋、周祖達、李阿目、李國居、蕭貴川、程保廉、林忠、黃烈火、吳道良、林繼庸、毛松年、陳逢源、賴清添、范錫言、張敏鈺、嚴慶齡、苗育秀、林國長、王諸同、吳邦護、楊管北、盧慶雲、李占春、王永慶、超民、陶桂林、翁明昌、徐有庠、陳植佩、張式綸、謝清雲、許曉初、李一中、陳杏村。顧問九人：束雲章、林柏壽、黃天爵、朱玖瑩、陳尚文、黃朝琴、陳逸修、游彌堅、金開英。

亞洲華商國際貿易交誼會第二屆年會籌備委員會，爲期海外出席代表，深切了解祖國經濟發展及工商業進步實況與輸出業貿易情形，進而能加強合作，促進貿易起見，特設置展覽組，舉辦有關統計圖表、幻燈片、模型等資料展覽，其內容包括：工農產品、產量、外銷量、產品種類及外銷地區等，參加展出者有棉紡、機器鋼鐵、橡膠、罐頭、針織、味精、水泥、青果、髮網、毛紡、植物油、塗料、毛巾、棉布印染、碱業、合板、鋁業、煤礦、漁業、玻璃等業公會及僑資事業，進出口等團體暨烟酒公賣局、公路局、林務局、煤調會、製鹽總廠、手工業中心、招商局、中興紙業公司、台糖公司等八十六個重要公民營事業單位，圖表設計新穎，幻燈片均珍貴異常，展場設於中山堂光復廳四週走廊。該會展覽組聘請專家就參加業別分爲十大類：（一）投資與貿易，（二）工礦與貿易，（三）僑資水泥玻璃，（四）食品，（五）建材與電器，（六）紡織纖維，（七）金屬與機器，（八）化工製品，（九）教育文具，（十）一般工業品。

亞洲華商國際貿易交誼會第二屆年會將於四月一日下午二時至六時，假台北市懷寧街中國之友社舉行分業座談，共分紡織、化工、建材、電器機械、食品、手工藝品、蔬菜及雜項八組進行，分別由棉紡業公會理事長李占春、橡膠業公會理事長沈雲階、水泥業公會理事長林伯壽、電工器材工業公會理事長林挺生、茶葉輸出業公會理事長陳和錦及味精業公會理事長林忠、手工業推廣中心經理劉璧章、青果輸出業公會理事長王緒同担任召集人。

香港與大陸

中共正在大陸各大城市中，推行所謂醫師住院負責制，要醫師們一天廿四小時都駐守在醫院中；這一來使一些有家庭的醫生都不能回去照顧，而中共則美其名爲照顧醫生的「學習」和「休息」時間。

此間一位大專學生最近接到其留居廣州市任職於「中山第三醫院」之叔父來信，對中共推行的「醫師住院負責制」敘述綦詳。

來信說：「中山第三醫院」最近向瀋陽醫學院附屬第二醫院學習其所推行的「醫師住院二十四小時負責制」（簡稱「住院制」），而該所謂「住院制」，已被中共認爲是「先進經驗」了，勢將向大陸任何一個地區推行。

來信說：這種「住院制」對醫師們引起極大波動，特別是那些結了婚尤其有了孩子的醫師，他（她）們都耽心着實行了該項制度以後，便等於要他（她）們拋棄家庭。至於一些沒有結婚的醫師，則惟恐因此生活上更受約束。

毛共攬醫師「住院制」
據稱這是「先進經驗」
醫院有如勞改場醫師敢怒不敢言

來信說：儘管醫師們百分百的反對這種制度，中共却不加理會，務要執行。中共認爲醫師們所提出的問題，是「[illegible]思想問題，也有實際問題」。

如是一來，便又和過去無數次的中共所攪的其他「運動」一樣，要醫師們組織起來，進行學習，要醫師們認識是項運動的「重要性意義」，然後又對那些提反對意見的人加以批判，無非是給予種種恫嚇，使醫師們懾伏於淫威之下，敢怒而不敢言，還得裝作一副「攪通了思想」狀。

來信說：中共的所謂「住院制」，不單要醫師們一天廿四小時都駐守在醫院中，更可怕的，是把醫師們像「勞改場」中的「犯人」一樣的管制起來。中共的說法：醫師們住院，是可以得到「休息和學習」的保證的，但是，也不能違背醫院中的院規。爲了適應「新制度」的實行，醫院也不能不重新訂立新的院規。換一句話說：「住院制」實施以後，醫生們要受到雙重的管制——「院規」和「新院規」。所謂「新院規」，是明確規定了住院醫師在實行住院制情況下的「努力方向」，職責範圍，工作方法、致研組和上級醫師對他們進行業務進修指導，以及成績、思想的考核等等。

來信說：中共對這項所謂「住院制」，大加渲染，說經過實際的調查統計，這種新制度，使醫師們每天都可增加一至三小時的學習（包括集體學習和自我學習）。然而，在另一面，所有的醫師，却異常不滿，說這一來醫院如同「勞改場」，太可怕了。因此醫師們沮喪異常，對工作僅以消極的應卯姿態，以資對付，不求有功，但求無過。（敬斯）

刻苦創業．望重沙峇
華裔林逢儀其人其事

（本報台北航訊）最近返台觀光的沙峇華裔林逢儀先生，他是閩南永春僑商世居北婆三代的後起之秀，在小學求學時即穎悟冠羣童，勤學且富音樂天才，高小階段，已露頭角，在校內外參加演唱和學術競試，爲師友所敬愛。畢業後入商店作學徒，每於暇時手不釋卷，爲店東不納，遂出而刻苦自立作苦工，每晚當儕輩以賭消閑時，仍以讀書自娛，擇善固執。一日於街頭爲該小學校長邂逅，詢知其遇，校長愛其才，挽回原校任助教，以績優逐次升爲教員、校長。時有政府派員到北婆考察僑教人員，勸其回國深造，他遂棄教回彰州中學就讀，至七七事變對日抗戰爆發未全學業，輟學返僑居地從商，並從事社會活動。當時抗日烽火高張，他更顯其所長，領導文化界作各種表演籌募救濟義演，支持抗戰大業。不久日本南侵，他潛回農村與當地農家務農，以避兇燄。抗戰勝利重回省會，續展才華，歷任亞庇中華商會理事，福建會館秘書，建國中學董事，亞庇中學發起人等，望重僑社。

林逢儀以世代與土著情感交流有如兄弟善鄰之誼，說也奇怪，卡族聚居北婆的，也不知繁衍了多少年代，在當地居民六十萬半數以上的多數，他（她）們多數文盲，但每當年節大典，總喜歡託華人寫些紅紙門聯與神位等等件，一律與華人一樣的虔誠禮拜。他（她）們的膚色生活，幾乎和華人一樣，大概也是中華民族的支流也未可知。當印尼排華風暴傳到北婆以後，正是馬來西亞獨立醞釀成熟期中，一般華人提高了警覺，一時北婆政黨紛起，林氏憑他的關係，機智與遠見，遂被邀參加戰後北婆執政大黨沙峇嘉達山全國聯合機構，且獲該黨中央信任，被派該黨財政重負。一連串他在沙峇文化界活動中，又被選爲沙峇文化協會嘉達山文化協會財政和沙峇白木業公會財政等職務。年來馬來西亞聯邦獨立，該黨中央前往觀光，去年東南亞舉行亞洲文藝會議，林氏均被推爲領隊，出席吉隆坡星洲會議。

最近中國與馬來西亞人士報聘頻繁，兩國反共立場一致，引起林逢儀對祖國嚮往深思，特歸來觀光，獲政府隆重接待，至爲感奮。他以一週時間環島觀光，對工農業突飛猛晉的印象至爲深刻，堪爲嘉達山執政黨施政參考者殊多，將來返回沙峇報告後，該黨可能組團前來考察一番，以資借鏡。

綜合林氏在北婆刻苦奮鬥的不及三十年間，以華人身份，表現了他邦家之愛，施展國民外交，卓著成績，以沙峇籍民在執政黨總機構中信用至爲難能可貴。他今年不過五十許，身軀短小精力充沛，待人謙誠有禮。他有個溫暖的家，夫人爲潮州僑生，主持店業家務，育二子一女。長子赴英，次女往港求學。

何以監察院只能「提出」彈劾案？

（上接第一版）

由監察委員向監察院提出。如果不是這樣的話，何以憲法第九十七條不寫成得提出糾舉案或彈劾案于司法院呢？以憲法第一百條足以反證憲法第九十七條所指之提出是向其本院提出。凡解釋該條所謂之「提出」是向別的機關提出的話，顯然是違背條文的文義與精神的。

我提出四點意見

作者今日提出這個問題來有下面幾點簡單的意見：

（一）憲法並未規定監察院向別的機關「提出」彈劾案，解釋上應認爲係自行提出並自行決定，這樣方符合「最高」與「行使」的雙重意義。

（二）監察法第九條擴張解釋「提出」兩字，完全違憲，應由大法官會議宣佈其無效。

（三）司法院只掌理公務員之懲戒，即懲戒處分；無權審議監察院的彈劾案。公務員懲戒法第十條擴張解釋司法院職權爲違憲，亦應由大法官會議宣佈其無效。

（四）孫中山先生之遺教是要將監察權從立法機關移出成爲一種獨立的治權。（見民權主義第六講）現在事實上監察院非「最高」監察機關，不「行使」彈劾權，這些都與孫先生的遺教相違背。

讓作者引孫先生的兩句話作本文的結束：

「況且照心理上說：裁判人民的機關已經獨立，裁判官吏的機關却仍在別的機關之下，這也是論理上說不過去的。」（見民權主義第六講）

基隆旅居記
仲公

漁業生產組織，就勞資關係而言，可分爲漁東，漁夥、漁夫。漁東係指有漁船漁具的漁民，漁夥則合組漁船漁具而從事捕魚的漁民，漁夫指勞力工作的漁民。目前基隆漁民以第三類最多，遠洋漁業的船員皆屬之。沿岸和近海漁業亦屬不少。至於勞資關係，大抵可分以下二種：

一、成本制度：漁東出資雇用漁夫，漁東負盈虧全責，漁夫僅得勞資，除服從漁東命令外，不負其他任何責任。目前基隆此類制度，最爲盛行，而且最爲合理。如經濟部漁管處，水產公司基隆漁務處，集友漁業公司，及其他遠洋漁業機構，都屬此類。

經濟部漁管處的拖網漁業，船員依照政府規定之公務員待遇，給予月薪，此外每次航海的漁撈總值，不管盈虧，抽出百分之七，爲船員基本獎金；然後除去成本及一切管理費用，其所餘淨利，再抽百分之二十爲船員撈獎金。若盈利超過成本一倍以上，再抽出百分之五爲特別獎金。這種辦法，不但可以安定船員的生活，且能鼓舞船員作業興趣，勞資雙方，皆得合理的利益。

二、分益制度：不論漁東漁夫，均按協定的分配辦法以分配利潤，其分配辦法，亦因各種漁業而不同。惟虧損時，漁夫除一無所得外，不負其他責任。沿岸及近海漁業，如旗魚及延繩釣漁業，等多屬此類。大型的遠洋漁業，則鮮有採用者。（卅五）

推銷

方南

面對桌子上面一包美國香煙和一瓶汽水，凝想了一會，我覺得這是他們推銷成功的一例。

沒有非常高明的推銷術，像這樣的一包香煙和一瓶汽水怎會落在我手裏來？而且，它們怎可以風行半個地球，成爲無人不曉的東西？

好東西如沒有好推銷，很平淡地給埋沒了，那是常見的事。壞東西縱然有好推銷，只可騙人於一時。平庸的東西如有好推銷，說不定會風靡一時，受人迷信。

這都是事實。據說「推銷」這一門人才在美國很吃香。「推銷術」的研究很受重視。有一種人最容易找到高職和厚薪，那就是會動腦筋創造出一些動人的廣告句子，替某一種商品增加推銷的效力。

在「商戰」中有過實際經驗的人都知道「推銷」的重要性。但，古老的書生頭腦會鄙薄這種事情。因爲，「醜女自媒」是可笑的。「人不知而不慍」才是眞君子。

何以賣貨只講推銷，宣揚上帝的聖經也要講推銷呢。有幾次，家門外面來了碧眼紅髯的傳敎士，怎也不肯走，必要達到入門宣敎的目的。我也和這種傳敎士談過幾次，知道他們常吃閉門羹，當作家常便飯。他們只會講一些生硬的中國話，沒有圓通說理的資格，如照一般商品推銷員的標準來衡量，該說他們是不夠水準的了。難得他們有這種苦心和勇氣，耶穌基督的聖經便靠這種堅苦卓絕的推銷員打出了天下。

香港街頭也常出現「美國風」的推銷員。美麗的青年女郎穿上特製的制服，戴上特製的帽子，上面都鑲有商標，作着種種吸人注目的推銷活動。我在欣賞推銷設計者的天才時，每想到那些受僱者的身份尊嚴。他們的工作應該受到一份工錢，那被利用作「廣告板」的身體也該接受另一份「廣告板租金」才是。

共產主義原是劣貨，却因有好推銷而風行過一個時期，害了不少人。這猶如一種能令孕婦產生畸形嬰兒的新藥，到了大家發覺它的不妥之處時，它已大大推銷一番，作孽不淺了。

三民主義原是好東西，起初推銷得很好。後來不知怎的，推銷落後了，劣藥的推銷反而壓倒良藥。這竟似「劣幣驅逐良幣」一樣，令到許多人漸漸忘記了這種眞正可以救人的良藥。

奇在有人還會把過時的劣貨拿出來當好東西。例如法國戴高樂總統要向亞洲推銷一種舊殖民地牌子的老藥，那已是十分可笑了。他還要推銷一種名叫「中立主義」的新藥，才正令人看得搖頭。

人家有這樣面皮和胆量去推銷那些要不得的東西，我們怎不該把好東西用最好的推銷方法打出去呢！

細想來也是可笑的。推銷是「賤丈夫」的「市儈」行爲，有時一看便要作三日嘔。幹嗎我們的神聖事業也要講推銷，只講「宣傳」不好麼？

對的，宣傳服務於「推銷」。宣傳是手段，推銷才是目的。

嘉莉的日記

汶津

十二月五日，星期四。

今天地理課的「那麼」紀錄是五十七，據「敏感人士」稱：「尙非最高紀錄！」

英文讀到一則伊索寓言，主角是狼和狐狸。下課以後，吳敏可遭了殃——平常看來蠻老實的韓宜卿封她爲「中國狐狸」。

我說嘛，「吳大姐」那裏是好欺負的！吃晚飯的時候，好戲上場了！黑板上出現了一幅書上插圖的翻版——大狼一條，而且用紅粉筆塗了色，狼身上寫的是中西合璧的註冊商標——「miss韓」。

全班都笑得前仰後合，邱鳳英回轉頭來望着我笑，一個打噎，把嘴裏的飯噴了我個滿臉滿脖子，把我氣得直跺脚。

放學時，吳敏還沾沾自喜的向我們解釋：「知道我爲什麼用紅粉筆着色嗎？是色狼啊！」說着就大笑。吳敏這個人眞下流！我越來越討厭她了。

十二月六日，星期五。

聽說昨晚韓宜卿回去的時候哭了。都是吳敏不好！

他去了才半個月，時間過得太慢了！現在上歷史課眞想打瞌睡。

十二月十日，星期二。

歷史老師大發雷霆。起頭是李吉明問他一個問題，他回答不上來，就惱羞成怒，說什麼我們是有意想難倒他。哼，連這也不配，誰想去難你？李吉明也太傻了，有問題也該等他回來啊。——他就從來沒有回答不出的問題。

我雖然不信敎，最近可不知怎的學會了禱告。只爲一個人禱告。說起來連我自己也覺得有些怪。

十二月十二日，星期日。

晚上爸爸帶我去看「第三集中營」，眞有意思。有幾個男主角好像很「帥」的樣子。尤其那個一進監牢就拿出棒球來打牆壁的怪傢伙，眞笑死人了。那裏有這樣的人！如果他是我的隣居，那該多好玩啊！

至於爸爸強調的「爭取自由不惜代價」，我是一點也不感興趣；看電影嘛，又不是上公民課！以前爸爸說他年輕時也敎過書，我總不大相信（因爲他好像比我的老師們都了不起似的），今晚我可在想：難怪肚子裏有這些個課本上的格言！

十二月十五日，星期三，雨。

好大的雨！白天我就望着窗外的豪雨發呆。最愛哭的女孩子也流不出那麼多眼淚啊！也不曉得老天爺發了什麼神經。

很想寫一篇「雨季」的文章去投稿，意思都想好了，正想寫下來，忽然又考慮到該用本名還是筆名發表，左想右想，各有利弊，結果乾脆不寫了，省得多煩惱！

十二月十八日，星期六。

好幾個月沒看到姐姐了，今晚總算回家了，姐夫也來了，還有一個兩歲大的小姪兒。有人叫你「阿姨」是一件非常過癮的事——甚至比考了一百分，看一場發曼的電影還要窩心。何況我還是嫡親嫡親的阿姨，一點也不冒牌。

以後他們從高雄搬回台北來住就好了（姐夫說他快要調差了）。姐夫是位海軍中校，人挺帥的，又能幹，姐姐好福氣！那姪兒啊，眞像姐夫，尤其那對眼睛，還有鼻子，嘴倒有點像姐姐的。總之是上帝用歸納法造出來的小乖乖。我簡直疼死他了。（七）

藝術叢談

如此，愛因斯坦或亞利斯多德與其觀念，可能爲人們所不知，但是如果我們要研究宇宙科學或哲學，則不應該不知或無視於他們或他們的理論。但是如果是在討論判斷宇宙論或數理哲學，並沒有什麼巨大的希冀，而對於上述人物或理論的無視則又當別論了。同樣，我們能夠不知道近五十年的藝術歷史，雖然是不應該的事實究竟是事實，不知不能貿然。在這五十年來，繪畫藝術由於「野獸主義」，在顏色一面，發現了前此未知的造形藝術的無窮富源；由於立體主義和未來主義，繪畫藝術才發現了在畫框內的客體（對象）的古老組成，只能是一種形式的有力聯合。現在，如果繪畫藝術要維持着這兩種在作品中的成功，也能夠完成驗格的具形具象的藝術，爲自己慶幸，但是問題並沒有能告解決。比如我們要畫一些綠的馬似的，我們知道，不但在繪畫界，就是在其他事物上也是一樣，作品的本體容積，在其應該所是上，是需要其眞正性，是需要自己的眞實性的；然而在眞實性一面說，馬是綠的並不是眞的。因此如果畫綠色，便不能畫馬，如果要畫馬，便不能畫綠色。眞正容易而又有利的解決，乃是指出它的錯誤。

不錯，現在我們已經深深的進入藝術所提出並涉騰的問題中了，抽象藝術就是爲解決這一問題而興起而奮鬥的。但是在聲打它之前，我們應該先作了正確的保留。藝術在現階段中，在文化的現在時光中，也如同文化本身一樣，正是在過度時期，在求變求通中。爲此，在這樣的時候，我們絕不該閉眼不觀，或者拒絕不要這一些圖表的藝術模形，因爲它們也是有關於文化形式的東西，縱然這個文化是趨向着死亡。同樣我們也不急於完成構造的藝術模形，因爲這樣的藝術品也是有關於文化形式。但是到現在說，這種文化還是在形成中，處在文化的交替中，那麼新舊自然也可以同時並在。這是歷史過渡時期的特徵，這也是歷史過渡情形中的普通現象，有許多不同的文化趨勢，有許多不同的藝術指向，這乃是最平常的事。在這樣的時候，要求人或藝術家決定地作二者或三者中的唯一或另一派，這乃是有害的，錯誤的，有危險的。這個有限制於人的自由：這個也有阻止於文化藝術的發展與進步。在這種情形下，唯一該要求於人的，乃是要人們或藝術家忠實坦白於自己。中庸說，「不誠無物」；這個誠字，不但是時時世世對人對藝術家所需要的基本點，我們更可以說在今世乃是最特別需要的。最後的理由，我們則要說：現世代是走着無理與形上學基本道路。這樣的情勢，在推動着我們整個人類，在激發着我們的決定的。（未完）

抽象藝術漫談

趙雅博

瘋君續夢

第十二回：

異域購新居　民脂似水

冷宮傷舊夢　妾命如絲

周恩來說道：「主席剛才提到住旅館的事，我到想起一個問題，以後我們去日內瓦開會可能是常有的事，不如自己花錢買一間別墅，比較容易保密。」

毛澤東說道：「我們現在經濟情況究竟怎樣，我也不太清楚，還有沒有錢買房子。」

劉少奇笑道：「無論怎麼窮，也不能沒有買一間別墅的錢，問題只是有無此種需要，買了會不會引起外界批評。」

毛澤東問道：「你說的外界是不是指的蘇聯。」

劉少奇笑着點頭道：「我顧慮的正是此點，蘇聯一定會說我們有錢買別墅，爲什麼不還賬。」

一句話激怒了毛澤東，說道：「我們並未、蘇聯的債，只是要慢慢地還，蘇聯假若敢說一個字的閑話，我就索性不還了，反正是翻臉了，要賴就賴到底。」

劉少奇不敢再插嘴，陳毅說道：「我覺得本身經濟越困難，對外越要充濶。本來資本主義國家都是勢利眼，平時光聽說我們經濟困難，究竟困難到什麼程度，他們並不清楚，大部份人也許還不十分相信。可是，一見到我們出國人員生活寒酸，他們必然作爲根據，說我們眞窮了。以後想同西方國家貿易賒賬就難了。」

毛澤東說道：「你這段話講的到是不錯，我本來意思不一定要派你去的，現在却發現了你有一點長處，就是最會花錢，要充濶最好是派你去。但是，你却不准去瑞士搞女人。只要不花在女人身上，我不管你，無論花多少錢都可以報銷。」

陳毅頓時喜出望外，再三稱謝道：「多蒙主席信任我，我一定替黨和國家爭回面子，決不讓帝國主義國家笑我寒酸就是了。」

半天未開口的李富春忍不住了，問道：「你打算這次花多少錢？」

陳毅笑道：「這要看開會時間的長短，不過，你也不要太小氣，我一個人無論怎樣花，在整個國家來說，畢竟是小事。」

李富春說道：「我們在瑞士銀行還有一千多萬美金的存款，是出賣白金、青銅及古玩字畫換來的。」

陳毅連說：「有一千多萬是夠了，你放心吧！」

李富春說道：「什麼話，你能用掉了一千多萬，那你倒可以去同沙特阿拉伯國王爭濶了。」

毛澤東問不清一千多萬美金到底値多少，不過，也知道數目眞不少，當時就向陳毅說道：「你到瑞士買了房子之後，光是吃飯花錢也就有限了，我雖然不限制你用錢，但是也不能花的太多，吃飯穿衣都還有數，只有搞女人用起錢就無法計算了。」

陳毅無心再多講，恐怕又生出枝節，當時唯唯諾諾。散會後回到「外交部」，就打個急電給駐瑞士「大使館」，要他在日內瓦近郊購買一座豪華別墅，價錢不拘，一定要裝修現代化，並且要買下十架英國勞斯萊斯汽車，和聘司機人員，準備開會應用，所有款項就近在瑞士銀行支取。（三九六）

冒險犯難記

鄧文儀

我們在補習期中讀書作文演習算術題目，都很勤奮，周老師平時道貌岸然，教書講課及批改作文算數習題時，都又平易近人，親切有如慈父，我們同學都對他敬畏尊重，互相勉勵，勤學用功。我們讀了四書及詩經、孝經，會作過「孝論」及「明德親民論」等題的國文。

臨到夏天的時候，常有十數同學，每於下午課畢，即相率到附近香水溪中游泳，我是從小就喜歡玩水的，所以常去參加。有一天，同學們正在游得興緻勃勃的時候，忽然看見一羣白鵝，約二十多隻，正在下游水中游上來，同學們有人提議，玩一次惡作劇的把戲，大家合作想法子偷一隻鵝加菜！並且要我潛入水中，負責捕捉一隻，然後由某某同學將捕到之鵝用衣服包束起來帶走。

為了同學們早便知道我會潛水，我就未便推辭。大家商量好了，就照計劃實施。但因為鵝羣是有人在溪岸上看護的，故必須秘密進行，方可躲去看護人的耳目，我們分派三人往下游近鵝羣，兩人在近岸溪邊持了衣服等候，由我潛入水中捕捉一鵝。我們的計劃進行得甚是順利，在不大費力之下，我竟在潛水中將一隻重逾六斤的鵝捉住了，由溪水中流潛水到溪畔，並就在水中交給另一同學，再用預備好的上衣將鵝包裹，彼此若無其事的，穿好衣服，同回班中。為了欺蒙老師，消滅痕跡，我提議往廁所殺鵝，用稻草將鵝毛燒燒，將毛灰棄置廁中，使鵝肉變成燻過的臘鵝，大家吃食時偽稱係由同學家中帶來的臘鵝肉。老師也同吃了，大家都稱道這鵝肉味道甚好。這一幕惡作劇，本可就此告一段落，不料竟發展成一大是非，鬧成一場笑話。

原因是同學中有一人是養鵝主人的親戚，他知道其中經過，並且將經過告訴鵝主人；鵝主人是附近大富人家，他小題大做，竟向周老師提出質詢，要求賠償及保證以後不再發生類似事件。周老師非常氣憤，一口否認，彼此幾乎吵鬧起來。周老師延至次日，喚三位同學個別談話，並鄭重嚴詞責成實情說明。我因為事前同學們相約不予承認，加以並無證據，我於是就矢口否認，告密的同學，因怕引起公憤，此時不敢出來作證。所以我對周老師的責詢，祗好將錯就錯，為了補習班及周老師的名譽，堅決否認之。我並建議：鵝主人既無憑無據，顯是誣陷冤枉我們，毀壞補習班的名譽，應請賠禮或賠償名譽損失。周老師信任我們的話，據理力爭，限鵝主人三日內提出證據，如無證據，應即罰放爆竹，並向周老師跪拜道歉。（五）

梅妻鶴子

漁翁

歷代有名之士，不逐逐於富貴，不嗇嗇於虛榮，不汲汲於享受，以高風亮節著稱者，固不乏人，而宋之林和靖，不僅淡泊名利，且終身不娶，以梅為妻，以鶴為子，陶然自得以終世，則尤難能而可貴。林名逋，字君復，錢塘人，結廬西湖之孤山，恬淡好古，不趨榮利，二十年足不及城市，工書畫，善為詩，卒謚和靖先生。

錢塘在秦時為錢唐，至唐代為避國號諱，乃加土字而為「錢塘」，陳置錢塘郡，明清皆為浙江省治，名杭州府，即今合錢塘，仁和而為杭縣，仍為省會。城西有「西湖」，三面環山，一名「錢塘湖」，又有外湖裏湖之稱，為我國著名勝境。在裏外二湖間，一嶼聳立者為「孤山」，山之北麓，即林逋隱居處。周圍遍植梅花，又畜鶴成羣，放於湖中，時人以「梅妻鶴子」稱之，傳為佳話。

梅為大木，清瑩皎潔，當羣花未開，而獨佔先，衆芳已落，而獨在後；林之骨格，有類於此。鶴為候鳥，淮南子云：「雞知將旦，鶴知夜半。」鶴立雞羣，喩豪傑之異於衆，林之畜鶴，意亦在此。梅不染塵，鶴非凡鳥，象徵林和靖先生人格之高尚。

林之愛梅，與陶淵明愛菊，周敦頤愛蓮，後先並稱為「三愛」。其詠梅曰：「衆芳搖落獨鮮妍，占斷風情向小園；疏影橫斜水清淺，暗香浮動月黃昏。霜禽欲下先偷眼，粉蝶如知合斷魂；幸有微吟可相狎，不須檀板共金樽。」就中以「疏影橫斜，暗香浮動」為最名句。按五代時，江為詩云：「竹影橫斜水清淺，桂香浮動月黃昏」。林取之，易「疏」「暗」二字以詠梅。一字可為師，誠善於運用矣。

西湖風景絕勝，氣象萬千，葬於此地者，有岳王墓與蘇小小墳，遊人芳蹤所至，不絕於途。而林逋之墓，亦葬孤山，少有人去，豈林生前不求人知，而死後亦不願人憑弔也耶！

元至元間，有發林墓者，不見屍骨，墓中僅遺一白玉簪，有詠詩以悼之曰：「生前不繫黃金帶，死後空餘白玉簪。」亦奇蹟也。今日之孤山，梅已稀少，鶴亦不存，登臨之者，能無慨然乎？

劇壇縹緲錄

婁姿生

叔岩既好書法，復愛集古，他的志趣，儘往雅馴之道；但在有一個時期，忽然間熱心於某氏，學子平術，並購許多有關的書籍，悉心研習，約有兩年，忽有懍悟，遂常為人算命。據傳某次他的琴師朱家奎在座，他即要朱氏把八字說出，為其一算。叔岩其時身穿小棉袍，剃平頂，鼻架玳瑁眼鏡，完全老學究樣子，執筆拿紙，將八字一算，即云：你這八字，五行這麼多水，財氣一點也沒有，再過兩年，流年又走水運，我想非要飯不可。朱氏弄得哭不得，惱不得。不意叔岩逝世，家奎果然越混越差，潦倒半生，竟無立錐之地，貧困而沒。是叔岩的子平術，也有靈效，何其怪也。

一生技藝　三位琴師

余氏的技藝，得到成功而享名，不能不說這三位琴師，有莫大的幫助。凡是第一流角兒，必須有相當的琴師為輔，而余氏一生用的這三位琴師，却因傍名角而也成為第一流。就是因為配合了角兒的唱法和音韻，相合無間，在他們的唱和拉之中，起了有規律的音節，產生了會意的共鳴發揮無遺。他的琴師，初期是李佩卿，繼之朱家奎，最後是王瑞芝。在他享名最盛時代，就是李佩卿的相佐。

叔岩如何得李，也並非偶然，其推薦之人，即譚派負盛名的票友王君直先生。叔岩倒嗓以後，經常出入平津的票房，而王四爺也是玩票有資格的人物，且為長蘆鹽商綱總，很有地位，在梨園行提到他的大名，也叫得響，得人欽佩。余氏與他同是學譚，交情不錯。某次到天津，君直邀他吃飯，並到票房談談，要他吊幾段聽，票房所用的琴師，就是佩卿。幾段拉過，叔岩覺得這位琴師手音不壞；而在打算重登舞台，正欲物色人手，到很合式。於是就向君直借將，能否讓其同回北平，王氏慨允，遂定。

李氏原是唱楔子花旦，無成就，不得意，改操琴，也不過在票房充數，拉拉自遣。遇到余氏，好在叔岩是六場通透，而胡琴造詣尤深，一手訓練，煞費苦心，非朝夕之功，然成家。也是他的胡琴，能隨能隨，領先宕後，黏合一氣，奇峯突起，特別獨特古典派單字墊音，以狀元譜提放曹唱片為例，迭用單字，非特怪僻，轉覺乾淨。而托腔的單忽雙，點子能花能簡，尺寸之徐疾，手音之準確，弓法順暢，使余氏唱得舒服，聽痛快，節節然發響，為之驚異，是李氏佐余後又一人。如果注意振作，那他的成就，決無止境，可達到登峯造極，如梅雨田，孫佐臣，陳彥衡等，皆是後無來者，集作楷模。李氏自入余門，胡琴拉得好，包銀賺得多，[illegible]應該更富創作。無如他煙癮大，身體壞，既窮且懶，終年常在青黃不接。於是想找外快，給票友們調嗓說戲。那時他住百順胡同，是北平八大胡同之一，四周環繞，前後左右，無非妓院，那些院中的琴師，皆仰慕顏色，拜師說戲，他是禮，來者不拒，遂成為張三李四多是余派正宗，可就糟塌苦了。此事傳入叔岩耳裏，勃然大怒，拿棒要揍他，嚇得抱頭鼠竄，活脫演了打姪上墳。可到了三十五歲，不幸短命死矣！這是自作自踐，害了他的前途。（四二）

我的社會生活

雷嘯岑

次日，鄧氏在私邸盛筵招待我，約集縣訓所出身，現在省府各廳處作科長秘書，以及担任成都華陽兩縣縣長的同學廿餘人作陪，暢談時局，逸興遄飛。我告訴鄧氏，此行係來問候劉主席，希望他轉達居停，約時陪談一次，我準備向劉甫公貢獻一點對時局的管見，盡顧問職責云爾。詎過了兩天，鄧囑吾友謝明脅代為回話，說劉主席沒有工夫接見我。這時我纔明白鄧氏係以老官僚作風對待我，不讓我與劉主席發生直接關係，只須我聽從他的擺佈。我認為鄧氏太不知自量，居然要我充當他的走卒，真是笑話之至。立即購買飛機票回渝，連辭行之禮亦缺如。鄧聞訊，派員以劉主席名義送來大洋一千元，我璧還不受，隨後他再託何廼仁帶到重慶交給我，說是顧問的伕馬費，我依然堅拒不納，問何謂：「這又不是劉甫澄的私財，而是四川老百姓所納的稅款，區區之數，你為啥子用不得呢？」我說：「師出無名，受之有愧」，何若笑道：「你在行營作幫閒的參議，每月還不是坐領乾薪？」終於強使我接受了。至今我認為這是生平的慚德之一。

西安事變和平解決後，顧主任回到重慶行營，且辭去了貴州主席兼職，這時是民國廿六年春間，中日戰爭已如箭在弦上，旦夕即將觸發。我為着留在南京親戚家的兩個稚年兒女必須疏散到巴蜀來，却苦無人照料，乃依父母之命，媒妁之言，於六月間在渝續絃，證婚人就是顧主任與賀副主任元靖（國光）二公。行營原在自流井鹽場設置着燃料材料統制機構，而以專員一名綜持其事，初由楊公庶（楊度之子）担任專員職責，旋楊氏辭去，顧主任派我接替之。當時若干親戚朋友們，一致向我道喜，說這是一種最容易弄錢的肥美差事，幹上一年，即可望成為富翁。可是，我幹了兩年，每月除却領取薪金法幣四百元而外，不知從何處去弄錢？誠然，在專員辦事處統制下的鹽場燃料材料（煤炭，鋼纜，鋼板），價值甚大，每月金錢出入數額極其可觀，而且這些物資的市場價格，皆由專員辦事處釐定之。但我既不能化公為私，又不能勾結鹽商，共同舞弊，而管理銀錢出納的人，亦係當地鹽務局派來的，我實在想不出發財的門檻安在？生平自負並不愚蠢，唯獨對於弄錢之道，可謂一竅不通，莫名其妙，貧以終身，不亦宜乎！

在我尚未奉命赴自流井作統制專員以前，「七・七」事變已作，京滬戰雲密佈，康兆民（澤）由南京搬運了一部印刷機到重慶來，創刊「西南日報」，行營顧主任按月予以經濟援助。維時川省尚無中央系統的言論機構，而以西南日報為濫觴，因此，顧主任頗為重視，對該報期望殊殷切。嗣見該報言論不如理想，乃教我兼任該報總主筆，初時是我唱獨腳戲，未幾，鄭學稼兄到了重慶，即受聘為該報主筆。適中共的「新華日報」亦在渝市創刊了，而其社址與西南日報同在一條街上——昌平街。於是，我與學稼商量決定今後的言論方針，側重於反共產主義，跟新華日報擺擂台。社長汪觀之是別動總隊部的秘書，他對於本報言論，完全信賴我和學稼，不加干涉，我們更大胆行事，無所顧忌。（四一）

述懷四律之二

黃伯遠

為答復紓兄作

身似閒鷗隨處宜，心同意馬費羈縻；
著書未見能驚世，積塊何堪滿肚皮。
一卷浩然忘老大，頻年嫁綫樂飢疲；
但求留得烟和墨，無米何妨啜肉糜？

蔡邕與琵琶記

谿公

但也並沒有放棄王四！故將所作的這一「南曲」命名為「琵琶記」。名是指趙五娘手抱琵琶歌以行乞，實因琵琶二字上有四王，豈不等於說是王四的事嗎？至改不花丞相為牛太師，則以元人呼牛不花而然！這在明儒何元朗之「曲論」中，早已有了扼要的說明；而膠柱鼓瑟之顧曲家，偏要吹毛求疵，謂「蔡中郎之父名稜字伯直，被載在「後漢書」中，今劇中稱之為蔡從簡，高則誠實在該打手心。」

這說法原也言之成理，可是他忘記了，這一位蔡邕，是在狀元及[illegible]始於唐玄宗時[illegible]夢想不到！而那時的宰相，也[illegible]上招親？可知這個停妻再娶的[illegible]之蔡邕，風馬牛各不相及！彼[illegible]拾「丹鉛錄」上之唾餘，藉以[illegible]論」，便不會這樣笑人，反被人[illegible]至唱「徽撥子」之「掃松[illegible]娘賣髮葬翁姑」一節之劇情改[illegible]）拿手戲也，每次貼演，必以[illegible]演之。台灣票友中，亦有擅演[illegible]社」一見之，唱工作派，均與[illegible]已想不起了。（三。完）

內政部台報字第〇三壹號內銷證
THE FREE NEWS
第四三三期
中華民國僑務委員會頒發
台社新字第三二三號登記證
中華郵政台字第一二八二號執照
登記爲第一類新聞紙類
（本刊逢每星期三、六出版）
每份港幣壹角
台灣零售價新台幣貳元
社長：雷嘯岑
督印人：黃行[illegible]
社址：香港銅鑼灣高士威道二十號四樓
20 CAUSEWAY RD 3RD FL.
HONG KONG
TEL. 771726　電報掛號：7191
承印者：田風印刷廠
地址：香港灣仔高士打道二二一號
台灣分社
台北市西寧南路[illegible]號二樓
電話：三〇五四六
台郵撥帳戶九二五二

中俄共衝突激化與世界前途

·李應元·

糾纏了相當時期的中、俄共所謂世界革命路綫之爭，近來愈演愈烈，似已陷於無法調和的境界了。西方國家的政治人物莫不竊然自喜，顧而樂之，一方面認爲鐵幕世界從此分裂對峙，可以減輕對自由世界的侵畧威脅，消弭核子大戰的危險；同時亦相信俄酋赫魯歇夫的「和平共存」政策是出於誠意，他爲要改善蘇俄人民的生活，即不得不取鑑於西方國家的生產技能——特別是農業方面，接受西方的文化交流願望與經濟援助，彼此增進貿易，馴致結束冷戰。我們認爲這是不切實際的惰性觀念，未敢苟同。

爭執不會永久持續

俄共指斥毛共志在以冒險手段、企圖爭奪共產世界的領導地位；毛共指俄酋是違背馬列主義的修正主義者，出賣了世界無產階級的革命利益。他們好像眞的是一塲思想鬥爭，有如十七世紀宗教徒新舊派的分裂運動然，實則這都是表面文章而已。作爲一個共產世界的領導者，決不是空口談理論所能勝任的，最重要的必須具有維護一般附庸政權存在的軍事實力，以及援助這些政權從事經濟建設的物質能量，否則絕對領導不起來的。毛共無論在軍事、經濟力量和科技人才方面，皆屬一窮二白，自顧不遑，它有什麼資格作共產世界的領導主呢？事情很顯明，假使俄酋赫魯歇夫不是狠狠的索償毛共的逋負，又從而停止史大林時代對毛共簽訂的一百多種工業建設援助協定，最後且將派遣在毛共區域工作的專家與工程人員全部撤回，把一切計劃書和藍圖亦帶走，使毛共痛苦萬分，竟搞出全民「土法煉鋼」的惡作劇以洩憤的話，毛共至今還是一面倒，而奉戴蘇俄爲「社會主義國家的頭」，毫無疑問。又假使美英各國不向毛共獻媚乞和，有如美國之爲古巴問題而不惜進行大戰，英國之對印尼侵襲大馬聯邦而毅然出兵應援那種勇氣，則毛酋更不敢跟俄共反目了。所以，今日毛共反赫運動的目的，只是想把赫酋推倒，以報一箭之仇。他們以爲俄共內部的史大林派尚有潛在勢力，可能利用「修正主義」這道符咒，激起俄共內部的動亂，使史大林餘孽重起當政。試看俄共代言人蘇斯洛夫日前發表反擊毛共的演說中，忽然插入一段報告，說莫洛托夫，馬倫可夫，卡岡諾維奇等人，早已開除了黨籍云云，就是暗示毛共以史派份子毫無作用了，休想利用這班人從中作祟罷！

因此之故，不管目前雙方的罵戰怎樣兇惡而熱烈，將來祇要赫、毛二酋有一個死亡了（他們皆是年逾七旬之人），中俄共之間就會破鏡重圓，和好如初的。狄托當年跟史大林反目後，憷於外在的不利環境與形勢，立即乞援於英美，並與北鄰的自由國家簽訂軍事同盟條約。迨史魔下世了，又迅速與俄共合流。毛共今日所處的外在環境比狄托優越，它儘管大力反對「美帝」，經常蔑視「英帝」，而美英始終替毛共保鏢，不讓中華民國政府反攻大陸，摧毀毛共政權，它自然不妨大胆向俄酋修怨，提高自身在國際間的聲望，有益無損，何樂不爲呢！

赫、毛衝突對世界的影响

西方人士認爲赫、毛衝突眞是思想之爭，乃逆料共產集團從此永遠分裂爲二，決無復合之可能，且以西方過去的宗教新舊派分裂爲例證，自我陶醉，幻想多端。這類論調並不新鮮，英國那位譔寫世界史綱的史學家威爾斯，早在十多年前就提出這種見解了，認定共產主義與資本主義可以和平共處，互相適應的。如果西方的新舊宗教徒，不遵循「政教分離」的原則，依然執掌政權，擁有武力，他們若不拼個你死我活，而能如今日之和平競賽，那纔怪呢！現時的共產主義集團，有其共同的世界革命理想和目標——埋葬資本主義社會，建設新的世界秩序。他們又是處於劣勢的革命過程中，甚麼理由和利害關係，要採取自殺性的眞正破裂行爲呢？果若是，則法國戴高樂早應該退出北大西洋公約體系，跟英美敵對鬥爭，而英國首相何謨聲言英國必須發展核武器，亦是好戰的軍國主義了。

若干年來，以英國爲首倡的西方政治人物，不斷地稱許毛共爲「亞洲的狄托」，極盡姑息撫綏之能事，現在毛酋的反赫言行，比當年狄托反史大林激烈多了。可是，他不但不乞援於英美，且指斥赫酋的「和平共存」政策，是向英美帝國主義投降，認爲共產主義者沒有與資本帝國主義者和平共處之可能，非進行暴力革命不可。美國的執政人士和參議員如希斯曼，傅爾布萊之流，再三向毛共表示好感，希望毛共與美國妥協。然毛共始終聲明是以「美帝」爲世界革命的頭號敵人，決不接受美國的「彈性」外交誘惑。所謂「亞洲狄托」的美夢，大概快要幻滅了吧？

英國記者格里（John Griggs）最近在紐約發表文章，指述西方國家目前對蘇俄抱有強烈的樂觀心情，期待俄共今後對西方的態度根本改變，而以下列五點情況爲根據：（一）禁止核試條約之簽訂，且可能進一步達成裁軍協定；（二）俄共與中共公開衝突；（三）赫魯歇夫似乎決心提高蘇俄人民的生活水準，願意接受西方的經援；（四）蘇俄領袖和人民，對甘迺迪總統被刺，由衷的表示哀悼；（五）俄共政權在從事「貶抑史大林運動」中，冷戰必將結束。格氏認爲這些說法根本不成熟，其所根據的理由不是虛妄，便是使人誤入歧途，最後肯定的作出結論，說俄共準備「埋葬」資本主義制度，在實現這項理想的嘗試中，除了一塲熱戰之外，沒有甚麼可以阻止他。這是相當瞭解共產主義政權本質的論斷，比較美國哈佛大學那般「蛋頭」的教授，以及希曼斯，傅爾布萊等人的智慧强得多！

西方人士基於惰性觀念，總想投機檢便宜，以爲使用一些金錢和物資，給共產政權改善人民生活，而人民即可羣起自動爭取自由，實行革命，推翻共產政權，歡迎西方國家前來大做其生意。他們却不明白共產政權是如何殘酷的控制民衆，更不想想二次大戰時，史大林雖然全靠西方的大量軍經援助，而總免於亡國之禍，大戰一告結束，即視西方國家爲死敵的歷史教訓，瞧着俄共頭子的一抹笑容，便覺得世界和平就在眼前了。幼稚淺薄，殊足驚人。目前我們認定是摧毀毛共政權的又一次大好時機，然美國正在向毛共送秋波，我們祇好等待一塲慘烈熱戰之來臨了！

施漢諾眼裡的「中立主義」

這傢伙這時只能要小麥了

今日与明日

越南的問題

美總統詹遜聲明：美國對越戰不擬採取進攻北越的方略，也反對中立越南的計劃，在現狀之下，以軍經力量援助南越政府抗禦共禍。這表明在今年美總統大選期內，白宮對東南亞政策是維持現狀。

越南的現狀能否維持到明年一月以後——美國新任總統就職後——關鍵不在軍事而在內政。目前阮慶將軍所控制的革命政府內部，因爲權力之爭，已發生裂痕，內政部長辭職了，尚有五個政務大員亦準備掛冠不幹。阮慶表示馬上就要擬訂新憲法，實行選舉，俾得建立民主政治，符合民衆願望，藉以改善徵兵制。

筆者根本就不敢相信一個剛從殖民地生活翻身起來的新興國家，又在戎馬倉皇、四郊多壘之秋，能夠以急就章的手法，搞成民主憲政的生活方式。但是，不如此即不能取得美國當局的歡心，而樂予應援。所以，我認爲越南的問題是在內政上，很可能出現循環不已的政變情形，影响剿共的軍事行動，殊堪焦慮也。

塞島風雲日急

塞普魯斯的希、土兩族人民，近日又掀起戰爭，而所謂聯合國的「和平部隊」，不特沒有制止戰爭行爲的能力，本身且捲入了漩渦。聯合國「和平部隊」在北非的剛果，能夠發揮「弭戰」作用，在塞島何以一籌莫展了？癥結就是有強權國家的利害關係交織於其中。

看形勢，希臘與土耳其兩國軍隊之介入塞島戰爭，祇是時間問題而已。卽小可以喩大，誰相信聯合國眞能夠維護世界和平呢？

悼麥克阿瑟將軍

在遠東地區留有豐功偉績的美國五星上將麥克阿瑟，偃臥病榻逾旬日後，溘然長逝了！這位文武兼資的「老兵」，以八四高齡，名聞全球，光被史册，瞑目而去，亦可以無恨矣。

筆者讀到麥帥當年在遠東盟軍總司令任內被撤職回國，向國會兩院聯席會議的演說詞，其印象之深刻，比他在韓戰塲橫掃共軍的戰績，尤有甚焉。去年再讀到他對西點軍校學生的講演時，不禁感動泣下。他是美國近百年來的傑出人物，尤屬國家的瓌寶，亦係吾人最欽慕的英雄豪傑，驚聞噩耗，固不勝其哀悼之情也。

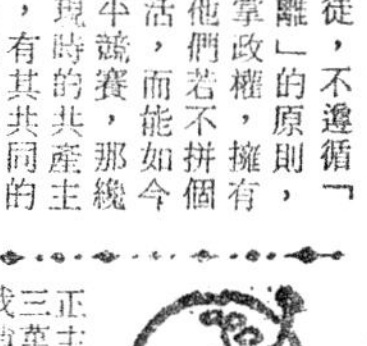

看鬧劇有感

最近中共發表了一篇「無產階級革命和赫魯歇夫修正主義」的反赫文章，洋洋三萬餘言，眞是又長又臭。我消耗了半天的工夫，很耐心的把它閱覽完畢，乃知其內容殊簡單，卽肯定共產黨必須以暴力革命爲生存發展的唯一原則，跟資本主義社會沒有和平共處之可能，在現階段應以反對「美帝國主義」爲首務。並否認自己是左傾機會主義者，更不承認是托洛斯基主義者，說「托洛斯基主義這頂帽子，還是赫魯歇夫自己戴起來吧！」如是而已，却將馬克斯、列寧、史大林的言論抄上了一大堆，表示毛共纔是馬克斯的嫡派傳人。

世人很淸楚地記得：當年托洛斯基强調「不斷革命論」，反對史大林的「一國社會主義建設」，更不贊成中國共產黨人與國民黨合作，從事國民革命運動。史大林乃斥其爲左傾機會主義，予以放逐，最後把他暗殺掉。根據這項最好的歷史證見，今日赫酋指毛共爲左傾機會主義者，爲托洛斯基主義的信徒，在思想體系上，似乎並不寃枉，而赫魯歇夫却沒有戴上這頂帽子的資格啊！

毛共把馬克斯的言論思想視爲聖經，動則挾馬列主義以對外驕人，對內嚇人。實則馬克斯所創立的那套理論，到今日已證明其漏洞百出，錯誤良多，最顯著的事實，就是馬式社會主義建設，絕對無法解決農業問題，因而俄共至今依然感受糧食不足的痛苦，毛共的飢饉頻臻，更無論矣。馬克斯根本即未夢想到人類會發明原子能這回事，他的理論到現在已有若干點變成童話了。馬克斯又認定「國家」這一階級亦要消滅的，但「國家」消滅之後，人類的政治生活究應如何？他却一字不提了。

赫、毛鬥嘴的勝負安在，咱們是懶理會的。但毛共擁着馬克斯主義這塊盜招牌來對世人招搖撞騙，欺天下人以無知，居然作賊喊捉賊，淆亂是非，却未免太可笑而可恥也。

馮子先生

台省國大代表與立法委員 省議會為何要求改選增選

起因安在？形勢如何？何以疏解？

——本報台中記者熊微宇

台灣省議會要求改選增選台灣省國民大會代表與立法委員的建議，公開形之於言論者，這回是第二次。第一次是兩年多前五十年的十一月；這次是今年（五十三年）三月。

五十年十一月那次，是由無黨無派的省議員鄭宋柳提出的，以未獲大會通過作罷。

這回由國民黨籍的省議員李建和與歐雲明聯名提出，經由三屆二次大會表決通過：「建議省政府轉請中央採納」見諸報端後，各報撰文支持，要求政府採納。立委李公權在院會中發言亦提到過。中央當局還沒有表示意見；茲事體大，決定性的答覆當然還有一段時期。

何如是之汲汲

關於這件事的法理問題，輿論反映得不少，但我覺得，這案件的形成，中央非常辣手，乃在牽涉到的利害因素太廣泛；就本省的自治選舉僅及省議員而言，這種全國性的事，自然須作縝密的研討。

而研討這問題，若單認為要尋求一種和緩的功能，那末就該探討省議會的根本意識。以我個人在省議會記者席上坐了八年的體認，覺得這個問題的產生，似乎不完全是目前各政治理論者所說的，現勢狀況中所存在的立監委與國大代的「代表性」與維持現狀的「生機活力」的積極意義。

那正如立委李公權三月十七日在院會中所說：「現在的國大代立監委不能改選，原是莫可如何的事，外國亦有先例」。這個「莫可如何」，省議會亦非絕對不能體諒。因為諸如此類的事，目前存在很多，如「省縣自治通則」之遲未制頒而影響到自治上的許多問題，雖經一再提案，但一直還是容忍現狀，而何致於汲汲於中央民意代表的改選與增選呢？

有種「觸發性」

所以說，純就目前的狀況與國家體制的觀點上看，可能在省議會不如一般想象的那樣強烈。而省議員們其所以對此一問題，而不捨者，可以說是在意識上受了一種對於中央民意代表「享受若干特權」的刺激和看不順眼的情緒所引起。

潛在的，省議會總覺得中央民意代表中，有一部份人，對台灣地方的權利有所侵損；覺得有一部份立監委與國大代過於張伸私人的利益，運用「特權」的不大「安份」。

我們就兩次提案要求改選增選國大代與立監委的當時情緒來說，都是具有一種「觸發性」的。

三年前的杯葛

五十年十一月的那次提案，是由於監委金越光在監察院總檢討會中指稱：台灣省菸酒公賣局預決算審查權應屬中央。而引起正在開會的省議員們羣情憤慨，指責中央民意代表侵損地方權益。於是省議會就由一種潛在不滿的情緒而公開在大會發言批抨「中央民意代表任期早已滿了，所以不能代表真正的民意」。

由於這種公開杯葛，就產生了鄭宋柳提案，要求改選增選國大代與立監委。

事經當時國民黨省黨部主委上官業佑，對在議會席次佔百分之八十的黨籍議員曉以大義，才使此一提案未獲通過。

但是到如今，公賣局的決算權仍然在立法院，而省議會只能審查預算，使公賣局「妾身難分」，「兩頭侍候」，而省議會與立法院的「意思」也就越來越惡。

今年春的風雨

而今年，五十三年的春天，省議會舉行三屆二次大會的當兒，又傳出立法委員們在台糖盈餘分配審查之際，每人借六萬塊錢，並且默契可以不還。於是又引起省議會的嘩然。

此事雖經行政院長嚴靜波提出否認，但難為省議會置信。於是大家在省政總質詢時，面對黃達雲主席，紛紛提出指陳。

在各式各樣的撻伐言詞中，說得最露骨，最能表露省議員們對中央民意代表所懷的根本意識的，是不屬於執政黨籍的許新枝；極盡諷刺，但也坦白。

議員自嘆命苦

他說：我們除了敬仰中央民意代表地位崇高以外，還有幾方面讓我們羨慕：第一是任期的無限延長。當我們年輕的這一輩還在流鼻涕的時候，我們的父執輩選舉中央民意代表，直到我們當了省議員，這些代表仍然在位。看樣子，大概要子而孫，孫而子的世襲下去。

第二個值得我們羨慕的，是中央民意代表因為不改選而不必化「本錢」，又不必為選民勞心；也不能罷免，所以就不受選民的約束，可以自由自在的隨心所欲。不像我們這些苦命的，化不少的鈔票競選，每天還要接待三十到五十個客人，處理二三十件文書，還要週旋於婚喪喜慶的選民人家；任勞任怨的接受批抨。與中央民意代表相較之下，真有天壤之別。

為中央代表算賬

第三個值得我們羨慕的，是中央民意代表可以享受特權。而中央民意代表屬於行使權者，除六年一次選總統拿相當可觀的車馬費以外，就無所事事；而其屬於行使權者，其工作僅相當於一般公務員。

據說中央代表諸公月領數千元車馬費，政府還提供官舍，裝設電話。於行使同意權或審查議案時，又另有好處。其與勞碌終日的公務員待遇相比，真是有雲泥之差。

以前，中央民意代表為租房子每人借款四萬，而去年，為建避水樓每人領了三萬，而今年，於行政院改組之際，審查台糖盈餘分配的時候，每個人又借六萬，而且默契可以不還。

據說，這筆額外支出，可能有兩億多之鉅。

許新枝面對省主席黃達雲說：際此全國軍民兢兢業業備戰反攻前夕，中央民意代表的這些特權享受，不但侵蝕國庫而且對於國民情緒將有極大的影響！

行政院長既然聲明說立委們所拿的六萬塊錢是貸款，將來要還的，那末本省銀行又歸主席領導，請主席調查實況，列表見告，以杜悠悠之口。（上）

香港與大陸

毛共攪三超再增產運動

超出勤超售肥超農活質量

居然要農民每年多做一百天工 每人再售多三百斤家肥給公社

在粵東地區，中共為了春耕，又在如火如荼的大搞其「三超」的「增產再增產」運動，其手段是通過社員的「家庭會議」，「聯家會議」以及「生產小組會議」，訂出詳細的計劃，還要互相監督實施。

此間一位大專學生，最近接到其留居大陸的朋友——一個下放農村的高中畢業生的來信，描述了中共是項運動的詳細情況。

來信說：中共又在這裏展開所謂「增產再增產」運動了；中共所喊的口號是「三超」，即「超出勤，超售肥，超農活質量。」所謂「超出勤」，是要超額完成出勤，不能偷懶怠工；「超售肥」，是要農民超額完成賣肥料（人畜糞尿，綠肥等）給公社，一點都不留下自用；「超農活質量」，則是要農民精耕細作，不能粗枝大葉了事。

來信又說：現在，我們這些農民都被迫夜以繼日的召開「家庭會議」和「聯家會議」以及「生產小組會議」，一方面要深入的做好思想教育工作，一方面却又要細緻地訂立工作計劃。

所謂「思想教育」者是什麼呢？乃是中共要求「先進」的人物，挨家挨戶的進行「授先進」，協助「找差距」，「挖潛力」的活動；另外中共又把今年的「收益預算方案」分發社員，使每一個人都可以知道自己在今年內有多少糧食和現金的「收入」，說是如此可以提高農民的生產熱情；首先則是訂出細緻的生產計劃。

來信說：他們這個生產隊，共有三十戶人，在生產計劃、生產指標和生產措施公佈以後，在中共安排下，便提出「勞動出勤破萬日」的口號，意思是一年內全隊社員的「勞動日」要超過一萬個。還要集體售肥折欵入民幣二千元。

來信說：按照這麼個計劃，每個社員，在一年中都得多做一百個「勞動日」的工，并多售家肥三百斤。來信說：「我們現在每天都要出勤勞動，何能再來些時日，去多做一百個勞動日的工呢？至於多售家肥，像我（來信者自稱）這個單身漢，沒有家畜，祇有自己的糞尿，又何能增加三百斤呢？」

來信又說：中共對是項「三超計劃」，宣稱必定嚴格執行。它們又發動訂計劃時大家互相「挑戰」，互相「監督」。中共還督促其幹部落戶指導，用自己的計劃，給社員作榜樣。在計劃訂出以後，則交由農村黨委會監督施行，隨時抽查，務必要農民們百分百地去執行它。

來信悲嘆地說：「我（來信者自稱）真的有點捱不住了！」（敬斯）

台灣論壇

力役之征

陸嘯釗

憲法上雖然規定，人民的義務，僅僅限於當兵、納稅、受國民教育三項，如果真正基於國家建設的需要，修修橋補補路來上這麼一兩天義務勞動，倒也未可厚非。問題祇怕流於形式，變成表面文章，事實上既勞民傷財，法理上又站不住腳，那才真叫冤枉。

台灣過去實施的義務勞動，事後報章雜誌大大地宣傳了一下它的成果，可是僅僅一場「葛魯齊」颱風，路也衝了，橋也塌了，活像個肥皂泡一樣，那麼短暫，那麼無影無踪。

固然這是「天災」，是「不可抗力」，義務勞動的得失成敗，即此一端，未便認定。可是就僅有的這點成果，拿事實的損耗對比，也是得不償失的。即使不講本位工作的停頓所引致的損失，單就各機關購買工具、鞋帽，發給員工出差費等等的累積費用就大為可觀，打打算盤，也未必合算。而里鄰長乘機攤派勒捐更是不折不扣的人禍。

力役之征，古已病之，法意雖好，沒有實效，也是枉然。憲法既無根據，法理上也未必站得住腳，何況，我國又批准了國際勞工組織（ILO）的「廢止強迫勞動公約」，這個公約的主要精神，就在禁止任何不給予報酬的勞動。出爾反爾，這個矛盾，也就難解了。

可是問題並不單單在此，麻煩的是，這個公約並不是光光簽字批准就算了事的，國際勞工組織居然還狗拿耗子的成立了一個「公約及建議書實施檢查委員會」對各國批准的公約施行情形，加以檢討，據說對我國的義務勞動，頗不諒解，也許今年的會裏（七月召開），就要檢討我們了，出席的代表們憂心忡忡，祇有到時候再說了。

修橋補路，國家年有預算，納稅人的錢，主要都應該用在地方建設和發展教育上，如果修橋補路，却要靠義務勞動才能完成的話，人們不禁要問，納稅人的錢，挪用到那裏去啦？

國家的施政，應該有一個長久的打算，不要一下子撅起一個高潮，一下子又把它冷藏在冰箱裏。即使我們觀念上並不認為義務勞動就是強迫勞動，事前也應該有一個週密的計劃。

基隆旅居記

仲公

基隆開發甚遲，明末被西班牙人侵入，驅逐番人，築城自衛。那時荷蘭人在南部，感到西班牙人的勢力日增，威脅甚大，於崇禎十四年出兵討伐，把在基隆淡水一帶的西班牙人驅逐出境。當然這祇能算是蠻觸蝸爭，談不上戰爭。後來鄭成功入台，從鹿耳門大舉登陸，將荷蘭人圍困於赤嵌城達九個月之久，荷人兵敗曳甲，全部退去，基隆亦未受到戰爭影響。終南明之世，政治重心始終都在台南，北部幾等於未經開發的處女地。這時的基隆，尚為土番所據；混混噩噩，仍是野蠻洪荒的世界。滿室雖在康熙時，奄有其地，但直至咸同間，政府始設官採礦，從事開發。以後人煙日多，始漸漸開化進於文明之域。

因為基隆是台北的門戶，凡是強敵入侵，必先在基隆登陸，自咸同迄今百餘年間，基隆會遇到兩次強大的敵人，一是乙酉中法戰役，一是甲午割台日本登陸戰役。

自光緒九年六月廿五法軍強行接收諒山，法艦直趨福建，先毀馬尾師船以斷援台之路，繼而進薄基隆，分陷澎湖，無非為吞噬全台之計。光緒十年三月十八日，法艦一艘入基隆。（卅六）

北市民政局長 張燦堂被人檢舉

市議會通過要市府查辦

（本報台北記者航訊）台北市政府民政局長張燦堂，頃被市民李長春以人民請願的方式，揭發其違法失職的行為，案由台北市議會六屆首次大會通過，送請市府依法查辦。

該請願人李長春，指台北市政府民政局長張燦堂及有關人員非法變更武榮媽祖會會產管理人之登記。緣武榮媽祖會產屬於神明會，然張燦堂竟曲解事實，意圖改頭換面，用移花接木的手法，核發祭祀公業之武榮媽祖會會員全體會員之證明。請願人曾因此請示台灣省政府，並經明令釋示為「神明會」，然而張燦堂竟說沒有明確的釋示，不遵省令撤銷該會員證明，因而請市議會予以糾正，以正官常云。

你在那裡？

文黛

我在台中，掛電話給丁穎，我問他近況怎麼樣？他沒有回答我的問題，反而問我：

「你在那裏？」

這頓時使我悟到可怕的迷失，我的朋友孫鑑的故事。

今年二月間，孫鑑和一位女車掌談戀愛。那女人初中畢業，台灣省人，長的不太出色，却也不能說醜。

孫鑑坐了幾次她的車，就對她有好感起來。於是，開始寫信給她。

她收了他的信，却沒有回信給他。他却還繼續寫。他想：既然她不退信，那她就會看他的信。能夠看他的信，那對他就多少有點意思，男女間的情感是慢慢來的。

他原先是兩天給她一封信，寫了一個星期後，他就一天一封信。他一下班，連出去散步的時間也實行減少了下來，移用來給她寫信。

他給她的信都寫的很長很長。據他說：最短的，也有三張十行紙。

有一天，他又坐她的車子，他多坐了兩站，就找到一個機會問她：

「有沒有收到我的信？」他有點胆怯，頭低着。

好久好久，才說：

「收到了。」

她說了話，他的胆子壯大一點了。

「我的信寫的不好？」他聲音很小：「但情感很眞誠。」

「我看得出來。」

他兩手互搓着，不知道又該說些什麼？

「我一直在等你的信。」這句話是好不容易擠出來的。

「我寫不好信。我也沒有時間。」

他不能再繼續坐下來，已經過了兩站，還要跑路回去。他下了車，他在車門口望了她一眼：

「有時間請給我寫信。」

她吹着哨子，好像聽了他的話，又好像沒有聽清他的話。

他當然還是繼續寫信給她。

他一直寫了六個月了，她沒有回覆他一個字。後來有一天，他到她住的地方找她。

她正在宿舍裏洗衣服。

「我不會打擾你吧？」

她的眼睛在衣服上抬起來，眉毛深鎖着。

「我是多麼渴望見到你。」

她打斷他的話：「希望你以後不要來。也不要再給我的信。」

他楞住。

「我已經有了男朋友。你不要再來打擾我。」

他耳朵裏嗡嗡的响，眼睛冒着金花，就像有人在他腦殼敲了一下，身子在搖幌着。

「我請你不要來纏住我。」她說過，轉身就往屋裏走。到了門口，又轉過身子：「我們並沒有爭吵。我們只是很友善的分開。」然後就關上門。

他的淚珠滾落下來。失神的離開。走着，走着，在街上走了一圈，又走到她的宿舍，身子靠在門上。

「你怎麼又來了？」她臉孔拉的長長：

「我不歡迎你。」

「但我——」

「快點回去！」

「我回到那裏？」

孫鑑就這樣「迷失」着，自己不知道自己在幹什麼！他還說許許多多人都不知自己「在那裏」呢！

嘉莉的日記

汶津

十二月十九日，星期日

要命的星期天！上八堂沒意思的課，偏不能陪姊姊她們玩，唉！天也命也！

晚上我可不做那些又臭又多的作業了，官它的！我要帶我的乖姪兒到附近的公園去散步。

姐姐還有些不放心呢！眞是，做了媽媽就「神」起來了，以前陪我玩得多好！

我還是如願了。摟着小毛，慢慢的從滑梯上滑下來才有意思呢！可惜昨天作文的時候沒有想到這種樂趣，否則那篇「苦與樂」該更精采了。

十二月二十一日，星期二

他終於回來了！短短的一個月眞好像過了一年。黑些了，也胖點了——只是一點點。我看他哪，三輩子也胖不起來！

「李吉明，你可以補問你的問題了！」上課前我就這麼對她說。

「你替我問他嘛！」她對熱我做了個鬼臉。

「哼，」我覺得臉上有些，「你也變壞了！」

上了課，他一走進教室，吳敏和另一個不知誰就叫：「老師好！」眞是討厭，好像誰請她們做代表呢！

有人請他講這一個月的經歷。

「可惜沒有身經百戰！一天到晚跟新兵們混在一起，」他說，「酸甜苦辣的滋味都有得嘗。可惜妳們沒有機會去試試看。」

眞是的，老說「可惜」這「可惜」那。最可惜的哪，是你根本就不像個軍人。我在心裏嘀咕：要是我是你的部下，我準不服氣。

我好像在跟他賭氣，因爲他今天沒有特別看我，——不，只看了幾秒鐘。

十二月二十四日，星期五，晴

今天天氣眞好，上歷史更起勁。他的精神好像比以前旺盛，講路易十四講得天花亂墜，還在黑板上寫了個什麼「履歷表」，其中最妙的是「嗜好」一項：「華服盛宴打獵跳舞出風頭……」虧他編出這樣的文章來！

今晚有兩個逃課的，崔荷香不用說了，李湄湄想不到也那麼洋派——是聖誕夜有節目呀。

二年級的時候，英文老師跟我們唸了一首打油詩：

人生不過爲Play
何必天天Study
文憑拿到Go away
回頭再見Good-bye

她們眞可以當之無愧；只可惜文憑還沒有到手！

（八）

藝術叢談

抽象藝術漫談

趙雅博

既然這樣的情勢在激發並推動我們，自然也激動並號召他人；我們看看人們間的共同天性，人都是人，人也都有自由意志與理性，那末人們自然也可以自由選擇與決定，那末藝術種類的選擇，自然也脫不了自己所居的種類。這樣的結論，已經爲費希德所適用在哲學上了，我們想應用繪畫藝術並沒有什麼不可以，就這樣，我們便可以對藝術界的相反的兩種情態，不否認拒絕每一個，而對它們都支持。道並行而不悖，這兩者同是道，同有其理，不必有所黨同伐異。這裏並不是鄉愿，而乃是使我們更能迅速，更能比較確定發揮藝術的美的領域！爲此，抽象藝術在今天我們也不必反對，具象藝術一樣也可以存在，學院主義也好，先進主義也好，所需要的是藝術家要正派，要坦誠。在藝術上一個沒有意義的抽象主義是可貴斥的，一如一種僞裝的學院主義也是要不得的。

在今天的抽象藝術內，我們自說的是眞正抽象藝術，不但有坦白誠實與正氣正派，並且也一樣有悲劇與苦痛。所謂苦痛與悲劇，乃是出於一切發明，尋找的努力中，其成功則是需要戰勝艱難痛苦。在抽象藝術境界中，困難是多端的，我們這裏特別指出二者：一個是從前進境界中生出——一個是自後衛境界遭逢。前者乃是注意尋獲一條穩妥的路子，以便照定擬具的目標前進——這個穩妥的路子尋獲自然不是易事；後者則包括於時時不斷的打擊其他的主要藝術趨勢的成功或昇起，這自然也是困難重重。抽象藝術在這兩者之外，還另有其困難。抽象藝術家的情勢，如果是它理會了它還不是由於純空想而擁抱了這一藝術型態，它乃是由於藝術歷史的當前環境的推動激發，乃是由於一個藝術眞正問題的喚起，這種問題的被提出，並不是隨隨便便，而乃是與緊急的需要，以及一個迫不及待解決的需要而提出的。問題是這樣的：或者是放棄最近五十年來藝術所獲得的成功，或者是放棄對象的具象表現。

是的，在這裏我們需要聲明的是：在這個選言命題，並不是關係的對象問題，而乃是只關於對象的具象表現問題。這樣說，可以引導我們在以後所要說出的思想：我們能夠保留對象而不放棄近半個世紀藝術界的所得；所不能作的乃是在作品上聯結上述的成功，藝術界的所得與對象的具表表現，因爲這種具象的表現，比如在繪畫上，必需地需要色彩的減輕。這件事是很少次自然地發生在其純淨的狀況中的，並且作品的組合架構的隱藏，則溶合於單純附加的或品貭的形式中，這些個形式，則在他們對象的物質之中，表現給人們的感官。這樣的組合，這樣的作品，具象的藝術家與它符合的描繪創造自己的作品，以後他們又進而將人的形象或對象配合道樣的作品，掩蓋起來，誇耀並突出抽象來，有必要時，還要取消那一切從客觀的形象中所映溢出來的一切指定，有幾次將客觀的形象歸縮到最小最小的表現上，有時候也就將這形象取消了。

（未完）

冷宮續夢

第十二回

異域購新居　民脂似水
冷宮傷舊夢　妾命如絲

有錢能買鬼推磨，果然不到一個禮拜，瑞士方面有電報回來，諸事均已辦妥。陳毅就在北平物色人選，趕製行頭，由於他這是第一次率團出去，與喬中又有三分胆怯，所以力求準備的盡善盡美。

首先是人選方面，非帶章漢夫不可，陳毅雖然當了這麼久的「外交部長」，公文都很少看過，至於外交方面有關條例更是一竅不通。中共外交部的副部長名額雖然不少，但是眞正守着外交部門作事的也只有章漢夫一個人，所以陳毅首先要帶着他。

其次要說到喬冠華夫婦，喬冠華是周系「外交部」的四大金剛，龔澎又是鄧穎超心愛的乾女兒，像這樣到日內瓦開會又出風頭又玩耍的事，不帶他們夫妻去，恐怕連鄧穎超都不開心，再說龔澎抗戰時期在重慶新華日報任記者時，仗着年輕貌美，又能說幾句英文，同西方記者攀上交情，許多中共製造的新聞，都是龔澎在跳舞時交給西方記者，傳播到西方世界去。

一九五四年周恩來出席日內瓦分割越南會議，龔澎也跟着出席，美國幾間大報及重要雜誌派出的記者，仍是過去在重慶的那一羣，大家同龔澎碰頭，看她丰韻不減當年，只是衣飾比過去更入時了。過去同她有深密交情的記者走上去一連幾聲「哈囉」，龔澎理也不理，只當看不見。他們還不死心，以爲龔澎可能未看清楚人，跑到她的面前，兩下面對面不到二尺，那知龔澎覷面如不相識，這以來，使得大家又氣又笑，有兩個人就故意問她貴姓。龔澎翻翻白眼說道：「我叫龔澎。」

西方記者對中共人員的冷酷態度，感到驚異，在採訪消息時，把這個消息也拍出去。當時中共正在大力反美之時，龔澎的黨性，受到了嘉獎。

不過，這次陳毅去日內瓦是要向西方國家拉攏，那種冷冰冰地面孔非收起來不可。陳毅特別把「黨」的意思轉達給龔澎。

龔澎笑道：「副總理放心吧！扮笑臉更容易的多。」

陳毅安排好章、喬、龔三人之後，又找來姬鵬飛，要他準備去日內瓦開會。

姬鵬飛說道：「日內瓦開會我去派不上用場，副總理還是派別人吧！」

陳毅說道：「我要你去，就是因爲你能派上用場，到了日內瓦之後，各種應酬一定很多，我哪有精神每處都去敷衍，許多不重要的集會你可以代表我去。」

姬鵬飛說道：「可以叫漢夫同志作代表，比我更好。」

陳毅說道：「作外交官要具備兩個條件：一要堂堂儀表，二要高深學問。中國自有外交部長以來，只有我是二者兼備，其他的人最多只有一項，有的連一項都沒有。你同漢夫同志恰好各佔一條，他有學識缺乏儀表，你有丰度而沒有學識，兩人各得我一半，所以我要你對外，他對內，就是調度有方，知人善任。」

姬鵬飛看他說得這麼隆重，也只好答應了。（三九七）

而鵝已吃了，毛已燒了，毫無物證可言，連人證也找不到。到第四日，鵝主人恭恭敬敬携了爆竹，親向周老師跪拜，當著我們同學及鄰里區老幼男女，表示道歉。一幕惡作劇就此收場。直到補習班結束，周老師仍不知道眞象，君子可欺以其方，精明正直的周老師受我們同學們的欺騙了。

我們第二年進了中學之後，往謁周老師時，才把事實經過告訴他，并且承認罪過，請其責罰及原諒。彼正顏厲色斥我們豈有此理，并告誡我們以後作人作事不可再有此類自欺欺人之行爲。周老師說：他當初本是將信將疑，不予理論的，後來聽到我的話，信任我的誠實，然後才出面據理力爭。此事我眞慚愧，數十年來仍常以此事引爲奇恥大辱，蓋惡作劇尚情有可原，騙老師則大不應該也。

冒險犯難記

鄭文儀

四、百計羅掘中學費用

民國九年的夏天，我考取醴陵縣立中學，家庭方面對於我的升學，雖不反對，但却沒有力量負担學膳費用。即使當時縣立中學收費很輕，一學期的費用不過十五元——學費一元，服裝費一元，書籍費二元，膳宿費十一元，但是我的家計，小本經營要維持一家八口的生活，都不容易，那裏還有餘錢供我讀書呢？第一學期的費用，經過兩個月的籌措，家中祇籌到大洋十元，親戚處幫助了二元，勉强繳足了學膳費；服裝、書籍費，則是向同學們臨時借用的，零用錢是根本談不到了。

第二年的學膳費更加困難，家中實在拿不出錢來，借貸也不容易，結果祇有向學校當局請求分期付款，開學時先繳半數或三分之二，學期中及學期末陸續補繳。後來幸喜我們鄧氏家族祠堂祀會有若干田地租穀，我和幾位同宗的前輩及同輩，倡議族祠成立鄧氏育才會，由祠祀租穀（每年約收三百石）撥出三分之一，作爲育才會基金、獎學金及補助貧寒子弟的讀書費用。這個會成立之後，對我的幫助就多了，因爲當時，我們鄧姓宗族在醴陵縣的人口，雖然超過五千人，但讀書的青年子弟却不到三百人，而且絕大多數祇是讀國民學校，讀中等學校及大專學校的不到二十個人，鄧氏育才會基金對中等學校學生才有獎助，我每年可以領得該會獎學補助金十元大洋，即每學期可得到五元；這數目可供我讀中學的學膳費用三分之一的用途了。（六）

典當業今昔觀

黃葉村人

古人設「當」，原以濟貧，故取利甚輕，贖期則極長。遠者勿論，即以清末及民初至民十、十餘年間而言，廈門之當業，猶有「初十收上月利，十六出下月票」之例，以嘉惠貧困；以視今日之當業，邈期一天，即須加繳一月利息，絕對不肯原情者，何啻天壤之別？初不僅「高利猛于虎」，利息驚人而已也。下面畧談今昔典當業之異同。

民前，廣州之典肆，計分三種：三年爲滿，不贖始銷者，曰：「當」。一年滿者，曰：「押」，不得書當也。此二種是最普遍之典質業。另一種，曰：「小押」，爲期只三箇月。其名曰：「雷公劈」！蓋謂：「一縱即逝」也。此類雷公劈，多設于有賭場之附近，什麼都當。有些賭徒，輸鍋當光，全身只餘一雙八成新的絨面鞋，脫下來向枱面一擲，也可以押半元或八毫，拿到番攤館作孤注一擲！如果中箇「孖寶」，他仍舊可以把鞋贖回，不須作赤脚大仙。不圖四五十年後，雷公劈却成爲今日一般的「大當」。所謂：三年滿當，一年銷贖，早成陳迹矣。

不僅此也，往時滿當後，如爲大當，仍有四箇月待贖之通融。大押亦有兩箇月。今則過一天也不許可矣。又，往時之利息，當棉被棉胎皮篋家具，最高月納三分，即百元納息三元。今則當金器亦須納月息百分之十，還得先被扣去一箇月息，連帶印花稅也得由物主支付。如此層層剝削，惠貧濟困之義全失。故與其稱爲當庫，毋寧名之曰：「高利貸吸血庫」之爲當也。

少時，寓廣州之德宣街——余家原籍四川內江縣五甲灣龍橋里，先祖以末秩微員，游幕廣州，賦閒之日爲多。先父繼其衣鉢，亦生計時虞不給。故附近之當鋪押庫，皆爲余所經。始則當金銀銅錫器皿，繼之名瓷書畫，古籍，衣裘，家具等等，無不當矣。當日之大當，如天平街之其昌當，致祥街之致祥，謙泰等押，其建築之壯偉，與朝奉之能辨別彝器書畫眞僞，余至今猶有深刻之印象也。案：清末廣東水師提督李準，其水師行轅即在其昌當右鄰。蓋在昔日凡大當押之朝奉，必須對珠玉瓷器書畫古籍等，深有研究，始有人聘任；與今日當鋪之盲目老板娘，亦可以當朝奉者，眞有隔世之感也。

抗戰期間，余羈棲香江，亦常以書畫往質，有些朝奉，還略覩一過，然後卷還！并說聲：「對唔住！恕我無有研究」。有些則竟直不看，曰「不要」！這又是今昔不同之又一異也。可是，在香港，你如果拿一隻有價值的錶，或是漢石，紅藍寳石，隨便到那一家，他都可以給你一箇滿意的答復，不會垂頭而來，仍喪氣而出。尤其剃頭司務，拿張剃刀，裁衣匠拿把剪刀或燙斗，或是地頭蛇脫下一件爛郵衫向櫃上一丟！他們對前者固極表歡迎，對後者亦來而不拒！因爲這部是借錢飲茶而已，不旋踵他們便會奉利贖回也。

來到台省，住在鄉鎮，那兒也有三、兩家當鋪；他們的規模小得可憐！一張小棹子，一塊四方小藍布，中間縫着一箇紅布當字，那便是當鋪。這和民初大陸的當押比較一下，自亦不免有隔時隔代之感。尤其這裏的當業，除了較大的都會，如台北台南高雄等地，我還沒住過交易過之外，其他各縣市鎮所見到的，大概一布帘，一圭竇，一男或一女坐在一小棹子旁，等候顧客外，簡直是「家徒四壁，門可羅雀」。大概這些當鋪，什九都是以家爲業。除了自己對事物的認識，一知半解外，太太小姐都可以權充「朝奉」先生。（未完）

劇氛傑鄉錄

婆娑生

佩卿既逝，琴師改用朱家奎。他的胡琴，沒有佩卿那樣精到，但是非常平穩，得規矩，乾淨，大方三大長處，而有箇潔可愛之妙。所幸叔岩在那時候，已不常登台，不過在家調嗓，仍未間斷；家奎跟了叔岩之後，着實學到好許多玩意兒，是叔岩耐心教他。後來所灌唱片，多爲朱氏的伴奏。照情理來講，家奎應當追隨叔岩不捨。但他也有見獵心喜，見異思遷的毛病，爲了叔岩不常登台，實行另想別的活兒，就辭了這份工作；結果因爲他過於拘謹，就是唱余派的，也嫌他不夠花俏，自離叔岩，一直沒有得意。除了陳少霖找他操琴，旁人概不請教，弄成潦倒落魄，貧困以歿。

家奎離去，叔岩用了第三位琴師，是王瑞芝，瑞芝是北平老住戶「銀庫王家」的後代，自幼即喜愛胡琴，用過相當的功夫，拜春陽友會老票友胡子鈞爲師。後來與魏氏結爲親戚，魏氏登台，輒用其操琴。其後改拉老生，跟過言菊朋。瑞芝一向頗醉心叔岩的藝術，但苦無門徑追隨左右。一般琴師們都祗顧托腔，墊字，與過門的工尺，對於吞吐氣口，多不注意；唯瑞芝對於字音之收放，行腔的運用，知道很詳細。所以他的手法，能夠做到表達叔岩晚年一種境界，既有含蓄，復能奔放。瑞芝後來爲小冬司琴，幾似天造地設，不可方物。（四三）

我的社會生活

雷嘯岑

當時的社論作者是要署名的，我的筆名爲「雷南雷」，取義於黃梨洲先生的「南雷文集」，表示自己嚮往民族獨立運動而已。我寫過幾篇反對蘇俄的文字，其中以指摘史太林排除老同志托洛斯基一文，最遭共方嫉忌，蘇俄大使曾向我中央宣傳部抗議，部長邵力子某日遇到我，大聲問道：「在西南日報寫文章的雷南雷是甚末人？我笑謝：「邵先生若要見他，此人就近在眼前。」他說：「就是你嗎？現時中蘇合作抗日，國內各黨派亦一致對外抗戰，何必寫這類文章呢？」答曰：「這是個人的思想理論問題，與大局無關，中央自可置之不理。」但他仍不以爲然，我們亦就本着「素反共行乎反共」的固有宗旨，毫不妥協。既而邵力子去職，周佛海繼任宣傳部長，我寫信詢問佛海，對西南日報的言論方針作何觀感？他回信大加讚賞，說是「先睹爲快」，我們更高興了。

詎料過了兩三個月後，中宣部忽然奉到蔣委員長由湖南南嶽來電，指西南日報的言論妨害邦交，飭令宣傳部查明主筆人員具報核辦。我們聞訊殊惶遽，社長汪觀之約同我去見本黨副總裁汪精衛，報告前情，據汪氏告語，這是中共駐渝代表周恩來和蘇俄大使赴南嶽向蔣公面訴所致，總裁不得不敷衍他們。他又說：「你們不必害怕，我忝爲副總裁，維護一個本黨忠實同志的能力尚有，這點面子，總裁亦不會不給我的。」我們回到報社不久，汪氏又來電話找我，他在電話中說道：「我馬上送篇文章來，作西南日報社論，明天即刊出。」我說：「副總裁署名的文章，不好擺在社論地位吧？應作特載，以示尊重。」他說：「不必，一定作社論發表」。我祇好照辦。實則這是汪氏替我們壯胆撐腰，表示贊同本報的言論。再過一月，蔣委員長電令中宣部，將西南日報掃蕩報合併，而社長汪觀之抗不遵從，此時康兆民已到重慶，我想他自有區處之法，只要上峯不處罰我，即不必再過問了。

我在西南日報工作期間，中央國民參政會轉移到重慶來了。每逢他們舉行全體會議時，我以新聞記者身份，常到場旁聽。某次會議中，討論政府現行的圖書雜誌審查制度，在野黨的參政員羣聲反對抨擊，指爲妨害人權，尤以共黨份子陳紹禹，民盟份子羅隆基二人最激烈，而且口齒伶俐，操着很流暢的國語，侃侃而談，博得會衆熱烈的掌聲。參政員的名額，國民黨員佔着大多數，又有黨團組織，當時我以爲必有一場很可觀、而且很有價值的大辯論出現。但結果只見陶百川兄起而替政府的政策辯護，說出了一篇大道理——此外尚有說話的，卻不完全站在執政黨的立場——可是，他的語言帶着濃厚的鄉音，有些地方一般人聽不清楚，以致得到的鼓掌共鳴之聲，不及陳羅二人所獲之盛。我再省覩國民黨黨團指導人某參政員，他持着一支香煙，默坐在末後的座位上，噤若寒蟬。迨表決之際，竟以大多數舉手贊成請政府撤消圖書審查制，這不是政黨政治的奇聞嗎？第二天我找着中央宣傳部長周佛海（這時尚未出走）大發牢騷，認爲國民黨人太不行了，問他對此怪象作何感想？他苦笑着答道：「你該知道，本黨那些參政員多半都是基於小圈子主義的人事關係而入選的，有些人糊里糊塗站在反對派方面去了，他們還以爲是開明進步哩！」相予慨歎不置。（四二）

答雷嘯岑先生惠書問病

黃伯遠

湖海存知己，天涯問道窮；
一朝猶未面，三載夢頻通。
卓犖雷夫子，艱難匡濟中；
身無容足地，心憂天下同。

陸游與釵頭鳳

谿公

「南曲」之創造人高則誠作「琵琶記」，以蔡中郎之姓名名劇中人，引起若干顧曲家誤會，我在前篇拙作（蔡邕與琵琶記）中，已經說明白了！但是我還要補充一點，即是此項誤會，並不自今日始！南宋的愛國詩人陸放翁，就有過一首詩說：「斜陽古道趙家莊，負鼓盲翁正作場；身後是非誰管得，滿村聽唱蔡中郎。」

他這首詩，無疑是爲蔡伯喈代抱不平！又豈知他與表妹唐蕙仙已偕秦晉，由於阿母之不諒，遂致演成中道分離的慘劇；在他死後數百年，竟被清劇作家桂馥，根據宋儒周密「癸辛雜記」之記載，仿照徐文長（名渭）之「四聲猿」「雜劇」，編製「後四聲猿」！劇中情節，恰與放翁出妻事不差什麼。

民國初元，北平劇作家陳墨香（敬餘）君，又把它改成平劇！基於放翁於許氏園邂逅蕙仙時，曾譜「釵頭鳳」一詞云：「紅酥手，黃縢酒，滿城春色宮牆柳。東風惡，歡情薄，一腔愁緒，幾多離索！錯錯錯。春如舊，人空瘦，淚痕紅浥鮫綃透！桃花落，閒池閣，山盟雖在，錦書難託。莫莫莫！」遂決以「釵頭鳳」爲戲名！其「劇目」則爲「一意氣如雲，英雄色相；肝腸似雪，才子聲華。蔭失佳音，更逢姑惡；味甘冰蘗，幸得郎憐。擯斥頻加，罪歸懷璧；伶仃被逐，口可鑠金。奮拔巍科，好成美眷；妄思贖命，計造嬌娥。寶劍光寒，獨留孤鶴；孫山名落，歸弋飛鴻。春色滿園，帕藏珠淚；魂銷倩影，詞譜釵頭。花燭剛燃，人先柴瘦，彩雲易散，恨比天長。」（一）

THE FREE NEWS
第四三四期
地址：香港銅鑼灣高士威道二十號四樓
20 CAUSEWAY RD 3RD FL.
HONG KONG
TEL. 771726　電報掛號：7191
台灣分社
電話：三〇五四六

香港的教育問題

黃彬

近來香港文教界人士，有感於大中學生的中文程度太差，對本港教育狀況，提示了若干改進的意見，有的歸咎於師資缺乏，有的說是教師待遇過薄，有的認爲政府對私立學校太不加以扶植。我們覺得這些都是次要問題。撇開政治觀點不談，專從教育事業設想，香港現有這些林林總總的各級學校，除却港政府所辦的香港大學，以及一二所由公家或外國文教團體予以經費津貼的大專學院，比較像樣以外，其他一概不夠格，豈僅中文程度低落而已哉？

目前香港居民已超過三百萬人，今後亦祇有增加，決不會減少的。有些熱心人士，希望本港的政制逐漸改革，朝着地方自治的途徑發展，且有從事組黨運動者，其志固可嘉。然教育事業若不加以改進，所謂民主自治生活，永遠是空中樓閣，無從實現，可斷言也。改進教育之道，亦非枝枝節節的作法所能奏效，必須從根本上着手，語其概要，不外數端，而以政府的責任最重，試申言之。

不能採取放任政策

香港政府對於教育事業，祇是致力於官立學校之策進管理，而視私人辦學爲普通的商業行爲，每年除了徵收各學校註冊費外，一切放任不管，而學店之風大作矣。掛上一塊學校招牌，沒有固定的校舍和基金，即經常招收新生與插班生，來者不拒，多多益善，專以收取學費爲目的，又以所謂「獎學金」「助學金」相號召（指一些大專學校），有如商店之揚言大減價，而實際並不是那末回事。學生是顧客，學校是商店，教員即係廉價的商品，把神聖的教育事業搞成市儈化。如是乎，任何人物皆可以作校長，當教員，對於學生素質，學校設備，課程標準，教師資格，以及學生們的生活指導，身心修養等重要事項，誰也不屑注意，昕夕孜孜汲汲的唯一急務，就在如何謀得學生名額之增多，達到斂財之目的而已。香港社會上青年犯罪事件之層見迭出，甚至於加入黑社會，集體「開片」打鬥，肆無忌憚，能說不是教育失敗的關係嗎？

所以，香港的教育事業，確有大力改進之必要，纔足以適應時代的要求，而其目標應以嚴格管理、監督一般私立學校爲主。凡是一間學校，最起碼的條件要有固定專用的校舍和基金，校董會必須合法組織，校長與教員的資格尤須認眞檢驗考驗，不得濫竽充數。任何人士可以斥資興學，作校董或董事長，却不能隨便担任校長和教師的職責，以免誤人子弟，貽患社會。現時有些私立學校的教員，竟由校董們作分贓式的權利分配，所担任的課程，連他自己亦茫然不識其義理爲何如，信口胡說，敷衍了事。不知誤盡幾許的莘莘學子，這眞是教育界的洪水猛獸，害人不淺！舊時上海的租界內，常有所謂「野雞學校」出現，但其內容尚不若今日香港一般「學店」之糟，再不取締改進，爲患不知伊於胡底也。

人們或以爲香港人口有如波浪式激增，而百分之八十以上都是些貧寒人家，兒女到時候必須受教育，既無出就外傅的能力，祇得因陋就簡，在當地各級學校入學，總比失學爲好。殊不知這是飲鴆止渴，適所以殘賊青年子弟，使他們受害終生，無法補救，別的事情過了時還有方法趕辦，唯有青年受教育這樁事，一經貽誤，永無翻身之日了！

及時挽救

依然寒冷

如何增進中文程度

香港自從一八四三年以來，即係英國的殖民地，而以工商業爲生存發展的要素，華人青年子弟以進入「番書館」爲求智謀生的捷徑，對於中文無暇留意，乃現實環境所使然，良非得已。所以，今日一般學生的中文程度低落，由來者漸，自非偶然現象。要補救這項缺點，決非中文大學所能濟事，最重要是中小學時期能紮好根基，否則縱使開辦若干所中文大學，亦是枉然的。現時一般中小學的中文教師，筆者敢斷言其缺乏這種增進學生中文程度的能力。許多國文教員自己就是個識字無多的人，固無論矣，即有些號稱爲對國學有根底者，如果沒有一點社會科學的常識，不懂得教授方法，光是拿着韓柳歐蘇或經史子集的古文辭，向青年學子們強行灌輸，作塡鴨式的工夫，結果是不特無益，而又害之也。曾見本港坊間出售的一種大中學生中文讀本，裏面選用的材料，就沒有循序漸進的機能，胡亂拼湊，漫無標準，第一篇就是莊子「逍遙遊」，憑着這種教材以對中學生施教，可謂向盲人談五彩，對聾者奏音樂，他們能夠接受嗎？就是一般大學生，也沒有消化之可能呢！筆者的兒女們，過去十餘年間，曾在本港中小學肄業，偶爾檢閱其國文課本與習題，即知一般國文教師皆不夠格，他自己就得到中學校去重新學習中文，纔可以寫出一段文理清順的文字。至於一般大專學生，由於中小學的中文根基太壞，十九都是些魯魚亥豕的程度，黃花誤讀，孤竹不知，寫一篇短文亦別字纍纍，而且俗語與文言夾雜，簡字與正字齊來，閱之令人啼笑皆非，這是筆者親見的現象。似此情形，香港學生的中文程度，怎能增進呢？

救弊補偏須從基本着手，政府須訂法令，嚴格規定各級學校校長的資歷，不許隨便亂來。校長如果有知識，懂得教育的功用，就不會視教師爲商品，而以賤價雇用不夠格的教師；教師基於責任感與榮譽心，亦必自愛自重，格盡職責，博得學生的尊崇信仰，克奏薰陶化育之功。中小學的國文教師一律以專任爲原則，主官署要隨時查核教學實況，發現能力薄弱或不稱職的教師，立予斥退，並撤消他的執教許可證。至於一般掛羊頭、賣狗肉的「學店」，應該予以封閉，最低限度亦須限期責令改善，決不通融。這樣即不但學生的中文程度可以增高，即其他的課程亦將平流共進，充沛學術氣氛，加强文化精神，培育社會青年的德、智本質，使之昇華光大，進而轉移風氣，担當改造社會的時代任務。這是香港目前最重要的問題，非注意不可的。

今日與明日

聯合國閙劇之一

一年一度在聯合國大會表演的閙劇之一，就是所謂中國代表權問題。俄共集團原係以聯大會議爲宣講場所，它們在任何一種國際性的會議中，總要藉此瞎吵一番，固不足怪，而一些自由國家，亦曉曉譁咋不休，大有市恩示惠之概，鄙哉鄙哉！

法國那位內閣總理龐畢杜，近日在日本即聲言今秋聯大會議時，法國對於中國代表權問題將不作主動的建議，要讓毛共加入，好像這是他們對中華民國莫大的人情，可哂已極。

如果中華民國在聯合國的代表權可以發生疑問，那末，俄國的烏克蘭與白俄羅斯在聯合國的投票權，更有研究辯論之必要了。

我國應該嚴正聲明，否認聯大會議有討論中國代表權的權能。俄共集團旨在胡閙，司空見慣，不妨付之一哂。其他自由國家若再隨聲吆喝，實係對中華民國的一種侮辱，非予以申斥不可。反正那聯合國成立迄今，對世界人類未曾做出一點有益的事，專讓幾個大國的政客們表演閙劇而已。我們縱然退出，亦無所謂的，何必嘔他們的悶氣呢？

共產社會的絕症

俄酋赫魯歇夫譏誚毛共空着肚子喊革命，說他是要使俄國人民吃得好些，穿得好些，如果這樣就是墮落，那他很願意有此墮落生活云云。

話是有道理的，可惜共產主義的新社會中，就永遠沒有實現這種生活之可能。原因是馬克斯那套理論和方法，祇是窒息人類的生產慾望，使已有的生產力亦萎縮不振了。馬克斯主義的絕症，就是沒法解決農業問題，赫酋夸稱社會主義國家可用經濟競賽來打倒資本主義社會，夢囈而已。

東南亞公約國還要開會嗎？

據說，東南亞公約國的部長會議，下週一要在馬尼剌舉行，眞是多此一舉！

所謂東南亞公約，原始即是蛇鼠一窩的雜湊班，且以東南亞地區以外的國家爲主幹，在每次會議的公報上，連「反共」的字句亦不許用，不知組織這公約的目的安在？如今號稱爲對東南亞地區關係最深的法國，又與中共結交親善了，東南亞公約國還有舉行會議的價值嗎？宣佈解散，另起爐灶可也。

自由談

假慈悲

美國前任總統杜魯門，聽到麥克阿瑟將軍逝世消息後，發表談話，稱讚麥氏爲美國罕有的軍事人才，是了不起的時代偉人。這叫作假慈悲，殊可哂也。

既然知道麥氏是個傑出人物，爲甚末當年麥帥在韓戰場大獲勝仗之後，竟予以撤職處分，且給他以極其難堪的下場——限定卸職離開日本的時間，使麥帥沒有跟部隊話別、向日皇辭行之餘地。國家元首任免文武官員，固屬應有職權，但於免職時又對受之者做出這種悻悻然的刻薄行爲，這是國家元首應有的作風嗎？

杜魯門在決心撤換麥帥職務之前，早着麥帥發佈要共軍投降的文告，曾對新聞記者說出「鏡頭都被別人搶去了」的醋話，可見其忮懷心情之一斑，實在不像是國家元首的風範。但麥帥卸職回國後，却沒有對杜魯門發過一句怨言，他只在國會兩院聯席會議演說時，輕描淡寫的聲言美軍在韓戰場担負着百分之九十以上的責任，應該享有最大的發言權，而不宜完全聽從別國（指英國）的意見。兩相比較，杜、麥二人的學識修養，判若霄壤矣！

後來據麥帥透露：杜魯門對他採取撤職處分的最大原因，是麥帥指摘白宮常洩漏他的軍事機密計劃，他再三要求澈查，而當時英國那兩個替蘇俄作間諜的外交官福克斯，麥克連，正在華府的英大使館担任高級職位，隨時預聞英美間的機密情報的。所以，當時英首相艾德里亦對麥帥大事抨擊，慫恿杜魯門撤去這位「時代偉人」的職務，使韓戰作屈辱的和談，而美國乃戴上了「紙老虎」這頂高帽，恬然自安。

杜魯門這項被蘇俄間諜玩弄於股掌之上的愚蠢措施，貽害亞洲以及自由世界者至深且鉅。我們溯洄往事，痛惜麥克阿瑟將軍之齎志以歿，對於杜魯門之假慈悲表示，祇有冷笑而已。

馮正先生

鹿死誰手決於今後半個月：台省五屆縣市長選舉前瞻

花蓮澎湖宜蘭獨沾一味可不競而勝
台北市候選人最多形勢亦最稱緊張

（本報記者台北航訊）台灣省二十一縣市第五屆市長，將於本月二十六日由全省選民分別在各縣市投票而產生。參加縣市長競選已登記爲候選人者，計有六十九人，其中女候選人有三人——台南市的翁余森櫻，桃園縣的黃玉嬌和嘉義縣的李志仁。花蓮、澎湖兩縣，候選人各只有一人，再有宜蘭縣的陳旺全已宣稱放棄競選，也成爲一人獨競的局面，這三個地方的縣長候選人，都屬於執政黨籍，勝算在握，不成問題。候選人最多的縣市爲：台北市有七人居首位，苗栗與台中縣各六人，名列第二。最緊張的縣市有：台北縣市、基隆市、台中市、雲林縣、嘉義縣、台南市和高雄縣；其次爲屏東縣與台東縣。

北市七候選人

北市的七位候選人是：執政黨提名的周百鍊、王習孔（亦執政黨人，但非黨提名者）、陳逸松、李鉎源、林清安、李建生和高玉樹。據傳說：在四月十日下午六時前撤銷登記者，將有王習孔、李鉎源和林清安等三人。其餘的四位候選人，除李建生係由高玉樹爲他自己策劃佈署競選辦事處，助選員和安排好的監察員而出馬陪選到底外，其餘三人，即周百鍊、陳逸松與高玉樹，才是正規軍，勢將競選到底。

政治交易之說

台北選民對高玉樹競選的動機，大都表示懷疑，這從此間市政記者一再就這個問題訪問高玉樹，即可瞭然。因爲在高玉樹登記前後，外界便盛傳：高玉樹這次競選的目的，是在以競選作爲「政治交易」的工具。據傳說：如果執政黨同意以高玉樹爲省府委員兼建設廳長的話，他將不競選台北市長；否則，他將競選到底。但據說執政黨認爲此種惡例不能開，寧可讓高玉樹競選，甚至當選，也不同意這宗「政治交易」。所以便有人說高玉樹之競選，係由於沒有廳長做的緣故了。是耶？非耶？

周百鍊的機會

這次台北市民選市長，由於是「三雄」爭霸之局，到底誰能當選，是大家的關心的事。

就常情而言，執政黨提名候選人周百鍊，當選應不成爲問題。這因爲台北有執政黨十萬黨員，若再加上黨員的眷屬，最少有十五萬以上的選票，這還怕落選嗎？可是事實上，未必沒有問題。是什麼問題呢？據瞭解箇中內情者分析：（一）由於地方黨部和低層幹部鬧派系，可能給黨外人利用矛盾的可乘之機。（二）由於低層人員在執行政策上的偏差，甚至技術上的運用錯誤，而引起選民的反感，而使周百鍊落選。（三）由於周百鍊在心理上有一種「台北市長非我莫屬」的主觀觀念，因而表現出處處以「君臨臣下」的態度來對待人，難免使選民望望然去之，如此則周百鍊危矣。

陳逸松漁翁乎

有人曾從選民心理上作深入的分析，認爲：高玉樹是著名的政客，而且曾做過一任市長，但表現「不過如此」。周百鍊是有名的小兒科醫生，所以他在代市長任內，一切皆以「小兒科」爲前提。如此下，在蚌鷸相爭的情況下，結果是漁翁得利。即是周、高相爭，很可能由陳逸松得利。因爲據說，台北大部份的選票，都掌握於四十歲以上的選民手裏，而四十以上的選民，對陳逸松不無若干程度的好感也。這說法有無根據，只有等待事實去證明。記者在本報第四二七期的「台北市長競選縱橫談」通訊中，即指出黨外人士「眞正決心問鼎市長的，是高玉樹，其他的人，不過做做陪襯而已。」這裏記者要强調地指出：高玉樹雖有過人的聰敏，這是他的長處，但缺乏政治家的胸襟風度，更缺少自己執筆「寫」的基本條件。所以，他獲選的機會，并不樂觀。

鳴遠外國語文專校 校址設高雄大貝湖

地方首長樂於協助解決土地問題

（本報記者趙家驊高雄航訊）籌備未久之「鳴遠外國語文專科學校」，將設於此間大貝湖（現易名爲澄清湖）風景區，土地問題高雄縣市首長，都願大力襄助解決。地方首長對百年樹人教育的如此重視，誠屬難能可貴。

雷鳴遠神父原籍比國，遜清末葉，來華傳教，即首倡「中國歸中國人」之口號；由於欽羨我文化，熱愛我民族，致歸化爲中國籍；凡遇國家遭逢憂患，及人禍天災，或奔走呼號，籲懇團結，或發起勸募，以事賑濟，其悲天憫人之念，未嘗須臾去懷。

旋爲廣佈福音，宣揚正義，特於天津創辦大公、益世兩報，卒成新聞之翹楚。抗戰軍興，雷神父忿日寇之入侵，痛國事之日亟，乃奮起組織救友修士，躬自率領，逕赴戰地爲軍民服務，足跡遍涉華北一帶，當地軍民，奉之若神明，親之如父母；不意竟因此招致共匪之忌嫉，民國廿九年四月間，雷神父正在河南林縣戰地服務之際，突遭匪幫劉伯誠部誘捕，拘禁四十餘天，備受凌辱，致罹沉痾，脫險後，輾轉四旬，即溘然長逝！國民政府感念其功績，曾予明令褒揚。

現有若干與雷神父爲至交，或與其生前共事之中國人士，對其偉大精神及人格，體認極深，追懷先哲，倍切景仰，爲紀念雷神父畢生盡瘁抗日之豐功偉烈，爰集資創設「鳴遠外國語文專科學校」，內分英、法、德、日、俄各語文科，由教會人士及雷神父生前友好籌措經費，校地則請政府撥充，如是則雷神父之精神，日益光大，而爲國家作育外語人才之意，自亦寓于其中。

「鳴遠外國語文專科學校」的創設，是台灣唯一別具廣泛性之專上學校，該校期于三年設院，五年擴爲大學，其經費，初步預計五百萬元，現已籌足叁百萬元。以此鉅額經費創辦一專科學校，其前途實無可限量也。

就籌備委員而說，其中籌備主任委員爲總主教牛若望，副主任委員名報人雷嘯岑，委員中有蕭同茲、黃少谷、葉公超、俞濟時、薩孟武、趙聚鈺、王惕吾、趙雅博、徐熙光、潘廷幹、郭鴻群、程德受、段宏俊（兼總幹事）。以上所舉有名報人，有聞名國際的外交家，及名教授等。

此間一般教育界人士認爲，此一專科學校之設立，對本省青年確係一大福音。

台省國大代表與立法委員 省議會爲何要求改選增選

起因安在？形勢如何？何以疏解？

——本報台中記者熊徵字

提案的根本觀點

由這兩次提案的情形來看，可以說，省議會之所以如此，乃是一種意識的觸發，並非對立監委國大代之不能改選難能諒解。也可以說，是中央民意代表的一部人過份伸張私人利益，與一部份人在行使治權時干預了地方行政所使然。

若果能在這兩個問題上有所注意與約束的話，改選增選的要求，可能在某種「運用」之下使中央當局避重就輕地往下拖。

當然，就法理上說，李建和與歐雲明的提案，確實是值得輿論支持，中央採納的。在原則上，此一提案的基本精神乃在「加强政府力量而促省民精誠團結」。堂堂皇皇的提出：「國民大會代表與立法委員，迄今已有十六年之久，本省人口已由卅六年的六百四十九萬之譜，現在已達一千一百萬以上，原則上，以每五十萬人增選一國民代表；每一百萬人增選一立法委員，應增加國大代表九人，立法委員四至五人」。

問題不在「整體感」

而提案中，也很開朗的說現任中央民意代表之無法重選，經大法官解釋其任期繼續有效，亦爲全國國民所同意所理解。

「而本省情形特殊，新人輩出，亟待網羅人才，不但無礙大體，且可加强政治力量。」理論與案由都很嚴正。但若果中央認爲此一問題應有整體性的澈底的解決，任何枝節的折衷的辦法都非所宜的話，那末就該注意到省議會的根本意識加以疏導。當然省議會的建議案對於中央政府是沒有拘束力量的，雖然這建設性的建議值得重視。

國大代表與立法委員任期的無限期延長，固然已使它的代表性成了非常值得爭辯的問題，但是中央當局接受此一建議，事實上似乎難能做到。而若果如現在對此一提案的支持者所强調：「通過增選國大代表與立法委員的途徑，增進省與中央的整體性，使本省全體人民都更多一份「整體感」，而獲得一種「意義」的話，可能功能不大。

因爲這種意義畢竟是局部性的。就台灣地方民意代表而言，有不少的選區與議會，在精神與實質上也不一定有「整體感」。

獻不上高度情操

這是民主進度與素養問題，政治上「整體感」的高度情操，可能還沒有培養起來。甚至於可以說，台灣的各級民意代表們，有一部份人對於自己受托於選民的責任還不太清楚，還沒有確實的負担起來。

就產生這次提案的省議會三屆二次大會的情形來看，從去年十二月二日揭幕，越過新舊兩個年關，歷時一百零一天，到三月十三日結束的開會情形來說，簡直是散慢無章！惡劣的情況，難能解釋。（中）

大陸畢業生自殺多

憤恨毛共勒做苦工
神經失常者更比比皆是

香港與大陸

多年來，大陸的青年學生，在中共「國家需要」、「統一安排」的就業原則下，斷送了青春、理想和前途的，不知凡幾。最近，中共當局又在大中小學的應屆畢業生中，展開了此項運動，應屆畢業的學生們都感到前途可悲，學生們在此種打擊下，神經失常者比比皆是，甚而因之自殺的，亦不在少。

香港居民熊××，最近接讀其留居五華縣的女兒來信，講的便是這種事。熊××對記者說：伊在一九五六年，因爲丈夫在港逝世，乃懷着悲痛的心情，隻身來港料理丈夫後事，把兩個剛滿十歲的孩子，寄居鄉間親友處，自己在港全靠爲人傭工，每月按時寄回兒女的生活和教育費用，倒也過了幾年安定的生活。想不到她的大兒子在高中畢業的前夕，竟因憤怒中共摧毀他的前途，實行自殺而死了。

熊××說：她的兒子自殺的原因，主要是躭心畢業以後，被「賣猪仔」到邊疆當礦工。她一面哭一面對記者說：她的兒子是一個很純樸的青年，平日很體恤她的辛苦，寫信來時總表示要努力讀書，將來要使母親過好日子。可是，最近一兩個月，他來信的字裏行間，則有了悲觀的情緒，自怨自艾對母親不起，請求她原諒他！熊××對兒子此種表示，只感到莫名其妙，萬想不到現在接到她女兒的來信，報告她兒子自殺的噩耗。

熊××的女兒來信說：今年開學之初，中共對大陸地區的大中小學應屆畢業生，展開了一項思想運動，主題是要每一個畢業生都響應做一個「革命的勞動者」，要他們都得要服從「國家的需要」和「黨的統一安排」。此項運動和過去一樣，是包括聽報告，小組討論、參觀「公社」和工廠。

這次的運動雖僅爲大中小學的應屆畢業生，但其運動的「深度」，卻比之過去任何一次同性質的運動爲厲害。它要求每一個學生明確認識讀完書以後應該做什麼？是參加「革命」抑是「不革命」？是爲了「有利於革命工作」抑是爲了達到「人上人」？

來信說：上列的問題都需應屆畢業生具體的書面和口頭的答覆，而避免談升學的志願。換句話說，是要每一個應屆的畢業生，都得寫下「保證書」，保證服從「國家的需要」和「黨的統一安排」，不能有自己選擇前途的餘地。

來信說：中共的所謂「國家需要」和「統一安排」，即是要求學生們到農村或到邊疆的地區去安家立戶。這是使每一個學生都惶惶不安的，因之而神經失常以至自殺的人很多，熊××的兒子祇是其中之一而已。

記者曾問熊××：爲什麼不早教兒女申請來港呢？熊××說：這都是共產黨沒有人性之故，她的兒女曾幾次申請來港探親，都被中共拒絕了。（敬斯）

基隆旅居記

仲公

有三人上岸，似繪地圖，欲入砲台，台官止之。既歸，以書詰基隆通判，以台兵無理，當謝罪！又以商人不肯售煤，爲官所禁限，至翌晨七點半鐘，運煤至艦中，否則開砲轟擊。英稅務同出面調停，以官煤千担交得忌利士洋行售之，始去。至此法艦犯台，事已顯然。當日清廷起用劉銘傳爲台灣防務大臣，銘傳於五月廿九日至基隆，進駐台北，運籌戰事，兵備道劉璈駐台南，亦北上議戎機，而法艦即跟踪來攻矣。

六月一日，法將李士卑率兵艦維拉爾號分攻基隆淡水，十四日法水師提督孤拔乘旗艦奧爾扎號率戰艦五，載陸軍三千人攻基隆，以三艦窺淡水。銘傳聞警，率提督曾志忠，曾得勝，高元章，鄧長安拒之。（卅七）

悼念

方南

這篇悼念文章不是爲一個死去的人而寫的，或者可以說，這是懷往事而念將來，寫乎其所不得不寫。

劉筠堂兄死了，李菁林兄也死了，一連兩天到殯儀館送殯去，一顆心似乎變成一塊鉛。

站在筠堂兄的棺前，岳騫兄交叉兩手在背後，默默沉思，我也在默默沉思。

我記起：筠堂兄第一次和我見面時，揹着一個大包袱，走到我那時辦的一家反共小型報館裏，聲聲說要找船到台灣去，如果船上的人把他趕走，他就跳海。他說，他在北平看到我們的報（由報販走私入大陸販賣的），才決心逃向香港來。他以爲我們的報是國府出錢辦的，只要找到我們的報，便可以有辦法到台灣去。我對他說：你想錯了。我們的報是我們幾個志願反共的逃亡報人掏腰包出錢辦的窮報。那時，我貼他二十元，指給他一條路，找尋那個收容難民的機構去。我還說，二十元可以夠三天生活費，那條路子如走不通，回來找我。

就這樣，他成爲「難民作家」。我是他到香港結識的第一個朋友。以後，我們的報因爲繳不出一筆保證金而停辦，那時某報接納我的建議，第一家聘請專譯日文報紙雜誌的譯員，由此聘他担任編譯。他靠這種技能維持生活，而且結識了許多人，一晃十五年，不幸死了！

我看着他的一副薄棺，回憶他揹着大包袱慷慨陳詞的一幕。我覺得時光走得太快了，變的是如此，不變的是如彼。

他的家眷留在北平。當他第一次和妻子獲得書信聯絡時，打算滙錢接濟，曾經和我研究應該怎辦。我對他的建議是：滙錢接濟是可以的。却不可多滙。怕的是成了慣例以後，要減少便不成。他沒有接納我的建議，這樣源源滙寄了幾年，覺得十分吃力，果眞不出我所料，想減少也不可能了。他每月賺來的稿費大概有三成至五成用向接濟家人方面去。他認爲這是做丈夫和做父親的職責，但也常常發牢騷，當然離不了罵共產黨。

反共的熱情和思家的感情在衝突。我熟識的朋友有許多與他抱有同病。共產黨在這裏辦的報紙在針對這一弱點持續地進攻了許多年，朋友們大都沒有搖動，却沒辦法不在滙欵接濟家人當中被中共剝削。因此，朋友們每說，反共人士也不免替毛澤東打工，被毛澤東長期抽剝，可惱可恨可哭！

十五年來，居港的反共人士和共產黨的鬥爭非常複雜而微妙，共產黨的軟功比硬功還更可怕。好在事實勝於雄辯，黨的美麗宣傳每被它自己一手做成的慘酷事實刺穿。反共人士在鬥爭當中得到了辛酸，但也是寶貴的經驗。以前我每聽到筠堂兄發牢騷，總不免和他談到這一類問題。現在他死了，他的妻子在他逝世前也知他患了急病，他在病重時仍然念着家人，他的家人當然也念着他。這種骨肉親情是刀子也切不斷的。

嘉莉的日記

沈津

十二月二十六日，

星期日

今天下午第二節課是國文，黃于飛好大胆，竟在課本後面大寫情書，據說是給「親愛的表哥」的。看來還可以套用幾句林覺民「與妻訣別書」裏的肉麻話呢，像什麼「吾至愛汝……」。

怪事年年有，那及今年多。

十二月二十八日，

星期二

今晚別想好好睡了，我眞氣極了！

放學的時候，照例坐專車。想不到他也在車上，正好坐在李吉明旁邊。我裝着沒看見，站在兩步外。車開了，李吉明果然沉不住氣了，「老師考卷改鬆一點好不好？」剛才才考了一次小考，我考的還不錯——考歷史還能不好嗎？

「看情形。」他說。

「老師信佛教啊？」想不到李吉明也那麼多嘴，說着還指指他手裏的書。

「只是看看罷了，這是一本佛教史。」

「那老師信不信基督教？」她還問！

他搖搖頭。「你呢？」

「我只信自己。」我覺得李吉明簡直有些搔首弄姿，那裏像跟老師說話嘛。

「老師猜我是本省人還是外省人。」也不害臊！

「本省人？」

「哈哈，你看老師猜我是本省人呢！」她抓着旁邊的王文端的衣袖說。我不知怎的，白白裝了一肚子的氣。

求求上帝，不要讓他再理她了吧！

禱告是靈了，他好像覺察到我在一邊偷聽，閉住嘴不說話了。

已經說得太多了！

下了車，我不等李吉明，便快步的走回家裏。越想越氣，我對他這麼好，他也沒跟我說過那麼多話！唉，我爲什麼這樣傻！（九）

藝術叢譚

抽象藝術漫談

趙雅博

由於顏色的誇耀或是量的誇耀，在許多具有前進趨勢的作品中，已經完成了吸收吞蝕一切具象的表現。這種情勢的壞處，就是事情在達到了這個極端時，藝術的新成功，不但獲得取消了象，並且也包括了不知對象。前進藝術家的誇大，也與其他一切的誇大一樣，包括了一個純主觀的腐化。並且由於這種缺點，才有了今天的混亂情形。在藝術界內，我們實在可以說這種情形是空前的。

當然，在這種選言命題中，對問題的解決，第一派的人們，這是說前進畫派的人們，他們是要選擇了抽象主義的路子。可是也有的人們，對於藝術界的這些新的進步，新的成功，掉頭不顧；也有的對它們加以輕視；更有就故作不知。在事實上，也眞有許多的藝術家追隨了這個路綫。他們這樣的率由舊章，一如前進畫派們，唯新是趨，而掉頭不顧過去，是有一樣的心理與原因的。並不是因爲這是一個容易的道路，爲了容易而方採取這個路綫。也不是因爲害怕其他的路綫比這條道路更爲困難。在這樣的理由以外，還有更高的理由，更深的說法，那便是人們選擇藝術的種類乃是根據人的種類。由於這種理由，我們才能對與他不同於我們的道路、選擇的人容忍原諒。

由於這種種不同的情形，各界才能有進步，並且也不單調。也爲這個緣故，假定是因爲進步畫在藝術的實現上有困難而放棄它，這是不可原諒的。同樣也不能因爲它有無窮的可能性而從事它。在屬於人本人的理由以外，還另有一個道理，我們須要知道，那便是歷史的理由。人們或者是站在時代的前浪，或者與時代精神走在一起，這兩者對未來藝術創造的可能性，都是利益無窮的。並且我們也應該忠實於我們自己。我們知道，我們也自信，我們是歷史的產物；那末，我們自然應該忠實於我們的歷史時代。因爲歷史性並不是由外鑠我們的東西，而乃是構成我們本有與存在的東西；是內發的，內在的。實在我們知道眞善美是永恆的，超時空的，但是除了絕對的眞善美以外，其餘的眞善美都要在時代中表現出來，有其時代精神。我對於時代眞善美的認識，是與我分不開的。在認識論中，我們知道既然沒有純主觀的意識，也沒有純客觀的實物，只有實在的意識與意識的實在。同樣在歷史性中也有相仿的表現，沒有純客觀的歷史性，也沒有純主觀的人；人造歷史性，歷史性的人，人與歷史性分不開，文化與歷史性分不開，藝術也是一樣。在我們的這個時代，我們可以選擇任何等種的藝術，但是我們却應該使這種藝術與我們本人相符合。藝術乃是由於我們所存在的歷史契機所加於我們的。（未完）

致玩火的人

成文

毀滅了別人的幸福，
沉醉在淫穢罪惡的夢幻裏，
企圖攀登風流魔王的寶座。

× × ×

美麗的謊言，
甜蜜的欺騙，
末了是一塲荒唐夢。

× × ×

諛諂誘惑，暴雨摧花，
浪擲生命賭注。

× × ×

使你全家啼飢號寒，
房倒屋塌的八七水災，
不會喚醒你的良知！

× × ×

朋友！
幸福是建在心血、毅力，
和堅定的信仰；
投機取巧，出賣靈魂，
怎能熬過時間的煉獄？

× × ×

賊、盜與玩火者的下塲；
必是唾棄、咒罵、自焚、毀滅……

× × ×

朋友！
像你這種不可饒恕的罪行，
[illegible]誰？

瀛台續夢

第十二回：

異域購新居　民脂似水
冷宮傷舊夢　妾命如絲

陳毅又派人找來馮鉉，也要帶他去。馮鉉是中共「國務院」副秘書長，中共「國務院」有關文告，都出於他之手，也算是中共內部的一位「大手筆」，雖然火候還趕不上陳伯達，但是寫出來那種又臭又長的文告，到也唯妙唯肖。

馮鉉聽說陳毅要帶他去日內瓦開會，正是驚喜交集，半晌問道：「副總理同志到日內瓦開會，要我去作什麼用。」

陳毅說道：「到地方總要演講，關於講稿要有人起草，我想你去最爲合適。」

馮鉉笑道：「副總理才高八斗，動筆的事還用得着別人？」

馮鉉這一句話搔中了陳毅的癢處，當時搔搔禿頭，咧着嘴說道：「雖然我的才思敏捷，下筆千言，倚車可待，不過，我畢竟事情太忙，沉不下心去，必須有人先打個稿子，我再加以修改，你所作的就是起草工作，我還是要改的，你到不必担心。」

馮鉉心裏雖然覺得好笑，表面上也就十分勉强的答應下來。

陳毅接着又找來外事辦公室副主任張彥，外事辦公室是中共國務院直轄的機構，論地位還在「外交部」之上，主任就由陳毅兼任，其中幾名副主任也都是兼職，只有張彥排名最後，却是實際負責的副主任。

中共的外事辦公室實際上是一個國際統戰的機構，對於亞非及美洲國家的統戰工作，全由這個辦公室主持。日內瓦會議實際上也就是一個國際統戰會議，陳毅自然要把張彥帶去，因爲他對於各國情況比較熟悉。

張彥之外，陳毅又想到陳叔亮，陳叔亮是中共「外交部」第二亞洲司的司長，專門負責亞洲中立國家的外交，所有對寮國、柬埔寨、印尼、緬甸等國的分化，滲透工作，全由他負責，所以對這些國家的情況也異常熟悉，陳毅把他帶去，既可供給資料，又可借開會時間搜集一些情報。

陳毅把人員確定之後，就把大家召到一起開次會議，商量分配工作。

大家到齊之後，龔澎突然問道：「副總理怎麼不帶一個禮賓司的人去，有些國際禮節我們都不懂，到時會鬧笑話的。」

陳毅說道：「還有什麼禮節，無非是吃飯，開會，跳舞，演說，那一條我們不會。」

龔澎抿嘴笑道：「事情那是這麼簡單，就以吃飯來說吧！席位怎麼安排，都有一定的，錯了人家會笑的。」

陳毅說道：「我在法國讀過書，外國人的禮節都也懂得一點，尤其是同女人見面，不會說話也可以吹口哨，打手勢，我都會的，這些竅門，『禮賓司』的人那裏會懂。」

龔澎說道：「無論如何『禮賓司』的人要帶一個去，招待外賓時，有他們站在傍邊招呼，才夠氣派。」

一提到氣派，陳毅不再堅持了，馬上按鈴把「禮賓司」司長俞沛文找來，要他準備去日內瓦開會。

就在這時突然室內電話鈴响了，陳毅跑去聽了電話，出來搖頭苦笑道：「癆病鬼眞嚕囌，再三叮囑不要多用錢，好似花了他腰包的錢一樣。」（三九八）

要不是宗族祠產的獎助，我是無法繼續學業的。由此可見中國社會宗族的重要，不僅是維繫了各姓氏宗族的精神團結，互助合作，而且對提倡教育，培植青年人才，也有其重要的作用和貢獻的。

不過我在讀完中學第二年，到讀第三年、第四年的時候，家庭經濟情況由於年荒世亂，不僅毫無好轉的希望，而且更加困難拮据了，每學期開始註冊繳費的時候，家中最多能夠籌給我三元到五元的學費，我還是要分期或分月繳納膳費。記得有兩次我由學校回到家中（學校離家距離六十里）籌款的時候，向父母苦苦哭訴，不繳所欠膳費三元或四元，學校將停開我的伙食，但是家中經濟困難，實在是無法籌出這筆錢，父親又不願向親友借貸，在家中設法眞不容易。

最後總是母親涕淚告誡，非是父親不肯設法，實在是無法可設，母親自己千難萬難，才又替我籌得大洋一元交給我，要我原諒家庭的困難。因此我不得不另行設法。甚至後來有兩學期的學膳費用，半數全靠我和同學們課後冒險到縣城賭小錢，打小牌供應；幸好我的手氣不差，雖無賭本，多次都是勝利，每次贏得到數角或一元，每學期積累起來，總在十元以上，這樣我在中學才讀完了將近三年半的書。貧窮子弟要讀書的困難，確非筆墨所能形容。我常以「能受苦中苦，方爲人上人」兩句俗語自勉勉人，事非經過不知難，無錢想讀書的艱難困苦，我是深切的體驗到的。

冒險犯難記

鄭文儀

我在中學讀書，雖因經濟困難，時常受到輟學的威脅，但我因此亦更了解力爭上游的重要性，發憤讀書，勤奮自勉。我睡眠的時間，比一般同學少，早晚都不離書本。我的英文數學國文等練習作業或習題解答，都能迅速完成，時常比同班同學領先交卷，即使我曾耗費很多時間，和同學們到河市鎮上玩牌小賭，我的課業和各種考試，却從不落人之後，成績經常在前五名光景。因之好幾位老師，都很嘉許我勤學用功。後來有同學檢舉和控告我常偸出學校玩耍，老師們都不相信，幷替我說好話。我實在慚愧萬分！但此中艱苦，祇有我心裏明白，「非所願也，不得已也」。

五、天旱糧荒查倉救貧

民國十一年，醴陵全縣遭了乾旱與蟲災，糧食欠收；大多數人家都受到糧荒的壓迫，有不少的人家常無隔宿之糧，而若干奸商及地主農戶，却有屯積居奇之事發生，因之很多窮人及市民，即使有錢，也買不到糧食。（七）

勝棋樓

滄翁

莫愁湖在江蘇江寧縣三山門外，湖畔有女子名「莫愁」，石城人，顏如渥丹，齒如瓠犀，眉如粉黛，尤善歌謠，風雅動人。據唐書音樂志歌云：「莫愁在何處？莫愁石城西；艇子打兩槳，催送莫愁來。」又宋周邦彥詠金陵，亦有「莫愁艇子曾繫之」語。莫以洛陽閨秀，遠嫁江東，因夫戍守遼陽，久無音訊，清操獨守，矢志勿渝，時人遂以其名名湖，志貞節焉。

此湖爲金陵第一名勝，昔梁武帝作河中之水歌曰：「河中之水向東流，洛陽女兒名莫愁。十五嫁爲盧家婦，十六生兒字阿侯。」後之咏莫愁者，不離盧家少婦語。如沈佺期之「獨不見」，葉大民之「莫愁烟艇」，皆寫其人其事，而不及於湖光山色也。尤以清代郡守李堯棟，性好山水，並而新之，並賦詩云：「樂府誰家唱阿侯，洛陽風景遜昇州；生增湖水千秋碧，只洗繁華不洗愁。」因此，地以人傳，當使遊者爲之神往。

湖上名勝，以「勝棋樓」爲最著稱。樓凡五間，在華嚴菴內。相傳明太祖朱元璋與中山王徐達，在湖畔下棋，徐達勝，太祖以湖賜之，並築樓於其上，御筆題曰：「勝棋樓」。惜額毀於戰火，已不可見。而徐達之文武二塑像，今尚存，觀其文彬彬，武赳赳，助太祖戡亂平天下，恢復漢家河山，在民族史上佔最光榮的一頁。明史記太祖讚徐達曰：「受命而出，成功而旋，不矜不伐，大將軍一人而已！」

樓上聯語，琳瑯滿目，就中以王大經，彭玉麟所撰者爲最有意義，王聯曰：「國手棋高，喜局定平成，六代江山還舊壤；樓頭酒暖，看窗閱盡，一城烟樹入全湖。」彭聯云：「王者五百年，湖山具有英雄氣；春光二三月，鶯花合是美人魂。」

述懷四律之三

爲答復紓兄作

黃伯遜

文是時流第幾流？
江河日下任沉浮；
已無用世求聞想，
那有遺才錄可收！
粥少僧多佛噩噩，
途長腳短日悠悠；
山僧笑我偏多事，
佛說豐年不用愁。

我的社會生活

雷嘯岑

民國廿八年春間，顧主任業已調任西安行營主任，我亦辭卸了鹽場統制專員職務，遄返渝市居住。一日由外面回家來，見有四川省主席王纘緒（治易）留下的名片一張，我與王主席素無一面之緣，認爲這是搞錯了對象（我的住宅後院，另住有川省黃姓殷商。）但傭工說是王主席親自來訪的，進門就問「雷先生在家否？」幷無錯誤。我心裏還是將信將疑，覺得王主席沒有訪問我的理由。旋與朋友談及此事，朋友說：「這很簡單，你明天到金湯街王公館去回拜一下，看他對你是否竭誠接待，即可明瞭眞象」。次日午間，我姑且去試試看，而王氏馬上出迎，首先聲明昨天枉訪未遇等情，我總消除了狐疑心思。晤談之下，他表示請我赴成都襄忙，情詞殊懇摯，我謙謝一番，答以考慮後再作決定。但他是軍人，性情朗爽，即囑副官記下我的住址，要我在一星期之內，必赴成都，飛機票由副官代辦，他即日先回成都候駕云云。

我歸來仔細思量，反正在重慶行營是個閒曹，顧主任又他往了，新任對我幷不關心，到成都去玩玩亦好。我到達蓉城後，王主席優禮有加，初擬派我作川省第一區行政專員，我對此已有厭倦之意，婉辭之，他即聘我爲顧問，幷密語我以現任省府秘書長（陳筑山）將辭職，準備教我接替。他這樣一見如故的情形，使我旣詫異，亦感動。回憶自從離開學校，踏入政壇以來，我在政治上的人事遇合，都是很偶然的，李協和先生是在日本東京的雙十節大會中一面之緣，楊暢卿先生是在武漢納涼消暑的場合，萍水相逢的，現在王治易先生又是這樣，亦異數也！因此之故，卅餘年來，我從未請託大人先生爲我寫過求職謀事的薦函，也未曾向當代達官貴人乞取過官位，窮通聽其自然，養成了一種「不求聞達於諸侯」的情性觀念，知我者謂我淡泊名利，不知我者認爲不會鑽營，思之啞然而已。

四川省政府在成都創刊了一張報紙，名曰「華西日報」，資格甚老，器材齊備，發行數字亦相當大。此時全國報紙的中縫版面，皆以大號字印上「抗戰必勝」、「建國必成」這兩句口號。某日「華西日報」出版後，竟變成了「抗戰必敗」、「建國不成」！航空報紙大早就到達了重慶，中宣部閱之震怒，登時致電王主席飭行查究。社長王伯與是省府法制室主任，又係王主席的小同鄉西充人，平日安份守己，思想決無問題，但這項亂子闖得太大了，不能不予以撤職處分，王主席即派我接任社長職務。我對於印刷事業完全外行，怵於這次的亂子是出在排字房，懲前毖後，乃懇請嫻悉印刷技術的老友但齊先君担任總經理，而齊先認爲社長亦應該懂得此道，於是，每夕強迫我跟他一道進入印刷廠，從檢字、還字、鑄字、拼版、焦版這些過程解說起，以迄小樣，大樣和印刷時間與報份關係等等，逐一詳細講評，孜孜不倦，使我瞭解印刷業的概要，盛意可感。（四三）

故鄉風味

花香月上樓小品

黃葉村人

昔人有言：「食在廣州」。廣州何因而得此稱？人但知廣州人善烹製，這只是其中之一端。實則廣屬南番新順，地土肥美，所生產之稻麥蔬果，無一不優美異於他地；這是地理使然，非僅人爲也。

有如新會出產之甜橙，他省如閩、台、蜀等，亦何嘗無有？然求如新會橙之清芬潤肺，香流臟腑，能愈疾散火者，未之覩也。又如廣柑，皮薄肉厚，無瓢。賣柑者貴肉亦貴皮，一皮之值，幾等於肉。蓋廣柑皮可入藥，主治消痰化氣。亦可作饌，如陳皮鴨，陳皮北菰等。也可作雜食，如陳皮梅、陳皮橄欖。而他處之柑，肉厚者皮亦厚，肉薄者瓢亦多，皮亦不香。廣柑皮經日一晒，即乾脆，以指彈之有聲，此其異也。

又如廣東荔枝，各縣都有佳種。例如桂味，清香如桂花，核子味甜，故稱桂味。糯米慈，核更小如綠豆，一不經意，便帶核吞下而不自覺也。最著者，爲增城掛綠，殼有綠線，清代列爲貢品。花時，以網護之，防鳥啄也。此物在敵僞佔據廣州時，只餘一株，樹身且半枯。汪精衛赴日，聞其曾以水晶匣裝數顆獻昭和及近衛。近聞已枯死矣！豈靈物有知？抑地氣使然耶？閩荔亦佳，但求如糯米慈、桂味者，已不可得，況掛綠耶？閩荔以黑葉爲上品，然以余試之，不如桂味，亦不逮糯米慈也。

洋桃，顧名思義，本爲舶來產物。然一經移植，廣州「河南」花埭之洋桃，竟而青出於藍。望之碧翠如玉，嚼之有液無渣，如飲瓊漿然。他如龍眼、檬果、番石榴、石榴、黃皮、柚、沙梨等，亦各有其特色。除龍眼、閩之莆田，福州，稍可頡頏，檬果以菲律賓較大較佳外，餘各地產品皆不逮粵也。菜果、閩人曰：「檨仔」。菲檨果則稱：「呂宋檨」。閩籍旅菲華僑，多喜以檨拌飯而食，謂香甜而有味也。

其次：一談廣州之蔬菜類。廣州蔬菜，當以河南高塘，及新會陶塘所產之芥蘭爲第一，此類芥蘭，大可盈抱，幹身如柑樹然。菜農惟摘售其身，即有厚利，其餘旁葉，皆用以餵猪，故高塘猪，陶塘猪，亦較他猪價值爲高也。本來廣州芥蘭，已屬名貴，不論用何種物料配炒，都極可口。如燒肉、叉燒炒芥蘭，生魚片炒芥蘭，牛肩炒芥蘭等，皆爲極名貴之送酒佳饌。若用高塘芥蘭心炒之，則「此品祇應天上有，人間那得幾回嘗」也！（未完）

典當業今昔觀

黃葉村人

不過，他（她）們也有自己臨時應付的一套。譬如你拿着一隻錶去當的話，她會從抽屜裏檢出一張瑞士、或美國，錶廠的名錶，校對一下，看看是否在孫山內？有了把握，然後論當，否則，「任你話舊論交接，只當秋風過耳邊」。至于成交不成交，原無所謂。因爲她們原是家庭附業，屋租是要付的，太太小姐的伙食，不做生意也要開消的，故與其求取多利而上當，不如少做保血本之爲佳也。有一次爲了訪友索負相左，不得不解下一件乾濕褸求當，藉供路費。那位老板太太，竟當着客人的面前，畫着自來火，極不客氣的試驗是絲質的還是棉質的；如果說：她們不聰明，那就不免太寃屈人了。

有人說：目前本省有三多，一是小型當鋪多，二是綠燈戶多，三是屠宰店多。後二者因不涉于本文範圍，姑勿具論。至于前者，由于利息太苛，當一百元，先要損失十一元餘，而且估價極低，全無標準。過了兩個月不贖，就等于「賣斷」。對于緩急相需的人來說，自然是害多而利少。政府雖有公營典業之設，可是經營既不能盡善，而且也不普遍，唯一之難，在于用人！觀于私營小當之多，而公營之不能擴展，從可知一切有利于大衆之事，皆可作如是觀也。

陸游與釵頭鳳

谿公

其「戲詞」則有（西皮原板）「可憐我未結褵淚空冷，竟養婦還不如陌路之人。喜只郎他還有夫妻情分，常向我不住的細語溫存。奴與他終有日鸞鶼交頸，又何妨暫忍耐姑惡之聲。掃罷了閒庭院把粧臺來整，驀心驚將花鈿摔落埃塵。」（正板）「無故的成覆水滿腔悲憤，看起來命生成難怨別人。他陸門我唐家姻聯二姓，到於今祇落得兩不分明。萬種愁都付與芳心一寸，可嘆我唐慧仙生不逢辰。（轉流水）我與你一見鍾情甚，一點根芽種得深。富貴窮通何足論，山盟海誓也是虛文。姻緣本是爹娘訂，誰想高堂他變了心！你不比休妻漢黃允，奴也非覆水難收下賤人。天心想已安排定，何須再向別人云。」

（搖板）「無端的腸斷釵頭鳳，淚滴羅衣點點紅。勾起了情懷難入夢，芳心展轉似飄蓬。」（快板）「一縷情絲終不斷，人生聚散本由天。邇來鏡裏容光減，瘦骨支離祇自憐。勸郎君且把那愁懷排遣，我與你原不是美滿姻緣。切莫要兒女情長英雄氣短，須念你陸門中數代單傳！高堂上老娘親盼你榮顯，又盼你早生子瓜瓞綿綿。奴是個薄命人休得眷念，願郎君聽奴言續斷絃，夫唱婦隨奴死也甘心瞑目到九泉！宿世冤孽今日滿，我身何必再留連？」（二）

內政部台報字第〇三號內銷證

自由報

THE FREE NEWS

第四三四期

中華民國僑務委員會僑務登記證
僑報新字第三二三號登記證
中華郵政台字第一二八七號執照
登記爲第一類新聞紙類
（每逢星期三、六出版）
香港每份港幣壹角
台灣每份新台幣貳元
社長：雷嘯岑
督印人：黃仔雷
社址：香港銅鑼灣高士威道二十號四樓
20 CAUSEWAY RD 3RD FL
HONG KONG
TEL. 771726　電報掛號：7191
承印者：四風印刷廠
地址：香港灣仔高士打道二二一號
台灣分社
台北市西寧南路金台旅社二樓
電話：5〇五四六
台郵撥帳戶九二五二

英美政客在遠東造下的歷史罪孽

·韓景琦·

美國新聞記者魯卡斯，最近揭露他在十年前秘密訪問麥克阿瑟元帥的談話紀錄，把當年韓戰經過的內幕情形，以及麥帥被撤職的真正原因所在，源源本本，如實報導，英美兩國的政客們大爲驅動，皇皇然從事辯解，指爲齊東野語，決非事實。但我們根據記憶猶新的歷史見證，認爲這是英美政客們在遠東造下的滔天罪孽，百口莫辯，後世歷史家亦不會曲予饒恕，而不作公正裁判的。

一

麥帥指述他在指揮韓戰時的一切軍事計劃和報告，每於四十八小時之內，即由英國方面洩漏於敵方了。當時英工黨政府一面堅決反對韓戰場的聯軍轟炸鴨綠江大橋，把戰火帶到中共的軍事基地，同時亦不贊成麥帥使用中華民國部隊作鉗形攻勢，並將這些軍事機密情報通知中俄共當局，而美國民主黨政府即以所謂「台灣中立化」的口實，派遣第七艦隊進駐台灣海峽，揚言制止國共軍事衝突，實際是替中共保證，解除其後顧之憂。因此，中共乃敢介入韓戰，無所忌憚。當韓戰初期，聯軍備於中共「志願軍」大量參戰，從北韓境內撤退之際，美總統杜魯門發出著名使用原子彈的談話，而英首相艾德禮急忙趕往華府游說阻止，英倫輿論界亦對麥帥大事抨擊。這些鐵一般的事實，英美政客們能夠閉目否認嗎？艾德禮和他的國防部長辛維爾，指麥帥所言英國背信出賣聯軍情報爲一荒謬胡說」，認爲英國既派有一「大軍」（一旅人的象徵式大軍！）在韓境作戰，自無勾通敵人之必要，可是當時英國政府派在駐美大使館的高級職員福克斯，麥克連二人——是俄共間諜，經常預問韓戰的軍事機密，由他們經手，把華府的秘密決策通知中俄共，即等於艾德禮政府通謀敵國，出賣盟軍利益的背信行爲，英國工黨政府豈能不負責任？這類事情假使發生在中華民國，英美政客更要據爲「腐敗低能」的大好材料，肆行攻訐了。

艾德禮政府何以有此爲共作倀的行爲呢？事情亦很顯明。當毛共政權僞立伊始，英國搶先予以承認，旨在表示工黨政府的開明進步作風，希望博得毛共好感，藉以保持英國在中國大陸上的十億英鎊財產的商業投資。詎料毛共反應並不熱烈，見株沒收殆盡的財產，乃更進一步，結毛共幫此大忙，作爲結交的贄禮，反正是犧牲中國人民的利益，毫無所謂。至於中華民國政府在二次大戰中，曾派軍隊拯救陷於潰滅命運的緬甸戰區英軍，以及大戰結束時，又派軍隊接收香港，再交還英國，這些忠誠的友誼，在英國政客們看來，殊不值得顧念。英國人常說，他們在外交上是以沒有永久的朋友和永久的敵人爲圭臬，這也就是英國在海外的領土逐漸喪失之所以然，因果報應，歷歷不爽。

英國政客們所持以反對麥帥擴大韓戰範圍的唯一理由，即認爲聯軍若進炸中國東北地區，蘇俄必起而參戰，觸發全面大戰。憑着這種構想以恐嚇美國政客，而美國政客基於其幼稚淺陋的知識，加以個人對中華民國政府抱有恩怨好惡的私情，亦即甘受蠱惑，欣然同意，且造出所謂「在錯誤的地區，跟錯誤的敵人，進行錯誤的戰爭」這類遁詞，自我解嘲，難怪韓戰乃造成亙古罕有的屈辱結局，使麥帥齎志以歿呢！

二

美國國務院內，在二次世界大戰時期，即已有若干共諜滲透潛伏着，高據決策地位，而其駐華大使館的高級職員，以及在中國戰區的美軍總部担任政工幹部的人，亦盡是些左傾親共的僞民主主義者，如希斯、高思（駐華大使）、范德宣、謝維斯、拉鐵摩爾（中國戰區統帥部政治顧問）等，即其最著的人證。因而美國當局根據這些親共份子的游說吹噓，認定毛共集團爲與蘇俄無關的土地改良主義者，且係勇於抗日的愛國人士，對它表示無限的贊美愛護之情。繼而發生美軍將領史迪威爾被召回國事件——爲着他無理的越權袒護毛共之故——使美國五角大厦的當權派如馬歇爾，布萊德雷之流，大爲氣忿，如果當時的白宮主人不是羅斯福，而是杜魯門的話，中美邦交不等到一九四九年就要宣告破裂的。迨大戰結束時，民主黨政府派遣馬歇爾爲駐華特使，調解國共爭端又告失敗，廢然歸去。基此三種因素，美國在朝的文武大員，一致對中華民國政府懷有強烈的惡感，而亟於向毛共獻媚討好。一九四九年初，中央政府遷移廣州，各國駐華使節皆隨着到粵，唯有美大使奉命仍留南京，跟毛共進行妥協談判，發言美國願以四十億美元援助共黨政權，同時宣告一筆勾消對中華民國的邦交，且加以無情的打擊——一方面發表對華外交白皮書，一方面禁止中國政府在美國價購的軍需品出口，同時更宣稱台灣旦夕即將陷落，頒佈撤僑命令——這些都是艾契遜、馬歇爾等人挾私報怨的傑作，間接爲毛共張目助勢，希望毛共接納美國的好意，攜手言和，跟英美貿易通商，而不向俄帝一面倒。韓戰發作之始，麥帥親訪台灣，與中國政府當局商洽軍事計劃，美國務院竟譁然鼓譟，指摘麥帥的行動未經華府核許，隨即派遣第七艦隊進駐台灣海峽，其眞正用意是在防制中國政府與麥帥合作，派軍參預韓戰，進攻毛共，所謂阻止毛共攻擊台灣之說，鬼話而已。否則後來毛共大舉進攻金門時，第七艦隊何以袖手旁觀呢？

在美國民主黨這些政客策士的心目中，如果實行麥帥的軍事計劃，毛共政權一定潰滅無疑，中華民國政府光復大陸，重振山河，固屬必然之勢。這樣一來，民主黨的對華政策即宣告破產，給在野黨以攻擊的利器，使美國人民明瞭實情，而唾棄民主黨政權，至少在二十年內，就休想重起執政了。職是之故，英工黨與美國民主黨的政客們，乃潛存着一種國際政治的共同心病，即害怕中華民國政府再度統一全國，居於亞洲發言人地位，恢復其世界四強之一的聲勢，而對英美政客們賣友求榮，落井下石的種種親共媚共行爲，永不能忘，有所報復，更使他們在本國內受到選民的憎惡，難以翻身。英美政客們的國際政治觀點，原係重歐輕亞的，他們認爲犧牲一個中華民國並不在乎，即使毛共久據大陸，始終反對「美帝」「英帝」，祇要它能夠跟英美貿易通商，於願已足，毛共決無直接進攻英美本土之可能，即不必畏懼共產主義之氾濫侵襲，替着中國人民的血淚以滋潤英美社會的安全繁榮之花果，有何不可呢？這便是英美政客們對韓戰、乃至於對整個亞洲政策的最高指導原則，反證了麥帥所述各節，信而有徵，無可否認。不管英美政客們怎樣說詞詭辯，然在明確晶瑩的歷史照妖鏡之下，原形畢露，無所遁逃，他們由於這種滔天罪孽而招致的報應苦果，亦很快就會嘗到，請拭目以俟之罷！

咬不進去

腹如雷鳴

今日與明日

中立與瓜分

越南總理阮慶將軍警告「東南亞公約」會議，不得討論越南中立化問題。菲律賓外交部長羅柏斯申斥中立政策爲不切實際。這都是明情達理的見解，凡屬受到共禍侵擾的人，皆有同感。

可是，西方列強對於全世界弱小民族國家的政策，歷來實行三段論法的作風：首先是自作多情，聲明援助；你若不要，他亦死七八賴地非給你以軍經應援不可。等到共黨不斷的使用暴力來侵略了，這些自作多情的列強，初則大言炎炎，誓言必予抵抗，繼則主張被侵略地區中立化。如果共黨不答應，硬要武力進攻，最後就乾脆把那受害國家劃分爲兩個，跟共黨實行瓜分，而美其名曰維持世界和平！我看塞普魯斯島亦可能要劃成兩半拉了。

所以，阮慶將軍與羅柏斯先生的言論，對所謂東南亞公約國部長會議，能否發生一點影響，很難說啦！

一個例外

但也有一例外，那就是馬來西亞聯邦與印尼的糾紛是也。印尼蘇卡諾挾其親共的態勢，悍然效法共黨的滲透顛覆行爲，派遣游擊隊侵襲大馬，而英國即劍及履及，連澳洲和紐西蘭出動陸海空軍聲援大馬，美法各國當局亦聲稱支持，再不願意出兵，在野的政客們也不提倡大馬聯邦應該中立化之說，也不害怕蘇俄出面干涉，因而引起核子大戰了！

這現象並不足奇，「人不爲己，天誅地滅」，要碰到西方列強的切身利害，那時祇要敵人是中共或俄共，那些西方列強不惜大打出手，依然說是爲要維護世界和平哩！

因此，亞洲地區一切受共禍的國家，應該大徹大悟，自己互相團結合作，爲爭取自由生存而共同奮鬥，自力更生，再莫寄望於西方列強的應援，致有隨時被出賣的危險呀！

可憐的護航隊

麥克阿瑟元帥對韓戰經過內幕的談話紀錄發表後，美國若干生存着的有關人士，如杜魯門，艾森豪，布萊德雷，艾契遜之流，一言不發，「有嘛表情」。

唯有那位從共和黨跳到民主黨的參議員摩斯先生，跳出來替杜魯門等人辯護說，美軍當年在韓戰場沒有制空權，所以不能進攻中共的軍事基地云云。各國的議會裏，皆有爲官方說話的所謂護航議員，不獨摩斯先生而已。不過，這樣幼稚透頂的護航法，未免太可憐了！

自由談

政治人物的品格

英國前任首相麥美倫，退出政壇之後，即在自己創立的文化事業機構中，從事編輯工作，出入搭坐「巴士」，泰然與羣衆爲伍。最近英王循例擬授以「伯爵」封號，他辭謝不受。高風亮節，殊堪欽佩。

按照英國的政制，凡是得到封爵的人，即係當然的貴族院議員，至少是個人的生活不必愁了。然而麥美倫寧願依法向政府申請養老金，卻不願接受欽賜的爵祿，藉以保持其平民宰相的本來面目。這就比那位以工黨起家的前任首相艾德禮高雅多了！孔子說：「及其老也，戒之在得」，邱吉爾、麥美倫這兩位致仕的保守黨相國，皆視封爵如敝屣，不欲沾染，而號稱爲代表勞工羣衆利益的工黨領袖，乃不惜爲五斗米折腰，要揹上那種在政治意識上極不調和的貴族頭銜，雖俗奚似耶？可見人類生活方式的高低情調，跟每個人的學識品格大有關係，而功名富貴不預焉。

已故法國著名全球的「老虎總理」克萊孟梭，馳騁政壇五六十年，活到九十歲，既不願接受本國或友邦政府頒給他的任何勳章，亦不許家屬親友爲他慶生辰、祝壽誕，臨死遺囑，要把身軀豎立着安葬地下。是何意態雄且傑，令我景仰不置，而不禁「微斯人，吾誰與歸」之感歎也。

常見吾國一般俗士庸夫，以在野之身，名片上尚刻着「前任」某官某職的頭銜，遍示親友，恬不知羞。假使這類人能夠得到政府的封爵如麥美倫者，一定認爲三代光榮，大事招搖呢！政治上的任何一種名位，自皇帝、總統、主席、首相，以至於甚麼大臣、部長之類，都不過是生活過程中的一種符號而已。等到眼睛一閉，剩下來的臭皮囊，同樣的與草木同腐，沒有絲毫區別，胡爲乎沾沾於在生之日的虛榮得失，而表示其俗不堪耐的情操哉！

我有一種觀察政治人物的管見，即凡屬榮虛心濃郁的，不管他是文人或武人，絕對不能担當大任；凡屬愛錢若命的，絕對沒有甚麼出息。不知讀者的觀感以爲何如？

馮三先生

香港與大陸

一鬆一緊極奴役剝削之能事
毛共厲行統購農民副產品
進一步還將向農民收回「自留地」
農民怒氣沖天但却敢怒而不敢言

．中共約兩年前曾一度「鼓勵」的「個體」農民經營副業，現在又被取締了，它強調「個體」的副業生產要交回給「集體」，說要以發展「集體」的副業作為「佔領整個經濟陣地的重要手段」。這種一鬆一緊的剝削奴役手段，把農民副業生產的果實，一刮而光，引起農民怒氣沖天，却當然是敢怒而不敢言。

曾回三水縣掃墓甫返抵港的張師奶對記者透露：中共在大陸地區，最近正厲行「統購」農民副產工作，要每個農民都得將猪、雞、鴨及蔬菜等等副業產品統售給「政府」，並且聲言將再限制農村「個體」農民的副業生產，而集中力量以加強農村「集體」的副業生產。

張師奶說：一九五八年中共亂搞「人民公社」開始，人民不但弄得沒有了家，就連自己的身體都不過是屬於「公社」的一部份，但這一來，却弄得農村經濟徹底破產，形成空前未有的大饑荒，餓死了好幾千萬人。中共眼看不得了，乃不得不在一兩年前，將一小塊一小塊的土地發回給農民作「自留地」，而且聲言鼓勵農民自搞副業生產。想以此提高農民的生產積極性。果然情形亦稍為好轉了些。然而，曾幾何時，中共又說要取締「個體」農民的副業生產了。

張師奶說：中共要取締「個體」農民的副業生產的主要原因據說乃是：

（一）中共認為副業的生產，不僅是經濟問題，而且是政治問題。中共說：農村副業生產是一個重要的經濟陣地，也是「社會主義」和「資本主義」爭奪的「灘頭陣地」。如果「公社」不搞副業生產，完全讓社員去經營，那末，社員中的「思想未搞通」者，便會從事投機倒把，無異是使資本主義的勢力復辟，而影響「集體」經濟的鞏固。

（二）中共認為副業是「公社」經濟「預算主要的一項，若副業生產由農民自行經營，便失去了計劃性」，而不能符合副業生產的「原則」。

（三）中共認為「個體」農民經營副業生產而不由「公社」一把抓到手，將嚴重地影響了農業生產；因為大部份的農民仍然有「自私」的思想，他們祇顧自己的生產，却忽略公社的大生產。

（四）中共還認為，由「個體」農民的經營，是不能擴大副業生產的，因為個體的農民往往限於經驗，人力、財力等，無能經營較大型的副業生產。

張師奶說：中共目前的向農民進行「收購」工作，強迫農民要將副業生產果實僅賣給「政府」，還是第一步，第二步將是收回那小塊小塊的自留地，而回復到一九五八年初搞人民公社之時的局面。大禍方興未艾，農民怒氣冲天，却敢怒而不敢言。（敬斯）

基隆旅居記
仲公

十五日凌晨，法艦開砲擊岸上，砲台還擊；法別以艦艇載兵千名登陸，猛撲我二重橋之壘，曹張兩軍力戰却敵，陣斬中隊長一，兵百餘名，獲聯隊旗二，法艦倒退，多溺死，遺械甚多。

十七日孤拔介稅務司請銘傳至艦會見，遭銘傳拒絕，事聞，朝廷下諭旨嘉獎，撥內帑二千兩犒軍，士氣大振。洋務委員李彤恩以淡水港道寬闊，無險可恃，請填塞口門，英領事以秋茶上市，有礙商務，不可，彤恩往復辯論，終獲同意，因此法艦阻不得入。（卅八）

黃案被彈劾兩法官
申辯書有突出特點

（本報記者台北航訊）因判決台北市長黃啓瑞市民住宅舞弊案無罪而受監察院彈劾的最高法院推事陳綱，廖源泉，頃依法向公務員懲戒委員會提出「申辯書」。該申辯書長達一萬五千字，其中有若干「特點」，頗為突出，是前所未有的，比如，（一）申辯人陳、廖兩法官承認「在報紙所發之第三次聲明，指監察院為第四院，事後思之，雖微欠適當……如指陶委員百川為「太上法官」，當無詞作答矣。」（二）申辯人公然指司法警察及檢察官用「交互訊問之離奇方法」訊問被告，使「不合法之供詞，變為合法」等。茲摘錄該「申辯書」如次：

陳綱，廖源泉兩法官在「申辯書」中說：「……刑警與檢察官交互訊問之情形，實爲史無前例。用此種方法而所獲取之供詞及自白書，顯難採信。在法院一、二審調查及辯論時，上列被告（許江富、楊逢春、陳茂林）均一致敘明，在刑警大隊之供詞，均係出諸刑求（見地方法院刑事案卷第一宗三六四頁）。刑求雖無確據，檢察官在表列地點訊問時，雖未用刑，但因有刑警在場監視，被告不敢翻供耳。卷查疲勞訊問，則爲顯然之事實。被告許江富在五十年五月十七日一日之間，連續受訊二次。被告楊逢春於五十年六月八日下午七時三十五分開始受訊，晚上十二時才獲還押。此非疲勞訊問而何？至於其他訊問筆錄未註明訊問時間者，當更不堪聞問矣。又查許江富在答復推事訊問時，亦有如下之供述：『在保二總隊被連續訊問八天，未曾休息一小時以上』。（見更審卷四 頁）」。

對刑警人員與檢察官「非法」交互偵訊，地院刑庭推事未盡職權而失職，申辯書對此兩者均說得很清楚。申辯書說：

「且查警務處移送基隆地方法院檢察處之訊問筆錄，均係楷書，行欵整齊，似非於偵訊時之現場紀錄。此非申辯人臆測之詞，有許江富，陳茂林在基隆地方法院之供詞爲證。許江富答：『因爲辦案人員（按係指刑警）不相信我說的實在話，所以只好聽他們隨便寫了。』（見基隆地方法院刑事卷第一宗三六〇頁）陳茂林答：『基隆地檢處的筆錄不對，台北筆錄都由他們寫好之後叫我照抄的，在基隆地檢處我已經明白表示過，同時不會說話害人害己的，累次都是刑求的。』（見同卷三六四頁）」（下略）

又說：「申辯人陳綱服務司法已逾四十年，廖源泉服務司法亦達三十年以上，從未發見此種刑警人員與檢察官交互訊問之離奇方法；其所以不能不採取此種離奇方法者，無非便於取供而已。蓋先由刑警人員取得不合法之供詞後，再由檢察官利用刑警人員在場（見台北地院卷三五七頁），逐節加以重訊，被告人等處在此種環境當中，自不敢再行翻供，於是不合法之供詞，變成合法，且可利用此種供詞，爲提起公訴之要旨。台北地方法院推事蘇士騰亦僅憑起訴書所述各點爲論罪科刑之判決，對於有利或不利於被告之供證，未同時列舉，加以斟酌，自屬未盡職權之能事。」

最高法院法官公開批評刑警人員與檢察官非法偵訊的方法，及指責地方法院推事在審理過程中，沒有盡到責任，措詞之激烈，當以陳廖兩法官之申辯書爲創舉。

申辯書對監察委員陶百川極力抨擊，其激烈程度，亦殊罕見。如指陶百川「含血噴人」，「有勇氣請以私人名義向『法院告發』」等等。

申辯人說：（對彈劾書第十三段之申辯）「彈劾書在本段首稱：『按法院法官爲終身職，憲法保障其依據法律獨立審判，如或爲金錢所收買，或爲權勢所威脅，或爲私情所動搖，其審判便不獨立』云云。申辯人謹按：如有上述三種情形之一，則成爲瀆職罪。謹請彈劾委員陶百川提出證據。如有確據，申辯人自應甘受刑事處分；如無證據可提，則不能含血噴人，使監察及司法兩方之聲譽，因之同時受損。彈劾委員陶百川如有勇氣，請以私人名義向法院告發，不可利用憲法第一〇一條之規定以爲掩護。」記者按：憲法一〇一條之規定：監察委員在院內所爲之言論及表決，對院外不負責任。

此「申辯書」公開後，有一位監察委員說：「假如認定陶委員沒有勇氣，未以私人名義向法院告發。陳、廖兩位法官當然有勇氣了；我到要看看他們在什麼時候以私人名義向法院告發——對警務處刑警、基隆地方法院檢察官以「交互訊問之離奇方法」將「不合法之供詞，變爲合法，且可利用此種供詞，爲提起公訴之要旨。」」

董錦樹懸崖勒馬
屏東選局更明朗化
張豐緒當選十拿九穩

（本報屏東訊航）曾經躍躍欲試的要爭取屏東五屆縣長的議壇退休老將前議長董錦樹，臨時打了退堂鼓，沒有辦理候選人登記。他這一百八十度的大轉變，確使屏東整個選局，改觀了不少。張豐緒的當選，看來已更十拿九穩。

董錦樹之有意爭取縣長寶座，爲衆所週知之事。他遠在一年以前角逐農田水利會長敗陣下來以後，就一直在積極地展開五屆縣長的選舉部署活動，如他在五十二年六月的五屆七次議會臨時大會所作的公開表示，和同年十月舉行的五屆末次大會時，對教員調動紅包案，椰子造產成敗問題等，再度舊事重提，作猛力評擊，打擊現任縣長李世昌，均是其具體表現。

爲爭取屏東縣長，董錦樹的辦法首先是爭取政黨提名；在不獲提名之後，他儼然要實行「違紀」競選了。後者的行動，雖部份出於野心家的包圍慫恿，部份亦是他的甘心情願。現在他能夠懸崖勒馬，則又不能不說是他的明智的抉擇。

董錦樹雖然自始至終都沒公開表示過要「違紀」競選，但也沒有說決不「違犯」競選，這一點確是他的聰明之處。他既留下了退却的餘地，也使他居於可以討價還價的地位。董錦樹終於沒有辦理候選人登記的最後聰明抉擇，是取決省委薛人仰蒞屏造訪勸說，以及省府黃主席的召見，雖然外傳執政黨允予安排出路是他不違紀競選的條件之說，未必可信，但他到底不競選了，總是事實。況且，形勢說明，他果真違紀亦是徒勞無功，沒有人相信他居然有壓倒張豐緒的機會的！董之打退堂鼓，非「明智抉擇」而何？

台省國大代表與立法委員
省議會為何要求改選增選
起因安在？形勢如何？何以疏解？
——本報台中記者熊徵宇

「生意人」太多！

我們就從三月四日到三月十一日進行省政總質詢來說，像這樣一年兩次問政的日程，竟是有三分之一以上的議員放棄了應盡的言責，甚至有些人，連會都不到。

這些人，除老牌議員李萬居因爲病在床上不能動以外，其他的人，是忙於自己的買賣。省議會的「生意人」確實太多！

而有人到會的目的，乃在與他自己所經營的業務有關的單位打打交道。比如申請林班，搞點農地，包一種什麼生意；或者是爭取補助，或者是銀行的貨欵，各門各類，討好賣乖的以抓着有關單位痛楚的某些問題，先對對方說明，以不提案、不質詢，取得雙方的默契，然後進行「交易」；——「跑街」式的人物。

質詢請「槍手」

有些人，生意太忙，根本就沒有去想選民們需要他在省議會說些什麼；又因爲平素沒有留意政府的施政政策，沒有留意各個部門的業務進度，於是就木木然不知所云，皇皇栖栖，胸無點墨，於是就請「槍手」代撰發言條，代擬幾則提案；向記者席上打打交道，見見報對選民「交代」，表示他爲選區的需要在議會「大聲疾呼」的「爭取」。

如果記者們覺得他的「宏論」與「讜言」實在沒有意義不寫的話，就到處罵記者們對他有偏見；——「廣告」式的人物。

矇然如村媪！

有少數，大概不會超過十五位議員的，質詢是在針對省政得失發言論政以外，一部份由低能「槍手」創作的發言條，多是在幾年前別人的發言條上東拼西湊抄來的，所以政府已經針對當時的質詢做過了的事，他們還在當一種是費過一番研究的「眞知灼見」，大聲朗誦。甚至於違法令規章都已經改過公佈過的，他們還在根據老法規引經據典的向政府官員問難。矇然無知，幾如村媪！

有些人，一口氣把質詢的時間與答覆的時間都搞定，但是不曉得在說些什麼？前三皇後五帝的，像是「說古」！

經濟性的意識

尤其是這次議會審查提案的迅速，足可打破全世界各級議會的紀錄。一天之中，竟然把財政、建設、教育、農林和交通五大部門五百餘件的議員提案全部通過；平均每一分鐘通過提案一．五件！草率的程度，可以想見。

於是乎，有位議員提了在澎湖興建一座「跨海大橋」的提案！

像這樣的會議表現，談得上什麼政治情操？

所以說，省議會要求改選增選國大代與立法委員，在根本意識上，不是政治性的，而是經濟性的；甚至有人是希望藉增選的機會，擠進他們所羨慕的圈子，享受一些他們所指責的「特權」。

這個灌溉了十八年還不能發芽的省議會，與時代同走索於徬徨的河！（下）

王雅琴

勞克

在賽會上我被「征兵」的給大家照了兩張相，一個女孩子走過來對我說：「照片也給我一張。」

「我還不知道你的名字？」

「王雅琴。」

她穿的是學生西褲，短頭髮、大眼睛，眉清目秀。我於是問他的住址，她把來寫在紙上遞給我。字亦寫得端端正正。

「你一定要寄給我！」

我答應下來了。

我事情太多，忙過後總算把照片冲洗好了，卻到處找她的地址找了好半天也沒有找到，乃順手把照片放入口袋裏。

有一天我奉令到「××部隊」接洽公事，進門後看到一羣戰士們圍着一個女兵在跳舞。我駐足欣賞。那女兵的背影對住我，她穿着草綠色的褲子，草綠色的上衣，又戴着草綠色的船形帽。我喃咕着：那裏來的這個女兵？舞是跳得硬是不錯嘛。

正在這時，她車過面來，這使我楞住了：臉孔好熟悉！我在那裏見過她？我想了一會，還沒有想出來，她跳完後卻跑了過來，大眼珠向我一眨：「是不是把照片帶來給我？」她的手也伸到我面前。

我這纔想起她就是王雅琴。我一面掏出照片給她一面說：

「你這身打扮，我真不認識你了。」她拿着照片，側着頭望着我。

「真的嗎？」

「真的。」我說：「你幾時當了女兵了？」

「兩年了。」

「兩年？」我有些不敢相信，「上次宴會時，你——」

「那我是穿便衣的。在那種場合，穿軍服是不大適合的。」

她繼續的去教戰士們跳舞，我亦去辦我的公事。完成使命後出來，她亦「下課」了，我們便一道走出營地。我從她談話中知道她是山東人。而她所以當上女兵，則是她覺得在這國難當頭的時候，凡有血性的男女都應該走向軍營。她告訴我：

「當時我母親是極其反對的。母親說女孩子怎好跑到軍營裏？」

「我說：『現在時代不同了。男人可以當兵，女人也一樣可以當兵的。』」

「我是母親的獨生女兒，一向得我母親的寵愛，母親見我的意志已定，也就沒有再反對了。」

「而當我一到軍營，那種純樸眞誠生氣勃勃的氣氛，使我更從心裏紮實了對軍營的喜愛心情。」

「我喜歡和那些活潑的樸素的富有朝氣的戰士們在一起。我在軍營裏的工作固然緊張、沉重，但我却有的是眞正的快樂！」

「我把這些同母親說了，母親又看到我的更健康的臉色，母親就眞正願意我當女兵，到打回大陸再退伍。」

我聽她的話後，突地，直覺地感到她的不平凡，崇敬之心，油然而生。我祝福她早些完成大志！

藝術叢語

抽象藝術漫談

趙雅博

錯誤的解決

我們前面所提出的問題，已經有了四十年的時間，爲藝術家，特別藝術理論家們所關心，而爭辯到現在，仍然未能予以解決。從這樣的爭辯中，生出了各式各樣不同的解決，而這些解決幾乎全體是由將具象畫與客體物相混而爲一了。現在我們且看一下由抽象藝術所創出來的症狀，我們發見了抽象藝術所獲得的改進，乃是必要的嵌進了客觀（對象）的破壞，因爲這些藝術家們，將客體與形象成了一件事。也就是說，他們將客體與形象混而爲一了。

在最廣義的意義下，他們認爲形象之爲物，在藝術的創作上，已經不是必要的，因爲他們認爲藝術之爲物，乃是强調要恢復材料（或物質）的價值，因之具象畫不過藝術表現的一種方法，對於藝術乃是有害的。那時代的很多名藝術家，他們大都認定是這樣，將具象藝術與客觀物混而爲一。因之，到最後，他們乃放棄客體（放棄了對象），認爲它是美的純表現的仇敵與阻得。如果要完成眞的藝術作品，眞的美的創造，也就是說，如果要眞的表現美，根據這些人們的趨勢所規劃下的路綫，努力藝術工作者的人們，一定在自己的作品上，將客觀的容積完全剷除，也就是不要有客觀物體的呈現。

這樣的作風，這樣的理論，說起來很容易，但是作起來，卻是困難無比。是的，實在說，自那時代到現在所有的成果去看，我們可以發現，雖然經了很多畫家的一再試驗與努力，但是客觀（或對象）總是要出現；其出現的方式，雖然並不是依照原物表現，具有十分相似的形像，但是儘管是曲解的形像，帶有假面具的形像，但究竟不失爲一種具象，而表現着客體。客體在任何的藝術中，是不能失掉其位置的。也就是說，任何藝術，只要是藝術，一定要有客體在，這條藝術表現的路子，是無法斫斷的。抽象藝術家或抽象藝術理論家當代的任何意向，凡是要想解決上述問題的意向都包括在內，我們可以將它們歸縮到藝術上的純主觀主義。是的，我們可以說：在馬當味泡，孟德頁，巴賚納與康丁斯吉以及其他的抽象藝術家或當代趨勢的藝術理論家的大部分人士，他們所給予的多多少少的哲學理論，他們無論怎樣陳義卓越，其意願無非是要說明這個由技術問題而產生的基本問題，是有其正當理由的。他們也大都認爲抽象藝術是必需的。在他所提出的理由裏，是充滿着哲學的術語，因而使問題與其解決，越發的混亂不一了。在這個充滿着混亂的觀念裏，想清晰明白而直截了當的提出或細繹出這個觀念，當然是困難之至了。在觀念上雖然是混亂難分，但是在其中，我們却能夠清楚的分別出來，客觀——即具象藝術與當前藝術的新表現這種藝術表現的新姿態，如前所述，人們認爲是由歷史必要而生出的，——是無法聯結在一起的。正如與古斯多．海屏所說：「將這兩種觀念摻雜在一起，在精神上，在形式上，都帶來了各式各樣的困難，成爲一個不可能的統一，在最基本的表現上，使生活更爲紛亂。」（未完）

「梅崗城故事」觀後

汶津

名著改編的「梅崗城的故事」（To Kill a mockingbird）所欲表現的是：一段珍貴的童年，一個家庭的典範，一種平正的人格——一項眞理。細寫童心童趣而不掩失題旨，觸及黑白問題而不作狹隘的渲染，是本片編導在處理題材上的成果。

女兒絲葛雖是片中的第一人稱，但戲量及地位都不及其兄儋美，而儋美又是乃父的最佳配襯。兩位卓越的童星除了表現自我之外，更克盡了烘雲托月之功。葛里哥里畢克在本片中以質樸、平穩的面目出現，其演技可謂寓突出於篤實中，在此他不再作類似「白鯨」、「六壯士」中那種表演了，他力圖顯現他的本色——一個敦厚而堅定的君子，至於他的職業——律師，只是加强其個性的特色而已。試看他的一抬頭、一舉手，都是必然而有份量的，乾淨俐落而又恰如其份。他是那一家的主人，也是本片的靈魂。

飾絲葛的瑪麗貝旦．狹娜華西味極濃，能演戲；飾儋美的菲利阿福則是全片最[illegible]耀的新星——以如此的年齡，面部竟能流露如許多的敏感和睿智，而且殊少浪費和錯失，實在易於使人肺腑親之。外型上的優異固然是一個原因，氣質的難得更覺百中無一。他簡直是天造地設的畢克之子！

其他腳色則鮮有十分出色的。狄兒一角，外型稍遜，面部亦嫌呆滯，成績猶不如另一童星——康家的窮小子華德。被誣判罪的黑人湯美，是主角之外唯一令人感到震憾的成人演員，頗象徵了黑人民族的特性。農夫鮑伯一角，優於其女，後者在法庭上的戲，誇張得稍欠節制。大體而言，配角們稱職者多，有特殊貢獻者少。

片子的色調暗一點，氣氛也相對的低沈些，但絕不適用「沈悶」二字。由孩子們對怪屋的好奇與驚怕展開，節奏明暢而不過份流滑。人物的顯現不要噱頭，故事的演述不賴懸宕。本片雖也像許多美國片一樣，對法庭上的戲段相當著力，但它迴異於希區考克型的影片。啟示眞理原不須用非常的手段。「知其不可爲而爲之」是中國的一項傳統精神，但竟由銀幕上的一位美國律師把它刻畫成型了。畢克和他的子女間，很少過於親暱的鏡頭，但卻緩緩流出一種畧帶含雋的暖意——一種父性的親切感。說畢克演出平平的朋友，大概是太寄心於麥米倫雪兒式（在「紐倫堡大審」中）的表演吧！

法庭上的熱鬧戲告終之後，樓下的人們都散去了，畢克默默的收拾他的公文，而樓上的黑人聽衆以及他自己的子女：則肅立着向他作沈默的致敬。此時無聲勝有聲！這鏡頭該是遠勝「羅馬假期」中同樣由畢克演出的那劇終人散[illegible]。也許易卜生說的也是[illegible]「眞理是屬於少數人的[illegible]題只在：這少數人是否[illegible]到底。本片藉此一幕，[illegible]大的人間世界提供了一[illegible]的課題。面部表情傑出[illegible]阿福，不正是一個未來[illegible]者？

寫相反的勢力不夠[illegible]是本片另一點可指的瑕[illegible]畢克入湯美家慰問，一[illegible]的白人在他車窗外向他[illegible]子威嚇的場面，實在有[illegible]象徵意味。衆人圍集門[illegible]克單手迎拒。而終以絲[illegible]句童言斥退了羣衆，也[illegible]於戲劇化。林中遇襲一[illegible]子的掙扎與歹人的動作[illegible]屑；但最後那位神經漢[illegible]出現在孩子的家裏，則[illegible]意外的效果。他的風儀[illegible]「原野奇俠」中的亞倫[illegible]

由絲葛口中說出「[illegible]隻模仿鳥」的比喻，雖[illegible]合身份，但賦於全片的[illegible]道的象徵意義。本片成[illegible]一徵象爲：它在不同的[illegible]靈中，留下不同程度的[illegible]

寫眉續夢

第十二回

異域購新居　民脂似水
冷宮傷舊夢　妾命如絲

龔澎問道：「他也是法國留學生，怎麼這樣沒見過世面。」

陳毅笑道：「一種未吃[illegible]人，生來沒出息的人，到什麼地方都沒有出息。他在法國留學時，被蔡大姐看得緊緊的，一步也動彈不得，那能見到世面。」

章漢夫說道：「這也不能怪他，近來財政實在困難，他不但怕花錢，沾到邊就想賺幾個回來才覺得舒服。」

陳毅笑道：「被你說對了，他正是想賺幾個，居然給我推荐了一個團員。」

章漢夫問道：「他推荐誰，是不是蔡大姐也有意去日內瓦玩玩。」

陳毅說道：「蔡大姐最近身體不好，不能坐飛機，那能到瑞士去，她要眞的想去，也可以直接同我商量，犯不上去找務病鬼。」

龔澎笑道：「富春同志到底預備派誰去，恐怕又是一名貿易官員吧！」

陳毅笑道：「你眞是玲瓏剔透的聰明人兒，被你一猜就猜中了。務病鬼一定要對外貿易部第三局局長陳明跟我去，說是到日內瓦看看能不能作點生意，賺一些錢回來，抵償這次的開支。你們說他的主意多麼可笑。」

龔澎說道：「你答應他沒有呢？」

陳毅說道：「這是順水推舟的人情，我爲什麼不答應他。」

龔澎笑道：「我看富春同志派陳明同志去，可能還含有監視的作用，怕我們亂花錢。」

陳毅大笑道：「那有這回事，就算務病鬼自己去，也監視不住我，我想花多少就花多少，誰能管得住。」

大家看陳毅拍起胸膛，都十分高興。

龔澎抿嘴笑道：「副總理氣魄之大，總理也不及。」

陳毅得意洋洋說道：「總理從在天津讀書起就認識了鄧大姐，就被她盯死了，直到今天雖然有一個小公館也是偷偷摸摸地一個人日日在提心吊胆中過生活，胸襟目不會開朗。至於我平生不受管束，海濶天空，想作什麼就作什麼，再加上自己聰明出衆，胆識過人，我的担當力，豈是一般人所能及的。當今之世，除去毛主席之外，誰也沒有我這個氣魄。」

陳毅說到得意處，頭上青筋暴起，嘴角白沫四溢。大家想笑也不敢笑。

突然章漢夫插嘴問道：「我們這批人是代表團員，還應該有一批新聞人員，其餘翻譯員，招待員都要事先選擇好。」

陳毅拍下禿頭，說道：「虧你提醒我，眞的，我們代表團還差人多哩！龔澎同志是外交部新聞司長，就請你負責組織一個記者團，要女的，挑揀幾名精明能幹的同志。另外再物色一批譯員及招待員，全部要女的，一要年輕漂亮，二要口齒伶俐。」

章漢夫縐眉說道：「女招待員要漂亮，還可以，至於譯員第一個條件是要精通外國語言，男女還在其次，漂亮不漂亮更不是條件了。」

陳毅說道：「你知道什麼？我生平不能看見醜人，當我同外國人談話時，如若翻譯長的死醜八怪，我的靈感就沒有了，到時連話都說不出，怎麼辦！」（三九九）

冒險北發記

鄧文儀

自利，糧荒出於天災固爲事實，但這些人自私爲的災害。鑑於陵縣政府及各公法團體多次會商，決定在縣政府與各公法團體共同負責之下，組織一個頗具規模的糧食救濟委員會，取締地主奸商屯積居奇，並規定糧食價格及由外縣市購運糧米辦理平賣及救濟飢餓平民等緊急措施事務。到民國十二年初春，正是糧食青黃不接的時候，局勢相當嚴重，飢民到處流動，救濟委員會採取緊急措置，決定派人到各鄉鎮農村查驗糧食倉庫，規定所有農家存糧，必須接受檢查，並將多餘糧食提出一平價出售；關於查倉人選，決定由縣立中學高年級學生中選派，授他們以權責，即查即報，即時與當地縣政府與公法團體商定處理辦法，迅速解決問題。

當時陵縣的社區組織，是全縣分成東南西北四鄉及一城區，每鄉又各分設三區或四區，東西二鄉分三區，南北二鄉各設四區。查倉隊共組織四個隊，每隊分成二到三組，每組按區大小担任一至二區的查倉工作；每組三人到五人，設一個組長主持分配工作。計全縣四隊八組，合計四十個人，全由縣立中學三年級學生担任。我當時參加南鄉隊，担任南鄉第三第四區查倉工作，同組同學五人，推我爲組長。我們於三月初開始工作，計費了一個月的時間，才把工作完成。

當時分派各鄉担任糧食查倉工作是十分困難與危險的任務，一般平民、飢民對查倉隊的希望很切很高，一般地主農戶，尤其是土豪劣紳奸商存心屯積居奇者，對查倉隊非常厭惡，採取各種方法手段，以謀對付及留難。稍一不愼，尤其稍不公平，就會引起是非甚至變亂，發生生命危險。加之我們都是一羣十七八歲的中學生，年輕識淺，對於人情世故及社會情況都缺少瞭解和歷練，極易被人輕視愚弄。查倉隊雖有很多便宜行事就地解決問題的權責，但是由於縣糧食救濟委員會是臨時權宜組織的，在法律與職權上都很少憑藉，同學們奉到救濟會及學校當局的聘派後，認爲參加桑梓服務，解救糧荒救濟貧民的工作，人人都很興奮，義勇爭先，義無反顧。我們出發工作之先，曾經由縣長校長及救濟委員會負責人，召集會商工作進行，講習工作方法同技術，勉勵我們努力從事，謹愼而負責的工作。

我偕同組五位同學開始工作之際，曾經互相約盟四事：第一，我們查倉必須迅速，確實，認識的進行工作；第二，我們處理地主農戶多餘存糧，必須公平合理，使他們心悅誠服；第三，我們查倉的方法或技術，務求精密細緻，使存糧富戶無法隱瞞或藉口推諉；第四，我們的態度必須謙讓和熱心，負責，使鄉人對我們不致畏懼和厭惡，并歡迎我們，高興同我們合作。（八）

陳鷹二三事

漁翁

陳鷹，湖南祁陽人，生於明末。幼穎異。年十五，以幼童入邑庠，弱冠舉於鄉，會試而成進士。尤富於經濟之學，一躍而爲戶部尚書，掌管全國財糧經濟事宜。

在明清兩代，土地徵糧，分民屯村衛四種。衛糧，以西南各省之邊區地方爲最多，秋收送繳，不許折納現金，民運苦之。適陳尚書錦歸爲父母壽，途中見老幼肩負於前，力竭聲嘶，而催征者，復鞭策於後，儼若牛馬；陳詢之，知爲送衛糧者，不禁動於方寸中，而思有以豁免之。

待回京後，即上疏奏請核免，其詞中有：「祁陽偏處湘南，上有熊羆大嶺，下有波濤大灘，水陸危險，肩送維艱，應懇賜予恩免，以恤民困……」之語。奉旨「候欽差實地查勘後再奪」。陳以律例森嚴，如所奏不實，即以欺君論罪，乃先遣人歸，授意當地士紳，於欽差到達時，指引水陸兩路之危險性，以合乎所奏，而達豁免之目的。

欽差抵縣，士紳已安排查勘日程，先陪同至距城二十里之波濤大灘觀察，此河居瀟湘下游，直流衡陽，長沙而滙入洞庭湖，水勢極急，時有驚浪沉舟之虞，兩岸所飄浮之物品，常遺散於四週。欽差見之，認爲水路確不易通行。

再勘陸路之熊羆嶺，此地離城三十餘里，羊腸鳥道，險峻異常，且高出雲表，與九嶷、嶽麓，成三角鼎足之勢，入山須下輿，扶杖步行，半山有一亭，亭內住着一白髮蒼蒼之八十老人，欽差詢至山嶺，還有多少路程？老人曰：「尚需半天，方可到達極峯，不過崎嶇層巖，行不得也哥哥！且有猛獸毒蛇之爲患，行旅因此視爲畏途。」欽差聞言，歎蜀道之難，不敢前進，遂偕士紳中道折回，以陳尚書所奏，確屬實在，即回京復命，得旨恩免，民咸得之。

陳鷹在朝三十餘年，一本清廉，最後得拜爲首相，已入清季。有某奉命主考湖南院試，試畢，一班貢生員送學台歸，舟過寶塔前，學台口占上聯云：「寶塔尖尖，七墩八角」；送行者咸以手揚之，不敢對。迨某入京復命時，拜謁陳首相，因問故鄉之學風如何？某以不甚佳對，並提及所出之淺近聯語而不能應，僅以手揚之。陳相曰：「彼輩已對出矣，『手指沖沖兩短三長』。」雖未明言，而示之以手，君所不知也」。該學政爲之愕然！人謂陳相一言而爲故鄉掩拙，足見心靈之至！

陳鷹年逾七旬，告老回鄉，僅平房三間，薄田五十畝，歸園種菜，把酒吟風，以樂餘年，得壽八十有二。邑人感其德，建祠以紀念之，門懸一聯云：「勝蓄垂世代；德澤在人間」。

述懷四律之四

爲答復紆兄作　黃伯遼

時機難得即仍差，
十室偏勞鼓楚弓；
世已大難人喜肉，
天如可問衆齊同。
悲歡投說今何日，
艱相揚帆道不通；
奚笑故人遲進履，
亡羨天下正倒倒！

我的社會生活體驗

旣而中樞決計在川黔實施禁煙政策，所有民間的煙土，一律由政府定價收購，嚴禁人民自由買賣吸食。川黔分別設立「禁煙督辦公署」，省主席兼任督辦，另由中樞派任會辦一人輔助之。王主席又派我兼任禁煙督辦署秘書室主任，白天在督署辦公，晚間到報館寫社論。蓋以華西日報未設主筆，每天的社評或專欄文字，都是我一人包辦的。其間曾發生一次大風波，爲着討論禁煙問題，引起了成都一班紳士階級的人物譁然鼓噪，說我侮辱了他們，大興問罪之師。原因是四川參議會反對政府將收購的煙土外銷，主張就地焚燬，我在華西日報著文批評這種建議，指爲罔顧政府財政困難，濫唱高調，竟要在抗戰期間而將數十百億的法幣付之一炬，未免近於「胡鬧」吧？那班紳士們說我罵他們胡鬧，羣起向省府抗議，要求撤辦我。這時王主席已赴前線督師，蔣委員長兼理主席，賀元靖先生以省府秘書長代行主席職權，他主張息事寧人，安定第一，教我登報道歉，我爲顧全大局，只好遵命，同時即將社長職務辭掉，禁煙督辦署不久亦結束了。這是民國廿九年夏間的事。

於是，我在成都賦閒僑居，隨時購閱川省學人廖季平暨吾湘宿儒王壬秋（闓運）的著作，人到中年讀書時，理解力亦較強了。王氏若干著述，在成都曾留有鐫板，如「湘軍志」在湖南的初刻板，因曾國荃指爲謗書，早已銷毀了，他到四川擔任「尊經書院」講席之際，再行刻存一副字體很大的仿宋板，始終保存着。我很擬「湘軍志」一類，試寫一卷「川政經過始末」：從民國初年說起，直至廿九年王纘緒主席出川督師職爲止。曾將原稿送給當時的「黨史編纂委員會」主委楊滄白（庶堪）先生斧正，他看過之後，加了三個字的評語：「很聰明」。但我不敢在報章雜志上發表，恐有錯誤，且遭時忌，故常自珍，留以有待也。不料國家大難來臨，神州板蕩，這項作品連同多年來所寫的「有不爲齋」筆記四厚冊，藏在湘南家鄉未帶出，歸後共黨進佔吾縣，全家人掃地出門，這些文字當然被毀棄無疑，實係個人的莫大損失。我閒住在成都，晨夕除了讀讀舊書以外，又學習皮黃胡琴，尤注意於青衣歌曲，可說是有生以來最安詳而舒適的生活階段。但這時日寇飛機常來轟炸，成都是大平原，而掘地三尺即見水，防空設備毫無，每聞警即攜負而逃出城外，亦祗遭到過幾次危險。是年仲夏，我乃攜眷赴灌縣所屬「青城山」寺觀中小住，旨在躲避空襲。初去一二日，以住室湫隘，乞住持老道給我換一稍大的房，他報之以白眼。旋灌縣縣長聞知「雷老師」住在青城山（縣長原係四川縣訓所畢業的，姓名忘記了。），每三天派人送來菜蔬雞鴨一挑給我餽食，道士得悉後，登時恭而敬之的請我住到樓上大房間去，并且不時餽我以儲藏的臘肉。出家人如此勢利可惡，則政治下場中充滿着趨炎附勢，諂上驕下的風習，何怪之有哉？此時川省百餘縣政府中，皆有縣訓所學員于役於其間，不是作縣長，便係作秘書、科長，這班學員對我很親切，我若旅行全川各州邑，雖不帶半文旅費，亦不愁落拓潦倒的。（四四）

故鄉風味（續）

黃葉村人

其他姑且勿論，單以最下品之甕菜而言，菜莖巨如拇指，爽脆如玉，光可鑑影，一捏即斷。以較台省所產苗條如細柳，視之無色，嚼之乏味者，眞不可同日而語耳。總之，土地有氣脈，而又益以山川溪沼隨流而下之源源不斷的天然肥料，自然所產之蔬果是優美的。因爲廣東之地土是深厚的，間嘗見一般菜農，足偶不愼，陷入泥中，深幾過膝，泥色漆黑，膠而韌，膩而滑，非別地之泥質可及。此乃天然之地利，而又濟之以溫和之氣候，宜所結蔬果，乃能馳譽世界，擅絕勝場也。

還有一物，乃爲世界所無者，其名曰：「禾花雀」。此物乃魚之變種。當秋季禾始花時，魚即隨流而上，登岸即化爲雀。弋者屆時張網待之，網置燈籠，雀啄花，見燈趨熱，于是收網。盈千纍百，如掘雞然。土人謂之「收禾稅」也。此物南番新順各縣多有之，而以三水蘆苞來者爲多，什之六七運銷香港。來不知其所從來，去亦不知所從去，似乎天之生物，乃專爲廣東人添口福！不知又何以厚于此，而薄于他也。弋者得雀，售于市，論串論隻計值，貴等兼金。食法：以香油炸之，爽脆香腴，連骨可吞！異品也。

說到魚，廣東人日常所食者，多爲活魚，不甚嗜死魚也。廣州、香港之魚市場，主要所售者，厥爲鯇魚，大魚，及土鯪魚。惟土鯪須冬春季節方有，而鯇魚大魚，則經年活供，且活宰而售不斷也。又：售魚者以大木椅圓形盆盛魚，上架桶，通津使滴水以養活魚，非時不宰。故所售魚，皆鮮甜異常。其他海魚，雖非活宰，然亦較他處之陳腐亦售者，遠勝多矣。惟粵人什九喜食活者，近時粵（指未陷共前）港澳之酒家，在店前多製水族箱，養活雜魚以售食客，但味終不及鯇魚大魚之鮮美。無他，雜魚皆爲海產，釣得多已受傷。而鯇魚大魚則爲塘養，從小而大，習于水土，故雖擒之于盆，朝沽夕宰，亦不致于甚傷。不如從海釣得，動經時日，且又由大江洋海困入偪仄之籠，雖活着而已有病，人自不知耳。

間嘗言之：往時在廣州生活的人，才是眞正的住在天堂。它不僅氣候溫和，寒暑有序；魚米豐腴，果蔬優美；即在烹飪製作上，也是勝人一籌。即就魚翅而言：有一品象箸大翅，二品龍虎大翅，三品鳳舌大翅，四品鮑魚滑翅，五品龍鬚鳳腦翅，六品鵝掌翅，七品鮑心翅，八品磨燕雞心翅，而以經常所見之蔴蓉魚翅殿尾，列爲第九品。（未完）

陸游與釵頭鳳

公豁

（例板）「耳邊廂有人把媳婦來喚！」（散板）「兒不孝不能夠侍奉膝前。願婆婆且把愁眉展，謝兄長你把我夫婦成全。表兄妹今朝要分散，壯士的救命恩難以報還！秋香爲我多勞倦，猛抬頭又祇見前世冤！我與你也不知有何虧欠？到於今好事不能圓！我死後你必須別成美眷，切莫要違背了老母之言！我好比春蠶到死絲難斷，蠟燭成灰淚始乾。」

觀於上述之「劇目」「戲詞」，可知放翁與唐蕙仙死別生離之故事，在陳墨香如椽之筆下，已經起了相當的變化！添枝加葉，拆東補西，在勢均有所不免。假使放翁有知，對於這一切是否同意？實在很成問題！因之，他那「身後是非誰管得？滿村聽唱蔡中郎」詩句，等於是他的「夫子自道」！這也許是「詩讖」吧？

此劇爲少年時代之荀慧生拿手好戲之一；表演得哀感頑艷，情景逼眞！曾經引起廣大之觀衆，一灑同情之淚。此等盛況，殆非身陷鐵幕，艱苦備嘗，老病侵尋，猶自強起作劇之荀慧生所能想象！境有順逆，物有盛衰，劇人與戲曲，又何獨不然？（三・完）

內政部登記證內版台報字第〇三一號

自由報

THE FREE NEWS

第四三六期

中華民國僑務委員會登記證台僑字第三二三六號
中華郵政台字第一二一三號執照登記爲第一類新聞紙類
（每逢星期三、六出版）
每份港幣壹角　台灣零售新台幣叁元
社長：雷嘯岑
督印人：黃行寬
社址：香港銅鑼灣高士威道二十號四樓
20 CAUSEWAY RD 3RD FL HONG KONG
TEL. 771726　電報掛號：7191
承印者：四風印刷廠
地址：香港灣仔高士打道二二一號
台灣分社
台北市西寧南路壹叁陸號二樓
電話：三〇三四六
台郵撥儲金戶九二五二

監察院這次是不是彈錯了對象？

·李聲庭·

自從監察院發動彈劾四法官案後，作者寫過三篇文章，原則上是維護彈劾制度，不認爲彈劾法官便破壞了司法獨立，或以第四審自居。作者對監察委員與司法官，既無恩怨，亦無好惡，只是憑良心說話而已。現在最高法院推事陳綱及廖源泉已向公務員懲戒委員會提出申辯書（全文見台灣新生報五十三年四月二日第二版及第六版）。作者細讀之後，認爲陶委員彈錯了對象。作者所持的看法如下：

（一）刑事訴訟關係一個人的生命、自由、名譽、財產非常之重，主其事的人稍有不愼，所加於被害人的損害不是所謂冤獄賠償法的德政所能補償的。如果對被告有一絲一毫的有利證據便應採取，以開脫他的罪名。西洋刑事政策有一原則：即假定被告是無罪的。法官如此，檢察官尤應如此。有關黃啟瑞在市民住宅案瀆職一案，當時無論是警備總部遊查組的訊問，或警務處刑警大隊的偵訊、或檢察官的獨立（請注意這兩字）偵查，都應該特別謹愼。既不可採先入爲主的態度，事前假定人有罪；更不可急切求賞，以破案或使人入罪以滿足自己的好勝心。只有這樣作，司法才能爲人民所信任與尊重。否則，無罪的人變爲有罪，小罪的人變爲大罪。結果所及，當然造成一股冤戾之氣，對社會國家都是不利的。這是任何自命足自由、民主、法治的國家所應戒愼遵守的起碼標準。

（二）檢察官的職務是代表國家檢舉犯罪。他既不是被告的敵人，非整他不可；也不是國家的律師，非勝這場官司不可。他是一個公正、獨立、不阿私、不賣面、不畏強橫的官吏。因此如果某人果眞有犯罪嫌疑，便不能「奉命不上訴」；反之，如果發現某人果眞無犯罪嫌疑，更要拿出孔子所稱道的「見義而爲」的勇氣來，不管警備總部遊查組或刑警大隊如何的認爲他有犯罪嫌疑，毅然決然的予以不起訴處分。這樣，才算得是大丈夫。否則畏首畏尾，全無骨氣。凡警總遊查組或刑警大隊移送的案子不管靑紅皂白便提起公訴。

在這種情形之下，檢察官算不算違法失職了？刑法第一百二十五條所謂：有追訴犯罪職務之公務員明知爲無罪之人而使其受追訴之瀆職罪又應當如何解釋？廖陳兩法官在申辯書中說得一點不含糊，作者試照抄如下：

1但皆因楊逢春感受威脅，不敢翻供之結果，蓋若翻供，則仍有送刑警總隊繼續偵訊之危險也。（作者問：誰送法？）

2楊逢春答：是刑警總隊寫的：檢察官說按刑警說他便准我交保的。（作者註：檢察官可以強人按刑警所說的而說。）

3檢察官自是日起即奉准常駐台北，以便與刑警人員交互訊問，所有不利於黃啟瑞等之供詞及自白書，即由此而來。（作者註：檢察官不能獨立偵查犯罪，而要與刑警交互訊問。）

4根據上表所列刑警與檢察官交互訊問之情形，實屬史無前例。（作者問：不知刑事訴訟法有無此規定？）

5在刑警大隊之供詞均係出諸刑求。（作者註：又是刑求！）

6檢察官在表列地點訊問時雖未用刑，但因有刑警在場監視，被告不敢翻供耳。卷查疲勞訊問，則屬顯然之事實。（作者註：此處疲勞訊問似指檢察官而言，看文氣可知。）

7被告許江富在五十年五月十七日一日之間，連續受訊三次，被告楊逢春於五十年六月八日下午七時三十分開始受訊，晚上十二時方獲還押，此非疲勞訊問而何？至於其他訊問筆錄未註明訊問時間，當更不堪問矣。又查許江富在答覆推事訊問時，亦有如下之供述：「在保安總隊被連續訊問八天，未曾休息一小時以上。」綜上各點觀察，實有疲勞訊問之情形，似屬無可置疑。

8許江富答：「因爲辦案人員（按係指刑警）不相信我說的實在話，所以只好聽他們隨便寫了。」陳茂林答：「基隆地檢處的筆錄不對，台北筆錄都由他們寫好之後叫我照抄的，在基隆地檢處我已經明白表示過，同時不會說話害人害己的，累次都是刑求的。」（作者註：檢處的筆錄可以不對，這叫什麼「司法」？）

9申辯人陳綱服務司法已逾四十年，廖源泉服務司法亦達三十年以上，從未發見此種刑警人員與檢察官交互訊問之離奇方法，其所以不能不採取此種離奇方法者，無非便於取供而已。蓋先由刑警人員取得不合法之供詞後，再由檢察官利用刑警人員在場逐節加以重訊，被告人等處在此種環境當中，自不敢再行翻供，於是不合法之供詞，變成合法，且可利用此種供詞，爲提起公訴之要旨。（作者問：這次是不是奉命起訴？）

10受訊人許江富答：是辦案單位要我這樣講的。是辦案人員非要我那麼說不可。問：你在警務處有被打嗎？答：有的。問：你當時怎麼不看筆錄：蓋章呢？答：沒有看完。（按刑警組員何德成王承琳所獲致之供詞，行款整齊，全用楷書，不類訊問時所寫，前段已有說明，參看上列供詞更可置信。）

11第一審檢察官當亦明知此項不合理之事實，乃加入預想第二項工程，可獲利潤二百萬元之數目，以資湊合，此種故入人罪之事情，彰彰可考。（作者註：檢察官故入人罪，可惡）

12其實陶委員曾作法官，亦知在刑警大隊等機關所獲取之供詞不足取信。（作者問：爲什麼別的法官不知呢？）

作者不憚煩的節抄申辯書的一些重要情節，其意不在替陳廖兩法官作辯護，也不在如兩法官所說的指摘陶委員有意羅織；而在指出檢察官之糊塗與失職。兩法官的申辯書明明指出：檢察官居然別出心裁，不按刑事訴訟法的程序；反用三四十年未見之離奇方法以便取供；利用刑警在場，被告等不敢再行翻供；利用不合法之供詞，變爲合法，提起公訴；明知不合理之事實，加入預想以資湊合等。如果這些事實還不足構成違法失職，與刑法第一百二十五條所稱：「明知爲無罪之人使其受追訴」之瀆職罪，那末任何一個人都可由檢察官「利用職權」羅織入罪」了。作者天天處在這種無形的恐懼中，因此建議監察院要彈劾承辦檢察官，同時建議黃啟瑞於市長退職後，控告承辦檢察官，以伸一寃氣。

醜態百出

甘拜下風

美國的凝思幻想

今日與明日

在政治立場與外交作風互相歧異的所謂東南亞公約國部長會議，早已形成蛇鼠一窩的場面。但是，那些不屬於東南亞地區、而又操縱着東南亞公約體系的大國，還是像煞有介事地要玩弄這個「公約」把戲，「公約」的目的只在以弱小民族國家爲芻狗而已。

東南亞公約之產生，原是美國當年在日內瓦簽署了越戰和談的恥辱協定後，爲着遮羞起見，勉強拼湊起來的。成立，至今，東南亞地區的共禍日亟，自由世界的河山逐日變色淪喪，號稱爲集體防衛的公約體系並未發生絲毫作用。美國當局如其眞有「以天下爲己任」的氣魄和雄心，就應該重新改組這種有名無實的公約結構，淨化陣營，使眞正的東南亞國家如泰國、越南、菲律賓居於主幹地位，而美國從中領導，一切庶幾可望獲致一些反共的效用。

美國不注意及此，而要求東南亞各國派兵援越戰，何其幼稚顢頇乃爾耶？

英國的現實主義

英國在東南亞公約國會議中，素來反對大家談反共的話，表示其親共政策的鮮明立場。可是，在這次會議中，英國代表乃要求各會員國應援馬來西亞反抗印尼游擊隊之進襲，且邀請公約國部長會議下次到倫敦舉行。如此現實而又自私的作風，殊堪發噱也。

大馬，并非東南亞公約的構成員，如果大馬與印尼的戰爭可由東南亞公約國來干預，則寮國和越南的共禍威脅，尤其名正言順的由東南亞公約國自動出兵參戰不可，而英國更不能不擔當一部份義務呵！

印尼向外擴張的背後支持者就是中共，英國要求東南亞公約國應援大馬的反侵略戰爭，得無引起中共介入，進而迫使蘇俄參戰，觸發全面核子大戰的危險乎？——這是英國向來對遠東問題反對美國採取強硬政策的最大理由。英國當局前言不符後語，自說自話，阿要難爲情哉！

越戰的新策略

據說，美國對於越戰的新策略有三部曲：先以南越武力制止越共游擊隊發展，次對南北越邊區農村實行清鄉，然後由南越政府派員分途向當地農民進行說服工作，教他們不要再替越共効力，担當掩護、嚮導的任務。這種兒戲行爲，好不笑煞人也麼哥！

農民何嘗歡迎打家刦舍的共黨游擊隊呢？政府不把游擊隊的巢穴摧毀，一勞永逸，卻要消滅農民與游擊隊接近，這不是笑話嗎！國軍既不能常在農村駐守，農民無力於游擊隊之殺人越貨暴行，抵抗，他們有甚麼方法拒絕共匪的脅迫，而不惟命是從呢？

憑着這種天眞的幼稚策略，要想贏得越戰的最後勝利，除非白痴病者，誰亦知其爲毫無希望的事情，徒留笑柄於人間而已。

美英的選舉熱

美國的總統選舉運動，漸要進入激劇化的高潮階段了。民主與共和兩黨的競選人，正在挖空心思、絞盡腦汁以找擇競選演說的題材，企圖博得選民的贊許，「投我一票」。

我敢保證：他們兩黨人士一定是以外交政策——特別是遠東問題爲唯一的選材料。過去如此，現在亦然。何以見得呢？一見之於兩黨所揭櫫的內政綱領，大同小異，沒有甚麼值得爭論，足以聳動聽聞之處。再見之於美國一般人民對遙遠的遠東情形，莫明其土地堂，政客們即不妨信口開河，放言高論，欺選民以無知。如參議員富爾布萊，摩斯之流，最近侈談美國對遠東的外交政策，故作特殊主張，即其濫觴也。實則此二人根本就未到過遠東地區，不管他們怎樣說法，只在迎合選民期求安全繁榮生活的心理而已。像共和黨的尼克遜，爲着選舉利益，親到遠東各自由地區走走，尋覓實際資料，算是很高明的了。

前些時候，民主黨人士會主張本屆競選總統之際，大家莫再以遠東政策爲課題。這表示民主黨執政時，在處理遠東問題上，曾經犯下了絕大的罪過，不自須諱，勢必禍延白宮，因而害怕政敵揭瘡疤，弄得狼狽周章，無以自解。

英美今年都要搞大選，看他們那些出馬競選的人物，即沒有一個像羅斯福，邱吉爾當年毅然要以天下爲己任的明確政見，宣示於大衆的氣魄與作風，多見其爲小政客的本質，而以美國民主黨和英國工黨的人才，尤爲寥落可憐。這也就是法國戴高樂先生要創造西方「第三勢力」的基本原因。

無論國際局勢如何變化，希望英美現時浮在政海之上的一些政治人才，能夠領導自由世界以爭取最後勝利，我是不敢相信的！

馮王先生

已派大批軍政幹部入廠督導

毛共竟以治軍方法管工廠

廈門共幹數約千名業已實行出動

其中包括市委代理第一書記等等

香港與大陸

最近中共從軍政界中抽調大批幹部派往工廠，一面負責搞「比、學、趕、帮」運動，另一方面又負有「工廠革命化」的任務，後者據說要使工人和「解放軍」一樣，都有「興無階級思想，滅資產階級思想，反對帝國主義，反對各國反動派和現代修正主義的使命。」

此間一位不願透露姓名的大專教授，接讀其留居大陸、任職「廈門電機廠」的兒子來信，對大陸工廠最近各項運動報告綦詳。

來信說：廈門由於近在金門的對面，所以中共對工人的管理也特別嚴格。全市的工業、交通、基建等系統的一萬五千多名職工，都被組織爲「比學趕帮」小組，要他們在小組內「生產，工作和學習」。最近，中共還動員了大批軍政幹部，分頭到各工廠實行「現場監督」，要每一家工廠都從新檢討「比學趕帮」運動（是項運動本報早已有報導）；這些落工廠的共幹，包括中共廈門市委代理第一書記李陵文、市委書記張漸摩、王鳳先等。

來信說：廈門市的軍政幹部爲數約有一千名左右，分別調到各個大小工廠，而又以廈門造船廠、電控廠、鷺光橡膠廠、廈門電機廠、廈門針織廠、食品廠、第一印刷廠……等爲「重點廠」。這些共幹，除了負起檢討「比學趕帮」運動之外，還要組織工人再「學習解放軍」，去向工廠的行政幹部傳授治軍的方法，用以治理工廠。

來信說：現在，每一個工廠都組織工人在學習了，學習的內容是「解放軍的優良品質」和「解放軍的紀律」，而又以後者爲主。（學習「解放軍優良品質」本報亦有報導，最近已到尾聲階段了。）

來信說：中共要工人認識「以治軍的方法治工廠，「是毛澤東思想在社會主義建設中的一個新發展，是現代化企業建設和管理方面的新創造，是我國社會主義建設中的一個方向性和根本性的問題。」中共高喊：要在工廠企業中把政治工作和經濟工作密切結合起來，建設爲一支「革命化」的「現代化」的「產業大軍」。又說工廠都要高舉「毛澤東思想紅旗」像「解放軍」一樣，經常武裝幹部和工人的頭腦，並經常醒覺在「實際的鬥爭」中。還要使工人更加「無產階級化」和「戰鬥化」，像「解放軍」一樣，有一套完整的領導制度、政治工作制度，來保證「黨」的絕對領導。更要求工人，不單祇從事工業生產活動，還要負起發揚「無產階級思想」，反對「帝國主義」及「現代修正主義」的使命。

來信還解釋說：中共的是項運動，無非是意在加强對工人的管制和加强對工人的剝削。（敬斯）

立法委員袁良驊提出

臺北區防洪工程書面再質詢

（本報台北航訊）立委袁良驊於三月廿四日向行政院提出「台北區防洪工程書面再質詢」，甚獲重視，茲誌該質詢全文如次：

這回行政院會議所核定防洪治本計劃第一期工程的五項原則，正合乎治河之道，尤其是河口整治，關渡拓寬，河槽浚渫這三項原則更可贊揚。因爲這三項工程可從河槽挖起的泥沙和石子，就可以用來把河道的兩岸修直和培高，而收到事半功倍的效果。這一喜訊傳來，遂使連年飽受水災的臺北區居民歡欣相告，他們認爲今年的水災就此可以減輕了。賢明的政治家無他技，他決不肯與民爲敵，他就是懂得在下車伊始的時候，就把大衆渴望已久的事情如防洪工程首先做好，使人民景仰的時候，然後推行其他要政，則翕然相從了。

世事眞難料，怎知道省府竟會一反中央政府的合理決定，以閃電的手法驅動工兵在三月一日搶先着手建築大同隄，他們竟會忍心地步着以前三次築隄而闖了三次大禍的後塵，而以鄰爲壑把洪水趕到板橋，二重，三重，蘆洲去，又使那裏在去年慘遭葛樂禮颱風，恨心未已，創痛猶存的二十五萬以上居民，不約而同地掀起了怨憤的風潮，反對建築大同隄。須知他們不是敵人，而是中華民國的國民，同是納稅人也豈有貴賤之分。憲法第十五條規定：「人民之生存權，工作權及財產權，應予保障。」然則人民既納了稅，就有權要求政府保障他們的生命財產，葛樂禮颱風淹死了多少條生命，損失了多少億元財產，凡此絕大多數是屬於板橋、二重、三重、蘆洲和其他郊外地區的，即使我不願說出來以免影響人心，而政府也不致於懵然不知道吧？政府既未盡其責任保障他們的生命財產，就應自愧不暇，何致於搶先建築大同隄，再來一次驅趕洪水淹浸他們，而更招民憤。

省府更要知道，板橋門裏有六條軍眷村，就是篤行、大庭、厚德、婦聯一、二、三新村另外，還有在蘆洲的一條村，合計有六千多幢房屋，都是歷年受過慘慘水災的，他們的父、子、兄、弟和丈夫都是衛國守土的將士，一聞水災之來而惦念其家眷自是人之常情，這樣能不影響其軍心嗎？吾人日言勞軍，然則對其家屬的安危何以不加以照顧？

省府再要知道，幾年前中央政府嚴令臺北市疏散，因爲公教人員的辦事機關依然在市內，爲着及時趕到上班起見，多數遷居在靠近北市的板橋、二重、三重、蘆洲等地的，如今要建築大同隄驅趕洪水淹浸他們，豈非驅無辜而就死地嗎？

幸而，嚴院長賦有高度的思考力，能見微知著，下令省府停止建築大同隄，遂使羣情鼎沸的民氣因此平息而弭患於無形，使人欽佩。而水利局也鑒於以前被人三次利用作築隄工程，闖下了三次大禍的前車，這回他們不再代人受過了，已能緊守工程道德，堅定立場，呈報省府，表示如果一定要首先建築大同隄，將來發生洪水災禍不能負責。工程人員可愛之處，就是良知還未盡喪，不肯指鹿爲馬，預料將來會招致大禍的建築工程，就不允盲從附會了。

可是建築大同隄的陰霾未散，三月十七日徵信新聞報有一段消息說：「臺北市長黃啓瑞於十四日在市議會答詢問說：自本月一日開工的臺北地區防洪工程，雖然暫時停工，但市府仍考慮在不抵觸中央防洪治本計劃原則下，自行籌措提防工程費用，儘速趕在今年颱風季節前完成大同，圓山兩項隄防的興建。」這是甚麼話，一河應有兩岸，豈有建築這樣龐大的隄防，只建築一邊，而把洪水排灌到對面地區去，且殃及士林北投，置其居民安危不顧？如此殘民以逞，猶敢說：「不抵觸中央防洪治本計劃。」其誰欺？欺天乎！他可謂指鹿爲馬，目無中央了。因此本席提醒嚴院長，不可被這樣的巧言所蠱惑，下大決心，堅守行政院會所核定防洪治本計劃第一期工程的五項原則，分別加緊進行，以安民心士氣，並制止黃市長這樣倒行逆施的暴行。

本席爲堅定嚴院長信心，遂行上述五項原則起見，現在舉出一個事實告訴院長，那就是在元月二十九日由退役官兵輔導委員會副主任趙聚鈺陪同本席等赴花蓮之泛濫區，考察木瓜溪的防洪工程，先看他們在施工進行中的幻燈影片，再到現場研究，發現他們能夠依照國父孫中山先生的治河遺教，就是先把河槽挖起的石頭泥沙用來修直和培高兩岸，然後利用水暢其流而把河槽衝刷使之加深，它經過民五十一、五十二兩年的時間，已被衝深了四公尺，那就是等於十二臺尺，已經免於水患了。凡是到過木瓜溪的人，都知道那河槽是滿佈石頭的，這是一種最壞的河槽，可是經過了兩年的水流衝刷，還有這樣的良好實績。那麼我們反看臺北區的大溪，新店溪和淡水河，都是泥沙多而石子少的河槽，照此看來，如果行政院能堅守上述五項原則進行浚渫河槽，豈不是可以收到加倍的效果嗎？嚴院長如有懷疑的話，請問一問趙聚鈺先生和主辦木瓜溪防洪工程的負責人吧。

港烟高波

本報記者　趙家驊

高雄市第五屆市長四位候選人，目前已辦妥抽籤，決定了先後名次，第一位是簡秋桐，業律師；第二位是現任省議員李源棧，潛力雄厚未可藐視；第三名是現任市長陳啓川，實力雖然談不上，可是海軍及兵工廠的軍眷票，約三萬五千，是早經決定的「鐵票」，假如說陳啓川此次競選必勝，決定性的力量應該歸功於執政黨；第四位是民社黨人楊金虎，此君有選必競，有競必敗，有人說他是醉翁之意，但這一次，却弄假成眞了；他除了會拉掉若干李源棧的票外，對陳啓川來說是比較有利的。

撇開一切「非法」的活動不談。陳啓川此次却是拼了老命在競選。他的競選戰署第一步就錯了，他派教育科代科長王淸波到各級學校去拉票，據老師們的反應，說他是以「巡視」，及「視察」的神氣君臨各校的，一一拉手拜托。過去反對陳啓川的據說已更加反對，而一向看不起王淸波的，更是嗤之以鼻，有一批模稜兩可的，見了王淸波的那副「尊容」，也就聯想到他平時作威作福的勁兒，也就實行反對陳啓川了。王淸波此行，不但未達到拉票的目的，反而折了陳啓川的台。

× × ×

高雄市長陳啓川月前巡視全市十區，舉行座談會，聽取各方意見，陳氏率領文武百官，隨侍左右，陣容之大比總統蒞高時要大若干倍。由左營區巡視返高途中，路過「龍泉寺」，郎令司機停車，陳氏緩步入內，小和尚見陳市長要參禪拜佛，立即香烟繚繞，鐘鼓齊鳴，陳氏雙膝落地跪下叩頭，口唸般若婆羅密多心經，顧神賜福；陳氏身後侍立的×××科長係一虔誠的基督教徒，亦不加思索的相陪跪下，大叩其頭，狀若搗蒜，默念耶穌，道路，生命，福音。這一場趣劇，旁觀之人莫不忍俊不置，謂之爲一幕新「官場現形記」焉。

× × ×

陳市長巡視苓雅區，地方士紳恭迎大駕，發言者尤其踴躍，其中有一黃姓名冬生者，竟敢對陳市長的用人加以指責。黃君謂教育科代科長王淸波，巧立名目，令全市教師，購買「新課程標準」，從中圖利，殊屬非是。黃君復稱：外傳陳市長不要錢，我們相信，但你的部下要錢，又作何解釋？關於此問題，陳市長未作正面答覆，散會後祗向隨從某說：「想不到王淸波是這樣的東西」云云，此語似包含兩個意義：第一他自責用錯了人；第二王淸波對他是陽奉陰違，毀損了他的淸譽。

基隆旅居記

仲公

七月二日，孤拔率戰艦七艘襲福州，泊馬尾，總督何璟素來怕事，防務大臣張佩綸亦年少無軍略，時傳有議和意，船政大軍何如璋見法艦入口，止諸軍無戰，淸艦十餘艘泊附近，寂然不動；省中士庶見其危險，紛紛走避，而佩綸視若無事者。初三日黎明，法艦忽升紅旗挑戰，淸艦無防備，都等候張大臣命令。跟着法艦四面開砲，登時將淸艦一一擊沉，并進毀船廠；如璋跣足走鼓山，將軍穆圖善駐長門，聞警乃開砲擊之，法艦始悠悠去。

福州既受挫，台灣尤危，二十日銘傳視師淡水，孤拔亦乘兵艦來，測探港道，不得入，遂游弋沿海，以覘動靜。八月十三日後攻基隆，以兵五百由仙洞上岸，恪靖巡緝營甕慶中營拒之，高元章亦率所部二百餘人馳援接仗，法軍敗走，迷失道，圍困至日中，又殺法軍百餘人。法艦隊遂猛攻砲台，銘傳屹立督戰，左右被殺數人，衆請退，不聽！故士卒皆奮鬥。已而諜報法艦五艘犯淡水；淡水距台北卅里，銘傳立命收軍往救。各提督皆諫止，不聽，唯留曹志忠所部三百及棟軍統領林朝棟駐獅球嶺。或反詰銘傳，答曰：「是未知吾之深謀也」！其後法艦三攻淡水皆受創去。法軍既踞基隆，謀取台北，以陸軍二千進攻，輒爲朝棟所阻。相拒匝月，乃以四艦取淡水；九月十九日黎明，將入口，淡水砲台轟擊之，乃去。翌日復至，潛渡陸軍上岸，肉搏進攻，孫開華邀擊之；張士成以三百人截其後，往來馳驟，當者辟易，法軍大敗爭舟，多溺死，陣斬五十，俘馘三十，於是不敢窺台北矣。

基隆既失，內外臣工，多上封事。廣東道趙爾巽，請進兵越南，以分敵勢。沿海各省以台灣危急，協餉餽械，志切同仇，南洋最多，北洋次之，廣東亦助銀十萬兩，步槍五百枝，前門槍三千桿，故稍無困之。十月十五孤拔宣布封港，北自蘇澳，南至鵝鼻嘴，凡三百廿九海海里，禁人出入，分駐兵艦巡緝，以蘇澳至基隆八艘，淡水至安平三艘，航行之船須離岸五海里外，否則擊之。於是互市停止，物價騰貴，商船多被擊，文報亦不通。（卅九）

港阿飛猖獗

家長們憂心

（本報訊）香港的飛仔飛女有愈來愈猖獗之勢，很使家長們爲之憂心忡忡，即如四月十六日晨二時許，便有八個阿飛（五男三女）在德輔道陸海通酒店開房「狂歡」，據說其節目包括唱流行曲、跳牛仔舞等，彼等事前且多喝得醺醺大醉，故唱時舞時彼此擁抱，大嚷大叫，胡帝胡天，結果是同酒店住客不堪其擾，才打電話報警，而把阿飛們帶走了的，其中一個十五歲的飛女，因醉得厲害，曾送往醫院洗胃。

黃教師

劉杰

在黃慕竹担任我們教師時，我們就直覺認爲她可愛可敬。圓圓的臉孔，淡淡的眉毛，很小很小的嘴。她的眼珠黑得就和寶石似的。她的聲音清脆，响亮。

我們都是頑皮的大孩子。在學校時，新的老師來上我們課時，我們不是做鬼臉，就是伸舌頭，眨眼睛；然後我們就互傳紙條。紙條上寫的字，畫的畫，都是說這位新老師的。

所有新的老師，往往被我們弄的啼笑皆非，下不了台。

有一次，級任老師特別把我們訓上一頓。級任老師說：「你們這樣太不像話了。你們是來求知的，但你們爲什麼要惡作劇呢？倘若你們還是這樣，我就對你們不客氣的。」

可是，級任老師說他的，我們還是我行我素。

可是，黃慕竹來担任我們教師時，我們却規規矩矩的聽她的話。

她一上來就說：「我聽說你們很頑皮。頑皮是件可愛的舉動。我在學校時，甚至比你們更頑皮。」

她又給我們講個故事：

「我念大二的時候，有個戴眼鏡的教授，臉上從來就沒有開過笑容，作古正經，看了就教人透不過氣。

「他上課嚴極了。不許我們在課堂上看參考書，也不許不寫筆記。如果我們同學中有一個不用心聽，他就叫『站起來』！他對付不用心聽的同學，就是這樣處置的。

「他給我們學分也刻薄得可怕。我們很少有及格的分數。但我們不好提出抗議。我們又必需要修他的課。怎麼辦呢？不能爲他這門學分不及格，而再念一年大學。

「於是，許多同學就拼命的用功。

「我是個不用功的學生，我尤其會出歪主意。我對同學說：『他既然這樣厲害，就叫他吃點虧。』

「『你想出什麼主意？』

「『他不是近視眼麼？』

「『是呀！』

「我把嘴巴湊在同學的耳邊：『在他來上課時，我們丟一塊香蕉皮在門口。他脚一踏上，就會滑倒的。這是水泥地，又是梯級的陂度，一滑就會倒下的。』

「同學說：『那是好極了。但是誰肯做這件事呢？』

「我自告奮勇：『我去！』

「當香蕉皮丟在地上，當我們望着教授往這邊走來時，我們都有點緊張。

「就在這時，教授的脚確實踏在香蕉皮上。他的身子一搖一幌，隨即哎喲一聲，就跌在地上！跌的很重，眼鏡子也打碎了。

「我們都跑了過去，把他扶了起來。他的臉色顯得蒼白。

「這時校役也來了，馬上把他送到醫院。看來他跌的的確不輕。

「而且，不到一個星期，這教授就死在醫院裏！原來他年紀大了，這一跌，竟使他中風了。

「聽說教授一死，我們同學都很悲哀，而我更痛苦極了！我在教授的屍首旁，大哭了好幾次。我知道，如果沒有我這惡作劇，怎有這不幸的事件呢？

「從此以後，我就不再頑皮，不再惡作劇了。」

黃教師的這番話，給我們確有很大效果。而另外，她也確會教書，循循善誘，使我們都有很大興趣去聽講。我們於是不約而同的認爲她是個好老師。可敬可愛。

藝術叢話

抽象藝術漫談

趙雅博

這正是鼓勵着抽象藝術一切理論家的精神；由於這種精神與見解，在藝術上，尤其在造型藝術上，引入了放棄客觀世界，舉凡表現客觀世界的方法與客觀藝術的生命，也都不要了。這樣，他們認爲就會有所謂純藝術或者純繪畫的出現了。所謂純藝術，純繪畫的表現，[illegible]當代抽象藝術理論家來說，乃是只在表現藝術家的純情感，也就是說表現藝術家自己的情感，抽象藝術的唯一主張在是，抽象藝術的唯一目的也不外是。但是抽象藝術家們，他們却忘了一個純粹的情感，一個純粹的自我情感，如果眞的不依着或者暗示一個客體的時候，那就等於在至暗的黑夜中，有一羣也是至暗的狸一樣，我們看不見什麼。有人說看不見可以覺的到啊！是的，但是抽象畫却不是因視覺以外的感覺而感覺得到的。繪畫的本質是離不開顏色的，顏色只有看才能見，絕不是其他官能所能感到的——有人說可以嗅出；不錯，但是在用嗅覺以前，必需先有視覺輸入的觀念，由觀念之不同，再進而用其他感官分辨，積成經驗。不用視覺即可得知了。

固然上述的解決問題的態度，我們從歷史的演進結果，可以認爲是有其道理或由來的。不過這種與整個客觀世界完全斷絕關係的企圖，而投身於純主觀的解決，這不能不說是一種英豪而大胆的作風，破壞像的主義，可以說是空前了。但是這其間也是冒着極高度的危險的。正如同一艘船隻在狂風驟雨中，行駛在多礁的海洋中，沒有羅盤，沒有舵機，其危險的程度，是不言可喻的。現在在繪畫藝術上，如果不要對象，也正是投身於主觀主義的狂風駭浪之中，沒有精神的或物質的支柱，特別是沒有精神的支柱，則藝術的殘缺不完，是可想而知的了。

是的，藝術上的主觀主義，眞好似一個浮動的繩子，沒有兩端固定物來支持它，有什麼樣的結果，不必我們說了。近些年來，流行在世界上的哲學思想，無論是現象學，無論是存在論，也無論是邏輯實徵主義，都是主觀學說之極，沒有一個定盤星，由於這些不合理的學說，出生的不合理的思想！生出了苦悶，失望，徬徨，憂慮，嘔吐，這些不良的現象，不但出現在人生上，並且也表現在行事上，特別是表現在藝術的歷史上，眞如同是一個走着高懸的繩索，不知將伊於胡底！也可說是極難維持，但是儘管如此，當中也有其眞實眞理的一端：歷史是演變的，藝術也不是一成不變的。藝術的變遷，藝術的改動，是自然的趨勢，歷史的要求，爲此今天的藝術絕不該與以往的藝術完全相同，也絕不該只是墨守舊章，而不有所改動。這使我們認爲復古是個不通的路子，完全維新也無可能。今不是古，古不是今，因而生出了一個在具象藝術與不具象（抽象）藝術不同的場面。（未完）

我所知道的麥帥

肯寧將軍原著　徐熙光翻譯

一、前言

我是一個崇拜和敬仰麥帥的人，這是我爲什麼寫這本書的原因。對於麥帥的認識，我想我和任何人一樣清楚，當然另外還有認識他最透澈的一個人——他的妻子珍。我曾在麥帥麾下任職，所以在公事上，我敬仰他的才能和魄力，在私下，我喜歡與他相處，因爲他是一個不可多得的良友。我認爲他是美國最偉大的政治家和領袖人物，更是美國歷史上前所未有，叱咤風雲、赫赫有名的一位將軍。當前的美國人中，無人曾像他一樣爲維護美國的理想、原則和威望而努力不懈。

雖然我認爲麥帥是不世出的偉人，但是我仍然是以極爲客觀的眼光和態度來看他的，因爲他雖然算得上是一位超人，但是他畢竟也具有一般凡人難以避免的缺點，人是不可能十全十美的。我相信很少有人眞正了解道格拉斯·麥克阿瑟其人；就是有人眞正認識他，或自認對他有很深的了解，都只是崇仰他或不喜歡他，他們從來不會用客觀和不偏不倚的眼光來看他。本書是爲大多數不太認識麥帥的人而寫的，希望讀者都能很公正地下他們對麥帥的評語，更希望因此有助於使麥帥對國家的貢獻和價值爲大家所共知，因爲麥帥在歷史上所佔的崇高地位已是不容置疑的事。

本書所述故事都是眞實的，想必因此能使讀者對麥帥有眞正的了解和認識。

二、麥帥所給我的第一個印象

當麥帥高大魁梧的身影向我走來時，我注意到了他肩上的一顆金星和他戴在頭上微向右傾斜的帽子，我知道這是一位准將，當時我還只是陸軍航空隊裏的一個少尉軍官，我本能地很快向他行了一個軍禮。

在那幾年裏，我看過的將官可以說眞是不少，但是沒有一個人曾經在我腦海裏留下特別的印象。可是這次與前大不相同，我不自禁地拿他和當時空軍中最孚人望的「比利」密契爾將軍相比較，我覺得他們兩人都有堅定、明快的步履，爲他們心裏所想要做的事而匆匆來去。他們的身高差不多都是六呎，身子靈活，而且穿戴整齊。他們身上穿戴的制服，軍帽和皮靴，令人一眼望去就有舒服和肅然起敬的感覺。

麥帥向我還禮，還向我道聲「早安」，繼續走了過去。我問身邊的一位步兵上尉：「那是誰？」

「道格拉斯·麥克阿瑟將軍」，他答說：「虹師第八十四旅的司令官，他的屬下對他唯命是從，他各方面的才能和條件都很優越。不過他自己覺得他是個不死的老兵，這裏人人都戴鋼盔，但是只有他不戴，不管在戰地，在普通場合，他永遠戴他那頂軍帽。他留的是平頭，身上曾多次掛彩受傷，但獲得的勳章却更多。」

（一）

瀘君續夢

第十二回：

異域購新居　民脂似水
冷宮傷舊夢　妾命如絲

章漢夫聽到陳毅的題目這麼正大，不敢再多嘴。

龔澎笑道：「新聞記者團由我負責，至於女招待員最好是請張茜同志挑選，比較能合你的意思。」

陳毅連連搖手道：「千萬不要提到她，這次我一定不帶張茜去，礙手礙脚。」

龔澎笑笑，不再開口。

最後決定新聞記者人選，除龔澎之外，尚有新華社社長吳冷西，新華社古巴分社社長曾濤，原任中共中央中南局宣傳部副部長、長江日報社長熊復。還有一個雷英夫是共軍總參謀部的作戰處長，掌管軍事情報的，也一齊帶去。全部人數竟達一百二十人，爲所有代表團人數最多的一個，分乘兩架飛機，浩浩蕩蕩開向日內瓦。

陳毅飛機抵達日內瓦，中共駐瑞士「大使」李清泉前來迎接。

陳毅問道：「你買的房子在何處？」

李清泉說道：「在日內瓦郊外，距離機場約三十分鐘路程，十分清靜。」

陳毅問道：「這房子多少錢買的。」

李清泉說道：「很便宜，共用了四萬多美金。」

陳毅正在走向汽車，不由停住脚步問道：「四萬多美金能買什麼樣的房子，你爲何這麼寒酸。」

李清泉陪笑說道：「四萬元的房子，已經是上等的了，尤其這間房子，原是埃及廢王法魯克的別墅，最近法魯克在蒙地卡羅夜總會賭輸了，把這所房子賤價出售，許多人爭着買，還是我用高價購來的。」

陳毅聽說是法魯克的別墅，稍微放下心。可是，一走上汽車，看見開車的竟是一個五十多歲的老頭子，不由得又縐起眉頭。

車子開到別墅門前，應門的却是滿面鬍鬚的印度人，陳毅更是撞火。下了車到裏面一看，房子確實不錯，背山面水，風景清幽，房內陳設異常富麗，尤其是許多小型房間十分別緻。

陳毅問道：「這些小房是作什麼用的？」

李清泉說道：「聽說法魯克每到瑞士來，一定要物色許多女孩子陪伴他，每個小房要住上一個，他喜歡誰就住在誰的房裏，實在荒唐的很。」

陳毅一瞪眼：「怎麼荒唐！這是眞正風流。法魯克唯一可取之處在此。難爲他費心替我們蓋下這座別墅，若不好好享受一番，眞辜負了法魯克的美意。」

李清泉看看陳毅那付尊容，加上在室內也帶的黑眼鏡，確與法魯克的龍顏有虎賁中郎之似，幾乎笑出聲來。

陳毅說道：「你房子買的到不錯，只是人事調配太差了，開車怎麼僱了一個老頭子，坐在車內，連我也被比得老了。還有把門怎麼用紅頭阿三，你不知道紅頭阿三已經同我們變成敵人，他要藏了炸彈或手槍，就危險了，你怎麼沒有絲毫警覺性。」

李清泉說道：「這裏的華僑都十分反動，他們到現在還不承認我們大使館，簽證寧可跑到法國同比利時去，僱他們作事，他們不肯作，我也不放心。」

（三〇〇）

我們開始工作之初，確曾遇到若干困難，但是經過一星期之後，我們的工作就很順利的進行，并且得到地方各界人士的讚譽和歡迎，因爲我們都能遵照上述的規約工作。我們用幾何數學測量的方法，將每一個大小粮倉儲粮多少，查得相當正確，這很令到鄉人敬服。我們對於存倉甚多農戶，要其提出百分之三十平價平賣，也相當公平合理。僅有十幾處曾遇到阻碍和困難，我們都克服了。地方上對於我們的熱心服務，都表示高興并熱烈招待。這一個月的工作，是我生平爲民服務的開始，我很寶貴那次工作的經驗。

冒險犯難記

鄭文儀

六、游深潭險些喪命

我的家鄉醴陵，正是湖南江西兩省隣接地區，全縣有很多山嶺，很多河流，東邊的大屏山，北邊的爲山，城郊的西山都很著名。由東邊萍鄉流出的萍水，由北邊瀏陽縣流入的瀏水，合流成淥水，由縣西南的淥口流入湘江。山多是青山，水盡是深水，山青水秀，風景幽美，在過去幾千年間，曾流傳了不少美麗的故事。傳說明朝開國太祖朱洪武在年輕當和尚的時候，曾經到過大屏山。東鄉王仙鄉有仙人洞甚深，崖竅甚多，洞水濟流達三十里，傳說王子求仙得道就在這裏。「王子去求仙，丹成上九天，山中方七日，世上幾千年。」的童謠詩句，我年輕的時候；就常聽到鄉人傳誦。至於城區西山，淥水環繞，縣立中學一稱淥江中學，就在縣城西南淥江的對岸，學校附近有紅拂墓，傳說是李靖愛妾埋骨之處。這些風流韻事及寶地的青山綠水，不僅啓發著醴陵青年喜愛山水，而且啓導著醴陵青年發揚歷史愛國從軍的情懷。加之民國前後，很多次革命起義在醴陵發生，由萍鄉到株州的鐵路修築甚早，水陸交通發達，旅行方便，這一切都使得我在中學時的胸懷得到陶冶，我喜歡遊山玩水的生活習慣，就在當時當地奠立基礎。

我在縣立中學讀書，課暇無事，每喜攀登學校附近山嶺。西山好像學校一大校園，紅拂墓距離學校不過一千步，我常在紅拂墓前散步遊息，或帶著課本及小說書在墓園附近瀏覽。紅拂墓墓碑兩旁有一付對聯：「紅拂有知應識我，青山何幸此埋香」。唐初英雄美人的故事及佳話流傳，使得同學們多生欣羨嚮往之忱，我也是其中之一人。我尊敬李靖的勤勞國事，也佩服紅拂的識人知人，情意高遠。

我因少小時的家是在現頭州一個小市鎮上，正是大屏山下萍水之畔，從小就喜歡玩水游泳，曾經有幾次幾乎被水溺死的紀錄。（九）

建安作家

漁翁

我國歷代父子兄弟間，而均以文學著稱者，在魏有三曹，在宋有三蘇，皆膾炙人口。若以文章而兼政事，則三蘇不及曹家父子也。

曹操，字孟德，少舉孝廉爲郎，起兵討董卓，擊黃巾，迎獻帝都許，爲大將軍，進位丞相，封魏王，夏侯惇勸操正位，以周文王自比，而總攬大權，與江東孫權，巴蜀劉備，成三分鼎足之勢。其子丕篡漢爲文帝，與弟植之均以文章名。而植之才學，尤超出乃父乃兄之上。

曹植，字子建，十歲時，能誦讀詩、論、辭賦數十萬言，十九歲，寫一篇「銅雀臺賦」，堂皇富麗，成爲早熟之作家。謝靈運嘗曰：「天下才有一石，曹子建獨佔八斗，我得一斗，天下共分一斗。」謝雖自謝一斗才，而推重子建，誠有加無已。李商隱詩：「用盡陳王八斗才」，以子建封陳王，故云。後人喻才識豐富者，嘗用「才高八斗」去形容，已成一句成語。

當漢獻帝末年，作家甚多，就中有孔融、陳琳、王粲、阮瑀、應瑒、劉楨、徐幹，同時以文學齊名，號「建安七子」，以同居鄴中，又稱「鄴中七子」。彼七子者，在政治上爲曹家僚屬，在文學上爲曹家羽翼，無論在政治與文學，曹家都處在領導地位，故在建安作品中，以曹家父子爲代表。

按建安，縣名，三國吳置，爲建安郡治。又建安爲漢末年號，曹子建父子及鄴中七子之詩，謂之「建安體」，見「古詩紀」。在建安遺詩三百篇，子建佔八十首之多，足見其爲當時首屈一指的作家。茲再將七子，簡介於下面：

孔融，東漢人，孔子二十世孫，字文舉。少有俊才，獻帝時，爲北海相，立學校，表儒術，尋拜大中大夫。值漢室之亂，志在靖難，然才疏意廣，迄無成功。嘗自謂「座上客常滿，樽中酒不空，吾無憂矣」。後爲曹操所忌，不得善終，惜哉！

陳琳，東漢廣陵人，字孔璋。初爲何進主簿，後歸袁紹，移書曹操，數其罪狀，紹敗，歸操，操愛其才而不咎，以爲記室，徙門下督，嘗爲操諸書及檄草，進呈，操先苦頭風，是日臥病，讀琳所作，翕然起曰：「此愈我病」。數加厚賜，可見文能醫人，與王摩詰輞川圖，先後媲美。

王粲，字仲宣，三國魏高平人，避亂，依劉表於荊州。貌短小醜陋，而博物多識，問無不知。蔡邕奇其才畧，聞粲在門，倒屣迎之。後仕魏，官至侍中。

阮瑀，字元瑜，三國時尉氏人，少學於蔡邕，後爲曹操司空軍祭酒，官記室。凡書檄多出其手，嘗借操出入，如隨從秘書然。操使作書與韓遂，瑀即馬上草呈，操欲有所言，而竟不能損益一字。

應瑒，字德璉，三國汝南人，以才稱。魏武帝辟爲丞相掾屬，與王粲、陳琳等齊名，並稱鄴下七子。

劉楨，三國魏人，字公幹，與王粲、孔融，陳琳等，并相友善，曹操以爲丞相掾屬。嘗從操子丕飲，酒酣，丕命夫人甄氏出拜，坐中咸伏，楨獨平視，操聞之，乃收治罪。刑竟署吏，以建安二十二年卒。

徐幹、三國人，善屬文，但出身不詳。在七子中，以孔融、王粲、陳琳之聲名，爲最洋溢，然而均以曹子建爲馬首是瞻也。

故鄉風味（續）

花月上樓小品

黃葉村人

所謂「象箸大翅」，即條如象牙箸長度，非極大之鰲魚，不能獲得如是之大翅也。「龍虎大翅」者，即魚翅與熊掌共烹。因龍虎翅的翅，是取材次等，雖有熊掌，亦列爲二品，蓋主料爲翅也。偶舉一物，花樣便有如此之多，可見粵人之于「味」，可謂大矣哉。案上述九品魚翅，乃余于數十年前廣州之貴聯陞菜館見之。

在香港及抗戰前後之廣州，無論任何貧富人民，經常都有鮮魚可吃。要大切大塊，要小切小塊，一聽尊便。更窮的可以買十箇八箇鮮土鯪魚頭帶尾，回家用薑絲蔴油一蒸，也足以小快朵頤，免興食無魚之感。蓋售土鯪魚者，每將魚肉削明砍丸蒸熟而賣，剩下之頭連帶骨尾，則以極廉之價售與貧寒者。雖則無肉，一樣鮮甜，各適其適也。

案：鯇魚，鯇字讀如「挽」。頭圓，身圓，巨鱗，肉嫩滑，不腥，最富滋養。大魚，身扁，頭尖，細鱗，烹飪不得其法則腥。故無論煎、炙、蒸，必須用薑。味較鯇魚稍遜，價亦畧低。廣東人喜食鯇魚頭及蒸鯇魚腸，蓋鯇魚腦滿腸肥，以頭和薑酒烹食，益腦行氣。以腸滌淨和蛋油條薑葱酒蒸之，味亦甜膩。來台後，住在鄉村，鯇魚不可得而見；有之惟大魚，然而瘦削無肉，且皆死魚。偶或有微活者，亦索然無味。不僅「魚腦」無肉，炙之消失，旋化爲水。有時且遍覓不得，不知是鈎出另售，抑魚之本身營養不佳，遂致無腦也。案：此文中之所謂腦，乃爲魚頭兩頰之厚肉，粵人名曰：「魚頭暈」，（暈讀如穩）夾在魚頸下者是。

又魚腸細小，蒸之不甜且腥，營養劣也。大抵塘養之魚，不只要有生物和豐腴之食物以養之，而且對天時氣候更有關係。蓋地脈好，則氣厚；天時順行，晴雨有序，則微生物易于繁殖。魚不獨有生物足資營養，又有植食資其果腹，而又益之以優良的氣候，使塘水無枯旱瀦濁之虞，此所謂魚米之鄉，得力于天然之氣候，較得力于人工之培養爲大也。可恨！自從共匪擴據大陸以來，不但人民不得定居樂業，即飛潛動植，也同樣遭受毋妄之災；不能與時繁殖，使人民享受其利。反之，貨棄于地，物毀于途，人民爲牛馬，而不得牛馬之食。其遠走他方者，既不願返，未出者，則欲出不能。天何生斯妖孽，迫使中國人求生不能，求死不得。進一步亡，退一步死，若斯之慘也！瞻念故鄉，何日復我舊觀，不禁感慨系之！

（本篇完）

我的社會生活

雷嘯岑

後來我復員回到南京作新聞記者，有川省的縣訓所學員費明揚君（青年黨人，已在大陸遇害。）貴爲經濟部商業司長了，他依然不忘記「雷老師」，隨時請我和內人到梨園看戲，上館子吃飯，親切逾恒。這算是幹清苦的教育事業之人的一種安慰，但在共產社會中，却視爲十惡不赦的溫情主義與封建意識哩！

我的個性是好動不好靜的，越是不愁衣食的時候，越就不慣於游手好閒的生活，而在衣食維艱的環境中，反而意氣昂然，滿不在乎，星相家說我是勞碌命，或許不錯吧？我在青城山住了兩個月，深感寂寞難耐，無憀已極，未等到夏令完畢，即偕妻挈下山遄返成都了。

是歲秋初，中樞新設「經濟會議」，以賀貴嚴（耀組）爲主任委員，他來電邀我赴渝担任該會議的「議事組」組長，說該會議的核心作用就是議事組，所以教我主持其事，表示特別推重的厚意。我到重慶首先看看經濟會議的組織規程，乃知上自中央，下及縣市的經濟事宜，皆在過問之列，却沒有執行的職權，止於建議而已，我即夕致書賀貴嚴，指述經濟會議的職責大而無當，博而寡要，將來一定搞不出成績，不敢接受組長之任，第二天返回成都，依然度其窩公生活。到了十一月間，老友方希孔（治）兄忽由重慶來信，謂有要事面商，囑即赴渝一行，我應命而往，希孔告以渝市新成立教育局，教育部長陳立夫先生要舉薦我作第一任局長等情。我表示對教育工作完全外行，不感興趣。希孔說：「果老（指陳果夫先生）原有意保薦你作社會局長，我也認爲很適宜。但立夫說蔣委員長很重視首都教育，須遴選一位可信其能夠勝任的朋友，承乏局長之職，所以想到了老兄，還是勉爲其難罷！」自思行能無似，而辱荷師友長官推許，加以驅策，自不能再說別的了。次日晤及潘公展兄，他亦再三鼓勵我担任渝市教育行政工作，還說了一句安慰我的話：「你的人事關係很好！」於是乎，我在民國卅年二月一日就任了重慶市教育局局長，第二次幹這種隔行的職業，用非所學，曷勝惭悚！

渝市教育行政事宜，原係社會局兼辦，基礎已立，規模粗具，我不過從事整理改進而已。教育局雖屬新成立的機構，關於人事安排，原有社會局教育科人員，不能不借重，而編制殊小，勢難多用新人，是以各方面薦來的人才，不下百名，并且都是來頭不小，例非可不可者，使我大感困惑。教育局僅有秘書一名，陳果夫先生曾薦來一人，而陳市長賀貴嚴又交下一位，亦指定要作秘書，我祇好面向市長說實話，告訴他業已答應陳果老，未便反汗，但他說道：「果老對教育局的關係，跟我不同。」其意若曰，市長的命令，諸長有未便接受。我處在夾縫之中，深覺痛苦，乃答以「左右爲難」，下的人，當然照用，但請市長親向果老說明一下，以免引起誤會。他說「可以」，我就打電話給果老商洽，就是究竟他是否對果夫先生說過，不得而知，却使我背信於長者，思之不勝悵惘萬分。即此可知，中國政治之永遠不上軌道，有由來也。（四五）

嚴嵩與一捧雪

谿公

「一捧雪」即「雪杯圓」，一名爲「雪艷娘」。（包括「莫成替死」「審頭刺湯」等折）是表演明嘉靖時，權奸嚴嵩父子，專權納賄，殘害忠良的一齣悲劇！

此劇在明末清初是「傳奇」，至清乾嘉間，始由徽班伶人，把牠改成了「二簧」！牠的劇情是：

「明嘉靖時，已經退休之太常寺卿莫懷古，家有一白玉杯，名叫「一捧雪」的，乃是他家祖傳的瑰寶，太常視之如第二生命！什襲珍藏，輕易不肯給外人看見。他的門客湯勤，（亦稱湯裱褙，因出身於裱褙店，故有是稱。）却在偶然機會下得一見之；後因品行不端，致爲太常所逐！湯勤心裏感到相當的不快。未幾他又做了奸相嚴嵩的門客，特地向嚴嵩獻媚說：「莫某家有「一捧雪」玉杯，乃是大內寶物，稀世奇珍！太師何不索來，以作欣賞！」貪多務得之嚴嵩，聞之不勝欣羨！當即派人向太常示意。太常不欲捨此祖傳之寶物，便把一個形似「一捧雪」的白玉杯送了給他；嚴介溪倒也莫名其妙，却被湯勤在旁，指出他的假來！於是乎嚴嵩大怒，立藉他事將太常下獄；當時爲莫惶惶營救的，除了他的如夫人雪艷，義僕莫成外；還有錦衣衛指揮陸柄，南塘總鎮戚繼光二人！無奈嚴嵩意在殺懷古而取其寶，雖陸戚亦無如何！所幸那莫成貌似太常，並且自願替死！繼光就勉成其志，俾太常逃往河北避難！同時湯勤適欲得雪艷爲妻，雪艷欣然應允，而於花燭之夜刺殺之！這是陸炳授意，教她這樣做的。（一）

自由報
THE FREE NEWS
第四三七期
中華民國僑務委員會登記 台教新字第三三二號登記證 中華郵政台字第一二一二號執照 登記為第一類新聞紙類（每逢星期三、六出版）
每份港幣壹角 台灣零售價新台幣伍元
社長：雷嘯岑
督印人：黃行甯
社址：香港銅鑼灣高士威道二十二號四樓
20 CAUSEWAY RD 3RD FL. HONG KONG
TEL. 771726 電報掛號：7191
承印者：田風印刷廠
地址：香港灣仔高士打道一二二號
台灣分社
台北市西寧南路食堂等二號二樓
電話：三〇三四六
台郵信箱二九二五

國產電影的民族風格問題

·徐復觀·

三月的某一天，台北有位朋友請客，我因上課不能抽身，辜負了他的盛意。但到了那一天，想像他們華燈笑語的情形，自己多少有點寂寞之感，便在遐想中的一頓飯的時間，寫了一篇「漫談國語影片」的文章，提到電影的民族風格問題，在徵信新聞報上刊出。但當時對此一問題談得太簡單了，令人看後，會感到所謂民族風格，原來是如此廉價的。老友嘯岑兄來信督文，乃稍作補充如後。

一

每一門藝術，都有各自的特定範圍，但也有共同的精神根據。談電影中的民族風格問題，似乎也可以從文學的這一方面推出去。因為有人說電影是繪畫加運動；我却說它是繪畫加文學。

歐洲十六、七世紀，因「民族國家」的成立，隨着而各國有「國民文學」、或「民族文學」的觀念出現。自從哥德提出國民文學應走向「世界文學」的口號後，什麼才是世界文學，又成為許多人所關心的問題。

究其極，文學家是向人性更深更完全的地方探索的人；文學作品是對人性作更深更完全的表現。突破民族的偏見，使人性能表現得更深更完全的文學，即是世界文學。但是，還有下面兩個問題應加以指出。

首先若用現在的流行名詞來講，人性是內在的實存（Existenz）。將實存通過文字的「媒材」而表現成為文體（Styl）時，不僅文字語言，與某一民族的傳統、社會，有密切地關係；並且在文字語言中所用作象徵的事物，主要地也必是與作者的生活，密切相關，而為作者所能親切把握到，因而能運用自如的事物。因此，不論怎樣發掘到了世界性的人性，但其成功的表現，必然帶有民族的風格。英國現在有名的文藝批評家李德（Herbert Read），在「詩的難懂」一文中，特別指出「自己的血和自己所用的語言，是同時代的；血和語言，不是同時生出來的人，可以說，在詩的表現上，不能達到十分地完全」（日譯本文學批評論九一—九二頁）。由此，可以了解，專以模仿洋式為高的作家，為什麼只能成為「半吊子」的作家。

二

其次：人性的實存必因感到有某種「問題」而始會從潛存狀態中發生要求表出的衝動。所以文學、藝術、對人性的表出，實際是「人性」對「問題」的對應。沒有問題，便沒有文學。乃至不值得稱為文學。問題越深，人性的表出也便愈深。就常情來說，一個人，對於他所由以生，他所由以長的民族中的各種事物，是他所能感受到的最真實，最親切地問題點之所在。因此，同樣的人性，當其以「問題」的具體性，而形成一個作品的內容時，假定是一個成功的作品，也必定會帶有民族的風格。一個人，若對於與他血肉、呼吸，相連相通的自己的民族的問題，麻木到一無所知，一無所感，怎麼對於與自己距離較遠，情感較疏的世界，能提出真實的問題，以形成一個作品的內容呢？

由上面簡單地陳述，大概可以導出這樣的結論：即是，一個成功的作品，是世界地；同時也是民族地。因為人性的自身是世界地；觸動人性的問題及其表現的形式是民族地。一個文學家，對於其他民族文學的學習，是為了對自己人性的啟發；對自己的表現形式，技巧上的啟發；要把她迎娶到自己家裏來結婚成家；而決不是為了自己好賣出去當奴隸、當贅婿。至於台灣現在有種人，一開口便是「太空文學」，這種人，便永遠只有「組織文學」了。即是他們的作品，只有依靠組織。

三

電影中有很高的機械技巧因素在裏面，這是不受民族的傳統及社會的影響的。僅就這一點來說，我們也不能完全拿看文學的眼光來看電影藝術。但是，僅僅機械技巧，決不能成為藝術。電影藝術的起點、終點，依然是人性的表出。因此，這裏面便自然含有民族風格的問題。而民族風格，依然是目前中國電影職業者的立足點

我以前說古裝故事片的本身即代表了民族風格，這只是就目前國產影片所能達到的水準的便宜說法。其實，真正地民族風格，乃蘊藏在一個民族大衆現實生活之中。大衆為生活而辛苦、而安慰而有所思、而有所感，我們順着這條路發掘下去，表現出來，便不期然而然地會形成民族的風格。二千多年以前的一部古典文學的詩經，其中重要的一部份，便是大衆現實生活中的「勞人思婦之辭」；可是它在文學上，却有永恆的生命。這是說明一、二人在現實生活中所流露出的深摯地感情，即是世界性的人性。於是在民族風格中，即直接通向了「世界藝術」，還用得上「騎驢覓驢」嗎？許多國產時裝片，都是無形中在街堂的「西崽意識」之下弄出來的，與民族大衆的健全生活，不知相去幾萬里，誰人看了西崽充洋人，而不覺得渾身難過呢？

祇古裝故事片的便宜，是由服裝而能引起觀衆對自己民族的回懷。但目前的危機是：大家不是以創造地心理來演古裝片，而純是以「買便貨地心理」來演古裝片；順着這樣下去，實質上可能成為前些時在報上出現過的，八個中國人，在一個德國馬戲班中，穿著中國古裝當小丑的局面。假使大家以創造地心理演古裝片，則不僅可歌可泣的材料，眞是取之不盡；並且比較深地，完整地人性，即從這類的故事中湧現出來；何致有目前大家爭著演雙包；炒剩飯的可憐現象？

最後，是演員的問題。一個成功的演員，他可能演出各種民族風格不同的戲；因為，這中間，有藝術地感情移出移入的作用。不過作為感情移入移出的前提條件，是要有對於對象的同情、或興趣。假定有一種黃面孔的演員，連生兒女也要特別跑到白面孔的國度去生，則這種演員，對自己的民族，實在太沒有同情、興趣了；他或她，再演什麼古裝戲，怎能在他或她的身上，看得出一點由內心流露出的民族風格呢？與這類的人談藝術的民族風格，我覺得太過於滑稽。同時，作為一個藝術工作者的演員，生活可以浪漫一點，但浪漫中的高潔性，是他或她的眞正生命力之所在。內心卑汚下賤的人，恐怕產生不出眞正地藝術作品。

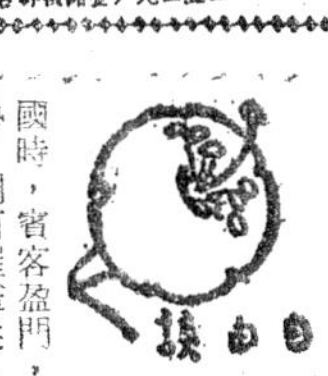

談趨炎附勢

史載：廉頗初以戰功，受趙惠文王封為信平君兼相國時，賓客盈門，既免職失勢，門可羅雀矣。及復任大將軍，客又湧至，廉頗怒其無聊，教他們滾蛋，客曰：「吁，君何見之晚也！夫天下以市道交，君有勢，我則從君；君無勢，則去；此固其理也，有何怨乎？」可見政治場中趨炎附勢的風習，古今一揆，絕無二致，俗言「貧居鬧市無人問，富在深山有遠親」，正是這種道理。

所謂「勢」，包括着精神的和物質的兩種因素：在政治上取得了管理衆人之事的高位，即享有禍福衆人的權威；又藉權威而容易獲致儻來之物，多積財富。所以，人們即非向他趨附巴結不可。這情形，在咱們這中華官國中，尤其深厚而普遍。中國士大夫的傳統文化思想，原是以搞政治「揚名顯親」為孝道的終極層次，同時又以作官為解決生活的不二法門，復以「所識窮乏者得我」的觀念，隨便任用私人，市恩示惠，十足地表現着「天下以市道交」的政治本質。因而官僚主義亦就特別發達，貪官污吏更是中國的大宗出產品。君不見許多留學西洋、滿口「民主」「科學」詞彙的新人物，一行作吏便無足觀的那種貪鄙傖俗形象乎？

要想滌除這種積污，光是發展生產力，開拓謀生的途徑還不夠，必須從文化思想方面下工夫，使芸芸衆生皆視官吏為賤業，而以升官發財為可恥的事。這需要社會上有充份的言論自由，從輿論政治中，厲行「扒糞運動」。庶幾乎可望轉移舊習，培育新的人生觀，而民主政治即不待爭取亦自然會出現了。

可是，這責任還是落在士大夫的肩上，中國的高級知識份子是否都有這種認識和魄力呢？我很懷疑。

馮王先生

今日與明日

寮國政變

寮國於十九日發生政變，由右翼軍事領袖組織軍事委員會接管政權，原來中立的首相傅瑪已被拘禁。此次政變的起因，導源於三派高峯會議的失敗，寮國現政府已無力統一全國，推行政令，而所謂中立派，已經瀕於消滅，右翼軍事領袖們深恐傅瑪倒台後，有更左傾人士出來，乘此時機先取得政權，安定全國，其用意自是好的。

時機不利

惜乎時機與右翼頗為不利，此次談判之所以決裂，就因為左翼份子指責右翼軍控制王都琅布拉邦，不能保障左派份子的安全，要求將琅布拉邦防務中立化，為右派領袖諾沙旺將軍拒絕。恰在此時，右翼軍官在行政首都永珍發動政變，拘捕中立派部長，更為左派份子增加藉口；本來左派份子遁跡其控制地區慶溪，不去首都，杯葛行政，久為國人詬病，此時右翼軍官突然發動政變，把中立派的部長尚且拘捕，則他們當初不去永珍，轉而容易得到世人的同情。

不易得到國際支持

永珍政變消息傳出後，美國務院即聲明仍支持傅瑪政府，英國外交部立時照會美國，商量處理寮國政變的問題，並且還要同蘇聯商量，商量結果必然還是支持傅瑪政府。目前新成立的革命政府，在亞洲將會得到自由國家如中、泰、菲、越、韓諸國的同情，但是，若得不到英美的支持，其前途是大為可慮的。

猶記得彭蕃親王政府當時所以垮台，就因為美國受了英國慫恿，停止對寮國的軍經援助，使當時的反共政府經濟發生困難，不得不讓中立派的傅瑪組閣。

當時彭蕃親王同國防部長諾沙旺將軍也曾訪問中、韓、越、泰各國，請求援助，結果無功而返。

彭蕃親王政府是自由國家公認的合法政府，尚且被美國斷絕援助，何況新成立的革命政府，本身尚未得到各國承認，則美國之斷絕援助，更不是意外了。

國內形勢險惡

再就國內形勢來看，右派所處的地位也不利，目前左派叛軍，已把那個罪魁禍首康黎的中立軍消滅殆盡，下一步要大規模進攻右派部隊，此時的永珍政變，更為左派叛軍製造藉口，大戰將要全面爆發。左派有越盟的軍隊，毛共的技術人員支持，右派軍則是孤軍奮鬥，前途實難樂觀的。

倒轉槍頭

陰謀主義

香港與大陸

毛共為求增產欺人自欺 攪老人報告團胡說八道

中共在大陸各地紛紛組織老工人、和老農人的老人「報告團」巡廻在各處展開「訴苦」的活動，企圖使各階層的人民都能「憶苦思甜」，而「而化悲憤為力量」，而把過去的「仇恨和悲痛」化為實際行動，積極投入共產主義的產增運動中，搞好春耕生產。

曾回佛山市掃墓，甫返抵港的何師奶對本報記者透露：佛山市鄉，現在正如火如荼地進行春耕宣傳活動；而今年的此項活動却有異於往年，因為往年在春耕前，一定要農民經常開會商討生產計劃和生產指標，然後對農民強加任務。今年却不同了，共幹再也不要農民討論計劃或提出生產指標，而是把一些老工人老農民，組織成為一個「老人報告團」，巡廻到各地去「訴苦」，使各階層的人民，聽完「苦」之後，都能「思甜」，然後才會體驗到「甜」的寶貴，提高政治覺悟，努力進行生產。

何師奶說：這些所謂「老人報告團」，多為共幹的親屬，或過去那些專門抽大煙閒談慣了的「二流子」，他們所講的內容是所謂：「家史」、「革命鬥爭史」……也就是講過去的地主，資本家如何壓迫人、剝削人，國民黨又怎樣的「殘害」老百姓，人民如何過着「非人的生活」，及共黨來了之後，又怎樣幫助他們「翻身翻」做了主人，過着「幸福的生活」……等一類的胡說八道。

何師奶說：在這些「老人報告團」講完了後，各地的中共當局，便立刻要工人們展開「憶苦思甜」的活動，勸導人民應該珍惜現有的「幸福生活」，不要「忘恩負義」，「身在福中不知福」。

何師奶說：中共所搞的這些所謂「老人報告團」數字頗多，單在佛山市大大小小的便有十六個，活動的範圍也極為普遍，幾乎每一個公社，每一個工廠，都有此項活動。但是，何師奶又對記者說：中共的此項活動，仍然不能提高農民工的「生產積極性」，其原因主要是由於「報告團」人員多為共幹的親戚或御用者，其內容全是濫調，與實際情況不符，完全是一些虛構的東西，許多人民都是身經「新舊」兩個社會的，好好壞壞誰都心知肚明，中共的「造謠」於是便不能達成「惑衆」的目的，反而引起大衆的反感。據何師奶說，還不僅老百姓不聽它們那一套，甚至那些農村共幹，亦往往而不自覺的顯得有些難為情。

何師奶說：最好笑的，是因這些「老人報告團」的待遇頗好，有吃有穿，又可暫時不參加勞動，所以許多共幹的親人，都見獵心喜，紛紛申請參加，認為這是一種「好差事」。（敬斯）

所謂黨外候選人座談會流產了

高玉樹競選噱頭欲耍不靈

他欲以此抬高身價別人却不抬他 據說高玉樹還準備了其他的噱頭

（本報台北訊航）由台北市執政黨以外市長候選人高玉樹主催召集一次「全省各縣市非國民黨籍縣市長候選人座談會」的計劃，果然流產了。流產的原因，高玉樹競選辦事處的人說受到有關方面的勸告延期舉行，未必其然；實際可能是根本不舉行了。眞正的原因，乃是被邀請參加的人反應冷淡，無意捧場而吹了的。

這項由高玉樹具名召集的座談會，乃是他的競選噱頭。其召集通知，於本月初發出，邀請他們於九日上午九時，到台北市中華路十七號高玉樹的競總部舉行座談會。

高玉樹事前表示，這次座談會將討論各縣市長選舉時投票所之設置，監察員之推薦數目以及公務人員助選問題。又說座談會的結論，將建議與選舉有關的機關採納或者改善。

除邀請執政黨以外所有縣市長候選人參加外，高玉樹同時還會函請省政府，省選舉監察委員會及警備總部等單位派員參加。

而在預定開會的前一天，高玉樹方面還傳出消息，說接受這項開會邀請的有十二人，又說有的是候選人親自參加，有的將派重要助選人員出席。

可是，到九日上午，預定的座談會並未舉行。問到高玉樹競選辦事處的工作人員時，低級者根本就並不知道有開會這一回事，問到較高級人員，才表示座談會決定延期舉行了，延期到那天還未決定，延期原因說是受到警察總部的勸告，而請延期的。又說：延期的決定，已在八日晚間急電告知接受邀請人士，要他們不必前來出席會議了。

然而台北市另一執政黨外市長候選人的陳逸松。他卻未得到通知，而於九日上午九時半趕去想參加會議，到場才知道延期之事。他在場同高玉樹通了一個電話，約定當日下午五時見面商談之後便離去。

由陳逸松撲空這一點看來，可見高玉樹計劃召集「全省各縣市非國民黨籍縣市長候選人座談會」的事，可能並未使陳逸松聞知，所以延期了亦未通知他。果眞如此，顯然高對他仍存芥蒂，並不把他當為黨外人士看待。也因此，會有人推測高玉樹陳逸松二人可以合作協調云云，是沒有把內幕摸清楚而出之直覺的東西。

事實上，在當前情況下要召集一個所謂「全省各縣市非國民黨籍縣市長候選人座談會」，並不是一件想到就可做到的事情，因為問題並不簡單。這包括：

首先是時間的問題，現在各縣市的候選人，正在忙於競選佈署，工作繁忙，寸陰寸金，很難抽得出一二天的時間遠道趕來台北開會。

其次是「召集人」問題，高玉樹發信召集，完全是他的競選噱頭，並非是出於公意的推舉。這種情形，如在平時，尚無所謂，誰担任召集人，不致過於計較。但在今日競選期間，却是情勢大變，人人都要出人頭地，佔盡風頭，誰也不願屈居人下，聽命他人。因此奉高玉樹之召便來，不啻承認高玉樹是全省執政黨外縣市長候選人的領袖，無形中增高了他的聲望，助漲了他競選的聲勢；而其他諸人，僕僕風塵，不過被高玉樹利用為「抬轎」「跑龍套」的工具而已，誰甘心如此？

還有一個原因，那就是這個所謂「座談會」，性質很類似當年的「地方自治座談會」，而「地方自治座談會」就是曾經一度醞釀中的「新黨」的前身；高玉樹這次固不見得有如此大志，而以出競選噱頭的成份為主，但這樣一個性質的座談會，無論如何總是未免招搖。官方倒不見得禁止，而那些執政黨外的縣市長候選人，無論如何總多少有些顧慮。然則又怎麼搞得起來？

由於以上三種因素，座談會的流產，其實早在料預之中。一般的看法，以後即使還能舉行什麼座會，規模也絕不會大，至多是三五人的聚會商談而已。自然，這樣子的東西，宣傳意義說不上，高玉樹就未必感興趣了。

據說，高玉樹在繼這個噱頭之後，還要耍出另一記競選噱頭：他準備聘請四位競選法律顧問，由國民黨、青年黨、民社黨籍和無黨無派的律師各一人担任。據說人選尚在物色中。（吳越）

僑委會決擴大辦理 海外青年技術訓練

科目包括農工商等 九一開學可以保送

（本報臺北航訊）僑務委員會為培養海外青年實用生產技能，所舉辦的海外青年技術訓練班，第二期招生辦法，頃已決定，預計在韓國、菲律賓、泰國、寮國、越南、馬來西亞及婆羅乃等十二個地區招收華僑華裔青年二百五十名，委託國內五所農、工、職業學校訓練。

這一個農工商職業訓練班定本年九月一日開學，受訓一年。科目及課程內容，依照職業分類，以適應各該行業的實際需要為主。課業分配：農工科實習佔百分之八十，課堂講習佔百分之二十，商科則課業與實習並重。

農業方面，委託省立屏東農業專科學校及桃園農職辦理，屏東農專設有：（一）農業機械科，包括：曳引機之構造、駕駛及修護、農業機具之構造、農業修造及田間作業。（二）農業加工，包括：實用化學、食品加工、電工及工場管理等廿一個課目。桃園農職設有：綜合農業氣象、禽畜醫療、農場管理和農田水利等十三項。

工業方面，委託省立臺中高工及高雄工專辦理。臺中高工設有：無線電機裝修、電機修護、汽車及機踏車修護等三科。高雄高工設有：機工、應用化學和電氣修護科。

商業方面委託私立逢甲工商學院辦理，計設有綜合商業科，包括經濟、會計、統計、銀行、保險及國際貿易等二十餘課目，商業班兼收女生。

凡欲參加這個技術訓練的海外華僑華裔青年，須具有海外居住五年以上，能取得僑居地的有效回程簽證達十八個月以上；能聽懂國語並有中文筆記能力，年齡在十八歲至廿八歲，身體健康，品行優良，能刻苦耐勞，均可申請保送。

保送程序，有外交關係國家，向我使領館申請辦理；無外交關係地區，由該會委託當地合法僑團、僑校或僑辦工廠農場辦理。

該技訓班受訓期間，比照師範學生公費待遇，除供給膳宿講義外，並發給制服兩套，工作服兩套，其他衣物被褥參考書，日常需用及來回程旅費，均須自備。該班學員結業後，必須返回僑居地服務。

該技訓班保送日期，自本年四月十五日至六月三十日止，保送單位於接受申請後，應儘速寄僑務委員會審查辦理。

基隆旅居記

仲公

法人此舉，其計最毒，水陸交通一切陷於癱瘓，人心尤為惶懼。清廷既聞法艦封港，命南洋大臣派兵船五艘，以總兵吳安康率領，會合北洋艦隊，尅期趕援，以陝甘總督楊昌濬調閩浙，率所部至任，相機調度，以謀恢復。

光緒十一年正月廿一日，法軍猛攻基隆之獅球嶺，林朝棟力拒之，法軍進逼，戰及日中，移守六堵，遂逼近台北矣。二月十三日孤拔以戰艦五艘陷澎湖，以澎湖險要，欲久踞為東洋軍港。而越南華軍迭勝，進迫宣光，至此法人乃有罷兵之意，法政府咨請議院撥戰費，不可，未久內閣又改組，執政者雅不欲再戰，孤拔無後援，且疾疫大作，將士多歿，遂病死澎湖，以副提督李士卑斯繼任。（四〇）

台灣論壇

派系替代政黨

——台灣地方政治之一

陸嘯釗

台灣地方自治已經實行好多年了，是好是壞，見仁見智各有不同。無可否認的，台灣的地方政治是在不斷地進步，縱然是點點滴滴的進步，也足以證明，我們的民主學步，有了一個很好的開端。

一談到台灣地方政治，勢必聯想到由選舉而產生的地方派系，很多人嘆息台灣地方選舉，賢能的人不能出頭，一股腦兒都歸咎到地方派系在作祟，其實這種看法並不公允。民主政治的本質就是一種平庸政治，不管在什麼地方，具有遠識卓見的人，永遠是一小部份人，而所謂民意就是極大部份人的平庸意見，誰符民意，誰就能當選。今天台灣民意貪圖的是眼前可得的利益，於是肥皂味精就發生了作用，這是民主政治過程中的必然現象，用不着失望，也用不着喪氣。

台灣沒有一個強大的反對黨，同是在執政黨的旗幟下，派系的利益，遠超過政黨的利益。結果台灣的地方政治，在每一個縣份裏，都顯明地表現出，派系政治替代了一般西方國家所強調的兩黨政治的作用，執政黨的地方黨部退而變成了居中的「調人」。

所不同的，台灣的地方派系，並沒有鮮明的政綱，也沒有什麼政治理想，派系的形成不是由於政治的恩怨，就是由於同一地區的地域圈子的利害。前者像台中縣的陳派林派，彰化縣的紅派白派，後者如桃園縣的客家，閩南兩派，高雄市的在地，台南，澎湖三派，大家的目的一樣，祇為「爭權」當選，其他一切，都是官樣文章，實行三民主義遵奉國策，更變成了不着邊際老生常談的口頭禪，好在一切行政措施自有台灣省政府實施自治監督，好好壞壞都是執政黨一手負責，結果在朝在野吵吵嚷嚷地亦祇有在地方建設上做做文章了，上台一鞠躬，下台一鞠躬，一切都等到四年以後再來。風水輪流轉，你不好我來，我不好你來，老百姓落得拿肥皂味精，投下神聖一票，啥事不管，去做他的秋涼大夢。

可是，民主政治的基礎，是建設在國民的知識和道德上，民智日開，民意的要求就不一樣。台灣地方自治的權力，雖然有其限度，可是即使在限度以內，也仍與地方人民的福利息息有關。台灣人民可貴的是握有一張無記名的投票權，派系政治爭權的結果，勢必然必須顧到地方上大多數人的利益。依照這個邏輯演繹下去，台灣地方的民主政治，我們有理由十分樂觀。

派系代替了政黨，祇要有在朝在野以分，一定會產生兩黨政治的監督作用。而民主政治的理想，由於民智的成長，也必有實現的一天。未來的縣市長選舉中，執政黨提名了好幾位年輕的大學畢業生，就是一個很好的例子。

從「第二岳飛」事件說起

顏翊

（美國通訊）

嘯岑社長先生道右：此函抵達後，執事與台港諸政論家，當已對英美政府中各種人物於韓戰時對麥帥之種種牽制與阻撓，而使自由世界出現第二岳飛之事實，大張撻伐矣。週來各有關人物，雖仍厚顏的否認或沉默，然正如林肯所言，作僞者對一個人雖能欺騙終身，但對全世界祇能欺騙一時，並足証明中國古語所謂「天網恢恢疏而不漏」之爲正確也。弟茲對執事與貴刊讀者，介紹以下數書，以俾有心研究國際政治與世界文化前途者之參考：

（一）英學者羅斯氏所著之二次大戰前「妥協Appease ment」迴憶錄。羅氏爲牛津大學「全靈學院All Souls College」之院士。該學院有類於中國古代之集賢院或翰林院，專以儲才爲務，兼討論天下國家種種學術。就中弟所相識者有二學者。一爲曾任國際聯盟財務金融處長與我國政府顧問之蘇爾德爵士，一爲曾任國際貨幣基金法律處長之伏薩特博士。每屆週末時英政府要員自總理以下，社會聞人如泰晤士報主筆暨工商金融巨子等，大多前往該院與諸學者聚餐，藉以交換意見，集思廣益，深合於「學優則仕，仕優仍學」之義。

羅氏書中歷叙伊及友人等反妥協論者對妥協論者之辯論經過。後者人數甚多，而以鮑爾溫、張伯倫、西門、以及陶孫氏爲巨子。陶氏爲泰晤士報主筆，學養才情俱佳，對希特勒氏之國社黨政權深信不疑，力爲辯護，實爲李普曼傅伯萊等美國僞自由主義者之導師。羅氏茲書埀涕的而報導當年經過，用心即在對李、傅等人以及華盛頓郵報、紐約泰晤士報等主筆政者之感化，惜後者陷溺已深，不肯回頭耳。

（二）黎巴嫩政治哲學家麻立克氏所著「對和平之追求中的人類」一書，出版於一九六三年。麻氏歷任大學教授與外交部長及聯合國安全委員會主席等職務，對國際關係與世界文化有深刻之認識。此書計分三部份。第一篇從存在哲學（海特格氏與基督教的）觀點以討論聯合國，第二篇從政治觀點以討論聯合國，第三篇討論戰爭與革命。麻氏謂西方文化面對嚴重的危機，內部外部均有敵人。西方病態例如國社主義共產主義等等，不應僅歸咎於凡爾塞和約或若干政客，而應由整個西方文化負責。吾人雖可與尼采同意，將西方之弱點與腐敗，歸咎於現代精神生活在各方面（藝術的，哲理的，道德的，宗教的乃至存在的）之表現，但其解答不應（如尼氏所主張）僅依人類自身，而應兼爲具超越性的。人對自身之克制一方面固依賴自身之努力，另一方面則依賴於超越的全體存在之協助。當前問題匪僅爲自由與奴役之鬥爭，而兪爲和平之爭取，後者有賴於一種西方世界之「革命」。此種革命決非爲馬克斯型的，而爲西方現存之各種機構（政府，新聞事業，工商業，勞工團體，教育事業，以及教會）之自動的改革。政府不應祇注重公安與經濟利益；新聞事業不應祇注重報導黃色新聞；工商界對勞工福利不夠重視；勞工界不僅與雇主爭執，而常時內部發生分裂；教育事業充滿了物質主義，無神主義，乃至犬儒的與自以爲是的精神；教會則有嚴重的分裂現象。西方多年來處處退讓，現在應在多方面爭同主動，特別在政治的，道德的，人格的，智見的，乃至精神的方面多加注重。對集體安全之努力以及大衆人生活程度之提高固有必要，但專心從事於此種追求則成爲共黨之追隨者，而參預了共黨所標榜之革命。西方人對世界大多數人所受到之人生苦痛不夠體會。基本問題不在對其他人類之經濟的協助，而在西方人之自動的貢獻「其靈魂與實質」於人類生存之獲救。（上）

我所知道的麥帥

肯寧將軍原著　徐熙光翻譯

航空隊裏的人都知道道格拉斯麥克阿瑟這個人，他是將門虎子，從小投身軍旅，服役陸軍，有着多彩多姿的英雄事蹟。麥帥是一八八○年一月廿六日誕生在阿肯色斯州的一個陸軍營地裏，當時印地安人仍然神出鬼沒，經常臉上塗了色彩，和白人作戰。

十九歲時，麥帥入西點軍校就讀，他進西點不久，就立下志願他要在全校獨占鰲頭，有朝一日要成爲美國陸軍的參謀長。四年以後，他果然以空前優異的成績畢業，他不僅是西點軍校該屆畢業生的第一名，而且四年總平均成績高達九十八點一四分，打破了西點軍校創校二十五年來的紀錄。而且，據我所知，西點畢業生中迄今還沒有人能有像他一樣的成績。

他就讀西點軍校時，曾担任過足球校隊的隊長，最後一年他被選爲學生大隊長和畢業典禮上致詞的學生代表，並膺選「最有成功希望的應屆畢業生」頭銜。

當時，大家都一致認爲他是西點軍校學生中最具有自信心和最英俊瀟灑的學生，絲毫沒有脂粉氣息。他是校中最好的運動員，他做足球校隊隊長時在他領導之下，西點足球部隊會連續兩年擊敗海軍隊。此外他在其他各方面也都有卓越而驚人的表現，可以說樣樣都行。他曾經一次約會過八個女孩子，也打破了西點的紀錄，以前的紀錄是同時約會七個女孩子，不過這件事麥帥沒有承認。

一九○四年，麥帥的父親在日俄戰爭期間被派往日軍中担任軍事觀察員，麥克阿瑟當時剛剛畢業，還只是一名少尉，隨他父親一起到日本去。原來他是在美國駐非律賓的陸軍中任職的。

這次日本之行，給麥克阿瑟留下深刻的印象，一九○五年，日俄戰爭中關鍵的瀋陽之戰，尤其使麥克阿瑟難忘。

後來麥克阿瑟曾在白宮充任老羅斯福總統的副官。一九一四年四月他隨佛德烈．馮士敦將軍在墨西哥的東岸一個叫維拉克魯茲的港口登陸。馮士敦聽說墨西哥鐵路沿綫上還剩有三部火車機車，他急需這三部機車，但是他不曉得這三部機車到底在那裏。麥克阿瑟自願去刺探機車的所在地，他裝扮成一個遊民，混到敵後，終於找到了機車。

四年後，麥克阿瑟奉調第四十二虹師任職，全師官兵沒有人不曉得麥克阿瑟其人，因爲他勇敢過人，而且德軍的槍彈從未找到他身上來。

一九一八年九月十二日聖米希爾戰役之後，美軍對德作戰的着眼點開始放在德軍所佔據的一個三角突出陣地上。這個陣地在法國境內，有廿五哩長，十五哩寬，德軍佔據這個陣地已達四年之久，協約國幾次發動攻擊奪取，都未能得手。這個陣地對德國來說極爲重要，因爲它是交通中心麥次的門戶，如果一旦協約國能夠砲轟麥次，德軍的第一綫將完全暴露而不得不撤退。（二）

嘉莉的日記

汶津

十二月二十九日，星期日。

望眼欲穿的，他算是回來了。可是回來了我又能怎麼呢？昨晚又害得我失眠。

今天見到李吉明，還有些餘怒未消呢。其實她也沒有什麼錯；錯只錯在太多嘴。

得開始複習以前的功課了！發誓非要考上一女中不可，也好神氣給他看看！

星期天眞疲倦，而且這兩天那個又來了……

十二月三十一日，星期二。

今年最後一天，上完夜課，大家互相說：「明年見」。最怪的是他，快下課時給我們出了一個啞謎：「明年來的時候送妳們一件好禮物。」

「老師先告訴我們嘛。」邱鳳英向他求起情來了。

「保密第一。」他神秘的笑笑。「不要忘了老師才從軍隊裏回來沒多久。」

哼，有什麼好寶弄的！我已經猜着大半了。不過，我也暫時向日記本保密一番吧。

我看他這一個月裏也有點學壞了。現在看我的時候還帶着一種奇怪的笑呢。有本事就根本別瞟我一眼！

元旦，星期三。

放假總是好的，晚上約好了小學同學林秀怡一起去看小學老師。那時候李老師待我們眞是無微不至啊。

她老多了。兩個小妹妹很調皮，尤其那個小的，新的裙子都被她揉皺了。要是我自己的妹妹啊，（可惜我沒有，是媽的肚子不爭氣。）準要好好的教訓她一頓。那裏見過這樣精力旺盛的娃兒！

「這兩個孩子可把我煩死了！」李老師說。

「就像我們在六年級的時候煩老師一樣？」我冒冒失失的接上那麼一句。

李老師慈祥的笑了，「妳還是老樣子；聰明淘氣！」

說我淘氣，我可不服氣！林秀怡到底不同，比我文靜多了。可是各有各的優點啊，要是老天要我自己選，我還是挑我目前這個性格。

一月三日，星期四。

又上課了，眞乏味。理化講電。一句話，沒興趣。我看吳敏、邱鳳英她們倒聽得津津有味的。理化老師太老了，更讓人覺得提不起勁來。

有一張好影片上演了！女主角是安姬狄金蓀——我心目中最美最高貴的年輕女星。有一次和洪秀貞提起，想不到她竟大唱反調，我一氣之下，冷笑了一聲說：「好了，下次別向我借電影雜誌啦！」這下她可有點慌了，趕緊修正說：「她的電影我也很少放過啊。」

好一個「修正主義者」！（好笑，我也用了這樣一個怪名字）。

（十）

盧君續夢

異域購新居　民脂似水
冷宮傷舊夢　妾命如絲

第十二回。

陳毅說道：「誰叫你僱中國人，我們出國一定要用西方人作僕役，才顯出大國的威風。你明天去找瑞士人充當，一定要年紀輕，最好是女的，還要揀漂亮的。」

李清泉看看馮鉉，說道：「老馮，你當駐瑞士大使比我的時間久，情況也比我熟悉，有沒有門路。」

馮鉉說道：「這個事情要在一個月以前或者兩個月以後，都沒有辦法，就是這個時候不難。」

李清泉大喜道：「你有什麼竅門，說出來供副總理參考。」

馮鉉說道：「目前瑞士學校正放暑假，外國學生同我們不同，我們的學生暑假期間爲人民服務，作義務勞動，瑞士學生却要自己去覓工作，在一個假期中間掙的錢，可供一年的開支，他們都是靠這樣求學的。」

陳毅說道：「這跟我們從前勤工儉學的辦法一樣，西方國家的社會就是這樣窮困，在中國那會有這樣的事。」

龔澎說道：「他們工作的代價何以這樣高，兩個月的工作，竟然夠一年生活還要加上學費，在我們的國家裏，賺一年的工錢，也不夠吃兩個月的。」

陳毅笑道：「這就是社會主義的優點，你們知不知道？」

大家聽了一齊點頭，可是誰也說不出所以然，都瞪着大眼看陳毅。

陳毅慢條斯理的說道：「就拿狗來說罷，狗吃飽了就躺在地下不動，賊來偷東西牠也不管，假若你不讓牠吃飽，牠睡不着就要四下裏走，看到人影也要咬上幾口。我們的人民就因爲吃不飽才有衝天幹勁；假若人人吃得飽，穿得暖，他們就不幹了。」

許多人一齊點頭，表示佩服。

陳毅得意忘形，又繼續說道：「再拿咱們共產黨員來說吧！當初在延安時，睡地窖，吃小米，作起事來比現在還有勁，胡宗南攻延安時，官兵一夜能跑一百八十里路，胡宗南怎麼追都追不上。可是，現在呢？相信六十里路也難跑了！爲什麼呢？就因爲吃得太飽，吃得太好。」

龔澎搶嘴笑道：「你既然看得這麼透徹，爲什麼不在政治局會議上提出討論，要大家生活過得苦些，吃得少些，不就恢復了戰鬥力了。」

陳毅笑道：「算了吧！我提出來也通不過，無非是惹一場麻煩，全體同志將會一致反對，起來圍剿我。」

龔澎笑道：「我恐怕有別人提出來你首先要反對呢？」

陳毅擺手道：「不必談這個，你們趕快去僱些大學生來供使喚，千萬要找幾個女的，越漂亮越好，要多少人工都沒有關係，橫豎咱們在瑞士銀行還存了一千多萬美金，總夠這次花的就是了。」

馮鉉同李清泉點頭走出去。章漢夫悄悄跟着，兩人行到門首，一看章漢夫跟出來，停着脚步問道：「漢夫同志有什麼事麼？」

章漢夫回頭看看，取下近視眼鏡擦了一遍戴上，啞着嗓子說道：「千萬可不能找女的，不論醜俊都要不得，副總理的脾氣你們還不曉得，要在這裏鬧了笑話如何得了。」

（三○一）

冒險犯難記

鄧文儀

涤江中學出門數百步，下一山坡，就是涤江，水深成潭，呈晴綠色，我每當夏天，每週總有一、二次到涤江游泳。有時是很多同學一道，有時也祇同二、三人同游。

涤江江面寬不過八百公尺，潭深處也許在十丈以上，我的游水技能，橫渡涤江，來回沒有問題；但我喜歡潛水，常想潛到涤江潭深處的底層，去看看江底究竟是何景象。

有很多次我想潛水深入涤江潭底，始終不能達到，或者因爲水過冷，潛深數丈即不舒服，或者因爲深水過暗，睜眼不易。但有一次我却潛到潭底了，摸到了沙石，深水色黑，看不清楚水底附近情況，嚴重的事却發生了。也許因爲水深，水的壓力過重，我的耳目都立時覺得痛楚，耳鳴不已，同時還感覺上浮有困難，左衝右突都浮不出水面，吃了好多口水，最後拼命掙扎，向斜方向衝，才游出水面，距離潭水深處已達數丈之遠，游到江岸時，我精疲力竭，面無人色，不能動彈。同道游水的同學十數人，正爲我的失踪而驚恐，以爲我已經溺死了！這是一次十分痛苦與危險的經歷，不懂水性，體力不勝，冒險游深潭是最易遭滅頂慘禍的，因爲深潭之水，較少流動，水的壓力及比重，自和一般流水不同，人游到水深處，好像深入龍潭虎穴一樣，你如果沒有和龍虎戰鬥的勇氣、決心與毅力，你的生命就決沒有保全的希望了。這個我幼年冒險游深水的故事，值得給青年們做參考。

七、投筆從戎到粵當兵

由於我的家庭的經濟情況不好，我不僅不易完成中學的學業，而且家庭要我担負維持一部份的生計之責。我是長子，祖父母已經年邁，不能作事，父母親茹齋念佛，自難能使小本經營發展，四個弟妹又都很年幼，無法生產，所以，我在民國十二年秋季始業讀中學四年級的時候，家庭長輩及一般親友，都希望我早日畢業後可到區立國民學校担任小學教員，分担家庭生計。我在這種情況之下，處境眞是十分困難，因爲我的志願是在四方，想深造，讀書讀到大學畢業，作事想到外省外鄉工作，不願株守一隅，尤其不願在家鄉担任小學教員；但我一時又沒有其他辦法，可以解決當前的困難。那時父母想給我早日訂親結婚，我固盡力推却，提到要我担任小學教員，更使我感到憂愁苦悶。

幸喜當時國家的情勢正在醞釀變革，中國國民黨爲了發展國民革命運動，正在廣東籌備編練革命軍，我們醴陵縣的程潛將軍也在廣東革命臨時政府担任軍政部長，（十）

瘋了

李克英

好端端，爲個女人瘋了。這樁事你可相信？也許你會相信的，我却著實感覺稀奇。

我的一位朋友，手頭積着幾個錢，絕對的不會多，新台幣頂多不過萬兒八千，是他六年辛苦生活，所積下來的。去年秋天，他摔斷了一條腿，活兒不能做了，若果安份的把這點錢守得牢，穿粗衣，吃淡飯，三年四載應該沒多大問題 然而，不知怎麼弄的，能賺錢的時候省吃省用捨不得化，腿斷了，人不中用了，倒學着「狂化」起來了，這致情不是鬼使神差嗎？他的這一個大轉彎，前後判若兩個人了。

我們這週遭，有幾家娼寮。原先恨透了泡娼的我這位朋友，居然整日拐條歪腿跑娼寮了。食色性也，光棍一條，半月二十天，泡他一次，也還談不着上罪大惡極。而成天泡，拿着娼妓當飯吃，究竟不是一擋子正經買賣了。偏我的這位朋友好骨格好興緻，也好錢袋子，他居然黑日泡，白日也泡，從早泡到晚，可眞是著了迷了。你好心好意勸他兩句，他會朝着你瞪眼兒胡說八道：「有錢不使喚，留家下小的！」你若頂他一句：「原前你恨泡，腿斷了你倒泡起大方來了。」他就會氣的青臉暴筋，暴跳如雷的喊：「原前是原前！再說錢積一堆花用才夠意思。那像你，小家子氣，抽絲剝繭的，擠腰泡！」乖乖，滿口「大學問」「大道理」咧。

又不是開銀行印鈔票的，攏總不就是個那麼萬兒八千，半年工夫不到，統統給小娼婦刮擦光淨了。

他當當；好像不嫖個一乾二淨就爽利不了。他有些什麼好當的呢？淨是些破爛貨，一眨眼，又光淨了。

他又向夥計們借。俗話說：借吃借穿，那有借嫖的！但朋友總不能看着他餓肚皮？好像添一雙筷子，多他一個白吃的，也不算什麼。可是這位朋友，臉皮倒也厚墩墩已經日暮途窮了，却還往娼寮竄跑，好像撈不着鮮吃的，闖闖味也是好的樣子！

然而娼妓娼妓，你大爺有錢，她是個娼妓，迎着笑着往家裏拖拉；你要沒了錢，她是黃花大閨女，那股子貞節氣派，槍子兒也鑽不透。他那個相好的小紅兒，見他花淨光了，馬上換了一付嘴臉兒！頭幾趟，還念着是個老相好，動臉色，沒動手腳；久了，一進門便給推出來！那個老鴇子，心眼兒更兇狠，連推帶呼嚷：「窮泡什麼！拿洗×水往外潑！」就這麼着，我這位朋友被潑昏了腦袋，瘋了！也不知是後悔積錢一堆兒花瘋了，還是想他的心肝肉紅兒瘋了，橫豎眞眞確確的瘋了就是！他屎裏尿裏，哭一陣，笑一陣，罵一陣，吵一陣。這麼個樣兒，你說，他瘋的稀奇不稀奇？

我一口說他瘋的稀奇，著實有個因由咧！人生那會淨走的平坡路，顛一下，跌一下，可不是個尋常事兒？顛跌了不就是顛跌了，光護着疼處直號啕，老牛大憋氣的，有什麼用場？爬起來，眼眶子瞪大點兒，謹愼着再朝前走，不就得了？再說：娼妓娼妓，見錢心喜，她原本喜歡你的錢財嘛，何嘗喜歡你的人來着！沒錢認着你是老幾？若連這層世故亦不明白，就少進蹓躂，還是將錢緊在腰眼裏，留下小的好。本來嘛，大爺玩的就是這個調兒，樂還樂不完呢，那會發瘋

但是，我這位朋友，可就硬是瘋了！爲一個娼妓不肯給他窮泡而瘋了！你曾聽到過這種怪事不？說他瘋得稀奇，不算寃枉他吧？

閒居二則

漁翁

秦淮與後庭花

秦淮，水名，源出江蘇溧水縣，西北流貫江寧城，又西北入大江，秦時所鑿，故名。

在江寧城秦淮靑溪合流處，有「桃葉渡」。據古今樂錄：「晉王獻之愛妾名桃葉，其妹曰桃根，獻之嘗臨渡歌以送之，後人因名渡曰桃葉」。此地爲士女歌詠遊樂最熱鬧處。

唐代詩人杜牧之夜泊秦淮，有詩曰：「烟籠寒水月籠沙，夜泊秦淮近酒家；商女不知亡國恨，隔江猶唱後庭花」。按秦淮在桃葉渡後，因遊人繁多，故酒肆林立，所謂後庭花者，爲陳後主宮詞，乃金陵亡國之曲也。

陳後主，名叔寶，宣帝之子。荒淫無度，起臨春，結綺，望仙三閣，日與張孔二妃遊宴其中，並令學士與狎客共賦新詩，互相贈答，采其尤麗者，編爲曲調，其曲有「玉樹後庭花」，後分爲二曲，玉樹別爲一曲，見樂府集。

後庭花爲吳聲，歌詞綺艷，極於輕蕩，男女相和，其音甚哀，寓樂極悲生之兆。隋師至，後主被俘，其亡也，不亦宜乎？自隋而唐，此曲猶流傳於民間。商女以唱曲爲生活，而不知曲中有亡國之恨，牧之隔江聽之，觸景傷懷而有此作。沈歸愚曰：牧之絕句，遠韻深情，秦淮一首，尤爲神到。余以不僅神到，更爲警世惕人之傑作。時至今日，吾人應高誦李商隱詩：「豈宜重問後庭花！」

麵條考古

磨麥爲粉，以粉製成細縷者，謂之「麵」。凡以麥粉所成之食品，皆曰「麵食」。麵之名稱繁多，有切麵，拉麵，索麵，掛麵，湯餅，索餅，水引麵等，隨形而名之，以其長如柳絲，而統稱曰「麵條子」。

清異錄云：「金陵士大夫家，吾麵可結羣帶。」則專指麵條。又謂：「湯餅瑩滑，爲湯麵總名」。生兒三日宴客，名湯餅筵。唐劉禹錫贈進士張盥詩云：「憶爾懸弧日，余爲坐上賓；舉箸食湯餅，祝詞天麒麟。」蘇東坡亦有：「甚欲去爲湯餅客」之句。

凡人生朝筵，也離不了麵條，乃取長壽之意。元張翥最高樓詞壽仇先生云：「願年年湯餅會，樂情親。」又水調歌頭自壽云：「臘盡開紅玉，湯餅煮銀絲」。眞水引麵矣。懶眞子所謂湯餅即世之長麵者，乃長條之別稱。

古人製麵，不外「麵杖」與「麵床」，杖卽製麵之棍，床乃製麵之板也。宋太祖爲點檢時，羣請取帝而代之，太祖密告其姊，姊方在廚，引麵杖而擊之曰：「大丈夫臨大事當果決，何猶豫爲！」又福州幽巖寺，有千人麵床，每歲春會以瞻衆。今雖改用機器，但仍有沿用古法者。

我的社會生活

雷嘯岑

次爲各市立中小學校長與教務主任，逐鹿者尤衆。我的太太是重慶人，且係重慶二女師畢業生，歷任小學教員，舊日同學同事者不知凡幾，我接任教育局長後，向她進行「內綫活動」的當然不少。我素性憎惡婦女們在政治上有幕後干政的行爲，首先對她約法一章，千萬莫向我談教育局的人事問題，若談，我亦絕對不聽的。她體諒我的苦衷，謝絕所有同學同事們的請託，解除我不少的困擾，但她亦得罪了許多朋友。自我從政以來，爲人事問題而傷透腦經，莫過於此，原因是抗戰期間，輦轂之下，人口擁擠，生計艱難，失業者衆，只要當上了一名小學校長，全家人的食宿問題即可不愁了。

我自忖對教育是門外漢，又在首都服務，深虞折鼎覆餗，乃抱定「實心任事，廉正自持」的方針，黽俛從事。例如當時市府所屬各局皆有武裝警士守衛，我不但不設門衛，連傳達員亦不要，局長室卽在大門內旁邊，任何人皆可向門前坐着的工友投刺會見我。所以，我跟所屬各中小學教職員，皆相處得很融洽，他們對我亦很尊重，遇事沒有不能解決的。最使我感覺頭痛，甚至有些豈有此理的無謂煩擾事情，令我窮於應付的，就是一些京朝大官——連同自己的直屬長官在內——不分靑紅皂白地胡亂批評干涉，或者教你幹某些決不應該幹的勾當，眞是可憎可惱，試述數事以資佐證焉。

有一年各中學暑假會考之際，教育部事先訓令市教育局，應以「分區集中舉行爲原則」。我遵令按照重慶南北兩岸地區的學校分佈情形劃定四個考區，排日進行。大概有些京朝大官的兒女們因不在本校趕考，多走了幾步路到別校去，遇着大太陽或下雨時，又不免吃點辛苦，回家來向父兄訴說苦況，而這些大官卽向市府或教育部譁然抗議指摘，大說教育局的閒話。市長賀貴嚴根本不懂教育事宜爲何物，他爲要敷衍諸色達官貴人，登時聲色俱厲地詰問我一番，固無所謂。詎教育部政務次長賴璉先生，亦對賀市長指摘集中會考的不是，我很詫異，卽不客氣地寫信告訴他，這是教育部命令我如此辦理的。或許他老羞成怒了，過了幾天，教育部又下來一道訓令，說前令指示該局以分區集中考試爲原則，並未教該局作此不合理的分區集中法。你說這種官腔橫話，是否豈有此理，令人啼笑皆非呢？

國民參政員，本黨老前輩孔庚，他私人就其南岸住宅餘址，要創設一間中學，向教育局要求立案。孔氏在太原被閻百川囚禁時，我見過他，平日對他很尊敬，乃私函答復他，謂按照法令，中學立案須呈驗校產的證據，如校址和資金的契約存摺等，轉呈教育部核示。詎他倚老賣老，派人持信來大發脾氣，教我親自到他家裏去查看證據好了，他是不願呈送的！看他如此無可理喩，卽告訴來人：「孔先生如不願按照法令規定辦理，本局未便核處，那就請孔先生直接向教部立案可也」。法令明白規定，私立中學立案一定要經過地方主管機關查核轉呈的，我想讓他碰過教育部的釘子後，自然容易就範了。誰知教育部竟直接准許他立案，亦不通知教育局！後來孔氏對外揚言：他的學校是歸教育部直轄的，市教育局管不着。試問這又是甚末政治作風，使地方行政官如何恪盡職守呢？（四六）

嚴嵩與一捧雪

豁公

當時外間都說莫懷古畏罪自殺，沒有人知道死者是莫成的！卽莫夫人傅氏，亦誤認太常已死，遂葬莫成遺骸於薊州西郭門外柳林之祖塋。

在莫太常被誣下獄論死時，其子文豪以畏禍出走。莫夫人感膝下空虛，遂以莫成之子文祿爲螟蛉，愛護有如己出！清明日偕往柳林掃墓，忽遇懷古，不期悲喜交集，暢叙之餘，始知過去李代桃僵之一切，現因嚴氏勢敗，繼光才教他回來的。

在這樣情況之下，太常夫婦自不免破涕爲笑；文祿則悲從中來，泣不可仰！太常夫婦力慰之，文祿感其撫育之恩，亦遂安之。他日繼光以懷念老友，特請太常作平原十日之聚！値新巡按蒞任，繼光循例往迎。巡按以感冒口中渴燥，遂至繼光衙小憩，繼光特取「一捧雪」斟茶奉之！不料，這位巡按，卽是當年避難出走的文豪！見「一捧雪」立辨爲自家故物，誤認繼光與嚴嵩合謀以陷其父；立命旗牌執繼光，出尚方劍欲斬之！而繼光理直氣壯，大聲抗辯不稍屈。太常更出而證明其事，文豪喜出望外！適値陸指揮因公過訪，繼光益加興奮，立設盛筵，爲太常父子慶祝重逢！席間陸炳以愛女許字文豪，繼光則以女許字文祿，各訂姻婭而散。」（二）

內政部台誌字第〇三壹號內銷登

自由報

THE FREE NEWS

第四三八期

中華民國僑務委員會頒發
台僑新字第三二三號登記證
中華郵政台字第一二八六號執照
登記爲第一類新聞紙類
（每週刊星期三、六出版）
每份港幣壹角
台灣每份價新台幣弍元
社長：[illegible]
督印人：[illegible]
社址：香港銅鑼灣高士威道二十號四樓
20. CAUSEWAY RD 3RD FL.
HONG KONG
TEL. 771726　電報掛號：7191
承印者：[illegible]印刷廠
地址：香港灣仔高士打道二五一號
台灣分社
台北市西寧南路[illegible]二樓
電話：三〇五四六
台郵劃撥帳戶九二五二

世局重心在亞洲

·方南·

世局重心在亞洲，而亞洲現局亦屬空前混亂，任何變化都可突然發生。這是我們觀察現局必須把握的一個要點。

西歐和東歐目前是穩定地對峙着，暫時不會有什麼大變化。亞洲却不然。由於西歐經濟繁榮，西德地位鞏固，法國儼以六國共同市場的領導者自居，妄欲用其餘力以重返亞洲，便使原已混亂的亞洲平添混亂的因素。此時亞洲已被分割爲幾方面的「勢力範圍」，明爭暗鬥迭起，將來的變化是難料的。

大概說來，美國在日本、菲律賓、南韓、和中國台灣這個鐵三角地帶，自信還可以站得很穩，倚作美國外圍的有力屏障。而最麻煩的地方便是南越與寮國。在美國人眼裏看，泰國與南越是不容丟掉的。這是菲律賓外圍的屏障。寮局如繼續惡化，泰國馬上發生問題；南越的美國勢力如被逐出，菲律賓亦將對美國失去信心；連帶日本亦屬如此。這是美國必須撐持東南亞公約組織的主因，其中亦有維持商業利益的暗裏打算。

中共的「勢力範圍」頗廣，包括半個寮國，標榜中立的緬甸、高棉，以至北越，遠及於印度邊境。它是美國在寮越的主要對手。還有蘇俄也在暗中做手腳。中共有它長遠的一套做法，正在採取「越島進攻」的策略，把主要賭注押在印尼的未來變化。印尼是未來亞洲局面大變的樞紐。大家與其注意蘇加諾在前台演出的戲，不如認眞研究中共在後台的導演本領。

中共對緬甸、高棉暫時懷柔，用作一塊良好的跳板；在寮國逐寸蠶食；在北越加強向南攻擊的各種部署；其中有輕重緩急之別，主要還是等待印尼全盤赤化時機之終於來臨，把英美苦心佈置的各個堤防由後面突破。

只要印尼赤化成功，西方國家在東南亞再沒有完整的防衞系統。依照西方國家傳統的做法，一塊赤化的地方是不容使用武力去改變已成之局的。以印尼所處地理位置的重要，將來必能發生無可估計的重大作用，那時印度會處在兩面交迫，內外夾攻的困境，大可傳檄而定。這在中共的如意算盤裏，實在打得很響。因此，我們不妨說，世局重心在亞洲，亞洲重心在印尼。這是比較看遠一點的說法；看近一點說，重心當然在南越與寮國。

印尼正在對大馬來西亞展開攻擊，包括口頭謾罵與武力侵入。蘇加諾似乎對大馬有不共戴天之仇，誓死不肯罷休，其實是騎虎難下，非幹不可。中共利用蘇加諾心理上與處境上的弱點，極盡鼓勵的能事，其中秘密幫忙的力量，究竟有多大，當非外人所得而知。據說北韓也要派軍到印尼助戰去，縱使只是宣傳作用，也可想見中共要同夥伴們對印尼打氣的努力程度。

中共鼓勵蘇加諾侵擾大馬，並不以爲印尼確有吞併大馬的力量。縱使蘇加諾能夠達成這個目標，也不是中共的眞正願望。中共只想把蘇加諾推向戰爭，這便會令到印尼在戰爭中變得更加貧乏，印共更加容易起來，助戰的中共乃至韓共更加容易滲入印尼，到了兵連禍結，民困愈甚，印共便可找到最好的時機，起來推翻蘇加諾政權了。

大家都知道，蘇加諾一方倚靠軍隊支持他，一方利用共黨也害怕共黨，國內經濟一團糟，人民苦得可憐，對外却要耀武揚威，藉對外的戰爭宣傳來作對內鎮壓的符籙。這些弱點正好被共黨抓個正着，被推進戰爭的蘇加諾如有一天被軍隊因爲同情貧民而鼓起反抗高潮時，共產黨必然起來的。

仍由蘇加諾執掌的印尼如眞吞併大馬，澳洲紐西蘭必不會坐視。這樣，印尼所獲的勝利決不是眞正的勝利，尤其不是共產黨所期望的勝利。只有印尼在兵連禍結當中墜入共黨之手，使澳紐和一切西方勢力都干涉不得，那才是共黨的最大勝利。中共目前正在朝着這一目標認眞做工作。

我們應該注視陳毅在印尼的活動。周恩來和陳毅最近會以川滇爲活動中心，値得注意。

這是一個陰沉的長期鬥爭。除了印尼內部會爆發一個軍人反共而又同時反貪污的革命戰爭，把蘇加諾推倒，恐怕局勢會繼續對共黨有利。但，這樣的一個革命是西方國家能夠在印尼鼓勵起來的嗎？

爲了保衞馬來西亞，英國固然對印尼硬不讓步，同時對於南越的反共戰爭也表示積極支持。中共要繞過馬來西亞去建立印尼方面的勢力圈，並且盡力鼓勵印尼侵擾大馬，正與英國針鋒相對，互逞手段，這是顯而易見的。

試回溯一下，當法國在奠邊府一役受挫，仍要苦苦支撐，希望最後能夠一戰而勝，維持法國在越南的地位和勢力時，英國對越南的戰局是完全看淡的。英國如此，美國表示無能爲力，法軍由是撤出越南。以後，美國在南越支持吳廷琰政權，歷經多年而演成今日之局，法國又回到東南亞販賣「中立政策」了。看英法美三者之間的錯雜變化，我們該有什麼樣的感想？

法國在亞洲還有精神心理上「殘存的勢力圈」，成事不足，只有敗事，今後決不會再起什麼作用。它決不能和英國相比。英國扶植大馬是成功的。大馬在東南亞佔有優良的地理位置，它是澳紐的前衞，澳紐是它的後盾，偏有一個被共黨利用的印尼亘在中間，這便是今日東南亞爭奪戰最微妙的地方。

英國外相布特勒前天在美國一項電視訪問中說過這樣的幾句話：「今後十年，除了我們所稱的北大西洋公約區外，我預言主要的緊張地區，將在南亞、非洲（尤其是南非）、及拉丁美洲。在南亞，我們將遭到「中國人」的野心。這可能使緊張不可避免，尤其是在印度支那區。」他所說的「中國人」，當然是指中共。依照他的看法，英國和中共在那個地區當有長期的鬥爭，時間可用十年來計算。

不錯，目前世局重心在亞洲，亞洲重心在東南亞。我們把中共在那邊佈局走子的全盤情況看透了，當知它正似懸崖轉石一般，勢不可止，好戲當然還在後頭，勢必陸續演出。中華民國儘有可以利用的時機，但說不定也會在長期受「利用」當中給「悶死」了。譬如奕棋，我們不能只看一步兩步，要看三四五六步，我們不能永遠走正着，有時要走險着奇着。這樣，我們才可預察將變之勢，把握必變之機，造變促變，使一切的變化都有利於自己。

無奇不有

兩邊冷戰

今日與明日

寮國政變半途而廢

寮國政變到目前來說已成過去，革命首腦偕同傳瑪總理同赴琅布拉邦謁寮王，商量善後事宜。

寮國政變之必然然成，本欄上次已經說過一些，因爲寮國目前情形最爲特殊，名義上是左右中三派聯合政府，但中立派已有名無實，僅剩一個軀殼，左派不僅得到蘇聯、毛共、越盟的幫助，還有寮國鄰邦、自由世界的蒼蠅柬埔寨的施哈諾從旁助桀爲虐，右派則成爲孤兒，雖然毛共日日指責美國指使右派製造事端，其實美國何嘗眞支持右派？美國唯一希望是能維持目前局面，不使美國捲入戰爭，至於左右派勢力的消長，到是不在美國人眼下的。當此時機，右派突然發動政變，推翻美國認爲唯一可以維持寮國現狀的傳瑪內閣，自難得到美國的同情與支持。

美國的錯誤

美國今天最大的錯誤倒不是要避免戰爭，而是要選擇戰爭的地點。自從韓戰期間，美國頭號飯桶軍人、當時任參謀長聯席會議主席的布萊德雷批評韓戰是錯誤地點，錯誤時間進行的錯誤戰爭；從此以後，美國決策當局就定下一個原則，一定要在交通便利、人烟稠密、平川曠野之地才同共產黨打仗。有山川河流的地方不打，有森林沼澤的地方不打，甚至於氣候不好的地方也不打。韓國戰場尚且是錯誤的地點，寮國自然更不能打仗。可是共產集團的嗜好却與美國不同，專門選擇寮國這種戰場來打，美國既不肯在這種地方作戰，只有倚仗中立政府作爲救生艇了，傳瑪之被重視者在此。觀乎政變之後，傳瑪被禁於私邸，美大使去探望被衞兵所阻，不能接談，竟然隔着籬笆高呼，請傳瑪放心，眞有如喪考妣之感。

寮國的前途

儘管美國把傳瑪當作救生艇，實際上不過是一根水草！傳瑪不僅無力統一寮國，亦無力維持現狀。政變前一天，傳瑪已經向寮王提出辭職，雖然經過這次政變，傳瑪聲望又提高不少，可以再任短期總理，但最後仍不能解決寮局，恐怕還只有辭職一途。

美國認爲聯合政府爲維持現狀的不二法門，共產黨則以聯合政府爲過度到共黨政府的階梯，捷克、中國，前車可鑒。但美國仍然樂此不疲，若非無知即是惰性使然！由過去的經驗看來，寮國的前途實在無可能樂觀了。

自由談

從一則笑話談起

馮三先生

有一則笑話，亦可謂至理名言：廟裏的老和尚，爲要使小僧侶們潛修到「四大皆空」的眞人活佛境界，平居不讓他們跟俗人往還接觸，瞭解世故人情。一日，小僧驀見一少艾婦女經過廟前，詫問老和尚這是甚麼色相？答謂此老虎也。嗣是，小僧侶即不時潛赴市街蹓躂，老和尚責其不守清規，小僧夷然對曰：「我只是愛看老虎而已！」

這是說明人性的本能，與生俱來，無法汩沒變造的。飢思食，渴思飲，寒思衣，少壯興情慾，則思慕異性，都是上帝給人類鑄造好了的共同性能，誰要以強力抑制這種先天的人性發展，那就是違反人類進化的自然法則，禍烈於洪水猛獸，非被排斥打倒不可！

共產主義者懸出一種未來新社會的天堂遠景－也可說是幻想，使用盤古氏開天闢地的手段，要把人類與生俱來的性能完全汩沒掉，另行製造新的人性，教人們空着肚皮喊革命，不眠不休的勞動工作，而不思報酬享受，却說是「爲人民服務」！他們藉着暴力，硬將人類進化的歷史行程斬斷，從新來過，而美其名曰「剷除剝削階級」！這與老和尚詭稱婦女爲老虎，而不許小僧侶認識接近的玩藝，同是違反人性，毫無區別，焉有不敗之理呢？

人類的生活進化史，已歷千萬年，纔有今日這種文明成就。共產主義者悍然對歷史開頑笑，跟人性鬧別扭，自難怪鐵幕之內，生產力由萎縮而窒息，人民常在啼飢號寒、居處不寧的窮困生活中，而蘇俄經過五十年的所謂社會主義建設，結果還是拗不過歷史行程的自然法則，不得不走入修正主義路徑，向着舊有的歷史低頭。毛共大罵修正主義爲背叛了馬列，而自已却於大躍進政策慘敗之後，悄悄的承認人民擁有自留地，出現自由市場，這是所爲何來呢

儲安平曾經指稱毛澤東爲「老和尚」，主張清算他。是的，毛酋即係上述指婦女爲老虎的老和尚之流，應該清算呵！

香港與大陸

毛共自承一窮二白 壓迫人民休談享受

中共又在大陸地區大搞思想運動，勒令人民爲了「革命」而勞動，不應祇爲了個人的生活享受而勞動。並勒令每一個青年都要記住：目前的「祖國」仍然是「一窮二白」，而且革命的目標是要「解放全世界」，所以，現在仍然是吃苦的時候，絕不是講個人享受的時候。

此間大專學生劉君最近接到其留居廣州市之朋友來信稱：中共最近又在大搞「思想運動」，調强每一個人都要學習和工作，並且要爲共產主義「解放」全人類而「奮鬥」。來信說，中共此舉是在壓制大陸人民要求改善生活的種種思想和表現，企圖使人民甘心樂意的做「共產主義」的奴隸。

來信說：有一個時期，大陸人民曾經普遍流行着一種「勞動所得光榮享受」的思想，認爲只要不偷，不搶，不借債，完全在個人經濟條件許可的範圍內，要求改善吃和穿，是理所當然的。而且認爲，共產主義是「唯物」的，因此在生活上也不應該離開物質，否則也就沒有所謂「共產主義的幸福生活」之說。

來信說：但中共竟認爲這種思想是資產階級的享樂思想，是違背共產主義的「世界革命」的。因此便又在大陸的學校、工廠實行思想教育運動。

這一運動，主要是壓制大陸人民要求改善生活的種種思想和行爲，壓迫人民不得計較吃和穿，說是應該「有什麼就吃什麼，有什麼就穿什麼」。中共認爲，大陸人民那種「勞動所得光榮享受」的思想是大大的錯誤的。

來信說：廣州市現在有大部份學校、工廠，都展開了思想學習運動。如寫信的人所任職的廣州鋼鐵廠，最近就曾經勒令工人「討論」下列問題：（一）我們現在應該想些什麼？是食物，皮大衣和手錶，抑是學習和工作？（二）我們應該追求些什麼？是吃穿、漂亮的愛人和溫暖的小家庭，抑是知識和技能？（三）我們奮鬥的目標是什麼呢？是目前個人的享受，抑是共產主義和「全人類的解放」？

這些問題，中共都要每個人有「深刻的認識」。中共還製造了種種「正面」和「反面」的典型，在其御用的宣傳機構中，反復表揚和批判。

來信說：中共倒居然肯承認，大陸而今還是「一窮二白」，所以不能談享受。又說「革命的使命」是「解放全人類」，所以，每個人，特別是每個青年，都不能鼠目寸光，祇要個人目前享受，而應該立大志，爲共產主義前途而「奮鬥」云云。這便是說，中共是要大陸人民老老實實地做一個共產主義的奴隸。（敬斯）

涉訟經年．監委曾往調查 高市女中校長教員被控案 內幕開始揭露頗駭人聽聞

起因竟是一個教師要求女生同居 此中曲折有待監委提出調查報告

（本報記者高雄航訊）高雄市教育界喧鬧已久的市女中教員李偉漢與所謂「老教育家」劉清榮對簿公堂案，此一案件牽涉之廣，影響之深，也許只有前來調查的監委曹啓文，始深悉其內幕。曹委員對此一案件，至今尚未聞提出調查報告，而這是此間關心教育界人士所亟於期待者。

記者曾爲此拜訪女中校長劉清榮；劉清榮轉請同業某君囑此事件務請幫忙，俟其獲得退休後再行發表。并派保防幹事宴請記者。記者當予拒絕。

市女中教員李偉漢，被控冒名頂替，庭開數堂，而市女中校長劉清榮亦變成了被告，均經起訴，移送刑庭法辦在案。據李偉漢稱：官司打了一年，劉清榮只到過兩堂，以後甚至連劉的律師也不到庭應訊了。李復稱：這個官司很簡單，但爲何一拖就是一年？殊難了解。他說劉清榮的退休是某權要的建議，以爲自動退休後官司即使打輸了，也不至遭被撤職的處分，而可坐領退休金，兩全其美。他說到劉清榮指他冒名頂替，是一派胡言，他說明劉給我有聘書在。曾經代過另一教員的課却是眞的。他說：我既受聘，自應起薪，納餉，因爲他不能枵腹教書。至代領張保華之眷粮，他說已交與張某，因此他說他覺得泰然。

爲使讀者明瞭事實眞象，茲將李偉漢投向本報記者的「自述書」，全部抄錄如次：

訟案一方李偉漢 寫出如此自述書

余於三十二年度下學期，學校舉行休學典禮後的當日中午，約十一時三十分，有初二第十五組的學生董水花等八名來我的宿舍，向我報告：該班教師曹金本，要求六號學生李××與他同居等情，歷歷如繪，請我主持正義。我將此情轉告校長，校長第二天又親問學生，該八名學生向校長面報的情形，比向我報告時還要詳細。

不料第三天，人事室的管理員許長茂，又暗叫學生和曹金本到校長家中，將曹要求學生改供，誘迫學生與他同居改成說是要學生到房間與曹睡覺。後來我又堅請校長叫原有八名學生到本校藝術舘作談話錄音，由校長主持，除學生外還有我與保防幹事龔金慶，人事管理員許長茂。負責錄音的幹事黃鞍心。共約兩小時錄完後，我請保防幹事轉告校長，叫曹自動辭聘了事。曹不獨沒有辭聘，學校反而續續聘他，因爲類似曹案之事，學校并不止發生了一次二次，我爲了挽回師道的尊嚴，才到教育科向王代科長清波陳述。王不獨不負責處理，反而還大打官腔。我在激憤之餘，又向市府主秘面陳學生週記，主秘隨下手條，派匡慕衡督學等來校，先後和我與學生舉行談話筆錄，達三小時以上。督學向我說他已當面告訴校長，要校長解曹之聘，并且見諸文書。但學校仍置之不理。

而曹又一再到我的宿舍來威脅我。他說：如果我要學校解他的聘，他就要把我殺掉。我爲了生命安全計，只得請警察局保護。後經第一分局刑事組的刑事警員許全，反覆調查屬實後，要將曹移送法院；於是人事管理員許長茂，又出來請教育科傳國治出面調查。我也不願此事擴大，就接受了和解。

學校方面又把我在五年前爲張保華先生代課情形資料，供給曹金本。曹就向與同屋住的李檢察官告密，罪名是僞造文書，冒領眷粮。據說這資料是許長茂和總務主任林茂榮供給曹的；他們的本意是想打擊我，不料後來反而打擊了校長。劉校長和我同被起訴後，他們又與外面政治集團的人物勾結，一面捧劉校長，一面打擊前兩任的教育科長，就假借全校全體教職員的名義，發出快郵代電，拿我出來做幌子。我在校務會議上問校長是否有我們學校教職員參加？校長說：「全是外面政治集團的人們搞的，我已經報告治安機關在調查」等語。

本月五日，我正忙於家庭訪問，校長的助手們，在報上發了黑白倒置的報導。我一再問校長，是否是校長的意思？校長說：他并沒有同記者說那些話。我請他去函更正，又支吾其詞。我本擬好了一萬多字的辯訴書，將我來校的經過，與曹案發生的情形，以及學校違法瀆職和貪墨的內幕，公諸於社會，必要時并願以身殉道。

今幸曹委員既已蒞高市調查此案，我想德高望重的長者總不會讓我永久含冤莫雪罷？學校中校長主持的錄音既是騙局，那就請曹委員再公開把當時參加錄音的學生詢問一次，眞僞即可立證；其次請把匡督學來校調查的筆錄一閱，即可了解一切了。

自述人：李偉漢 啓

二月廿六日晚

另一方劉清榮 請退休遽邀准

李偉漢還向記者表示了五點意見：

一、劉清榮請求退休前後不到一個月，核准令就到了手，行政效率之高，可以說史無前例。

二、他判斷官司將要拖到四月底（選舉完畢）或五月初宣判，判決的結果顯見有兩條路，其一、判兩者均無罪，眷粮錢由劉清榮付出，雙方無爭。其二、若宣判他本人有罪，而劉無罪，他準備好了的二千多封辯訴書，將遍陳中央各機構，全省各機關，團體，學校，讓社會去公評。

三、他說他的辯訴書有一萬多字，因劉案牽涉的範圍非常廣泛，甚至連死去的人也在內。記者請告以內容，是否是十八件？他說現在已超過此數。我復問這些內容是貪污，瀆職，抑或集體舞弊？他笑而不答。最後他說：「將來我保證你先知道全部內容。」所指的將來，可能就是宣判以後吧？

四、記者問李偉漢以外傳劉清榮有千萬的財產，你的看法如何？他答說：沒有一千萬，也有八百萬元吧？

五、記者問李偉漢：推事與檢官爲何不勒令劉清榮到庭應訊，道理何在？他說他對此亦感到莫名其妙。

基隆旅居記

仲公

中法既開和議，法公使頗多要挾，要求戍兵基隆五年，李鴻章不許。乃相約停戰，撤回宣光東西華兵，歸至桂滇邊界；台灣法軍亦於三月初一日停戰，開放各處封口。前敵諸將都憤不受命，洶洶欲戰，督兵大臣彭玉麟尤力爭，且揭李鴻章辱國畏敵罪。鴻章辯曰：「台灣郡縣也；越南藩服也，以余度之，寧失藩服，毋損郡縣。」時大學士左宗棠督師福建，電令至閩，宗棠以台灣祇有停戰之文，而無交還基隆之語，疏請勿許。而鴻章已換約矣。三月初二日，法軍解封，交換俘虜，退出基隆。初五日撤記名提督吳宏洛，赴澎湖接管。十二日法艦隊全部退出台灣，事遂平。

第二次戰事，要算甲午割台之役，日本在基隆登陸，戰事相持頗久，卒無補於台局，而人民則損失慘重，兵連禍結。當割台局定，台民不服，但無可挽回。（四一）

環境幽靜．設備嶄新 埔里榮民醫院風光好

——本報台北航訊

當交通車經由埔里往霧社去的公路上，到中壢橋即轉進一條通往醫院的馬路，約行二百公尺，車子停下，即豁然開朗，土地平曠，一座整齊的院宇呈現眼前。前面遠山平立，左右山峯起伏，後面層巒疊疊，風景優美，環境幽靜，遠離塵囂，眞如「世外桃源」一樣，那就是埔里榮民醫院。

該院大門前面的園地，外層圍以高低整齊一致的木麻黃，高矮。園地中間有九株龍柏，矗立一圈，周圍以青色的七里香，園地左右兩邊各排七、八株松柏，周圍亦圍以七里香，整個園地中沒有雜花異色，只是蒼松翠柏，一片青綠，襯托出這兒四季「常春」的表徵。園地以外就是田土了，有稻禾、有甘蔗、有蔬菜、有一片樹林、有一叢新竹，在林木之間露出幾個小小村子的屋瓦，構成一幅彩色鮮明的農村田園景色。

該院右側平地，又是一番美麗景色，有桃樹、李樹、梨樹、櫻花樹等。在這些樹木之間雜有玫瑰花、杜鵑花、玉蘭花、非洲菊等。周圍外層以韮菜蘭，內層以紅綠相間的法國仙圍成圓形或三角形。相連大魚池一口，是四十九年慶祝蔣總統七四華誕，該院全體榮民、員工合力掘成之克難壽禮。池邊有桃、李、櫻花等圍繞。去年七月復將魚池大加整修，四面圍以欄干，塗上紅漆，池上頭靠欄干兩邊，以水泥沙石砌成兩條長凳，中間砌成圓桌一個，桌子四面各砌石鐏一個，池下頭靠欄干兩邊，砌成兩條長凳，右端矗立一座「祝壽魚池開建記」石牌，魚池兩邊靠欄干，依樹木距離間隔置放大石頭十餘鐏，塗以紅、綠、黃、藍、白五種顏色，在樹蔭之下，更顯鮮艷奪目，眞是「多采多姿」，與自然景色相輝映，構成一幅美麗的畫面。池內上頭池壁上鑲嵌「天池」兩個白色大字。池中安置兩個噴水頭，幾條水線垂直上昇噴射又成水珠紛紛落下。栽植的睡蓮，幾朵紅色蓮花，挺立揚秀，芬芳四溢。池魚游躍，水波湧現，自然生機，都有活力。此番魚池披上美麗的新裝，乃院長朱集賢先生的藝術「匠心」，成了榮民遊憩的「新境界」，無怪乎許多榮民每於晚間靜坐石鐏上，流連欣賞，「[illegible]而不捨」了。由此經介壽臺到眷區，在眷舍前面馬路邊便是一片香蕉樹，爲該院公共造產成果之一。該院左邊是一塊葡萄園，還有幾塊根葉豐滿的地瓜，也都是該院公共造產成果之一，這些成果在晨曦、晚霞中映含榮民工友點點晶瑩可愛的汗珠。

再進入該院裏面，展眼望去，又是一番旖旎風光。那條長長的走廊，兩邊一排列一排列的病房門前與走廊平直線的臺階上，花卉之多，眞是五色繽紛，花團錦簇。（上）

從「第二岳飛」事件說起

顧翊羣

美國來鴻

（三）英國學者柏金森氏所著「東方與西方」一書。柏氏爲一歷史學者與政治學者，在遠東任教多年。伊於一九五七年因著「柏氏定律」一書而聲譽雀起，該書指稱在現代政治狀況之下，人與事之增長互爲因果，既爲事添人亦爲人增事，此爲柏氏之定律一。「東方與西方」一書出版於一九六三年。書中自遠古文明之開始敘述起，而止於現代東方對西方之反攻，以及西方之亟求自保。伊自蘇瑪埃及文明說到古波斯與希臘之鬥爭，亞歷山大對波斯與印度之征服，印度毛耶王朝之興起，阿育王、較秦始皇略前）之傳佈佛教於東方，中國之偉大文化以及迭次溝通東西之企圖，羅馬之興起與衰落，直至十五世紀止東西迭次競賽中東方在宗教的人文的科學的經濟的諸方面較西方者爲優越；然後敘及西方自十字軍以後所受自亞拉伯文明所傳遞之東方與希臘學問，而文藝復興宗教改革，與夫科學技術之興起，使西方成爲世界霸主；繼乃謂西方之衰落在十九世紀之中葉已埋藏種子，至廿世紀中葉遂成爲無可辯論之事實，東方之反攻正在步步進行中；結論謂西方文化前途尚非無希望，關鍵在美國歐洲與蘇俄之合作以抵抗來自東方之壓力。

吾人對柏氏之見解雖不能全部同意，且對其結論更有反感，然不能否認近年來無論在重要的學府中與政府中，此種理論正在步步的成爲事實。戴高樂之政策，傅伯萊之講演，湯恩比之論文，尤其美國福特基金耗資巨大，動員學者數十人，所秘密印行之「鳳字第一號報告」，均可作爲佐證。（請參閱台北中華雜誌三月號所載弟致胡秋原兄之通訊。）最近更有傳說，謂戴氏除於今秋再赴南美訪問外，明歲將赴蘇謁見赫酋，英國總理賀姆氏則爲爭取選舉勝利起見，勢將於今秋大選前赴北平晉謁毛酋。英國今年在華已定有三次之商品展覽，賀氏如於六月間赴平，主持其第二屆展覽會之開幕，理由亦頗充足也。

（四）美國哲學家兼政論家彭罕姆氏所著之「西方之自殺」一書，甫於本月出版。彭氏於廿三年前以寫「企業管理之革命」一書而成名，十七年前當美國勢力正在如日方中時，彭氏又發表「當前世界之鬥爭」一書，而首將「冷戰」一名詞提出。在「西方之自殺」書中，彭氏以嚴重的心情，流暢的文筆，歷敘西方自由主義之興起與墮落，其範圍遍及於哲學的，政治的，社會的，與經濟的各種思想。書中要旨大致如下：

（1）西方文明之勢力自一九一七年起開始收縮，照目前速度而向前推算，則屆本世紀終了時西方文明之勢力便將全部消滅；

（2）收縮之原因既非來自外部力量，亦非由於西方物質力量之不足，而主要的由於內在的失敗，亦即生存意志之崩潰，或自殺之傾向；

（3）墮落後之僞自由主義，正充塞瀰漫於美國而指導其政策，而西方之生存則有賴於美國之生存；

（4）組成現代自由主義之各種觀念與態度，不僅不能將西方勢力之收縮轉向，且更誘引西方人對收縮之動機加以贊同或代爲辯護，而認此種趨勢爲正當的與無可避免的。

與彭氏思想相接近之學者多人，如粵佛氏，寇克氏，卜克姻氏等人，近年來弟曾爲文介紹其思意，可供參考。伊等公認共產主義與僞自由主義爲殊途同歸者，所不同者僅爲後者思想中仍保留個人觀念而已。僞自由主義者無力亦無心抵抗共產主義，因自古相傳而下之精神傳統，即爲了天理，或國家，民族祖宗後代而值得犧牲之教訓，業經自由主義者與世俗主義者從學理上予之摧毀。現代受此等學者影響之青年所以高呼「甯赤化而勿死亡」之口號，並非羌無理由也。（中）

我所知道的麥帥

肯寧將軍原著　徐熙光翻譯

協約國軍隊的統帥，福煦將軍認定此一陣地必先到手，才能迫使德軍退到興登堡綫。在福煦的眼光裏，美軍是不足以擔當這麽一項任務的，虹師的師長無可奈何，也只有服從福煦的決定。

不過聽說麥克阿瑟聽到這個消息以後曾氣憤塡膺地對師長說：「讓我去，我保證在四十八小時之內，進入麥次，到時你升我當少將，總統將委你爲戰地元帥。」不過福煦元帥的決定已無法更改。

一九一八年十一月十一日，第一次世界大戰結束。翌年，麥克阿瑟被任命爲西點軍校的校長，當時他只有三十九歲，是西點軍校歷史中最年輕的校長。

一九二五年，陸軍決定把比利密契爾交付軍法審判。比利是陸軍航空隊的偶像，他有先見之明，知道空軍在未來的戰爭中將佔最重要的地位，所以他要求陸軍參謀長讓他着手發展空軍。他認爲空軍之於國防武力，就等於電力之於一個工廠一樣重要。

密契爾當時的官階是准將，自一次世界大戰結束後一直到一九二四年，担任陸軍航空隊的副司令。他一直堅定不移地力倡成立空軍爲一支單獨的武力，上級對他頗爲不滿。一九二五年他被調離華府，派往德克薩斯州的聖安東尼，並把他的官階降爲上校，永遠不得升遷。

密契爾並未因此死心，他開始攻擊陸軍部和海軍部，認爲由於他們的掣肘和疏忽，使得空軍無法得以建立。陸軍部認爲茲事體大，說他太過份了，召他到華盛頓來接受軍事法庭的審判。

麥克阿瑟當時官拜少將，任職華府軍事法庭，曾參與密契爾案件的審訊。最後密契爾經過數星期的審訊，被判解除所有職務，並只付其官階的一半薪餉。密契爾聆判後立即辭去他的軍職和官階。

陸軍航空隊的官兵得悉此一嚴厲的判決，他們不滿每位參與此一決定的人，上次柯立芝總統，下至軍事法庭的每一位法官。其實麥克阿瑟當時是唯一反對作如此判決的人；但是沒有人相信這件事，航空隊也始終未諒解麥克阿瑟。一直到第二次世界大戰爆發，密契爾已逝世五年，航空隊一提到麥克阿瑟就會想起他曾經是軍事法庭裏的一員。空軍裏的人士很難忘懷這件事，對麥帥也一直不滿，一直有怨言。到了第二次世界大戰時，空軍身價大爲提高，契密爾的預言終於實現，於是他開始被奉爲空軍之父了。

一九三〇年十一月廿一日，胡佛總統任命麥克阿瑟爲美國陸軍參謀長，並晉升他爲四星上將，他當時還只有五十歲，是美國有史以來最年青的一位四星上將，也是有史以來最年青的一位陸軍參謀長。他在西點軍校當學生時即曾立下這個志願，現在這三十一年來的願望，終於達成了。（三）

嘉莉的日記

汶津

一月五日，星期六。

晚飯過後，我一個人從走廊穿過，他竟也正好從前面走來。躲也來不及，心裏又滿不願意向他敬禮——就是點頭也不樂意！可是他先叫我的名字了。那一瞬間，我的心簡直像在籠子裏亂撲亂跳的小鳥一樣。

「妳這次又考得很好，只差一分就滿分」他柔和地說。

我有些害羞起來了。

「對了，等會下樓來幫我登記登記分數。」

我敬了個很不標準的禮，走開了。

五分鐘以後，我眞的定定心走進了辦公室。他老遠就用眼色招呼我，我心裏頓時湧起一種舒暢無比的感覺，這恐怕只有小時候媽向我攤開她的乳房時的情景可以比擬吧。

他對面那位老師剛好不在，他示意我坐下，把一疊考卷和成績簿遞給我。

我低着頭寫。偶然抬起頭來，發覺他竟在注視我，心一慌，就寫錯了一格，趕緊擦掉重寫。眞是的！叫人做事還要這樣看人家，反正寫錯了也是他活該！

他眞壞，臨走，說了聲「謝謝」之外，還對我做了半個鬼臉。簡直不像爲人師表嘛，不過……

這個週末好像還不錯。

「妳剛才在車上想什麼呀。」李吉明在歸途這樣問。我看看她，笑了笑，沒做聲。保密第一啊！

一月八日，星期二，晴。

好容易才又等到他的課，講法國大革命了。

我抬頭望望他，碰到他的眼光。我的臉上也有意堆上些神祕的氣氛。上次他的啞謎完全被我猜中了——上星期五考了我們一場！還說什麼「禮物」，眞是又好笑又好氣。

講了一半，又說起一部小說了——「雙城記」，還有「新雙城記」那張片子呢。說得自然是天花亂墜。卡爾登實在讓人同情，如果我碰到那樣的男人，一定會不知怎麼是好的。還有密斯脫「勞累」也是很可愛的——這老頭不像其他的「生意人」，他對露西多好啊。

可惜沒看過那電影。最好以後新南陽（那三流戲院衛生局眞該取締的！）再找出這張舊片來放映。到時我會心甘情願的去坐上二小時硬板凳的。（十一）

宦海續夢

第十二回：異城購新居　民脂似水　冷宮傷舊夢　妾命如絲

馮鉉同李清泉笑着點下頭，就鑽進汽車開去日內瓦。

這時正在假期，招人十分容易，不到一天的時間，已經有幾十人報名，都是大學生，馮、李兩人又從中間挑了十個，都是身體健康，儀表俊偉，帶了去見陳毅。

陳毅上下打量一遍，說道：「這批人看起來還不使人討厭，只是怎麼沒有女學生。」

馮鉉說道：「女學生假期都是去當褓姆，不肯當侍者，所以招不來。」

陳毅說道：「我們多出一倍的錢，比當褓姆的錢多，工作輕，她們自然就來了。你們可以再去想辦法，只要能找到人，花多少錢都無所謂。」

馮、李兩人面面相覷，無話可說。

陳毅問道：「我看你們好似有什麼困難，究竟怎麼囘事，你們要坦白出來。」

兩人嚇了一跳，只看章漢夫。

章漢夫不得不出而解圍，小聲說道：「瑞士這個國家，情形十分複雜，二次大戰時就是間諜鬥智的場所，我們這次任務重大，副總理的身體又萬分重要，不僅繫中國的安危，也關乎世界上和平陣營的前途，可是大意不得。萬一敵人收買了兩個女學生行刺又怎麼辦！」

陳毅看出馮、李二人未找到女學生，是章漢夫的授意，怒氣冲冲說道：「不用你管！牡丹花下死，作鬼也風流，我已經六十多歲了，還怕死嗎？」

章漢夫還想開口。

陳毅又說道：「要說女學生會來行刺，更是笑話，她們只要見到我，相信就把手槍扔到海裏去了。」

大家都不由得笑起來。

陳毅一揮手說道：「你們兩個趕快去，招來的十名學生交給華同志分配工作，另外再找幾名女學生來，不是女學生也成，總之，非有女人不可。」

馮鉉同李清泉應聲又走出去。

李清泉問道：「老馮，這件事怎麼辦？」

馮鉉說道：「他剛才已經說明不一定是女學生，祇要是女人就可以，事情就容易辦了。瑞士有的是專門接待遊客的國際女郎，僱幾個就是了，好在咱們有的是錢，找這種人還怕找不到嗎？」

李清泉苦笑道：「我這個大使去找國際女郎，不是變成了皮條客了嗎？」

馮鉉說道：「拉皮條也是工作之一，何必介意。只要我們副總理任務能順利完成，就算達到目的，個人犧牲一點又算什麼？」

經過馮鉉同李清泉的奔走，終於挑到四名漂亮的國際女郎，言明包月，談好之後，就帶去別墅見陳毅，算是交了差。陳毅把她們安置在法魯克建的密室中，儼然三宮六院的氣象，與高采烈之際，向大家說道：「古人說此間樂，不思蜀。我眞覺得瑞士太好，不想囘北京了。」

（三〇二）

冒險犯難記

鄭文儀

程潛并負責開始籌辦講武學校作育軍官，首先開始創辦一個類似軍官學校預備學校的教導營，派人到各地招考學兵，醴陵的青年學生，相率報名的有數十人之多。

我認爲這是難得的機會，也就報了名，并且趕快回家，希望父母親同意并支持我到廣東去當兵的願望。父親是很有見識的，我向他陳述我的志願及已經報名，并且在最近一個月內就要起程的情況之後，他很高興的就答應了，并且願意帶我到附近數十里的親友處借貸籌措旅費，目標是二十元大洋；但經過十多天的奔走，祇籌得十元，後向鄧氏宗祠的育才會申請，得到了五元，一共十五元，作爲我去廣東的旅費。

我們湖南青年由於曾左彭胡幾位淸朝中興名將名儒流風遺韻，都喜歡投軍從戎，學業未成，即到外省當兵的大有人在，一般社會風俗，對於子弟出外從軍報國，當兵服役，都非常獎勵。比如我以一個中學生去當兵，大多數親友就都稱讚，并且輪流請吃飯餞行，我差不多在離家前有一個月，天天都有人請吃飯。俗話說：「無湘不成軍」，「三湘子弟遍天下」，這是湖南民族性，也是社會風氣，所培育鼓舞的。還有我們當時讀了譚嗣同作的湖南少年歌，其間說道「若謂中國爲德意志，湖南便是普魯士；若謂中國爲古希臘，湖南便是斯巴達」。最後兩句說：「若要中國亡，除非湖南人死絕」！這是何等的胸襟同氣槪，湖南青年在近一世紀來充滿了普魯士與斯巴達的尚武精神，人人以天下爲己任，以救中國于危急存亡爲己任的抱負，是多方面養成的，這是我在去廣東當兵時的感想，也是湖南大多數青年人同此心，心同此理的共同願望。近百年來，從平定太平天國的湘軍起，湖南人爲中國歷史文化及國家民族流血犧牲，慷慨赴死，從容就義的，總以數百萬計。我投筆從戎，到廣東去當兵，就是想盡湖南青年在這種大環境與大時代中的一份責任而實踐的。

自然我因爲旅費過少，及出外沒有親朋戚友照顧，所冒危險與所遇困難，乃是意料中事，但我從此更養成冒險犯難的精神與習慣，也就足以抵償有餘了。我這一生對國家社會稍有盡力，那就是我中學未畢業，便到廣東去當兵立好的基礎。我四十年來曾冒千百次危險，經歷成千成萬的困難，身體精神始終堅強剛毅，那更是當兵的生活做了堅實的基礎。而今軍旅服役四十年，年屆花甲，猶未退伍，「老兵不死」，仍時存反共建國立己立人的宏願，決不是偶然的。（十一）

詼諧

漁翁

詼諧，笑謔也。以語言文字相戲也。晉書顧愷之傳：「愷之好諧謔，人多愛狎之」。漢書：「東方瞻辭，詼諧倡優」。又云：枚皐詼笑類俳倡」。唐書陸長淵傳：「好諧易，無威儀，而淸白自將」。後之人，不僅在言語上，互相諧謔，且見諸筆墨間，成爲喜笑怒罵之文章。

古之最詼諧者，可推漢之東方朔。朔字曼倩，平原人，今山東德縣也。擅長游戲文章。當漢武帝即位之初，朔毛遂自薦，上書求用，據稱：「幼失父母而見養於兄嫂。年十三，學書法。十五學擊劍。十六誦詩書。十九習孫吳兵法……」自認學書學劍，允文允武，有濟世之才。又云：「目若懸珠，齒若編貝，勇若孟賁，捷若慶忌，廉若鮑叔，信若尾生」。自詡自吹得是天地間第一完人。

武帝閱後，以此人過於吹牛，不予重用，只給一菲薄之職。東方朔不滿意，又上書陳農戰強國之計，稱擅長商鞅、韓非之術，洋洋數萬言。可是，仍不見用於武帝。於是牢騷滿腹，再寫下一篇「答客難」文章，以「博聞辯智」口吻，用托辭自解方式，以表達之，語涉滑稽，娓娓動人，傳誦一時。

此種對客難辭，在戰國時代，有宋玉「對楚王問」，寓言託興，有所諷也。後來有不少人摹倣東方朔這篇滑稽文字的形式，寫出許多散文；如班固的「賓戲」，張衡的「應問」，崔實的「客譏」，蔡邕的「釋誨」，曹植的「客問」，皆不脫東方朔之窠臼，而亦爲後之人所樂誦。

詼諧之語言與文字，易引起人們的愛好。且即由於東方朔善諧謔，他卒得到武帝賞識，召爲近臣，官至金門侍中。朔亦確實長於詞令，并常以笑談式之諷諫以救武帝之過，有足稱者。朔因善迎武帝之意，故或者以「優孟衣冠」譏之。東方朔以下善詼諧者，要當以淸代紀曉嵐爲最稱特出，所言所行，可與東方朔後先媲美。紀名昀，河間人，生而穎異，弱冠入詞林，爲淸高宗—乾隆帝所厚愛，隨帝出入，不離左右，如今之隨從秘書然。

紀在翰苑，爲最出色人物，擢卿貳，入淸帝之「値南書房」。時値炎夏，紀體肥畏熱，嘗赤身露體，忽聞帝至，着衣不及，遂倉皇避入床下。乾隆不知，就坐觀書，久之無聲，紀以爲其離去矣，不覺失聲曰：「老頭子走未？」乾隆怒，命出而斥之曰：「爾何以稱朕爲老頭子？」紀解之曰：「老者，皇帝萬歲；頭者居萬人之上；子者，乃天之子也。」帝笑而置之。

觀紀所總纂之「四庫全書」，每書皆作提要說明，確不失爲心靈手敏，開口成章，尤稱一絕。紀之遺聞軼事，流傳甚多，上舉僅其一例耳。

花香月上樓小品

從商業道德說起

黃葉村人

「無商不奸」這句話，看去很嚴重，事實上，做生意的人，只要貨色賣得出，有鈔票可賺，什麼仁義道德，都不在考慮之列了。固然，守信用，憑良心，不壟斷，不投機，不欺人利己的商人，也并不是沒有；不過，居今之世，求今之商，縱非可聞而不可見，亦千百人中無一二矣。以下聊述所見所感二三事，希望「聞善則拜」，有則改，無則勉！則安分以求富，勝過作僞以興家！知我罪我，所不計也。

觀過于微，從最微細之一事說起。向在各大都市，所見到的雞鴨蛋店，他們所售之蛋，都是洗刷得極其乾淨光滑。所以買家縱無心買蛋，有時也會被引誘而買十隻八隻；無他，喜潔愛鮮，人同此心，心同此理也。可是，來到本省後，經常在各縣市鄉鎮雜貨店所看到的雞鴨蛋，全是糊滿雞糞鴨矢而無一隻乾淨的。因此，我曾訪問過很多家，爲什麼這樣的髒？洗一洗，并沒有什麼大不了！

綜合他們的答復，有的說：「大家都不洗，我們也就不洗。橫豎，你們自己是要洗的」！也有說：「洗乾淨了，蛋容很壞，難耐久，所以不洗」！更直截了當的是：「你不買，會有別人買」！從這三項的答復，我們可以知道的，一是習慣成自然，做生意的人，祇知利己，不知利人。買回去，洗，是應該；不洗，骯髒滲入蛋內，吃壞人和他無干。二是強詞奪理，既說不通，也缺乏衛生常識。事實上，這裏買賣蛋類是論斤兩者多，洗淨了要受斤兩損失，故愈骯髒愈好。再上一隻粗大的紙袋，至少要增加二兩，這就是此種生意人的理由。第三點，出言不遜，更非生意人之所宜。這是自絕于顧客！畢竟還是自己損失。然而，一直到今，這裏鄉村市鎮雜貨店所售之蛋，還是不洗淨便賣的。衛生機構，既不取締，也就只有聽其永遠骯髒下去好了。

其次是猪肉店，這裏屠宰店所售的猪，從頂至踵，甚至私處，無不滿滿的蓋上藍色木戳的。由于豢猪者多屬農村副業，猪圈小而且髒，三五頭猪擁擠在橫直不到五七尺的猪圈內，終年坐牢不放，沒有運動，故而長成之後，營養既不良，肉是無甜味的，皮是厚如寸的。農村人家，有田有地，一買就是三五斤，固無所謂。所難堪的是一般窮困的退了伍的軍公眷，他們買三五兩猪肉，那塊皮便佔了一二兩，不要嗎？可惜了。要嗎，那塊藍印戳，任你刮也刮不乾淨，就只好連湯帶色，連皮帶印，吞下肚子裏了。（未完）

我的社會生活

雷嘯岑

市長賀耀組夫人倪斐君，原係南京城內「康濟醫院」的看護，這醫院不成規模，係湖南一位姓黃的留日學生私人開設的。民國二十年春間，賀氏在參謀次長任內，偶赴該院醫療隱疾，因而與倪相識，終成眷屬。我對他倆的結合情形，十分清楚，老實說，心裏只是有些瞧不起倪氏的意念存在着，却不曾想到她有甚末思想問題，現在證明她竟是一個共黨份子！我就任教育局長後，她正在重慶市搞甚末「兒童福利社」，跟章乃器一班人來往密切。某日，章乃器的住宅起了火，警察局長徐中齊傳章氏到局，指爲「火頭」，應予訊究，（這原係市黨部與市府決議的辦法），而倪斐君即憑其市長夫人地位，親到警局保釋章氏，不答應即不肯走，大鬧特鬧，經我面告賀市長，纔派人將她請回去。繼而她每星期約我大太參加她召集的茶會，據說參加的亦有外國婦女，所談都是些政治問題，我即囑內人不要再去預會。後來倪氏又以籌措「兒童教育福利基金」名義，要我出面邀同社會局提議，由市府命令渝市各電影院附加票價若干，撥作「兒童福利社」經費，我根本置之不理。因此，她就很討厭我，隨時在賀市長面前說我的壞話，賀對我的態度亦就漸漸改變，不像往日那末親切了，但我還是不在乎。後來爲着號召渝市知識青年從軍一事，因市府逕自辦理，不使教育局預聞（蓋有一筆鉅額經費，不需經過審計、報銷手續也。），我向市長提出質問，彼此不歡，而隔閡乃更深了。某次我在市參議會討論教育行政事宜時，說了一句「我們不像共產黨隨便造謠說謊」，而參議員周欽若即怒謂：「請雷局長指出參議會誰個是共產黨？」胡鬧亂嚷，我倆幾乎要打架，然賀市長坐在一旁，默默不發一言，我憤而退席。現時周欽若在重慶作赤色要人，證明他是個共諜無疑了。然當時有些政界中人，認爲我不應該對周某不客氣，即我的上司陳部長立夫先生，亦說是行政官不宜跟議員吵嘴。但我答以別的事可以忍讓，唯有黨的立場和思想鬥爭，決不能退縮；官可以不做，黨義與人格萬萬不可犧牲。我因此就在師友長官之間，揹上了「脾氣不好」的聲名，夫復何言！

重慶市內曾家岩有一所教會創辦的私立「求精中學」，歷史相當悠久了。該校校址很宏敞，校舍亦整齊，設備雖不完善，但視市府設置的市立中學毫無遜色，凡是在渝市住過的人，皆知吾言爲不謬。董事長是當時的四川省建設廳長何北衡。我接任教育局長逾年，并未發覺該校有甚末違悖法令的措施。民國卅一年秋間，教育部陳部長見着我，而諭以立即查封求精中學，收歸市府辦理，却未指示該校有何種應受查封處分的事實。我頗感詫異，但未表示意見。旋與教局各科長、督學們密商此事，他們一致認爲提不出查封該校的正大理由，若強力爲之，勢必引起地方參議會的詰詢，而教會方面亦必譁然（該校經費來自美國教會），教局將無辭以對，期期以爲不可，我祇好暫不執行部長的口頭命令。（四七）

嚴嵩與一捧雪

谿公

觀於上述「劇情」，可知其與當時之事實頗有出入！滿淸初葉，遼陽劉廷璣之「在園雜誌」，即有一篇關於此事之記載，略謂：「明嘉靖中太倉王思質忬，家藏右丞（王維）所寫之「輞川眞蹟」，世蕃聞而索之！思質愛惜世寶，與以摹本！世蕃之裱工湯勤者，向在思質門下，曾識此圖，因於世蕃前陳其眞贋！世蕃心銜之而未發也。會思質總督薊遼軍務，武進唐應德（順之）以兵部郎官奉命巡邊，嚴嵩餞之於內閣，微有不滿於思質之言！應德頷之。比至思質軍，欲行軍中馳道，思質以己兼兵部堂銜故難之！應德怫然，遂參思質以軍務廢弛，糜耗國帑，累累數百言，先以稿呈世蕃，世蕃從中主持之；逮繫思質至京，論法棄市！後此世蕃伏誅，思質之子鳳洲（世貞）麟洲（世懋），預賄行刑者斷其一股，持歸熟之，以祭思質，然後兄弟共啖之！傳奇所謂莫懷古，蓋寓勸誡於姓名，以一杯之微，而致殺身，殆作者自言其意！情節雖畧有變更；事實固依稀可溯也。至玉杯之名「一捧雪」者，係當時封疆大吏，作苞苴以饋世蕃！籍沒之後，流轉於權貴家，廷璣曾一見之。玉色純白無疵，就日視之，則其中霏霏，宛如飄雪！洵是寶物。傳奇蓋合二事而敷衍者也。」

這位廷璣先生之評判，我認爲是正確的！因爲編戲不同於修史，絕不能膠柱鼓瑟，據事直書！祇可以某一故事爲題材，因而就題發揮，添枝加葉，酌爲剪裁，寫出一篇光騰萬丈的鴻文也就是振玉鏘金的劇本來；俾演員各盡所長，共同負起表揚正義啟迪人羣的責任；盡量的扮演過去，反映現在，策勵將來，以補教育之不足！故戲中之人與事，以及時間空間等，根本不需要加以限制。（三）

題趙綽盧兄畫竹

黃伯遠

竹師文與可，詩詠趙鷗波；墨妙稱三絕，黃庭換一鵝。

拒霜豈無意，邀月足婆娑；張之浩然室，春風不枉過。

內政部台報字第〇二二號內銷證

自由報
THE FREE NEWS

第四三九期

中華民國僑務委員會頒發
台政新字第五三三號登記證
中華郵政台字第一二八二號執照
登記為第一類新聞紙類
（本報逢星期三、六出版）
每份售港幣壹角
台灣零售價新台幣貳元
社址：香港銅鑼灣高士威道二十號四樓
20, CAUSEWAY RD 3RD FL.
HONG KONG
TEL. 771726　電報掛號：7191
承印者：田風印刷廠
台灣分社
電話：三〇三四六
郵政劃撥儲金帳戶二三五九二

台灣經濟發展的障礙在那裏？

・陸嘯釗・

這幾年我聽到很多朋友這樣說：

「台灣這個小島，再拖下去擠都要擠死了。」

「美國經援又削減了，以後的日子可不好過。」

「台灣憑什麼條件跟人家競爭，產品又不夠好，市場又沒有把握，機器原料都需仰給於人，出口外銷，談何容易。」

這種悲觀，不長進的論調，充份表現出我們民族的惰性。

這年頭什麼事都講究一個衝勁，個人是這樣，國家也是如此，畏畏縮縮，猶疑不決地，總成不了什麼大器。台灣今天的情形，已不容長期仰賴他人，要想繁榮進步，必須自力更生，這幾年來的經濟發展，所獲致的成果該歸功於朝野共同的努力和共同的那一點拓荒精神。

「點石成金」，「無中生有」，「上山下海，入地騰空」這是何等的氣魄，何等的雄心，憑着這份氣魄，這股雄心，我們建立起水泥，洋菇，味精，紡織，航業，等等工業。因此今天台灣經濟發展的障礙，決不在土地面積太小，資源有限，人口爆炸等等自然因素，因為自然資源貧乏的國家，祇要人力資源優越，同樣可以獲致富裕，挪威和紐西蘭被列入高度開發地區，就是一個顯著的例子。目前我們考慮經濟發展，可能的障礙，是泛指一般的經濟，心理以及政治的限制因素。

一、

台灣過去的經濟，主要建築在糖、米、鳳梨等農產品及農產品的加工收入上，如果這些產品的國際市場價格，發生了不利的變動，整個國家的財政收入和外匯來源都發生了恐慌。這種經濟結構，一直到最近幾年，才有適度的改變。

台灣從四十五年起，輕工業和加工工業才有逐步的建立，起先這些工業產品都以內銷市場為對象，以後內銷市場飽和，進而轉移外銷，目前，我們工業品的出口，在全部外銷總金額中，已經佔了一個相當大的比例，五十二年輸出結匯總額共計美金三五七、五二四、〇〇〇元，而工業品（包括手工業）的出口結匯金額是美金一二一、三一〇、〇〇〇元，幾乎佔了三分之一。

可是，在這種農業經濟轉變為工業經濟的過程中，一般人往往不敢從事去發掘新的產品，開拓新的市場，祇要發覺某種產品有利可圖，一窩蜂地擴充生產同一產品，結果在台灣碟子式的經濟環境之下，每每生產過剩，形成經濟發展的逆流。還有，某些企業機關，過份依賴政府，而政府也儘量維持它的生存。其實在自由競爭制度之下，優勝劣敗，本來就是常事，政府用不着去收拾這付爛担子，結果，銀行帳款無法收回，欠稅無法催征，私人得利，國家受損。

這些是台灣經濟發展中一個很大的障礙。

二、

經濟發展的第二個障礙，是我國傳統的觀念和習俗，「士農工商」。中國多少有點部視從事工商企業的人士，尤其受高等教育的人士，多不願從事工商，使工商企業大部操於市井之徒之手，一方面使人力資源不能作適當之運用，另一方面無法建立現代工商體系，既不知革新技術和提高品質，又不能規劃新產品以適應市場需求，故步自封，很難進步。

而過去農業社會的習俗，以及舊的那套守份、克己的價值觀念，更嚴重地限制着增加生產力的努力。因為經濟成長，必然產生社會變遷，積習深沉的社會，不容易產生自行變革社會的動力。台灣的「拜拜」習俗，就是一項很大的浪費。

要知道美國和西歐各國的經濟成長，在過去幾十年中，得力於企業管理的完善和製造方法改良的，高達三分之二。台灣的土地有限，資源有限，所得力的就是人力資源的充沛，如何轉移社會的傳統心理，改變教育方針，摧毀士大夫階級的思想，以為人力資源的靈活運用，實為當前之要務。

三、

台灣經濟發展的目的，不僅是想提高國民的生活水準，更大的目的，在求得經濟的自立，充實反攻復國的國力，這種過份還就軍事和政治的運用，在純經濟發展的過程中，自有其障礙。

第一是稅制繁瑣：不能建立以直接稅為中心的租稅法制，不僅優惠了極少數不事生產的豪門鉅賈，而廣大勞動羣眾則永遠為低所得者，缺乏受進一步教育的機會，缺乏以獲得新知識，缺乏足以養家活口的安定生活以培養工作意願，民眾因貧窮而愚弱，國家因民眾愚弱而進步停滯。

第二是冗員太多：行政機構和企業機構，經常是為人找事，而非為事找人，而人事保障，又行使多年不改，不僅使國家財政增加支出，也使人事配備和行政效率低落，公營事業的失敗，就是一個顯著的例子。而進出口手續之複雜昂貴，機構之重床疊架，不夠精簡，都與冗員太多，有其運帶關係。

第三是軍費龐大：軍費開支浩大，一直是我們經濟發展的重担子，如何在軍援的限度內，緊縮支出，充實戰力，值得研究。而運用軍力加強經濟建設，更需多方規劃。

四、

總之，我們期望台灣的經濟發展，不光是求最起碼的生存，而是求得社會更多更多的繁榮，個人更多的消費。反共戰爭的勝利，不是單靠軍事的力量，就能夠爭取的，政治的清明，經濟的繁榮，才是對大陸民心的真正號召力。有計劃的市場經濟，正確的認識判斷，人力的靈活運用，生活水準的普遍提高，將是一股導向繼續不斷經濟成長的強大力量。我們的努力，不僅為了台灣一千萬人口的幸福，也是大陸四萬萬五千萬人口的希望所繫。

追虎跳牆

眞正目的

今日與明日

美國對南越的政策

最近美總統詹森在記者招待會上談話，要求亞洲盟邦參加越戰，分担美國的任務，頗引起世人的注意，尤其是英法兩國。

詹森本意究竟何在，迄今尚無人知道，不過，就當時跡象來看，詹森的話可能是指的在遠東擁有最強最大軍力的中韓兩國。

以後也許受到英法等國的抗議，美國外交當局又改口說是希望東南亞公約盟國能派出非武裝人員到越南去，一改再改之後，已經面目全非，雖然如此，英國似乎還不放心，仍然派外相布特勒到華盛頓去詢問究竟。情形很顯然，英國深恐美國軍力用於越戰，而抽調歐洲的兵力，不能保衛大不列顛的安全。因為假使中韓參加越戰，遠東勢必爆出一個小型的國際戰爭，到時不惟美國會將西歐武力投入亞洲戰場，連帶英國聯邦的澳、紐、馬都要牽入漩渦，英國的目的只求能維持現狀，與共區展開貿易，至於越南的安危，與英國又何干，況且越南關入鐵幕之後，自由世界還可守泰國、東埔寨。自從日內瓦協定分割越南以來，於今十年，共黨尚未吞下半個越南，何況泰國國力比較充實，也許可以供共產黨侵蝕二十年。二十年後又知道是個什麼世界，也許到時候共產黨已經自滅了呢？英國人的想法，也自有道理，未可厚非。

美國對古巴的政策

其實說起來也不能完全責怪英國人。就以古巴來說，可作為美國的試金石。當古巴存有飛彈時，美故總統甘迺迪曾經作過一次震驚世界的封鎖古巴行動，就當時的情形來看，假若赫魯曉夫再硬一些，核子戰爭是真的可以發生的。美國既然在古巴不惜冒核子戰爭危險，敢封鎖公海，何以在遠東竟然不敢冒一次險，推翻人類有史以來最邪惡的毛共政權？歸結起來說，還是因為毛共並不直接威脅美國，而古巴的飛彈却足以制美國死命。因此，詹森總統近日又宣佈派飛機偵察古巴，並聲明如若古巴派飛彈襲擊，將要負担一切後果。美國對古巴之勇與對毛共之怯，使亞洲國家自然離心，巴基斯坦的轉向，其故即在此。世界是否能免除大戰，到不是因為雙方有了核子彈即可以制止，而是要清除戰爭的因素，消滅好戰份子，否則不過是揚湯止沸，越用力，水沸得越快。照英美兩國當政人物的作風來看，三次大戰的可能是逐漸迫近了。

博士解

報紙上常見稱呼某些中國人為「×博士」者，愚滋惑焉。

無論東西洋各國的學者專家，要取得真正的博士學位，那是頗不容易的事。中國人在外洋留學而能憑着學問，經過法定程序，考核及格，正式得到博士學位的，更屬鳳毛麟角，然根據報紙記載，我國號稱為博士的洋秀才，似乎到處都是，不亦怪哉！

歐美各國的大學校，為着某種人事關係，贈送本國或外國人士以名譽學位，却係常有的一種禮儀，如梅蘭芳郎接受過美國人贈給他的「文學博士」名譽稱號，這等於各大都市的市長，給外來賓客以「榮譽市民」的頭銜然，受之者決不能認為真是該市的市民，否則太笑話了。

博士之名，殊不宜隨便竊負，別人縱然莫名其妙的給你戴上這頂高帽，自己亦須予以婉却纔是。因為真正的博士一定是個碩學通儒，為士林所尊仰的，如果沒有甚麼學說上的大成就，而靦顏以博士自居，徒使通人聞之齒冷，凡人即視同早晚在茶樓「嘆世界」的茶博士之流，求榮適以取辱，何苦乃爾呢！

英國政界元勳邱吉爾，美國政治聞人艾森豪，都接受過英美高等學府贈給他的名譽博士這套玩藝，但他們從來不以博士自命，避之若浼。咱們中國的士大夫，在外國走了一趟，連梅蘭芳那種餽贈式的名譽學位亦沒有的，回國來即欺天下人以無知，竊負博士名稱，驕其妻妾鄉部。這跟舊時軍閥部隊裏隨便自封為中將、少將的情形，并無二致，可哂亦復可羞也。

慕虛榮原是人之常情，殊不足怪，唯高人雅士纔沒有這等俗念。但學問之道，是要循名覈實，虛榮決不能妄慕，這是要拿出真本領來作的，名不副實，徒彰其醜而已。梅蘭芳在生時，且不以「博士」頭銜作號召，知恥自愛，有所不為，讀聖賢書的高級智識份子，立身行己若不如一伶人，即未免太可悲哀吧？

馬五先生

雖哲學系學生亦不例外 毛共壓迫大中學畢業生 若不做農民便得做工人

香港與大陸

「跑出課室，走向農村」「跑出課室，走下廠房。」這等口號又響澈了大陸的大、中學校，中共又在「號召」大、中學校畢業生投向農村和工廠了！

就讀於廣州市「中山大學」哲學系的學生黃××最近寫信給他的留港親友，揭發了中共在大陸逼迫學生回農村下廠房的事實，也透露了青年學生對前途的悲觀。

來信說：在大陸，一年一度的「下放運動」，現在又開始了；而今年的「下放運動」，是先由學生開始，而又由大專學生，再中學生，再小學生。

來信說：中共對大專學生的這種運動──雖然目的是一致──都要人們回農村下廠房。但運動的內容卻有點小異。就哲學系的學生而言，過去哲學系學生畢業後多派往文化教育機關，但是現在不同了；哲學系畢業的同學也和讀農工科的同學一樣，要回農村，下廠房了。中共所持的理由是：學生們祗是學了一大套的理論，卻和實際掛不上鈎，這好比吃了東西「消化不良」。又認為學生都是以一般增長知識的角度去學習，花了很多時間去啃名詞概念和背理論的書本，而不重視實際的聯系，和領會書本的實質精神……所以中共認為應把哲學系的學生從課堂裏和書本上「解放」出來，使他們成為廣大幹部和人民羣眾所掌握，成為他們手裏的尖銳武器。

來信說：本此「理由」，中共乃要中山大學哲學系的應屆畢業同學，作好思想上的準備，隨時響應「黨」和「毛主席」的號召，去完成此一「解放哲學」的使命。中共還要求其他未畢業的同學成立「普及哲學」小組，把農村和工廠作為基地，輔導工人農民學習「毛主席著作」，更要通過此項工作進一步更密切地和工農聯系，向工人學習，以克服學習理論的「消化不良」之毛病。中共說：也只有這樣，才不是「資產階級」的理論專家，才會成為「無產階級」的理論專家。

中共對其他系別的學生，其要求也是如此，惟所持理論微有不同，而萬變不離宗，無非也是要學生回農村，下工廠，去做一個所謂「無產階級的學者」。

來信的這位中山大學哲學系應屆畢業生說：中共對此一運動正在雷厲風行的進行，看來若不是下放農村，便得進入工廠了。這亦便是說，我們這四年的寶貴光陰實在是白白虛度了。早知如此，四年前便去作農民或做工人，豈不好些？那樣總比現」在才去要「先進多了。

這位寫信的中山大學哲學系應屆畢業生，除報導他的苦悶外，還說他準備冒險逃出鐵幕，希望他的香港親友給他協助。（敬斯）

環境幽靜。設備嶄新 埔里榮民醫院風光好

──本報台北航訊

除上述那些花草外，還有大理花、繡球花、百合花、牽牛花、月季花、石榴花、夜來香、聖誕紅……所有各種四季花卉，應有盡有。在花叢中，有法國仙圈成的各式圖形及「革新、動員、戰鬥」與「反攻大陸」等標語。中有小型噴水池，水線沖射，串串珍珠，平添一番耀眼的景色。又病房與病房間的空地上，有排列的葡萄樹，也有各種的花木。此外就是那些獨樹一幟的高高成蔭的鳳凰木，一株株散佈院宇內外。該院風光明媚，氣候溫和，空氣新鮮，環境幽靜，實為肺病療養最佳之地。但病患榮民要有豐饒的情趣與之相配合，才能獲致醫治的效果。而榮民生活情趣如何，又須全視其個人對自己作如何妥適的安排以為定。

早晨，青山綠野披露一層生機躍動的新裝，翠竹花木也透出一股觸鼻的香氣，樹梢的鳥兒，互唱歌曲，勤勞的農夫，田園揮鋤。一會兒，院宇前面遠遠的一層灰白色的雲霧，如布幕張垂，沿着右邊山脈緩緩地移動而來，有的冉冉上升，有的山腰曼舞，漸漸向該院後面迤邐飄忽而去，恍如一齣舞臺劇裏面一段仙幻之境。晚間月明之夜，山麓漫步，穹蒼鋪陳，萬籟俱寂，只見山巒黑壓壓地蹲伏着，林木一叢叢的堆立着，大地瀰漫着一種神秘的氣氛，也蕩漾着一種恬靜的情調。四野雖有稀落的幾個小村子，這時村民都熄了燈，似已入睡了，四面沒有電燈光的閃動來打擾視覺，才能看到完全渾然而毫無瑕疵的滿盤清輝月色。真是詩情畫意，為在城市與城市近郊所看不到的自然景色。只有在這種自然景色所交織的一片寧靜中，才能使心境清澈，思慮深沉，瞭解自然秩序與人類生存之道，才能增加政治智慧與道德力量。

在鄉村之間，尤其是偏僻地方，白晝和黑夜，大自然旋律的佈置與活動，每一種氣息，每一個聲響，都像是每個音符，像是每個樂章，譜出一場大自然韻律的大合奏，何等和諧，何等合作。在這裏，纔真正會露出人間純樸的感情，與人類高超的思想。

該院四面環山，遠離塵囂，乃是三民主義世紀之下的大天地裏面的小天地。蔣主任委員說：「我們要在大天地裏有所貢獻，必須先做好自己崗位上的工作，在小天地裏有所貢獻。」今日該院設備有這樣大而嶄新的規模，作業有這樣多而優異的效率，使病患榮民走上康復之路，「過渡」到另一對國家仍有貢獻的工作場所，與反攻復國總體戰相匯合。「三年有成」，這是院長朱集賢先生與副院長戴普先生數年來的卓越領導，以及各部門與榮民協同一致，在這塊小天地裏的輝煌成就。（下）

北市五二年度歲出 被認有用途不明者 市議會要求補送明細表

（本報台北記者張健生通訊）台北市政府在五十二年度歲出方面，有五百多萬元用途不明，市議會決定請市府補送明細表，以便重行審查。

此外，台北市政府在該年度的公產管理費中的訴訟費用達一十二萬七千九百多元；還有市政府「泰命緊急追加預算」一百五十萬元，作為改善本市環境衛生，修建巷道水溝，以及公共廁所等設施，希望市議會同意；又還有義務勞動部份，市政府原列預算一百五十萬元，不敷應用，這次追加預算達六百七十八萬元。據有的市議員認為，這兩筆追加預案，「用途不明」，應該先弄清楚再說。

台北市議會第六屆第四審查會對台北市政府五十二年度總決算書所屬部份審查意見：五十二年度總預算（包括追加預算）為五一七、二八七、六六五元，而教育經費為一五〇、七〇〇、五五四元，佔百分之二九點一三。而總決算為五〇九、三六一、六四六元，教育經費決算數為一四九、九五四、九五八元，佔百分之二九點四四。核與憲法規定之百分之三五，相差甚遠。今後宜儘量提高教育經費之比例，以期教育之發展。

教育預算與決算何以會發生差額，即剩餘數七四五、五九五元，係由於教育局未妥善運用所致。比如：教育局與工務局缺之密切配合，使市立中學修設備費一二、九七八、五六〇元中，僅付出四、七九一、七八七元，而權責發生數為八、一二九、九七三元，佔三分之二弱。國民學校修建設備費為二七、〇九〇、二七三元，實付數為一七、七五九、〇七四元，權責發生數為九、三三一、一九九元，佔三分之一強。共計權責發生數為一七、四六一、一七二元；若以與建每一教室五萬元計，則可建三百多間教室，可容納新生約兩萬人。由此可見，市政府的行政效率是如何地緩慢而又官僚化。

市議會認為市政府各單位用途不明的預算，計有：民眾補習班經費內獎勵補助費八十萬元；表彰有功之教員經費內雜支費十八萬八千二百元；教育研究費內獎勵補助費十八萬四千四百八十元；天文台設備費三三八、二〇八元；綠化校地教育費十萬元；市屬交響樂團經費內之設備五三、四二三元，旅運費二九、八九〇元；童軍教育補助費十六萬元；圖書館雜支二〇九、五五七元，設備費一三三、〇四五元，事務費三〇四、五五七元，用人費中之整理目錄卡，補訂破舊圖書二五三、四四三元（平均每日約七百元）；動物園中之環境衛生整理費一三三、一〇八元（人事費佔一二五、九一二元），維持費用六萬元；體育場臨時費一、二三〇、六七一元（實支一、〇一五、二〇〇元，餘二十一萬多不明用途），維持費九一、二五九元，修理費七九，九五九元，設備費七四、三九五元，田徑場翻修工程一二二、九〇〇元；游泳池之事務費六一、七九三元、修護費八二、九九八元；公園管理所員工勤費五二、四八五元，旅運費六七、七七二元（編制員額二人，平均每人每天之旅運費達九十元）腳踏車保養費五千元（八輛），消耗汽油費七二、一一〇元；台北公園樓閣工程費九八八、六一七元，附屬工程二二九，七七三元，新設木柵花壇工程費二三三、五〇〇元，圍牆工程一八三、九六六元，鋪草坪工程九六、九〇四元（台北新公園之工程費共為一、七三五、七六〇元）；文獻會之文具印刷費四五、六〇〇元，旅運費二〇、七二八元；國語推行會之雜支二一、二九一元，獎助費二四、〇〇〇元。

蘇俄侵略政策的自供

──華盛頓航訊

在俄共理論家蘇斯洛夫反擊中共的聲明中，洩露了蘇俄在各落後地區進行顛覆工作的長期戰略。此一戰略由於中共的反調政策而受阻，特別是中共一九六二年的侵印行為引起了激烈的反共情緒，使蘇俄整個計劃因而無法進行。

蘇斯洛夫建立了一套長期艱苦鬥爭的理論基礎，並命令各親俄份子據此攻擊中共。他的聲明中所提在各新興國家使用的戰略，亦為俄式革命的權威理論。

蘇斯洛夫表示，莫斯科完全了解各落後地區的革命可能性，並計劃予以盡量利用。但蘇俄認為這些落後國家目前的反西方行動，就是蘇俄政策的實現，但由於各國人民的覺悟程度尚差，共黨以武力取得政權的時機尚未成熟。莫斯科目前的政策，是一方面與各新興國家建立外交關係以鼓動反西方政策，一方面又在秘密煽動各國人民反對政府。

蘇斯洛夫說，中共目前正在此一地區趁火打刧，進行他們自己的一套帝國主義政策，因而處處與蘇俄發生衝突。中共提倡武裝革命及公開侵略印度，對蘇俄的長期鬥爭戰略是一種嚴重的威脅。

塔斯社會就蘇斯洛夫的談話發表一篇簡訊，這個簡訊中的措詞及其中所引用蘇氏聲明的原句，足以顯示出莫斯科赤化世界計劃的內容。此間專家特指出其中要點如下：

塔斯社說：「中共與俄共的爭論要點並非『是否革命』的問題，而是『如何革命』的問題。倘若吾人不顧人民支持與否，把這個希望寄託在武裝革命之上，結果必然要遭受嚴重失敗。」

這就是說蘇俄正在待機而動，當時機成熟之時，蘇俄即將在各落後地區發動革命。至於使用何種方式，蘇氏在其聲明中會重複赫魯曉夫之言，認為將視客觀環境如何而定。

蘇斯洛夫同時指出，蘇俄在各落後國家的協助下，在反帝國主義的鬥爭中已獲得若干「成就」。此間專家指出，蘇氏所言的「成就」，大概是指不加盟政策。蘇方曾說明他們在各新近獨立國家中的首要工作，就是肅清西方國家影響。蘇斯洛夫指出，「不少新興國家的領袖倡議採取社會主義的道路……」而共黨的所謂社會主義，即是一種走向共產主義的道路。莫斯科經濟發展每年平均不到百分之三的事實雖經証實，但蘇斯洛夫依然鼓吹各新興國家對蘇俄的經濟進步極感欽佩。

塔斯社說：「中共對印度的侵略，幫助了帝國主義國家，損壞了民族解放運動、印度共黨、以及整個的反帝鬥爭。」「……中共領袖更與東南亞公約組織及中東軍事聯盟組織的會員國巴基斯坦相結合，威脅整個亞洲人民的和平與安全……此一路線，完全否定了蘇俄煞費苦心所策劃的社會主義革命大計……。」

此間專家指出，凡此種種言論均說明一種事實，就是中共破壞了蘇俄在印度及其他地區的顛覆及策反計劃。中共的侵略行為，激起了各國領袖對共黨的警覺。特別是在印度，中共的進攻促成了印度全國的團結及國防力量的迅速強化。

此間人士指出：「中共的公開侵略把蘇俄的一個煞費苦心所費不貲的陰謀計劃弄垮了，難怪他們要勃然大怒。」

蘇斯洛夫指出，中共的一切行為，其動機並非幫助「解放」運動和人民大眾，中共的行為是「不顧共黨及民族解放運動的任何犧牲，以滿足其私利。」他說中共的領袖們「顯然要控制民族解放鬥爭，使其成為中共建立領導權的工具。」

（羅素．布恩施）

基隆旅居記

仲公

閩人陳季同倡建民主國，同工部主事邱逢甲，候補道林朝棟，內閣中書教諭陳儒林與台北紳士協商，決定自主，乃以「台灣士民義不臣倭，願為島國，永戴聖清。」十六字電京，隨即設台灣民主國，建元永清，定藍地繪黃虎為國旗，推戴署巡撫唐景崧為總統。

惟和議前，日本本想先取台灣為挾和計，恐未能遽下，乃發兵先取澎湖。當時日本接收台灣，係派海軍大將子爵杉山資紀為台灣總督，北白川宮能久親王率領近衛師團隨來。滿廷派全權委員李經方（李鴻章子，道員）為代表。（四二）

從「第二岳飛」事件說起

顧翊羣

美國來鴻

（五）最後一書爲英國學者柏林所著之「刺蝟與狐狸」一書。此書於一九五七年在美發行廉價版，售價僅爲美金三角五分，而其實在價值不下於古今來之多種名著，足爲具下里巴人性之美國大衆文化生色。柏氏亦係牛津大學全靈學院院士，關於歷史與哲學著述頗多。此書引用古希臘詩人之名言，以刺蝟能瞭悉一貫，而狐狸則省識多方，以解釋俄國哲人託爾斯泰氏一生對人生看法之轉變，而以託氏名著「戰爭與和平」之寫作經過作爲例證。

「一」與「多」爲自古相傳而下之哲理的問題。中國儒家向來認爲一貫之理存於萬物之中，而注重探末歸本，理事無礙周遍含融（借用華嚴宗術語）。西方柏拉圖以下學派注重「一本」，詭辯哲學家所傳至現代之經驗學派與實效論者，則注重「萬殊」。雙方對宇宙與人生之看法互有偏重，前者注重玄理的與道德的看法，後者則注重科學的看法。甘廼廸總統所最倚重之哈佛歷史家許萊辛格氏，於一九六二年初在印度講演，即以「一與多之對立」爲主題，並述及柏林氏之著作，而謂美國人對社會的與經濟的秩序之看法，係反對具教條性之玄理的，而爲實效論的。許氏與哈理覺、羅斯鐸等人，均經彭罕姆氏目爲現代自由主義者，而認伊等所設計與蘇俄謀求和平之政策，將引導至西方文明之自殺。

柏林氏之書，敍述託爾斯泰氏少年篤信科學主義與經驗主義之人生觀，其後對人生與歷史鑽研深刻後，方逐漸改變於無形，而謂人生痛苦來自無明，且由於自命不凡，不信世事之複雜紊瑣有如一窮盡之巨網，非人生經驗或科學分析所能週知，何如遵從天理潛心歸一，反可達致心安體得之爲愈哉。柏氏佳文妙義層出不窮，爲現代知識份子之篤信人定勝天人類社會可不斷進步者說法，可謂苦口婆心，與中國儒家之主張相契合。中國儒家認人惟在天道天理之不斷運行中，方能申張其自由意志，而造福其他人羣。此所謂天人合一之道，與現代僞自由主義者與共黨之抹殺天道天理，而祇知爲我與一意孤行者，大不相同。弟篤信儒道（或孔教）之仍將光大於中國大陸，謹臚陳鄙見敬請指教爲荷。手此敬頌

著綏！

弟顧翊羣拜啓　四月十三日（下）

嘉莉的日記

汶津

一月十日，星期四。

姐姐從南部來信，又是老套：「嘉莉，好好用功啊！還有六個月就要瞧妳大顯身手了！」又不是她考高中，何必白操心！何況，我嘉莉一向是「一流」學生，誰敢小看我？

姐夫說搬家又老不搬，也有點莫名其妙。還有上次替我跟小毛一起照的相片也沒有寄來——簡直一塌糊塗，一無可取，還不如別來信的好！

一月十二日，星期六。

煩惱都是自己找來的。莎士比亞說：「喜怒愛惡，都只在一轉念之間。」一點也不錯。

早聽說我有一個表哥什麼的，今晚可見了他的尊面，是一位表姑的「公子」，說是在台南省中讀高三。

「妳覺得表哥如何？」睡覺以前，哥哥有意（不懷好意的）問我。

「他怎麼樣又關我屁事！哼，誰不知道你的好心眼，謝謝了！」

他竟做出遭了冤獄似的表情來，天曉得！

——對了，他們準是串通好的，來試探我的口風。幸好沒有中計！

一月十三日，星期日。

那位「表哥」又來了，晚上一定要請「我們」去看電影。說是說得蠻好聽的：

「只請表弟一個不好意思，表妹也去吧！」

「謝了謝了！」他大概以爲我是三歲小娃吧！難道眞的兩句話就被你哄上了？

「你趕快陪表哥去啊，平常只愁沒錢看電影，這回有人請你還不高興嗎？」我可借機會搶白了哥哥一頓，眞夠味！

看他們互相做鬼臉！哈哈，大的也被小的吃癟了！

一月十五日，星期二。

報上說今晚有月全蝕，一看時間，正好是我們在學校裏吃過便當之後。一到學校，我就跟李吉明、邱鳳英說了。

「待會兒我們一起出去看！」

晚飯後，一下子集了六、七個人，一起下了樓，走到校門口的台階上。

果然，月亮漸漸的缺了一塊，接着她愈變愈小了，終於完全消失了影踪。「天狗吃光了月亮！」吳敏忍不住說出了她的神話。

這時，他忽然從校門外走來，起先對我們好像正眼都沒看一眼。「老師好，」李吉明叫。他回了聲「好」，過來了。

「你們排得那麼整齊，幹嗎呀？」眞的，我們不知不覺的站成了一字形的一排了。「我們看月蝕，」我們七嘴八舌的回答，「老師你看，月亮都蝕光了。」

「我還以爲妳們在罰站呢！」他微笑着，仰首望望，又望望我們，最後把許光停在我臉上。我不由自主的掠一掠頭髮——讓他看到頭髮被風吹亂了多難爲情啊。

（十二）

我所知道的麥帥

肯寧將軍原著　徐熙光翻譯

麥克阿瑟在陸軍參謀長的最後三年任期中，我亦適在華府任職。我常看到他，因爲他經常要出席國會的軍事委員會爲陸軍爭取預算。當時正當和平時期，國會一直想大事削減軍事預算，國會認爲陸軍每年只要有一萬名軍官和十萬名士兵的預算就夠了。麥克阿瑟當時幾乎是獨自在爲這件事奮鬥，雖然他所要求的數目從未被通過，但是他一直孜孜不倦地在爲國家的防務努力。在麥克阿瑟的規劃下，陸軍每年總保持着一萬二千名軍官和十二萬士兵的軍力。

有一年，國防部編列的會計年度總預算一共只有一億九千六百萬元。麥克阿瑟要在僅有的預算與撙節運用，有人估計如果陸軍維持國會所主張的一萬名軍官和十萬名士兵的兵力的話，只需要八千萬即可夠開銷。

富蘭克林．羅斯福繼任總統，麥克阿瑟與他討論陸軍經費和預算問題。麥克阿瑟堅持應保持陸軍原有的軍力，但是因爲經費太少，所以他不得不把官兵津貼減半，以便有足夠的錢來購買軍火。這是不可能的事，官兵的津貼如何可以減掉一半，麥克阿瑟與羅斯福總統幾經商討，最後還是他贏得了勝利，他獲得了八千萬元的經費。

麥克阿瑟是美國將領中的翹楚，但是樹大招風，他在國會中也難免成爲衆矢之的。雖然他是奉總統和國防部長之命行事，但是報紙上的社論和專欄作家，卻常寫些批評他的文字，以他爲攻擊的目標。

麥克阿瑟一定覺得坐在國會軍事委員會裏，和坐在國防部會議室裏面對新聞記者時，他一定沒有當太平洋戰爭時，他坐在盟軍總部辦公室中來得自在。在太平洋總部他高踞會議席上的首位，但在華盛頓當陸軍參謀長，他要面對不同情他的聽衆，很多議員批評他不知節約，還要連帶教訓陸軍一頓，有人甚至對他筆挺的軍裝和他翩翩的外表也要閒言冷語一番。記得有一次正當麥克阿瑟要走進軍事委員會發表演講時，有人說了這麼一句話：「好了，我們倒要看看麥克阿瑟能講得出什麼名堂。」

麥克阿瑟昂然進入委員會的會議室，穿着跟平常一樣的制服。他高大，一臉尊嚴而且充滿自信，他走過甬道，站在主席前面的講台上。他未帶演講稿，但是仍然侃侃而談。鏘有力的聲調吸引了在場所有的人，這些人有的是同情和擁護他的人，有的則是他的敵對者。準備有意留難他的人，至此已難啓口。這是他的過人之處，他可以用簡單的幾句話改變人家對他的攻擊。（四）

陸法官

常青樹

陸法官是廣東人，當他來到人間尚無記憶的時候，他的父親即被當地法院處決了死刑，他的母親在痛苦的淚水下希冀他能長大成人，有出人頭地的一天。在童年的時候，會不只一次的問過母親：爲什麼自己沒有父親？母親不僅沒有答覆他的問題，反而傷心的痛哭起來！他一次如此，二次如此，後來他怕引起母親的傷心，就不敢再向母親問起父親的死因了！

但是，這樣卻更激起他的好奇心，使他長久的渴望了解父親生前的一切；在其他兒童的傳說中，隱隱約約，他知道父親生前的爲人並不磊落，死得也不光明。

還有對他母親的謠言：說他母親年輕時在廣州當過舞女，隨着年齡的增長，淪爲妓女，後來人老珠黃，才回到鄉間下嫁他的父親……這些話使他聽了很傷心，傷心得有些憎恨他的父母。

在幼年的童伴中，他具有着濃厚的自卑感，這使他不能和他們合羣，尤其怕他們提到他的父母。

他的個性斷更孤僻，行動漸更落落寡合。他很痛苦。他不得不用功讀書；他希冀能從書本中找得一點安慰。他總覺得這世界是不公平的，對他的父母，對他自己都是不公平的。這種不公平的意念在他的意識的深處潛存着，一天一天的更擴大。

而且，當他高中畢業之後，在家庭的貧困的情形之下，他毅然要入大學，他要攻習法律，要作一個肩扛天秤的法官。

四年之後，他得到了理想的方帽子，他的母親卻在他尚未戴上方帽子前歸向泥土。這在他是不甚悲哀的，因爲他覺得：人總是有一死的，況且父母生下自己就給了他無限的痛苦，給人家議論，被人家嘲笑，成爲人家諷刺的對象！（上）

虛君續夢

異域購新居　民脂似水
冷宮傷舊夢　妾命如絲

第十二回

龔澎笑道：「你要不回去，國家大事將來交誰担當。」

陳毅皺眉道：「難就難在這裏，一個人太有本領了實在不是福。」

正說着話，突然警衛人員進來報告：「高棉元首施哈諾親王來訪。」

陳毅趕快接出去，兩人見面都十分高興。

施哈諾進了客廳左張右望，問道：「陳夫人沒有來？」

陳毅說道：「她要在家照應小孩子，所以未來。殿下這次是帶的那一位王妃？」

施哈諾搖頭笑道：「我一個都未帶，我那會這麼笨，到這種地方來還帶老婆。」

陳毅高興得跳起來，說道：「這眞是英雄所見畧同了。殿下在法國讀過書，對這裏熟悉得很，有什麼好的地方帶挈我一下，花多少錢都由我請客。」

施哈諾笑道：「瑞士的人比較規矩，在這裏要想玩得痛快是很難的，眞想過癮，還是到巴黎去。」

一說去巴黎，陳毅不禁呆住了，說道：「我怎麼能去巴黎呢？我們同法國又沒有邦交。」

施哈諾說道：「你們應該努力和法國建交，我可以從中介紹，法國前任總理傅爾，就是我在法國時一起玩的朋友，這個人見到錢什麼事都肯作的，因爲他在第四共和國當過總理，又擁護戴高樂上台，戴老頭子很喜歡他，經常召到總統府去談天，遇到重大政治問題，也聽聽他的意見，我覺得你們只要抓住傅爾，法國就會承認你們。」

陳毅聽了施哈諾的劃策，十分開心，兩隻手搭在施哈諾的肩膀上說道：「殿下實在是中國人民的朋友，我代表六億五千萬人向你致謝。假若這個計劃實現了，下次來日內瓦開會，我們一道去巴黎玩耍，到紅磨坊把所有的舞女都包下來，全由我請客，不成問題。」

施哈諾笑道：「那是將來的事，目前你們應該以私人名義向傅爾發出邀請，請他到北京訪問，我負責把信轉過去；再寫一封私信給他，他一定會來的。」

陳毅連說：「好的，好的，我馬上就要他們寫封邀請信，以周總理名義發出，這樣更比較鄭重些。」

施哈諾說道：「只有一點，我要特別提醒你，傅爾這人十分小氣，他這趟去，禮物可不要送輕了。」

陳毅大笑道：「這還用說嗎？我的殿下。中國對於非洲來的黑炭頭，禮物尚且送了很多，何況傅爾這樣有份量的人物？你放心吧，中國有的就是錢！」

施哈諾笑道：「閣下的話一點不錯，我也相信中國有錢，只看貴國租下這座別墅，用了這麼多的瑞士大學生作侍者，就可以曉得中國富足了。」

陳毅得意洋洋地笑道：「你可是估計錯了，這座房子是我花四萬美金買的。」

施哈諾吃一驚，問道：「你買房子作什麼，是不是貴國內部出了問題？」

陳毅連連搖頭道：「那有這回事，我因爲經常要來開會，租房子麻煩，所以自己買一層。」

（三〇三）

冒險犯難記

鄭文儀

每一憶及四十年前當兵的生活與行動，我就興奮愉快。一個青年不當兵，那不僅沒有盡到「國家興亡，匹夫有責」的責任，他的身體，他的學問，他的事業，也就缺少圓滿與光榮的氣質了。我希望中國青年兒女們，對人類世界及中華民族有大貢獻，要貢獻就要受文武合一的教育，過士兵的生活。

八、學兵生活酸甜苦辣

正是秋高氣爽的時候，民國十二年中秋過後，我由湖南家鄉醴陵到了廣東廣州。因爲旅費業已用完，不能在廣州市多住些時候，到廣州的第三天，經過同鄉同學的介紹，就到黃埔軍政部教導營學兵連報了名，經過簡單的測驗及口試，我很快就得到准許，入營報到。我把身上穿的兩套布學生裝及薄被，送到典當舖中，押了大洋兩元，開銷了旅店中的三日房飯錢，就孑然一身，不名一文，到黃埔島上教導營報到，開始當一名一等兵待遇的學兵。

教導營營長是廖士翹少校，他是江西人，是日本士官畢業的，人很重厚樸實。最初祇有兩個連，我被編入第一連第一排第三班。連長是軍政部長程潛的姪子程宣；他是雲南講武堂畢業學生，精明幹練，對學兵頗能勤教嚴繩，連上的訓練管理及內務都要求得十分嚴格。三位排長兩位是北方人，一個是湖南人，他們都能以身作則，和學兵共同生活；不過智識學養不高，管教的方法稍嫌拙笨，學兵動作稍有不合，動則手推腳踢，嚴詞責罵。

我最初因爲剛由文學學校轉到軍中入伍當兵，生活很不習慣，加之以個子長得比較矮小，體格亦稍弱，長步槍比我還高，從天未亮起床到晚上十點鐘睡覺，緊張過度，殊不易適應。比如接連半小時以上的跑步，我就跟不上；立正操槍的基本動作，我也不能操演得全合規定。又如練習射擊瞄準，我的左眼就不能關閉。對於連上規定寫信及報告，都要簡單到祇準寫一、二、三數條；這雖是小事，但我要勉強服從，却感到十分困苦。

學兵的生活，除了操練忙碌，一天到晚沒有休息，令人疲乏不堪之外，衣食兩樣，自然也是極刻苦的，每天每兵的伙食錢是兩毛廣東毫洋，早晨有粥及饅頭，及些少花生米和鹹菜，中午和晚上，一菜一湯，用兩個洋鐵盆盛著，六人一桌；最初常常覺得吃不飽，老是一盆豆芽和鮑豆附加一點點肉混煮的菜及一碗青菜湯，份量殊不足，當吃到兩碗飯時菜就完了，第三碗飯不免要吃白飯。而規定十分鐘要把一頓飯匆匆吃完，這在初當兵的文學生是會感到十分困難的，不過一二月後也就習慣了。

逛書店

南橋

我愛看書，尤其更愛買書。在我的生命裏能夠安慰我而和我共鳴的，便是那些書籍。我一有空便去逛書店及舊書攤的習慣，已有二十多年，有時甚至流連忘返。到台後，由于服務機關與書店近在咫尺，公餘到書攤瀏覽更是方便，每逛一次，總是要買數本，假如空手而回，便覺忽忽若有所失，很不舒服。這些年來積下的書，內容包括文學、經濟、藝術、醫藥、農業等等，很不在少，可說是我唯一的財產，不幸新近發生意外，大部書籍竟爾失竊。

台灣的書店，大部份是在台北市，台北市的書店多聚集而重慶南路與衡陽街一帶。舊書攤多是晚上排在行人道經營，在衡陽街肥料公司門前有五六攤，中華路口有兩三家，白天也有數攤在長安西路及牯嶺街銷售。可隨便翻閱，不買也無歉然之感，眞是悠哉遊哉，其樂無藝。至於雜誌，在台北、台中及高雄這些都市的熱鬧街道上，到處充斥，種類亦頗繁多。

儘管台灣近出版過不少書刊，如教科書、反共論叢、新文藝及翻印古籍舊小說等，五光十色，排滿在各書店，但喜歡讀書或購書的人，都有一個共同的苦悶，那就是享受不到逛舊書店趣味。此間的舊書店，僅台北市南海路建國中學校對面有一家，圓環有一家，牯嶺街有一家，中華路有一家，爲數可眞太少了。想起大陸時代古色古香應有的舊書店來，不禁爲之神往。

逛書店與書攤，因爲我不耐站着久看，因此常把喜歡的書買回，有時甚至不惜高價購買，回家來展卷玩賞，或如結識新知，或如重晤故友，各極其樂。七年前，我爲購買吳穀仁尺牘，跑盡台灣全省的書店書攤買不着，却想不到「踏破鐵鞋無覓處」，四四年在台北市政府門前舊書攤上，祗花卅元便給我購到了。

四十七年我在台北中華書局購買一本香港出版徐速著的「星星月亮太陽」，當時花了新台幣二十四元。至四十八年我又買一本台灣東方書店翻印本的「星星月亮太陽」，則僅花三元半，差七倍以上的價格。甚至同一書店出版的書，各店售價亦各不同，開明書局版的書你若到它本店去買，幾乎全沒折扣優待，如到其他書店去買，則多有八折優待，這是經濟不富裕而喜歡購書的人應該知道的。前者是翻印人家的東西，固然不足爲訓，後者的奧妙何在，我却亦百思不得其解。

台灣出版的書刊，近來不少封面繪有色彩，塗過腊質，得美觀耐用的長處，但內容方面能顧到讀者的需要求的，似不多見。如世界書局近年翻印經史子集頗多，但該書局在大陸曾出過一本很不錯的鄭板橋眞蹟詩書畫全集，却遲至現在還未翻印。又如啓發書局出版五四作家落花生、盧隱、郁達夫等人著作多種，但對於郁達夫的「日記九種」、「屐痕處處」却未出版。亦不知是什麼原因。

人人都不免有嗜好，嗜好亦有好的或不好的。我的逛書店的嗜好，雖有時也很費時花錢，比較可言，該算是值得提倡的嗜好了。我的意見，也是我的經驗，逛書店如嫖妓，最好單槍匹馬而往，人一多了，往往會使你既不能隨遇而安，尤其不能盡興欣賞。

我的社會生活

雷嘯岑

未幾，陳部長又問我何以尚未查封求精中學呢？我把上述情形報告一番，他表示不滿意，我即請求部裏給我一道訓令，以便辦理，或由教部督學詳查該校內容後，指摘其若干缺失，通知教育局，即實行予以查封，但他不答應我的要求，我也就不敢孟浪行事。然部長從此認爲我不聽話，對我態度大變了。嗣後教育部即遇事對我多所挑剔，譬如教局在卅二年暑期中學會考時，出過一道國文試題「我所認識的奇怪人物」，限用語體文寫作，旨在測驗學生們的智慧與寫作能力，而教部亦下令指摘，加以「妨害青年身心修養」的罪過哩！此時我感覺這種鷄肋式的地方小吏，不能再幹了，恰好是年冬陳部長奉命與中央黨部組織部長朱騮先對調，我即向陳部長申請辭職，但他堅不許可，說是蔣委員長曾吩咐他和朱部長，對於兩方面的幹部皆不要輕易更動，教我繼續幹下去。我硬着頭皮，再幹到卅三年二月纔解職的。究竟陳部長爲甚末沾沾於查封求精中學，而對其他若干不夠標準——遠不及求精中學的私立中學——如何魯的載英中學就很糟——又毫無異言呢？我始終莫測高深。假使是楊暢卿先生作教育部長，相信他決不是這種作風的。我在國府治下從政二十年，侍候過達官顯宦殊不少，就未見有明達治道，勇於負責，而行政經驗豐富如楊公者。所遇到的長官，多見其爲低能謭陋，魯莽滅裂，或者就是腐敗官僚，決無作爲的人物，眞失望也！

我在教育局長任內，曾奉蔣委員長召見過三次。第一次是剛剛就職伊始，在重慶曾家岩官邸晉謁的，當時適見外交部政務次長吳國楨，手持着紅封面的公文卷宗，後我一步而到來，我知道他有緊要事情報告，乃讓他先進去。我在客廳裏中——因侍衞人員未將房門關——，迎面瞧着委員長坐在沙發椅上——揮手教吳次長「請坐」，而吳氏再三立正鞠躬，站着說話不肯坐。我覺得這是過份的禮貌，禮不適度中節，即係僞詐行，殊不足取。洎我入覲時，蔣公依然說「好，好，你請坐」這兩句和悅之詞，我就遵命坐下，但正襟屏息，表示內心上的肅穆情緒而已。談話完畢後，蔣公吩咐道：「你有甚末困難，可隨時向我報告。」答曰「是」！但我從未直接向他遞呈過任何報告。第二次是在浮圖關「中訓團」內，同時召見的人，有各省教育廳長五六位——記得我們湖南的教育廳長王鳳階亦在其列——還有教育部長陳立夫先生。蔣公問我有無困難問題待解決？我答：「沒有」。又謂：「一點困難都沒有嗎？」我乃敬謹答道：「困難當然有。不過，委員長日理萬機，宵旰憂勤，我是地方小吏，不敢隨便以地方行政細故，煩瀆領袖清聽，有困難可請陳部長和賀市長指示處理也。」我自忖這樣纔合份際，也是對領袖表示尊崇的誠意。然而，一般朋友聞悉上述兩次晉見談話的經過情形後，都說我太不會做官，別人唯恐無從直接向領袖報告工作狀況，我却遇一事上達天庭，請示一切，況我再坐失機會，何其傻也！然我至今還是相信自己的言行允合體制，儘管官運否塞，決無悔意。（四八）

從商業道德說起（續）

花香月上小品

黃葉村人

這是合乎衞生嗎？稅捐局不管，屠宰商不理，是爲了防範私宰而必須如此嗎？我想未必然罷！這是一個值得研究的問題，因爲那種藍色素無論有毒無毒，日夕使用，塵垢鋪滿的，吃下肚去，總是會生毛病的。至于猪肉，如果屠宰商不灌水，那是只有天曉得！一對猪腰子買回來，比呂宋檬果還大，爲什麼下了鑊，却縮成雞蛋般大小？一斤猪油買回家，煎不到半斤油，餘下的又跑往那裏？總而言之，賣雞者，要他不灌鐵沙；賣米者，要他不滲碎米糠粉；製糖果者，要他不放糖精；賣青菜者，要他不淋水紮稻草；那是很少有之的。這已成爲販們「天經地義」的習慣，如果要求他們反僞存眞，那眞是談何容易也。

反過來說，一般人時至今日，生活愈窄，則錙銖必較，毫釐必爭，也已成爲普遍的現狀。無復在大陸豪雄的氣概。我們若不大處著眼，而只在這一小圈裏爭雞蟲之得失，想安家樂業于斯，求功名富貴于斯，不惟已失「毋忘在莒」之義，亦豈反共復國者之所應爲邪！曩者滿洲之初興，范文程入瀋陽，見人有向屠沽市肉者，輒斫一大塊予之，不復秤。市中儈保買菜，予之錢，兩不論價，隨便交易，各無爭論。范歎曰：「此皆他日從龍之臣也！此地必有王者興焉」！遂留不去。而以一部三國演義，爲滿淸創造二百餘年基業。英雄創造時勢，時勢鍛鍊英雄，我們自有我們的家鄉，我們只能以此地爲反共復國的基石，而不能老於斯而「此間樂，不思蜀」也！

閒話少說。「病從口入」，這是古人一句名言。要知道人何以會生病？天時失調，節氣反常，海島之地，風雨一來，即寒冷如冬；晴日一曝，則又酷熱如夏；不獨人易生病，凡百動物，亦何莫不然。尤其家禽牲畜，既苦居處偪仄，不潔，更感營養不良；風雨則寒侵肌骨，酷熱則蚊蟲交嚙；彼已有病，人食之焉得不傳染？有很多不顧道德之飼猪人，見受病不食之猪，即以廉價售諸屠商；死雞病鴨，則售諸食物店；而受之者之目的，旨在于利而已。彼又寧肯轉念一想，人得病，伊得利乎？此皆耳目所親見，非道聽塗說也。

年來台省奇怪之病，層出不窮。即就余所居之地而言，左右鄰居不到二十家，即有五婦人入院開刀。一是腹中取出一瘻，內裝水十餘磅；一是陰部生肉瘤；其他則爲膽結石，腎結石，盲腸炎等。殊可畏也。是處本爲產茶之區，茶農而兼茶商者，大不乏人。他們收集之茶，多倒于牆邊屋角，或在曠地晒曝。雞鵝猪狗扒撒，撒矢尿，小孩打滾遊戲，撒爛污固不待言。即行道者亦莫不踐踏而過；夜則儲放地面，爲貓鼠雞鴨爭雄用武之場；一朝焙乾，買回家裏，裝以紅漆罐，套以名瓷具，冲以山泉水，烹而品之嘗之，彼又焉知「金盤玉盌」之中，乃有「狗矢鴨糞！」，呼之可出也（未完）

嚴嵩與一捧雪

公豁

但是有一點必須注意，那就是一切劇情，除了「玩笑戲」外，一定要切合實際！凡是實際上不可能的，類如這齣戲裏把王思質易名爲莫懷古，並添出一個莫成，一個艷秋，以及文豪、文祿來；又把某疆吏塗與嚴世蕃的「一捧雪」替代「輞川眞蹟」，把王思質的薊遼總督改作太常寺正卿，把唐順之抹去換一個陸炳，這都未爲不可，但是把思質即是改名莫懷古的被逮京，改作易服潛逃，這就是個很大的漏洞！試思以嚴介溪之老奸巨猾，他要害一個人，一定先有一番嚴密的佈置，決不會讓他逃去！況且處在閉關自守之專制時代，以嚴之權傾朝野，全國都在他勢力範圍之內，何況汴京與河北相距匪遙，又豈能容一逃亡之達官潛藏於彼？這不是很明顯的事嗎？

再說懷古之買禍，完全是因不捨玉杯「一捧雪」而起！他在逃亡時，特將此杯寄存於戚繼光處，繼光必然要爲他愼密收藏，當新巡按來衙小憩時，絕對無用以獻茶之理！身爲懷古之子之新巡按，覩物傷情固在意中，但決不能因一時疑忌，就要用尙方劍殺一鎮守邊疆之重臣！因爲巡按即是古時之刺史，他既夠不上受尙方劍，更沒有擅殺將帥之權！而編劇者竟將劇情處理到這樣，豈不是不合理嗎？

邇來朝野名流，鑒於國劇爲一崇高之綜合藝術，亦爲國粹之一環，徒以後起乏人，並受電影電視話劇之影響，遂呈衰弱氣象，欲糾正而振刷之，用是有國劇欣賞委員會之組立，甚盛舉也！（四）

內僑登台報字第〇三壹號內銷證

自由報
THE FREE NEWS
第四〇四期

中華民國僑務委員會頒發
僑教新字第三二三號登記證
中華郵政台字第一二八二號執照
登記為第一類新聞紙類
（每週列每星期三、六出版）
每份港幣壹角
台灣零售價新台幣貳元
社長：雷嘯岑
督印人：費行富
社址：香港銅鑼灣高士威道二十號四樓
20. CAUSEWAY RD 3RD. FL.
HONG KONG
TEL. 771726　電報掛號：7191
承印者：四風印刷廠
地址：香港灣仔高士打道二二一號
台灣分社
台北市西寧南路壹巷壹號三樓
電話：五〇三四六
台郵撥儲金戶九二五二

本年的代表權問題及其關鍵

·宋文明·

由於法國及剛果（布城）的宣佈承認中共，及其他數國已與中共建立了更進一步的接觸，致本年第十九屆聯合國大會中的中國代表權問題，也比過去更為嚴重。再加之本年為美國大選之年，每逢此種年頭，聯大會議往往延至美國大選以後始行揭幕，以避免與美國選舉爭論發生牽連，遂致本年的代表權問題，也更增加了不利的因素。

根據聯合國方面的報導，本屆聯大會議將在十一月十日揭幕。這一日期距離現在，尚有半年時光，因此以目前局勢來看半年以後的情況究竟如何，確不是一件容易事情。現在要說本年聯大會中代表權將有問題，并不見得；但要說一定沒有問題，同樣亦不見得。屆時情況究竟如何，絕不能憑主觀臆測來作判斷，而應該依靠某些基本事實來作分析。在未來這半年期中足以影響中國代表權的基本事實，主要有如下數項：

（一）擬定於本年秋季某一時間在開羅所舉行的第二屆非洲各國首長會議。這一會議原定於本年春夏之交舉行，隨後因決定要等待瑪拉威（尼亞薩蘭）於七月初獨立後再行召開，所以遂延遲數月舉行。這一會議的成員，包括除南非共和國以外的所有非洲獨立國家，第二屆會議若延至本年秋後舉行，出席者將達三十五國之多。這三十五個非洲國家首長會議對中國代表權問題的任何討論與決定，直接間接，對於這一問題將會發生很大的影響。又兼之本年三月間非馬聯盟十四國首長會議，已定決將其組織改變為經濟性質的聯合機構，而把政治性任務從此交給泛非首長會議去處理，非馬聯盟的重要性遂而減低，而泛非首長會議的重要性又相對增加。過去非洲地區支持中華民國者，多為非馬聯盟的會員國，今非馬聯盟將其政治性責任交出，而由泛非首長會議作共同處理，這一變化對中國代表權問題的影響究竟大到何種程度，確屬一個值得注意的問題。

（二）擬定於本年十月初在開羅所舉行的第二屆世界不結盟國首長會議。這一會議於三年前首次在布爾格萊德舉行時，出席者只有二十四國。而且在會議期中由於俄國的突然恢復核試，致這一會議的進行及結果，都受到了極大的限制。可是本年三月下旬為二次會議所召開的籌備會議，却通過這次所邀請的國家，共有六十九個之多。這六十九個國家中，除了包括亞非集團的全體會員國及南斯拉夫以外，還有六個拉丁美洲的國家，和三個歐洲的中立國。這六十九個國家的首長或其特使聚集一堂，作人類歷史上空前的會議，其所商討的對象，主要為有關世界和平的根本問題，諸如裁軍，廢除核子武器，建立核子中立帶，消除殖民主義，及開發落後地區之類。但若其中有的國家突提出中國代表權問題，而作某種程度的商討與決定，其所發生的影響，將不是其他任何會議所能比擬的。縱使不直接提出中國代表權問題，而因討論裁軍等問題，間接提及中共，對這一問題，也會發生一種暗示的作用。

（三）在本屆聯大會議之前所舉行的英美兩國的大選：英國大選已定十月初舉行，假若這一大選的趨勢，與本年四月九日大倫敦區議會選舉所表現者相同，英國工黨勢將在這次選舉中獲控制性勝利。若英國工黨當政，其結果不僅將使英國與中共之間會有更進一步的接觸，而且也將影響到英聯集團之內社會黨勢力的增加，及若干不承認中共的成員如加拿大，澳洲，紐西蘭等對中共的態度。而美國這次大選，除非共和黨獲勝，否則，詹森總統的當選連任，對於這一問題也將會有某種程度的影響。這并不表示詹森總統當選連任，就會改變美國的對華政策，而是由於民主黨政府近年來對於中共的態度已有趨於緩和的傾向，所以若再度獲得選民的信託，這種發展將會對世界其他各國的態度及美國民意會發生某種暗示作用。而美國民意及世界其他國家一般態度的改變，又會反轉來影響美國政府的政策。換言之，若經美國這次大選，民主黨再度獲勝之後，詹森政府若欲部份修改美國的對華政策，最低限度來說，也將比較少些顧忌。

以上這三項因素，直接間接，將決定或影響本屆聯大會議中的中國代表權問題。但這三項因素中，除了泛非首長會議這一點之外，其他不論世界不結盟國會議，以及英美兩國的大選，都非國府影響所能及。就是泛非首長會議，國府經由非洲友邦所能發生的作用究有多大，亦屬一大疑問。因這一泛非首長會議雖由三十多個國家所組成，承認中華民國者在數量上仍佔多數，而其真正的領導權，則在阿聯，衣斯西亞，阿爾及利亞，迦納，象牙海岸，尼幾利亞，坦干尼卡，幾內亞等這些活躍國家的手中。因此，這一會議於承担起非洲國家的政治性任務之後，若對中國代表權問題來一個集體棄權或「兩個中國」式的提議，國府的非洲友邦就勢難發生相反的作用。至於其他各項因素，當然更不必說了。

由此來看，本年的中國代表權問題演變，主要將要取決於世界第三集團，即亞非集團對中國問題的態度。而這一集團對中國問題的態度，又要看本年秋季所舉行的這兩項首長會議將得出何種結果。至於如何應付這兩項會議，那要看平素的深入工作及這一地區多數國家對國府一般的觀感，而不是臨時抱佛脚所能濟事的。

在此我須要特別一提的，就是最近年來國府對亞非地區的工作，多偏重於國與國間的雙邊聯繫，而對於它們的共同組織活動則未作適當的注意。因此這種工作所獲得的成就，也多屬一種「點」的表現，而不是一種「線」與「面」的結合。計亞非地區的這種共同組織，現在比較重要者，有哥倫坡計劃會議，阿拉伯聯盟，泛非首長會議，亞非團結會議，以及不結盟國首長會議等種種。（下轉第二版）

不由自主？

乘機搏亂

今日与昨日

毛共派出駐法「大使」

毛共偽政權正式宣佈派偽「外交部副部長」黃鎮為駐法「大使」，這是法毛「建交」之後，毛幫派出的第一個駐法「大使」。本來毛共較早時間調回偽駐波蘭「大使」王炳南，一般人估計王炳南可能會去法國，因為王炳南曾經留法，又有一個德國太太，比較了解西方情況，而且也讀過幾年書，比較還像個「人」，不意竟然爆了冷門，會落在黃鎮的頭上。

黃鎮是個軍人出身，毛共在井崗山落草時，他就已經當團長，當時任團指導員的就是今日毛共海軍司令部政委蘇振華。據蘇振華發表的文字透露，黃鎮這個人暴戾恣睢，蠻橫剛愎，毛偽政權成立時，共黨及所謂中立國家先後予以承認，照例要派出一批「大使」，但是，毛共却沒有外交人才，只好派出一些「將軍」充數。黃鎮就是「將軍大使」之一，先派到匈牙利，由於是「兄弟之邦」，還未出什麼事，以後中共派駐印尼「大使」王任叔，因為以前曾撰文罵過蘇加諾，被印尼人發現了，乘王任叔回國「休假」時，拒絕他返任。周恩來沒有辦法，就從匈牙利把黃鎮調去。到了印尼排華時，黃鎮同印尼發生衝突，又被驅逐出來，回到北平任「外交部副部長」。這次竟然「榮膺大命」，以黃鎮那種粗人，調到有高度文明的法國去，相信出醜現世的日子正在後面哩！

巴西審訊毛共特務

其實毛共派到國外的，不問什麼名義，其終極任務都是破壞當地的秩序，刺探消息，製造左傾勢力。就以巴西而論，在左傾總統古拉特當政時，毛共派在巴西有兩名新華社記者，七名貿易人員，及至最近巴西革命，反共軍人奪得政權，把這九名共特拘禁起一調查，都在當地作分化、滲透工作，時機一到，就會鼓動巴西左傾人士叛亂，幸而巴西新政府眼明手快，立予拘禁，不然不堪設想。

政府應引渡毛共人員回國審訊

巴西政府捕獲毛共九名特務後，已決定請中國政府派員協助審訊，毛共大為震驚，目前正出盡八寶，動員全世界左翼力量向巴西政府求情。由於毛共如此驚慌，相信九名毛共特務一定掌握有顛覆整個拉丁美洲的計劃。這九個人在巴西可能不肯招認，因為他們以為還有回去希望；若能送回台灣，他們一定可供出實情。因此，為了整個拉丁美洲安全計，我們希望政府同巴西交涉，引渡毛共特務人員回台。

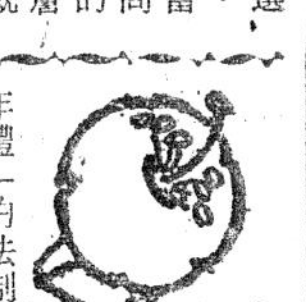

談談禮樂

據我國立法委員指述：內政部擬訂了一項國民「成年禮」的法制，行政院始終未予核定，他因此對行政院長質詢之。所謂「成年禮」的內容如何，尚不可知，大概不外是因襲古代的「冠禮」遺意而作的。

無論任何一個國家，祇要具有相當的文化基礎者，必有其適應本國風俗習慣的共同禮制，為全民所遵循，如服式與婚喪的儀制等，決不缺如。咱們中華民國自開國迄今，歷時已超越半個世紀，除却訂定了一種「國民常服」制式而外，諸如禮服以及婚喪制度，政府皆漠然置之，聽由民間隨便亂來，形形色色，莫可究詰，酷似一個文化落後的新興民族，又像一個洋派十足的殖民地風采。我們試看各地區人民在結婚或出喪典禮中，表現着那些亦古亦今、又新又舊的紛紜雜遝儀式，即為之啼笑皆非，不忍卒覩。

至於「樂」，那就更糟了！在結婚典禮中，可以瞎奏出西方人的京歌音調；在大出喪的行列之中，前面是十八世紀時代的中國嗩吶與大鑼，後面是二十世紀的西洋鼓吹，中間日奏着「義勇軍進行曲」，或「何日君再來」的俚鄙之音；試問這是啥玩藝呢？政府沒人注意，民間習為故常，充份表現着咱們這號稱為世界文明古國的禮義之邦的式微頹廢生活，令人氣沮神傷，詫為咄咄怪事！

內政部職掌禮俗事宜，對於制禮作樂的犖犖大端，如婚喪禮節以及國歌、禮服之類，未聞有所規劃，却亟亟於「成年禮」之訂立，見小而遺大，急其所不當急，吾未見其可也。即如我們現行的國歌詞句，原係國父孫公在革命時期對國民黨員的訓詞，如今早已進入憲政之治，似不妨將「吾黨所宗」的「黨」字，易為「民」字或「國」字，亦比較合式些吧？若由政府聘請學者專家另譔一種新的歌詞更好。世居亂世而侈談禮樂，世人必笑其為迂濶的書生之見。然而，禮樂之興廢，確乎關係民德之厚薄，直接影響到國運之盛衰隆替，為政者，其念之哉！

馮王先生

台灣論壇

決勝的因素——感情

台灣地方政治之二

陸嘯釗

民主政治的理想，是寄托在每一個選民都能權衡得失，訴之理智投下神聖一票。這種理想不要說台灣，就算民主素養較高的歐美各國，每一個選民的選擇，也未必能夠完全脫感情。所不同的，祇是台灣選民的感情，過於豐富一點罷了。

選舉這個玩意兒，講究新奇，可是新奇得過份離了譜兒，就變成了鬧劇。過去，幾屆選舉，一切攻訐，指摘，愈是偏激，愈能激動人心，甚至於呼救，哀求都變成了競選的武器，結果幾次粉墨登場，法寶也就不靈了。因為老是這個調調兒，難免司空見慣，日久生厭，選民的感情也就激動不起來了。第三屆省議員選舉中，「大炮」郭國基在台北市以七〇、九二四票最高票當選省議員，本屆省議員選舉中，却被淘汰落選，就是一個極其顯明的例子。

老實說，地方施政之成敗，決之於政策性者甚少，決之於技術性者較多，今日反共復國的國策，是不分黨派全民的要求，地方選舉之稍有得失，不足以證明執政黨人心之向背。因此，我們要求黨方，大可不必斤斤計較於選舉的成敗得失，而應該從樹立優良選風，提拔青年才俊，誘致選民感情於合理範疇着手。因為今天台灣地方自治的實施，以及以後可能的發展，執政黨無疑站在一個指導的地位，如何使台灣的地方政治，逐漸達到理想的地步，執政的國民黨責任很大，而選民感情因素如何逐步誘導於合理的範疇，正是民主政治進步的要件。

今天，選民已經厭惡了那套陳舊的選舉策略，也看透了那幾張世故的地方政客面孔，年輕人在地方選舉上逐漸抬頭，適足以證明選民感情的昇華，而政府及時修正了選舉法令，採取了候選人普遍提出監察員的建議，這種大公無私，以示公信的做法，顯示出政府辦好選舉的決心。加上國民黨這次提名了雲林縣的廖禎祥和屏東縣的張豐緒，這兩位年輕的大學畢業生，作為兩縣長的候選人，這種種措施都足以說明當局已經把握了這種感情的傾向；雖然這些措施還僅僅祇是一個開始，可是好的開始，正是成功的起點。

基於這些改變，目前大可把握決勝的因素，好好打一場硬仗，勝要勝得光明，敗要敗得磊落，讓台灣地方政治史上，建立起一個新的里程碑。發掘選民的理智，誘導選民的感情，重視選民的需求，一切向着公平守法的方向邁進。作風上杜絕一切流言，制度上填塞任何藉口，民主的種子，相信總必發芽開花。

決勝的因素在「感情」，我們期望當局，不要重視那一張形式的選票，而珍惜那張張選票所象徵的眞正意義。

高市女中案宣判有餘波

兩均判刑．兩均緩刑

李偉漢宣稱上訴劉清榮態度未明

李偉漢還說他要跟劉清榮「攤牌」

（本報記者高雄航訊）高雄市女中校長劉清榮與教員李偉漢互控一案，前經本報於第四三八期報導，茲該案業經此間地方法院分別宣判，各處徒刑，計劉清榮徒刑一年，緩刑兩年；李偉漢徒刑兩月，緩刑一年。

據李偉漢聲稱：他將不服地院判決，要提起上訴。至劉清榮是否亦將提起上訴，尚無確切消息。李偉漢說他於收到法院判決書後，還要向劉清榮「攤牌」，據說條件有二：一要劉登報道歉；二要劉到台南高分院去打官司，打到彼此無罪為止（記者按：此語殊費解）這兩個條件劉是否接受，自很難說。但李偉漢表示：他的一包「內幕資料」，也足使劉清榮驚心動魄了。但目前李尚不擬將劉之「罪狀」公開，因為他所顧慮的是將來會沒有學校敢聘他，以致生活成問題云云。

總之此一案件在高市整整鬧了一年，實在顯得烏烟瘴氣。

有關教員曹金本（現已調九中任教）欲誘姦女學生李××事，法院不予傳訊，許多人感到百思莫解。固然此事屬「告訴乃論」，但因其係本案關鍵所在，理該弄清楚的。記者曾問李偉漢，高市教育科何以庇縱曹金本，而不予以解聘，以維教育尊嚴？李說他亦曾向代科長王清波當面陳情，王根本置之不理，以後又曾致函與王，王亦根本不覆。李偉漢說王清波如此作風，已構成瀆職罪，至少亦逃不了玩忽職務的罪戾。

曹金本欲誘姦學生李某其中的經過，本報第四三八期所刊李某漢「自述書」已有敘述。至關於「週記」的內容，李偉漢稱係一黃姓學生所寫，題目是「我的老師」，該黃姓學生在「週記」上痛斥曹金本傷德敗行，忝為師長。曹金本閱後却在週記上批答曰：「有婦之夫同居固然不可，師生關係不存在，亦未嘗不可……」等語。

為了證實李偉漢所說之「週記」內容，記者曾詢問教育科匪慕衡督學，據稱：該「週記」已呈代科長王清波，詳情無法奉告云云。

若李偉漢所說「週記」內容屬實，那麼師道尊嚴已蕩然無存矣。主持高市教育行政之王清波，對上矇蔽敷衍，我行我素，對下竟無善惡之分，是非之別，高市教育焉得而不敗壞如斯乎？

新任教育廳長潘振球甫行接長教育廳，他在新舊任教育廳長交接典禮中，對今後教育提出了四點革新意見，他特別强調：應尊重教師地位，改善教師福利，恢復尊師重道的傳統美德，所謂「良師興國」，即說明了教師責任的重大，教師地位的崇高。他特別對社會呼籲，希望大家能尊重教師，提高教師的自信與自尊，為社會樹立良好的師表云云。

是則高市女中所發生的此一嚴重案件，包括代教育科長王清波對此事件的溺職縱庇在內，新任教育廳長如何處理呢？是高市許多人所正拭目以觀的。

戴高樂法國畢竟怎麼攪的

——陳跡寄自西德波恩

（一）戴高樂和戴高樂主義

時下國際輿論的焦點都集中在法國的外交政策上，相關地也都討論到戴高樂本人的個性。這是研究「强人政治」時的必要途徑。

這位法國第五共和的締肇者生於一八九〇年。被認為是自老虎總理克里蒙梭以來第一號法國强人。他的興起在近代政治史上並不是一個傳奇故事。在他幾十年的經歷中，儘管法國的國運如何坎坷，但所有的事情對他個人的意志和他對法國的信心，毋寧是一種磨鍊。正如他自己說的：「法國國運仆起無常，但隨着世紀的遞嬗，一種新希望終必來臨。」

關於戴高樂這個人，輿論有許多不同的看法，眞是見仁見智，難概其全。右派的法國人認為他是一個十足的英雄，徹頭徹尾的愛國主義者。憑着他對法國的功勛，使他的法國同胞對他產生了一種令人難以置信的信任。但這種粗枝大葉的分析不足以使我們瞭解戴高樂本人的個性。在這方面，左派法國人的觀點有時候較右派人來得客觀和冷靜。法蘭西觀察報的發行人克勞德．包特，在答覆瑞士蘇黎世周報記者的問題時，曾認為戴高樂表面看起來令人有不可一世的感覺，但他的堅强並不像克里蒙梭、羅斯福或邱吉爾的那種。儘管他有個性，也儘管他有自以為是的一套政治見解，但他缺乏一種眞正的勇氣。譬如一九四六年，他曾獲得一切權力，原應有所作為。但最後他逃避了責任。原因是他無法克服當時法國議會制度的困難。他必須創制出目前那種君主式的制度。因為只有這種制度才會使他有權力的安全感，他十分恐懼別人的反對。這些都是他在心理上衰弱的徵象。總而言之：他在適應民主共和制度時不是一個强者。

戴高樂憑藉什麼使他掌握了法國的權力呢？我們不要忘記他個性中的另一面——權謀狡詐。顯明的例子是他曾支持陸軍與第四共和政府的抗爭以謀奪政治權力。當時他表演的角色饒富趣味：他在陸軍面前聲言他是他們的唯一支持者；另一方面他又以民主護法的姿態出現在政府前。他便得到當時的叛亂者和政府雙方都覺得他是法國不可或缺的人物。

很有趣的是大多數人總以為戴高樂的腦裏常常有一個「大計劃」。但據克勞德的觀察，却滿沒有那回事。相反地，戴高樂很多時候是沒有立場的。他每天有新的決定，也每天有新的改變。如果他有立場，那就是他的「現實」立場。從前他對阿爾及利亞的政策是一個例子。當時很多啤酒店裏擺龍門陣的觀察家都深信這位將軍有一個「大計劃」。結果他什麼也沒有。法國在阿爾及利亞的結局和一九五四年在越南的結局一樣尷尬。

嚴格說起來，戴高樂作為一個政治領袖顯然是過時了的人物。他在法國內政策方面的措施是以所謂「新資本主義」為號召，但戴高樂自己對財經政策是沒有淸晰觀念的。而這個「新資本主義」的制定者及政府中人却是龐比杜、墨維理等。這些人不是銀行大老闆，便是工業界的巨閥。從左派人的觀點看起來，這些人就是時下所謂的「戴高樂主義者」。「戴高樂主義」一詞的確切意義殊不肯定。克勞德說它不是法西斯主義，也不是民主主義，更不是軍政府主義。它是這幾個主義的混合物。很多其他的歐洲人認為，所謂戴高樂主義是指法國人在國際政治遠景上追隨戴高樂，要建立一個自大西洋以迄烏拉山由法國人領導的統一的歐洲。而戴高樂籠絡法國人的惟一法門也就是這個所謂的「戴高樂主義」。

（二）戴高樂的外交政策

戴高樂在擬定外交政策時的假設是：決定國際政治的因素不是思想Ideologic；而是各個國家不同的利益。就戴高樂的瞭解而言，所謂思想號召只是實行權力意志的外衣而已。基於這種認識，他將目前兩個陣營的對峙看成是一種過渡現象。他深信充斥於國際社會的這種「思想迷霧」終將廓清。代之而起的將是每個國家為自己利益而採取的「現實立場」。當時機來臨，法國自然會扮演一個極重要的角色。他目前所努力的方向便是如何打破戰後「兩極政治」的局面。戴高樂很清楚，如果他要參加世界棋賽，他惟一的途徑是拆散現有的這棋局。（上）

香港與大陸

大陸春耕困難重重

農民藉故不出工

共幹慌極抱佛脚

大陸的農民多不肯出工，致使中共所重視的春耕工作，諸多受阻，共幹慌了，乃以「學習毛澤東著作」及「家庭訪問」等方法，以壓迫農民出工，連老太婆、孕婦等都不能倖免。

曾回揭陽縣探親甫返抵港的小學教師陳××向本報記者透露：近一個月來，中共的任何宣傳機關（如報紙，如團宣委員等）都大呼大嚷，要共幹們放下其他的一切工作，注意一個中心工作——春耕。很多地方的共幹還帶着勞動手冊和勞動工具，到田間去監督農民勞動。可是，一般農民仍然是無精打采，能逃避出工便不出工。

陳××說：農民對於工作，確是揀肥揀瘦，諸多為難的，輕鬆容易的，大家爭着做，若是送肥、担塘泥則無人理了；尤其是下雨天，氣候較為寒冷，社員們便不約而同躲在家裏不出工了。

陳××說：中共認為這種情況實在太嚴重了，因為目前是多雨水的季節，又正是插秧的時候，過了這個時候，種苗便會生節，即使插下去也不能長出粮食來。所以，中共着急之餘，乃想出下列解決的方法。

陳××說：所謂解決的方法，實在令人可哂，却竟然是「學習毛澤東著作」。在揭陽縣的各個「公社」和「生產大隊」的「黨支部」，近一個月來都在集體閱讀毛澤東的一篇文章：「關心羣衆生活，注意工作方法」。他們還結合了本公社，本大隊的情況研究社員為什麼不肯出工？其結論據說是：幹部不夠關心羣衆生活，不明白社員的生活困難！這倒是事實。於是共幹就「抓生活」，組織了所謂「訪問隊」，分頭到社員的家裏，去「了解他們的生活」，「關心他們的生活」。

陳××說：中共的所謂「了解」和「關心」，其實是壓迫農民去出工，甚至要壓迫多孩子的父母、孕婦和老太婆都去出工。陳××家裏所屬的生產大隊，一共有一百二十多口人，其中只有四十多名是主要勞動力，而在共幹的一番「關心」下，却增加到六十多個了。據說中共「了解」了不少社員是因為家中有孩子，無人照顧，因而便不能出工，中共便為了「關心」他（她）們，叫老太婆去為他們看孩子，使他（她）們能安心出工生產。至於孕婦們，則也「照顧」她們做「輕」的工作，諸如幫人做飯，挑輕担等。（敬斯）

本年的代表權問題及其關鍵

（上接第一版）經由這些共同組織及其活動，亞非地區國家便對世界政治施展一種集體影響。可是這多年以來，我從未聽說國府曾派遣一位觀察員參與這種會議，以從事廣泛的爭取努力，反而以一種自鳴清高，不屑與為伍的態度，往往竭力反對這種會議，致與這種會議相對立。結果這種會議，也便逐漸與中共接近，而與國府相疏遠。尤甚亞非團結會議，更幾已為中共所完全控制。如去年夏在坦干尼卡所舉行的亞非團結會議，公開提出台灣問題，便就是這種不祥徵兆的開端。這也表示出，政府若不在這一方面下點功夫，則聯合國代表地位所賴以存在的主要一塊根基，就要很快發生問題。

陸法官

常青樹

他作了推事。他的爲人如同他廿多年的人生一樣，孤癖成性，和其他同事相處，簡直格格不入。凡他做的事情都不能有異議。他有着高度的防衛的心理，如同童年怕人談論他父母般的那種防衛的態度。

他看上了一個女人，可以說他在愛着她。他有着從未有過的激動。在他與那女人的戀愛中，他的態度有些改變，經常談笑風生，他覺得這世界還是和諧的，還有値得他愛的對象；周圍被他疏遠的人，也慢慢同他接近起來。

他的戀愛是神速的，不及三月的時間他就和那女人舉行了婚禮。這以後，他對這個世界已有了改觀，他敞開胸懷去愛他的女人，他也得到了她的愛：「人活在這世界上，應當愛這個世界，愛這個世界上的人和這個世界上的一草一木。」當他得到他的那個女人的無限溫存之後，他總是如是的想。

於是，他在和悅的空氣中升任了官。不及半年時間他的女人爲他生下個兒子，對他兒子超速問世，他並沒有引起疑心，因他高興得忘了形。在他最高興的時候，同時他也高度而完滿的發揚了他的仁慈的愛的天性。

「我寶貝的兒，你是這世界的寵兒，沒有人敢嘲笑你，沒有人敢辱罵你，因爲你有健全的父母。」

他抱着他的孩子，有時這樣想，也有時逗着他不自覺的說出來；可是他的兒子不懂他的話，並不表示高興。這，有時反而激起他自己的傷心；童年的印象深刻的嘲諷仍響在耳際，他潛意識的深處對人們敵視的意念又在抬頭。

他的判案曾經非常謹慎，現在卻有些潦草，這原因當然是多方面的。一來因爲判案的經歷多了，在這段期間審判過大小各種案件，遵照條文駕輕就熟，一紙判定，大可不必多費腦筋。再者他對這個世界及人們的愛悅之情已隨着他對他的女人的愛情的淡薄而淡薄，加以他所審理過的案件使他認爲，人心是壞的，惡的，防不勝防。隨而他的判決一次比一次加重，只是他還沒有判決過死刑。

被定罪的犯人，雖然無法反抗，卻在背後罵他，咒他；有些扒手被他定過罪的，一旦獲得自由，就不顧一切的偷他。這便更使他認定人心的險惡，他潛意識中的敵視心理更澎湃起來了。

「這些壞蛋，動腦筋動到我的頭上來了，犯到我手裏非給他一點顏色看看不可！」他被竊後發着牢騷，但是沒有人理會他，也沒有人怕他。

他辦公桌上的案件隨着他的敵意而遞殃，犯案人的定罪，違反一切的判例而更重。

他的那個女人覺得他現在不像新婚時的關顧與體貼，她守不住在情感上的那份淡漠，於是在長久的靜寂之下，又思及婚前的放浪生活。

雙方的情感都向外求發展，一個以判重罪爲顯威風，一個以覓外遇爲刺激；不過她進行得很秘密，陸法官一直被蒙在鼓裏。

那天陸法官正在辦公室裏絞盡腦汁找一個犯人口供上的矛盾，準備科以重刑，不料一個緊急電話打給他，說他太太被殺，現在某某旅館內。

他聽了這消息後，怔住了。他想：即算有人尋仇也應該在家裏被殺，爲什麼到旅館被殺呢？他百思不解的怔了半天，才把電話筒放下。

他趕到旅館，有警察在場，還有不少看熱鬧的人，他走過去，看到太太仰臥地上，身體半裸着，胸口有一個碗大的血洞，而且還留下刀痕。

他哭了。他傷心的哭了。比他死去母親時所流的淚眞不知多出多少倍。

他很那兇手，尤其那兇手被擒之後，當庭招述了他和死者的風流艷史及她騙去了他的所有錢財，所以萌起了殺機。

「這世界上的人，沒有一個好傢伙，一個個都該殺，都該殺！」他心裏有說不出的狠勁，可是他沒有權力和資格審判這個殺妻的兇手，這股狠勁發洩不出，卻刺得他自己的心痛。（中）

藝術叢話

具象與抽象

從古代藝術到目前的藝術，也就是說從藝術史去看，目前的藝術仍然是具象藝術，目前的畫仍然是具象畫。這個我們相信，是沒有人會提出異議的。不錯，我們試看看所有的藝術與繪畫，我們可以發現這個所以稱之爲具象畫的道理安在。這種含有藝術上的型態，一方面是在這種藝術——繪畫所有效使用的表現方法上，這些表現方法應該是歸縮和犧牲基本價値，以適合於純具象的代表（Representation）。爲此之故，作爲繪畫的顏色，要藉着雜揉或在布面的重疊，而要自限於模仿所要呈現或代表的自然或客體的顏色，它萬不能自由自由，任意所之；同時在客體或多個客體的外表構形也是一樣，它要將藝術品組合的構架隱藏起來，不管這種構架或結構是多末强而有力的。這無非是說，藝術上的形和色的運用，是要根據自然界的對象，而不能由作者任意改變或否定，這樣的藝術品，我們稱之爲具象藝術。

另方面，具象藝術是透過、個等級上淨化起來。這是說想像的能力，可以對自然界的物象，加以擴大或縮減：取消某一線條，或者代替以某一顏色，這一線條的取消，或者某一顏色的代入，可以作爲一種更爲圖型的象徵代表或呈現，很多次這樣的運作，很容易的就會達到目的。但是無論如何，

抽象藝術漫談

趙於博

自然有形的象來看自然物，從這種自然有象的象中，美的觀念因而生出，將它視爲一個創造想像的成品，想像則是根據已有的自然現象，加以分別組合，然後將它們帶到藝術作品來。此外創造的想像並且在理性的協助之下，具有一種摧陷廓淸的力量，能將這些象在各

這樣的藝術工作常是在注意着自然的有形要素與客體，而是在自然物的有形象中去發展他的藝術工作。當然在這種藝術工作中，早已有了我們前文所說的抽象了，但是這抽象自然不能算是目前所說的抽象畫。爲此，所說的象徵藝術或裝飾藝術，並不能算是抽象藝術，仍然是在眞正的具象藝術的範圍中去審視判斷它。

這兩者都是想像的產物，其與抽象的相合，只是在單純方面。然而在這兩者之中，美的表呈或者說美的代表，並不曾超越了純感覺視覺的限界與範圍，而只是一種整個的或者稱之爲恰切的抽象。這是從感覺到感覺，而並不是從感覺到理性，從有形到無形，從可見到可理解，如同在理智的抽象中所見到的。理智的抽象才是本名的抽象，才是嚴格的抽象，只有它的工作，才是使有形到無形，從感覺到理解，一如我們在邏輯學內所討論的抽象意義。在藝術上所發生的事實，乃是如同一切有關人的表現並與人自己一樣，藝術是與歷史發生關係的，並且也常尋找自己所是或存在的歷史理由。（未完）

我所知道的麥帥

肯寧將軍原著　徐熙光翻譯

一九三三年四月，有一次他在衆議院所作的答覆，給我的印象特別深刻。當時軍事委員會正在爲士兵是否需要長時間的訓練以便參戰的問題而爭辯，麥克阿瑟給了他們以下中肯的答覆：

「當然，你可以把一個未經訓練的士兵投入戰場，就像你可以叫一個新手坐在你辦公廳的打字機前面一樣。但是後者充其量使你的工作效率大爲減低，前者卻是在平白流血和犧牲，整個國家更有喫敗仗的危險。」

還有一次，麥克阿瑟出席同樣的一次國會軍事委員會會議，有人提出事關國防機密的問題。

麥克阿瑟每次回答這種問題以前，總要先向速記員說：「別把這記錄下來。」

軍事委員會的主席麥克斯旺對此極爲不滿，他說麥克阿瑟沒有命令委員會速記員的權利，如果他不願意他的話被記錄下來，應先通知主席，由主席徵求各委員們同意之後再作決定。

麥克阿瑟立即對此表示道歉，「主席先生」，他說：「你的意見完全正確，我爲侵犯貴委員會的特權向閣下致歉。我保證今後再不會有類似情事發生。但是，如果我所講的所有話都將被記錄下來的話，我自也將保留願否回答諸位的問題的權利。」

自此以後，每當有人提出問題要麥帥回答時，委員會的主席總要問他：「將軍，如果你不希望你的話被紀錄下來，我這就命令速記員別記。」

會議過後，委員會的委員們一起圍着他，對他所作的答覆表示感謝，並和他談談許多問題的瑣碎小節。大家臉上都掛滿了笑容，麥帥又勝利了。

麥克阿瑟一向冷靜持重而極富自信心，這是最令我折服的一點。我常想他要是不會參與密契爾案件的審訊就好了。但是有一次我在佛吉尼亞州密契爾家裏作客時，在座的有人提起了麥克阿瑟的名字，密契爾說：「道格拉斯麥克阿瑟是個了不起的人物，也是個眞心而誠摯的朋友，我很喜歡他。有一天會有人曉得，在一九二五年那年，麥克阿瑟是個對我多麼好的眞正的朋友。」

從此，我不再把麥克阿瑟曾經參與密契爾案件的審訊這件事放在心上。

一九三四年和一九三五年時，「密契爾精神」又告死灰復燃，密契爾的舊部向國會呼籲成立空軍部。航空隊原屬陸軍，所以身爲陸軍參謀長的麥克阿瑟不得不過問這件事。他派牛頓．貝克組織一個調查團來調查航空隊的現況和成立空軍的問題。

貝克調查團認定航空隊應仍隸屬陸軍，但是承認空軍的重要性已日益增加，他們建議將航空隊易名爲空軍總部，與四個陸軍軍團的地位相同，並直接聽命於陸軍參謀長。（五）

瘋君續夢

第十二回

異域購新居　民脂似水
冷宮傷舊夢　妾命如絲

施哈諾搖頭道：「你們的錢眞是太多了，這種會議幾年才開一次，怎麼用得到買一處房子。」

陳毅說道：「殿下不知道，我們中國歷史上有些皇帝，在國內蓋了許多離宮，也就是現在的別墅，他常常一生一世都沒有去過，就是要的這個派頭。」

施哈諾聽了無限佩服，說道：「閣下的談話，眞眞具有大國風度，美國代表就說不出。」

陳毅笑道：「美國人是暴發戶，文化根基淺薄，他們如何能同中國比，又如何能同柬埔寨比。像殿下的多才多藝，從繪畫到音樂，不論是芭蕾舞，扭腰舞，無一不會，無一不精，美國總統成嗎？他們懂得什麼？」

施哈諾覺得渾身冒冷汗，連忙說道：「閣下的話一點不錯。不說別的，美國國務卿從來就沒有一個詩人，若同閣下比起來，他們太不濟了。」

陳毅洋洋得意說道：「我國唐代一位大詩人，作的詩傳到朝鮮，當時別人就恭維他價重雞林，我的詩現在到不止朝鮮，連越南、緬甸、柬埔寨各處都風行。」

施哈諾點頭道：「這是眞的，我們幾國老百姓都知道中國外交部長是一位大詩人，走着，睡着，甚至在夢中都能作詩。」

陳毅聽到這裏，更爲得意，接着說道：「不瞞殿下說，我那年被國民黨的軍隊圍困在麥田裏，他們用刺刀四處亂刺，我伏在麥田連氣都不敢喘，到了那個地步，我還作詩哩！」

施哈諾吃驚道：「閣下以前告訴我平生未打過敗仗，何以會被國民黨打的這樣狼狽。」

陳毅紅着臉說道：「那次不是打敗仗，而是我用的誘敵計，國民黨軍隊只顧過來搜尋我，我們大部隊就跑掉了。」

施哈諾心裏在想，這樣也是打敗仗啊，可是嘴裏卻不便說出來，岔開話題問道：「十四國會議馬上就要召開，閣下有什麼意見，我們要事先商量下。」

陳毅笑道：「殿下是大會主席，議程自然由你來安排，何必問我。不過，中國方面的意見，以爲寮國最好組織聯合政府，由中立派的傅瑪親王組閣。」

施哈諾說道：「我的想法也是如此，祇怕美國代表反對。」

陳毅說道：「美帝國主義者如敢在裏面作梗，殿下就把責任向中國推，由我來對付他。中國能在朝鮮戰場上把他打敗，也能在議場上同樣把他打敗。」

施哈諾低聲說道：「我最担心的是美蘇兩國在暗地把問題談妥，會議只是一個幌子，我們只是被找來舉手的，我這個主席當的就沒有味道了。」

陳毅拍胸說道：「殿下放心！美國也許可以代西方國家作主，蘇聯卻不能代表中國。蘇聯代表在會場上的決定及場外的交易，中國一概不予承認，我們決不受强國的簸弄。」

施哈諾登時眉開眼笑，說道：「有中國支持我，我就敢放手作去，必然要使寮國成立聯合政府，爲東南亞的和平保障，作世界的模範，將來讓聯合國搬到金邊來。」

陳毅笑道：「到那時我又要在金邊買一個別墅了。」（三〇四）

我們穿的服裝是一單一夾的灰布軍裝，還有兩套白布襯衫，白裏黑面布襪兩雙，草鞋兩雙，連帶綁腿（長條灰布）一雙。兩人三張毛毯，兩個學兵睡一道，墊一張蓋一張，冷時便兩人合睡一起共蓋兩張。好在廣東天氣不大冷，這些服裝被毯，勉强可避寒凍；只是用的時間久了，少加洗濯，有很濃重的汗臭氣味。

我們住的是過去清末的海軍營房，是樓房，最初是睡地板，鋪了些稻草，到三個月後才有木床。因爲我住的地方隔壁就是連長室，我們得小聲講話，否則就會受責罵。因爲我很喜歡講話，有時也和連上弟兄談到連上事務及官長管教過於嚴苛等情形，不知不覺之間，似乎被連長聽到不少，他從未直接責備我，但間接方面却用了很多方法，找我的麻煩，使我吃更大的苦頭。禍從口出，言多必失，就是當兵也要謹言慎行才好。

我們的行動在最初三個月的新兵訓練是不許離開營房，就是操課餘暇及星期日，也有連上的值星官帶著散步，說起來行動眞不自由；但這在訓練方面說却是十分必要的。三月之後，才於星期天准許分批的放假乘船到廣州市去玩耍，或看朋友，上午去，下午回營。我就在過新年前後，得到同學的介紹和鼓勵，報名投考黃埔軍校，但因爲辦理報名手續沒能當天回營，第二天才搭營長的汽艇回營，連長知道了，晚上點名時，說我未請假，擅自離營，應作逃兵看待，逃兵捉到本應槍斃，但因我是自動回營，當場處罰重打手心四十板，首先班長執行，說是打輕了，他自己親自打了我四十板，把我兩隻手掌都打腫了，并且還罰我連夜打掃全連的痰盂和厠所。那天晚上，正是農曆的除夕，我差不多過了三點鐘才睡，不料同我睡在一起的雷姓兄弟因爲虱子太多，（他很少洗澡）天亮竟無疾而終，似乎是被虱子咬死了，令我更加悲痛。第二天放假打球，我把足球踢到珠江中去了，又被連長處罰跪在球場潮水旁三小時，到天黑才得回營。我的眼淚在那一天一晚就沒有斷過。這種學兵生活，眞是苦不堪言；但我此生稍有成就，也許正是那種「受得苦中苦，歷經難中難」，所歷練出來的。因此我眞是常常想念程連長，感謝他對我嚴格管教。

冒險犯難記

鄧文儀

九、投考軍校種種磨折

中國國民黨於民國十三年初第一次全國代表大會之後，決定創立陸軍軍官學校一所，國父孫中山先生以國民黨總理兼任該校總理，於一月底指定黃埔陸海軍學校爲校址（軍政部教導營旋改講武學校遷到廣州北較場）并派蔣中正等爲籌備委員，開始向全國各地招考學生。（十三）

花的性格

瀛翁

人之性格不同，各如其面，而水陸草木之花，又何獨不然？

梅花高潔也。早春開花，分紅白兩種，立夏實熟，生者色青，謂之青梅，熟者色黃，謂之黃梅。當羣花未開，而獨占先，衆芳已落，而獨在後，清瑩皎潔，爲林和靖所賞識。林於宋神宗時，隱於孤山之梅嶺上，不婚不宦，陶然自得，能知梅高尚潔白之神趣，故有「疏影橫斜，暗香浮動」之名句，爲後人所傳誦。

蓮花，君子也。出淤泥而不染，濯清漣而不妖。不染者，貧賤不移。不妖者，富貴不淫。爲周惇頤所喜悅。周乃宋朝理學家，所寫「愛蓮說」，謂「蓮，花之君子者也」。以蓮有君子之德，而以君子自况焉。

菊花，隱逸也。能傲霜枝，且抱幽芳，爲陶淵明所愛惜。淵明生於東晉晚期，其時政治黑暗，思想紊亂，道德墮落，便藉着這恬淡的菊花以明志。所賦「採菊東籬下，悠然見南山」，又有：「酒能祛百慮，菊解制頽顏」之句，蓋以菊爲花之隱逸者，正合乎淵明之性格也。

牡丹，富麗也。唐明皇與楊貴妃，在沈香亭賞牡丹，李太白作「清平調」三章以助興。到宋代，更爲人羣所樂植，家家戶戶，相互比賽，故濂溪夫子云：「牡丹，花之富貴者也」；又云：「牡丹之愛，宜乎衆矣」。以世人多愛富貴，用此以諷之耳。

水仙，自尊也。天隱子：「在水爲水仙。」按越絕書謂子胥爲水仙，拾遺記謂屈原爲水仙，二人皆死於水爲也。水仙多年生草，自水中花之仙，飄飄然而自尊大焉。

海棠，愛情也。春日開五瓣淡紅花，秋間實熟，即山茶也。古詩：「大白山茶小海紅」。昔明皇召貴妃同宴，而妃宿酒未醒，帝曰：「海棠睡未足耳」。故東坡詠海棠，有曰：「只恐夜深花睡去，故燒高燭照紅粧」。又清乾隆詠新婚：「今日洞房花燭夜」，紀曉嵐續曰：「玉簪挑破海棠紅」。凡此皆以男女間之愛情，藉海棠而咏也。

桂花，名譽也。避暑錄話：「世以登科爲折桂」。晉書：「郤詵對曰：臣舉賢良對策，爲天下第一，猶桂林之一枝，崑山之片玉」。良以桂子飄香，猶聲名之洋溢也。

杏花，祥和也。與梅相似，實黃熟，甘而不酸。陸放翁詩，「小樓一夜聽春雨，深巷明朝賣杏花」。戴石屏句：「一冬天氣如春暖，昨日街頭賣杏花」，世人以杏有祥和之氣，故紛紛爭購也。

玫瑰，安慰也。此花爲落葉灌木，植於庭院，花紫蕁綵。亦有白色者，香氣清烈，可製香水，聞之，可以快心志，暢胸懷，憂者以喜，病者以愈。今有酒名玫瑰者，其意亦在求自慰乎？

月季，不朽也。花爲常綠灌木，與薔薇同，葉爲羽狀，平滑有光，色紅。按月放花，故有此稱。一名「長春花」，俗稱「月月紅」，因其四季有花，故謂之「不朽」。

桃花，低賤也。春日開花，過於冶艷。唐崔護詩：「去年今日此門中，人面桃花相映紅；人面不知何處去？桃花依舊笑春風」。此花雖艷，祇可供俗人賞。

此外葵花向日，性格傲慢；百合花純潔，馬鈴薯慈善，劍花有獨立性，橄欖有和平氣，堅花表示健康，凌霄表示聲名，連翹象徵悲傷，夾竹桃象徵危險，金盞徵哀痛，而芍藥爲最羞恥也。

青山寺覽勝

吉庭

香港新界名勝古蹟最多者，首推「青山」，又稱「杯渡山」。其中有一「青山禪院」，即「青山寺」，風景絕勝，遊人亦絡繹不絕。

由山脚上去，先有「挹曉亭」，有牌坊曰「香海名山」。再上，便到寺門，即「青山禪院」是也。兩旁聯云：「十里松杉藏古寺；百重雲水繞青山」。

入其門，上題「南天佛國」，又懸一聯云：「才上宋王台，遂尋杯渡石；曾經滄海水，願渡法身船」。實在未足言工。

在大雄寶殿的西邊，有堂曰「嘉客」，顧名思義，專爲遊人停足休息處。堂內有一聯：「韓碑屹立，杯石依然，過客偶題新甲子；唐代羈縻，宋王行在，老僧能說舊山川。」頗富弔古傷今之情，視前聯好得多。

從此上去，有「海月亭」，此地看海天月色，恰到好處。又有「觀音閣」，「居士林」，亦頗幽靜。從海月亭一條小路而上，可直達青山最高峯。山頂有「韓陵片石亭」，亭柱鐫一聯：「峭壁參天，有仙則靈，杯渡百年成讖事；奇峯插地，來源活水，觴流三月屬詩人」。

在片石亭之右，怪石嶙峋，如柳子厚所云：「突怒偃蹇，負土而出，爭爲奇狀者」。下有小洞，由右進入，從左出來，名曰「紫霞洞」。

此地名山，雖爲佛所佔，但還有一「聖廟」，供奉萬世師表的孔子和道教創始者的老子，而釋迦牟尼佛，亦列在其中，將儒釋道三大偉人，合在一處，殊爲別緻也。門懸一聯云：「泗水尼山，別開生面；祗園兜率，會合一門」。又一聯云：「智仁勇三德；儒釋道一家」。再進去一看，「三聖殿」前面一片廣坪，有萬台和石亭，足以流覽下面的景色。訪客遊過青山寺以後，往往到此處一玩，各適其適焉。

筆者於春初遊過青山，領略是間風味不少，一時感觸，成七言二首，不過打油而已，敢帚自珍，錄之如次：

東風吹過青山，兩岸桃花水一灣；烟霞添雅趣，不知此外有塵寰。

姍姍何事倍流連？爲愛名山景物妍；路轉峯廻春意滿，野花啼鳥亦欣然。

我的社會生活

雷嘯岑

第三次亦係在曾家岩官邸中，事前，賀市長密語以蔣委員長擬調任我爲社會局長的內幕消息，教我考慮如何有效管制首都物價問題，若蔣公垂詢及此，即可詳細對答，他亦據述了若干意見，供我參考。可是，第二天晉見時，蔣公只談談教育事宜，并未提到社會局的事，我回到市府報告賀市長，他亦很詫異，究竟是何內容，我再未過問了。

我担任教育局長兩年餘，除整飭各級學校師資與學風外，只創辦了一所市立師範學校，別無足稱者。但有一樁事情，對我印象很深刻，藉此畧知行政人員弄錢的門檻，祇可惜我太低能無用了。原來在重慶市區的中小學校，因爲政府管制粮食，每月各校師生和職工們所需食米如有缺乏，即由政府配給，粮政機關按照人數預爲儲備，憑主管官署的公文，臨時撥發。過去教育局未設立，由社會局主管的，迨我奉命成立教育局，爲着尋覓局址和修繕辦公室之故，經過了三個月纔就緒，各校配發米粮這回事即無暇顧及，校長們亦未來要求過。因此，重慶市粮政機構在預定配發各學校食米的數字上，積存有三百多担了（實際不需要這末多）。我不明瞭內容，於接任後不久，派總務科長赴粮政處商洽此事，據說，這項積存的米粮，可以一次撥付教育局，但那主管員司表示，必須先行談妥怎樣撥法，纔好辦理，要我提出意見，我懵然不知所云，囑科長再去交涉。旋據報告，說是要教育局出具如數領收的正式公文，但實際八折發放，反正各學校并不需要這末多的配粮，領來的二百多担米，聽憑我如何處理可也。這纔使我恍然大悟，原來是要我與粮政機關的經管人員扶同作弊，吞沒大批食米以自肥。我當時不便戳穿西洋鏡，只吩咐科長去回話，要就全數撥付，不能短少一担，否則依然積存粮政處，隨時由教局按照某校實際需要數額，備文請發，用不完，即歸公倉，教局負責決不浮濫開支就是。

我於民國卅二年春間解除教育局長職務後，不到一個月，接到市府轉來行政院一道訓令，說是據中央黨政考核委員會函稱：該會逐年考核重慶市政設施情形的結果，認爲教育局成績最佳，合行令仰知照云云。我看過這項滑稽的公文之後，不覺啼笑皆非，想不到中國的政治本賞，竟是這樣的！一面着即免職，一面傳令嘉獎，所謂核綜名實，信賞必罰，固乃是耶？當時我寫了一封信，附錄這項公文，寄給陳果夫先生——因爲他主持政治上的人事進退——表示感謝他當年提拔我的盛意，幸而沒有替他丟臉，差堪告慰。他回函嘉勉我幾句，也就算了。可是，從此我乃由「政學系」份子，一變而被認爲C.C.份子了。當年我在「西南日報」主持筆政時，一般人又指說我是加入了「復興社」的人，即老友陳芷町兄亦曾當面問過我。普通人士基於狹隘的派系觀念，動則以有色眼鏡看人，指鹿爲馬，不足奇也。實則我只是一名中華民國的公民兼中國國民黨的門神式黨員而已，在政治派系上可說毫無所屬，也可說都有關係。因我以「超於象外」的立場，揖讓周旋於各界人士之間，朋友或長官瞧得起我，要我幫忙，我就誠心誠意的唯力是視，不問其他，誰對我好，我對他更好，坦然自安，毀譽聽便，我做人自有本末，眞金是不怕火燒的。但我後來在家鄉競選民意代表之役中，却吃過派系政治的苦頭，沒齒難忘，這是後話。（四九）

嚴嵩與一捧雪

粉公

余竊以爲國劇組織之成份，唱，念，做，打之技巧，係自千錘百鍊中得來；非特不宜削弱，且有盡量保存發揚光大之必要！但原有之劇本中，不合情理之劇情，類如上述之「雪杯圓」者；即非澈底的加以修正不可！又如人在水裏說話，（康錦楓）人在馬上大耍其「槍花」，（很多的武戲都是這樣）以及說不可通之「戲詞」，例如「胭脂寶褶」（失印救火）裏永樂上念的（引子）「鳳閣龍樓，萬古千秋。」（詩）「平頂冠上一枝花，太陽一出照烏紗，殿前士子千百對，孤乃萬民第一家。」（白）「寡人大明成祖，國號永樂在位……」（唱西皮搖板）「先皇命初登基南京接位，全憑着文武臣保定華夷；文憑着劉伯溫陰陽有準，武憑着老徐達保定帝基。孤本是皇四子初封王位，姚度孝勸寡人兵下燕磯。朕皇姪號建文讓了帝位，因此上都北京坐了華夷……」。白簡唱的（西皮慢板）「有白簡在店房題詩看卷；心問口口問心苦讀聖賢；但願得此一回中在皇榜，那時節多榮耀好回家鄉……」。「青風亭」（即天雷報）裏周氏（白）「好好的兒子，不該趕門在外。」（唱四平調）「雖非我親生小嬰孩，虧我撫養一十三載，眼前若有繼保在，萬事全休兩丟開。」及張元秀唱的：「這纔是年紀高邁血氣衰，前生欠下兒女債，你苦苦的與我來撒賴，活活的逼我喪陽臺。」諸如此類，不一而足！又把一些平凡的俗話，當作至理名言，任意運用，而用的不是地方，並不知道！例如「三娘教子」裏薛倚哥逃學回家背書不出，三娘怒而笞之，倚哥把她推開說：「媽呀，你要打養個兒子去打，你打旁人的兒子！好不害燥哦。」三娘白：「兒呀，這話是那個教你講的？」倚哥白：「我飯也會喫，路也會走，這句話還不會說嗎！」三娘白：「話倒是兩句好話，可惜爾講遲了………」聽了眞令人莫名其妙！又在某些戲裏把「飛揚浮燥」念成「飛烟夫操」，「唾手而得」念成「垂手而得」，這無疑，都是必須糾正的！愛好戲曲諸君，你說是嗎？（五．完）

內政部臺誌字第〇三壹號內銷證

自由報

THE FREE NEWS

第四四一期

中華民國僑務委員會發行
台教新字第五二三號登記證
中華郵政登字第一二八二號執照
登記爲第一類新聞紙類
（本週刊每星期三、六出版）
每份港幣壹角
台灣零售價新台幣貳元
社長：曾嘯岑
督印人：黃行

社址：香港銅鑼灣高士威道二十號四樓
20. CAUSEWAY RD 3RD FL.
HONG KONG
TEL. 771726　電報掛號：7191
承印者：田風印刷廠
地址：香港灣仔高士打道二二一號
台灣分社
台北市西寧南路三樓
電話：三〇三四六
台郵撥儲金戶九二五二

論我國近代首批外交使節（上）

吳本中

外交勝利與人才之秀發，豈偶然哉！必也，內盛而外始華，民氣作而外交立。未有政治腐敗而對外精强，國內賢豪消聲匿跡而外交舞台得有叱咤風雲之人物者。二千餘年前，自孔、孟起，中國歷史上就存在一個痛心事：壞政府不能容好人；有原則，守身自潔，有個性的才智之士，難與專權自利之政權合作。「一車兩馬，栖栖皇皇」欲行其道，治國平天下而不得。對沉溺女樂，三日不朝者，聖人亦無法，只可掛冠遠走。「道不行，乘桴浮於海。」孔子豈是徒發牢騷而不願報國哉。

國人喜談清代中興，外交上如伊犁等案件之勝利。實則，因內有曾、胡、左、李諸賢之相國，外始有郭嵩燾、曾紀澤、薛福成、張蔭桓、崔國因等諸位使節之派遣及稍有作爲。這批我國第一任現代外派大使，大都是識深熟慮鴻儒飽學之士，其本身及隨員等之出使日記，朝庭奏折，「西事蠡測」，「航海述奇」，「西俗雜誌」，「出使須知」，「涉洋管見」等等遺著，查出者約有四、五十類之多，洋洋大觀，實我國外交文獻之寶藏，現世外交後進之珍鑑，今之不學無術浮淺誤國者，當退而深思熟讀矣。筆者不敏，茲根據前賢遺作，微論我國現代所派首批使節。

前人所謂辦洋務，就是現在我們說辦外交。而辦洋務之始最出名者，當爲林則徐。林文忠公確爲有爲有守，膽大心細之人。昔上海震旦大學在李鴻章後人所捐圖書室中藏有「林文忠公全集」，讀其向朝庭疏奏，對於鴉片之厲禁，眞是費盡心血，對英「夷」固屬麻煩，對自己國人更覺頭痛，鴉片之焚燬，投入大海亦有人偷，必滲加石灰始無用處。「癮君子」必先治癮始免作亂；林公盡搜藥方，期止其毒，在其呈皇上奏折末常附之。筆者近更獲讀「侯官林則徐」譯「華事夷言」。林公不識西文，蓋飭人擇譯當時英國報刊雜誌等而得者。其欲「知己知彼，百戰百勝」之情，其可知矣。即以李鴻章而論，國人每好以吐痰投鷄骨等莫須有瑣事取笑之。實在，現時之外交後進如能稍有肅毅伯的那種魄識與氣派，亦不致跑到巴黎總統府與其副官併肩共影而引以爲榮矣。吾親眼見英京外交部大廳懸有巨大中國錦繡畫，名貴木框下刻有銅牌，以英文誌念李相聘歐時贈給英首相沙利士伯者。請吾參觀者乃吾中文高材生，曾駐節中共京都三年，爲英皇陛下之外交官，瞻仰我先賢遺物，亦不禁共爲之眉飛色舞焉。

林、李二公提過，筆者請正式談曾紀澤等諸位我國外派第一批大使，亦即當時所稱「派駐某國欽差大臣」。有「公使」之名而尙不稱「大使」，然與現世國際公法「駐使權」符合者也。

不學無術者不能做好外交官

欲辦好外交，書癡固不可，然不學無術必不成功。即以近世所謂「職業外交官」而言，法國於第一世界大戰前所派駐英，駐德之赫赫聞名全世之兩兄弟大使Paul及Jules Cambon，均係飽學深思，修養有素之外交家。後者所著之「外交家」一書，對外交家之優秀品質尤有所闡明。法另一位大使，曾駐東京多年，乃有名詩家。我國清代中興之際所派成功使節，亦多好學敏求之士。無錫薛福成文章固膾炙人口，吾所發現者如「白雷登避暑記」等文章，尚比其所寫「遊臘人館記」等之選入課本者有興趣也。湘鄉曾紀澤返國後亦不甚得志，派總理衙門行走，如今日卻任大使，同外交部辦事者然，竟未中壽而逝，惜乎！然其學問上成就，已不無可觀。其所著廿三篇「出使英法日記」及廿八篇「使西日記」均應爲我國後世外交人員所熟讀。曾襲侯對英文下過一番苦功，按其日記所載：「余能西晉，然在湘苦無師友，取英人字典鑽研逾年，而事倍功半，又年齒漸長，自憾難記而健忘。」曾氏說英語雖不熟練，但對字義深奧處，常爲專職翻譯者所不及，在其日記中會有數次改正譯官，解釋之精確非淺學者能望其項背。在那個時代與環境情形之下，有此西文造詣，亦殊非易易。又曾氏主張使節對重要官式談判，雖懂外語亦應用專職譯官傳達，以昭愼重。其日記中載有朝覲東西兩宮太后談話可證：「光緒三年丁丑秋，以承襲侯封來京覲謝……四年戊寅七月二十七日奉旨賞戴花翎派充英國法國欽差大臣……二十七日丑初入朝遞請安……卯初入乾淸門……辰初，軍機下召見紀澤於養心殿東間，掀簾入……西太后問：你打算那天起身？東太后亦同問：走天津不走？旨：「李鴻章熟悉洋務，你可與他諸事細細討論。」……問：你能懂外國語言文字？對：看文字較易，語言較難；因口耳不熟之故。問：你既然能通語言文字，自然便當多了，可不倚仗通事繙譯了。對：臣雖能通識，總不熟練，仍須倚仗繙譯。且朝廷遣使外洋將成常局；士大夫讀書出力後再學洋文洋語，有性相近性不相近，口齒易轉口齒難轉之別。若遣使必通洋文洋語，則日後擇才更難。且通洋文，洋語，洋學與辦洋務截然兩事。辦洋務以熟於條約熟於公事爲要，不必侵佔繙譯之職。臣將來於外國談議公事之際，即使語言已懂，亦候繙譯傳達。一則朝庭體制應該如此；一則繙譯傳達之間，亦可藉以停頓時候，想算應答之語言。英國公使威妥瑪能通中華語言文字，其談公事之時必用繙譯官傳語，即此意。」

用人惟才與能，不徇私，不苟且。所以扶植外交後進也。

然曾襲侯之外交學養不僅僅在文字或書本上的功夫，此乃其小焉者也。他能知人善用，潛心默揣，提携賢俊，尤足多焉。如遺有豐富外交日記之鐵嶺張德彝，即曾經其重用，職如現在之公使代辦。「使俄日記」，「使英雜記」，「使法雜誌」，「隨使日記」，「使還日記」，「航海述奇」等等，均極有價值之文獻。據張德彝「使還日記」載：「光緒六年庚辰正月十二日：……巳初，抵巴里：……未初，著公服，入使署，謁曾劼剛襲侯紀澤，知已往倫敦公幹。……十四日：……曾侯來自英。即往拜謁。……二十二日：……戌正，曾襲侯接電信，知奉旨派使俄國，接辦伊犂界務，即召彝返俄，事竣再行回華。彝固辭不獲，致將船票繳回，并請前赴馬賽將客冬由俄寄去之行李取回巴里。」

半斤八兩

收藏不了

今日與昨日

五一節的慘象

五一節是國際勞動節，本是全世界工人的節日，但是，若干年來，却被共產集團獨佔了去。每年逢到此日，全世界共黨集團皆舉行盛大慶祝，並互派代表參加對方的慶祝會，以增加熱鬧氣氛。在毛共來說，五一節與七一、十一是同樣的重要，每年此日，不惜耗費大量民脂民膏，大事慶祝，世界各國共黨也都派代表團去北平湊興，十幾年來的情形一貫如此。

蘇俄拒絕互派代表

今年的五一節，却變了樣，蘇俄突於會議前夕通知毛共，不派代表團到北平開會，也不邀毛共代表團赴莫斯科。這次行動可能大出毛共意料之外，毛報上所表現的憤慨、驚惶，可以想見他們內心的痛苦。

勞動節是工人的節日，共產黨徒又常常宣稱工人無祖國、現在却因爲兩個黨的衝突，連工人也分了家，我們且不必問誰是正統馬克思主義，誰是修正主義，但是祇有一點可以確定的，這兩個黨之間的衝突已經衝破了最後的一道防綫，要想復合，恐怕眞要從頭作起，因爲二者之間，已經沒有一個共同的橋樑。

俄[illegible]紅場示威

蘇俄紅軍於五一節，照例要在莫斯科紅場舉行大檢閱，每年也要展出一批新式武器，其用意在向西方國家示威。今年莫斯科紅場照例展出新式武器，蘇俄國防部長馬林諾夫斯基的演說，由維護和平一變爲保衛領土，使人感到此言却是對毛共而發，甚於中俄邊境情況的緊張，過去認爲絕不可能發生的事情，到了明天也許可能發生。因此，我們不能過份低估中俄共武裝衝突的可能性，觀乎蘇俄最近對毛共的窮追猛打，不能不使人關心下次局面的變化。

蘇俄的外交活動

蘇俄最近對付毛共的外交活動，也頗爲緊張，毛共在非洲的朋友，要以阿爾及利亞的本貝拉爲最親密。赫魯曉夫却乘此機會把本貝拉請去蘇俄，在莫斯科舉行盛大歡迎之後，又相偕飛去黑海繼續商談，商談什麼呢？據說是討論俄共同本貝拉的黨合作事，本貝拉的「阿爾及利亞民族解放陣綫」並非共黨，同蘇俄共產黨又怎樣合作，除非是合作抵抗毛共的滲透。

本貝拉去了黑海，米高揚又去了日本，米高揚訪問日本的眞正目的，據說是爲日共親俄份子打氣，擊敗親毛共的一派。看來赫毛之間的冷戰，將要泛濫到鐵幕以外來了。

自由談

偏枯的藝術生活

馮五先生

據說，台灣一間私立戲劇學校——專習皮黃戲曲——今年有六十名學生要畢業了，生旦淨丑末的藝員都有，雖不能夸稱他們爲後起之秀，但至少亦是經過了相當期間培養出來的藝壇新血輪，即係平劇界的「接力」運動員，應該使他們有發揚國劇藝術的機會纔行。

可是，台灣的娛樂場所如電影院、話劇塲、跳舞廳之類，應有儘有，唯獨平劇塲付之缺如，也沒有人經營皮黃戲的業務。因此，即令是個平劇界的名角，在台灣除却偶爾以玩票的方式，憑人情關係推銷戲票，藉得交付昂貴的舞台租金，勉強演唱一次而不賠本以外，深感無路請纓，自傷淪落。這羣新進的平劇藝員，固不足以語此，結果唯有陷於畢業就是失業的困苦境遇而已。

皮黃戲劇這項固有的國粹藝術，大家如果認爲尚有維護獎掖的必要，政府即應該加以重視而提倡之，不妨斥資創建一座專演平劇的戲園，或由國家直接經營，有如中央電影廠的規模，敎一般梨園子弟經常演出，或以廉價租給私人組班使用，俾新舊的平劇藝員得有獻技之所，而個人的起碼生活亦可維持。無論從文化政策或社會政策方面着想，這一措施都是正確的，而且是必要的。

所謂國營、公營事業，應以利民和便民的作用爲圭臬，纔符合民生主義的旨趣，否則，祇是與民爭利耳。若干年來，咱們政府爲着國營、公營事業而消耗的公帑，殆如天文數字，莫可究詰。然對於發揚光大固有的平劇藝術這項大衆娛樂事業，乃漠然不以爲意，甚至對於這類藝員，亦依然抱着陳腐墮落觀念，視之爲「戲子」，而對於一個電影演員，却不惜多方獎掖，大力捧塲，尊之爲「明星」，譽之爲「愛國藝人」。嗟乎，何其思想之頑固鄙陋乃爾耶？

我希望政府一面給這般新進的青年藝員開拓出路，同時無條件的把那所私立戲劇學校收歸公營，改善師資，增加待遇，爲藝術界創進一點新氣象，實所企幸！

前有牌坊及碎石甬道
世界博覽會中國館
畫棟雕樑氣象萬千

（大陸社紐約航訊）世界博覽會中國館，在中美國旗飄揚，金龍飛舞一片，歡歌聲中，隆重揭幕。在博覽會發起籌備之時，中華民國是最早簽約參加的國家，因而在選擇館址上，得捷足先登之便，中國館的位置就在那個廣大無比的地球儀會標傍邊，是整個會場的中心。大會開幕的第一晚上，美國國家廣播公司就以中國館的陽台作整個節目的起點，從那裏極目四望，方圓六百餘畝的會場，可一覽無餘。

中國館是一座巍峨莊嚴的四層宮殿式的建築，聳立在高約八呎的大平台上，畫棟雕樑，氣象萬千，足以代表光輝燦爛的中國文化。會場前為一金碧輝煌的牌坊，穿過牌坊，走過一段碎石甬道，拾級而上，就到了中國館的朱漆大門之前。進門處有一座百鳥朝鳳燦爛奪目的描金屏風。一樓是普通展覽室，陳列着工藝品及土改成果。二樓是中國式書房及客廳，全部是古色古香的傢具。三樓為珍寶古玩。四樓為辦公處。整個建築耗資八十萬美元。

大會結束後，中國館的處理方法，各方意見不同，有人主張拆除拍賣；若干華僑建議保留作華僑活動中心；有人主張運往華府改建為大使之辦公處；另有人主張贈予溝通中美文化的學術機關。

對充滿出國旅行熱的美國人，博覽會的開幕，有如將整個世界搬到了紐約。這裏有代表着八十個不同國家的博覽館，不但出售各種旅行紀念品，而且其中的情調和價格，跟一個人不遠千里出國旅行時所看到的完全一樣。在國際館中，香港館出寶紀念品種類最多，招徠的「旅客」也最多。在香港館出售的物品中，生意最興隆的一項，是定製男女服裝，當場挑料子，量尺寸，五星期後交貨，除加入口稅外，價錢跟香港本地一樣。

屏東各校驗血型
組織收費啟疑竇

（本報屏東航訊）屏東縣各級學校奉令參加血型檢驗，但對該負責檢驗「推行小組」之組織，及收費手續是否合法？各級學校深表懷疑！

五十三年三月七日，縣政府令稱：「本縣各級學校教職員生（工），應依照屏東縣政府、民防指揮部（49）五月十四日屏府衛三教國字第三〇二〇九號令，屏醫行字第一一一三號令、屏敬字第二〇〇三號令，繼續推行血型檢驗，並飭由本縣民防指揮部以五十二年九月十七日屏敬字第三〇二四號代電，各該校查明應行檢驗人數在案。二、此次繼續推行血型檢驗工作，仍由本縣民防指揮部督導「推行小組」辦理，由各該校事先準備名冊兩份，一份存校，一份由推行小組攜存府），並填列健康紀錄表血型欄，及教職員生（工）戶口名簿，身份證等依規定加蓋血型標記。三、檢驗日期於本（三）月中旬開始，日程表另發（或由推行小組逕達），檢驗費用每人新台幣二元，由各校統一事先收存，逕行繳送（推行小組）。」

據說？檢驗國民血型，充實民防資料，原係行政院四十七年通令規定，收費標準亦係原辦法所訂。屏東縣政府這次辦理各級學校檢驗血型工作，雖屬補辦未了前案，依法可謂仍屬有據。然各級學校對此所以表示懷疑者：（1）為什麼單獨通令學校參加檢驗？而本案既屬國防重要資料，為什麼又不普及社會每個國民呢？（2）推行小組之編定，應由那些單位派員參加？由誰負責率領工作、接洽事宜等？命令上均未有詳細規定，是何原因？（3）檢驗費用為何繳送「推行小組」，而不依法納入公庫？

有幾位校長對記者說：站在學校的立場言，我們是縣政府的下屬單位，下級對上級的命令，本無懷疑的餘地，更沒有懷疑的必要。可是這次到學校檢驗血型的「推行小組」，是一位自稱民防部派來的，他乘坐一輛軍用吉普車，率領着兩位女性護士，在校替教職員生（工）檢驗血型，工作結束後，他就開具一紙蓋有「屏東縣民防指揮部血型推行小組」圓戳印章，並書名「鄭國璧」及蓋有私章的收據，向學校收取檢驗費用每人二元。

又說：按規定該檢驗費用之收取，應由民防指揮部出具正式收據，並蓋有單位關防，而後由學校開付公庫支票，將款納入公庫。如民防部對款項支付業務需要時，得經過單位會計，合法支用。然而這次收款手續既非正式收據，且又是私人代收，因此難免使我們有所懷疑。再說，鄭國璧是民防部的什麼人？而民防部有沒有這位叫「鄭國璧」的？

又說：屏東縣各公私立中、小學校教職員（工）、學生及近十六萬之譜，若果這次檢驗血型，是屬串通舞弊，朋分檢驗費用的話，那麼這超過三十萬元的鉅款，是一筆不算小的數目。

又說：由於某校在付款時，對此發生了疑問，這所謂「推行小組」的工作，即告停止不進行了。假若他們不是做了賊心虛，為什麼不繼續推行工作呢？據說：自三月中旬進行以來，已經參加接受血型檢驗的學校，計有潮州鎮、里港、九如等鄉鎮，及屏東市的全部中小學的部份學校。他們希望有關當局能重視此一問題，并派員澈查此事，俾釋疑竇。（袁文德）

戴高樂法國畢竟怎麼攪的
——陳跡寄自西德波恩

紐約時報的薩次柏克曾經認為，由於彼此在核武器及全球戰略方面的歧見極深，美法關係的惡化終必愈烈。去年九月卅日，戴高樂在里昂發表一篇演講證實了這一觀點。在那篇演講中，他標榜法國是一個「勇氣的表樣」。他說：「目前有多少歐洲國家在蘇俄的鐵幕中生活？我們的表樣對這些國家正是一種多麼神奇的希望！我們的表樣也給南美洲人民以鼓舞，他們最近正努力『找尋自己』。多少非洲及亞洲的國家正面臨着這樣一個法國！她是她自己的主人！而給它們以勇氣及理性上的支援。」戴高樂這些話的意思很明白地道出了他的野心，他要從現存的國際秩序中創出一個新勢力來，使世界形成一個三分鼎立的局面。他現在的外交課題正是如何達成「拆散棋局」的勾當。

戴高樂在「拆散棋局」時打的旗幟是「反美國主義」。這種反美國主義的由來，除了戴高樂的霸權意識外，也有其歷史因素。美國霍爾在他的近著The Two Viet-Nams中，曾提到當年羅斯福總統的反法國政策。羅斯福在他早年時即曾認為法國是一個病態而自大的帝國主義國家。此後在他的任期中，對法國的政策諸多掣肘，我們在後面還要詳加討論。

那麼戴高樂在他的外交努力中，究竟成敗如何？

甲、先從歐洲說起：按照戴高樂原來的腹案，他想拉攏歐洲共同市場各國，經由經濟的組合從而走向政治的組合。這樣一個歐洲如果來臨，則對戴高樂的野心自然是水到渠成的事。故一時「法德軸心」之說喧囂塵上。但旋踵之間，由於德國行政首長的易人，使法德之間的政治蜜月告一結束。德國新總理艾哈特不是一位政治上的理想主義者；而是一位經濟上的現實主義者。他認為法德的友好關係必須維持，但對戴高樂那個「大而無當」的野心卻毫無興趣。另一方面，法國對英國加入共同市場一事橫加阻梗。而英國的加入共同市場又是其他會員國的一致願望。戴高樂當時一意孤行的作風對他的野心無異自毀長城。但他在歐洲失敗的主要關鍵還是因為他想將美國的勢力排出歐洲，而引起德國莫大的恐懼。良以今日西德地處鐵幕邊緣，其本身毫無防禦力量，其安全仰仗美國軍力的保護。倘使一旦美國退出歐洲，德國人很清楚，那付防禦的担子，斷不是戴高樂的肩仔能抗得起的。基於這些原因，戴高樂在歐洲的計劃不但落空，也將法國陷入了一個前所未有的孤立地位。

乙、戴高樂在歐洲的挫敗使他陷入了窘境。但情勢使他無法懸崖勒馬。於是將他的箭頭指向了亞洲，他選擇了中共偽政權。法國承認中共有兩着眼點：第一因為中共的立場看起來既反美又反俄，這個立場正符合了所謂戴高樂感情。第二、巴黎和北平的勾結縱使不意味着一個政治軸心的建立，至少在外交上也形成了一個犄角之勢，替法國和中共同時打破了他們在東西集團中所分別陷入的孤立局面。從若干跡向上觀察，這兩個政權的勾結自始就很勉強。儘管雙方同時自東西集團中分裂出來而不免同病相憐，但戴高樂和毛澤東心裏都很有數，在任何方面他們都無法成為好伙伴。

值得注意的是戴高樂承認中共偽政權的同時，也宣佈了他對中立東南亞的建議。到目前為止，這個建議仍是一個在爭論中的題目。初步的反應對戴高樂並不有利。越南楊文明政權被阮慶取而代之這件事是對那個建議的有力答覆。事實上，這個建議並無具體內容，戴高樂迫不及待的提出它來，我們看得出他的用意無非趁着美國支持越南對抗共黨的戰爭失利之際，用以打擊美國在該地區的聲望。

三、美法之間的恩恩怨怨

關於美法在東南亞政策之齟齬，除了戴高樂本人的「霸權意識」作祟外，還另有其歷史的淵源。我們不妨提出來討論一下，以幫助我們對這個問題的瞭解。

霍爾教授在「兩個越南」一書中曾提及第二次世界大戰末期，美法兩國在越南所發生的一些不愉快事件。涉及到那些事件的法國人，正都是今天所謂戴高樂主義的信徒。原來一九五四年的夏天，戴高樂派遣梅斯墨Messmer空降到越南以籌劃接受日本投降事宜；當這位法國人空降着陸後，便被越共部隊俘獲而囚禁在越共司令部裏。梅斯墨在這個司令部裏邂逅了一位美國情報頭子。這個美國人的任務是提供越共軍事補給以對抗日本人。梅斯墨希望這位美國情報頭目能協助他獲得釋放，但遭到這位美國人拒絕，並告訴他：越南不可能再變成法國帝國主義者的殖民地。（中）

香港與大陸

毛共磨折農民新花樣
胡攪所謂「萬人改造自然隊」
農民不滿想方設法加以破壞

廣東省各地農村，在春耕工作的同時，中共又迫農民進行「土地改良」工作，組織所謂「萬人改造自然隊」，從事深翻改土，疊土複犁等「奮鬥工作」，農民們極表不滿，認為無非是要農民做死。

曾回五華縣探親甫返抵港的建築工人何××君透露：興寧、五華、河源一帶地區，最近均在大規模的搞春耕工作，不過在此同時，中共却又組織所謂「萬人改造自然隊」，展開所謂「改造低產田的鬥爭」。

何××說：中共所認為的低產田，是一造畝產在二百斤以下的，其主要原因是經常受冷、爛、澇、酸、瘦、沙、粘等之影響。就五華縣而言，這種田幾乎佔了總水田面積的一半，以目前大陸的工業和經濟基礎，是無能改造的，因為改造這等大面積的土地，非靠現代的機器和大量的化肥不可，中共竟豈有此理，硬把人民當作機器去使用。

目前，此一所謂「萬人改造自然隊」正在全力改造這種低產田了，農民們被驅趕去做修築排洪、排漏溝，山塘、水陂、水圳，深翻改土，疊土複犁等工作。

何××說：目前公社裏花費最大勞動力的是挖塘泥和圳泥，這一工作，是要行落丈多深的水塘和圳中，把那些糊狀的泥挑起岸上，經數日後，塘泥乾了，再將之挑到耕地中。這一工作，可就實在要人命，因為一來路滑，又要上下石級，兼之，塘泥是特別重的，一不小心，便往往會滑倒，而一個人滑倒後，往往連環使多人滑倒，所以時常造成傷亡事件。

何××說：此項工作，開始至今還不久，却已經造成許多人輕重傷了。此項挑塘泥的工作，今年「任務」特別繁重，要求每一畝的「低產田」，都要有三百担塘泥或圳泥。即是說，在這些水田的表面都要鋪滿塘泥。因此，農民們認為慘重的傷亡數字是無可避免的。

何××說：其實中共此項工作，仍和過去一樣，完全流於形式，并且弄巧反拙。每個農民為了都要完成一定之「任務數」，往往隨便將就近完全沒有肥質的泥挑到田地，甚而有許多沙石玻璃在裏面，大家亦不加理會，這樣就不僅不能改造低產田，相反的，還將沙石搞到田中去了。原因是農民們對中共此種故意磨折人的工作，極表不滿，想方設法，予以對抗甚至破壞。（敬斯）

香港教育兩大問題
學位不足．學費高昂

（本報訊）香港一年一度的升中考試，將於本月六日舉行，但學位僅得八千個，參加考試的學童，却達三萬之衆，亦即每十五學童之中，僅四名有升入中學的機會，其餘二萬餘名怎麼辦呢，他們都有能力進入私立中學嗎？這是嚴重問題之一。

另外，官立中小學亦盛傳將增加學費了，且據說小學將增加百分之百，中學亦將增加百分之二十五。果真如此，港府固可輕易增加收入逾千萬元，但一般居民負担得了嗎？官校增加學費，私校又將如何，自不待言，這還了得嗎？是為嚴重問題之二。官方對這些問題，能夠淡然置之麼！

五四之歌

鮑閒觀

你，五四運動：
喚醒了民族魂！
發奮圖強，
自力更生！

你推倒了：
雕琢的、阿諛的貴族文學，
陳腐的、鋪張的古典文學，
迂晦的、艱澀的山林文學；
而建立了：
平易的、抒情的國民文學，
新鮮的、立誠的寫實文學，
明瞭的、通俗的社會文學。

你提倡科學的求知精神，
你發揚民主的自由眞諦，
你介紹了美國的「實驗主義」，
你整理了中國的「哲學史綱」，
你宣傳了無神的「不朽論」，
你改革了不合人情的喪禮，
你鼓吹了女權，
你創造了新穎的白話詩。

你推翻了舊文學，
建立起新文學！
在形式上：
你不用典，
你不用陳套話，
你不避俗字俗語，
你不講對仗，
却講求文法上之結構；
在精神上：
你不作無病呻吟，
你不摹倣古人，語言須有個我在；
你言之有物，不空洞；

四十年來，
在手段上：
你攻擊了「孔家店」，
而澄清了浮夸淫瑣的文字障；
在目的上：
你提倡自主的個人主義，
遂形成學術上的獨立。

新文化運動在蓬勃的展開，
它的成果是何等的輝煌：
新思想來了，
新精神來了，
新文化來了，
新學術來了，
它使國家邁向那復興的前途，
它使民族走上了康莊的大道，
它使社會趨向繁榮，
它使科學日新月異，
它使人性趨向至善，
它將文化發揚光大！

我所知道的麥帥

肯寧將軍原著　徐熙光翻譯

麥克阿瑟同意了貝克調查團的意見，並任命佛蘭克安德魯斯上校為空軍總部司令，且立即晉升他為少將。安德魯斯是密契爾的好友和崇拜者，在航空隊裏也甚為大家所愛戴，他是一名出色的飛行員，也是個天生就有領導才能的人。我們想建立空軍為一支獨立武力的夢想雖未實現，但是當時我們都相信在安德魯斯的領導之下，我們終有使空軍獨立的一天。

安德魯斯選上我負責作戰訓練任務，對我來說，這是出乎我意料之外的任命。麥帥知道我在爭取空軍獨立的運動中也是「共謀的主犯」，但是安德魯斯給我的新任命，麥克阿瑟還是同意了。後來麥帥告訴我，他平生最信任百折不撓，勇往直前，努力不懈的人，儘管他們的所作所為稍帶「叛性」。

由於公事上的需要，那一年我與麥克阿瑟接觸頗為頻繁。毫無疑問的，他是我的頂頭上司，但是有時我不喜歡他不利於空軍的決定時，他也並不引以為忤。我很佩服他孜孜不倦的辦事精神，他要想盡辦法利用有限的經費來做最大有用的事。他有預感，知道戰爭在幾年之內又將爆發，他了解空軍的重要性，但是也同時在排除萬難，建立起第一支機械化部隊。

通常參謀長的任期是四年，但是在一九三四年麥克阿瑟任期屆滿的時候，羅斯福總統特別把他的任期延長了一年，這是前所未有的例子。道格拉斯麥克阿瑟確實是到處與衆不同。

麥帥除了把全付精神放在整頓和改進陸軍上之外，他沒有餘暇從事其他社交活動。他很少在華府的官方應酬如雞尾酒會、餐會上出現，他也很少接見訪客和新聞記者，他的名字更很少在華盛頓報紙的社會新聞版上出現。

他每天上班的時間很長，而且差不多晚上大部分的時間也都在波多馬克河畔他的總部裏。他對歷史很感興趣，所以有時候他會在他的圖書館翻翻歷史書籍以資消遣，偶而他也跟他的部屬或幕僚人員討論國防問題，國家大事和世界局勢。

一九三五年他從陸軍參謀長位上退休，菲律賓總統奎松請求羅斯福總統派他前往建立菲律賓的陸軍，菲律賓希望菲律賓自己有一支兵力，以便在遭受攻擊、美軍尚未及馳援時有保衛自己的力量。奎松總統任命麥克阿瑟為元帥，委他以建立菲律賓陸軍的全責。

自此以後，我一直到一九四二年七月才在澳洲再次見到麥克阿瑟。

三、加入麥帥的麾下服務

一九四二年時，我是第四航空隊的司令，總部在舊金山。七月七日那天上午我突然接到陸軍航空隊司令阿諾德從華盛頓打來的電話。（六）

藝術叢語

抽象藝術漫談

趙雅博

抽象的理論家們，他們不知道或自認為不知道自己藝術的最近的藝術歷史根基，他們要上溯這一事件的發生由來，上溯它們的祖傳，到特峨式，到羅馬式與壁畫式；甚至近來還有人追溯到我們古代的書法，認為我國的字才是抽象藝術的祖師；也有的人追述到原始人的象徵主義，到一切種類的裝飾主義。這實在是有味於歷史環境，有味於人類藝術創造作風的因素之一的社會環境與當前或較前歷史環境的影響了。我們需要知道，從裝飾，從各種不同的古代藝術時尚，從象徵主義到抽象藝術，抽象的風格，其間的分別是很大的，它們的分別乃是本體上的分別，並不是所謂時代或附加的分別。

就技術上說，抽象藝術認為方法在自身方面即佔有一種力量與表現能力，佔有一種美與一種可塑性，在某種形式下能夠犧牲於具象的呈現，雖然很多次並錯誤的將這種材料的價值和技術的價值，在藝術作品中視之為唯一而最初的，為它不但犧牲一切具象呈現，並且也犧牲全部對象。另外，抽象藝術，如果不願將自己還原為純粹的代替品，這也就是說，抽象藝術如果不願將自己成為一種純粹的象徵或表示意象的藝術，那末它便該時時走向一個超感覺的計畫中。這並不是說的有關材料一方面的——因為那必需是要有形與有感覺的；而是說在那有關形式方面的沾染。這只有那從一切附加的沾染抽象出來的形式，才嵌入抽象的指揮中，所謂沒有附加的染污，那便是無所謂具象了。這種自附加體的沾染中抽象出來，乃是一種跳躍。這種跳躍的證實，也就是所謂眞的跳躍，乃是自感覺到可理解者的跳躍，雖則對對原因有完全的認識，雖則對詳情有普遍的不認識如何將具象的藝術與抽象的藝術分開。這種跳躍又是一種將美的創造，安放在一個完全不同的秩序中，在具象與抽象中建立起一種分別，這個分別正相似在感覺物，可理解物中存在一樣。

在這種意義下，抽象的大膽行為，使藝術贏得了可理解物的統制，在某種方式下，可以視之為與巴爾買尼德的大膽行為相似；他不惜犧牲一切，而主張有，只主張可理解性，在他的哲學中給予了有的可理解性為主的一個跳躍。在巴爾買尼德中，一如在抽象藝術中都有着不顧事實的誇大作風，並且也曲解了事實不少；但是惡中取善，因為巴爾買尼德的大胆行為，創出的學說，經過柏拉圖與亞利斯多德的修改，而生出了很好的哲學體系。現在關於抽象藝術的太胆作風，我們想也能有一樣的後果，而而生出偉大的藝術創造家。但是我們却不要性急，也不要忘掉，在柏拉圖與巴爾買尼德之間，有一個世紀的間隔，並經過了不少的觀念修改，但是今天抽象藝術或抽象藝術主義只不過構成一個無大連繫的喃喃自語，還不夠造成像巴爾買尼德一格的思想潮流，也不足以打倒取消藝術上的舊趨勢；還不足以使我們大聲疾呼它的虛浮，錯誤以及它的愚蠢。（未完）

陸法官

常青樹

晚上回家，懷着無限的惆悵，房內空空的，抱起他的孩子，眼淚禁不住又落下了。他們沒有資格向他的孩子說：「我寶貝的兒，你是這世界的寵兒，沒有人敢嘲笑你，沒有人敢辱罵你，因為你有健全的父母」了。第二天一早，他收到了一封不知誰何的來信，信的大意是這樣的：

「我經貴法官判處有期徒刑三年之後，現在已經調服外役，生活很好。在做完工作之後，很愛和兒童們在一起玩耍，兒童們天眞爛漫，他們不把我當犯人看待，所以我十分的愛他們。可是其中有一位兒童死去了母親，我很為這位兒童而傷心；如果我能再判三年徒刑可以贖回他一個母親的話，那我也是極為情願的！……」

「混帳！這些王八蛋幸災樂禍，沒有一個好傢伙，沒有一個好傢伙！」

陸法官咆哮着，咒罵着！他跺脚，他氣忿，把茶杯、暖水瓶、收音機等都摔到地上去了。（下）

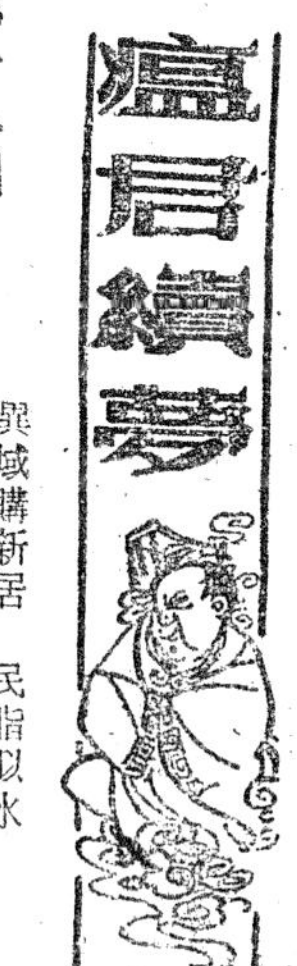

塵緣續夢

第十二回　異域購新居　民脂似水　冷宮傷舊夢　妾命如絲

施哈諾同陳毅互相吹捧了一陣，就告辭回去。第二天，就要召開會議，却發生了新的問題，原來由彭莪親王領導的寮國政府代表團抵達之後，那個自稱為合法政府首相的符馬親王也率領一個代表團趕到，這以來究竟誰代表寮國政府，已成了問題。就在這時，由寮共首領蘇發努馮率領的戰鬥寮代表團也趕了來，一時形成了三包案。

寮國總理彭莪親王向大會提出備忘錄，說明寮國只有一個政府，不能容許其他的政治團體出席國際會議。身為大會主席的施哈諾，內心本來討厭彭莪親王這個堅決反共的政府，遇到有機會打擊他，自然不肯放鬆，當時就提議准許寮國三派代表同時出席，中共代表首先鼓掌贊成，泰國代表却堅決反對，認為任何一個國家，也不會出現三個政府，國內問題怎麼解決是另外一回事，在國際會議上一定要確定誰是合法代表，否則遇到問題找不到負責人，怎麼處理？

美國代表團同法國代表都支持泰國提議，要求大會先確定寮國代表的身份，究竟那一個代表團合法。

施哈諾分明知道彭莪親王的政府是經國會通過，寮王任命的，合法是不容懷疑的，但為了要獻媚中共同北越，又要出「小兒科」的手段，賭氣辭去主席，不參加日內瓦會議。

本來日內瓦會議的十四國，南越政府就未出席，泰國也時刻打算退出，此時再少了柬埔寨，會議勢必流產，尤其是這場會議是施哈諾一個人攪出來的，他一退出，正如演哈孟雷特沒有王子，這台戲就演不成了。美國在英國代表團勸說下，出來向泰國同寮國政府圓場，聲明只要會能開得成，美國絕對支持泰寮兩國的觀點。

經過美國代表的奔走，會議算是開成了，施哈諾站在主席台上致詞，左顧右盼，得意萬分，覺得自己儼然成了一個舉世知名的大人物。

施哈諾在致詞時，希望寮國局勢能以和平解決，特別感謝「中國」的友好與合作。施哈諾說到這裏，又向陳毅看上一眼，陳毅馬上就拍手。

龔澎從後面悄悄遞給陳毅一個紙條，上面寫着：「看到主席的言論丰采，不由想起我在幼稚園裏讀書的小兒子，在學生會上作主席的情形，頗為神似。」陳毅看了笑笑，就撕得粉碎，丟在烟灰缸裏。

施哈諾不理下面聽衆的情緒如何，仍然站在台上搖頭擺尾的說了一個上午，從整個世界大勢，美蘇爭端，中共加入聯合國，南非的種族歧視，葡萄牙不讓殖民地獨立，全都說到。最後施哈諾作出結論道：「世界任何問題，都可以通過談判解決，這次會議，只是一個開始，如信有一天，世界上重要國家中蘇法英美同柬埔寨在一起舉行一次[illegible]，相信就可解決所有懸案，永久和平共處下去。」

在場的[illegible]然把柬埔寨列為世界六大強國之一，許多代表都笑出[illegible]知道不能笑，可是也眞的忍不住，只好伏到桌上假裝[illegible]喧乃他納却毫不留情哈哈大笑起來，其中只有印度代[illegible]出聲，怒氣冲冲地坐在位子上。（三〇五）

冒險犯難記

鄭文儀

我在前面已提到民國十三年二月初，即農曆年底到廣州報名投考黃埔軍校，因誤船期，次日才返黃埔，曾受到教導營程連長的嚴重處罰，這是最初的磨折。後來教導營遷到廣州改爲講武學校，經過甄別考試，我在三百多人中，考取第二名，旋編入學生第二隊（共四隊，學生約五百人），正式受軍官學生訓練。

就在這時，我請假投考黃埔陸軍軍官學校的初試，二月底初試放榜，我被錄取。講武學校同學報名投考者約二十人，初試及格者有桂永清，張際春，黎道善及我四人。講武學校知道我們秘密報名投考黃埔陸軍軍官學校，當局曾經商酌，不表贊同，要嚴加管束。第二隊隊長章鴻春曾一再約我談話，稱讚我在武校成績不錯，不要見異思遷，輕易離校，不宜再去參加黃埔軍校覆考；又說如未得武校當局核准，以逃兵議處。同學間也以此爲題目，暗中議論紛紛，隊上官長這種種留難警誡，同學們諸般冷嘲熱諷，使我精神上痛苦萬狀，不知如何是好。這種精神上的折磨，是平生最嚴重的一次，時間延續到三個月以上。

由於我對講武學校全是軍事教育，不重思想和政治訓練，深感不滿，加之嚮往國民黨立的黃埔陸軍軍官學校，結果我還是用盡方法，設法請假去參加了黃埔軍校的覆試；三月中旬覆試放榜，我和桂、張、黎三同學都被錄取，這時講武學校就正式表示態度，不准我們輕易離開學校。

這時我和一位天津人姓何的同學很要好，他是基督徒，英文很好，他和我再三商酌，認爲我決不易離開講武學校，也不易進入黃埔陸軍軍官學校，如我不願再在武校讀書，不如想其他方法。最後他建議我前往美國，他將和我同行，方法是當作猪仔一樣，任人把我們賣去美國，不要護照，不需花錢，祗須到美作一、二年苦工，就仍可讀書或自謀生活，他有熟人可以介紹洽辦。自然我的志願是想進黃埔，但在無可如何之中，就祗有採這樣的方法，先脫離講武學校再說。我們共同設計，由我裝病，日夜睡在床上，假裝呻吟，不能飲食，夜闌人靜時他暗中送麵包給我充飢。這樣經過數日之後，我被送到私立的伍漢持醫院檢查，如是我就脫離學校了。

因爲學校很快知道我們的行動（桂張黎三同學也同時用其他方法設法離開了學校），於是派人到各地方訪查（黎同學被查到，送入學校禁閉了三個月死了），我最初到虎門要塞司令部躲避了兩個星期。（十四）

諧詩與諧聯

漁翁

詩爲心聲，可以寫性靈，暢胸懷；聯可補壁，亦以表哀樂，壯門楣。兩者雖自古被目爲雕蟲小技，却亦久爲士人所重視。在昔科舉時代，文章之外，必須寫詩一首；某屆殿試，前三名不能定軒輊，而以「烟鎖池塘柳」五字命對以評之焉。惟詩聯之流傳，往往以諧謔爲最膾炙人口，茲舉數則，以作茶餘酒後消遣之談助。

清乾隆時，大官而兼名士紀曉嵐者，滑稽善飲，遇高宗飲酒，必分餘之。一日，高宗微服過市，入酒肆，紀隨行，時有迎親彩輿經過，高宗曰：朕賦即景三句云：「下邊鑼鼓响叮咚，諒必新人在轎中，今日洞房花燭夜，」囑成下句，紀曰：「玉簪挑破海棠紅」。高宗喜，相與豪飲而歸。

曉嵐訪親家於鄉間，適外出未歸，乃留宿其家，親家娘以不識曉嵐，不便出見，惟於門隙間窺視而已。迨明日親家歸，寒暄後，曉嵐笑占一首：「昨宵親母太多情，爲着錦衣秉燭行；看到夜深人靜後，」念至此，不續下句，親家爲之愕然！催成下句，曉嵐笑云：「平平仄仄仄平平」。

萬歷年間，大梁山貨店，養一鸚鵡，能吟詩，有官人因愛子生病，購以慰藉，但鸚鵡悲愁不食，自歌云：「我爲山貨店中鳥，不識台司衙內尊；最是傷心懷舊主，難將巧語博新恩」。留之五日，苦口求歸，官人乃送返山貨店。可見鳥亦念舊，而不願落於富貴家也。

有某貢生，善詼諧，每寫詩，婦孺能誦。一日，姑母邀飲，席上出猪腦殼一碗，貢生年老牙脫，不能進食，乃口占一絕云：「一口牙兒久已脫，平生只愛油湯喝；今朝姑母邀吾飲，席上偏來猪腦殼。」同座者爲之捧腹大笑不已焉。

有丐能詩，嘗遊於市，頭不梳，脚不洗，人笑之，乃曰：「千年渾似醉，一世懶梳頭」。又云：「便騎元鶴歸蓬島，脚帶青天幾片雲」。因丐衣衫襤褸，每爲犬所咬，憤成一絕：「我討我的飯，與爾何相干？生爲勢利犬，單咬破衣衫。」亦寓有諷意也。

棐村有朱姓，巨族也，建一宗祠，門懸一聯：「兩朝天子，一代聖人」。唐哉皇哉，每爲經過人所讚美。所謂兩朝天子者，指朱溫與朱元璋，一代聖人，即列於十哲之次的朱子元晦也。

在朱姓毗連者，有項氏，以朱家建祠，光宗耀祖，也建一祠，其輝煌壯麗，不在朱姓祠下，可是項家過去的人物甚少，欲門題一聯，不及朱祠之語氣磅礴。落成十年，還未懸額，引以爲恨！乃重金徵聯，以口氣勝過朱氏者爲合格。有某名士日夜推敲，以項姓歷代爲世人所樂道者，祗有項羽與項橐二人，於是從此中想出一副絕妙聯來，足以壓倒朱姓矣。其聯云：「烹天子父，爲聖人師」。

項羽恫嚇要烹劉邦之父，載在漢書，天子之父可烹則其力大於天子多多矣。項橐七歲而爲孔子師，見國策。項橐窮難孔子，能令孔子取爲法戒，執禮請教，况朱子乎？此聯針對朱氏所撰，亦殊妙也。

錢謙益，號牧齋，常熟人，爲明禮部尚書，有一隨身杖，刻數語於其上：「用之則行，舍之則藏，惟我與爾有是夫」。及降清復爲禮部右侍郎，此杖失去，後尋獲，已有人刻對其旁云：「危而不持，顛而不扶，則將焉用彼相矣」。錢不勝愧怍！

清末，陳寶箴開府湘垣，熊希齡協助創辦時務學堂，開全國新學之先聲。時風氣未開，多不滿陳熊之所爲，有好事者，綴聯以諷之曰：「四足不停，到底有何能幹？（指熊）一耳偏聽，曉得什麼東西！」（指陳）一時傳爲笑談。

乾隆與打花鼓

哀梨室劉談　諮公

平劇裏面有個「打花鼓」又叫「鳳陽花鼓」的玩笑戲；不但戲迷們耳熟能詳，經常表演於紅氍毹上，便是一般的公民，也沒有不知道的。但談到它的來歷，恐怕很多人都不知道。

據我所知，這齣玩笑小戲，乃是滿清入主中國的第四代皇帝乾隆編的；原來這位好動而不好靜的風流天子，他既貪戀着生殺予奪以意爲之之無上威權，又憎惡着老蹲在紫禁城裏早朝宴罷之政治生活，因之，往往在極快意時，突然感到無比的空虛。

然而聖明天縱之乾隆，他是有辦法的！爲了彌補這空虛起見，特的自行規定，每隔一個時期，必要利用巡狩的名義，稅駕於南方各省，遊山玩水，選色徵歌，盡量的玩樂一番！然後回轉燕京，做他臂籞握符的皇帝。

某次南巡，駐蹕於海寧陳氏之安瀾園內，居停陳元龍，是個年老致政的大學士，他們君臣相得，無異友朋！因之不時隨乾隆出外遊玩，以備諮詢。

偶然走到一處，看到街邊空地上，許多人圍着一對中年的男女，大家嘻嘻哈哈的，看他倆打着鑼鼓唱戲！

『冬冬匡，冬冬匡，冬匡冬匡冬冬匡……』

『思才郎，想才郎，想起了才郎斷人腸。自從他出外三年整，害得奴家守空房！守空房呀哎哎喲。』（這是女人唱的）

『我的命薄，眞正薄，一生的一世討個老婆。旁人家老婆繡花又繡朶，我的老婆單唱鳳陽歌，是個大脚婆呀哎哎喲。』（這是男人唱的）

『我的命苦，眞正苦，一生一世嫁個丈夫。旁人家丈夫做官又做府，我的丈夫在外跑江湖，一嘴的老草窩呀哎哎喲。』（女的唱）

「……………」

「……………」

乾隆爺聽了很感興趣！看見旁人給錢，他也隨手扔給他一塊銀子。回去就向陳元龍說：

『這玩藝倒還不錯，大概就是這兒的地方戲吧？』

『不，這是鳳陽人的「花鼓戲」，是從「高蹺戲」化出來的。』陳元龍作了一個簡明的答復。

『什麼叫「高蹺戲」？又怎麼叫做「花鼓戲」呢？』乾隆爺似乎莫名其妙。

『高蹺戲乃是長江流域迎神賽會用以娛神之地方小戲；因爲唱戲的腿上要綁一雙高高的木蹺，所以叫做高蹺！這種「高蹺戲」，照例只用一男一女，扮演一些男女相悅的故事！唱做的腔調姿態，極其簡單，而伴唱的樂器，也只有一鑼一鼓，並且是由唱的人隨身携帶，自行敲打，不須另用樂工！除了高蹺須要一點功夫外，其他都很簡易，任何人沒有學不會的！爲此就有一些好事者，仿照它的辦法，廢去木蹺，造成一種在平地上演唱的小戲！因爲所用的鼓上漆着有彩色花紋，所以叫「花鼓戲」！』陳元龍很自然的說明了牠的來源。（未完）

我的社會生活

雷嘯岑

我交卸重慶市教育局長職務後，一般政治上的大人先生們，多認定我是C．C．份子的首領，敬而遠之，而C．C．的首領二陳，又視我爲陌路之人，不復加以聯繫。我洞悉政治上這種黑暗內容，瞧着一般高踞要津之輩那股黨同伐異、天下爲私的作風，認爲中國政治前途絕少清明之望，對於從政的興趣爲之索然了。適得家鄉來電，先君病危促歸，以道阻不得行，旋聞噩耗，老父已撒手人間。自慚不孝，抱恨終天，祗好閉門息影，塊然哀思，繼而老長官李協和先生亦以下世聞，更增愴慟之心。在這喪服生活的一年之中，陳果夫先生曾約我到學田灣的「衡舍」談過一次話，他除了在對話時，用鉛筆從桌子底下給我速寫畫像以外，最後問我對合作事業有無興趣（此時他正在籌設中央合作金庫），答以「果老有何驅使，自當効勞」。我把這段經過告訴了重慶市府同寅貢沛誠君——他担任土地局長，是陳果老的親信幹部——迨中央合作金庫成立後，貢君面詢果老爲何不履行諾言，教我担任一項職務呢？然果老否認他有對我作過諾言的事，我一哂置之，更無心問政了。

官雖不做，然一家大小的生活費用可不能缺乏。我是沒有積蓄的，對經商又一竅不通，祗好在「求精商學院」教書，且在重慶和平日報寫寫文章，但待遇不足以贍養妻孥，怎末辦呢？適見政府公告預售第二期黃金儲蓄，繳欵定購之後，半年交貨（由美國運來黃金）。我有親戚於第一期預售時定購過五百兩黃金，到期如數領取，信用昭著，賺得利潤將近十倍。如是乎，我乃見獵心馳，悉索敝賦，作孤注之一擲，且向重慶和成銀行與大同銀行信用貸欵各數十萬元法幣，掃數定購黃金，希望藉此暫可解除生活恐慌，以待抗戰勝利之來臨，再作謀生的打算。這是卅四年春間的事。

詎料這批黃金過了九個月尚未兌現，而當時的幣值極不穩定，愈趨愈下，銀行貸欵每三個月的利息就是一個對本，即使在第十個月領到黃金，除掉本利，亦已無幾許盈餘可得了！然而問題尚不止此，政府將黃金運到重慶時，日本已宣告無條件投降，而財政部長宋子文，竟以黃金市價高漲爲理由，宣佈只按七成發給定購者（三兩以下的不折扣），這不啻是政府公然刦掠民財，自毀信用，輿論譁然反對，說抗戰既已勝利結束，政府不應該有此非法掊克舉動。但財政部發言人答以「戰事雖然終結了，政府今後的建設事業孔多，需費甚鉅」，堅持其「刦收」民財的秕政敗行，顢頇已極。實則此時政府存有九億美元外滙，且有大量的敵產物資可以接收。結果我將領取到手的三百五十兩黃金，全部交給債權人抵償貸欵的本利還不夠，確確實實弄得一貧如洗，陷於飢寒交迫的境況中了。其他的升斗小民，因預購政府出售的黃金而傾家蕩產者比比然也。洎是，我的日常生活費，全靠兩個商界的親戚接濟，而住所乃係幾個四川縣訓所學生替我租下來的。這是我有生以來最倒霉的階段，迄今思之，猶有餘悸。幸而生性賦有一股不信邪的强頑傻勁，否則非逼得自殺不可哩！

（五〇）

從商業道德說起

黃葉村人

我生在七十年前，我曾經接近過一百年前誕生的人，他們多是生意人，而且有的是千百萬的富翁。他們對於商業，最重道德觀念。據說：刻薄成家，不能過三十年，豪奪巧取者，最後也無不失敗！只有勤儉居積，順取順受，才可以作較長時間的保守！這都是至理名言。奈何今日，以賭性爲引誘暢銷其貨物者，如雨後春笋！那家登一廣告，買枝牙膏，可獲黃金幾百萬兩。這家登一全版，買色味素，今天是窮光蛋，明朝便是天之驕子！但一究其實，富翁未可知，天驕更未必，而那枝牙膏已縮少了十分之幾，那包味素也減少味，或變了質。人之至愚，莫過於想發財，但想發財者，一定不會發財；而發財者却是另有其人。此卽所謂「無商不奸」者非邪，余欲無言耳。（續完）

內政部台報字第○三壹號內銷證

自由報

THE FREE NEWS

第四四二期

中華民國僑務委員會頒發
台僑新字第五二三號登記證
中華郵政台字第一二八二號執照
登記為第一類新聞紙類
（每逢星期三、六出版）
每份港幣壹角
台灣零售每份新台幣伍元
社長：雷嘯岑
督印人：[illegible]
社址：香港銅鑼灣高士威道二十號四樓
20 CAUSEWAY RD 3RD FL. HONG KONG
TEL. 771726　電報掛號：7191
承印者：四風印刷廠
地址：香港灣仔高士打道二二一號
台灣分社
台北市西寧南路[illegible]
電話：三〇三四六
台郵撥儲金戶九二五二

論我國近代首批外交使節（中）

吳本中

曾侯在其『出使英法日記』云：『初九日傍夕至李相處，談極久。李相言……又談及遠行以携帶得力人員為第一要義。恭邸沈相寶相亦命多挈賢才。然平日深相倚信之人而又通洋務者，實無其選。祗好就性情溫厚誠篤不苟而遇事留心者帶之。』當時持節泰西，貴為欽差大臣，本可任意隨帶侍從隨員及參贊等至二三人十之多。曾紀澤用人惟德與才是取，雖有膽量，內舉不避親，故向西太后直陳，然亦絕不徇情濟私，苟且遷就，置國家事如兒戲。對其兩位妹婿，聶仲芳及陳遠濟，一則力阻其出洋；一則且向恭王保薦。讀其出使前日記幾頁可知：『九月十五日飯後，寫一函寄妹婿聶仲芳，阻其出洋之請。同為妹婿，挈松生而阻仲芳，將來必招怨恨。然數萬里遠行，又非余之私事，勢不能徇親戚之情而苟且遷就也。松生德氣學識，朋友中實罕其匹；同行必於使事有益。仲芳年輕而執袴習氣太重，除應酬外乃無一長。又性根未定，喜怒無常，何可携以自累。是以毅然辭之。』又在前述之覲見東西兩太后時，西太后囑以：『你隨行員弁均須留意管束，不可在外國多事，令洋人輕視。對臣恪遵聖訓於隨帶人員事格外謹慎。在能通洋務而可信任之人，未易找尋。臣意中竟無其選。只好擇臣素識之讀書人中，擇其心中明白，遇事皆留心者用之。……所携二等參贊官陳遠濟係臣妹婿。臣援古人內舉不避親之例，帶之出洋。緣事任較重，非臣親信朋友，素日深知底蘊者，不敢將就派之。陳遠濟係原任安徽池州府知府陳源袞之子……在安慶廬州殉節，乃耿介忠蓋之臣；遠濟其次子，操守廉潔，甚有父風』。

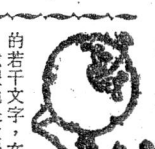

外派人員，以誠篤不苟，操守廉潔，為第一要義。浮淺之徒，油頭滑嘴，巧言令色，應酬雖善，不足取也。

持節遠方，報聘異域者，名之為：特使也，大使也，公使也，代辦也，或其他任何名詞，均無關宏旨，其第一重要問題，就是這人是不是一位熱烈愛國家愛民族，對於自己民族的歷史，文化，社會等有深深的瞭解，具深深的熱情，心誠意正，獻身國家民族；而不是要做外交官瀟綽一番，享受一下，甚至暱覺海外，養老異邦，國內太苦，能逃之夭夭，即算數矣。吾儕若深研我國近代外交史，感覺我們先賢外交家，即此文所略談之我國首批派駐泰東西使節，他們多是憂國憂民，親眼見泰西文明與建設而精誠希圖中國富強能與歐美併駕齊驅，一雪『東亞病夫』之恥者。他們甚至毫不顧慮自身利害與前途，雖毀滅自己，殺身取禍而亦不停止與當時之昏庸士大夫及腐敗政權奮鬥者。譬如郭嵩燾就是如此被犧牲者。郭湘陰於光緒二年十月欽差使歐，遺著有：『使西紀程』。曾紀澤尊稱之為『筠仙丈』，乃郭之世晚與繼任者，郭氏有胆有識，年小曾國藩五歲，不似文正公之拘謹。中共罵曾國藩為『劊子手』，刋有專書，責其殺漢媚滿，無革命精神，我們固不敢信。然筆者亦曾讀過西儒描寫曾文正之為人與中國前途，總之，文正非豪放，浩然雄氣者，乃係定論。郭嵩燾的氣派似比曾國藩大，吾人不能以成敗論英雄，更不該以地位高下作標準。郭筠仙在舊社會終不得志，清史且不為之立傳，理雖可解，然中國舊社會之遺毒可恨，人才之泯沒，國步之至今尚艱，凡為中國人者應知所自覺，而大加儆惕矣。

這一批中興外交使節，大都熱心國事，出洋觀瞻訪問及思考所至，恍然於列國富強之因，及中國積弱之理，常欲直言無諱，思有所振作。所令人拍案痛憤者，乃當時之頑愚、奸桀者滿朝野，對此類賢哲外交家以莫大之陷害與打擊。斥以大逆，媚外，中洋毒，不識父母之邦等等毒辣語。回國常一籌莫展，鬱鬱以終，郭嵩燾其究屈者也。無聊文人交章彈劾，謂：『嵩燾自前年被召，即大為清議所賤。去年夷人至長沙，將建天主堂，其鄉人以嵩燾所主之也，羣欲焚其家。值兩湖鄉試，幾至罷考。』又罵郭曰：『出乎其類，拔乎其萃，不容於堯舜之世；未能事人，焉能事鬼，何必去父母之邦。』郭著『使西紀程』；本為極溫和，靜觀，據實，簡單之記錄，然竟不容於當世。頗有聲名之士，且曰：『閱郭嵩燾使西記程，紀道里所見，極意誇飾，大率謂其法度修明，仁義兼全，富強未艾，寰海歸心……嵩燾為清議所賤，迨此書出，而通商衙門為之刋行。凡有血氣，無不切齒。何金壽編修上疏嚴劾，有詔燬版而流布已廣矣。伊為此書，不知是何肺肝，而為之刻者又是何居心哉。』

凡是一位有學有養的外交家，自然要知微識漸，事事觀察，個個留心。郭公使一出國門，乘英船，途遇英海軍艦向之致外交敬禮，即有所領悟。其日記中有云：『過廣東境汕頭：有英國鐵甲兵船尾至。有船主云水師提督船也。我船升旗，來船見亦升旗……因詢船主：升旗何也？曰：所以告也。彼亦升旗何也？曰：報也，猶曰公使在船已謹知矣。升旗何也？曰：既告則可以下矣。彼船人升桅而立何也？曰：亦敬也，猶之列隊也。升桅而彼可以示遠。樂，所以作軍樂也，以為列隊之節也。掠船首而過何也？曰：趨而迎也。停輪者以示讓也。彬彬然見禮儀之行焉，足知彼土富強之基，非苟然也。』在今日；我們稍習外交學，即懂此乃 Maritime Honours（海軍外交禮節）英以海上霸工，更重視之。然在光緒初年，郭筠仙當然不甚瞭解，不憚其問，是其長處。孔子知禮且入太廟每事問。至於郭氏因而醒悟，此乃禮儀之邦，富強之基，明其大處，更有足多矣。

外交家應知微識漸，目光遠射至二十年五十年以至五百年後，始可從容坫壇，為國家民族謀福利。

郭、曾、薛各使節，以及其他各位及隨員等，出洋觀感所及，均極精確入微。無論其有關教育，工商，軍備，政治或風化等，等皆有所省悟與借鑑。在當時中國情勢下，允稱先知先覺而無愧。郭嵩燾路過香港時有記述云：『二十二日（光緒二年十月）以修船延一日。香港總理[illegible]爾狄及羅伯遜來見。語及學館規模之盛。數日是皆貧人子弟，學習二三年，略能有得，往往自出謀生，所以能有成者少也。』

壞蛋！

敗類

今日與明日

越戰前途

越南局面越來越形惡劣，最近一周來所發生的事件就有美國兵艦被炸沉，飛機在空中爆炸，至於西貢市區內的破壞目標，已轉而專門對付美國。據傳美國駐越大使[illegible]美國官保護在越軍民的安全，已加派憲兵到越南。不過，此種恐怖行動，今後必然還有增無已，美國的現行頭痛醫頭，腳痛醫腳的辦法，決不足解決越南危機，是可以斷言的，事情再發展下去，美國只有在全面撤退或進攻北越二者之間選擇其一。

進攻北越

美國早些日子揚言要進攻北越，後來由於國內外的反對，又沉寂下去。在現階段來說，解決寮越戰局的唯一可行之道，只有把戰火帶去北越。據寮國叛官現又反共的康黎上尉對西方記者透露，前年河內養痾時，偶然有一架美國飛機掠過，河內頓時大起恐慌。依他的判斷，只要美軍在海防一登陸，北越政權即將土崩瓦解。

美國當然也有顧慮，就是毛共的態度，以毛澤東的好戰成性，又值走投無路之際，派兵介入越戰，非不可能。但毛共沒有蘇聯支持，又如何能應付一個現代的戰爭？而且毛共也是病入膏肓，禁不起一點風寒外感，毛共真敢介入越戰，恐怕會與胡志明同一命運！毛澤東若果想到此點，就怕要大費躊躇，即使介入越戰，也不過是象徵式的兵力，表示一下江湖的義氣而已。

美國的抉擇

美國擴大越戰，終究將是不可避免之事，但在目前恐怕作不到，因為本年十月間又要舉行大選，詹森總統自不願在大選之前引起戰爭，以減少選票。對越戰事，在十二月以前，將仍維持現狀，但求不再惡化便已滿足，有新行動恐怕要待來年了。

摧毀鐵幕的最佳機會

最近兩年，將是西方國家摧毀鐵幕的最佳時機。赫毛之爭已到勢不兩立之境，現階段北越同中共區發生戰爭，我們看不出蘇俄有任何出兵的可能。但是，若再過幾年，一旦毛澤東同赫魯曉夫相繼去世，甚至就算死了一個，中俄共之間關係就會好轉，到時在敵愾同仇下，又會團結在一起，西方國家再想等待一個這樣的機會，又不知要多少年，時機是稍縱即逝的！

偶憶陳獨秀

我并不認識陳獨秀，當然久聞其名，也讀過他撰寫的若干文字，在政治思想上，我跟他是敵對的。但始終欽佩其品格，大可垂範後世——尤其是一般知識份子，應該見賢思齊呵！

陳氏當年因為反對俄酋史大林對中國問題的錯誤指導，由中共的「家長」地位，一變而成為「托匪」，再變而論為「漢奸」。對日抗戰發生前夕，陳氏匿居上海租界內，經毛共黨羽告密，被國府捕獲，下之於理。章行嚴（士釗）挺身投牒於法曹，願為陳氏作義務辯護律師。然陳氏宣稱：「章行嚴有甚末資格來替我辯護呢？」拒不接受，亦不請任何人從事辯護，生死聽便，滿不在乎。

越民國廿八年對日抗戰激劇之時，他住在武漢，毛共的宣傳刊物，控誣他是接受日本方面津貼的「漢奸」，每月向日本特務機關領取若干數額的生活費，言之鑿鑿。當時在武漢的許多國民黨人士亦看不過去了，替他抱不平，聯名著文為之辨誣。陳氏却當伊嘸介事，悶聲不響，一笑置之。他深切瞭解一般共產仁兄的所謂「鬥爭」「宣傳」技倆，就是這末一套，沒有理睬的價值。

到了抗戰末期，他住在四川的江津縣，共幹吳玉章，董必武奉命向他游說，要他對黨寫下一紙悔過書，即可恢復黨籍，且歡迎他到延安去。但陳氏答以「我究竟有甚麼過可悔，至今尚不明白，到要請教你二位」。依然我行我素，不時在報紙上發表他的政治經濟建設觀點，也不放棄他的政治立場，皭然涅而不淄，自有本末。他的兒子亦是為共黨而喪生的。

我想起這些事情，即覺得陳獨秀之為人，在我的腦海中潛存着一種虎虎有生氣的印象，不能磨滅。一個具有思想和抱負的知識份子，能使敵人對其學識與品格，亦由衷的表示敬佩，這豈是偶然的？大丈夫當如是也！

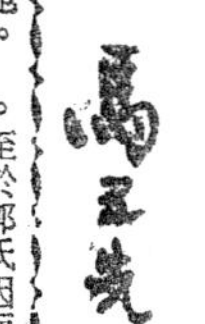

民主學步又一次良好表現

台省縣市長選舉辦得好

連高玉樹也說公平自由

廿一縣市長執政黨獲十七席

（本報記者台北訊）台灣省第五屆縣市長選舉，已於四月二十六日揭曉，全省二十一縣市長中，執政之國民黨候選人得十七席，黨外人士僅得四席，但比前一屆增加一倍。

在二十一縣市中，有台中縣、彰化縣、嘉義縣、台南縣等四縣，自由競選，執政黨未提名縣長候選人；另有宜蘭、新竹、南投、雲林、花蓮、澎湖等六縣為一人競選，可以不競而當選。

剩下來的十一縣市長中，基隆市長由林番王獲選連任，他得五一、二五五票，比執政黨候選人謝清雲多一〇、一六四票。

台北市由黨外候選人高玉樹以一九一、八三八票擊敗執政黨提名候選人周百鍊，他比周百鍊多得一五、七二一票。

台中市係執政黨提名候選人張啓仲以六五、六八九票當選，黨外候選人何春木僅得一六、八二六票，蔡志昌得三二、一二三票。

台南市由黨外候選人葉廷珪以六五、〇九九票當選，執政黨候選人僅少四、〇四四票而落選。

高雄市為執政黨候選人陳啓川以九六、[illegible]〇票當選，黨外候選人省議員李源棧最慘，僅得一四、〇六五票。

至於台北、桃園、苗栗、高雄、屏東等五縣，分別由執政黨人當選。而台東反而由青年黨人（臨全會派）黃順興以三八、九三四票當選，殊出人意外。

五省轄市中，黨外人士佔三席，執政黨人只有二人當選。六縣中執政黨人佔五席。但五轄省市中，執政黨得票總數爲四四一、三八三票，比黨外人得四二〇、五五八票要多二〇、八二五票。而六縣中執政黨人得五四二、七〇二票，比黨外人得多出一五二、九三八票。儘管執政黨人得票多，但卻被黨外人佔去四席，民主政治，眞不可思議。

執政黨在北市何以竟告失手

執政黨候選人在台北市何以敗於黨外人高玉樹呢？這是値得執政黨檢討和反省的。嚴格的說來，由於執政黨地方幹部重視地方派系利益，置政黨政治的原則和道義於度外，而周百鍊本人又缺少人和，這是先天的失着；但先天的缺點是可以運用後天的「調養」來補救的。然而，執政黨在後天的宣傳上失策，那種一面倒的宣傳，和動員所有大衆傳播工具來打擊高玉樹，致引起選民普遍的反感而同情高玉樹，更是周百鍊的致命傷。同時，周百鍊在公開活動前後，並未針對下層社會選民所需要解決的問題加以說明，或在政見中宣示解決之道，致失去基層群衆的支持。

而高玉樹此次成功的原因，由於他掌握住羣衆心理，針對現實問題，侃侃而談。他說他當選後，可以減少市民課稅的負担。他明明知道這件事不是一個市長所能做到的，但他敢說。高玉樹擅長口頭宣傳，儘管他的文章都是別人「捉刀」的，可是他那鋒利的嘴巴，不是一般人所能及的。他亦善於運用基層社會的小人物去宣傳，去拉票，去對付政敵，甚至傳播沒有根據的事去打擊別人。比如，他運用李建生競選的招牌，安排助選員和推派監察員，爲他做事，就是一例。

在台北市五位市長候選人中，高玉樹利用李建生助選，周百鍊運用李科源來打擊高玉樹和陳逸松，只有陳逸松孤軍奮鬥，僅得三，三二二票。識者以爲，假使陳逸松在競選期間，不是遭遇四面八方的打擊，能順利競選的話，不但高玉樹不會當選，即陳逸松的得票數很可能與高玉樹平分秋色，使陳、高都落選。執政黨未明瞭此種形勢而加以運用，殊爲失策。

不過，這次台北市長選舉，連高玉樹亦認爲：「非常公平，合理和自由民主」。是則台省的民主學步，這次是更有新的良好表現了。

香港與大陸

自認其黨內有三害五毒

毛共大整肅如箭在弦

許多共幹已因此而皇皇不安

躭心整肅矛頭落在自己身上

據來自上海的林××告訴本報記者，中共在不久的將來，又會來一次大規模的整肅運動；甚至不妨說它這種刈除異己份子的整肅運動已經開始了。中共黨員有不少均因此提心吊胆，栖栖皇皇，怕自己也在被整肅之列。

林××說：他這項預測是根據中共上海市委員會最近發出的「健全組織、教育黨員、徹底反掉醜陋面貌」的「指示」而來的。該「指出」說：中共上層已決定，要在最短期內，徹底改換中共黨內各種壞現象，內包括着工作幹部、組織工作、組織部門思想作風三方面，又說要淸除共黨幹部的「三害」、「五毒」。

林××說：對于幹部工作方面，中共的那個「指示」有五項之多：（一）規定發動「全體黨員」訂定個人的「紅專規劃」，並且要在個人的規劃基礎上製訂各級的、各單位的組織規劃，而且要求其幹部要「理論結合實際」，避免流於形式，應採取所謂「邊製訂、邊實行、邊修正、邊提高」的原則。

（二）規定調配「幹部力量」，「保證」上海市五年內眞正變成一個社會主義的工業城市，徹底糾正浪費和積壓幹部人材的作風。

（三）規定加强對黨員幹部的管理和教育，經常考察幹部的思想情況，切實掌握他（她）們的政治品質。

（四）規定在「統一安排、全面鍛鍊」的工作路線之原則下，作好「幹部」輪流「下放」的規劃，並且要求所有幹部得增加規定的體力勞動。

（五）規定今年上半年必須完成「審査」和「複査」幹部的工作，作爲以後整風工作之依據。

對於上海市「黨組織」工作，中共那個「指示」亦有三項：（一）通過「整風」、「整黨」，以進一步「鞏固提高」其基層工作，並且採取措施，把一部落後的不起作用的「黨支部」改掉；（二）在今年內，必須徹底做到「純潔黨的隊伍」，把「覺悟不高」的黨員反掉，使之成爲起「領導作用」的先鋒；（三）繼續擴大吸收黨員，配合各項「政治任務」，在老工人、高級智識份子身上動腦筋，使之成爲「優秀的黨員」。

林××稱：中共的此項所謂「健全組織、教育黨員、徹底反掉醜陋面貌」那個的「指示」，不僅要每個「黨員」學習，同時也要每一個青年學生，工人和職工進行討論學習，說是非如此難望收望「預期的效果」。

林××稱：在討論學習的時候，中共的擁有實權份子，明確指出這是共黨的「進步」的工作，又是繼續貫徹「人民公社」、「三面紅旗」的工作，而且是對「反黨份子」以及「帝國主義」與其「走狗」之有力打擊云云。因此，林××說中共的許多黨員以及若干幹部，已因此而提心吊胆，躭心整肅的矛頭會落到自己身上來，而栖栖皇皇，寢食不安。（敬斯）

戴高樂法國畢竟怎麼攪的

——陳疏寄自西德波恩

就在同時，被戴高樂任命爲法國駐越盟密使的桑地尼 Jean Sainteny 正擬由中國的昆明携帶一支法國軍隊前往越南。這支軍隊當時由馬殊中校 Jacques Massu 率領，希望得到美國駐昆明的空軍給予協助。當時美國駐昆明的空軍司令也奉命拒絕了法國人的要求。桑地尼向他的上司報告說：「盟國對我們的陰謀很明顯地是想將我們逐出越南。此刻他們對我們的態度遠較越盟所加諸我們的還要惡劣。」曾幾何時，當時的梅斯墨今天已是法國的國防部長。桑地尼目前綜[illegible]退伍軍人及復員事宜。而馬殊將軍是亞爾薩斯洛林的軍區司令，法國第五共和最卓越的軍人。

華爾敎授認爲這些歷史上恩恩怨怨的關係正是今天法國和美國在東南亞政策大相逕庭的眞正原因。

法國在亞洲方面的另一個企圖是想拉攏日本以作爲她的同路人。法國的內閣總理龐比杜偕同外長墨維理不借僕僕風塵遠赴東京遊說。據四月七日的新聞電訊報導，親美的池田首相曾向龐比杜表示了日本對中華民國的友誼。並且池田還向龐比杜詢及戴高樂中立東南亞的思想，是否爲一項長期性的構想或有具體的計劃。後面這件事證明日本方面對戴高樂的那項建議也是不明所以。其實，所有的國家，甚至戴高樂自己也不明白他那個建議的眞正內容究竟是什麼。

丙、戴高樂爲了找尋班底，三月份曾親自去了一趟南美洲的墨西哥。據說他在那個國度裏受到了凱旋式的歡迎。由於他這次在墨西哥的訪問很成功，對於他今年秋天訪問其他南美國家的計劃自然非常有利。關於這件事，我們可作如下的解釋：南美國家在卡斯特羅赤化古巴以前，原是共產主義的隔緣地帶。古巴赤化後，雖然也感到了紅色威脅，究竟不像亞洲那樣直接受到共產黨的蹂躪。在傳統上，他們感受的「威脅」來自北方，反美的情緒在那個地區一向很高漲。儘管那些南美人接受過無數的美援，也儘管他們十分依賴這種美援，但當他們面對着戴高樂標榜的民族自尊時，反覺得美國那套「睦鄰政策」對他們是一種壓迫和屈辱。這也就是爲什麼戴高樂的反美國主義能獲得墨西哥共鳴的原因。

因此，我們不妨假設戴高樂主義在南美有被接受的一天。但依據戴高樂對國際政治的前提上思想對抗只是國際政治的過渡形態，決定的因素是各個國家的不同利益上他究竟去怎樣成全那些不同的國家利益，而使那些國家甘願做法國在國際政治上的墊脚石？關於這一個問題，戴高樂自己一定也感到迷惑。

四、法國往何處去

歷史上很有憑藉權謀詐術起家的政治人物，他們多能僥倖得逞於一時，却不會成功於永遠。那些人物通常都是將整個國家的命運作爲他個人權力鬥爭的籌碼，強人政治的危險正是因爲作爲領袖的人，將他的個性不當地影響到政治上去，致引起不良後果。今天全世界面臨的所謂「戴高樂主義」正和戴高樂的「反美國主義」一樣，只是一種戴高樂感情的反映。它惟一的結果是削弱自由世界的力量。

從歐洲人的輿論看，他們雖希望一個統一的歐洲出現，但這個統一的歐洲必不是戴高樂感情的產物。而是如德國職工聯合會主席羅森柏克說的，是「自由世界一份子的歐洲聯邦。」「歐洲聯合」的榮譽主席率直地說「歐洲聯合當前的課題是反戴高樂主義。」

當然，歐洲是不能缺少法國的。但法國今天也不能缺少歐洲。戴高樂帶着法國面臨的選擇是：一個統一的歐洲或者他的第三勢力；和西方合作或分道揚鑣。他會作那種決定，這要看他本人究竟是一位夢幻者還是一位眞正的現實主義者。如果他走上了與西方分裂的路子，問題的解決恐怕要如克勞德．包特說的，將延續到戴高樂個人生命結束以後。對法國、對歐洲、乃至對整個自由世界都是不幸的。（下）

基隆旅居記

仲公

李經方於五月二十七日下午四時乘德國輪船公義號，抵三貂角，投錨於樺山所乘橫濱丸右舷處。

翌日樺山派全權公使水野遵，書記官島村久，通譯仁禮敬之，到李經方船上，樺山要求李全權登陸交割，李全權告以台灣已成立民主國，民情洶洶，恐有意外，可在船上遙指交割：一、台灣全島及澎湖列島各通商口岸，與各府、廳、縣之城堡，軍庫及官業，概讓日本。二、台灣至福建之海底電線，他日兩國政府另行商議管理。即日回國，向清廷復命。

交割手續未辦完前一日，日本即遣兵輪廿九艘，游弋台北海面，復分泊基隆、淡水、澳底、金包理各海口，凡可登岸之處，皆有兵輪，日本海軍大將樺山確深精海戰之術，他于五月廿八日帶兵艦十五艘，統帶步兵四大隊，工兵一中隊，衛生隊半隊，騎兵一大隊，次於三貂角宜蘭縣轄澳底，當日我大兵多紮基隆、淡水要塞，以爲日本兵艦必由此處攻，樺山偵得澳底，可泊巨艦，而我官兵視爲荒僻之地，竟未派大軍駐守，僅有統將張兆連，分統官副將曾喜照，帶勇三營，在該地防堵而已，故樺山率五千兵一鼓登陸，曾喜照防守澳底，對登陸日軍，雖發砲抵抗，奈所募土勇兩營，成軍纔三日，遇敵迅散不敢戰，我張統領與曾副將營兵，與日軍工兵一中隊，步兵一中隊，奮勇接戰一小時半，我軍即放棄澳底，五月卅一日便爲日軍所佔領。三貂嶺之戰，在天時、地利上，守軍都佔優勢，可惜曾軍未能奮勇攻擊，讓日軍佔駐要地，可慨也。（四三）

危機重重的美國政客政治

張健

翻開美國的一部近代史，我們可以作如下的判斷：自威爾遜總統以後無十足的理想政治家；自小羅斯福後無一流的實際政治家！

二次大戰結束前，羅斯福以其垂暮之年鑄了一件智者千慮的大錯——雅爾達密約——之後，美國總統自杜魯門而艾森豪而甘迺迪而詹森，便面臨一較前更為陰狠的敵人——以蘇俄為首的共產集團，且儼然肩負起保衛、領導自由世界的艱鉅任務。然他們的表現，除了杜、甘二氏尚有一、二可稱之處外，直可以「慘不忍覩」四字概括之。

如今，堪稱美國碩果僅存的一位英雄（非只是民族英雄，或當許之為「世界英雄」）麥克阿瑟將軍逝世了。雖然以八四高齡赴上帝之召，在其本人應無大憾；然處此非常之時代，光明與黑暗交際的世紀，斯人一去，所謂大將之才，所謂政治家風度，或將成為幽谷空響。每思及此，遂不能不潸然淚下！

或謂以麥克阿瑟之英雄氣概與轟烈勳蹟，而終未能榮膺總統之選，將為美國史上一大憾事，予亦云然！然今晨得讀美國斯克利浦斯·霍華德報系的專欄作者魯卡斯先生的一篇報導，乃有痛定思痛、不敢復作此想之慨！嗚呼，荷麥帥而得任美國總統，其殆為二十世紀「民主政治」之殉道者乎！

那篇採訪報導是在十年以前——一九五四年——魯氏與麥帥的一次很長的私談後所寫。由於一份必要的顧忌，才遲至麥氏逝世後兩天始予披露。於此報導中，吾人益見麥帥在美國芸芸衆政客中，是如何的鶴立鷄羣，又如何的孤獨、寂寞！自韓戰戰場回國後的數百萬羣衆的夾道歡迎，並減少不了一絲一毫他內心的孤寂！雖然他是終其天年的死在全球矚視的病牀上的，我們又何妨說他是死於美國式的「民主政治」的渦流中！也許這亦正是何以麥帥之死，不僅使吾人覺得失去了一位傑出的軍人，而更有「哲人其萎」之歎的根本緣故了。

若干年來，以世界首富首强、民主先進自詡的美國，究竟實施着怎樣的一種「民主」？固然，我們不願否認美國的社會上遍佈着一種「民主的氣氛」，這是極為難能可貴的；但，作為其民主政治核心的美國政府，却由於其新陳代謝與維續之方式的庸俗化，而成為現代民主國家一個功過幾不能相抵的「榜樣」！

麥克阿瑟批評艾森豪——雖然他曾是一個有自尊心的人，但他的政府並不依據是非作決定，「而純以謀艾森豪再度當選以及一個由共和黨控制的國會為依據」。我們知道：艾森豪曾是麥帥得力的部屬之一，且他本人亦以此為榮，麥帥絕無任何理由對他故作過甚的貶辭。然則如上所云，是否僅是麥氏本人的觀點使然？我們不妨翻翻艾森豪在一九五三到一九六一那八年間的歷史！以及那幾年中自由世界的第一號敵魁赫魯雪夫的嘴臉——因為敵人的顏色往往是自己的最好溫度計！

艾森豪在他的回憶錄中，以一個中庸的民主衛道者的姿態出現。而對他的弱點，他敷設了一套美妙的自圓其說。甚至意欲將保衛台灣海峽的功蹟間接地拉到自己身上。「一九五五年我們在台灣海峽拒絕退却……危機已告冷却……」云云，莫不是一個政客的兩可的措辭。其實，倘非我國軍在金門馬祖的嚴密防守及成功的反砲擊，（這些最初是美政府所不願附和的），金、馬也許已告失守，而台、澎的形勢也將受到極不利的影響，自由世界在西太平洋的陣營又受一大挫折，則美國政府更將何辭以對？這在我們中國人看來是一目了然的。（一）

我所知道的麥帥

肯寧將軍原著　徐熙光翻譯

「噢！喬治，我要你馬上收拾一切，打點行李，在十二日星期一上午八點鐘到我辦公室來見我，詳細情形面告，電話中不便提。」

我曉得這是調職的命令，我告訴阿諾德司令我將如時前往他那裏報到。然後我開始處理辦公廳裏的公事移交和家裏的大小搬家事情。

七月十一日星期天下午，我飛到波林機場，然後到航空隊總部探聽消息。我沒去看阿諾德將軍，我找的是我的老友麥克那尼少將，他當時是陸軍參謀長馬歇爾將軍的副手。他告訴我，我即將被派往澳洲。因為麥克阿瑟對他的空軍主管喬治布列特中將頗為不滿。有人提名我接替布列特中將，麥克阿瑟接受了。麥克那尼祝我好運，希望我對新職能勝任愉快。我們又談了一會兒歐洲和太平洋的形勢，我決定接任新職。

太平洋的形勢在當時來講是可好可壞，重心是擺在歐洲。那年的十一月，盟軍準備在非洲登陸，所以麥克那尼認為可能無法把太多的兵力、飛機和補給放在太平洋上。而且國家的最高決策是先打敗希特勒，所以不可能同時在歐洲和遠東進行大規模的作戰，這就是麥克那尼要祝我好運的原因。

第二天上午，我向阿諾德將軍報到，他把我的新任命告訴我，然後我們一起到馬歇爾將軍的辦公室裏去，我們討論了一下有關遠東的一般形勢，以及我在麥克阿瑟麾下的職責。他們兩人對遠東情勢的分析，比我從麥克那尼那裏所聽到的還要壞。馬歇爾和阿諾德都認為日本可能很快的就會向澳洲發動攻擊。又說不管日本在太平洋如何蠢動，他們強調主力要先用來對付德國，所以麥克阿瑟的任務暫時要採取「戰畧上的防守」。我預定一九四二年七月廿一日飛離舊金山往任新職。

三天之後，即七月十六日，我在聽取有關西南太平洋的各項情報後，向阿諾德將軍道別飛回舊金山，利用剩下的四、五天時間收拾一切，準備就任新職。

在飛往澳洲以前，我向我的直屬長官，第四軍軍長戴威特將軍辭行。他向我道賀我的接任新職，讚揚我在第四軍的表現，並對我的離去表示遺憾和婉惜。不過他又說我是適合於在第一綫從事實際作戰任務的人，他說他希望有一天他也到澳洲去。

接着他告訴我他曾在幾天前給麥克阿瑟將軍寫過一封信，信是這麼寫的：「航空隊喬治·肯寧少將已奉調在將軍麾下服務。本人失去此一得力助手深覺遺憾，於此謹為將軍得人賀。肯寧將軍不但是極富經驗的傑出飛行員，而且能力極強，頭腦清楚，他有很好的判斷力，也有很豐富的常識，此外他有極佳的領導和組織才能，有忠誠可靠而與人合作無間的人格。他是我所見空軍中最好，最有資格接任此一新職的將官。謹此奉告，祝好。」

（七）

藝術叢談

抽象藝術漫談

趙雅博

人以及與他一起的產物，像偉大的文化運動，偉大的藝術潮流等，還沒有成為一個完成的東西，盡善盡美，止於至善，而只是逐漸的在前進，在工作，在走向完成，而也很難臻於完成，只有未來的時間，逐漸告訴我們對於這些運動的估價與期待。至於當前的我們，我們最多，並且也只該注意研究它們的可能性，說明並為它們的出現，在歷史上是應該如此的而指出來就夠了。至論在大聲疾呼，疾言厲色的在排斥並拒絕它們，尤其是不顧一切事實來反對，也是不應該的。因為我們知道，眞理的含蘊，深廣無窮，一個新的趨勢，一個新的作風，它必有所以出現之道，當然在這出現過程中，難免有許多不合理與過度，但是也未嘗不是時代的需要，其間很可能是眞理的表現。實在，我們已經說過，眞理的深廣無窮，在偉大的思想家，以新面貌使它們出現時，往往為一般所拒絕，也往往為時代所不瞭解。是的，這種情形不止在拒絕方面現出來，就是在讚揚方面，也有同格的現象，只是肯定的讚美，但是並不眞知它們的含蘊，讚美也多是隔靴搔癢，多是盲目的吹噓，而沒有瞭解。

抽象藝術與抽象主義等等的藝術新潮流，它們的誇大過度，是混淆了像與客體，為此拒絕或不要藝術有像的人，也一樣拒絕或排斥客體；拒絕客體，我們已經知道它嚴重的後果了，因為客體是可理解性的根源，如果將這可理解性的根源拒絕，隨之而來的，不用說乃是混亂與不可瞭解；並且在藝術內也是不可思議的事，藝術而不要客體，又如何成為藝術呢？這是晚近五十年藝術所有的大災大難，也可以說是怪現象。我所說的不瞭解，並不是外面的不瞭解，這是由於觀賞者的無知，或者對時代與歷史或社會背景不瞭解，或者來自作者表現的不當。這裏的不瞭解乃是內在的，本身的，是一種不可瞭解性，一種不能性。需知要瞭解一個藝術品，須要有可瞭解的基礎，如今先已將它的基礎弄壞或拒絕了，又如何能使人瞭解，其本身又如何瞭解？瞭解而沒有瞭解的基礎，整個客體的有，又烏乎可？

拒絕有或物，這是說在藝術上要有完全絕對的自由，可以讓藝術家為所欲為，寫所欲寫，畫所欲畫。果如此，又何必有畫？其所要畫的又可能是什麼？思想，意志，情感，這些都無形無像的，又何必又何能以有形有像來表現它？如果可以，那又何必何能取消形或像？又何必又何能取消客體或物事呢？無形無像又何能以無形無像來表現呢？

藝術家要自由，其實，不拒絕有，不拒絕物，又何以謂沒有自由呢？遠近、大小、高低、東西、以及各種不同的位置，還不是由藝術家自己決定如何採用嗎？這不也是自由嗎？須知，一切的人事，如果想要絕對自由，那是不可能的；因為絕對自由，完全自由，需要不受限制，然而人事又何能不受限制呢？時空兩面的限制又誰人能脫離呢？

（未完）

寫實續夢

第十二回：

異域購新居　民脂似水
冷宮傷舊夢　妾命如絲

梅農所以生氣，也自有道理，自從尼赫魯發明「中立厚黑學」以來，雙方敲詐，左右逢源，在國際上成為重要人物，印度當政人物都以為今日世界，除去美蘇，就是印度，尼赫魯平生更不作第四人想。梅農既以尼赫魯繼承人自居，等到尼赫魯蒙主寵召之後，自然也就是世界第三個大人物了。那知平白跑出一個乳臭未乾，一臉孩子氣的施哈諾，竟然當了日內瓦十四國會議的主席，已經搶盡風頭，現在他又提議召開蘇「中」法英美及柬埔寨六國高峯會議，以解決世界問題，眼裏竟然沒有印度，也未提到尼赫魯，梅農覺得是可忍孰不可忍，就想找岔子出氣。

施哈諾講過，輪到梅農發言時，他先說明印度立場在支持寮國中立，維持亞洲和平。最後梅農話題一轉，說道：「要維持亞洲和平，有許多地區的爭執還是要解決的，例如巴基斯坦侵佔克什米爾，中國侵佔印度邊界領土，都應該設法解決。而解決這些問題，如若沒有印度的領導人出席，也是不可能成功的。」

梅農說過，陳毅要求發言，施哈諾當即允許。

陳毅說道：「今天是討論寮國問題，不要把問題扯遠了。要是眞說到中印邊境問題，侵畧的是印度，不是中國。印度製造中印邊境事件，用意不過在於向美帝國主義乞憐，現在目的已經達到，美帝國主義同其他帝國主義國家都把武器、金錢、大量送來，印度從無變到有，從貧變成富，這種緊張局勢再維持十年，印度面貌一定改觀；印度代表口口聲聲要解決邊境糾紛，我怕邊境糾紛眞的解決了，印度到斷絕了一條財路，何苦呢？」

陳毅說過，范文同、施哈諾、蘇發努馮都笑起來，梅農臉紅紅地不再出聲。

美國代表魯斯克繼起發言道：「剛才中共的那位代表，一開口就罵到美國頭上，我們聽來雖不覺得奇怪，却有點新鮮的感覺。那位代表把所有援助印度的國家，都指為帝國主義，不知是否包括蘇聯在內？因為據我們知道，蘇聯援助印度的武器、金錢，僅次於美國。此種情形，相信那位中共代表也不會不知道。他既然指蘇聯是帝國主義者，他自己究竟是個什麼主義者，我們到要請教。」

陳毅被魯斯克一句話擊中要害，無言可答，葛羅米柯不住拿眼瞅他，英法外長荷姆同牟維里相視而笑。

接着討論到寮國停戰問題，四方國家主張就地停戰，再商和平解決辦法。

中共、越共代表團却要求先談判，後停火。

美國代表發言道：「戰爭是一件危險的事，先談判，後停火的辦法是十分危險的，因為任何一方在戰爭中佔得優勢，就可以盡量的拖延談判時間，這樣就會引起大戰，把許多國家都牽扯進去。」

許多人聽到這裏一齊鼓掌，連施哈諾也隨着點頭。

美國代表繼續說道：「中共當局有一個天眞的想法，以為只要掀起大戰，美國同蘇聯就會同歸於盡，到時世界上就剩下中共，自然可以為所欲為了。不過，我們要忠告中共代表，美國決不會為寮國同蘇聯打仗的。」（三〇六）

冒險犯難記

鄭文儀

後來回到廣州，在勝龍新街一所湘軍軍官同鄉住的公寓裏住着，因爲沒有錢，又不能出門，結果我同同住幾位軍官相約，我代他們燒飯弄菜，條件是我食住都不花錢。這樣躲藏了一個月，這時受的磨折是非筆墨所能形容，物質方面的苦尚在其次，精神方面的苦，眞日夜坐臥不安。

當然我的目的是指望黃埔陸軍軍官學校早日開學，我可以順利進校。我想進到黃埔軍校之後，講武學校方面或不致多留難；但未進黃埔軍校以前，傳說紛紛，我的行動和安全，確實受到嚴重的威脅，這是我一生最大的難關之一。幸而我受盡驚怕之後，終於順利進入黃埔軍校，從此得以參加革命建國大事業。

十、進入黃埔如魚得水

民國十三年五月四日，我們考取黃埔軍校第一期的正取學生三百二十四人，都到了黃埔軍校報到，當天就編隊入伍，從五月五日開始受入伍生教育四十天。這四十天的新兵生活，在一般新入伍的文學生，自然是感到十分辛苦，但我這個曾受過半年嚴格學兵訓練的「老兵」，倒是毫不感覺得辛苦，反之一切溫故而知新，深深感到一切都很是輕鬆愉快。因爲黃埔軍校的教學管理方法，在軍紀之下，除上官長和入伍生在生活上是相當自由平等的。尤其是這裏重視政治教育與精神教育，學生們操課之餘，可以在政治思想方面高談濶論，交換革命前途的意見，這在我這個對政治有興趣的人，是最合適沒有的了。即使我的年齡比較輕，身體也比較矮小，我被編在第一隊第二區隊的排尾，和曾擴情前後排成對。我雖然個子矮小，但因爲我是老兵，一切新兵訓練的動作，我都比較熟練自然，所以倒很受隊上官長賞識，常常在小動作方面，提出我來作本隊或本班的榜樣。

八月十五日入伍期滿前的三日，我們沒有加入國民黨的學生，都被中國國民黨軍校特別黨部吸收，作了國民黨黨員，從此我們開始要過革命組織的生活了，使我們在精神方面情緒方面又增加了不少鼓舞和責任感。我們對三民主義對國民黨對國民黨總理兼本校總理孫中山先生，除了共產黨派來的職業學生外，都有堅强而誠摯的信仰，對於校長蔣先生，黨代表廖仲凱先生，政治部主任戴季陶先生，都眞心誠意的信服，尊敬他們。

六月十六日第一期舉行開學典禮，總理孫先生親自涖校主持，這時的學生爲四隊，共四九九人，行過閱兵分列式典禮之後，總理在典禮中訓示我們。（十五）

四喜

漁翁

四喜者，有四項最愉快之事，足以暢胸懷而提精神也。「通俗編」載：村塾課本有四喜詩，曰：「久旱逢甘雨，他鄉遇故知，洞房花燭夜，金榜題名時」。洪邁容齋四筆亦嘗載之。

旱，天久不雨也。詩：「旱旣太甚」，「旱魃爲虐」。與水字對。俗謂陸路曰旱道，所以別於水也。在五行中，以水爲最重要，人不可一日缺水。若久晴不雨，則春不能耕，夏無以耘，何有秋收冬藏之望？百物無法生存，更將影響人類之生計矣。

蘇東坡守扶風，即今陝西扶風縣，建亭於官府側，爲休息之所。亭成，適久旱而得大雨，乃以喜雨而名亭焉。所寫「喜雨亭記」，有曰：「官吏相與慶於庭，商賈相與歌於市，農夫相與忭於野，憂者以喜，病者以愈。」

他鄉，即異鄉也。王維詩：「獨在異鄉爲異客，每逢佳節倍思親。」又云：「君自故鄉來，應知故鄉事；來日綺窗前，寒梅著花未？」久別故鄉，一見故人，喜何如之！岑參隨軍出玉門關，途遇入京使，喜不自禁，乃口占一絕云：「故園東望路漫漫，雙袖龍鍾淚不乾；馬上相逢無紙筆，憑君傳語報平安」。思鄉念故里，人之恆情，今古所同，十數年來，吾輩對此誰不瞭解？但願王師早動，指日收京，而得「放歌縱酒」，「結伴還鄉」也。

洞房，謂深邃之室也。楚辭：「姱容修態，絙洞房些」。今人謂新婚之室，曰「洞房」。人生樂事、半在閨門；古以新婚爲「小登科」，若登第而後完婚，謂之「玉堂歸娶」。按玉堂之稱，指翰林而言，歷代文人得之者不多見，惟溧陽史文靖公貽直及錢塘袁子才，皆以年少登科，有「五堂歸娶圖」。而袁又有催粧詩：「慚愧少年貧裏過，玉堂春在洞房先」。得意之情可掬。

金榜，榜以金屬爲之，示隆重也。古重科舉，其階段有三，一曰遊泮水，二曰宴鹿鳴，三曰宴瓊林，即由秀士而舉人而進士以至入詞林。榜發，由傳臚唱名，故有「高唱傳臚第一聲」句。清會典：「傳臚則張金榜」焉。

在科舉時代，凡入邑庠，舉於鄉，成進士，點翰林，無論功名之大小，一經名掛金榜，不但本人喜溢眉宇，即親屬故舊，亦莫不額手相慶。相傳有解元某，寄書稟父母，末云：「榜頭第一是兒名」。按解元爲舉人第一名，宴鹿鳴時，例居首座，故引以爲榮。

又傳有好事者，以此四喜詩過瘦，應有以肥之。所謂久旱者，未指定時間，應增爲「十年久旱逢甘雨」。所謂他鄉者，究離家若干遠？應增爲「萬里他鄉遇故知」。第三句洞房花燭，幾人人可有，不算稀奇，祗有僧人望洋興歎，應增爲「和尚洞房花燭夜」。末句金榜題名，爲讀書人所專擅，而士人題名金榜，所在多有，然如農人而名登金榜，斯爲難得，因增爲「農夫金榜掛名時」。然而未免畫蛇添脚矣。

衷梨室劉談

谿公

乾隆與打花鼓（續）

「這我都知道啦！」乾隆爺說：「但爲什麼單是鳳陽人唱呢？」

「這倒也沒有什麼定例！」陳元龍說：「不過是唱此戲者以鳳陽人爲最多；這裏面也有一個原故！

「原來當明太祖代元而有天下時，因爲鳳陽是他的故鄉，又是發祥之地，但在兵燹之餘，市井蕭條，人煙寥落，幾於形成荒廢的丘墟！特徙江南富民十四萬人以實之，毋許私歸！這些富民，被徙到鳳陽，易地而居，倒也沒有什麼，只是祖宗的墳墓都在江南，清明節，若不前去祭掃，心裏未免不安！眼看鳳陽的貧民，多有唱「花鼓戲」沿路乞錢的，於是乎思得一計，等到冬季農閒時，扮作唱「花鼓戲」之貧民，行乞南歸以掃墓。冬去春還，爲時約三個月，除了沿途食用，多少還可以賸下幾文！這却非他（她）們始料所及。

「開頭本是少數的移民，在明祖禁令之下，不得已而爲之！後來愈推愈廣，遂爾相習成風，連土著之鳳陽人，也都於冬季出外唱「花鼓戲」，春季回家種田，有利可圖，誰不要幹一下呢？這就是唱「花鼓戲」的大多爲鳳陽人之原因！剛纔皇上看到的，不就是鳳陽人嗎！」

乾隆聽了，不住點頭微笑。「原來這玩藝兒倒是朱元璋激來的！」他心理想：「本朝入統華夏，雖已一百餘年，並沒有得到民心！各地不法之徒，往往打着推清復明的旗號揭竿造反；可見民心還沒有忘却朱明！我何不把朱元璋這種虐政，仿「打花鼓」之辦法，編出一支戲來，把牠搬上歌臺廣爲傳播呢？」

關於乾隆編「打花鼓」之原因，上面已說明了！至彼所編之戲詞，也就是一般伶倫所唱的：「說鳳陽，道鳳陽，鳳陽本是好地方；自從出了朱洪武，十年倒有九年荒！大戶人家賣田地，小戶人家賣兒郎；奴家沒有兒郎賣，身揹着花鼓走四方，走是走四方呀哎哎喲。」

「……」

「……」

諸如此類之詞句，無非是譭謗明祖，藉以冲淡漢人懷念朱明之情緒！

然而乾隆之意猶以爲未足；如是在「打花鼓」外，又有「小牧牛」（亦名牧童唱歌）劇之產生！

這齣戲裏的牧童朱曲，據說係明太祖之乳名！而那年輕貌美之農婦，則是影射馬皇后的。他——乾隆——編此劇之動機，與前此之編「打花鼓」如出一轍；故不惜顚倒黑白，造出這一故事來，敷以說不可通之淫詞俚語，意在削弱明祖之聲價，而實際並未生效！因爲明祖與馬皇后之事迹，不但史有明文，並疊見於諸家之記載！沒有人不知道的。

竊查明祖微時，雖曾爲鄉人牧牛，絕沒有蕩檢逾嫌，更無與馬后互相調謔之事！因爲馬后係郭子興之義女，一向寄養於郭家，是個足迹不出閨門的大家閨秀！安得有與牧童調詼的怪事？至她之嫁與明祖，完全是由郭子興一力促成！這有史冊可稽，決非一齣「小放牛」，所能惑人的視聽！可不是嗎？（本篇完）

我的社會生活

當端

政府宣告復員還都了，大批的「重慶人」，有的貴爲接收人員，高飛遠舉；有的以抗戰忠勇的黨政工作者資格，由政府供給車船或飛機，相率凱旋京滬；有的仗着所謂「人事關係」的小派系力量，也由公家贊助他們離開四川了。只有我這個於廿四年即隨着國軍入川剿匪，直到對日抗戰結束的十年間，始終在巴蜀爲國家服務的退職閒員兼黨員，不特沒有携家離川還都的交通費，即每日的開門七件事，亦仰屋興嗟，無以爲計，眞是「冠蓋滿京華，斯人獨憔悴」，誰教我會有大好的貪污機會而予以放過，竟要以革命黨人自居呢？然而我決不憂貧，依舊我行我素。

當抗戰剛告勝利，美國總統特使馬歇爾將軍即來到重慶，調解國共鬥爭，一般在野黨派和所謂民主人士，昕夕奔走於馬特使之門，紛紛進行「告洋狀」的勾當，馬特使亦就以宗主國派赴殖民地作總督的氣概，在國府大禮堂上對衆演說，大駡中國的「反動份子」，聲色俱厲——他當時詈駡的對象幷不是共產黨——我氣忿不平，即寫了一篇「敬告各黨派人士」的文章，刊在成舍我兄主辦的「世界日報」上，警告大家不要自毀國格與人格，而奉戴馬歇爾特使有如殖民地人民之對總督然。這篇文章發表之後，即有江蘇人安若定，安徽人張德鎏（留英學生）來訪問我，表示共鳴之意，主張結合一般志同道合的朋友，另組織「中國勞動黨」，作爲國民黨的忠誠友黨，一致跟共產黨較量較量，我也贊成（因此時新政黨風起雲湧，中樞幷不禁止）。隨後又有鄭曼青，覃勤，及其他六七位不相識的朋友參加，即就我的住所作籌備處，舉行無數次談話會，擬訂黨章宣言，準備及早正式成立。我在多次的談話會席上，再三聲明本人永遠担任紀錄職責，將來新黨若組織成功，亦不願作中委，只當一名秘書就行了。我的用意是在提醒大家，不要亂爭領導地位，少演醜劇。不料一切籌備工作剛告完成，宣言亦印好待發出，且在大公報刊出廣告後，內部爭奪領導權之中國士大夫的老毛病突告發作，而以安若定爲最甚。我一氣之下，即把保存着的全部文件付之一炬，聲明退出新黨籌備會議。一場兒戲式的新黨運動，乃從此一哄而散，成爲莫大的笑柄了！在新黨運動熱烈進行時，早已不屑理我的老長官國民黨中央組織部長陳立夫先生，忽派員到我家來殷殷存問，詢商我願意幹甚麼工作？我想這是陳部長聽說我在搞新黨運動，怕我搗亂胡來，因而對我加以拊循吧？登時不禁感慨萬千。國民黨對自己同志採取這樣的相處之道，得無「除良安暴」之嫌耶？世人每譏諷咱們國民黨的作風，常有對外「化友人爲敵人」，對內「化有用爲無用」的毛病，似非完全虛構之詞啊！（五一）

海神天后

吉庭

天后，亦名天妃，海神也。生於陰歷三月二十三日，海上人家，以天后爲護守神，每逢天后誕辰，莫不舉行隆重的祀典。

據東西洋考：「天妃，莆田之湄洲嶼人。五代時，閩都巡檢林愿第六女，小字默娘，生於後晉天福八年三月二十三日。始生，地變紫，有祥光異香。幼通秘法，預談休咎，無不奇中。鄉人以疾告輒愈。長能乘席而濟，人呼爲神女。」

又天后志載：「天后爲宋巡檢林愿之第六女，九牧蘊公之孫女。幼而神異，卓賦不凡，能預知人家禍福。生前以父兄遭海難，遇暴風，女奮勇救父，並入海尋兄屍，孝行傳閭里。年二十而歿。」

宋宣和癸卯給事中路允廸使高麗，中流遇風，他舟皆覆，獨天后神集其舟而得免，還奏於朝，始有祀焉。

明永樂中，封天妃，立廟京師。後又晉封爲天后。三寶太監鄭和航海時，爲天后修祠立碑，並作「天妃靈應記」，有曰：「三涉滄溟，十餘萬里。觀乎海洋，洪濤接天，巨浪如山。視諸夷城，廻隔於烟霞縹渺之鄉，而我之雲帆高低，晝夜星馳，涉彼重洋，若履通衢。」其推崇有如此者。

明淸兩朝後，天后之有廟，普遍於全國。在莆田有廟唐皇，上書「天后」，旁一聯云：「天然絕勝，后來其蘇」。航海者，咸繫舟而崇拜之。

自由報
THE FREE NEWS
第四四三期
中華民國僑務委員會頒發
台教新字第五二三號登記證
中華郵政香字第一二八二號執照
登記爲第一類新聞紙類
（本週刊每星期三、六出版）
每份港幣壹角
台灣零售價新台幣貳元
社長：雷嘯岑
督印人：黃行富
社址：香港銅鑼灣高士威道二十號四樓
20 CAUSEWAY RD 3RD FL. HONG KONG
TEL. 771726　電報掛號：7191
承印者：四風印刷廠
地址：香港灣仔高士打道二二一號
台灣分社
台北市西寧南路壹壹伍號二樓
電話：五〇三四六
台郵撥儲金戶九二五二

論我國近代首批外交使節（三）

吳本中

編者謹按：吳本中先生本篇大作，原預訂分上中下三期刊畢者，現吳先生以尚有甚多高見未得發揮，囑再延續兩期，俾成完璧。情殷氣豪，良用欽遲，想亦讀者之所樂聞；因改標本期爲（三），後此尚有（四）與（五），將陸續刊出。另宋文明、李聲庭、陸嘯釗諸先生所惠寄之文章，不得不稍壓後發表，併此致歉。

因論西洋法度，務在公平，無所歧視。此間監牢收繫各國人民之有罪者，亦一體視之。問可一往視觀乎？欣然曰可。……』其視察香港監獄情形，有詳確記載。今百年後，試問我們中國的獄政及設備是否合乎理想，可與英一區區殖民地媲美！郭氏觀察英、法經濟及商務情況，有記叙曰：『西洋以行商爲制國之本，其經理商政，整齊嚴肅，條理秩然，即在中國往來船主皆能舉其職而權其重。所以能致富強，非無本也。』又記：『英人謀國之利上下一心，宜其沛然以興也。』

使歐三年歸國，郭氏極思對國家有所貢獻。然環顧偌大一個中國內，統億兆之人，竟不得可與言者，惟一似有希望者，就是李鴻章。如以後國父孫中山然，郭氏乃先後上書李合肥曰：『此間（英法）政教風俗，博大深厚，似其氣象，方日加新。』『百餘年來，其官民相與講求國政，自其民而行，蒸蒸日臻於上理。』又函云：『前歲入都，本意推求古今事宜，辯其異同得失。……道天津，亦曾爲中堂陳之。及至京師，折於喧囂之口，嘿不得發。竊謂中國之人心有萬不可解者。西洋爲害之烈，莫甚於鴉片烟，英國士紳，亦自恥以害人者爲構釁中國之具也，方謀禁絕之。中國士大夫甘心陷溺，恬不爲侮。數十年來國家之恥，耗竭財力，無一人引爲咎心。』『鐘錶玩具，家家有之，呢絨洋布之屬，徧及窮鄉僻壤；江浙風俗，甚至於却國家錢幣而專行使洋錢，且昻其值，漠然無知其非者；一聞修造鐵路電報，痛心疾首，羣起阻難，至有以洋人機器爲公憤者。曾頡剛以家諱，乘南京小輪船至長沙，官紳起而大嘩，數年不息。是甘心承人之害，以使吾人之膏脂，而挾全力自塞其利源；蒙不知其何心也。』

中國社會之黑暗與惡勢力，中國人的懦惰與隨世浮沉性，見小利而不知全體大利；千百年來是進步與開明之阻碍力。亦是今日無眞民主，失掉自由，爲世界有文化民族之生活最苦且最可恥者之深因所在！在這個社會，好人可視爲壞人，奴才可稱做賢才，流氓能發達，正直被指斥。『不黑不白，不痛不癢』。曾文正早爲之痛心，恐今日尤有甚者。所以郭使回國，不但變爲棄才，且被奸邪所陷。使其『仰天欷歔，發憤嘔血，志氣爲之銷靡，才智爲之遏塞。』誠有如其自己向知交函述者。凡是住過一個清明國度而驟然返回暗晦社會，若保持其正氣，常爲黑昏中之牛鬼蛇神所毁。公事攻擊之不足，更可能涉及君子所不言的男女牀第之私，以譭謗之，其下流卑陋更等而下之矣。

外交使節重要使命之一，是代表性。雍容大雅，折衝樽俎，熟諳國際習慣及外交禮節尚矣。

中華自誇是「禮儀之邦」。然虛文繁節，並非眞禮。禮之眞義，在己所不欲，勿施於人。儀之正宗是自敬敬人。外交禮節亦然：自代表不欲他國慢待，則對他國代表亦勿慢之；勿慢他國亦即所以免己國遭慢也。欲自尊必亦尊人，尊人正所以自尊也。此國際外交間一切特權與優待所以必遵平等互惠之則也。

外交家要不卑亦不亢，不魯亦不滑。自己的綱要與原則要鍥而不捨，然對方之重要立場亦不能不顧慮。在郭、曾、薛諸先進外交家所處之時代與中外環境今昔迥乎不同，吾們應欽佩他們如何設法調整中西之抵觸處。譬如：曾襲侯致法方有函云：『鄙人此次奉旨出使泰西，承貴國白大臣盛意殷拳，……銘感無涯。現有極要之事，須與台端一商者，貴國爲秉禮之邦，泰西各處禮儀，大半依據貴國所行以爲榜樣。中國遵至聖孔子之教，亦以禮儀爲重。然道途太遠，風俗亦異，是以彼此儀節迥然不同。一切細故末節，儘可通融辦理，惟宴會一端，尚須商酌。泰西之例，男女同席宴會，凡貴重女賓坐近主人，貴重男賓坐近主婦，此大禮通例也。而中國先聖之教，則男女授受不親。姑姊妹既嫁而返，兄弟不與同席而坐，不與同席而食。至親骨肉，其嚴如此，則外客可知矣。中國婦女若與男賓同宴，將終身以爲大恥。現在中國與泰西各國通好，將成永久之局。將來國家遣使亦必長行不斷。公使挈眷，事所常有。鄙人此次即攜妻子同行。擬請足下將鄙人之意，婉達於貴國議禮大員之前。中國公使眷屬祇可間與西國女賓往來，不必與男賓通拜。尤不肯與男賓同宴。即有公使至好朋友可使妻女出見者，亦不過遙立一揖，不肯行握手之禮。中西合好和睦雖殷，吾輩交情雖篤，然此一端却係中國名教攸關，不必舍中華之禮從泰西之禮也。……若蒙足下從中委曲商酌立有一定規矩，則將來中國公使挈眷出洋者不至視爲畏途，實於彼此通好長久之局，更有裨益。』云云。使今日之中國外交官讀之不禁失笑。其實今日自以爲西化之中國外放人員，對於男女交往之眞諦，並未做到自然、調諧、愉快與爐火純青地步。西哲謂觀察一個社會之文明與進步，當從男女關係作起點。本人類之天性，配陰陽之合偕，鸞鳳協鳴，男女之道正，則社會一切可融融洽洽，幸福無疆矣。男女平等與互諧，即在現代中國亦僅得其形式，而眞諦尚無也。在前世紀，曾襲侯做外交使節時代，渠本人已比較極開明，駐歐後日漸領悟，宴會由侯爵夫人主席。根據張德彝記載：『光緒六年一二月初五日癸卯晴，西正，曾襲侯召飲，同席有巴西公使夫婦……皆華饌，甚爲豐盛，本公署客廳寬敞，鋪陳華麗，對面有玻璃大室，四面栽花，中一水法，飲茶廳二間，裝飾亦皆整潔。』

學樣

怪獸

今日與明日

赫毛互罵

最近毛共公佈了赫毛之間的七封信，其中有些潑婦式的漫罵，世人久已耳熟能詳，其中較爲嚴重的是今年二月間，俄共曾致函東歐各附庸國，與獨獨未與毛共。這封信無疑地是俄共在糾集徒衆，要同毛共攤牌，毛共駐東歐特務知道有這封信，但是却不悉信的內容，因此，毛共要俄共公開，最低限度也要與毛共一份。這件事當然令俄共頗難應付。若一味置之不理，毛共必然據此理由嘵嘵不休，最可怕的是毛共若在東歐附庸國取得原件，而在報紙上予以揭露，俄共的處境就更難了。

俄共佈署反擊

對於毛共此種咄咄逼人的態度，俄共自難容忍，目前可以看出，俄共已在各方面佈署，準備與毛共以重大打擊。可以看得出的，俄共已下了三個子，第一邀阿爾及利亞總統本貝拉訪俄，商談加強兩黨合作。阿爾及利亞是北非第一大國，本貝拉平時又野心萬丈，以北非盟主自命，赫魯曉夫先拉緊他，就斷絕了毛共在北非滲透的路綫。第二派米高揚赴日，正當毛共同日本大肆勾結時，俄共突然派米高揚赴日，米高揚在蘇俄身份之重要，舉世共知；尤其值得注意的，毛共派出南漢宸赴日，從事經濟方面的活動，恰在此時，米高揚也以蘇俄貿易主管人員的身份赴日，若說是有意去破壞毛共與日本的經濟關係，當非神經過敏的揣測。日本人是最勢利的，今日毛共的力量自無法與蘇俄相比，而南漢宸在毛共的地位，更無法與米高揚在俄共相比，赫魯曉夫打出這張王牌，自然一舉就壓倒了南漢宸。第三，赫魯曉夫訪問埃及，毛共最近一年來在非洲活動頗爲積極，在許多親共國家中，力量已蓋過俄共，但自策動桑給巴爾政變後，引起非洲國家的震驚，東非三國肯雅、烏干達、坦噶尼加，尤感切膚之痛，因此取消了對周恩來訪問的邀請。最近桑給巴爾突然與坦噶尼加合併，對毛共來說自是一大打擊。赫魯曉夫此時訪問非洲，當是有意從毛共手中奪回主動權。

美國拉攏羅馬尼亞

在赫毛鬥爭得難解難分時，美國突然插了一腳，向羅馬尼亞伸出友誼之手，願與羅馬尼亞以援助。美國這次行動，到算得眼明手快。此時赫魯曉夫絕無力禁止羅馬尼亞與美國往來，如若羅馬尼亞因此獲得美援，其他附庸國必將起而效尤，赫魯曉夫既不能派兵控制，又無法以黨紀約束，如若再有兩國步羅馬尼亞後塵，東歐共黨帝國就解體了。

自由談

談選舉

馬五先生

最近台灣地方選舉結果，全省廿一個縣市長當選者，有十七個都是執政黨提出的候選人，就民主憲政的營運關係看，執政黨可謂大獲勝利了。但是，輦轂之下的台北市，以及海港重鎮的基隆市，工業區域的台南市，執政黨的候選人皆告落第。這證明此次選舉情形，符合了公平競賽的原則，即反對派人士，亦不能不承認選舉工作是公正無私的。中國民主政治奠下了這種善良基礎，前途十分光明，殊堪稱讚。

若要檢討這次選舉的利弊得失，言人人殊，各有所見，我認爲執政黨提名候選的方法，大可研究。政黨提出候選人的唯一作用，是在與勢均力敵的他黨競選人士，如美國的共和與民主兩黨，總是交互著執政，自非推舉一位允孚衆望的人物，實號召不可。咱們中華民國的情形迥然不同，過去在大陸上舉行的各種民意代表選舉，青年、民社兩黨的候選人，皆由執政的國民黨代爲分配提名，而其結果亦頗有出入。可見提名這玩藝，問題甚多，不是好辦法。今後台省的地方選舉，最好是實行自由競選，在政府公正的指導監督之下，各盡所能，爭取選票，無論任何人當選了縣市長，皆無所謂，詎不懿歟？

談到這次台北市長選舉問題，執政黨提名人失敗的最大因素有二，即提名候選人並非衆望所歸之士，而一般助選的宣傳技術又過於低能，無形之中，替政敵幫了大忙。由於前者，許多具有國民黨籍的選民，暗中投了別人的票，表示無議；由於後者，給政敵的莫大口實，藉「哀兵」的態勢，博得了爲數可觀的「游離選票」。搞政治原係高度的藝術工作，辦選舉尤非講究技藝不可。光是憑直覺以從事，走直綫以求功，十九是要失望的。與其這樣的搞法，到不如乾脆將台北改爲特別市，由政府任命賢能的市長，爲市民服務，亦比現時每隔四年即勞民傷財以辦選舉的情形，對市民有益多了！

胡說八道。莫名其妙

毛共喊出農業增產新神話　要爭取每年五造六造生產

香港與大陸

中共又在華南各地農村，大聲疾呼地要求農民使農業大增產。中共現在所使用的口號，已不再是「改良耕作技術」、「增加多種肥料」、或者「實現農業機械化」了，而是要求農民拚命地「使用土地」，爭取每年五造六造的生產。

曾回梅縣探親的鍾師奶對本報記者透露：中共在大陸不少地區（尤其是華南地區），繼續在吶喊其農業「大增產」運動，它們現在所使用的口號，雖然沒有像一九五八年的所謂「畝產數萬斤」（甚至說畝產卅萬斤的）那樣的睜開眼睛講謊話，但其滑稽可笑卻還是一樣的。中共現在的口號，乃是要拚命「使用土地，爭取五造六造的生產。」它們還東拉西扯亂報出一些所謂試驗所得的數字來。

鍾師奶說：中共首先向人民算「土地賬」，指出與梅地區是山多田少而人口稠密的地方，每人平均佔有的耕地，估計大約祗有五分左右，即使糧食畝年產以一千市斤計算，那麼五分地的糧食生產，也僅只夠一個人一年的比較充裕的口糧之用。而事實上，卻有不少土地是種經濟作物和副食品等；所以，與梅地區無論如何也都是缺糧地區。中共說，在這等地區，如果要解決糧食問題，必然的祗好從土地上去「做文章」了。祇有通過土地使用的安排重加改造，把一年當三年去使用。

鍾師奶說：中共惟恐人民「使用土地」之不夠「科學方法」，它們居然宣稱曾在梅縣城南的南口公社官前生產大隊作過試驗，試驗的結果，有一畝田，冬季的時候種蠶豆，結果收成良好，折合稻穀的價值約為四百五十斤；接着種早稻，產量普普通通，約為五百斤；再早造套作稻底麻，產量約折合稻穀四百斤；再秋種又收成七百斤；所以畝產約總共為二千零五十斤。又說：這不過是最低限度的「使用土地」而已，若再「科學」一些，那麼產量便會更高的。它們又宣稱曾在「程江公社」的「烏料沙生產大隊」作過試驗，結果一畝田在一年中，就曾出產三千斤芋頭，四千五百斤大蒜，三千斤黃瓜，一萬斤冬瓜，四千斤芥菜，三千斤菠菜，總值約達「人民幣」二千元！而折合稻穀數為二萬斤還有多。

鍾師奶說：這當然絕無其事。中共祇是胡說八道，自欺欺人，不但在當地沒有一個農民相信，連中共那些幹部，亦何嘗真的相信？但中共就要這麼說之不休，好像別人都是孩子，可以隨便騙得了的。尤其中共似乎就要想以這些謊言作為增產的手段，實在使人莫名其妙。梅縣農民暗中批評中共這種舉動根本便是痴人說夢，異想天開。（敬斯）

高市烟波

本報高雄航訊

最近本報連續兩篇報導高雄市女中校長劉清榮與教員李偉漢互控一事，經此間地方法院宣判，判決書主文為：劉清榮係公務員對於主管之事務圖利，處有期徒刑一年，緩刑二年。李偉漢竟圖為自己不法之所有以詐術使人將第三人之物交付，處有期徒刑二月，緩刑一年。

事實：劉清榮部份：被告劉清榮，係高雄市女中校長，於民國四十七年第一學期，所聘教員張保華，因故不能到職，市府教育科李某，介紹李偉漢接充，惟李偉漢尚未具有教員資格，且無眷屬在台，劉清榮明知其情，為圖利李偉漢乃以李充張名登載於職務上所掌之公文書，使被告李偉漢冒用張保華名義多領眷屬一名之補助費及實物配給。計自四十七年八月起，至四十八年一月止，經本院檢察官發覺，自動檢舉，偵察起訴。

理由：訊據被告劉清榮否認有圖利行為，辯稱：「我於學期之初是李偉漢是張保華均不清楚，交人事室後，他一再拖延……此事是分層負責……等語」。

該校四十七年八月十一日發給李偉漢服務證書一封，蓋有劉清榮之簽章與校印，尤難謂不知情。

劉清榮以瀆職罪判刑，宣判之日是四月廿三日，四月一日劉之退休金即已核准矣！劉李訟事第一階段到此結束。

高雄青果合作社為高雄最大人民社團之一，與高雄農田水利會可以分庭抗禮。可是正因為這兩個機構龐大，經費充裕，冗員亦充斥，使政府管理不易，易生弊端。而因積習太深，若言改革，談何容易？就前者而言，高青果社對於香蕉的出口，控制甚嚴，對價格的抑揚全憑合作社幾位跑碼頭者的意思而定，他們為了出口，拼命的鼓勵蕉農生產運銷，貨到高雄，他們信口開河的說：「十天以內沒有船」，這一句話出口，蕉農大為焦急，十天不僅貨物吃去大半，而且逐日腐爛。如是蕉農為了貨物脫手，乃商請合作社墊欵，或賣與合作社，如是價格大為壓低，大吃其虧矣。像這些黑幕，若不設法改革，蕉賤傷蕉，一方面影響生產，一方面對出口的品質無形降低，其害莫大！高雄青果合作社理事主席柯光述，日前呼籲蕉農應特別注意外銷蕉的品質，以維在日本市場的信譽，他希望全體蕉農通力合作。他并指出若干蕉農對船運問題的憂慮，是不必要的！此語，道出合作社方面最大的秘密，值得政府注意。

台灣論壇

才難之嘆

陸嘯釗

今天社會上有一個很矛盾的現象，一方面是人找事找不到，逼得祇好投置閒散，一方面是事找人找不到人，大興才難之嘆。中美科學合作會議，各家專題報告中，發掘出一個共同問題，就是人才難覓。究竟我們有沒有人才？我們的人才又到那裏去了？這個問題很嚴重，我們不能不感到憂慮。

我們的大專學校，從最初的四個，發展到三十二個，我們的大專學校以上的學生，從最初每年二千人，一直增加到每年四萬人，量上面不能說增加得不快，可是質的提高顯然不如理想之速。

就拿這十幾年來畢業的大專學生來說，總數將近六萬人，又有幾人學能所用？不說別的，就拿台大法律研究所畢業的周朱忱同學，一直到今天還找不到一個噉飯之所。

我們再統計一下歷年留學的情形，從一九五二年起到一九六一年止一起是五、五九〇人，在這麼多留學生當中，我們試問有幾人學成回國服務？回國服務的又有幾人能用其所學？人力資源的不能善為配置運用，阻塞了整個國家社會的進步。

研究形成這些結果的原因，首先是教育制度，毛病太多。我們的大學教育，並不能培養出一些具有智慧才具，獨立思考判斷的知識份子，四年的大學教育，祇要抄抄筆記，背背講義，就不難「派司」，這樣子畢業出來的學生，希望他具有卓識遠見，創造發明，多少有點「緣木求魚」。而所謂專科教育，卻根本沒有職業教育的特質，祇不過比照目前這種不倫不類的大學教育，縮短了一段卒業的年限罷了。這個樣子教出來的學生，當然不能適合社會的需求。

同時大學教育的師資也成問題。一般大專教授，月入有限，不過二三千元，東兼差，西兼課，終日為生活奔波，那裏還有時間潛心研究，知識與時代，差了一大截距離，一本講義用上十幾年，還談得上什麼傳道，解惑，授業。

至於社會上就業情形，粥少僧多，根本不敷分配。政府機關，人事凍結，考試取才，備而不用，新陳代謝之說，早成了「陽春白雪」。公私營企業機構，一般職位，與其用個大專畢業學生，遠不如用個學徒來得合算；而真正需要的研究人才，技術人才，推銷人才，管理人才，除了少數自學成功的以外，我們的大專學校教育，也供應不出那麼多貨色。自由職業方面，諸如律師，會計師等，考試院又多方限制，藉以檢　酬庸，提供給社會的，多是些徒有其名的「窩囊」，而真正學有所長的法律會計人才，卻被冷藏在冰箱。說到高級研究人才，試問我們的研究環境，能否造就得出李政道，楊振寧這樣的科學人才？

「才難之嘆」，空嚷嚷毫無用處，我們必須從各方好好檢討一番，為什麼我們缺乏人才？如何去發掘人才？如何去培養人才？

彈劾案，監察院何以只能提出

施劍英

香港自由報第四三二期第一版，刊載李聲庭先生大作：「何以監察院只能提出彈劾」一文，李先生對維護監察權「獨立」與「完整」之用心，令人非常敬佩。李先生原文說：「作者年來講授憲法時、大不認為然」。李先生是法界彥碩，對憲法之體認，自有其獨到之處，其對監察權之特別重視，尤足顯其憂時愛國之熱忱。

筆者不是法學家，惟對中華民國憲法、則因忝為中華民國國民之一，亦略有所知；何況法本乎情，由情成理，由理成法，所以循情理來研究，也不至相去太遠。茲就監察院的彈劾權，何以只能提出一節，提出個人管見，就教於李聲庭先生。

（一）五權之獨立性與聯屬性

李先生原文：「孫中山先生原來的意思，是要使監察權脫離立法機關而獨立，但現行憲法，經解釋後之結果，監察院行使彈劾權之獨立，完全被剝奪了。」管見以為，現行監察院行使彈劾權之獨立性，並不因「提出」其他機關而受影響；如行政院的施政方針，及施政報告，依憲法五十七條規定：「有向立法院提出之責」，但並不影響行政權之獨立性，。國父孫中山先生，在「中華民國建設之基礎」講詞中曾說：「蓋機關分立，相待而行，不致流於專制，一也；分立之中仍相聯屬，不致孤立，無傷統一，二也」。

（二）監察院彈劾案只能提出及對像

監察院彈劾案只能提出，在國文孫中山先生遺教裏，不乏引證之處。如民國十二年一月廿九日，國父在中國革命史中說：「各院人員失職，（現行憲法統稱公務人員）由監察院向國民大會彈劾之；而監察院人員失職，則國民大會自行彈劾而罷黜之。國民大會專司憲法之修改，及制裁公僕之失職」。

由國父這段遺教研究，彈劾權不單是監察院之職權，國民大會亦有彈劾權。彈劾權不單是對公務人員，連各省議會選舉出來之監察委員，如果失職，也要被彈劾。至於彈劾案，在監察院執行的界限，僅止於提出，照此遺教研究，當可釋疑。不過，提出的對像是國民大會，而非公務員懲戒會。

現行憲法，國民大會的會期，六年一次，而非常設機構，當然無法執行彈劾權。所以憲法把國民大會「制裁公僕之失職」一項職權，在司法院內專門設立公務員懲戒委員會來執行之。因此，監察院之彈劾案，提出對像，由國民大會改向公務員懲戒會。

（三）憲法九十七條授權對像及權限

現行憲法第九十七條第二段：「監察院對中央及地方公務人員，認有失職，或違法情事，得提出糾舉或彈劾案」。我們在這段憲法文字中，要注意「監察院」及「提出」五個字。憲法第九十七條，授權對像是「監察院」，而非監察委員；所授的權是「提出」，而非提起。雖然沒有說明該向誰提出，但提出總是沒有錯。李先生說：「本條所講之提出，乃向本機關（即向監察院）提出」一節，如果確是憲法九十七條的意思，那麼「提出」二字，改寫「提起」二字，更為合適。若再引證本文前欵所述國父遺教，則憲法第九十七條，授權「提出」，不是向本院提出之說法，當可信其為正確也。

（四）彈劾之界說與彈劾權之界限

李先生說：「如不涉及刑事，應由監察院自行處理」一節，彈劾權正確含義，在現行憲法中雖無一定之解釋，但從憲法所指彈劾權之事實，我們可以概見，所謂「彈劾」就是依法具有監察職權之監察委員，把在監察過程，發現公務人員的違法失職情事，回到監察院，照實說出來，經過其他委員九人以上之審查同意，決定交付懲戒機關依法懲戒。這個過程，在監察院就叫彈劾。這個決定，在監院就叫彈劾案。這個職權，在監察院叫做彈劾權。

·（上）

基隆旅居記

仲公

初楊西園軍門統十二營，專守基隆一帶，故三貂澳底另有防營。五月廿五日楊奉旨撤營內渡，基隆僅駐張月樓軍門七營，土勇四營，砲台分去三營，瑞芳、九份雖有防營，力弱不能當大敵。四更城中得基隆警報，唐維帥命吳玉華，率七百人守三貂嶺；吳纔自廣東來，倉卒部署，諸事未齊備，次刻，始率四百人先行。五月廿九日得澳底，遂踰三貂嶺，險歷山谷，大路，會軍盡退瑞芳。上午十一時着手攻，三時日軍樺山大將統軍直抵瑞芳，是日維帥調新募廣勇陸續赴基隆，胡連勝，陳國柱，陳桂波，包幹臣等，各率數百人，都號統領，無所繫屬。（四四）

危機重重的美國政客政治

張健

其他如柏林問題，如中南美及其他地區的反共佈署問題，在艾森豪時代的所謂艾森豪政策之下，都是捉襟見肘的。這種一貫的半姑息作風，遂使赫魯雪夫在那一段時間內肆無忌憚，乃至在聯合國大會中大放厥辭，視美國政府如無物，而艾氏本人猶沾沾自喜於他的「忍耐」功夫所贏得的那份虛幻的「和平」！

艾森豪是一位歐戰中的英雄人物，也賴此英雄往事而得到他的總統寶座。但上台之後，卻成為最欠缺英雄氣概的一位總統！近遇一位出身哈佛的美國同學，甚至譏他為不及格的總統。因為他所表現的消極、無為的態度，實在迥非一個現代一流強國的元首所應有！而麥帥所云「純以謀艾森豪再度當選……為依據」諸語，亦確非空穴來風！共和黨在本世紀初以來所居的劣勢，使其黨人不得不孤注一擲；而此位部份由於機運而成一方統帥、但絕對缺乏亂世政治才具的艾森豪將軍，卻平白斷送了起自由世界以壓倒共產集團的若干時機！畢竟，如羅斯福總統那樣既具一流政治家的才識，又不乏一流政客的手腕的領袖人物，不是代代能得的！於是如艾森豪者流，自不免成為美國愈趨愈烈的政客政治的一面招牌，而招牌是發揮不了甚麼扭轉乾坤的作用的。

回顧艾氏之前的杜魯門，麥帥對他的批評就更不留情了——「這小子確信自己是愛國者！」但他的勇氣與魄力卻終於為國務卿艾奇遜（一個較大的二流政客！）所控制。

衆所週知：杜魯門一夕之間躍為美國政治上的領袖，是連他自己也大吃一驚的事。他的才具不過是中人之資，他之榮登副座，已經是在他那種小政客格局中的最大「成就」了。僅僅因為美國一九四四年的大選中疏忽了候選人的健康檢查，而使此後整個八年的美國歷史有了相當的改觀。被美國政論家評為Limited（有限的，不成大器的）的杜魯門，居然在渡過最初幾個月不太甜蜜的總統蜜月之後，展現為歷史上第一支聯合國軍隊的促成者，這在美國政客政治的範疇內，已經是一大奇蹟了。此是杜魯門之終於不滯於一個三流總統的主要原因。亦足見個性對一般政治領袖的重要性，絕不低於才幹。但幾乎已具某種程度的傳統壓力的政客政治那能輕輕的放過這一條密蘇里蠻牛？於是艾奇遜、馬歇爾乃應運而生，韓戰之為德不卒，杜魯門難辭其咎；至於麥帥之被解職，只是那股子政客逆流之一大爆發而已。我每以宋高宗之以十二道金牌召回岳飛喻此事，所差者英雄一死耳。艾、馬者流，直秦檜之倫也。

八年的共和黨荷安局面後，殺出一後起之秀的民主黨人甘迺迪。甘氏以政客世家之優秀子弟出馬，佔有先天上的優勢。其家族之財富畢竟是一大政治資本，如乃祖之捐助大筆新聞學獎金，不啻為子孫之政治生命鋪路。然平心而論，年輕氣盛而外，甘氏之政治智慧亦略高於杜、艾二人。敢觸虎鬚（事實上蘇俄之赫魯雪夫因內、外情勢之變，已非昔日猛虎），亦敢於認錯（如古巴赤化後之迅速舉措），不但使敵方多所忌憚，亦使自由世界為之振奮；雖然，寮國中立化、越戰拖延化的可歎，依然只能使人寄望於甘氏的後四年（美國人有八年一「革命」之妙想，以為一個總統在正常情況下應給予八年的機會，以便其施展；然後選票既操於我手，天下興亡亦非我莫能決也！）不料此一以政客政治為傳統的大美利堅合衆國，竟不能容一較為出人頭地、且英年有為的元首！誰信奧斯華、魯比皆是無巧不成書的瘋狂失常？無論如何，甘迺迪之被刺，美國政客們難辭其咎！勿論其幕後主使者為共黨同路人也好，為極右派激進份子也好，此一震驚全球的事件之為政客政治之直接產物，殆無疑義。（二）

我所知道的麥帥

肯寧將軍原著　徐熙光翻譯

我向戴維特為我所作的一番美言致謝，他笑着遞給我一封麥克阿瑟的信說：「你念念這個。」

「大函奉悉，深為感謝。對肯寧將軍所作推荐，令本人覺得十分高興，深信其就任新職後必能一展所長，有所表現。謹向你及第四軍致候。盼你等亦能來此。吾等急需你們的協助。」

我們對此交換了一個會心的微笑，並握手為來日互道珍重。

七月廿一日晚上九點卅分，我自舊金山以北卅哩的哈密爾頓空軍基地起飛，向西直飛夏威夷翠島的希卡姆機場。

翌日侵晨，我們在珍珠港盤旋一週之後，降落希卡姆機場。珍珠港仍然滿目瘡痍，到處留下一九四一年十二月七日日軍偷襲所留下來的創傷。「奧克拉荷馬」號軍艦斜臥着，「亞利桑那」號戰艦則只剩扭曲的鋼板伸出水面。希卡姆機場，惠勒機場和其他兩處機場，也到處可見日軍所造成的破壞痕跡；機棚、兵營、倉庫在轟炸時已悉遭焚毀，迄未重建。在夏威夷，到處可以看到戰爭所遺留下來的悲慘和淒涼的景象。

當天的晚報以頭條新聞的地位刊載日本在新幾內亞北岸發動新攻擊的消息，報導稱日軍已在新幾內亞北岸一個叫布納的地方登陸，並在向歐文史丹利山脈和摩里斯比港推進中。麥克阿瑟的公報說日軍的登陸曾遭空中攻擊的遏阻，擊沉並擊傷數艘日本軍艦，但是未能阻止日軍的繼續入侵。看到這個消息，我暗地裏想我的麻煩可越來越多了，我想幾天之內我就可以了解到底情形是怎麼樣了。

廿四日，我們飛抵廣州島過夜，第二天到達富士群島的南迪機場，廿六日我們通過國際換日綫。廿八日日落以前，在澳洲布里斯班降落，一位澳洲皇家空軍的軍官給了我一部車子並告訴我，我的住處已安排在當地一家最好的，叫李農飯店的旅館裏。麥克阿瑟將軍和他的高級參謀人員也都住在那裏。我發現如果我想打電話給麥克阿瑟總部的任何一個人，必需先呼號「巴丹」。

翌晨，我向聯合空軍總部報到，該部位於美軍總部大廈的第五層。這座美軍大廈共有九層，有各種安全設備，麥帥與海空軍總部的參謀都在此辦公。我先與布里勒頓將軍商談，然後逕往八樓向麥克阿瑟報到。他的參謀長李察蘇德蘭將軍說他在內，於是我走進他的辦公室，麥克阿瑟握住我的雙手說他很喜歡看到我，並請我坐下。

此後的半個小時之內，他在房間裏來回地踱着，並把空軍中的弊病和缺點告訴我。他說除了少數幾個個人英雄主義的表現之外，空軍對整個戰事可謂一無貢獻。他們曾有投擲炸彈的能力，參謀作業一場糊塗，空軍司令對於領導才能更是一無所知。他說他相信飛行員們一定有能力作更好的表現；但是迄今他們還未證明他們有這個能力。上校階級以上的軍官中，沒有堪用之才，因為他們大多數跟本不配升到這麼高的階級，但是這是華府方面所作的擢升，他無權決定。他說如果透過他的話，一個個他會把他們給否決掉。（八）

藝術叢譚

抽象藝術漫談

趙雅博

這種藝術界的混亂，這種拒絕客體或有的作風，現在已經為許多藝術家所深惡痛絕，而謀有所以改善了。他們已深知藝術作品不能讓人們在根本上，在內在上便作為不可懂得的東西，這是毀滅藝術，這絕不是藝術。於是就連抽象藝術的藝術家，也深深知道了這一點，他們幾乎都大家一致的，要選擇唯一的可能性，來拯救藝術。這個唯一的可能性，是沒有讓我們選擇的自由的。它是什麼？它就是我們下一節所要說的：客體的再征服。但是什麼是客體的再征服呢？這是一個新的問題，我們在下一節中，將予以討論。

客體的再征服

抽象藝術的現階段，無可諱言，已經達到了普遍不可瞭解的地步了，而且愈來愈走向不可思議，不可瞭解，尤其是二三流的自命抽象藝術家們，更是信筆所之，來作着自己願意作的方式。他們放棄了客體，放棄了藝術對象，放棄了有形事物的表現，放棄了無形事物（固然無形者不算事物，而只能算「有，」為了好懂起見，我們姑且稱之為事物）的有形象徵表現，而從事於無形的表現。無形是非物質，沒有形沒有象，是不能用有形有象來表現的；只能用有形有象來使我們窺知推想到某種程度。嚴格說，有形是不能表現無形的，其表現最多能是類似的，類比的，類推的，類似，類比，類推，在理則學的名辭諸來，乃是「不是」。相似，自然不是本物；如果是只有是了，何來相似呢？這樣說來，無形又原是不可表現以有形的，無形是不可捉摸的，無形不是有形（並不是沒有），繪畫是有形，用有形來嚴格的代表或表現無形，嚴格說來乃是不通的。如果藝術眞的要成為無形藝術，那末藝術也只有關門大吉，不能再談藝術了。如果勉強用任意的有形來表現無形，那很自然就陷在純主觀中，無法為他人所懂；認為懂的，那也只是冒充明公，自欺欺人！

藝術是非有對象不可的，而這種對象乃是有形的，物質的，即使是以無形的思想或無形的神靈作對象，這些對象也得是有形來表達。有形的對象在繪畫藝術上是非有不可的。對象也就是客體；客體的再征服，因之就成了當今之急務。就連過去主張藝術純主觀主義的人，今天也大多覺醒了，比如巴贊納就是其中的一位，他說：「已經有半個多世紀了，我們在查看着繪畫界的努力，來發掘藝術的新降生，來重新征服新客體，它一直在逃遁着；這是說，在實現這個新深入，這個共同的偉大構結，來尋獲這個人與世界的至深相似，沒有它便沒有生活的方式」。（未完）

寫眉續夢

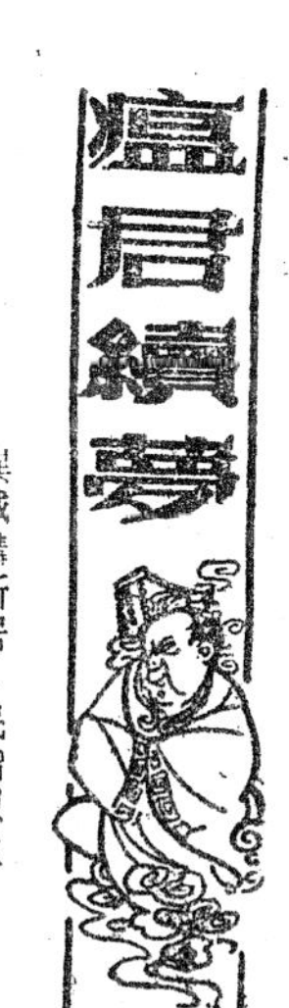

第十二回：異域購新居　民脂似水　冷宮傷舊夢　妾命如絲

葛羅米柯不能再裝胡塗了，當時站起說道：「蘇聯同中國對於寮國問題永遠是一致的。西方國家要希望中蘇兩國會發生衝突，一定要失望的。」

各國代表同陳毅、范文同在會議上吵了幾天，始終未入正題，寮國政府在西方國家壓迫下，終於承認了傅瑪同蘇發努馮可以出席，但是一接觸到現實問題，馬上就觸礁，鬧了一個多月，結果還是讓寮國政府同中左兩派自行商訂解決辦法，並將會議地點由日內瓦遷去蘇黎世。在日內瓦的各國代表加上陳毅、范文同，都無事可作，紛紛歸去。陳毅這次去瑞士，美金花掉幾十萬，玩也眞玩的痛快，回到北平當晚去見毛澤東，報告開會經過。

毛澤東劈頭問道：「你這次去日內瓦玩的舒服吧！瑞士女孩子漂亮不漂亮？」

陳毅紅着臉只是笑。

毛澤東說道：「你隨便花錢，亂搞女人，我不怪你，這是你的天性，我只問你搞出了什麼成績？你在日內瓦住了這一段日子，作了什麼活動？」

陳毅說道：「我同英國外相荷姆見了一次面，長談了十多分鐘。」

毛澤東點點頭：「荷姆說些什麼？」

陳毅說道：「荷姆說英國絕對支持中國加入聯合國。」

毛澤東說道：「這不是廢話嗎？英國眞有心幫我們的忙，為什麼不勸澳洲、紐西蘭、加拿大也投我們的票。」

陳毅說道：「荷姆又說他可以勸澳洲同加拿大多賣些粮食給我們。」

毛澤東一瞪眼：「更是豈有此理！我們有錢還怕澳、加不賣粮食給我們。再說那些腐朽的資本主義國家，粮食堆在倉庫裏都霉爛了，不賣給我們又要向海裏丟，這種事情荷姆還向我要人情，我才不領情呢！」

陳毅笑着說道：「還有一件値得向主席報告的事，當美國代表挑撥中蘇關係時，葛羅米柯馬上起來駁斥，說明蘇聯同中國永遠站在一起。」

毛澤東冷笑道：「他不說同中國站在一起，說什麼呢？難道說蘇聯要同中國作戰嗎？」

陳毅臉紅紅不敢開口。

毛澤東說道：「共產黨人的保證不能當眞，你要是相信共產黨人說的話都是眞話，你就變成唯心主義者了。」

陳毅連連點頭，笑着說道：「主席的意見永遠正確，我從前在蘇北打游擊時，也會向國民黨人提過無數的保證，結果那有一次作過數。」

毛澤東點頭道：「說到這裏，你的思想算是搞通了。我們當初對國民黨提的諾言若有一次作數，還能得到勝利嗎？」

陳毅說道：「還有一件小事，要向主席報告，施哈諾勸我們多同法國接近，他可以設法從中拉攏，要法國同我們建交。」

毛澤東說道：「我們的外交戰術是有空就鑽，既然小抖亂有這麼一條路子也不妨試試。」（三〇七）

創辦黃埔軍校唯一無二的目的，是要創建眞正的革命軍，革命軍軍官要以高深的學問爲基礎，要效法革命先烈的犧牲奮鬥，要學習革命的戰術，以一敵十，以十敵百，用一個人去打一百個敵人。革命軍的精神就是愛國家，愛百姓，不貪財，不怕死。這篇訓話，使我們感奮萬分，把我們黃埔學生的一生事業，及其使命和責任，與達成實行三民主義建設中華民國促進世界大同的使命和方法，都被指出來了。

冒險犯難記

鄧文儀

尤其是總理孫先生手頒的四十八個字的訓詞：「三民主義，吾黨所宗；以建民國，以進大同。茲爾多士，爲民前鋒；夙夜匪懈，主義是從。矢勤矢勇，必信必忠；一心一德，貫徹始終」！在開學那天宣示，更將我們一生革命奮鬥的目標和方法，都簡明扼要的提出來了。這是我們黃埔學生在二十世紀危急存亡的中國，担負理亂扶危，繼絕舉廢，安邦定國，治國平天下的開宗明義第一章。我們五百個革命青年，在當時實在受寵若驚，人人都深感今後責任的艱重，但人人也都下定當仁不讓，舍我其誰，今生今世，都要去作無名英雄的決心。

黃埔軍校開學了，我個人的一切困難和危險都克服了，不過在開學一月後不久，我們校長奉大元帥孫先生的命令，在黃埔前面珠江中，扣留一般私運軍械的懸挪威旗的輪船，船上裝有兩三千枝步槍及數百枝手提機關槍與手槍，這些槍是廣州商團買的，是英國香港政府資助他們，準備用以反抗或攻擊革命政府的，我們學校將之扣留了，自然要用以作爲編練革命軍的武裝。正因爲這樣，廣東很多假革命軍，就都想分配這些武器，也有很多單位去找大元帥批准撥發的，無法一一照發，那些假革命軍就調派部隊，到黃埔島週圍威嚇，因而我們學校不能不加強戒備，嚴陣以待；如是我們白天要操課，晚上就要服勤務，輪班放哨守衛了。

我們第一隊的防地是學校左前方長洲要塞司令部附近一帶，因爲地方寬濶，崗哨很多，學生人數却不夠多，我們的勤務，每次二小時，由一個人或兩個人一道輪流守一崗位。我常常在排哨；排哨人更少，有時祗有一人或二人，常常一晚要有八個小時以上不能睡眠。區隊長兼排長及同學們看到我很老實，又很熱心，多担任一些勤務及守衛放哨時間，也不講話，所以我就比他人更辛苦得多。（十六）

巧與拙

漁翁

巧，技也，能也。孟子：「公輸子之巧」。公輸子，即魯班，古之大工程師也。善創造樓臺亭榭橋樑，今之泥木工人，咸以「先師」祀之。

爲學之道，熟則生巧；學而時習之，必一旦而豁然貫通焉。若夫「巧言如簧，顏之厚矣」。「巧言令色，鮮矣仁。」則華而無實，僞而不眞，甚至巧偷豪奪，而令人莫能辨也。

官場中善於夤緣者，謂之「巧宦」。晉書潘岳傳：「仕宦不達，乃作閒居賦曰：『岳讀汲黯傳，至司馬安四至九卿，而良史書之，題以巧宦之目，未嘗不慨然廢書而歎也。』」又唐書：「至德後，四方貢獻，悉入內庫，權臣巧吏，因得旁緣公託進獻，爲贓盜者，動萬萬計。」今之社會上，極盡機巧夤緣之能事，而獻媚於權貴以博一官半職者，又何莫不然。

拙，巧之反，呆也。凡人不活潑者，謂之拙。書：「作僞心勞日拙」。又自謙之詞多曰拙，如拙作、拙荊之類。在政壇上，善於吹拍而飛黃騰達者，曰「巧宦」；而不善營求以取高官厚祿者，則謂之「拙宦」。宋之問詩：「以予衛拙宦，期予遇良媒」。

拙固不及巧也；然能發憤力圖之，則勤可以補拙。用人之道，與其華而不實，鮮矣仁者，又不如日守崗位之呆子，猶不僨事也。所謂守拙者，即藏拙而不慣取巧也。陶潛詩：「守拙歸園田」。歐陽文：「時多喜新奇，而臣惟守拙」。彼陶、歐二賢，豈眞拙者，乃不願鑽營取巧而大智若愚也。

可是，巧則巧矣，有時而弄巧成拙。黃庭堅文：「弄巧成拙，爲蛇添足。」又二老堂詩話：蜀人縷鳩爲膾，配以芹菜，或爲詩云：「本欲將勤補，誰知弄巧成。」皆以拙字爲歇後語也。

不特人也，即物亦然。按烏賊，腹部有白色小囊，充滿黑色液汁，遇敵襲時，即噴出以自匿，藉保一時之安全，故俗稱之曰「墨魚」。但祇可迷水裏敵物之眼，而捕魚者，就利用牠機巧的弱點，在出現黑水地方，一網打盡。結果，正如諺語：「墨魚放墨，弄巧反拙！」世之慣用烟幕以恐嚇別人者，終不免被人揭穿而自取滅亡。

今之國際間，高唱「中立主義」，與「姑息政策」之國家，自認爲可左可右，投機取巧，以苟安一時爲得計，然其必將演成顛覆失敗[illegible]

[illegible]

次吳聲鎬兄感懷原韻

李仲侯

聽取懷感一曲歌，杜陵愁思入春多；
堂堂去日擲虛牝，顧影無如白髮何。
蓬山遠眺水連天，萬死投荒十五年；
安得一舸歸去也，春風沉醉百花前。
杜宇聲聲喚人歸，遙天空指白雲飛；
行都西望兩行淚，寥落長沙是故園。
正値紅羊劫後年，與君何日賦歸田？
客中曾有結鄰約，相攜好詠卜居篇。

我的社會生活

雷嘯岑

到民國卅五年春，原在川中的中央政府各級文武機關人員，連同流離轉徙在巴蜀的一般「下江人」，差不多都走光了。我呢，窮困潦倒，行不得也！所幸重慶是我的岳家所在地，親戚很多，尚不致流入吹簫乞食的隊伍中，每天讀讀舊書，拉拉胡琴，苦中作樂，強笑爲歡，意廓如也。旋老友黃少谷兄於出發還都前夕，駕臨舍間話別，表示擬請我到南京和平日報作總主筆，徵詢我的意見。這時我深深體驗到古人所說「人唯求舊」的義理，一點不錯，少谷不以我貧賤而遐棄之，這種友情，彌足珍貴。同時我早已下了決心，不再問政治界賭混，年近五旬，漸入老境，必須務點正業纔是，而文章報國就是我的第一志願，即答應了少谷的邀約，靜待後命。少谷回到南京不久，替我訂購兩張飛機票寄來，我與內人和稚齡女兒乃離渝赴寧，而將年紀稍長的兩個兒女，留在岳家繼續上學。這纔結束了十年巴蜀的流浪生活，得告復員還都，踏上了人生旅程的新階段。

眼看滄海變桑田

回到南京之後，祗好住入和平日報的宿舍內，一家三口人擠在一間小屋之中，有如鴿子籠，到無所謂。我除却替和平日報寫社論以外，當務之急的一樁事，就是設法將戰前在北平所置的一小棟住宅收回。這房子於民國廿四年以四千元購買的，日寇佔領北平後，漢奸政權指爲「逆產」予以沒收了。現時我是一身以外無長物，只剩下這點家當，不得不重視之。可是據朋友函告，房子被一羣傷兵佔住着，要收回相當麻煩，我請陳立夫先生寫了一封信給「平津敵產管理處」主持人孫越琦（他跟陳先生是留美同學），幸而生效，在法定手續上沒有問題了，但傷兵和管理人員依然不肯搬走，我無權無勇，徒喚奈何。旋承老友馮志翔兄幫忙（此時他在北平作新聞記者），找到國軍駐在北平部隊中的一位團長——湖南人——派士兵去強制執行，這纔物歸原主。我馬上託志翔代爲出售，得到兩百多萬元法幣的代價，當時在南京可換買黃金十一二根大條。然我不會經營這類事情，致令幣值逐漸遞減，不到一年就花光了！生成是窮苦命，於人無尤。居常自思自念，認爲我有兩點個性夠作共產黨，即對私有財產與家庭觀念皆很淡薄，但民主自由思想極強烈，因而始終跟共產主義者不兩立；可見思想潛力是勝過一切的。即此更可以證明咱們國民黨在大陸執政逾廿年，擁有上千萬名的黨員，竟把大陸搞丟了的最大原因，就是眞正的三民主義信徒甚少，而假黨員太多也。

我在重慶居留末期，曾經寫過一篇政論文章，刊在「觀察」雜志上，李濟琛看了很贊許，旋由朋友介紹，跟他見過幾次，他對我表示很親切。回到南京伊始，他住家在鼓樓附近，我住在傅厚崗，相距不遠（某天下午我去拜訪他），告以絕意仕進，現入和平日報，主持筆政，他甚不以爲然，說道：「你願意幹新聞事業，可到我創辦的『上海文滙報』幫忙，先行帶同家小到上海居住，我租好的房屋，報紙最近就要出版了，生活是不成問題的。」當答以考慮後再決定。實則我知道那是反政府的言論機構，且有共黨份子滲透於其間，彼焉能用我哉！（五二）

哀梨室劄談

鄒公

和珅與小上墳

和珅先生號致齋，他是滿清愛新覺羅氏四大權臣之一，（所謂四大權臣，卽和與順康間之鰲拜，咸豐時之端華與肅順。）他的畢生行實，大多是戲劇性的！他之獲寵於乾隆，與彌子瑕之於衛靈公如出一轍。

根據史冊的記載，彌子瑕雖然得到衛靈的殊寵，但實際上也只能坐享厚俸，出入宮闈，矯駕君車，分桃希寵，對於軍國大事，他却並不與聞。

和珅就不是這樣的了！他一方面以龍陽君之姿態蠱惑乾隆，一方面卽以獨夫之弄兒，及武英殿大學士，軍機大臣之身份把持朝政！誰也莫奈他何。

儘管軍國大事用人行政一切，乾隆是最高的決定人，但他一貫的疏懶，凡事祇觀其大畧，並不決定處理的方案，不論巨細，一概交與和珅去「票擬」！而和珅所「票擬」的辦法，直等於他所欽定，很少有改變的。

因之，和中堂權傾朝野，人們都稱他爲「站着的皇帝」！內而王公大臣，各部尚侍，外而督撫提鎮，將軍都統，整個兒都要仰他的鼻息；甚至後此繼乾隆而居尊位之嘉親王（卽嘉慶帝），也要看他的臉色行事。

嘉親王是乾隆的十五子，自始卽爲乃翁所鍾愛，其被立爲皇太子，可能性是極大的！然而遲之久久，在乾隆的金口中，始終沒有露過立儲的消息！

這無疑是老皇帝自諱其老，文武臣工，又有誰敢批他的逆鱗！奏請立皇嗣呢？

到了乾隆御極六十年，他已是八十五歲的老人，自己也感覺到不立嗣太不像話；這纔諏吉於是年九月三日，册立嘉親王爲皇太子！並訂於翌年元旦行「授受」禮；卽以是年爲嗣皇帝嘉慶元年，實行「內禪」，歸政於子，而自爲太上皇，從心所欲，以樂餘年。

和珅認爲乾隆爺這一舉措，等於斷送了他的政治生命！便很巧妙的向乾隆說：

「嗣皇帝太年輕了！總攬萬幾，似嫌過早！莫如先由太上皇『訓政』，一切軍國大事及用人行政，概由嗣皇帝稟命而行！等他見習有素，再讓他自行處理，似乎更合式些……」

乾隆之於和珅，本是言聽計從的，故對他這一建議，很快的就採取了！當卽下了「上諭」說：

「朕於踐阼之始，已決定君臨天下六十年卽當歸政，頤養天和，遜位於皇太子，遵宿願也。但朕仰承天眷，康強逢吉，一日不至倦勤，卽一日不敢懈弛！歸政後，凡遇軍國大事，用人行政諸大端，不能置之不問，仍當親爲指教！」云云。

（未完）

長面與長舌

吉庭

昔者，衛靈公有臣曰公孫呂，身長七尺，面長三尺而廣三寸，荀子稱之曰賢。酉陽雜俎云：「道士刑和璞居終南，延一客，[illegible]」如所云然，則面長[illegible]

後漢書賈逵傳：[illegible]尺二寸，諸儒爲之語曰：[illegible]岫傳：「范雲謂人曰：[illegible]以岫多識前代舊事也[illegible]三寸，星相家以人面[illegible]

舌長乃多言之稱，[illegible]」世以婦人好進讒[illegible]。

[illegible]也。太平廣記云：「王法朗舌大而[illegible]多言，剪之者恐言多必失也。可是，[illegible]相命者，以舌長能及鼻[illegible]壽貴。[illegible]文類聚載相書雜要云：「吐舌及鼻[illegible]富貴壽考之徵。惟舌長而廣，則口[illegible]所以戒多言。

自由報

內政部登記證內版臺報字第○三一號內銷證
THE FREE NEWS
第四四四期
中華民國僑務委員會頒發
台教新字第五五三號登記證
中華郵政台字第一二八二號執照
登記爲第一類新聞紙類
（本報逢星期三、六出版）
每份港幣壹角
台灣本會徵新台幣弍元
社長：劉鎮華
督印人：黃行富
社址：香港銅鑼灣高士威道二十號四樓
20. CAUSEWAY RD 3RD FL.
HONG KONG
TEL. 771726　電報掛號：7191
承印者：田風印刷廠
地址：香港灣仔高士打道二二一號
台灣分社
台北市西寧南路實業大樓五樓
電話：五○五四六
台郵劃撥金戶九二五二

論我國近代首批外交使節（四）

・吳本中・

當日因茶會，廳設長筵，列茶酒小食，乾鮮水果，亥刻，侯夫人坐客廳正面，男女到者有千餘人，先謁襲侯，繼而領見夫人，皆如禮而進。廳之左鄙有樂工八名，鼓樂聲喧。卯初始止。』曾襲侯秉承乃父曾國藩家風本爲極儉苦之人，然遇有應代表國家民族場合時，則作風相當偉大。召飲會上，請侯爵夫人大廳正坐，華饌佳肴，陳設富麗外，他如樂隊，噴泉等等，無一不備，千餘外賓向中朝大使進禮，吾人於八九十年後讀之，且覺有餘榮焉。無怪乎，筆者在歐，往往一提及 Maranis of Tsen（曾侯爵）彼邦人士傳聞相承，尚記憶猶新，無不肅然起敬，嘖嘖稱羨者！一位做大使的，代表大民族，駐節友邦，對公事酬酢要有大氣派，不能有寒酸氣。寧可自己私下吃苦，作吝嗇鬼，所有經濟力量，儘可能舉以奉公。代表國家民族體面事大，自己吃虧事小也。

昔著泰西外派使節，常係貴族富豪，幣私囊，以補官家之不足，時在今日當不足爲法。然萬不應如我國現在外交式微清況，外派正所以搞外滙，作寓公，養老海外也。郭星使，曾襲侯，薛福成等諸賢，固時時謀爲國撙節之道，財得其用而從不籌如何以英磅美金台入自己腰包也。如曾侯出使英法日記中所述：『二十一日（光緒五年正月）寫一函致松生言鑄仙丈意在撙節經費，故屢議另賃房屋或購置使館而終未辦成，亦未自購器具。余思租價如此之昂，十一二年賃資可購一佳屋，永爲我有。又西洋於公使之寓例不收稅，然須使者自購器具乃享免稅之利，否則與住客相等。國家取稅於屋主，屋主乃攤之於賃值之中，而器具損汚又勒索貼償，遠逾原價之幣，極不合算。是名爲撙節，而實耗費也。刻下經費不裕，能否自置使館尚不可知，而舊館既窄狹不能安插多人，則另覓一屋自購器具之策斷不可緩。……囑松生與濤臣夔九隨時留心覓訪，俟余回英再決也。』

今日我們繼承先人遺烈，在巴黎，敦倫均有相當闊綽之國有大使館。倫敦近攝政王大公園之我國房產，其頂樓小室，且會爲國父遭難之禁牢。巴黎之國產，乃顧維鈞少川大使時苦心經營所置。隔鄰即曾稱霸歐洲之西班牙國大使館，距凱旋門不遠。少川大使，即現任國際法庭大法官現世赫赫聞名我國外交家。於其尋覓該座宏麗使館及商洽購置、裝飾時，極費心思，其情形筆者今猶歷歷在目。其大客廳所備傢俱，均極名貴，據人云：現若修整椅鋪織繡亦難得其財力矣。憶前幾年執教倫敦大學，會兩次至法。幾十年服務我國大使館之法藉『傳達』官名 Antoine，著藍色禮服，鞠躬有儀者已離職。余到門房約晨十時後，竟空寂無一人。余熟識大使館各室，乃獨自直至四樓辦公廳。敲各門，均無人應。在走廊玻璃牆後聽差所在，找出一人，乃顧大使時代帶留之男僕，方瞌睡，驚醒之，連稱『吳先生！』余詢問：『他們呢？』答以：『還沒有一位來到呢。』嗚呼！如此外交使節，安得不駐法十四年，長久歲月，空空過去，雖做一點門面事，然終於被法國放棄而承認中共。蓋戴高樂是不會瞌睡昏庸任其長久者！

首批外國使節覲見我國帝王，如乾隆，嘉慶，光緒等時之外交禮節問題。

中華昔日是有『理藩』，『夷事』，而無今日平等『外交』之義。『率土之濱，莫非王土，普天之下，莫非王臣。』今人斥爲狂誇者，昔人視爲國之憲政。不三拜九叩，如何能見皇上？此一百七八十年來，中西接觸後，外交禮節上之所以會發生嚴重衝突者也。法儒 H. Cordier 在其巨著『中國與外國交往史』曾言之。無錫薛福成氏於其著『出使英法義比四國日記』中有三次考據此問題。薛無錫駐歐時心極縝細，注意及考查一切政治，軍事，工業，文化等情形。關於外交禮節即其所稱『外洋交際禮節』，屢有討論及密奏中朝。按其所寫著：『考康熙年間，南懷仁官欽天監，後贈工部侍郎。凡內庭召見，聖祖皆許其侍立，不行跪拜禮。雍正年間，教王遣使到京。世宗許行見西禮，且與之握手。乾隆五十八年，英國遣使馬格里來華。禮臣與議禮節，彼以覲見英王之禮爲言。仍願演習禮式。禮臣據以奏請。奉高宗特旨准行西禮。筵宴日，上親以卮酒。嘉慶中，英使復來。接辦大臣未與言明禮節。仁宗命由通州馳驛進見。及抵宮門，上已御座。告以須行跪拜禮。英使司當冬遂辭以疾。召副使亦辭以疾。上甚不懌。停止進筵宴賜物，並於賜英王書中敘及之。後召見兩廣總督孫玉庭，詢以英使不肯行禮之故。孫氏陳其源委頗晰。上始釋然。：蓋道光以前，西使來華祗此數起，英人亦著之筆記，跪拜之禮，萬不能邊，故天津條約載，遇有礙國體之禮，斷不能行，即指此也。』又據其日記，『辛卯年正月丙寅朔記：英外部侍郎山特生函約參贊馬格里赴外部晤談，據云清釐檔案，有華文要件囑其代認。』『既爾馬君至巴黎告余曰：外部有一匣黃綾包裹重疊庋存室中七十餘年矣。但相傳由中國寄來，並不知爲何物。今啓視之，則匣內復以黃綾包裹竹筒，筒內有函，軸展視之，則嘉慶二十一年仁宗睿皇帝賜英吉利國王敕諭也。係清文，漢文，拉丁文三樣合璧。余恭閱抄稿乃與王益吾祭酒東華錄所載不殊。當時英使進抵宮門，上已御座，接伴大臣告以須跪拜禮，英使司當冬遂辭以疾。……』嘉慶雖斥令其回國，然亦思對英王重洋遣使來聘，示懷柔之意，賜白玉如意一柄，翡翠玉朝珠一盤，大荷包二對，小荷包八個。後悉理藩院尚書和世泰等含混具奏，以至誤事。於是下吏部議與處分，降謫存差。『英之貢使，不復航海來庭。』直至一八四〇年雅片戰爭起，英開始以炮艦臨華矣。英庭或以被華拒使爲恥辱，竟置清帝黃綾匣內之『敕諭』而不顧，藏諸檔案室過半世紀之久。嗚呼，外交禮儀一時之陰錯陽差，竟關係國運如此之深且久，可不愼哉。

英國聘華第一使節爲 Lord George Macartney 中文譯名不一，即薛福成日記中所述之馬格里。曾爲印度總督，於一七九三年抵華。要求在北京設常駐英使館，開埠通商等等。均未如願。

親吻

此來彼往

今日與明日

美國在亞洲的外交活動

最近美國國防部長麥南瑪拉到西貢視察，近年以來，美國軍政大員去南越訪問的似穿一樣，皆無特殊意義，只有這次情況，卻較爲特殊。十分顯然，美國對越南政策已經非變不可，照目前情形已拖不下去。

所謂變，方式不外兩種，一是揮軍進攻北越，由海防登陸，實施圍魏救趙。這條戰略，五角大廈的將官大部贊成，參衆兩院議員贊同的爲數亦不少，只是有勢力的參議員、所謂民主黨中開明份子多不贊成，尤其是大選還有幾個月時間，詹森總統也不願冒大戰危險，以失去選票。

另一條路就是法國和柬埔寨主張的美軍從南越撤退，讓南越中立化。這項政策美國國內雖然也有少數份子贊同，但美國當局決不敢這樣作，因爲這樣不僅失去南越，也失去整個東南亞，尤其是美國最忠實的盟邦泰國絕不能自存，接着馬來同非律賓也要隨之變色，美國無論是那一黨當政，這條路是絕不敢試的。

兩條路皆走不通，美國又不願再拖下去，於是就試行尋覓第三條道路，也就是麥南瑪拉在越南所唱出的盟邦集體援越的方針。

在麥南瑪拉擬議中的援越國家共計二十九國，其中日本已同意以物資給與南越，謠傳中國也答應出兵。這個辦法總算比較進步，但是，也不一定眞能奏效，因爲各國軍隊開到南越平亂，在天時地利人和上皆打了折扣，即使戰鬥力再強，也要打個折扣。

美國在歐洲的外交活動

美國國務卿魯斯克最近到了海牙，向北大西洋公約國家呼籲團結，重心當然是爲了對古巴的封鎖，已遭到英法兩國的破壞，深恐西歐各國步其後塵與古巴貿易，魯斯克此行據說頗有成效，但效力恐怕還是短時期，只要古巴政權繼續存在，西方國家對古巴的貿易必然大量增加，美國是無力制止的。

魯斯克的活動另一重心當在西德，只要西德不過份支持法國，戴高樂的行爲就要謹慎些，這一點大概是可以成功的。

美國的困境

美國今天的困難在乎沒有堅定的外交政策，頭痛顧頭，脚緊顧脚，於是扶得西來東又倒，就顯着手忙脚亂了。

一國三公新解

白由談

俗言「一國三公」，是指一個國家政出多門，沒有最高領導人物的昏亂現象。我今所說的一國三公，卻別具新義，且爲興國的必備條件啊！

我之所謂「三公」，即公正的選舉，公正的輿論，公正的司法是也。政治上的人事進退，本着天下爲公的精神，政府用人唯才唯賢，無所假藉，綜核名實，信賞必罰；人民基於自由意志以選舉罷免官吏，任賢而黜不肖；果能如此，則一切派系惡習即無法產生，使天下的智勇辯力之士，皆有憑才幹技能以參預政事的機會，而盛世之治，油然興矣。在古昔君主專制之下，亦容許「處士橫議」，有時候且下詔徵求直言極諫，以明政治的缺失所在。現代民主社會中，人民依其言論自由的合法權利，批評庶政得失，臧否政治人物，更係天經地義的事。因此而造成公正的輿論，摘奸發伏，贊是斥非，民無抑鬱之氣，官有戒懼之心，政治未有不清明者。司法權是爲人民主持正義公道，解決爭訟問題，法院對於人民的一切訴訟，皆能守正不阿，秉公處理，沒有失出失入的毛病，人心自然翕從，社會風氣即隨之向着善良方面發展，民德歸厚，還愁天下不太平嗎？

上述「三公」的內容，說來平淡無奇，誰亦能知能言的，一般官吏且常常以此爲口頭禪，夸夸其談，頭頭是道，無奈言行不一，明知故昧。曠觀史乘，總是治世少而亂世多，探究本源，即係缺乏這「三公主義」而已。政治方式雖有古今之別，政治原理卻無新舊之分，你若承認太陽是從東方出來的，即不能否認公正的選舉，公正的輿論與公正的司法這三椿大事，實係求治興邦的必備條件。若欲實現「三公主義」，唯一要訣就是去私，尤其是當政者必須以身作則，對社會發生感應力，纔有希望。

馬五先生

是亦不可以已乎
高市教育界風氣嚇人聽聞
主管三歲孩子夭折弔者車水馬龍
前任主管病中前後遭遇形同兩極

（本報記者邱青航訊）高雄市教育界又發生一件動人聽聞的事件，緣高市代教育科長王清波的三歲孩子因患癌症夭折，全市中小學校校長，教務主任，訓導主任及教職員們，居然紛紛前往弔唁致哀。

王代科長公館門前，因此車水馬龍，人山人海，可謂極一時之盛。一本簽名簿上簽滿了全市教育界的人士，表示他們對這孩子的哀痛之忱。

王清波之子死在本月五日晨六時許，此一噩耗馬上傳遍全市各級學校，自晨八時許至十一時半，王公館內簽名簿上已簽了百餘人，惟恐向隅者皆搶簽，自午至晚，陸續前往者，不絕於途。王代科長三歲孩子之死可謂「備極哀榮」矣！

不特此也，前教育科長馬誠久前年因公致疾，在寓休養之初，全市中小學的校長教員，聞訊後，人手一提禮物前往馬宅慰問，禮物中包括最高貴的水菓，點心，藥品等。且有假同鄉之名至各中學募捐者。有一日前往馬宅一問者，更有終宵陪守者，正是：「臣侍湯藥，未嘗廢離」。馬妻每天應對這些來往人等之間，感到非常疲憊，禮物之多，堆積如山，處理不易，馬妻索性把大堆的水菓送給三民國校的學生去吃，其盛況槪可想見。當時馬妻根本不用舉炊，她見桌上每日均有清燉雞一盆，而且她食之數日，仍未悉何人餽送，其後見有送雞來者，馬妻問其究為何人所送，而送者不答逕去，馬妻堅詢其故：送者某教員祇說：「這是一點心意，請太太接受」等語。

馬科長久病不痊，有人力勸其住院檢查，不得已，進入「民衆診療院」，檢查後說是「白喉」。白喉病并非難治，於是「白喉」針藥源源而來。病仍不癒，後轉入鐵路醫院，大批禮物又湧往鐵院焉。乃馬之病況漸篤，後經詳細檢查，始確定是「癌症」！此訊傳出，馬之病房從此門可羅雀，再無問病者，更無送禮者矣！最後馬終告不治去世。

由王清波三歲孩子夭折的反應，對照之以馬誠久病中前後迥不相同的遭遇，人間何世！殊堪浩嘆。據有一位校長說：我們是沒辦法，實在并非弔別人的病與死，而是在「奔」自己的「哀」！其然乎？其不然乎！

立法院前總務主任
李啟元貪污被告發
台北地檢處正偵查中

（本報記者台北航訊）立法院前總務主任李啟元涉嫌貪污違法失職案，由於立法院負責人沒有及時作妥善的處置，另外加上派系的恩怨，該案經王煥章向台北地檢處告發後，已開偵查庭數次，而李啟元在庭上亦不否認貪污的事實。

李啟元在總務主任內，曾盜刻工友林桂的私章，自五十年五月起，至五十一年十二月止，冒領林桂每月薪水八二四元，達十八個月之久。到五十一年十二月，經梁世德在月會提出檢舉後，始改林桂之名為林張彩鳳。而李啟元辯稱：林桂之薪水為前院長張道藩補虧空去。但事實上，張前院長虧空之招待費八八六元，已由零用金項下墊繳國庫。

李啟元並利用職權，侵吞工友陳月女之薪水及年終獎金；並向立委餐廳之彭雲高每月私索六百元。

民國五十一年二、三月間，立院工友蔣寬寬等拾得新台幣一千元及其他財物，交與總務主任李啟元，而李並未依規定公告招領，也沒有獎勵工友蔣寬寬，竟將該欵與財物一併侵占。等經黃國樑、韓兆岐等於同年十二月十日在月會上公佈這件事。

立法院現址原為省農林廳的地址，其庭園前部原有假山，噴水池，花圃，草坪，球場，並種有椰林、棕侶、松柏、山花、杜鵑、碧桃、冬青等各種不同之花木；後部院內除防空洞外，餘為二、三尺或四、五尺之松柏。除農林廳遺留者外，其餘大批花木皆係立法院向各有關單位函索，而李啟元處置原有花木時，並未依法辦理，竟將院內花園所有之花木及一千餘草坪，公然私自盜賣，把所得價欵飽入私囊。後來，立法院議場竣工後，為了美觀而設花園，所購之花木，未經招標而由新生農園一家估價，僅二尺高之龍柏、小草小花之類，竟報十多萬元，每株價自數元至三千元不等。尤其原有之前門圓環內的六棵龍柏，移植於議場前面，每株竟報價八百五十元，因而發生糾紛。五十一年八月十八日，立法院採購委員會紀錄委員汪浩夫等調查報告稱：「經赴近郊公社苗圃農園調查結果，新生（農圃）所開價格，相差不可道里計；如球柏每株二千五百元，他處不過一百五十元一株耳。」此足以證明李啟元與花商如何勾結了。

立法院議場百葉窗，經立法院遴建委員會決定採用美國蘭杜喫啡色鋁片之窗葉，由廣豐裝横行得標包裝。李啟元與該行暗中勾結，竟將二三樓所有之窗戶改用鐵片，油刷同樣顏色，冒充外貨鋁片，計每片可獲回扣新台幣一元五角。裝成後，事為驗收委員當場以木棒敲擊聲音，揭穿眞相，此事亦為梁世德等公開揭發在案。

王煥章此次列舉事證向台北地檢處告發，這個案子，表面上自為刑事責任問題。據傳說：告發人與被告之間的恩怨，已到達白熱化的程度，而被告方面的幕後人，正從中奔走云云。

香港與大陸

糧食不足增產又無方
毛共竟公開鼓勵墮胎
晚婚與避孕運動攪得如火如荼
昔日「光榮母親」而今成了罪人

中共正在大陸大力的推行晚婚與避孕運動，居然公開鼓勵墮胎，藉以遏止人口增加，減少粮食的消耗。

此間一位女大專學生最近接到其留居廣東梅縣的妹妹來信，對上述事情報告綦詳。來信說：中共由于多年來出盡辦法仍無法解決粮荒問題，乃想出了此一「妙法」。

來信說：此一運動正如火如荼地推行，其方法有「硬」有「軟」。所謂硬者，即各個「公社」，自今年起實施兩項新辦法：（一）限制結婚的年齡——規定男性要超過三十歲，女性要超過廿五歲，才准結婚。否則便認為不合法，不發給結婚證書，當然更不給予結婚時所應得的「優待」（據中共以往的規定，新婚夫婦可配售棉胎一張，衣服各一套及購買定額副食品時給予優待八折）。（二）批判「高產」的母親——指斥那些四個以上孩子的父母為不負責任的父母。說是孩子多了，一方面影响本身的體力和勞動力，又使「國家」失去了預算，也帶來後一代的痛苦。不單取銷過去的各種津貼（按：一九五九年之前，中共對多子女的母親譽為「光榮母親」或「模範母親」，不單給予榮譽，而且供給大量的物質和金錢的「照顧」，諸如免費供給褓姆，每月現金津貼等）還給予嚴厲的批評辱罵。

所謂「軟」的方法，即（一）在各公社中都實行全面的避孕和節育的教育工作。例如，在梅縣地區每一個「公社」的衛生人員，都要負起此種宣傳責任，挨家挨戶向「社員」傳授各種避孕和節育的知識，當然强調多產子女對身體的損害。（二）在每一個醫院和診療室，中共都勒令大力宣傳，而且還公開宣佈和鼓勵有三個孩子以上的母親實行墮胎。梅縣的黃塘醫院走廊上和婦產科的所在地，都貼滿了標語，內容都是要婦女們少生孩子，諸如：「一生多孩子是對國家增重負担，對孩子不負責！」「早婚是對身體有害的！」……等等。醫院還得負責說服孕婦們墮胎。中共還對那些願意墮胎的孕婦加予表揚，譽之為「搞通思想者」。（三）由「公社」及「生產大隊」負責組織「社員」集體看關于避孕的電影。又要社員們集體討論關于避孕和晚婚的「好處」。

來信的是一個未婚的農村少女，她說：我雖然是一個未婚的少女，却也被認為是教育的對象，多麼難為情，而且我還被强迫叫去講解關於男女生理的智識呢！

來信說：中共此項運動，可以說是滅絕人性的，特別是鼓勵墮胎的事，深受人民的反對。來信指出中共這樣做的眞正原因，是為了粮食不足，它們又實在增產無方，乃實行此一「妙法」。（敬斯）

彈劾案，監察院何以只能提出

。施劍英。

我們再就「彈」與「劾」二字的字義解說：「彈」字，可作名詞解，如槍彈、砲彈、彈子等，若作形容詞解，如彈指、彈詞等，再作動詞解，如物類之伸縮叫彈，如彈力撥弄的彈琴，射擊的叫彈壓，有彈性的叫彈簧等。「劾」字，是作動詞解，說出人的罪狀叫劾，如彈劾，就是說出人的罪狀；彈劾權，就是說出人的罪狀之權。監察院行使監察權，察明人之罪狀之後，再行使彈劾權；把它說出來，成立彈劾案；送交制裁公僕的機關去，就是盡了監察院「彈劾」之職份了。

（五）司法權之分割及憲法之研究

憲法第七十七條，明白規定：「司法院為國家的最高司法機關，掌理民事，刑事、行政訴訟之審判，及公務員之懲戒。」這是憲法授予司法院之法定職權。但法院組織法第八十七條第一欵，却把司法院的職權限於：「司法院長督同最高法院院長，監督最高法院。」把最高法院所設之檢察署，及高等法院以下之所有各級司法機關督導權，完全授予司法行政部長。這本來也無可厚非，因為照理說，應該按五權分立原則，司法行政部是司法院的直屬部會，同行政院所屬各部會一樣。但不知何故，我們的國大代表，立法委員，竟會見不及此，偏把司法行政部不放在司法院內，而放到行政院組織法裏去；因此，把司法院對司法行政部的隸屬性質，完全剝奪。司法成了重頭機關，司法權之獨立和完整，都與國父五權憲法之眞義不同。這一種過失和錯誤，雖經大法官會議解釋辨正過，但大法官之解釋，並不等於修改法律，法律原文未改，行政院仍照行政院組織法規定，繼續領導司法行政部，也就等於領導司法。今天我們若再把「彈劾案」所產生之「公務員懲戒」事件，也强調為監察院的職分，那我們一個名實不符的司法院，支離破碎的司法權，更要不堪設想了。我們研究五權憲法，對司法權同為五權之一者，何其不恤乎？

李先生所論：憲法一五條「提出方案解決之」一句，認為可以為憲法九十七條「提出」一句之引證，而强調「提出」就必須「解決」。這個論點，如果僅是李先生個人的看法，當然可以；若說這就是憲法文義的正確解釋，就我個人來說，實在不敢苟同。蓋憲法各條，都有各條的使命，條文組織之立論對像各殊。研究憲法文義，如果以「斷章取義」的手法，加上「讀者文摘」的編輯技巧，把他「截長補短」，「張冠李戴」，就我個人來說，總認為是不妥當。憲法第九十七條，是指監察院的彈劾案而言；憲法一一五條，是指地方制度之省自治法而言；使命不同，對像各殊，提出、解決，由於提出者之權責不同，當有分別。就監察院對彈劾案來說，他從監察院「提出」來，在監察院就已經算「解決」了，本文前面已經說過，不再重贅了。

（六）監察院組成份子及機關性質

李先生說：「監察院為人民代表所組織之機關即民意機關」一節，我查遍憲法全文，及監察院組織法全文，沒有看到「監察院為人民代表所組織」，也沒有看到「即民意機關」這樣的文字。我們憲法上規定由人民選舉之代表組成者，在中央是國民大會，在省為省民代表大會，在縣為縣民代表大會。（在鄉鎮是鄉鎮民代表大會。）憲法九十一條之「監察院設監察委員」沒有設民意代表；「行使同意權，彈劾，糾舉及審計權」，不是行使政權及立法權。監察院是治權機關的五院之一，雖然五院中的立監委員，是選舉方式產生，但却不是民意代表。所謂民意代表，應該就他的職責來分別，不能以他的產生方式來分辨。如果以產生方式來定，認為選舉產生的就算民意代表，那我們的總統，及台灣省各縣市長，豈不都算民意代表了？

（七）監察權與懲戒權。

彈劾權是監察權的一部份，並非監察權之全部。懲戒權是司法權的一部份，並非司法權之全部。如果要比大小高低，該是監察權司法權並列，彈劾權與懲戒權並論。李先生拿監察權比懲戒權，是否以上駟對下駟，有失公平乎？我們要瞭解，彈劾案之成立，只由一位監察委員之提議，經過九位以上的監察委員之審查通過，通常有十位監委志同道合，就可成立一件彈劾案；這十個監察委員，在監察院全體委員中佔百分之幾呢？彈劾權雖佔全部監察權四分之一，但却沒有經過四分之一之監委同意。依憲法九十一條規定之名額，產生的監察委員，約有二百人上下；一個彈劾案之提出，只經過十人左右，實在說起來，總覺欠愼重一點。（中）

危機重重的美國政客政治

張健

人死不能復生。其弟羅勃、甘迺迪雖亦有意紹承兄志，畢竟還有待時機之醞釀與試煉。就美國現階段政客政治的大熔爐而論，由一政客姿態躍居政壇（甘氏早期在國會中的言論之富有彈性，正足表現了他的政客天才。）之巔而卒有若干成分政治家特色顯露如甘迺迪者，已是難中之難，然竟「人」不假年（是不可以歸之於天！）——壯志未酬身先死。接踵來的是一位溫文質樸的南方人——詹森。信誓旦旦地說要蕭規曹隨，說要唯甘迺迪之志是繼，詹森當然是最關心於今年年底的大選。

就數月以來的觀察，詹森總統也許因爲年齡和經歷的關係，幾乎被一致公認爲一穩健的政治領袖，此即意謂：一老練的政客。以詹氏在參議院的多年歷練，接總統職自無杜魯門之吃力相，且心理上亦有較多準備。但目前詹氏之稍弱於甘氏的外交政策，已使吾人黯然不能無憂。今年大選，共和黨捲土重來，再主白宮的可能性亦不大。然則詹氏能否自此政客政治中脫穎而出，有所卓特的表現，至今（甚至明年）仍是一大疑問。吾人眞不敢多作杞人憂，惟有焚香禱之！

然麥克阿瑟將軍之死於此時，終不能不勾起吾人的舊恨新愁！前文說威爾遜、羅斯福以後繼起無人，如其作一大胆的假設，可以修正如下說：苟不以純軍人視麥克阿瑟，則斯人勉可爲繼！所惜者，麥氏未得一政治家每不可缺之機緣耳。如麥帥在十年前所發表的此一私談中，曾詳細的提及對韓國乃至整個遠東問題（包括我國大陸在內）之解決方案，且謂彼時曾數度將共黨勢力置於掌心之中；若非「華盛頓的那些笨伯」（政客政治中最雄厚的集團勢力！）橫加阻攔的話，今天的遠東局勢早已改觀。我們沒有任何理由認爲這只是麥帥的河漢空言。因正如麥帥生前所說的，他是「活着的美國人」中最了解遠東地區的一位，我們也是世界上最了解反共戰爭的一個民族。而麥帥以外的絕大部分美國政客，却似乎至今猶未徹悟縱虎爲禍的後果！如果後代的歷史家要爲我們這一時代作一番大清算，我們敢斷言，美國的政客政治必不能置身罪外！

有些美國的在位者或以爲麥帥的想法和作法是過激的、是不無可慮的。於此我不禁想到錢賓四先生對「中庸」一詞所作的最精闢解說——中庸是亦狂亦狷，時狂時狷！如艾森豪式的不死不活的外交政策，絕非中庸，只是鄉愿！而只有像麥帥那樣，永遠認清敵人，而以一貫的狂者精神對付他；永遠堅守本份，而自有一種狷介的風格在焉——這才是眞正的中庸之道！試看二次大戰中身經百戰而終獲全勝，乃至韓戰場上破釜沉舟的卓特表現，非狂而何！被杜魯門解職後的沉着自如（猶比謝安肥水之戰時勝敵不喜的風度爲高），佔領日本後的開朗愛怨，非狷而何！可惜先知總是不見賞於故里的。美國人對麥帥的狂熱，也不過是半盲從的羣衆給予一個英雄的罷了。至少在本世紀內，他們是不會欣賞、敬拜一位先知，如對一個可能只是匹夫的「英雄」那樣的！

即使我們設想麥帥也當選了美國總統，但在那種國會、政府、人民幾重庸俗的壓力緊緊圍困之中，一個特立獨行、別具睿智而又不屑出之以政客手腕的總統，能不步威爾遜的後塵嗎？何況美國人民雖然會相信麥帥的智慧（西點畢業的最高成績是一大明證）遠高於同是西點出身的艾森豪者流，其胸襟、目光又迴非僥倖升堂入室的杜魯門所得望其項背，他們難道不會多想想自己的最狹隘的安全感嗎？人所共知：美國人是最畏戰的啊！然則此際，美國的政客們又可發揮他們無所不至的潛力了。（三）

我所知道的麥帥

肯寧將軍原著 徐熙光翻譯

最後他說，飛行員不僅對他的總部採取敵對態度，他甚至懷疑他們的忠誠。他表示絕對不能容忍不忠貞的行爲。他要求從我開始，下至空軍的每一位官兵都必需忠於國家，否則他只有將他們開革。

話說到這裏，他稍事停頓了一下，我想這該是我說話的時候了，我把他的自身作一番分析，並解釋他所述各種空軍的弊病的眞正原因。他生氣了，他說他絕不是無憑無據說話的。漸漸的，我開始感覺他並不是在生氣，我想他在考驗我，試試如果對我施以壓力的話，我會有什麼反應；我該一直點頭並說「是！將軍」嗎？我決定不該採取順從而毫無主見的行動，因爲我想他並不需要一個唯唯諾諾，滿口稱「是」的人。

雖然六年前麥克阿瑟將軍在當陸軍參謀長時，我曾與他有過多次的接觸，但是我對他的認識並不太清楚。我想他是一個偉人，應該有容納部下意見的度量，應該讓我有機會發表我的參謀意見。如果他沒有這份修養，我覺得我眞該搭下班飛機回美國了。

我告訴他由於他沒有信心讓我指揮他的空軍，我則正好要好好表現一番給他看。我知道怎麼樣指揮一支空軍的部隊，也準備好去糾正他們的錯誤。空軍到今天爲止，固然沒什麼表現，但是我相信今後情形不會一直這樣。至於忠誠問題，我說我在陸軍中經歷過的事件也不能算少了，但是從來就沒有人懷疑過我的忠貞。我告訴麥克阿瑟，我會忠於他，每一個我的部下也都會忠心愛國，如果在任何時候，有人有不忠誠的表現，我立即捲行李，由他把我送回美國。

麥克阿瑟靜靜地在聽我說話，臉上的表情沒有絲毫改變，但是從他的眼神裏，可以發現他已不再發怒，他的眼睛裏充滿了一片精明，斟酌、推敲和讚許的光芒，他朝我走來，用他的右臂圍住了我的肩膀，「喬治」，他說：「我想我們會相處得很好的。」

我知道我們會處得好的，因爲我所面對的是一個偉大的人物，我從來就不相信跟如此一位赫赫有名而眞誠的人，會相處得不好。

我們坐下來，一談就是一個多鐘頭，我告訴他，馬歇爾將軍和哈利霍浦金斯等已到英國去和英國當局商量如何消除德軍對蘇俄的壓力，初步決定的辦法是今年十一月間在北非登陸。

麥克阿瑟認爲這樣做是一大錯誤，而且是個可怕的冒險和賭博，他不相信沿地中海的東部進行作戰會收到什麼效果。他認爲最好的戰畧是在法國登陸，建立據點，並以空中優勢來支援地面的攻擊。在非洲登陸絕不能像在歐陸登陸那樣可以縮短戰爭的時間，而且事實上，如果我們在北非登陸，將分散掉我們的兵力，使得登陸歐洲大陸的計劃爲之拖延下去。至於麥克阿瑟之所說在非洲登陸一事是冒險的賭博，是因爲西班牙的佛朗哥態度搖擺不定，一旦德軍進入西班牙，直布羅陀將跟着陷落，地中海也將因此被德國關閉，以西班牙爲基地的德國空軍，更將橫行肆虐，使整個戰局爲之改觀。（九）

藝術叢語

抽象藝術漫談

趙雅博

這種回向客體，乃是必需的事件，因爲只有在客體內，才藏有客觀性，從客體中才能生客觀性、客體的出現，就是有的本身出現。所謂有的本身，當然不是指的本質，而乃是個體的有或具體的有。有不是具體的，就成了具相，也就成了抽象。三級的本質抽象，根本是無形無像，不可表像。在客觀性中藏有物或有共同的出現，只有從這共同的出現中才溢出了作品與事物的可理解性。有了這可理解性，人與人之間才有交通（交流）。是的，有了共同的出現，才能有交通的可能，如果取消了它，交通（交流）就告中斷了。藝術家也沒有例外，失去了客體的共同出現，在諸神的語言中便沒有了交通，永恆的觀念也失去永恆的交通，這個客體的共同出現，正乃是形式止存於事物的必要性與共相性。這個也在事物的懷抱中，藝術家可以使它活龍活現的生活起來。這些事物，這些事物的有，以及從其自身所溢出來的可理解性，乃是屬於人的，也就是說，人是他們的主體；人們透過它們，能夠表達屬於人的存在本質，屬於人情的一方面。人是精神動物，有無形的思想，但是需要藉有形的事物發表出來。人是不能輕易對客觀性轉背不看的，人如果不顧客觀的實在性，只有同時拋棄自己，拋棄自己的眞正有與行。

我們知道藝術的可瞭解性，是非有不可的。而藝術的佔有此可瞭解性是必須透過客體的。如果想將藝術品的客觀容積剝去，那乃是悖理已極的事。因爲只有客體容積才能給予自己的語言以共相的特徵，於是就能獲得內含的效果。因之，也能獲得表現的效果。內容於內，表現於外，不知內容，無以表現。表現而讓人瞭解，需要是一共相言語，你我之間，可以由之共相交通。不然，二者不相屬，有何共同可言？如果藝術家想創造一個全新的言語，眞正是與以前言語毫無關連，沒有問題，他們一定是作繭自縛，陷於不爲人瞭解之中，最多只是自己瞭解自己而已。他如果將這唯有自己瞭解的東西，抽繹出來，如果不是根據客體的實在性，他所作的象徵是恍惚不定，眞意一定是難於捉摸的。須知，藝術家如要自成一家，不一定是要自創新的語言，一如在文學作品上，創造者也不是要找一種別人都沒有說過或寫過的語言文字，而用它們寫成文章，就算是自成一家之言。不是的！藝術家的自成一家，絕不在於放棄客體，而乃是在於深入客體；在其客體內部遇到客體，在其內在性中找到它無限深的深處。總之，是在尋獲到現在人們還未發掘或未知道的各種看法的。（未完）

瘟君續夢

第十二回：異域購新居 民脂似水 冷宮傷舊夢 妾命如絲

陳毅說道：「施哈諾要我們邀請法國前總理福爾來華訪問，由福爾再發展到戴高樂，慢慢地可以促進中法建交。」

毛澤東問道：「福爾並不是戴高樂派，他現在是在野黨，只能算是民主黨派。」

陳毅笑道：「外國的民主黨派都能發生作用，不像我們的民主黨派只能吃小米。」

陳毅跟着又說：「我們養了這麼多的民主人士，光讓他們白吃也不是辦法，飽食終日無所用心，就會產生反動思想。」

毛澤東問道：「我對他們這麼好，每日給他們這麼優厚的待遇，他們還敢有反動思想，眞是豈有此理！他們這種思想的根源從那裏來的？」

陳毅陪笑說道：「據薩空了告訴我，他們並不領情，他們以爲到今天還是吃的老蔣的飯。」

毛澤東登時跳起來，罵道：「混賬，混賬，眞眞是混賬！他們吃的小米有一粒是台灣運來的嗎？誰說的，我要當面問清楚他！」

陳毅笑道：「他們的意思是說假使沒有老蔣在，我們也就不會給他們小米吃了。」

毛澤東當時楞了一下，慢慢坐下說道：「這批傢伙思想居然搞明白了，是誰教給他們的。」

陳毅說道：「這批人都是老奸巨滑，慢慢地想自然也就想通了。」

毛澤東說道：「這樣說來，他們日日嚷着支持解放台灣也是假的了。」

陳毅說道：「當然是假的；他們既不希望我們解放台灣，也不願國民黨反攻大陸，最好是這樣拖下去，再拖二十年他們都安然入土，無論誰勝誰敗，都不管了。」

毛澤東搖頭道：「你還未向深一層想，他們不希望我們解放台灣是眞，不希望台灣反攻大陸是假的；一旦國民黨反攻大陸，他們又可以陣前起義，加上他們同國民黨大員都有淵源，還怕沒有一碗飯吃。」

陳毅說道：「主席的意見永遠正確。這批人眞眞靠不住，留着他們終究是個害，到不如送去北大荒或者準噶爾盆地讓他們自生自滅算了。」

毛澤東嘆口氣：「依着我的脾氣，早把他們綁出去殺了！這批人誰不欠我們的血債？可是，不能不爲大局着想，眞的把他們都整掉了，以後誰還肯來呢？」

陳毅笑道：「養他們十來年，吃的小米恐怕比天安門還高，又勾來幾個呢？算來算去像點樣的只有一個衛立煌，也未發生一點作用。」

毛澤東搖頭道：「話不是這樣說；一旦發覺有用的時候，再想找他們就找不到了。譬如那年大鳴大放時，關於欠蘇聯的債欵，要龍雲講可以，我們講出來就嚴重了。到了後來看見情形不對，就向龍雲頭上一推！他們的用處就在這裏，必要時還可作替死鬼。」

陳毅不由得大笑起來。

（三〇八）

中華民國五十三年五月十六日　自由報　星期六　第四版

冒險犯難記

鄭文儀

因爲排哨要負各崗哨的連絡責任，并且要關注全排正面的情況，最初兩個星期，非常緊張，因爲不知在珠江對岸的那些假革命軍是否眞要向黃埔進攻襲擊，我們雖都很勇敢，不怕敵人，但究竟兵力單薄，同學們多是才完成新兵訓練，沒有戰塲經驗的，一旦發生戰事，我們恐怕沒有方法可以對付優勢的敵人。我對這些情況，知道甚爲深切，眞就心寡不敵衆。

我因爲常在排哨，漸感睡眠不足，白天沒有勤務，就有操課。在這樣一面受學科術科教育，一面實際參加戰鬥準備，在學習上是理論與實際打成一片，戰術和戰鬥相互貫通，得益不少；只是在體力上負担太重，由於我的身體并不強壯，經過一個多月的少眠少休，即使精神上是很愉快，很痛快，但體力的疲乏，確實不容易消受得起。好在我們黃埔同學一開始就是精神旺盛，誰也不叫苦，不怕難，我雖在如此疲勞與吃苦的日子中，畢竟也終於平安渡過，無災無病。由此證明「天下無難事，祇怕有心人」的格言，是很有道理的。

十一、到韶關侍衛孫大元帥

孫大元帥在十三年的八月間，因爲指揮大軍北伐的需要，將大元帥的大本營，調集一部員兵赴廣東北部韶關，設立大元帥的行轅；由於隨營的衛隊營兵力甚是單薄，大元帥兼黃埔軍校總理，乃電令蔣校長調軍校學生一隊前往韶關，一面担任侍衛大元帥的警衛勤務，同時進行戰地訓練，好像一個臨時的隨營學校。校長很快決定選派我們第一隊前往韶關駐防，除担任侍衛大元帥的勤務，還照常實行戰地機會教育訓練。

我們從九月初旬由黃埔出發，經過廣州，改乘粵漢鐵路車到韶關，駐在大元帥行轅附近的一個芙蓉山上。那山不甚高，地勢甚好，可以俯瞰半個韶關，由山崗下山到行轅附近，也不過半小時的行程。我們住的營房是臨時搭蓋的廣東式的急造房屋，屋架是竹子，屋蓋是蘆葦竹席，夏秋之間甚是涼爽，稱得上是價廉物美；我們共住三棟宿舍，一棟飯廳兼講堂，還有附帶的廚房廁所等，同學們大家都感到很舒適。

白天若沒有勤務，照常每天三操兩講，由隊上官長教練操演，由隨隊戰術及地形兵器築城等教官教授課程。一個星期之後，大元帥到營地來看我們，且隔一兩天就有豬肉等類送來犒賞，生活飲食日用方面比在黃埔還要充足富裕。

（十七）

四維說

漁翁

管子云：「禮義廉恥，國之四維，四維不張，國乃滅亡」。蓋維所以繫網，繫之四角，則綱舉目張。故以喻維持國家之具也。

禮者，理也。凡事合乎道理，謂之禮。又云：履也。謂因人所踐履，定其法式，大而冠婚喪祭，小而視聽言動，皆有節文也。古人以祭祀爲吉禮，冠婚爲嘉禮，賓客爲賓禮，軍旅爲軍禮，喪爲凶禮，稱之曰「五禮」。其次，「非禮勿視，非禮勿聽，非禮勿言，非禮勿動。」人各守禮，即無爭奪侵畧之事發生，而致天下於太平。

義者，宜也。言裁制事物，使各得其宜也。易曰：「利物足以和義」。詩云：「宣昭義問」。仗正道者，如義師，義戰；與衆共者，如義學，義倉；至行過人者，如義俠，義士。在社會上有正當行爲，不以私害公，不損人利己，處處爲人羣謀幸福，才得稱爲義。孟子曰：「生吾所欲也，義亦吾所欲也，二者不可得兼，舍生取義。」他把義看得比生命還重要。果能使仁義之道大行，便無爾詐我虞，强取豪奪，可臻世界於郅治矣。

廉者，不苟取也。論語：「古之矜也廉。」漢書：「廉吏，民之表也。」范柏年謂梁州有廉泉讓水。楊震言：天知，地知，我知，子知者，皆表示廉隅，而絕貪路焉。凡人不能明取與，辨是非者，僅關個人之操守，爲害猶小；若身爲官吏而好財賄，日以剗地皮，刮民膏，以飽私囊，則遺禍無窮。故國之用人，選賢與能；賢而能者，應畀諸上位，賢而不能者，可斟酌使用，惟能而不賢者，宜拒絕之。蓋有能力而無操守，則害民爲更大也。

恥者，羞也。人不知羞，百害可爲。俗語罵人，莫甚「亡八」兩字。所謂「亡八」者，即孝，弟，忠，信，禮，義，廉，恥，而亡了第八字，即無恥也。五代史：「王建盜馬，人呼爲亡八。」又明末，有人書降召門云：「一二三四五六七，孝弟忠信禮義廉，」歇後語，一言「亡八」，一言「無恥」。又往往有罵人爲「亡八龜子」者，最刻毒了。知恥近乎勇，勾踐不忘會稽之恥，十年生聚，十年教訓，臥薪嘗胆，而卒遂沼吳之功。「知恥不殆」，古聖人以此語而警醒世人之自尊性。

在抗戰時期，「明禮義，知廉恥，負責任，守紀律」的戒條，遍於全國，雖窮鄉僻壤亦見之，收效甚宏。吾人若反管子語而言曰：「禮義廉恥，國之四維，四維既張，國乃復與」。可稱的論。復國建國，不僅僅在乎軍事，國防，經濟，外交方面，如何提高國人之德性，使一致明順逆，辨是非，反奴役，投自由，尤爲今日切要之圖。

或有人以禮義廉恥爲不切時務之老骨董者，實則，如果一個人立身行事，無禮不義寡廉而鮮恥，其人固然是一個大混蛋，而社會與國家，乃是各個人的結合，各個人既然不成樣子，社會如何得安，國家又焉得不亂？

大陸陷共之禍，其由固多，但若問其根本原因，何嘗不是由於禮義康恥之道喪，大家唯知利己損人，祇顧眼前，沒有遠識之所致。此種情形，致府高官固責無可卸，即凡民百姓，亦何嘗眞正全無干係？痛定思痛，亡羊補牢，我們如其再渾渾噩噩，不知從張四維着手，則所謂反攻也，建國也，都只是一文不值的口號而已。有責之士，其能不急起直追，注意及之乎！

江西月

蔡俊光

歸鴃先鳴檻外，梧桐半死鄰居；羞彈長鋏食無魚，孰與傖夫來去？

異代必傳正學，還他訕笑迂儒；艱難補讀十年書，隱臥槐陰深處。

我的社會生活

雷嘯岑

不久，我到上海小住，下榻北四川路底近施高塔路的「瑞吉里」親戚家。一日，友人朱學範微服從後門來訪問我，傭人瞧着他那副工人裝束，不讓他進來，彼此發生爭執，我聽到是學範的聲音，登時下樓去迎接他到樓上暢談。他告訴我：「中國勞動協會」就要解散了，今後準備在上海創辦一種相當規模的刋物，希望我來合作，并且將他兼任的舊有海關創立的「民立中學」校長職位讓給我，生活一定很舒服云云。我問他何以要停辦「勞協」？他憤然曰：「我沒有憲兵和警察保護，受人壓迫，祇好罷手，改行幹文化事業，請老友協助一番，將來不愁沒有前途。」我尚未答話，他又補說道：「老兄，我有錢，只是缺少人才而已。」我勸他先跟杜月笙先生商量一下。他說：「杜先生對我誤會很深，專聽別人的小話，我若去見他，必然不歡而散。老兄不妨爲我的事向杜先生談談」。我答應日內就去訪問杜先生，結果如何，再行奉告，他即興辭告退了。次午，我到中滙銀行晤及杜先生，談到學範的問題，杜說：「他那女秘書李某就是個共產黨，教他先跟此人斷絕關係，一切都好商量。」我把杜先生的意見轉達學範，他否認女秘書是共產黨，表示不接受杜老夫子的吩咐。我看情形複雜，而學範與共黨老幹部易禮容又結成莫逆之交，乃匆匆回到南京，亦未與學範再晤面了。我在窮困潦倒之中，基於思想與人格的關係，且不願聽受朋友的勸說，爲貪圖優裕生活而隨便胡來，今天如果還有人猜疑我對國家民族和國民黨的忠誠問題，那就是對我莫大的侮辱，非唾之以面不可！

遄返南京從事新聞記者職業的一年間，每天閉戶寫作，謝絕社交應酬。但有幾種政治情況令我怵目驚心：一是各淪陷區域接收人員的貪黷行爲，衆口喧騰，怨聲載道，政府雖明令澈查，而毫無結果。二是株連瓜蔓式的懲治漢奸，漫無止境，如汪精衛的一名司機，在南京開設一爿小食店，亦受到清算懲究之。三是共禍方張，而政府大力改編軍隊，遣散許多中下級軍官，教他們別謀生計。還有就是紙幣價值日益低落，民不聊生，我有個弟弟在國軍作少校參謀，駐防浦口，他每月薪俸收入，只夠買四包香烟而已。因爲一般軍需人員在南京領得軍餉後，馬上到上海市塲作投機生意，經過相當時期——大概是一個月——賺到了暴利，再行發放部隊的規定餉糈。這類事情，當時婦孺皆知，却不能在「和平日報」有所指摘批評，否則大禍臨頭。這是我最感痛苦，也隨時憤憤不平的事體，鬱結在懷，無可宣洩，假使我是個血氣方剛的青年人，早已投入反動陣營去了！這說明當時許多純潔的青年學生，何以甘受共黨煽惑而走入歧途的癥結所在。可惜爲政者懵懵無知，專以高壓箝制爲能事，昧於治道，而亂象環生，危機四伏矣。

（五三）

哀梨室剡談

谿公

和珅與小上墳（續）

嘉慶帝一見「上諭」，即刻就意識到這是和珅導演的怪劇，太上皇是被動的！爲了將順老人的心意，便故意歪曲事實，自謂『年齒尙少，（其實嘉慶，時已三十二歲，不得謂之少了）閱事日淺，於措施經緯，全體大用，惴惴焉深以弗克負荷爲懼！敬請剌停改元歸政……』

然而古怪的乾隆，他雖接和珅的建議，不即放棄政權！他對於「內禪」大典，亦不願中止舉行！遂敕王大臣擬具明年元旦舉行禪位大典之儀式；并於除夕作詩一首云：

『此日乾隆夕，明朝嘉慶年；古今難得者，天地錫恩然！父母敢言謝，心神增益虔；近成老人說，云十幸能全。』

到了丙辰元旦，他就在太和殿裏，舉行了一次戲劇性「內禪」典禮；而將「皇帝之寶」之玉璽，親自傳與太子！從此乾隆皇帝，就成爲太上皇了。

不過我們知道，這位嘉慶爺，也並不是眞正賢孝的鳳子龍孫；他是抱定了欲取姑與，待父天年的策畧，來應付這一特殊環境的！故於御極之初，對於軍國大事用人行政一切，一概不作主張，完全交與和珅去向太上皇請示，實際却是讓和珅自由處理！他祇做個垂拱而治的掛名皇帝。

在這期間，那位號稱「站着的皇帝」和珅，威福自恣，爲所欲爲之事，幾於令人沒法兒加以統計！舉例來說，他曾因某一事項之拂意，遷怒於九卿科道十餘人，誣以莫須有事，分別予以革職或降級；甚至處以極刑。

大內珍藏的寶物，往往不聲不響的移到他家！有一個高約二尺，長三尺餘之和闐玉馬，乃是將軍兆惠，奉命討伐回部時，得自回王布那敦宮中，並香妃（即回王之妃，因爲體生異香，故王以香妃呼之。）一齊獻與乾隆的！也不知怎樣一來，這匹玉馬，居然到了和珅的邸中！他因這玉馬晶瑩可愛，特地把牠放在別墅的浴池上面，夏日携同愛姬長二姑，吳御憐等前往別墅避暑；每於浴後，輒並坐於玉馬上納涼。

據說這匹玉馬，是乾隆賜給他的。是否眞實，沒有人能夠知道！（按此玉馬，在和珅被嘉慶帝賜死時，仍被抄沒入宮！後來西太后（即慈禧太后，同治之生母也。）當國，又把牠移至「圓明園」中，夏日常坐以納涼。公曆一八六零年，英法聯軍入北平，燬「圓明園」，玉馬被英軍掠去！迄今猶存於「倫敦博物院」中。

（未完）

蟾與螢

吉庭

蟾，蟾蜍也，蛙之大者。抱朴子云：「今有技者，聚蟾爲戲。」又西京雜記載：「漢廣川王以玉蟾蜍爲書滴」。故古以文房注水之器，亦名之曰蟾。陸放翁詩，有「水冷硯蟾初薄凍」句。

後漢書注：「羿請不死之藥於西王母」，嫦娥竊之以奔月，是爲蟾蜍」。因此，後人謂月爲蟾蜍。袁郊詠月詩：「嫦娥竊藥出人間，藏在蟾宮不肯還。」又俗稱登科曰登蟾宮，與折桂同一意義，可想見當年一般人心目中的科舉功名之可貴。

螢爲火虫，夜飛草野間，閃閃作光，謂之螢火。廣雅釋虫云：「暑天，螢火，燐也」。北史煬帝紀載：「上於景陽宮，徵求螢火，得數斛，夜出遊而放之，光遍巖谷」，按維揚志稱爲「螢苑」。今維揚府城北七里江都縣之大儀鄉，尙有「螢苑」故址存在。

又晉書：「車胤恭勤不倦，博學多通，家貧不常得油，夏月則練囊盛數十螢火以照書，以夜繼日焉」。故王逢詩云：「十年螢案書連屋，八月龍灣浪拍天」。後之學者，常引囊螢以自勵，並以勵人。

蟾蜍喻月，光芒萬丈，嘗借以恭維於人。螢火所發之光，乃微茫渺小者，亦每作自謙之喻。據三國志載：「徐庶佐劉備爲曹操所忌，收庶母以召庶。庶行，舉諸葛亮以薦。備問諸葛亮較先生爲如何？庶曰：庶僅螢火之光，亮乃皓月之明也。」是則蟾與螢有天壤之別矣。

自由報

內政部登記證〇台誌字號

THE FREE NEWS

第四四五期

中華民國僑務委員會頒發
台教新字第五二三號登記證
中華郵政台字第一二八二號執照
登記為第一類新聞紙類
（本週刊每星期三、六出版）
每份港幣壹角
台灣零售價新台幣弍元
社長：雷嘯岑
督印人：黃行富
社址：香港銅鑼灣高士威道二十號四樓
20 CAUSEWAY RD 3RD FL.
HONG KONG
TEL. 771726　電報掛號：7191
承印者：田風印刷廠
地址：香港灣仔高士打道二二一號
台灣分社
台北市西寧南路壹壹柒號三樓
電話：三〇五四六
台郵撥儲金戶九二五二

論我國近代首批外交使節（五）

·吳本中·

然乾隆開明，聞奏有天邊島王『稱臣進貢』，『不識天朝禮儀』，權許其不必三拜九叩，即可覲見。此則多少可維持大英帝國一點『面子』。光緒時清廷對泰東西常駐北京使節，先長期拖延不肯令其呈遞國書，行覲見之禮。後以西方外交壓力愈甚，乃有集體召見外使之禮焉。據法儒Gordier所著：各公使一入金鑾殿即面對皇上一鞠躬，行至龍座與入門中間再鞠躬，行至寶座御案前三鞠躬。蓋光緒御座前有棹，帝座後有西太后垂簾高坐。外使並不能將國書親交皇帝，僅能恭放在繡龍黃綾之御案上。再如儀三鞠躬而退。根據西文寫作，光緒帝有眉清目秀，聰慧儀表。覲外賓行禮呈國書情況，頗為動容，似深感興趣者。此類對我國外交禮儀之記述牽及國運。讀之，常令吾人退思深慨，以中國人對自己民族國命而與不知如何之感嘆者。

外交使節之又一重要使命是『保護的使命』，對自己國家與人民在外的利益，無論其為有形的或無形的（即精神的）均應絕對爭取。

譬如『伊犂案件』，固屬國內外視綫所集中，有關和戰大局者。然領事館之創立，以確保僑民，亦百年大計所係，為千萬無數華僑造福者。先簡單敘述曾襲侯爭回伊犂之苦心焦慮。再提我國首批使節爭創領館之艱難情形。他們外交行動是往往先知先覺，自發自動，而非先得清朝訓令行事者。對朝廷大都是建議兼說服，『效力不討好』耳。

曾侯抵俄接印，即至俄外部『見尚書吉爾斯……面冷辭橫』。始言約不可改。繼言各國訂約誠有商改之事。惟未經商改，即罪其全權之使，增兵設防，有意尋衅等語。詰難良久。最後乃允代奏國君，請示呈遞國書。』

然曾使並不為沙皇外務大臣之『面冷詞橫』所屈。七月十七日向俄皇呈遞國書後，不久，於八月十一日，致抗議書於俄庭。如其日記云：『八月十一日為譯署嚕嚕太司特文牘稿』。大意謂：『俄以兵船脅制吾華。吾華不得已而斬棄伊犂，以收回崇星使上年所議損華利俄諸事，則必有此表理之文以致俄國及西洋各邦，表明中國之暫以伊犂讓俄者，非中心所願，長於理而詘於勢耳。』……『西洋各國常有具此牒者。故自作一稿，交諸譯官。』當時各種國際外交通例所用各類外交文件，尚無中文譯名，故曾使僅譯今日所稱『抗議書』之英文音名。猶如其向法國總統呈遞國書，稱總統為『伯理壐天德』是也。（筆者按曾侯所譯音乃英文President，非法語譯音也。）

對曾侯辦理伊犂事件之不卑不亢，已窺一斑後。我們再稍看我們的先賢外交家，如郭嵩燾，曾紀澤，薛福成等（張蔭垣，陳蘭彬，崔國因等使美及王之春聘俄等事蹟暫無暇談及）對於我國在外設領權之爭取如何堅絕奮鬥。

細讀薛福成所傳至後世之『出使英法義比四國日記』，內載：『余查中國從前與各國訂立和約，但有在中國設領事之語，而無我國在外洋設領事之文。蓋未悉洋情，受彼欺朦。郭前大臣初設新嘉坡領事時，與英國外部文牘往來，互相辯詰，殊費周折。曾惠敏公批設香港領事，行文數次。英國外部以咨商藩部為辭，藩部以官民不便為說，管禿唇焦，終無成議。余與參贊等籌商，以新嘉坡旁近各島華民固屬須保護，而香港一區，尤為中外往來咽喉。凡華洋各商貨物先至香港，然後轉運各省。而交涉事務之緊要者：一曰逃犯；一曰走私；一曰海界。粵省每出巨案，派員至港，祇以未設領事，聲氣隔絕，動多扞格。所以粵東全省政務往往為香港一隅所牽掣。此處添設領事，萬不可緩。其次則新金山及緬甸之仰江，亦須相機推廣，逐漸設員。惟是設立一處，商談一處，枝枝節節，徒費唇舌，尚難確有把握……先辦文照會外部，援照公法及各國常例，聲明中國可派領事，分駐英國屬境。暫不必指明何地，且日本，暹羅等國皆已有領事在香港，而彼獨堅拒中國，本不公允。今但與之泛論通例，彼必無辭以難我。一經答允，則無論何處領事均所派矣……因囑馬參贊代擬英文照會英國丞相兼外部尚書侯爵沙力斯伯里。』

當時我國使節，一方固須熟籌對付外國，堅忍交涉。另一方面亦須向國內政府，即總理衙門，解釋及呈報。故薛氏在其日記中載：『十月丁酉朔記……初十拜發英屬南洋各島擬加添設領事官保護華民一摺，香港擬設領事官一片。』云云。經薛福成之苦心孤詣，約兩月後，接英方正式公函，我國能在英屬要地，開設領事館一案，乃獲成功。可謂郭嵩燾，曾紀澤兩氏創議其始而薛氏竟其功矣。復據薛氏日記：『十九日接英國外部尚書侯爵沙力斯伯里照會云：為照會事。照得本爵士部堂接准貴大臣西曆九月二十三日來文內開：中朝欲派領事官駐紮英地等因。此事已經英庭細心審量。今本爵大臣極喜告知貴大臣：英庭願給文憑與中國所派之領事官，如給於外洋各友邦之領事官同樣辦理。但間有審量地方情形之處，刻下或有不能照給文憑者。此須由英庭察看情景定奪辦理。相應照會貴大臣，請煩查照。須至查照者。一八九〇年十一月二十九日自外部衙門發。』英庭照會中所稱有審量地方情形之處不能給文憑者，經薛氏再詳詢後，香港已在允許之列，惟新金山暫不能耳。薛氏乃照復英外部『稱其辦事之公道，且告以中國應派之領事官在香港及新嘉坡附近之地，今已選得二員，候總理衙門核定。……駐新嘉坡者……非僅為新嘉坡一處之領事官，並為檳榔嶼、麻六甲，及附近各處之總領官，其檳榔嶼各處有應選派副領事者，候審定後再當奉聞。』越數日英方照會稱已領悉，並無異言。如薛公所記，欣然曰：『此事大局遂定矣』。

筆者在留學時代即讀法國著作有關中國外交者。憶記其有言：『我國要求在安南等法屬各地設置中國領事館以保護華僑者，法政府常有詞不許。且言：一有中國官僚降臨，必更麻煩生事。華僑將被中國之貪官汚吏所敲詐，欺壓與剝削。此固或過甚其辭。然我國外交官之以保僑為天職者，有時亦應聞友邦言論而自省乎。

編者按：吳先生本文尚未刊畢，自下期起移載第二版。請讀者注意。

驚險百出

誰較大聲

寮國的局勢

今日与明日

最近寮共軍又發動攻勢，攻下王都瑯琊布拉邦與首都永珍之間的要塞塔通，這是自從上月寮國右派軍隊發動政變後又一次大挫敗，雖然首當其衝的是中立軍，但對右派部隊打擊也很大，尤其是此日中立與右派已經將部隊合併指揮之後。

寮國局勢之無法收拾，導源於康黎叛變，使共黨坐大，目前右派軍隊與中立軍合而為一，康黎實際上已被清出政壇，但康黎留下的這個爛攤子，卻無法收拾，因為共軍已經坐大，加上越共及毛共的介入，絕非寮國軍隊所能抵擋，變成了和既不可，戰亦不能的形勢。

寮共的坐大

目前寮國右派軍隊約有六七萬人，中立軍約有一萬五千人，寮共軍約有三萬人，以人數對比，自然是寮國反共軍佔優勢，但是，由於寮共軍背後有越共軍介入，毛共又供給武器及技術人員，所以寮共軍每戰必勝，塔通又告失守，種因在此。

寮共將自組政府

寮共軍攻陷塔通之後，可能要進攻永珍，除非短期能有新的和解方案。自從傅瑪首相兩次赴巖溪碰壁之後，已有決心將寮共部長逐出內閣，另換中立及右派份子接充，如此以來，將關閉了談判之門，接下去，只有繼續戰爭，除非寮政府軍能打幾次決定性的勝仗，否則恐怕局勢很難穩定下來。

寮國右派軍與中立軍合併之後，毛共人民日報即予抨擊，認為是偸樑換柱，堅決表示不承認寮國現政府，同時寮共當局也發表聲明，指責傅瑪政府違法，還有投過寮共一邊，仍然保有中立軍番號的敦所率領的一批軍隊，也在旁邊搖旗吶喊，趨勢發展下去，寮共很可能在巖溪自組新政府，由於其中滲雜了一批偽裝中立份子在內，他也可以自稱為聯合政府，甚至於為了便於欺騙寮人，強調其政權的合法性，可能仍遙戴傅瑪為首相，正式製造雙包。

無法收拾的一盤殘棋

高棉的小抖亂施哈諾所以拼命親共，媚共，一方面固然是為了出風頭，另一方面也就是感到威脅，依他的看法，美國是最後守不住中南半島的，越南，寮國的陷落只是時間問題。施哈諾雖然不足道，可是美國若不能從另一方面與毛共打擊，光是死守中南半島，最後是要失敗的。

高官無自由

美國人民的日常生活很自由，除卻公然煽動、實施殺人放火以外，一切言行皆享有自由權利。可是，作了美國的官吏，他的一言一行就在在受到約束，極不自由了。而且官位越高，所受的約束即越大，如總統先生詹遜最近為着搣了愛犬的耳朵，即受到人民的指摘抨擊，甚至引起英國一些「禁止虐畜」人士的抗議。這在咱們這「中華官國」的人們看來，不是咄咄怪事嗎？

詹遜總統曾經撳起他那一頭愛犬「比格」（Beagle）的兩耳，使其雙足矗立而號啕。據說，這種動作對於犬的發育是有益的。但，新聞記者報導這項消息後，各界人民譁然反對，說他如果是在英國競選總統，憑着此舉必卜落選無疑。同時，英倫方面亦有人投書美國報紙，抗議詹遜總統的「虐畜」行為，好像是一樁很嚴重的政治問題，你說怪不怪呢？有一位女記者詢問總統先生對此作何感想，詹遜答道：「我希望我能和『比格』一樣，為衆人所重視」（I hope I Could be as Popular as my dog Beagle！）其言哀婉而幽默，表示着不敢開罪主人翁的「公僕」心情，殊堪憐憫。

依此小事，可以證明一項大道理，即實行民主政治的唯一條件，必須具備容忍的雅量，否則毫無是處。身居政府高位的公僕，一舉動、一言談，隨時受着民衆的監視，加以批評，不管他們的批評是否洽當，皆得忍受，尤其是對於一些無關宏旨的批判指摘，更要付之一哂，不宜認真。事實上，這對大官們的名譽與人格並無損害，亦沒有認真之必要。若視為侮辱元首，乃大不敬，非治以應得之罪不可，不特大煞風景，根本就是窒息民主生活之發展，不足為訓的。二次大戰期間，我國訪英代表團在倫敦時，有人詢問邱吉爾總理：海德公園內常有反動派公然演說，誹謗政府，搖惑人心，何不予以究處？邱翁答曰：「我們英國人最講經濟的。若把那班演說者捉將官裏去，政府要供給他的飲食，讓他們胡說八道，肚子餓了，他們自然回家去吃飯，政府即可節省一些糧食的浪費。」這便是容忍精神。

若夫中國的士大夫，對政治問題好發議論，說過就算了，談到行動，「秀才造反，三年不成」，更無所懼的，容忍一下，對政府無傷，對民主生活有益，不亦宜乎！

馬王先生

香港與大陸

展開所謂為革命為勞動學習運動 毛共麻醉青年又一新回目

強調仇恨過去滿足現實盼望將來 胡說八道全無新意註定失敗收場

中共又在大陸「要求」青年「為革命」而習習，以及「要求青年仇恨過去，滿足現實，盼望將來」。中共特別「要求」共青團，進一步管制青年，負起「興無滅資」的鬥爭任務。

此間大專學生某君接讀其友人由廣州市寄來的信，劈頭便說：命運啊！你為什麼這樣殘酷，難道我們是註定了要受這麼多苦多難嗎？現在我們又被迫着展開「紅旗「讀書活動」、「大唱革命歌曲」、「大看反映新人新事的現代戲」了。這些被稱為「學習」的運動，給我們帶來許多痛苦，使我們實在無法消受得下啊！

來信者在慨嘆之餘，跟着便說：中共最近在大陸地區，掀起了「為革命」、「為勞動」的「學習運動」，這一「運動」在學校、工廠、農村和其他機關，正同時推行。「運動」的領導核心為「共產黨」的助手——「共青團」。

來信說：現在每一個機關單位的青年，都在聽取有關這「運動」的報告，而內容無非是鼓吹這一所謂「學習任務」為無產階級對大陸青年的革命委托，「為了無產階級的革命事業，一定要刻苦學習，努力掌握文化科學文化知識，是從事革命建設的工具，決不是個人成名的手段；學習是為了更好地參加勞動，決不是為了擺脫勞動。」

來信說：現在每一個「團」的組織，都接到了通知，「要求」協助「黨」對青年實現「階級教育」。還說「階級教育」是共產主義教育的基礎，只有用「階級矛盾和階級鬥爭」的觀點來武裝青年，堅持不懈地在青年中進行活的階級教育，才能使青年革命化，也才能使青年經常認清階級鬥爭的形勢，認識世界潮流的發展趨勢和共產主義的「光明遠景」。這樣也才能認識過去「舊社會」的罪惡，認識現實的進步。一心一意，千方百計地幹革命，幹建設，為「共產主義」的勝利而貢獻一切。

來信說：「共青團」的組織不單要負起教育青年的責任，而且還要加强對青年的生活「指導」，抵制資產階級生活方式的侵蝕。中共「要求」每個青年都要能珍惜自己的青春，提倡遲婚，把大量的精力用到工作和學習上去，致力於事業。至於結了婚的青年，也不能縛束在小家庭中，應該割去家庭的尾巴，從事革命的鬥爭，還更應實行計劃生育。

來信又說：大陸地區除去展開「紅旗讀書活動」、「大唱革命歌曲」……外，還要「共青團」抓好陣地，集體宿舍，俱樂部，業餘學校，民校，圖書館和青年經常出入活動的地方，都要進去工作，決不能給資產階級敵人留下空子。

據來信說：中共現在搞的這一套，從前曾搞過多次，內容別無新頴之處，只是這次似乎更起勁與更嚴厲些。又說：中共的這一套，實在大家都聽得發膩了，誰亦不感興趣，可以斷言其仍將以失敗而收場。

（敬斯）

「茶杯裏的風波」

立委質詢引來痛罵 立院要求政院澈查

（本報記者台北航訊）台灣省公路局長林則彬說話不慎，引起立委不滿，要求行政院澈查播弄是非的責任問題。

這一風波，起因於立委劉漢的質詢，他質詢交通問題時指出：「想加强公路運輸，先得調整人事。省公路自現任局長（林則彬）接管後，迄已數年，運輸能力每況愈下，經常乘坐公路車者，想必有此同感」。

劉委員的質詢提出後，「公路局整個員工」在四月二十九日，寫了一封信給劉委員，痛斥全體立法委員對國家民族究竟有什麼貢獻？因此，劉委員除把這封信附在再質詢文中外，並在本會期第十八次院會中提出來討論，院會決定：由行政院答覆劉委員再質詢後，決定如何處理。這可能意味着：如果行政院接受劉委員的再質詢而澈查播弄是非的責任，則立法院將不再採取行動；否則，很可能導致一場風波。

劉委員再質詢所附「公路局整個員工」來信原文如下：

「劉委員漢：今日（按：四月二十九日）我們局務會議上，局長說你在立法院質詢時，對交通機構獨說：『我們公路局一無是處』，並且述及『我們一般員工，都是無用之輩』。我們想不通你所說的，為什麼要與我們公路局整個員工為敵。我們不反對你批評交通事業辦得不夠理想，但說『我們公路局員工都無用』，覺得有些過分。員工也是中華民國國民，『你們這般世襲的立法委員，就是我們過去選出來』的，假定今日的立法院行政上有不合理想的，我們可以說你們整個的立法委員不好？

「你們自己為什麼不想一下，究竟對國家民族社會，有了什麼貢獻？自從選你們這般人起，整個大陸一直不寧，共匪藉機創亂，弄到整個大陸變色。到了台灣以後，你們鬧了多少笑話？去年年底，硬向政府借欵台幣六萬元，貽笑中外。可以說國家被你們這般東西害苦了，民心士氣都有莫大的關係。

「交通工作是要『做』的，一輛汽車開出，先要檢查好車子，配合好司機、售票員，上了旅客才能開出，司機駕駛快慢，到站上下旅客，售票員注意購票等不是容易的事；決沒有『你們祇要嘴吧動動胡說八道，今日說這不對，明日又說那不好，任意使性，到處批評，請你說出事實來』。公路局辦得不好，尤其『整個員工無用』，實在有點過分。『你有勇氣將此信在報紙上公開發表嗎』？

公路局整個員工啓。」

劉漢委員再質詢說：「請嚴院長詳審，我的書面質詢內容，有沒有局長向整個員工所講的話？那種激憤員工的話，究竟是交通部命令省府說的話呢？還是林局長挾員工自重自行捏造的話呢？當時列席院會者，交通部為張次長壽賢，院長亦在場，想知之甚詳。因此請教嚴院長者二事：第一、要澈查播弄是非的責任問題！此例一開，憲法付與立法委員的質詢權，誰敢再實行？第二、要將這個書面質詢整個公諸報端，俾公路局整個員工明瞭捏造是非者為誰」

本報記者於五月八日，會詢問列席監察院交通委員會的公路局業務處長張詩儂，「林局長有沒有在四月二十九日的局務會議上提到劉委員的質詢？」據張處長同說：「四月二十九日，公路局根本沒有舉行什麼局務會議。」他反問記者：「林局長再蠢，也不會蠢到那樣的程度，說出那種話出來。」云云。

基隆旅居記

仲公

五月卅日，日軍至金山。金山有台勇一營，統領為台人簡溪水，鬪日軍壯甚，進戰獲勝，敵少止。越日再戰，不能敵。唐總統命越勇助戰，諸將不協，遂潰退。日軍循大貢尖之天險而南，左獅球嶺，右鷄籠山。獅嶺統領胡連勝，有兵六營，鷄籠統領張兆連，有兵十營，相隔不數里，連營聚兵，未嘗應敵。敵兵由金山分道進，至大貢尖，見無兵則大喜。既至獅球嶺，驟雨濃霧，對面不見人，胡兵方備戰，遇雨則大懈，而敵軍著雨衣，戴雨帽，冒雨乘霧，爬山而進。既近，我兵方知之，倉卒應敵。後路各兵見勢急，羣隱身伺敵，粵勇見之以為怯，反槍擊之，民兵譁亂，以為粵勇叛，亦擊之，軍遂大亂而潰。於是敵軍長驅無所阻，張兆連、胡連勝望風逃竄。

（四五）

彈劾案，監察院何以只能提出

施劍英

反過來我們看懲戒法第二十條，規定出席委員過半數同意，才能決議，雖然這出席委員過半數之「半數」，可能只有四人，但這四人已佔懲戒會全體委員四分之一強，（公務員懲戒會組織法第二條規定，全體委員人數為九至十五人），在比例上，已比監察院決議彈劾案之委員人數，與監察委員全體人數之比例，多得多了。所以我認為懲戒會不會如李先生所說：「未免太小看監察院了」。假使論人數，誠然是太少，不過，那是懲戒會組織的問題，而不是懲戒法第二十條之問題。以出席委員過半數決議，也是一般會議之通例，除非法律別有規定，一般都是如此。

（八）懲戒會之身份和地位

懲戒會之組織，是根據憲法第七十七條，司法院之職權而來。按懲戒會組織法第一條規定，公務員懲戒會直隸司法院，它是司法院的直屬機關，不如李先生所說：「何況懲戒會為司法院的附屬機關」。懲戒會的地位，並不低於監察院內任何委員會，同屬執行憲法上所賦予之職權。

（九）彈劾案為何到懲戒會

彈劾案送到懲戒會去的理由，除本文第二款末段所述之外，監察院把彈劾案提送到懲戒會，並不是送請審查，而是按憲法規定，監察院對彈劾案之權責，到提出於懲戒會，即告一段落；以下的工作，是懲戒工作，送懲戒會執行並不違憲。雖然，就五院分工原則，似應由監察院逕往司法院，才算平行。但我們如進一步瞭解，彈劾案提出於懲戒會，並不是監察院院會之決議，他不是監察權對司法權，而是彈劾權對懲戒權，也就可算平衡了。彈劾案到懲戒會之後，本案名稱就不再叫彈劾案，按懲戒法，稱為「懲戒事件」；懲戒會開會，審查，就不再是審查彈劾案，而是審查懲戒事件。懲戒事件之來源，除監察院提出之彈劾案外，還有各院部會送來之案件，這些送來的案件，懲戒會統稱懲戒事件，然後依法審查，當無傷監察院之地位。

（十）監察法違憲嗎？

最高、決定、行使、這六個個字，就憲法中對監察權來說，若就現行憲法條文，來衡量今天監察權行使之事實，以彈劾權提出於懲戒會來說，尚稱名實相符。李先生說：「何以獨於彈劾案（及糾舉案），監察院便不能自己行使，而只能提出，却委之于另一機關行使」？

我們知道，彈劾及糾舉二權之行使，都基於「發現公務員有失職違法之行為」，監察院在這二案之行使範圍，僅是「認定」與「提出」。以後的事，是司法與行政部門的事。至於憲法九十七條，並無規定提出給誰，而監察法第九條，却規定向懲戒會提出，李先生認為監察法違憲，這一點，我的看法是：

一、憲法是母法，條文且較簡單扼要，提綱挈領，並不為過。

二、監察法是子法，是施行法，根據母法推演，較為詳細，接近具體，不能算是違憲。

三、憲法訂於前，監察法訂於後，後法較前法較詳細，為必然趨勢。

四、監察法誕生於懲戒會組織法之後，所以明指懲戒會，這與憲法誕生的環境不同所至。

到底監察法是否違憲呢？就現行監察法與現行憲法第九章條文研究，有待商榷之處，自然是有的。不過，監察法並無公然違憲之處。憲法九十七條，雖然沒有明文規定向懲戒會提出，但也沒有明文規定不得向懲戒會提出，更沒有明文向那裏提出，李先生拿憲法一〇〇條作反證，為憲法九十七條加上：「是向其本院提出」的新註解，是否也如李先生所說：「顯然是違背條文的文義與精神的」。

（十一）結論

國於亂世，有賴綱維，尤在今天政風泄沓的現狀下，監察權須要徹底執行，以維紀綱，原則上，我很同意。李先生的出發點，只是我們要恰到其分，止於至善，不宜矯枉過正。五權獨立性，我們要重視。五權之權限，我們要認清。五權之聯屬上，我們不可忽視。

我國的現行憲法基於國父遺教，但由時之客觀環境，及複雜治局勢，所以有些條文不甚符合遺教的精神。我們研究憲法，只有從國父五權憲法的基本精神中去體認，使我國父的偉大遺教，能透過憲法，造福中華，廣被生生不息的後代子孫。（下）

留學生服務社 擴大服務範圍

由專為本港留學生服務 擴大為中國留學生服務

（本報訊）本港前「升學外國服務社」，係專門義務協助欲往外國升學深造之本港學生，盡量在各方面予以指導及服務，使前往外國升學之同學獲得各種的方便；故自成立以來，參加為該社社員者逾千人，成績斐然。

最近該社為擴大其服務範圍及組織，於本年五月一日起，改由大學生活雜誌社及世界基督領導會合辦，名為「海外留學生服務社」。其服務範圍，不但為本港欲往外國升學者服務，且亦為海外各地中國留學生作各方面之服務。

該社與世界各國大學服務機構經常有密切聯系，以溝通本港學生赴外國升學之橋樑；凡本港學生前往外國升學時，經該社之安排，可獲得旅途上的照應及解決抵埗後一切有關事宜，並可獲免費招待遊覽各地之豐富節目及特價旅費之優待。

海外留學服務社又定於本年六月底及七月間，假座大會堂戲院及演講廳舉行四次留講座及電影會，邀請新近由外國學成歸港的學者及放映有關外國六學生活影片，招待準備今年出國升學者。至於有關詳細情形及免費入場券，可逕函九龍旺角郵政信箱八八六八號「海外留學服務社」義務秘書洽商。

美國大選行情

·祝西·

○……○ 華府通訊 ○……○

美國兩黨全國大會日漸逼近，華府一切都充滿了大選年的政治氣息，從最近內政外交各方面的發展看，似乎在在都對詹森總統的蟬聯有利。共和黨的紐約日報論及最近鐵路罷工問題「奇蹟」式的解決時說，民主黨預言詹森總統在本年大選中將囊括全美各州，並不爲過；在美國歷史上，尚無任何總統曾贏得全美各州的選票。羅斯福在一九三六年當其政治聲望登峯造極之時，尚有梅恩及衛芒兩州沒有投他的票。

今天當共和黨中對候選人問題議論未定之時，作定了民主黨總統候選人的詹森總統，在內政外交上幾乎無往不利。他的減稅法案已在國會通過，全國經濟繁榮有增無已；他所發起的反貧窮運動和加强婦女在政府中地位，更是爭取選票的最好方法。減少核子武器的生產，亦贏得全美及全世界愛好和平人士的擁護。甚至由於巴西的政變，改變了拉丁美洲的赤化傾向，在政治上也幫助了他的競選。此外民權法雖然尙無結果，但南部各州並未因而減少對他的愛戴。

但在這萬里晴空中，也存在着若干陰雲，而這些陰雲，都可能發展成爲政治風暴。越南問題是其一，他的親信部下貝克營私舞弊案是其二，古巴是其三。這些問題對他都是嚴重的攷驗，也是共和黨人攻擊的主要目標。

詹森總統受命於危難，在執政後短短的五個月中，他的一套作風已無所不在，紐約前鋒論壇報專欄記者朱芒德寫道：「詹森總統以出乎意料的才能、技巧和速度，經過極短的過度期間，已將一切納入正規，成爲一位領導羣倫的卓越領袖。」基督教箴言報華府分社社長司純吉說：「歷史有一天必將對詹森總統的光榮成就大書特書。」

在詹森總統聲譽日隆的同時，共和黨人正於各州初選中的自相競爭，其中最重要的是五月十五日在奧瑞岡州及六月二日在加州舉行的兩次初選。

民意測驗的結果指出，在奧瑞岡州的初選中，既未正式宣佈競選，其本人亦不在美國的駐越南大使洛奇聲勢最壯。之後是羅克費列，尼克遜，葛華德。尼克遜方自遠東週遊列國歸來，他像洛奇一樣，也未曾正式宣佈參加競選，因而這次初選中的成敗並不影響他在全國大會中當選的可能。

葛華德在伊利諾州初選中獲得百分之六十五的選票，但他所面對的最大攷驗是在加州。由於洛奇在新漢姆雪爾擊敗了所有共和黨候選人，共和黨中若干人士認爲，葛華德的保守思想失去了很多選票。葛華德爲了重建其威望，必須在加州一役中擊敗羅克費列。從過去數月的局勢看，羅氏聲威已在日趨低落中。（上）

藝術叢談

抽象藝術漫談

趙雅博

不過，錯誤在其本質的否定性中，也有給我們指出關閉道路的積極容積。錯誤的歷史爲我們能視之爲一個禁止前行的指路碑，前事不忘，後事之師，從錯誤中可以得到教訓，找到正路。在這種意義下，很多的前進的藝術家，他們知道解釋主觀主義的經驗，他們也知道了應該合理的轉向客體性去，以它爲一可瞭解性的源泉。有不少的抽象藝術論者，他們曾向藝術建議，重新征服客體，他們的態度有的顯明，有的晦暗。這些人物可以包括王德普（Van Doeshurg），德樂雷（John Deyrolle），馬厄里（Alberto Magnelli）斯塔哀樂（Nicolas de Stael），瓦薩來利（Victor Vasarely），雅哥松（Rubert Jocobsen），朗斯果（Lanskoy），拉爾德雷（Rulert Lardera），賈沙波瓦爾（Chaporal），內些（Menerier），德瓦斯雅納（John Dewasne），波利果（S. Polaikoff），德岡（Leon Degand）。這是說幾乎西方全部目前的抽象藝術論者，都主張恢復客體；持相反態度，即想去掉客體者，只是孟德利，海爾平，康丁斯古波加，德洛尼，蘇妮亞諸人而已。

雖然大家的主張是相同的，但是其所取的道路，則是各各不同。客體本身是可以接受很多的解釋的，因之，征服客體的派別也是可以隨着不同的解釋而異的。這些不同的解釋，它們並不是任意爲之，而乃是在尋找或領會客體之適合藝術獲得的新勝利。也就是說，表現客體的方法，是依照藝術家們所尋獲的新方式，他們認爲客體對這是合宜的。以前對客體的解釋，是依照感官製造的感覺形像；現在，則是由於機械的工夫了。比如顯微鏡，望遠鏡，它們無疑的可以更多地增加我們的視覺能力，也可以說加多了我們的感覺能力。雖然這種感覺能力的擴充，是與我們的感覺園地有着分別，但是其增加藝術的領域或境界，則是無可諱言的。這種感覺境界的擴充，這種機械的使用，在某種程度中是對藝術的容積和純具形容積援助更多的。因爲我們視眼接觸鮮血與我們利用顯微鏡來窺視血球血型，其爲具象，也仍是相同的。不過這種作法，對兩件重大不便是不能拯救的：第一個是主要的影響着客體美。這個客體美是我們對實在性的新看法所不能充足的給予比例的。這是說整體的美比起部分的美來，表現、領會都更容易，而自然部分——即我們不用工具所見到接觸到的自然部分，又比利用機械部分所表現的美更容易把握與領會。至少在現狀之下，我們一貫的傳統感覺，比起利用機械來，表現美量更容易更完整的。其次則是過度的限制並約束客體物的美的可能性在一個最小最小的限度內。（未完）

我所知道的麥帥

肯寧將軍原著　徐熙光翻譯

很多人都認爲德軍很快地就將制服整個俄國，但是麥克阿瑟並不作如是觀。他承認德軍比俄軍要來得驍勇善戰，但是德境的鐵路和公路運輸已漸呈擁擠，德軍的攻勢一到冬天一定會停下來，而且德國沒有足夠的人力永遠保護那麼長的戰線，而蘇俄的人力却綽綽有餘。希特勒太狂妄，他妄想佔領的地方太多太大了，到最後，德國人將變得一無所獲。

這是我第一次聽到一位軍事專家所發表的認爲蘇俄可以打得過德國的看法。前一年，幾乎人人都預測希特勒的大軍可以在兩三個月之內攻下莫斯科，逼蘇俄訂城下之盟，我自己也這樣認爲。

麥克阿瑟接着告訴我，八月七日，南太平洋的美軍將對所羅門羣島發動攻擊，由陸戰隊第一師担任登陸攻擊任務，並由艦隊支援，再配合空中對敵人的攻擊，所以這將是陸海空三軍的一次聯合作戰。聯合海軍已撥一艘巡洋艦及數艘驅逐艦給他調配運用，由美國海軍李雷上將指揮。他要知道我將用什麼方法使得空軍在這次戰役裏發揮效能，我告訴他一時尚未有腹案，但準備當晚飛往新幾內亞視察湯斯維爾的機場。當八月二日回到布里斯班的時候，我會告訴麥帥我們將盡一切努力協助他完成此次任務，但是要等我此次視察回來以後才能定下空軍的出擊計劃。麥克阿瑟對此表示同意，並對我說：「你一回來就到我這裏來，我們再仔細談談」。我們握手後我旋即告辭。

麥克阿瑟看起來有點疲憊，臉上稍帶縐紋，這時他已經六十三歲了，不過他的體格仍像一個中年人那麼健壯，他的頭髮還是黑的，但是比我六年前看到他時要少一點。他仍然保持適度的身材，走起路來還是一樣大踏步邁進，他有深沉而銳利的眼神，令人看來覺得他的聰穎的頭腦無時無刻不在思考着，工作着。

他做事不喜拖泥帶水，但當時他並沒有太多的工作做，他覺得華府方面未能重用他，他怕這種情形會一直繼續下去。當時歸他指揮的軍隊有兩師，三十二師和四十師，不過這兩師軍隊還需要訓練。駐紮在新幾內亞的澳洲部隊本不是第一流的戰鬥部隊，只有剛自中東調回來的澳洲第七師軍隊是一支唯一經過訓練而可以立即投入戰場的部隊。他麾下的海軍力量很小，由澳、美海軍混合組成，但是沒有兩棲作戰的裝備。可用的運輸艦也很少；只夠裝載當時駐守新幾內亞的部隊。空軍力量由澳洲，荷蘭和美國的空軍中隊混合組成，不但力量單薄，而且像麥克阿瑟告訴我的一樣，令人無法寄以厚望。難怪麥克阿瑟要愁眉不展，覺得有點沮喪了。

當天晚上十一時我起飛前往新幾內亞作實地視察，以決定我應採取的步驟和行動。

此行我視察了各地的空軍設施和澳洲東北角以及新幾內亞的空軍基地，結果令我不甚滿意。三天之後，我飛回布里斯班向麥克阿瑟將軍報告。（十）

危機重重的美國政客政治

張健

那篇報導中說：華府曾把韓戰期間的所有重要文件讓英人過目，然後轉洩於中共。儘管有當事者的矢口否認，我們依然不敢信其無。這是對麥帥本人人格的信任，也是對忠實報人魯卡斯氏的信賴（這是美國民主社會中一種優秀的典型。十年的保密若費諸某些國家的新聞從業者，是太大的苛求！），同時也是基於對英美政客政治之深刻了解而然。表面上，英、美在某些問題的立場上時有齟齬，事實上，倘使美國本身沒有大批用心紛歧的政客，英國的立場仍是易爲美國折服的！至少，它不會居中爲諜。在整個事情中，英國政客們只是顯得更老練些而已。

麥克阿瑟將軍已死，美國無眞英雄，無政治家矣。非眞無一、二賢者，但政客政治必不容其出頭爲萬人所瞻之馬首耳。而此次採訪報導之披露對美國朝野之影響究竟如何？吾人且拭目以待吧！凡此尚不足促成彼民對其政治型態之徹底反省及革新（談何容易！），則幾幾乎可以斷言。（四．完）

寡君續夢

第十二回：異域購新居　民脂似水　冷宮傷舊夢　妾命如絲

毛澤東說道：「這件事還是要處理，現在找維漢同志來商量一下。」說過就按鈴着田家英找李維漢來。

陳毅說道：「要不要把少奇同志，周總理都找來談談，尤其周總理是全國政協的主席，更不能不同他商量。」

毛澤東點頭道：「也好，乾脆把小平同志、瑞卿同志都找來，我也想聽聽他們的意見。」

田家英打出去幾個電話，不多時間都來了。

毛澤東先向李維漢問道：「近來這些民主黨派到底怎麼樣了，我很久也未同他們打過交道，你是負責管理他們的，詳細報告一遍我聽聽。」

李維漢笑道：「這批民主黨派情形，只有四個字就說完了，就是潰不成軍。過去還有個黨派的形式，現在連個外型也沒有了。」

毛澤東聽出興趣來了，問道：「怎麼樣潰不成軍，你說給我聽一聽。」

李維漢說道：「先從民盟說起，民盟的主席是沈鈞儒，現已經老得不能動，睡在床上等死，看情形多則一年，少則半年就完結了。民盟的副主席雖多，大權却操於楊明軒之手。」

鄧小平插嘴說道：「楊明軒是咱們的人哪！」

毛澤東笑道：「這還用問嗎？當然是咱們的人派進去臥底的，才能抓到大權。」

李維漢繼續說道：「民盟在過去還有幾個右派份子，不服領導，現在都被趕出中委會了。」

毛澤東一瞪眼：「他們竟敢不服從黨的領導，這還得了，查明那些人應該嚴辦。」

李維漢說道：「也就是章乃器，章伯鈞，儲安平那批人的餘黨，他們倒不是不服從黨的領導，而是不肯服從我們派在民盟總部任組長、幹事這一批人的領導，他們以爲自己是常委，却要受一個組長指揮，未免太說不過去。」

毛澤東問道：「你怎麼處理這件事呢？」

李維漢說道：「他們居然把這件事鬧到統戰部來，聲明絕對接受毛主席的領導，統戰部的領導，就是不能接受本會一個組長的領導。我當時告訴他們，不要看輕一個組長、幹事，他們是黨員，有黨性，由於他們堅決擁護毛主席，心性與毛主席相通，因此，他們就可以代表毛主席領導黨外人士，你們肯接受毛主席的領導，也就必須接受他們的領導。」

毛澤東一拍大腿，說道：「答覆的好，應當做成事件傳下去，要各級幹部都知道，他們不但替天行道，還替毛主席行道，任何人反對黨員，也就是反對毛主席，這樣就不妨礙他們的領導地位了。」

李維漢說道：「民盟的情況已經潰不成軍，不過，在民主黨派中，還算是好的，至於民革就太不像樣了。」

毛澤東說道：「你不要小看了民革，據張文白告訴我，其中大多數人還都是向着台灣，希望蔣先生回來搭救他們，我看除去張文白之外，誰也靠不住。」（三〇九）

冒險犯難記

鄭文儀

軍隊的習慣是「新兵怕打仗，老兵怕練。」因爲打仗有危險；但老兵不在乎，新兵初上戰塲，不免有些害怕。訓練比較辛苦，立正、稍息、開步走、向左右轉總是那一套，老兵很厭惡，不耐煩；新兵倒無所謂。至於我這個半新的老兵，却覺得兩者都是一樣，訓練可以溫故而知新，打仗可以增加經驗。我的想法，祇要精神好，有興趣，打仗和訓練又有什麼差別呢？

當我們野外演習的時候，孫大元帥曾有好幾次親自參加指導。我們演習，常在附近的山嶺河川道路中，他隨著我們隊伍行進，有時親自指出演習的想定，假設附近某某地區有多少敵人，要我們去攻擊，演習完後，他親自講評。

曾有一次，部隊要由山岩上下山追擊敵人，同學們想繞山道而行，大元帥說，應該由草坡花樹間直接溜身下去，他本人首先溜草坡下山以爲示範，我們跟着溜下山坡。人人心中都欽佩大元帥的指揮高明，他以身作則的行動，尤令我們欽敬。

大元帥有一次帶我們到韶關南邊三十公里以外的南華佛寺參觀，用旅次行軍的方式行進，首先由韶關乘火車到馬壩，由馬壩下車到南華寺，須徒步行軍約十公里，沿途風景幽美，水光山色，處處引人入勝。南華寺廟宇很大，很出名，寺中有佛教的六祖菩薩肉身，千年以上的肉體，用化學藥品塗裝金身，仙風道骨，對佛教有信仰的及一般善男信女，留有深刻的印象。我們在南華寺參觀了一小時，用過中午露營的野餐，又還休息了一小時，於下午兩點就返回韶關。剛好那天北方政權的代表許世英先生，由北京經過廣州，到韶關來晉謁孫大元帥，請商北上談判和平統一中國問題，我們到了韶關下車之後，就在車站排成儀隊，歡迎許先生來韶關晉見大元帥。這一天是我們到韶關後很夠辛苦的一天，却也是令人永遠難忘的一天。

由九月到十月的韶關，眞的是秋高氣爽，雖頗適宜於軍中教育和演習訓練，但我們營地在芙蓉山上，却使我們困難重重。第一是水很缺乏，有很多同學不服水土，生起病來；第二是蚊虫太多，而且非常厲害，晚上我們睡覺的時候，蚊帳很薄很窄，不易抵制蚊子的侵入，甚至蓋了被子以白布蒙了頭，蚊子也能透過布來咬人。同學們有很多害痢疾，也有不少人害瘧疾。我還是先患過痢疾，接着又患瘧疾的。這兩種病，都易使得人的身體和精神受到嚴重的折磨與損傷。自古道：「英雄祇怕病來磨」，我們面對這痢疾和瘧疾的肆其淫威，在醫藥設備兩均不夠的情形下，儘管人人咬着牙根，以大無畏的精神與之抗爭，却亦到底很受了些罪。好在到十月中旬，孫大元帥回廣州，準備到北方去和北京政權商談國是，我們於是也就奉到學校的命令，開回黃埔本校了。（十八）

上大人歌

燕謀

日人伊能嘉矩著「台灣文化志」一書其第六十一頁有如下的記載：「上大人（上古大聖人也），丘乙己（孔丘一人而已），化三千（教化門徒三千也），七十士（達者七十人也），爾小生，八九子（爾等小童八九輩也），佳作仁，可知禮也（如丘達者可知五常）。」

伊能接着云：「上大人的勸學文，雖不詳爲何地何人所撰，而其傳承已久遠，在宋代初學習字即用之。南宋大慧普覺答呂郎文中，說從幼小求學時就誤了方向，而有『蓋從上大人丘乙己便已錯了也』的話爲證。」

幼時初習字時，始必以「上大人」紅模塡起，蓋以其筆劃簡單故也。但此一習字之「上大人」，在昔全國各地無不知之，但其出於何人所創，其內容之意義如何，均無可考。日人伊能之解釋，亦有問題，因爲「上大人」之出現，非惟宋代，唐代已有之矣。據敦煌經卷唐人疏記中釋半滿教義有云：

「如世小兒上學，初學上大夫等，是半字教；聚識多字，名滿字教。」上大夫是官名，孔丘本爲上大夫，宋作上大人，意義相同。又丘乙己，亦有作孔乙己，孔字當爲後人所改。

另據明人祝允明的「猥談」云：「一友謂余：此孔子上其父書也。上大人（上書大人）丘（聖人名）乙己化三千七十士爾。（乙一通，言一身所化士如許）小生八九子佳（八九七十二也，言弟子三千中七十二人更佳），作仁（作猶爲也），可知禮也（仁禮相爲用，言七十子善爲仁，其於禮可知）。大概取筆劃稀少，使童子易知易學也。」此種解說，近於滑稽的文字游戲，殊不足信。

「上大人」成爲兒童初習字必寫之典範，而且甚爲普遍，可能係出於政府的命令，否則何能如是之普及？但此自亦僅爲臆說耳。不僅此也，尚有「上大人」歌一篇，作七言詩狀，而文字鄙俚不堪，茲誌如次，以博讀者之一粲。歌云：

「上字寫來一頭排，編出新歌唱出來；宋郊宋祁親兄弟，狀元榜眼一齊來。」

「大字寫來兩脚開，杞郎作城嘀淚垂；姜女爲着人情苦，千里路途送寒衣。」

「人字寫來二字全，智遠酒醉睡瓜園；三娘受盡兄嫂迫，一冥拖磨到天光。」

「孔字寫來存子才，趙盾被了岸賈害；害死一家三百口，孤兒報怨天下知。」

「乙字寫來一畫勾，楊雄石秀上酒樓；翠屏山上殺死妻，投上梁山做賊頭。」

「已字寫來空一空，玉蓮捨命去投江；十朋江邊獻紙錢，後來夫妻得相見。」

「化字寫來兩朋張，提管好箭共好鎗；射死番軍個個中，救出翠玉一小娘。」

「三字寫來三畫成，崇禎敗國脚脫靴；李闖字虎盡四散，盾朝有福見太平。」

「千字寫來頭上歪，三國姜維戰郭淮；姜維有弓又無箭，郭淮送箭去付伊。」

「七字寫來尾挑上，蒙正當初居破窰；爵得相府千金女，手攀柳枝過柴橋。」

「十字一畫一豎直，文舉坐堂打李直；李直受打就招認，打開冷房見玉眞。」

「十字寫來相似士，三國猛將是呂布；鳳儀亭下戲貂蟬，殺死義父董郡侯。」

「爾字寫來是覆謀，項羽烏江不肯渡；蕭何韓信用計智，後來坐位漢高祖。」

「小字二點在身邊，唱出唐朝郭子儀；七子八堉眞富貴，夫妻相隨一百年。」

「生字一撥在肩上，鶯鶯小姐罵紅娘；賤婢無針不引線，挑得張拱來跳牆。」

「八字寫來似眉毛，唱出山伯祝英台；二人同學有三年，未知英台是女娘。」

「九字寫來一脚曉，瓦崗好漢救唐朝；敬德單鞭來救主，仁貴領軍去平遼。」

「子字寫來脚曉起，李廣慌忙假聖主；兄弟盡忠救國母，爵得李父中箭死。」

「佳字寫來土重疊，齊天取經難過刲；沙僧八戒拖命走，取得眞經挑返來。」

「作字寫來二豎人，古時竇女棄買臣；買臣後來有官做，馬前覆水不相認。」

「仁字寫來一豎人，劉備猛將是趙雲；曹操雄兵失計智，救出阿斗又坐天。」

「可字寫來有一口，潘章上陣敗軍走；關公雲長來助戰，救出關興共張包。」

「知字一口在身邊，哪吒出世落海；龍王看見着一驚，抽出龍筋帶返去。」

「禮字頭上有一留，昭君出塞面憂憂；幾時得見漢王面，斬了奸臣毛延壽。」

「也字寫來脚曉曉，曹操過關遇馬超；割鬚棄袍拖命走，許褚走來報張遼。」

「編出新歌唱出來，廿五故事照頭排；請問此歌誰人編，正是潮州蕭秀才。」

這個「上大人歌」，只刋「新刻」二字，不詳刋於何地何人，其末尾二句「正是潮州蕭秀才」，是否屬實，尚未可知。且此一刻版的錯字不少，韻也有不叶者。

我的社會生活

雷嘯岑

此時周佛海以叛國罪被判處無期徒刑，關在南京老虎橋的模範監獄裏。我某日在市街上偶遇着周妻楊淑慧，表示想去看看佛海，她即約定次晨十時引領我去，屆時獄卒見到我的名片上刻有「和平日報總主筆」職銜，即搖手道：「周先生吩咐不接見新聞記者，對不起！」我語以見不見無所謂，請你轉報他一聲就是了。少頃，佛海身着長衫，外加坎肩（背心），急步匆匆走入接待室，一面跟我握手，同時說「想不到你會來看我！」他這話是有用意的。因爲他當年從重慶出亡的前夕，曾約我在陝西街「中南銀行」樓上密談，表示對抗戰前途很悲觀，要另想辦法纔行，言下希望我跟他一致努力，我不同意他的看法，話不投機，他亦就未再談下去了。如今他已失敗坐牢，而我還來看他，所以有此意外的感想。

我倆是在典獄長的會客室晤面，別無他人在座，懇談了一個半鐘頭。他先凝視我的容顏，然後說道：「你的精神很好，至少還可以搞二十年政治。現在國家的大患就是共產黨，我們今後要把全部精力放在反共的工作上，這是我們的歷史任務，非負担不可。」聽他的語意，好像很相信自己稍待就會恢復自由的。如是，我問他：「日本投降後，參謀總長何敬之（應欽）先生曾在重慶公開宣稱，你是在『懲治漢奸條例』頒佈以前，就輸誠中央政府的，不在懲治之列，何以現時又要判處你的罪刑呢？」他說：「關於我與中央合作抗日的經過內容，只有戴雨農一人很清楚。雨農一死，我就知道不妙了。」繼而談到物價與幣制問題，他是學經濟的，即慨然道：「日本投降後，中央方面首先來到上海的人，就是戴雨農，杜月笙，錢新之三位。他們問我將來法幣與淪陷區域行使的鈔票比率，究應如何規定，纔不致發生毛病？我主張最好是一比二十（法幣一元合僞幣廿元），至多亦不超過一比五十的折合率，則京滬一帶的物價，決無重大變化，我敢負責保證。詎中央命令下來，竟規定爲一與二百之比，物價乃爲之狂漲，終於無法控制了。這是不從經濟原則設想，而完全以政治觀點來處理財政問題的後果，太可惜呀！」

他再告訴我以日本投降後，他由上海飛到重慶，再由重慶飛回南京的經過情形，亦不勝唏噓感慨之至。他說：「我在上海將掌管着的『中央儲備銀行』全部資財和武裝部隊，一概交給戴雨農典收後，中樞認爲我若依然住在上海，諸多不便，教我先到貴州的息烽縣去避避風頭。雨農給我預備一架專機，我們夫婦倆和羅君強，楊醒華（他是佛海的妻弟），另有廚師和女傭各一名，同坐專機出發的。飛到重慶時，據說因霧大不能前進，即在渝市降落，下榻於郊外磁溪口，嗣後亦無再往息烽的消息，而雨農忽罹難去世了。未幾，有命令送我們回南京，到達之後，即把我和君強等送到寧海路一所巨宅去，入門檢查全身，不許携帶任何物品，連褲帶亦得解下。這纔知道我已由座上客變爲階下囚，置身於縲絏之中了。假使雨農健在，決不會有此下塲呵！」我勸他在獄中謀寫回憶錄，他說有心臟病，提筆就頭暈，希望我每星期來監獄一二次，他口述，我筆記，我滿口答應即辭別。他送我到門口時，笑謂：「老雷，你回去可在報上寫篇『虎牢探奸記』，是漢奸之『奸』，不是監獄之『監』，莫弄錯了。」仍不減當年在日本留學生時代的風趣。

（五四）

哀梨室劇談

銘公

和珅與小上墳（續）

還有「坤寧宮」，有一直徑逾尺之碧玉盤，係乾隆帝心愛之珍玩！七阿哥（即七皇子，滿人例以阿哥稱皇子，猶之公主例稱爲格格也。）偶於無意中把牠打破，嚇得魂不附體！他的懷弟九阿哥（即成親王，書法爲世所稱許。）教他賭求和致齋設法！（按所賄者，爲一小型赤金彌勒佛）和坤很輕藐的看着他說：

「盤子已經打破，除了照樣買一個放在那裏，還有什麼辦法？」

「這是朝鮮進貢的寶物，那裏有得買呢？」七阿哥一面說着，一面哭出聲來！

和坤看他可憐，這纔安慰他說：

「好吧好吧！我這有一個樣子和他差不多的，你就拿去對付着用吧！」說着就叫旁侍的僕人，到裏面拿了出來！七阿哥等一看，竟與打碎的玉盤一般無二！不由的連聲稱謝。

你道世間那有這樣的巧事；原來他這玉盤，和乾隆的那一個是姊妹盤！尺度形式，完全一模一樣，而色澤純潔過之！以此代彼，當然不成問題。

至和之所以有此玉盤，則因各方貢獻的物品，例必經過和手，始能進入內廷，因之和得選取其中之尤佳者！宮庭所得，反居其次。是知爾時和坤之威權無遠弗屆，大概宮庭的內監宮女，也都是受他支配的。

但也有一例外，那就是乾隆另一寵信的大臣，東閣大學士劉墉！劉字崇如，號石菴，是個進士出身的膠東才子，文章經濟和書法冠絕一時；乾隆爺的詩文，差不多有一大半是經他潤色或代擬的！抑且賦性耿介，守正不阿，他對和坤的行實，根本就不以爲然！往往當着乾隆，面斥其招權納賄，植黨營私！乾隆雖不因他的彈劾而罪坤，却也不因和坤之讒讒而對他有所不滿！這可說是乾隆行實中差強人意之一環。

基於上述的一切，和坤就把石菴當作眼中釘看待，但也沒法兒擠他出去！終於在無辦法中，想出一種無聊的辦法，編出一支「小上墳」的玩笑戲來諷刺他。

這齣戲的劇情，無疑是揑造的！就其演出之情形來說，是有的一個士人，名叫劉錄金的，因爲赴京應試，特地把他的年輕太太素貞留在家裏，便留京候官！他的岳父李大人，其時也在京裏，因爲謀事不成，便一份程儀，另寫一封家信，連同三百兩銀子，託大公館給他的夫人！沒想到他那舅氏，是個面善心惡見利忘義的奸險小人！除將他的銀信吞沒外，還造了一個大謊！說「劉錄金因病去世，後事都是在京的鄉友給料理的。」因力勸素貞再醮，以便從中漁利！素貞感到無限的悲哀，前往祖塋哭訴！其時錢香燭，祇得靠賣孝衣換錢。錄金已被外放爲縣令，便道歸省廬墓，遙遠見一素裝之女子哭泣甚哀，審視之，則其妻也。如是夫婦相見，暢叙衷情。」（未完）

自由報
THE FREE NEWS
第四四六期
中華民國僑務委員會頒發
台灣新字第三二三號登記證
中華郵政台字第一二八二號執照
登記爲第一類新聞紙類
（本報逢星期三、六出版）
每份港幣壹角
台灣零售價新台幣貳元
社長：雷嘯岑
督印人：黃行富
社址：香港銅鑼灣高士威道二十號四樓
20 CAUSEWAY RD 3RD FL.
HONG KONG
TEL. 771726　電報掛號：7191
承印者：田風印刷廠
地址：香港灣仔高士打道二二一號
台灣分社
台北市西寧南路金台寮號三樓
電話：三〇三四六
台郵撥儲金戶九二五二

民主政治必須走羣衆路綫

——以台灣這次的縣市長選舉為例——

雷嘯岑

上月抄，台灣全省各縣市長普選之役，大家認定辦理選政人員是公正的，因而選舉結果即係眞正的民意表現，值得注視而檢討之。

執政黨提名的候選人，在全省廿一個縣市中，失去了台東縣和台北、基隆、台南三大市。就選區單位說，是成功的，但從整個選舉的實質上看，不能不說是失敗了。失敗的最大因素，便是忽畧了羣衆路綫和宣傳技術，其他皆屬次要。

所謂「羣衆」，其對象不僅是一般普通選民，即執政黨的黨員亦在其列。試以台北市爲例證：執政黨的黨員如果一致遵循了組織的指示，表裏如一，則以全市三十餘萬擁有選舉權的選民之中，執政黨的黨員即佔有半數，再加上文武公職人員的眷屬選票（他們不盡是黨員），殆如甕中捉鱉，十拿九穩，絕對可使本黨提名候選人當選無疑也。然而結果並不如此。這證明黨員羣中，有如英國人所說的，人民只在投票的剎那間，發抒了自由意志。或許也有少數人消極的放棄了投票權，作無言的抗議。

這種現象之所以發生，是由於平日祇知重視組織，而漠視了羣衆路綫。換言之，即只教黨員一切服從組織，一切通過組織，黨員對於一切問題，事前皆沒有表示意見之餘地，構成機械式的從屬關係，大家乃在秘密投票的剎那間，不顧一切，各行其是了。假使黨在銓衡候選人提名的過程中，實行民主集中制，率先徵詢一般黨員的意見，作爲最後決定人選的標準，那末，一般黨員即認爲這是自己贊成的候選人，基於黨義與責任感，不特自動的服從組織，樂於投下同意票，還要努力向親友們爲些選人拉票助選，以期成功，表現着視國事如私事的熱烈精神，無所瞻顧徘徊了。這就叫作羣衆路綫。

至於爭取一般社會民衆的向心翕從，更非專靠組織和宣傳所能濟事，最要緊是平日注意民衆的現實生活，隨時替他們設想，幫助他們興利除弊，解除一些疾苦。譬如執政黨在全省各縣市鄉鎮皆有黨部，又有政府設置的「服務站」，平日祇要針對社會大衆最感需要的某些事情，爲之設法改革策進，即可博得人民贊歎悅服的效用，從而切切實實地掌握着羣衆的意志，在選舉中不愁失敗了。不此之圖，但知臨時作些空疏的宣傳，而藉組織力量予以策動，則成功的希望殊微——除非當地沒有勢均力敵的其他候選人，祇是執政黨提名人士獨佔其事。此外還有一項爭取民心的要訣，尤其不宜忽畧，即政府對於警務與法院之整飭改進，必求減少擾民虐民的情形，這纔是最有效的得民之道。警察所夕與民衆接觸，法院專門爲人民判處訟案，他們如果表現着廉正公平的服務精神，民之所好好之，民之所惡惡之，不隨便擾民，不任意枉法，人民對政府的向心力自然如水之就下，沛然莫之能禦，其他的黨派人士想要在選舉中擊敗執政黨的提名候選人，殆如蚍蜉撼大樹，談何容易，而整飭警政與司法，原係政府應有職責，即不爲着選舉利益計，亦是責無旁貸的。目前台省的警政與司法是否具有廉正公平的實質，大家都瞭解的，民心若未附，光靠一時的號召宣傳，以期獲選舉勝利，戛戛乎其難哉！這項羣衆路綫的關係，不特直接影響選舉事宜，間接亦影響執政黨的前途，豈可漠視嗎？

談到這次選舉的宣傳問題，更令人感慨系之。筆者於四月十八日到達台北，至廿六日投票前夕爲止，目所見的官方或半官方報紙，耳所聞的各種同樣廣播之聲，沒有不是攻擊指摘執政黨提名候選人的對手者，形成一面倒的宣傳攻勢，而給對方以「哀兵」作戰的有利機會。在宣傳技術上又不注重於對手方過去曾任台北市長的缺失措施，及其違背了競選諾言的各項事實，而斤斤於私人財產多少，與夫出入酒家這類私生活問題，這是毫無作用的。尤其是上酒家一事，因爲日本政府的大臣們，即每以「藝妓屋」作商洽政事之所，台省人民在過去五十年間的日據時代，耳聞目擊其情，習以爲常了。拿這類私生活行爲來攻擊競選的敵人，對一般選民決不發生絲毫影響。筆者於四月廿四日看到高玉樹散發的一張傳單，內用鋅板製印着執政黨區黨部動員各機關同志爲周百鍊助選的秘密通告，表示他是以一人之力對執政黨作選舉戰的「哀兵」姿勢。我當時感覺到這是不祥之兆——反證着執政黨內部並不團結，否則這類黨內的機密文件，怎會落入政敵之手呢？由於宣傳策畧與技術之欠考究，無形中替政敵幫了大忙，而對自己的競選人增加了一些失敗的因素。有人指出高玉樹之獲選，乃得力於許多「反感票」，而這些「反感票」之中，除却若干無黨無派的游離選民外，執政黨黨員亦有投反感票的，乃爲無可否認的事實。何以構成這種結果？一言以蔽之曰：沒有走羣衆路綫。搞民主政治而不採取羣衆路綫，寧有倖理？

關於競選人提名這回事，我認爲亦大可研究。提名的用意是在兩個以上而地醜德齊的政黨政治中纔有必要，如美國的兩黨交互執政然，因而每屆總統大選時，民主、共和兩黨爲期取得勝利，皆很愼重的提出候選人，以免紊亂步驟。現時咱們在台省的縣市長選舉中，在野黨的力量跟執政黨可謂不成比例，似無提名候選之必要。因提名而釀成本黨內部的分裂現象，有不惜脫黨競選者，亦有藉此造成地方派系，互相傾軋者，更有助長辦理黨務人員的貪污行爲者。利未見而弊害叢生，眞是得不償失，何必多此一舉呢？假使讓大家自由競選，但爲防止冗濫倖進起見，仿照英國政黨對黨員競選的辦法，規定以相當數額的保證金繳交黨部，將來得票如不及當地全部選票三分之一，保證金即予沒收充公。這樣即比較現行的提名方法好得多吧？在現狀之下從事競選，我認爲民社、青年兩黨倒要採用提名方法，因爲跟勢力雄厚的執政黨逐鹿，如不愼選人才，集中力量，即無獲勝的希望啊！今乃反其道而行之，以致有些地方祇有一人競選，提名變成了毫無意義，徒然引起黨內同志奔競鑽營之風，腐蝕政治機能，是亦不可以已乎？

失敗爲成功之母，執政黨對這次選舉的因果得失，若能虛心檢討反省，急起直追，糾正原有錯誤，而努力於羣衆路綫之創進，宣傳技術之改良。則今後在台灣的選舉中固可穩操勝算，即回到大陸去，亦將博得人民的擁戴，不成問題，事在人爲，只看決心與勇氣如何了！

生人勿近

不擇手段

今日與明日

瓦瓶平原失陷

寮國戰局有急轉直下之勢，中立軍司令康黎，已放棄猛蒂基地，退到山裏去，這位由上尉營長叛變爲將軍司令的人物，手下所剩已不多，猛蒂失守後，又有幾營官兵投到寮共那邊去，康黎實際上已成爲無兵司令。

這位身不滿五尺的小人物，夢想作納薩、卡森第二，結果，好夢未成，却把國家斷送了，要說康黎是寮國的妖孽，決不爲過。最慘的是今天炮轟他的人，正是當初同他聯合夾擊政府軍的人。當時康黎與寮共軍合組聯合指揮部，康黎任主席，寮共軍首領辛加坡任副主席，曾幾何時，寮共又同康黎鬧翻了，馬上就動員全部兵力，猛攻康黎陣地，終於迫使康黎逃入深山。康黎的失敗，可以供一些投機取巧的人如哈施諾之流作爲借鏡。

美國太洩氣

寮局誠然是個難題，十足變成了一個爛攤子，但是，美國也該籌一個對策，作最壞的打算。今天消息美國竟然促與毛僞政權有邦交的西方國家勸請毛共住手，不要再協助寮共。此種作風，比起與虎謀皮還要荒唐！美國何以如此洩氣。

美國不願在寮國打仗是事實，不過，戰爭是否發生，光靠逃避是不成的。美國若不逃避在中國的責任，使中國大陸淪於俄毛，則以後的韓戰同今天的越戰都不會發生。美國今天在寮國又犯了舊病，總不想負起責任，妄想毛共止步，又促西方承認毛共的國家出面，這樣作，只有更使毛共看輕！也許它的本意只在製造混亂，而美國的過份示弱却促使毛共早日下手吞併全寮。

不可樂觀的中南半島

目前中南半島形勢，實在不容樂觀，緬甸經濟方面走向共黨路綫，柬埔寨在政治外交方面變成了毛共的準衛星國，越、寮兩國皆難自保，剩下只有泰國一國作中流砥柱。不過，寮國若全部淪陷，泰國受威脅就實在太重，到時可能會有變化。尤其是乃沙立元帥死後，泰國已失去安定力量，共黨利用外來壓力，促使內部顛覆的可能性並不是沒有的。

目前挽救寮越之道，先要查清楚其威脅來自何方，美國即使仍拿不出决心助中國反攻大陸，但最低限度，登陸海防，突襲北越，以減輕共軍在寮越的壓力，是刻不容緩的了。

自由談

談招商局問題

馬五先生

中華民國的國營航業招商局輪船「仲愷號」，最近在海上沉沒了，距離該局所屬「海祥」輪之失事摧毀，尚不到一年。據一位立法委員指出：招商局的船隻，每隔四個月，便有一艘沉沒於海洋中，這證明該局腐敗顢頇，非大刀濶斧地加以整飭不可了。我亦云然，但認爲該局已陷入無可整飭的膏肓痼疾，乾脆轉讓給民營航業界去醫治爲是。

說來似乎奇怪，任何一種業務，無論工商企業也罷，文化事業也罷，祇要是國營或公營的，即沒有不流於腐敗低能之境況者。這情形，仔細思量一下，也就不足爲奇。既屬國營或公營事業，用人不必論資格技能，而以應付當權者爲急務；辦事毋須講效率準繩，而以敷衍塞責爲原則。每屆年終，謨寫一篇海市蜃樓式的業務報告書，一面送呈主管機關，同時在官方報紙上登載，大事宣傳。反正蝕了本有國庫彌補，出了事有要人庇護，悠哉游哉，恣意享受，台諫的糾彈不足畏，議會的質詢不足恤，與論的指摘不足恤。這便是國營和公營事業的本質，而以招商局爲典型代表。

社會主義的政治建設，原是注重國營或公營制度的，但其結果如此，豈勝慨歎耶？國父的民生主義讚敎，指明凡屬具有全國一致之性質，或爲私人能力所不能興辦的事業，即歸國家經營。像航業以及紡織業，電影業等等，是否私人能力所不能興辦的企業呢？答案如係否定的，則招商局這種業務機構，早就應該撤消，而沿着政府到台灣後，出售國營企業於民間的路綫，把該局的產業資財，作成股票，放盤售賣，藉以減輕國庫的負担，詎不懿歟？

社會結構不健全，國民道德水準低落，政治風氣不清明，這就不配談社會主義建設的話。若夫漫無標準的瞎搞國營公營事業，既與資本主義的範疇背道而馳，亦跟社會主義的理想不相干，不倫不類，只是國家之蠹而已，禁之便！

王清波三歲兒子夭折所引起
高市教育界「笑話」有內幕
一面由屬員電話通知一面大擺靈堂
來弔教職員等上香三鞠躬還要奠儀

（本報記者邱府航訊）高雄市政府教育科代科長王清波的三歲兒子夭折，而帶來的笑話，轟動一時，成爲台灣教育界「最動人的新聞」，本報第四四四期業加以報導。據事後傳出，此笑話之構成，乃有內幕在焉。

王之子死於五日清晨，以電話將此事通知各校者，係中等教育股長黃孝淡（王派黃代市女中校長，兼十中籌備主任職）；而王宅搭布棚，設靈堂，則在八時前俱已就緒，忠孝國校校長寇擯風以總招待的身份在場，迎賓送客，極爲週到。

八時許，即有校長，教導，訓導，教員趕往弔慰者，一進王宅，見靈堂莊嚴肅穆，香烟繚繞，夭子遺像置於其中，靈前桌子置有香清酒，鮮花等物，兩旁有黃孝淡與寇擯風率先贈送之大花圈置於其間，僧人擺設道場，棺前誦經，超度亡魂。另一桌上置簽名簿。王清波面帶愁容立於左，黃孝淡滿面春風站於右，自晨至暮，客人陸續趕至，簽名之後，接着祭靈上香默哀，然後行三個鞠躬禮；王清波以父親變爲「孝子」，敬還三鞠躬。另則有人在場收「奠儀」（收奠儀并不是貪污，所以亦不犯法），校長多半送二百元；也有三百，五百，甚至一千元者，那歸於特殊原因與情形，合算不過兩萬元，論王宅之喪僅收此數，實不爲多也。

有些校長去弔喪時，原只以爲慰問足矣，孰料要「祭靈」，還要送「奠儀」。「祭靈」三鞠躬無人「不駡」，送「奠儀」當場「過現」，未帶錢者急忙借貸，以付這筆「人情債」。有位校長說：我本來決意不「祭靈」只付「奠儀」，可是當場「形勢比人強」，逼得你怎敢不低頭呢？

聽說有位女校長行禮時，泣不成聲，如喪考妣，悲痛極矣！

祭靈完畢，出棺送殯，正是素車白馬，披麻帶孝，沿途尚有校長，教員執紼送往覆鼎金墓地者。

台灣省民間一般風俗，對夭折之子，父母私下傷痛，固不在話下，居然設靈堂，大辦喪事，勞師動衆，使不成體統矣。

王清波三歲之子夭折，竟而演出這一套「把戲」，高市教育可謂斯文掃地，莫名其妙，而責有攸歸，王清波似此行爲，自難免爲清議之所不容。

新任教育廳長潘振球，在全省第一次地方教育行政會議中，曾勉各縣市教育行政主管四點，第一就是「如何樹立誠樸的教育風氣」。正是言者諄諄，聽者藐藐！高市教育界鬧出此一笑話，未悉潘廳長何以處之也。

屏東縣二三事

本報屏東縣航訊

△內埔出身的屏東議員李慶和，在一年前該鄉農會改選理監事時，即有意於該會總幹事一職，爲求達到目的計，曾運用已派在會理監事實力，控制會務，進而再由監事賴菊祥等五人，於去年七月廿五日，具文向各機關檢舉該農會總幹事李禮郎，謂利用職務上之便利，涉嫌侵占公款，及盜賣公糧等。該案由於案情複雜，雖經檢察處起訴，迄仍在屏東地院審理中。

李禮郎爲報復計，乃悉心搜集李慶和有關資料，并於日前向屏東地院正式具狀提出告訴控李慶和議員僞造「自民國卅六年三月起至民國卅八年十一月止（計二年八個月），任內埔鄉公所幹事，担任獸醫工作之證明（四十二年四月廿七日總字第二七九號）」并同時僞造鄉公所印信，及鄉長李禮郎簽名印章，向考試院銓敘部請發得公務人員儲備登記（委登字第二五一九七號）證書。又以台東縣東河鄉公所發給之任職三年五個月之僞造曾任獸醫之證明，於四十四年十二月，向省農林廳領得農畜獸字第六九八號獸醫證書，在其住宅開設「養生家畜病院」等」云云。

這兩項控案，始作俑者是李慶和，現在他控別人的案件猶未結束，却被李禮郎告了一狀。這些訟案屬於地方派系與私人恩怨之爭，固不成問題，據圈內人士的看法，將來的結果，難免兩敗俱傷。

△醞釀了五、六年的屏東縣府職員宿舍標賣案，業經議會通過了，消息傳出，縣府大部份低級職員，深表驚訝！

屏東縣政府職員宿舍拍賣時，規定現居人（職員）有優先權承購一案，從表面上看，這些職員經過十年的分期付款後，可以得到房屋之產權，可是從另一面去看，由於目前低級公務員收非薄至極，平時已感入不敷出，那有能力在薪津內扣出部份作購置房地之用？因此有人認爲，力主標售職員宿舍的，祇不過是少數特權份子，意圖以低價買進，轉手高價售出圖利而已。所以縣府一般低級公務員，一致期待新獲選之第五屆縣長張豐緒就任後，能多考慮縣府一般低級員（工）福利，而阻止此案之執行。（袁文德）

論我國近代首批外交使節（六）

·吳本中·

薛氏所言之給領事『文憑』，即通用之拉丁文外交詞語：Exequatur，今日大都譯爲領事執行職務證書是也。

良好的使節並非詭譎奸險之謂，乃『溫、良、恭、儉、讓』，『夫子至於斯邦，必聞其政』者也。

我國外交界先進之一，大興蔡鈞先生在其所著『出使須知』中有言：『朝廷簡派使臣，出駐外洋，原以修好敦睦……使臣既駐其國，固宜曲意與外部款洽；次而爵紳，次而地方文武，亦必情好無間。遇有公事，外部既有交情，商辦自易，更得院紳贊助，則無不大者化小，難者化易。……然此猶小焉者也。至於有關國體重大之事，萬不可行者，苟非使臣能聯絡其官紳，何能猜嫌悉泯，情僞周知，克持敦槃之盟，無愧皇華之選哉』

又曰：「各國公使同在友邦之列，理宜時相往來，俾情意浹洽，聲氣相通。居常則雍容晉接，藉通消息，遇變則壇坫折衷，藉資援助。倘有交涉之事，至要且難，十分棘手，正可因前日之交情，密往請教。縱外部欲拒駁，而公論具在，外部恐犯衆怒，必不能始終固執，任意把持。是平日酬酢似覺無謂，而臨事之獲益，良非淺鮮。微特使臣在所宜知；即署中人員受朝廷之祿有襄贊之責者，皆不可於此事缺然不講也。」讀此，則知吾們的外交先賢如何講求周旋壇坫，折衝樽俎之道。斯乃雍雍大雅，君子之風，固非如今日之輕佻小丑『外交官』向外人眼跳神舞，拍肩撫背，鮮遠慮，甚至抱省錢省事，關門閉覺主義者，所可同日語矣。

英外交界公使級有三十年經驗之 Satow 退休後所著『外交實務指南』內所論外交家品格及 Nicolson 發表有關外交之小冊內所談，均不外我先賢之意旨。此處所指出者尚僅爲近年我國外交部所必當援有之最簡單有關外交西書。更不必談其他濁著也。

又曰：『西國政俗各有不同……其與外國相交也，則又恃有和約，參以公法；綱領具在，條目燦然。凡遇辦理交涉事件，必先詳查公法，按照和約，講明而切究之。又復再三籌度，立定主見，然後出而剖辦。臨事鮮或倉皇，事後並無尤悔。當其詳審時，即親友到訪，亦必俟其稍暇，然後接見，其專心致志，有如是者。………我國辦理交涉之事，總不能批竅洞要者，祇緣當無事則存一輕視外國之心勢，値有事則存一畏葸推諉之念。首鼠兩端，從違莫決。其闒茸者與之談及外事恆黨轉喉觸諱。其庸懦者先自中情惶惑，謂多一事不如省一事。此所以貽誤大局，迄今而不可挽回也。若使臣皆幹練之才，矢公忠之志，甫到一國則察其情僞，究其形勢，詳考其今昔所行之律例，而又參萬國之公法，各國之和約，提綱挈領，犂然悉具於胸中，則辦小事，固可措施裕如，泛應曲當，即遇重大之事，似乎萬難措手，而彼之情僞形勢，我早諳悉，自能剖晰毫芒，奏刀[illegible]然迎刃而解。彼雖挾奢願以來求於我，蹈瑕隙以要挾於我，而和約具在，公法猶存，何難關其口而奪之氣。若使臣徒以位高望重，惟知養尊處優，除遞呈國書外，則深居簡出，惟冀轉盼三年……援例陞遷，微論輶車所到，凡風土人情，漠不關心，即久駐彼國，於國中有何舉動，院中有何議論，亦不屑探聽。惟憑每日所刊出之西字報著，繙譯擇譯一二事，以爲有所見聞。外人將有所窺我之隱，安肯俯首降心，甘受我之範圍哉。蓋歷練不深，則挾持無具，而措施萬難克當。凡此所言似過於激烈，然忠言逆耳而利於行，良藥苦口而利於病，竊願膺皇華之選者加之意也。』

大興蔡氏斯言，亦甚沈痛，然猶說出在我國清代外交有中興氣象時期，曾國藩親辦天津教案，曾紀澤使歐收復伊犂，李鴻章聘使各國等等，今日平心而論，均不無可觀。至若現時，孤島淒淒，絕交聲聲，但見式微，不見中興之外交情況下，而猶怕良藥苦口，甚至視忠言爲敵逆者，是誠令親痛仇快，吾不知其前途何在矣。混官做而心不在國家民族者，固言諫而口順。若竟信爲忠貞，依爲股肱，此歷代所以滅亡，政權之所由不保也。筆者不佞，對利國福民者從不諱言，不苟行；任何政權，均吾人民之僱僕；他們不好，我們作主人者斥責之，尚屬客氣。實則應當解僱他們。英文所謂：Fire the Government。

值得分析檢討
青年黨何以贏得台東縣的政權

本報中部記者熊徵宇

自從四月廿六日台灣省第五屆縣市長選舉揭曉後，很多人，對於台東的縣長當選人黃順興這名字感到陌生，更覺得一直是四分五裂不能團結內部的青年黨，何以能在台東贏得政權？

黃順興當選有因素

這種觀感是必然的。黃順興對公衆服務的經歷本來不多，他只當過兩屆縣議員。而在當民意代表以前，所担任的公職，只是台東縣卑南鄉農會的一名推廣組長。

在台灣中上層的政治圈子裏，他根本掛不上，自無名氣可言；儘管他在台東民衆的心目中是個勇於公意有作有爲的佼佼者，但那畢竟是局部性的，較之本屆選舉與執政黨提名人對壘獲勝的台北市的高玉樹，基隆市的林番王，以及台南市的葉廷珪，自然使人陌生。

但是黃順興能以青年黨人的政治立場競選獲勝，絕對不是「平地一聲雷」無所因果的。他的當選，應該從兩種情況上看。

那兩種情況，一個是主觀的作爲，一個是客觀的形態。但是都値得有志於政治抱負與執政黨的黨務機構參考與檢討。

從四月廿六第五屆縣市長當選人揭曉以後，台灣的報章雜誌，只着重於台北市選舉情形的批判，對於自從實施地方自治以來，在選舉上執政黨立於不敗之地的台東，未見撰文分析。我想我站在是個國民黨員的立場上看，覺得有分析的價值。

這價值的基本意義：不是着重於選舉的得失，乃是在以這一事實說明今日的羣衆意識與輔選政策上的諸種問題。

我本着事實說話，絕不採納流言，希望本黨主持輔導政策的先生們看看這一事實。對台東的政治情況，我有我的認識。

青年黨的拓荒者

十二年前，我担任青年黨人李萬居先生所主持的公論報記者，駐在台東三年，所以跟台東的政治人物與地方士紳都有一些交往。一直到如今，交往復如是。

我說黃順興的當選並不偶然，得從十二年前說起。得先談談當年在台東爲青年黨拓荒的播種人郭京。

郭先生是福建人，那時他在台東縣政府担任財政科的指導員，也是青年黨在台東的負責人。我有時愛開玩笑地稱他一聲「主委」，他總是裂開嘴巴大笑。我知道他的笑聲裏包涵的意義。因爲所謂主委也者，實在是個笑話，在當時，台東縣的十五萬人口裏，連郭先生本人在內，一起只有四個青年黨的黨員。

（一）

基隆旅居記

仲公

是早五更，維帥命俞明震赴前敵督戰，并料理餉械及電報事宜。黎明撥黃翼明親兵六十人，派委員三人，武弁六人隨往，乘火車，午初到基隆，駐張統領大營。探報昨夜日軍前鋒已過三貂嶺，住嶺背梁紳家。俞明震急派弁持令箭，命各軍擇山頭要隘紮穩，勿浪戰，待援兵至再進。未刻，日軍援兵至小粗坑，探路兼繪圖，驟遇吳國華軍，未及引隊邀搏戰，土勇從傍夾擊鎗斃繪圖者三酋一，日軍奔，棄槍械，越嶺遁，吳追及嶺巔。百姓觀戰者，均鼓掌歡呼。

先是探報，我軍在小粗坑遇敵。明震檄包幹臣率三百人助戰。包至小粗坑，見其酋斃路傍，割取首級，與土勇爭，大譁。包縛土勇，土勇未着號衣，指爲漢奸，將殺之。時吳國華至嶺巔，因雨待棚帳，尚未紮營，聞報，知包將首級赴大營獻功，大怒，撤隊急馳下嶺。包立橋上，望見吳軍還，藏首級竹籠中，遽拔全隊回。吳尾其後，俱還基隆。

（四六）

敬憶胡適之先生

沈亦雲

編者案：沈亦雲女士是黃膺白（郛）先生的夫人，他們夫婦都是胡先生的朋友。承黃夫人賜示本文，以其內容不平凡，可作傳記文學看，特亟刊出，以饗讀者。

民國五十一年二月，紐約時間二十四日晚，我應甥女陶維大之邀入城看戲。她請的江季平夫人，我和女兒熙治三人，是幾星期前預定的事。我們與江家同在郊外，是晚同車進城。江太太不待坐定就說：「一個不幸消息，胡適之先生去世了。」我聞訊震驚，一路惋惜哀思不能去懷，見維大不忍提起。前年維大的父親孟和妹丈之喪，第一個打電話給我的是胡太太，唏噓慰問而後，還商量要不要暫瞞他在此地的兩個女兒。孟和長女維正是胡先生夫婦的寄女。維大實已先我得訊，亦故意不向我說。胡先生胡太太都待朋友厚，待朋友的小輩尤厚。不論朋友還在否，在何處，主張同不同，胡太太做的好菜，逢年節總請小輩去吃，包粽子托人帶到，熙治的一份從來不缺。小輩有事請教胡先生，他不憚煩費功夫傾聽指導。維大說：「胡伯伯對我們小輩那麼好。」熙治去請教，我常親見。

胡先生之死，如殞一顆大星，如熄一盞明燈。在他本人，壽踰古稀，名滿天下，綜其生平，自少年讀書時驚其前輩的「諸子不出於王官論」一類文章起，至最後一刻鐘歡迎新選中央研究院院士電文止，無時無日不在對時代盡其責任。他實在已經對時代盡了責任了，宜可撒手長眠，無憾千古。國家則前途未卜，還需要他這樣對人性尊嚴人性自由呼喚不已的人格。朋友們四顧茫茫，還需要他的溫和指導。

「對時代盡了責任」，是我十年前答一個朋友的信，無意中對胡先生的評論。這個朋友當時看着國家的前程而憂急，問我有否就近訪問胡先生，聽其意見。信中同時提及另一位和胡先生同輩，同爲我們所敬重的人。我回信說：前程要先有個目標而後計算出向此目標的路徑和方法，公開出來，自有同此志願的人湊合。這要期諸後輩。僅僅反什麼反什麼是不足以揭櫫天下的。兩位老先生已經各對時代盡其責任，不可只責望他們。（一）

藝術藝談

抽象藝術漫談

趙雅博

這種方式的再征服客體，沒有得了很好的效果，因之又生出了另一個再征服客體的解決：這個解決是預先用想像的工作，將客體轉成象徵，認爲象徵在對客體美的表現上是更爲適合的象徵，而將藝術上的新進步嵌入以內。這種主張的代表，最主要的可以說是克李（Paul Klee）。然而在這種辦法內，也有極大的不便與困難，因爲由於藝術者的隨意作爲象徵，而沒有嚴格的觀念與以限制，也一樣將客體給破壞得一塌糊塗，甚至使之錯誤偏頗，或者使它成爲兒戲，這是我們不可不知的事。

眞正的抽象藝術，也就是我們前面診抽象三級的抽象藝術，是沒有這些不便的。然而並不是說，這樣的藝術是沒有困難的。抽象作用的產物對藝術來講，是能重新征服客體的，能再征服客觀實在性的毀滅，而卻不因此而約束其無改的美的可能性。因爲從感覺跳到可理解是將由具形的藝術品所强迫加入的限制，加以解除，而並不放棄任何客體世界。此外，眞正的抽象與客體藝術一起，也可以解救藝術作品的可隙解性；如果客體是由於形上的抽象方法而孕育，而完成，那時候抽象藝術作品不但隱藏客體的美，它更能使它凸出顯明，而更容易的表現自立體的形式。自立體的形式，如所周知，乃是一切美的根源。可是表現自立體的形式必要藉着物質。最後，我們知道客體世界，從其本質上去看，它對於藝術家是具有一種强迫式的要求，就是要他們不能隨意利用想像，排除客體，而讓客觀世界自己所從而表現的客體或對象，陷入自己夢幻迷宮中，而讓人如墮五里雲霧中，莫知所爲，莫知所云，莫知所意，使藝術不成爲藝術了。

抽象藝術的理想

關於抽象藝術，我們寫的已經不少了，現在我們即將作一結束，談一談眞正抽象主義的理想。

抽象藝術的理想，從很多抽象藝術理論家以及抽象藝術家的作品去看，我們可以說是在藉着三級抽象，也就是形上抽象而獲得的自立體的形式，是加以塑造。自立體的形式，是構成客體本身的本質，它也是一切美麗的原始源泉，只有在它內才有眞正的美，假要更向上推，便要找到美的自身了。這是客體的模型形式的，也與神的本有相同的思想裏，只有在神內有，神乃是絕對的美。絕對的美只有在神內有，神美也是無形的。神是無形的，好：視於無形，聽於無聲。中國古書說的能見無形，聽能得無聲，那乃是視之極，聽之顛。無形才是眞美，無聲才是眞美。無形之美，術的理想是企向無形之美，也就是企向絕對之美，美的本身。但是我們知道，理想自理想，達成之極難。抽象藝術的理想，自然也不例外，極難實現達成。（未完）

我所知道的麥帥

肯寧將軍原著 徐熙光翻譯

在混合空軍武力中，美國的飛機有五百十七架，澳洲空軍有大約二百五十架飛機，不過這些飛機大部份曾在空戰中負傷，或正在作大修，教練機和運輸機不能用來作戰，其他形式的飛機也都沒有武裝。我估計了一下，一共只剩下一百五十架美軍飛機和七十架澳洲空軍的飛機可以作戰，可以用來和日本空軍爭奪制空權。但是這些飛機分散各地，遍佈澳洲和新幾內亞，日本空軍的飛機數目超過我們五倍以上，而且隨時都有新出廠的飛機從日本的本土飛來助戰。

不幸的事還不止此，還有很多其他的理由使麥克阿瑟對「空軍」失去信心。

例如西南太平洋地區一共有六十二架B十七轟炸機，但是其中有十九架在墨爾赫和布里斯班的基地裏大修，有十八架不是少了螺旋槳就是缺了引擎，另有十九架在執行任務與日機遭遇時被擊傷，只剩下六架可以隨時待命出擊。

雖然還有很多補給和剩餘物資可以運用，但是這些補給和物資都遠在澳洲的南部，離開戰場有兩三千哩。補給部門的人員對運送這些補給和物資也顯得漠不關心，他們認爲日本遲早要佔有整個新幾內亞，到時這些補給和物資就會用在澳洲本土，不用麻煩他們千里迢迢載到新幾內亞去。說實在的，如果在澳洲作戰的話，比在新幾內亞作戰可要舒服得多了，在澳洲有都市城鎮，運輸便利，氣候良好，又有足夠的可口的食物。新幾內亞則是個不毛之地，天氣熱，有瘴氣，到處又都是沒人居住的叢林，吃的都是罐頭食物，又要担心隨時染上瘧疾。

在新幾內亞作戰的飛行員鬥志很低，對於他們的補給和福利頗爲不滿。他們的伙食很差，瘧疾和赤痢經常困擾他們，每一個人到了那裏一個月以後，幾乎都要瘦十五磅到二十磅。送到澳洲就醫的病兵數目多得驚人。在後方，經常可以聽到挖苦和譏諷盟軍總部和主管補給部門的風涼話，許多人都想回美國，根本毫無士氣可言，這就是麥克阿瑟對空軍感到頭痛的原因。我已經想出了補救之道，但是我怕矯枉過正，所以要先經過麥克阿瑟的同意，我的計劃要他支持才能付諸實施。

我走進他的辦公室時，他正在來回踱着步子，思考問題，看到我進來，他馬上停下步子，以笑臉相迎，指着一張皮套子的大沙發叫我坐下，他說：

「你好，喬治，事情怎麼樣了？」

我們並肩而坐，一談就是幾個小時，我把事實眞相毫無隱瞞的告訴他，我說不管是訓練、士氣、管理和裝備的保養，都很差。麥克阿瑟的一些參謀人員並曾告訴我，在澳洲的各城市裏，航空隊的官兵休假時，無論在軍容禮節和一般行爲上，表現得都很不好。我同意大部份的過錯在於航空隊本身，我會設法糾正，但是如果與他們有關的事，就要請參謀和補給部門多加協助。我請求麥克阿瑟給我協助和方便，我告訴他，如果要我建立起一支能夠作戰的航空隊，必須允許我把一些能力不足和不適任的軍官調回美國本土，我必須要有任免權，必須有權擢升具有幹勁的後輩軍官。此外，所有官兵從前綫到澳洲渡假或回家休養，都必須經過我親自決定和批准。（十一）

美國大選行情

祝西

若干政治專家認爲，共和黨前總統艾森豪在全國大會中最具有決定性的地位。據說艾帥認爲共和黨必須揭示一套中庸的政綱方有得勝之望。此一見解，對右派的葛華德是一個致命的打擊。美國新聞與世界報道雜誌曾提出坎塔基參議員司頓可能被艾帥認爲「黃袍加身」，擁作候選人。另有若干人認爲尼克遜仍有東山再起之望。但葛華德麾下的人認爲這都是失敗主義的言論，他們堅信葛華德的行情在不斷看漲。葛氏曾宣稱他已經擁有全國代表大會中的五百五十張票，倘若他能爭取到六百六十五張，即可當選爲共和黨候選人。

民主黨中現在僅僅是副總統候選人的問題。詹森總統表示副總統的選擇，應由全國代表大會決定。他認爲副總統應具有的條件是「對國家民族最有利：……一旦出掌國政，可以成爲最好的總統。」

民主黨中有若干人在自動爲司法部長羅勃甘迺迪活動，但甘氏自己並未參與其事。名政論家李普曼認爲，甘迺迪競選伴侶應由總統自己選擇。他說：「甘迺迪目前作總統的條件尚未完全成熟。」他建議甘氏先出來和羅克費列競選紐約州長，「倘若此舉旗開得勝，自力打出天下，以他的聰明才智和年齡看，問鼎白宮只是時間的問題而已。」（下）

寫眉續夢

第十二回：異域歸新居 民脂似水　冷宮傷舊夢 妾命如絲

李維漢笑道：「民革的成員當然靠不住，只是力量太小。總共剩下不到兩千人了。」

毛澤東搖頭道：「簡直沒有我們一個支部多。怎麼會這麼少。」

李維漢陪笑說道：「主要是規定他們吸收的對象太少，部隊、農村，工廠，礦山都不准民主黨派活動，文教，工商業雖然部份向民主人士開放，但也輪不到民革，他們只能吸收國民黨軍政人員，北洋政府時代的官吏，這批人剩的既不多，即使被民革吸收之後，部份又被鑒定爲反動份子判了刑，人數自然就越來越少了。」

毛澤東冷笑道：「李任潮那老傢伙總算有眼色，死的這麼快，他要等到解放台灣之後再死，恐怕就不會死得這麼安然了。當年他在廣州屠殺這麼多的共產黨人，這個仇那能不報。」

陳毅插嘴道：「其實今天民革的重要份子，那一個人不欠人民的血債，只是台灣一天未解放，不能清算他們，還得用人民的小米養活他們，眞太不值了。」

毛澤東笑道：「你也不能一竹竿打倒一船人，最低限度何香凝就不欠我們的血債。」

李維漢連連點頭道：「就是因爲這一點，統戰部才批准何香凝任民革主席，到不是由於她是廖承志同志的母親。」

陳毅笑道：「我聽說李任潮死後，民革主席還發生了一次爭奪戰，好幾個人都想繼承這個職位。」

李維漢說道：「其他的人也沒有動腦筋，只有程潛、張治中、鄧寶珊三個活動一陣，後來聽說統戰部已決定何香凝，也就算了。」

毛澤東問道：「民革已經快完了，民盟又怎麼樣呢？」

李維漢說道：「民盟黨員原有五萬多人，大鳴大放以後，被整掉一萬多右派份子。由於他們發展的對象是文教界人士，不愁補充，所以人數較多，我們已經加以注意，目前沈鈞儒經常臥病不起，主席職位已由楊明軒代理。」

毛澤東點頭道：「有楊明軒在那裏，我們可以放心了。」

李維漢說道：「不但民盟主席是楊明軒代理，就連他們內部辦事人員也是統戰部派去的，此時到不怕再會搞出大鳴大放的事了。」

毛澤東問道：「還有幾個小黨怎麼樣呢？」

李維漢說道：「都還有一個空招牌，黨員人數雖然不多，表面看來也還似模似樣，最差的要算是台盟了。」

毛澤東說道：「我正想問你，台盟何以連一個主席都舉不出，光是由那個秘書長徐萌山代理，再過兩年眞的可以取下這塊招牌了。」

李維漢說道：「這裏面有幾個難題，首先是黨員的補充發生了問題，在國內的台灣人太少，只有拿福建人充數，根本發生不了作用。本來成立台盟的用意，是希望它向台灣發展，現在又進不去，所以這個機構變成了廢物，加之謝雪紅被整肅之後，李純青又遭清算，所以現在想找一個人出來任主席都難了。」（三一〇）

冒險犯難記

鄧文儀

十二、黨派鬥爭夾攻中的日子

黃埔軍校是中國國民黨創設的，依常理講，學生應該都是國民黨黨員。但事實上，招考的時候，并沒有規定需有國民黨籍的才准報考或錄取，所以多數人均無黨籍，僅有少數已是國民黨黨員，另却有將近四十名的共產黨員被錄取了。關於後者，學校當局事先并不知道，因爲那時正値國民黨改組之後，實行聯俄容共，准許共產黨黨員以個人資格加入國民黨，所以共產黨就秘密選派了近百黨員，以職業學生方式，投考黃埔，終於被錄取的將近四十個。他們一到學校，由於他們是有着秘密的黨團組織的，他們就從事黨派鬥爭活動。

我和很多沒有加入黨的同學，是在入伍期滿，開學前三日，經黨員同學介紹加入國民黨的。我記得我是十三年八月十三日，經過塡表、介紹、考查之後，履行宣誓手續，加入國民黨的。事實上，那些共黨同學是假借國民黨名義從事組織活動；後來我才知道，介紹我加入國民黨的兩位同學，竟是共產黨黨員！他們的用意很明白，即是第一步假裝熱心國民黨黨務工作，介紹同學加入國民黨；第二步就要使他們介紹的國民黨員成爲共產黨團核心組織的外圍；進而吸收加入共產主義青年團或共產黨。所以，我們入黨之後，無形之間，就要直接或間接的參加黨派鬥爭。

國民黨的領導人如黨代表廖仲凱先生，政治部主任戴季陶先生與校長蔣先生，及學生中的老國民黨黨員，當然知道并有警覺，暗中注意共黨的黨團活動。因此，在開學以後，無形之間，黨派鬥爭就展開了。國民黨和共產黨的明爭暗鬥，是從多方面進行的。首先是在半公開的國民黨區黨分部及小組中，對於政治問題，主義思想問題的爭辯；接着就涉及學校的行政與人事的紛擾。特別黨部的委員有三個是共產黨員，四個學生隊的隊長也有八個是共產黨員。軍事教官雖沒有共產黨員，政治教育則有共產黨員參加，他們當然在黨派鬥爭中也有影響或偏袒的作用。雖則學校是國民黨辦的，教職員學生的大部份也是國民黨，國民黨在黨派鬥爭中顯佔優勢，但是共產黨秘密組織的黨團活動很積極，表面上又是假借國民黨的名義，若不是有組織知識和經驗的人，是不易發覺，甚至容易被其利用的。這是當時學校黨派鬥爭一般的情勢，最主要的是國民黨和共產黨的對立與鬥爭。

（十九）

着鞭與枕戈

漁翁

鞭，馬箠也，用以驅策使其前進也。論語：「雖執鞭之士，吾亦爲之」。謂富而可求也。若臨大難，而上馬殺賊，義不後人者，謂之「猛着先鞭」。戈，軍器也，用以防範而保民衛國也。當有事之秋，心存軍國，日忘食，夜枕戈，不敢安寢者，謂之「枕戈待旦」。着鞭與枕戈，事出晉朝祖逖，劉琨兩志士之所爲，千百年下，猶虎虎有生氣。

晉初，鑒於魏曹孤立而失敗，遂大封子弟，使擁強兵鎭四方，致演成諸子弟爭權攻殺之慘劇。時匈奴族劉淵，羯族石氏，鮮卑族慕容氏，氐族苻氏，羌族姚氏，乘機稱帝，分據中原，爭戰無已，世稱五胡之亂。五胡中以羯族石勒勢力爲最强大，侵據洛陽，而懷帝愍帝早被虜殺，自周幽王以來，帝王下場之慘，要以懷愍爲甚，此眞懷誠可懷，愍誠可愍，半壁河山，已盡入胡手矣。當此危急存亡之際，而祖逖、劉琨崛出。逖字士稚，范陽人，初爲主簿。晉都失陷後，不作順民，率難民數千人南渡。時元帝遷都建業，即今江蘇江寧縣。逖請揮兵反攻，收復失地，元帝命爲豫州刺史。逖渡江擊楫，誓曰：「不淸中原而復濟者，有如此江」！士卒爲所感動，皆奮勇前驅，大敗石軍，黃河以南，盡歸晉土。因爲躍馬殺敵，而有「祖鞭」之稱。後以王敦等爭權，內亂發生，逖憂憤而卒於任，豫州士女，如喪考妣，果應「有如此江」之讖語。

劉琨，字越石，魏昌人，少有儁明之目。與祖逖同學，共睡一榻，感晉室阽危，非筆墨所能匡救，於是相互練習武藝，每聞雞鳴，即同起床而舞劍，以養成衛國保民之本領，戈不離枕。聞祖逖見危受命，擊楫渡江，乃曰：「吾枕戈待旦，嘗恐祖生先我着鞭。」惠帝時，爲范陽王虓司馬，以功封廣武侯。愍帝時，拜都督并冀幽三州諸軍事。元帝稱制江左，琨遣長史溫嶠上表勸進，轉侍中太尉。琨忠於晉室，素負重望，後爲段匹所猜忌，不得善終，良可惜也！

祖逖着鞭，劉琨枕戈，臨大難而爭先赴敵，可謂見義勇爲，當仁不讓者矣。可是，枕戈，是防衛姿勢；着鞭，爲行動表現；枕戈待旦，不如猛着先鞭之積極也。

時至今日，我中國民國基地——台灣，三軍枕戈，已十有五年，聞雞舞劍，秣馬厲兵，早已完成準備工作，而六億人民所引頸冀望者，在乎行動——擊楫渡江，猛着先鞭而已。一旅可能興夏，三戶足以亡秦，吾人其拭目待之！

讀麥帥遺言有感

李滿康

進軍何自劃鴻溝？徒使洪流淹亞洲；
誰令全功虧一簣，筆誅賊子做春秋。
虎搏龍驤叱咤風，武功恒赫亞洲東；
奈何當日金牌召，社鼠城狐伏白宮。
出師未捷將先還，飲恨千秋說內奸；
隻手難遮天下目，千夫所指在人間。

我的社會生活

雷嘯岑

現行憲法頒佈了，國府結束訓政時期，實行還政於民，開始憲政之治。此時共產黨雖然蓄意釀亂，而民主同盟亦與共黨沆瀣一氣，拒絕參政，然青年、民社兩黨同意憲政設施。政府按照既定方針，製訂各級民意代表選舉法，通令全國，定期舉行普選，先選國大代表，以便召集大會，選舉總統，改組中央政府。國民黨黨員凡是參加競選民意代表的，事前須經由中央黨部審核提名，毋得自由進行，（其他各友黨的候選人，亦由國民黨併案辦理。）當時我的家鄉和鄰近諸州邑人士，多來詢問我願意競選那一種民意代表？我想：立法委員需要有別縣的選票支持纔行（我的縣份甚小），我缺乏資財，怕不容易獲勝，而且三年又要改選。監察委員是由省參議會遴選的，我少小離鄉，三十年來亦未曾回到湖南住上一個月，深感人地生疏，視爲畏途。祇有國大代表每縣至少可產生一名，任期爲六年，自信頗有把握，乃決定競選國大代表，報請本黨中央組織部銓衡認可，正式提名。詎知我這樣從好的方面設想，徒見其爲不合時宜，自尋煩惱也。

由於「和平日報」的關係，老友黃少谷兄極力支持我，怕我在湖南的人事關係不夠，他協同「三民主義青年團」中央團部書記長袁企止（守謙）先生，給我助選，曾由袁先生出面，先在南京袁宅設宴，介紹我跟湖南青年團幹事長某君相識，并當面叮嚀他，務必鼎力贊助我成功。等我回到家鄉實行競選時，本縣共有五個人爭取此席，其中有青年團團員和縣黨部書記長二人尤爲急進，志在必得，決不服從黨紀而表示退讓。那位青年團團員李某（實係跟我年相若的老青年軍人），且雄於資，到處花錢買票，我是窮人，當然相形見絀。因此，本縣的黨團部皆不支持我，又從而破壞之。旋縣府暨參議會，農會、商會、學生會等機構，依照選舉法規，事先用無記名投票方式，將本縣競選人名次排定先後，加以考語，呈報省選舉事務所備查，我以全場一致的票數，名列第一，考語是「衆望所歸」。我想藉着此項民意表示，或許能夠博得省黨部和團部的同情，名正言順的飭令地方黨團部盡力幫助我爭取勝利，以崇黨紀。

然而，事實恰恰相反。當中樞所派監選大員劉文島到長沙，與省府主席和黨團部主持人會議，審查各縣所報競選人資歷和名單次序時，我的名字竟降列到最末第五位了！爲甚末有此怪象呢？說來很好笑。因爲我是由中央組織部提名的，部長陳立夫過去原是我的老長官，而湖南黨團之爭的猛烈程度，久矣甲於全國。於是乎，團方的人認爲我是C．C．份子，決無好感；同時，青年團中央團部書記長袁企止，曾經在南京對省團部主持人替我吹噓囑託至再，於是乎，黨方的人又認定我是敵派人物，加以排斥。我就在這兩面夾攻之中，變成了皮球，被他們踢來踢去，置諸陪選之列。

（五五）

和珅與小上墳（續）

這個名叫劉錄金的劇中人，（小花臉扮）無疑是影射着劉石菴先生，而所謂蕭素貞者，則是影射石菴的夫人，至李大公之影射阿誰，以及有無其人，均可存而勿論。

這裏我還要說明一點，即是扮劉錄金之丑角，身上所穿的那件長僅及膝的「官衣」，以及傴僂而行的「身段」，並無意義可言，不過形容石菴之駝背而已。

所唱的「銀扭絲」，都是東扯西拉不成文法的詞句；例如旦角（即扮蕭素貞者）唱的『蕭素貞的在房中，一心心要上劉家墳。他到京城去趕考，一去未回程。一雙爹娘都餓死，家中也無有半分銀。缸中無有一撮米，廚下也無有柴一根。李家舅父他言道，兒的夫死在北京城。今天本是那淸明節，燒一陌紙錢上上墳。』丑角唱的『聽她言來怒氣冲，罵一聲娘舅李大公。我在京城恩待你，三百兩銀子信一封。落下銀錢猶似可，大不該說我死在京。聖上賜了我的尚方劍，先斬那娘舅李大公！叫聲賢妻你認認我，我是你的丈夫劉錄金。』

諸如此類之戲詞，差不多都有高山滾鼓之風味；而尚方劍云云，更是荒謬絕倫！試問一個小小的縣令，又怎能獲致大皇帝的尚方劍？這不是胡說嗎！不過劇本出自「站着的皇帝」之手，爲伶人者，除了竭盡所能的照本演唱，更無其他的辦法，這就是「小上墳」劇，風行一時之主因。（按現在梨園行中，依然不斷的唱這齣戲！但他們千百人中，難得有一二人，確知此劇之來歷！用特詳述如此，備他日編纂梨園史者之參考。）

但可惜戲終是戲，絕不能變更事實！因之，被他醜化之劉石菴先生，始終做着他的東閣大學士，吐哺下士，開閣招賢，克盡宰輔之職！富貴壽考，兼而有之。並不曾受過什麼舅氏之欺騙，更沒有在祖塋前調謔夫人之情事。而那位借戲罵人之和中堂，却在自稱十全老人之乾隆龍馭歸天之翌日，（即癸亥年正月初四日）就被一向受他挾制之嗣皇帝嘉慶，授意於科道王念孫等，交章彈劾，褫去他的武英殿大學士，軍機大臣，九門提督等顯秩，命與兵部尙書福康安，（按福名係故將軍傅恆之子，實乃乾隆與傅妻之私生子，嘗欲封爲親王，阻於祖制而不果，故嘉慶深憎惡之。）日夕守護殯殿，毋得擅離！迨滿七後，遂一併下刑部獄。

結果是把福康安發往軍臺効力！同時宣布和珅的二十大罪，其最著者有三：即是一，『擅改上皇手諭』！二，『私第僭修逾制，其「多寶閣」之製式，仿「靈壽宮」！園亭點綴，與「圓明園」之「瑤臺」「蓬島」同！』三，『竊取大內寶物，數以百計！』（此指和闐玉馬，及碧玉盤等物），遂旨令梟首，並籍其家！

（未完）

哀梨室劉談　裕公

諸葛亮逸話

吉庭

諸葛亮，字孔明，漢末陽都人。隱於隆中，在今湖北襄陽縣西二十里。山畔爲「草廬」，山半有「抱膝石」隆起如墩，可坐十數人；下爲躬耕地，茂林修竹，蠻花野草，繪成一幅天然畫圖。

諸葛以世局紊亂，政治黑暗，雖抱有大志，而不願匆遽投袂出山，與徐元直，崔州平，石廣元，孟公威，結爲莫逆交。一日，抱膝吟興之餘，對徐等曰：「諸君欲爲官，不過郡守刺史而已。」按郡守，刺史，即令之縣長，行政專員。徐轉詢亮之前途，笑而不答。但嘗以管仲，樂毅自比。已寓「窮則獨善其身，達則兼善天下」之志。

時劉備（玄德）屯兵新野，羅致人才，以圖漢祚之復興。徐庶（元直）以諸葛薦，玄德問諸葛亮較先生如何？庶曰：「庶僅螢火之光，亮乃皓月之明。但此人可就見，不可屈致也。將軍宜枉駕顧之。」於是玄德專誠往訪，凡三顧乃見。諸葛亮表：「先帝不以臣卑鄙，猥自枉屈，三顧臣於草廬之中。」足徵劉備求賢之殷，爲歷代所僅見。

第一次，玄德偕關雲長，張翼德訪隆中時，聞農人在畎畝中高聲而歌曰：「蒼天如圓蓋，陸地如棋局；世人黑白分，往來爭榮辱。榮者自安安，辱者定碌碌；南陽能隱居，高眠臥不足。」玄德問此歌爲何人所作？農人答曰：「臥龍先生也。」又云：「此山南邊，有一高岡，即『臥龍岡』。岡前樹林茅廬中，即諸葛先生之住家。」玄德至其地，下馬敲門，有小孩出，以諸葛先生下山未歸，不獲晤面，悵然而返。（一）

自由報
THE FREE NEWS
第四四七期
中華民國僑務委員會登記
台教新字第三二三號登記證
中華郵政台字第一二八二號執照
登記為第一類新聞紙類
（本週刊每星期三、六出版）
每份港幣壹角
台灣本售價新台幣弍元
社長：雷嘯岑
督印人：黃行寰
社址：香港銅鑼灣高士威道二十號四樓
20. CAUSEWAY RD 3RD FL.
HONG KONG
TEL. 771726　電報掛號：7191
承印者：四風印刷廠
地址：香港灣仔高士打道二二一號
台灣分社
台北市西寧南路壹叁本號工樓
電話：三〇三四六
台郵撥儲金户九二五二

從台灣選舉看中國政治前途

·陳健夫·

這一次的台灣選舉，雖屬地方性質，但其所表現的意識及其所發生的影響，則是全面性的，全民性的。在此一選舉過程中，在台灣的絕大多數公民，都直接參與其役，每一個人都會明智的運用了他那神聖的一票，達成了現代民主政治選舉的作用。這在中國民主政治的史頁上寫下了不可磨滅的記錄。

此一選舉，其重要性有如此不尋常，這誠然是中國民主政治一大發展。從此一大發展中，說明了幾件重要的事情，應加重視：

第一、由此次選舉說明了中國人民有足夠的頭腦與智慧獻身民主政治，他們沒有接受人情、賄賂、沒有受到外力的影響，而出乎每一個人自己的嚴格選擇，去投下神聖一票。有如此夠水準的選民，就不愁民主政治不成功。這一事實說明了民主政治的智慧並非歐美人所獨有，中國人一樣可以走進世界民主競賽的運動場，一顯身手，毫無遜色。這對若干昧於眞理的學者們所謂西方的民主政治不能完全移植到中國來應用的那一說是一有力的糾正。以中國如此優秀的選民，只要一旦有政黨政治的常軌，推選出優秀的候選人，就不愁人民不會選擧了。那些說中國人不會運用選擧票來發揮政治作用的人，不是杞人憂天，便是別具用心了。

第二、這一次的選擧說明了此次選擧的勝利者，不是國民黨，也不是任何個人，而是國民的勝利。若說是國民黨的勝利，很顯明的，若干縣是由國民黨一人競選，而且「獎勵投票」，這就並非是什麼勝利。而在三個大的都市台北、台南、基隆，國民黨遇見勁敵之處便告敗北，這說明了國民黨在此次選擧中並非成功。此一事實無容諱言。國民黨既沒有勝利，那末一定是國民黨的對手勝利了麼？在形式上看，誠然如此。但從實質上分析，則不盡然。吾人從實際的意義上看，這一次的選擧，眞正勝利者屬於握有選擧票的中國公民。眞正的勝利者，屬於中國民主政治。這也即是說，這是中國民主政治的一大勝利。有此一勝利，即足以保證中國人民將選擇，而且有足夠的智慧向民主政治的道路前進，而揚棄共產主義，軍國主義等的極權專制政治。

第三、這一次的選擧說明了國民黨是誠心要促使中國走上民主之路。國民黨在選擧上雖不能說是勝利者，但在辦理選擧上，却是成功了。因爲國民黨辦理選擧公平、認眞，可說天下爲公，所以這一次的台灣選擧，國民黨所失敗的是選票的失敗，是一時的失敗，這樣的失敗，在民主政治常軌中是應有的現象。「只許成功，不容失敗」，即是極權專制政治，而不是民主政治。民主政治，必然有時成功，也有時失敗。歐美各國政治，這樣的故事是擧不勝擧的。所以國民黨此次的失敗，是常理，是一時的失敗，合乎常理的失敗，是光明磊落的。而在另一方面，國民黨在民主政治的推行方面忠實的盡到了責任，使選擧辦得公平合理，這一大勝利，却不平常，而是永久的勝利，成爲中國民主歷史上一有價值的記錄。國民黨不必因選擧一時失敗而自餒，而應以此次選擧辦得好而高興，而引以爲光榮。國民黨這樣公平辦理選擧，與古昔堯舜以天下讓人又有何異！國民黨能做今日的堯舜，豈非大大光榮，大可告慰的麼？而我們國人也應在此一角度對國民黨肅然起敬，斷不可冷嘲熱諷。

我們從台灣此次的選擧中得到上面三種重要認識，此一發展，値得我們重視。今後中國政治的前途，由此展望是光明的，樂觀的。國民黨人倘能不以一己一時的失敗，放在心上，而以開明的作風，向中國民主政治的大路展開，再邁進一步，開放政治，製定政黨法，促成中國兩大政黨的民主政治的新機運，國民黨大可不必以此次選擧失敗爲恥，（若干輿論如此說法，不敢苟同，而應有自救救國，從事中國長遠的民主反共的復國建國大業的懷抱，勿使台灣反共基地萬一陷於「軍政府」的狀態（徐復觀教授州日徵信新聞有此一說）。則國民黨一旦在台灣形成了兩黨政治的民主常軌，便是不朽的勝利。好比一個挑重担的人，長途跋涉，不勝負累疲憊，不勝負荷。假如將來國民黨在民主政治一旦走上軌道的時候，如能歇歇肩，恢復元氣之後再挑起重担，必可恢復壯漢般的力氣，勝任愉快，卓有建樹。這便是現代民主政治的功能。國民黨能建立這樣的民主政治，國民黨便是今日的堯舜。台灣一旦建立了這樣像樣的民主政治，大陸民心，必然猶水之就下，四方響應，便不愁不光復大陸了。此一情勢的來到，便勝過百萬大軍登陸反攻。我們希望國民黨有如此遠大的眼光，有如此偉大的胸襟，更要有如此長遠的促進中國民主政治的計劃與懷抱，則國民黨此一成功，便將垂範萬世而不朽了。

脫手

箱裏的秘密

今日與明日

乃他納質問美國

泰國外長乃他納最近在馬來亞北部與馬來西亞副總理拉昔克，非律賓總統特使羅培茲會議印馬衝突之後，對記者發表談話，指美國目前亞洲政策不夠明確，究竟東南亞遭受共黨攻擊時，美國是否眞會起而應戰，應當在此時間向自由世界說明，萬不能再這樣含糊其辭。

乃他納又說，美國此時昭告世界，共產集團如若侵吞寮國同南越，就必然引起大戰，美國如能立下這種決心，對寮越局勢定有幫助。

乃他納的話實際上也是每一個亞洲人要說的話，不過，只有在乃他納的身份才能說得出。乃他納這段話雖然是以泰國外長資格發言，實際上却代表了整個自由亞洲，道出了廣大亞洲人們的心聲。

美國的虛張聲勢

美國第七艦隊目前在巡邏泰越海面，聲明有二千海軍陸戰隊隨時可登陸泰國。美國此種行動，一九五七年伊拉克政變時，曾用之於黎巴嫩，一九六二年寮局危急時，又用於泰國，實際上與大局幷無太大裨益。

當伊拉克叛徒卡森殺害國王總理，擾奪伊拉克時，一時有席捲中東之勢，美國出兵黎巴嫩，英國出兵約旦，確實穩定了當時的局勢。但此種政策用之於泰國則收效甚微。因爲英美出兵中東，旨在保衞黎約，無意推翻暴徒卡森的政權，自然可相安一時。美國出兵泰國，用意仍在保衞寮國，寮國若全部陷共，泰國也難以防守，基於此種觀點，美兵應該登陸寮國才是。因爲守寮可以防泰，守泰決不足以防寮，此理非常明顯。美國却大題小做，虛張聲勢，實際上既無補於寮國的危亡，也無助於泰國的防衞，乃他納就公開說出沒有效果了。

高華德之言

美國下屆總統共和黨的熱門候選人高華德最近提出建議，要用原子彈炸越南森林、沼澤地區，摧毀越共的藏身巢穴，出動轟炸機，炸毀中共區同北越的交通，斷絕越寮共軍的供應。高華德的建議，自難爲美國當局接納，莫斯科電台已公開斥責高華德是狂人，野蠻人。實在說，出動原子彈轟炸，現階段尚談不到，但是炸斷中越共接濟寮共及南越共黨的交通綫，是絕對可以作得到的，而且也一定能奏效。只要美國有此決心，也許不用投炸彈，毛澤東、胡志明就縮頭了。乃他納要美國表明態度，其用意也在此。

自由談

政治上的形式主義

蔣總統於前年發出「革新、動員、戰鬥」的政治號召時，台灣各級行政機關囂然響應，左一個革新計畫，右一個動員方案，像煞有介事。在台北市區內外，凡是蔣總統出入經過的要道兩旁，皆佈置着一塊「革新、動員、戰鬥」的大標語——日本話叫作「看榜」，即招牌之意。形式上做得維妙維肖，十分動人。

可是，歷時迄今已有一年多了，台灣各機關的政風與動作，依然猶吾大夫崔子，泄泄沓沓，暮氣十足，並無革新的迹象，亦不見動員的情形，至於戰鬥呢，那便是上海人所說的一句謎語：「大舞台對過——天曉得！」

即此可以證明現階段中華民國的政治風氣，完全陷於形式主義的窠臼中，大家致力於表面工夫，只要想方設法，能夠欺騙蔣總統個人，就百無禁忌。無所謂責任感，更談不到政治節操，好像國家興亡、民族隆替、民心向背這些問題，都是蔣總統一人的職責，與大家無關似的。我曾經對政府大員說過，如果現有這種腐敗的政風不改變，即令我們軍事反攻大陸得勝後，由於政治不能配合，結果還是要失敗的，殷鑑不遠，試回憶過去咱們如何喪失大陸的往事，即恍然大悟了。

構成這種形式主義的腐敗政風之基本因素，祇有一項，那就是所謂「人事凍結」法令，其他都不相干。政海有如一池死水，人事上既不發生新陳代謝作用，而一般公務人員又盡係來自大陸的，爲着防止失業起見，在「人事凍結」法令的庇護下，大家堅守着「多做多錯，少做少錯，不做不錯」的原則，保持祿位，死而後已。唯一躭心的問題，就是害怕蔣總統萬一有所不悅，一怒而輒破若干大小飯碗，那還得了！於是乎，彼此不約而同的一是以朦混欺騙爲急務，反正台灣這塊基地永遠是安全的，樂得保住這只鐵飯碗，得過且過，國家事，管他娘的！

若有政治家敢於先天下之憂而憂，毅然把這項禍國殃民的形式主義政風予以糾正，下走不才，爲之執鞭，所欣慕焉。

馬五先生

上樑不正下樑歪
高市教育科連續出醜事
先是一個校長與科員大打出手、繼之又一校長與科員大吵大鬧

〔本報高雄航訊〕高雄市政府教育科日前發生科員與校長互毆，雙方拳打腳踢，與教育科內桌椅文房，被打得七仰八翻，希里花拉。

事緣壽山國校校長蕭健文，前往教育科向科員周祿耀具領教科書，周因拖延上班，精神倦慵，不予置理，蕭乃責周謂：「當到底給不給？」周謂：「領書日期已過」。蕭謂：「下午來領可以吧？」周答：「下午要去看病，到醫院去領吧！」一言未了，蕭健文怒髮衝冠，將周之辦公桌猛擊，雙方於是一齊出手，打得難分難解，七竅生煙。可謂壯觀也矣。

當其時也，代科長王清波亦在場，卻始而不加勸阻，繼之更作壁上之觀，最後是站出來代蕭健文講話，周問說：「你看見他拍桌子沒有？」

校長蕭健文係王清波派出任校長的，當然有恃無恐，膽敢出手打人，這可作爲王清波及其部屬的最好的實例。而周祿耀又何以敢如此推推拖拖？教育科有人說：周祿耀具有一副典型的科員嘴臉，是科員政治的式範云云。

總之，高市教育在王清波代理科長之下，醜事層出不窮，教育科內部又因他搞小組織，分派系，搞得四分五裂，如是，同室操戈，也就不足爲奇了。

×　×　×

〔本報高雄航訊〕高雄市府教育科十五日上午幾乎又發全武行。事緣忠孝國校校長寇廣風，與科員顏樹義，爲興建該校校舍與校長公舘事，互相指責，譏諷，幾乎又大打出手。

顏科員指責寇廣風未在限期內完成發包興建工程，寇則稱要等該工程與校長公舘同時發包。彼此爲此大吵大鬧。而寇廣風尤顯得火氣甚旺。

這寇廣風的火氣旺，據說其來有自。因爲日前他作了王清波三歲兒子喪事的總招待，以爲從此在王清波那裏取得了堅牢不拔的信任，所以他旁若無人，有恃無恐，敢與主管科員唇槍舌劍也。

按寇廣風幾年前偪促於郊區最小之愛國國校，馬誠久一上台，寇係馬之小同鄉兼同學，寇立即被調至市中心區最大之忠孝國校。當時就有大批評說他氣燄萬丈，不可一世了。在當時不要說不少校長教員走他的路線，即當時的國教股長王清波，也拍他的馬屁呢。可是天下事實難說，豈料馬誠久一死，馬上就有教員告他三狀，那時的寇廣風失所依靠，也頓形萎縮了。待王清波代理科長發表後，寇即試圖靠攏，期得仍長忠孝。去年暑假寇居然穩如泰山，即有人說寇眞有一手了。此次王清波喪子，寇被任命爲總招待，足示兩人關係的親近逾恒。祇是那些前往弔王子之喪的校長教員等，對寇廣風當日在場的表現，印象極劣，很看他不起。

青年黨何以贏得台東縣的政權

本報中部記者熊徵宇

和尚信「佛」不認「廟」

有一回，我去他家聊天。我望着掛在吃飯兼客廳的牆壁上的，曾琦先生從紐約寄給他的照片，還有朱文伯先生賀他結婚的那鏡框裏的一首詩，說：

「郭先生是大華新村派？是新生南路派？」

「我只有黨，沒有派。一個出家的和尚只能信佛，不能認廟」。

談到青年黨的內部問題，他一言不發，只是含笑。於是我們談到時政。他對於當年所推行的政策提出很多意見。有些看法，與我同感。我說：「假如國民黨把內閣交給青年黨，你覺得青年黨那些人可以組閣」？

「當然……」他深深地嘆了一口氣：「左舜生先生，陳啓天先生如今都老了！余家菊先生的眼睛一直不好。別的人嘛，大家不能排除意氣」。

「大家需要更多的團結。」

「團結」？他望着我說：「我覺得團結不是名辭，而是一種行爲。所以說多了，就變成口號」。

從那次開始，我對郭先生隨着接觸的次數的增多而增多我的敬意，覺得這個生活儉樸熱情誠篤的朋友在許多理論的基礎上有很客觀的看法。

黃順興是有一手

黃順興是在他的麾下加入青年黨的，入黨不久，當了議員。去年，又與執政黨提名的省議員候選人洪掛角逐，只差五千多票。而今年，居然以四千五百多票打敗了執政黨的縣長候選人張振雄。

在選舉揭曉的午夜，我一直在想郭京和黃順興這兩個朋友。覺得黃的當選並不偶然，也不僥倖。因爲他們的生活言行，確實別具一格，都是在理論基礎上做實踐工作的人。雖然郭京已經離開台東兩年在鄰縣的花蓮，但是那種開朗的精神和熱誠的態度，卻成了台東縣青年黨人的符號。較之台北青年黨中央的四分五裂的現象，可以說是尖銳的對比。

尤其是黃順興這幾年來，在台東縣議會所表現的才具，實在爲他人所不能及。我知道，黃順興在政治理論與時政研討上下過不少功夫。此人很瀟洒，氣質像學生。

我覺得他這次當選完全是靠作爲，靠他數年來身居議壇爲公意所作的辯論表現。青年黨黨方在精神的鼓勵上是有的，別的支援可能談不上。

提名不符衆望

再說到客觀形態，就得檢討執政黨提名的方法和輔選的策劃。

在執政黨的黨員中，選回夠得上被提名競選縣長的，有縣議會議長許森枝，前省議員林尙英，乃至台東鎮長張振雄，水利會長賴萬成。這四個人，以前兩人爲上選。

但是許森枝因爲所經營的第一貨運公司出事，有案子在法院，不能提名，而林尙英在黨方準備提名的當兒，也忽然在他經理的花蓮合會公司出了毛病，於是名也沒有提上；於是在賴萬成與張振雄兩人的奔走中，張獲黨的支持。

黨方宣佈提名張振雄後，伏櫪日久的林尙英內心不服，於是在候選人登記時也不領取表格，打算乾坤一擲地「違紀競選」。當時黃順興也領了表，但準備得並不積極。

刺激台東人心

後來在公佈候選人名單的前幾天，林尙英的案子又在報紙上出現了，而在公佈候選人名單時，主辦選務的機構，把林尙英的名字剔除了，全省所有的候選人中，只有林尙英一人不合格。

當時擁護林尙英的人，在情緒上受很大的刺激，覺得林尙英自從第二屆省議員下來後，就一直担任花蓮縣合會的經理，何以毛病遲不出早不出，恰好出在縣長候選人提名的時候？而他「違紀」又被剔除。儘管黨方有黨方的看法，但是不能得到民衆的諒解。而對於林尙英的同情就滙成了對張振雄的反感，加上一些本來不支持張振雄的人們，鼓勵了黃順興的情緒，黃覺得這種客觀形式對於他的競選是一種很大的助力。

於是就鼓舞了他的精神，決定了他的意志。（二）

香港與大陸

虐政下精神無寄托
大陸青年消極反抗
人手一冊神怪小說

中共又在大陸農村推行「向青年的精神領域進攻」的運動，其方式一方面是發動「送書」，另一方面又發動「批判」。其目的是要幫助農村共幹更有效掌握下放的青年的思想。

此間一位大專學生最近接到其留居佛山市而被下放到農村的堂兄來信透露：在農村的知識青年，不少都是被下放來的，這些人多大中學生，他（她）們深感前途可悲。因此，平日除被中共逼着去勞動之外，偷閒時間，都是千方百計找一些神怪小說，用作精神食糧，企圖把自己的思想情感寄托在另一個世界裏。有不少青年，把「聊齋誌異」、「水滸」、「西遊記」等……書籍隨身配帶，有空時，便拿出來閱讀。假若共幹加以批評時，他（她）們會名正言順地說：「毛主席」不也是讀這些書的？「聊齋誌異」的篇數他都記得呢。

中共於是認爲農村青年思想不得了了，非改造不可了！所以又在農村推行一種名之爲「向青年的精神領域進攻」的運動。這一運動包括兩個內容：其一是發動在學的學生和城市的青年「爲農村青年送一本書」的運動，這些書，當然是千篇一律的「赤色八股」，諸如歌頌「黨」的偉大，描述人民忘我的勞動，思想的提高……等。中共規定農村青年接到這些書籍後，要在短期內閱讀完畢，並且爲表示對贈送者「感激」和「負責」，讀後都要寫「讀後感」，經組織審查後寄回給贈者。

來信者所屬公社約有一百三十多位青年，接到的如此這般「贈品」已超過一千本，平均每人可得八本書。也就是說，每人要寫八篇光景的「讀後感」。

來信又說：這一「向青年的精神領域進攻」的運動另一內容：却是在農村中展開思想批判運動，指出那些沉迷於神怪小說的青年是一種「不良傾向」，是「危害社會主義」的「歪風」，是一種逃避現實，不滿現實的具體表現。

論我國近代首批外交使節（七）

吳本中

蔡氏所著「出使須知」十項中，又載：「國家簡派使臣，出洋駐劄。……與西人交接……必不可少。周旋禮儀，亦當合宜。若覿面握手，不發一語，祇藉繙譯代傳；加以中西禮文復格格不入，而欲彼此投契，蓋亦難矣。太平時既不能浹洽，安望遇事可以婉商。即欲於盤根錯節以別利器，正當於所甚輕者而加之意也。聞朝庭遣曾襲侯出使英、法、俄等國，每到一處，即爲人敬重，事後猶稱慕弗置。則以襲侯於英法二國語言皆能通曉，與其人會晤，彼此寒暄如出肺腑以相示。又留心西國律例公法。遇交涉事件，必援證詰駁，無游移之見，虛浮之談。故西人敬之畏之，恒以膽識兼優相推重，而不敢有所挾制把持也。然則出使外國固當務其遠者大者而不徒區區以口舌見長。然欲藉應酬以資聯絡，則化而裁之，變而通之，固有不能拘泥者在矣。」

使節必本身有令人尊敬處，始能代表國家尊嚴。曾襲侯使英過港，總督高鳴禮炮，八人大轎來迎請其節總督府。

考曾紀澤奉命使西時，亦僅三十九歲。海航中過四十歲生日。讀其「出使英法日記」：「十一月初二日……午正同三刻抵香港……申初香港總督亨乃西遣小火輪船來迎到岸，列隊升礮十五響，以八人舁輿余至其署中，談甚久，意極殷勤。邀余挈眷入署小住。婉辭之，許以晝至其署治事，夜仍回船。說定後辭出。……夜仍入總督署與亨公一談。入書室靜坐，亨公爲余安排者也。成正，亨公請便飯，其夫人出見席。……」查當時之香港總督爲Hennessy，曾侯譯爲亨乃西，其名即現東接皇后大道之軒尼詩道者是也。曾侯所稱「書室」乃港督特於總督府內爲中朝大使曾侯設置之辦公室。故曾侯日記中有云：「初三日……傍夕至總督署徑就余室治事，不欲數驚主人也。寫一函致李相。下樓與亨總督久談。」又記：「亨公特設大宴，……戌正入席，奏西樂以侑觴。亥正席散，復談良久，子初歸。」蓋船停香港時期，港督禮客娛賓，「迎宴三日。第一日爲私宴，第二三日爲公宴。余皆坐亨公夫人之右首座。余之從官三日分請，香港西官亦三日分請。」誠如曾侯所親記者云云。現香港人口暴增將至四百萬，吾華雖民居多數。寄人籬下，賴誰保護？誰是吾們代表使節？誰又能如曾侯之受人禮遇？其亦空前且絕後乎？殊令人感慨系之！

現世我國外交家可爲晚輩示範而碩果僅存者，其唯顧大使少川乎。在我國修不平等條約外交史中，顧維鈞及顏惠慶，施肇基，王寵惠，王正廷，王景岐，郭泰祺諸長輩均有所貢獻。讀我國代表團在第一世界大戰後一九一九年巴黎和平大會所提出法文「說帖」（Exposé）首次在世界外交大舞台上，爲中國作不平之鳴。又閱法國總理，即當時巴黎大會主席，克里孟梭最末遺著，提及顧大使。凡爲中國人者，均應感謝我們現代外交長輩之努力，以謀求中國民族在國際上的平等與自由。筆者區區，志外交，學外交，早年卽濫竽外交界，今已忽忽三十年矣。過屠門而大嚼，雖屬蠢才，或亦稍得其味。

李萬居病入膏肓
業已進入昏迷狀態

〈本報記者台北航訊〉省議員李萬居，於四月三日因糖尿病進入台大醫院治療以來，病勢日趨惡化。據台大醫院主治大夫於五月二十一日語記者，李的病況已到了拖時間的階段；他已八天沒進一滴茶水，更當然沒吃一口飯，已進入昏迷狀態。

至於李萬居被警總偵查組告發：於四十一年六月間，以大興建設股份公司董事長身份，與大建公司代表人陳查某等簽訂契約，背信一案，最高法院把高院判決有期徒刑一年，緩刑二年的處罰撤銷，發回高院更審。

最高法院認爲：高院的原判決違背訴訟程序，即屬違背法令。因爲李萬居請求調查之證據，高院既未說明沒有調查的必要而以裁定駁回，又沒有於判決內說明不調查的理由，顯然違背刑事訴訟法第三百七十一條第十欵：「應於審判日期調查之證據未予調查者，其判決當然爲違背法令」之規定。同時，李萬居與陳查某，張阿秀，林文長三人等所簽訂的契約書，按照刑法第三十一條第一項的規定，陳查某等三人應爲共同行爲而成立背信之共同正犯，今僅將李萬居依背信罪判刑，而陳查某等三人竟沒有依法處刑，原判亦未注意而疏漏，顯爲判決不當，故發回更審。

敬憶胡適之先生

沈亦雲

我所謂對時代盡其責任，不是僅趕上時代，而是要對時代着早一着。不僅自己趕上時代，更要使別人有同樣機會，盡責的人很多。對時代盡責，其影響空間不止局部，時間不止一代，有許多人可證者，吾生幸逢二人，其一是梁任公先生，又一是胡適之先生。梁先生比我們早一輩，我個人，從在家塾讀他的「中國魂」、「飲冰室自由書」起，至他最後帶病執筆未完成之「辛稼軒年譜」。遇不同問題，他的文章常是第一請教的字典。他寫了戊戌維新運動經過，死難的六君子傳。讀時不過十一、二歲的我，至今尚覺感動。他的筆帶着熱情像要撲到讀者身上，始終不衰無遠弗屆的求知氣概，人有同感。他引導後輩開不少門。胡先生與他相似而不同，他在本國學問有考證學的薰陶，留學所從者為實驗的大師，加上他的天才和用功。他自己明明有孔子為弟子所許的「溫良恭儉讓」風格，亦有孔子自許的學不厭而教不倦精神，而言打倒孔家店。我們從梁任公筆下所寫的孔子看，則胡先生所欲打倒者是「店」而不是「孔家」。孔子正是中國第一個文化運動者，而最尊重人性人格的人。梁胡兩先生都是為別人及後輩開學問知識之門，給予鑰匙，示以途徑。已不與焉的精神，後先輝美。他們都是叫且做，停滯的中國文化，因近代有此二人而活潑起來。可惜他們儘向社會叫，而社會則催他們老，未盡其量。

胡先生的文章，我亦從他的「詩經三百篇言字解」，到他的「文存」、「自述」，大概讀過。他做的「紅樓夢」、「水滸」考證，現在批評他的人還是循他途徑，用他方法。他說「詩經」周南召南即是楚風。對他，有讀者不當如是那之感，而無從企及。很奇怪，梁胡兩先生晚年都提倡史學。梁先生的「中國歷史研究法」，和他自己到清華講史，使史學在久經沉寂以後，又引起許多後輩注意。胡先生提倡寫傳記，批評中國人寫傳記少寫生活，他稱讚汪輝祖「病榻夢痕錄」是較好的自傳，我看過的一本就是向他借的。這點，經他提倡，和他已經成功的白話文運動，因白話易於描寫叙述，中國的傳記學，不久或可大大改觀。

胡先生最後一次離大陸前，在上海住朋友家，與我家很近。有時來看孟和，有時看病，我與見面機會較多。一次他引了明朝呂坤的話說：「為民辯冤白謗是第一天理。」很鄭重，且在拍紙上寫下呂坤的名字來，他那時正在考證「水經注」，要替戴東原辯冤，所以這樣說。他又正寫「齊白石年譜」，一次車裏帶有一大包畫，問我們要看否，都是齊白石精品。大局日益悲觀，一日，我們嘆息抗日勝利之局竟至於此。我問他說：「這幾年為何不向蔣先生陳說？」他很快回答：「我不能與膺白比。」隨即計算他見蔣先生多少次，每次多少時間。說完問我何以不說？我說：「我不過是一朋友的未亡人，時時須顧到已亡人，勿擾朋友。」這日，大家想到許多可悔的事。我更慚愧。忘記自己亦是一個中國國民。

當民國廿二年日本軍直迫平津之際，不深知軍情或國際之人，寧為玉碎。胡先生在「獨立評論」發表其「保全華北之重要」一文。保華北須謀停戰，他大膽主張，比身負重任者更為負責。其理由不是退縮，正是要為保全中國而先保全華北。塘沽停戰協定後，日軍退出而中國接收河北省十九縣，膺白對內外都沒有做到他所預期，人民苦於兵匪毒物，不能安生，頗為一般知識界所不諒。胡先生與孟和都在內。後來有人說明實情，胡先生說：不知膺白力不及此，足以同情。（二）

我所知道的麥帥

肯寧將軍原著　徐熙光翻譯

麥克阿瑟馬上給了我一個令我滿意的答覆，他說：「你放心去做好了，如果你想把任何人調回美國，我一定同意。至於航空隊的所有官兵，就得靠你好好指揮了。我不干涉你採什麼方法來管理他們，只要他們能擊落日機，能炸沉日艦，我可以不管他們的軍容禮節，除了最高的『傑出服務十字勳章』以外，你有權頒授任何勳章。不過如果你認為航空隊裏有人該得這項最高榮譽的十字勳章，只要你告訴我，向我建議，我會批准的。」

他已竭盡所能與我合作，我曉得只要麥克阿瑟對一個人有信心，他會放手讓他一展所長的。任何一個人如果給你像他那樣承諾的支持，我相信可以很容易做到你所希望的事，並且達到他的要求。

接着我們談到了我所擬空軍支援八月七日所羅門群島登陸戰的計劃。我認為我的基本任務是掌握新幾內亞的制空權，日機幾乎每天都要來轟炸我們的機場，所以除了幾架戰鬥機之外，我們不敢在新幾內亞的機場駐紮任何其他類型的飛機。我的計劃是轟炸日本在新幾內亞的每一個機場，毀滅每一架在空中或地面的日機，使日本感覺吃不消，不再敢接近我們的機場，這樣我們的轟炸機可以進駐新幾內亞的機場，使目標區的距離縮短到五百哩。我認為在日機的威脅尚未解除以前，什麼都是空談，只有日機斂跡以後，我們也才可以找尋日本軍艦作為我們的目標，那將是非常容易的事，我們可以從容地實施攻擊。

我告訴麥克阿瑟，我已下令停止所有轟炸機的飛行，等到時機成熟而傾巢而出。要不然一天派個三架四架轟炸機去炸在拉堡的敵軍陣地實在沒有什麼用處，不但日本戰鬥機要窮追打下它們，而且轟炸機飛到那裏油料已經差不多耗盡，無法在敵陣上造成重大的損失。我告訴麥帥，八月七日我將可以派十六架或十七架B十七攻擊拉堡；拉堡的郊區有一處叫布納庫納的機場，駐了許多日本轟炸機，這些轟炸機對八月七日在所羅門群島登陸的陸戰隊將是一項致命的打擊；我相信對布納庫納實施攻擊，是我對陸戰隊所作的最佳和最有效力的支援。

麥克阿瑟完全同意我的作戰計劃，他特別對我所提一次出動十六架或十七架轟炸機的事感到高興，他說那是自太平洋戰爭爆發以來，最大規模的一次攻擊。當時在我們看來，那些飛機的數目已經不算少，雖然日本每次轟炸達爾文和新幾內亞的摩里斯比港時，總是出動二十五架到四十架的轟炸機，和差不多同樣數目的戰鬥機護航。

八月七日早晨，我們出動了十五架B十七去轟炸布納庫納空軍基地，這個基地上有一百五十架日本飛機，大部分是轟炸機，分別排列在跑道的兩旁。我們的飛機投彈準確，作了一次最漂亮的攻擊，至少有七十五架在地面的日機被毀，炸傷的日機更多。攔截我機的廿架日本戰鬥機中有十一架被我們擊落，我們僅損失一架轟炸機。

當天陸戰隊在所羅門群島登陸，未遭遇空中的阻撓和攻擊。（十二）

藝術叢談

抽象藝術漫談

趙雅博

並且我們應該說，如果想完全達成，乃是不可能的事件。因為我們知道藝術的目的追求的是美，更美最美；而抽象藝術的目的，追求的乃是絕對美，無形美，本質美。用有形之筆，表無形之形，以有形之色，表無形之真，這如何完全可能？為此，我們對抽象藝術目的達成，有充足的理由，不要求它絕對的實現。是的，如果我們深深知道絕對美的性質，再知道用以表現美以至於絕對美的工具，我們便知道並同意這種完全的實現乃是不可能的。

不錯，抽象藝術的目的，是要表現絕對美，這是極好並且極對的目的。抽象藝術家為了表現絕對美，為了實現他們的目的，他們想排除舊有作風，而找尋一個新的表現技巧或方式，這也是不錯的。因為每個有形物的含蘊無窮，表現的方式，自然也有無窮。在表現的技巧方面，當然有高有低；在欣賞的現象方面，自然也有浩諧與習慣的不同；對有形美的判斷，自然也不能完全一致。不過，無論如何，抽象藝術所懸的最高目的，是絕不可能完全實現的，這個則可以斷言。

因為在主體方面，首先有極大的不便，莊子說：「吾生也有涯，而知也無涯。」物之含蘊無窮，人的理性受着各種的限制，沒有辦法完全深入於物的本質的精深，也就沒有辦法完全瞭解於客體的本質含蘊；還有在物的本身一面，它的含蘊既多，主體雖然加深研究，但是它仍然是千呼萬喚難出來，縱使出來，它也猶抱琵琶半掩面。由於物的本質不能不有各種附加性的遮掩，在某種程度上，乃是無法深入的。

第三、在創造行為方面，對於抽象藝術目的的表現，也是困難萬千的。因為無論如何，表現的行為須藉着表現的工具才能出現，而這種表現的方法或工具，是絕沒有辦法脫離物質的。可是我們知道，要表現的絕對美，乃是無形的，是形式；形式依照它賦給物的存在來講，乃是完美無缺的。而物質乃是一種潛能，是虧缺，是不足。用潛能、不足、虧缺，來表現說得的觀念——形式，由於抽象程度的高低，表現的完美，也自有高低。但是無論如何，在既成的有象作品中，對觀念的本身總有曲解，這種曲解，只有程度上的高低，並沒有性質上的不同。如果我們就所有藝術作品——包括抽象與非抽象主義的作品——對於立體容積各形各色的表現加以彙集與比較的話，我們立刻就會發現，在整個的純淨，整個的客體中來塑造本質形式，自立體形式，乃是不可超越的困難。不過，抽象藝術的作家們，於此實現目的的不能前，卻不可灰心喪志，不加努力。因為這正是一切理想的命運。抽象藝術不例外。具象藝術又何嘗一例外呢？一直到今天，任何藝術作品，都沒有能將本體（自立體）形式附着能加的可能指定，所表現的無限美的可能性，表現或汲取得盡，大自然的一切都是含蘊無窮，藝術在其時空的有限表現上，總沒辦法完整實現！（未完）

寫眉續夢

第十二回：

異域購新居　民脂似水
冷宮傷舊夢　妾命如絲

毛澤東恨恨說道：「這些民主黨派，沒有一個好東西，非重新予以改造不可。」

李維漢說道：「主席意思是勞動改造，還是思想改造。」

毛澤東說道：「當然是思想改造，要把他們送去勞動改造，不用三個月就都會到閻王處報到了。」

陳毅說道：「據我的看法，文人比武人難搞，改造要先從他們起。」

毛澤東問道：「你有什麼根據。」

陳毅說道：「試看大鳴大放時，特別頑固份子如章乃器，儲安平，都是文人。武人裏面就沒有發現到這樣強硬的右派份子；像王耀武，在濟南時耀武揚威，誰知道他一被捉到，就連骨頭都軟了。」

毛澤東說道：「你的觀察是片面的，不足為據。無論如何，羅隆基的骨頭不會重過王耀武。」

李維漢說道：「關於民主黨派的右派份子，除去一部已送去北大荒，剩下罪名較輕的，都已送去社會主義學院學習，聽吳老說，他們的思想進步都很快。」

毛澤東說道：「都是假的，你要以為經過短期訓練就能改變一個人的思想性格，那就完全錯了。他們是偽裝進步，一旦畢業離開社會主義學院，馬上又打主意反對社會主義了。」

李維漢說道：「主席的意見自是永遠正確，問題是我們怎樣對付他們呢？總不能全部送去北大荒，尤其是過年過節，有外賓來訪時，還要他們來擺擺樣子哩。」

毛澤東說道：「我的意思是舉行一種定期座談會，發下題目要他們研究，每兩個禮拜一次，要在座談會上提出報告。開會時，統戰部派出一名副部長列席指導，對於他們的談話，盡量予以挑剔，不能通過，就令他們再修改，氣氛造得十分緊張，使他們的腦筋永遠縈在這個上面，就不能胡思亂想，說他們是吃老蔣的飯了。」

李維漢連連點頭：「主席的意見對極了，我回去就召集統戰部的全體副部長開會，擬定辦法，送請主席核示。」

陳毅說道：「維漢同志，我還有一點意見，像這類事情，最好由民主黨派自己出面，請求統戰部幫助，這樣就比較好些。」

李維漢說道：「這個不成問題，目前民主同盟是最大政黨，應由民盟先開始，我可以告訴楊明軒，叫他負責籌備。」

李維漢說過，站起來就要走。

毛澤東說道：「別忙，這種會叫做什麼名字。」

李維漢站在那裏楞了一下，說道：「既然是兩週開一次，就叫雙周座談會怎麼樣？」

陳毅笑道：「座談會談些什麼呢？應把意義標出來。依我看，不如叫社會主義座談會。」

毛澤東看看他，說道：「這個名詞用濫了，不夠雅，必須換一個新鮮的才好。」

陳毅心裏想：社會主義不雅，什麼才雅呢？這話要在別人嘴裏說出，又變成右派份子了。（三一一）

冒險犯難記

鄧文儀

我和很多新加入國民黨的同學，大家心地都是很純潔的，認爲加入了中國國民黨，就要始終如一的作一個純粹的國民黨員，不願再參加其他黨派的組織。何況我們都是未來的革命軍官，我們的思想信仰與政治行動，必須單純統一，方有利於革命軍的建設和團結。加之我們當時每個同學對孫總理、蔣校長、廖黨代表及三民主義的革命思想理論，確實是堅定信仰，爲了實踐學校校訓親愛精誠及校中每天喊的口號統一意志，集中力量，團結精神，所以就都不願言行有任何紛歧，這也正是我們不願意參加黨派鬥爭幷厭惡黨派鬥爭的原因。

不過事實上軍校的黨派鬥爭，因爲共產黨的秘密活動，一方面爭取國民黨優秀的學生黨員，參加共產黨或其外圍的組織，同時挑撥離間及分化國民黨的組織與領導幹部，製造派系，以爲他們攻擊批評的口實。如所謂左派，右派，中派的名詞，都是他們叫出來的。國民黨爲了鞏固本身的組織及防制共產黨的分化破壞與挑撥離間，自然不能不採取對策和行動，各種各樣政治問題的爭論和對革命幹部的批評與攻訐，都陸續的發生。兩黨的黨團人員都在秘密的宣傳，說服，爭取，脅迫着每一位同學表示態度，否則就會遭受批評或攻擊。

這樣一來，我們這些沒有參加秘密組織活動的國民黨同志，就要在黨派鬥爭的夾攻中奮鬥。好像我們第一隊的同學，從部關回到學校之後，首先就遭遇到這個問題。我是共產黨同學介紹我加入國民黨的，國民黨老同志對我戒備和懷疑，共產黨極力拉攏我，要我參加他們的外圍組織「新學生社」及「革命軍人聯合會」，也有人徵求我加入共產主義青年團的。因爲第一隊有幾個過得去的共黨同學如蔣先雲，張其雄，譚鹿鳴，伍文生，都是兩湖的同鄉，他們對我很好。我那時眞是做人難，祇有一種方法回答他們的爭取及表示我的態度：我說我年紀很輕（十九歲），還很幼稚，對革命思想理論及組織工作還得多多學習。這時我已是一個國民黨員，我祇有在國民黨中學習，不願意參加其他組織，不能夠表示我對很多政治問題的意見。正因爲是這樣，所以兩方都不諒解我，都對我懷疑，也就時常對我發出批評與攻擊。在這種夾攻中的政治鬥爭，要站得住眞不容易，積極固不行，消極也不好。祇有堅持我的信念，抱定決心：不管同志對我如何誤會、批評、責怪，我就是我行我素。幸而到十月下旬我又病了，病得很重，到畢業之前，都一直住在醫院，這才迴避了黨派鬥爭的紛擾。（二〇）

談交際

漁翁

交，合也。際，會也。易曰：「上下交而其志同也」。又云：「天地際也」。以禮儀幣帛相交接者，謂之「交際」。

孟子萬章曰：「敢問交際，何心也？」大而言之，國際間有互相通好之外交使節，小則個人方面，有彼此來往之交遊。

無論對國際或個人之交結，離不開一「信」字。如交而無信，流爲虛僞，欺騙，此後漢書所謂：「交淺而言深者，愚也。」

大者勿論，就個人之交際而言之，在今日世風日下，善於交際者，不外吹，拍，騙三者。吹，噓也；謂噓氣以拂之也。大吹大擂以自炫其才能者，謂之「吹牛皮」。拍，拊也；以手搏其上也。凡奔走於權貴之門而鑽營乞憐者，謂之「拍馬屁」。騙，詐也；用極靈敏之手腕與方法以詐取之也。分別言之於下面：

善於吹牛者，要自言之巧，顏之厚，自謂文兼武備，有濟世之才，使人莫測高深也。民初，有艾某在淸做過百里侯，訪友於督軍署，適友大搖大擺乘三人轎出，乃口占一絕：「督軍署內秘書閣，（友任督署秘書長）大擺大搖爲那何！我亦曾前三頂拐，（用三人抬之轎，俗云三頂拐）橫衝直闖兩年多。」艾以友善因緣而又擺架子，故有大擺大搖之句，誰知三四兩句，亦自吹其牛皮來也。抗戰時，有韓某善吹牛而得不做事領乾薪之差事，揚揚然自鳴得意，余曾爲聯以嘲之曰：「而今鶴俸已乾得，從此牛皮莫亂吹」。

吹牛，僅道己之長。倘不慣此道者，必須繼之以拍馬，向人前搖尾乞憐，叱之不去，再三鑽營，不怕羞恥，或向其太太進諛諂，俗謂「走內線」。有此手腕，不患無一官半職之獲得。古之最善拍馬者，莫如郭霸。霸，唐人，以魏元忠盛極一時，聞病，即趨探訪，醫生以「元忠之安危，可於糞上判之，糞甘則可憂，糞苦無傷也」。郭霸乃拈元忠之糞而嘗之曰：「魏公之糞果苦，定占勿藥」。霸之所爲，冀博元忠之信任，雖遺臭萬年而不之顧焉者。

有了吹牛、拍馬之功夫，便可騙取功名利祿。基作賣柑者言：「杭有賣果者，善藏柑，涉寒暑不潰，出之燁然，玉質而金色：……，剖之，如有煙撲口鼻，視其中，則乾若敗絮。」以果喻人，凡佩虎符，坐皐比，峨大冠，拖長紳者，又何莫非金玉其外，敗絮其中者哉！

相傳某由京官外放，謁老師辭行，師問此行之抱負，答曰：「攜有不少高帽子，逢人便送」。師大怒！某釋之曰：「方今天下能有幾人如師之耿介，不受阿諛，順！我以高帽送人，乃順應潮流與環境。」師乃由怒而微笑矣。殊不知此君之高帽已推銷一頂矣。

現在社會上交際，恆以吹、拍、騙三者連爲一氣，其中以拍馬最爲首要，吹牛次之。有了「拍」，則一再佐之以「吹」，則一切可於不覺中而「騙」到手矣。

西江月

蔡俊光

撲地烟花亂舞，漫天風雨成憂；狂歌難覓漸離酬，結客不嫌屠狗。
阮尉枉能白眼，吳軍或起蒼頭；渠身藏器是吳鉤，一動於仇何有？

又

遙挹龍犀寄意，何當蝸角棲遲？人生七十古來稀，爲道河淸難俟。
待起扶風未老，但敎成紀逢時；侯封萬戶自能之，又執射雕人至。

甲辰春三月　於九龍客次

我的社會生活

雷嘯岑

職是之故，我孤軍奮鬥結果，僅以四千票的差額，屈居候補第一名。當時我雖然獲有靑年團員李某賄選舞弊的證據，但不願從事訴訟，認爲內鬨無聊。李某亦曾經找我商量，表示不妨作有條件的妥協辦法，我也不屑直尺枉尋，有所不爲。未幾，李某爲共匪殺害了，我纔依法遞補，以承其乏焉。

全國國大代表選舉經過，糾紛迭起，矛盾叢生，證明國民黨黨紀廢敗，黨員與黨員不合作，黨團之間有若秦越人之互相嫉視。中央害怕立委的選舉，重蹈覆轍，乃嚴令各省選舉監督，必須按照中樞提名的人選選出，否則唯該員是問。於是，各區行政專員即召集所屬各縣長，各個黨團部負責人，到專署具下切結，不得違誤。到了法定選舉之日，敝縣（湖南嘉禾縣）縣長丁鳴九派人到鄉間來邀我進城，說有要事奉商，我到達縣府客廳時，有一位家居城裏的老紳耆李國柱先生已在座了，四周坐有六名書記奮筆疾書立委選舉票。縣長聲明：「今天請您二位城鄉的大紳士駕臨縣府，監選本區立法委員，證明我雇書記代替選民投票，雖屬違法，卻無受賄情事，如願足矣。」縣長因爲具了結在案，唯恐選票發出去或有變化，沒法交差，事關重大，乃有此別開生面的「民選」辦法，其情可憫，我二人祇好一笑置之。這是敝縣選舉立委的實情，別處是何情況，不得而知也。

在國大代表選舉半途中，國府曾頒佈一道法令，硬性規定凡是未經中央提名的候選人，雖當選亦屬無效。等到選舉竣事之後，有些未經提名而獲雋的人，乃到南京集體請願，擡棺材游行，鬧得烏煙瘴氣，笑話百出，而國民黨的一些中委們，爲着自己的私慾關係，亦反對上述國府的法令，說是太不民主（邵力子即反對最激烈），因而使政府無法執行原令。可是，經中央提名而落選的人士中，是以民靑兩黨的候選人佔着多數，若不設法補救，可能引起在野黨派的反感，拒絕參政，形成僵局。迫不獲已，即由國民黨總裁蔣公出面，先敎本黨黨員中之軍人當選者一律通電聲明退讓——蔣公自己亦在其列——藉使民靑兩黨候選人補其缺；再又勸告某些地區的國民黨員當選者，亦宣告退讓於友黨人士，條件是不出席大會，但按月照領俸金。這樣纔把困難問題解決了。其中祇有浙江奉化縣長來電，報告該縣的國大代表選舉結果，全縣一致是投選蔣公的，幷無候補之人——也沒有友黨人士被提名到奉化候選的——以致蔣公無從退讓也。

普選揭曉，亦發生同

可是，中樞却未採取對國大代表問題的處置方法了。至於監察委員，是由各省參議會遴選的——即係「委任選舉制」，又名「間接選舉制」，人數較少，問題不若國代、立委之複雜，糾紛亦就相應減少了。

行憲伊始的民意代表選舉事宜，就鬧出如許怪象，且以執政黨人士爲主角，這表現國民黨對全國的黨員失去了控馭能力，而其癥結即爲「黨團」鬥爭。同是號稱爲三民主義信徒，共戴一個領袖的集團份子，却互相敵視傾軋，不遺餘力。在湖南長沙市面上，竟發現以靑年團名義貼出「大家起來打倒這個鬼國民黨」的標語（當時張星舫先生曾將原標語揭下，帶到南京給中央黨部看，我亦親見之。），居然行所無事，充分顯示着執政黨漸趨沒落的現象。（五六）

哀梨室劇談

谿公

和珅與小上墳（續）

大學士劉墉奏稱：『坤雖有罪，但係先皇舊臣，請從次律。』

因之，坤和遂奉旨賜帛自盡！坤因作絕命詩云：

『五十年來夢幻眞，今朝撒手謝紅塵；他時水泛含龍日，認取香烟是後車。』吟罷擲筆，引帛自縊而死！唉，一代權奸，勢傾朝野，積資數千百萬，珍寶珠玉稱之，一朝謝世，並一小銅錢亦帶不去！爭權奪利，亦何益哉？

死後，其妾長二姑挽以七律二章云：

『誰道今皇恩遇殊？法寬難爲罪臣舒！墜樓空有偕亡志，望闕難陳替死書！白練一條君自了，愁腸百結妾何如？可憐最是黃昏後，夢裏相逢醒也無。』

『掩面登車涕淚潸，儼如殘葉下秋山；籠中鸚鵡歸秦塞，馬上琵琶出漢關。自古桃花憐命薄，者番萍梗恨緣慳！傷心一派蘆溝水，直向東流更不還。』

其另一妾吳卿憐，亦有七絕八章云：

『曉妝驚落玉搔頭，宛在湖邊十二樓；魂定暗傷樓外景，湖邊無水不東流。』

『香稻入唇驚吐日，海珍列鼎厭嘗時；蛾眉屈指年多少，到處滄桑知不知。』

『輕歌慢舞奮雞圖，月下樓臺冷繡襦；終夜相公看不足，朝天懶去倩人扶。』

『蓮開幷蒂豈無因？虛擲驚梭廿九春；回首可憐歌舞地，兩番俱是個中人。』

『最不分明月夜魂，何曾芳草怨王孫；梁間燕子來還去，害殺兒家是戟門。』

『白雲深處老親存，十五年前笑語溫；夢裏輕舟無遠近，一聲欸乃到吳門。』

『村嫗歡笑不知貧，長袖輕裾帶醉顰；三十六年秦女恨，憐卿猶是淺嘗人。』

『雨夕瞞兒掩淚題，他年應作杜鵑啼；啼時休向漳河畔，銅雀春深燕子棲。』

這一可憐之女性，原係蘇撫王亶望姬人，其後亶望以貪污伏法！她卽連帶的被沒入官，故爲和坤所得。但和之貪橫，更較亶望爲甚，故踵亶望後而伏法，她又隨財產籍沒入官！詩中隱約其辭，殆有難言之苦，較之「小上墳」中，蕭素貞誤信良人客死，凶服哭奠祖塋之情況，更不知道要淒慘幾十百倍！我相信，這是和坤編劇時，萬萬想不到的。（本篇完）

諸葛亮逸話

吉庭

過了幾日，作第二次拜訪，時朔風凜冽，寒氣逼人，翼德雲長隨行，對玄德說：「此一鄉下老，何必一再去訪，可着人召之來。」玄德斥之曰：「孔明乃當代大賢人，豈能一呼就至？」至其家，入門見有一聯：「淡泊以明志，寧靜而致遠。」已知其志存邱壑，有隱者風。但見面者，非孔明，乃其弟諸葛均也。均曰：我兄弟三人，長兄諸葛瑾，現作幕於孫權處；孔明，爲第二家兄，昨應崔州平約，遊山去矣。」玄德以未見孔明，就此告辭。

過新年後，春光明媚，又作第三次之探訪。雲長翼德，亦願同去，玄德囑其對賢者不可失禮。一入草堂，適孔明在睡，玄德候至醒來，始得見面，見其身長八尺，面如冠玉，頭戴綸巾，身披鶴氅，器宇非凡，認爲係王佐之才，以庶所言爲不虛。寒暄後，即詢以當世之事，望「先生垂教焉」。

孔明以玄德身爲皇叔，三顧草廬，慇懃備至，乃就所見而貢獻曰：「自董卓作亂以來，天下豪傑紛起，曹操領百萬之衆，挾天子以令諸侯，不可與之爭鬥。江東孫權，經傳三代，人民安服，儘可與之聯合。聯孫拒曹，爲當前惟一外交政策，望將軍好自爲之！」

玄德聽後，佩服所見，勸其出山。孔明義難推辭，即同返新野。賓主相得益彰，終佐先主取荊州，定益州，遂成與魏吳三分鼎足之勢，而「三國」出現矣。（二）

內僑警台報字第〇三壹號內銷證

自由報

THE FREE NEWS

第四四八期

中華民國僑務委員會頒發
台灣警字第三二三號登記證
中華郵政台字第一二八二號執照
登記爲第一類新聞紙類
（每星期三、六出版）
每份港幣壹角
台灣零售價新台幣貳元
社長：雷嘯岑
督印人：黃行富
社址：香港銅鑼灣高士威道二十號四樓
20, CAUSEWAY RD 3RD FL. HONG KONG
TEL. 771726　電報掛號：7191
承印者：田風印刷廠
地址：香港灣仔高士打道二二一號
台灣分社
台北市西寧南路壹壹零號三樓
電話：三〇三四六
台郵撥儲金戶丸二五二

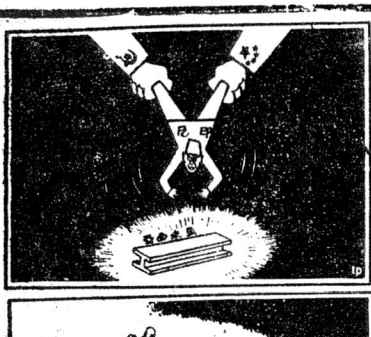

台北市長高玉樹第二次當選就任獻言

·李聲庭·

高玉樹今年戰勝了執政黨提名的候選人周百鍊而當選台北市長，至少可以說明一點：在以選舉票決定一個人的政治前途時，人民的決定是最後的。在英國與美國，兩大政黨勢均力敵的競爭情形下，那一黨的候選人得勝所表現的意義，遠不如這一次高君以在野之身，擊敗了執政黨盡全力助選的對方；同時也表現了民意確實不可侮。有人曾批評執政黨犯了「有黨官，無黨員；有黨員，無黨衆」的毛病。這一次的縣市長選舉（台北市更顯著）似乎證實了這一說法的可靠性。也就是說：高玉樹得勝在擁有羣衆，而周百鍊則敗在只有黨官支持；連黨員都不一定支持，羣衆更不用說了。

七年前高玉樹曾敗于黃啓瑞之手，其失敗的原因是多方面的；但作者願在高氏第二次就任台北市長之前，指出一點事實，作爲芻蕘獻言。

作者于四十五年三月底從美國來台灣。離國七年多，只聽到一些人說祖國進步了，於是以滿懷與奮的情緒回來爲祖國服務。到第二年各縣市長改選時，期間不過一年。除了耳聞到一部分人口中對台北市政府所歌訟的德政與怨恨的虐政外，個人尙無深刻的觀察與體念。不料就在作台北市民三幾個月內，親眼看見了值得在今天獻言的一件事。

有一名喻伯凱的，是一退役軍人，借了朋友一萬多塊錢在仁愛路搭蓋一公共汽車候車亭和一售票房。這一建築物是事前經過各方面允許，並由台北市政府工務局發給建築執照的。可是，等喻某搭建完成，台北市政府硬指他的售票房與候車亭是違章建築。何以事前核准發給建築執照，事後又硬指爲違章建築強制拆除，內幕情形高玉樹可能不知道，但黃啓瑞則知道的。喻伯凱便向當時的工務局長嚴重抗議，並質問他爲什麽市政府核發的建築執照自己不認賬。工務局長林永倉拍着胸膛說：你去告狀好了。將來省政府認定這是非法拆除要賠償時，市政府有的是錢，十萬八萬不少你一文。我們今天要拆就拆！後來果如林局長所言，省政府認定這是一件非法拆除，由台北市政府賠償喻某二萬五千元。從此以後，喻某與台北市政府間一連串的官司，便是由于這一件以高壓手段與專斷行爲，欺侮升斗小民而引起的。當時喻某於氣憤之餘，橫心要買把鋼刀與林局長見個高下。作者則借衣服與錢給他，並勸他向省政府訴願要求賠償，始沒有弄出大事來。否則林局長免不了要受點驚嚇，當然監獄裏又多了一位長期食客。平心而論，這些食客是如何來的，大部分還不是逼上梁山的！喻某自己不過有三五千元，以三分高利向朋友借了一萬多元來蓋售票房與候車亭，無非想藉此謀糊口與庇身之所。事先既打通了各方面，又領得有建築執照，無論如何是正當的。一旦被強制拆除，不但生活發生問題，欠朋友的錢每月還得付利息，你說他怎能忍得住？幸虧作者的一點小面子才把他說服了，邇從法律途徑解決。最後還不是台北市民倒霉，二萬五千元的賠償費難道還是高市長與林局長掏的私人腰包不成？從這一件事來看，才知道台北市政府行的是虐政而不是德政。

四十六年四月黃啓瑞與高玉樹競選時，作者個人對黃啓瑞並無好感，却自己投了他一票外（抱歉得很，作者在台灣住了八年便只投過這一次票），還向每天賣豆漿的老劉拉到了一票。老劉第二天早上見面時還鄭重其事的對作者說他昨天確實投了黃啓瑞一票。喻伯凱則義務自動的到處替黃啓瑞拉票。據他告訴作者保證有十票，可能有十五票，他自己的一票更不用說了。高玉樹那一次落選，當然不是短少了這區區十三票的緣故。但由此可以推論他在上屆市長的三年任內，市政府的官員——包括工務局長在內，替高玉樹所結的怨，絕不止喻某這一件。有那麼一天算起總賬來，三五萬票便輕輕的失掉了。這一點也許高玉樹不明瞭，不過有投票權的人心裏是有數的。作者曾聽到一位三輪車夫說：「四年才能出一次氣。」這句話的後面隱藏着一個不可否認的眞理：即羣衆的力量是很大的。可見平日受盡了市政府官員們的閒氣的人，通通會在這一天發洩出來。管你組織也好，黨紀也好，加分也好，都不發生作用。因此明白高玉樹這一次所以當選，便是過去七年中沒有結怨的結果。這一次喻某是否仍在台北市投票，或投誰的票不得而知。如果他認爲舊怨未消的話，可能是投的周百鍊一票。

作者舉這件事作例，無非想提醒做官的人（包括高玉樹在內）；一旦上台之後，不要得意忘形，還得謹記着一個十四字訣：「勿以惡小而爲之，勿以善小而不爲」。

當時在台北市政府的官員心目中，林局長即其典型代表，主持發建築執照，又指揮拆合法建築。喻某不過一無錢無勢的小民，官府要對他怎樣，他那有抵抗的餘地？所以林局長敢於大言不慚的說：要拆就拆！這和共產黨的「要殺就殺」八面威風，恐怕不是五十步與百步之間吧？但誰會預料到可能發生的後果呢？作者常想：目下許多的兇殺案之所以發生，當事人如果少逞些意氣，少使些手段，多替別人設身處地一想；何至于日有所聞，而且愈演愈烈呢？可是有人還正在高喊「亂世用重典」呀！一旦事到臨頭時，才知道冤家是宜解不宜結的喲！

左傳上有一個很好的故事，值得在這裏貢獻給即將就任的高市長：

「鄭伐宋，華元禦之；宋師敗績，囚華元。將戰，華元殺羊食士，其御羊斟不與。及戰，羊斟曰：『疇昔之羊，子爲政；今日之事，我爲政。』與入鄭師，故敗。」

呂祖謙在東萊博議上評論這件事說：「食馬之恩，羊羹之怨；恩恩怨怨，各以其情而報上。」羊羹之怨即指的羊斟沒有吃到羊肉，而把華元駛入鄭軍陣內，故華元被囚。

這一次選舉是過去了，但如果高玉樹在以後四年任內，對台北市的市民不施恩而結怨；也許你不想于四年之後再競選連任，但所造成的一股暴戾憤恨之氣，總是對自己及其幹部人物不利的。

作者已不是台北市民，但距離咫尺，對台北市的一切措施仍在注意與關切中。這一篇獻言，不但無半句阿諛之詞，而且道出了一些不好看的事。望不以忠言逆耳而不納，知把它當作今後四年辦事施政的座右銘，則台北市百萬市民有福了！

工具

搬來搬去

今日與明日

中共拒絕英國要求

前日英國代辦向中共轉交英國外交部呼籲，要中共制止寮共的進攻，這項建議，已被中共拒絕。陳毅凡發表公開談話，指寮國右派併吞中立派軍隊，傳瑪已被刼持。這種說法，其不講理的程度，與過去內亂時如出一轍，不必予以重視。不過陳毅也提出一項反建議，要在東埔寨首都金邊召開十四國會議，共同會商寮局。

抬高施哈諾

陳毅要在金邊開會，用意在抬高施哈諾的地位，目前施哈諾已戍了中共御用棋子，凡是中共自己派不上用場的事，就唆使施哈諾出面，最近柬埔寨向聯合國控告美越侵略，就可看出施哈諾已甘心一面倒向中共。

除去抬高施哈諾的地位，還可以看出陳毅對寮局的腹稿。施哈諾一貫主張寮國，南越，柬埔寨中立，這項計劃也得法國的支持，而泰國同美國則堅決反對，南越政府更是堅決反對。美國似乎也看透這個圈套，主張在永珍開十四國會議，先由各國駐永珍大使作初步磋商，英國目前仍支持這項意見，將來如何就難說了。

法國的態度

柬埔寨的小抖亂施哈諾，已將美國同越南共和國侵略的一案，控到安理會。美國到無意同這個小人物較量，却要求聯合國派員偵察越柬邊境，看看到底美國越南侵畧了柬埔寨沒有？英國支持美國意見，本來這也是一個最公道的辦法，究竟誰侵略了誰，實地作一次視察，眞象自然大白。但是法國却表示反對，那就只有坐實美國侵略柬埔寨了。像這種爲反對而反對的作風，不僅破壞西方陣營的團結，也有失一個大國的風度。

美國將如何

美國國務卿魯斯克宣佈，如若寮國局勢再惡化，美國將考慮採取行動。美國對寮國態度，一向採取敷衍，維持現狀，此次突然發出大言，決不能完全視爲虛聲恫嚇，因爲寮國如若全部陷共，泰國前途堪虞，尤其是泰國現政府雖然堅決反共，但沒有乃沙立時代穩定，經不起風吹草動的。

美國如若插手寮局，也不致於正面和寮共作戰，只是派兵進駐永珍，或者連同琅不拉邦在內，只要首都不失，寮國即不致淪亡，仍然有恢復之望。而且戰爭繼續拖下去，最後終能尋出一個解決途徑。如此可以穩定泰國民心士氣，間接也有助於越南。美國即使眞的出兵援寮，恐怕也到此爲止，不會眞的幫助寮軍擊敗寮共的。

自由談

妖言惑衆

我在本報第四版讓述自己個人的社會生活史迹中，曾談到賦性對私有財產與家庭觀念殊淡薄，有作共產黨的資格，但民主自由思想很強烈，因而跟共產主義者絕不相容。這原係基於幽默感的述懷閒話，沒有甚末政治意義的。

詎料在海隅爲毛共搞統戰宣傳的秧歌文特，竟斷竊我這幾句話作題材，在報上大寫其所謂社論，又把我在前文中指稱國民黨執政時失去大陸的原因，是眞正的三民主義信徒太少，而假黨員太多這幾句話連拼起來，作爲挑撥離間，且從而煽惑之的口實。眞是可恥極了！

秧歌文特不能從學理與事實，跟我辯論共產主義與三民主義孰爲優劣，孰爲中國人民所樂於接受者？僅知以流痞式的油腔滑調，混淆是非，造作蜚語，以期中傷他人，說甚末「眞正的三民主義信徒都在大陸」「孫中山先生最能與共產主義者合作」這類既腐又臭的謠言屁話，徒然惹起我莫大的反感。

尤其可哂可鄙者，秧歌文特認定我是「自以爲夠當共產黨」，乃希望我「不妨到大陸去」。用這種無賴的口脗作宣傳，便以爲盡了統戰之能事，大可博得主子嘉許，多領幾文津貼金了。實則如此下流的說詞，任何一個崇尚自由的中國人，皆不屑一顧，而視爲妖言惑衆的。

馬玉先生

「瓜分預算」笑柄猶未抹去
台南市的「刮地皮集團」
復包圍市府進行新買賣

（本報台南航訊）台南市議會自第五屆議員「瓜分」預算，作為個人競選地盤鋪路，不但開全省議壇「瓜分」預算先例，給台灣地方自治塗上污點，消息傳揚後，更不脛而走，成為全台省人士的笑談資料。

第六屆市議會成立伊始，議長林全興在大會中說過，他決心整頓議會，要改變議會作風，將以往不名譽的事情洗刷乾淨。大家亦就期待着市議會的新的作風，誰知期望愈殷切，失望就愈大。

林全興議長上台的第一砲說要改變市議會的風氣的，乃言猶在耳，「刮地皮集團」卻早在開始動腦筋，暗中包圍市政府，準備吞沒安平路臨海飯店右側新沙洲一塊三千餘坪的沉沙土地。地皮販子已向市政府申請，欲在辛文炳市長任期屆滿以前辦妥手續；但申請書到建設局時，建設局以該沉沙地對西區排水問題關係至大，在未獲妥善將排水沉澱辦法解決前，應慎重處理。

這件「刮地皮案」醞釀已久，第五屆市議會就有議員要動腦筋，可是沒有動成。內容錯綜複雜，牽涉甚廣，且據說與去年喧鬧一時的新南國校新填漁塭地廿五萬元紅包案有關。新南國校及金城中學，對新填漁塭用地要用作學校用地及運動場地，但原申請作為工業建廠用地的十九戶不肯答應，雙方發生糾紛，經市府數度調解，金城中學對新漁塭地二甲八分，欲爭取二甲，作該校建校及作運動場用地，餘下八分地，該十九戶已不夠分配，且不願負担墳土經費；有的分不到的更表不滿，所以調解也就不能獲得成功。

申請建廠的十九戶，在過去對新漁塭地，不但花去了一筆為數鉅大的權利金，他們為請某些議員活動花費的活動費亦不少，二十五萬元紅包疑雲由此而來。在調解不成後，申請人士對於過去花費的權利金與活動費耿耿於懷，因而引起居間者動心，所以集體暗中包圍市政府，要求找一塊大地皮補償這申請十九家的損失，所以把腦筋動到安平路臨海飯店右側之新沙洲沉沙地三千餘坪地皮，透過平日專跑市府的一批「刮地皮集團」，向市府財政科提出申請，要求批准給申請之十九戶，藉圖了結前案。

市府財政科和建設局等，以沉沙地係西區中幹綫排除污水進入運河作為沉沙之用，自日據時代至今，一直保留為西區污水沉澱，如果出租填平，對中幹綫排水將大受影響。建設局更認為，沉沙地是做為中幹綫排水沉沙，若要出租，需先行解決排水的沉沙問題，或留一小沉沙地挖深或將中幹綫下游通滙北幹綫工程聯結做成，否則中幹綫排水沒有沉沙地，勢必使運河遭受淤塞，全市三十七萬餘市民將來勢必遭受水困。

建設局的意見已使市長辛文炳難以批核，但該等「刮地皮集團」人士，近日仍暗中包圍市長辛文炳，要他在任期屆滿以前批准，以免未來夜長夢多。「刮地皮集團」為十九戶出力申請這三千餘坪地皮，既不能作為工業建築用地，而係準備一旦申請核准承租到手，獲取權利金及建築房屋出售圖利。辛文炳市長感於左右為難，乃將這項申請意見送回市議會，「刮地皮集團」眼見一塊肥肉不能到口，一氣之下，將市府所送審議的四條新道路七百餘萬元經費預算削除，以為報復。

「刮地皮集團」第一道攻勢雖未能得逞，第二道攻勢是要四條新闢道路兩旁受益人付出大批活動費，始能將市府所送預算順利通過，否則據說情願留給市民唾罵，亦不願讓台南市的建設有進步云云。（朱武州）

青年黨何以贏得台東縣的政權

本報中部記者熊徵宇

助選政策失當

這種形勢，當然為執政黨台東縣黨部所了解，於是發動各鄉鎮民眾服務處站和全縣的黨員們各作戒備；在競選人公開活動的時候，縣黨部主委何炳光，親自出馬，到各鄉鎮，遍及村里，深入山地，為黨提名的張振雄輔選。

據台東的幾位士紳到省政府來時對我說，何主委的「辛苦」，不但沒有做到對選民們情緒上的「宣撫」，反而加深了他們的反感，原因是何主委並沒有把握住當時的形態和群眾的心理；在民智開明，民治思想進步的情況下，若果仍然運用「權力是組織的基礎」的陳腐觀念，當然不能為民眾所接受。這一事實，只要執政黨肯去認真調查，就可以證明台東的輔選策劃是多末的糟！既沒有把握住農工大眾，也沒有說服知識份子。

為能克敵效果

拿開票的結果來說，台東鎮的文化街和博愛路，大多是縣府各單位的職員的宿舍，而黃順興的票數最高。可以看出知識份子也可以說是大多數黨員的反映。而長濱鄉，成功鎮，以及延平，海端，太痲里各山地鄉，都是漁農方面的勞工群眾，黃順興的票數，都要比執政黨所支持的張振雄高一點，於是普遍的多數形成了黃順興的當選。

就這一事實來說，台東自公佈當選人名單後，既沒有「選訟」發生，也沒有人說有不公平的地方。以超然的立場說，不能不承認選舉工作是公正無私的，不能否認中國民主政治奠下了善良的基礎，前途十分光明。

值得痛加檢討

但是在執政黨的提名政策和輔導黨員競選的方面說，我們不能不承認是一次失敗。因為競選的目的，乃在獲勝。政黨提出候選人的唯一作為，政黨競選是在對抗勢均力敵的他黨競選人士，如美國的共和民主兩黨總是交互執政，自非推舉一位允孚眾望的人物，以資號召不可。但在台東，以一個既無黨務經費，又無分支機構遍設各鄉鎮的青年黨人，與執政黨提名人士相抗衡，當然是說不上「勢均力敵」，而是「眾寡懸殊」。

那就在這種情況下獲得勝利，也值得執政黨痛加檢討，在提名人選與輔導黨員競選的政策上，切切實實的以「民意為歸」為最高原則了。

應該切實自省

就台東言，若果實行自由競選，老實說，情況可能完全不同。不管我們何以自解，提名而落選，對黨總是不光榮的。若果說「我們並不希望在全省各縣市都獲勝利」，那末，我們對於台東縣又何必要提名？所以這些話事後不必多說，應該切實「自省」！

如果不知自我檢討，自我批評，以小喻大，隱憂很多。在我們黨務的組織力量上與我們對於某一地區政治形態上的不夠堅固，不夠了解；實在是黨務進步的一大阻礙。

走直綫求功，很難不失望

這正如本黨蔣總裁於三十九年在「本黨今後努力的方針」所指出：「過去我們的缺點，就是黨的工作只在黨部內面做，而不向民眾中發展。黨的工作離開了民眾，就只有形式，沒有內容。黨的組織離開了民眾中的工作，就只有軀殼，沒有靈魂。黨犯了形式主義的毛病，官僚主義的流毒，就只有失敗的一條道路。」

這一指示，何等痛切！若果我們的黨員和幹部無形中逐漸走到形式主義和官僚主義的老路，對於革命精神，多少是種削弱，因之革命的豪氣也將受到消蝕。

所以我覺得台東縣的選舉有分析的價值，特別是在提名與輔導政策的諸種問題上。

同時我希望台灣省黨部對於各縣市黨部的主委人選特別慎重，有些二、三流的書記，是負担不了考驗的。搞政治是高度的藝術工作，辦選舉更是要講技藝。光是憑直覺從事，走直綫以求功，是很難不失望的。

（三、完）

論我國近代首批外交使節（八）

吳本中

我國現世之典型外交家如顧、顏、施、王、郭諸氏，均曾追隨或熟識過，深深感覺他們沉重，老鍊，飽學，敏求，比我們晚輩好多了！顏俊老（字俊人）於中共攻入上海初期，我於荒亂時常濟往聆教。共報時載其名，謂其主席某某會，擔任某某委員。其實俊老稱病，足未出戶，從未參加也。我旋即離開大陸，彼後不過一二年仙逝於申江。先岳王石公（諱景岐字石孫）持節比，瑞，波等國，所著『椒園詩稿』近在台發表，然其法文『不平之鳴』一冊，蒐集演詞與文件，為不平等條約而奮鬥，早年筆者著博士論文時即在外國大學圖書館所發現者，國人尚不知也。顧公少川今已七十六歲高齡，然體康神健，目明耳聰，亭亭鶴立，楚楚衣冠，風度不減當年；前兩年休假息影香港，時去問候。（今仍音詢相通。）他老先生游水習畫，興趣非常。對後生小子如筆者，猶彬彬如儀，共出同餐，必同乘伴我自駕之小汽車，而讓顧夫人與內子坐他的有司機駕御之大汽車。我自駛覓停車位，懇大使先進餐廳，而彼不肯，必等候我到，始共入。回憶，顧大使駐節巴黎時，常去日內瓦國際聯盟（即今紐約之聯合國前身）大會任我國首席代表，蒙其栽培，曾接連兩次被携往國聯。（一九三六年入外交部前，在國際聯盟任國際公職，亦係顧使介紹）余當時年青氣盛好事，第二年向大使表示又要去時，大使懇切告以：「館內很多人要去，今年汪秘書（即近在比利時任大使去世之汪孝熙）亦要求去一次看看。』旋又親切告以：『你要做事的。我的演說詞等都是我自己寫的。人又多，怕委屈你。……』：『余省悟自己太過於要事做，前歲大會感覺做的事不夠多，大使恐怕我再『發牢騷』也。乃立即改曰：『我要去學習。』大使乃爽然曰：『那麼，還請你來吧。』在大會時，筆者親視其辛苦情形。某晚約十一鐘許，余返中國代表團在日內瓦 La Residence 旅館房，顧大使臨時租用之辦公室及套房，施參事雖變告以：『大使竟日找你！』余亟入，見大使竟日勞苦疲憊已極，然尚強為支持。囑以：『今天我的演說，不知國際新聞界私下反應如何，請你會同汪孝熙到各處新聞記者集會地方，調察一下。』足見要做一位好外交家不是那麼簡單的。既要膽大，亦要心細；有時須敢為，有時亦須顧慮。遠慮與縝密性是顧大使長處之一。我國在一九一四——一九一八年歐戰後，國際聯盟會外交舞台上，作抗日外交，因英法二大國為國聯砥柱，對他們須喚起同情，俾能支持我，故應特別努力。顧大使深謀遠慮，囑余用法文寫：『華工與歐戰之關係』一書，使歐美人士知我國並不徒擁參戰之名，乃實實在在派十幾萬工兵，在前線掘戰壕，在後方做兵工。死傷纍纍，墳塲淒淒，無名英雄，慘絕人寰，而永未獲報償者也。在法國防部藏書室查出之福煦參謀長一九一七年八月十一日呈國務總理文件，足資證明我苦同胞之堅苦卓絕，對歐戰勝利之貢獻。顧大使復請當時法國海外部長穆岱先生寫序文給拙著，出刊後頗為英法各界注重。除接收同情函信外，且有匯款來者。余交呈大使，承其加入戰傷孤兒捐款，寄回國內。今日思之，倘非顧大使之高見與細心，吾華工寃屈到現在亦不得稍伸，歐美各邦尚以為我們中國加入同盟參戰並無何功用也。筆者當時並非我國駐法大使館正式人員，無責任無薪俸，然只有為國家民族者，極願為顧大使驅使。深悉其為國爭光也。吾儕忝為後進，今日見國事日非，外交日促，滿目時艱，心痛如焚。踽躄天地間，將何以為『中國人』！緬懷先賢，慚慣交集。然而民主潮流必橫掃全中國，錦繡中華，要人人有份；任何貪婪政權，終必毀滅；吾人現固尚春雷壓聲於地下，虎豹匿影於山中，然終有一日，起來！做中國的主人翁。（全文完）

香港與大陸

毛共舊陰謀新花樣
勒令大陸所有大中學校暑期加強軍事體育活動

中共最近又在大陸的大、中學校，普遍加強地推行「軍事體育活動」，名義是藉此使大中學生們更有機會接受「解放軍的優良傳統」，卻附帶的尚有其他陰謀打算。

此間一位中學教師接到其留居廣州就讀於暨南大學的兒子來信，對中共此項作為，有所揭露。

來信說：中共對大陸的大中學校，早就普遍作着「軍事夏令營」的活動，勒令學生們以「志願」的方式參加。此種「軍事夏令營」，全部依照正規的軍事生活為標準，訓練期間十天半月不等。而各大、中學校在平日的體育活動，亦完全軍事化，例如擲手榴彈、步槍射擊，開摩托車等都在內。但這種活動，今年更比過去加強了。

來信說：今年的所謂「軍事活動」，包括軍事野營，夏令營，和以民兵組織為單位的訓練營等。並且，中共對今年的「軍事體育活動」，特別勒令各學校和有關單位的「黨」組織、「中青團」組織，都應予以足夠注意，說是這項運動是一個「戰鬥的陣地」，如果無產階級不負領導責任，則「資產階級」和「反動派」便會趁行掠奪此項領導權。

來信說：中共的是項「軍事體育活動」之全部教練人員，都是「解放軍專官」和「老黨員」。據中共宣稱，主要的目的是在暑假期中使青年學生無法接近資本主義反動勢力，同時更能鍛鍊政治思想和學習「解放軍」的「優良傳統」。但來信說：中共其實另還有打算，這就是阻止港澳僑生暑假申請來港澳探親，也阻止知識份子回到家裏與廣大不滿中共的人民結合，而形成一種更有力的反共力量。一石三鳥，所以中共要加強推行了。（敬斯）

中華民國五十三年五月三十日　自由報　星期六　第三版

敬憶胡適之先生

沈亦雲

民國四十年我到美國，胡先生告我：膺白是對的，這仗打不得。胡先生自言對政治無興趣，然其前後對國家勇於建言，對人無成見態度，是可佩而可感的。他勸我寫回憶，我因循甚久，前年勉強完稿。恰值他由台來美，胡太太邀飯我因病未去，囑熙治攜目錄及自序請正，問有何要看之件。次日接胡先生電話告所要看的幾章。稿無副本，我苦於抄錄，原件多照貼，遂親自送去。自午至傍晚，他仔細看完，我當日取回。其時在雷震案後，他心境很不寧。回台前猶給我一封鼓勵的信。我得他允許，將來用以爲序，數月後，又來信告知爲查得一件史料。其認眞如此。

胡先生在台去世之日，正值美國太空人格林中校John Glenn 回克那佛角航站受羣衆歡迎。格林飛太空繞地球三匝乃二月二十日的事。先在巴哈馬一島上受身體檢查，廿四日始歸航站。甘迺迪總統，格林太太，一子一女，格林的父母，格林太太的父母到此相會。格林見太太倚她肩上哭了。這熱淚表示事先二人的堅忍，他來不及顧到在旁的總統，新聞記者們，和歡迎的羣衆。其勇於從事，乃爲國家的需要，甚於個人的功名。故專欄名記者雷士登James Reston 論之曰：一縷橙紅的光送他上空是技術的勝利，回來的光景是人性的勝利。格林後來在國會，在聯合國，在其故鄉母校受歡迎，他的演說辭係自寫，樸實謙虛而含有智慧。與前此二升空人同，自稱「我們」而不言「我」，是合作之力，非一人之功。他說：耗如此鉅資以研究太空，似無可言利息，然從求知識而得的利息是不可限量的，願上帝引導吾人聰明的和平的使用這知識。

雷士登的文載在廿五日的「紐約時報」，題曰：「月亮値得格林其人麼？」文曰：一個榜樣在舉國面前，是存亡所繫的，人常從觀察而後仿效，因嚮往而能永續，此所以格林其人之重要，等於其飛空之成功。他引用百年前英國一位大作家白芝浩Walter Bagehor 由觀察所得的結論：凡在進步的一些國家，必其國將辨別是非的空氣，與其軍事實力，看得同樣重要。人以爲甚小之事，可能將一國文明從停滯到進步，亦可能從停滯到退化。一個國家產生一個新的人格，羨而慕之者衆，則此種人格受世鼓勵而日增多，與之相反的自然被淘汰而日減少。一代兩代，國家爲之改觀，窮而變爲富而强。同樣的，一件小節可以導國家由幸至於不幸。所謂小事與小節指的什麼？想來就是上文所說的「辨別是非」風氣，不違眞理，合乎正義的人道大端。以美國日下的富且强，猶惶恐不敢安於現狀，抓住機會把個人的人性人格，看得如此重要，以響勵其他及後來的人。一個發熱發光的人格要有先天後天幾種條件，非可偶致。得之要愛惜，還要培護，使之傳播。

胡先生之靈，請您如生前一樣，呼護這種人格，活潑潑的人格，有之請護，無之請呼。

（三、完）

藝術叢譚

抽象藝術漫談

趙雅博

就連抽象藝術也是與具象藝術一樣，但是它已經是在可理解的境界了；它是有了一條更高的路子，藉着自立體形式指出的路線。我們已經知道，只有自立體的形式，才是美的原始源泉。我們也知道這個原始源泉不是只是抽象美的，即是具象美的，也一樣是它。

我們知道達成自立體形式的任務，乃是藉着第三級的抽象——形上抽象才能獲得的，而抽象藝術的本義，就是要這樣的。我們這是說，抽象藝術，就其本義來說，它是要藉着第三級抽象（即找到物的本質，物的自立體形式），來表物的自立體形式的美，也就是表現無形美，絕對美。這是它之所以與其他形態的藝術的分別。抽象藝術是不同於具像藝術，也不同於抽象主義藝術，其原因其理由，都不外乎此。

提到抽象主義的藝術，我們要提出它是假的抽象藝術——這一點往往爲人忽視而分不清楚——，因爲抽象主義的藝術，並不是與抽象的指定相爲符應的；這是說它並不向着可理解的範圍，爲了達到抽象的指定——也就是抽象美，需要完成第三級的抽象。抽象主義的藝術是不在意這些的。抽象藝術並且也某種程度的不去管物理抽象與數學抽象，因爲這些抽象乃是拒絕自立體形式的，而自立體形式，則是一切爲天主所創造的或爲藝術家所創造的美的根本原始元素。然而，在抽象主義以外，還有另一個錯誤或僞的抽象，在實際上也是最危險的，因爲它能將藝術引歸到這個假的藝術運動，而不可避免的與一切的藝術運動發生關係。這種僞抽象藝術的興起，乃是由於當今藝術的混亂，很多僞藝術家們願意混水摸魚，冒充明公——無論在欣賞方面，無論在創造方面，尤其是在我們的地方，這之類的人物，恐怕是更多吧——又鑒於抽象藝術的困難，於是乃大膽亂言，炎炎不息，爲明限人所齒冷。藝術特長，構成的關連，色彩的和諧，以及忠實於在其本質上所觀察的客體，這些乃是充足的根據，能夠使我們分別什麼是眞的抽象藝術，以及什麼是一種平庸的攙雜。

（未完）

我所知道的麥帥

肯寧將軍原著　徐熙光翻譯

第二天早上麥帥召見我，他剛接到南太平洋區的作戰司令哥姆利海軍上將的電報，祝賀他攻擊布納庫納的成功，粉碎了日本空中干擾登陸的可能性。麥克阿瑟把哥姆利上將的電報給我看，並且親自向我道賀。他的神情非常興奮，比我十天前向他報到時，似乎要年青五歲。

我相信我這一生中最忙碌的兩個月，就是在西南太平洋的一九四二年八月和九月。我經常要在澳洲和新幾內亞之間，往返奔波，還要兼管第五航空隊的作戰和補給。對於沒有能力和不適任的人員，我要設法把他們調走。我要設法填補空缺，還要訓練那些未經正式養成教育和毫無經驗的軍官。槍架，炸彈架，特別油箱都要由我親自設計，改進裝置，試驗和檢查之後，才用到戰鬥中去。我們的補給完全來自澳洲南部，我把這些補給和物資移到布里斯班來，另外在湯斯維爾設立一個補給保養站。事情往往忙中有錯，但是麥克阿瑟一直是支持我的。

在我僕僕於各空軍基地，擬定作戰計劃，與麥克阿瑟及我的參謀人員和部下們商議時，我還一直與華府的阿諾德保持聯繫，我向他要求增撥飛機，引擎，剩餘物資，炸彈，軍火和人員，這些都是我們所缺乏的。

我經常利用機會在官兵面前提起麥克阿瑟，我告訴他們麥克阿瑟很重視空軍，而且也極力支持我，給我協助，他在過去幾個禮拜裏一直在設法改進空軍官兵的伙食和生活水準。我們已開始空運鮮肉到新幾內亞，建造僞裝的餐廳和廚房。赤痢和瘧疾的病例已大爲減少，士兵們也大部份恢復了他們原有的體重。麥克阿瑟對他的參謀和補給人員雖然常表不滿，但對我的行動則一向支持。漸漸的，空軍對麥克阿瑟也有了認識，我們贏得了數度空戰，地面部隊對我們航空隊的協助也稱讚不絕。

當我在布里斯班的這一段期間裏，差不多每天吃過晚飯以後都要上樓和麥克阿瑟及其夫人珍閒聊一兩個鐘頭。他倆住在李農飯店的四樓，我則住在一樓的一間小套房裏。我們所談的話題大部份是有關我們在新幾內亞的作戰狀況，日軍的可能行動以及我們應採的對策。我儘量讓麥克阿瑟熟悉我的業務和航空隊組織與訓練的進步情形，我們常討論其他地區的戰況和對我們的影響。我覺得聽麥克阿瑟公餘之暇在他自己家裏閒聊是一件非常有趣的事，聽他講任何一件事，你一定不會覺得厭煩想打瞌睡。提到作戰的事，他自己更是眉飛色舞，津津樂道，他對戰局和形勢的分析極爲清楚簡明而符合邏輯，使你不期而然地會想到爲什麼你自己連這麼簡單的分析都辦不到。

麥克阿瑟夫人珍總是聚精會神地在聽我們談話，不過有時候也會提出異議，敍述他自己的意見。珍是個動人的女子，具有崇高的情操和修養，從不與人大聲疾辯。她的溫文和藹的風度使每一個見到她的人都對她讚不絕口並留下深刻的印象。打從第一次我看到她開始，我就一直很敬仰喜歡她。

（十三）

漁唱四絕

漁翁

香洲四月風光好，
綠滿山兮白滿川；
覓得烟霞垂釣處，
取魚沽酒醉江天。

隔舟聽罷琵琶曲，
知是天涯淪落人；
訴盡心中無限苦，
飄零我亦倍傷神。

不羨人間花富貴，
欲從流水覓知音；
有誰識得漁家樂，
好與輕舟話古今。

一天下名山僧佔去，
五湖烟景有誰爭？
他年歸釣湘江上，
欵乃一聲臥月明。

塵封續夢

第十二回：
異域購新居　民脂似水
冷宮傷舊夢　妾命如絲

毛澤東閉着眼，噴兩口烟，猛地起來一拍大腿說道：「就叫做神仙會好了。」

李維漢遲疑道：「這個名字似乎太富詩意了，外人恐怕不會了解。」

毛澤東說道：「很容易了解。一個人想成仙，就要修道，我們共產黨員是已經脫胎換骨的神仙，民主黨派還是凡夫俗子，他們要想成神仙，也要脫胎換骨，神仙會就是要他們成仙的場所，只要肯按照黨的意思苦修勤練，終有一天會成爲神仙的。」

李維漢笑笑，不敢再爭，回去把楊明軒找來，要他負責組織「神仙會」。

楊明軒縐眉道：「這個名字不通啊！」

李維漢笑道：「毛主席定下的名詞，有幾個通的？不過，誰也不敢糾正他，只好由他去了。現在不必討論名詞，只是商量怎樣進行，原則上要民主黨派自行發動，統戰部只能從傍邊協助。」

楊明軒曉得這是命令，不能更改，回去就發動一批民盟盟員組成座談會，最初並未定名，因爲是兩周一次，暫名爲雙周座談會；談了幾次之後，「人民日報」特發表評論，予以表揚，認爲這是民主黨派成員改造思想的最佳方式，消息傳出，所有各民主黨派皆自己組織座談會，非常熱鬧，此時統戰部才出頭加以混合編排，並說出毛主席賜名爲「神仙會」。大家聽了啼笑皆非，但是誰也不敢提出異議，神仙會的名字從此就確定下來。

神仙會正式展開全面活動之後，所有在北平城內的民主黨派成員，不問地位高低，年齡老少，一律要參加，分組討論。

其中年齡最長的幾人，如沈鈞儒、黃炎培、陳叔通、馬叙倫也都被拉出來開神仙會。

沈鈞儒自從一九五七年大鳴大放，幸而漏網之後，看見中共對待章伯鈞、羅隆基、章乃器等人如此的無情，當時嚇破了胆。後來共產黨又逼他們自動「向黨交心」，扛着旗在北平城內遊行一周，然後到天安門去開交心大會，當時沈鈞儒被推爲領隊，扛着一個大旗，行了一條東西長安街，八十多歲的人，既驚又累，多少還加着一分羞恥，回到家中就病倒了。

沈鈞儒一病就未能再起床，不過，他也明白：共產黨絕不養活閒人，雖然患病在床，床頭上還擺着了一套毛澤東選集，遇到民主黨派成員來探病，沈鈞儒就問道：「學習毛澤東思想沒有？這是我們民主黨派改造自己的不二法門，我雖然年紀這麼大了，還是不斷學習，將來死了也要把這幾本書陪葬，到了陰間還要學習毛主席的思想，以保衛自己。」

大家看他一本正經的講，又不敢笑，只好一本正經的點頭稱是。

遇到共產黨員來探病，沈鈞儒就說：「我的病很重，所以能戰勝病魔，得保殘生，完全靠了毛主席的思想武裝了自己，無論牛頭馬面，小鬼小判都不敢走近我。」

（三一二）

冒險犯難記

鄭文儀

十三、軍醫院中貧病交迫

我在韶關時候曾患過痢疾和瘧疾，病未徹底治好，十月初便回到黃埔。因爲學校要編練革命軍，第一期要提前畢業，原定一年的教育計劃，要縮短到半年，也就是說要提前在十三年底前畢業，所以操課趕得很緊。特別是我們第一隊，因爲去韶關侍衞大元帥，花去了一個多月的時間，教育雖未停頓，但進度上就不免落後其他各隊，所以要更加緊教育及訓練。到十月下旬，我又病了，首先是瘧疾復發，時冷時熱，支持不下去；學校准我進入軍醫院去療養，醫了一個星期，不僅瘧疾未好，而且又轉了痢疾，一病纏綿，幾乎送了性命。

軍醫院中的設備雖不很壞，但是飲食方面一天祇有四毛毫洋，（學校伙食兩角一天，醫院加倍，四角一天）特別營養是談不到的。我病了很久，體質早已衰弱，痢疾一轉，就更加瘦弱了。我這時身無一文，又乏親友可告貸，學校方面一向都是經費困難，我也不便申請借錢或特別補助，貧病交迫的困苦，眞是無以復加。

醫院規定的衣服和毯子被服是很單薄的，發瘧疾冷的時候，是需要被蓋很厚的，但病人很多，不能因我一個人的需要而增加，所以住院最初一個星期，既感到飢餓的痛苦，又感到寒冷的痛苦。後來幸喜有一位護士小姐，她是廣東人，家裏還過得去，她看到我貧病交加，瘦弱不堪的狀態，似乎爲同情心與憐憫心所驅使，她將她私人用的毛毯借我一條，每天無論她值班或不值班的時候，總要來看我三、四次，噓寒問暖，有時也和我聊天，藉以減少我的痛苦或寂寞，同時她還買了些東西，如雞蛋牛奶之類送我，每個星期還給我弄兩次菜吃，藉以增進我的營養和對疾病的抵抗力。一個人在最困難的時候，特別是貧病交迫之際，有人援之以手，給予同情及愛護，在精神上是一種最大鼓勵和安慰。這是我意想不到的一種救助。因爲當我入院初期，固然每天都有隊上的官長及同學來看我，可是到了十月底，因爲學校準備去離校較遠的地方，舉行野營及大演習，他們都忙得很，實在沒有時間來看我，當然更談不上物質上的援助了。

我在發高燒及痢疾下得最厲害的幾天，眞是痛苦萬分，幾乎不想或不能繼續活下去了。我自信精神意志都很堅强，但當時確實已感到難能支撑下去。（二一）

倨與恭

漁翁

倨，傲慢而不遜情也。禮：「遊毋倨」。鹽鐵論：「倨強倨傲，自稱老夫」。恭，謂敬之發於外者。書：「貌曰恭」。說苑：「魯有恭士，名曰機氾，行年七十，其恭益甚」。世之人，泰半具有一副勢力眼，見富豪權貴者，羡慕恭維，惟恐攀援之莫及，若遇寒畯之士，揶揄之，而不放眼下。此古人所謂人情冷暖，世態炎涼者也。

有明一代，以三元入相者，僅商輅一人，及告老還鄉，微服出遊，見有富翁爲子徵聘蒙童師，商好奇心動，乃更姓名以應之。入其室，見其子幼而顯異，遂館其家，主人以其寒酸，不甚重視。一日，主人母壽宴客，滿座賓朋，非富則貴，商亦獲參加。排席時，主人一一請客上坐，衆賓謙讓；請至商前，即不遜而居首席。主人不悅，衆嗤其陋，且冷笑之。商曰：「我平生居上坐者多次」。客問之，則曰：「領鄉荐時，赴『鹿鳴宴』，爲第一次；成進士赴『瓊林宴』，爲第二次；殿試傳臚之次日，赴『恩榮宴』，爲第三次」。按當時禮制，鹿鳴宴以解元居首坐，瓊林宴以會元首坐，恩榮宴以狀元首坐。衆賓聞之，始知爲連中三元之商輅，均俯首慚悔不已。主人亦惶恐下拜，向其乞恕。在一剎那間，竟前倨而後恭若是，足見世態冷暖炎涼之一斑。

入清，有鄭燮，號板橋，乾隆時，舉進士。善書畫，解官歸，嘗布衣遊山水，而時人不知爲一當代大文學家也。一日，入某寺，寺內老僧，對客至，以上中下三方式欵之：下等人，普通之茶；中等人，特爲泡較好之茶；上等人則泡好茶。見鄭衣冠如遊學乞助者然，僅呼「坐」、「茶」兩字。寒暄後，知鄭能詩書，乃曰：「請坐」，「泡茶」。遂以中等人欵之。後經人介爲鄭板橋，連忙起立曰：「請上坐」，并呼「泡好茶」！殷勤備至焉。僧以鄭工書，求一聯，以光寺壁，鄭即以僧之欵客方式而應之：「坐，請坐，請上坐；茶，泡茶，泡好茶。」該僧見之，雖面紅耳赤，而愛板橋之名與書法，亦謹散拜受，如獲至寶。

清末湖南有王闓運者，字壬秋，雖一介舉人，而聲名較入翰苑者爲尤噪。家居湖南之湘潭。一日，以布衣出遊，至離城六十里之石塘村，適有王姓婦於十一月十一日作古稀壽，乃向主人乞紅紙，書一聯以賀之，始書上聯：「聞王母生辰，十一月，十一日」；衆賓以其對主人開玩笑，均不予以重視。待續下聯：「祝孺人壽誕，八千春，八千秋」。衆乃愕然！請署名，一見王壬秋三字，主人與衆賓，認爲『失禮』，即延之上座！至今猶傳爲佳話。

上面所寫，均先倨而後恭，且在數分鐘時間，而有兩副眼睛瞧人。無怪乎莊子所說：「夫子猶有傲之容也」。時至今日，無論國際與個人，皆重現實主義，不問其侵略者，殘暴者，畏其聲勢與威力，恭維之不暇；而對被奴役者，反倨傲之，蔑視之。是非顛倒，恭倨失體。世風如此，可慨也夫！

徐永昌將軍的學養功業

吳文蔚

近百年來，在中國的歷史上，可以稱爲大將的人物，我以爲，徐永昌將軍是當之無媿的一個。克勞塞維茲在他所著「大戰學理」一書中，對於一個大將人物下的定義說：

大將，非徒以階級而言，大將人物係由有養於內而形於外的儀態，有偉大的氣度，有過人的胆識，有識微見遠的胸懷，和至大至剛的武德與常住心，夫是謂之大將。

福煦、霞飛、興登堡、毛奇等大將，都有這種典型。而徐永昌將軍，也是具有這個條件的一個人。徐將軍尤其與毛奇相似之處頗多，所以筆者又稱他爲東方的毛奇將軍！所不同者，毛奇將軍係終於普法戰爭勝利之後，而徐永昌將軍則終於我人與共產主義戰爭——收復大陸的反攻勝利之前；其時間雖有不同，然其對國家和對歷史的偉大貢獻則一也。

徐永昌將軍是山西縣崞人，以後遷居大同。幼失怙恃，孤零無依，清光緒二十六年八國聯軍入北京，西后挾光緒帝西奔，武衞左軍護蹕過大同；某營書記官徐椿齡見而憫憐，遂携入營，隨軍歷晉、陝、豫、冀，數省。逐山涉水，步行數千里。衣污自濯，曝之石上，待乾而著之。鞋破無可換，裸足而行，荆棘刺人，負痛前進，血流如注，肘脚盡赤。這是他幼年的生涯，境遇是非常的坎坷！

但徐將軍秉志堅毅，一切均本「求己精神」，而銘其齋曰「求己齋」，躬行實踐，以此自勵。他在軍中克苦自修，乃奠定其國學基礎。以後入了隨營學堂，再而將校講習所，而陸軍大學，每試均冠羣曹。

當時清政不綱，徐將軍時與同志謀革命。武昌起義師興，山西聞聲響應，清廷調徐將軍赴大同「平亂」，徐將軍婉辭拒往。民國肇始，袁世凱倡議帝制，徐將軍痛袁逆謀，毅然赴滬，參加討袁運動。擬入浙，過嘉興，聞浙獨立，復往膠東，參與吳大洲的起義民軍。後袁憂憤死，徐將軍亦還京，繼續其陸大學業。

民國六年初，張勳復辟，率三千辮子兵突入京。徐將軍嗤其爲兒戲，乃赴保定，說孫岳促曹錕派輕騎入京擒勳；曹觀望不決，遂轉赴津晤續西峯，展轉識馮玉祥，張錫元等，促急進京。錫元率部於次日晨抵京朝陽門，爲王士珍勸阻，事雖無功，然徐將軍愛國之誠，於此灼然可見。（上）

我的社會生活

雷渤華

迨國民大會首次開幕後，爲着副總統的選舉問題，掀起莫大風波，致使親痛仇快。立法委員繼續集會時，國民黨員與三民主義青年團員們，依然嘴距矜張，不相爲謀，內部的小組織林立，彼此暗鬥不歇，亦不受領袖的指揮，而以民主政治相標榜，對於憲政開始的第一任行政院長人選，即用假投票方法，予以否決了。隨着又有被遣散的國軍軍官們，跑到中山陵去表演哭陵鬧劇，共產黨人乃大爲喜樂，極盡煽惑挑撥之能事。當時我在漢口，曾看到共黨對我政府設置的「軍官總隊」散發傳單，內有「不要吵，不要鬧，老×不要，老毛要。武漢領川資，延安來報到。」等語，不禁愁然憂之。然而我既不能在報紙寫文章評述這類事情，又無資格向當道進言，唯有悶在心裏乾着急而已！

自從美國總統特使馬歇爾在我國調解國共之爭失敗，於民國卅六年底憤然回國担任國務長官後，立即改變對華政策，停止軍經援助，即我國斥資在美購買的軍需品亦禁止出口。我們首先就受到經濟上的威脅，因而不得不改革幣制，發行金圓券，希望自力更生，渡過難關。當金圓券問世之始，（卅七年春間），物價并未波動，人心亦安定，當時我往在南京中山東路「和平日報」發行部樓上，看一次電影，祇花四角錢就買得樓座了。現時國人每以政府發行金圓券爲淪陷大陸的重要因素，對當年主持度支的財務行政首長，申申而詈，殊非持平之論。大局崩潰的主因還是軍事不利，如果徐蚌會戰成功，金圓券的信用決不會發生問題的。

迨民國卅七年冬，國軍在碾莊敗績，主帥黃伯韜死之，又繼以黃維兵團之覆沒，人心大震，社會秩序動盪，物價隨之騰踊，潛伏在京滬一帶的共黨地工人員，遂起活動，而以破壞金融爲急務。南京市面上，入夜即遍聞買賣銀元之聲，治安機關亦不過問，金圓券價值乃一落千丈了。一夕深更時分，我在睡夢中，驚聞新街口地段槍聲大作，急起探詢究竟，原來是軍警爲保護一班農民銀行擠購黃金的黃牛羣，而互相衝突也。蓋此時政府規定，每日每人可用金圓券向國家銀行購黃金一兩，許多人乃僱用黃牛，於黎明之前走到銀行門口鵠候着，以便開門時搶先進去，搶購出來片刻，再又混進去續購，可以循環數次。黃牛既多，即發生爭奪前後位置的糾紛，而軍警各有所爲，對這大批黃牛作左右袒，於是乎槍聲起矣！再瞧着跟我一起住在和平日報發行部的本報採組記者五人，整夜不睡，出入活動頻繁，行迹詭秘，而其言論態度亦丕變了。我認定他們都是些潛伏的共諜，殊屬危險。恰好黃少谷兄遷任中央宣傳部長，解除了和平日報社長職務，我亦同時告退，先把眷屬送到重慶岳家，個人留在南京觀變。（五七）

諸葛亮逸話

吉庭

聯孫拒曹，爲孔明出茅廬後之一貫主張，與吳合兵破曹於赤壁，得佔據東吳之荊州，遲不交還，周瑜向孫權獻計，以妹許劉備，利用招親，誘至東吳而陷害之，以除心腹大患。可是此計，不能瞞足智多謀之諸葛亮。玄德以身入虎穴，凶多吉少，躊躇未決；亮敦促之，命趙雲隨行，備錦囊三，囑抵吳都即開第一錦囊，三月後開第二錦囊，必要時，再開第三錦囊，保證欣然而去，安然而歸，毋猶豫爲。

抵吳時，開第一錦囊：「命趙雲大事宣傳兩國招親，使朝野咸知，以揭破周瑜之秘密。」因此，弄假成眞，而有甘露寺訂婚成親之舉。婚後，劉備樂不思蜀，三月後，開第二錦囊：「假稱曹操領兵百萬，向荊州進攻，請主速歸」。於是偕孫夫人黉夜奔歸，中途爲吳之巡邏隊所阻，同時周瑜又命水陸兩軍，分道趕追，正危急間，開第三錦囊，內有「追兵急，智激夫人」七字！玄德明其意，即拔劍作自刎狀，夫人止之，力爲掩護，乃得脫險。而雲長，翼德，已率隊迎駕，並擊敗東吳之水陸軍，安返荊州。三軍在興高彩烈中，高呼「周郎妙計安天下，賠了夫人又折兵」，使周瑜爲之氣結。而錦囊內之妙計，乃諸葛先見之明也。

又周瑜以劉備據荊州不退，柬邀宴飲於黃鶴樓而困之。備不欲去，孔明已獲得周瑜之令旗，等於今之護照通行證，持此可履險如夷，乃以一囊予之，敦促赴約，并囑趙雲隨行，以雲一身是膽，可以壯行色也。結果，在宴會中，果廹備退荊州，非有命令，不准下樓，卒得囊內之令旗而平安渡江；周瑜追至江干，乃有「既生瑜，何生亮」之感歎！此爲三氣周瑜之一。

孔明一生謹愼，爲魏吳各國所深悉，但在西城被困時，用空城計，在城樓彈琴，以見司馬軍，表示鎮靜。而司馬懿亦老成持重，知孔明決不蹈此險事，竟不入城而退，此亦孔明之大智也。

上述劉備招親，黃鶴樓飲宴，空城計，載在三國演義，復編爲劇本，以孔明爲主角，爲世人所百觀而不厭，即婦人孺子，亦知孔明之妙算如神。在科學未昌明以前之中古時代，亮竟能觀氣象，借東，而破曹軍，允爲難能可貴之事。三國志演義，對這些情節繪影繪形，極描寫之能事。（三）

內僑務台報字第〇三號內銷證

自由報

THE FREE NEWS

第四四九期

中華民國僑務委員會辦發
台教聯字第三二三號登記證
中華郵政台字第一二八二號執照
登記為第一類新聞紙類
（本週刊每星期三、六出版）
每份港幣壹角
台灣零售價新台幣貳元
社長：雷嘯岑
督印人：黃行驚
社址：香港銅鑼灣高士威道二十號四樓
20 CAUSEWAY RD 3RD FL HONG KONG
TEL. 771726　電報掛號：7191
承印者：田風印刷廠
地址：香港灣仔高士打道二二一號
台灣分社
台北市西寧南路壹壹壹號二樓
電話：三〇三四六
台郵撥儲金戶九二五二

監察權與司法權

·陸嘯釗·

憲法權限之爭，在歐美的憲政史上，不乏其先例，而我們這部年輕的憲法，雖非絕無，卻是少見。這次由陶黃兩位監察委員彈劾四推事案引起的重大爭執中，問題的所在，就是監察權和司法權，好像有點混淆不清，陳廖兩推事指責的「第四審」和「太上法官」兩個名詞，恐怕也由此而來。

就雙方職權的行使上，現行法律的規定，並非毫無瑕疵，譬如說，公務人員違法失職，可以成爲監察權彈劾或糾舉的對象，而刑法第四章的瀆職罪，及其他法規有關公務人員犯罪的規定，又爲司法機關論刑處罪的職權範疇，類似如此的共通性，使監察權與司法權之間，不能樹立一條很明確的界限。

按照一般公務人員負責的型態來講，可以歸納成三類：一是民事責任，二是刑事責任，三是懲戒處分。司法官爲公務人員之一種，如有違法失職、侵害人民權益之情事，當然不能例外地，應該負民事損害賠償的責任，和接受刑事或懲戒的處分。祇不過民刑責任的確定，應經司法程序，而懲戒處分，則大部份屬於監察程序。除了總統副總統的彈劾案，應由國民大會裁判外，一般公務人員的彈劾案，包括司法官在內，審議彈劾案的權力，仍屬於司法系統的公務員懲戒委員會。

這種制度，不僅和中國過去的御史大夫，按察司，兼具巡迴裁判的性質，有所不同，就是與西洋的議會彈劾精神，根本上亦有所差別。監察院舉劾按章，雖有糾察之任，可是實際上既不能「推鞫獄訟」，又不能「審錄罪囚」，「辯明冤枉，覆核刑名」，最多祇是居於刑事告發人的地位而已；失職之認定，決之於懲戒會，違法之裁判，確定於法院，「太上法官」何來？「第四審」何有？

所以，目前的監察制度，如認對法官彈劾，就是侵害到司法權，這種觀點在法理上不能存在。不過，彈劾權的行使，必須慎重，彈劾案的成立，尤其應該取決於法證據，如果僅僅以法律見解各別，而推定其違法失職，不僅難以達到彈劾案的預期效果，進而可能損害監察官署的尊嚴。

監察權與司法權的眞正混淆之處，在於彈劾的對象過於廣泛。根據我國憲法及監察法的規定，上自國家元首，下至一般胥吏，監察院一概可以加以彈劾，這種利用彈劾以監察胥吏，監察院一概可以加以彈劾，這種利用彈劾以監察胥吏的制度，可以說是我國所特有。事實上，我國司法早已獨立，各級法院也普遍設立，公務人員執行職務，處處要受法律的拘束，官吏違法，自有法律制裁。在一個法治國家，一般官吏的違法行爲，應當依循正常的司法程序，予以解決，而不應該節外生枝，重床疊架地讓監察程序參與其間。如果我們認爲司法程序不足以制裁違法官吏，這是司法風氣的根本問題，監察院可就這方面嚴厲監督，不容隕越。

至於總統副總統，以及所有的政務官和各級法官，由於他們的地位特殊，有時難免不利用他們的特殊地位來避免法律的制裁，彈劾制度的根本作用，亦即在此。如果司法制度完備，司法風氣健全、即就彈劾大官而言，亦以備而不用爲宜。

英國自一八〇五年議會彈劾Lord Melville以來，至今一百多年，還沒有彈劾過一人。美國自一七八七年發佈憲法，一直到今天，總共祇彈劾了十三個人，一人爲二院議員W. Blount，一人爲總統A. Johnson一人爲陸軍部長W. W. Belknap其餘十人都是法官；而審判認爲有罪的，祇不過四人。法國在第三共和時代，彈劾權的行使，也僅僅祇有兩次，一次是內政部長L. J. Maluy有通敵嫌疑而彈劾之，一次是財政部長M. R. Peret因對某一銀行破產負有責任而彈劾之。以上實例，都足以證明，彈劾制度在歐美各國，幾乎已經成爲告朔之餼羊。我國監察制度，可以察及一切官吏，本欲重其權，反而輕其任，實在是一個很大缺點。

另外值得一提的，就是監察權的調查權，似乎與司法機關檢察官的職權，有點混同。依照監察第五章的規定，監察院爲行使監察職權，可以持監察證或調查證，調查檔案，册籍及其他有關文件，並詢問關係人員和作成筆錄。這和檢察官進行偵查，搜集保全證據的若干措施，極爲類似。這種職權不分的現象，很容易發生功則相爭，過則互諉的後果。

而按照實際情形觀察，凡是監察委員認爲公務人員違法行爲有所處理時，檢察官亦可依職權進行偵查，這一種分頭調查的情形，是否有其必要？設或雙方調查的結果，不能獲得一致的結論時，何去何從，取捨之間又何能避免爭執？

筆者認爲監察院一切違法案件，如果牽涉到司法性質，而又爲司法機關力所能及的話，監察院最好不必涉及，因爲關於案件的調查和證據的搜集，在方法上，監察委員絕對比不上檢察官細緻精密，而負責調查機構的組織，監察院也不若法院檢察處具有規模，指揮有關機關（諸如警察局，憲兵隊，調查局）監察委員也不能跟檢察官那樣運用靈活。像這一方面的工作，監察院應該交給檢察處去做，如果顧慮檢察官故意出入人罪，監察院可以彈劾檢察官失職。這樣的做法非但可以維持司法權完整的效果，也不致讓監察院流於一個「總檢察廳」的地位。

彈劾乃以濟司法之窮，能使司法窮於制裁的，祇有政務官和法官，因此，監察院辦的應該是老虎而不是蒼蠅。蒼蠅之微，小小檢察官已足應付，用不着勞動監察院的大駕。殺雞焉用牛刀，牛刀用多了，那把殺雞刀擱在一邊，可要長銹了。

至於我國監察法規定，以彈劾爲一切懲戒之前提程序，尤其不通。有任官權者，必有罷官權，屬僚失職，主管長官，不能懲戒，又何能指揮監督屬僚？目前的懲戒程序，非但不能獲得懲戒的實效，反而使一般胥吏多一重保障，政風之疲弊，這是一個重要原因。

我們希望司法風氣振作，這是國家的根本問題，彈劾案多，適足以證明司法風氣的敗壞。司法權完整，要靠司法機關自己去維持；自己不爭氣，也難怪別人要出頭了。

可憐的寮國

尼赫魯的遺著——騎牆主義

今日與明日

尼赫魯之死

印總理尼赫魯在病體纏綿半年後，終於死去。也許不太出世人的意料，但是却絕對出於他自己的意料，因爲他直到嚥氣時刻，尚不肯放棄權力，從未指定一名繼承人，所以他一旦死去，印度國大黨馬上陷於群龍無首境地，根本找不出一個允孚眾望的領袖，即使勉強選出一位總理，政局也不能安定，將陷於長期混亂之境。尼赫魯的權力中毒，不但生前有害世界，死後也遺害印度。

早死十年天有眼

尼赫魯假若能在一九五四年死去，雖然他創的中立主義也漸行其道，但是無論如何第一次在萬隆開的亞非會議將不會出現，毛共決不會輕易滲進亞非集團，世界上也不會出現了這樣一個邪惡的中間偏左政治團體，相信以後世界上許多大事都不會發生，如一九五六年的英法與埃及之戰，今日的印尼與馬來西亞之爭，柬埔寨的四處放火行動，甚至巴基斯坦同尼泊爾的由反共轉而親共，都是尼赫魯一手造成，相信他能早死十年，世界上要省了無數的是非。假若世界上根本沒有一個尼赫魯，自由世界也不致陷於今天的窘境。

應劫的人

從佛家學說來談，世間有許多大奸大惡的人，都是從地獄放出來應劫的，一日罪惡作完，馬上又要回返地獄。這種人決不能作好事，略微有一段悔禍之意，馬上就要死去。尼赫魯就是這種人。

尼赫魯在自由世界興風作浪，爲非作歹十七年，把無數的反共國家拉攏中立，又把許多中立國家變成親共，自有共產黨以來，也從未有任何一個共產黨員會在國際統戰上有尼赫魯這麼大的「成就」。可是，就在毛共由西藏出兵，一舉解決印度一個整旅，挺進了幾百里路，尼赫魯在印度人民逼迫下，不得不向現實低頭，由媚毛共改爲反毛共（不反蘇共），尤其是不久又要召開的二次亞非會議，這次會議勢必要爲毛共操縱，唯一能與毛共抗衡，使會議不至太走入歧途的人，舉世都寄望於尼赫魯，他偏偏不死在十年前，也不死在一年後，而硬在可以爲世界出點力，以贖畢生罪愆時，竟在此時死去！像這種一生專門作壞事而不能作好事的人，就是到世間應劫的。或者有人說，尼赫魯已經死了，何必再罵他？不知道秦檜已死了八百多年，還是照樣挨罵，毛澤東死後一千年，也還是有人罵的。

自由談

名字與人生的影响

有個台省籍的高中女學生，自幼由父母給她命名爲「伴睡」。當她在小學和初中讀書時，尚無所謂，迨入高中後，年已及笄，而一些男同學常常用她的名字對她開頑笑。她深感名字之累人不淺，曾向省級民政官署申請更名，荷蒙認許，然其所屬縣府不同意，迄今猶未解決云。

孔子主張一切事情必須正名，確有至理存焉。一個人的名字原係一種符號而已，自己愛用甚末字樣亦不應該發生問題的。可是，由於習慣和觀念之互異，名字往往產生意想不到的利害影響。台省人士的名字有許多很別緻，「如刀」、「兵」、「水」、「火」」以及「土」、「花」、「媽」、「姥」」這類字皆可命名，這在咱們生長中原大陸上的人看來，就覺得奇怪了。至於以「伴睡」爲女兒家的名字，望文生義，更容易引起無謂的笑柄，希望該管的父母官，勿拘泥於繁複坑人的法令手續，及早予以更改爲是。

談到名字與人生的影响，更有甚於此者。據近人筆記：滿清光緒年間，某次舉行「都堂之試」（即俗稱進士科第）有「王國鈞」其人的文章很好，主考官擬定爲一甲第一名（狀元），先把前十名的試卷進呈皇上御覽，然後新開彌縫，查看姓名籍貫。當時慈禧太后見着王氏的姓名，就說「這名字多麼難聽呀！」（王國鈞與亡國君三字同音也。）於是乎，王氏乃被降入二甲去了。又梁士詒在光緒年間應中樞「經濟特科」考試，首場放榜，名列第一。有人造作蜚語，密達於慈禧太后——今之所謂小報告也——說梁氏的名字是集「梁啓超」、「康祖詒」（有爲）首尾，其品類可知矣。慈禧太后是最恨康梁的，士詒因此不敢再入闈復試了。在以科甲爲政治上唯一飛黃騰達之捷徑的時代，王梁二氏可說是受到了名字之禍害，有冤無從申訴呵！

因之之故，名字雖屬小道，却不可不慎之於始。像區區這種筆名，若取作正式名字，管教我出外沿門乞討，亦不會有人理睬的。如今，僅止於筆名，亦常被政治上的大人先生們視爲異端怪物，良有以也。粵稽中華民國開國以來的總統先生，自國父以次，直至今總統蔣公與副座陳公，他們的名字都是堂皇正大，望之巍巍然。事證昭彰，誰能否認名字與人生的前程沒有關係，而不佩服孔夫子所倡「正名」的卓識嗎？

有所謂人事政策三構想
高玉樹走馬上新任
傳將酬庸助選功臣

（本報台北航訊）新當選台北市長的高玉樹，六月二日即將走馬上任，對於未來市政府人事，他這幾天正在作着縝密的安排，對外保持高度的機密。

據本報記者獲得消息，此次市長競選時，出馬配合高玉樹「陪選」、為高玉樹爭得幾百個投開票所監察員的李建生，將獲得高玉樹的重用，出任市府要職，追隨高玉樹左右，參預機要。李建生台大畢業，學的又是政治本行，在任用資格上，想是不成問題的。

台北市府官員，分為政務官與事務官兩種類別。事務官受到銓敘資格的限制。政務官則無此種限制。高玉樹的親信幹部及助選功臣中，許多人都缺乏銓敘資格，故祇能在政務官中設法安插。市政府各機構主管不受資格限制的，有煤氣公司，市民住宅興建委員會，中央蔬菜市場，魚市場等單位。高玉樹的一批助選功臣、得力幹部如李賜卿、陳益勝等的未來出路，勢必離不開這些地方。

陳光華出任市政府財務秘書，據說已經是內定了的事。

教育局長林清輝本來是高玉樹的人，但在這次周百鍊與高玉樹的競爭中，出力幫周百鍊的忙幫得被認為「有些過火」，頗引起高玉樹方面人士的不滿，據有的人透露：林清輝大有被撤換可能。

至於高玉樹的全盤人選，要待他在台中省政府參加講習後回來才能確定。高玉樹的親信幹部某告訴記者，高玉樹十九日從台中回來，二十日將召集智囊會議，具體商將來市政府的人事問題。

高玉樹對於台北市府的人事政策，據說有三個構想：上策是希望能得到較大的用人權，政策性的官員，多用他自己身邊的人員充任，藉收臂指靈活配合之效。事務性的官員，儘量在市府原有人員中調用。不過，這一構想落空的可能很大，比如市政府的主任秘書一職，依向例，總是由省府派員充任的。

高玉樹的第二個構想，是政策性的官員他希望有部份的任用權，亦即是希望他推薦的人員能得上級政府的採納。這看來倒不會有多大問題。

據高玉樹的親信幹部透露：高玉樹有一個決定了的用人原則，就是要儘量起用新人，量才適用，未來的人事安排，可能有一個使人一新耳目的局面出現。據說這就是他的第三個構想了。（吳越五月十八日寄）

香港與大陸

毛共精神奴役把戲
一波未過一波又起
目前正攪「工作做到家」

中共在華南地區，又動員其基層幹部加强壓迫農民，厲行各種「政治運動」，而美其名為「工作做到家」。幷宣稱此等運動為「組織生產高潮的好辦法」和「好經驗」。

曾回惠陽探親甫返抵港的何××告訴本報記者：在惠陽一帶地區，中共幹部又加强其活動，經常走到農民家裏進行「工作」和「訪問」，藉以「幫助農民完成任務」。

何××說：中共派共幹到農民家裏去「訪問」、「幫助」也者，其實祇是表面說得好聽的幌子，目的乃是藉此加强對農民的管制。例如惠陽縣各「公社」，不久前曾掀起所謂「比、學、趕、幫。」的運動，而中共却利用這種所謂「工作做到家」的辦法，派他們的幹部親身去接近每一個農民，去「幫助」他（她）們舉行家庭會議，或聯家會議，「指導」擬訂自己的行動計劃，並且傳達「國家」，公社，大隊、生產小隊要每個農民完成的數字，以便根據此等數字去計劃，去「超額」完成。

何××說：中共已經把這種「工作做到家」稱之為「好經驗」和「組織生產高潮的好辦法」了。所以，凡是任何一種運動到來時，中共均採用之。例如，最近惠陽縣又會普遍實行一種節育運動，中共也同樣派出其基礎幹部，去向農民們「指導」，包括向婦女們推銷避孕用具和墮胎的方法便是。

何××說：中共之所以稱之為「好經驗」和「組織生產高潮的好辦法」，原因是中共利用它的幹部到農民家裏直接傳達命令之時，若遇有反對或不能完全與共幹「合作」者，便日以繼夜地輪流「到家」訪問，纏住農民，向農民進行所謂社會主義、愛國主義和集體主義之教育，一直教育到農民「願意改變過來」，保證完成中共規定的一切任務為止。

另據一位亦是曾回鄉探親甫返抵港的李師奶透露：在華南地區，中共最近正大搞其「青年之家」、「農村俱樂部」等宣傳陣地，這等「陣地」是完全由當地「共青團」組織的，且在此等「陣地」屬下，有更多的紅色圖書館、業餘劇團、青年學生小組、歌舞團：……等出現，「要求」每一個農村青年，都定時到「陣地」參加「學習」，諸如聽「老革命者」的說教、參觀「階級教育」覽展會、集體閱讀「革命書籍」，唱「革命歌」、「演革命戲」……等等。

李師奶說：大陸的青年實在太可憐了！他（她）們不單勞力受到無盡的剝削，勞動之餘，更還要受中共的赤色思想奴役，一波接一波，一浪過去又是一浪，鬧得你昏天黑地，永無寧靜之日，永無休息之日。（敬斯）

台灣論壇

無黨無派
——台灣地方政治之三
陸嘯劍

「君子羣而不黨」，這個古老的政治哲學，似乎深植在台灣人民的心理，結果明明是有黨有派，也要打起無黨無派，社會賢達的旗幟，正像北平的「王麻子」，杭州的「張小泉」一樣，誰也搞不清楚，那一個才是真正的膏藥老舖，剪刀世家。

其實民主政治就是政黨政治，光光憑一個人的力量，要想在地方政治上，出人頭地，贏得選民的支持，實行自己的政見，真是談何容易。明白這個道理，就知道所謂「無黨無派」也者，祇不過是一個騙人的幌子罷了。

台灣合法政黨祇有三個，國民黨以其為中央執政黨的力量，在地方政治不僅站在指導的地位，也是站在競爭的一面，如果不擇手段，全力以赴，老實講，足可囊括全部的選票；這一二年來的選舉，國民黨一伙比一伙打得漂亮，選舉不僅做到了公平，也做到了公信。至於其他兩個在野政黨，民社黨和青年黨，由於內部分裂，力量一天比一天薄弱，在地方選舉上，很少堂堂正正地抗出它的旗幟來打過一場硬仗。明明籍屬於這兩黨的候選人，也改頭換面地，以無黨無派的身份出現。身為民社黨籍的台北市長當選人高玉樹，就是一個顯著的例子。

所以實在來講，台灣的地方政治，還是依循着政黨政治的常規，在各個地方的選舉來講，超黨派的派系代替了政黨。就像台中縣的陳林兩派，陳水潭和林鶴年都是國民黨員，國民黨提名了林派的林鶴年，陳派的黨外人士楊基振就披陣上馬；國民黨提名了陳派的何金生，林派的黨外人士王地就率軍出征；國民黨宣佈自由競選，陳林兩派的主將就都出來臨陣交鋒了。有在朝在野之爭，無黨內黨外之別。所以徐復觀先生以本屆選舉得失，為國民黨憂慮，實在有點不太懂台灣地方政治的行情。而在整個地方選舉來講，部份的青年黨，民社黨，「有派無黨」却匯合成一個「無黨無派」的新朋黨，來集體對抗競選的國民黨。就拿這一次台北市長選舉來講，國民黨提名考慮了張祥傳，盧啓華，王成章，最後決定了周百鍊，「無黨無派」方面，同樣也考慮了郭雨新，李秋遠，最後決定了高玉樹，在縣市長整個選舉過程中，高雄市的郭國基跑到屏東，桃園，台北，替這三個地方的「無黨無派」助選，台北市的宋霖康跑到台中市替國民黨開除的「無黨無派」蔡志昌助選。這種情形，充分顯示出「無黨無派」實在是一個名不符實的畸形產品。可是這種畸形產品，却促使台灣地方政治向民主政治的理想又邁進了一步。

兩黨政治的理想，是有一個强大的反對黨出現，台灣地方政治實施的過程中，却很自然地孕育了這顆種子。

台灣省主計業務的一大革新
本報台灣中部記者熊徵宇

在我們中國推行了卅三年的主計制度，對於健全財務行政與加强行政管理以及澄清吏治的功用上，確實收到了相當的效果，成為現代政治追求經濟與有效的主要工具。

這制度所提供的貢獻，增進了立法與監察機關乃至一般人民對行政部門的信任。

但是，在民主與法治的基本規模上，政府的功能日益擴大；尤其是以經濟發展為施政重點的台灣省府，要求改進財務工作，就必需加强主計制度以求配合，才可以使本身並無目的的主計制度發揮行政管理的作用效能。

建立績效的比較

台灣省政府，針對這一實質上的需要，三年前就着手於「績效預算」的推行，使這一制度在財務收支的計劃上勾出未來時期施政工作的實際模式，賦予各業務主管財務上的責任，使所管理的工作「績效」建立比較的基礎。

可是因為多種因素與主計制度上傳統的觀念一時無法擺脫，所以這個一九四九年由美國胡佛委員會建議聯邦政府採行的一種預算制度，在施政的重點上只採取了部份的推行，而沒有達成全面，所以在「成就與效果」上也就不夠普遍，在具體預算與計劃配合的方法上就不能發揮最高的效率。

劉紹志的決心

一直担任主計政策的省主計處長劉紹志，在各種的構想與策劃中，提出了台灣全省各機關全面施實「績效預算」的政策。同時命令全省各縣市政府的主計人員在五月五日以前依法產生業務上的預算，並規定於同月十五日以前送達各縣市議會審議，使各縣市政府實施的計劃形態預算，逐漸完成實施績效預算的準備工作。各縣市的主計單位如期完了這一使命，都在五月十五日以前，把新預算送到各縣市議會去了。

這是自經本省光復以來主計工作的一大革新，對於經費的使用，必然能發揮最大的功能。而各縣市主計人員能在財源艱絀，支出很多的情況之下，較之往年提前六個月以上的時間，完成地方總預算的籌備，實在是一件很不容易而值得稱道的事。

劉處長親赴各縣市督導策劃當然也是發揮功效的因素。

預算提早了半年

省主計處要求全省二十二縣市局，把五十四年度的地方總預算，在五月十五日以前送到各縣市議會審議，乃是依照地方自治綱要第十六條的規定。

劉紹志處長對記者表示：自從本省實施地方自治以來，各縣市的總預算案，因為財源的艱絀而支出需要很多，所以籌備困難，而同時因為各縣市議會審議延期等等因素所影響，所以除極少數的一兩個縣市外，絕大多數總是無法如期編成送審，多半要在年度開始後的幾個月才能公佈執行。

這不但違背了法令的規定，使預算失去作用，而且紊亂財務收支的程序，尤其影響地方自治的順利推行。

他說：「所以我們參照全省主計工作檢討會的一致決議，依法如期完成預算。」

具有原則的彈性

五十四年度地方總預算內容，根據各縣市五十三年度的法定預算分析：用人費約歲出總額百分之四十七，教育經費支出，已超過了憲法規定標準，高達百分之三十八以上。這兩項加起來是百分之八十五。這是固定性的經費，無法變動。

其餘的百分之十五的分配額當中，有一部份也是固定性的經費，其餘可以變動的業務費百分比是很少的。

所以各縣市若果要求舉辦更多的新興事業，就得等籌到財源後另辦追加預算。而對於業務費部份預算有修改意見，也可以等預算成立以後看實際情形依法定程序辦理變更或追加減預算手續。

這種預算的成立，是具有原則上的彈性的，對於財務上的收支程序，實在可以發揮很大的作用。

各縣市政府所實施的計劃預算的形態，在這「革新性」的開始之下，自然也就逐漸地走上「績效預算」的制度。對於改進財務工作與行政管理的效能上，必定能提高以發展經濟為施政重點的貢獻。

基隆旅居記
仲公

包先遣人來營報大捷；明震迎於營門外，獎勞士卒。詢前敵戰守情形，則言已獲大捷，各軍均撤回。明震大駭，詰以奉何人令撤兵，包瞠目不能答。明震怒，以電稟維帥：「如今夜瑞芳失守，非斬[illegible]姓」。且密電：「基隆四面[illegible]七人，各不相下，無所係屬，[illegible]自駐獅球嶺調度。」時已四更，[illegible]華避不敢見。吳初來訴包攘功，[illegible]詰責包，自衞，旋派隊赴前[illegible]符，以「大捷」，斬首無算[illegible]矣。

是夜，我軍土勇[illegible]瑞芳、三貂嶺竟棄不守，[illegible]四更，日軍已冒雨登嶺。夜[illegible]稟維帥，分三路進攻，一[illegible]龍潭埔、瑞芳、過九莒橋、小粗坑，[illegible]三貂嶺，為正兵；一路由海邊社寮砲台至八斗、庚子寮、九份山，直抵澳底，截其歸路；一路由暖暖街至吳珠埕，繞出三貂嶺之左，為奇兵。又密稟各路宜專責一人，免致互相爭功諉罪。（四七）

清了錢債・未還血債

江素

這幾天來，赤色份子和尾巴報，正在爲毛共即將成爲「無債國」而搖旗吶喊！把陳毅在五月十三日與蘇俄簽訂「一九六四年貨物交換議定書」時所聲言：將一九六五年底應淸還蘇俄的債欵，提前於本年年底還淸一事，吹成爲無上「光榮」而「自豪」！

這種企圖把强盜扮成秀才，掛起「遮蓋布」來說「美麗」的詐騙術，在這光天化日之下，其實是無所遁形的。

在這裏，讓我們擺開事實，看看毛共這「無債國」的本來面目。今年元旦那天，毛共的傳聲筒——人民日報，曾有一篇「乘勝前進」的社論。這篇社論，除露骨的指出在新的一年中，要大張旗鼓地「開展比先進，學先進，趕先進，幫後進的競賽，發揚鼓足幹勁、力爭上游」，而「做到又多又快又好又省」以進行殘酷奴役與掠奪外，並同時吹噓：「由於貫澈執行自力更生、勤儉建國的方針」下，使「我國（毛共）向蘇聯所借的債欵和應付的利息，絕大部分已經還淸……我國（毛共）很快就要成爲既無外債又無內債的國家。」

從這段文字來看，我們不但可以看到蘇俄對毛共的關係，不僅不是「無私援助」的「萬古常春」；而且是，要「乘人之危」而追迫「母利」的大債主！蘇俄的帝國主義面目，已活現紙上。但毛共爲何欠債？如何還債？尤怎會「很快就要成爲既無外債又無內債」的呢？

根據人民日報五月八日所公佈的在毛共給俄共的信件中，二月二十九日那天的覆信，便是不打自招的供詞。覆信這樣寫着：「……蘇聯對中國（毛共）的貸欵，必須指出，其中的最大部份，是我國（毛共）用來從蘇聯購進軍事物資的。這些軍事物資的大部份，以使用和消耗於抗美援朝戰爭之中……中國共產黨人歷來認爲，這是中國人民（毛共的挾用詞）應盡的國際主義義務」云。

這幾句話，已由毛共自己向所有的人們作了供狀：毛共欠下蘇俄的債欵，是因爲一九五零年韓戰之役，毛澤東奉了史達林之命令到韓國屠殺韓國人民時所「使用和消耗」於戰場的「軍事物資」而負下的債。這種債，不是中國人民樂於承担的；更不是中國這個國家的債務；而是毛澤東集團這個共產黨組織與另一共黨組織狼狽爲奸所造成的債。因此，欠債人是毛澤東而不是中國和中國人民。這是我們必須鄭重講明的。若干年來，毛共盜用「中國」和「中國人民」的名詞在國際關係中的一切妄爲，不但爲中國人民所髮指，而同時也已成爲它罪惡的烙印。

這種罪惡的烙印，由它自己所供認出來的：「到一九六二年底爲止，我們（毛共）向蘇聯供應的糧油和其他食品値二十一億新盧布，其中重要的有：大豆五百七十六萬噸，大米二百九十六萬噸，食用植物油一百零九萬噸，肉類九十萬噸等等。」

這就是說，毛澤東集團不止把經手起來的一筆大債，强加在大陸人民身上，而且更不顧人民的死活而剝奪人民的一切生活資料去孝敬蘇俄！「奪我口中肉，剝我身上衣」的去還毛共它們所謂的欠蘇俄的債務。中國人民和中國成了它們的抵押品！

不僅如此，毛共更出賣中國主權，讓蘇俄「把資本主義世界的弱肉强食的原則」施之於它，好像中共自供：「……我們（毛共）從蘇聯進口的東西，比起國際市場價格來說，是貴得多的。」把從人民榨取來的血汗、骨髓，獻上給蘇俄」而被它塞下「不需要的東西」！「毛澤東思想」的「偉大」，共產黨的「功勞」，就是如此販賣吸刮得來的人民膏血！就是如此喪權辱國而犯下的滔天罪惡！

基此，五月十三日毛共與蘇俄簽訂的一九六四「貨物交換議定書」，又一次地表明毛共甘願爲蘇俄帝國主義「弱內强食」的市塲而出賣中國和中國人民！大陸苦難的同胞，在劊子手的淫威下，早成「萬戶蕭疏鬼唱歌」的地獄游魂了！

因此，儘管毛共把蘇俄的債還淸，但是，毛澤東集團欠下中國和中國人民的債，却還未還！這未還的債，不是錢，而是血！而這筆血債，毛澤東集團是不能不還的。而這時間也快到了。

是的，中國人民一定要淸結毛共的血債，以血還血！

我所知道的麥帥

肯寧將軍原著　徐熙光翻譯

有時候我會希望這個世界應該承認珍在贏得太平洋戰爭上，亦與焉有功。在那一段期間，靠着珍的照拂、協助，使麥克阿瑟的身體始終保持健康，有充份的精神來處理公務和對付日本人。他倆在澳洲的兩年半中，每一餐飯都是由珍親自下廚做的。麥克阿瑟要說起來，並不是一個好服侍的人，他每天早上準時在七點半一定要吃早餐，十一點鐘到辦公室去，在十二點半到兩點鐘這段時間是他的午餐時間。吃過中飯他要午睡一個小時，大約在下午五點和六點左右回到他的辦公室，在那裏待一至四個小時。他晚飯和就寢的時間通常都不太一定。

他每晚不管在什麼時候回去，一定可以舒舒服服，安安穩穩地吃晚餐和就寢休息。他不要担心回去得遲或早，因爲那絕不會使家裏變得零亂沒有常規。這就是麥克阿瑟在太平洋戰爭期間能有足夠的時間規劃高度成功的軍事作戰計劃的原因，他絕不可能有家庭的俗務瑣事來煩擾他的。

麥克阿瑟第一次邂逅他的夫人是在一九三五年，當時他正乘船前往菲律賓，麥克阿瑟的母親當時在身邊陪伴他，珍則正從田納西州到東方來旅行並看幾個朋友，他倆就此在船上認識了。

一九三七年四月二十九日，麥克阿瑟回到美國小住，他打了一個電話給佛蘭克麥可將軍，麥可將軍當時是駐在紐約第一軍的總司令，麥帥和他是老友，第一次世界大戰，在法國時，曾在虹師裏同過事。電話中彼此客套一番以後，麥克阿瑟說他準備在紐約作兩三天的逗留，希望麥可將軍能調一部車子和一位司機供他使用，麥可滿口答應，並把他自己的座車和一位開車的老士官撥給麥克阿瑟使用，而且隨便他高興用多久。麥可接着建議麥克阿瑟參加當天中午的一次午餐聚會，其他參加的人還有麥克阿瑟的兩位西點軍校同班同學，一位是格蘭特上校，在學校裏的時候，學科成績只比麥克阿瑟畧遜一點。另外一位是豪斯上校，也是麥克阿瑟的摯友。這兩人當時都是麥可將軍麾下的參謀。麥克阿瑟當天中午參加了這項餐叙，晚上又和豪斯在一起晚餐，他們促膝長談，一直聊到深夜一點鐘始盡歡而散。

第二天下午爲麥克阿瑟開車的那位士官回來向麥可報告說替麥克阿瑟服務的任務已經達成，可以回來像平常一樣爲他開車了，那位士官欲言又止，似乎還有什麼心事沒說出來，麥可看這情形，乃對他說：「士官，有什麼事你儘管說，倒底是什麼事，嗯？」「麥可將軍」，這位士官一本正經地說：「今天早上我獲得了一項無上的光榮，當我開車子去接麥克阿瑟時，他爲我介紹身傍一位風範高雅的珍・費克羅絲小姐，並請我送他們到市政大厦去，他們進去不久以後，從市政大厦大門出來，走到我停車的地方，麥克阿瑟將軍對我說：『士官，讓我爲你介紹，這是道格拉斯麥克阿瑟夫人』。我猜我是第一個在費克羅絲小姐婚後看到她的人。當時我被這突如其來的消息驚奇得楞住了，竟忘了向他們道賀，我只訥訥地說：『夫人，我很高興見到妳。』」

麥可到這時才恍然大悟，麥克阿瑟此行的眞正目的原來是來成婚的。他立刻打電話告訴格蘭特和豪斯，他倆也驚訝不置。

（十四）

藝術叢論

抽象藝術漫談

趙雅博

我們深深知道，達到客體本質的方法，雖然有很多困難，擋在成功的大路上，可是藝術家頭腦的尖銳與智力的深入，以及他們抽象與直觀的能力，是能夠指定並指定而大有收穫的。這是說，千變萬化，巧妙存乎一心，彷彿是沒有什麼固定成法似的；不過，大體說來，我們也可以指出一個比較接近的方法路綫，那便是還原或歸縮法。他的眞義在於取締一切可能指定，以便將客體引引歸到自己最小最小的表現上，這種表現就是客體之所以爲客體。

爲此，藝術家們，他們在面臨着一個客體時，應該取消那一切形成客體本身部分的原素，而不是本質的給它指定，這是並不嚴格的屬於客體的本質的原素，在表現上都可以取消。根據這種歸縮的程度，遲早要達到一種境界，就是藝術家要找到該客體的原素的，決定性的特徵羣，這些特徵是構成該客體必需的特徵，沒有它們，該客體也就沒有它的特殊性與特性了。到這種境界，我們便可以說，藝術家在自己的作品中，達到了適當境界的客體自立體形式。抽象藝術定的工作，並不在乎創造一個客體，使它能以自己純自立的形式表現出來。這種工作，自然是充滿了許許多多的大困難，抽象藝術家最大的痛苦，乃是在於尅勝這些困難。但是抽象藝術家的幸福，又何不是在此？抽象藝術家的偉大，又豈不是在此嗎？

抽象藝術的基本觀念，我們在上面短短的數萬言中，雖然掛一漏萬，但也約畧的作了一番確定，相信對從事抽象藝術的工作者，或者抽象藝術的批評家，都能有些小補。抽象藝術並不同於抽象主義的藝術，這一點一定要分得淸楚，然後才能談這一藝術。

總之，抽象藝術的目的是極高明而極精深，絕不是一蹴而及，並也是無法完全實現的。從事這一藝術的萬不可想一舉成名，走入魔道，而要一點一滴，日積日累，使藝術的表現，日漸化醇，而逐漸臻於至善之境。

（完）

紅樓續夢

第十二回：

異域購新居　民脂似水

冷宮傷舊夢　妾命如絲

共產黨員聽了這些話也不能笑，都跟着點頭。沈鈞儒又說道：「毛主席的著作，實在是人間至寶，不但能治國平天下，還能療治百病，我就是一個現成例子。」

沈鈞儒這種苦心鑽研「毛澤東思想」的行爲，曾經受過統戰部的表揚，這次開神仙會，自然先把沈鈞儒拉出來。可是沈鈞儒已經不能起床，當時用個担架抬到會塲，躺在担架上當然不能開會，共幹就想竅門，找來一隻爬山的藤兜，再把沈鈞儒架進藤兜，用皮帶在腰間扣住，遠看到也同好人一樣，坐在會議桌上開會。

會議一開始，由楊明軒任主席，就請沈老先生發言。沈鈞儒被共幹簸弄的昏天黑地，腦筋迷迷糊糊，一套惡訟師的口才也沒有了。當時顫巍巍地說道：「今天開的神仙會，是很有價值的會，舊社會把人變成鬼，新社會却把鬼變成人，試看今天在會塲的人，有許多過去都是屠殺人民的劊子手，兩手沾滿了人民的血，本來是鬼，但是經過毛主席同黨的一番苦心改造，現在都變成了人。拿我自己來說吧！我從前在杭州是個惡霸，以後到上海又當惡訟師，不知敲詐了人民多少錢，本來也是個鬼，幸虧遇見了黨，遇見了毛主席救了我，使我變成人。不過，我們不能以作人爲滿足，還要繼續改造，神仙會就是改造的不二法門。只要我們肯用心改造，將來都會成爲神仙。」

沈鈞儒說到這裏，上氣不接下氣，只是瞪着眼看楊明軒。楊明軒擺擺手讓他休息。

這時列席指導的中共中央統戰部副部長張執一發言道：「剛才沈老講的話，各位都聽得很淸楚，新社會與舊社會不同之點，就在於舊社會將人變成鬼，新社會將鬼變成人，至於將來是否能修成神仙，就要看各人肯不肯下一番苦功。現在希望有親身感受的人，起來報告自己由鬼變成人的經過。」張執一說過，眼光就向民革席上掃過去。

民革的中央委員全出席了，其中有國軍前十七兵團司令官侯鏡如，前騎二軍軍長廖運澤，前五十三軍軍長覃異之，都是黃埔一期的學生。

侯鏡如先站起來說道：「我在國民黨軍隊由排長起，一直當到兵團司令，前後二十五年時間，一貫與人民作對，手上沾滿了人民的鮮血，一直到了北京天津和平解放，我還帶了一部份軍隊逃去台灣，眞是罪孽深重。後來自己知道過去的錯誤，決心從新作人，向人民悔過，於是由台灣到香港，再由香港回到祖國，經過這十幾年的鍛鍊，眞的把鬼變成人了。」

侯鏡如說過，民革人員一齊鼓掌，民盟一部份盟員也無精打采的拍了兩下。

張執一冷冷問道：「侯鏡如同志當時率十七兵團駐在塘沽，北京天津已經解放，仍然執迷不悟，逃去台灣，爲什麼到了台灣之後，突然下定決心向人民靠攏，這種思想轉變的過程，請你坦白交待一下。」

侯鏡如紅着臉說道：「我千辛萬苦率領十七兵團逃到了台灣，部隊却被整編，頓時變成了光棍，於是就決心向人民靠攏了。」

（三一三）

冒險犯難記

鄭文儀

到十一月初旬，我的疾病這才開始轉好，瘧疾痢疾都治癒了，祇是身體衰弱，需要休養一個短時期才能復原。這時又有一種痛苦刺激著我，使我坐臥不安，就是院中同學傳說因第一期即將畢業，生病住醫院過久，未參加野外演習的學生，不能畢業，要留級到第二期繼續訓練。我聽到這些傳說，十分難過，徹夜思量，何以我的命運如此多艱？幸而這傳說不久爲事實所否定，醫官及隊上官長都來告訴我，校長已有明白指示，住醫院及未參加演習的人都准畢業。我的精神也爲之一振。不久便接到命令分發到第二期生隊去充見習官。

十四、見習官的工作體驗

因爲黨軍敎導第一第二兩團相繼成立，第一期學生提前於十一月底結業，未舉行畢業儀式，就有十分之九的人分發敎導團去担任士官，由排長副排長到特務長及軍需上士軍械上士，文書上士，都是由第一期同學以見習官名義担任。見習期間三個月，每月薪餉都是十八元毫洋，爲上士待遇。第二期第三期學生隊上的軍官，有不少調任敎導團的營連長或參謀，同學們也有一部份派到學生隊去任見習官的。我最初分發到砲兵隊任見習官，因爲我未曾學砲兵，一個星期以後就改調到工兵隊。這時第二期學生的砲兵工兵隊都在廣州市北較場訓練，見習官要隨同學生上操聽課，有時還要代理區隊附，等於副排長的職務。在工兵隊見習僅兩星期，又被調到步兵第六隊，而第六隊是由軍政部講武學校歸併黃埔軍校改編而成的，他們受的教育比黃埔第一期學生教育，期間要長一倍以上，所以後來第六隊改列爲第一期，祇遲第一期畢業後三個月就畢業分發了。

見習官顧名思義，是見習軍官，他尚不是正式軍官，不過雖沒有正式軍官的名義與職權，但却要担任正式軍官的工作，有時甚至比正式軍官的工作還要多。如果部隊中的現職軍官人少，見習官就要服代理軍官的務。部隊學生與兵士，如果是老軍伍，老資格，他們對新任軍官的見習官就會吹毛求疵，就以很多難題目問見習官，見習官因爲經驗不足，難免窮於應付。比如我初三個星期担任砲兵隊工兵隊的見習官，因爲我未學過砲兵工兵，有很多軍語名詞及砲兵工兵的技術動作我都不熟習，就有好幾次給學生們問得我答不出來或答非所問，被他們笑話，使得我面紅耳赤，感到難堪。事非經過不知難，軍校新畢業的學生初任見習官或軍官，是難免會遇到這些困難的。（二二）

關羽用刀

黃伯遠

關羽用刀，史傳無考。俞曲園春在堂隨筆「小浮梁閒話」云：關羽用刀，史無可考，疑即矛屬云云。蓋取陳壽蜀志，關羽本傳：「紹遣大將軍顏良攻東郡，寇白馬，太守劉延，求救曹公。公遣張遼及羽爲先鋒邀擊之！羽望見良麾蓋，策馬刺良于萬衆之中」。幷引周禮考工記：刺，兵器、矛屬，爲證。

余謂：此說誤也。蓋羽用刀，史雖無考，然本傳所用之「刺」字，乃驟擊之意，非指兵器也。觀上文「策馬」、「望見」等字，可見當時羽之捷，而良之不及備也！若因羽用刀，而用「斬」或「砍」等字以代替「刺」字，不惟文義黯淡無色，亦失事實，尙安得謂之良史才邪？又：結句：「……刺良于萬衆之中」。此「萬衆」二字，亦寫得何等有聲有色？蓋包圍于顏良陣中者，如是其衆，而羽竟以一人一刀一騎，突至其前，斬其頭而歸，此不獨人快！馬快！而刀亦快也！

子書載：古名將之神勇者，如秦之白起，趙之廉頗，楚之項羽，前漢之李廣，王莽時之巨無霸，後漢之關羽，宋之岳武穆，皆傳此技，而以項羽爲最强！惜後世無史遷其人，爲之傳志，不免減色耳。

書又載：此種武藝使用時，刀如風，人如山，馬如龍，人馬兵車，當之輒辟易，自相蹂躪！羽當對操稱：「吾弟益德（史作益德）在百萬軍中，取上將之頭，如探囊取物！」非自誇也。夫顏良爲河北大將，英名素著，而羽在萬軍之中，突如其來！羽能望見良麾蓋，當然良亦能看到羽單騎離陣而來。時玄德在紹軍中，良固知之，彼焉知羽之來，不是反操而來？故不爲備！致被所殺。所謂：「攻其無備，出其不意」者，是也。

又：吳志、魯肅傳：「肅住（同駐）益陽，與羽相拒，肅邀羽相見，各駐兵馬百步上。但諸將軍，單刀俱會！……」此雖未說明「單刀俱會」之用意，然可以說：由于羽平時是使用大刀者，故暗示與會者，只可帶刀。亦關羽用刀之又一證也。

我的社會生活

雷嘯岑

未幾，少谷介紹我到上海中央日報作主筆，我亦樂得遷地爲良，即於卅七年舊曆年底某夜，訂購頭等臥車票赴滬。距我到達車站時，臥車兩旁滿佈着鐵絲網，雖有車票亦不許自由上車，須經過一番檢查盤問乃可，理由是防止軍人或軍事機關的職員强坐「霸王車」，情形十分緊張。輦轂之下的秩序如此，足見土崩瓦解之勢已成，爲之怵目驚心不置。

我到上海住在親戚家，閒日替中央日報寫社論，是時上海保衛戰役的序幕已開始進行，但見國民黨人主持的「上海新聞報」，忽然把社論停刊了，心裏頗爲納罕。過些時日後，共黨悍然宣佈它的所謂「戰犯」名單（首名就是我們的領袖，末尾爲黃少谷。）京滬各報皆不予刊載，唯獨「新聞報」照單刊諸第二版的國內要聞欄內，我更感惶惑。這時上海各大報每星期舉行一次聚餐會，各報的主要幹部人員都參加，我在餐桌上詢問新聞報總編輯趙敏恒，爲甚麼刊出共黨所宣佈的「戰犯」名單？他答以「我們會經用長途電話請示過宣傳部，部方允許登載的。」我認定少谷兄決不會允許該報作此荒唐之事，然木已成舟，爭辯無益也。後來我要離開上海時，纔知道趙敏恒早就兼任着俄共「上海塔斯社」職務，是個不折不扣的共諜，而居然能在國民黨人領導之下的著名報社作總編輯，寧不可驚耶？

居留滬上未到兩個月，首都已宣告棄守，政府遷移廣州，上海保衛戰即展開了。大局形勢逆轉，人心浮動，我日常很少出門應酬，只去看過兩個人，一是老上司賀耀組，他這時還是何（應欽）內閣的政務委員，我在禮貌上應該問候他一下，他亦來看我。但他對我說出若干怪論，教我切勿離開上海，將來共軍佔領上海時，需要人才接辦新聞事業，不愁沒有工作云云。我笑謂：「貴公不是行政院的政務委員嗎？對大局似不必如此悲觀。」他說，「我馬上就要辭職的，決不離開上海。你若願意留滬，可先幫忙我處理『太平洋學會』的會務（這是賀氏創建的小組織），再談下文」。我遜謝之。二是老友周佛海太太楊淑慧，她住在小沙渡路口一座豪華的公寓裏，還有兒子周幼海，媳婦施丹蘋在一起，生活很優裕。她亦勸我不必離開上海，如果共黨佔了上海，暫時她把佛海的舊有長衫袍褂檢些出來，給我換裝，再介紹我到一個雜貨店內（是佛海的舊部所開設者）隱居一段時期。她認爲共黨亦需要人才弼助，可以保險我沒有問題。我笑道：「漫說大嫂保不了我的險，就是毛澤東亦保護不了我，共產黨的玩藝我是很瞭解的。」周幼海揷言曰：「雷伯伯多年不搞政治了，我想共產黨不致於對你發生問題的。」這時我幷不知道幼海是個共黨份子，乃很誠懇的告訴他：「你父親在生時，反對共黨最力，他若不死，決不會像你們這樣的說法。」楊淑慧大聲答道：「我就是要替丈夫報仇啊！周佛海在牢中病危時，我以十八根大條，雨夜用布包好，送給某顯要，請予保外就醫不准，而那十八大條黃金却不肯退還了，我不痛恨嗎？」她越說越激動，我祇好默爾而息。假使我聽從了她母子二人的話，留在上海不走，後來周幼海作共黨政權的上海公安局偵緝大隊長時，一定首先就緝拿我這「雷伯伯」以立功無疑也。（五八）

徐永昌將軍的學養功業

吳文蔚

國父在粵就軍政府大元帥職時，徐將軍赴廣州晉謁。是時陝西靖國軍正爲陝督陳樹藩所迫，徐將軍復取道港越入滇，經筑渝，抵成都，促川滇黔靖國聯軍總司令唐繼堯，派兵援陝。師抵廣元，不得進，遂還保定。繼直皖戰起，將軍料皖必敗，乃奔走鄭洛，結果豫軍不戰而歸直。

民國十一年夏，直奉戰起，岳維峻繼胡景翼任國民軍第二軍，被奉軍包圍，而國民軍第三軍在陝亦不能自給，岳邀徐將軍赴豫聯吳佩孚討奉。將軍則建議：莫若助靳雲鵬組織國民軍第四軍，以分吳。岳雖稱善，而未能決，遂致奉軍入關，吳部乘機襲後，國民軍第二軍爲之星散，第三軍退包頭。至此，將軍所言，一一應驗。將軍急人之難，料事之明，其胸懷慧達，於此可見。

直軍鼎盛時，人勸孫岳倒曹吳，孫不能答。將軍建議改良政治，實勝於先倒曹吳。惟馮胡已有成議，而孫亦隨之決，命侍徐將軍。徐將軍答曰：「私爲知己，公爲長官，如以私商，未敢同意；倘以公命，吾當服從」。議遂定。十五年春，直魯聯軍反攻，奉軍再入關，國民第二軍敗豫西，第一軍撤五原，馮玉祥下野赴俄國，第三軍則迴師包頭，其言復驗。此時孫以第三軍軍長畀徐將軍，而自赴五原養病。然徐將軍僅奉孫名而代行其事，不自居於軍長。這是他奔走革命率軍護法的一段艱難歷程，由此可見徐將軍忠黨愛國的精神與赤誠了。

十六年春，徐將軍率國民軍第三軍以客軍入晉，國民革命軍總司令──今總統蔣公率軍北伐，閻錫山任國民革命軍北方軍總司令，命徐將軍率第三軍駐井陘，合楊愛源所率晉綏軍出平山，掃蕩滹沱河之線，攻行唐，突沙河，敵全線動搖，將軍率部追擊，直薄望都。旋以定洲被襲，徐將軍再佈防於觀音陀及固關之線，敵幾經力攻，均莫如之何。

十七年春，今總統蔣公繼續北伐，並兼任第一集團軍總司令，國民政府任命馮（玉祥）閻（錫山）李（宗仁）分任國民革命軍第二、三、四集團軍總司令，徐將軍則爲革命軍第十二路總指揮。夏初反攻，徐將軍率部協同第三集團軍抵獲鹿，與津浦線前進之第一集團軍及平漢線北上之二、四集團軍，互爲聲援，一戰而過滹沱河，再戰復敵至望都，敵軍不支，遂退却。五月底，徐將軍克保定，閻錫山命將軍駐保，復命第三集團軍北路軍總指揮商震破敵入平津，旋各集團軍陸續到達。今總統蔣公北上，與閻、馮、李、各總司令會北平，謁國父靈於西山碧雲寺，徐將軍亦躬與其事。蔣公詢徐將軍對國事意見，將軍謂內憂外患，多在北方，議定都北平，或設軍事學校於北方。蔣公甚嘉許。嗣蔣公命各集團軍抽兵肅灤東，命徐將軍從其役，率騎兵繞渡破灤州城而下之，灤東平。時東三省亦易幟，國家乃告統一。這是徐將軍從事北伐的英勇戰績。北伐戰場遼濶，苦戰經年，將軍策劃明決，指揮若定，厥功至偉。（中）

深淺水灣

漁翁

山有高低，水有深淺，劉禹錫作「陋室銘」，有曰：「水不在深，有龍則靈」。水居五行之一，爲人生所必需。智者樂水，生於長江大河間的，其智慧必勝過於山居者。水上姑無論有無龍在，却總淺有淺的妙處，深有深的特點。

此地「淺水灣」，很值得遊覽和垂釣。淺水灣位在香島南部，雖遠離市心，而交通十分便利，從中環統一碼頭坐巴士，可直達，臨山瀕水，幽雅異常。尤適宜於避暑。富庶者，有在此卜築別墅，以領略自然界之風味；騷人墨客，以名勝所在，莫不結伴而訪遊。古人所謂文章得江山之助，青山綠水，一觴一詠，固足以助詩人之興趣也。

在瀕海沙灘上，每於夏季來臨，便有一排一排的游泳小帳幕之租賃，無論性別與老幼，皆可入泳，不僅圖一時之快活，更有益於人體的健康。

筆者不甚愛杯中物，有時爲着遣興解悶，也飲得酩酊大醉；在醉裏不知不覺吟出似是而非的詩歌來：「淺水灣，多瑰麗，松風水月恰人意，天涯海角訪漁家，此身已在烟霞裏。」「淺水灣，多瑰麗，琵琶曲唱絃聲急，一樽美酒百篇詩，此身已在蓬瀛裏。」

香港又有「深水灣」，地在淺水灣隔壁，乃一幽靜處。雖海水澄清，沙灘潔白，但往游泳者，比不上淺水灣之多。是亦有幸有不幸乎？

筆者好山水，尤其喜與漁人爲伍，一竿垂釣，取魚沽酒，對月放歌，以爲平生第一樂事。誦六朝謝宗可詩：「牽同江上烟波夢，斷人間富貴情」。然者垂釣固有足多者矣。

諸葛亮逸話

吉庭

後來，玄德因孫權殺雲長，率軍攻吳而失敗，退回白帝城，憂憤成疾，召孔明囑以後事，曰：「先生才能，十倍曹丕，必能安國；若吾兒可以輔助，請輔助之，否則先生自主，以免誤國。」孔明泣曰：「竭我之力，效忠國家，鞠躬盡瘁，死而後已！」

玄德死後，其子禪繼位，史稱後主，封孔明爲武鄉侯，領益州牧，事無大小，皆取決之。孔明仍抱和孫拒曹政策，始終不變。蓋不如此，匪特談不上統一漢室。即目前三分之局，恐亦難支持下去。是時，雲南蠻人叛變，孔明南征，與蠻王孟獲戰，七擒而七縱之，結果孟獲歸服，南方已平，無後顧憂，遂有出師北伐之舉。（四）

自由報

內僑警台報字第〇三壹號內銷證

THE FREE NEWS

第四五〇期

中華民國僑務委員會頒發
台教新字第三二三號登記證
中華郵政台字第一二八二號執照
登記為第一類新聞紙類
（每逢星期三、六出版）
每份港幣壹角
台灣零售價新台幣貳元
社長：雷嘯岑
督印人：黃行寬
社址：香港銅鑼灣高士威道二十號四樓
20 CAUSEWAY RD 3RD FL. HONG KONG
TEL. 771726　電報掛號：7191
承印者：[illegible]印刷廠
地址：香港灣仔高士打道二二一號
台灣分社
台北市西寧南路金鑫大樓二樓
電話：三〇三四六
台郵劃撥儲金戶九二五二

詹森政府的反貧窮計劃及其展望（上）

·宋文明·

（一）

人人都知，今日美國為舉世最富强的國家。它全部人口約僅佔世界總人口的百分之六，可是它却生產約全世界百分之六十的物資。根據一九六三年底的調查數字，去年一年美國總生產所得已達到五千八百四十億美元，汽車產量並已創下七百三十萬輛的高峯。像這種情形，其他世界各國，包括幾個主要的强國，在短期之內，都無法望其項背。由於美國生產如此發達，資源如此豐富，技術與科學進步如此快速，所以美國人民的生活水準也高過全世界任何國家。現在美國一般人民除了在自己生活上竭力尋找享受，不斷追求新的花樣外，更進一步也開始為它們所豢養家畜的飲食和衣着作考究。甚至在許多地方，美國的過份浪費情形，幾已達到暴殄天物的程度。無怪數年以前美國經濟學家蓋布來斯的大著，就已稱美國為一「豐足的社會」了。可是就在這號稱為「金元王國」中的「豐足的社會」中，誰會想到還有大批貧窮者存在？誰會想到就在美國還有一大批人無法解決生活上最低限度的需要？不上談別的，就以本年一月八日美國總統詹森向國會所提出的國情咨文來看，今日美國內部仍存在有嚴重的貧窮現象，乃是一項無可否認的事實。如詹森在這一咨文中說：「不幸的是，許多美國人仍舊生存在希望的邊緣上，有些是由於它們的貧窮，有些是由於它們的膚色，而更多的是由於兩者兼而有之。……貧窮是一項全國性的問題，需要全國性的良好組織與支持。……在都市的貧民窟及小城鎮中，在佃農的茅舍中，在流動農民的帳蓬中，以及在印地安人的居留地上，在白種人以及黑種人中，在青年以及老年人中，在繁華的城市以及衰落的地區中，我們的目的，不止於減輕貧窮的徵象，并將加以根治，而最為緊要的，是加以預防」。詹森總統這一咨文的如此强調今日美國所殘存的這種貧窮現象，為戰後以來這類咨文的第一次，也是三十年代經濟大恐慌之後美國總統文書對這種不幸情況的首次全面討論。由此足見，不論今日美國生產如何發達，經濟如何繁榮，而仍無法圓滿解決它內部的這種貧窮問題。

那麼今日美國內部的所謂貧窮者人數究有多少？對於這一問題，美國各方面所提出的數字，因基於對貧窮程度的瞭解而有所不同。如有的認為現時美國的貧窮人數竟高到九千萬，即總人口的一半；有的又說七千萬；又有的說只有兩千萬人。在有關這種數字的種種說法中，有兩種數字，比較為一般人所接受。即一，美國威斯康辛大學教授哈林頓在其一九六二年所出版的大著「另一半美國」一書中，曾認為美國人的家庭每年收入低於三千元者，總數有三千萬人，其中一半每年收入更低於二千元，這中間並有五百萬人每年收入低於一千五百元以下。二，詹森總統的政府，現在所作的估計為三千五百萬人，即全國總人口的五分之一。這一數字現在也已成了一項公認的數字。換言之，在今日美國約有三千五百萬的人民——三千萬——被官方劃入貧窮者之列。這中間一大部份人的家庭全年收入不超過三千元，又有的不超過二千元，有的更在一千五百元或一千元以下。試想在今天這種美國的生活水準中，一個家庭的全年收入竟低至一千五百元或一千元以下，其生活上的貧窮已到了何種地步，自不問可知。

（二）

由於美國這種貧窮現象，正如世界各國的情況一樣，是一種歷史的遺留，而非今日始行發生，所以美國歷屆的改革派總統，在事實上也都很重視這一問題。尤其美國民主黨自羅斯福以後，已滲入一項新的思想因素與動力，對於這一問題也格外表示注意。一九五三年初至六一年初的艾森豪政府，因受共和黨傳統性格的影響，比較偏重於美國的經濟繁榮，而未重視少數人的生活難題及財富分配。所以接之而來的民主黨的甘迺迪政府，也遂對這種情況作了特別的糾正。在甘迺迪的短短約三年任期中，除了他本人及其高級官員不斷强調這一政府的支持貧弱者的政策外，還提出若干重大的立法計劃，以從實際行動中，嘗試改善某些人的生活情況。

除此之外，根據美國各種新聞報導，就在甘迺迪遭遇事故的一年以前，他已有意要從事一項龐大計劃，準備全面對付美國的貧窮問題。先是，他要求他的經濟顧問赫勒，為他提供如哈林頓的「另一半美國」，以及經濟學家凱斯林及拉甫曼等有關美國收入低微家庭的各種著作，並示意赫勒特別注意這一問題。接着，在一九六三年六月，赫勒曾致函經濟學家拉甫曼，要求提供意見，以為甘迺迪政府制定反貧窮計劃之用。後赫勒便根據拉甫曼及其他人士意見，草成一項反貧窮計劃綱要，送呈甘迺迪審閱。於是甘迺迪就在他遭故逝世的前三天，正式批准這一計劃，通知赫勒積極開始進行。

甘迺迪去世，由詹森繼任總統後，赫勒立將這一計劃詳情告知詹森。而詹森對此計劃不僅衷心感到同意，而且還表示願予特別强調，擴大推行。這種原因就在於：

（一）詹森本人出身寒微，對於美國的貧窮問題具有一種特別的感受。

（二）此一計劃正如甘迺迪已經提出的減稅及民權法案一樣，對於甘迺迪個人有一種紀念的意義。

（三）這一計劃對於團結北方民主黨，對於參加一九六四年的大選，不失為一項非常有價值的貢獻。

（四）受了甘迺迪被害的刺激，認為美國政府假若不想根本辦法，解決國內的貧窮威脅，則如奧斯華這種走投無路，到處流浪的年輕羣衆，可能對美國社會及整個國家前途，要帶來更嚴重的危害。

自由談

美國防部長麥納瑪拉日前在華府發表談話，保證美國對於泰國的安全，必予協力維護，履行其對東南亞公約組織的規定義務，說來像煞有介事。

記得當年寮國的共禍初起時，美總統甘迺迪曾經公開聲明，決不讓寮國淪於共黨之手，必要時美國不惜出兵參戰，其言堅定明確，大義凜然。可是，曾幾何時，美國却令寮國反共的內閣總理諾薩旺與共黨組織聯合政府，改取中立政策，且以停止軍經援助脅迫。現在寮共勢力大張，快要控制全境，危及泰國了，美國當道又對泰國發出這類口惠式的大言。我們根據十多年來美國對東北亞與東南亞的政策，很難相信白宮執政者，眞有為泰國安危而拔刀相助的決心和勇氣。到時候，美國又藉着原有慣用已久的現成理由可以打退堂鼓，即泰國緊隣中國大陸，美國若實行軍援泰國，勢必引起中共正式參戰，而蘇俄亦將介入，終致觸發全面大戰，使不得，而以不能「在錯誤的地方，跟錯誤的敵人，進行錯誤的戰爭」為解嘲的口實，往事昭彰，歷歷可數。

可保證月球安全

自從艾森豪總統起，一直到現在，美國對自由世界的領導方針，一貫的運用所謂「嚇阻政策」，甚末雙料報復主義啦，十五分鐘內可以用飛彈摧毀全俄國啦，核子潛艇可以駛入北冰洋發射原子彈啦，一切大話都再三講過了。然而，世人祇見自由世界的版圖逐漸變色縮小，而共產鐵幕則四向擴張，有增無已。嚇阻政策並未嚇倒敵人，美國人却自我驚嚇，六神無主，若干學者專家以及參議員們，竟大倡其「彈性外交政策」，主張與共產帝國主義妥協了。

為避免今後再有牛皮吹破之虞，我認為美國最好是多多發表保證月球安全的諾言，反正俄共尚未能征服月球，美國儘管運用嚇阻政策，亦不致露出馬脚，貽譏世人的。至於地球上的自由地區，所餘已無多，再要空談嚇阻下去，恐怕北美新大陸亦有突然變色之危險啊！

馬王先生

今日與明日

檀島會議

為了挽救寮越危機，美國當局在檀島召開會議，商討應付之策，政府高級文武官員全出席了，這個會議也相當引人矚目，但若向深一層看着，必然還是一事無成，開了等於沒開。

今天的世界大局，有一個前提必須要弄清楚的，就是美國不肯打仗，更不會在亞洲打仗。在過去，美國當局也許還會作三次大戰的準備，到了今天，赫毛分裂之勢已成，蘇聯內憂外患，自顧不暇，自無力再去攻美國，美蘇之間已有逐漸接近趨勢。在美國人眼中看，毛共終是癬疥小疾，假以三十年時間，也無力攻擊美國，美國何必興師動衆去解決它。

美國現階段在亞洲的戰略，仍是純防禦性的，防禦的地區，自韓國三八綫，經過台灣海峽，南越而至泰國。假若毛共向這一條綫發動攻勢，美國可能考慮派兵防守，至於其他地區，都是緩衝地帶，得失無關大局，美國更不會為此出兵。這是美國的基本原則，無論開多少次會，萬變不離其宗，會議結果必然還是走回這條老路。

董治平投奔自由

今天值得重視的消息，到不是美國檀島會議對寮越局勢作出何處決定，而是毛共駐在東非新國布倫迪的文化專員董治平，剛剛到任就跑去美國大使館，請求政治庇護，可見得此君蓄意已久，要逃向自由，一旦有機會，毫不躊躇，即奔向美國大使館。其意志堅定，腦筋清楚，決非周鴻慶可及。

董治平能以被派到僅有五名人員的「大使」館工作，其身份不僅是黨員，可能還是公安系統的人員，在毛共當局看來，一定是一個可靠的幹部，那知一旦呼吸到自由空氣，馬上就振翼高飛了。

毛共駐外人員之投奔自由，重要之點尚不在能以透露出毛共一些內幕消息，而是動搖了毛共的對外滲透的戰術。毛澤東到了最後也許會發現連藍蘋都不可靠的。

寮國俘獲毛軍

正當寮國中立軍隊被打得走投無路之際，右翼軍突然加入作戰，並俘獲了幾名毛共官兵，他們不但招認了毛共軍已參加寮戰，並且表示願去台灣。這批人雖然比不了董治平，但是，他們要去台灣，恐怕也是內心蓄積已久的事，否則不會突然作出決定。毛共人員從幹部到軍隊人人要投向台灣，這才是眞眞值得注意之點，復國機運可能在此。

壓不了！

西藏

救得住嗎？

寮共

沉沙池案滿城風雨之際

翁金護感慨談台南市政

嘆息「紅包」害苦了市民與國家　對大台南計劃被擱置深表不滿意

（本報記者謝君穎台南航訊）當台南市沉沙池案鬧得滿城風雨之際，記者適到台南，得本報台南辦事處同仁引導，訪問了此案各有關人士，翁金護先生便是其中之一。翁先生對記者所談，範圍廣泛，非僅沉沙池一樁，茲誌如後：

翁金護先生雖已年逾耳順，仍他每晨六時便起身，且終日工作不息。記者於五月卅一日晨九時造訪，說明來意之後，翁先生便搖頭太息道：「紅包，紅包！」紅包害苦了台南市民，也害苦了國家！翁先生慷慨激昂的說：昨天（按指五月卅日）地檢處傳問我紅包內幕，我講不知道內幕，就是知道我也不能講；檢察官可以向敝商和有關方面調查。他說：這不是內幕的問題，這好比你問我到台北怎麼走，我講坐火車或是坐汽車向北走。但問我須走多久？有多少路程？我就會說「不知道」了。但台北和火車、汽車，却不都是實在有的？

翁先生說：有人打電話恐嚇要殺我！教我不要管閒事。但這不是閒事！雖然還我當里長之時，我自己正去台中，回來後才知已成定局，但既然公推我出來，一定要民服務。而且這不僅是西區的問題，有了水患，是全台南市老百姓都會遭殃的事情。凡是公民都有權提出意見。

翁先生在對記者談話中，說到激昂處，往往拍擊茶桌和椅靠，錚錚有聲，談鋒亦滔滔不絕。

翁先生感慨萬千的道：民主政治是好的，當初光復，全台灣老百姓都很歡喜，我也出來當了台南市一二兩屆議員。但後來有「黨棍」、「英雄」（按台語義指流氓），甚至「酒女」也參加進來，我再也無意和他（她）們在一起了。

我的侄女婿當過市長（指辛文炳），長女婿是省衛生處長（許子秋），二三兩女婿也都當過官。我在日據時代就當過官派的議員。他說：「但我個性強，看不入眼的事，我便要講出來。」

翁先生還叙述他以往的經歷說：我辦理過當時的殖民政府物資配給（指日據時代，翁乃本省有數的五金商之一）當時我私人商務上用人，至少有三千個，其中有五十個以上的日本人供我役使。他說當時能夠用這樣多日本人作事的本地人是很少的。現在我何必再和別人去爭什麼？又說：現在他們推我當五金商業公會理事長，我推辭不下，但我實在厭倦了。

關於翁先生以往經歷的一段談話，他曾要求記者勿發表，但記者以為這段話可充份流露出他的率眞性格，故仍然寫出來了。據記者觀察；翁先生雖年紀一大把，却體格魁偉，精力充沛，正是老當益壯。他的一面慷慨激昂的講話，一面又搖頭唏噓太息，亦何嘗不表示他并不自以爲「老了，不中用了」呢。

翁先生說：我當議員時，就提過大台南計劃，製成了方案，而且經省府核准。他認爲要繁榮台南，發展觀光事業，首先必須開闢道路，拓寬街道。他說這筆經費，省府已指示向市民借，向銀行貸，絕不是籌不出來。但擱置至今，是何道理？有何「問題」？這便不言而喻，大家可以想得到的。

翁先生的意見，公共汽車是全市老百姓和觀光客、旅行者必須的交通工具，辦得好與壞，影響台南市繁榮及民生問題至鉅。他說他曾提議市營，並經有關方面同意，但何以就是不動手呢？他說：「若謂怕賠錢，但我講一定賺錢。就是賠錢，政府也應該解決這一「行」的大問題，爲民謀福利呀」！

記者與翁金護先生，從上午九時起，直談到十時三十分，翁先生仍然滔滔不絕，意興不減，亦熱情洋溢，眞的是好精神。

北市議會大厦偸工減料疑案

——本報台北記者張健生——

興建達七年之久的台北市議會大厦，耗資一千七百一十一萬三千零七十三元，在完工尚未全部驗收的前夕，突然以偸工減料鬧，引起各方面的重視。台北市議會爲此，於五月二十三日舉行會議檢討，出席的議員都異口同聲指責工務局和工程處，並一致主張成立專案小組，澈查眞相。

議員意見

綜合這次議員的發言，大致可以分爲：一、議會大厦所用的建築材料，是最壞的材料，而耗費的金錢最多。二、一般市民都懷疑前屆議員和本屆議員都揩了油。三、有二位市議員向工務局借用水泥二百包，鋼筋二噸，到現在有沒有還？如果還了的話，是怎樣還法？假使沒有還，爲什麼不還？以及工務局爲什麼不追？四、現在剩餘的材料，到底有那些剩餘材料？有多少？如剩餘的水泥，有人說剩餘八百多包，有人說七百多包，到底是多少？應該弄清楚。五、議會大厦興建時，門前週圍的廣告牌，有沒有租金和租約？由那些人經手的？應查清楚。六、議會大厦內部的裝修和冷氣設備，爲什麼由幾家工程公司裝修？

大家對這些問題，都主張澈查，於是成立兩個專案小組：一個小組查建築工程部份，一個小組查裝修工程部份。

歷年預算

據官文書載：歷年所列預算是：

四十五年：二、七九八、三四一點五〇元。

四十六年：二、八七七、二五七點五〇元。

五十年：五〇〇、〇〇〇元。

五十一年：一、〇〇〇、〇〇〇元。

五十二年：四、〇〇〇、〇〇〇元。

五十三年：四、二五一、九七〇元。

追加預算部份：

五十三年：一、六八五、五〇四元。

總計：新台幣一七、一一三、〇七三元。

工程執行情形：

第一期工程新建辦公大樓：發包工程費預算，二、〇八一、〇四九點三八元，結算工程費爲一、四三〇、八三一點八五元；供給材料費預算爲二、〇一一、八七一元。計供給材料：水泥一七、一三零包，鋼筋三八二、三七四公斤。實際使用材料：水泥一六、八四三包，鋼筋二七四、一七四公斤。

第二期工程新建議事廳：發包工程費預算，二、零三七、五一八九，結算工程費爲二、零三一、九零四點六零元。供給材料費預算爲一、五三一、二七八點零二元。計供給材料：水泥一四、七九零包，鋼筋一九零、四二九公斤。實際使用材料：水泥一五、二七一包，鋼筋一八六、八二九公斤。

很：一二期工程由市議員林中、廖水星、王友祿等三人驗收。

裝修辦公大樓及議事廳的發包工程費預算，三、九六、二四三七點三五八六，承包工程費爲三、三八零零元。供給材料費預算爲四二零、六二四元。供給材料：水泥三九二包，實際使用白水泥三三、四七零零塊。使用材料：白磁磚：三三、四七、零二零三塊。

裝修辦公大樓及議事廳全部鋁門窗的發包工程費預算，九五五、七零五元，承包工程費爲九五五、零零零元。

台北市議會大厦的庭園整修，包括噴水池水泥道路，鐵柵圍牆、花圃、鐵門、照明燈等工程預算，一七八、零五零點二七元，承包工程費爲一七七、零零零元；供給材料費預算爲二五、六六二點七三元，供給材料水泥五八九包。

電氣設備第一期工程：地下室及一、二、三樓辦公廳部份電氣設備的工程費預算，八一四、六六九元，承包工程費爲五六零、零零零元，供給材料費預算，六八六一三點三一元。（上）

大陸大專畢業學生多被勒令回鄉耕田

中共又在大陸地區所有的高等學校，掀起了如火如荼的政治思想教育運動，并以應屆畢業生爲主要對象。運動的內容係「回憶對比」、「憶苦思甜」……等，以控訴「舊社會的種種罪惡」，藉以提高青年學生的「共產主義思想覺悟」。

此間某大專學生接其友人唐君由穗來信，對中共此舉叙述綦詳。唐君乃廣州「中山大學」歷史系今年應屆畢業生。他來信稱：多年來中共當局對待應屆畢業的學生，照例是先來一次思想教育，然後叫每一個大學畢業生都填寫「工作志願表」。在那個表上，儘管學生們可以填上第一志願和第二志願，但也不能不在最後一欄即「如果上列志願暫時無缺，願意聽從組織分配」否？寫上「願意」兩個字，因此，表面上中共是讓畢業生自行選擇職業和地點，實際上却完全是由學校裏各系的中共黨委和人事科「欽定」了的。如此一來，難免有人不滿意，做了「革命的逃兵」，更多的到了工作崗位時，便鬧情緒或消極怠工，而使中共認爲「浪費黨對這些人的多年培養」。

來信說：這一套把戲，[illegible]生政治思想教育運動中，中共首先勒令每一個應屆畢業生逐步展開「回憶對比」或「憶苦思甜」，也就是一方面控訴舊社會的罪惡，一方面却對中共和「毛主席」說是[illegible]高「階級覺悟」，服從組織的分配，「黨」指向那裏，就奔向那裏，不向黨討價還價……。

中共又要應屆畢業生學習所謂「有關文件」，跟着是要他（她）們表示決心。要是有誰不表示決心的話，便加以「個人主義」或「沒有集體觀念」的政治帽子，對之展開一場思想辯論，直到這個人「思想搞通了」，表示願意服從組織時爲止。

來信說：中共還裝樣子的要「黨」、「團」、「學生會」的[illegible]帶頭寫「決心書」，然後使「幫助」同學們也「弄通思想」，和他們一樣都向「黨」寫「決心書」，無條件地服從「黨」和「組織」的分配。

來信說：我是一個歷史系畢業的學生，我填寫的是到大專學校作助教或中學當教員。但這看來是絕對辦不到的，因爲中共已經一再表示：現在農村最需要「人才」，青年該到那裏去發展，所以我雖究也以「同農村生產」的成份較爲高、（敬斯）

台灣論壇

台灣高等學府的病態和希望

羅新三

本年三月十七日中央日報刊載有張其昀的「春到華岡」一文，他介紹了在華岡新造的學府——中國文化學院的四個特色，第一個特色是：「全體學生一律住校。……」我們是私立學校，拮据經營，可是堅持了這點。」「研究生絕對不許在外兼事，否則即受退學處分。我們的目的在於實愛光陰，要實施完整的大學教育。」

張其昀這篇文字，只是講自己的辦學主旨，並非意有所指。然而我們冷靜的客觀的返觀台灣的具有權威地位的公立大學生怎樣？由人民納稅供養的研究生又怎樣？前者，在去年外國籍學生狄仁華的臨別贈言中提有例子：依次序排除檢查×光，等一開始時一同學「突變成「暴民」不顧次序的搶先上去；歷史系考試公開作弊，課本和筆記簿紛紛出籠，還彼此交換；木造宿舍爲防火規定不能抽煙，却有假作不知的大抽特抽；宿舍不能住宿外人但常有客人住夜……。至於後者，是不是「一律住校？」是不是「絕對不在外兼事？」我想學校當局自己也必能很直截的回答一個「不」字的。荷再進一步的尋求，則配有宿舍而不住的研究生，可租屋郊區，和女同學不定名份而同居的；在外兼職的有不止一個，還兼二個職，三個職的，在這種情形下而談學術研究，要在文化和國民精神上做領導的，眞是不可想像的事。

所以有這樣的事實，據熟悉情形人士的分析：（一）大學專任教授原來不能兼職的，但現在「專任」兩字，名存實亡，教授們的不能以身作則（按情理言，教授有仰事或俯畜的重担，而待遇不高，實不得不然。）（二）指導教授爲偏愛學生，使能忠於自己，所以有的反主動的代爲介紹兼職。（三）自最近一年來有研究生在雜誌上大罵老師以後，教授們更噤若寒蟬，且以遷就學生爲得計。（學生罵老師，有的分析，以爲教授們登上講臺，常以「黨同伐異」的態度，暗示某人可罵，某人應罵，結果却罵到自己頭上來了。）

以造就國家建設支柱的高等教育場所而有這種現象，雖然有這現象的不是全體，但這趨向不僅不見矯正遏制，且日見其泛濫，試問這些培育成長的國家支柱將來步入社會負實際責任，又如何能奉法循理，潔白自守？

尤其，國家的拯救，畢竟在於高等教育的發揚功能，由於張其昀氏的揭示其所辦高等教育的精神，筆者爲國家前途，不禁焚香禱祝已薄有名聲早具基礎的公立高等學府稍自檢討，奮發改進，使這多難的祖國，能剝極而復，在青年身上出現眞正的「復興」氣象。

美國競選小記

趙浩生

（紐約航訊）在共和黨中，艾森豪是一位德高望重一言九鼎的自然領袖，他雖無「封王」大權，但他的意見却具有舉足輕重的作用。五月二十五日，他發表了一篇聲明，將他所理想的共和黨總統候選人，作一番解說。在這一篇聲明中，他並沒有提出他屬意於何人，但人們從字裏行間，却看得出來他所反對的目標，「此中有人，呼之欲出」。輿論界都認爲這個人就是代表保守主義的葛華德。但在這一篇聲明發表之後，葛華德與羅克費列同時發表談話，都認爲自己是艾克的意中人。羅克費列說：「我的條件和他所描寫的人物恰恰相合。」葛華德也表示：「艾帥所提的原則也正是我的競選政綱。」某記者曾當面問艾帥：「葛華德議員是不是合乎你所提出的條件？」艾帥聳聳肩膀說：「你爲什麼不自己試試，看他穿得上穿不上這雙鞋子？」

在艾帥的聲明發表後，葛華德在某大學演說時，曾將一支箭夾在腋下，以側面對着聽衆，遠遠的看去，這支箭正像從他的胸部穿過。他對聽衆說，這可以代表他最近幾天來的遭遇。但他的表演至此而止，未作更進一步的說明。

艾森豪反葛華德的保守主義盡在不言中，但共和黨中擁護葛華德的亦大有人在。在葛氏競選總部裏，有一位担任宣傳的志願工作者，名爾若‧艾森豪，是艾森豪的姪子，有人問他爲何投效到葛氏麾下工作，他說：「艾氏門中都是個人主義者，我們每個人都有自己的見解，這個見解也許不對，但至少是我自己的。」

六月二日的加州初選，在共和黨候選人的競爭中，具有「先入關者爲王」的決定性作用，葛羅二氏正全力以赴。羅克費列所乘坐的競選大客車，在加州公路上以每小時七十五哩的速度晝夜不停的開行着，他每天清晨出發時只預計作六七次的演講，但結果往往以十七八次結束。他在加州的競選事務，是由一家競選公司包辦，這家公司曾以其「勝利突擊隊」的工作在一個民主黨區選出一位共和黨議員一舉成名。這個「突擊隊」的活動辦法，是在投票之前的傍晚時分，派人到每一個登記的共和黨人家中，請他們出來投票，使坐待勝利的民主黨人無暇還擊，結果取得了最後勝利。

在加州選民中，民主黨和共和黨的比例是三比二。羅葛二氏均感他們在各公共場所握的手，多是民主黨人之手。爲了爭取初選時共和黨的選票，雙方盡量利用電視。但葛華德發現他所買到的電視時間，是一個流行的音樂節目，爲了不願開罪愛好音樂的觀衆，第二天立刻將廣播時間改變了。

美國的競選，規模一次比一次大，花樣一次比一次多，費用也一次比一次更驚人。一九五二年大選，兩黨費用總數爲一億四千萬元。本年競選費用，預計將突破二億大關。競選經費來源很多，除去沿門募捐及工會和商業組織的大筆捐助外，最普遍的一種募欵方式，是政治聚餐會。一張餐券的價格有五百元，百元，或五十元不等。本年最高的數目已達到千元一張。千元一張的餐券，大概可以吃一頓牛排，在擁擠不堪的餐廳中遙望到一位政治人物。五百元的餐券有時僅可以吃到自助餐，甚至連座位都找不到。百元一張的餐券多係站而食之的三明治。

羅克費列在各地作競選演說時，選民常以其離婚再娶事件相詢，羅氏的回答是：「清官難斷家務事，每一個家庭中都有一本難念的經。我的作人態度是表裏如一，勇敢的面對事實解決問題。」

競選集會形式繁多，有宴會，茶會，舞會，……甚至追悼會。在葛華德某次講演時，開會時先宣讀致麥帥祭文，奏哀樂，然後由葛氏登台，對民主黨的遠東政策作激烈攻擊及沉痛檢討，極盡其戲劇化之能事。

政治事「分久必合，合久必分」，一月前在奧瑞岡初選中，與羅克費列派殺得難解難分的洛奇派，在加州初選中決與羅派合作，發動「反葛華德運動。」原因是在加州初選中，只有羅葛二人參加。按照加州法律，選民不許自由加填新的候選人。但在加州之役過後，羅、洛、葛、三派關係又不知將如何變化。共和黨中的尼克遜，目前採取按兵不動政策，同時與三方修好，以待來日「陳橋兵變，黃袍加身」。

詩與畫

漁翁

詩可表達心聲，畫可狀物寫意，二者有其共通性，能詩者，往往工畫。

古之善詩畫者，在唐推王摩詰，在宋推蘇東坡，而東坡亦推崇摩詰備至。據東坡志林云：「味摩詰之詩，詩中有畫；觀摩詰之畫，畫中有詩」。故所繪「輞川圖」。不僅成爲大觀，且能療秦太虛之病，爲我國歷史上最珍貴作品之一。入清，有鄭板橋者，亦工詩畫，罷官歸，有以「三絕詩書畫，一官歸去來」贈之者，非過譽也。

我國向來詩畫並重，詩情畫意，相得益彰。而因畫成詩者易，因詩成畫者難。蓋詩可意會，而難以狀其形也。可是，昔人評詩，謂有詩中畫，有畫中詩者，如秦仲孚集中，所載：「杖藜扶我溪橋步，看盡湖南十里山」。則詩中畫也。又「微風輕颺茶烟起，知有人家在水西。」則畫中詩也。

螢雪叢說：「徽宗政和中，建設畫學，用太學法，補試四方畫工，以古人詩句命題，不知掄選幾許人也？嘗試：「竹鎖橋邊賣酒家」，人皆可形容，無不酒上着工夫；惟一善畫，但於橋頭竹外，掛一酒帘，畫酒字而已，便見得酒家在竹內也。又試：「踏花歸去馬蹄香」，不可得而形容，何以見得親切？有一名畫，克盡其妙，但掃數蝴蝶，飛逐馬後而已，便表得馬蹄香也。果皆中選。」

昔聞有貧生客京師，頗善丹青，不能售一錢，以兩幅獻楊文敏公榮，公題詩於上而還之。詩云：「誰家老屋枕溪墳，十里青山半是雲；此處更無塵跡到，祇容啼鳥隔花聞。」又云：「小橋流水漾晴沙，策杖歸來日未斜；昨夜東風花落盡，一林高樹鎖烟霞」。明日，懸此畫於市，價遂湧起，人爭延致，因而饒裕。所謂一經品題，而聲價十倍者也。

抗戰前數月，筆者董湘省某中學事，適徐悲鴻携大部畫品，在我校舉行十天大展覽，就中以田橫五百壯士之形狀爲最玄妙，所題七律一首，激昂慷慨，因善忘而不復記憶。其次繪馬數頭，躍者，伏者，凜然有生氣，畫中亦題一絕，末有：「此身不負凡庸人」句，把馬之聲價，躍然紙上。以廿元買一小幅，不幸於抗戰時遺散，爲可惜也。

我所知道的麥帥

肯寧將軍原著　徐熙光翻譯

麥克阿瑟夫婦婚後第二天就到馬尼拉去了，此後五年他倆一直住在馬尼拉酒店最高那層樓的套房裏，這是菲律賓政府特別爲麥克阿瑟訂下來的房間。

一九三八年二月，他們的第一個兒子誕生，取名亞瑟，以紀念麥帥的父親。

四、我的上司

爲麥克阿瑟做事實在是一件有趣的事，他要求部下忠貞不二，但是他對待部下也從來言出必行，絕對忠實地信守諾言。我知道有幾次，雖然麥克阿瑟的部下根本不値得他那樣厚道，但是他還是堅守絕不食言的原則。如果麥帥不喜歡你，對你不信任，你絕不可能久留在他身邊，但是如果他一旦對你有了信心，他會開誠佈公地和你坦誠相處，有人攻擊你，批評你，他會竭盡一切力量衞護你。

我是他麾下的航空隊司令，經常要跟他作直接的接觸，因此我們之間關係的密切，與日俱增，我逐漸發現我仰慕他是一位將軍，敬愛他是一位正人君子，而且心悅誠服的接受他的領導。他有最高明的統御才幹，他是在領導人家，而不是在驅策人家。每一個爲他工作的人都自動自發地勉勵自己達成他的期望。他們都打心裏覺得不能讓這位「老兵」倒下去或沒落。你永遠不會感覺他在直接命令你去做某一件事，但是他的一言一語也永遠不會令你對之發生疑問。在我與他共事的期間裏，我從來就未曾感覺到他對我下過一道直接的命令，但是我每次心裏都很清楚他要我做什麼事，或希望我怎麼做。對於不服從的表現或任何有違忠貞的建議，他絕對不能容忍。他絕不逃避應盡的責任，對於搖擺不定，沒有主見的人，也最感不耐。他所給人們的第一個印象是無比的尊嚴和一絲不苟的堅強氣魄。但是他對爲他工作的那些人和對他的袍澤的信心，却迫使他赴湯蹈火支持他們，爲他們解決困難。有一個曾經爲麥帥工作多年的上校在退休後曾說：「麥克阿瑟將軍眞是軟中帶硬的老將」。他這句話道盡了麥克阿瑟麾下千千萬萬官兵的觀感。

無論是在參謀會議中，還是個別與人談話，麥克阿瑟都令人覺得他有獨到的見解。

我和麥克阿瑟固定的每天要作幾次會談，每當我走進他辦公室坐在同一位置上和他開始交談時，他提出來的話題多半是像以下這種類型的：

「噢！喬治，我剛接到海爾賽的無線電話，他對拉堡日本空軍的力量深感憂慮，他認爲日軍將會南侵所羅門羣島，向他發動攻擊。他希望我們立即給他援助。我想立刻前去支援。你看如何，空軍方面對此能作些什麼？」

我將空戰計劃大略地向他報告，兼顧海爾賽的請求和我們本身的安全。（十五）

塵君續夢

第十二回：

異域購新居　民脂似水
冷宮傷舊夢　妾命如絲

侯鏡如竟然如此坦白，許多人都爲之一驚。

張執一跟踪問道：「假若你到了台灣，仍然任司令官，你就不會向人民靠攏了？」

侯鏡如說道：「當時的心理確實是如此；不過，現在已經徹底覺悟了。」

侯鏡如說過，張執一就指指廖運澤，要他說。

廖運澤說道：「我覺悟得最早，遠在我任騎二軍軍長時，國民黨要我帶兵打解放軍，我就不肯奉命。到了淮海戰役後，我駐守正陽關，解放軍一到蚌埠，我就趕快起義了。」

張執一問道：「照你的說法，你不是由鬼變成人，而是由人變成人，黨對你並沒有什麼好處。」

廖運澤悚然說道：「那又不是如此說法。我在解放前是一個無惡不作的軍閥，吃喝嫖賭全來。」

張執一擺手道：「你的話說的太籠統，到底怎樣吃喝嫖賭？吃喝什麼東西？要說光是吃魚吃肉，那並不算犯錯誤，我們共產黨人也要吃喝的。」

廖運澤想了一下，說道：「吃是吃空名字。」

張執一追問道：「喝呢？」

廖運澤說道：「喝是喝兵血。」

一句話引起閧堂大笑。

張執一也笑了，說道：「你還算坦白，怎樣嫖賭呢？」

廖運澤說道：「那時是狂嫖爛賭，反正有錢有勢，任何漂亮女人，只要被我看上，沒有弄不到手的。」

張執一問道：「你那時的生活到底是鬼還是人呢？」

廖運澤說道：「當然是鬼，到解放後才變成了人。」

張執一點頭說道：「你們姓廖的有時到是深明大義，國民黨軍隊裏面起義的將領以你們姓廖的爲最多。」

廖運澤一見張副部長當面嘉獎他，不禁眉飛色舞，說道：「這都是黨和毛主席的感召，我的兩個弟弟廖運昇同廖運周都當師長起義，我的叔叔廖梓英也在當安徽全省保安司令時起義。」

廖運澤還想向下說，張執一已經聽的不耐煩了，擺手叫他坐下，回頭向大家說道：「民主黨派自己發動的這個神仙會，用意是很好的，要想成神就要脫胎換骨，把自己腦子裏不健康的思想清除掉。據統戰部的了解，許多民主黨派成員都有一個不正確的想法，以爲到今天還是吃老蔣的飯，這件事毛主席非常生氣。事實上大家吃的小米清菜，那有一粒是從台灣運來的？這種辯證法如何能成立？今天散會後大家在思想上多作一些準備，究竟過去想過這個問題沒有？只要想過的，就要說出來。若是藏在心裏不肯說出來，就是有心欺騙黨，查出來要以反黨論罪的。」

張執一說過，恍如晴天霹靂。大家都知道共產黨的習慣，它要你承認一件事，不承認是絕對不成，承認之後就麻煩無窮，要日日開會，檢討，統戰部還要派人「幫助」你，起碼半年以內就沒有好日子過。今天張執一提出的問題，實在是人人心中的話，但是眞從自己口裏說出來，却也必然後患無窮。（三一四）

冒險犯難記

鄒文儀

後來我被調到第六隊，隊上的同學一百八十人，都是過去我在講武學校及學兵營時候的同學，彼此認識，相處定是容易；不過因爲我先到黃埔，這時又是一個見習官，同學們也有表面尊重，實際並不尊重的，當然這並不是他們瞧不起我，或嫉妒我，而是笑我和他們是一樣在講武學校的同學，在黃埔軍校也都是第一期同學，如果我稍有一點官氣，就會被同學們認爲「大可不必」。我在這期間，確乎是遇到了不少困難。

第六隊同學於十二月底在黃埔奉學校命令，隨同校軍教導團出發，參加東征。最初是担任後勤任務，掩護兵站司令部的運輸補給工作及兵站的安全。這時隊上的官長多數都已調到部隊任軍官或第三期任官長，區隊長及區隊附職務，多已空缺無人，後來且有一個短時間，由區隊附臨時代理區隊長職務，這樣一來，我的困難就更增加了。

革命軍東征，討伐叛逆陳烱明，黃埔軍校學生及教導團是以軍校名義參戰的，差不多是全校總動員。我們都知道這一次戰爭是生死存亡的戰鬥，敵人很頑強，友軍靠不住，我們的兵力很單薄，合計起來只有四千多人，只有兩個步兵團，一個砲兵營，幾個學生隊，不過我們都有必死的決心，大無畏的精神和勇氣。我們還是第一次作戰，初生之犢不怕虎，我們眞是天不怕地不怕的一羣革命青年軍人。我們從十四年二月三日（農曆元旦過後）出發，不到十天就進到淡水附近。第六隊掩護兵站，我這時以見習官區隊附兼代區隊長名義，和同學們共處得很好，因爲要分派學生分隊或小組指導男女挑夫，押運糧秣子彈上前線，工作很繁，責任很重，前線戰鬥很激烈，謠言很多，也有少數逃兵散勇逃到後方來。校軍兵站設在距離淡水前綫五十華里的龍崗，在二月十五日攻佔淡水激戰前後，友軍也有不少潰退下來，一時秩序大亂，兵站輜重物品很多，學生隊在兵站担任防守的人數却少，幾乎無法維持秩序。我這個見習官和兩三個隊上的官長，在這種情況之下，是極難應付的，尤其是當兵站負責人，覺得局勢嚴重，準備撤退，甚至解散兵站時，要我們沉着應付，穩定待時，以候情勢發展，更是難題。好在到十五日上午，校軍已攻克淡水的勝利消息就傳來了，我們才過了難關。

十五、初任排長走上火綫

校軍攻克淡水，又擊敗敵人援軍反撲，創造了革命軍英勇果敢的楷模，也創建了東征初戰的勝利光輝。（二三）

錢與人生

吳文蔚

我國民間的一些流傳的習語，仔細玩味，確有爲人處世的至理存焉。比如：

「要飽還是家常飯，要暖還是家常衣。」再如：

「金窩兒，銀窩兒，丟不下自己的窮窩兒。」

像這樣極通俗的民間流傳語，可以說是道盡了人生的最大享受，並且含義至廣，包括了經濟、實惠、方便、舒適等意味。但現在台灣省的人，却充滿了一種留美熱，視赴歐美等於上了天堂，很多人都是想盡方法，巴不得自己變成飛機，一下子飛到美國；還有的因爲受出國條例的限制，甚至不惜改變國籍，把自己填入外國人的戶籍充外國人的兒子，以求達到目的。可是，許多外國人，一到中國住久了，却便不願意再回去了。

人類的慾望無窮，而掘取財富的思想也不會有個終止。記得小的時候，社會上流行着一種很苛酷的話說：「中國人的骨頭燒成灰，裏面也有「升官發財」四個字」。這話聽來，甚覺刺耳，然而縱觀現在社會上的一般情形，人們想發財不擇手段的卑劣行爲，層出不窮，花樣之多，伎倆之惡，令人不忍卒睹。按正途發財，符合人性慾望，原是無可厚非的事。可是往往有很多人，爲了想發財，貪享受，不惜用盡種種方法，剝奪別人的生活，來充實自己的生活；打擊別人的利益，據作自己的利益，這就難怪人與人間糾紛迭起，國與國間戰爭頻仍了。

儒林外史中對某守財虜臨死的情況，描寫得入木三分：說他雖祇剩下了一口氣，眼睛却還瞪着燃得熊熊的燈捻，不肯把那口氣嚥下去。以後給侍守着在他身旁的老伴兒看出端倪，用手把燈捻子分開來壓入油中，壓得只剩下一根燈捻子，此人這才把眼閉合嚥了氣」。筆者自小就有這樣的質疑：人們一輩子找錢在爲着什麼？人是爲了錢活着的嗎？以後走進社會，會多次歷難，身上空無一文錢，肚子餓得嗚嗚叫，這才體驗到錢的用處，並想起小時候鄉村人說的：「任憑你本事再大，沒有兩個銅板，拿不到一個饅頭」的那句話來。然而觀於現在社會上的男男女女，林林總總無一不是在爲着錢，錢成了大家心目中的重心，心裏便又生出一種質疑：這些人都在忙着爲的錢嗎？如果眞都爲的是錢，那人活着還有什麼趣味？當然，當我想到孫中山先生說：「人生以服務爲目的，不以奪取爲目的」的話時，便又感覺人類是有生的意義了。但若拿現社會的實際情形以觀，誰不爲之憫然呢？

這實在是一個亟待解決的問題。這問題解決了，我想人生才有眞正的興趣和樂趣。否則，人人都朝着一個目標，都是爲錢，有什麼意義！

孟子說：「上下交征利，而國危矣」。又「孟子見梁惠王，王曰：叟，不遠千里而來，亦將有以利吾國乎？孟子曰：王何必曰利，亦有仁義而已矣」。這所謂「利」，固不一定指錢，但亦未嘗不可以說它指的是錢。一個國家，上下都在搞錢，這個國家能夠不危在旦夕嗎？縱觀社會上的一切壞現象，如自殺犯罪等行爲，那一樣不是與錢有連帶關係？這樣一代一代的演傳下去，人人都變成了衣冠禽獸，還有什麼人生的意味？

「五百年必有王者興，其間必有明識者」。但願「王者」早興，「明識」者早出，納社會風氣於正軌，夫然後，人人才能夠得到人生的樂趣！

我的社會生活

雷嘯岑

我寄居上海親戚家已逾兩個月，見其隔鄰某戶人家的門前，經常停着一輛嶄新的道奇牌大卡車，始終未曾開動過，頗爲詫異。一日，在門口遇着那位鄰居的女主人，談到這輛卡車，她很得意的說道：「我先生在軍中作團長，這是他從部隊裏撥來的車子，準備必要時，好裝載全家人口和什物，向浙贛公路方面逃難，免得臨時慌張啦。」我聞而暗自吃驚，此時上海戰事方亟，蔣總統正在復興島指揮國軍作戰，而軍官們乃毫無戰鬥意志，滿懷失敗主義，大局還堪設想嗎？

既而我在日本讀書時結交的老友四川人李劍華，常來訪問，且帶同一位青年朋友，不時要在我的住所內搓麻將，他我問是否住在上海看時局變化？我知道他的思想素來是左傾的，但他歇歷上海市社會局副局長兼勞工處長，社會部勞動局某處處長等職位，相信他決不會是個共產仁兄，乃對他說眞話，認爲上海必將陷落，約他一道南下赴粵，他笑謂：「我不必走，老兄南行亦好，不過，國民黨的前途是暗淡的。」後來上海淪陷了，他貴爲「華東軍政委員會」的「勞工部長」，纔知道他原是一名老共幹。但他不勸我留在上海尋死路，算是對老友保持着一點溫情主義，難怪他最後要遭到整肅之禍哩！

越民國卅八年四月間，上海戰事已進入劇烈階段，有一天我從小沙渡路周宅（周佛海之妻兒住宅）出來，順便到附近所謂越界築路的地區瞧瞧，見有許多木樁林立若蛇陣，就問路人這是幹甚麼的？答言「是國軍的防禦工事」。我聞而大驚，似此兒戲之作，上海危矣！乃決計南走粵，免爲俘虜。

聽說行政院在滬設有臨時辦事處，可以調配公職人員的交通工具，我設法查詢其所在地點，姑往接洽。詎料門禁森嚴，有武裝軍士守衛着，而樓上下擠滿了人，叫囂呼號之聲不絕，一派喪亂情況，令人不忍卒睹，祇好廢然而返。另以一百八十元現大洋，購得中央航空公司開往廣州的一架破舊飛機座位，蒼黃由龍華機場出發，當我離滬之日，龍華機場已聽到砲聲了。

到達廣州時，人地生疏，言語隔閡，各旅館皆告客滿。旋晤及同鄉人立法委員覃勤兄，他在市內「鳳凰酒家」開有兩個房間，讓我暫時下榻於其中，得免流落街頭，亦云幸矣。（五九）

徐永昌將軍的學養功業

吳文蔚

徐將軍克保定時，獲電孫岳逝世，大慟，即率國民第三軍袍澤開會追悼，並迎靈發喪。迨北伐完成，徐將軍始將所率國民第三軍正式隸屬於第三集團軍閻錫山麾下，復受命任綏遠省主席。

是時，綏省逢災，饑民遍野，徐將軍籌糧開河，以工代賑，剿土匪，安民生，綏饑乃除。繼主河北省政，又逢水災，徐將軍設河北省農田水利委員會以濟之；並整理預算，節約省政開支，剷中飽，增稅收，財政穩定，民生解決。再繼調主晉省，値「九一八」事變內憂外患，交相煎迫，徐將軍鑒於地方首長謀國步趨未能一致，乃奔走平津，謀所以安華北者安國家，通令全省服國貨，整學風，時有晉省教育冠全國之稱。這是將軍從政的優良結晶，歷任三省省主席，政績斐然，口碑載道。

抗日戰起，將軍任委員長保定行營主任，指揮第一戰區軍事。時日本先遣軍總司令香月揚言三個月征華之囈語，徐將軍沉着指揮各軍，採綏退急抗之戰術，使國軍轉入山地，分點合擊，乃有太行山區諸關隘之輝煌戰果，粉碎了香月三月征華之迷夢。我軍於是轉入了持久抗戰的有利態勢。

徐將軍旋受命任軍令部長，佐蔣公運籌決策，慮遠思深，擘劃調度，悉合機宜，而得展其大將之長才。

抗日之勝利，固取決於今總統蔣公之政略正確，至戰場上之歷次戰術獲得輝煌之戰果，實本諸於優良之戰略與政略之緊密配合也。抗戰八年，軍事纏綿，吾人之勝，勝於戰略，日軍之敗，其實亦敗於戰略也。徐將軍當受命軍令部長之初，即本領袖持久抗戰之英明政略，決定了新的戰史上的空前戰略，劃戰區，定戰場，以空間換時間，遲滯敵軍，勞其師，疲其衆，乘有利時機而殲其精銳。故令第二戰區之部隊一律渡河，使晉綏冀魯成爲一遼環遼濶之廣大游擊區，用以牽制敵之主力。次以平原會戰，湖沼會戰，山岳會戰，逐漸打擊敵軍，故我有台兒莊之勝，長沙之捷，鄂北之大轉機。自此而後，吾人轉守爲攻，日軍銳氣節節下降，加之盟軍與我能合作戰，日軍終於全面改守而不能進，卒而宣告無條件投降。將軍研幾徙薪，皆勝敗存亡之所關，除最高領袖外，實非他人可得而知者。這是將軍在戰略上的大智慧，同時亦爲對抗戰之大貢獻也。

勝利後，將軍長陸軍大學，以人格教育灌輸陸大學生的戰略戰術思想，使陸大學生人人皆能中流砥柱，担當復興國家奠定永久和平之偉大使命。今徐將軍雖逝於反共戰爭勝利之前，其未竟之業，有陸大同學繼其志，反攻聖戰將揭開，陸大同學定能秉徐將軍遺忘、效忠黨國，輔佐元首，直搗燕幽，痛飲黃龍也。

毛奇大將辭世後，德政府任人弔奠瞻仰其遺體，市廛閭巷人爲之空。徐永昌將軍謝世於今四週年矣，將軍一生偉績，行見載之史冊，本文所述，僅就其犖犖大者，貢之報端，藉資紀念云耳。

（下）

諸葛亮逸話

吉庭

讀前出師表，有云：「今南方已定，甲兵已足，當獎帥三軍，北定中原，庶竭駑鈍、攘除奸凶、興復漢室，還於舊都，此臣之所以報先帝，而忠陛下之職分也」。此段文字，英氣勃勃，何其壯也。可是，後出師表，末云：「凡事如是，難可逆料。臣鞠躬盡瘁，死而後已！至於成敗利鈍，非臣之明所能逆覩也。」所用逆料逆覩字眼，則出師已無把握，認爲形勢不利，非人力可能挽回，一切付之於天而聽之於命耳。

孔明六出祁山，不獲勝利，氣血用盡，積憂成疾，死在軍中，年僅五十又四。在未死以前，上表後主、有曰：「成都有桑八百株，薄田十五頃，子弟衣食，自有餘饒。至於臣在外任，無別調度，隨身衣食，悉仰諸官，不別治生，以長尺寸。若臣死之日，不使內有餘帛，外有餘財，以負陛下。」讀此表，則知孔明一生之清廉可風。

孔明死後，楊儀等整軍以退，司馬懿聞訊，派兵窮追。姜維受孔明遺囑，令楊儀反兵，鳴鼓，向司馬懿進攻，蜀兵多奮勇向前，軍中飄出一幅大旗，上書：「漢丞相武鄉侯諸葛亮」。司馬懿見之，大驚曰：「孔明未死，深入重地，兵家所忌」。即倉皇奔退。越二日知孔明眞死矣。乃嘆曰：「我料他生，未能料他死！」因此當時人民有：「死諸葛嚇走生仲達」之語。仲達，司馬懿之別甫也。

孔明死後，葬定軍山，今陝西沔縣東南，因爲山墳。在四川成都，有漢丞相祠堂，內塑武侯像，綸巾羽扇，道貌岸然，令人肅然起敬！杜甫初入成都，訪諸葛侯廟，賦詩云：「丞相祠堂何處尋？錦官城外柏森森；映階碧草自春色，隔葉黃鸝空好音。三顧頻繁天下計，兩朝開濟老臣心；出師未捷身先死，長使英雄淚滿襟！」由於詩聖這一首七律，而孔明之名，更流傳於千古。

（五、完）

內僑警台報字第〇三齊號內銷證
自由報
THE FREE NEWS
第四五一期
中華民國僑務委員會核准
台灣新字第三二三號登記證
中華郵政台字第一二八二號執照
登記為第一類新聞紙類
（本週刊每星期三、六出版）
每份港幣壹角
台灣零售價新台幣貳元
社長：雷嘯岑
督印人：黃行宜
社址：香港銅鑼灣高士威道二十號四樓
20 CAUSEWAY RD 3RD FL
HONG KONG
TEL. 771726　電報掛號：7191
承印者：田園印刷廠
地址：香港灣仔高士打道二二一號
台灣分社
台北市西寧南路雲臺宗儀二樓
電話：五〇三四六
台郵撥帳戶九二五二

詹森政府的反貧窮計劃及其展望（中）

· 宋文明 ·

由於以上各種因素的影響，所以詹森繼任總統後，除了強調不改變甘迺迪的外交政策，繼續致力於減稅及民權兩法案的通過外，另外一個最主要的目標，便是準備全面推行這一反貧窮政策。於是一面他私下要求美國和平服務團團長薛里佛，負責籌劃一切準備事項，一面便於一九六四年一月八日的國情咨文中，對這一基本意向作了公開宣佈。薛里佛負起這一重大任務的籌備工作後，首先，他邀請美國勞工部的茂寧漢，國防部的亞摩林斯基，社會學家哈林頓，以及其他有關部會人員，成立了一個顧問小組，會同參照過去赫勒所提基本綱要，重新擬定一個更詳盡，更具體可行的全面掃除貧窮的整套計劃。接着，他與全國各界有關人士及各種專家分別會談，聽取他們對這一問題的意見。等到這一籌備工作告一段落，及美國政府有關各部門不同意見獲得完全協調，詹森總統便於二月十八日，正式發表薛里佛爲白宮特別助理，成爲執行這一反貧窮計劃的最高行政首長，並於三月十六日，向國會提出了這一歷史性的反貧窮法案——即所謂經濟機會法案的咨文。

（三）

在這一長達二千八百字的反貧窮計劃咨文中，詹森總統除了提議成立一個經濟機會局的常設機構，負責推動這一計劃，並要求撥款九億七千八百萬元，作爲自一九六四年七月一日開始的一個年度的經費開支外，在掃除貧窮的實際步驟方面，詹森所提主要計劃包括：

（一）成立一個志願服務團，登記各種年齡的志願工作者，以每月五十元的報酬，參與政府的各種反貧窮計劃。

（二）由聯邦政府切實支持各地社團所擬就及所進行的反貧窮計劃，即所謂社區行動計劃。這種計劃若獲得經濟機會局批准，便可獲得百分之九十的聯邦財政支持。

（三）對貧窮農民家庭予以資助，或予以低利貸款，使之能維持最低限度生活及正常生產。這種資助及貸款，均按一個家庭的各種實際情形來作決定。資助最高可以達到一千五百元，貸款最高可以達到兩千五百元。

（四）對小型企業予以長期低利貸款，使之能僱用收入低微家庭工人，以緩和當地的失業壓力。這種貸款可高到一萬五千元，償還期限可延長達二十五年之久。

（五）在經濟機會局主持下，成立一種工作團（Job corps），收容由十六歲至二十一歲這一年齡中間的既不合格當兵，又未獲得適當教育四十萬青年，予以工作及生活上的照顧。由於收容這樣多的青年，不是一件容易事情，所以美國政府現正計劃在全美各地，設法租用軍隊營房及其他現有政府建築，儘速成立一百個工作訓練營，並在第一年度，先行收容四萬人以作試辦。這批青年進入訓練營以後，一部份將參加水土保持等各種公共工程，一部份則將接受職業訓練及過去所未完成的基本教育。等到他們完成基本教育及在職業訓練中獲有一技之長，即可離開訓練營轉業別的方面。換言之，成立這種工作團的目的，就在使一部份因過去家庭環境、健康及其他原因，而未完成基本教育，致無法在社會上担任有用工作者，經此訓練之後，使他們重新成爲有用之材，而担負起生產性的任務。

（六）在勞工部主持下，進行一種工作訓練計劃（Work Traing Program），爲二十萬同樣年齡的青年，提供工作及訓練，一面使一些在學青年能完成高中教育，一面爲一些就業青年提供訓練，使其能配合美國工業自動化的趨勢。

（七）在衛生教育及福利部負責下，進行一種工作研究計劃（Work Study Program）爲十四萬窮苦的大專學生，提供半工半讀的機會，使之能完成大學教育。假若美國政府不作這種支持，一面這些大專學生將無法完成學業，勢必提前離校，一面也將更進一步增加社會上的失業壓力。

在以上這些計劃中，以最後三項爲最重要，也最爲詹森政府所強調。因其他各項計劃雖直接間接有益於減低美國部份人民的貧窮現象，但其作法則屬一種治標的性質，而唯有最後這三項作法，不僅以公共工程等各種工作機會爲手段，爲一些需要獲得收入及生活上關照的青年男女，解決現實困難，而且還經由職業訓練及幫助完成各級教育的途徑，使每個人都具有健全的就業條件，而成爲社會上的生產份子。對於這點，有兩項數字，更足以證明其重要性。其一，今日美國凡列入最貧窮者，並非屬於一般工人階級中的臨時失業工人，而是一些屬於家長無力就業或大的社會環境太差的人民。其二，今日美國自十六歲——二十一歲這一年齡的失業人數，高達百分之十五，爲全人口平均數的三倍，足見這一年齡的所以失業，是和他們的缺乏就業條件有密切關係。由於這種原因，所以最後這三項計劃的充分實行，將使美國社會逐漸淘汰各種無用及寄生份子，使每個成年人皆具有就業與獨立謀生的能力，則這些人的生活情況自會慢慢獲得改善。

（四）

但隨之而來的兩個問題是：詹森政府的這一掃除貧窮計劃能獲得國會的順利通過？即使能獲得國會支持，這種計劃就能有效把美國的貧窮問題予以根本解決？假若國會不能通過這一計劃，或只通過了第一年的計劃後不再繼續予以支持，這種計劃可能也將雷聲大，雨點小，最後無疾而終。但縱使美國國會繼續支持這一計劃，而它若無法真正解決美國的貧窮問題，又勢必在此計劃之外另覓辦法。

多法之害

馬五先生

國家立法的唯一目的，是在消防人民犯罪行爲，創進社會善良風俗，所謂「刑期無刑」是也。決非如漁翁在水澤撒網罟，獵人在山林張弩箭、設陷阱然，志在使游魚與禽獸自投羅網，從而收穫營利也。因此，法令規章應該以簡要通達爲主，而切忌繁複苛刻。否則人民動則得咎，人人自危，及其弊也，率性無視法令的尊嚴，上焉者尋法律漏洞以逞私慾，下焉者以犯禁爲求生存的捷徑，而天下大亂矣！

史稱漢高祖初入關中，除秦苛法，與民約法三章，民心大悅，終成帝業。自古以來，國家治亂盛衰之道，皆可從法令簡繁之中，得到確切的答案。試以吾人親身經歷的史事爲證：在民國十六年國民革命政府奠都南京，號令全國的三四年間，舊有北洋軍閥政府的一切法令皆已摒棄不用，而新的法律多未創立，但社會羣衆充滿着進步氣象，一般官吏亦表現着奮發精神，大家自律自重，誰也不願乘機爲非作歹，隨便亂來，就那時的政治風氣說，比較現在，其清明廉幹的本質，判若霄壤了！

如今咱們政府的法令，可謂多如牛毛，從國民革命軍北伐時起，中經剿匪、抗日、戡亂之役，以迄結束訓政，實施憲政之治，所有歷年頒訂的法令，不問是否過時，一律適用如儀，而立法機關又不斷的訂立新法，頒佈施行，「法令滋彰」的情形，眞是嘆觀止矣！處在這樣法網嚴密的環境中，人民要想不觸犯法令以期促進事業、改善生活，戛戛乎其難哉。官吏要依法管制或干涉人民的行爲，信手拈來，應有儘有。嚴格的說，人民常有犯法之虞，官吏不愁缺乏箝制人民的法律根據。如此這般，人心自不易安泰，社會風氣焉能純良？

我眞是莫測高深，中央的行政與立法機關，爲甚末不將現有汗牛充棟、五光十色的法律加以爬疏剔抉，去蕪存精，弼成眞正的憲政之治呢？盼有以語我來！

今日与明日

俄毛將廢除軍約

蘇俄消息報最近突然發表一項消息，指中共「外長」陳毅曾說過「中」蘇軍約已毫無用處。

陳毅這個人，作風有點類似毛澤東，向來是信口開河，想到就說，前些日子他曾經要核子不要褲子，使舉世傳爲笑談。可以相信陳毅在對着西方國家在北平人員談話時，爲了硬充好漢，會說出「中」蘇軍事同盟已毫無用處的話。

而蘇俄卻對這種說法認了眞，顯然是別有居心。

赫魯曉夫打擊毛澤東已到了不擇手段的地步，在最初可能寄希望於毛共內部的變化，經過幾次會議之後，赫魯曉夫發現從中共內部推翻毛澤東已顯然無此可能，乃轉而從外面用壓力，促使毛共早日崩潰。

蘇俄消息報此日公佈這項消息，可看出幾點用意：第一、打擊毛澤東的威信，使毛共人員感到離開蘇聯核子傘的保護將無法自存，會逐漸由擁毛轉而反毛。第二、安撫日本，米高揚訪日，雖然因爲南千島主權問題未能取得協議，但蘇俄拉攏日本之意却十分迫切，俄毛軍約就是以日本爲假想敵，蘇俄此日屬能宣佈廢除俄毛軍約，對日本的影響自相當大，對於促進俄日和約有很大幫助。第三、在向美國表示善意，爲美國「主和派」人士助長聲勢，間接也打擊了對俄強硬派的高華德一派人士。總之，蘇俄此項行動一石三鳥，而受影響最大的還是毛共。

赫魯曉夫與羅共

西方報紙又傳出一個消息，赫魯曉夫曾經打算顛覆羅馬尼亞的喬治烏德治，結果失敗，激起了羅共的憤怒，初步在赫毛之間走中立路線，現在要作一個獨立共產黨，變成了狄托第二了，美羅之間已交換大使，進一步將要與羅馬尼亞以經濟援助，看情形羅共之脫離蘇俄集團，只是時間問題了。

赫魯曉夫今天的難題，是德、威兩失，他既不能似史大林隨意整肅附庸國的領袖，又不能隨意給與大量援助，以維繫附庸國的向心力，只有看着共產集團瓦解了。

霍查之言

阿爾巴尼亞共黨頭目霍查，最近發表演說，指責赫魯曉夫集團謀殺史大林。並且說明這項消息是得之於米高揚。這個消息可以相信百分之百是眞的。霍查的話不過證實了西方記者存在已久的揣測，相信又替毛澤東增加了反赫資料，不久，在北平將暴露出更大新聞，對研究共黨歷史來說，是大有幫助的。

人到那裏去了！

蜂擁而至

稅制與稽徵程序亦有問題
欠稅漏稅滯納共達十八億
立委黃煥如主張本標兼顧新革清理

（本報記者台北航訊）立法委員黃煥如說：現在欠稅逾九億元，滯納逾兩億元，走私漏稅逾六億元，共達十八億元之鉅，如果全部實收，足以彌補本年度預算赤字而有餘；如能徹底改革稅制，採取簡重原則，避免重複轉嫁，加强稽征，杜絕漏欠，同時有效利用溢頭寸，發展工商業，繁榮經濟，改善待遇，整個財政前途，定可改觀。

為什麼有欠稅問題？不外乎稅制有問題，稽徵程序有問題，特權階級的大戶欠稅拒繳等等。

據台灣省財政廳統計：截至五十二年六月底止，欠稅達三百餘萬件，全額計九億餘元。較四十四年統計數字：件數增加一半，金額增加兩倍，幾乎每年增加一億元的欠稅。統計顯示：四十四年以後，欠稅大戶多於小戶，逐年清理，愈積愈多。而每年為清理欠稅所增加之催徵人員及財務罰鍰經費，亦比例倍增。如四十九年全部財務罰鍰經費，僅五百九十一萬元，至五十四年預算所列財務罰鍰經費，僅財務法庭之裁定與執行兩部份，即達二千二百八十萬餘元，如包括煙酒專賣案件，則達二千五百六十八萬餘元。五年之內，增加三倍以上。又如財政部委託代徵經費，即稽徵經費中央補助部份，四十九年僅三千四百餘萬元，五十四年增至一億一千九百餘萬元。亦增加三倍。而欠稅不僅沒有減少，反而增加兩倍。欠稅與財務罰鍰以及稽徵經費，如滾雪球，逐年加大，影響預算平衡，形成財政毒瘤。

這情形，由於稅制有問題而形成者，如像房屋有房捐，土地有田賦及地價稅，乃於房捐地價稅之外，另徵戶稅，恍似「人頭稅」，不無重複課徵之嫌。過去九億多的欠稅中，戶稅所估比重最大，因而歷屆縣市長候選人，多以取消戶稅作競選宣傳，於是而更引起納稅人懷疑與觀望；加以稅單數字亦多錯誤，因之積欠最多。

其次是營業稅，因商店賬簿不全，多出於估計，營利事業所得稅又從營業稅再估計課徵，亦恍似重複課徵，而多有逃欠。像棉紗出廠徵貨物稅，紗織成布，布裁成衣，均徵營業稅。而布與衣由批發商轉零售商，每一轉手，課徵一次營業稅，有時一物課徵達三、四次稅者，中小商人於是設法逃欠矣。

再次是防衛捐，係稅上加稅，本稅不繳，附稅當然積欠。至於從國外進口的貨物，既徵關稅，又徵貨物稅。而進口加的工原料，關稅記賬，出口退稅，手續麻煩，無以復加，且易滋朦混；假出口真退稅案，即是顯著事例。

由於稽徵程序發生流弊者，如稅單任意錯填數字，使納稅人懷疑而申請復查，而復查的手續又極麻煩，且須先繳半數，因而率性不繳。稽徵機關不研究納稅人為什麼不繳納的原因，也不分小戶或大戶，一律移送財務法庭處理。這樣，豈僅徒增紛擾，而若干有權有勢的特權人物，利用其社會地位或政治地位，向稽徵機關施予壓力或託人疏通一番，而欠稅因之愈積愈衆。

為今之計，應從治標和治本兩方面着手。治標方面，戶稅應專案清理，按照年次先後，逐年清理，更正錯誤，免收滯納金，大戶及有收入之房地產先催繳，小戶後催繳；其確係貧窮無負担能力，或房屋倒塌，戶主行踪不明者，留待最後清理，核實註銷。公教人員自用住宅之中小額戶稅，確無其他收入者，不妨比照公家配住宿舍清理，以示公平。其他欠稅，一律按照年次先後，數額大小，分期清理。數字錯誤者，應即更正，免加滯納金。倒閉廠商行號，查明註銷。特別注意大戶，絕對避免請託！舊欠限期清理，新欠不許增加，稅單至多保留三年，在此期內，必須清繳，否則依法强制執行，以免積欠玩生，滋生流弊。

治本方面，應着重改革稅制，一物一稅，直接課徵，大家自然無從逃欠。理財原則：與其繁而輕，不如簡而重；與其間接轉嫁，不如直接課稅也。現行稅制，名目繁多，一物數稅，重重複複，偷漏逃欠，弊端百出。如戶稅，如防衛捐，如營業稅等皆然。今後應加重直接稅，減少間接稅，而稅務人員和稽徵經費，均可同時減少，偷漏逃稅，自然絕跡。

各政府機關應繳國庫而沒有繳納的庫款，據五十二年度中央政府總決算審核報告：五十二年度各機關已收未解庫之款，達一億二千六百九十五萬八千餘元，連同五十一年度待納庫款，共為二億四千六百五十七萬餘元。黃煥如委員指出：各機關開支，均根據已通過之預算，由國庫撥款，各機關收入，必須隨時繳庫。國庫收入減少，預算赤字將更增加。庫款滯納，數逾兩億，幾佔總收入百分之三。此例一開，相率效尤，必至國庫空虛，影響幣信。財政當局，以不應視為細故，曲意徇情，而應從嚴追繳，以裕庫收。

台灣省警務處於五十二年十二月發表統計：該年一月到十月，查獲走私漏稅案件達二萬六千八百十四件，總值計五億零六百九十九萬五千九百餘元，全年十二個月，即達六億餘元。比五十一年同期增加六千六百十三件，漏稅額增加二億六千五百十六萬餘元。而此尚僅係已查獲之走私漏稅數字；其未經查獲者，數字恐更鉅大。如五十二年味精業漏稅，即達二千萬元；又如五十四年度估列國民所得為八百五十四億六千四百萬元，而遺產稅僅估列二百六十五萬二千元。苟非稅制有問題，漏稅數字實在太驚人了。

黃煥如委員說：欠稅係民欠，滯納係官欠。民欠官欠，同屬庫款，即應一同催繳。故將滯納庫款列於清理欠稅之後。而欠稅與滯納，係屬明欠。走私漏稅，係屬暗騙。明欠易清，暗騙難防。十月之內暗騙數字竟超過十餘年明欠一半以上，非同小可。希望財政當局特加注意。

北市議會大厦偷工減料疑案
──本報台北記者張健生──

電氣設備第二期工程：議事廳部份工程費預算，二八三、六七八元，承包工程費二二、三〇二元。

地下室一、二、三樓辦公室部份電話設備第一期工程費預算，二五五、二〇五元，承包工程費一一九、九七七元，供給材料費預算二、一〇四點六九元。

電氣設備第二期工程（議事廳部份）費預算，三、四二一元，承包工程費三、三八八元。

給水衛生第一期工程費預算，二〇六、七八九元，承包工程費二〇六、〇〇〇元，供給材料費預算二三七、八四〇元。第二期工程費為一一七、五一〇元。

麥克羅決器配管工程費預算，三〇、八九二元，承包工程費三〇、六〇〇元。

擴音設備工程費預算，一八八、二九〇元，承包工程費一八四、五〇〇元。（中國廣播公司承包）

冷氣設備工程費預算，一、〇七〇、一四七元，承包工程預算費八五六、八〇〇元。（崇興鐵工廠、共六十五噸）

高壓供電更改工程費預算，一一一、七四六元。

以上各項工程尚未驗收。

自動控制投票表決器工程費預算六四〇、二六四元。

小組會議室冷氣設備工程費預算七一八、四九四元。

以上兩項工程尚未發包。

議事廳桌椅設備工程費預算二一九、六一八元，由市議會自辦，費用為二十萬元。

試探地質經費六六、二〇〇元。

試基樁經費二一、〇〇〇元。

中央社（宿舍）遷城費二十萬五千元，拆除費三千七百元。

四十五年度鋼筋自然耗損二六、四三四點五〇元。

工程管理費五一一、九七八元。

費用統計

依據上述各項費用加以統計：

第一期結算工程費和材料費：三百四十六萬八千三百四十九元八角五分。

第二期結算工程費和材料費：三百五十六萬三千一百八十二元六角二分。

其餘各項裝修設備等費：共一千〇三萬二千七百三十八元二角三分。總計：一千七百〇六萬四千二百七十元七角。尚剩餘預算四萬八千八百〇二元三角。（中）

香港與大陸

為阻學生申請出境
毛共又加强詆譭香港
亂造謠言把香港說成可怕的地方
還舉出「眞人眞事」意圖一手遮天

中共又加强在大陸各級學校，肆意詆譭、醜化港澳和南洋自由地區，并公然表示此舉意在使青年學生提高「思想覺悟」。其實中共的眞正目的，祗是藉此嚇阻學生們不敢在暑假期內申請來港，免得青年學生們一去不復返，既損失了「勞動力」，同時也把大陸的見不得人的眞相，更多更詳盡的給揭露出來。

現刻就讀於「興寧一中」的羅××，最近寫信給他的哥哥──香港一工廠職員，透露出是項消息。

來信說：年年到這個時候──暑假前夕，大陸地區每一間中學或大學的學生們，便紛紛要求在暑假期中赴港澳，理由多是探親、探病、醫病、結婚、繼承財產……等，申請方式又多為「雙程」。但是，絕大部份去港澳的學生，都情願「做了資本主義社會的奴隸」，不回大陸了。這對中共是雙重損失，損失了勞動力，一也；把大陸黑幕公開，二也。

也因此，中共早便注意到這個「漏洞」，辦法是儘可能的不加批准。凡是僥倖獲得批准的，事前均加以極其嚴密的甄別，須被認為「沒有問題」的，始獲網開一面。

來信說：中共為了制止青年學生大量出國，平常便不斷的做着詆譭醜化港澳的宣傳，目前更大大的加强了這種宣傳。近來，每一間學校和農村的「讀報小組」，都被指定要讀中共報刊登載的「香港通訊」、「香港行記」以及「僑胞來鴻」之類的文章。

來信說：中共更特別着重於詆譭、醜化香港。它們所使用的方法，倒不是正面大罵殖民主義者英國，而祗是痛斥資本主義者剝削工人的罪惡，而且舉出「眞人眞事」，以資證明。譬如，中共報刊說：在九龍官塘的一家紗廠，它的工人是全無保障的，因為它是散工制，這樣才可以隨時辭掉職工。還不止此，最近，廠方又宣佈苛刻條例，要工人每日工作從九小時增加到十二小時，而工資卻由每日四元減到二元八角。

中共報刊又還用大力氣把港澳特別把香港描寫成一個極可怕的地方。它們說：目前香港大約有七十多萬人住於不適合人住的地方，有一百多萬人的居住條件比「徙置區」還差，此外又還有住不合法的木屋者五十多萬人。又說：香港有不少的新樓，也是一個小房子住着幾十個人的，又有許多居民是一張床住七八個人的，說他們是用「輪流制」來解決的。（記者按：即分批輪流睡覺之謂。）又說：在香港地區，小孩和少女，是不敢輕易單獨出街的，因為一不小心，便會被「壞人」抓去，小孩則被「賣猪仔」，少女則被迫當娼。

來信說：儘管如此，學生們對中共的宣傳，卻不加理會，許多人還是提出了到港澳的申請。有的申請理由，還居然說是「因為香港如此可怕，所以我要快點到香港去，說服我的親人，回『祖國』參加建設。」但這些申請有幾個能夠獲准，可不知道了。（敬斯）

加拿大將承認毛共？
本報溫哥華讀者有此一說

（本報訊）據加拿大溫哥華本報讀者湯君來函稱，加拿大現政府頗有轉而承認毛共偽政權之勢，其跡象如加拿大已有記者長駐共區，加國并經允許毛共「新華社」在加設分社等，值得注意。湯君來函有云：

「此間自由黨政府有承認中共趨向，明春或即將實現。目前所以猶豫者，厥在看聯合國本年大會如何。此舉對華僑及自由世界，均將蒙受不利影響。美國方面因大選在即，故暫不表示意見，以免傷感情。惟加國經濟命脈，一向操在美國手上，此或即為加國所以遲遲不決原因之一也。美加壤地相接，果如中共人員大批混入加國，其後果實不堪設想。

「目下加拿大已有記者一名駐中共區，另一名在申請中。新華社記者一名亦已允准進來柯京，設立分社。中華民國政府在單線外交下，徐大使沉默異常，言之令人痛心。」

中國人在美國

紐約航訊

△紐約世界博覽會開幕至今一個月間，參觀中國館之觀衆達二十三萬二千七百餘人。同期間平日觀衆每天在五千人至七千人之間；週末每天在一萬二千人至一萬五千人之間。

另據統計，由開幕至五月二十日，中國館三樓古物展之區售入場券共二萬一千一百四十三張，週末則在一千張以上。

自五月底暑假開始後，中國館所選聘之女性招待人員即可全部到齊（六月初，將開始舉辦團體導引講解服務。據各服務人員一月來接觸觀衆答覆問題之經驗，所有觀衆對於中國館建築之宏麗無不讚譽。一般男性觀衆，對於工業發展，土地改革兩項展出，多感興趣；女性觀衆對服裝及二樓傢俱陳設甚爲稱讚；兒童觀衆則對錢幣及台灣風光興趣特濃。台灣省郵票九套，自五月十七日在服務台發售以來，甚受觀衆歡迎，其中尤以歷史人物及古畫一套銷路特佳。參觀三樓古物之觀衆，對於展出內容之印象，則因人而異；惟對我國文化之悠久與優美，一致稱道。

△十九世紀中葉，舊金山老華僑所需建築材料，常自香港貨船運來。據說舊金山孟金街的普丹士公司，最初建築花崗石大廈時，其石塊即來自中國。每一石塊均刻有中國字，註明如何接安放，並由中國建築師監工。但到埠後，發覺原有之石塊與建築地址左右不符，因而發生了許多麻煩而有趣的故事。

近年來由於中國建築深受國際的重視，爲了配合此一需要，台灣方面對於中國建築材料如琉璃瓦，瓷粉畫，仿古門窗，欄杆，壁畫以及各種雕刻，石刻漢畫等，都有考古書畫，金石名家及匠師們聯合創作。在此種建築的設計人才中，近年以朱海濤氏成就最大。

朱氏曾代表政府參加國際展覽，負責會場設計，極其成功，除爲各善堂，會館設計外，現正受美國名建築公司之邀請，設計數十層之新型大廈。

聞該大廈係銀團鉅款投資，擬以最新建築結構，而採用純粹中國建築裝置，其中包括新型商場，地下車庫，辦公大樓，塔形公寓，屋頂花園以及兒童遊樂場及其他公共設備，將成爲世界最大，最完善及最富中國情調之偉構。

△舊金山熱心中國文化藝術及教育之知名人士，頃組成一特別委員會，負責推動將本市舊警署大厦改建爲中國文化貿易中心之工作，委員包括：周鋭（古玩書畫收藏家），李清華（古物商），拉伯蘭替教授（史丹福大學博物館及藝術宮代理主任），艾許立教授（加大建築系教授兼藝術委員會主任），陳世驤教授（加大東方語文部），陳參盛（華人歷史學會總理）及黃定國、謝克敏等。該會決議此一文化中心之工作，應包括三方面：（一）蒐集中國優良傳統國粹，（二）搜藏華人早期對加省及舊金山草創時之貢獻史蹟，（三）陳列現代華人之藝術，文學，及音樂方面之卓越成就。並通過文化中心區，應分設書畫古物博物館，文化及國際關係圖書館，陳列所及會議廳，俾可舉行文化教育座談會等活動。

△芝加哥中國學術界人士聯誼會本年第一次大會，於五月二日晚假華埠中西酒家舉行，到各校教授學人等一百餘人，由亞璞藥廠病理部主任黃杲博士担任主席，致意歡送阿岡原子研究所周艮榮博士赴香港中文大學講學一年，及伊州工學院徐賢修教授應中央研究院邀返台灣講學二個月。會中並討論協助同學暑期工作，由伏開鵬神父統籌辦理。最後由芝加哥大學何炳棣教授講：「傳統中國社會的特徵」。

△留美學生張逢猷，頃獲美國哥倫比亞大學工程及應用科學研究院一百週年的獎學金，爲中國學生贏得了一項榮譽。來美前，他曾獲得台灣省立成功大學工學士學位，又在國立交通大學電子研究所得到工學碩士學位。

△在加州阿拉米達藝術展覽中，華僑攝影家翁亨利除獲得黑白及五彩攝影兩項首獎外，並獲得三項二等獎，兩項三等獎，轟動攝影藝術界。其五彩首獎題爲「雙舟自横」，係描寫台中風光。

△紐約派遜裝飾設計學校一九六四年暑期旅歐研究獎學金五百元，爲香港學生陳瑪莉所得。參加此次設計比賽者共四十七人；陳小姐以其設計之客廳裝飾獲得首獎。

山水與靈性

漁翁

古人云：「仁者樂山，智者樂水」。生於重巒峻嶺者，泰半峻峋耿介，愛人實物；居於長江大河者，則多心靈手敏，圓滑善變。此蓋山終古長峙，水浩蕩長流，一靜一動，足以蔚人生之性靈歟？

好山水者，多爲斯文中人，太史公文章有奇氣，與其曾周遊名山大川，關係不在於小。古所謂文章得江山之助，信然也。至失意政客與潦倒文人，在不愉快心境中，往往而寄情山水，立意鳴高，同時亦陶冶身心者，更無論矣。

東晉陶潛，字淵明，生於時局動盪，政治黑暗，思想紊亂的時代，爲着避絕塵世，乃辭官歸隱，作「桃花源記」，雖屬假設之理想文字，却甚能引起亂世人之嚮往心。其實此地屬今湖南桃源縣，不過一丘一溪之小山水而已，淵明極意創造，若別有天地在然，今稱可以避亂之地曰「世外桃源」者，本此也。

唐初王勃，字子安，幼穎異而善文辭，訪父於交趾，路過南昌，適閻督建「滕王閣」於江渚，規模唐皇，勃也躬逢勝會，爲之作序，把滿腹愁落花流水的寫在序上，如所云：「山原曠其盈視，山澤盱其駭矚。」等等，指不勝屈，尤其「落霞與孤鶩齊飛，秋水共長天一色」，爲最警句。整篇不離山水，王勃蓋藉名勝以遣胸懷也。

柳宗元，字子厚，謫貶湖南古零陵郡，在城南里許，得一溪，名之曰「愚」。以「溪雖莫利於世，而善鑒萬類，清瑩秀徹，鏘鳴金石，能使愚者喜笑眷慕，樂而不能去也」。讀愚溪序及八愚詩，便知其逆來順守，隨遇而安，在此一條溪水，與小石城山，鈷鉧潭等處，爲抒懷遣興之作。

入宋蘇軾，字子瞻，別號東坡，謫黃州，今湖北黃岡縣也。東坡曾兩遊赤壁，而前後有賦，所云：「惟江上之清風，與山間之明月，耳得之而爲聲，目寓之而成色，取之無禁，用之不竭，是造物者之無盡藏也，而吾與子之所共適」。是把心情寄託於山水風月，而忘懷得失也。

上舉陶淵明之遯世，王子安之失意，柳子厚、蘇東坡之謫貶，均有不愉快之情緒，無處可以瀉發，於是而山水尚矣，而「江上清風，山間明月」，以自慰自解也。

筆者淡泊自甘，平生喜好山水，自幼已然，於今爲烈。有時登山頂，效牧童牛背之歌，有時步水涯，作漁父鴨頭之釣，偷得浮生半日閒，總不忘尋山問水焉。至於弄月吟風，流連景緻，固性之使然，亦以深悉其可以解鬱結，快心志，而避世亂耳。

我所知道的麥帥

肯寧將軍原著　徐熙光翻譯

「很好」，他說：「我們馬上給海爾賽一個答覆，讓他知道我們能爲他做些什麼事。」

這次對拉堡機場的攻擊，其規模是空前的，以前麥克阿瑟從未叫我出動過這麼多轟炸機去執行任務。我知道航空隊的任何一點點小的努力，都是以支援麥克阿瑟的軍事行動爲目的，麥克阿瑟也知道我一定會實現他的願望，所以他每次都要等我報告空軍執行任務的結果之後，才草擬他的作戰公報。如果報告令人滿意，他一定會大加讚賞表揚，但是如果結果有什麼差池，他會深表同情和諒解。如果我們未能達成一項任務，他會稍覺失望，但是他從來不責罵我，他知道航空隊已爲他盡了力。

在新幾內亞和菲律賓的歷次戰役中，我們每採取一項軍事行動，總要在幾個禮拜，甚至幾個月以前，先研討全盤作戰計劃。麥克阿瑟通常總是把整個計劃的綱要先讓我熟悉一下，然後由我提供空軍方面的計劃。有時候我所提的建議他可以立即接受，但是有時我也會告訴他，我沒有足夠的力量和把握來完成他構想的計劃和任務。碰到這種情形，我們往往要作進一步的磋商以改變計劃，使之符合我們的能力，因爲他從來就沒有懷疑過我所作的判斷。

在麥克阿瑟的寓所，在他的辦公室，在飛機上，在戰場，我們都曾經作過像這樣的有關戰情的研討，我們從每一個角落研究我們所作的假設和決定對一項新的行動有什麼影響。如果情況有了變化，我們也可以很輕易地修正整個計劃，因爲保持機動原來就是麥克阿瑟作戰計劃的典型和特點。他判斷敵人的錯誤有過人之處，制敵機先就是他百戰百勝的主要原因。

一九四四年二月，我們在制定一項一連串的攻擊計劃，我們打算先奪取新愛爾蘭北端的卡維恩，一個月之後攻佔新幾內亞北岸的漢薩灣，最後儘快在阿得米拉提羣島登陸。我們得到一項情報謂阿得米拉提日軍的防守力量極爲薄弱，而且沒有料到我們會對這個羣島實施攻擊。不過日本倒是預料到了我們會在漢薩灣登陸。因此麥克阿瑟突然決定在二月廿九日攻佔阿得米拉提羣島，取消另外兩處的軍事行動，阿得米拉提羣島得手以後，再在四月份沿新幾內亞的北岸，攻佔五百哩以外的荷蘭底亞島。爲了配合這項新的行動，我們臨時變更了所有作戰計劃。三天之後，麥克阿瑟踏上了阿得米拉提羣島的海岸。四月二十二日我們佔領荷蘭底亞島。

又有一次，在一九四四年九月十四日，原來我們已經完全擬好了作戰計劃在十月十五日進攻菲律賓南部的達勞羣島，十一月十五日奪取民達那峨島，十二月二十日登陸雷伊泰島。但是情報又指出日軍在雷伊泰島的防務很弱，於是麥克阿瑟又臨時決定改變攻擊計劃，先奪取雷伊泰島。這次行動，尼米茲從中太平洋調兩師兵力來援麥克阿瑟，海爾賽轄下的第三艦隊也趕來助戰。十月二十二日登陸成功，麥克阿瑟站在雷伊泰島的海灘上向菲律賓的游擊隊廣播說他已回來了，呼籲菲律賓人民揭竿起義，爲爭取他們的自由而戰。（十六）

盧君續夢

第十二回：異域購新居　冷宮傷舊夢

民脂似水　妾命如絲

隔了幾天，統戰部又召開座談會，這次是分組舉行，各民主黨派的主席、副主席爲一組，因爲這個組特別重要，統戰部也派出第一副部長邢西萍蒞場指導。

邢西萍又名徐冰，是統戰部第一副部長又兼政協全國委員會的秘書長，正是這批「民主巨頭」的頂頭上司。

會議一開始，徐冰先以來賓身份發言道：「這個會是神仙會，顧名思義，各位參加神仙會都是想脫胎換骨成神，就要丟掉所有東西，忍受一切痛苦。所以在今天會上，各位一定要把腦子裏面最反動的思想坦白說出。擺在目前的問題，就是民主黨派究竟吃的誰的飯？爲了幫助大家，統戰部特別規定不准說吃的毛主席和共產黨的飯，必須另外說出一個來源。這是對各位的考驗，是否能早日脫胎換骨，羽化登仙，就看各位是否真正坦白了。」

徐冰說過，主席楊明軒就指指沈鈞儒要他帶頭發言。

沈鈞儒被皮帶兜在椅子背上，想站也站不起來，當時顫抖着說道：「我這麼多年來，從未想過是吃的黨和毛主席的飯，我想我直到今天吃的還是孫中山先生的飯。」

徐冰點點頭，說道：「孫中山怎麼會給你飯吃，請把理由說出來。」

沈鈞儒上氣不接下氣說道：「那年印尼總統蘇加諾到北京來訪問，周總理替我介紹，說我是民主同盟主席，人代常委會副委員長，蘇加諾未予理會，嘴角還掛着冷笑。後來周總理又介紹我是同盟會會員，中山先生的老同志，蘇加諾馬上就另眼相看，丟下別人過來和我談話，十分關切。從那時起，我心裏就想到今天還是靠孫中山先生吃飯。」

沈鈞儒講過，徐冰帶頭鼓掌，說道：「沈衡老的話實在講得好，大家都要以他作爲模範。」

楊明軒又陪笑向何香凝打個手勢，要她起來講話。

何香凝也龍鍾不堪，當時扶着拐杖，站起來說道：「我想我還是靠廖先生吃飯，不是廖先生當年在黃埔軍校作黨代表，認識了毛主席和周總理，也許我就不會走到這邊來，將和國民黨一些女同志一樣，安享晚年的福了，那裏會投身社會主義建設的洪爐中，貢獻出自己的力量？所以我說我到今天還是吃的廖先生的飯。」

何香凝講過，徐冰又帶着頭鼓掌。下一個就輪到民主建國會的主席黃炎培了。

黃炎培雖然也八十歲了，身體比較沈鈞儒、何香凝都還好些，當時站起來說道：「我從來未考慮過這個問題，剛才仔細想起來，我實在是靠人民吃飯。」

徐冰縐眉道：「你這簡直是廢話，人民就是黨，也就是毛主席，你把問題又扯回原處，統戰部已聲明不准這樣講，你爲什麼明知故犯。你不要在此地賣油條，這裏可是沒有人買的。」

黃炎培被徐冰申斥得滿臉緋紅，許多人瞪着眼睛向他看，老油條沉思一時，人急智生，斷然說道：「我今天有碗小米飯吃，說來還是靠蔣先生的力量。」

這句話一講出，全場震驚，沒人敢再鼓掌。（三一五）

冒險犯難記

鄭文儀

同學們在這次戰役中，有不少的英勇事蹟，有幾位排長不僅受傷不退，而以滿身鮮血的軀體繼續攻城，我的好友同鄉同學葉彧龍排長，他就一身中了五顆子彈之後才陣亡的。同時亦有怯懦畏死，敗壞軍紀，終於實行連坐法的事實發生：第二團第七連連長孫發，當他全連官兵向前進攻之際，他不僅不身先士卒，率領部下向前衝鋒，反而向後走，逃避戰鬥；事後給查出來了，校長於次日就宣佈實行連坐法槍斃孫長！這些故事，都使得革命軍聲威丕振，軍紀嚴明，一以當千。我們隨兵站進到淡水之後，因為幹部傷亡甚多，急待補充，第六隊學生就地畢業分發，我被調到教導第二團第七連擔任第二排排長，連長是張際春（同窗同學），黨代表項傳遠，副連長石祖德，第一排排長張人義，特務長黃梅興，都是新調任的，全連有十多位同學，大家相處都很和洽，我們到差之後，把部隊整理一下，才過三天，就由淡水出發作戰。

我初任排長，和全排三十多個士兵相處下來，才曉得他們都是新兵，是三個月前才從浙江招募來的，除了一位班長是山東人，兩位是廣東人外，弟兄都是溫州人，彼此言語不通，他們新兵教育訓練尚未完成，我也是初上戰場，不知道如何才可以把這一排兵帶好；我想祗有遇事以身作則，用帶徒弟的方法來管教他們，這其間的困難很多，我一定要想很多法子，才能克服不可免的困難。

我記得三月二十日由淡水出發，向平山前進，前頭部隊曾遇到敵人，是洪兆麟的反攻部隊，但稍一戰鬥就把敵人擊敗了。第二天向白芒花進擊，我們第三營任前衛，第七連派我這一排任尖兵，搜索前進。行軍不到三小時，就發現前面有敵人，一條小河，兩座小山，敵人已佔領小河前面山上的陣地，築了些散兵壕一類的工事，我們要在河這邊的小山展開，開始向敵人攻擊。這時的困難，是我帶的士兵有些害怕，不知道如何進攻，我指揮全排的人散開了，我告訴他們分散着向山頂前進，他們之間，有很多人，走到山腰就臥倒了，因為前面已有零星的槍聲從山那邊發射，新兵不知道要到山頂稜綫，看到敵人才開槍，也許是因為害怕，希望早些放槍以壯胆量，所以就有幾個人，在半山臥倒之後，就放槍了。我告訴他們，沒有看見敵人，亂放槍是沒有用處的，但是他們聽不懂我的話，並沒有立即向前進及停止臥倒放槍。經過班長的解釋，我和副排長及三位班長才把弟兄們一個一個的帶領到山頂上。（廿四）

先室李韻梅女士事畧

李秋生

先室李韻梅女士原名玉美，從在中學讀書時起自號嶠寒，中年以後纔用今名。民國前十年一月十一日生於山東濰縣許營村。若照陰曆計算是辛丑年十二月初二日。家中世代務農，曾經釀酒和鄉村商業。她父親篤信基督教義，是長老會長老，她母親是諸城相國劉石庵後裔。她在民國初年山東閉塞的農村環境中，能以出外昇學，這樣的家庭背景是主要因素。

五四運動發生，她正在濟南女子師範讀書，是愛國運動的一個積極參與者。民國十二年夏，在女師畢業，一度在山東各地任教職。次年夏天和我相識，不久即在熱愛中結合，那是十四年六月初，正是五卅慘案激起全國反帝革命怒潮的時候。她和我一起參加了北方國民革命行列。未幾，我被北洋軍閥逮捕，她隻身由天津逃往北平，一面參加當地反帝反軍閥運動，一面補習功課，準備深造。那時期北平幾次轟轟烈烈的大規模羣衆運動，每次她都積極參加，並為婦女救國團體主幹之一。到次年的三一八慘案，我弟弟廉楨不幸罹難，她卻因我已獲釋出獄到天津看我得以倖免。但在直魯軍閥攻陷天津的那天，她竟被困在巷戰中的街頭，有賴機智的應付始獲倖免。

當年秋天，她生下我們的男孩盛先；兩年後，又生女兒李立，二人生日若照舊曆計算恰是同一天。此後因兒女和家務佔去她的時間與精力，對於愛國運動已不像過去那樣積極。當時在北洋軍閥壓迫下，我曾屢瀕於危，她的勇敢和機智不只予我以極大救助，並曾完成若干艱危的任務。九一八事變後，她一度到北大讀書。在近三十年來，主要是做着主婦。其間僅有兩次例外：一次是七七事變後，她憤不可遏，徵求得當時在臥病中我的同意，去參加了為保衛北平而戰的工作，卻因為平市迅告棄守而未獲實現。另一次是抗戰後期，我們從被日軍佔領下的上海孤島逃到皖南屯溪，繼續從事抗日宣傳工作，她進入新聞檢查所充任檢查員，直到勝利前夜。在那段工作中，她充分表現出冷靜的頭腦和明敏的判斷力，同時並盡瘁於主婦的工作，在洗衣燒飯以外，還養猪種菜以補助家庭生計。她的體力在那時期受到嚴重的損耗。

整個說來，她這三十年的主婦生活並非都在平靜中度過。其間曾經馳驅在綏西河套的廣漠草原，跋涉於皖南的險峻山路，身歷敵偽統治下暗殺逮捕的威脅，並抵抗着政治上極權勢力的恫嚇或誘惑。我從她得到的最大助力，是她能夠遇事鎮靜不亂，和從容不迫的應付能力。她的知人之明與對事物的判斷，我都自愧不如。這是許多朋友所共同承認的。

對於子女，她相當嚴峻，深摯的愛卻藏在內心深處。我和子女都害過重病，如果不是靠她救治看護得法，怕都活不到今天。她逝世後，我們的女兒來信說：「照世俗標準，媽媽也許不能算是賢妻良母；可是，有幾位賢妻禁得起她所經歷的攷驗？有幾位良母能如此毫不自私的愛護子女？」知母莫若女，這是對她最恰當的定評。

她個性爽朗而正直，鄙視權勢，嫉惡如讎，有時難免失之過份峻烈。（上）

悼麥克阿瑟

李仲侯

一曲黃鳥萬人哀，大樹飄零遂不回；
遠識百年若龜鑑，長征萬里走風雷。
縱橫天壤無餘子，動盪乾坤失霸才；
制敵我欲問杜艾，姑息一念幾時灰！

我的社會生活

當年

未幾，吾友重慶市國民黨黨部主委龍文治君，即以人地生疏與語言隔閡而暴亡於廣州馬路旁，言之可歎也。他從重慶坐飛機到廣州後，雇乘三輪車遍尋旅館不得，躑躅街頭，忽發急病，而不知何處有醫院，瞥見馬路旁懸有某某西醫診所招牌，即停車叩門求醫，然醫生是粵人，竟不懂龍君的重慶話，彼此口講指畫一番，完全莫名其妙。龍君祗好走出來準備教三輪車伕送他到醫院去，但病勢已趨沉重，兩腿再不能跨登車位，俄而倒斃於路旁了！（上述情形是據三輪車伕所說的）車伕奔告附近崗警，檢視龍君所持公事皮包，內有上蔣總裁報告書，尾署銜名，纔知道死者的身份，急忙通知國民黨中央黨部派人收殮。假使龍君不是初來羊城，而語言亦可通，或者有朋友照顧，他即可以不死，因為他臨時所發的病症是俗稱「發痧」，若登時延醫打針急救，即不致有性命之憂。這也就是我到香港後即拚命學習粵語之所以然。

在廣州住了三個月，每天所見所聞的國事情形，蓋係使人盪氣廻腸乃至於椎胸頓足的現象。代總統李宗仁專為爭取政治權力而作態不已，前方軍事自上海棄守後，多不戰而節節撤退，立法院為着行政院長同意問題，囂然爭論莫休。當時我晤及老友朱騮先（家驊）於其旅舍中，談到大局，他有兩句話使我至今不忘，他說：「我們的政治是鬧完的，軍事是退完的！」其然，豈其然歟？這時我深感前途茫茫，莫知所居，很想回到湘南家鄉去隱居着，而西昌行營參謀長王雄伯（夢熊）兄來函勸我到西昌去，說是將來大不了在西康與雲南邊境打游擊，亦復大有可為。我以家小留在重慶，而中央政府又決定遷入巴蜀，即放棄還鄉計畫，準備前往西昌。既而遇到前上海中央日報董事長許孝炎，說他奉命要在香港辦報，約我同去帮忙。因此，我對於自己今後的去處，躊躇至再，不能決定，曾函告在衡陽的表弟胡濟石（前南京和平日報總經理），徵詢意見，他回信問我此時到海外辦報，究竟替誰說話？勸我審慎為佳。他這些論調卻激起了我那種不信邪的老毛病，馬上函復他，聲明我若到海外幹新聞記者職業，只有替中華民國和國民黨說話，義無返顧。并告以少谷兄亦希望他來廣州一談，但他再無回音了。（六〇）

哀梨室劄談

銘公

高華傑作竇娥冤

人們大多以高華為「程派花衫」之嗣音；而其實高與程四，同出通天教主王瑤卿門下！所謂「程派」，實自「王派」中脫胎而出，不過是遺貌取神，發揚而光大之，自成一派而已。

高因與程為同門友好，時復聚首一處，作劇藝上之切磋，故其唱腔做派，多與程如出一轍。而程之獨有劇，如「鎖麟囊」，「鴛鴦塚」，「荒山淚」，「碧玉簪」，「珠痕記」，「柳迎春」，「梅妃」，「沈雲英」，「春閨夢」等等；高實秋皆優為之！

至平劇之「六月雪」，亦名「羊肚湯」；即漢劇「斬竇娥」，元曲之「竇娥冤」也。係元劇作家關漢卿氏，根據「前漢書」裏

「東海有孝婦，少寡無子，養姑甚謹，姑欲嫁之，終不肯！姑謂鄰人曰：「孝婦養我勤苦，我老奈何累丁壯」！乃自縊死。姑女告吏曰：「婦殺我母」！吏捕之急，孝婦自誣服！具獄上府，太守竟論婦死。郡中枯旱三年！後太守至，自祭孝婦墓，天立大雨，歲豐。」

那一段記載；加以剪裁與穿插構成。但觀其原詞「寬消我念亡女與他滅罪消愆！也只可憐見楚州郡大旱三年。昔于公曾表白東海孝婦，果然的感召得霖雨如泉。又豈可推委道天災時有，全不想人之意感應蒼天！今日個將文書重行改變，方顯得王家法不使民冤！」等語，即可揣知劇情之一斑。

漢劇脫胎於元曲，情節是一樣的。平劇則於元曲之情節稍有變更！朝代人名，也不例外。它的劇情是：「明穆宗時，山陽士人蔡昌宗，曾以金鎖為聘，娶竇娥為妻。後因赴省應試，一去杳無音訊，竇娥孝事衰姑，初無去意，而鄰有貪汪曰張驢兒者，窺娥之貌美，竊艷羨之，顧欲染指而無由！因倩其母（張大娘）以鄰人姿態，時至蔡家，伺機獻小殷勤以結好！會蔡母病後口饞，意欲得羊肚湯以佐餐！張母力言易辦，歸為驢兒述之。驢兒敬諾，即於湯中置毒，冀斃蔡母，而以毒姑誣竇娥，迫使從己！詎蔡母以湯味腥臭，畧一沾唇，吐而置之。張母以棄之可惜，遂代食之，歸而腹痛如割，大叫一聲，溘然而歿！驢兒於乃母之死初不甚惜；但指蔡氏婦姑挾嫌毒斃其母，大事敲詐，意欲迫娥為己婦！蔡母嚴辭拒之。驢兒大怒，遂往縣衙誣告，謂娥以奸情謀毒姑氏，誤為彼母所食而斃命，乞縣令為之雪冤。縣令不察，遽判娥以極刑！且據以通詳。比蔡母扶病探監，刑部批准之回文已至，並由該縣令定於翌午行刑，蔡母掩泣而歸。明日特携冥鏹往刑場生祭！竇娥悲憤填膺，仰天大哭，時方盛暑，天忽大寒！雪花如羣鳥飛舞。巡按海剛峯，知為上天示警，立命停刑，並提原被告親加審問，藉知竇娥之冤，即予開釋，而置張驢於法。並將該縣令革職查辦。時蔡昌宗已大魁天下，衣錦還鄉，於是母子夫婦，同敘天倫之樂。」（未完）

「上大人」考

吉庭

昔者，塾師課蒙童習書法，選其筆劃最少之文字為之，於是：「上大人，孔乙己，化三千，七十士，爾小生，八九子，佳作仁，可知禮。」作為模型。今之幼稚園與初小學書者，亦多沿用之。

此項小品文字，用韻成篇，究係詞抑或詩，未見諸典籍。惟據明陶宗儀所編「說郛」，載有孔子上父書，後人認為此乃孔子少年時之作品。所謂「上大人」，即稟呈其父叔梁紇；「孔乙己」，為孔子乳名；「化三千」，有三千弟子受其化育；「七十士」，在三千中身通六藝者七十人；「爾小生」，指一般弟子言；「八九子」，謂七十二賢；「佳作仁」，與「可知禮」，言七十二人均能居仁明禮也。

可是，史記云：「孔子名丘，字仲尼，丘生而叔梁紇死」。又辭源載：「叔梁紇娶顏氏幼女名徵在，禱於尼丘而生孔子；孔子生三歲，叔梁紇卒。」即此，則說郛云上父書者為不確。

復據清張爾歧所著蒿庵閒話：「世俗蒙師為童子描上大人數語，不知所自？按禪宗正派臨濟宗載提刑郭功甫謁白雲禪師，雲上堂曰：夜來枕上得個山頌，謝功甫大儒遠訪之勤，當須舉與大衆，乃「上大人，丘乙己，化三千，七十士，爾小生，八九子，佳作仁，可知禮」也。是宋時已有之」。所謂丘乙己者，又似乎孔子小名，或者係孔子稟母之作，而說郛以為上父書之誤耳。

此寥寥二十四字，初未為弟子所留意而筆述之，宋代以前，雖已為蒙師課童描寫，而不知其所以然！至宋時，始為釋家於枕上得個山頌以流傳之，成為今日小孩們開始學書之張本，不過照原文易「孔」字為「丘」而已。

內僑警台報字第〇三六號內銷證

自由報
THE FREE NEWS
第四五二期

中華民國僑務委員會頒發
台教新字第五二三號登記證
中華郵政台字第一二八二號執照
登記為第一類新聞紙類
（本週刊逢星期三、六出版）
每份港幣壹角
台灣零售價新台幣弍元
社長：雷嘯岑
督印人：黃行齋
社址：香港銅鑼灣高士威道二十號四樓
20 CAUSEWAY RD 3RD FL. HONG KONG
TEL. 771726　電報掛號：7191
承印者：田風印刷廠
地址：香港灣仔高士打道二二一號
台灣分社
台北市西寧南路壹壹零號二樓
電話：五〇三四六
台郵劃撥儲金戶九二五二

詹森政府的反貧窮計劃及其展望（下）

·宋文明·

就這一計劃的能否獲得美國國會支持來說，這一計劃所面對的情況，遠比一般的法案更為艱困。因一般法案只需要作一次重大的努力，就可達到目的，一俟國會通過這一法案，政府即將依此法案獲得權力，長期實行。而這一反貧窮計劃法案，除了其中所規定執行機構不受未來國會的影響，其經費開支則需每年由國會加以批准。因此這一計劃的整個前途，完全操之於美國國會手中。若遇到一個進步勢力佔優勢的國會，這一計劃的繼續進行將不成問題，可是若遇到一個保守勢力佔優勢的國會，它竟拒絕繼續撥欵，這一計劃勢必就要宣告停頓。所以除非正如社會學家哈林頓所說，詹森總統能打破美國現時政治中的黨派，地域及不同利益集團的界限，而建立一個超然的聯合勢力——一個新興的自由的支持反貧窮計劃的國會多數派，這一計劃將絕獲得成功。哈林頓教授的這一說法，實際上不僅適用於詹森總統，而且也適用於詹森以後的美國總統；不僅適用於這一計劃的將來，而且也適用於這一計劃開端的今日。換言之，詹森總統若不能獲得美國國會中一部份共和黨及南方民主黨的充分支持，這一計劃可能就會成為曇花一現的東西，至少，也要大打折扣。

至於談到這一計劃能否根本解決美國的貧窮問題，我們在此應先聽兩個人的說法。其一，詹森總統本人在提出這一計劃的咨文中說：「我們充分瞭解這一計劃將無法在幾個月或幾年之內，就把美國的貧窮予以消除。貧窮是有很深的基礎，也是多種原因所造成的」。其二，美國的改革派經濟學家凱斯林說：「我不認為我們美國的現有財富分配制度，能大量減低失業與消除貧窮。因我們無法經由一個落後的預算政策，緊縮金融政策，節約政策，及藉租稅而實行的落後的財富分配辦法，而能消滅貧窮，促進經濟增長及減少失業」。根據詹森總統的說法，美國的現有貧窮問題是由多種原因所造成的，當造成貧窮的這種原因沒有完全消除，貧窮本身也就不可能完全消除。可是要消除造成貧窮的這種原因，絕不是數月或數年功夫所能為力。再根據凱斯林教授的看法，要全面消除美國的貧窮，就得實行一套新的財富重分配辦法，採取一種進步的預算政策，金融政策及社會政策等基本措施。可是現在詹森總統提出的這一計劃，却並未接觸到這種方面。

既然現在所提出的這一計劃不能有效解決貧窮問題，何以又要提出這一計劃？何以不提出更有效的辦法？對於這些問題，一是正如詹森總統在其咨文中所說，「這一計劃將給數百萬美國人提供一種新的機會，並將作為一種手段，使過去被擯於我們繁榮大門以外的人們，得以入內」。二是，在一個民主國家，不論如何理想的辦法，都必須與健全的民意相先要取得人民代表的同意，即必須人民代表逐步而行。若不取得人民代表的同意，就是再好的辦法也沒有用處。在今日美國，連這一計劃能否獲得順利通過還成問題，當然更沒有可能提出比這一計劃更激烈的計劃。

但，縱使這一計劃不理想，若行之稍久，逐步改進，這一計劃也會把美國的貧窮現象慢慢予以減少。而且我認為，要眞正消滅一國的貧窮現象，就必須從改進自然條件，社會條件及實行合理的財富分配三方面同時着手。若造成貧窮的當地自然條件與社會條件不能改善，則財富分配上的任何單方面激烈辦法，為效也是非常有限。就這一角度來看，詹森政府的這一反貧窮計劃，未嘗不是一種適合美國現時的有效辦法。

（五）

總之，美國詹森總統的所以面對現實，提出這一歷史性的反貧窮計劃，是由三種原因所促成。即：（一）美國內部存在有貧窮問題這一基本事實：這一事實多少已損害到美國在國際間的聲望，並使美國的經濟發展受到不良影響。所以為了使美國經濟更趨健全，及消除美國對外聲譽上的這一汚點，便有必要把這種貧窮予以對付。（二）自羅斯福以來的民主黨的改革思想：這一思想使美國民主黨不斷追求財富的重分配及經濟合理化的目標，也使任何民主黨的政府，對於美國現有的貧窮現象感到一種內在的不安。尤其年輕上進如甘迺迪，出身貧寒如詹森者，更無法坐視這一問題繼續存在。（三）由於甘迺迪事件的刺激：甘迺迪的所以遭刺逝世，是由於奧斯華其人的所為，而奧斯華其人的所以有此過失，亦完全是由於貧窮及仇恨所積累的惡果，所以在詹森總統這一反貧窮計劃中，從頭至尾，我們可以看到一種奧斯華及達拉斯城事件的陰影。假若說美國對拉丁美洲的進步聯盟計劃，是受了古巴總理卡斯特羅的影響；那麼我們也可以說，現在美國這一反貧窮計劃，至少有一半是受了奧斯華的影響。正由於此，所以美國這一計劃的特別重視十六至二十一歲這一年齡的青年，可能也有它另外一種意義。

不過，從美國這一計劃中，我們再度可以體認到，在一個眞正民主的西方國家搞政治，確需要比別的國家更多的才華技巧與忍耐功夫。在別的國家，意向就是政治，想作什麼，就可作什麼，因此只要稍有頭腦，就可把政治搞好。而在如美國這種國家，概念和計劃都不是政治，只有把一種計劃設法，獲得國會通過，而能付諸實施，才是政治。假若不能通過這種可氣人於死的關口，即使遇人有曠世霸才，也將英雄無用武之地。由此來說，縱使詹森這一反貧窮計劃不足以眞正解決問題，在美國也是難能可貴的了。

流氓與羔羊

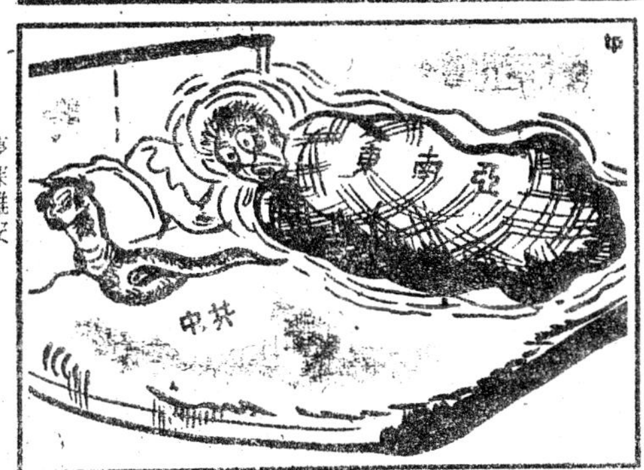

夢寐難安

今日與明日

我國派出駐日大使

停頓幾個月的中日邦交，自從我國派出橫濱總領事陳澤華為公使銜代辦之後，又逐漸好轉，最近政府已經決定派遣前駐美大使魏道明博士出任駐日大使，日本政府已表同意，日本輿論也都深表歡迎，站在國民一份子來看，我們也覺得此次深慶得人。駐日大使確不易為，較駐美大使要難作的多，惟其如此，才要眞正有學識、能力而又眞肯為國家作事的人，才能担任；一些官僚黨棍，想把此職作為退休養老的場所，那就不惟誤國，而且也害己了。

目前對日外交，重心在於如何打擊毛共的滲透活動，所以非眼明手快不可。若一味在大使館坐待時機，就會輸了一着。這一點願魏大使多多注意。

寮共擊落兩美機

寮共在兩日之間，竟然擊落兩架美機，第二架還是配有火箭的武裝飛機，足見寮共的火力已經加強，技術也大有進步，西方電訊說是毛共訓練出來的越共高射砲手，當是可信的。問題是美國面對這盤殘棋，究竟怎麼着手。看見美國飛機竟然配有火箭去炸寮共基地，足見美國對此已下決心，必要時是不惜參加寮戰。問題只是時間與地點。看來外交談判如不能解決寮局，美國可能會派出空軍參戰。至於地面部隊參戰，短期將難實現。

赫毛對寮歧見

赫毛之間的分裂，已經帶去寮國。最近波蘭提的六國會議，由英俄兩主席，加拿大、印度、波蘭三停戰監督國，再加上寮國三派共同開會。這個會議雖然把美國摒諸門外，但是主要還是為排斥毛共，因為美國雖不出席，尚有英、加可作代表，毛共及越共被拒於會外，就沒有發言權了。毛共必然盡力破壞這個會議是可以想像的，所以要憑談判結束寮戰，可能性是微乎其微的。

赫魯曉夫與狄托

赫魯曉夫最近又邀請狄托訪俄，雖然來意不明，但是可以料想到必與赫毛鬥爭有關。赫魯曉夫將請教狄托，究竟日前召開國際共黨會議，把毛共驅逐出共產集團之外，是否可以？還有羅馬尼亞獨立的問題，也是有意同南斯拉夫學步，究竟如何應付，赫魯曉夫也要求教於狄托。看情形狄托這次蘇俄之行，不僅關乎南俄邦交，也嚴重影響共產集團的未來。

訂正

六月三日出版之本報第四四九期，第一版論文「監察權與司法權」第五段末一句，重植了「監察院一概可以加以彈劾，這種「利用彈劾以監察胥吏」等字。合亟訂正，並向作者及讀者致歉。

編輯部啓

每日一談

南韓的大學生，最近不斷地集體游行示威，甚至實行絕食，表示反對現任總統朴正熙，要求朴氏辭職。治安當局曾經逮捕了數以百計的學生，風潮至今尚未平息。

南韓的學潮觀

馬五先生

南韓學生之捲入政爭漩渦，肇端於李承晚三任總統時期。學生們因為不滿意當時政府辦理大選的情形，羣起示威，與軍警大事衝突，而李承晚總統即辭職去國了。學生們認為政治鬥爭獲致了勝利，從此以後，游行示威運動乃層見迭出，視為家常便飯。人類對於成功的往事，總是記取在心，特別珍重，而對於失敗的教訓，却很容易忘懷，不予反省。南韓學生自不免有此心情，而一般政治人物即利用青年學生的純潔愛國心理，從中煽惑，資為政爭工具。於是乎，南韓的學潮，乃成了「野火燒不盡，春風吹又生」的境況，這眞是悲劇！

或許我的思想是屬於昏庸老朽之列吧？我總覺得青年學生隨便參預實際的政治鬥爭，決非國家之福，亦是青年學生之大不幸。拋却求智的學業，而從事於沒有眞是非的政爭活動，除了虛度光陰，妨害學業和身心修養而外，究有甚末裨益呢？自己尚未到達從政的年齡，也缺乏搞政治的技能，徒然受着野心政客們的蠱惑，憑其不周延的愛國理論，替他人作火中取栗的貓脚爪，未免太可惜了！

但我認為學生無罪，政客是罪，利用青年學生作政爭工具，直接妨害教育功用，間接就是斵喪國家命脈。共產黨最喜歡利用青年學生從事醞亂活動，但在共黨政權之下，却絕對不許青年學生發生干政的行為，而且強迫學生們一律歌頌共黨功德，表示唯命是遵的馴順態度。南韓是跟共黨鬥爭甚烈的自由國家，無論在朝在野的政治人物，皆應該以愛惜青年學生為職志，儘可能不讓學生們介入政爭場合，以免為共黨所乘，而有玩火自焚的危險，戒之哉，宜勉力！

民意代表貸款案的影響
——引起輿論界的大風波——

（本報台北航訊）今年一月間，國大代表與立法委員向台灣銀行貸款台幣四萬元，規定月息八厘五，於十年內按月在各人應領的俸給項下扣還之。當時海內外輿論界對此事嘖有煩言，而以在台北發行的「人間世」月刊抨擊最厲害，該刊於本年二月出版的一期中，發表了一篇「看啊！有人在喝我們的血」的文章，大罵民意代表貸款是喝老百姓的血，措詞尖刻而激烈，且把貸款額四萬元說成六萬，認爲有借無還。文章對於國軍、教職員和民衆們，頗具煽動的潛能，又在其他的文字中，指稱國大代表爲「鬼大代表」。這當然激起了國代與立委們的憤怒，國代聯誼會曾組織「法律小組」，由各個具有法學專門知識的代表參預其事，研究對策。初時大家，幷未積極進行，嗣以「人間世」發佈關於貸款案的第二篇文章，依然譏嘲、教訓諸民意代表，不遺餘力。於是，他們乃蒐集「人間世」連年來刊載若干攻擊、譏評政府和國民黨的文字，逐一檢舉出來，中有指摘現任總統和副總統都是軍人出身，將國家財政收入的百分之七十用之於軍事上，而漠視藝術，說是造成了一個文化沙漠，「夙夜不懈的爲國家」，這種文詞，尤觸時忌。台北市府卽於本年四月廿九日頒發命令，予「人間世」以停刊一年之處分。

令文的內容是：「查該雜志復刊後，自六卷一期起，各期內容多屬中傷政府信譽，挑撥人民感情之文字，如五十二年六卷一期封面漫畫及「戴帽子」，六卷三期封面漫畫及「由貪污事件展望未來的倌人」，六卷五期「捫虱集」，六卷六期及十一期封面漫畫，六卷十二期「好好先生可做」、「人太爲己，天誅地滅」、「狂人城」；五十三年七卷一期「老爺外交」，七卷二期「看啊！有人在喝我們的血」、「鴨戲水與龜爬沙」等各篇文章，核與該刊原登記『以清新雋永之純粹文藝小品散文，宣揚反共抗俄之國策』之發行旨趣不符，顯屬違反出版法第四十條第一項第一款『出版品就應登記事項爲不實之陳述而發行者』之規定，經層報內政部核定，予該刊以定期停刊一年之處分」云。這是「人間世」受到停刊處分的經過事實。該雜志發行人劉濟民於奉到停刊命令後，卽具呈執政黨第四組申述不服理由，請轉囑主管機關撤消其停刊處分，迄今未有下文。

香港工商日報對於民意代表貸款案，亦會迭次著文抨擊，且謂有部分立法委員藉口台糖公司賺錢，要求分潤，而指摘民意代表爲「國蠹」、「社鼠」，乃引起台灣方面由若干立法委員創辦的「民主憲政」雜志之反駁，說工商日報「揑造事實，存心誹謗」，反駁原文中有「執意受政府津貼之香港工商日報，近月以來竟接二連三發表荒謬之夢囈」等語，工商日報認爲這是毁壞該報的名譽，蓋該報創刊迄今，純係民營，絕無接受政府津貼情事，要求「民主憲政」雜志社，在台港兩地各大報紙上刊登道歉啓事，否則依法控訴。然「民主憲政」雜志社聲稱依照中華民國出版法之規定，本刊登載的文字如有失實之處，對方可來函要求更正，若本刊不予更正，這纔構成法律問題，表示不願公開登報道歉。此項糾紛，正由執政黨第三四組調解中，能否使雙方的面子過得去，和睦如初，尚不可知也。

此次國大代表與立監委貸款事件，台灣銀行對於還款的辦法，事前弄得很周密，卽或貸款人於借得款項後去世了，亦不愁本利不能收回的。各貸款人平時在其所屬機關的一切臨時借支之錢，且須由這四萬元貸款中，全部扣除，有些人實際只能得到原定貸款額三分之一，甚有僅取得三五千元者。詎料因此而釀成海內外輿論界這麼多糾紛，曷勝惋惜！（六月六日海鷗於台北）

台灣論壇

破格用人

陸嘯釗

行政院長嚴家淦在人事行政學會，發表了一篇演講，強調起用青年才俊這個命題，認爲要做到人事上的新陳代謝，必須破格用人。這種看法，出自閣揆的主張，彌足珍貴，值得鼓掌。

考試取才，照今天的效果看來，已經變成一泓死水。如果不能找到活源的話，這一泓死水難免不發臭生蛆。從高普考變成資格考試以來，考用合一的精神，已經連根摧毁。一方面是人事凍結，一方面是虛應故事，這十幾年來，青年步入了中年，中年步入了老年，心裏苦悶，意志消沉，聰明才智光是在「五斗米」上，就被消磨殆盡了。

根據銓敘部的統計，全國公務人員總數現有二十一萬七千多人，除了公營事業機關，和各級學校人員外，祇不過八萬多人。而從四十九年實施退休制度以來，一直到今年四月底爲止，已經退休的公務人員，僅僅祇有一千八百五十七人，祇佔到適用退休法人員的百分之二。換句話說，今天幾幾乎有一半的公務人員，應該退休，而仍然佔住位子不放，怎麼能夠不使整個國家機關變得暮氣沉沉。

老實講，中興大業人人有責，國家未來的希望却完全寄托在年輕人的身上。年輕人的活力，年輕人的純潔，年輕人的智慧，都是促進社會進步的原動力，放着那麼多年輕人不用，不僅是人才的浪費，也是國家最大的損失。

有一個觀念，必須澄清，國家的名器絕對不能作爲酬庸的工具。我們不知道，今日還有多少吳家元，盤踞在國家的名位上。社會上的專門職業，更應該有一個客觀標準。做過密醫五年就可以正式掛牌當醫生，但任立法委員三年，就可以開業做律師，這祇有我們中華民國才有這樣荒唐可笑的法令。而政府機關，更不是什麼養老院，救濟所；寧可多發點退休金，也不能讓他們「佔住毛坑不拉屎」。負責機關，大可撥撥算盤，究竟那樣合算？

至於說到破格用人，這是起用非常人才的方式。曾國藩、左宗棠的中興，如果依靠那一套老的八股取士的方式，大清帝國恐怕用不到我們國父革命，早就給洪秀全那帮人打垮了。因此，如果僅僅把考試院考取的那些「竹頭木屑」安排一個噉飯之所，人事上容或做到一點點新陳代謝，却談不到起用青年才俊。如果一切仍按照目前的人事制度循序漸進，也談不到什麼破格用人。

嚴院長已經開出了這麼一張支票，兌現與否，且拭目以待。

北市議會大厦偷工減料疑案

——本報台北記者張健生——

現在的問題：是第二期工程爲什麼不依照規定公開招標？基於什麼理由而議價交由洪文華營造廠承包？前任市議員孫性初反對議價的意見，何以被忽視呢？

前屆市議員李賜卿會指出：四十五年度原列預算三百萬元，其中所列工程管理費一二六、六五八點五〇元，和發包工程費九〇二、四五七點三八元，根本就沒有付。

因此，台北市議會大樓興建會常委第一次會議紀錄（五十年四月十四日）所列工程費開支情形項目中的四十五年度預算：二、九二五、〇〇〇元；與工程處於本年五月十九日所提「議會大樓新建工程辦理經過」之四十五年度的預算：三、七九八、三四一點五〇元，何以發生差異？而該兩種資料中所列四十六年度的預算開支數字，又何以厘毫不差呢？

電氣設備等工程，何以由兩家公司承包？而議會大樓和議事廳的工程竟由一家營造廠承包？其理由何在？

外傳市議員陳梧杜向工務局借用興建議會大樓材料：水泥二百包，至今未還。陳議員到底有沒有借水泥？林水來議員於五月二十三日會議中質詢時，工程處長陳敏卿何以吞吞吐吐而不說明，難道還有見不得人的內幕嗎？

佇待分曉

查台北市議會大樓現址，即中正路一六九六號，原係「台北州」的財產。台灣光復後，該公產由某某佔用到民國四十二年，當時，台北市長吳三連，由市府付出二十萬元把該公產收回，借給台北市黨部作辦公廳。

前市議員李賜卿在市議會第五屆第六次大會中市政廳總質詢時，他曾說：

民國四十五年，市長高玉樹，從市政府預算（所列）議會大樓工程款三百萬元項下，撥借國民黨（台北）市黨部二百萬元，係以民衆服務處墊款的名義開付。

代市長周百鍊涖任之後，復以（五〇）、十一、二北市府財產字第五三九八號函謂：議會通過開支中正路一六九六號原有市黨部使用中的房屋修理及添建費用，此項二百萬元，即以沍銷民國四十五年高玉樹任市長時所付民衆服務處墊款名義，由市黨部借去的一筆，而今日市黨部辦公廳建築費，即由此項對抵。（詳五十一年十二月六日李賜卿書面質詢）

由此可知，在議會大樓工程預算之一千七百多萬元中，除去二百萬元，和除去上文所述沒有開支的工程費，剩下一千四百多萬元，這是明的；還有暗的像市議員借水泥不還等等這些問題，怎不使人疑竇叢生呢？

議會大樓如此烏煙瘴氣，台北市民豈僅痛心！但有人說：要市議會把這件事弄得一清二楚的話，除非太陽從西邊出來！否則，是不會弄清楚的。是耶？非耶？讀者拭目以待之可也。（下）

香港與大陸

毛共更厲行階級教育
被認家庭成份「不好」學生
根本不准其投考高等學校

中共對大陸的中、小學應屆畢業生，正施行勞動教育和思想政治審查工作；前者爲的是使一些未得升學的青年學生能「安心回農村生產」，後者更是意在完全關閉「家庭成份不好」的中、小學畢業生的昇學之門。

此間一位中學教師曾君接到他留居大陸的女兒的來信，對此有所揭露。

曾君的女兒，現就讀于惠陽一中的高中三，是應屆畢業生。她來信首先表示悲觀消極，並向其父親表示「慚愧」，說是白費了她父親的栽培和苦心，到頭來她還是祇能回農村做「耕田佬」，因爲她的家庭成份是地主。

來信說：雖然她曾努力學習，却仍未能擺脫此種厄運。她說，今年大陸的中小學應屆畢業生，一如往年，要昇學是沒有自由的。但往年還有投考的機會，今年是連投考亦不可得了。原來，昇學不昇學，幷非取決於成績，而是決定於「家庭成份」。中共教育部的招生規定：「高等學校的招生，應該進一步貫徹階級路綫和貫徹政治與學業兼顧的原則，嚴肅認眞地挑選政治思想好，學習成績好，身體健康的學生入學。」

來信說：所謂「貫徹階級路綫」，就是由中共的各級組織，按照學生的家庭成份（被分別爲地主、富農、中農、貧農、官僚、買辦、城市居民、工人、自由職業等若干階級），定其取捨。如果是「反動階級」的，即地主、富農、官僚、買辦等的子女，不但不予以錄取，甚至連報名也沒有資格。

來信說：今年中共對投考學生的政治審查，更爲嚴格，規定了具體辦法：（1）凡是應屆畢業生，要投考高等學校時，均須持有原畢業學校介紹投考的函件。

（2）今年所有中等專業學校應屆畢業生，黨政機關、事業和企單位等在職人員，轉業軍人等各階級人民，如要投考高等學校，均須經主管部門的批准和函介。

（3）其他的智識青年，即失學失業或補習學校的青年，如欲投考高等學校，均須持有「人民公社」以上之「人民委員會」的證明和函介。

來信說：中共的這些規定，已把所有的「反動階級」排除出高等學校之門。但中共仍不放心，誠恐百密一疏，因此在政治審查工作中，勒令應屆畢業生詳細填表，以備在昇學後的政治複查中，若果查出有隱瞞的，不但取消其學籍，還要送去「勞改」。

來信說：我們家的成份，早被確定爲「地主」，所以我唯有回農村做「耕田佬」了，絕無可能昇學了。（敬斯）

基隆旅居記

仲公

五月卅一日，唐景崧調淡水守將李文忠三營，陳得勝三營，自晨至午開抵瑞芳，助銘軍與日軍作戰。因士卒皆淮楚產，峯廻路轉，途徑生疏，飢疲已極，不能成軍。統領張兆連自將百人爲前鋒，足被冷槍所中，麾下爭相狂奔，諸軍望之而潰，日軍遂向瑞芳。是日五更，劉燕運五桿格格快砲五架，率砲勇卅人至大營，明震急命運至前敵，擇高阜安裝。黎明維帥電諭：「三路進兵甚善，瑞芳一路專責成吳國華，九份李文忠，吳朱埕，楊連珍，限申初到基隆聽調遣」。未刻陳得勝先到，張統領與定議，各軍酉刻在基隆飽餐，限寅刻抵敵營，合力猛攻，明震派員押棚帳與子導同行。

部署甫定，忽報日兵分兩路來攻，一路撲九份，一路直抵瑞芳；另一股扼吳朱埕北，防我軍包抄。九份我守軍單薄且近海，日軍快砲上岸猛擊，戰未久，宋營官陣亡，哨官死三人，孫營官受重傷，九份失守。瑞芳尚未開仗，得九份失守訊大震，明震急率親兵六十人赴前敵督戰，擬憑劉燕砲隊以自固。酉初到芳，扼後街口，令各營退者斬。（四八）

尼赫魯繳的是白卷

印度問題複雜嚴重

·祝西·

美國「華盛頓郵報」論及尼赫魯之死時寫道：「尼赫魯逝世之時，他所要完成的工作全無頭緒。國內未獲統一，邊疆有中共大軍壓境，在經濟發展方面也只達成了初步工作。為完成尼赫魯的遺志，其後繼人實在任重而道遠。」這是美國輿論界對尼赫魯之死所表示的感慨。可以看出，美國不少人，對於印度的將來，是充滿無限憂慮的。

如「紐約前鋒論壇報」稱：尼赫魯生前，雖喚起了印度人的國家觀念，但這個觀念「並沒有戰勝各地區因語言，生活習慣，及宗教不同所引起的鬥爭。」又如「費城問詢報」所言：「印度國內問題千頭萬緒，其未來發展，實令人難以猜想。」

當尼赫魯撒手西歸之時，印度國內國外俱在共黨威脅之中。中共軍隊目前仍然是印度生死存亡的威脅，邊疆之爭，迄成懸案。而印度共黨中，擁蘇俄及擁中共的兩派，正在新德里及其他各大城市中展開爭權奪利的鬥爭。

在經濟上，印度工業有些許進步，但絕趕不上人口的高速增加。因而人民生活難以改進。印度雖接受共黨及自由國家雙方的援助，但近年來其國家收入的增加速度，僅為百分之二左右，這與其人口增加速度，相差無幾。十餘年來，印度是在各種援助項下輸入的大量糧食的情形下，苟延殘喘的。

在這些千頭萬緒的問題中，最使印度的新領袖感到難以處理的，就是國內各種階級，宗教，語言等所形成的不同力量。此一問題，十七年前印度獨立之初，即威脅到印度國家本身的存在。就是這種不同，使印度人與回教人各自東西，分裂成印度及巴基斯坦兩個互相仇視的國家。過去尼赫魯多少有些聲望維繫着這許多不同的力量，如今他死掉了，其前途變化如何，實無人敢予預料。

印度有八百四十五種方言，其中說印度話的有兩億人，其文字為印地，係印度官用語言；此外說班家里語的有八千萬人，說古加拉蒂語的有二千萬，說坎拿達語的有一千九百萬，說馬拉西語的有三千二百萬，說馬拉亞拉姆語的有一千五百萬，說奧利亞語的有一千四百萬，說若加山尼語的有一千七百萬，說台拉古語的有三千九百萬……依印度憲法規定，這些語言都是印度官話。

近年來，人們會試將印度地圖分裂為各部落，今後此種壓力必有加無已，非有一位足以贏得多數群眾支持的領袖，絕無法抗拒此種分裂傾向。階級是另一影響印度團結的因素，尼赫魯屬於布拉曼的貴族，當謂階級是最大的罪惡，只要階級存在一天，印度人民即不會有真正的國家觀念。

全印人口約四億六千萬，其中約一億被列為不值一顧者。甘地曾稱之為「哈瑞占」即「神的子女」，生前曾盡力為爭取他們的社會地位而奮鬥。印度憲法亦規定掃除此種歧視現象。但至今日止，此一不正常現象依然存在。在某些地區，這些不值一顧的人，不許進入寺院，不許使用公共水井，不許進入貴族階級的理髮店。

印度的階級制度分四大類，而在此四大類之下，各地方另有地方階級三千餘種之多。掃除階級的工作，簡直談不到成就。

若干印度問題專家指出，印共中的兩派，必將設法利用此種地域和種族之分別，製造新的流血暴動，使印度陷入混亂狀態，以便乘機取得政權。

端午節與屈原

漁翁

五月五日，曰「端午節」。按夏正建寅，五月為午月，所謂端午者，即五月之開端也。據周處風土記：「仲夏端五，烹鶩角黍」，故又稱之為「端五」，亦曰「端陽」。端午之有節令，由來已古，及民國建立，順民間之風習，而定是日為「夏節」。

唐代僧文秀詩：「節分端午候誰言，萬古傳聞為屈原」。是則端午節，為紀念二千二百三十八年前的大詩人——屈原，已無疑義。民間慶祝節令，較元宵與中秋，有過無不及，花絮繁多，而以龍舟，裹糭子，為其中最重節目。

屈原，名平，字靈均，生於楚之姊歸，即今湖北宜昌西北之姊歸縣。初為楚懷王左拾遺，後任三閭大夫。行高志潔，尤嫻於辭令，不僅能詩歌，且明於治亂，為幹國棟家之政治人物。為抵禦强暴之秦，具有保土衛民計劃，惜不見用於懷王，且被放逐於江南，在湘水流域，度過九年之謫貶生活。

最後知國事不可為，於公元前二七八年五月五日，抱石投入湖南之汨羅江中，即今湘陰所轄地。當地民衆，發動船隻，四處打撈，相會於武陵郡（今常德縣）東門外招魂，今其地有「招屈亭」遺址在。據荊楚歲時記：「屈原以五月五日投汨羅江，人傷其死，故武陵於此日競渡以招之。」因此，後人在每年今日，用競渡方式去紀念屈原，謂之「龍舟競渡」。

考龍舟之名，相傳由來尚矣，據穆天子傳：「天子乘龍舟，鳥舟，浮於大沼」。注：「舟以龍鳥為形制也」。後人做照天子之舟，飾為龍形，首尾以木刻成，已有一千二百餘年之歷史。王立之詩：「龍舟衝破浪森森」，即為競渡而詠也。

賽龍舟，以湘鄂兩省為最盛行，因屈生於鄂之姊歸，而死於湘之汨羅，故紀念儀式之隆重，有過於其他地區。今則大陸沉淪，不堪聞問矣。

糭子，亦端午習俗之一，形如三角。古用黏黍，故又稱之曰「角黍」。風土記載：「俗以菰葉裹黍米，以淳濃灰汁煑之，令爛熟，於五月五日及夏至啖之，一名糭，一名角黍。」

據續齊諧記：「屈原五月五日沉江死，楚人哀之，以竹筒貯米投水，裹以楝葉，纏以綵縷，使不為蛟龍所吞。」又相傳屈原死後一年，其姊女嬃以糭子投入水中，意在使魚類吃飽糭子，而不傷害於屈。後人做而效之，成為端午不可少之應時食品，且為彼此餽送之禮物。

趁此佳節，舉家團敘，解糭而食，更有一番樂趣！此陸放翁所以有：「盤中只解青菰糭」之載詠也。是日除賽龍舟，裹糭子外，還有懸鍾馗像者。鍾馗像頗凶惡，用以袪邪魅。宋以前，掛於除夕時，其後改懸於端午。又各戶門口皆掛葛蒲以辟邪，李咸用詩：「柳眉低帶泣，蒲劍銳初抽」。

後之人，以屈原為最偉大之愛國詩人，故又以「詩人節」稱之。騷人墨客、往往於是日作文酒之會，以紹念此一令節。

我所知道的麥帥

肯寧將軍原著　徐熙光翻譯

在研討一次軍事行動的詳細計劃以前，麥克阿瑟一定會召集他手下的高級司令官和重要參謀舉行會議，坐在這種會議席上，旁觀麥克阿瑟主持會議的情形，確是一椿有趣而令人鼓舞的事。在社交場合，麥克阿瑟可能會覺尷尬而難以應付，但是在軍事會議裏，他是我所見最鎮定和穩健持重的人。他慣用和藹的態度折衷所有不同甚至相反的意見，然後逐漸綜合與會者的意見，作成計劃的定案。麥克阿瑟在類似這樣的會議裏，常會突然說：「好了，各位，現在我們已經達成了一項協議的計劃……」然後把攻擊行動的時間地點告訴大家。最難得的是最後決定了的計劃一定會是大家所贊成的，參加會議的所有人員不但會覺得那是一個妥善完美的計劃，而且都會覺得這個計劃是他提出來的。

參謀人員之間往往也有不合的意見，在情況緊急時，麥克阿瑟往往不徵詢參謀人員的意見，當機立斷，採取行動。

一九四二年秋天，空軍已經發展到能夠載運軍隊到作戰地區和空投補給品給地面部隊，麥克阿瑟乃決定利用這個方法在新幾內亞北岸取得一個立足點。我的任務是把一師步兵從摩里斯比港飛越歐文史丹利山脈空運到日軍控制的布納的東南方地方。另外，我的飛機一方面要應付日機的干擾，另一方面還要負責載運這一師兵力的食糧和彈藥補給。

對我們這個小得可憐的空軍單位來說，這真是一項艱鉅的任務，但是我有自信能夠完成它。麥克阿瑟也相信一定能夠辦得到，所以他不顧多數參謀的反對，毅然下令採取行動。這項工作真不是一件容易的事，能否成功，殊難逆料，很多參謀都主張放棄向布納進軍，並說我執行這項任務簡直等於是發了瘋，但是麥克阿瑟堅持他的決定，他全力支持我和空軍。麥克阿瑟在重要關頭所表現的冷靜和毅力，對所有他的參謀人員和部屬，往往能起極大的鼓舞作用。

我永遠無法忘記一九四二年十一月在新幾內亞的布納戰事中，他和我比肩作戰並全力支持我的情景。

我的飛機數目本已有限，所以在同時要載運食物，軍火和部隊之下，我們很難使在新幾內亞北岸的部隊囤積兩三天以上的食糧。正好那幾天又一連下了好久的滂沱大雨，於是我們的困難變成了一項危機，因為我們的飛機根本無法冒雨飛越歐文史丹利山脈，糧食的補給只有完全停頓下來。

摩里斯比港的飛行員們想出一個辦法，從飛機上空投每包三百磅重的食物，這是唯一可以在惡劣天候中實施的補給方法。飛行員在這種天氣裏飛行，就像碰到大霧一樣，完全要仰仗儀器，用無綫電操縱方向，到了指定的空投地點由駕駛員通知機尾人員空投補給，飛機則在空投地點盤旋，直至空投品完全投下。我看了一次空投試驗，在兩千五百呎的高空把十六包食物空投下來，駕駛員像盲目似地完全用儀器操縱飛行，結果空投品完全落在直經一百碼的圓圈地帶裏。

（十七）

瘟君續夢

第十二回：

異域購新居　民脂似水
冷宮傷舊夢　妾命如絲

徐冰到不緊張，徐徐問道：「你怎麼會靠蔣先生吃飯，請說出來我們聽聽。」

黃炎培說道：「我在重慶時，一心想當教育部長，一次在參政會蔣先生報告過前方軍事情況，我就振臂高呼我們偉大，英明，經文，緯武，至德，神功的領袖。」

徐冰笑道：「這些我們都知道，好似你當時一口氣的說了十六個字，傳斯年才罵你把蔣先生當作慈禧太后了，不過，你怎麼到今天還靠他吃飯呢？」

黃炎培說道：「無論我用了多少好字眼，蔣先生就是不買我的賬，更不肯把教育部長給我，我一怒之下，才轉而向黨靠攏，以後蒙黨和毛主席收留我，到今天還有小米吃，也就因為蔣先生不肯要我。所以我想想，根源還是該從蔣先生身上說起。」

老油條說過，徐冰只是搖頭苦笑，可是又找不出理由駁他，也算過了關。

下面就輪到民主促進會的主席馬叙倫，他站起來說道：「我雖然不是靠蔣先生吃飯，却是靠國民黨的特務吃飯。」

這段話一說出，全場震驚，徐冰也緊張起來。

馬叙倫緩緩說道：「勝利後，國民黨發動進攻解放區，那時敵我兵力懸殊，尤其蘇北魯南解放區，情況更是岌岌可危，黨派在上海的地下工作人員，就發動學生工人遊行，要求停止內戰；在上海遊行了還不算，又派人到南京請願，當時就指定我和蕢延芳，林漢達三人為代表，去南京，到了下關剛下車，只見車站上睡滿了蘇北逃來的地主，反動份子，他們就過來質問我，為什麼不讓政府收復蘇北，送他們回去？我當時就說不能為了他們少數人的利益，造成全面內戰。一句話說過，激怒了那批人，當時過來拳打脚踢，把我同蕢延芳都打傷了。事後據黨的地方工作同志告訴我，那次與國民黨特務有關。」

徐冰說道：「一點不錯，我們有確實情報，那次暴動是國民黨特務指揮的。」

馬叙倫接着說道：「因此，我就想到，假若不鬧那次事件，中華人民共和國成立後，毛主席也未必會讓我當教育部長，高等教育部長，現在還能當人代常委會常委，每月有固定小米可吃，全是虧了國民黨特務那一次策動羣衆打我。」

徐冰聽了幾個民主黨派主席相繼報告之後，頗為不滿，因為毛澤東的本意，是要他們承認吃的反共飯，沒有蔣先生堅定反共，他們就沒有飯吃。那知說來說去，始終沒有人承認這一點。

徐冰感到無法交待，就向楊明軒說道：「今天這個會開的不夠成功，大家心裏的話都未說出來，說出來的都是門面話。據統戰部知道，民主黨派許多人都說沒有老蔣在台灣反共，他們在北京也沒有小米吃了。為什麼今天不肯說出來？像這樣不能向黨交心，怎能脫胎換骨成為神仙？你要負責勸說，一定要把大家的思想都搞通了，說出心中的真話，才能算圓滿完成，不然，這個神仙會就永遠開下去，開到人人都變成了鬼才結束。」徐冰說過，氣冲冲的走了。

（三一六）

冒險犯難記

鄭文儀

要他們利用地形，掩蔽身體，臥倒待看清敵人的目標在那裏之後，才瞄準放槍射擊。我觀察對面山上的敵人，人數不多，似乎是掩護退却，因為淡水兩度激戰之後，敵人對於我們黃埔教導團的學生軍勇敢善戰的聲威，有些聞風喪胆的架勢。

我很快發現了幾十個敵人的目標，我指揮全排的士兵向前方的目標射擊，打了半小時，我發現新兵們的射擊很多沒有瞄準目標，無的放矢，還有好幾個放槍時，把頭埋在槍下面，根本就不瞄準，也不看敵人。帶這種沒有訓練的兵作戰，眞是令人乾着急。但急也沒有用處，責備也是枉然，祇有耐煩些，邊作戰邊教導，實行所謂帶徒弟的辦法，在戰地利用機會實行教育，一回生二回熟，希望經過幾次戰役，幾場戰鬥之後，他們就都可練成好戰士了。

白芒花的戰鬥，不到半天，我們第三營全部展開攻擊之後，敵人就退却了。入下午我們就攻佔了白芒花，再往前進，[illegible]駐之地紮營。蔣校長率領校軍指揮部，也都進駐了白芒花。這時我當小排長，帶了一排新兵，初上戰場作戰，總算一上前綫便得勝利，之後是追擊敵人；如果敵方是想像中的頑强，激戰難免，在那情形下，我是否可以確實掌握部隊，達成戰勝攻克的任務呢？實在是談不上把握的。

十六、綿湖戰役　驚險萬狀

東征校軍自白芒花一役把敵人打敗後，敵人洪逆兆麟部一退再退，望風而逃。我軍二十四日進駐白雲市。當時一天行軍五十里，又適遇大雨，頗為艱苦。有一天清晨，第一第二兩團，集中一起，準備出發，乃大雨傾盆而下，何團長應欽指導我們在臨時集合場，露天冒雨，連接唱了一小時多的軍歌，待雨稍小，就拔營前進。

二十五日進駐平政墟，二十六日到達赤石墟，二十八日到達海豐縣城。沿途老百姓，男女老幼都到道路兩旁，用爆竹茶水歡迎革命軍，兩根竹子橫懸一幅紅布，表示慶祝勝利，歡欣鼓舞。我們對待百姓，也眞是平買平賣，有時買食用零星物品，如甘蔗橘子之類，還多給老百姓的錢。全校官兵這時無不興高采烈，熱血奔騰，勇氣百倍。不過大家也有一項苦悶，這就是每天行軍前進，竟看不見一個敵人，頗感難過。我個人則又有一小困難，乃是在行軍之中，痔瘡大發，每天走幾十里路，一到黃昏將要宿營時，就感到痛苦不堪，動不得也，所有宿營住地的分配及醫衛飲食茶水的照料，都全靠班長和弟兄們分別負責，好在他們和我相處雖不過半月，却彼此親愛互助，眞如兄弟手足一樣，把革軍人同甘苦，共患難的精神，表現無遺。（廿五）

為曾后希氏畫展說幾句話

衡岳外史李故

日前於越石處，與曾后希氏暢談中外書畫之得失，促膝之餘，復獲悉月之十三日為氏假座大會堂低座二樓，舉行畫展之期，佳訊欣聞，覺誠為香港藝壇之光輝盛舉。

曾氏近數年來，為闡揚中國文化藝術，携其歷年精心傑作，週遊歐陸及近東諸國，而獲得外地人士之崇拜與嘉尚，為中國畫家外遊所僅見，聲譽之隆，可謂無兩；由此足見曾氏對國畫藝術造詣之高超，亦國畫外揚之光輝也。

溯揆之國畫最高原理，莫不以六法為依歸，以神韻絕俗為大成；故古人作畫，常以神、妙、工、巧，為座右銘，並以書法為緣而相互並重，故書法實與畫同源；自唐宋以還，諸大家莫不相輔以行，而益增畫之崇高價值，曾氏對此，服膺最深，雖一木一石，亦均以書法為據。

曾氏之於山水，摹擬逼眞，創作高韻，落筆嚴謹，格調脫盡獘俗，一洗前人之弊。誠如王翬所言：「子久之蒼渾，雲林之淡寂，仲圭之淵勁，叔明之深秀，」諸大家之優範，曾氏皆能兼容並蓄，從而獲得深厚功力；故氏往往以元人之丘壑，而澤以宋人之筆意，寫唐人之氣韻，發揮而成一己之面貌。且性情曠達，人如其畫，會以其壯懷，游覽國內外諸名山大川，故胸藏淵博，眼放環宇，搜盡奇峯，揮而成畫，是以得自然之眞趣，絕非紙上談藝，閉門摹寫之流，所可望其項背。故其得有今之成就者，非偶然耳。

曾氏之人物，上溯唐宋以取其長，下窺時勢而吸其理，對韻，法，意，態四字尤有獨到；眞所謂羅古人於尺幅，萃衆美於筆下者；秀潤古雅，色彩煥然，其綫條蒼勁柔美，俱深得道子、龍眠、之神髓。然尤難能可貴者，曾氏之對于人物畫面，不論繁簡，皆不以草稿為據，乘興則揮，意先筆後，盡曲折離奇之妙，生趣盎然。常謂：書畫同源，畫猶書也，故書法絕不能先以繪稿作依範。此言誠明哲之論也。

綜觀曾氏之作，全以眞氣瀰滿，渾勁勁拔，絕不以狂怪矜奇，以誇張畫面，每賞其品，一望而令人神聳，具有清心去俗之妙，此即為氣韻生動所使然。由是觀之，曾氏之藝，實高且崇也。故曰曾氏集古今名家之大成，食古化育，而能脫去前人窠臼，自立風範，卓然成為今之一代巨擘。此皆憑其絕慧之天聰，及苦心窮研之所致，茲值畫展伊始，爰書數語，以昭同道。

心浩然齋詠史

黃伯遠

韓信

不羨眞王非至情，寧知求假禍機萌；
何因已拒三分策，猶說能將百萬兵。
有志從龍嫌太晚，無心稱霸亦平生；
憐他一死誅三族，靑史猶留反叛名。

諸葛亮

鼎足三分蜀道孤，天時人事兩偏枯；
獨憐諸葛隆中起，取得孫曹眼底無。
宛洛難爭吳越晚，荊湖不守霸圖輸；
祈連躑躅悲無濟，原上星沉痛有餘。

我的社會生活

此時我們湖南的局面相當混沌，省主席程潛早著叛迹，只懾於國軍白崇禧所部廿萬人尚在湘境，不敢公然附逆而已。行政院長閻錫山建議調任程氏為考試院長，并派員赴長沙勸駕，程氏表面不拒絕，且以親筆信致蔣總裁，表示忠貞不貳，內有「立不易方」之語。關於湘省主席繼任人選，旅居廣州的湘籍國大代表和立監委員，大多數主張以黃杰承其乏，然華中軍政長官白崇禧力保陳明仁，白氏某日在廣州與湘籍民意代表們晤談中，且謂「最近我在湖南一定打場勝仗給諸位看看」，閻內閣祇好任命陳明仁為湖南省主席。詎新命剛剛頒佈，而原在韶關協防之桂軍一師，忽然撤返衡陽，繼而陳明仁不穩的消息亦傳播了。廣州人心浮動，中央政府定期遷赴重慶，我更感進退維谷，躊躇靡騁。適粵省國大代表賴少魂君來談，據說廣州對岸的河南地方，有一乩壇為人們卜休咎禍福極靈驗，最近廣東省建設廳一職員，捲逃鉅額公帑，即由該乩壇仙筆指示逃犯去向，終得弋獲，取回贓欵，約愚同往河南，試問鬼神以今後的個人行止休咎。人在喪亂生活中，心境每易陷於「不問蒼生問鬼神」的迷惘狀態，乃與賴君赴該乩壇嘗試之。我用草紙寫出或逕返家鄉，或隨政府入川，或到海外流落這三項心事，焚諸神壇前，乞予指示，旋乩筆在沙盤裏寫下了「東行為佳」四字。當時我對「東行」的方向殊懷疑，賴君謂：「就廣州地位看，香港與台灣都屬東方」。於是，我就決計先到香港再說。事後想想，當年我若回到家鄉，百分之百被共匪屠殺，決無倖免之理；倘赴重慶，必携家前往西昌，最後我個人縱能逃出死地，而家小未必不遭難受害啊！（六一）

哀梨室劇談

鎔公

高華傑作竇娥冤（續）

這情節顯與元曲及漢劇頗有出入！可是它亦有所本，原來「幼學」裏面，即有「齊婦含冤，三年不雨，鄒衍下獄，六月飛霜。」的說法，並且有註解說：「漢東海孝婦竇氏，養姑甚謹！夫死不嫁。姑曰：「我老累汝」！乃自縊死。姑女告婦殺母，婦誣服罪，獄吏于公爭之不得，郡守殺之，遂致郡旱三年。後，郡守至，于公「復白其冤！守曰，「咎在是矣」！致祭其墓乃雨。」大概平劇編者，就根據此一註解，稍稍加以改變，才構成了上述之劇情。而劇名稱「六月雪」，則是將齊婦鄒衍兩件事合而為一，並且把飛霜改為飛雪，藉以强調天變之劇烈，激發觀衆的同情，却是無疑義的。

此劇雖亦名「羊肚湯」，但所演者，實祇「探監」與「刑場」二折；以演悲劇著名之程四，演之亦復如是，特其哀感頑艷之做表，淒惻動人之唱腔，雅足為後學示範耳！程黨健將羅癭公見而惜之，爰破半月工夫，於原有兩場之外，增編蔡昌宗辭家赴試，蔡母思子致疾，張母贈羊肚湯，及昌宗衣錦還鄉一家團聚等場；易名為「金鎖記」。程四演之，遂紅遍大江南北！一時推為絕唱，同時且行，無敢動此劇者！

高與程有虎賁中郎之似，而於此劇之唱，念，做，表，則尤揣摩工深，登堂入室！下刊劇照，係高於年前，應國防部之邀請，於所主辦之「八七水災」三軍聯合義演時，與空軍大鵬劇團之名藝員馬元亮，王鳴兆等，同在「國光戲院」，表演該劇時攝影之一，雖非全璧，可見一斑，閱者幸毋以等閒視之。

又昨年仲春，高曾為臺灣唱片公司，灌「荒山淚」一劇，推陳出新，特具風格，創銷數特高之記錄。近又為灌「鎖麟囊」「碧玉簪」兩劇，腔調翻新，酷似程四之晚年唱法！是亦愛聽程腔者，不可不知之事也。（本篇完）

先室李韻梅女士事畧

李秋生

對人推心置腹，樂於助人，所以她容易贏得朋友。在逝世前兩星期，還為了友人們急難，拖着衰弱的心臟奔走於北角與新界之間。照常理說，她活到六十四歲，子女已長大成人，她的辭世應該不致引起太多的哀痛；但事實上不只是遠在美國的子女痛不欲生，許多來弔的戚友也多哀痛欲絕，正足以說明她感人之深。

最大的損失是我和子女們。子女雖到中年，依舊受不住失去了媽媽的痛苦。至於我自己，在治喪期間我曾對朋友們說：「也許我不能算是個標準丈夫，她却是一位極好的妻子和母親。她在我心中的地位是沒有人能夠代替的，而且我一向以身為她的丈夫為榮。」這一切，現在都成過去了！

她近年來健康很壞，特別是最近一年。此次病症起於夏歷除夕前夜，夜半突發喘息。初時診治只查出胃和氣管不好，到後來纔知道是心臟性喘息，左心房的擴大與心瓣膜的損壞已到嚴重程度。更加上胃下垂與十二指腸潰瘍。但直到逝世前三天，除夜間有時發作喘息外，白天並無異狀，醫生也未提出特別警告。及至病情有變，改就心臟專科醫師診治，並住進醫院，僅廿五小時即告不治。在四月三十日逝世的那天，入晚以前還很安詳，探病的友人甚至誤認她沒有什麼病。

她沒有事業，沒有著作，她早年的參加愛國運動也只是大浪潮中一點泡沫。但她一生平凡的生活中，正有不平凡的所在。在許多親友心中她依舊還活着。至於我和子女，這損失却是永遠的，無可彌補的。

中華民國五十三年五月二十日

曾后希氏傑作金山誓水圖跋

黃天石

董小宛才色重天下，冒辟疆撰影梅庵憶語九千餘言紀其生平，歌哭千秋，人以文傳，文亦以人傳矣。愚謂：冒子之惑宛君，飢其德，非飢其色也。宛君之事冒子曰：『我入君門整四歲，蚤夜見君所為，慷慨多風義，毫髮幾微，不隣薄惡。凡君受過之處，惟余知之亮之，敬君之心，實踰于愛君之身。鬼神讚歎畏避之身也。』嗟乎！此豈尋常兒女子語，大丈夫不能得之于市朝，而況得之于閨幃哉？故冒子之哭宛君也，曰：『余不知姬死而余死也！』悑已。愚于抗日軍興，流寓川滇，偶獲冒子十四字聯于昆明市肆，筆墨恣酣，奇逸若龍鳳，海內鑒古知名之士，咸贊歎以為冒子眞手澤也，莫能僞。愚謂古人遺墨，精靈所寄附，天地神鬼歷久而冥相呵護，殆擇其人而授之者歟？授之非欲其私之也，欲其寶藏之而傳之後世之能寶藏之者也。則愚之獲此聯，非幸愚之能私之，而幸冒子之精靈將終不絕于天壤間也。聯藏之後十年，倩湘鄉曾稷后希為金山誓水圖張之。曾氏畫承唐宋，此幀尤冥契神合不稍苟。或謂憶語多豔，胡擇是？愚曰：宛君之堅以身從，由濟關而至北固也，越二十七日，冒子凡二十七辭。登金山，宛君指江流曰：『妾此身如江水東下，誓不復返吳門』。一言萬古，何其貞且壯也！江水襄襄，嵐翠接雲霞，其有珮玉瓊琚，長鳴於天風間者乎？

自由報

內僑警台報字第〇三號內銷證

THE FREE NEWS

第三五四期

中華民國僑務委員會頒發
台教新字第三二三號登記證
中華郵政台字第一二八二號執照
登記爲第一類新聞紙類
（本報逢每星期三、六出版）
每份港幣壹角
台灣零售價新台幣貳元
社長：雷嘯岑
督印人：黃行靈
社址：香港銅鑼灣高士威道二十號四樓
20 CAUSEWAY RD 3RD FL. HONG KONG
TEL. 771726　電報掛號：7191
承印者：田園印刷廠
地址：香港灣仔高士打道二二一號
台灣分社
台北市西寧南路壹壹零號二樓
電話：三〇三四六
台郵撥儲金戶九二五二

公營事業的虧損與浪費

·李馨庭·

監察院於四月十五日舉行的經濟委員會，通過一糾正案：以經濟部對所屬十五個國營事業單位經營不善，因而虧損，浪費國家有限資金，以致妨害了復國的良好機運。這一糾正案係於一年多以前（五十一年十一月）通過曹啓文委員的建議，推由張一中、張維貞、王澍霖、曹啓文、劉巨全五委員進行調查。經過了一年又四個月的長久時間，一方面表示監察院對這件事的愼重與嚴謹，另一方面也看出來這些國營事業單位內部之複雜與紊亂。各單位所填報的書表總計達一百二十餘萬字之多，但仍未送齊（大約避重就輕的填報一些塞責，其不報的當然是不能見天日的了）。其間監察院本身對于本案應否提出糾正案，內部意見亦不一致。一直拖到四月十五日，才獲得經濟委員會通過。自立晚報于四月二十一日以重要新聞專欄版摘要報導，但已顯露這些國營事業單位在經濟部的督導之下是如何的腐敗與虧損了。

據監察院的調查報告具體的指出國營事業十五單位，包括：台灣糖業公司、台灣電力公司、中國石油公司、台灣肥料公司、中國煤礦公司、中華機械工程公司、中國漁業公司、台灣鋁業公司、台灣鹼業公司、台灣機械工程公司、中國紡織公司、台灣金屬礦業公司、台灣造船公司、標準局製造工廠、聯合工業研究所、的內部情形，有下列各點：

第一：「基本觀念錯誤，主管當局不以公營事業爲營利機構，而認爲所謂公司者不過一新式的官僚衙門。」這一點不僅經濟部所屬的十五公營事業單位如此，可以說所有的公營事業都有這一基本錯誤觀念。即主辦這種事業的人員，把事業單位當衙門，不過把招牌改換一下，不再掛以前舊式的「衙門重地、閒人免入」的牌子，改新式的金字招牌稱爲「公司」，以便向外宣傳而已。招商局不屬于經濟部，却是國營事業「公司」中最顯著的例子，眞是有口皆碑，路人盡知。前年監察院就曾經糾正過。這些事業單位，不但不以爲營利，且不無視爲私人謀生，與××的利藪。這可以說是對一些迷信「政府萬能」，政府經營總比私人經營好的最有力的答覆。政府經營這些事業，不但稅收因此短少，每年還得請美援去填充，但私人則有暗中發了財的。現在美國作寓公的一些前任大官還不是透過國營事業單位撈了一筆的嗎？這樣一來，公營事業安得不敗？不敗是無天理。

第二：「十五單位全不注意制度，且有意破壞，圖利私人之嫌。」這一點，其實不必怪十五單位。這幾十年來，內外援擾，君幾曾見到什麼叫做「制度」？完全憑少數人的想像與偏見在亂幹一陣。國營事業單位主管有不少在外國留過學的人，對外國的優良制度，與企業精神也曾嚮往過。但那個有此魄力與毅力要自我作一番建立什麼「制度」來？上焉者蕭規曹隨，無毀無譽；下焉者便拆爛污了。糾正書所謂「有意破壞」四字，說盡了主持公營事業的人的內心深處。唯有如此，才能「圖利私人」。否則，一制度建立起來了，一切依軌道而行，那末主管的人便無法如第六項所舉的「攤派」與「包庇貪瀆」了。因此，「有意破壞制度」是公營事業機構的拿手好戲之一，其他非事業單位亦不免此種現象，以致弄成今日支離破碎四不象的樣子。

第三：「人事腐敗，機構重叠。」這一點又不僅經濟部所屬的十五事業單位如此。其餘的機構，不管是事業的或非事業的，也少有不是「人事腐敗，機構重叠」的。人事腐敗，機構重叠現在已經侵入了教育機關與學校。前年有一省立大學校長被迫辭職，便是他想整頓人事；結果是他本身給「人事」整掉了。還有便是正唯其機構重叠，才能彼此推卸責任。同時機構重叠了之後，大家才可兼職多支兼差，名正言順的多支車費、研究費、出席費、加班費、誤餐費、節賞等五花八門的名目。同時機構重叠，才可以多用秘書、專門委員、工友、三輪車夫等人員，多安插一些同鄉、同學、同志、親戚故舊與門生。

第四項：「財務及產銷均欠良好，財務狀況極壞。」財務及產銷要良好幹嗎？財務好了，主管人員並不因此加薪（正式的）；產銷好，多賺了錢，年終也無紅利（正式的）可享。反之，却可拿產品送親友、孝敬上司作私人酬應討好之用，美其名曰「品嘗」與「試用」。財務狀況壞了之後，才能請美援，向台灣銀行借欵。否則，財務狀況好了，美援豈不要縮減或甚至停止。正要財務狀況極壞，美援才源源而來。援者援你壞也，不是援你好也。

第五：「各單位浪費驚人，虛擲國庫。」這一點，只要看一般人對公家財物的浪費與對私人財物的節省便可明白個中道理的。浪費是假公濟私，宴客是其中最顯著之一。以前有一位部長最喜歡用機關名義請客，害得總務無法報賬；最後弄到酒席館（探花樓）對部長大人的簽字記賬也拒絕了。

第六：「各單位物料管理無科學管理制度，司賬、管庫人員時有監守自盜情事發生。」早兩年發生的公車購料舞弊案中，就有一項，把不應報廢的車胎與零件等報了廢。結果在公家賬上是廢料，但拿去市上賣錢則是可用之材。這一點，因事業機構有的是材料，浪費所以才驚人。如果有一天國人的道德水準提高到了視公家財物如私人的一樣，做到了不浪費，不監守自盜的程度，我們才可談一「國營事業」，否則只有虧損與浪費國家資金。除了上面所述的督導無方與包庇貪瀆之外，値得我們這些同斗納稅義務人注意的還有「經濟部」對各單位之「攤派」。[illegible]經濟部每遇有特別開支，以部令及總務司、會計司、營業司等字函各單位，或集會而結定各單位攤數，[illegible]什麼叫做「攤派」？[illegible]經濟部總預算內，自也應支，[illegible]又何以需提追加預算呢？[illegible]監察院應該澈查清楚這些攤派的人，向我們納稅義務人有個交待。（二）關于「部長私人費用」部分。甲、和平東路部長宿舍環境衛生管理費開支在中，[illegible]共計五筆；乙、名單中指報銷轉入部長內交際費報銷。亦於是「推變造會計科目，作假的報銷」。（下轉第二版）

煮完一鍋又一鍋

爭權奪利

今日與明日

世局關鍵在中國

目前世界局勢，美俄關係已經解凍，非洲殖民地也大部獨立，過去許多認爲無法解開的死結，今日也大部解決，剩下的唯一死結，只有毛共，所以說要想促進世界和平，消弭戰爭，只有消滅毛共，剷除世界的亂源。試看最近發生的一些事件，無一不與毛共有關。

董濟平投奔自由

毛僞政權駐布隆迪「大使館」的文化專員董濟平，到職之後，即投奔自由，逃到美國大使館請求政治庇護。毛共最初緘默不言，後來實在隱瞞不住，竟然誣指美國綁架，不唯無恥，而且也無知。毛共何以如此狗急跳牆，其中自有隱情，大概董濟平了然於毛共對東非的滲透破壞情況，一旦全部公佈，毛共在東非就無法立足了。

巴西方面

巴西捕獲毛共九名特務，已經搜出顛覆拉丁美洲的證據，看情形，如無其他變化，這九個共幹可能送交中國政府處置。相信如若送達台北，經過中國法庭的訊問，這九名特務，對於自身安全有了保障之後，必然將公佈出許多新的資料，對於毛共顛覆拉丁美洲的野心，可以更多了解。

寮國方面

最近美國飛機轟炸寮共總部康開，毛共代表團也被炸中，死一傷五。這六名共幹，雖然新華社報導是文化經濟代表團職員，實際上毛共派在國外的人員，人人皆具有特務的身份，其任務顯而易見是在指揮寮共叛亂。而且就現實情況而論，寮共正處於戰爭時期，有何文化工作之可言，經濟方面也只是軍事援助，其他也談不到，所以說毛共駐康開的代表團，一定是軍事代表團，負責指揮寮共進攻中立軍。否則人已經被炸死或炸傷，毛共且嚴詞攻擊美國，何以當時不敢將死者、傷者的名單公佈出來，相信死傷六人必然都具有軍人身份，其中且有中上級的頭目，姓名久爲世界所知，却不因此公佈，毛共雖然發佈消息，却不敢公佈姓名。以後雖然公佈炸斃的頭目叫高樂鵬，也許是化名。

印馬之間

現在有許多跡象可以看出，印尼侵入北婆羅洲的志願軍，不僅手法是學自毛共侵韓的「志願軍」，而且訓練裝備也大部來自毛共，[illegible]撕下「中立」的面具，公開倒向毛共，[illegible]印尼政權[illegible]不得不一向外倒向毛共了。

自由談

杜魯門彈老調

美國前任總統杜魯門，最近發表一篇聲明文字，解釋他當年何以要撤去駐日本盟軍統帥麥克阿瑟將軍之職務的理由。這是美國的內政事宜，是是非非，咱們原不必置喙。

不過，杜氏原文談到韓戰經過情形頗有値得研究之處。他說麥帥於韓戰初起時，認定中共不會介入，而指爲「這是最壞的判斷」；繼謂麥帥後來主張「擴大亞洲戰事」，跟華府的決策不合。所以，非予以撤職處分不可！我們很清楚地記得，韓戰一發生，麥帥就到台灣與中華民國政府當局協商兩面夾擊中共的計劃，可見他絕未忽視中共參戰的可能性，否則他何必急急於訪問台灣呢？麥帥後來力主轟炸中共軍事根據地的中國東北地區，是基於純軍事的見地，非如此即不足以克敵制勝，同時亦以俄共此時尚居於原子武備的劣勢狀況中，決不敢掀起世界大戰，觀於聯軍仁川登陸之役，中韓共軍遭受慘敗後，俄酋史大林即出面倡導和談，即證明麥帥的見解很正確，杜魯門所說的，乃是欲加之罪。

事實俱在，舉世週知，戰後亞洲局勢之日趨惡化，完全是由於中共之崛起竊據中國大陸，而美國當局應負重大責任。假使麥帥對韓戰的戰畧戰術實行了，中共早已潰滅，今日又何致於發生越南與寮國的共禍，使美國進退兩難，大傷腦經呢？杜魯門以及美英一般政客們，總是以避免全面大戰之說，爲其重歐輕亞，姑息中共的「錯誤思想與政策作解嘲的口實，殊覺可哂。美國害怕全面大戰嗎？試看俄國現在還是缺乏糧食的情形，即知它的國力遠遜於美國，何況在韓戰時期，美國尚擁有壓倒的原子武器優勢，史大林是絕對不敢冒大戰危險的。

杜魯門如果僅指麥帥有不聽命令的言行（如謂麥帥不顧回國受勛之類），不能不加以制裁，那我們自無話可說。若以防止因韓戰而觸發全面大戰的說法，來辯解自己的錯誤措施，那是不能令人折服的。如今麥帥既已去世，杜魯門更不必再談這類舊話，這除却表示其不夠政治家的風度以外，究有甚末意義呢？

馮玉先生

據說有一連串營私舞弊

原台南酒廠被檢舉案 有待地檢處弄個明白

（本報記者謝君穎台南航訊）甫於本（五十三）年元月改組為「包裝工場」的台省公賣局原台南酒廠，兩月前經人提出有力證據向地檢處檢舉該廠營私舞弊。

該項檢舉內容，範圍甚廣，說是自張化清任廠長以來，曾有一連串的營私舞弊內幕。

據有關方面告訴本報記者：「約在兩年半前，既不是過年又不過節的時候，該廠兩百餘員工，不論其願意與否，一律被分發卅二大瓶糯米酒，當時廠方說是剩下來的酒分給大家吃的。豈知事隔半年多之後，每一員工的薪餉被硬性扣掉兩百餘元，據說就是償還當初的三十二瓶酒債。由於當時員工都為保持飯碗要緊，無人敢於提出異議，當然亦不敢向外聲張」。

本報記者走訪現已名為「包裝工場」之主任吳梓膂，他說：「此事公賣總局已查知，並提付公務員懲戒委員會，予廠長記過之處分」。

吳梓膂又說：「當時總局（公賣局）下令停止造糯米酒，剩下幾百公擔酒，分給員工吃，並不算稀奇」！吳又還特別糾正記者之措辭謂：「你們說幾瓶幾瓶，我們酒廠却是講幾公擔，幾百公擔」。

但是，酒廠造酒之原料，與造出來的酒之數量，都是按月向公賣總局報賬的，按理是不會多出酒來的。而事實上，總局却在「半年」以後才「查知」，並將廠長提付「懲戒」，然則，這些多出來的「剩酒」，是否可稱為「私酒」呢？

據吳梓膂的解釋：「公賣局那裏會有私酒？」又說：「酒廠造酒，原料與成品雖是按月報賬，但是實報實銷（按意係指銷售多少酒，造多少酒，也報銷多少原料），然而大都總是會有多餘的酒」。「而且當時是因為奉令停造糯米酒，所以多出來了」。

這些多出來的酒是報繳歸公呢？還是廠方私自處理呢？還是硬性分攤給員工呢？

對這些問題，吳梓膂答覆得很妙：「這無所謂硬性分攤；那個不吃酒呢？尤其是廠酒的員工」？

另據有關方面對記者說：「本年（五十三年）元月，該廠包裝股長受軍訓二十天，廠方命令該廠警務室護士××代理包裝股長一個月；在該期間，代理人因完全外行，甚受領班與工人之輕視，於是引起代理人熟習業務之動機與決心，於是乃從而查出二十餘公擔顯然無賬可稽考的高粱酒！代理人因外行關係，認為茲事體大，乃一面查封該二十餘公擔之無賬高粱酒，一面報請公賣總局處理，嗣經總局於本（五十三）年三月九日派員南下，會同該代理包裝股長「開封」。當時並有現場照片紀錄」云云。

至於廠方是否因為代理人對代理之業務完全外行，認為有機可乘，故意派其代理該職，以便在此期間內，以偷天換日手法，將此種「無賬」之酒，以諸般手段私自處理，就不知道了。衡情度理，不無嫌疑」。

又說：「除以上兩欵已被查明事實俱在，人證，物證斑斑可考外，被檢舉的尚有操縱工會，圖標酒糟，罔顧員工福利，涉嫌侵佔福利金，及買通獲知內幕人士等嫌疑」，有待地檢處去弄個清楚明白。

來函照登

嘯岑社長大鑒：頃閱貴報第四四七期第二版，「高市教育科連續出醜事」新聞一則，與事實有所出入，敬祈惠予更正為禱。

一、蕭校長與周科員發生互毆時，本人適在科長室辦公，聞聲即啓門入辦公室予以制止，並經本科二位同仁勸開，其事實經過，所有在場之目擊者均可作證，絕無「始而不加勸阻，繼之更作壁上之觀，最後是站出來代蕭健文講話」情事。

二、蕭校長健文出任校長早在吳芝生科長任內，距今已有七年之久，絕非「王清波派出任校長的，當然有恃無恐。」

三、忠孝國校校長寇虞風與顏科員為校舍工程發包事，彼此意見相左，發生理論，惟雙方均能保持良好風度，並無「彼此為此大吵大鬧」。又本人喪子，根本沒有設「招待」，何來請寇校長擔任「總招待」之理。

四、文中「教育科內部又因他（指本人）搞小組織，分派系，搞得四分五裂」乙節，揆諸尊崇法治，講究制度的今天，是否容許存在，是否有此現象，衡情度理，即可瞭然。

上述數端，為恐外界不明真象，以訛傳訛，特略予說明，懇請惠予披露更正。倘蒙賜允，不勝感禱。耑肅，順請

撰祺

高雄市政府教育科王清波拜啓

六月四日

香港與大陸

大陸大專思想控制 毛共手法更進一步

新的花樣叫做「下系工作制」

大陸地區各大專學校現在又搞「下系工作制」，要求所有的行政人員和政治系教師都下到系裏面去，成為各學系中的黨團工作輔導員，也成為學生的監視人。

一位廣州市暨南大學中文系學生李君，最近寫信給他在港的親人說：現在我們又在搞什麼「堅持四個第一做好人的工作」。即是要好好聽共產黨的話，甘心受奴役被宰割，並且不再提出申請出國……

……來信說：在上述的「堅持四個第一做好人的工作的政治口號下，又要求所有的行政人員和政治系教師都下到學系，即所謂實行「下系工作制」，經常直接到學生的教室和宿舍中，對學生的思想言行，加强控制。

來信說：此次的「下系工作制」並不和過去一樣，說過便算了，而是由學校共黨當局訂出計劃，要求每一個「下系」的教師，都完成一定的任務。據學校公布，有如下規定：

1. 必須深入瞭解學生的政治思想情況；
2. 必須了解學生的家庭出身，經歷和社會關係；
3. 協助各學系的黨團支部攪好學生的政治思想工作，和挖掘「黨」和「團」的新的「生力軍」；
4. 協助任課的班級作好該班的政治思想工作；
5. 「下系」工作的時間，每週不能少過于十小時至十二小時；
6. 要求每一個「下系」的教師都要與學校當局取得聯絡，並宜重點深入，不宜廣泛而膚淺；
7. 要求「下系」教師在瞭解學生的全面思想情況後，又特別注意學生的「傾向性」問題，即是「有集體行動和集體思想」的問題。

來信說：中共當局不單規定了這些所謂「任務」，更莫名其妙的是規定每一個「下系」的教師，都得在一定的時間內，找出若干名「問題學生」，並且施行「有效的教育」。據解釋，這即是要這些教師找到幾個「壞」的學生，加予懲戒。

來信說：現在所有的同學都誠惶誠恐，特別是那些曾和政治教師有別扭的同學，皆極度担憂會飛來橫禍。

來信者本打算在暑假期中申請來港探親的，但他現在也不敢提出了，原因是他惟恐會被加上其他莫須有的罪名，冤冤枉枉的活受罪。還說，要是真的被認為政治思想有問題，那就不得了了，輕則「鬥爭」、「下放農村」、「勞改」，重則連性命亦保全不了。來信者又說：本來打算暑期中請來港探親，現在鑒於形勢逼人，打銷此意的人很多，同他比較接近彼此敢於講一些「衷心話」的同學，就有兩個採取了與他同樣的決定。（敬斯）

縣市長選舉官司十宗彙誌

——本報記者台北航訊

第五屆縣市長當選人，已於六月二日分別在全省二十一縣市宣誓就職，在未來的四年歲月中，展開其抱負。這篇報導所談的，是繼競選之後的第二幕節目，正在各地法院上演；至於結果如何？言之尚早。

話說這次選舉較前進步固然多，而缺點也還是有的，這可以從縣市長落選人和選民所提當選無效的訴狀中，即可見其梗概。這裏把縣市長當選人被控者列後：

（一）基隆市長當選人林番王，被基隆市前任信義區長賴兩塗，自訴其在競選期間涉嫌誹謗案。基隆地院推事朱正開，已開庭調查了。

（二）台中市長當選人張啓仲，被市長落選人何春木向高院台中分院控告當選無效。

（三）台南市長當選人葉廷珪，被市民李友謙等七人向省選舉監督委員會檢舉其非法當選。

（四）桃園縣長當選人陳長壽，被縣長落選人黃玉嬌（女）向高院控告其當選無效；並控告桃園選務所選舉無效。

（五）新竹縣長當選人彭瑞鷺，被市民代表蔡金元等檢舉違法賄選及當選無效。

（六）苗栗縣長當選人林為恭，被選民張榮顯向高院控告賄選，以味精，肥皂換選票。

（七）彰化縣長當選人呂世明，被縣長落選人洪挑向高院台中分院控告以金錢買票，當選無效。

（八）台南縣長當選人劉博文，被縣長落選人李耀乾向台南地檢處控告偽造文書，欺騙選民案，業經檢察官王興仁受理，並開過一次偵查庭。（按：台南縣選舉未提名，劉李二人，均為執政黨人）

（九）屏東縣長當選人張豐緒，被縣長落選人黃振三向高院台南分院控告當選無效；黃並控告屏東縣選務所選舉無效。

（十）宜蘭縣長當選人陳進東，被縣民李某檢舉非法競選，並控訴第五屆縣長選舉無效。

上列十宗選舉官司，其中基隆台南二市市長當選人為非執政黨籍外，執政黨當選人被控者有八件。林番王被控訴的原因，據說係他在競選期間發表政見時，有誹謗他人名譽的嫌疑。

至於台南市民李友謙等七人，分別向省、市選監會檢舉市長當選人葉廷珪，在各次公辦政見會中，曾對聽衆表示：「假如我當選市長後，台南市民滯繳各項稅金達五年者，准予免繳」等語；謂其顯屬違反台灣省妨害選舉罷免取締辦法第十九條第二項規定。

按：依照會計法第一零六條規定，政府機關各種會計憑證，自總決算公佈日起至少保存五年，其屆滿五年者，經上級機關與審計機關的同意，得銷燬之。

照此項規定，市民滯納稅金的各種憑證，超過五年者得銷燬之；則憑證銷燬後，當然無法向市民徵收稅金了。

再看看執政黨籍市縣長當選人被控當選無效的案由：桃園縣長落選人黃玉嬌在控告陳長壽之前，在台北公開招待記者，公開攻擊選舉不公平，公務員公開助選。她說：

「我這裏有九張圈着陳長壽的選票，這票都是受某人的指使，在投票時要塞進投票櫃裏的；在四月二十六日投票的那天，有人把這九張票送給我。」

「我們推荐的投開票所監察員，也因監察小組通知誤時，而失去了監察員的機會。已經到場的監察員有的也受到干擾。」她又說：「桃園第一、二、三、四、五、六、四六、一一七等八個投票所，選票多於投票人數。」（上）

大家節約用水 供水可再放寬

（本報訊）本港存水已超過九十億加侖，如果三、四年前存水有這樣的紀錄，已是每日八小時的供應。對這個問題港府發言人說：在三、四年前，當食水供應是每日八小時，每日平均耗水量是八千萬加侖，但目前每日四小時的供應，耗水量預計亦是每日平均八千萬加侖，雖然目前尚未有一個標準的耗水數字，但相信離此不遠。如果居民能節約用水，使每日平均耗水量不到八千萬加侖，例如只用得六千多萬加侖，那麼水務局將會考慮再放寬供水時間；但居民用水一定不能超過八千萬加侖。

水務局表示考慮水的供應時，是根據三點情況的：（一）存水，（二）雨量，（三）耗水量。如果存水充足，雨量正常，耗水量又不會太多，水務局就會放寬供水時間的，反之，供水時間必會減少。

公營事業的虧損與浪費

（上接第一版）

作者于抄錄監察院的報告之後，還查了一下「公務員服務法」：

第五條規定：公務員應誠實清廉。

第六條規定：公務員不得假借權力以圖本身或他人之利益。

第二十二條規定：公務員有違反本法者，應按情節輕重，分別予以懲處。其觸犯刑事法令者，并依各該法令處罰。

現任經濟部長楊繼曾，原為台糖公司總經理，因他辦理台糖公司確著成效才擢升為經濟部長，何以對于公營事業十五單位又「督導無方」呢？據作者的揣想：楊先生的才具實在有限，主管一所事業單位則可應付自如，若主管監督十五個事業單位之多則不免有招架不住之勢了。比方一個人的力氣有限，舉五十斤則面不改色，口不喘氣，且可得輕級舉重冠軍。但舉兩百斤便力不勝了。「是懦夫而舉烏獲之鼎，稚子而入沒人之淵也，何往而不敗哉？」

監察院彈錯了對象麼

胡笙

最近李聲庭先生在香港自由報發表他的「監察院這次是不是彈錯了對象？」李先生在開始第一段中就說：「陶委員彈錯了對象。」這是說陶百川和黃寶實二委員不該提案彈劾最高法院陳廖二推事和高等法院陳蔣二推事。

一、

李先生何以見得呢？他自己交代得清清楚楚是受了陳廖二推事申辯書的影響。因為他說：「現在最高法院推事陳綱及廖源泉已向公務員懲戒委員會提出申辯書。作者（李先生）細讀之後，認為陶委員彈錯了對象」。

其實這個彈劾案不能說是陶委員的彈劾案，而是監察院的彈劾案，至少應該說是陶黃二委員的彈劾案。李先生文章的標題是對的，因為他指明了「監察院（而不是陶委員）這次是不是彈錯了對象？」

李先生前在自由報發表的「監察院彈劾四推事案平議」，用的主詞也是「監察院」，而且文中第一句就說：「監察院於二月八日發表陶百川、黃寶實兩委員的調查報告」，而不是說：「陶百川委員的調查報告」。這原是應該如此的。

祇有陳廖二推事認為這是陶百川委員一個人的事情，要陶百川一人「獨負全責」。李先生這次所說：「陶委員（一人）彈錯了對象」，這句話是有問題的。

現在陶黃二委員的意見書（對陳廖二推事申辯書的意見書）也已發表了。李先生那時如能稍待三四天，看到陶黃的意見書後再來發表評論，庶幾「兼聽則明」；這樣就更合於李先生拳拳服膺的美國證據法和美國法官聽訟的精神了。

二、

在原則上評論法官可否被彈劾，監察院可否就法官的判決書去找彈劾的資料，我們可以不看案卷，不詢問當事人，就憑一己的見解來下筆。但是批評一個案子的本身，說某也有罪，某也無罪，某人該被彈劾，某人不該被彈劾，假如事前沒有看過全案的卷宗，沒有問過重要的當事人而聽其辯解，而就下筆作結論，這是違反證據法則和科學精神的。

李先生認為「陶委員彈錯了對象」，就是犯了這個毛病。

李先生這個論斷的根據，是認定黃啓瑞市長夫婦並未收受賄賂，楊逢春和許江富並未行賄；楊許二人承認行賄的口供，是刑求的結果。但是李先生親自聽到看到或根據所謂證據法的精神，蒐集更多的資料，聽取有關方面的意見，加以研究和判斷，而祇是根據「陳廖二法官在申辯書中說得一點不含糊」，於是就信以為眞，於是就一下子斷定：「陶委員彈錯了對象」，於是就「建議黃啓瑞於市長退職後控告承辦檢察官一狀，以肅官常，以伸冤氣」。

可是李先生這個論斷，這個一下子決定的論斷，是正確的麼？根據證據法則和科學精神，我不敢貿然說它不正確，因為我沒有看卷和查問當事人。但我敢說它是有問題的，它是早熟的，它是不健全的，因為李先生也沒有看卷和查問。

三、

本案承辦檢察官何以把許江富楊逢春送給刑事警察大隊去協助偵查？刑事警察是否一定用刑逼供？本案有無用刑逼供？台北地方法院、高等法院和最高法院的承辦推事是否相信許江富楊逢春被刑求？陳廖二推事在審理本案時是不信有刑求的（因為判決書中並無一字涉及刑求），而在申辯書中何以突發議論，語驚朝野？其動機何在？（一）

舊金山的新中國街

舊金山通訊

舊金山的中國街，是西方國家中最大的中國街。這裏的一切也在隨着時代改變，變得一天比一天更宏偉，更進步，更繁榮。五年前到過這裏的人，一旦舊地重遊，他也許有恍如隔世之感。

一九〇六年，當整個舊金山被一場大地震破壞之後，中國街也像整個舊金山市一樣，經過一場鳳凰涅槃似的再生，從廢墟上開始重建。但那一次的重建，只是刼後復生，缺乏長遠計劃和從容心情，而且當時中國街的人力財力相當有限，不允許他們完成理想化的城市。今日中國街的重建工作，則是一個規模宏大，長治久安，從五六十年前不能盡如人意的基礎上，進行脫胎換骨的革命。

這個革命的形成，大概有以下幾種原因：（一）中國街在過去二十年中，變成了一個觀光旅行的中心，形成了商業的極度繁榮。（二）第二次世界大戰結束後，來美移民限制放寬，新華僑多可携眷來美，老華僑也紛紛迎接妻女前來團聚，此一新發展，使得五六十年前專為單身漢所建的公寓住宅已不合時代要求。（三）華僑中的新的一代，對生活的看法漸漸不同，他們要打破抱殘守缺的心情，追隨潮流作突飛猛晉的發展。（四）整個舊金山市政當局對衛生安全等改進的要求。

中國街在整個舊金山市中，是一片得天獨厚的黃金土地，這裏的地形起伏，沒有平原的單調；這裏離海灣較遠，沒有濃霧籠罩。今日的中國街，不但街市的地價，是整個舊金山市中最貴的地區之一，聯邦政府在這裏新建的「屏雲住宅區」，更是全美最貴的住宅區之一。而這片黃金土地，百分之九十五的產權，都在華僑手中。

在過去五年中，舊金山中國街的改建工程，超過了全市的任何地區，每一幢高三四層的建築，改建費用平均都在十萬至二十萬元之間。而所有的改建工作，都由華僑自己動手。在年青一代的華僑中，今天已有的是傑出人才，建築、設計、經營工作，都由他們負責，因而整個重建事業，又造成了中國街新的繁榮和新的財富。

在本年五六兩月，已有十餘項工程在設計建造中，其中有一座十六層高的摩天公寓大樓，和一座十八世紀式的中國建築。

舊金山的中國街，正在整個美國自由繁榮的經濟中飛躍進步。但在新的舊金山中國街重建計劃中，仍然保持着傳統的中國情調和賓至如歸的感情。

我所知道的麥帥

肯寧將軍原著　徐熙光翻譯

布納以西大約十五哩的多布杜拉基地，有一個我們的無綫電連絡站，那是我們通常載運補給品和軍火的飛機降落的地方。第二天，不管天氣如何惡劣，我們必須要把補給品送到那裏，氣象官預測翌日是個晴朗的好天，我希望他的預測正確，但是運輸機的飛行員却希望第二天是個壞天氣，好讓他們試一試空投補給新法。

我在看完空投試驗以後，心裏已經輕鬆不少，於是我到麥克阿瑟總部去向他報告。當我走進他的辦公室時，他和參謀人員的會議剛告結束，雖然他未採納參謀們的意見，但是他還是向所有提供建議的人員道謝。他們告訴他在新幾內亞北岸的部隊糧食告罄，應該放棄該項戰事，把軍隊撤到另外一個便利補給的地方。

這些參謀人員離去後，麥克阿瑟走到門邊向我說：「讓我們出去走走」。我們下樓，走到草地上的一張長櫈上坐下。「喬治」，他說：「在新幾內亞北岸有好多人今天晚餐吃的是最後一頓飯了，明天他們就沒糧食吃了。」

我說：「是的，但是我們明天一早六點半就吃早餐，我們大約可以在中午把五天的糧食運給他們」。麥克阿瑟說如果不是受天氣影響的話，他深信我可以辦得到運五天的糧食給他們，他說在那邊的部隊已經三天沒得到我們的補給品了。

「我知道」，我答說：「都是這個討厭的鬼天氣害的，不過氣象官說明天會是一個好天氣。但是現在我已經不在乎明天的天氣是好是壞了，我們已有克服困難的辦法了」。我把剛試驗成功的空投方法和計劃告訴他。

麥克阿瑟聚精會神地聽着，然後臉上綻出了愉快的笑容。「喬治」，他說：「空軍畢竟沒使我失望，我相信他們冒險執行這項任務，不會遭遇什麼麻煩。我已經告訴參謀們我們要繼續這次軍事行動，現在我用不着再担心了。」

有一天，有一羣新聞記者在參加麥克阿瑟的記者招待會後，到我辦公室來。原來在記者招待會裏，當麥克阿瑟發表談話之後，有一個記者發問道：「將軍，日下空軍的情形如何？」麥克阿瑟說：「噢！這我不曉得，你得去問肯寧將軍才知道。」記者緊接着問：「你意思是不是說你不曉得我們的炸彈該投在那些地方？」麥克阿瑟向他笑笑說：「我當然曉得我們的炸彈該投在什麼地方，它們一定會正確地投在該投的地方，去問肯寧將軍這些地方到底在那裏。」這是別人所曾給我的最有效的鼓勵和讚許。

我採取了一項使官兵們輪番休息的制度，凡是覺得不耐煩或有點神經過敏的飛行員我都叫他們到雪梨去渡十天假。假如有人立下了擊落敵機五架的戰功，我也總放他的榮譽假以示激勵。不過一般來說，凡是在新幾內亞待了兩三個月以上的人，我都把他們調回澳洲，叫他們到大城市裏去享樂，恢復身心的疲勞。回來渡假的人，大部份都減輕了十五或二十磅的體重。至於那些不幸飛機被擊落的飛行員，我覺得尤其需要休養，我總給他們十天的休假，用牛奶、乳酪和雞蛋補充他們的營養，並儘量讓他們忘掉戰爭。許多飛行員吃喝玩樂，都忘了他們在戰地身受的痛苦。（十八）

廬君續夢

第十二回：

異域購新居　民脂似水
冷宮傷舊夢　妾命如絲

徐冰一走，大家坐在那裏呆若木雞。

楊明軒苦笑道：「大家不說實話，事情不能算結束，這個神仙會恐怕真要開到地老天荒了。」

沈鈞儒顫巍巍地問道：「明軒同志，說了實話有沒有麻煩呢？會不會步伯鈞同乃器的後塵。」

楊明軒說道：「衡老，這句話相信邢副部長都不能答覆，你問我有什麼用。不過，我總覺得民主黨派現在是走一步說一步，不必把問題看得太遠。」

許多人聽了楊明軒的話，一齊點頭。

民革副主席熊克武說道：「其實黨不搾我們，恐怕十年以後，民革也就自然消滅了，因為我們的成員沒有六十歲以下的人，試問還能支持幾年。」

楊明軒說道：「熊老的思想到是搞通了，可否把你的內心的話坦白出來，作個示範。」

熊克武沉吟一下，咬咬牙說道：「我同蔣先生有幾十年的私仇，這一點大家都知道，我決不會替蔣先生說好話；但是，到今天來看，尤其是我們民革成員，個個都是吃的蔣先生的飯。」

楊明軒鼓掌道：「還是熊老坦白，請你繼續說下去。」

熊克武問道：「我現在說了算不算過關，邢副部長已經走了。」

楊明軒遲疑一下，說道：「大家都在這裏，可以作個見證，我想只要熊老能坦白說出來，彙報到統戰部去，也就算過了關了。」

熊克武說道：「其實我不說大家也明白，黨所以養活我們，還不是為了向台灣國民黨人進行統戰？假若蔣先生不在台灣反共，試問黨還養活我們作什麼？」

熊克武說過，大家一齊鼓掌。

楊明軒問道：「是不是大家意見都是如此？」

沈鈞儒說道：「我想大家的意見大概是一致的。就拿我來說，我當年為了替黨作地下工作，被蔣先生捉去關了一年多，這是大家都知道的事。可是，我到今天覺得大家連我在內，都是靠蔣先生吃飯，這裏有一個現成的例子：蘇聯大革命之後，就未曾留下一個民主人士，我也曾同蘇聯大使談過這個問題，他率直告訴我，當時白俄軍若能在堪察加外面據守住一個小島，列寧就不能不對小布爾喬亞階級客氣一點。由此看來，何止我們民主黨派，今天國內成千上萬的地主階級，資產階級，都是靠蔣先生一個人吃飯。」

沈鈞儒說到這裏，全場響起掌聲，連楊明軒也跟着大家鼓掌。

沈鈞儒喘了一陣，接着說道：「大家都知道，我同蔣先生作對作了一輩子，到今天我自覺來日無多，人之將死，其言也善，別人心裏想說而不敢說的話，我要痛快說出來，無論黨怎麼處置我，我躺在床上恭候就是了。」

楊明軒問道：「大家還有什麼意見。」

何香凝說道：「我們心裏要說的話，都被沈衡老說完了，你去告訴統戰部，就說何香凝也是這個意思。」

（三一七）

冒險犯難記

鄧文儀

校軍三月二日進駐新田，三日到達黃塘，四日進至曲湖，五日集中棉湖，六日進駐揭陽縣城。次日，友軍粵軍第二師及第七旅先後攻克潮安、汕頭。我們行軍半月，未遇到敵人，官兵苦悶之餘，還躭心孤軍深入的危險。

到三月十一日之後，校軍指揮部得到情報，陳逆烱明之主力林虎所部，業已集中，正迂迴抄襲我軍後路，企圖一戰消滅我校軍於揭陽汕頭之間。林虎向被人目為猛將，以往曾有「飛將軍」之稱號，他這時率領逆軍第二軍劉志陸，第一師黃任寰，獨立第三旅王定華等部，共約兩萬餘人，分成數路，有如暴風急雨一樣向我軍進攻。

我軍自作戰以來，為時已過一月，迭克名城，聲威遠播，加以愛民如赤，到處受到民衆歡迎，士氣旺盛，精神振奮，因而人人都想作一次激烈會戰。徒以春雨連綿，作戰月餘，將士體力不無疲乏，補給困難，最不利的是兵力單薄，此際能實際參加會戰的已不足三千人。敵方林虎所部比我多過八倍，這次會戰的艱險，自在意料之中，在戰前官兵都有相同的如此感覺。

三月十二日午夜過後，蔣校長下達作戰命令，粵軍第七旅向敵左側包圍攻擊；教導第二團攻擊右翼鯉湖之敵，並掩護第一團之左側；第一團何應欽部攻擊正面和順的敵人。并令各軍於拂曉前出發，到達攻擊位置後，迅速出擊。

我們第二團在錢大鈞團長指揮下，於清晨五時後出發，很快便到達鯉湖附近；不意當面敵軍早已向和順轉進，我們找不到攻擊目標。等到雨水停後，隔山和順方面槍砲聲非常激烈，知道第一團已和敵人的主力在那方面接戰了。第一團以一千多人的兵力，和林虎主力二萬多人戰鬥，我們從敵我情況及火砲機槍聲音判斷，深知戰況必然驚險萬狀。但我們未奉到校長命令之前，又未敢輕易行動前往增援；而兩團隔山相距十里之遙，又躭心如不往救，會被敵人各個擊破。直到下午，錢團長循着右翼激戰砲聲，命第二營劉堯宸急向右翼第一團作戰地境開進。因上午激戰之後，正午有一時停頓，下午激戰再起，再不能不迅速主動赴援了。

第二營開進之後，第三營跟進。下午四時左右，第二團已可邀擊和順敵之背！正當敵人傷亡慘重，驚懼躊躇的時候，我們直接攻擊敵軍的司令部，使敵軍一時腹背受敵，軍心動搖，戰事於是急轉直下，接著敵軍就開始狼狽撤退了。（廿六）

黃鶴樓詩

黃葉村人

有人說：李白是唐代著名的詩人，他之不題黃鶴樓，是故意使崔顥這首詩，增高聲價，讓他千古。這是詩人的謙虛，同時也是詩人的盛德。因為他的好詩太多了，不必爭題黃鶴樓也。

也有人說：所謂黃鶴樓，祇是一座空樓，什麼神仙、黃鶴，盡是好事者佈下的幻景。他既不想揭破這一幻景，也不願說來說去總脫不了神仙、黃鶴與空樓，所以，算了吧！

不管李白的本意是不是這樣？但是我的意料中，李謫仙對黃鶴樓，定有一首好詩，胎死腹中；像閻都督的佳婿，一篇滕王閣序，讓王子安去成名一樣。這是我個人的見解。

清人畢秋帆題岳陽樓云：「湘靈瑟，呂仙杯，坐覽雲濤人宛在」；「子美詩，希文記，笑題雪壁我重來！」雖然「白日見鬼」，但「人宛在」「我重來」，比較崔顥的「不復返」，「使人愁」，靈活得多了。誰說今不如古呢？雖然，畢這副聯是題岳陽樓。

黃鶴樓

吉庭

湖北省會武昌城西，有山名黃鶴，一曰黃鵠；西北二里許，為黃鵠磯，黃鶴樓在焉。據寰宇記：昔費文禕登仙，每乘黃鶴，於此樓憩駕，故名。

唐詩人崔顥，汴州人，開元進士，嘗過黃鶴樓，賦詩云：「昔人已乘黃鶴去，此地空餘黃鶴樓；黃鶴一去不復返，白雲千載空悠悠。晴川歷歷漢陽樹，芳草萋萋鸚鵡洲；日暮鄉關何處是？煙波江上使人愁」！樓以詩傳，黃鶴樓之名於是而益彰矣。

崔詩前四句，是樂府精神與民歌語氣，非律詩體裁，然其氣象之雄渾，格調之高古，可與高岑之七言歌比肩。無怪乎傳說李太白見而賞識，望而却步，而有「眼前有景道不得，崔顥題詩在上頭」之句。

漢陽城當江漢合流處，東望武昌，北望漢口，為古今兵家必爭之地。明范之箴建閣於其上，摭「晴川歷歷漢陽樹」，而命名曰「晴川閣」。鸚鵡洲在武昌縣西南江中，後漢末，黃祖為江夏太守，祖長子射大會賓客，有獻鸚鵡者，禰衡作賦。後以禰衡傲時慢物，不能見容於黃祖，卒被殺，埋於洲上。然鸚鵡洲亦以禰衡作賦而名傳千古也。

黃鶴樓經崔顥品題，益以李白之推崇，遂成勝蹟。後之騷人墨客，載酒登臨者，絡繹不絕。黃鶴樓上所懸之聯語，琳瑯滿目，其最佳者，厥有二則。

陳兆慶云：「一枝筆挺起江漢間，到最上頭，放開肚皮，直吞得八百里洞庭，九百里雲夢；千年事幻在滄桑裏，是真才人，自有眼界，那管他去早了黃鶴，來遲了青蓮」！

牧仲云：「何時黃鶴歸來？且自把金樽，看洲渚千年芳草；今日白雲尚在！問誰吹玉笛，落江城五月梅花。」

民十六年春間；余自湘過漢，欲赴京，適寧漢分裂，水陸交通不便，滯留武昌。曾與同學于中虛、毛樹德登黃鶴樓攬勝，會問道於一個星相家，該星相家首看于氏，謂其兩眼露光，直言恐不善終；再看毛面貌突黑，難免不久於人世；又推算余之八字，而以「地支貴人遍布，每逢凶而化吉」之為言，余等一笑置之而已。乃其後毛返故鄉，竟不數月而病故；于則於抗戰時赴川，亦不幸在貴州獨山道上，因車翻而殞命，蓋亦奇矣！余也庸魯，每艱苦備嘗，然履險如夷，如該星相家之所云。此事屈指計之，不覺已三十七年前之事，回首前塵，猶歷歷在目。今也大陸腥羶，民人水火，思往跡，念舊游，豈特感慨萬千也哉！

「單刀會」故事正謬

周燕謀

「單刀會」故事，隨三國演義之流傳，再演為各種戲劇，遂致家喻戶曉，婦孺能道。關羽萬人敵之勇將也，加以演義之力加描寫，更使其成為中國民間最崇敬之人物，全國各地皆有關廟，歷代帝王更從而封贈之，而成為「武聖」之代表人物。凡有關羽之故事，人莫不信以為實，更有加以神聖化者，亦鮮有人提出非議。

據雜劇及演義，關羽單刀會之事略云：孫權令魯肅向劉備索還荊州；然以其地為關羽鎮守，恐不易取，肅乃暗定三計，謀使羽就範，然後荊州可得。首計為設宴江下邀羽赴宴，共賀劉備稱王漢中，於席間以禮索取荊州。若羽不允，則照二計，即將江上戰船盡行拘收，不放關羽回去，俟羽淹留日久，自知中計，悔而允還荊州。若此計不可行，第三計則為壁衣內暗藏甲士，酒酣之際，伏兵盡出，擒關羽因之江下，荊州主將既失，守衆必亂，肅領兵大舉，荊州一鼓可下。三計既定，肅乃與喬國老謀，喬老不以為然。復與隱士水鑑先生司馬徽議，並約陪羽共宴，司馬徽因係羽至友，亦堅不欲往。羽既得肅邀請，乃「單刀赴會」，不帶兵馬。席間肅果與之爭論，力逼歸還荊州，羽怒，持刀欲斬肅，肅懼，伏兵未及動，而羽挾肅馳馬至江上，羽子關平率兵迎之，遂平安旋荊州云。

以上故事情節，演義戲劇皆同。民間傳說即本此。然考史實，固亦有「單刀俱會」，但其事實內容則迥異，而並非是如演義所云「關雲長單刀赴會」，也更非是關羽赴魯肅之約會，亦非僅關魯二人單刀赴會。

如三國志魯肅傳云：「備詣京見權，求都督荊州；惟肅勸借之，共拒曹公。曹公聞權以土資備，方作書，落筆於地。周瑜請以肅代己，拜肅奮武校尉，代瑜領兵。備既定益州，權求長沙、零、桂三郡；備不承旨。權遣呂蒙率衆進取，備聞，自返公安，遣羽爭三郡，肅住益陽與羽相值，肅邀羽相見，各住兵馬百步上，但請將軍單刀俱會。（此即「單刀會」之由來）肅因責數羽曰：「國家區區本以土地借卿家者，卿家軍敗遠來，無以為資故也。今已得益州，既無奉還之意，但求三郡，又不從命。」語未究竟，坐有一人曰：「夫土地者，惟德所在耳，何常之有？」肅厲聲呵之，辭色甚切。（此人不知何名。乃諸將軍中之一人也；今單刀會劇及演義，隨關赴會者為周倉，因即以為倉言，然其名正史不載。）羽操刀起，謂曰：「此自國家事，是人何知」。目使之去。」備遂割湘水為界，於是罷軍。

以上值得注意者，即「肅往益陽與羽相值，各住兵馬百步上，諸將軍單刀俱會」。此為魯肅傳之文。「但諸將軍單刀俱會」，當係指雙方赴會之大員而言，而非僅指羽一人甚明。（上）

編者附誌：「我的社會生活」續稿未到，暫停一二期，俟稿到即刊。

基隆旅居記

仲公

編者按：本文原載第二版，本期起暫移刊本版。

瑞芳西面皆山，形如鍋底，昨夜大雨，我軍耽安逸，住金砂局，敵至始出，前後相擠。日兵排列東面高山上，每隊八人，頗為嚴整。北面距三貂嶺四里，日人驅散民、漢奸，下嶺拖九芎橋，約千餘人。劉燕砲隊排列土山上，稍得地勢，我軍槍聲不絕，敵伏不動。相持一小時許，忽橋上呼聲震天，敵已衝過橋，山頭敵亦開槍，槍彈及金砂局，傷數人。有逃者，明震派親兵追斬二人，手刃一人，勢稍定。

時已昏黑，敵燃電燈明如晝，各守軍皆驚，明震飛書告吳國華曰：「逃勇已斬三人。今日之戰，關全台存亡，諸公退後一步，弟必開槍轟擊。若弟先回大營，不與諸公同死者，願斬首以謝諸公」！吳得書，乃[illegible]九芎橋，然敵已約漢奸伏溪澗傍，偽與國華軍至，突起截擊，死傷廿餘人，各軍聞溪大奔，不能止。敵乘勢薄瑞芳前街口，劉燕發砲下擊，敵死十餘人後退去。明震扼龍潭埔，豎大旗，集潰勇。吳國華二更後始至，營哨官未損一人。自是我軍棄瑞芳不守，敵不敢至，皆土山上砲隊掩護之力；若帶兵官能擇地紮營，以守為戰，決不至此。明震移營依砲隊，與劉燕合，無棚帳，著雨衣，露立達旦。吳國華竟拔營回基隆宿。四更張統領帶護衛營冒雨至，言「明日親打衝鋒，拚死一戰！」語悄激，相對泣下。

六月二日北白川宮率近衛師團出雙溪口，日軍至三貂嶺，衛金交綏，一行軍士，呼吸幾絕，始達山頂。聞近衛在金交綏劇戰；親王走巖石，手持青竹杖，左右手引換，十分疲困。兵士病者多呻吟不絕，親王通過敬禮之。是夜宿金交綏，與將校協議，預期三日海陸夾攻，先下基隆，長驅台北。

天明張統領欲進戰，待吳國華、胡連勝辰刻始到，張立九芎橋，吹角列隊。日軍押漢奸約三百人來攻（每十二人有兩日兵挾刀督其後），槍砲齊轟，敵傷亡較多，敗退。張率隊衝上；吳國華兵疲困，不能接應，日兵從旁面山頂馳下，斷九芎歸路，圍裹數重，槍砲兇猛，明震急傳令「能救張統領出圍者，賞三千金」。陳得勝率八十人，曾喜照率卅餘人涉溪澗，冒死衝入。張已受重傷（右腿被槍子穿過，後在上海醫愈），親兵搶護，死七人，後一卒負之，潛行溪水中，始得脫。曾喜照負傷，歸路阻絕，陳得勝戰死，子弟援李文忠營。

初，陳得勝小勝，吳軍不能援應，明震據率親兵扼橋為聲援，營官黃義光有難色，中止。至是命持令箭調胡友勝赴援，出怨言，明震欲摘頂斬以徇。劉燕為乞恩，僅摘翎頂示薄懲！下午，忽接維帥電：「命黃義光撤親兵速回」！各營各局入城，紳民均驚駭乘火車入城，而詰維帥。明震急電不知，查係某某代黃翼德所為，屬電報房發者，竟私署維帥名。局面已壞，維帥不敢問，太息而已。後紳士四次電催：「前敵督辦艱難任事，乞速來救我身命」。維帥持電流涕相示，命營務處六十四人速行。明震不得已，帶廿五人，亦告奮勇隨行。傍晚到基隆，即赴前敵，仍與劉燕合營土山上，吳國華仍回基隆宿。（四九）

燕京八景說盧溝

南道

北平的外城，有一座城門，舊名永定門。這座城門命名的由來，是因它面臨城外的那條永定河。這座永定河還有一個名稱：「盧溝河」。首先燃起我國對日八年抗戰烽火，因而馳名世界的那座盧溝橋，便是在宛平縣城外橫跨在這條盧溝河上。

清修「畿輔通志」順天府條載：「盧溝橋在府西南三十里，金明昌初建，插柏為基，𨂍石為欄，欄上石獅，子母抱負，不可數計。橋東築城為九縣咽喉，月晦五更，他處不見月，惟盧溝橋見之。稱京師八景之一。」

這一景，便是有名的「盧溝曉月」。滿清的乾隆曾御筆題了這四個大字，刻成巨碑，建亭植在橋下。

「京郊名勝志」云：「盧溝橋金大定時建，東西長六百六十尺，幅度二十六尺，環十有一孔，為西南入都之衢途。每早殘月映波，蕩漾有致，盧溝曉月為燕京八景之一。」明金幼孜有七律一首詠此景云：

「盧溝天曉出桑乾，月照河流下石灘；
茅屋雞聲斜漢曙，沙汀雁叫早霜寒。
水光漠漠山烟白；野色搖搖寒草殘；
千古長橋枕南北，憶曾題柱倚闌干。」

內僑警台報字第〇三六號內銷證

自由報

THE FREE NEWS

第四五四期

中華民國僑務委員會頒發
台僑新字第三二三號登記證
中華郵政台字第一二八二號執照
登記為第一類新聞紙類
（半週刊每星期三、六出版）
每份港幣壹角
台灣零售每份台幣貳元
社長：劉鳴岑
督印人：黃行富
社址：香港銅鑼灣高士威道二十號四樓
20 CAUSEWAY RD 3RD FL.
HONG KONG
TEL. 771726　電報掛號：7191
承印者：四風印刷廠
地址：香港灣仔高士打道二二一號
台灣分社
台北市西寧南路壹壹零號二樓
電話：五〇五四六
台郵撥帳戶九二五二

包圍與突破

方南

目前中共正在兩個包圍圈裏打滾，企圖分別突破，表面聲勢很壯，內裏情勢很困。毛澤東儼把北平看作「世界性的延安」，一面坐在懷仁堂裏發抖，一面向外拼命下注。這的確是一個稀有之局。

有形的包圍圈可在地圖上面鈎劃出來。中共在大陸東北，西北都受蘇俄困擾着，東北方面雖與北韓連繫得起，只能消極地保持現狀。台灣海峽是它時刻耽憂的地帶。它唯一可以突破的地域便是東南亞一角。

無形的包圍圈也有表裏之分。它要打破外交上的包圍，曾經對法國取得一點成就，其次拼命做工夫的地方便是日本，和非洲幾個小國。這是在表面可以看得出來的。在底裏沒法看到的是蘇俄從各國共黨地下組織對它的包圍究竟有多麼深密，它的突破工作究竟有多大進展。不過，可以料到的總有一點，凡有共黨組織存在的國家，蘇俄和中共的包圍與反包圍必然互相拼鬥着。

不管中共怎樣虛張聲勢，它向東南亞突破包圍的一着必然是最冒險的一着。這種冒險程度絕不下於日本軍閥當年南進，突破它所不能忍受的包圍。日軍當年南進初期確是節節勝利，似已突破成功，但整個大包圍圈實仍存在，它的兵鋒未能抵達澳洲，而澳洲也只是海洋包圍網中的一點而已。今天中共如要南進，方法步驟和路綫當然另有它的一套，但這個又深又大的包圍網是很難一層又一層地順利突破的。中共縱有此力，最後仍會蹈日軍南進的覆轍，何況它的力量是那麼貧乏可憐的呢？

中共現有以至將來的力量都被人看得很不成器，這是實話。蘇俄如此，英美法都是如此。那麼，爲什麼中共的氣燄，竟然如此囂張呢？美國顯得如此洩氣，似乎不敢在東南亞逆攖其鋒呢？這不是不可解的。仔細分析一下，有幾點是顯而易知的。

第一先說蘇俄，赫魯曉夫當然瞧不起中共。他嘲笑毛澤東餓死人民和使用土法煉鋼，這便等於說中共統治大陸的現狀，離不了「貧、愚、弱」三個字。自從中國有史以來，除了蒙人滿人統治的元清兩代，未有被一個外國派駐幾千個顧問深入到每一角落，從軍事、政治、經濟各部門嚴密調查，有如中共這十年間那樣甘受蘇俄顧問深深滲透和嚴厲督指的。因此，蘇俄把這一批顧問撤退以後，這對整個大陸底裏各種情況眞是知得清清楚楚，毫無遺漏，赫魯曉夫把握着這種資料，那怕中共反到那裏去？據此可以看到的蘇俄決策就是：先在外蒙和新疆鞏固已得的根據地，在大陸背後裝置隨時可以運用的利刃，專在「少數民族」問題把麻煩帶給中共，藉以估取必勝之勢；至於怎樣消除毛澤東集團，再次侵擾中國大陸，勿使自由勢力在這片大陸上面復甦，它是急切不能用力的，仍要從長計議的。毛澤東雖在東南亞一帶洶洶如也，但在大陸西北後門對付蘇俄的冷刀暗箭，實在麻煩透了。

西方國家決策定計的第一個要點，必然是計算實力，尤其工業生產力必被放在第一位。英國如此，法國亦如此。法國戴高樂總統在外交上拉攏中共向美國還一下顏色，提倡東南亞中立化，事實是看透中共內部經濟困難，沒有斷然南進的可能，便姑且拿出一「東南亞中立化」的幌子來招搖撞騙一下，如被它從中插手，做好做歹，有了幾分眉目，它便可在越南三邦重溫舊夢了。這雖是非常可笑的打算，但是主因在乎戴高樂看不出中共有什麼實力，也看不透毛澤東那種「超人」的野心。

英國當局也絕不以爲中共有什麼了不起的力量。最近，英國外相布特勒曾經說過，在東南亞抵抗中共的侵略，要花上十年以上時間。這便含有瞧不起中共的意思。因爲中共雖有南進的野心，但力量與野心配不起，英國有信心在那個地區獲得長期抵抗的成功。這一點，看馬來西亞毅然如期建立，不怕印尼接受蘇俄與中共的支持慫恿而橫施威脅，便是事實最好的證明。英國「經濟學人」報最近也發表過評論，指出這是弄垮中共的最好時機，因爲它與美國爲敵，也與蘇俄爲敵，更與中立的印度爲敵，而內部經濟困難迄仍沒法解除。這些話都是經過縝密計算才說出來的。中共曾經在多年前誇稱工業建設可以一飛冲天，要在十五年趕上英國；如今底牌業已揭穿，至少在工業生產這方面被人看作「紙老虎」了。中共現有的一枝龐大軍隊沒有工業實力來支持，人家的看法和毛澤東自己的估計是截然不同的。

再說美國此時在東南亞猶豫周章的原因，也不外是：一因總統大選期近，現政府不敢孟浪大舉；二因韓戰創痕猶在，提起和中共正面衝突總有戒心；三因安撫姑息的論調仍有人不斷提倡；四因蘇俄和中共分裂這一事實，使到決策者「一心以爲有鴻鵠將至」，要把蘇俄的變化因素計算在內；五因英國在東南亞地帶發言的力量越來越重，如非取得英國協調，當然不便動手，而任何急進的策略總不容易得到英國的贊同。把這五點原因串合起來看，我們便會知道美國目前實在不能動，中共在東南亞囂張放恣的光景還會繼續一個時期。

中共眞實的底子業已被人揭穿，形勢上卻要前進再前進，不前進是不成的。因它已自封爲「世界革命的新領導者」，而且，東南亞對它的誘惑太大了。四面層層的包圍使它太苦惱了。印尼的推波助瀾和印度內部的重大變化使它覺得前途似錦，機會無窮，而西方國家的姑息論調又足以壯大它的胆量和聲勢，凡此種種，會使它「不自量力」，勇猛前進，以期突破包圍，完成大業，而終於倒下去爲止。

美麗的幻想

等候機會

今日与明日

波共大會拒毛共出席

波蘭共黨全國代表大會，竟然不邀請毛共出席，也可以說是史無前例的事。波共此舉當是有鑒於去年秋冬之際，匈共、羅共、德共、保共，先後召開全代會，因爲邀請毛共出席，竟然把會議廳變成門雞場，使主人難以處理，因此不願引鬼進門。爲了不請毛共，連帶亞非，拉丁美洲的共黨都未請，其中較重要的如古巴、北越、北韓、外蒙、印尼皆被拒諸門外。雖然波共此舉意在少惹麻煩，但也絕非好現象，只能說明共產集團的分裂已經表面化了。

波共雖然未邀毛共出席，但是波共首領戈慕卡致辭時，却大肆抨擊毛共；這種「缺席裁判」的方式，只有更增加毛共與東歐的分裂。

羅共向右轉

不但世界共黨分裂，就是東歐共黨也有各奔前程的跡象，羅共自從與美國發生聯系以後，態度急劇的向右轉，最近派出代表團去華盛頓尋求談判，國內又大赦政治犯，準備在今年底以前，把全部政治犯釋放出獄。羅共的轉變，對赫魯曉夫自是重大打擊，因爲它破壞了東歐的統一；但對毛共來說，也不見得有何好處。因爲羅共脫離了俄共控制之後，只是向右轉而不是向左轉，套用毛共常用的術語來說，將是更反動了，比起赫魯曉夫還有甚焉。

毛共又要生事

毛共派在寮共軍內的工作人員被美機炸得一死五傷之後，毛共報紙又提出嚴厲質問，要美國負責一切後果，太有不惜一戰之勢。另據西方報紙消息，寮共已成立影子內閣，在必要時將會正式宣佈，屆時毛共，越共及韓共將會予以承認。如此以來，寮國統一希望從此告絕，而中南半島的一場戰爭，也許不可避免。

目前英國同蘇俄均主張開六國會議，其中不包括美國同毛共、越共在內。美國也贊同這個會議，毛共却極力反對，堅持要開日內瓦十四國會議，越共、寮共均贊同毛共主張。雙方相持不下。實際上不問六國會議，十四國會議，都不能解決寮國問題，現在却連會議也開不成，還有什麼解決之望？

更重要的是俄共在寮國會議上也大失面子，過去西方國家都以爲俄共可以代表共黨集團在寮國問題上發言，而今看出俄共實際上只能代表自己，這一點也將加深赫毛之間的裂痕。

波蘭共黨頭子戈慕卡最近在波共大會演說，曾經率直指出：中共即使作最大努力，亦只能在許多年後，產生僅及美國的百份之一的核子力量。可能這是赫魯曉夫教他說的。誰叫毛澤東當年提倡土法煉鋼？

自由談

政治之癌

紐約世界博覽會中的「中國館」，弄得一團糟的情形，近來迭經海內外輿論界指述其詳，俾衆週知了。

其所以攪成一團糟的原因，就是現有那套腐敗低能、不負責任的行政制度與作風。參加國際間一個博覽會的事宜，竟需要幾個機關——外交部、經濟部、教育部、行政院新聞局——來過問，又沒有一個機關具有專責處理的權能，這焉得不僨事呢？若要追究責任，上述有關機關可以說都不相干，也可以說都不能辭其咎。

「開會爲服務之本，請示爲負責之本」，這是我在八年前，對咱們政府各級行政人員治事方法的評判語，至今有許多事實證明，不但是確切不移，而且更有甚焉。這眞教人耽心着急，假使政府一旦進軍反攻大陸，在戎馬倥偬之中，必須行政機關能夠配合軍事行動，迅赴事功纔行，像現在這種行政機能，如不貽誤戎機，拖垮前綫戰局，那纔怪呢！

爲甚末構成這種惡劣的政風？行政制度的關係固然重大，一般公務人員患得患失、偷惰苟安的服務心情，亦佔着相當成份。就制度說：所謂「有關機關」這項法令規定詞句，即不知誤盡了多少的政事！有了這項明文規定，於是乎，事無鉅細皆須召集「有關單位」開會協商，大家對權利拼命爭執，對責任盡力推諉，結果乃以開會說廢話爲工作成績了。就服務心情說：呆在台灣，謀生不易，幸得一官半職，即係仰事俯畜的唯一方法，如獲至寶。於是乎，遇事不肯、也不敢作主，唯恐發生錯誤，打破飯碗，祗好一層一層地請示上峯。做好了，與有榮施，做壞了，這是上面指示辦理的，恕不負責。所以，紐約博覽會的事情攪糟了，那些「有關機關」皆振振有詞地可以不負責任，即令交付法庭審訊此案，法官亦很難定讞的。我對這種政風，無以名之，只可謚爲「政治之癌」。

癌症必須割治，否則生命危險，而能夠操刀一割的大國手，只有居政府高位的少數當局者。政治之癌的診斷方案，大家都洞悉無訛了，幾時可以動手術呢？企予望之，毋任主臣！

馬五先生

人性永存、人心不死
大陸青年普遍怠工破壞
毛共着急加强思想教育
居然想要他們安於現狀聽任宰割役使

香港與大陸

中共在大陸又向各界青年加強思想教育，勒令每一個人都要感謝「黨」和「毛主席」的「培養」，服從分配工作，並且「安于現狀、爭取將來」，做一個「社會主義的蜜蜂」。反對作一個「輕佻的蝴蝶」。

據此間一位大專學校教授黃××最近接獲家鄉兒子來信透露：由於大陸地區各行各業、各種機構，包括學校、工廠和農村中工作的青年，他（她）們大部份不甘受中共役使去積極工作，有不少青年，還公然的鬧情緒，想方設法的怠工甚至進行破壞，做了「革命的逃兵」。中共於是認為：這主要是由於大陸青年，仍受到「資本主義」的毒素之影嚮，因此有着濃厚的「輕佻的蝴蝶」思想，乃是「社會主義建設」的最大障礙。

來信說：就因為如此，中共最近便進行如火如荼的「思想教育」，這種所謂思想工作，是由中共各基層黨、團組織負責的，目前已達到了高潮。

來信說：運動的目的，是要使每一個青年都「為社會主義而勞動」，毫無怨言地一直到死。必需做到「服從組織分配」，「黨指向那裏就那裏」，「不向黨討價還價」，「到最艱苦的地方去」……等等。

運動的方式是要求每一個青年在工餘和學餘時間，都要有組織地進行「回憶對比」，「憶苦思甜」和「控訴舊社會的罪行」，另外還要歌頌「黨」和毛澤東的「英明」，感謝「黨」和毛澤東的「培養成人」和「無微不至的關懷」。同時又還要每個青年都進行「形勢教育」和「革命傳統教育」，還要每個人都「向黨交心」，暴露自己的各種「罪惡思想和罪惡行為」。

來信說：這次運動面是極其普遍的，包括農村青年，工廠青年職工，大、中學校學生，及各種機關的青年，而又特別以農村、設備較差的工廠及大、中學校的應屆畢業生為重點。

來信又說：在此同時，中共又大力攻擊香港和澳門等自由地區，說這些地區是一個「地獄世界」。其目的是制阻大陸人民離開大陸。因此，今年暑假許多原欲一試申請來港探親的，現在不敢了，因為中共是會隨時把各種政治的帽子套在人們頭上的，到時就會飽受折磨了。

這位黃教授憤慨地對記者說：他的兒子是今年將在廣州華南師範畢業，十多年不見了，本想叫他申請來港團聚的。現在，因為中共的這些舉動，他的兒子怎麼還能來？中共倒行逆施，再不把它打倒，我們國家還有什麼前途可言！（敬斯）

港嚴重罪案較前更增加

（本報訊）據香港警務處發表之統計數字，顯示本年四月份之全部犯罪案件，較本年三月份及去年四月份均減少。本年四月份共發生犯罪案件一、二八七宗，較三月份減少一二六宗，較去年四月份減少廿七宗。

犯罪案件減少，主要是因為入屋行竊，盜竊及小竊案件減少所致。

但值得注意者，為搶劫、傷人及大量毒品交易等嚴重案件之增加。

據報告稱：發生之一、二八七宗案件中，有八八五宗已破案，破案率為百分之六十八點八。

是月內，出自居民投報之案件有七百二十宗，等於嚴重犯罪案件總數百分之五五點九；其餘五六七宗則由警方發現。

謀殺案有五宗，有人被捕，被指控者有兩人，另有兩人自殺。兩宗誤殺案中，有一宗捕獲人犯，一宗已結案。

傷人案共一○五宗，較前月份增加廿九宗。

嚴重罪案增加的原因何在，報告未有指出，但却最為社會所重視，而尤以犯毒案為然。認為必須嚴加查緝，否則貽患甚大。

青年黨團結運動經緯

本報台北航訊

談判達一年之久的中國青年黨團結問題，再度宣告破裂了。但鼎足而立的局面，勢將不復存在，蓋黨委會（即陳啓天）方面與整委會（即余家菊）方面可能携手合作，而臨全會（于復先、胡國偉、李不韙）方面則堅守原來的立場；所以未來的演變，極可能形成兩大壁壘，各行其是。

據青年黨中立人士分析：黨委會為了保持既得權益——每月由政府資助的八萬元宣傳費——而缺乏之團結誠意；整委會則甚於有所恃而無恐，對團結不感興趣。然耶？否耶？局外人不得而知也。

重要的茶會

這次青年黨團結運動，應從去年四月間說起。緣去年四月間，余家菊在某一場合，最高當局曾詢及青年黨近況並致促其促成團結，余家菊乃與青年黨內人士接觸，並轉達當局關切之盛意，自此之後，和平談判之門打開了。當時談判雖有信件往返，交換意見，然只是談談停停的階段，到了今年二月初，也就是農曆除夕前二天，調人王雲五、于斌等，假台北中山南路十三號招待所舉行茶會，與會人士計有：莫柳忱（德惠）、陶希聖、唐乃健（縱）。黨委會陳啓天、王師曾、趙純孝、胡自翔。臨全會于復先、陳祖貽、王嵐僧、劉永濟。整委會余家菊、劉泗英、王平峻、冷彭。

首由調人王雲五作開場白，說明茶會的意義。繼由阮毅成報告調解經過及草擬「中國青年黨團結方案建議書」的情形。于斌、陶希聖和唐縱都發言有所期望，而莫德惠獨對該黨團結持不樂觀的態度，他雖希望團結，但提醒大家，對此事應讓各方面多多充分的交換意見。

陳啓天與余家菊對調人所提團結方案建議書表示無異議全部接受，于復先的表示是：須要考慮一下才能決定。三調人所提團結方案建議書謂：

中國青年黨具悠久歷史與良好傳統，四十年來，反共愛國，貢獻甚大。乃於遷至台灣後，黨內不幸發生歧見。雲五與莫柳忱先生於民國四十三年會出而調解，并得重行團結。其後又分裂。雲五有鑒倡組反共建國聯盟號召海內外反共力量大團結之時，國內反共黨派，寶有先團結之必要。乃約同于野聲、阮毅成兩先生分訪青年黨現有之黨委會、整委會及臨全會三方人士，懇切晤談，聽取意見，并承交閱已擬有之團結方案兩種與補充意見一件。深感三方面均具有團結誠意，與早日實現之願望，爰作具體建議如下。如荷三方面均表採納，即請於兩週內各推定負責人，正式簽訂團結方案。雲五等亦願應邀在該方案上簽名作證。如不願採納，亦請於兩週內見告。

（一）

縣市長選舉官司十宗彙誌

——本報記者台北航訊

因此，她於五月十二日向高院提出訴狀，控告桃園縣第五屆縣長選舉無效，陳長壽當選無效，桃園鎮公所秘書張新金，人事管理員張欽非法助選等案。

新竹縣只有一人競選，候選人彭瑞鶯應得四分之一的選票，方能當選。為此，他在投票所設置摸彩箱，凡投票的選民，均可獲得摸彩券一張而參加摸彩。這是前所未有的公開賄選。

新竹市民代表會代表蔡金元，為了這件事，在代表會第五屆第十次大會中，與代表李炳秀、張鏡清、吳福得、吳德城等連署，向代表大會提出臨時動議，檢舉彭瑞鶯違法選舉事，其理由和辦法為：

一、查對選舉領票名冊，以對眞偽。因為有人冒領選票。

二、請司法機關查封選票檢驗。

三、提案人及附署人願意協助一切檢查工作。

四、轉請選舉監察小組依法調查法辦。

蔡金元說：彭瑞鶯破壞地方自治，他提案檢舉。

此外，綜合張榮顯、洪桃、何春木、黃振三等所提訴狀內容，計有：

一、林為恭、呂世明、張啓仲、張豐緒、陳長壽等，在競選期間，以肥皂、味精向選民換取選票，並以金錢買票。

二、在競選未公開活動前，即非法從事競選活動。

三、公教人員非法助選。

四、非本人投票，投票所竟准其投票。

這都是些老問題，不足大驚小怪。使人注意的是：執政黨沒有提名而採取自由競選的台南縣，也發生黨內自相攻擊的事。

台南縣長當選人劉博文與落選李耀乾二人，都是執政黨黨員，前任縣長胡龍寶和胡的女婿省議員張文獻，都支持李耀乾，結果落選了。省議員李鉥、梁許春菊、李雅樵、陳華宗等則支持劉博文；劉是該縣政府教育科長，結果劉博文當選縣長。

在競選期間，有人在台北報紙刊登廣告，說到劉博文偽造文書，偽造日本慶應大學畢業證書，現在劉憑這張文憑向考試院登記而取得公務員任用資格云云。而這也就是縣長落選人李耀乾向台南地檢處告發劉偽造文書的證據。最妙的是：省議員李鉥等四人在報端刊登啓事，檢舉前任縣長胡龍寶公開違法助選。假使眞有其事，選舉監察小組為什麼不依法辦理？假使前縣長胡龍寶沒有為縣長候選人李耀乾助選，則省議員李鉥等所刊登的啓事，便屬於無中生有的誹謗了，胡是可以依法提出告訴的。然而選舉結束後，胡龍寶既未告訴，也沒有被控妨害選舉接到司法機關的傳票。這究竟是怎麼一回事，實在叫人大惑不解。

台南縣執政黨籍省議員李鉥等所刊啓事，題目是：「敬告台南縣長胡龍寶不得違法助選，籲請省府黃主席陳廳長另派台南縣選務所主席，以維法紀」。啓事內容：

一、為確保台南縣選舉公正，籲請省府主席陳廳長另行遴公正人員接替胡縣長兼台南縣選務所主席職務。

二、查縣長候選人政見發表會，顧名思義為依法登記之候選人纔能登台發表政見，而胡縣長每次於候選人政見發表後，均登台演說，形成兩位候選人三人發表政見之怪現象。雖經部份大會主席（鄉鎮長）制止，仍一意孤行，不聽勸導。

三、縣府公務員，如視導洪波濤，安全室股長蔡尤勝等多人，公然為縣長候選人李耀乾先生助選，胡縣長不但不加制止，更派出大批親信幹部，如督學林清水，機要秘書王錦昌，戶政課長黃金溢等公出，動用縣府全部公有車輛，分赴各鄉鎮，一邊助選，一邊給另一候選人（劉博文）之助選人員加以威脅；諸如此類違法亂紀行為，不勝列舉。我等鑒於地方團結及維護政府法紀尊嚴，希望胡縣長痛加反省，即時停止利用職權作違法助選活動，以免地方分裂之不良後果。

記者採訪本省選舉新聞，已十多年，深深地感到「人心比選票重要」。很顯然，眞的把選舉辦好，則內政上和地方上的許多問題，均將迎刃而解。由於過去歷屆的選舉辦得不夠理想，尤其基層執行選務工作的人，不能夠大公無私的同意在野黨共同辦理選務，共同監察選舉的關係，地方自治是難望理想的。選舉辦好了，選民也不會輕信公職落選人的話，因為在野黨可以替執政黨辯護，證明選舉公正。然而，演變到今天，大家對任何政黨的話竟都表示懷疑了。世界上民主國家，那有在野黨公開支持執政黨候選人的道理？而在台灣，竟有野黨人士公開支援執政黨候選人者，這怎不使政黨信譽破產呢？

（下）

監察院彈錯了對象

胡笙

其次，警備總司令部如何發現黃市長等瀆職案？許江富在警備總部如何供白，以致警備總部不得不「大義滅親」？作爲重要證言的許江富、楊逢春的口供是否僅在刑警大隊爲之？楊逢春與黃市長夫人黃朱金鳳在基隆地方法院檢察處偵查庭的對質，內容如何？

凡此種種，必須辨認得清清楚楚，方可下斷。我沒有看卷和查問，所以不敢速斷輕斷。但經陳廖二推事申辯和經陶黃二委員對申辯書提出意見後，資料不如李聲庭先生寫文章那時的貧乏。李先生在文中抄引陳廖申辯書達十二點之多，但沒有一字提到意見書。我爲使讀者「兼聽則明」，特將意見書中有關資料酌抄於下，以供讀者參考。

四、

先看本案怎樣發覺。陶黃意見書追述：「民國四十八年十二月二十三日，警備總司令部偵辦許江富勾結金門軍人套購水泥共同圖利案，請准台北地檢處檢察官在許江富寓所搜得賬册一批，因其中記有招待費一百萬元，乃訊問許江富。四十九年十月八日，許江富將賄送黃啓瑞市長夫婦一百萬元之經過和盤托出。（見警總遊查組卷第八十八頁，詳見下文）。警總乃於五十年二月將其移送台灣高等法院檢察處偵辦，由該處發交基隆地檢處辦理。承辦檢察官葉正青深感案情繁重，呈准加派檢察官陳劍芳會同辦理，又請准高等法院檢察處夏首席派高檢處檢察官魏德昌指導。」

陶黃意見書又追述葉陳二檢察官何以將本案送請台北刑事警察大隊協助：「五十年五月二日，葉檢察官等奉高檢處夏首席面諭：因本案人證俱在台北，着將許江富等發交台北刑警大隊協助偵查。該處是高檢處辦案進行單載：『一、本處於五十年四月二十日以基檢劍勳字第三一二六號致台灣警備總司令部遊動查緝私第一組正副本，諒蒙察核。二、查本案內容繁雜，案情重大，而重要關係人證物證均在台北市境，曾奉面諭派魏檢察官德昌指導偵查，魏檢察官亦曾蒞基指導。日昨（四月二十九日）本處承辦檢察官葉正青、陳劍芳曾赴省晉謁，請示進行事宜，當蒙面諭應赴台北就地偵訊，並允派檢察官繼續指導等因。三、茲承辦本案檢察官葉、陳二員，即將往台北進行偵查，除隨時當面報鈞長並請示外，請仍派魏檢察官始終蒞臨指導，並代表鈞監督指揮，以昭慎重，而免隕越爲禱』。」

於是陶黃說：「準據上述經過情形，警備總司令部及高檢處與基隆地檢處葉、陳二檢察官，辦理本案，固尚客觀而慎重。乃陶廖二推事竟據許江富、楊逢春在台北地方法院刑庭片面翻供之詞，不加調查，擅對警備總司令部、刑警大隊、陳檢察官及百川等大施攻擊，其用心無非爲圖開脫庭縱罪犯之責任，殊屬不合」。（二）

美國有力量打小戰

華盛頓通訊

此間權威方面指出，詹森總統最近在海防軍官學校演說時，宣佈若干美國軍事實力的秘密，意在警告蘇俄及中共，美國對共黨在各落後地區的「革命」戰略，早已有了應付之道。詹森總統演說的要點並不在說明美國核子武力的進步，而在其宣佈美國在原子殭局下打小仗打游擊的能力。

在原子武力方面，美國現有戰場用及長射程的原子飛彈各一千枚。此一實力超過蘇方數倍，使美國擁有絕對的核子優勢。在普通武力方面，陸軍實力增加了百分之四十五，空運能力增加了百分之七十五。美國現有整裝待發的陸軍六師之衆，可以最快速度飛往世界任何角落，協助遭受共黨威脅的國家。爲了應付共黨的叛亂和游擊，美國在過去三年中，已將此種特別武力擴張八倍，十萬名軍官曾接受此種特殊訓練，目前美國有三百四十四個小組，被派往各可能遭受共黨攻擊的四十九個國家，訓練新的反叛亂戰術。此一戰術的要點在阻止顛覆的游擊戰爭發生，使共黨的戰術無施展餘地。

此間人士指出，中俄共的爭論，將造成雙方不甘落後的軍事行動競賽。俄方原要在避免遭受核子報復的情況下進行軍事行動，中共認爲此乃「軟弱」表現，聲言他們的游擊戰可以阻止核子戰爭，並企圖將此種戰術從亞洲發展到其他地區。俄方目前爲了要向西方購買工業配備，不得不僞裝和平，但在中共的壓力下亦可能轉變戰略，採取更激烈的政策。

此間人士指出，由於多數國家已有所準備，共黨過去乘虛而入發動顛覆戰爭的活動，必將遭遇更多困難，毛澤東二十年前在抗日戰爭中所發展的游擊戰術，將無法對抗新的反游擊戰術。今日南美的情勢已證明此項事實。委內瑞拉共黨曾使用蘇俄式的城市暴動方式，企圖阻止委國總統選舉，但結果完全失敗。此一暴動爲古巴訓練的共黨領導，並在古巴的援助下發動；而作爲古巴支持者的蘇俄亦必然加以贊助。此間人士指出，委國叛亂的事實證明，俄方雖因避免增加其經濟負担，不願爲貧窮國家作戰，但在有利可圖時，却願在半工業化國家策動「革命」。

古巴訓練的顛覆人員，亦滲入哥倫比亞，企圖利用該國長期的混亂局面發展游擊戰爭，結果亦爲哥國政府所擊敗。此外在南美尚有其他若干國家亦遭受同樣滲入活動，但由於各國事前均有所戒備，致使共黨陰謀均未得逞。

此間當局認爲，此一戰畧並不能保衛所有新興國家，或阻止剛果地區發生變亂。但他們相信，由於各政府的應變能力增加，共黨的機會大爲減少。事實上屆至今日止，中共已失去了很多搗亂機會，他們已公開叫囂「革命」運動的迫不及待，並在南越加緊活動，企圖建立一游擊戰爭的「必勝」事實，使其他國家望風披靡。南越外長曾指出，越戰爲「亞洲最後一次戰爭」；此即意味着共黨一旦在越南獲勝，必將危及其他自由國家。他說：越共在某些地區雖根深蒂固，但勝利必須爭取，他反對任何「過份誇張的悲觀論調」。

詹森總統在此次演說中僅提出反共軍事方面的準備，此間人士指出，各新興國家在政治及經濟方面，亦力求改進，使共黨無可乘之機。但軍事準備仍爲反共的基本工作，因爲共黨的勝利，絕大多數都是以武力造成的。（布恩施）

我所知道的麥帥

肯寧將軍原著　徐熙光翻譯

有一天，有些在雪梨的補給單位的人員跑來向我訴苦，說是空軍人員在那裏渡假，軍紀很不好。他們說：「這些乳臭未乾的孩子鬧得我們到處烏烟瘴氣。」我說我不希望他們一個個都老氣橫秋，死氣沉沉，一點都沒有年青人的活力和朝氣，因爲我相信如果他們一旦都這樣正正經經不苟言笑的話，他們以後再也打不下日本飛機，轟不沉日本軍艦。講這些話時，我的聲音很小，麥克阿瑟當時正站在門邊，我抬頭看到了他馬上把我下面的話停下不說，並向他道早安。他扮了一個笑臉說：「讓他們去吧，我也不願看見肯寧將軍手下的那些小伙小子變得老成持重。」

不錯，爲麥克阿瑟做事確實是一件有趣的事。

五、「防空洞」和謠言

和其他有着多彩多姿豐功偉績的大人物一樣，麥克阿瑟也有不少爲人所樂道的軼事。早在第一次世界大戰時，他已經是一位以胆識聞名的傳奇將軍。他慣常戴一頂微向右斜的軍帽，皮靴總是擦得雪亮，褲子更是燙得筆挺，不過有時候他也會只穿一件套頭毛衣而在脖子上圍上一條毛織的圍巾。麥克阿瑟擢升之快是空前的，他是西點軍校第一個有史以來最年青的校長。美國歷史上最年青的少將。五十歲時就任陸軍參謀長，也是曾經担任此職的人中最年輕的。樹大招風，麥克阿瑟的青雲直上，也難免遭致物議和妬忌，使他成了大家激烈爭辯的對象。崇拜他的人對他的冒險故事和傳奇津津樂道，永不厭倦，但是另外一批人則處心積慮破壞這位舉世聞名的英雄的聲譽。他們不否認麥克阿瑟具有了不起的將才，但却不放棄每一個攻擊他的機會，所以麥克阿瑟難免多所樹敵。

當他前往菲律賓任奎松總統的軍事顧問時，批評他的人一方面爲他被「冷藏」而高興，另一方面却仍不放鬆對他的攻擊，謂他將成爲菲律賓人的拿破崙式的獨裁者。

一九四一年十二月，日本陸軍入侵菲律賓，他運用有限的兵力在巴丹打了漂亮的一戰，這就是有名的巴丹防衛戰。因爲他這一戰喚起了菲律賓人、美國人和全世界的盟國的鬥志。他也因爲這一戰而在一夜之間變成了美國的英雄，有關他的傳奇再度不脛而走，他的生平被人一遍又一遍得傳誦着。這時，那些專門批評他，攻擊他，誹謗他的人，再不開口了。

一九四二年三月，當羅斯福總統命令他前往澳洲統率西南太平洋的聯軍時，看來他似乎又被貶抑了。在大戰結束以前，這件事所引起的爭論在美國的軍事歷史中，史無前例。麥克阿瑟以後在新幾內亞和菲律賓得過多次戰果輝煌的勝利，使得懷疑他的能力甚至勇氣的人覺得無話可說。

我已記不清「防空洞」這個稱呼是怎麼來的了。人家都說替麥克阿瑟起這個綽號的是空軍。誠然，空軍裏的官兵很難忘記麥克阿瑟曾經參與對他們的偶像——密契爾將軍案子的審判；不過也有人說是海軍和海軍陸戰隊起這個綽號的，事實上他們提到麥克阿瑟時總叫他「防空洞」。（十九）

虛月續夢

第十二回：異域睹新居　冷宮傷舊夢　民脂似水　妾命如絲

楊明軒不敢再多問，就宣佈散會，會後去見邢西萍，把他走後的情形彙報一遍。

邢西萍嘆了口氣：「這種事本來是一個屎缸，蓋着蓋聞不到臭氣也就算了，毛主席偏要揭開蓋重新掏一遍，這一來麻煩可就大了。那批老傢伙光說靠蔣先生吃飯還不要緊，這批起義將領乾脆說希望他們校長回來，你說這事怎麼辦！」

楊明軒大吃一驚，問道：「他們怎麼敢說這種話。」

邢西萍說道：「黨逼着要他們說，不說又不能過關，逼急了他們就什麼都說出來了。」

楊明軒問道：「誰說的希望他們校長回來？」

邢西萍苦笑道：「除去王耀武、黃維之外，都希望他們校長回來。」

楊明軒說道：「王耀武、黃維到底是可靠些。」

邢西萍道：「那裏是可靠，他們兩人說的更洩氣。王耀武說：『我實在不希望校長回來，因爲我被解放以後，大前進了，不但帶頭交心，還向台灣的同學、舊部下廣播。我們校長一生服膺四維八德，對敵人他可以原諒，只是背叛他的人，尤其是他的學生，他斷不會饒恕的。所以我不希望他回來。但是我不能不承認我到今天還靠他吃飯。』」

楊明軒問道：「黃維又怎麼說？」

邢西萍道：「黃維更坦白，他說：『我的校長對我也許沒有什麼？可是，我們那批同學早送了我一個黃埔之狗的諢號，一旦校長回來，他們捉住不打死我才怪哩！所以我不希望校長回來。』」

楊明軒皺眉說道：「這麼多的民主人士希望老蔣回來，總是很危險的。」

邢西萍冷笑道：「真要把神仙會擴大到黨員內部，逼大家坦白，我相信許多黨員都會說希望老蔣回來。」

楊明軒明白這是實際情形，可是不敢再插嘴，恐怕邢西萍反問他一句，要他坦白，當時就搭訕說道：「副部長同志若沒有別的指示，我就回去了。」

邢西萍說道：「一起走吧！我也要去向部長彙報，請他報給毛主席，我想你不如同我再去見部長談談。」

兩人到了李維漢的寓所，看見許滌新正在向李維漢彙報，許滌新也是統戰部副部長，負責管理財經方面的民主人士，只聽許滌新說道：「這批資本家出身的民主人士，最初不敢坦白，後來告訴他們非坦白不能過關，他們才說實話，原來人人都希望老蔣回來。」

楊明軒同邢西萍不由得互看一眼。

李維漢問道：「他們根據什麼理由，希望老蔣回來呢？」

許滌新說道：「理由各式各樣，不過，結論只有一個，老蔣在這裏，他們每人都能施展本領，各謀發展，現在却都在坐吃，變成一個廢物，因此，他們都希望老蔣回來。」

李維漢抬頭看看邢西萍，問道：「你們那一部份怎麼樣？」

邢西萍說道：「結論都是一樣。部長要向毛主席報告，事先作個預防。」

李維漢冷笑道：「預防方法早安排好了，國民黨軍隊打到天津，就把他們全體抓起來向桑乾河裏一丟！你以爲黨還會帶他們去征嗎？不過，要他們說出實話，作爲行動的根據罷了。」正是：枯木逢春難再茂，魚遊釜底何曾知。（三一八）

冒險犯難記

鄧文儀

我們第七連奉命迅速佔領附近幾個山頭，携帶十幾面旗幟，揷在每個山頭上面，佈作疑兵。我率領全排戰士跑步登山，分佔幾個山頭之後，將近黃昏，但見敵人軍隊以四路縱隊的密集隊伍，在山脚下退走，相距僅數百公尺，我們高聲大喊，要他們繳械投降，他們大聲答復說，請你們下山來吧！我們因為人少，情況不明，祇有看着他們大隊撤退。綿湖戰役到夜間就告一段落，眞可謂驚險萬狀。第一團在何應欽將軍指揮，校長親自督戰之下，激戰竟日，肉搏衝鋒，砲兵平射，頗有傷亡，終得勝利。

革命軍以一敵十，以一敵百的革命精神，在綿湖戰役中具體實踐了。我們革命軍在在萬分緊急危難中，創造這樣偉大而神奇的戰蹟，在世界戰史上將成最光輝的新篇。一週後，我們才知道總理孫先生已於綿湖戰役先一日在北平逝世，綿湖戰勝，有不少官兵都說是總理在天之靈護佑的成果。而這也是我畢生所親歷的最艱危的一次戰役。

十七、在興寧巷戰中受傷

綿湖之戰，革命軍教導第一團以千餘之衆，得第二團的適時協力，一日之間，擊破二萬精銳之敵，雖浴血苦戰，犧牲甚鉅，但從此得將背叛國民黨孫總理盤據東江數年之逆殲滅大半，開統一兩廣進而統一全國之先聲，為實行三民主義革命建國，奠立堅强的基礎，實為中華民族的光榮。我們為肅清殘敵，實行跟踪追擊，三月十四日進軍河婆，休息一天，接受黨代表廖仲凱代表總理及國民黨中央執行委員會的犒勞，全體官兵各得銀洋一元，猪肉數兩，飽餐一頓，全軍歡欣鼓舞。這一次戰役勝利，很快就震驚了全國。

三月十六日校軍出發，繼續向林虎巢穴五華與寧攻擊，我們第二團第七連掩護砲兵於十七日繞道前進，兩日一夜，行軍一百八十里。十八日到達五華，這時我們已經知道，第一團未經戰鬥，業已計取五華，俘獲甚多。敵人以為我軍經過綿湖大戰的傷亡之後，至少須休息整補一週，方可進軍；不料蔣校長用兵神速，僅三日即已跟踪追至，實出逆軍意料之外，故不戰而克五華。十九日上午，校軍即已進至興寧城下。

四月十九日，教導第二團及粵軍第一旅陳銘樞部進薄興寧城，教導第二團先將城外敵守兵驅逐，進攻南西二門，佔領興寧城南之神光山。上午部署既定，準備下午開始攻城，第二營主攻南門，第三營主攻西門。不意敵軍從水口方面來援，夾攻我第二營，營長劉堯宸奮勇殺敵，腿部受傷。（廿七）

歌場隨感錄

瀟湘散人

近年來對於台北方面的平劇演出，祇看過金素琴章遏雲兩位成名藝員所演的幾齣舊戲，如孫尙香、寶蓮燈、教子（金女士演的）；如鎖麟囊，六月雪，玉堂春（章女士演的）等等。當然很夠水準，吾無間言。台灣近十餘年來尙有若干平劇新人才出現，筆者卻很少參觀他們的技藝，最近纔有機會連續看到這些後起之秀的奏演，不妨談談個人的觀感所及。但我所談的僅係泛泛之詞，與「戲評」的性質有出入，特此聲明。

首先我看「大鵬劇團」嚴蘭靜女士的「楚宮恨」－就是舊劇中的武昭關－與戰樊城，只加上楚平王與費無極謀殺伍奢父子、奪媳為妃這幾場故事演出而已。嚴女士年方及笄，然嗓音甚寬亮，臉上有戲，身段台步都不錯，可謂難得也矣。可惜，她所唱出的腔，多半是取法於近年來在大陸上自成一格的張君秋那種野狐禪的玩藝，跟梅派正宗相去甚遠，聽來感覺不夠味兒，辜負了她那副天賦的佳嗓。而在「戰樊城」一塲的投井動作中，跟「長坂坡」的情節一模一樣，亦有值得研究之處。散塲時，我詢問嚴女士的父親，「楚宮恨」這曲戲是誰教的？答言是從錄音帶裏學習的，纔知道原來如此！學習一種藝術若不取法乎上，獲得名師指導，從大路子下工夫，那就不容易達到優越的境界，實可斷言。是夕嚴女士所唱若干段戲詞，我認為只有最後一大段二黃慢板差强人意，聽來淒惋有致，楚楚動人。她是個很好的戲劇人才，如得良師教導，前途很有希望。在「楚宮恨」中飾楚平王的黑頭孫元彬，唱腔學郝壽臣，很有些工力。

大鵬劇團的靑衣台柱徐露女士，我有八年未曾聽過她的戲了。這次看她演「九里山」－即「霸王別姬」－容貌更秀美了，嗓音亦嘹亮而結實，尤屬平劇良材，所唱大段南梆子和西皮二六，亦頗循規蹈矩，不失梅派楷模，只是舞劍的身手技藝，尙待琢磨精練。但由於台灣缺乏優良的師資，我很耽心徐露的劇藝到此止步，沒法作滋深的進修了，可慮亦復可惜也。

復興戲劇學校諸生，本年初赴美洲各地循廻演出，載譽歸來，博得國人贊許。他們在美洲最受歡迎的一曲戲就是「貂禪」，主角係該校靑衣花衫台柱王復蓉女士，最近在台北初次演出此戲，我以好奇心情，特往參觀，只見王女士扮相更美，嗓子更淸脆悅耳了。但對於全齣劇情的編製導演，實在不敢恭維，因其將舊劇中「三义口」「拿高登」和「霸王別姬」皆揉成一團，不倫不類，非舊非新，尤其是一人在台上撐着大旗揮舞，衆武士爭着跳蹦翻跟斗，歷久不歇，未免不成玩藝。這祇能教那些不懂中國戲情與唱工的西洋人欣賞，覺得蠻好玩的，要在國內表演，就令人大倒胃口了。該校若不欲放棄這幕馳譽異域的名劇，似應請教一班內行專家，將內容酌加修改，加譜一些唱詞。譬如王允利用貂蟬以離間董卓與呂布父子感情的美人計，這在劇情的唱、做、唸、打方面，都可以編成很精采的節目，使觀衆大飽眼耳之福。至於哄洋人笑樂那些情節，大可删去。該校學生頗多可造之材，如鬚生葉復潤、張復建，武生李某（李桐春之侄，名字忘記了。）皆有戲劇天才。

趙玉菁女士是過去在大陸時期造就出來的平劇藝員，到台灣後迄未下海，偶爾以票友資格擱演一次而已。她擅長花旦戲，而以「坐樓殺惜」一劇尤為出色。最近她跟「陸光劇團」的鬚生李錦棠合演「殺惜」帶「潯陽樓」，趙去閻惜嬌，[illegible]甚穩練，表情極嬌媚而兼潑辣，頗有小翠花的氣派。獨惜首塲穿着靑緞繡花的衣裙，台下觀衆看來[illegible]，不像閻惜嬌在烏龍院裏的裝束，殆為美中不足也。藉梁山泊的書信，要挾宋江寫休書時的神情，柳眉倒竪，詞色橫決，表現着毒辣忍狠的勁兒，維妙維肖。當時我坐在第二排正中，不期然而然地連聲叫好，使前後左右的顧曲人士為之側目，因台灣歌塲習慣，觀衆對演員的技藝表示激賞時，皆以鼓掌為主，而我乃予以大聲叫好，衆人即引為奇怪矣。論台灣現時的花旦人才，趙玉菁確屬首屈一指。李錦棠扮相不壞，歌喉亦清脆，在潯陽樓中的幾段唱工，博得采聲滿堂，據我的私見，他的身段似乎稍近於僵，若能加以改進，那就更好了。

基隆旅居記

仲公

六月三日敵分兩路大至，專攻土山，明震與劉燕被圍，吳國華軍未至，各營亦坐視不能救，槍砲聲如急雨怒潮。相持至巳刻，砲勇死八人，重傷四人，砲管太熱不能放，明震率親兵憑土壕，用美國製雲者式十三響槍抵拒，差官楊得標，李成德陣亡。日軍用開花彈猛擊，彭發腰際中彈，呼號甚慘；明震回顧，忽遭開花彈炸傷，銅片嵌入額際，血流不止，腿胯被槍彈擦傷，痛極暈絕。親兵搶護至和平島，西醫力南加以藥水灌入傷口，取出三角紫銅片一塊，血仍不止，用蠟布裹緊，抬至獅球嶺。時各軍均潰，敵尙疑有伏兵，未敢直抵基隆。

初，台紳林朝棟駐守獅球嶺；林以勦生番功，歷保至道員，二品頂戴，賞穿黃馬褂，所部皆百戰之卒，且訓練有法，頗負時望。維師意專重廣勇，廣勇與土人素不睦，因調林，以胡友勝統廣勇四營守中路，紮獅球嶺。明震至嶺上，與夫均逃散，幸血止；神氣稍淸，急召胡詢戰守事，胡神色倉皇，唯唯而已。遍紳士十四人，偕觀戰，英人提理來醫傷，皆說：「廣勇新募，從未訓練，統領又不得人，基隆一失，人心渙散，法人之變，劉省帥專守獅球嶺，而台北宴然，乞撫師遠調林朝棟以守為戰，事猶可為」。時基隆同知方祖蔭在座，明震命移基隆電報局設八堵，將親入城。維帥一見，即言：「大事已去，奈何」！明震出紳士公禀，且請駐八堵，維帥言：「午刻聞前敵信，即令黃翼德率護衛營紮八堵」，頃黃忽回城，據說：「獅球嶺已失，大雨不能紮營，故乘火車急馳回城，防內亂」。明震怒斥其欺罔。

張帥既敗於瑞芳，始回基隆，北白川宮率近衛師團，自行指揮；大將樺山，率前衛騎兵半中隊及步兵二中隊，星夜追我兵前進，分兵一隊攻北斗，一隊攻田寮港，進取基隆海口。自上午十時兩軍着手射擊，至下午二時，川村旅團突擊，時大雨傾盆，親王揮本隊前進，日軍佔領基隆，軍士死者卅二人。張兆連棄營，由火車道遁於台北，兵士四散而逃，死傷一百五十人，烽烟滿山，砲閒數里，旋相繼淪陷。日軍兵艦三艘，由海岸開砲，同時入港，水陸皆獲全勝，基隆市街遂失。日軍駐步兵一中隊於基隆，泊三軍艦保護。時天氣熱至九十度，軍士汗流如雨，親王令休息數日，再整軍前進。

獅球嶺防軍，自恃天險，俯瞰山下，頑强抵抗。是日大雨如注，電閃雷轟，山鳴谷應，與砲聲相和，守山軍士，衣襟盡溼。日親王率右隊在山下指揮，川村少將攀登，軍士折力攻打，相持三時之久，我兵始行潰散，獅球嶺遂為日軍所得。（五〇）

「單刀會」故事正謬

周燕謀

同傳裴注引吳書云：「肅欲與羽會語，諸將疑恐有變，議不可往。肅曰：『今日之事，宜相開譬；劉備負國，是非未決，羽亦何敢重欲干命？』乃趨就羽。（上句值得注意）羽曰：『烏林之役，左將軍身在行間，寢不脫介，戮力破魏，豈得徒勞，無一塊壤，而足下來欲收地耶？』肅曰：『不然。始與豫州觀兵於長阪，豫州之衆，不當一校，計窮慮極，志勢摧弱，圖欲東竄，望不及此。主上矜愍豫州之身，無有處所，不愛土地士人之力，使有所庇蔭，以濟其患。而豫州私獨飾情，愆德隳好。今已藉手於西州矣，又欲剪幷荊州之土。斯蓋凡夫所不能忍行，而況整領人物之主乎？肅聞貪而棄義，必為禍階；吾子屬當重任，曾不能明道處分，以義輔時，而負恃弱重，以圖力爭，師曲為老，將何獲濟？』」羽無以答。

觀此，雖未見「單刀赴會」，而「乃趨就羽」一語，為魯肅趨就羽，而非羽就肅，甚明晳而無疑。按三國志蜀志先主紀：「二十年，孫權以先主已得益州，使使報，欲得荊州。先主言須得涼州，當以荊州相與。權忿之。乃遣呂蒙襲奪長沙零陵桂陽三郡。先主引兵五萬，下公安，令關羽入益陽。」即在此呂蒙襲三郡，關羽入益陽後，魯肅向關羽索討荊州。魯本傳則謂「肅往益陽與羽相拒，肅邀羽相見，各住兵馬百步，但諸將軍單刀俱會」。地點是在益陽而非夏口，為「肅往益陽」而非關羽赴夏口。魯肅本傳裴注謂「乃趨就羽」，也是魯肅趨就關羽，當面責難辯論，甚而「羽無以答」之僵局，固非定有三計也。

如果說「單刀赴會」，應當是魯子敬「單刀赴會」，更為正確。但因神化關羽之後的演義及戲劇，則將張冠李戴，以關羽單刀赴會，而以羽兵器又為靑龍偃月刀之故，更助長此說。實則，「單刀俱會」乃指各帶小兵器之謂，「靑龍偃月刀」應不在其列也。

又如果關羽眞有此突出之事，羽之本傳，不會隻字不提。蓋往昔史家作傳，無不以其生平顯著事蹟為言，今羽之本傳不載「單刀赴會」而反載諸魯肅傳及裴注，其原因應為此事乃魯肅生平之大事，以其勸權借荊州之故也。

據「正俗考」云：「元人關漢卿單刀會雜劇，盛稱魯肅陳兵設伏，邀侯臨江宴會……觀者咸附手擊節。綜其實不然。是時子敬與侯相距益陽，侯來爭三郡，軍容甚盛，子敬邀侯公會語，諸將皆懼有變，力阻勿往；子敬曰：『正欲開關是非，彼亦何敢重干國命？』乃令諸將單刀俱會，往復辯論，遂劃湘水為界，罷軍。是單刀約會子敬也，非侯也。子敬力勸孫權以荊州借劉，中分之後，立謀在東西一家，戮力破魏。今之為傳奇者，但為侯描畫英雄生面，而於子敬之老謀苦心，則抹殺無餘矣。余故伸而明之，抑亦侯之所默許也。」

是史實與正俗考皆足證「單刀赴會」，非關羽而為魯肅。又按單刀，實為短兵也。俱會乃相聚一堂辯論，而非對陣交鋒，然為防有變，故「單刀俱會」也。（下）

鹿耳春潮

南道

鹿耳門為鄭成功三百年前收復台灣，進入台灣本土的第一關，即今台南市的鹿耳門溪附近，昔在台灣縣治（今台南市）西北之三十里大海中。浮沙橫亘，形同鹿耳，故有此名。它位於北汕尾與隙仔港之間，台人稱之為北口。港口廣而淺，海底多鐵沙汕，舟必插標以行。南礁樹以白旗，北礁樹以黑旗，名曰「盪纓」，亦曰「標子」，以便出入。潮漲則水深一丈四五尺，潮退不及一丈，入門必懸起後舵乃得進，觸礁則船立碎。乾隆間劉良璧紅毛城記云：

「鹿耳門非有形勢可恐，號稱天險，緣鐵板沙汕迂廻盤出，潛伏水底，非老舵手，則錯行港路而船身觸礁，片板無存。」（上）

內僑警台報字第〇三壹號內銷證

自由報
THE FREE NEWS
第四五五期

中華民國僑務委員會頒發台僑新字第三二三號登記證
中華郵政台字第一二八二號執照登記為第一類新聞紙類
（本週刊每星期三、六出版）
每份港幣壹角　台灣零售價新台幣貳元
社長：雷嘯岑　督印人：黃行寬
社址：香港銅鑼灣高士威道二十號四樓
20 CAUSEWAY RD 3RD FL. HONG KONG
TEL. 771726　電報掛號：7191
承印者：田園印刷廠　地址：香港灣仔高士打道一二二號
台灣分社　台北市西寧南路壹零壹號二樓　電話：三〇五四六　台郵劃撥儲金戶二九五二

越戰與自由世界的安危（上）

·曹啟文·

寇深矣！共賊赤化世界的第一步驟——赤化亞洲的陰謀，主要的進程，已接近完成階段了；自由世界反共戰爭的形勢，到了今天這樣狼狽的地步，整個人類的前途，都籠罩在共產侵畧的陰霾之中。人類的導賢，戰慄於共產迫害之下，有些國家的人民，已長期呻吟於水深火熱之中，無所期望，亦無所救助；有些國家的人民瀕臨於奴役與自由的邊緣，遲早有墜入黑暗深淵的危險；有些國家的人民，尚在優游歲月，作倖免於難的打算；有些國家，則首鼠兩端，瞻前顧後，常作懦夫的行徑，生怕共產侵畧會落在他的頭上；有些國家，則隔岸觀火，順水推舟，彷彿是置身事外；有些國家則尚謀另起爐灶，自成一家，在幸災樂禍上起幻想；有些國家則成事不足，敗事有餘；有些國家反共決心雖甚堅定，可惜心有餘而力不足。所以，今天自由世界反共戰爭的前途，在這些國家中，實在看不出有什麼決定性的勝利本領，以挽救整個人類的命運！要看，祇有看美國。

（一）美國政策的永久目標

近世紀以來，美國對世界的安全與人類福祉，頗多理想，亦多所建樹。往者不談，即以本年一月二十八日，美國國會和美國商會在東京舉行聯合會議，特邀請美國魯斯克國務卿致詞。這項演說極為生動，美國要想建立的理想世界，活躍於魯氏妙舌之上。他說：「美國政策的永久目標，是要謀致聯合國憲章序文及第一、二兩條文中所憧憬的那種世界。我們美國人正在努力以求建立的，就是：

一個免於被侵畧（不論用何手段）的世界；

一個各有其自行選定的制度，但從事彼此互利合作的獨立國家組成的世界；

一個所有各民族均享有經濟和社會進步的世界；

一個能提供確實而公平的和平解決爭端的辦法，並且不斷的走向法治的世界；

一個國家管制個人的各種權力受到法律和習慣的限制，亦即人類尊嚴必需的個人自由確有保障的世界；

一個免於因種族、國籍、膚色或經濟與社會地位而產生仇恨和歧視的世界；

一個全人類均享有平等權利與平等機會的世界。」

魯氏並且說：「我剛才列述的那些願望承諾，是經過我們的歷史嚴格考驗，得到了勝利（係指經過美國參議院通過）而產生出來的，而且我們相信這些他都是人類大多數的願望。」

魯氏所列述的理想世界，不僅是人類大多數的願望，亦是整個人類的願望。即使是個共產黨徒，一旦有了自由抉擇的機會，我敢相信，也會有此願望的。

魯氏又謂：「還有一個基本的，實際上是必不可少的任務（雖其意義係指聯合國，實際上係指美國）是：保護自由世界，使不願見我們所欲建立的世界的那些人不敢侵犯。我們維持着龐大得不可想像的軍備實力，其目的便在制止侵畧……」。

魯氏既描繪了所欲建立的理想世界，又指明了有龐大不可想像的軍備以制止侵畧，何以這樣的理想世界在其實現的過程中還不能起步呢？何以還有這樣多的國家與人民仍為共黨所奴役呢？何以還有這樣多的地區遭受共產侵畧呢？問題是人類的命運中有了共產黨這個魔鬼。

共產黨有沒有永久目標呢？我敢斷言，如果在共產鐵幕內有同樣的人，他會也要講同樣性質的話，他所描繪的理想世界，更為新奇美麗，祇不過與魯氏所描述的相反而已。共產黨的永久目標，廣為其黨徒所樂道，亦為世人所深知，就是要以顛覆、滲透、破壞、侵畧以及其他惡劣而罔顧人道的手段，達到赤化世界的目的。在我們看來，實在是一種不可能實現的幻想。但任你嚇阻、冷戰、圍堵、以及其他的防制方法，都不能有效的限制他的發展。他的侵畧腳步一天天前進，他的潛伏勢力一天天深厚。美國這樣龐大的軍備，不能防止其鼠竊狗偷行為，我們的合乎人類願望的理想，敵不過共匪的漫天幻想，這道理在什麼地方呢？仔細推敲，恍然大悟，原來美國雖有理想而不求其實現，結果把理想變成幻想！共匪雖是幻想，但力求實現，結果却能變成可以實現的理想。若以數學上的定律來說，前者是正號加上一個負號，即等於負號；後者是負號，再加上一個負號，反而變成正號了。試看魯氏上項演詞中的一段，即可證明矣。他說：「我們維持着龐大得不可想像的軍備實力，其目的在制止侵畧，但我們切望永無使用這些軍備的一天。」這不是在正面的設想上，加上一條負號尾巴嗎？在自由世界對抗共產侵畧的一切措施上，很少沒有拖上這個負數的尾巴，祇有在美國的後門口，演了一次沒有負號尾巴的封鎖古巴那樣超熱度的冷戰，確實贏得了一些精神勝利。反觀共黨處處在負號上用功夫，如越南之分為南北兩部，不是經過國際協議而取得和平的保證嗎？現在共產黨向南越侵畧，實在是一個負號，如果自由世界沒有決心來贏得這場勝利，而讓共黨在越南得手，則不特是兩個負號等於正號而已，恐怕要等於無窮大了。

（二）美國的和平戰略

美國和平戰畧，為美故總統甘迺迪針對冷戰情勢而設計的一種以實力贏得和平的政策。早在杜魯門總統時代所全力施行的圍堵政策，原有此和平戰畧之構想，不過因雙方軍備競爭雖激烈而未至僵持局面，故未能有明確的行動。迨甘氏當政，認為美國近十年來在國際關係上不斷遭到困擾，其原因一面在美國前此未能採用一種全球性的和平戰畧，一面亦因為美國未曾付出和平戰畧所需的代價。此種代價至鉅，不祗是需要金錢和武力，亦且需要創造力和勇氣。美國在強大的軍備下，使蘇俄認識若有戰爭，則該戰爭將對蘇俄不利到何種程度，乃能使其同意裁軍。這種和平戰畧的構想，不徒是甘故總統最高智慧的決策，也是美國若干足以影響政策決定的名流、政治家所深信的好政策。但是蘇俄却把和平不稱為「政畧」，而認為是一種「攻勢」。蘇俄早已相信美國具有驚人的龐大軍備，也相信美國為了和平肯付出鉅額的代價；但更相信美國不會主動的發動戰爭，也更相信美國為和平所付出的最高代價不會是主動的投降。美國若肯離開主觀的構想來看看蘇俄的企圖，就可以知道這種和平戰畧給自由世界帶來的，不是安全，而是加強了敵人的侵畧野心。

吃完一塊又一塊

人到那裏去了？

今日與明日

失敗的東京會議

菲律賓、印尼、馬來西亞三國行政首腦在東京舉行的高峯會議已結束，這次會議由菲律賓總統馬嘉柏佳一手促成，最後也是通過了馬嘉柏佳的建議，邀請亞非國家仲裁，實地調查衝突經過，予以調處。

這項建議十分籠統，拉曼同蘇加諾當時皆未表示反對，不過，展望前途則不能樂觀。首先是所邀請調處的國家必須得到馬印雙方同意，此種國家在亞洲就不多，即使選定之後，仲裁國的權力是否真能解決問題，都是大可懷疑的。

北婆共和國

就當印尼宣佈撤退游擊隊同時，突然在印尼與北婆羅洲邊境出現了一個北加里曼丹共和國，這個共和國的出現，不但增加了馬印之間的衝突，也勢必要把英國捲入漩渦。因為印尼同馬來西亞的爭執，充其量只是領土之爭，眞的雙方願意和平，經過友好國家調處，未始無和平解決之望，但是北加里曼丹共和國的出現，旨在求取北加里曼丹的獨立，由兩國領土之爭，變成了民族革命運動，再想經過國際調解，自然很難。所以這個共和國的出現，今後的戰亂必將擴大，英國即使想置身事外也很難了。

誰支持北婆共和國

這個所謂北加里曼丹共和國，究竟是受到何方支持？當然首先要數到印尼。事實上英國同馬來西亞都名當地為北婆羅洲，只有印尼才稱作北加里曼丹，就根據這個名字，也可以看出策源地是來自印尼。

不過，再就其行動來看，一定滲入了毛共人員。因為蘇加諾此時策動叛亂，擾亂北婆羅洲，固是事實，但在蘇加諾的心目中，決不願北婆羅洲出現一個共和國；假若這個共和國真的佔領了北婆三邦，進一步也許會要求南婆羅洲合組加里曼丹共和國了。

由此可以斷定這個共和國一定是毛共同印尼共同造成的，漸漸地將脫離了印尼掌握，有一天蘇加諾即使真的想和，恐怕也無力控制北婆叛軍了。

一切禍亂之源

整個亞洲甚至世界的禍亂之源還是毛共，毛共不滅，世界將無寧日。最近美國宣佈毛共若繼續在寮國放火，美國將不惜一戰。但願美國真的認清事實，下定決心！一味空言恫嚇，徒惹毛共輕視。

自由談

齊家的基準

馬五先生

報載：台北一些家庭主婦和職業婦女暨男性的專家學者們，曾經舉行了一次座談會，討論夫妻吵架問題，大家很坦白而輕鬆地各抒己見，頗多精闢的見解。我認為這是一種有益於社會人羣的會談，比較那些政治人物專以說廢話為能事的例行會議，高明多了。

座談中最可欣佩的，就是中國廣播公司主持家庭節目的某女士所發議論。她認為要避免夫婦勃谿，最好是臨事莫採取「攻堅」策畧，例如丈夫上酒家，切忌當面與之發生衝突，而以運用迂迴側擊戰術為宜；萬一夫妻發了口角爭執時，妻子不妨主動的設法打破僵局，例如先生在氣憤中脫去皮鞋之際，太太即教小孩「給爸爸拿拖鞋來！」這位女士對於心理作戰問題眞有湛深的研究，只讓她主持廣播電台的家庭節目，可謂大才小用了！

座談會中又有人主張夫妻相處要有幽默感，這亦是不刊之論。我有一位朋友，每逢在娛樂場所見着青年婦女時，總喜歡死心眼兒的盯住她不放，他的太太見着，即低聲問道：「這女的漂亮吧？」經此幽默情調的一問，丈夫唯有感到慚怍，立即目不邪視了。假使太太當場大發獅吼，斥責丈夫不應該亂盯女人，縱不激起訴諍，亦必大傷感情，所為何來呢？幽默感的作用大矣哉！運用之妙，存乎一心，我希望普天之下的婦女們，都要有這項修養工夫，使家庭中常保持着和諧氣氛，馴致社會一切忌嫉傾軋的乖戾之氣，也就相應減少，詎不懿歟！

或許我的思想不合潮流，該在打倒之列了。我相信儒家所倡治國平天下歸本於正心誠意，修身齊家的學說，殆有至理存焉。在家庭夫婦之間亦爾詐我虞，交謫之聲時聞，甚至鬧得糾紛大作，笑話百出，不惜請親友作調人，聘律師當顧問。這種人物，你能相信他會在政治上搞出福國利民的成績來嗎？今人多視私生活與公務不相干，此政治之所以難得清明也！

「國之本在家」，「家齊而後國治」，因此，我對於上述座談會的意義，認為值得重視，應該大書而特書之。

愛國赤誠・值得寶貴
旅美三僑胞致函本報
對國事有批評有建議

××××××××××××

（編者按：這是旅美僑胞區芳、華三桀、鄺鶴林三先生共同署名從舊金山寄給本報的信，裏面對旅美華僑對祖國問題的心理有清晰的敘述，又對當前國事有善意批評與積極建議，雖然他們的批評與建議未必百分百的確當，卻既非無的放矢，亦不是全無見地，而其出於一片愛護國家的赤誠，更情見乎詞，很值得寶貴。特為刊出如次（其中除抹去兩個人名，代以××，以及改掉幾個明顯筆誤的單字之外，悉為原文）。）

××××××××××××

記者先生：

我們是曾回過祖國，並在祖國讀過高中及大學的華僑子弟，另有在抗戰時間，也在重慶讀書，直至勝利後，我們到美國來進各大學的研究院讀書的。那時差不多每一個人都是想學有所成後，立即再回祖國，為國家社會服務。誰知瞬眼間大陸即淪陷了，我們當然不能回去了。想去台灣嗎，聽說人浮於事，或是所學不能展其長，或是所得報酬（薪金）太少，無能謀生；既是此地還有個家，也就不作去台灣之想了。

但是我們的內心，卻非常痛苦。這不是一般人所能了解的！此地的華人，可以分為五類：

第一類：在祖國生長，來此經商，及於第一次大戰前在此地出世的。他們大多教育程度甚低，但愛國之熱忱，較一般華人為高。這一類的年齡，大約自五十歲至七十餘歲。

第二類：大約自一九三〇至一九四〇年，在此地出世的，他們在此地受了高等教育，言語、行為、思想，完全像美國人一樣。從來也沒有回祖國去過。他們是美國籍，雖知他的祖先父母是「唐人」（意即中國人），但絲毫無中國是他們的祖國的觀念。他們不識中國字，連他們的姓怎麼寫也不知道，偶而能說一兩句似通非通的廣東話。國語當然聽不懂了。

第三類：留學生，這裏包括大陸淪陷前來的及自台灣來的，不過他們都是在大陸或台灣出世的。這一類的華人，尤其是這十餘年內從台灣來的，此地既無家，在台灣有他們的老家與父母及親人，但是十之八九均不願回去，一到此地，就在開始進行取得永久居留證，再進行美國國籍。這一類裏面的人，且有很多非常不滿意中華民國政府的。那些在大陸淪陷前來美國的，因為老家及父母親人，還在大陸，回家不能；台灣無親戚，不如居住美國，自有其苦衷。

第四類：其他各處來美求學的華僑子弟，如香港、澳洲、星嘉坡等地。他們入境時有所在地國家的護照，所以他們從法律上來講不應列入中國留學生的名單內。

第五類：這就是我們一類。我們以出世論，與第二類完全相同，但是我們在十五六歲的時候，甚至有八九歲時便回祖國大陸去讀書、一直讀到第二次大戰完畢後才再來美國。我們已有相當的國文程度（白話文文言文雖寫不好，當然有時仍有別字），且對國內的社會、政治與經濟情形，也有相當的了解。最重要的是，我們的護照是美國人（因為美國法律出世在美國的就是美國人），但在我們的血液裏已與第二類的完全不同，因為我們知道我們是中國人，我們是黃帝的子孫，我們這黃色的臉，是我們無上的光榮。因此我們對我們祖國的前途，均非常關心。但我們往往被上面的第二三四類的同胞，熱譏冷笑，而美國籍白人且認為我們的言論對美國不忠實，真正苦悶死了！我們無不希望政府早日反攻大陸，讓我們在反攻時或反攻成功後，回到我們的祖國去服務。

但是，反攻一事，談何容易。我們雖不懂軍事，但是常識告訴我們，如無友邦國家給我們軍火，糧食及運輸工具，我們是無法反攻的。不過在反攻前，我們在等候世界局勢轉變對我有利時，應該加緊我們政治方面的改進。我們政治方面多多少少有落伍與腐敗的現象，是一個不可否認的事實。美國報紙對我們政府的批評，或是參議員對我們政府的不滿，當然也有偏見的，但大多是善意的誠懇的。我們有時真正不明白，為何我們此地看到台灣出版的報紙，其內容與在香港的華文報紙頗有出入。香港的工商日報與自由報，據我們知道，都是絕對擁護中華民國政府的，但是他們的言論是公正的。尤是奇怪的，在工商日報與自由報內的台灣通訊消息，往往在台灣的報紙上，也是見不到的。

最近數年，來美國訪問的政府官吏，有的還在誇耀他是五四運動健將，革命先進，一派官僚作風，暮氣沉沉，卻還是夕陽無限好。在國內祇會叫：「在服從領袖指導之下負責」；長袖善舞，到國外來，還要自負自吹，自拉自唱，真不知人間還有羞恥事。還有一批以銀行家外交家自居的，實際上是殖民地時代洋行中「買辦」之才（至今聽說香港尚有很多這類人才），也都被政府重用。我們的反攻基地台灣，真正無人才嗎？

我們的反攻口號，不是「七分政治三分軍事」嗎？反攻前自己基地的政治沒有搞好，那裏談得到用七分政治去反攻大陸？賢明的政治，最起碼的條件是人才集中在政府裏。某人雖不是國民黨，但是他對國家，可能比一般國民黨員更忠實。聽話的，人人歡喜，庸才便是最聽話的；但是使人歡喜的國家的前途，就被這些庸才害了。

我們可以瞭解政府不能用對國家不忠實的人才，如×××，×××輩，但為何我們的政府不重用才氣縱橫，有骨氣，有胆量，對國家忠實如葉公超博士；十餘年來出席國際會議屢有卓越表現，且為世界各國法政界人士所敬重者如呂光博士；敢言敢行，主持公道，不怕打虎，有威武不屈，有學問，有品德，如陶百川先生這一類的人呢？又如像蔣經國將軍，一望而知是一位有大才的人，他去年來美國，華僑對他的真與誠，都感動了；為什麼政府給他的職位，都要加一個「一」字（國防最高委員會副秘書長，國防部副部長），而實際負責的却是他。他有才，不能因為他是有特殊的地位，硬把他壓下去。英美兩民主國家，在政治上父子兄弟均担任重大職務者多得很，如果因為有特殊地位，就不許他担任重要職務，就是不民主。

又中國的傳統，對長者要尊敬及在政治上要重視個人歷史，但是天下為公，應是至上，不能因為上面講的兩種美德，使政府的功能降低。當然像我們的總統，身體與精神，都非常康健與飽滿，他領導反共復國，非但是最適當的人，也是人人所擁護的人。但是也有負重要職務的人，年紀已在八十以上，且有能鍾之態；他們也太受罪了，政府也太殘忍了，而受最大損害的，還是中華民國。聽說這些老人，他們並不是因為國家有危難時，犧牲自己應享餘年之樂，而以元老身份，出負重任，而實際上是因為政府退休制度尚未建立，如一旦辭去職務，則至少住（洋房）行（汽車）立即發生問題。咳！這些傳說如確係事實，那真是太不合理了。最近美國大西洋雜誌載有一篇文章，說中華民國有一位院長，兩年半的任期，住在醫院裏，另有一位行政院的部長，一年以上的任期，也是在病牀上。真正是現代國家內不會有的新聞。

（下轉第三版）

青年黨團結運動經緯

本報台北航訊

調解方案

一、於民國五十三年十二月二日前，舉行全國代表大會。

二、由黨委會、整委會、臨全會三方面，各推定五人為全國代表大會籌備委員會委員，就有關人數、資格及產生方法等問題，作具體決定。并以三分之二多數，為開會及決議之法定人數。

前項籌備委員會以三常任主席為召集人，并輪流主持會議，但不參加表決。

三、在全國代表大會未舉行前，設立中央聯合委員會，以左列人員組織之。

甲、黨委會方面現有之中央常務委員。

乙、整委會方面現有之中央常務委員。

丙、臨全會方面現有之中央執行委員。

中央聯合委員會開會及決議，以現有三方面之每一方面出席人為一權，以得兩權者為多數。

四、中央聯合委員會設主席九人，并以三人為常任主席；共同對內綜理黨務，對外代表全黨。

五、中央聯合委員會設執行秘書三人，由三常任主席共同選派，并每三個月輪流担任秘書長；秘書長不直接對外。

六、三方面現有之中央省市縣黨部及其各種組織，暫只辦理黨內例行事務，并均停止對外活動。

此一團結方案建議書，經于復先等四人於當時向調人陳述，希望在「建議書」中明白規定關於代表人數、資格及產生方法等問題，先行商談，作成具體決定；如不能如期獲得具體決定，則已簽訂之團結方案，視為無效。

按：調人之折衷意見，經王雲五向陳啟天、余家菊等一再解說，并經陳、余二人諒解後正式簽字。

「臨時條款」

三方面沒有按照調人所提在兩週內在團結方案建議書中簽字。到二月二十八日，臨全會方面之于復先致函調人王雲五等，說：為了瞭解及相互諒解起見，提出：

一、團結方案簽訂後，三方面即各推代表五人於一個月內，就全代會之代表人數、資格及產生方法等問題，先行商談，作成決定。商談時，由代表互推一人為主席。

二、前項問題，如不能如期獲得具體決定，則已簽訂之團結方案，視為無效。

三、全國代表大會籌備委員會及中央聯合委員會於全代會代表問題獲得具體決定後，再行成立。

四、中央聯合委員會開會時，非常任主席，當然可以出席，主席當然可自行集會。

五、在中央聯合委員會成立之前，互不發表任何有關團結之消息（包括調人在內）。

（二）

周宏濤主持下的台省財政

——本報台灣中部記者熊徵宇

省財政廳長周宏濤，六月八日在省議會三屆三次大會中提出的口頭工作報告，部份刊於台灣各報。這當然是由於一天的報告單位多，所以在版面上也只能刊一兩條具有新聞性的。但是在研討省級財政措施與業務動向與策劃上，不能把台灣省經濟支柱的財政政策上的基本精神表達於公眾。

我覺得，要研討台灣省財政上的動向與策劃，必需先瞭解它透過理論所推行的作為。才能獻替可否，評判得失；才能集結公眾與政策勾畫執行者的聲應氣求發揮功能與潛力。尤其是在美援宣告停止的情況下，省級財政的每一項措施與每一個方案，都直接間接影響國家的經濟動向與基層民治政治的推行，乃至於投資經濟事業者的體認。

六項重要措施

基於這觀點，我一方面訪問周宏濤廳長，一方面根據他在省議會報告的記錄，提出幾個重要的措施，報導於本報讀者，特別是香港與東南亞南美洲的僑區讀者。

周宏濤在省議會所提出的一萬二千餘字的工作報告中，主要的內容共有六點：（一）省財政的收支調度情況；（二）對縣市財政收支的輔導；（三）稅課執行情形與稅務改革的重要措施；（四）改善省營事業的財務管理；（五）地方金融業務的管理；與（六）省有財產的管理。

籌款濟災・慎重開源

在這六個綱要中，屬於政策性的當然是前四個。而在財政收支調度上，有兩個重要的措施。第一個是五十三年度九月間所發生造成嚴重損失的「葛樂禮」風災，與本年度一月間發生的「嘉南地區震災」籌劃了一筆數字很龐大的經費，緊急達成了善後救濟和復建的工作。

這兩次災害，對於財政上的收支調度當然如同周宏濤所說「備形艱苦」。但是在「不要人民負担」的主旨上，卻打了一個滿分。

第二個重要措施是適時的停止台糖股票的售出。依照省議會在「葛樂禮風災」追加預算中，追加台糖股票售價收入為部份財源。而原列預算，以出售股票一百萬股，收入新台幣二億元為目標，但是經過相機處理的結果，於本年四月下旬出售七十四萬四千股後，售價收入已達到預算，於是周宏濤就把剩餘的股票二十五萬六千股停止出售。

我覺得他這樣做所獲得的意義乃是責任感上所表現的一種「慎重」。

改進地方補助・獎勵公共造產

對於縣市鄉鎮的財政輔助，他說五十四年度較之五十三年增加了九千餘萬，共為十五億九千四百八十七萬餘元。

周宏濤說：「為了配合促進績效預算的加強推行，今年特別把各縣市鄉鎮的輔助分配額提早完成，二月底以前就通知了各縣市，使他們及時編入預算」。

他對於分配於鄉鎮的補助款，一部份改分配於縣局，而由縣局以屠宰稅，營業稅，房捐各二成之數額，為補助鄉鎮的標準。其中屠宰稅一成，由縣統籌分配。

周宏濤說：「這種補助辦法，可以促使鄉鎮注意其自身的財源而加重其自身的責任感，較之一般性的補助更為合理，而且富於彈性」。

（上）

監察院彈錯了對象麼

胡筆

五、

陶黃意見書答覆了陳廖二推事申辯書的，也是李聲庭先生所提出的一個大問題，就是許江富和楊逢春的口供是否可信。陶黃意見書先引陳廖認為不可信的論據：「本案黃啓瑞夫婦之收受許江富楊逢春一百萬元，為全案被告所共同承認，問題僅在究係借款抑係賄款。警備總司令部，警務處刑警大隊，基隆地檢處，台北地方法院，高等法院檢察處及最高法院刑二庭，皆認為係賄款，而非借款。其證明方法，係許江富、楊逢春及陳茂林等之口供。但陳廖二推事在申辯書中認為「許江富供詞係由檢察官葉正青在警務處所獲取，其不足採信，前段已有論述」；而前段所論述者，無非為刑警在場監視，被告不敢翻供。此外陳廖二員在申辯書第十頁又強調：「查五十年四月五日與五十年六月七日之供詞，均係由同一檢察官葉正青訊問時所獲取，何以四月五日之初供於被告有利，六月七日之後供於被告不利，此中情形，甚為明顯。蓋四月五日之初供，係由檢察官於基隆地方法院檢察處正式開庭偵查，被告不受威脅；六月七日之後供係由檢察官於台北第二保警總隊所訊問，被告有所顧慮耳。彈劾委員陶百川竟捨棄正式偵查之初供，而僅採非法偵訊之後供，其取捨之間，是否合於經驗法則？」」

於是陶黃意見書加以批評：「查陳廖二員之極大錯誤，在誤認刑事警察一定刑求取供，在誤認檢察官依據警檢聯繫法規將刑事案件送請刑警大隊協助偵查，即是請求刑警大隊對被告施以刑求，在誤認檢察官在刑警大隊訊問被告，一定有刑警在場威迫。此等錯誤，原甚顯著，毋庸指陳。茲姑退一步，依照陳廖二推事之錯誤觀念，捨棄許江富、楊逢春在刑警大隊或保警總隊之全部口供，另舉許江富在警備總司令部並未有人指為刑求之最初口供。不知陳廖二員又將以何辭為黃啓瑞之瀆職及其自身之庇縱罪犯作辯護。

六、

下文是警備總司令部遊查組卷第八十八頁至九十一頁所載許江富四十九年十月八日的調查筆錄：（三）

孝道與父親節

漁翁

在倫理上至親者，莫如父母，紀念父母之有節令，是天經地義的。父親節，規定在每年六月的第三星期，母親節，則在五月的第二個星期，兩均由美國人所發起，至今有四五十年矣。

父親節之發起人，為美國杜斯德夫人，時在一九一〇年。因為杜夫人幼年喪母，賴父親撫養長成，為了紀念慈愛的父親，就選定在六月的第三個星期日為父親節，以紀念父親之劬勞。其所以選在六月間者，因六月的太陽，是最溫暖的，我們得到父親鞠育的大恩大德，正如萬物得到陽光的滋長一樣，寓意至為深長。

可是，當時響應的人，不甚踴躍。直至一九二四年，美國總統柯力芝，認為此舉宏揚孝道，值得提倡，乃頒令定是日為父親節。於是社會人士，群起慶祝，逐漸並推及世界各國，已演成一個國際性的紀念日。

父母居五倫之首，一個人由孩提而至於成人，那一段過程，父親實在是一個最主要的角色，既要做子女的撫育者，又要做子女的好導師，其一生所費的心血，不可以言語形容。尤其母親若去世得早，為父親者，復要担負母親襁抱提攜的任務。杜夫人因幼年喪母，得嚴父兼做慈親，而有此感觸，首創這一節令。

父愛之偉大，在我國典籍中，早經屢有闡釋，如詩經之蓼莪篇，有云：「父兮生我，母兮鞠我。撫我畜我，長我育我，顧我復我。欲報之德，昊天罔極」！此描寫父愛之深厚，實與母愛等量齊觀。

又孝經云：「天地之性，惟人為貴。人之行，莫大於孝。孝莫大於嚴父，嚴父莫大於配天。」此更指父親之對子女，其深恩大德，高與天齊，為人子者，飲水思源，應有此舉也。

吾人既知父德之厚之深，應思有以報答之，報答之法，不離一「孝」字。孔子論孝，主尊敬無違，在乎精神而不在乎物質，在乎內心而不在乎外表。當父在時，要事奉盡禮；死後，葬之以禮，祭之以禮。蓋孝順為齊家之本，家齊而後國治，國治而後天下平。治天下以孝，即孔子一貫之道。

時至今日，欲挽救叔季之人心，對這一節令，尤須十二萬分的重視，予以普遍推行，把孔子所詳釋的孝義，宣達於全世界每一角落，使人人能親其親，長其長，以規復我國固有之倫常道德。夫然後孝道宏揚，頹風得挽。

我所知道的麥帥

肯寧將軍原著　徐熙光翻譯

這個綽號絕不是陸軍起的，這是可以確定的事。陸軍裏有很多人還記得他第一次世界大戰時如何蔑視戰場上的危險。到這次大戰，他們都曾看到他坐在曠野的旗桿邊，無視於日機的轟炸。在太平洋區我和他相處的那三年中，我從沒見他進過防空洞。在第一次世界大戰時，他從未戴過鋼盔；到了第二次大戰，他還是依然故我。無論他在巴丹，在新幾內亞海岸，在婆羅洲和菲律賓，他總是戴那頂鑲着金邊的菲律賓元帥軍帽。

日軍對菲律賓發動攻擊時，大家就已經叫他「防空洞」了。當時我們簡直處在挨打的地位，停在地面的飛機大部份被日機炸毀，麥克阿瑟手下在菲律賓的空軍司令布里勒頓將軍，在聽到珍珠港事變的消息後，就主張轟炸日本在台灣的基地，但是麥克阿瑟沒准許他這樣做，因此我們的飛機留在地面上當日機的靶子。

還有人批評他在離開菲律賓前往澳洲時，帶走了他的妻兒和中國奶媽，卻讓許多美國護士落入日軍的掌中。又說要不是有些飛機被令用來裝載麥克阿瑟的家俱，衣物和他兒子亞瑟的玩具的話，可以有更多人可以撤退到澳洲去。

我在離開美國前往澳洲時即曾風聞這些傳說，布里勒頓將軍在他的日記裏也曾說，當他在一九四一年十一月三日初到菲律賓時，他發現空軍各單位簡直像是在和平時期那樣悠閒，一點也聞不到有戰爭的氣息。

日本在十二月八日發動攻擊，在菲律賓的空軍始倉促應戰，因為一切都沒有準備，弄得手忙腳亂，飛行員和機上的勤務人員都是臨時湊起來的，戰鬥機和轟炸機之間更談不上聯合行動，參謀作業則生疏得一場糊塗，根本不夠水準，所以一九四一年九月間我們在菲律賓的空軍，實在不敢恭維。

布里勒頓將軍平常並不和麥克阿瑟直接接觸，他總是和麥克阿瑟的參謀長蘇德蘭將軍聯繫，蘇德蘭也都是用麥克阿瑟的名義向布里勒頓下達命令。

布里勒頓所公佈的日記說：一九四一年九月八日那天，空軍在遭受日機攻擊時，所以會亂成一團，主要是因為麥克阿瑟根本在那一天就沒有好好指揮空軍作戰。在我與麥克阿瑟共事期間，我從未發現他在緊要關頭顯得毫無主張或手忙腳亂。布里勒頓說，一九四一年九月八日那天凌晨五點鐘，當他聽到珍珠港事變的消息後，立即要求蘇德蘭准許他轟炸台灣南部的高雄港，先由馬尼拉以北五十哩的克拉克空軍基地起飛十七架B十七轟炸機，再由民答那峨島南邊的德蒙第基地起飛十八架B十七，實施輪番轟炸攻擊。布里勒頓說蘇德蘭當時表示要請示麥克阿瑟以後才能作決定。

八點鐘的時候，克拉克機場上的所有轟炸機因為聽到日機來犯的消息，一律起飛，前往呂宋島附近海面暫避。這時距離布里勒頓與蘇德蘭的會談已經過去了三個小時，但是這些轟炸機還是未携帶炸彈就匆匆起飛了。

大約在上午十一點鐘的時候，布里勒頓才接到命令告訴他「轟炸任務」可以執行。於是他命令轟炸機馬上回航裝載炸彈，執行轟炸台灣西南部的任務，這些轟炸機又匆匆飛回克拉克基地加油和裝載炸彈。（二〇）

旅美三僑胞致函本報

（上接第二版）

我們這些人，雖任何政黨沒有參加，但是我們很尊敬國民黨，因為中華民國是國民黨同志，以不屈不撓，必死成仁的精神去建立的。後來軍閥禍國，民不聊生，也是國民黨領導完成北伐，統一全國。誰知日本見我日漸強盛，以武力侵略我們，但也在賢明的國民黨訓政階段內，經八年奮力之抗戰，而獲得最後勝利。雖大陸淪陷，國民黨不無責任，但共產黨之狡猾背信，及當時美國政府官員之糊塗，才造成這個局面，也是無可否認之事實。不過，近年來從台灣來的國民黨高層負責人（此地有人稱若輩為「黨棍」者），仍是官氣濃厚，還以執政黨自傲，講起話來，總是這是中央之意旨，某某之訓示等口氣，我想我們如是國民黨黨員，必以戴罪之身的態度，到國外來宣慰，才是應有之常識。

又政府派來美國考察的人員，希望至少限度能通曉相當英文，或是帶翻譯員來，否則，祇能講幾句似通非通英語的人，派到此地來考察，美國人不是譏笑他們英文講得不好，是在想：連講話工具也沒的人，如何能考察？將被他們認為我們連考察的誠意都沒有。

記者先生，上面講的話，你以為有點意義的，就請刊載，否則就請刪去。我們不要稿費，也不要你們回信致謝。最後我們對貴報言論公正，表示最高之敬意。

區芳
葉三榮　敬上
鄺鶴林
六月十四日

第十三回：惡貫難盈　巨奸逃火網
良知未泯　傑士出天羅

陳毅去日內瓦開會，轉眼就開了兩個月，這次陳毅眞是享透了艷福，對着日內瓦的大好湖山，瑞士的多情美女，眞眞是樂不思蜀。好在這種會也是馬拉松式的，隔兩日開一次，吵一場架無結果而散。西方國家代表團都感到焦急，中共代表團卻悠哉遊哉，人人都未作回去的打算。陳毅有一次在吃飯時，突然說道：「這場會能開一百年就好了。」大家聽了哄然笑起來。

龔澎笑道：「我到不希望這麼久，能開四十年也就差不多了，也許到時北京要派專機來把我的棺木運回去了。」

陳毅說道：「你知道什麼？在這裏開會，一定要增加壽數，每人都會活到一百幾十歲。四十年是不夠的。」

大家正說得高興，警衛員送上一封電報，陳毅一看面色大變，連說：「糟了，糟了，北京來電報叫我趕快回去。」

龔澎爭着問道：「是不是叫大家都回去？」

陳毅搖頭道：「叫我一個人回去。」

大家都長吁一口氣，放下了心。

陳毅恨恨說道：「會沒有開完，為什麼叫我回去。」

韋漢夫說道：「是不是國內有了重要的事，非副總理回去不可。」

陳毅說道：「國務院十幾個副總理，什麼事偏要派到我頭上，我是主管外交的，外交會議未開完，我就不走。冠華同志回封電報給總理，就說我開完了會再走。」

喬冠華明知不妥，也不敢多說，只好照他的意思拍回去一封電報。電報到了北平，引起了軒然大波。

原來調陳毅回去，完全是毛澤東的意思，毛澤東也沒有什麼事一到陳毅，只是得到報告，陳毅每天上午帶着大批美女遊山玩水，下午就去俱樂部跳舞，別墅裏邊佈置了許多密室，每間房藏了一名美女，陳毅晚上好似皇帝臨幸一樣，任意召喚。

毛澤東看了這些報告，眞是又妒又憤，一天同藍蘋談起來，說道：「我辛辛苦苦革命一輩子，打出天下卻讓陳毅去享福了。」

藍蘋冷笑道：「這叫做強將手下無弱兵，我這些年來，冷眼傍觀，你的部下最像你的就是陳毅，若不是年齡不對，眞有人會說他是你的兒子。」

毛澤東也笑起來，問道：「陳毅什麼地方像我，我到未曾留意，請你說出來。」

藍蘋說道：「第一、你們兩個都好色，一生一世專門搞女人。」

毛澤東大笑起來，說道：「這點理由不能成立，誰不好色？劉少奇、周恩來不必說，朱德在延安時，常常跑到瓦窯堡去找一個寡婦，康克清也同他打過架，你怎麼不說陳毅是他們的兒子。」

藍蘋說道：「第二點，你們兩人都好作詩，自稱自己是詩人。第三，陳毅那個大塊頭也與你相似。陳毅似別人不過一條，似你卻有三處，所以我說他像是你的兒子。」

毛澤東說道：「可是，我並未到外國去搞女人啊，陳毅居然趕過我，如何可以，一定要打電報叫他回來。」（三一九）

冒險犯難記

鄧文儀

將校長，以南門地勢不利，轉移主力，集中攻擊西門，敵夜相持激戰，天雨漸大，官兵都在臨時構築陣地中，冒雨和敵人對峙。

二十日林虎調集附近所轄黃業興、王得慶，李易標等部增援興寧，將校長指揮校軍及粵軍第一旅先行各個擊破西門外之敵軍，再令第三營於下午三時進攻西門城。興寧城相當險要，可與惠州城相伯仲，城有護城河，南、西、北三面是水，僅北門連接陸地，河流雖寬不過數丈，但因連日下雨漲水，徒涉是不可能的。

西門有一臨時架設的浮橋，橋頭敵人機關槍陣地堅固，累試攻擊，打不過去。第七連奉命涉水進攻，我所率的第二排，奉命率先過河，攻擊前進。好在我和同排弟兄，都能游水，終於克服各種困難，選擇一處水淺區域渡了河。

當我們正在奮勇渡河的時候，敵人集中火力向我們射擊，彈如雨下。我頗善於潛水，由水底幾次躍進，就到了對岸河畔竹林之下，然後集中全排，向城外狹長街道，進行巷戰。這時全連官長均已參加戰鬥，敵軍相當狡猾，在各個房屋門頂及高樓上，都埋伏有人，向我們攻擊；我們的上部，四面八方襲擊，我們不顧一切危險和困難，猛勇衝鋒，越屋穿街，前約一小時，我們就攻過二、三百家店鋪，接近城門附近，為第八連作攻城的準備。這時第七連的官兵一百多人，傷亡已是過半，我指揮的一排，因為是打先鋒，三十幾個兄弟，已有三分之二受傷，我也被屋上伏兵襲擊，傷了大腿，流血很多，自己初無感覺，祇是精神激奮，全身發熱。直到班長說排長受傷了，我才覺得有些痛楚，連長要我撤退，由担架兵把我抬起，送野戰病院。當我經過浮橋到野戰醫院途中，仍遇到兩個潰散的敵兵，他們雖有武器，但已沒有彈藥，很快就被我們俘擄。這時已近黃昏，第八連第九連攻城的砲火，十分猛烈，夜色蒼茫，砲火連天，可算是一場激戰。

當我到達野戰醫院不久，將傷口上藥包紮好之後，不到八點鐘，就聽說我軍第八連由桂永清連長率領，業已攻克興寧城，敵人大部已向城北逃去，小部份仍在城中巷戰，也有一部份繳械投降的。我們聽到這些消息，都感到十分欣幸，就是受傷的痛楚，也為之減輕不少。

一個作戰受傷的人，當他仍在戰場的時候，是可以勉強支持的，但一脫離戰場，尤其是進入野戰醫院之後，或者由於流血過多，或者因為疲勞過度，精神鬆弛下去，人就不免十分軟弱。我已經四天沒有好睡了，兩天強行軍加上兩天在泥水的陣地裏，疲乏到了極點。（廿八）

關於醒世姻緣

周燕謀

蒲松齡，字留仙，一字劍臣，別號柳泉，山東淄川人。幼穎悟絕倫。其文筆深刻，剝膚見骨，額發乎豎，恢詭魅蠱，用能絕去町畦，氣雄一時，自成一家。因屢試不第，遂絕意進取，專力於古文，奮發砥淬，與日俱新；而縱結未盡，則又搜抉奇怪，以為志異一書十六卷。此外文集四卷，詩集六卷。

醒世姻緣百回長篇說部，胡適之先生考證為留仙所著者。

此說部描寫狄希陳與薛素姐兩世姻緣的故事，原書本名「惡姻緣」，因該書凡例之後，勸將來君子，開卷便醒，乃改名之曰「醒世姻緣傳」。

該說部所寫之時代及地點，為明朝山東的明水、章邱一帶地方。語詞亦係山東諺語。據劉階平先生所蒐集者，有三種不同的版本：一為一百回的木刻本，二為一百回的石印本，三為六十回的木刻本。前二種版本均題為「醒世姻緣傳」，後者首葉題曰：「重訂明朝姻緣傳」；內容篇目與前二者同，惟缺刻後四十回之篇目。此三種版本，均題為西周生著，然藜子校定，并均有環碧主人辛丑序，及東嶺道人題記。另凡例八則。

對於著者西周生之身世年籍均無記述。僅凡例最後一條云：「本傳造句涉俚，用字多鄙，惟用東方土音從事。」因之而引起許多的猜疑和考索。

胡適之先生對醒世姻緣的考證先大胆的假設是「蒲留仙的手筆」，他的小心求證則是引據楊復吉氏「夢蘭瑣筆」內一段記載：「蒲留仙聊齋志異脫稿後百年，無人任剞劂，乾隆乙酉間，楚中浙中同時授梓。楚本為王令君某，浙本為趙太守起杲所刻。鮑以文云：『留仙尚有醒世姻緣小說，蓋實有所指，書成為其仇家所訐，至褫其衿。』」因此說部故事的撰述，和志異中江城故事情節頗有相同，且皆為記述兩世姻緣的因果。而此小說之文墨，以及山東的鄉土諺語，也和留仙的俚曲文詞多有相同之處。民國廿一年上海亞東圖書館標點鉛印之醒世姻緣傳，便加入胡適之先生長篇考證，並題作蒲留仙著。

以上為胡氏求證之據。在未求得新證之前，固不必任意妄加否定。惟醒世姻緣之傳出於蒲留仙手筆之說，亦有多人認為疑問。胡先生考據重要根據之「夢蘭瑣筆」，中所記志異刻印情形，已與事實非盡相同。鮑以文（廷博）去留仙殁世已五十餘年，在此五十年內，既未有留仙撰醒世姻緣傳的記述；則鮑氏之說亦難必信。而「夢蘭瑣筆」所記，乃為展轉傳聞，不得謂為有力證據。而遍考蒲氏遺著書目與生平事蹟，既未見有提及醒世姻緣傳的著作，更未見「西周生」之別號或筆名。

然胡先生之假設確有可信者五：（一）為「夢蘭瑣筆」所記有載。（二）故事相同。（三）諺語俚詞皆為山東方言。（四）時間吻合。（五）山東人手筆，與蒲留仙同籍。

按留仙之志異中諸故事，多有影射當時社會一切醜惡現象，而託以狐仙鬼怪精靈寄之寓言者，以隱其人實事者，此由留仙之鬱鬱不得其志的環境可得窺見。其次是鮑以文云：「留仙尚有醒世姻緣小說，蓋實有所指，書成為其仇家所訐，至褫其衿。」其「實有所指」則正是寫當代人事，「書成為其家所訐」，可見這部著作，是不能以真實姓名署名的。再則，既不敢署真實姓名，乃不能不假託一個「西周生」，在倫理上亦說得過。這些假如其可信，則「醒世姻緣」便是蒲留仙的著作無疑了。

另據大陸雜誌十七卷四期之「蒲松齡小傳」一文，張景樵先生之考證，蒲留仙著作共八十項，其中亦列有一部「醒世姻緣」小說（一百回）。張氏對蒲留仙遺著研究有年，其於大陸雜誌十一卷五期所刊「聊齋誌異原稿之研究」一文，尤為詳密。他認為「醒世姻緣」為留仙之遺著是無可置疑者。

觀海亭遠眺有感

李仲侯

勝日來遊觀海亭，中原遙睇一髮青；
八紘若晦天容慘，萬姓為犧血正腥。
寇滿西山猶北極，師陳東海舊南溟；
登臨不盡興亡感，漁笛淒涼未忍聽！

我的社會生活

少時在學校讀古文中「土崩瓦解之勢」這句話，不甚了了，這次從南京到上海，再由上海到廣州，半年之內，目擊着政治、軍事、經濟上各種內在的潰爛現象，以致士無鬥志，官多變節，民心思亂，乃深切的瞭解所謂「土崩瓦解」的實際情況。這種局勢之所以形成，固非一朝一夕的事，但在「崩解」之勢尚未完全發作、蔓延以前，主持國事者如能憬然覺悟，先天下之憂而憂，捐棄私人恩怨，一是皆以救亡圖存為前提，藉以激勵士氣，振奮人心，未始不可挽狂瀾於既倒，至少亦可望保持現狀，不使局勢繼續惡化，徐圖復興的。唐代安祿山之亂，京畿失守，皇帝出奔，而太子與郭子儀等文武大臣，和衷共濟，戮力同心，終得戡定禍亂，轉危為安。明代李自成之亂，國都淪陷，君主殉難，然大明政府尚擁着廣土眾民，大有可為，乃以黨爭、不息，朝政紊亂，擴大了「土崩瓦解」之勢，終致趨於滅亡。史證昭然，足資殷鑑。

咱們政府從民國卅八年冬間，蔣總統宣告引退，李宗仁以副總統代行元首職權之日起，一直鬧着內部權力之爭。迨南京撤守，中樞播遷到了廣州，而李宗仁還躲在桂林不肯來粵執行職務，聲言要享有充分的用人行政權力，且提出請蔣總統出國的條件。大局到了危急存亡之秋，當國者猶意氣用事，內部裂痕，且從而擴大，這那有不釀成「土崩瓦解」悲劇之理呢？當時廣州市面上對於銀元、港幣與金元券的兌換率，我仔細查詢，總知道月尾即大漲，是各機關公務員和軍隊發放薪餉的時候，大家爭着換購銀元和港幣，商人乃乘機抬高價格，大事漁利。這說明一般文武公職人員皆對大局喪失了信心，相率作逃難之計，民眾自然對政府沒有一點向心力了！

在我未到廣州之前不久，鼎鼐戴季陶先生在羊城廣州服大量安眠劑自盡了！震驚之餘，想起我於卅九年元月由南京到達上海時，在一次宴會場中聆得戴先生的談話，乃證明他早已抱有厭世觀念了。那是他剛從南京遷臨滬市之際，市府秘書長沈宗濂設宴款待，席間有人詢問戴先生是否出國遊歷一下？他答道：「我不出國，死亦要死在國內的。」當時以為他這話是鼓勵一般國民黨同志的奮鬥精神，表示以身作則的風範，絕未料想到竟是「夫子自道」啊！嗣後我到廣州聽朋友說，戴先生於自盡殉國的前一天，曾出席中央黨部紀念週致詞，激昂慷慨地呼籲本黨同志恢復民十五年的北伐精神，再從廣州打到長江、黃河流域去！從他這些言談之中，即知他之自裁并非偶然，用意在以一死來激勸後死者摒除失敗主義，努力救國。我在過去廿年間，跟戴先生很疏遠，老實說，心裏對他的作風并不十分欣佩。可是，如今見到他這種不惜一死以報國的悲壯行為後，我對他的觀感大為改變了。人莫不貪生而惡死，戴先生若不自裁，他今天在台灣還是黨國元老，受着朝野人士的尊敬無疑。即或台灣亦淪陷了，他也有機會和能力，高飛遠舉，到異域去當寓公，以終天年。他這樣有計畫的自我犧牲，無論如何比那些靦顏投降敵人，不知廉恥為何物的文武顯要如邵力子、張治中之流，人格優越多了。（六二）

基隆旅居記

仲公

六月四日，日軍進攻獅球嶺之際，李文奎急回台北，所統帶的緝私營，肆行搶庫劫餉，總統親兵隊都不敢干涉，且參加搶劫，秩序乃大亂。李文奎乘機闖入總統府，求見總統，厲聲大呼曰：「基隆既失，獅球嶺豈能保，大帥非親自到八堵督戰不可」。景崧見其來意不善，恐有意外，急將案上令箭擲下，慰撫之曰：「軍令在此，好自為之」！文奎俯首拾令箭，一舉頭，已不見唐景崧。唐退入屏風後，自念大勢已去，無法維持，乃放棄民主國金印，只帶巡撫印信，微行奔向淡水。那時是六月六日黃昏時候，乃潛入淡水德忌利士洋行，待到黑夜，由德商人導乘預約之德國輪船亞沙號，逃赴廈門。及淡水砲台探悉德國輪船載走唐景崧，德輪已出海外，不是砲擊射程所及。李文奎追蹤至淡水時，唐已遠去；因憤其誤國不忠，乃密渡廈門，欲伺隙行刺，事洩被戮。因為基隆一失，台北門戶洞開，無法立足，距今六十九年前，國人為救台而聚義組織的民主國，曇花一現，至是曲終人散。從此台灣數百萬同胞被異族統治，為牛為馬，為奴隸者達五十年。

基隆因開發的歷史太短，實談不上有什麼了不起的名勝古蹟，中國文人學士有一副古怪癖氣，無論他所居是一個偏僻縣市，或斗大山城，也要胡謅出幾個名勝口號，統名曰八景或十景、十二景，再來由一些墨客騷人，把酒題詩，傳為韻事。如果沒有這些紙上名勝，好像這地方就不夠光榮似的。基隆這地方自然也免不了這套。昔人所編就有：「雞籠積雪」，「旭岡晴關」、「獅嶺匯雲」、「八斗夕照」、「靈泉晚鐘」、「堵橋秋月」、「暖暖春水」、「社寮銀瀾」，這是算作基隆八景了。我看到文人所詠「雞籠積雪」的詩就很多，實際我在基隆住了十三年，即從未見下過一次雪，這豈不是白晝見鬼的說法嗎？

基隆雖缺少名勝，如果逢春秋佳日去八斗子或和平島觀海潮起伏，確有一番妙景。近人賴子清詠雨港觀潮，頗能形容其一二，詩曰：

「乘與雞籠縱目看，天風浩蕩夏獅寒；千層雪浪水疑立，萬疊銀波海自寬。何處中流求砥柱，仗誰此日挽狂瀾！濟川我未成舟楫，惟有扶傾一片丹」。

梁任公於割台後七年辛亥二月，應林獻堂之邀遊台灣，他在基隆懷古，填有一首西河詞云：

「沉恨地，百年歲月能記。曆劫燼闘重淵，潛蚪不起。但看東海長紅桑，蓬萊極目無際。耿長劍，誰更倚。廣泉鷺日難繫。鼓聲斷處月沉沉，浪淘故壘。返魂搓客欲重來，酬君清淚鉛水！夕陽一霎見蜃市。又罡風，吹墮千里。歎問人間何世！消寒流涕出，漢家明月，消瘦姮娥山河裏」（五一）

鹿耳春潮

南道

鹿耳門雖屬險，然在春光明媚之日，未始不可作天然佳景來看，所以康熙間高拱乾即有如下詩云：「海門推鹿耳，春光共潮來；二月青郊外，千艘白雪堆。線看沙欲斷，射擬弩齊開；獨喜西歸舶，爭隨落處回。」

又鹿耳門的夜景，也是極其佳麗的，乾隆舉人陳輝鹿耳門夜泊詩云：

「冷雨滄江上，獨舟泊海門；清歌聞戍客，短笛隱漁村。浪淘潮千頃，天空月一痕；搖搖遊子意，歸夢憶家園。」（下）

內政警台報字第〇三〇號內銷證

自由報

THE FREE NEWS

第四五六期

中華民國僑務委員會頒發
台僑新字第三二三號登記證
中華郵政台字第一二八二號執照
登記爲第一類新聞紙類
（每逢星期三、六出版）
每份港幣壹角
台灣零售價新台幣弍元
社長：雷嘯岑
督印人：黃行富
社址：香港銅鑼灣高士威道二十號四樓
20 CAUSEWAY RD 3RD FL HONG KONG
TEL. 771726　電報掛號：7191
承印者：四風印刷廠
地址：香港灣仔高士打道二二一號
台灣分社
台北市西寧南路壹[illegible]零號二樓
電話：三〇三四六
台郵撥儲金戶九二五二

越戰與自由世界的安危（下）

·曹啟文·

問題很簡單：共黨赤化世界的永久目標，肯不肯因爲得到了某種和平代價而放棄？共黨的鬥爭哲學是停止了鬥爭就停止了進化，它不能因爲得到了某種和平代價而永久放棄它那赤化全球的種種鬥爭。共產頭子所具備的個人條件，必須富於幻想，有野心，肯冒險，而又殘忍嗜殺的瘋狂之徒，才爲上選。我們遠觀有凱撒，拿破崙，大彼得，希特拉，墨索里尼，史大林，東條英機，近取有赫、毛、金日成，胡志明，卡斯特羅，蘇卡諾等。這批混世魔王，大都患有癲癇病，法國有名的精神病理學家莫羅（J. Mourau 1859）曾有一句名言：「這些傑出的人物不只是病人，而且不得不是病人！」這些瘋魔，即使是他們內部的自處，也免不了互相整肅，何能與「美帝」和平共存呢？美國的和平戰略所付出的代價，必然會超過自由世界所能負捏的能力；而蘇俄卻認爲這種代價在他赤化世界的觀點上是微乎其微。如果認爲和平戰略是一種最高智慧的表現，俾使弱者安全，強者公正，其結果，必然會適得其反，而使強者獲得「侵略的安全」，弱者卻落得被奴役的公正，實在是我們人類的悲劇！

（三）詹森總統的蕭規曹隨

甘故總統被刺逝世後，空前沉重的担子落在詹森總統肩上。有人說，美國慣例，詹森總統在大選之前祇能蕭規曹隨，看家護院，對既定政策，不宜多事更張。在民主制度上言；這是一種好的慣例。但是共產集團卻利用了這個「伐喪」的機會，猛向東南亞進軍，迫使詹氏不得不打破慣例，屢作強硬聲明：首先在去年十一月二十七日初次向國會演說，表示美國信守從越南到柏林的承諾……凡是測驗美國勇氣的人，將會發現我們勇氣的堅強；凡是覓求我們友誼的人，將會發現我們的忠實。我們將再度表現出強者使用力量時不失公正；公正者保護正義時，不失堅強。在這個戰爭勝負雙方均無所得的時代中，我們必須認識對於國家力量與國家利益的義務。我們必須同時準備關於權力的對抗與權力的限制。

該次發言，據紐約時報的批評，認爲是一種繼承而非創造。不過卻安定了那些存有和平幻想的國家。在反共產侵略行動上，卻沒有更進一步的實質表現。

次爲去年十二月十八日，詹氏曾向聯合國第十八屆大會發表一次演說：他說：「我們將更要反對在我國與在全世界的仇恨與暴力。」「美國希望看到戰爭終止，並且望其永不重來。」「美國希望繼續控制並裁減軍備。」「美國更希望大家的明智安全與和平。」這次演說，也沒有任何地方超出了甘故總統對聯合國的遺策。

再次爲今年一月八日，詹氏向國會提出其第一次國情咨文；其內容多係美國內政問題，「向貧窮進軍」，作了本篇咨文的主題，最後才說到對外政策。他的對外政策雖有十項之多，但對反共產侵略的實質問題，僅在其第十項政策之最後一項說：「最後我們必須與友邦合作，發展各種方法，使東西缺口聯結起來。倘有危險，我們則應勇於應付……。」又說「我們必須強大足以贏得任何的戰爭，同時也很聰明的避免之。」「我們既不對人侵略，也不容作侵略的對象。」「我們不願埋葬任何人，同樣也不願被任何人所埋葬。」「如果要戰，我們能戰，一如以往的戰爭一樣；但是我們禱告，不再有任何戰爭。」這祇是一些動聽的口號而已。

此外向有對赫魔的一再答復，頗爲詳明具體，且富積極性之建議，對法匪建交亦頗詞嚴義正。唯於國內外之姑息主義與和平幻想，在行動上迄未有若何有利於自由陣營之舉措，深以爲惜。

（四）越南剿共戰爭的特質

自越南剿共戰事逆轉之後，世人皆知。東南亞一旦失去了越南，正如亞洲失去了東南亞，也正如自由世界失去了亞洲，其問題是同樣嚴重。有關的軍略家政略家不得不重視越南的地位，他們擬訂了若干贏得勝利的建議，一般有識之士更就越南戰略地位與自由世界之關係，更多論列。我的觀感是，這些建議，觀點、論據、步驟、方法等等，要是對這場能勝不敗的戰爭有利，都是對的，都可以實行，都值得擁護。我不擬多所贅言，我僅就這場戰爭的特別含義提出我的管見：

（一）所謂東南亞，在地理觀點上言，當然是指亞洲東南部地區的各國，包括越南、寮國、緬甸、柬埔寨、泰國、印度尼西亞、馬來西亞及菲律賓。但在共黨的侵略計劃上，擴大到以印度、巴基斯坦、錫金、不丹、尼泊爾等國，亦爲其侵略東南亞之範圍。所以保衛越南不祇是保全東南亞，而且也是規復整個亞洲的必要措施。

（二）戰爭由何處來，就打向何處去，這是西方軍事格言。我們再不能允許有「特種避難所」，爲匪軍造成喘息機會；再不能允許有安全交通綫，爲匪軍建立運輸供應品的保險倉庫。我們要以傳統的戰爭形態來打贏這場有關生死的戰爭。

（三）一切有利於這場戰爭的力量我們都要用；一切贏得勝利的方法我們都要採行。有人顧慮到如果用了中華民國的軍隊，就會引來毛共的軍隊，這是愚蠢的幼稚思想，無怪乎有人叫越南剿共戰爭爲「不求勝利的戰爭」！當年南韓及北越戰場上，雖然沒有我們的軍隊，毛共還不是明目張膽的參戰？現在寮國戰場上亦沒有我們的軍隊，何以又在作戰中俘獲了匪軍的兩個軍官呢？敵人老辣的可怕，我們却幼稚的可怕，人類的悲劇就允許這樣演出嗎？

（四）如果我們在越南失敗，美國一退出東南亞，那將是一種什麼局面呢？亞洲有些國家很迅速的採取中立政策，甚至有些國家繼續被赤化，北非、西歐，及近東危機襲來，自由陣營將被震撼動搖。所以越南戰爭是眞正的圍堵戰役，這裏如其不能圍堵，亦綳即一瀉千里，無所底止。洋滿不爽，可成江湖，難道這種常識祇有我們才懂？

（五）越戰必須擴大：必須拔根，更必須堅定戰志，不受俄共的阻嚇。對共戰爭再不能有所退却。第二次大戰時，東方有了麥克阿瑟將軍重返巴丹，才使日本投降；西方有了艾森豪將軍開闢第二戰場，才使德意屈膝。對共戰爭，失掉的地方若不能打回去，鐵幕深垂，即不容易開闢第三戰場。這應該是我們重行考慮戰略的時候了！

不成樣子

早作準備

今日與明日

眞理報警告毛共

最近眞理報發表一篇言論，譴責毛共忘恩負義，抹煞了蘇俄對毛共援助的成就，最後眞理報提出警告說：如若毛共這樣一味反俄，則將來有困難時，就休想得到蘇俄的幫助。眞理報所說的困難，決不是指經濟困難，因爲毛共的經濟困難，前兩年已達於極點，蘇俄並未予以援助，此時所說的困難，當是指國軍反攻或者毛共與美國發生軍事衝突時，蘇俄將袖手旁觀。眞理報此時發表這項言論，一是向毛共施壓力，一是向西方表明態度。因爲在此以前，西方幾個大頭目，經常向西方國家政客、記者說，「中蘇之間雖有歧見，但是，一旦與西方發生戰爭，仍將併肩作戰。」眞理報特別說明這一點，毛共對外發生戰爭，蘇俄絕不過問。

毛共逼狗跳牆

俄共所以對毛共下了毒手，撤除保護毛共政權的核子傘，也實在是被毛共逼的太苦。首先是即將舉行的亞非國家會議，雖然蘇俄想盡方法要參加，印度代表又特別賣力拉攏，結果還是被毛共反對掉了。陳毅在籌備會議上公開發言說：「不用說中蘇之間目前有歧見，即使將來重新和好，我們也要拒絕蘇聯參加，因爲它不是亞洲國家。」另一件事是在北韓平壤召開的亞非經濟會議，毛共代表團長南漢宸公開勸告亞非國家不要接受蘇俄的援助，其動機顯然是想把蘇俄趕出亞非集團，赫魯曉夫自感到難以忍耐，非施殺手鐧不可了。

俄毛互相造謠

眞理報又發表一項消息，說毛共與南非繼續貿易。這件事當然是向非洲國家揭露毛共醜態，與南漢宸勸亞非國家不接受蘇俄援助，堪稱異曲同工。毛共看到這項消息，馬上就由新華社出頭闢謠，並且反咬一口，指蘇俄南非政府貿易。雙方你來我往，一點餘地都不留，再鬧下去，赫魯曉夫眞會宣佈取銷俄毛軍約的。

南羅交往

南斯拉夫總統狄托由蘇俄返國後，與羅共第一書記喬治烏德治約期見了一次面。狄托此時會羅共首領，到不是勸喬治烏德治走南斯拉夫路綫，而是勸告羅共要與蘇俄保持友好，所謂獨立路綫不要走得太遠。不過，狄托未必眞能勸說羅共成功，因爲目前共黨集團的分裂已不是思想主義問題，而是生活上逼得非找出路不可了。

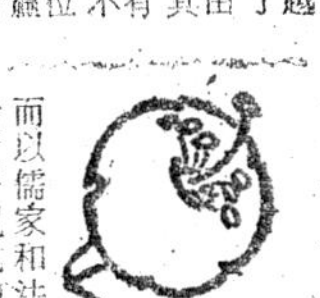

王道與霸業

馮三先生

中國固有的政治思想，大別爲王道與霸業兩類型，而以儒家和法家爲代表。前者近乎現代的民主憲政之治，後者酷似一黨專政獨裁制度，在歷史上各有成就，無可軒輊。但爲人類永久幸福設想，王道終優於霸業，這亦是歷史證明了的眞理。

法家尙嚴刻、重權威，求治甚急，注視功利而不擇手段，如管仲之相齊，商鞅、李斯之相秦，便是顯著的例證。法家用人必須不賢於己者，而以贊歎悅服，奉命唯謹之士爲幹才。這在疲玩衰頹的社會中，有如久病之後，對症試服猛藥，或許可收一時的效用，非所語於長治久安也。管仲、商鞅、李斯的相業，固然歷時短促而歸於幻滅了，即如後世創進霸業登峯造極的希特勒與史達林，其貽禍於國家民族亦更烈，史達林個人且受到鞭屍之害。

霸業何以不能持續存在呢？最大原因是用人的關係（由於法家思想之不尙賢），而以聽命贊服者爲求治之工具，自然而然地就構成統治階級予智自雄、集權獨裁的政治機能。平日既無諍臣，亦無益友，更沒有「國師」，及其弊也，在上者權力中毒，心靈漸趨腐蝕，智慧日見錮蔽；在下者阿諛逢迎，但求固位持祿，隨俗浮沉。一遇變亂，整個政權即表現着百孔千瘡，離乎爲纖的狀況，鄭人所謂「子產而死，誰其嗣之」，正足以說明霸業的本質。

王道政治的中心觀點是「仁政」，爲達到仁民愛物的政治作用，除任賢使能而外，還要聽受左右幹部的直言極諫，體察民間輿論的好惡是非，而提倡「天子有諍臣，諸侯有諍友」的政風。這種求治的方略，雖然是迂迴的，不如霸業之直切了當，但其根基結實，枝葉繁茂，雖經風雨霜雪，亦不在乎。像美國總統甘迺迪之突然被刺殞命，若在倡行極權霸道的國家如蘇俄或中國毛共政權之下，沒有不激起暴風雨式的大亂者！

所以，中國儒家創立的王道政治思想，到今日依然具有妥當性，不能視爲迂腐之談。

亞洲影展見聞別錄

捧凌波如中風狂走醜態百出
表演中國採茶舞竟伴日曲譜

（本報台北航訊）這幾天台北市內爲着舉辦亞洲影片展覽會，各國明星會萃於其間，朝野人士忙得不亦樂乎，確有「舉國若狂」的景象。因而在各項預定的節目中，如開幕典禮和「晚會」等，鬧得不成體統，有若干現象眞是令人見之生氣，聞之傷心，報紙上迭有指摘批評，認爲主持其事者應司其咎。

第一項節目是本月十五日在中山堂舉行的盛大開幕典禮，各國明星以「貴賓」身份蒞臨，凡應邀參加的本國人士，事前皆由主持其事者分別發給「貴賓」證章，憑證入座，這些「貴賓」應該都是各界男女智識份子，忝屬地主之列，在這種國際性的應酬場面中，當知遵守應有秩序，不致發生貽笑外人的行動。可是，這天到會的本國「貴賓」，乃以婦女佔着最大多數，據報紙揭載，坐在第一排「特別席次」上的，有些竟是酒家女郎，這也罷了。不料當香港影星凌波到會時，這些本國「貴賓」好像中風狂走，爭先恐後的橫衝直闖，前去包圍着凌波，高聲呼嘯，有的持着冊頁請她簽名，有的跟她談話，有的就蹬到椅子上看熱鬧，一時不特秩序大亂，而且醜態百出，使一般外國貴賓驚詫不已。當時日本的幾位明星會詢問在場的新聞記者，說大家爲甚麼對這位香港女子這樣的特別重視呢？她們表示莫名其妙。因此，開幕典禮的氣氛完全沒有一點文藝風味，跟舊時在北平市「天橋」曠地上，看江湖術士帶着一個女人表演「開腸破肚」的把戲一樣，且不及上海「大世界」羣芳廳裏歌女會唱時的文靜景況，這不是怪事情嗎？

十六日晚上在台北體育館舉行的晚會，記者亦躬預其役。各國羣星畢集，表演拿手技藝，允屬盛會，場內秩序雖較開幕典禮的情形爲佳，然當凌波出場唱黃梅調時，台下人羣呼號之聲震耳，恍若置身於美國的拳師競技，或香港的足球賽場地中，氣味太不調和了。是夕還有兩種情況令人洩氣之外，且引爲國家的羞辱。一是由咱們本國少女表演的「民族舞蹈」，一段名叫「採茶舞」者，竟伴以日本廿五年前流行的「赤燈」歌曲譜，只用中國字句唱出而已。據台北「自立晚報」指出，這曲日本歌，是由佐伯曉夫作的詞，佐佐木俊一作的曲譜，證據確鑿。當時在場聆聽的日、韓兩國明星們，相與竊竊耳語，必係感覺奇怪之至。另一段名叫「賞月舞」，是地道的台灣高山族特產技藝，決不能作全體中華民族的文化象徵，乃爲常識所能理解的事，而主持其事者竟不明此義，隨便胡來。「自立晚報」會著文抨擊，十分應該，這未免太丟國家的體面了！二是日本諸女星於表演前後，皆作簡單的致詞，她們說的一口標準的東京話，極其綽約有致，而其語意都蘊含着「國民外交」作用，漂亮大方。詎料咱們那位担任翻譯工作的人員，乃掉以輕心，祇作粗枝大葉性的譯述，把別人說得很委婉而親切動聽的原來詞旨，譯成索然無味的敷衍話了。例如有位女明星說她初次來到台灣，「的確」認識這是一個罕見的美麗地方，名不虛傳，她尤其喜歡台灣出產的香蕉和西瓜云云，然那位譯員只說成「我認爲台灣是個美麗地方，我喜歡吃此地的水菓」，糟糕極了！韓國男星郭圭錫的口技表演，在晚會中出盡了鋒頭，特別是他對於飛機上開放機槍時，一顆子彈被卡住而放射不出的聲音，維妙維肖，得未曾有。

凌波一到台北，即被一大羣的「波迷」昕夕困擾着，疲憊不堪，是夕她在晚會中唱過一曲黃梅調後，走進後台就昏倒了。台省警務處長馬上用自己的專車，伴送她赴醫院去，另有一位警察局長且隨時監護着凌波，形同保鏢，使其他各個香港和外國的男女明星，嘖嘖稱羨，不無自慚形穢之感。台灣各界人士如此這般的熱烈捧凌波，主要原因是看過她扮演「梁祝」影片中的「梁兄哥」，認爲她的演藝甚佳。若作更深一層的心理分析，乃由於她扮裝男人頗俊俏之故，還跟當年魯迅批評一般人捧梅蘭芳的心理相同，即男人以爲他是女人；女人因爲他是男人。總之不外是變態心理。記者此言并非輕率武斷，乃有一種反證可資證明的。台北有個唱紹興戲的女演員朱某，亦是女扮男裝的，據說演藝不壞（我未看過），道路傳聞，常有許多太太小姐或先生們，有的燉好雞湯送給她吃，有的購買上等衣料奉贈她使用，有的買些珍貴的補品作禮物而餽贈之。形形色色，僅次於對凌波的瘋狂狀態，這不是很好的例證嗎？若問人們爲甚末有此變態心理？這大概是由於國運艱屯，時局沉悶，人心甚感煩鬱，有機會就找刺激，不顧其他，聊以消愁解悶吧？（六月十八日海鷗於台北）

斥誹謗慣犯龔德柏

（上接第四版）

龔某是怎樣的一種人

龔某之爲人，不學無術，俚鄙險詐，無論對人對事，完全是自我中心。在他的貧咀中，全中國跟他同時代的人物，自國家元首以至各界人士，幾乎沒有一個是好人（僅有一個人他不敢罵，那就是已故報人王新命，其中原因言之醜也）。儘管你是他的師友長官或親感，儘管你對他有甚末恩德或若共過患難，他若對你稍有不快，立即反臉無情，肆行誹謗攻擊，而且作風下流，令人駭笑。例如香港的「新聞天地」雜志，長期給他發表所謂同憶錄，又斥資爲之印行專輯，對他總算很好了。但他爲着台北的「人間世」雜志被停刊事件，竟至羞無故實的血口噴人，居然造謠誹謗，除誣賴我「陰謀」摧殘該雜志外，又指「新聞天地」是「特務機關」。天性涼薄至此，寧不可驚！龔某動則散佈文字，對人亂咬亂評，罔顧廉恥，然胸無點墨，寫三五百字的文章即別字累累，須人改正，而且祇能使用一些下流俚鄙的語句，作潑婦罵街式的叫罵，却自詡爲「我的文章很精采」（見其所謂同憶錄）過去曾開胡漢民先生評論某一好舞文弄墨的政治人物，說是「你把他倒掛在樹上三天，他亦吐不出一滴墨水來的」。龔某正是這類的角色阿！他又有一種極強烈的忌刻心，見着別人的事業比他好些，他就發抒其「忌者畏人修」的劣性根，無端謾罵別人，不擇手段，雖徒自取辱，亦所弗惜。茲舉數例以明之：

（一）對日抗戰之前，吾友王公弢在南京創辦一張名叫「朝報」的小型報紙，因其內容精萃，編排新顯，發行數字超過龔某的「大同晚報」很多。於是，他就在報上指着「朝報」亂罵，說的都是些下流話。起初王氏不理他，他繼續謾罵不已，最後王氏派人警告他道：「我不屑在報上跟你從事無聊的罵戰，你若再不自愛，我就派人持着屎尿罐以相周旋。」他從此即不敢再罵「朝報」了。

（二）對日抗戰勝利復員後，張友鸞在南京發行的「南京人報」，銷路遠比龔某的「救國日報」爲多，他就在報上攻訐「南京人報」得了日本人的橫財，又接受政府的津貼，企圖毀該報的信譽，給讀者以惡劣印象。繼而「南京人報」即用第二版全版地位，紀載龔某假藉「中國陸軍總司令部」參議的頭銜，非法封收日本人的印刷器材、白報紙和房產等等詳細情形，指出他是跟某姓某名的日本人接頭的，在甚末地方談判，除房產一棟外，一共封收了若干器材和紙張，是甚末種類、有多少數量。源源本本，如數家珍，而且確鑿有據。龔某沒法抵賴，祇好吃下這支悶棍，啞口無言了。

（三）龔某最擅長的誹謗術，就是隨便誣指別人爲共產黨。他因私人恩怨（內容我很清楚），銜恨已故前任「國際研究所」主任湘人王芃生，最近在其所謂回憶錄中，亦指王氏是共黨。詎王氏有侄兒在台北，即請律師撰狀，要向法院控訴。龔某聞訊大懼，哀懇李萬居先生的親戚某君（湖南人）從中調解，再三道歉賠不是，承認原書再版時即予更正。

綜觀上述情形，可知龔某是個品性惡劣、知識譾陋，而又極不安份的冥頑之徒。譬如他當年曾以非法手段爲李宗仁張目助選，擾亂大局；逭李氏潛赴海外，從事反政府的活動時，他在台灣竟想爲李氏作桴鼓之應，偽裝狂態，居心叵測，於稠人廣衆中，公然誹謗國家元首，致遭嚴懲。後來有條件的挽請某公作保，准予假釋出獄，而劣性難移，怙惡不悛，漸漸的又恢復其搗亂誹謗的慣技，甚至散發傳單，妨害社會秩序。就民族觀點說，乃是個有害無益的敗類，從國家前途設想，實爲包藏禍心的亂民，除由國法制裁外，非加以痛斥不可！（完）

周宏濤主持下的台省財政

——本報台灣中部記者熊徵宇

他說貧瘠的鄉鎮如若按照分配所得的補助數，不能達到補助款額的話，則仍然由省府核算補足，使其收入不致減少。

而同時，五十四年度內，打算籌設公共造產基金，貸放給各縣市鄉鎮，並且設置獎助金，視各地造產的成績分別給獎，鼓勵他們從事造產。

開拓經建．發皇民治

我覺得，這些具體明確的做法，實在是把縣市局與鄉鎮的財政輔導引上了正軌，把以往消極性的輔助變爲積極意義的扶持，使自治的各級地方政府在開拓財源與財政的運用調度上，逐漸建立起自主的觀念，而從事於公共產業的發達與地方稅課的整理。

這些輔導政策，在地方政府的財源收入上是具有高度彈性的，若果造產與稅課兩者都能具有創造成績的話，地方財源必能充裕，而教育文化事業與一般業務的經費自然充實起來，於是自能達成全面性的經建事業。

而同時，這種基礎上的成果，不但是可以提供現在修訂中「財政收支劃分法」的參考，更大的功用乃在促進劃分法的頒佈。

民主政治的基礎，是建立在發達的產業上的；而民治的基層政府，必需要有自主的財源。

希望促頒財政劃分法

基於這一終極目標，我們不管財政廳目前推行的輔導政策在原則的寬度與技術的細節上，有沒有值得商榷的地方，但是這個目標和觀念是值得我們高興的。

這種具有政治意識的經濟觀念，若果將來有所成就的話，必然是地方自治上的一個新的起點。也許是周宏濤任內值得欣慰的建樹。

若果周宏濤能把這種縣局與鄉鎮試行的財政劃分，擴大爲中央與地方的財政劃分，促使擱置了十多年的「財政收支劃分法」的頒佈，那末，不僅是周宏濤個人的政績，而是在中國的自治史與財政史上幾個有份量的粗字綱目。

稅課收入增加

在稅務改革的重要措施方面，本年度如同上年時期征起的數字來比較，增收了八九七、六四八、〇〇〇元，增加比率爲百分之一六點五。

在這各項稅捐征績中，以遺產稅最優，超征百分之九十六點一。其次是契稅，超征百分之七十二點六。而營利事業所得稅與貨物印花稅等都有超收。

這超收的征績，有兩個原因。一方面，是由於本年度一般經濟的發展良好；一方面，乃是由於稅務行政上的諸種改革。

稅務行政研究小組在台中市稅捐處所進行的實驗還可以適應目前的需要。

普查房屋．防止新欠

舉辦房屋稅籍的普查與加強防止新欠稅的措施，也是增加本年度稅收的因素。

房屋普查的結果，增加了房屋一三〇、八四七棟，增加率爲百分之一〇點七。除三萬一千四百七十九棟免稅房屋以外，各縣市的房稅增加收入，約爲六一、〇四〇、一〇〇元。

本年度征起歷年累積的欠稅，達一億八千四百餘萬。還有四億七千一百多元。滯納的新欠本年度已較前減少，到四月底止，十個月的新欠是一三六、三七〇、八九〇三。這數字，與在同時期內征起的欠稅一億八千四百餘萬元抵算，淨減欠稅額四千八百餘萬。

在稅政上最困難的防止欠稅工作，有這樣的成效已經是很不容易的了。

稅務風氣．漸趨清

周宏濤對我說：「清理舊欠，不過是一種消極的措施，防止新欠才是眞正的正本清源的辦法。我們防止新欠的準備，在於注意開征以前清查稅籍；核稅時務求公平確實；考慮延長各項稅捐的催征期限；同時，代爲經收稅款解庫；這些方面着手。」（中）

台南市沉沙池案

又有了新的文章
吳森傳說有人恫嚇他

（本報記者謝君穎台南航訊）曾經鬧得滿城風雨的台南市沉沙池案，一方面既已由地檢處進行調查，再方面葉市長也已下令，不許在沉沙池倒垃圾，並發表談話要「請專家研究，愼重處理」；同時市議會也不再堅持放租原案了。但十九家廠商，既然花了不少的錢，怎肯善罷干休？於是，便有人出而倡議「環境衛生」之說，是：「沉沙池填平固然影響排水問題，直接影響市民生命財產的安全，但沉沙池不填平，全環境不衛生，也直接影響市民的健康；而且有礙觀瞻，是繁榮觀光事業的障礙」。據說，目前就是在「環境衛生」題目上做文章。

又，台南市西區藥王里，本月十七日召開民里大會，討論到颱風季節將臨，促請有關當局解決排水問題時，吳森傳的發言最受重視，他說：「爲了向有關當局上請願書，傳達西區三十三個里的市民對沉沙池案的意見，也是爲全台南市市民的生命財產安全而不得不然，是大公無私的事情。但却有人說我「挑撥是非」，要「用武力對付」我。如果爲這件事我犧牲了，我感覺很光榮，我不怕武力」。又說：「我堅決主張，沉沙池不可填平放租，一定要迅速解決排水系統的完整，並每年定期把沉沙清理一次。」「從五月初旬以來，每天都發現沉沙池倒下一大堆垃圾和泥土，像這樣填下去，兩月以後，沉沙池就填平了。」「葉市長既然下令不許倒垃圾，請市府派駐衛警專門看守，一發現倒垃圾和泥土的人，一概要仔細追究」。

監察院彈錯了對象麼

胡笙

問：（提示查獲許江富編號一，總分類賬）請你看這本在你家查獲的總分類帳第一二八頁，四十八年一月二十八日「公司去八十萬元」，是什麼意思？

答：（接閱後答）這一筆四十八年一月二十八日公司去八十萬元，就是送給台北市市民住宅興建委員會兼主任委員黃啓瑞先生的錢。如果寫黃啓瑞是不好看，所以寫「公司去」三字代表。「去」字是表示支付的意思。

問：（提示查獲的許江富編號九，分類賬）請你看這本賬第五頁所記四十八年一月二十八日兩筆「公司去」八十萬和二十萬元，是什麼意思？

答：（接閱後答）本賬所記列入「招待」科目的四十八年一月二十八日「公司去」八十萬元，就是總分類賬內第一二八頁的那筆；另同日「公司去」二十萬元，也是由我送給黃啓瑞的。

問：你爲什麼送錢給黃啓瑞呢？

答：因爲我與台北市市民住宅興建委員會訂約合作營建第一批市民住宅工程，同時希望能繼續承做該會的工程，該興建委員會主任委員是由黃啓瑞市長兼的。

問：第一批市民住宅是何時與該興建委員會訂約的？

答：是四十七年十一月二十二日與該興建委員會訂約的。

問：以後究竟有無繼續承做興建會的工程呢？

答：以後，於四十八年十月二十四日繼續與台北市市民興建會訂約合作營建國民勞工住宅四百多棟工程。

問：這四百多棟國民勞工住宅工程費若干？

答：新台幣貳千貳百多萬元。

問：第一批市民住宅和四百多棟工住宅都是你獨力承包的嗎？

答：是我和楊逢春二人合股承包的。

問：你送錢給黃啓瑞之前是如何商談的？

答：是四十八年元月間某日（詳確日期忘記），我和楊逢春兩人因市民住宅事宜到本市徐州路黃市長公館時，黃市長太太向我們說，黃市長因競選台北市長時欠賬一百餘萬元尚未還清，黃市長擬賣土地還賬。我和楊逢春表示說，我們設法幫忙，並先由承包之市民住宅工程欵內送一部份給黃市長還賬。

問：你們表示這意思後黃啓瑞太太如何說呢？

答：黃市長太太表示說那很謝謝你們，請先籌一百萬拿來還債。

問：當時黃市長在場否？

答：當時黃市長不在家。

問：以後這筆錢是如何送的？

答：我於四十八年一月二十八日開的華南銀行萬華分行八十萬元支票一紙及土地銀行支票一紙（一張八萬元，一張十二萬元）。同時遵照黃太太的意思，向各該行交換台銀支票（俗稱本票）二十萬元和十萬元的支票共七張，送到徐州路市長公館交由黃市長太太親收下的。（四）

我所知道的麥帥

肯寧將軍原著　徐熙光翻譯

大約十二點十五分的時候，突如其來的飛到了大約一百餘架日本轟炸機和戰鬥機，對克拉克基地大事攻擊，機場的所有十七架B十七轟炸機和十六架戰鬥機，悉數被炸毀，這些飛機在日機飛臨克拉克基地上空時，都靜靜地停放在機坪或跑道上挨打。

一九四三年裏有一天，我們在新幾內亞時，我問麥克阿瑟爲什麼他當時那麼慢才決定轟炸台灣。他說那是他第一次聽到作這樣的建議，他說當時他就想如果這項請示呈到他那裏的話，他不會加以批准的，因爲他說他不認爲僅派十幾架飛機在拂曉攻擊台灣有什麼意義，因爲那邊至少有成百架日機在等着他們。再說，當時我們對日本空軍基地的確實位置也不清楚。他所講的這些理由我不得不予以承認。

蘇德蘭在澳洲時曾告訴我，那次之所以會在克拉克機場損失那麼多B十七轟炸機，錯在布里勒頓，因爲他在幾天前就曾令布里勒頓將所有B十七轟炸機撤往民答那峨的德蒙第機場，以免遭受日機的攻擊。但是布里勒頓則說蘇德蘭在十二月五日，即攻擊的前三天，只命令他將克拉克基地半數的轟炸機撤往德蒙第機場。

我認爲不管蘇德蘭是命令全部轟炸機，還是半數轟炸機撤往德蒙第，都與整個事情沒有太大關係。菲律賓總共只有克拉克和德蒙第這兩個機場可供B十七轟炸機起落，克拉克基地的設備較好，油料，炸彈和軍火的儲存量很多，又有地面部隊担任警戒，防止敵人的暗中破壞，此外還設有警報系統。但是如果所有三十五架B十七轟炸機和大約五十架戰鬥機都進駐克拉克機場的話，似嫌擁擠，雖然德蒙第機場不好，談不上設備，更沒有警報系統和地面部隊担任衞戍任務，以防敵人間諜的破壞，而且德蒙第遠在馬尼拉以南五百哩，正好是全載重的B十七轟炸機攻擊航程的半徑。但是疏散克拉克基地上的一半飛機到德蒙第去，仍是明智的決定，事實上也不得不如此。

無論如何，如果所有卅五架B十七都駐在德蒙第，在聽到珍珠港事變的消息後，無疑的，這些飛機大部分甚至全部仍要被調回克拉克，以便在必要時，採取某種攻擊行動。就算十二月八日那天，麥克阿瑟總部的決定稍嫌遲緩和紊亂，但是B十七在返回克拉克加油和裝載炸彈時，機場上空因爲未派戰鬥機担任警戒，所發生的結果還是會一樣的。不管是誰應該負此一損失的後果責任，我同情那些經驗不夠，訓練不良，臨時拼湊成機隊的飛行員們。低度效能的參謀聯合作業和日本空軍的優勢，使得他們未經交鋒就敗下陣來。（廿一）

美國大選小記

趙浩生

高華德在共和黨加州初選中獲勝並非偶然，他在加州的競選總指揮，是曾任參院共和黨領袖的諾蘭，此外在一羣忠心耿耿爲他服務的工作者之中，還有一位姓尼克遜的老太太。當人們發現這位志願參加工作的老人，就是尼克遜副總統的高堂老母時，有也建議在初選前夕，請她在電視中出現，向高華德獻花，必可發生無比的宣傳作用；但當此一計劃傳到紐約時，尼克遜立刻買了一張飛機票，把老太太接到紐約「度假」，母子二人在敍家常，看世界博覽會之外，必有一番政治辯論。

高華德在加州初選中獲勝後，共和黨中「停止高華德」的口號慢慢變成了行動。但由於距共和黨全國大會開幕之日只有一個月，很多人認爲好像法國酗酒美人的將軍，在馬奇諾防線被突破，巴黎陷落之後才大談其戰略計劃一樣，爲時已晚。

在「停止高華德」的活動中，尼克遜曾鼓勵米契根州長羅慕尼起義反高；但別人指出，這是尼克遜使用「魚蚌相爭漁翁得利」的戰術。高華德聞訊則以諷刺的口吻說：「尼克遜的作風越來越像史塔森。」史塔森在共和黨中，是一位無選不競，無競不敗的人物。

共和黨中反高華德派，始終寄望於賓州州長史柯蘭敦，但史氏在過去數月中，對參加競選事欲說還休遲遲不決的作風，被人稱之爲政治的漢姆雷特。在加州初選中被高華德擊敗，急欲報復的羅克非列，對史氏的作風尤感不耐，某次看完史氏在電視中招待記者的節目後對人說，史氏態度模糊，予人以「但聞其聲不見其人」的感覺。

蹉跎數月的史柯蘭敦，終於在上週召集家人及至友舉行決策會議，聽取他們的意見，會議三小時，史氏一言未發。在大家說完之後，他披衣而起，向在座的人宣佈：「時候不多，說幹就幹！」此言已被爲史氏寫演說稿的人記錄下來，作爲歷史資料。史氏的演說一向以言簡意賅著稱，他會將自己的政見歸納成三句話：「對民權法，我是一個自由主義者；對國家支出政策，我是一個保守主義者；對外交問題，我是一個國際主義者。」

史柯蘭敦宣佈參加競選後，羅克非列宣佈退出，並決定以全力支持史氏的「停止高華德」運動。洛氏這種提得起放得下的氣慨，贏得了輿論界的一致讚美。某記者問他這次失敗跟他的離婚再娶有無關係，他說：「我並沒有看出來。」另一位女記者問他，他是不是敗於女選民之手，他笑着說：「從她們反對我的情況看，我不能不承認是被女選民打敗了。」

高華德雖在共和黨初選中節節勝利，但其樹敵之多，遭受黨內外，國內外，保守，自由，共產主義者的抨擊之烈，恐怕只有已故的參議員麥加錫可以與之相比。共和黨人說他將給黨帶來萬劫不復的厄運；哈佛大學某教授預言，倘若高華德當選總統，哈佛的教授們必將奔入防空洞中逃命；蘇聯報紙說他是一個「吃人穴居的野人」，將他和中共一同歸入提倡核子大戰的「戰爭販子」；英國的「新政治家」漫畫，把他描繪成一個手持氫彈的「自由神」；法國左翼雜誌，刊出一張史大林手持「請投高華德一票」競選標語的大漫畫。高華德對這些攻擊的回答是：「我不相信任何一個人可以毀滅共和黨，更不相信任何一個人可以毀滅美國。除非歐洲國家恐懼美國無條件援歐政策將從此結束，否則他們絕不會對一個美國人物的活動如此關心！」

高華德會呼籲共和黨人不要把他當作攻擊目標，而應集中火力對付民主黨。有人預料，在下月共和黨全國大會中，高史二人在一場惡戰之後，結果或以高任總統候選人，史任副總統候選人結束。這是一個理想的大團圓收場。此種歡樂心情和某大學民主黨的男黨員，公開徵求共和黨的女黨員共組「第三黨」一般有趣。（紐約航訊）

瘟君續夢

第十三回：惡言難啓　良知未泯　巨奸逃火網　傑士出天羅

毛澤東說過，就令田家英打電話給周恩來，催陳毅趕快回來。周恩來不明究竟，電報照發出去，接到陳毅回電之後，就捧去見毛澤東。

毛澤東一見陳毅竟然拒命不歸，不由得怒火上升，當時冷笑一聲向周恩來說道：「陳毅大概是不想回來了，他也許是想學張國燾，投向美國或國民黨了。」

周恩來聽到這話不善，不能再含糊答應。當時陪笑說道：「他只是好吃貪玩，對黨的忠誠到是沒有問題的。」

毛澤東說道：「你去電報告訴陳毅，他接到電報即日動身回來，開會的事，交給章漢夫。假若他再推三阻四，就叫他不必回來了，美國台灣隨便他去。」

周恩來連聲答應，回去發一通緊急電報給陳毅，限即日回國。不過，周恩來到不敢把毛澤東的話全部講出去，恐怕陳毅一驚，眞的投奔自由，事情就不得了。當時在電報中却兜了一個圈子，要陳毅回來時，經過莫斯科與蘇聯領導人商量一下日內瓦會議的對策。

陳毅接到電報，不敢再拖延，當時把代表團全體團員找來，把電報交給大家看了一遍，說道：「毛主席同周總理要我去莫斯科同赫老商談日內瓦會議的對策，其實北京這麼多人，派誰去不好，何必又點到我的頭上，一個人要是太有本領了，眞眞多招許多麻煩。」

龔澎笑道：「你走了，這批女孩子怎麼辦，是不是也遣散了。」

陳毅沉吟一下，說道：「說不定短期我還會回來，如若一個月不回來，每人再發一筆錢遣散，千萬要她們留下詳細地址，下次來日內瓦開會再找他們。」

章漢夫問道：「你走過之後，這邊會議怎麼進行。」

陳毅說道：「我們的立場已定，你開會時就把我過去發言底稿拿出來再唸一遍就成了。」

陳毅交待清楚，動身去莫斯科，蘇聯外長葛羅米柯在機場歡迎，送到招待所住下，北越總理范文同已先在，兩人見面十分高興。范文同問道：「瑞士情況怎麼樣？」

陳毅說道：「你是問的那一方面？」

范文同說道：「我問的當然是政治經濟各方面。」

陳毅搖頭道：「這些事我全不知道。」

范文同奇怪道：「你知道什麼呢？」

陳毅說道：「我只知道瑞士女孩子又漂亮，又溫柔，最難得的是又便宜。」

范文同頓時哈哈大笑起來。

陳毅問道：「你笑什麼？是不是笑我不正經。」

范文同止住笑聲，說道：「一個出的共產黨人，那裏會有正經的，我只是笑你未見過世面，難爲你也在法國留過學，怎麼不記得巴黎的女孩子，豈是瑞士女孩子所能比得上。」

陳毅涎着臉笑道：「你知道我去法國留學，實際上是去作工，一句法文也不會說，再加上沒有錢，那有機會去玩？有一天再能去巴黎，可眞要痛痛快快玩一塲了。」（三二〇）

斥誹謗慣犯龔德柏

雷嘯岑

常見生性下賤，而以秘密賣淫營生的私娼，對着社會大衆，總是裝成貞女節婦的姿態，逢人七嘴八舌，指說東家的小姐品行不端，西家的少奶奶有虧婦道。用意在要掩飾自身的醜惡行爲，欺世人以無知。最近我在本報譔述個人的社會生活史事，談到卅餘年前服務內政部的一些事情，乃有聲名狼藉、品性卑劣、曾因公然詆毀國家元首而被處重刑有案的誹謗慣犯龔德柏，本其「私娼」式的觀念，撥拾下流無賴的字句（莊正說理的文字，他是寫不出的。），在台北散發傳單，指我「謊言欺世，無恥之尤」，又捏造若干口實是非，對我肆行人身攻擊。許多朋友見着，皆勸我不必理會這種無聊的揭帖，是是非非，社會人士自有公正的辨認和評判，決非某一個人的好惡毀譽所能影響的。還有一位台灣讀者劉成韶先生，寫信規勸我不但一哂置之，且教我「過些時候順便在『我的社會生活』欄內，不妨把龔某讚美一番」，劉先生認爲「龔某這種作法，只是屬於暗地裏的含射，也不値得辯駁」。朋友們的意見都很好，我本來應該接受的。可是，再三思量的結果，認爲昔賢所謂「犯而不校」的義理，只可用以對待正人君子，像龔某這類一生「以訐爲直」、毫無理性的無賴之徒，平日罵盡世人，罔知忌憚，若不予以指斥，而揭破他的「畫皮」面貌，使世人認識其魑魅罔兩的原形，他便以爲天下人都怕了他，更要逞其「私娼」式的嘴臉，逢人亂咬亂訐，殊非維護社會善良風俗之道。試看他把我所寫「我的社會生活」題目亦改作「我的社會關係」，弄成不通的詞句，即可想見其胡扯瞎鬧之一斑了。因此，我不能嘿爾而息。

關於內政部的事情

我於民國十八年秋間奉內政部長趙戴文派爲首席參事。十九年初，內政部長山西人楊兆泰，政務次長樊象離告假回晉（因閻馮在北方進行反中央運動）而原已任命的常務次長王俊（粵籍軍人）始終未就職，臨行以部令派我兼代常務次長，維持現狀，旋奉行政院指令，在部長與政務次長告假期間，由我代行日常部務。這些事實都有檔卷可以查考的。唯龔某此時尚未以「走私」方法混入內政部，僭竊參事職位，（因爲他只是舊制初中畢業生，又未曾幹過一天的行政工作，依法根本就沒有充任簡任官的資格）他根本不知道這些政況。他所不知的事，便認爲是假的，他亦可以把假事肯定地說成是眞的，這原是他平日對人亂咬亂訐、或自吹自擂的慣技，不足爲奇。譬如我奉趙部長派任爲首席參事時，政局安定，并無異狀，當時內政部參事共有四人，除我以外，有杜星南（山西人）牛某（山西定襄縣人，名字記不起了，內政部有卷冊可查。）劉師舜等，而龔某竟說是「在你之前受任參事的，都已去職，你既是第一個參事，就是首席，無須任命。」這不是白晝見鬼的囈語嗎？

東北關人劉尚清先生受任爲內政部長，是在民國十九年夏間張學良通電擁護中央，率奉軍入關平亂之前，也就是在是年四月張我華（內政部常務次長兼代行部務）帶同龔某混進內政部僭竊參事職位之後（劉的前任是鈕永建）。內政部爲處務方便計，曾設置有「電影審查委員會」、「逆產清理委員會」與「政治剿共委員會」這些不對外行文的工作單位，我是這三個委員會的委員之一，而龔某皆不預焉。當然莫名其妙。劉部長爲要從速清理那積壓很久的逆產案件，指派我爲該委員會主委，負責處理，具報核辦，這亦有檔案可稽。然龔某乃敢武斷的說「完全沒有這回事」，胆大荒謬，有如此者。他又胡說劉部長是十九年一月接任，同年六月卅日請假離職的（劉部長是奉命出任皖省主席繼去職的，時在廿年春間）。他如此顚倒是非，否認劉部長的政績，除却志在掩蓋其乘內戰機會，跟着張我華混入內政部這項不榮譽的勾當外，尙有一段不可告人的醜事，即他在十九年七月某日的部務會議席上，因出言不愼，被劉部長當衆嚴詞申斥，無地自容。這幕悲喜劇，當時出席的次長、司長、參事和秘書們，皆親見其始末，我迄今記憶猶新，歷歷如繪，經過情形如次：

當部務會議進行中，龔某個人提議：時屆炎夏，本部每天下午應該停止辦公云云。劉部長和顏答道：蔣總司令和國軍的將士們，且冒着暑熱在前綫作戰，咱們坐在後方的大廈裏辦公，就認爲受不了，要休息半天，未免說不過去。詎龔某本其魯莽頑劣的天性，又急起大聲說道：「部長看到報紙上刊載一項新聞嗎？昨天下午南京市內有個黃包車伕，因爲天熱拉車而昏死在馬路上了！」劉部長不等他繼續發言，即厲色向着他說道：「像這種不成材的人，多熱死幾個亦好！」當時全場人士爲之愕然，都以爲龔某素性浮燥，受此公開的辱罵，必然有所抗辯，至少亦將佛然退席，否則太丟人了！然而，他在這類情況之下，涵養工夫却特別深，只見其泰然自若，乖乖地坐下，噤不出聲了。

散會之後，劉部長立即喚我到部長室，說道：「剛纔我在部務會議中對龔參事所說的話，似乎過份了一點。你告訴他，我們東北人對他多有好感，因爲他寫過一本關於張雨帥（作霖）皇姑屯被炸事件的小冊子，替雨帥洗刷了親日派的惡名。」我回到參事室，仍見龔某神色安詳，好像沒有被長官辱罵那回事，覺得此人太無羞惡之心，也就未將劉部長之言轉告他，祇悄悄地告訴了同寅黃參事一中（黃克強先生次子，是鈕部長任內到部任職的），相與拊掌大笑。這便是龔某至今對劉尙清先生不滿的隱情，而其無聊透頂的品質，亦可概見矣。

關於「自由人」與「自由報」的事情

最足以顯示龔某下流無賴的本性，而極盡當面造謠之能事者，莫過於他指說我藉「自由人」名義，曾經「貪污」了行政院的港幣三千元，因「自由人」不久亦停刊。（實則自由人停刊乃在此事發生兩年以後），又說我藉「自由報」曾向台灣省主席周至柔要錢，周主席不給，就向省府借紙廿噸，數年不還。他居然以己之心度人，不特砌詞捏誣，僞造欵項數字，却說爲「眞憑實據」。做人做到這般無賴程度，眞教別人沒法形容了！這些事情行政院和台灣中興紙業公司皆有案可稽，若干關係人亦健在，可以質證，豈是龔某一下流的臭嘴所能淆亂是非的嗎？

香港「自由人」半周刊創辦伊始的一二年間，行政院基於贊助海外反共文化事業的必要，每月撥助港幣兩千元。最初的主編人是成舍我，次爲劉百閔，再次是我，最後是陳克文。當我接受主編任務時，行政院每月的協濟欵項已經停止了，而報社收支不能平衡，每月不敷在兩千元以上，幸賴友人吳開先、王新衡二兄幫忙，分向香港的工商企業界募捐贊助，而每月的印刷費即在香港時報的東南印務社記帳，這纔勉強維持下去。大約是民國四十一年間，青年黨在台灣發生了內部糾紛，行政院陳院長擬請旅港的青年黨領袖左舜生、李璜來台調解，曾經滙寄港幣兩千元，交由香港時報轉給左、李二先生作旅費。但左、李不願赴台，旅費亦拒收，這筆欵始終存在香港時報，行政院亦未索回。到了四十二年秋，「自由人」經費越更困難，連每期所用的白報紙，亦以積欠紙欵過多，紙商不肯賒售了。我想及行政院存在時報這筆錢，似不妨暫行挪用濟急，這時候時報社長許孝炎君在台灣公幹，社務由我代理的，我乃寫條子交經理部，把這兩千元暫借作「自由人」的開支，準備將來再請行政院核銷。越四十三年二月，國民代表第二次大會召開，我已到達台北，一日接時報許社長函告，行政院電囑將舊存報社的兩千元港幣，即送交國大代表左舜生作旅費。許君謂欵已由時報墊付，如何歸還，盼我設法處理。我想行政院過去接濟過「自由人」的經費不少，如今「自由人」欠下這兩千元的債，亦是行政院的，祇有仍向這方面設法之一途，即面謁陳院長攄述前情，他教我用「自由人」名義寫一簽呈，以憑核辦。這時我已辭去主編職務了，但這件事是我的責任，不能諉卸，乃以「前自由人主編」的職銜，簽請核銷，旋由政院直接滙還時報的欵兩千元，總了却這椿公案。這便是龔某指說我的「貪污」行爲，而且把二千元亂說成三千元哩！如果這就是貪污，那末，你龔某當年在南京搞「大同晚報」時，每月接受某軍閥的津貼，又算是甚末行爲呢？

我與前任台省主席周至柔先生素昧生平，只在三年前參加陽明山第二次會談時，隨同全體預會人士到台中參觀的應酬場合中，纔初次見過他一面，嗣後亦無來往。這說明我絕無藉自由報名義向周主席要錢的資格和理由，祇有像龔某這類無賴之徒，纔可能幹此勾當，因爲他曾經以「抗日專家」身份，而私向投降的敵寇日本人勒索大量印刷器材、白報紙和房產，在南京辦其所謂救國日報也。周先生現在台北，儘可詢問，以明是非。前年秋間我在台北時，曾向中興紙業公司以分期付欵方法，訂購白報紙廿噸，第一期即付了現金五萬元，另由本報台北分社主任張執中出具二三兩期的銀行支票，交給紙業公司，這是名正言順的商業行爲，能扯得上「貪污」字句嗎？龔某最近窮極無聊，妙想天開，竟藉口民國卅八年政府在南京配給他那「救國日報」的白報紙，尚有若干噸未領到，親自登門，要求前任中央宣傳部長某公出來作證，（自然被拒絕了），以便向執政黨索取這項失了時效的政府津貼財物。若說我以分期付欵方法購紙是貪污行爲，那你這種死不要臉的覆空敲詐，難道就是廉潔之風？這是有恥却是無恥呢？自己滿身都是污臭齷齪氣味，却說別人不乾淨，可鄙的私娼心情，可恥的無賴嘴臉啊！

關於我的家事

凡屬稍有人性與理性的人，決不隨便指摘批判別人的家庭私事，所謂「淸官難斷家務事」是也。唯有龔某獸性十足，每以造謠當事人身攻擊爲快意。從行憲的國民代表第一次在南京開大會時，龔某爲着替李宗仁出力助選副總統，曾以匿名信作社論，刊在他的「救國日報」上，對當時競選副總統的孫科先生，捏造許多不堪入目的污穢陰私事情攻訐孫氏夫婦，并且辱及孫氏的先人，以致激起粵省國大代表全體公憤，把「救國日報」搗毀了。此乃全國週知的事實。這證明他今日攻訐我的家庭私事，說我夫婦虐待前妻所生的兒子，乃係他固有的獸性表現，可謂人頭畜鳴也已。

我祇有一個兒子，誕生八個月後，他的生母吳氏即以神經分裂症逝世了。迨撫育到一歲多，我在重慶續娶李氏，即由李氏暨家慈秦太夫人撫育護持，鍾愛重視，到十五歲在渝市南開中學讀二年級時，共匪已佔據巴蜀半年了，而余妻與兒女們尚住在重慶原家。此時我違難海隅，于役「香港時報」，聞共匪管制民衆尚不嚴密，急函余妻攜兒女們逃來香港。但她未曾到過粵境，人地生疏，不敢多帶人口和行李，乃將其親生的次女兒送交上海親戚沈家撫養（現已改姓沈了。），只帶着我這個前妻所生的兒子，和她自己親生的長女，投奔到香港來，蓋以我只有此兒，若不帶他出來，怕我懷疑她有兩樣心腸也。假使她眞有虐待非其所生的孩兒之心，那她就不致於棄置親生的女兒於大陸，很可以將成童的男孩留在重慶讀書，亦有充足理由可資解說的。

兒子來到香港後，先入「知行中學」修滿初中課程，繼入「培正中學」高中部，成績不壞，我很欣慰。迨四十三年三月，我正在台北出席國民大會，忽接香港急電，謂：「子突患神經病，在「自由人」報社樓上，吞服「來蘇兒」藥水自殺等語。我急忙回港，見其神情頹喪，而言詞并不狂妄，只說是許多同學都看不起他。我觀此狀況，原係跟他的生母當年發病時的情形一模一樣，斷定爲「神經分裂症」，即送「香港政府設的精神病院」醫療，經過半月的電療後，精神已告正常，我大喜，但不久又發作了。如此循環往復，或癒或否，繼續在醫院進出一年以上，依然如故。朋友們主張等他精神正常時，送到台灣讀書，易地療養，或許可望完全復元。我乃教他投考台大（那年台灣各大學在港招生時，他恰好未發病。），幸被取錄，即入台大農業工程系。最初一學期很好，他常常寫些散文投到「香港時報」副刊上發表，中有一篇「憶外婆」的文稿，很受編者激賞，藝曾對我大事誇獎，我亦很自愉快。不料過了兩個月，神經又告錯亂，僑委會馬上派人照料，送入台大醫院精神病科，住院醫了一年，尙未痊可，而台大照章將他除名了。於是，我又請求教育部改派他入「師大」英語系，意在使他不修數理化學，以免多用腦力。從此以後，病狀時癒時發，羣醫束手，僑委會爲他花了不少的醫藥費，且特派一反共義士招呼他，如此者兩年有餘，而「師大」又照章開除他的學籍了。有人說，此病祇有送到美國去醫，或者可能醫好，但我無此財力，他既已喪失「僑生」資格，亦就不能再求僑委會幫忙了。乃由我的一個堂兄弟就近監護（他住家台北板橋），先送病人住在台北松山療養院，旋以台中的省立精神病院設備較好，改送他到台中去住院療養，我每月給以零用錢肆百元，迄今尙未出院。龔某不願事實，捏指我與內人「虐待」前妻的兒子，這不是放狗屁，狗放屁，放狗屁呢？

（下轉第二版）

內[illegible]台報字第〇三〇號內銷證

自由報

THE FREE NEWS

第四五七期

中華民國僑務委員會[illegible]
台[illegible]新字第三二三號登記證
中華郵政台字第一二八二號執照
登記爲第一類新聞紙類
（本週刊每星期三、六出版）
每份港幣壹角
台灣零售價新台幣弍元
社長：雷嘯岑
督印人：黃行寬
社址：香港銅鑼灣高士威道二十號四樓
20 CAUSEWAY RD 3RD FL HONG KONG
TEL. 771726　電報掛號：7191
承印者：四風印刷廠
總社：香港灣仔高士打道二二一號
台灣分社
台北市西寧南路[illegible]二樓
電話：三〇五四六
台郵撥儲金戶九二五二

一路哭何如一家笑
——台省公路局決策掉輕心

耿言誠

談到自由中國，有很多事使人非常興奮，但也有些事使人氣憤，更有的事使人興起「廟堂大計，出自兒戲」的感覺。前二者不談，我們現在要談最後一類中的一件事：台省公路局對一條馬路拓寬的決定。

自台灣光復，隨着大陸沉淪以後，本省人口驟然增多，以迄今日，已過千萬之數。隨着這個問題，自然要引起的問題就是住的問題與行的問題。關於住的問題，也就是房屋建築問題，我們暫且拋開不談。我們只談行的問題。不錯，台省的交通，便利甲全國，這固然是由於日本遺留下的基礎良好，其次也是由於聚全國人力財力的慘澹經營之故。至於公路方面，公路局的功績，自然也不可抹煞。不過功績固多，但不當人意者亦復不少，春秋責備賢者，我們並不是與公路局過不去，而是要他們對事件的處理，決策的製定，不要掉以輕心，而造成一路哭只有一家笑的悲慘事實與景象。實例，就是從台北公館到新店一條公路拓寬的決策與執行。

住在台北的人，誰都知道羅斯福路是四綫馬路，然而一到公館，立刻就成了兩綫馬路，各種車輛再加行人，立刻便顯得擁擠起來，改善此一交通，實爲老早以來的當務之急。關於這方面的決定方案，據筆者所知，原來有三個，而今所輕心決定的則不是這三個中的任何一個，同時也可以說是糊塗而害人最多，只中意了一兩個人的一個。

原來的三個計劃；第一個是就自公館到新店的本路拓寬，民國四十五年前後，公路局就作了這個決定，並且在路的兩房六七公尺的限界上，埋上了許多界石，刻字是不許建築。照理說，這是最理想的決策，可是後來不知經過了那些有力人士的壓力，決策忽又改變了。自景美到新店段路的左邊，房子紛紛蓋起；而公路局的解釋則說是拆房過多，賠失太大，但顧這皇而堂之的大言是事實，但這就天曉得了！出爾反爾，前後不過是二個月的事，實在令人有堂堂大計，決定掉以輕心，頗近兒戲之感，這是無可諱言的。

第二個計劃則是設法分散自公館到景美的車輛頻繁，其具體方案，則是自萬盛橋前後，開拓一條至木柵的公路。這一條決策是列在都市計劃之中，幾年前劍拔弩張，眼看就要實行了。可是不知爲什麼，又改變了計劃！本來從萬盛到木柵是有一條較窄的道路，沿途也沒有任何建築，拓寬起來，並無阻礙，而現在又另改新道，所費之巨，遠超較開拓原路爲多。爲什麼如此作？其中奧妙，我想或許連公路局決策人，也不知道！

第三個計劃則是拆除自公館到新店的鐵路，就原路修成單行車道。這個計劃很方便，公路局與鐵路局在幾年前就協商好了，並且在報紙上也宣佈過許多次。據稱爲新店若干煤礦所反對，因爲拆除了鐵路，對在運輸生煤方面要加多運費，提高成本，在生意眼方面是個損失；爲此協同若干議員！並堂而皇之的藉着有害於青年學生赴台北上課的理由，反對再再。但這其中，恐有不可告人的情形，因之在報紙上透露出，追在責任後，某些反對的議員與煤商們則啞口不言了。

然而事有掉以輕心並出自兒戲者！即在報紙上，政府三番五次的宣佈只是單行道之後，忽然又宣佈改爲雙綫路，忽然又宣佈改爲四綫快車路了。

事實是這樣，年前有景美鎮公所，藉着大家的名義，要求改爲四綫快車道，公路局可以說連考慮都沒有考慮的，就贊成了這個假借名義的要求。殊不知要求者另有用心，即在鐵路旁四綫快車路處有他們的土地，這樣一來土地價格提高，發上一筆小錢。這是千眞萬確的理由與事實，立委或監委，大可以調查一下，便知此言之非虛了。公路局不加思慮，便決定下來，而這一決定自公館到景美需要拆除很多很多的房屋，而拆除的補償又多不合理，這樣一來，不是造成了一路哭而只一家笑嗎？公路局如果不知道這種情形，這是決策掉以輕心，如果知道，那便是有意造成一路哭那如一家笑，荒唐決定，莫甚於此！

在景美鎮公所要求之後，在報紙上發表由景美到新店的鐵路一段改爲雙綫，然而景美鎮公所的要求內幕，很快爲新店某幾個團體所知了，他們在鐵路邊也有既得利益，於是也向有關方面要求——當然是假藉鎮民名義，據說公路局也決定拓爲四綫快車道。如此一來又將拆除不知多少建築，再造成一路哭何如一家笑的情形與事實。公路局的決策是不是又掉以輕心呢？

我們固然贊成交通情形的改善，但是我們也必需斟酌事實的需要與否。首先說跟着公館到新店的四綫快車馬路的拓寬，又有一個自木柵公路到永和馬路的拓寬，自木埤柵腹到景美一段面由背河，絕對無法拓寬，只是雙綫快車道；可是一入景美，自景美橋沿河的陽面，又改拓四綫路；而經鐵路橋——據說只拓爲雙綫路面；而入永和，同時自二十張路到永和也拓爲四綫帶行人路。自景美河陽到二十張路不過二三十丈之遙，請問此兩條四綫帶行人之路又何用之有？並且上源不拓寬而只下流拓寬，橋面不拓寬而只路面拓寬，又是何故？莫非誠心造成一路哭何如一家笑的情形嗎？（如沿景美河陽拓寬馬路，則景美鎮公所某公之地前右皆爲四綫馬路，地價立刻上漲十倍，眞的成了一家笑而一路哭了）。

再說，自公館到新店的新路拓寬，而而舊雙綫路並不改，因爲舊路綫通過景美鎮與新店故也。這樣說來，便成了六綫馬路了。公館到新店不過是鄉村，此六綫馬路，是不是浪費？這個明眼人自然會知道。而要求拓寬的人，僅僅是爲滿足某種利益，而決策的公路局竟輕心的答應，兒戲的決定，作了這無益的事情，眞是可惜之至。

有人說自公館到新店——特別是到景美，上下班時間，車輛太擁擠了，所以有拓寬的必要。其實這種說辭，並不有理。作者曾環遊中外，到過古老的西歐各國都市，他們在都市中，除了一二條四綫馬路外，很多單綫路，一部分雙綫路，市幅之多，超過我們十百倍，然而不顯得擁擠，爲什麼？無他，因爲大家恪守交通規則故也。（下轉第二版）

毛酋狂想之一

毛酋狂想之二

今日與明日

美派泰勒將軍使越

美國總統詹森突然派出現任參謀首長聯席會議主席泰勒將軍，任駐越南大使，並加派曾任駐泰大使，國務院助理國務卿詹森爲副大使，此一外交陣容，除去勝利之後，杜魯門派馬歇爾使華的情況差堪比擬外，美國尚未派過份量這麼重的大使，出使到遠東，尤其是越南一個小國。

泰勒將軍任命發表後，第一個感到不安的是毛共，陳毅已經聲明不能坐視，至於怎麼對付，說來也可憐，還是要召開十四國會議。其次是越共也跟着叫囂，但都是色厲內荏，其狀是掩飾不住的。

美總統此時派泰勒使越，據我們觀察，此時並不是要擴大越戰，進攻北越，但是也不可諱言的，假若越南局勢，到了除非大動干戈無法挽救時，泰勒將軍是有此權力[illegible]

印馬局勢緊張

馬菲印三國行政首腦東京會議之後，尚未談出結果，印尼又與馬來西亞[illegible]

陳營。另一方面，[illegible]

赫毛之爭的現勢

最近俄共公佈支持它的共黨已有六十九個，全世界共黨約計有九十二個，即使眞有六十九個支持俄共，其餘還有三十三個動向又如何？而且俄共所公佈的如古巴，就未必眞的一面倒向俄共，還有些共黨事實上也分裂爲二，俄共連三分之二的多數，看情形也很難維持的。

自由談

泰勒出使越南

美國駐越南大使洛奇辭職，而以三軍聯合參謀會議主席泰勒將軍承其乏，也就是將文人外交使命，改由軍人担任。這表示華府當局的對越南政策，確有改進之可能，但不致急速的突變。

美國現時對越南的軍事剿共計劃，原係廿迺迪總統在生時，根據泰勒將軍的視察報告而決定的，嗣後泰勒又重來越南調查剿共戰爭的實際情況，他是否別有主張，固不可知，但詹森總統突然教這位綜持三軍軍令中官的大將，屆任駐越南使節，意義就非等閒了。

越南現行剿共政策之必無勝算，已是世人週知的事，憑常識亦可以判斷的。可是，美國在此總統大選時期中，執政黨爲着爭取選民同情，企圖繼續保持政權起見，在明年二月以前，決不會作一百八十度的大轉變，殆可斷言。

因此，我們揣測泰勒將軍出使南越的作用，首先是在不擴大戰事範圍的大前提之下，督導美方軍事顧問團與越南政府加強合作，改進軍事上的若干措施，以期有所進展，至少亦不能再吃敗仗，而給在野黨以攻擊口實，藉作競選的大好題材。最近民主黨政治要人史蒂文生發表談話，要求共和黨勿以外交問題作競選資料，用意就是顧慮越南剿共戰役由陷於不利，情見乎詞，明然可覩。加以原駐越南的美軍司令哈金斯亦已調職回國，新任不無人地生疏之感，對越南方面的信譽亦未餘，有派遣泰勒將軍到西貢坐鎮，纔能夠籠罩全局，使戰爭不再惡化下去。

華府當局關於全盤越戰戰略問題，亦已有所策劃，那便是要求「北大西洋公約」國家共同應援越南，表面看來，北大西洋國家與越南毫不相干，實際是要排除法國對越南問題的中立化主張，到了必要時，美國即可以利用中、韓兩國的軍事實力，把越戰範圍擴大呵！

所以，從遠處設想，泰勒將軍出使越南的意義相當重大，目前雖然不致發生大作用，將來或許有驚人的發展，且聽下回分解罷。

馬五先生

星羅棋佈到處皆是
高市惡性補習猖獗逾恒
前金國校洪姓學生因此受了害 她的家長到市教育科哭訴經過

（本報記者趙家驊高雄航訊）高雄市政府教育科六月廿二日中午發生了一宗因惡性補習而來的哭訴事件，社會人士備極重視。

事緣本市前金國校應屆畢業生洪美蓮，因不參加「惡補」，暨「課外補習」，未繳學校畢業生紀念品代金（按此項代金教廳曾嚴令禁收），致老師不予報考初中（按市中聯合招生委員會的報名辦法，有應屆畢業生一律應由各校辦理集體報名之規定），因而投訴到教育科。

洪美蓮是前金國校六年一班的學生，她的兄嫂懷着憤怒，洪母帶着憂戚的心情，向教育科申訴事件經過。據洪生之兄嫂說：「洪美蓮除參加學校課外活動時間的補習每月繳廿元外，復在級任導師林貞治處參加「惡補」，每星期一至四補習四個晚上，每月補習費是一百元。後因洪父認其女補習并不長進，乃令停補。最近洪女之父以升學考試在即，爰准洪女再參加林貞治老師的課外補習，乃林老師以洪生會中途輟補兩月，懷恨於心，居然拒之門外」。洪女之母說：「廿多天前，前金國校決定，應屆畢業生每人需繳三十元送校，以購買紀念品贈送母校，教她回家取款三十元；適其父出外購貨，家裏無錢，無法繳納，其導師竟劈頭叱責，令她停止上課，着其即刻返家取錢。以致洪美蓮廿餘天不敢赴校上課。」

現報考初中在即，洪生雖續到校上課，老師却以她未繳三十元畢業紀念品代金，不予代辦考初中手續，并且用籐鞭擊其後腦說：「叫你母親給你報名吧！」

洪美蓮的嫂嫂說：「此事已使洪美蓮的幼小心靈受到極大的斲傷。」

記者為進一步了解眞相，廿四日上午曾往訪洪生家，她的三兄洪富雄說：「林貞治老師說洪生不繳三十元不發畢業證，并將洪生之身份證雙手亂搓一陣，身份證上的照片亦被搓的糢糊不清。」（按毀壞身份證已構成刑事處分。）

他說：「此事件未發生前，我母親到學校央求學校合理解決，他們不理，逼得我們不得已才告到市政府去」。

洪父說：「我女不補習還好，補習反而退步，回家來又不敢講，到學校又不敢問老師，因為一問就會遭受毒打」。

洪母說：「林貞治老師不要我女再去補習，她（林老師）說『不行，給一百萬，一千萬也不行』等語」。

洪富雄談到老師要補習，學生分文不能少，少了就挨打時，說，「如為了她的功課不長進打她，我們作家長的也無話可說。可是完全為了沒繳錢而打她」！

記者問校長蔡西風有何表示？他說：「蔡與該校教導都來過，他們說此事不要擴大，由他們想辦法圓滿解決」。

記者復問督學來調查過嗎？他說來過，并希望和平解決算了。

最後洪父歸納的說：「當然我們希望和平解決，希望教育科及學校當局與教員等不要逼迫窮人，若能做到這一步，就是我的孩子遭受苛虐，祗要此種手段不在其他的孩子的身上重演，就教育幸甚，窮人亦幸甚了。」

記者為此事件，廿三日下午走訪教育科長王清波，以高市教育「惡補」何以如此猖獗為詢，王代科長答覆的很妙，他說：（一）我一人管這麼多學校，那裏顧得了那麼多？（二）因為我很「無能」所以才會如此。這兩點答覆，前者還可理解，後者意何所指，甚費疑猜。王代科長自謂「無能」，又為何不呈請辭職，退避賢路呢？

高雄市的「惡補」，當然非自今日始，但確實於今為烈，以空間來說可謂星羅棋布，到處皆是。但在此一事件發生前，如有誰說高市有「惡補」，教育科是絕對否認的。

再如大同國校六年三班，有蔡靜女老師者（當然不止她一人），開學即向學生收補習費三十元，平時收廿元，放假又收三十元，美其名曰「課外補習」，等於義務教育外的學費。如不升學者，學期未完，就不准進教室上課。上學期蔡靜在林森橫路九十號樓上「惡補」，每一學童收八十至一〇〇元。

過去有人向教育科督學王定華檢舉「惡補」，王督學簽請王清波批示，決定晚上去抓，但事前大同國校已得到電話通知了，蔡老師當場向學生宣佈今晚不補習，令學生將兩用椅子攜回家去。妙極了！這電話是誰打的呢？

青年黨團結運動經緯

本報台北航訊

青年黨人稱這項辦法為「臨時條款」。而這條款，除了第三項之「全國代表大會籌備委員會及」等字樣，調人不同意而刪除外，餘均由王雲五、于斌等於二月二十九日函復于復先，表示「有同樣之了解」。因此，于復先乃在方案簽字。

三月一日，臨全會方面推王嵐僧、朱祖貽、李公權、徐漢豪，葉時修為全國代表會籌備委員，而黨委會及整委會兩方則到三月三十日，始由俞康、周寶三、林虛中（黨委會）冷彭、柴毅、陳斯善等，與臨全會王嵐僧等集會，三方面各推一人為聯絡人，并抽籤決定輪流召集會議次序，順序為整委會冷彭，臨全會王嵐僧，黨委會俞康。這次會議，由於三方面意見有距離，而整委會否定自己同意調人所提前文之「臨時條款」的折衷意見，致全代會籌備委員會陷於僵局，而時限又到，於是臨全會于復先於四月十日，再度函告調人王雲五等，于氏在信中說：

「岫廬、毅成先生大鑒：黨團結，經先生等大力斡旋，促成簽字，敝方於翌日（記者按：三月一日）即推出全國代表大會籌備委員五人，希望與黨委會及整委會兩方，就團結方案所示：有關全代會之三項問題，迅速商談，而黨委會及整委會兩方籌備委員，遲至上月下旬（三月三十日）始確定人選；迨上月三十日，由復先與（陳）修平（余）景陶兩同志，在陳（啟天）宅召集三方籌備委員十五人舉行會議，由抽籤決定召集人，順序為冷彭、王嵐僧、俞康依次召集開會，而整委會代表忽提出：根據方案文字，應先成立聯合委員會，堅不同意先生等之任何口頭解釋，并拒絕籌備會之正式集會，致陷僵局，無法商談。後經岫老（即王雲五）解釋，商談一個月之限期，應由陳宅集會之日算起，敝方為期望促成團結，經會議決定，業予同意。但時日匆匆，限期轉瞬即至，何時再行商談，難于逆覩，瞻念前途，至用憂慮」云。

四點補充建議

調人王雲五等於四月二十四日向三方提出書面補充建議四點如次：

一、全國代表大會籌備委員會繼續開會，在中央聯合委員會常任主席未產生前，以已抽籤決定之召集人輪流主席，并得參加表決。

二、由簽訂團結方案之三方面各推五人，舉行中央聯合委員會預備會，商訂有關中央聯合委員會之成立事項。并以三分之二為出席及表決法定人數。

三、前項預備會議，第一次由簽訂團結方案之三方面主席共同召集并主持。此後會議，依照年齡輪流主席，未能到會時，得派代表一人代表主席。

四、第一第二兩項，均於五十三年五月三十一日前商定具體辦法，獲致結果。（三）

周宏濤主持下的台省財政

——本報台灣中部記者熊徵宇

我覺得，在稅務行政的諸種改革中，財政廳試行的分區督察制度，在提高稅務人員的品德上與協助稅捐機關首長辦理整飭稅風的作用上，有了一種很良好的開始。

由於這一制度的推行而見諸台灣各報的，稅務工作人員拒絕接受納稅人餽贈的事件已有多起。例如：宜蘭稅捐處第一課長李奎龍，雲林稅捐處審核員陳中平，台北市稅捐處稅務員杜淑貞，南投縣稅捐處埔里稅捐處主任范春華，都有過拒絕接受餽贈的事實。

我們希望這些為輿論所支持所表揚的事件不是一種法令與制度下的點綴，而是出於自覺與自尊的品德所形成。使它形成一種風氣，使公眾對於稅務人員的觀念不變。

在改革稅務行政的重要措施上，周宏濤說，所得稅當然是必需加强。這項稅課目前推行的重點，在建立誠實申報與自動納稅制度；最近的重要措施，是以加强推行申報制度與改進稽征技術兩方面着手。

建議修改．所得稅法

他說修正營業稅法是非常必要的。

因為現行的營業稅法是四十四年修正公佈的，而近年來，由於加速經濟發展政策的推行，使本省工商企業活動的型態在經濟活躍的狀態下而趨複雜，所以現行的營業稅法對於目前的經濟環境難以適應。

財政廳對於這些不適應的處所做過縝密的研討，覺得在原則上不多更張稅制，但是在技術上則應該配合經濟發展的政策予以修正。要使這一稅制各種法規條文的幅度在經濟發展狀態上具有一種誘導，在稅率上使財政與經濟的目的得以兼籌并顧。

周宏濤說，反覆研討的結果，構成五點意見。他所提出的修正要點為：

一、簡化稅目，調整稅率，廢止營業稅附加防衛捐並且降低生產事業與躉售貨物稅率；對現行之各類行業之分類，按照實際情形予以調整並予降低稅率。

二、配合外銷輸出擴大免稅範圍，參照獎勵投資條例及配合外銷政策，對於免稅項目予以擴大，以資適應。

輕稅重罰

三、現行的稅法，對於設帳，記帳，保管以及查帳等項的規定過於簡略，修正案特別參照商業會計法與所得稅法，以及其他的有關法令予以補充，加强設帳，便利查核與征納。

四、改進統一發票制度。修正案中除降低各類行業之稅率外，對於違章案件的罰則予以加重。在多種條文中，對於虛設行號幫助他人逃稅者，處以一年以上三年以下的有期徒刑。這是輕稅重罰的原則。

五、五十二年初修正公佈的所得稅法，與現行的營業稅與營利事業所得稅的稽征程序和行政救濟等頗不一致，納稅人常感困擾，修訂時應該力求與所得稅採取同一的處理，杜絕糾歧。

明確規定課稅範圍

財政廳所構擬的這五個修正要點中，寓有兩點主要內容：

維持現行統一發票制度，規定批發交易應開立三聯統一發票，稅率減為千分之四，其自願使用二聯統一發票或者雖以開立三聯統一發票而查對不確無法歸戶者，則仍按千分之六稅率課征。

將課稅範圍明確規定，以在國境內之營業額為限。

我其所以寫這些技術性的問題的報導，乃在提供海外讀者研討；這個營業稅法條正草案，財政廳已經提到財政部，由部長報行政院轉送立法院審議去了。

針對缺點修正．把握經驗加强

我們從周宏濤的這些工作裏，可以體會出台灣省財政廳確實是在腳踏實地的針對缺點修正，把握經驗加强；不管它的意見與做法是否盡善，在精神與力量上是朝着勵精圖治的方向上走的。

那些不作海市蜃樓的構想，使人有種慎重務實的可以信賴的感覺。

這種感覺是可貴的，因為時下很多冗長「博大」的計劃與方案，看起來包羅萬象，頭頭是道，但一摸它的實質，却都「窒礙難行」，甚至於需要悠久的歲月，才能評判得失；這些「玩藝」，曠事荒時！「魔術」之尤，莫此為甚！

我們希望周宏濤執着他的信心毅力與對於國家的責任，把台灣省的財政政策與行政，締結更堅實的基礎，配合所需要的觀念為公眾謀求福祉；使台灣省的地方自治與全面的經濟發展輝皇起來，達到政治與經濟地位眞正平等的境界。（下）

一路哭何如一家笑

（上接第一版）

我們路面再寬，交通也必擁擠，因為到處可以隨便停車，尤其在鄉下，自新店到景美，在在路上軍車，石子車，還有其他等等的車輛，隨時隨地皆停，弄得交通不暢，無法不擠。有一次筆者自新店往台北，車輛有三次不能通過，一次是在七張路前站，有一輛軍車，一輛運磚車，一左一右，交互停住，並且二車皆不見主人，兩綫的馬路如此一來，自然無法暢通了。然後又到廿張路四十路車站處，該地寬敞，可為四線路，然而仍是不能通過，有兩部卡車，分別左右，橫陳兩邊，另有小車也在停留！好！十線路也無法暢通啊！然後車到工程處，又有同樣情形發生！如果這種情形不徹底改善，台省交通不能不擠，只拓寬馬路無用也！

雙線馬路，規定停車地點，絕不會有交通擁擠情形發生，這是我們首先當行的決策。如果只是以拓寬馬路作為解決交通擁擠的唯一法門，這是愚不可及的。

如果公路局的決策人，詳詳細細的在西方古都如羅馬，巴黎，米蘭，維也納，柏林，布魯捨爾，倫敦，馬德里，里斯本，……，考察一下，如果人家也像我們這樣亂擴，拓馬路，則國家一定幾乎沒有房屋可住了。同時像人家的公道賠償，則他們一定無力担負。我們只是閉門造車，為害百姓，偏聽一二團體假借名義——名為公益，實為濟一己之私的要求，作出不必要而又損人損己，只利一二人的舉措，這不特是愚昧的行動，並且造成無限不幸與怨氣，損害國家，莫此為甚！希望決策諸公對景新路的亂拓決策，及時修正；並請以後的決策，認眞慎重！此外，也請立委諸公，對此也多多注意，勿使某些人任意胡來，誤國害民！

監察院彈錯了對象麼

胡笙

問：（提示許江富所開華南銀行萬華分行AK九〇九七二七號八十萬元支票）這張支票是你開的嗎？

答：（接閱後答）這張支票就是我開的，我通過南部向該行交換台灣銀行二十萬元的支票六張給黃市長太太的。

問：你送錢給黃市長太太後黃市長是否知道？

答：我送錢給黃市長太太後，曾到他公館面告黃市長的。

問：你將送錢給黃市長太太的事告知黃市長後，他怎樣表示呢？

答：黃市長只說謝謝，知道了，並無其他表示。

問：（提示查獲的許江富編號(2)現金賬第一三〇頁所記四十八年一月二十六日公司去黃氏一百萬元）這筆賬為何劃去？同時將「黃氏」二字塗掉，是何意思？

答：（接閱後答）這是我原先開出準備送給黃市長的，後來發覺華南銀行萬華分行存欵不足，所以劃去作廢。「黃氏」二字是覺得不好看，所以後來塗掉，以後於二十八日改開該分行八十萬元支票。

問：你送給黃啓瑞的新台幣一百萬元是你一個人送的嗎？

答：送給黃啓瑞的一百萬元是由我和楊逢春二人分攤的，並非我一人送的。

陶黃二委員認為上引口供絕對可信。因為意見書指出：「如上所述，警備總司令部之偵辦市民住宅案，並非出於任何人之控告，而純由於偵辦許江富勾結軍人套購水泥圖利案時所搜獲之賬冊中發現有一百萬元招待費，從而發生疑竇，加以追問。其動機固甚單純，其立場亦甚超然。故許江富在警備總部承認致送黃市長賄款一百萬元之口供，應認為絕對可信。

七、

陳廖申辯書認為祇有被告在檢察處的口供可信，因為沒有刑警在場威迫。於是陶黃更引楊逢春、許江富在基隆地檢處的口供。陶黃意見書說：「此外，楊逢春自台北保警總隊或刑警大隊提回後一月餘，即民國五十年七月十八日在基隆地檢處第一偵察官陳劍芳、葉正青訊問時，有如下之問答（見地檢處偵查卷第三卷第八十八頁至八十九頁）：

問：黃太太給你借據上你所寫收欵日期及欵額均實在否？

答：四十八年十月十三日所收十萬元是在許江富被扣押以後給我的，實際日期我記不清，但她先交借條給我，後才交十萬元。而第二三筆日期及欵額均對的。

問：許押後給你，何（以）寫四十八年日期？

答：這是黃太太叫我寫的。

問：第一筆十萬元存何銀行？

答：記不得了。

問：該欵存何處？

答：有時支票交我，我即付給別人。

問：四十九年十月給你五十三萬有何根據？

答：我收到他之支票，我當日存入第一信用合作社大稻埕分社。而第三筆七萬元亦同日（收欵日）存入該社，以我內人楊寶珠名義存入。

問：你所供如傳黃市長太太到案，你可對質否？

答：可以對質。

五十年七月十七日午十一時卅分，基隆地檢處看守所[illegible]察官陳劍芳、葉正青[illegible]

問（許江富）：[illegible]看你，[illegible]告訴你說：送你[illegible]楊逢春借給她的，是[illegible]時候？許江富答：（勾結軍人案）起訴後，約兩個星期，日期記不清楚。（見同上第八十二頁）

又基隆地檢處偵查卷第三卷第一一五頁至一一六頁背面紀錄楊逢春（於五十年七月二十三日）在基隆地檢處與黃朱金鳳對質之問答如下：

楊逢春　男　年　籍　在卷

問：四十八年一月二十八日你同許[illegible]百萬元本票到黃公館交黃太太否？

答：我同許江富二人送百萬元交黃太太的。

問：黃太太借條何時交你？（五）

我所知道的麥帥

肯寧將軍原著　徐熙光翻譯

有關麥克阿瑟撤離菲律賓時，携帶妻兒奶媽和用飛機裝載傢俱的傳聞是荒謬的，因為當時在德蒙第的空軍軍官都不曉得這麼一回事，他們都說這個傳說根本不確。

事情是這樣的：當羅斯福總統一再令麥克阿瑟撤往澳洲時，麥克阿瑟本人携同他的妻子，四歲大的兒子和中國奶媽，以及一部份參謀人員，擠上一艘PT小型炮艇駛到民達那峨，再換乘B十七飛往澳洲。每一個人隨身所帶的行李因為船隻太小，都極為有限。小亞瑟因為身體不太舒服，所以讓他帶了一部紅色的小救火車在身邊玩玩，免得他吵。可能就為了區區這點小事，就渲染成麥克阿瑟用飛機載運他兒子的玩具的謠言。炮艇上根本沒有可供放置傢俱的空間，麥帥的傢俱完全留在菲律賓沒有帶走。除了塞在小提包裏的幾件簡單的衣物之外，麥克阿瑟只帶了他平常所穿的幾套制服。

在麥克阿瑟離開菲律賓以前，菲律賓總統奎松夫婦，美國的行政長官賽理也準備一起撤離，他們準備乘潛艇到澳洲，再轉往美國，因為當時奎松總統的健康情形很不好，麥克阿瑟怕他經不起日機的轟炸和游擊戰的危險。

奎松夫人曾建議麥克阿瑟夫人及四歲的亞瑟跟他們一起走，珍沒向麥克阿瑟提起這件事就婉謝了奎松夫人的盛意，並謂願與麥克阿瑟將軍永遠在一起，她說：「我們三個人要同甘共苦。」麥克阿瑟很久以後才曉得這件事，他告訴人家說：「珍是我最好的一名士兵。」

至於麥克阿瑟棄許多美國護士於不顧以便他自己的家人能夠安全撤離的謠言更是天眞荒謬。當時在菲律賓，看顧傷患的護士非常缺乏。這些權充看護的女子原來都是美國陸軍的女軍官，她們怎麼可能被棄不顧而落入日軍之手？

一九四四年三月的第一個星期，俾斯麥海之戰，也曾遭致人家的非議。批評他們的人，堂而皇之的提出了許多事實來說明他們的批評。

這次海戰的經過，麥克阿瑟曾發表公報，該公報說：在開戰的最初三天裏，日本海軍已經損失了二十二艘軍艦和商船，這是第五航空隊的飛行員根據所攝照片得到的資料和戰果報告。

當時，日本有兩支船隊在海上活動，從拉堡駛出的這支船隊由八艘驅逐艦和八艘商船組成。另外一支船隊有七艘船，早在海戰開始前就已被發現正在向西航行。有足夠的跡象和證據顯示這兩支船隊在三月二日下午會合。

另外一批人則撰文說是只有八艘驅逐艦和八艘商船的那支船隊，他們承認八條商船被擊沉，驅逐艦裏則只有四艘沉入海底。他們說實際上只有十二艘船艦沉沒；麥克阿瑟公報中說擊沉日艦二十二艘的報導是不正確的，肯寧將軍及其屬下第五航空隊飛行員的估計也太高。（廿二）

詩的意境格律及修辭

李純一

（一）詩的意境

拉丁文中有一句名言：『詩人是天生的，不是造作的。』比如說莎士比亞吧，自古迄今有誰比他更聰明呢？這話固然是對的，但是也因此給一些不肯努力於詩學的做為藉口，他們說：既然詩人是天生的，我不能夠了解詩學，大概是生來與詩無緣，縱然勉強學習也是不能成功，何必白費氣力糟蹋時間呢？另外又有一些人們說：我是一位天才作家，是一位詩人。沾沾而自喜，以為努力於詩學不僅是多餘的事，而且顯見得天才還有缺陷。於是同樣的不肯努力。又有誰知道莎士比亞曾經吃過很多的苦，受過了多大的磨鍊呢？莎士比亞劇本中的裁縫或廚師或任何人，所有的動作及語言，給裁縫或廚師或任何寫出他自己本身的身份的人看見，他們都感覺得眞實，因為莎士比亞曾經設身處地的體驗他所要寫的人的眞實的生活。

若說詩人是天生的，那一個人不是天生的呢？一個人的生命就是詩。每一個人都是詩人，不過各人的成就各有不同罷了。人生決不是吃飯、睡覺就算了事的，人，是有思想的動物，為萬物之靈。人們觀察萬物，發出了感嘆的聲音，而用以引起聽到者的共鳴，這種記述於文字的便是詩。從事於這種記述者，便是詩人。在詩人的眼裏，一事、一物、一花、一鳥，都是充滿了情緒的。也都是詩。

王靜安人間詞話：『詩人對宇宙人生，須入乎其內，又須出乎其外。入乎其內，故能寫之；出乎其外，故能觀之。入乎其內，故有生氣；出乎其外，故有高致。詩人必有輕視外物之意，故能以奴僕命風月；又必有重視外物之意，故能與花鳥共憂樂。』例如王子猷詠竹：『何可一日無此君。』他寫出這句詩的意思，絕不是什麼風雅清高，他一定是從「竹」得到了一種境界，這種境界是別人所沒有意識到的。又如像辛稼軒賀新郎：『我見青山多嫵媚，料青山見我應如是；情與貌，畧相似。』辛稼軒以「嫵媚」形容「青山」，別出心裁，他一定也是從「青山」發現了一種境界，這種境界，也是別人所意識不到的。我們再看杜甫春望：『感時花濺淚；恨別鳥驚心。』足見詩人是與花鳥共憂樂的了。一個人有了偉大的心胸，他才能把大自然的偉大寫在詩裏。比如杜甫旅夜書懷：『星垂平野闊，月湧大江流。』是多麼的豪放！雄壯！基於以上所述，我們可以確認，一個詩人要有「詩眼」與「詩心」。詩人的詩是天生的，詩匠的詩是造作而來的。所謂詩匠便是一個人在做它字的堆砌，或無病的呻吟。所以說有了最深的「詩心」，才有詩的眞意。（一）

寫眞續夢

第十三回：

惡貫難盈　巨奸逃火網

良知未泯　傑士出天羅

兩人正說得高興，葛羅米柯來到，請他們去克里姆林宮赴宴，赫魯曉夫特地設宴洗塵。

陳毅沒料到有一天赫魯曉夫會請他吃飯，頓時受寵若驚，同范文同一道出來，坐上葛羅米柯的車，開去克里姆林宮。

赫魯曉夫宴會很簡單，陪客只有柯茲洛夫、布列日涅夫、安德羅波夫、伊里契夫同葛羅米柯幾個人。席間談到在日內瓦開會的問題。

赫魯曉夫問道：「陳毅同志，照你的看法，日內瓦會議能不能談出結果。」

陳毅笑道：「能不能談出結果，大權全操於社會主義陣營，西方國家尤其是英國，急於想在寮國妥協，即使讓蘇法努馮當總理，在英國人看來也是無所謂的。」

赫魯曉夫笑道：「英國的作風，專門犧牲別人，保全自己，只要我們不在歐洲動手，在亞洲無論鬧到什麼程度，英國人都是主張妥協的。」

陳毅問道：「赫老既然看得這麼清楚，乾脆把印度支那解放過來也就算了。」

赫魯曉夫笑道：「事情那會這麼簡單，眞在印度支那打起來，美國不會退縮的，到時就可能發生局部性的戰爭，首當其衝的是胡志明同志，其次就是你們了。」

陳毅說道，「我們不怕，美帝如若侵入越南民主共和國，我們馬上就出動抗美援越志願軍參戰。把美帝趕出去。」

赫魯曉夫笑道：「你們不怕，越南同志却有點怕。不信，你可以問問范文同同志，他怕不怕。」

范文同紅着臉沒有開口。陳毅也不敢再向下吹。

赫魯曉夫說道：「你回去同毛澤東同志說，蘇聯政府的意思在日內瓦我們兩國的步驟要一致，團結起來才能嚇倒美帝。」

陳毅說道：「這個沒有問題，我們絕對遵照老大哥的指示，我在日內瓦遇事就先同葛羅米柯同志商量。」

赫魯曉夫說道：「陳毅同志，你實在明白事理，中國同志若能都像你這樣就好了。」

陳毅聽到話裏有刺，不敢插嘴。

赫魯曉夫也覺得話說得太直，轉彎說道：「你在日內瓦買了一間別墅，聽說很舒適，我幾時到日內瓦去開會，也借用一下你的別墅。」

陳毅紅着臉說道：「我國同歐洲重要國家皆無外交關係，一切活動只有以瑞士為中心，經常駐在日內瓦，租旅館花錢太多，保密又不方便，所以自己買一幢，算起來到比租房子便宜。」

赫魯曉夫笑道：「別墅裏面聽說僱了許多瑞士青年男女，對保密有無妨礙呢？」

陳毅說道：「這些年輕人我把他們找來只是加以訓練，改造思想，作為革命的骨幹。」

赫魯曉夫咧開大嘴問道：「那一羣女孩子你日夜對着她們，教她們學習些什麼呢？」

一句話引起了鬨堂大笑。（三二一）

冒險犯難記

鄧文儀

在勞碌過度時，痔瘡也隨着加劇，我在野戰醫院睡了兩天，都不能動彈。好在第四天我們受傷的官長，都被用船由興寧經過潮州，送往汕頭博愛醫院醫治。第一次東征很快就得到全勝，林虎和陳炯明都逃到香港去了，少數的殘兵敗卒，却已逃到福建邊區去。陳炯明在香港發表談話說：蔣校長指揮的學生軍，不是打槍而是打血，革命軍是用血把他們打敗的。由敵人的談話，更足證我們作戰的英勇，我得以參加這次戰役，常常引為畢生的光榮。

十八、汕頭醫院療傷的日子

因為連日大雨，山洪暴發，我們由興寧野戰醫院出發，同行受傷軍官二十多個，乘船由梅縣，潮安到汕頭，本來需要三天，結果不到兩天就抵達了。就在同一時候，粵軍第二師師長張民達，也乘小船赴汕頭，由於水急船翻，被洪水溺死了。一個軍人不死於戰場而死於水火意外，真是可惜。我們聽到這個消息，一面悼念張師長，同時都慶幸我們坐的船隻，沒有被洪流淹翻。

汕頭博愛醫院是日本人開設的，是三層樓的洋房，設備甚新，醫師護士也都夠水準，我們住進醫院之後，雖則創傷十分痛苦，但醫藥護理及時，除希望早點治好創傷重回戰場之外，倒也未感到什麼難過。

由於我們打了勝仗，也由於我們都建立若干戰功，政府和人民，曾接二連三的來慰勞我們，蔣校長，廖黨代表及很多高級的軍政長官，都來慰問過我們。蔣校長派人贈送我們的慰勞金有兩三次，由五元十元到二十元，在當時還是一個很大的數目了。記得我們在棉湖戰役大勝之後，國民黨中央犒勞金每人不過一元，兩相比較，我們所獲精神的慰藉與金錢物質的獎助，確乎是很可觀了。

我的右大腿槍傷并不嚴重，住院不到兩星期，已近痊癒。但是我的身體本來不很強壯，由於半年來多次患病的結果，已使體質衰弱不堪，尤其是兩個月的東征戰役，帶着痔瘡力疾行軍作戰，痛苦不堪。在戰事進行時，精神振奮，勉可支持，如今休息下來，傷病齊發，倒很有些感到苦痛了。一個人到底還是勞累點的好，至少在勞累之時，還不會使你很焦心於病病痛痛。

醫師的診斷决定先把我的槍傷醫好，再醫我的痔瘡。由於是內痔，必須開刀動手術，而且要較長的時間，方可痊好。我接受醫生的勸告，不顧一切的困難，就在入院兩星期，槍傷已經封口初癒的時候，接受醫治痔瘡的開刀手術，全身麻醉。（廿九）

人道主義者四型

張健

萬物合成宇宙，人造成世界。那麼，人對於同類的關切愛顧，也當是極其自然的。所謂人道主義者，只是其中之尤罷了。

矚目古今中外的人道主義者，大約不外四類。

一是聖賢式的人道主義者：歷史上的宗教家都屬於此類。孔子的問人不問馬，便是此一典型最平實的至性流露。近代政治家中，也有近乎此類的，如林肯，如孫中山。與筆者並世的人物中，最為筆者崇敬的三人，亦莫不是有聖賢氣象的人道主義者：一是筆者小學四年級時被刺的聖雄甘地。一是去年逝世的梵蒂岡教宗若望廿三世。一是獲得一九五二年諾貝爾和平獎金的阿伯特．史偉哲（Albert Schweitzer）。甘地是婦孺皆知的印度文化的代表人物之一，他的人道主義可說是極端的東方式的。若望廿三可惜膺任教宗時已告垂暮，未能對人類多貢獻他的睿智和天下一家的志概。史偉哲之多才多藝，比諸他深入非洲蠻荒啓迪、救助落後民族的偉行，就不足掛齒了。二十世紀和平獎金的得主，恐怕要以他為最無愧作。（最近上演的美片「獎」（The Prize）中便獨缺和平獎得主，且對此一字不提，真是深具寓意。）他們都是在堅忍卓拔的奮鬥中渡過他們的一生的，而且為人類獻出了自己的生命。

二是書生式的人道主義者：歷代的若干文學家都屬此類。中國的杜甫、白居易應是此中的代表人物。尤其老杜，在晚年若非受佛學思想的影響甚深，使他執著的人生觀有了相當的和緩，則很可能已由一書生式的人道主義者臻為一聖賢式的人物了。西方如托爾斯泰、雨果、狄更斯等，莫不是此類。即對罪惡問題極感興趣的杜思妥也夫斯基也是極富人道精神的。這一型的影響力或不及前類，但他們藉立言的方式所給予世人的薰陶也不容忽視。

三是英雄式的人道主義者：此一類型似難以舉例。華盛頓、拉法夷脫．拜侖（？）等勉強可舉以為範。中國的郭子儀或亦是此型（他與李、杜都有相當關係）。最近看到名片「阿剌伯的勞倫斯」，覺得戲劇中的勞倫斯，至少在前半，倒是一個十足的英雄式人道主義者。這一型的人物最易變質。

四是不知不覺式的人道主義者：智慧、才學皆未必高，但自有一種至情至性，發而為動人的行為。近如台北附近風景區野柳的義士林添楨，為救一落海的大學生而喪生。可貴的是，這已是他躍水救人的第十幾次。他的教育程度是小學肄業。清末的武訓，更是目不識丁的乞丐，但能含辛茹苦的積錢興學，所為者雖小，所啓示世人者實未可限量。他們之所作所為，得自先天稟賦者多。雖謂之不知不覺，其實其道德性有厚於一般人者。

以上的分類，只是有感而發，聊備一說而已。若把歷史上的人道主義者一一分析，則一定更可多列數類。但必須注意的是：此四類亦非一成不變，截然劃分的。如拜侖亦可列入書生式的人道主義者（或許還不夠格），林添楨亦何嘗不是英雄！而後三型的人物，數量固比第一型為多，若能更上一層樓，繼續增益其境界，則都有機會昇至聖賢式的。美國小說家霍桑有一篇「人面石」（The Great Stone Face）的短篇，其中男主角即由一不知不覺的孩子進為一書生式的人道主義者，終而成為聖賢的典型——應合了那個多少代流傳下來的預言。尤其書生式的一型，由於其根底的深厚，只要在人格的幅度上多所展開，自不難培成一聖者的氣象。托爾斯泰晚年，歌德在完成「浮士德」之後，都已近乎此境。

道不在茲乎！我欲仁，斯仁至矣。——勉力作一個大我之流中的有心人，便不難企及先哲們了。

我的社會生活

雷嘯岑

當政府開始遷赴重慶時，我的家鄉已被共匪進佔了，但地方人民對外通信或行動，尚未受到嚴密的控制。一日，有個少年同學的劉伯炎君，從家鄉來廣州找到我，歷述共匪進佔後的地方情形，說共匪很和平，并不殺人刦財，如本縣的黃埔軍校第一期畢業生李振唐，於匪軍到縣時，曾穿着軍服，胸掛陸軍少將徽章，跟共酋們洽商地方善後事宜，亦未見有危險，因而力勸我不如歸去，藉免天涯流落之苦，他認為我若回去，且可能維護家鄉人士的一些安全。我聽罷大笑不已，反復說明共產黨的本質及其作風，勸他莫再回去自尋死路，不如跟我一道在外而過着流浪生活之為佳。然他捨不得妻室兒女，又怕今後生計艱難，淪為餓莩，很自信的潛返家鄉，願作一個安份守己的頁民。迨過了半年，家鄉人有逃到海闊來的，據說本縣一般紳士階級的人物，皆在地主、土劣、惡霸、國特的罪名下，一一槍殺了。上述李振唐、劉伯炎兩君亦無倖免，是可悲也。

我既決意到香港，即於廣州尚未棄守之前，來港遊覽一下。時屆夏令，輕裝出發，朋友告以香港扒手甚多，身上不宜多帶銀錢，袋中只有港幣百元，準備住兩天即回廣州。我是坐船逆水而行的，抵港岸登陸後，摸摸口袋裏的港幣百元不翼而飛了！幸而同行的前任立法委員覃勤兄，介紹我認識香港中醫師盧覺非，他是國民黨同志，經由他借我僱好出租汽車，說明地點，并給我五元車錢，送到灣仔「六國飯店」，訪晤當時在港籌備辦報事宜的許孝炎、卜青茂兩君，一宿以後，他們再給我港幣百元，纔乘火車回至穗垣。這是我第一次到香港，印象殊不佳，尤其不懂粵語，深感困難。為着語言不通，我在廣州就鬧過一次大笑話。某日在街上蹓躂時，忽然裏急須要大解，却不見有公共廁所，乃叩問站崗的警士道：「同志，這附近有茅房嗎？」—他瞪目對曰：「你話乜？」此時我焦急萬分，無暇多問，走入一家商店，用筆寫出「附近有無茅房」這句話，給一店員看，那店員亦縐眉不知所答，轉以視諸另一同儕，只聽他大聲說道：「哦，Shiban 啊！」即教一工友帶我至該店後院的廁所去，纔得解決問題。後來我對粵籍朋友談出這則笑話，知道粵語中沒有「茅房」這一名詞，俗稱「屎坑」（Shiban），我這個「外江佬」入境不問俗，宜乎有此窘狀也。（六三）

基隆旅居記

仲公

梁任公留別基隆的時候，又填了一首念奴嬌，詞曰：

「司勳傷別。況天涯春盡，番番風雨，行也安歸留不得。斷渡似聞鈴語，西北雲深，東南地坼。萬恨憑誰補！扁舟去後，殘蟾夜戀江樹。為問枝上啼紅，千山鵑老，顏色能如故。草草東流村壁字，平地幾回今古。碧漲量愁，玉璫緘淚，影事君看取。落朝今夜，酒醒夢墮何處！」

任公游台，是辛亥年二月廿八日船抵基隆，當時有林獻堂，連雅堂等在碼頭迎接，他偕荷厂及他的女兒令嫻於二月廿四在日本乘笠戶丸來台，曾在舟中作詠雜興十首，最末一首是「望雞籠」：

「番番魚鳥似相親，滿眼雲山綠向人；前路欲尋瀧吏問，惜非吾土忽傷神」！

一種亡國的隱痛，傷時的懷抱，均躍然紙上。

基隆現時為國際港口，過去也是有名的所謂水碼頭，秦樓楚館，雖不及近時新北投之多，但酒吧茶室，到處皆是。考過去流寓基隆的知名之士很少，澳門有徐莘田者，號東海，又號擷紅館主，詩學溫李一派，好為香奩，所作多哀艷傷感之詞，為時愛誦。他於台亡後三年（即光緒廿四年）秋來寓居基隆，時日人組織玉山吟社於台北，徐因篤好此道，亦常驅車前往參與雅集，所作基隆竹枝詞卅二闋，並附以長序，為連雅堂先生所收藏，并曾評此詞近於鄭衛之音。又說：「讀此詩，能否有動於中，敦風俗，正人心，以揚二南之雅化」。駢四儷六，頗盡香艷之能事。茲併錄之：

基隆竹枝詞 並序

「日烘獅嶺，射玳燦之文光，春藹鰲江，繪昇平之景色。水晶簾外，醉墜珊鞭。雲母屏前，狂飛玉盞。念浮生之若夢，對酒當歌。喜勝友之如雲，揮毫落紙。撫二月煙花之景，寫美人香草之詩。此基隆竹枝詞所由作也。僕十年作客，逐微末於錐刀。千里依人，歎飄零於書劍。旅館別無長物，奚囊剩有新詩。每當剪燭西窗，亦復尋香北里。念彼魂迷鴉片，說來濕透青紗。爭似痕染燕支，歸來醉扶紅袖。因乘吟興，歷溯遊蹤。冒賈女之蹲蘭，溫香攬鼻。感故人之雞黍，雅意殷拳。自從問柳於章台，無異司花於閬苑。是以人呼浪子，衆笑風癡。戀彼美之柔情，樂不思蜀。搜此邦之事實，語出荒唐。愛重 非，欲災梨棗。嘔此數升心血，敢希聲價於雞林。憐余七尺鬚眉，未盡功名於麟閣。身如萍梗，浪跡堪悲。詞唱竹枝，風流自賞。總以經營阿堵，硯田幾至荒蕪。更教墮落情天，香國遂傳名字。能使左環右燕，短箋求彩筆之揮。更教西子南威，高燭賞紅粧之照。安得金鈴十萬，遍護繁香。愧無錦繡千重，難償奢願。恨歡娛之草草，當局多迷。歎世界之花花，散場甚易。憶桃花於人面，崔護重來。惜柳絮於前身，秋娘老去。管絃銷歇，已非昔日繁華。脂粉飄零，無復當時丰韻。然而秦淮商女，猶唱後庭。天寶宮人，亦談前事。當勞燕東西之日，正我馬倥偬之時。點點白雲，洞絕劉晨之蹟。蕭蕭紅葉，渺無顧況之詩。想風景於當年，亦復誰能遣此。惜韶光於此日，不禁感慨繫之。（五二）

飲冰古今譚

周燕謀

在夏日飲冰，並不是現代纔有的事，所謂今日的「冷飲」，在唐代已經有了。唐書有謂：「風亭水榭，雪檻冰盤，浮瓜沉李，流杯曲沼，通夕而罷。」是古人在夏天也懂得「浮甘瓜於清泉，沉朱李於寒冰」，以作為消暑的秘方了。中國人之冷飲，當要數寶島為首善之區，中南部地方，可以說是四季都冷飲，這却不是過言。本省四季都有人造冰出售，如冰棒、冰淇淋、冰磚、刨冰等，而冰店林立，雖未見得為各業之冠，也可以說是「一枝獨茂」了。

古人在夏天那來的冰呢？有的。古人雖不會人造冰，但却有人藏冰，固然在未發明冷器機的時候，要享受冷氣或冷飲，確實是不易得的。故惟有在嚴冬冰凍季節，利用地窖將冰儲藏起來，冬日貯之，夏日取之。月令廣義上記云：「楊國忠奢侈，其子弟六月鑿冰為山圍席筵，客有寒而挾纊者」。開元天寶遺事也有記載云：「楊氏子弟，每至伏中，取大冰使匠琢為山，周圍於席間，客雖酒酣，而各有寒色，亦有挾纊者」。（一一）

內僑警台報字第〇三壹號內銷證

自由報

THE FREE NEWS

第四五八期

中華民國僑務委員會頒發
台教新字第三二三號登記證
中華郵政台字第一二八五號執照
登記為第一類新聞紙類
（半週刊每星期三、六出版）
每份港幣壹角
台灣零售價新台幣弍元
社長：雷嘯岑
督印人：黃精審
社址：香港銅鑼灣高士威道二十號四樓
20 CAUSEWAY RD 3RD FL.
HONG KONG
TEL. 771726　電報掛號：7191
承印者：四風印刷廠
地址：香港灣仔高士打道二二一號
台灣分社
台北市西寧南路壹叁叁號二樓
電話：三〇三四六
台郵撥儲金戶九二五二

地球衛星偵察及其全面影響

・宋文明・

本年五月二十八日，蘇俄總理赫魯雪夫曾在克里姆林宮與美國前參議員本頓作了一小時多的會談。在這一會談中，赫魯雪夫曾告訴本頓，蘇俄已從它的地球衛星攝取了美國的軍事設備照片，並相信美國也以同樣的方法，已攝取了蘇俄軍事設備的照片。接着他說，假若美國不相信這種說法，他很可以和詹森總統交換參觀這種照片。

赫魯雪夫作了這一談話之後，美國方面最初尚保持沉默。但未過數日，美國有關官員即明白表示，赫魯雪夫此一說法爲正確者，內中包含有兩個意思。即一、美國已承認它的地球衛星已攝取了蘇俄的照片，同樣也承認蘇俄的衛星已攝取了美國的照片。二、既然這種地球衛星可攝取對方的軍事設備照片，則這種地球衛星便已成了今日國際間最重要最安全的偵察工具。美國這種態度，更就在進一步證實以地球衛星偵察對方，已屬一項確定的事實。

赫魯雪夫對地球偵察衛星所以要作這一突如其來的談話，其直接的動機，主要就在反駁美對古巴的空中偵察。因蘇俄認爲，美國繼續對古巴實施空中偵察，係一種明白破壞國際法的事情，將使國際局勢重趨緊張。可是美國認爲，對古巴實施空中偵察，在防止古巴擁有戰畧性武器，爲美國自身安全所必需。於是赫魯雪夫在此一談話中，便提議以地球衛星來作偵察，以代替美國所堅持的空中飛機偵察。美國現在雖仍表示對古巴的低空偵察依然不可缺少，但也承認對古巴實施高空偵察的重性確正在減低。不過，赫魯雪夫及美國的這種說法，直接雖以古巴問題爲對象，而這種地球衛星對別國軍事設備攝取照片的行動，在整個軍事及國際關係上，無疑已發生了一種革命性的作用。這種作用主要就在於：

第一、正如赫魯雪夫所表示，由於地球衛星已成功担負起了對別國的偵察任務，從此以後，一般飛機的空中偵察，不論爲高空偵察或低空偵察，均將逐漸予以減少。過去這種空中偵察爲招致國際意外事件的主要因素之一，今後若把這種空中偵察予以減少或消除，而由地球衛星所作的偵察替代，則國際意外事件亦將隨之減少。

第二、以地球衛星用作對別國的偵察工具後，則國際間諜活動及其作用，亦將逐漸失去原有的重要性。過去國際間諜的所以盛行，主要是由於爲了本身安全的需要，不得不設法窺探對方的軍事設備及其活動，以免爲對方所暗算。可是現在地球衛星開始担負起對別國的偵察任務後，除了對方的作戰計劃，武器製造秘密，及人事資料之外，其他凡屬一切軍事設備，大規模軍隊調動，各地山川形勢，兵要地理，以及對方交通經濟等整個情形，均可由[illegible]所攝照片，一覽[illegible]。因此，從今以後，[illegible]國際間一般間諜[illegible]無法完全免除，而其原有的大部份工作目標，亦勢將要由地球衛星來取代。而地面間諜活動的任何程度的緩和，對於這個世界的人性腐蝕與道德水準的無限止破壞過程將會逐漸予以遏阻。

第三、地球衛星成了有效的偵察工具後，對於目下國際間的整個裁軍談判，亦將會有非常良好的影響。因最近數年裁軍談判的所以遲遲難獲協議，其中主要一個癥結，就在於對於國際監督問題上的僵局無法打開。美國認爲要確保裁軍協議的有效執行，就需要在各國內部派駐國際監察組織，以作實地查證。而蘇俄認爲，這種國際組織的實地查證，爲一種僞裝的間諜行爲，故始終予以堅决反對。就因爲這種兩極端的態度，致裁軍及禁止地下核試談判，遂成了一種拖延不决的形勢。可是現在由於地球衛星已担負起了這種偵察任務，開始對別國軍事設備及活動作長年不休的攝影及監視，所以有關裁軍及地下停試談判中原所要求的實地查證辦法，也已成了一項並不是非要不可的事情。再加上各國邊境以外及公海上空所作的空氣抽樣檢查，及其他科學儀器的協助，一個國家要想進行地下秘密核試或擅自破壞裁軍協議而不爲人所知，恐怕是絕對不可能的了。因此，地球衛星的開始用於對別國的軍事偵察，實際已爲裁軍談判打開了一扇新的門戶。

第四、地球衛星從太空攝取地球各地的精密照片之後，這個世界在實際上已無所謂重要的秘密可言。在過去以前，由於國界，海洋，山脈及其他各種人爲的隔離，這個世界的各個小集團內部及角落中，充滿了各種爲外人所不知的秘密。由於這種秘密，也更引起了別人的懷疑與好奇。於是西方集團叫共黨集團爲「鐵幕」，而共黨集團也曾想出一個「鵝絨幕」來回敬西方集團。而世界各地所謂「禁地」的普遍存在，更是比比皆是。可是現在，由於地球偵察衛星的正式出現，從各個不同角度環繞世界，不斷攝取各地照片，所以祇要這種地球偵察衛星的發射國，想要知道某個國家某個地區的實際情形，這種衛星就可爲它提供一切。

從此之後，縱使還有所謂「鐵幕」存在，這種鐵幕實際已經沒有蓋子，沒有掩蔽；縱使還有各種各樣的「禁地」存在，這種禁地也已經沒有秘密可言。這種情形，無疑義已使整個世界趨向於完全的「開放」。這種開放對於現在已經自由的國家來說，並不是一種了不起的改變；但對於現在仍不自由的國家來說，這種開放勢將具有種革命性變化。

地球衛星的用於軍事偵察，現在尚是種開始。因此這種偵察所引起的作用，現在同樣也只是一種開始。等到將來這種衛星越來越進步，越普遍，其所偵察的範圍越擴大，偵察的效果越明晰，這種偵察所引起的作用亦越深遠。而且，終有一天，這種偵察衛星可能同時還會具有通訊與傳播電視的其他各種作用，使其偵察所得，還會立即傳播於地球各地。果如是，我們可坐在書齋之內，就可從這種偵察衛星接收廣播與電視，將全世界每個角落的重要事見盡收眼底，得悉一切。到那時，還有什麼「鐵幕」與「禁地」可言：還有什麼隱藏秘密，還有什麼國界，大洋與高山的隔離？

所以我認爲，美蘇兩國最近對地球偵察衛星所作的這種表示，並不僅是一種冷戰的象徵，而是在反映這個世界的現實及人類科學技術進步的迅速。祇有從這個角度着眼，我們才能瞭解世界的眞正將來。

各出陰謀

不擇手段

今日與明日

寮共軟了

寮共首領蘇發努馮，突然宣佈願意先開六國會議，解决寮局，然後再開十四國會議。六國會議是波蘭代表提出的，六國是英蘇波印加及寮國，英、蘇是日內瓦會議共同主席，波、印、加是休戰監督委員會委員，寮國是當事國。波蘭提出這個建議，明顯的是排斥了美國同毛共，但美國却極端贊成，因爲會場中有了英、加、印，也就可以代表美國的意見。毛共却大加反對，因爲六國中間沒有一個是毛共的同黨，除去蘇發努馮一派之外，全是反毛共的。毛共本身不能加入還不算，連最忠實馬仔，十四國日內瓦會議的倡議人施哈諾也被踢出來了。毛共對會議不但無權參加，甚至連個傳遞消息的人也沒有了，當時曾堅决反對，北越、寮共也隨聲附和，波蘭代表看風頭不對，自動聲明要撤回建議，就在此時，寮共却又願意參加了。寮共之忽然軟化，當是被美國強硬態度懾服，自從美國派泰勒使越，國內各方面皆主張擴大越戰，毛共恐怕惹火燒身，不得不軟下來。蔣總統說毛共只認識武力，的是至理名言，立竿見影。

大馬之爭國際化

目前大馬來西亞之爭，已經逐漸國際化，英國已聲明如若大馬發生戰爭，英國將要捲入漩渦，同時英國政府又取銷一批印尼訂購軍用品的名單，對印尼來說，已不惜公開破裂。而蘇俄方面却又宣佈以軍火援助印尼，美國也早已聲明支持大馬，一時印馬之爭，將要把世界大國都牽進去，也算是一個新的危機。不過若作深一層看，因印馬之爭而爆發大戰的可能性實在很少，英國固不肯在東南亞作戰，蘇俄此時又那有力量挑起戰爭，無非是互相恐嚇，最後都要縮手，剩下的還是非馬印三國在邊談邊打情形下拖延下去；終究也許會拖延出一個眉目來。

國軍突襲大陸

最近國軍兩次突襲大陸，一在山東，一在廣東。從突襲中也可以看到兩點，一是毛帮配給沿海民軍的武器窳劣，其中大多數竟是戈矛。依照毛帮的情況來說，日用品雖然缺乏，步槍應該不缺，何以要民兵用戈矛？一句話說完，恐怕民兵有槍，起而反抗。既要用民兵，又不相信民兵，其情況與秦末如出一轍。一是大陸人民渴望反攻，此次突擊隊到處受歡迎，且有三名民兵一定要跟着走，只好把他們帶去台灣。假若國軍大規模展開反攻，也許一夕之間，僞政權就垮了。

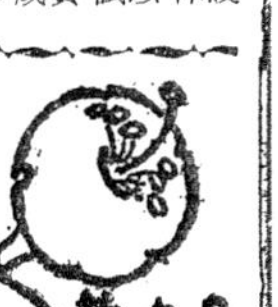

自由談

亂世的人心

亂世的人心多是不正常的。由於環境動盪不安，謀生之道艱困，乃容易發生變態心理。

變態心理表現於一般社會大衆者，即爲姦盜仇殺之風甚熾，人與人相處，只講利害恩怨，無所謂理性，更不知道義爲何物。變態心理之表現於一般士大夫階級者，最上是悲觀失望，置理亂於不聞，滿懷消極觀念，憧憬「世外桃源」；其次是憤世嫉俗，狷激成性，慨歎世界末日之將至，認爲浩刼當前，無可逃避；最下就是罔顧廉恥，無所不爲，內心裏熱中富貴利祿，有奶便是娘，表面上裝成正氣充溢，大義凜然的聖賢君子姿態，而視天下人盡係不如己的蠢材笨伯，張牙舞爪，播弄是非。

上述各種變態心理現象，以士大夫階級中的第三種人物最可怕，也最足以增進社會國家的動亂因素，馴致使整個民族人格趨於墮落之境。例如過去明明是參預過叛國運動的，別人因研究歷史而提到此事，他即指爲「人身攻擊」的誹謗行爲，申而詈，狡辯不休。再如過去在別處曾經幹過媚共、投共的秘密勾當者，一旦混進台灣後，又以反共抗俄的專家自命，睥睨當代，不可一世了。像這種心理變態的所作所爲，對社會、對國家前途貽害之大，遠甚於一般羣衆的姦盜仇殺事件。因爲姦盜仇殺是有形的，官府隨時可以依法懲究，用昭炯戒，唯有這種貌似正人君子與反共抗俄專家之徒，言僞而辯，行僻而堅，有如人們戴着隱形眼鏡，極容易朦騙社會大衆的視綫，誤以爲他的眼睛沒有毛病哪！

要消弭社會人心的變態作用，基本方法是在發揚健全的輿論，明是非，重廉恥，提倡並獎勵「有所不爲」的正義感，同時擇其變態作用最足以貽禍於國家民族的士大夫中之尤者，以治亂世用重典的手段，作示範的懲處。這類工作需要政府當局努力倡導實踐，樹之風聲，而奏撥亂纔可望轉移風氣，返正之功。否則人慾橫流，廉恥道喪，欲求國家中興，戛戛乎難矣哉！

馬王先生

台灣空中慘案別記

陸運濤君子人也．死得太可惜．吳紹璲夫人臨時殉難．湊巧得很．飛機太舊．民航公司不能卸責．

（本報台北航信）這次「民航公司」C—46型運輸機在台中的空中失事，以致國內外若干著名的電影界人士罹難死亡情形，各報已有紀載，毋庸贅述。記者綜合各方消息和所見的有關事象，向讀者作一種「別記」式的報導，或許不是多餘的話吧？

在此次殉難的人羣中，最可惜，也最爲世人注意的，就是來自馬來西亞的電懋影片公司主辦人陸運濤先生。他是個具有高等知識和鉅大財富的愛國僑胞，而其言談舉動，亦彬彬然充分表現着英國人的紳士派。過去他雖然嚮往自由祖國之心甚切，但格於環境關係，迄未到過台灣，這次藉參加亞洲影展的機會，纔得進入祖國的輦轂之下，與朝野人士有所接觸，大家對他的印象皆極佳，認爲是個可資敬愛的君子人也。茲舉例爲證：

當亞洲影展宣告結束、頒獎之日，事前舉行最後一次會議，通過「影評委員會」的給獎名次與等第。開會時，由影評委員魏景蒙用英語代表報告評判內容，電懋公司只得到兩個最佳的配角獎。魏氏最後詢問大家有無異議？當時陸運濤心裏固不愉快，他如果提出異議，則原定的頒獎典禮，勢必不能按時舉行，而麕集在會場外面，等候得獎人姓名揭曉的數千羣衆，亦必譁然起哄，大煞風景的。然陸氏顧全大局，默不作聲，只把魏景蒙的報告要點，用拍紙部記下；又教當塲氣忿不平，聲明拒絕接受「配角獎」的該公司高級幹部王植波不要計較。風度之高如此，確屬難得。

亞洲影展閉幕後，各個參加單位如香港的邵氏公司，日、韓的代表團等，皆在台北最豪華的「圓山飯店」，舉行盛大宴會，欵待各界人士，表示他們都得到了最佳主角獎的謝意。陸氏的電懋公司雖未獲得此項榮譽，他還是照樣在同一地點舉行宴會，表現「謝東」的禮貌。宴會時間就是他罹難之日的下午七時卅分，是日他在台中參觀故宮博物院的古物，下午七時前必須趕回台北來作主人，因而遭遇了禍事，否則他夫婦二人不會急忙趕乘飛機回來的。

陸氏在台時，受到政府當局的優禮相待，蔣總統曾經接見他兩次，垂詢星馬一帶的華僑社會情況。陸氏表示他回到馬來西亞之後，將鼓勵當地僑胞到台灣投資創辦工商企業，預計到明年六月後，投入祖國的僑資可達美元八千萬至一億元，足以彌補美國停止對華經援的損失額，對國家財經前途，大有裨益。詎料他忽遭非命，這不但是海外華僑社會的一大損失，更是中華民國的大不幸！「人之云亡，邦國殄瘁」，宜乎朝野人士聞噩耗而莫名悲痛也。

與陸氏同機罹難的台灣影片業鉅子夏維堂、龍芳，原已跟陸氏達成協議，彼此合作製片，陸氏夫婦赴台中參觀古物，他們以「地主」之誼，陪伴而去，誰知竟遭浩刦呢！最不幸的是台省新聞處長吳紹璲夫人石女士，她爲着是日係吳處長的生日，要趕回台北來，替丈夫主辦誕辰慶典。初赴火車站購買「觀光號」特快車座位，而票位已滿員，她找着站長設法，站長知道她的身份，再三向她道歉，說是無法可想，勸她不妨坐小包車出發。正在商談之際，忽有一位已經買得民航機票位到台北的女客，臨時因事要耽擱一天，聲請退票。站長聞訊大喜，即告訴吳太太，購買這張機票，并且說「吳夫人的運氣眞好」，她自己亦高興之至。然結果乃與丈夫一起殉難，成爲同命鴛鴦，俗言死生有命，其信然耶？

關於飛機失事的原因，正由中美兩國的專家詳細調查中，據初步的判斷，乃由於起飛五分鐘後，汽油箱發生漏油現象，駕駛員即擬掉頭飛返台中的「水楠」機塲修整。但飛機掉頭的震動力殊强烈，再受着低氣壓的鉅大壓力，而這架C—46型飛機，原是一九四八年的產品，太陳舊了，抵不住這種震動力與壓力，登時被折裂爲兩段，乘客紛紛自高空墜落地面。事後檢查死者所在地，都是三幾個人墜落一准，如陸運濤夫婦即併肩落在一條水溝上。這證明飛機并未發生爆炸情事，否則乘客屍體必不致集結在地，而且各人的面目亦必然被火燄焚燬，糊塗不清。至於駕駛員林宏基的技能，據一般人評論爲最優秀人才，認定他在台灣境內飛行，雖盲目駕駛，亦不會出事的。各方人士對於此次慘案發生的觀感，約有三點：一爲C—46型運輸機太陳舊，以致受不住空中壓力而迅即解體，該民航公司實不能辭其咎。二是主持亞洲影展的人，對於陸運濤這類特別重要貴賓的安全問題，事先太過疏忽，明知他要匆忙趕回台北舉行宴會，爲甚麼不請政府派專機招呼呢？三是今後對於外來貴賓們非正式的活動節目，如參觀某處，游覽某處等項，最好不要預爲排定，或勉强而行之，聽從貴賓自由抉擇可也。（六月廿五日航　公於台北）

青年黨團結運動經緯

本報台北航訊

臨全會爲尊重調人意見，完全接受。而余方（整委會）則又向調人表示不同意，致全代會籌備會無法成立。而整委會黨委會所持意見，即全國代表大會代表名額定爲三百，由三方面各推派代表一百名，而否定臨全會方面所提「代表資格」的限制；因爲據說臨全會方面合乎「資格」的代表，達百分之八十以上，所以指對方所提出的辦法，實爲「既不合理，又不切實際」。

至於中央聯合委員會，三方面集會五次，除辦公地點，內部組織及對外行文方式等項獲得協議外，其他如主席人選問題，如經費問題，均無結果。

主席人選問題：根據調人所提團結方案，臨全會認爲：左舜生、李璜、李不韙、何魯之、余家菊、張子柱、于復先、陳啓天、胡國偉九主席爲當然主席，（按：黨委會陳啓天所提團結方案也未否定九主席）然而整委會方面却堅持主席應三分三，由三方面各推三人爲主席。致未獲協議。

經費問題：黨委會雖同意把目前所領得之八萬元提交聯合委員會，作形式上的支配，但實際上，這筆錢仍要保持現狀，分配給黨委會現行人員，臨全會及整委會不得動支分文。易言之，這八萬元仍交由黨委會陳啓天支配。如臨全會及整委會募得經費，須由三方面參與支配。因此，整委會乃表示反對。

由於代表人數，資格及產生方法問題，中央聯合委員會主席人選問題，以及中央聯合經費問題，均未獲得合理的協議，三方面對這些問題的意見尚有距離，問題發生在陳、余兩方既不願放棄權益，又缺乏開誠佈公的風度，團結因而擱淺了。

破裂的因素

在商談團結期間，三方面及調人均曾相約不得發表攻擊任何一方的文字。此一協定，嗣爲整委會方面所破壞。今年四月間，本省第五屆縣市長選舉，臨全會的黃振三、黃順興，分別在屏東及台東兩縣競選縣長（黃順興當選台東縣長），當時，整委會余家菊方面之省黨部林權敏，曾公開散佈攻擊文字，並否認黃振三、黃順興爲青年黨黨員。臨全會即一致認爲整委會余家菊等根本沒有團結的誠意，談判趨於破裂了。

（四·完）

屏東二三事

·本報屏東航訊·

△台省五屆縣市長選舉結束，爲時已逾二月，當選縣市長接篆視事，亦已越二十五日。然而「屏東縣五屆縣長選舉事務所」的標牌，迄記者發稿日（六月二十六日）止，仍高懸在縣府大門外右側牆壁上！此究因爲選舉事務所業務尚未結束呢？抑因縣長落選人黃振三正在指控「選舉事務所無效，縣長當選無效，」準備辦理補選之故呢？甚費疑猜。

像這樣舉手之勞的細微小事，主管單位的民政局行政課，既未能主動負責把它摘下，而縣府的其他官員，同樣也視若無覩，豈不是一件怪事嗎？

△張豐緒縣長就職後，派用了十三位秘書，襄助縣政，新官上任的聲勢之大，與前任李世昌接篆時相比，不但未遑多讓，抑且猶有甚焉。

這十三位秘書，除邱永富、藍家鵬、李明爲新派，曾响貽、吳夢桂、鍾毓達爲（借）調用外，餘高和興、鍾潤生、簡明智、徐升高、陳清榮、鍾美基、李明來等七位，皆李世昌任內舊任而獲留用者。這七位繼續留用的秘書，有的是業務員，有的是國校教員，有的是股長，也有的是視導；其素質、才華，與行政經驗，則良莠不齊，甚至有根本一無所長，毫無足取者。

有人說：這十三位秘書中的一部份，不但未能對張豐緒主持下的屏東縣政，帶來輔佐的力量，且相反地給縣長背上了大包袱，也使七十萬縣民對縣長張豐緒的用人唯才的諾言大失所望。

又有人說：如果張豐緒能注意及此，并迅予澈底整頓，令飭歸還原建制，而重新遴選品學兼優者補充之，當不失爲明智抉擇。尤其那位國校教員李明來，連調任國校督學都被省府以資格不敷駁回，豈能高居秘書之位，負責核閱教育、山地等文稿嗎？

△枋山至楓港，長達九公里之路面，經張縣長率領縣議會正副議長晉省爭取，已獲得省府同意舖設柏油，並將於近期內發包施工。餘楓港至東城、恒春間十三公里，亦於五十五年度以內分期完成柏油路面。佳音傳出，縣民們對省政府的德意，及張縣長的努力爭取，均有好評。據認爲這乃是執政黨對輔佐該黨當選縣長實踐諾言的最佳表現，此一措施，果能久而不渝，持之以恒，并擴大及於全省，則對於將來的六屆縣市長選舉，是有很大影響力的。（袁文德）

香港與大陸

毛共進一步剝削農民

原以小隊爲核算單位者．強迫要改以大隊爲單位

大陸地區農村共幹，最近又採用「新辦法」，即要「以生產大隊爲分配核算單位。」這種新辦法因爲較過去「以生產小隊爲分配核算單位」更容易使共幹上下其手，因而引起廣大農民的反對，紛紛進行罷耕和怠耕，目前正進入緊張的爭持中。

據最近由廣東河源縣來港轉赴星加坡的僑屬李師奶在港時對本報記者透露：大陸地區的農業政策和其他各項政策一樣，經常任由中共之意加以變化最近中共又一改過去農村的「以生產小隊爲分配核算單位」，而爲以「生產大隊」爲單位了。

李師奶說：農民們是希望以「生產小隊」爲分配核算的單位的，大家更希望以農民們或每家各自成單位。這因爲農民們是嚮往生產及消費「私有制」的。以往中共實行的以「生產小隊」爲單位，固然不合農民要求，但總比較「以生產大隊爲分配核算單位」者稍爲合理。所以大家反對更改。

李師奶說：農民們所以反對這項措施的主要原因，是因爲核算的單位大了，便頗多麻煩，而共幹作弊瞞產的事情，就更容易產生。舉例說：好像以小隊爲單位時，農民對小隊的情況較爲了解，如有多少田地？種那些作物？可以生產多少粮食？……農民屈指一算便可算出。因此共幹們也不能「放胆」的欺騙農民，唯恐引起麻煩。而現在要實行以「大隊」爲核算的單位，農民根本不知道大隊的土地若干？種些什麼？產量多少？只知道共幹公佈的「柏而數字」，任由它們上下其手，分配粮食，農民焉得而不羣起反對？

李師奶說：最反對此項措施的，是一些生產條件較好的生產小隊成員，因爲如果實行了「大隊爲核算單位」時，他們的「較好條件」也會失去，除了怕受欺騙之外，亦怕把好處分了給生產條件較差的「生產小隊」去了。

李師奶說：儘管農民們表示強烈反對，但中共幹部仍是一意胡來，我行我素，而且強調這是維護「社會主義」和「廣大人民」的利益的措施。農民們於是怠耕、罷耕，彼此相持不下。但看趨勢，由於中共志在剝削，它可能使用高壓的政策去打擊農民，農民也就反對不來，會進一步的受到宰割了。（敬斯）

此事從來所未有　香港旺角地陷

大厦爆裂傾斜

（本報訊）九龍旺角地陷，影響幾條街道，西起彌敦道，東至火車橋，北至亞皆老街，南迄山東街，這一個地區有部分建築物或裂縫傾斜，或凹陷逾呎，伊利沙伯青年館且因此封閉。

目前已知地基出現問題的建築物，有山東街八十四號至八十八號及洗衣街二十九號的八層高大厦。大厦已建成六年，近來已裂闊至盈呎。最近經有關方面人員勘察後，決定以灌漿辦法補救，將於一週後施工。

洗衣街六十一號至七十五號整幢大厦下陷一呎多。亞皆老街九十九號與一〇一號的建築物也發現爆裂，裂痕的地區已架起竹棚。亞皆老街卅二號與廿八號的東方大厦也發現了同樣的現象，甚至亞皆老街水務局周圍的行人道也往下陷落，地脚與行人道裂開了近一吋多。

伊利沙伯青年館經過工務局查驗後，發覺該館籃球場及正門主牆出現五吋闊的裂痕，據初步推測是由於地基低陷所致。有關當局已將伊館暫時停用。

監察院彈錯了對象麼

胡笙

答：許江富被扣押後，黃太太叫我到他家（用電話叫我）去給我的。

問：該借條第一次黃太太還款日期及款額係自寫否？

答：是的。

問：該十萬元有無還你？

答：有的。還我十萬元現金。

問：該借條四十九年給你，何（以）寫四十八年收她十萬元？

答：黃太太叫我那樣寫的。

問：以後二次還你七十萬元款收到否？

答：收到。她交本票給我。

問：你還供許妻告訴你，黃太太叫許妻到看守所串供。

答：許妻有這樣的說。

問：黃朱金鳳：楊逢春供，你親聞否？

答：聽到，但非事實。

問：你們相識多年，何不實在供陳？

答：我不知道他有何困難而講這話。

經黃問楊後，楊答：如上情形相同，並說我欵是借他的。

問楊逢春：該借據究在許押後或被押前給你？

答：是許江富被押以後給我的。

問黃朱金鳳：楊逢春當面與你對質情形，你還有何話說？

答：他可能被押後內心痛苦而亂說的。

陶黃二委員認爲：「查以上抄引許江富、楊逢春之口供，係在基隆地檢處應訊，並無刑警人員在場，可謂完全出於自由意志。」彈劾書中雖未一一抄錄，但既已載在筆錄卷宗中，高等法院陳蔣二推事及最高法院陳廖二推事，自均參閱，何以竟一概抹煞，而專就刑警大隊之筆錄加以攻擊，從而誣爲刑求，以危言聳聽！用心何在，路人皆知之矣。

八、

關於刑求問題，陶黃意見書論述如下：「其實所謂刑求者，陳廖二推事亦不敢過份寃誣，故其申辯書稱：『在法院一二審調查及辯論時，上列被告（指許江富楊逢春陳茂林）均一致述明在刑警大隊之供詞均係出諸刑求。刑求雖無確據，檢察官在表列地點訊問時雖未用刑，但因有刑警在場監視，則屬顯然之事實，被告不敢翻供耳。』卷查疲勞訊問，被告許江富在五十年五月十七日之間連續受訊三次，被告楊逢春於五十年六月八日下午七時三十五分開始受訊，晚上十二時方獲還押，此非疲勞訊問而何？」「誠如申辯書所稱，百川等對刑求一向堅決反對，凡刑求所得之供詞當然不應採作有罪判決之依據。但狡猾罪犯之以刑求爲翻供之藉口，亦須加以注意。本案被告之一陳茂林曾在五十年九月向本院訴稱受刑蒙寃，本院當派委員三人專案調查，詢問葉正青、陳劍芳二檢察官：『九月二十九日刑警隊用疲勞訊問你知道嗎？』答：『不會有疲勞訊問的，如有這個事，被告總會告訴我們的。』」

陶黃意見書透露：五十年間「本院調查委員蕭又親詢刑警大隊組員王承琳。問答如下：

問：據查你訊問陳茂林時，認爲所供不合你意思時，你就要揍他。

答：我絕對沒有。問時是在保警總隊大禮堂，如要揍他，聲音一叫，人家都可以聽到。

問：檢察官把案件交你們偵查，無非要藉刑警隊威力使人犯屈服招供。

答：我們與基隆檢察官並無交情，我們也不必以強暴壓迫人犯屈招。如用非法刑訊，對我們有害無利，何必這樣做呢！」

陶黃意見書並說：「百川、官實、近曾兩請警務處徹查承辦本案刑警人員有無刑求或疲勞訊問情事，業經兩覆證明，絕無此等情事」。

（六）

詩的意境格律及修辭

李純一

詩心的向上

一個詩人是應該懷抱民胞物與之志的，我國的詩自唐朝以後，漸漸的只在淸風、明月、奇花、美草之中周轉，而沒有偉大的開拓了。這也就是說一個詩人如果老在吟風弄月上自遣，那麼，他們詩心必日漸窄狹，而不會有偉大的作品出現的。所以詩人必須要養成改革向上精神。西洋有很多詩人都是改革家，足爲佐證。詩人是不滿意於現實的，因爲不滿意現實，所以要改革。爲什麼不滿意現實呢？因爲現實是醜惡的，不合乎詩人的理想；因爲現實是卑鄙的，詩人的理想是崇高的。所以詩人往往要發出改革現實的呼叫。『詩人是預言家。』這是的確不錯的。同是詩人的理想太崇高了，太空渺了，往往在實行方面是失敗的。他們既然是失敗了，而仍不肯投降、屈服，於是他們諷刺現實，逃避現實，有的更跑進「象牙之塔」去過生活了。這是一般詩人所共有的心情。這也是一般詩人的寄託。我們若要從心理上來觀察詩人的諷刺與逃避，至少也是一種心情的向上。

屈原的卜居：「安能以身之察察，受物之汶汶者乎？」就可以代表一般詩人要逃避的情緒了。再看離騷：『製芰荷以爲衣兮，集芙蓉以爲裳。不吾知其亦已兮，苟予情其信芳！』這也是寄託的文字。他們的這種寄託是寄託在無何有之鄉的。這種最高空虛的表現，也就是眞實，也就是向上。所以司馬遷的史記稱讚道：「其志潔，故其稱物芳。」我們再讀離騷：『朝發軔於蒼梧兮！夕予至乎玄圃。欲少留此靈瑣兮！日忽忽其將暮。吾令羲和弭節兮！望崦嵫而勿迫。路曼曼其修遠兮，吾將上下而求索。』這幾句話不但表現了屈原的作風，而且使我們讀了可以無形中得到一種啓發，這種啓發是向上的，向前的，使我們不甘心停頓在一個點上；使我們不甘心於庸庸碌碌的生活下去。我們能從他的文字精神中感動的勇往直前。我們能發生一種前進的崇高的理想，使我們自己的生活向上。這就是詩的賜與。也可以說是這便是詩學的功用。雖然說是曲高和寡，但是一個詩人的責任是在打破人與人的心間的隔閡，所以說最誠的愛，才是眞愛的，最深的心，才是詩心。

詩心是有靈性的，是互通的，是可以彼此安慰的。人間最大的安慰，莫過於得到了解；最大的煩惱，苦悶，悲哀，多出於誤會。沒有一個詩人不願意他的作品得到了解與欣賞的。一個聰明的偉大的詩人，他是不担憂別人不懂他的詩的。而讀者對於偉大詩人的作品，也不會不了解的。因爲叫人不能明白，不能了解的作品根本談不上是偉大的詩。那麼，凡是讀者不懂的東西，置之，棄之，都不可惜。（二）

我所知道的麥帥

肯寧將軍原著　徐熙光翻譯

事實上，儘管麥克阿瑟的公報迭遭譏諷，但是在太平洋戰爭期間，他的公報無一不是正確地根據陸、海、空軍的公報而擬訂公佈的。

到底俾斯麥海戰一役裏，日艦一共被擊沉幾艘沒有人能確知。日本投降我們進駐日本以後，大部份日本方面的資料都已銷燬，曾目擊這些資料的日本人則說被擊沉的日艦數目在十二艘至三十艘四十艘之間，我覺得我判斷擊沉二十二艘並不太過份，不過眞正的數字是無關重要的，爲這件事爭辯更是可笑的事。

重要的事是日本企圖增援和補給他們在拉伊的主要據點的計劃已完全失敗。日本海軍在這次海戰裏，運輸船隻和護航軍艦的損失很嚴重，他們從此不敢輕易嘗試在這一帶海域冒險。拉伊的防務也因此日益單薄，結果麥克阿瑟用了很少的力量就奪取了該據點。我相信沒有人能夠否認一項事實，那就是俾斯麥海戰無論對美國，對麥克阿瑟和對西南太平洋聯盟空軍來講，都是一次重大的勝利。

一九四四年九月上旬，隨着戰局的推進，麥克阿瑟把他的總部移到了荷蘭底亞。他與蘇德蘭以及參謀們的辦公處所是一間大會議室。參謀們的餐廳在高達八百呎俯瞰聖塔尼湖的山頂上，機場則在十哩以外荷蘭底亞南邊的海灘地帶。這些房子都是陸軍[illegible]營房，但住起來却舒適。爲了讓辦公室看來比較像樣一點，我把幾張放大的航空照片拿出來掛在牆上。另外又從麥克阿瑟在布里斯班的總部搬來了幾張地毯和一些傢俱，這些陳設毫不奢華，但在當時的新幾內亞來說，已經是夠好的了。金凱海軍上將的總部在半哩外的同一座山上，設備則比較好的多，我的總部在山坡上，比較接近機場，雖然小了一點，倒還舒適。我們住的地方就在叢林的邊上，離赤道只有兩度，但是景色頗佳，[illegible]區範圍都在高達六千呎的塞克洛浦斯山坡上，南邊正對着聖塔尼湖，過了這個深藍而澄淸的湖，就是長約二十哩寬約半哩的中新幾內亞山脈。遠眺海上，可以看到許多狀如圓錐形小火山的小島，二哩之外的塞克洛浦斯山上還有一條高達五百呎的瀑布，附近永遠瀰漫着如雨點般的霧靄。在新幾內亞我住過許多地方，但是我最喜歡的還是荷蘭底亞。

從太平洋一直到美國，甚至有人謠傳麥克阿瑟在荷蘭底亞山上建造了一所「價值一百萬的宮殿」，又說他修築了一條山路通到他的宮殿和金凱上將的總部。這簡直就是無稽之談。這一地區唯一的一塊平地用來作機場了，空軍的營房在山坡腳下，地面部隊的指揮部已建築在山坡較高的地方，我在建造我的總部時，爬到五百呎高的地方才找到一塊小平地。當工程師們前來勘察麥克阿瑟和金凱上將的總部時，只剩最後幾個適合蓋房子的地方了。他們的總部在山上，當然必須修築道路。但是修這條路一共花了多少錢我不知道，我只知道那條路灰塵大得怕人，那是唯一我在荷蘭底亞所不喜歡的一件事。（廿三）

廬君續夢

第十三回：

惡貫難盈巨奸逃火網　良知未泯傑士出天羅

陳毅說道：「改造是要從各方面入手的，不能拘於一格。」

赫魯曉夫笑道：「你們的改造辦法，向來是獨出一格的，例如毛澤東同志改造江青同志，就是一大成功。」

陳毅不敢再講話。

赫魯曉夫又問道：「陳毅同志，你們這兩年經濟情況一定十分好轉了。」

陳毅不知就裏，順口答道：「在黨中央與毛主席領導下，克服了天災，經濟情況實在是逐漸好轉了。」

赫魯曉夫笑道：「我以前看到你們的報紙，對於你們自己所稱的豐收，還有點懷疑，日前我是完全相信了，若非經濟情形全面好轉，你在日內瓦那會這麼寬濶，連美國代表都被嚇住了。陳毅同志，你眞替社會主義國家爭了光，來！乾一杯。」

陳毅也不知道是好話是歹話，也只好跟着乾杯。

赫魯曉夫又說道：「你們去年度應還我們的欠款及利息，拖到現在尚未償淸，我們主管財貿人員也曾屢次提出交涉，你們總說經濟困難，拖延至今，目前既然經濟情形全面好轉，這筆賬也應該還了，我想派個代表團同你一道去北京，把這筆欠款結淸，到時還請多多幫忙。」說過又舉起酒杯。

陳毅這時才有點着忙，但是一時又想不出話來搪塞，只好舉杯乾了一杯。

范文同也覺得大事不好，不敢再耽擱，恐怕赫魯曉夫又找到他身上，就起身告辭。陳毅也趕快放下酒杯，赫魯曉夫帶着手下送到大廳門首。陳毅回到招待所，進門搖頭嘆口氣：「這位赫胖子眞難搞，我今天上了當了，回到北京怎麼交待。」

范文同悄悄寫個紙條給他，上面寫着：「此處不能隨便講話，小心房內有偷聽器。」

陳毅恍然大悟，改口說道：「中國將永遠同蘇聯站在一起，西方國家想挑撥中蘇關係，眞是作夢。」

范文同說道：「一點不錯，我們三國的友情將是千秋永在。」

陳毅說道：「何止千秋永在，根本是萬古長青。」

范文同連連點頭道：「對！對！眞的萬古長青。」

這時陳毅却悄悄遞過來一個紙條，寫着：「赫老明天要派討債團同我去，將怎麼辦！」

范文同又遞給他一個紙條，陳毅看了點下頭，說道：「不過，赫老要派個代表團同我一起去北京，到是不大方便？」

范文同問道：「爲什麼？」

陳毅說道：「我是外交部長，債務是歸財政部管轄的，赫老派了代表團和我同去，到了北京，將會交給外交部接待，試想這筆債若移到外交部去，什麼時候能以結束？外交談判向來沒有結中美大使在華沙已談了幾年，日內瓦會議也開了幾個月，都沒有結果。」

范文同問道：「這種情形你怎麼不告訴赫老？」

陳毅嘆口氣：「我敢說嗎？若被毛主席知道了，那比彭德懷還慘。」

（三[illegible]）

冒險犯難記

鄭文儀

日本醫生的醫術，還算高明，手術經過良好。但麻醉藥醒後，疲乏痛苦，使我覺得比再受一次輕傷還要難過。創口開得很大，一個星期，都不能吃普通飲食，僅能吸收很少的流質，睡在病床上不能轉動。我雖則很高興傷病同時作了根本治療，但因開刀手術之後，痛苦不堪，我又後悔爲什麼要在這時候自討苦吃，而不等身體恢復健康以後呢？這都因爲我體質弱，抵抗力差，所以施行手術後，很有吃不消的感受。

在病床上，我想了很多事，由過去的遭遇及現在的境況，以至將來的前途，都曾經想到了。我認爲我的個性，不宜當一個純粹的軍人，我的興趣是政治重於軍事。尤其這一年來的事實，給我很多啓發，深深感到今後國家的興亡，國民黨的成敗，三民主義能否實行，不在軍事而在政治。因之我想今後改行政治，至少要從致力軍隊政治工作入手，方可使我盡到對國家最大的貢獻。

在醫院住了一月左右，我的傷已全好，病也好了一大半，不過這時精神上很痛苦，既感到孤寂，又非常想家，希望有機會回家去，看看祖父母及父母弟妹們，把我這兩年來的遭遇和困苦以及成就，向他們傾訴，使他們得到安慰，令我得到慰藉。一個感情豐富的熱血青年，當他在離開家庭很遠，孤苦伶仃，疾病無告的時候，想念家庭是十分殷切的，我當時的處境，就有這樣的感覺。我想祇要能見到家人，或者我能結婚成家，我的病就可不藥而癒了，否則我的精神苦悶，病體是不易早日康復的。

因之我在博愛醫院，住了一個半月以後，開刀創口仍未收口，我就寫報告給教導第二團的錢團長，請准給假期三個月，回家省親養病。醫生原不同意我病未好就出院，加之回到湖南，旅途上要半個月以上的行程，舟車勞頓，換藥不易。但我堅持要走，結果得到團長准假之後，醫院也就准我成行，其實這是冒險的行動。醫生在我離院之前，囑咐我兩件事：第一是要按時換藥，如果創口發炎或痛得厲害，要找醫生診療；第二因爲我受了傷及痔瘡開了刀，一年之內，不可結婚或近女色，否則，後果將會不堪設想。醫生也許是聽到護士報告，知道我想早日回家結婚，所以提出嚴重警告的。我接受醫生囑咐，五月初間就離開汕頭醫院，搭上輪船，由上海、漢口回到湖南醴陵老家。不過雖然安全回到了老家，但病況却從此更加沉重，身體十分瘦弱，飲食胃口甚壞。有病不聽醫生言，吃苦在眼前，也眞是自作自受了。（三十）

未褪色的故事

汶津

夏天的考試是一次戈壁的旅行。午後我從圖書館裏昏昏然的走出來，沒有一絲解人意的風，唇間也沒有一點潤滑的感覺。而突然，我的雙瞳燃亮了起來：啊，一片奇跡似的綠洲，自遠處，校園的那頭，翩翩的向我挪來。是一羣穿校服的女學生！我不知怎地，振作起多日未有的精神來。多麼值得感激的巧合哪，我一眼便看見了妳！不會再有別人的，我悄悄地告訴自己。如果妳是大海中的一脈漣漪，我會自千萬頃的浩瀚中把妳分辨出來；如果妳是千萬叢樹木中的一瓣綠葉，我也會讓我的靈魂把妳指點出來。妳該又笑我「傻」了，可是當妳遠遠地觸著我的注視的眸光時，妳突然收斂了那種向前奔來的願望，妳甚至慫恿着妳的同伴們轉過一個方向，（妳以爲妳瞞得了我嗎？）離去了。告訴妳我那時的心情好不？唉，不說了，妳倒這個最精靈的，我要問妳，第二天晚上我又到妳家和妳上課的時候，爲什麼直低着頭不啃聲呢？妳難道不知道那是很不禮貌的嗎？那時妳該向我點點頭，輕輕的叫一聲「老師」才對啊！可是，要眞是那樣又該多煞風景！

每天我都伴着妳的影子；有課的時候，那是妳：沒課的那些夜晚，妳的笑的記憶都化成了我的沉思。我常常停留在未讀完的一行上，想到遙遠遙遠的地方。正如我們一起在燈下討論妳的功課時，總會有那種短暫的乍停：我像是不經意的瞥視着妳，然後低下頭去看下一題的文字。但我往往不能讀完，一道眸光逼迫着我，如果我不及時抬起頭來，我幾乎都會感到窒息了。而在我毅然擧首的一刹那，妳會快速地掀起書本，巧妙地遮住了自己的臉龐。好幾秒鐘，妳才緩緩地，略帶頑皮意味地，放下了豎起的書本。然後，然後是嬌羞的，會心的一笑；燈光下，妳的長長的眼睫輕輕地一閃一閃……

還有妳挺秀的鼻子，妳想我會忘記嗎？那天，我在享用過妳清朗的笑意後，忘記了妳（我的好學生！）的戒條，竟在一題數學中用了一個簡體字（告訴我那是什麼字吧，我又忘了。）妳說：「我要扣你的分！」歡然地笑，突然有一股洋溢的甜蜜湧現在心頭。那時妳不是用一次長長的凝視表示了妳的「寬大」嗎？妳能怎麼扣我的分？不怕我告訴伯父，好好的教訓妳這個不懂禮貌的丫頭一頓？可是妳會記得另一次，謝謝令妹，她到如今還不會知道她曾串演了一次綠衣小天使吧？那是故事的尾聲了，妳故意（沒有冤枉你吧）要我爲妳出一些題目，雖然我們那可笑的師生關係已經告一結束了。我遵命了，把那一頁寫得密密麻麻的練習紙交給妳妹妹。第二天，妳沒有回答我問妳的，那麼神祕的笑了笑，說：「那些題目是沒做，可是我看過了。」妳故意把後面那幾個字拉長着說。當然，妳看到我夾在習題中間的那句走私的閒話了：「我很怕妳扣分，但是我心情不好，寫不出端正的字來。」妳該還記得的。妳的姊姊和姑姑那晚上到底懷着什麼鬼胎呀？我不過把那本參考書給妳送去，順便跟妳閒聊幾句，誰都會忍不住和妳聊幾句的。不！和妳那秀而長的眼睫，以及挺而俏的鼻樑，以及若隱若現的笑渦。我眞不記得那時說了些什麼了，只記得一點靈秀的光芒閃露在妳美麗的[illegible]仁裏……（上）

基隆旅居記

仲公

今者玉山之吟社重開，環海之名流畢至。吐漫天之珠唾，光炫陸離。聽擲地之金聲，才超七步。以騷壇之宿彥，寫本地之風光。必能鉅細無遺，雅俗共賞者矣。僕適因公暇，憶前時裙屐之遊。××××，備他日輶軒之采。竊擬春秋之筆，寓褒貶於廿八字中。妄將月旦之評，括風俗於廿二首裏。敬求斧削，諸君勿惜墨如金。倘荷琢磨，小子再拋磚引玉。伏祈哂政，勿誚小巫。謹撰駢詞，以呈大雅。」

竹枝詞曰：

除夕張筵獸炭煨，金錢準備繞爐來；願郎得似雙方箸，暮暮朝朝湊一堆。（台俗妓院於除夕作圍爐之會，熾炭筵上，遍招所歡，來者必以金錢繞爐，爭多較勝，始許入席，以博朱顏一笑，其意蓋明示有錢則親熱也）。

兩扇朱門八字開，濃粧深坐復徘徊；忽驚聽署三聲砲，爭看迎春太守來。

元宵澈夜月華澄，聞說金獅此地經；喚起鄰家諸姊妹，倚門排坐看龍燈。

鄰家人散寂無譁，福德街前月已斜；夜靜怕逢羅漢腳，與郎攜手緩歸家。（基隆人呼無賴之人曰羅漢腳）

鴉片迷魂倍可憐，繩床竹枕日長眠；年來猶擗深如許，費盡紅閨賣笑錢。

情郎病骨日懨懨，藥石無靈勢倍添；急倩師公解法，典釵深夜檢粧奩。（基隆在昔邪法盛行，生死之權操於師公，凡與人有怨者，以重利賄師公，則所怨者病死，其後身上必現符，其符作蝌蚪形，或紅或黑，其符有銷喉，穿心，截腦，閉口等名。惟以厚利求師公解之，多獲再生。師公多僧道之流，現尚有符習其術者。）

跳童袒臥鐵釘床，斫腦穿腮血滿腔；金鼓喧闐人逐隊，神輿顚倒戲街坊。（基隆俗尚遊神賽會，必有跳童相隨，刀斫錐刺，略無痛苦，神座以四人舁之，右推左扶，東倒西歪，云是神力所爲，雖壯夫莫禦，習俗信神，一何可笑。）

城隍娶婦事眞奇，彼妄言之此聽之；安得西門豹重出，嚴懲巫覡破羣疑。

海濱新泊瑠王船，約伴燒金一念虔；未識喃喃訴何事，桃花泛出粉腮邊。（瑠王船甚小，自來自去，能越重洋，基隆人奉之彌謹。又拜神曰燒金。）

點點啼紅染絳綃，中元普渡把魂招；後哥那管咱心事，濁酒三杯帶淚澆。（中元一屆，熱鬧異常，殺牲不可以數計，習俗相沿，牢不可破。婦因夫死再贅，則呼後夫爲後哥。咱即我們二字。）

貪眠慵起理殘粧，一任春湯冷玉盤；幾度推衾呼不醒，故裝濃睡待郎看。（五三）

我的社會生活

雷嘯岑

堅苦孤危的文化鬥爭

許孝炎、卜青茂諸君在香港籌備創刊的報紙，最初預定於是年（卅九年）雙十節出版，名曰「香港時報」，繼而決計提前於八月七日開張，催我早到香港，我於七月中旬應約而至，同住在「六國飯店」，報館地址即係舊有的「民國日報」所在地，社會人士皆知「香港時報」是中國國民黨的海外宣傳機構，而當時本港民營報紙，曾將許、卜二君和我的過去經歷亦加以報導了。時報創刊伊始，政府尚在廣州，中英邦交依然保持着，潛伏在海隅的共黨份子，以及一般親共媚共的冒充民主人士，還有些看風轉舵的善變之徒，對於香港時報雖表示輕視鄙薄，却不敢公然指摘謾罵，形之於筆墨或詞色。迨政府由重慶撤至台灣，英國搶先承認毛共政權後，共黨在海隅的報刊，每天指名「時報」攻擊，且謚以「反報」惡號，我除却寫社論作正面的反駁外，又在副刊上對毛共的「大公」「文滙」兩報，還敬以「打拱」「鬪穢」的名稱，表示決不示弱。對日抗戰時期，我在重慶主持「西南日報」筆政，毛共的「新華日報」曾罵我是「奸匪漢奸」──因爲我寫過一篇慶祝蘇俄十月革命紀念的文章，其中頗稱許托洛斯基的戰功──我也還稱他們是「闖賊雜種」，并加以說明曰：「你們誇耀二萬五千里長征之役，即是闖賊；你們尊奉俄國人爲爸爸，便是雜種」。這時「香港時報」的處境很孤危，每天譔寫社論的祇有我和黎晉偉君（後來陸續在時報担任社論工作的有黃震遐，胡秋原諸君），在此孤軍奮鬥的低潮逆流中，更不能稍存畏葸之心，否則何必多此一擧，要在海外創設報紙呢？

時報創刊的初期，我每週至少要寫四篇社評，另外隨時譔專欄文章，又在副刊上寫小品文，總是以反共抗俄的思想鬥爭爲基準。社評是不署名的，其他專欄文字皆署眞姓名，小品文署以「倘方」「馬五先生」的筆名。這時候，我的妻室兒女，皆陷在大陸匪區中，有些洞悉我家庭情形的朋友，曾勸我少用眞姓名在報上發表文章，以免連累家屬。我就答道：「事到如今，我自己的生死禍福且無從計及，那有心思顧念家屬呢？共黨如要屠殺我的全家，祇好聽之，我死亦要死得光明而痛快！」時報每逢星期天，刊登一篇必須署出姓名的專論，這類文章都是請外界人士執筆，約定每篇字數不到三千，稿酬港幣四十元（在當時是很高的稿費了）。曾有一位立法委員（他已去世了，姑隱其名。）送來一篇泛談國際問題的文章，沒有一句涉及共黨的，署以筆名「時學」二字，我因其不合規定，加上他的尊姓纔刊佈。詎次日他以很不愉快的詞色，詰問我爲何擅行加上他的姓？告以這是報社的規約，他仍不諒解，聲言若因此而連累他在大陸上的家屬，如何得了？我即憤然答曰：「老兄作立法委員的聲名，難道不及你用筆名寫篇文章，更使共黨注意嗎？如果害怕連累家屬，最好在香港報紙上刊登啓事，聲明辭去立法委員，改稱『民主人士』，走回大陸爲佳」。我倆乃不歡而散，他亦再不替時報寫文章了。（六四）

飲冰古今譚

周燕謀

唐人雖然有利用天然冰來消暑，但却總是富貴之家的玩意，不是一般人民所能享受得到的。詩聖杜子美特別有詩詠之，詩云：「公子調冰水，佳人雪藕絲」。可見唐代的貴族們已經多能享有夏日的冷飲了，并非玉環楊家的專利。所不同的，那時候普通人尚無此福份，街頭自亦不會如今天有紅紅綠綠的冰店林立，情話喁喁的愛侶場面之出現。

到了明朝，我們又見到顧開雍的「六月賣雪」詩，詩曰：「蒼根六月曉寒生，雙鳳橋西賣雪聲；銀盤盛來調密咽，冰塊淨洗齒牙淸」。這不就是飲冰消暑了嗎。

公開正式賣冰賣雪等冷飲，則始於宋代。「東京夢華錄」記云：「是月（六月）巷陌雜賣……巷陌路口，橋門市井，皆賣：冰木瓜、冰雪、涼水、荔枝膏；皆用靑布繖、當街列牀櫈堆垜。冰雪爲舊宋門外兩家最盛，悉用銀器……。」可知在街邊擺冷飲攤已出現在宋代了。在「乾淳歲時記」中亦云：「六月，都人士登舟泛湖，爲避暑之遊，時物則新荔枝，軍庭之李，一果產閩，奉化項里之楊梅，聚景園之秀蓮新藕，蜜筒甜瓜，椒核枇杷，紫菱碧黃，來禽金桃，蜜漬昌元，木瓜豆兒，冰荔枝膏，金橘水團，麻餅芥辣，白醪涼水，冰雪爽口之物……。」觀此，足見古人夏日冷飲之品猶不遜今日，觀以上名目之繁多，已可想見了。（二）

內僑警台報字第〇三寳號內銷證

自由報

THE FREE NEWS

第四五九期

中華民國僑務委員會核發
台教新字第三二三號登記
中華郵政台字第一八二八號執照
登記為第一類新聞紙類
（每星期三、六出版）
每份港幣貳角
台灣零售價新台幣貳元
社長：雷嘯岑
督印人：雷行賓
社址：香港銅鑼灣高士威道二十號四樓
20 CAUSEWAY RD 3RD FL. HONG KONG
TEL. 771726　電報掛號：7191
承印者：田風印刷廠
地址：香港灣仔高士打道一二二號
台灣分社
台北市西寧南路壹叁零號二樓
電話：三〇三四六
台郵機站信箱二九二五

論保障人權為法院之神聖職責

·陳健夫·

保障人權，是現代民主國家一件神聖莊嚴的大事，應大書特書。

在民主國家，保障人權是法院的首要職責。法院為達成此項神聖的職責，必須超然獨立，不容任何人假借權力或金錢而對之有所侵犯或影響。這才是眞正的司法獨立。

通常人們的觀念認為法院只是在懲罰犯罪，公斷是非曲直，為國家社會法紀的執行，但這種僅是消極的一面，却另有積極的一面，那便是保障人權。

我國的憲法將此項保障人權的職責交付法院，在憲法第八條中明文規定：「人民身體之自由應予保障；除現行犯之逮捕由法律另定外，非經司法或警察機關依法定程序，不得逮捕，拘禁。非由法院依法定程序，不得審問，處罰。非依法定程序之逮捕，拘禁，審問，處罰，得拒絕之」。

憲法中又在同一條文內，進一步確保人權，限制法院以外的機關非法逮捕人民，明文規定「提審」法，規定：「人民因犯罪嫌疑被逮捕拘禁時，其逮捕拘禁機關應將逮捕拘禁原因，以書面告知本人及其本人指定之親友，並至遲於廿四小時內移送該管法院審問。本人或他人亦得聲請該管法院於廿四小時內向逮捕之機關提審，法院對於前項聲請不得拒絕，並不得先令逮捕拘禁之機關查覆。逮捕拘禁之機關對於法院之提審，不得絕或遲延」。憲法為確保人權，硬性規定法院不得推辭此種責任。又再重復強調：「人民遭受任何機關非法逮捕拘禁時，其本人或他人得向法院拒聲請追究，法院不得拒絕，並應於廿四小時內向逮捕拘禁之機關追究，依法處理」。

憲法中這一條的文字比較冗長，而最具重要性。條文中措辭一再強調，重複，可知立意之深，付託之重。憲法將此項保障人權神聖職責交付法院，只許法院「依法定程序」才可對人民逮捕、拘禁、審問，否則人民有權「拒絕之」；而法院必須依法定程序處理。如有違法拘禁，法院更不得拒絕人民的聲請追究。由此可證憲法中是將保障人權的神聖責任，鄭重付託給法院的，司法人員應如何的將此任務牢記在心，時時把握，方不負憲法的付託。

憲法為確保人權，除於第八條有上述詳細繁覆的明文規定外，又於廿四條規定：

「凡公務員違法侵害人民之自由或權利者，除依法律受懲戒外，應負刑事及民事責任。被害人民就其所受損害，並得依法律向國家請求賠償」。

這一條文是為了補救第八條的，因為憲法中已一再鄭重將保障人權的職責交付法院了，但如法院及其他機關的公務員有違法侵害人民自由或權利者，就要受到懲戒，並追究其責任，甚至還有權要求國家賠償。這條文中所指公務員，當然也包括司法人員在內。

這一章「人民之權利義務」是憲法中最重要的一部份，而這一章中規定得最詳細的就是要確保人權，而且將此項神聖職責交付法院。

但我們檢討之下，我國的法院似乎只重視消極的一面——懲治罪犯，而對此項積極的保障人權的神聖職責，却有漠然視之的傾向。明白的說，即是法院並沒有完全盡到憲法所付託的保障人權的大責任。我們的法院，對其他機關非法逮捕拘禁的被害人，很少有提審的事例，更不會有「向逮捕拘禁之機關追究，依法處理」的前例。關於這一點，或許因為國家法治尚未進入常軌，法院尚不能充分發揮其效能，姑置勿論。但我們考察法院之內的部份司法人員之所作所為，亦未盡符合憲法所付託。我們十分敬仰國家的司法人員大部份都能恪盡職守，保持獨立，成為國家法治的干城，但對於那種在極少數司法人員之間表現出來的對於人權保障的漠然態度，却深為駭異與不安。刑事訴訟法上明明規定「實施偵察，非有必要，不得先行傳訊被告。」（二〇七條）却有的檢察官對凡為被告者，不問情由便要交保；一交保便是店保若干萬，被告若一時交不到保，便頓時喪失自由，其人身自由及事業即時喪失。名譽更受損害。即令是誣告案件，也叫被告先受到人權的損害，這種損害，在被害人說是無可補償的。造成這種損害的，就是法院的檢察官。這種不問青紅皂白，不問情節輕重，動輒交保的作風，是不好的。而此作風之形成，乃是由於極少數的司法人員昧於憲法所付託的責任之神聖，將憲法所鄭重加意保護的人權漠然視之，因之形成此一錯誤的觀念與習慣，漫不經心，隨意為之，以為別人無權過問。希望司法當局從司法教育訓練機構到法院之中，將此一錯誤作風，從根拔除，則造福於民不淺。近年來，司法方面勵行改革，進步是可佩的；但願當局對於人權保障的職責，今後更加留意尊重憲法所賦予法院的職責，對於社會上的不法商人，不肖官吏，互相勾結，利用關係，假借權勢，使用金錢來影響法院的獨立的邪惡勢力，要深閉固拒，加以排斥，才可以眞正維護司法的獨立。今日眞正侵犯司法獨立成為大上法官的不是監察院，而是少數司法人員的不道德心。

今日社會，人人有控告人的自由，人人也有被告的可能，法院對被告，非證明確有違法之嫌，不應對其人權人格稍有侵犯，侮慢。社會上[illegible]

[illegible]

最後，願向司法當局建議：將中華民國憲法第八條、第廿三條、第廿四條，用正楷書寫，懸立於司法大廈之內，以供司法人員及人民恭讀，[illegible]善莫大焉！

兩個兇手

第一號陰謀家

今日與明日

大平訪華

日本外相大平正芳昨日已抵達台北，官式訪問中國，這是戰後日本外相第一次訪華，也是自從中日關係惡化後，日本官方人物第一次訪問中國。自然受到中國朝野的重視。

不過，大平此時來華訪問，與平常的外交應酬不同，中日之間許多懸案，都希望大平能有一個滿意的交待，例如毛共在日本設貿易代表處的問題，雖然聲稱是廖承志私人辦事處，但誰人皆知是一個毛共的官方團體，日本若准毛共設立此種辦事處，繼之而來的將是無窮麻煩，毛共進一步將要求在日特務人員具有外交官的身份，辦事處門首要懸掛毛旗，如此以來，日本若不能堅持立場，稍為遷就，又將引起中日關係的惡化。日本若眞的有意改善中日邦交，應該拒絕毛共特務人員入境，事實上沒有毛共代表也是同樣作生意，何必作這種有損中國而無益日本的事。

毛共封鎖瓊州海峽

毛共突然宣佈封鎖瓊州海峽，因事情起的很突然，引起自由世界的注視。目前通過瓊州海峽的船隻，全是共黨集團的，尤其是蘇俄船隻為數較多，蘇俄過去援助北越及寮共的軍火，皆是通過瓊州海峽，運到北越重要港口海防，此時毛共封鎖瓊州海峽，就斷絕了蘇俄援助越共之路，胡志明即使想在赫毛之爭保持中立亦不可得了。

與此項有聯帶關係的，就是蘇俄撤退在北越的顧問及技術人員，究竟是蘇俄自動撤退，還是受胡志明政權所迫，尚不得而知，不過，可以說明一點，胡志明是一面倒向毛共了。

捷共譴責毛共

捷共布拉格電台廣播，指責毛共在寮國製造戰亂，助長了美國好戰派的氣焰，美國派出泰勒將軍出使南越，就是受了毛共的刺激所致。

捷共此項指責自不為無理，不過，適在此時說出，却另有深意存焉。

目前迷惑世界的一個最大問題，就是一旦美國同毛共交戰，蘇俄究竟採取何種態度，眞理報已經明白表示毛共自己惹起的戰爭，蘇俄決不參與，捷克共黨此時發出指責，用意是在證實毛共的罪行，看情形，不久將會有其他東歐國家步捷共後塵，紛紛指責毛共挑起寮戰，加重毛共的罪行，作為將來的退步，一旦毛共同美國作戰，他們都會置身事外。

自由談

奧令匹克總會，最近又將該會早已決議不許印尼參加本屆在日本舉行的世運大會原案推翻，理由是體育運動事宜不應夾雜着政治問題；而其變更原有決定的唯一因素，就是埃及、敘利亞、伊拉克這些所謂中立國家，認為印尼如被拒參預大會，它們亦就不願意加入，表示集體「杯葛」之意。

過去印尼主辦亞運會之敢於破壞「世運」規章，不邀請中華民國參加，就是基於它那親共政策的原因，而此次「阿聯」等國之集體要挾，替印尼撐腰，更是明明白白的政治行動。奧令匹克總會乃藉口體育事宜不夾雜政治問題的說法，出爾反爾，

世界，推翻原有決議，不管是賊喊捉賊，醜態畢露，其欺乎？

人類生活絕對離不開政治因素，所謂體育事宜應越於政治問題以外云云，係無稽之談。奧令匹克總會因印尼違背規章，玷污體育精神，予以停止「會權」的懲罰，尚不失其為正義公道的表示，嗣又狐埋狐搰，

不宜妄自菲薄

毀棄前議，此在表面上亦已墜入政治問題漩渦中，還說甚麼「不夾雜政治問題」的廢話呢？

聯合國原係國際政治機構，因為有俄共集團參列於其間，遇事搗亂胡來，構成蛇鼠一窩的實質，以致陷於癱瘓狀態。現在世運會為着遷就少數親共、媚共國家，而自毀信譽，作出這種非正義公道的措施，結果是自貽伊戚，後患孔多。

很奇怪，咱們政府為啥不教我國代表提出抗議，[illegible]度？若說祇要毛共不參加世運會，而邀我國選手躬預其役，於願足矣。我認為這是阿Q精神。應知道咱們的「正名」問題，十之七八將告失望的。到時候，只教咱們的選手用R.O.C.符號出場，却不明白揭出中華民國的堂堂之陣，正正之旗，這成甚麼玩藝兒呢？

不管有效與否，對於世運總會的無理決定，咱們應該表示抗議，不然，即未免太妄自菲薄了！

馮玉先生

在諸種不滿意的批評之外

影展主辦單位與市議會 曾有一段不愉快的風波

（本報記者台北航訊）亞洲影展辦得不盡如人意，不滿意的批評不一而足。弊中，尚有台北市議會與亞展主辦單位間一段不愉快的風波之事，此間報紙多未刊載，爰誌其始末如次：

話說六月十六日台北市議會舉行第一次臨時大會時，曾通過一項臨時動議：要台北市政府把主辦第十一屆亞洲影展會單位所辦理的「亞洲群星大會」，及「中國之夜」出賣的入場券，有沒有依法課徵娛樂稅，提報下次大會。

市議會此一決議，對亞洲影展主辦單位，要算是很難堪的。但市議會為什麼而有此舉呢？表面似頗耐人尋味，但說穿了，實在一文不值。卻亦還有人認為市議會做得很對，值得稱道哩！

按：此案是由市議員宋霖康、黃信介、陳鄭岐、楊燗明等四人連名提出臨時動議，其理由有云：查第十一屆亞洲影展，於本（六）月十六、十七兩日，分別舉辦「亞洲群星大會」暨「中國之夜」晚會，據報載：入場券最高售價一百元，最低售價二十元。依照規定，應由本市稅捐處向主辦單位課徵娛樂稅，以裕地方稅收云云。此一臨時動議，連署中共十九人，包括無黨派的副議長陳少輝（也就是大會主席），國民黨議會黨團幹事鄭瑞齋（現任）和沈應松（前任）等。該案討論了七十分鐘，市議員們的發言都很激昂。發言要點計為：

「亞洲群星大會」及「中國之夜」晚會入場票，有沒有依法申請？如果申請了，是由什麼團體申請的？法人財團呢，抑是主辦單位？稅捐處依何法核准的？是不是免徵娛樂稅等等。

據稅捐處長饒運炎答覆議員質詢時，說：「亞洲群星大會」及「中國之夜」晚會係，是由影劇人協會依照規定申請免稅的。影劇人協會是文化團體。筵席及娛樂稅法第四條第二項明文規定：凡是教育文化公益慈善機關團體，其合於民法總則公益社團及財團之組織，或依其他關係法令，經向主管機關登記或立案者，所舉辦之各種娛樂，其門票或代價全部收入，作為本事業之用，免徵娛樂稅。影劇人協會即依此法申請免課娛樂稅。至於其門票收入是不是用於本事業，稅捐處將依法調查；假如發現其門票收入，不是用於本事業而係個人的話，則仍舊要課娛樂稅。因此，影劇人協會並辦妥納稅保證手續，保證者是一家印刷廠。同時，其門票收入是否用於本事業的調查報告，係由市長核定。

但市議員們仍不放鬆，紛紛舉例質詢。如張立中議員說：台北市體育會之體育活動為什麼不得依法免徵娛樂稅呢？還有當問到是那一家印刷廠保證的時候，饒處長支吾其詞。因而最後大會議決兩點：（一）本案送市府依法切實辦理；（二）並將辦理情形提下次大會報告。

這個臨時動議，嚴格的說，在程序上是有問題的，因為它沒有送議會程序委員會審查，即直接送大會。而在討論的時候，因為沒有議員異議，同時有關方面也沒人在會場旁聽或協調，故此案極順利地就通過了。至於市議會為什麼對亞洲影展主辦單位有此一手呢？主要的原因由於雙方在內心裏都有說不出口的話。因為亞影開幕的那天，市議會費了九牛二虎的力氣，才弄來幾十張「貴賓證」，議員們始做了「貴賓」。市議會係在中山堂光復廳開大會，影展開幕那天，特提前休會，把議場作亞洲影展會的酒會場所；不料，「亞洲群星大會」和「中國之夜」的兩場晚會，竟無一張「貴賓證」邀市議員參加，為此，議員們耿耿於懷了！當時，曾有熱心人士從中奔走，把市議會的反應轉告亞展主辦單位，希望亞展當局設法補救，但未有圓滿解決。於是而發生這場意外風波了。

冤獄賠償法實施情形 袁良驊質詢・鄭彥棻答覆

（本報台北航訊）立法委員袁良驊，於民國四十一年至四十二年間，分別提出制訂冤獄賠償法於立法院後，曾鬧得滿城風雨。但經立法院通過實施四年以來，所有疑慮已一掃而空。因之冤獄減少，人民受惠，國家亦受益不淺，且博得聯合國人權委員會承認中華民國為實行人權保障之國家。惟自冤獄賠償法實行以來，法院對於人民之罰欵概取最高額為標準，而對於人民冤獄賠償則一律以最低額計算，袁氏認為有違當初立法原意，曾於日前院會中向行政院提出質詢，加以糾正。當時出席委員計三百七十人，所有行政院正副院長，各部會首次長，政務委員，新聞局長及政院秘書長均列席，可見各方對於該案之重視。首由袁良驊宣讀書面質詢，繼之以口頭質詢，極得出席委員之支持，情形至為熱烈。當由司法行政部長鄭彥棻加以答覆。茲將袁良驊當日之書面與口頭質詢暨鄭彥棻之答覆原文誌次，以饗讀者。

（一）袁良驊書面質詢

其一：

本席於民國四十一年至四十二年間分別提出制訂冤獄賠償法之後，在立法院審議進行中，有人以為這一法案雖好，但事屬創舉，如果一旦通過，政府每年支付冤獄賠償費到底要多少，因無經驗，很覺焦慮。在趙琛先生出席刑事學會演講時，也估計每年要支付二、三千萬元；在司法行政部方面有人估計要支付三百萬元；在立法委員韓同以民國四十年為根據作實地調查，他查出單在司法方面而言，在這一年中會受冤獄之被害人的人數為一三五七人，合計在獄天數為四萬三千零八十八天，假定每天支付賠償金額以三銀元計算，合計為一二九，二四〇銀元，更以一銀元折合新台幣三元計，也不過合新台幣三八七，七二〇元而已。在我更認為，如果該法案一旦成為法律的話，可使檢警機關，對於拘押疑犯，因受冤獄賠償法的拘束，會大加審慎，不敢濫押無辜，因此冤獄自可減少，而政府每年所支付的賠償費也可相對的降低了。

自從冤獄賠償法於民國四十八年六月二日在立法院通過之後，在同年九月實施以來，截至民國四十九年底止，為時已有一年零三個月，僅有冤獄二宗發生，而政府所支付的賠償費合計為一四〇銀元。在民國五十年而言，各法院受理合乎冤獄賠償法所規定的案件也祇有七宗，其所支付的賠償費為一千八百七十六銀元而已。因此，冤獄賠償覆議委員會主任委員謝瀛洲，於民國四十九年十一月三日對聯合報記者訪問時答覆說：「當冤獄賠償法於提由立法院審查時，各方雖贊同該法之實施，有助於法治之昌明，但另方面認為國家財政困難不免增加負擔。但該法實施之後，已可說明並不影響財政之收入，因為根據一年來之實績表現，僅有二人獲該法之賠償合計為一百四十元（銀元），但該法之實施，使有權拘押疑犯的檢警等機關，對於拘押犯大加審慎，減少國家囚糧與人力，故而有助於政府財政收入。」至於民國五十一年和五十二年的冤獄被害人數和賠償費若干，雖未見司法行政部宣佈，但我鑒於該部民國五十三年度所編列的冤獄賠償費預算，已比之上年度由三十萬元減至十萬元，也可以窺見冤獄的銳減，而賠償費的支付已微不足道了。

當冤獄賠償法在立法院審議之初，討論到該法第三條第一項時，對於冤獄被害人在獄一日應支付賠償金額究竟規定若干，方不致有累國庫負擔太重，因無實績可資參考，故多主張從最低金額支付之；如果將來該法推行良好，冤獄不多，儘可針對現實情形，才把賠金額提高。在場委員了解此旨，因此乃暫定以四銀元以上六銀元以下折算一日支付之。而同條第五項死刑之執行的冤獄被害人，則除依第一項規定賠償外，並暫定支付四萬元以上六萬元以下撫慰金。

現行的冤獄賠償法實施已有四年多了，實績已足夠表現國庫所支付的冤獄賠償費既微不足道，而這四年以來物價高漲，故現行賠償金額區區之數，已不符實際，大失救濟之旨。因此，本席提請司法行政部，即把冤獄賠償法第一條第一項規定的冤獄賠償金額增加一倍，和同條第五項的撫慰金也增加一倍，咨送本院審議。這是一樁所費很微，而能救濟無辜保障人權的善舉，我想鄭彥棻部長會樂於接受我的建議吧。（上）

香港與大陸

出爾反爾自打嘴巴

毛共突要服務性行業職工 對顧客恭恭敬敬禮貌周到

中共最近又在全國的商業部門，展開了一項所謂「改善服務態度」的運動，尤以飲食、理髮、浴室等服務性行業為然。中共要那些職工們對顧客「笑臉相迎」，「笑臉相送」。

據最近由廣州經香港赴星加坡的僑屬羅師奶向本報記者透露：大陸所有的服務性行業，最近在「全國財貿工作會議」之後，都奉令展開了如火如荼的「改善服務態度」的政治運動，內容是要所有在此等行業服務的職工，都要恭恭敬敬地對待客人，而且這種態度還要由衷的，絕不能是表面的。

羅師奶說：奇怪的是，在過去，中共當局，却是反對這種做法的，認為是「資產階級經營作風」和「對職工的侮辱」。它們認為職工們應該有一定的崇高地位。可是，現在中共卻又以「階級友愛」和「對待同志的態度問題」來「改造」職工了。

羅師奶說：中共在此項政治運動中，首先要求每個職員都得參加有關這方面的「政治學習」，認識這是一個服務性行業「重要的態度問題」，要認識「如果忽視了此一問題，也就等于忽視了此一行業」。羅師奶說：中共一方面要職工們學習，另一方面又要這些行業職工都訂出公約，并按照公約實行。

羅師奶舉例說：例如，她的一位堂弟在廣州市永漢北路服務的一家理髮店，他們所訂的所謂「服務合約」是這樣的：

（一）當顧客一入門時，我們要說：「顧客，你（妳）好」。

（二）我們要用雙手遞上一杯熱茶，並且要和藹的說：「請喝茶」。

（三）在未動手和客人理髮前，必須有禮貌地徵求客人的意見，要理剪那一種髮型。

（四）在工作時，還應不斷地徵求顧客的意見，如果有不滿意時，則立即盡力的糾正過來。

（六）顧客在付帳時，要謙遜地說一聲：「多謝」。

（六）顧客要離開時，也要說一聲「再見」和遞上一杯熱茶。

羅師奶說：中共這種一反常態的作風，使許多人無法適應。就那些服務性行業職工來說，過去，他（她）們雖然是服務性行業，但不能以「資產階級的營業方式」，皮笑肉不笑的去迎接顧客，甚而極卑下的去討好顧客，強調在「新社會」的職工是不用對顧客，只要大家平等，互相尊重便可以了。甚而過去批評那些對顧客恭恭敬敬的職工是「有損工人階級的尊嚴」或是「虛偽作狀」。一個大轉變，不單是職工們無從適應，就是顧客們也覺得不知所措，無從應付。

還有不少此等行業的職工，說：在過去「舊社會」中，我們如果態度不好，開罪了顧客時，便會被老闆解僱；而現在我們如果開罪了顧客，亦同樣會受到嚴厲的批評，甚而鬥爭。這樣「新」「舊」社會，又有何分別呢？（敬）

毛共與蘇俄間鬥爭 印度寮國均成戰場

（華盛頓航訊）此間外交人士指出，毛共與俄共間在亞洲鬥爭的激烈化，已為無辜的非共人民帶來嚴重災難。在國際上，寮國衝突可能變為大流血的內戰；在印度，印度共黨中親毛共與俄共兩派的鬥爭，引起了共黨基地安荷拉省平民窟的大火慘劇，使七千餘戶無家可歸。凡此種種事實均足以說明，雙方已將以往使用邊疆的戰術，移至中立地帶使用。此一轉變，並非偶然發生之事。且此種事實，早已存在於其他落後地區，今後必將更加擴大。

印度安荷拉省的大火事件，是印共中反對派為掃蕩維加雅瓦達附近工人區故意造成的。反對派共黨在放火之前，曾向該地居民預先提出警告，故無任何傷亡。至於他們竟然要放火的目的，是使該居民在房屋被燬後被迫遷移，藉以破壞現有之選舉集中地區，使親毛派可在此間爭取新的選民，以便在印共中取得控制地位。安荷拉區過去曾選出五十六名共黨代表參加為數三百人的省議會，此一代表團的領袖在爭取控制全印共黨的鬥爭中，地位極為重要。此間外交人士指出，印度已成為毛共與俄共鬥爭的主要戰場，任何一方的勝利，均可對整個世界共黨運動發生重要影響。

在東南亞的寮國，蘇俄飛機於一九六二年公開空投武器的地區，今天又已窺見俄製高射砲及坦克。此一事實，顯示出俄們正以新的軍援在該地從事重振聲威的活動。此間人士指出，由於毛共不惜援助落後地區「革命」的方法，破壞蘇俄在東南亞的地位，俄方為了重新表示其革命熱情，遂決定在寮國發動示威，影響越局，藉以爭取亞洲「革命」的領導地位。而如此一來，問題便更複雜，前途便可慮了。

監察院彈錯了對象麼

胡笙

然則陳廖二推事何以要强調刑求呢？陶黃意見書指出：「查刑事訴訟法第二百二十條規定：『公務員因執行職務如有犯罪嫌疑者，應爲告發』。查閱本案全部卷宗，地院高院承辦各推事及在申辯書中强調刑求情事之陳廖二推事，皆未就陳廖所稱之刑求加以調查或提出告發，高等法院及陳廖二推事之判決書雖爲黃啓瑞等竭盡開脫之能事，但並無一語涉及刑求，足見陳廖二員所稱刑求之說，彼等當時固皆不信以爲眞。今陳廖二員希圖逃避懲戒，明知『刑求雖無確據』，（見申辯書第六頁第四行）然仍以刑求爲推翻許江富、楊逢春等對檢察官承認犯罪口供之藉口，其爲狡辯，自無可疑。」

在意見書第十節中，陶黃又提到刑求問題：「申辯書對警備總司令部及刑警大隊任意指摘，旋又自知不合，在第十八頁第十五行聲明道歉。查刑求爲百川賓實素所痛恨，反對糾正，不遺餘力，即陳廖二推事亦不得不在申辯書中公開承認（第六頁十行）。審判時即知有『刑求』及『非法訊問』情事，早應發回更審調查，並檢舉告發，何必向警總及刑警大隊公開道歉！如警總及刑警大隊並無刑求情事，則陳廖二推事爲企圖自身之免於懲戒而不恤血口噴人，此種毁人利己之罪過，豈是道歉所能抵消！」

九、

許江富在警備總司令部承認一百萬元是他和楊逢春二人共同送與黃市長夫婦的賄欵。但在基隆地檢處五十年四月五日偵訊時，突然翻供。這是什麼原因呢？台北地方法院承審推事，高等法院檢察處，最高法院刑二庭（非陳廖二推事的刑一庭），都認定那是黃朱金鳳楊逢春和許江富夫婦爲圖脫罪而串供的結果。但高等法院和陳廖二推事却認爲串供不可能，因爲五十年四月九日前許江富關在基隆看守所，一向禁止接見，直到四月十日方准接見，則在四月五日前怎樣可能串供呢？

但陶黃意見書指證：「陳廖二推事此項論據之不可信，台灣高等法院檢察官鄒宗源早在上訴書中有所說明，即：『許江富雖於四十九年九月二十二日羈押，禁止接見，但至五十年一月十七日有關金門防衛部軍人共同圖利部份，業已偵結提起公訴，連同人犯移送基隆地方法院審理，法院即准許接見，並自同月二十一日起，該許江富即與其妻許珠枝會晤。以後隔日與其妻或外人接見，均有被告接見紀錄卡可查。……許珠枝於該院允許接見期間，乘監視人員不注意之際，教唆其夫許江富僞稱該一百萬元係楊逢春借與黃太太等語，亦據許江富供明在卷。』按許江富此項供認，不僅見於在警務處對葉陳二檢察官之調查筆錄，亦見之於七月十七日在基隆地檢處之調查筆錄，俱見上文。

「高檢處檢察官在上訴書中指摘高等法院：『原判對案卷未加詳細審閱，對事實更未詳加調查，遽憑被告等事後翻異供詞，認爲可信，顯有失出』。

（七）

我所知道的麥帥

肯寧將軍原著　徐熙光翻譯

誠然，在新幾內亞有很多人住不到像麥克阿瑟在荷蘭底亞那樣舒適的房子。如果跟住在帳蓬裏的人比較，他的房子自然可以稱之爲奢華，但是如果有人剛從美國一般水準的家庭搬到這所「價值一百萬元的宮殿」來住的話，我相信他不會用「奢華」這個字來形容他的新住所。總之，這又是一件與事實不符的傳聞。

一九四四年十月二十日，美軍在雷伊泰島登陸，當攻擊舟波登上海灘向內陸推進數百碼之後，麥克阿瑟即登上了岸。美軍在岸上設立了一個無綫電播音站，準備向菲律賓人民和全世界宣佈美軍的此一登陸行動，麥克阿瑟和奧斯敏納總統都曾經在廣播中談話。

麥克阿瑟的廣播詞又遭到小人的非議，他們指他的談話「褻瀆神聖」、「過於誇張與修飾」，而且「索然無味」、「平淡無奇」這些字眼也用了好幾次。他們還說麥克阿瑟的個人主義氣息太濃厚，在他回到菲律賓以後只由他自己發表廣播詞而拒絕金凱海軍上將說一句話。

當時我是親身在場的人，整個事情從頭至尾我都一清二楚。

麥克阿瑟這篇激發菲律賓人民團結在他四週，驅逐侵畧者的演說詞，是一篇足以使人熱血沸騰，怒髮衝冠，義憤塡膺的文字。如果你是在戰場上收聽這段廣播，你會欣賞它，但是如果你坐在家裏舒適的客廳裏聽它，心裏上的反應就不相同。我不曉得這篇演講詞在美國本土聽起來如何，但我知道那不是爲了坐在家裏享清福的人而撰寫的廣播，而是爲了眞正喜歡聽它的菲律賓人而寫的，他們從這篇演講詞裏知道他們所一向敬愛的領導者已經回來了，他們現在可以得到軍火、武器和藥品。那天，菲律賓的每一座游擊隊電台都在收聽這段廣播、而且立即有了很明顯的反應，我們接到菲律賓全國提供援助的保證和要求下達他們訓令的呼籲。對菲律賓人來講麥克阿瑟是他們心目中的領袖，就像如果他是日本人的話，將成爲一個最危險的敵人一樣。

麥克阿瑟籲請他們奮起抗戰，反抗日本人，這是一篇動之以情的文告。

「非律的人民」，他說：「我已經回來了，得吾人全能上帝之助，我們的三軍已重臨斯土……請大家團結在我的四週，讓我們重振巴丹精神，一俟戰事推進到你處，盼你立能揭竿起義，響應抗日行動……爲了你們的家園，你們應奮起抗日。爲了貴國陣亡的將士們，你們應奮起抗日。我們不應再彷徨因循，每一個人都應武裝起來，全能的上帝將引導我們前進。我們應奉上帝之名，爲爭取正義的勝利而戰！」

然後麥克阿瑟把麥克風遞給奧斯敏納總統，請他發表談話。

原來在奧斯敏納發表演說之後，計劃由麥克阿瑟手下的三名陸、海、空軍主管講話，金凱將軍且已準備好了稿子，但是陸軍司令克魯格和我都不準備發表談話。我認爲只有對麥克阿瑟和奧斯敏納總統來講，回菲律賓才像是回到了老家。所以在奧斯敏納總統之後發表演說的應該是一個菲律賓人。麥克阿瑟於是決定既然我和克魯格都不願意講話，那就三個人都不要講，這個決定我相信不僅是對我，對其他的人，也是沒錯的。

（廿四）

詩的意境格律及修辭

李純一

我國的詩學所以自唐朝以來，一蹶不振的原因，就是自唐朝以後，一般人把詩看做一種技巧的文藝，就比如把詩看做一枝人工仿製的花，無論如何維妙維肖，但終究是假的，非眞的，沒有生意的，所以在這個路綫發展迄今，我們的詩學便未再復活。宋朝程氏兄弟與蘇氏父子各分學派，互相爭論，程氏謂作詩的文人多是玩物喪志的，當然這話也是不無所據。比如陸放翁寫的：『垂簾不覺留香久，古硯微凹聚墨多。』這兩句詩，不能夠給我們一種向上的啓發。又如杜甫的：『老妻畫紙爲棋局，稚子敲鍼作釣鉤。』就太狹小了，也決引不起我們向上向前的精神。能夠引起我們精神向上的詩，才是好詩；不能夠引起我們精神向上的詩，只是在表演作者的文字的技巧以及狹窄的描述，雖然是名作家或大詩人的作品，也不是好詩。我們千萬不要去學它，免得我們受了毒害，麻醉了我們的詩心，而走向玩物喪志的路。因此，我們認爲一個詩人必須首先具有領導社會向上的詩心，有擴大的心胸，抱民胞物與之志，要養成新鮮的動人的創作力，致力於詩的創作。而不「陳陳相因」，應該在荒蕪了的園地裏去開墾，去種植，不但要它生長出奇花美草來，還要使它長出參天的大樹，那才「偉大」。總之，「向上的詩心」不只是要有知識，思想及智慧，而且要有積極的進取的精神。

詩心的向下

我們所謂詩心的向下，並不是要我們的詩心往下而行，同流合污，而是說一個詩人不但要有積極的進取的精神，而且要有愛衆憫人的懷抱。詩心的向上便是「悲天」；而詩心的向下便是「憫人」。因爲人不能離羣而索居，所以我們的詩便不能單向崇高的，理想的路走。我們以爲一個詩人必須要有不忍人之心，孟子說：『以不忍人之心，行不忍人之政。』這是何等偉大的同情精神。

我們認識了這句話的眞義，便知道要作一偉大的詩人，該是怎樣的一位人物了。世界上有不少值得我們崇拜讚美的大人物，但是有些竟使我們的心不能與之親近，這就是因爲他缺少「不忍人之心」的緣故，一個人不能太注重實際，也就是不能太汲汲於物質上利害的關係，應該抱民胞物與之志，具有遠大的崇高的理想，然後把握住實際，去做有利人類的事，那才偉大。所以說一個眞正的詩人，他雖然不能行「不忍人之政」，但是，他一定是具有「不忍人之心」的；惟有具有「不忍人之心」的詩人，他的詩，才是社會的，大衆的，民族的，人類的。

一個眞正爲國家，爲民族、爲社會服務的人，必須要先天下之憂而憂，後天下之樂而樂的懷抱。像范文正的：『江上往來人，盡道鱸魚美；君看一葉舟，出入風濤裏！』雖然這首詩在文學的觀點沒有什麼值得讚美之處，但是至少在它的背面是含着漁翁爲了生活一顛波在海浪中的可憫，這便是一種同情心。爲人民爲社會的人，他是時時刻刻忘記不了人衆，忘記不了別人的痛苦的。而眞正的詩人，多是具有同情心的，我們可以說世界上惟有具有最大同情心的人，才是眞正的詩人。（三）

宦君續夢

第十三回：惡貫難盈巨奸逃火網　良知未泯傑士出天羅

范文同長嘆一聲，兩人不再說話，各自休息。

第二天，陳毅到克里姆林宮辭行。赫魯曉夫說道：「我本來預備派代表團同你一道去，恐怕簽證來不及，你先回去吧！要他們隨後再來好了。」

陳毅連連點頭道：「那很好，我到北京等他們吧！」

陳毅動身時，葛羅米柯又送到飛機場，十分殷勤。飛機是圖—一〇四，中途不需停留，直飛北平。到了飛機場剛停下，陳毅在飛機裏邊就看到楊奇清已經闖進了跑道等候，心裏就明白幾分，暗暗在打主意。下了飛機，楊奇清迎上來說道：「主席聽說你來了，要你趕快去見他。」

陳毅笑道：「我回來當然要去見他，何必這麼着急。」

楊奇清說道：「我來時主席已經喝了兩大杯白乾，你可眞要小心，不能太隨便。」

陳毅也有點驚心，不過還力持鎭靜，跟着楊奇清上了汽車，直開毛澤東「官邸」。

楊奇清帶着他到了內室，只見毛澤東坐在旋椅上正在打圈，左轉半圈，右轉半圈，右手夾一枝紙烟，左手却拿一個高脚玻璃杯，裏面還剩半杯酒。

陳毅進來恭恭敬敬向傍邊沙發上坐下。

毛澤東冷笑一聲，問道：「你這回出國到是不錯，享盡了艷福，也出盡了風頭。聽說在莫斯科赫魯曉夫對你很客氣，談了些什麼事。」

陳毅聽到這裏，不再矜持，登時笑起來。

毛澤東奇怪道：「我問你一件事，有什麼好笑。」

陳毅笑道：「主席不知道，赫魯曉夫被我騙了，騙的十分巧妙，這是我平生少有的一件得意事，因此我想起就要笑。」

毛澤東聽說他居然騙了赫魯曉夫，也十分高興，連忙問道：「你怎樣把那頭肥猪騙了，說出來也讓我開開心。」

陳毅說道：「我經過莫斯科赫魯曉夫要請我吃飯，誰知他竟不懷好意。」

毛澤東「哼」了一聲：「他幾時懷過好意，一定又在勾你反黨，要你作彭德懷的替身。」

陳毅笑道：「他到不敢下這步棋，曉得我不是彭德懷這麼胡塗，況且還有范文同同志在座，這些話也無從說起。」

毛澤東問道：「此外他還有什麼事不懷好意呢？」

陳毅笑道：「原來他向我追債，要派個代表團同我一起來追債。我當時又不好推辭，回到招待所一想，居然被我想出一個計策，輕易就把他騙過了。」

毛澤東把手裏白乾一揚脖子乾了，放下酒杯問道：「你怎麼騙他。」

陳毅就把在招待所同范文同演的一齣雙簧，擇要說了一遍，毛澤東大笑道：「肥猪這回眞上當了，我早看出他是個草包，騙他實在很容易。」

陳毅得意洋洋的說道：「由此可以證明克里姆林宮一羣飯桶，魯曉夫固然不能同主席比，他手下那批人也不能和我相比，其實這赫是很簡單的把戲，就把他騙了。」（三二三）

未褪色的故事

汶津

我多麼想再多留一會啊，甚至一直和妳對坐着度過永夜。但也許我總意識到自己曾是妳的「老師」吧，我終於站起告辭了。忽然，對面的紙門被推開了一個隙縫，一個腦袋鑽出來：「老師，再坐一會嘛！」我竟變得有些害羞了，妳這個壞透的小妮子！有人在裏面（準是偷聽去我跟妳的每一字每一句子！）也不告訴我一聲，弄得我好窘！我急急忙忙的經樓梯口走去，樓上又傳來「拜拜」的餘音，這是屬於另一個女聲的，我分不清（誰耐煩去分辨呢？）到底是妳那姊姊還是什麼姑姑的，總而言之，歸途上我眞把妳恨透了（妳知道我只是有意思這麼說就是了）。可是下一次遇面的時候，妳的解釋是悅人的：「你教我怎麼告訴你啊！」說時好像還有些委屈呢。我是完完全全的滿意了；管他什麼姊姊姑姑的，請她們多管自己的事吧！

晚安！我又忍不住要這樣向妳呼喚了，妳能聽到嗎？那時候，——是什麼時候開始的？我大三的那年秋天吧。第一次教妳之前，我想：「不過是一個乳臭未乾的中學生罷了。」原諒我這樣胡思亂想！當我見到妳之後，我便在心底深深的責備自己了。一晚，我心血來潮地在功課完了後寫了「晚安」兩個字，在妳那潔白的筆記簿上。妳毫不遲疑地，以妳纖秀的字跡回敬了我：「晚安」，「晚安」。夜好像也在爲我們而共鳴。

共鳴嗎？那是說不盡的經驗。還記得那一次嗎？我跟妳解釋一個數學定理，說了幾句，妳不經心的說：「可不是學校早教過了嗎？」我停住了，有些生氣的樣子：「好，那就不講了。」妳望望我，又眨著大大的眼睛，懇求似地說：「講嘛！講嘛。」我無法拒絕妳，妳這無理取鬧的小妮子！我又屈服了，看妳津津有味地聽一則根本已經全懂的定理。嗨，對妳，我還能說些什麼呢？

還有一次，妳更俏皮了。當我正在遲疑地思索一個字句時，不自覺的把筆停留在那一行字上，妳舉起自己手裏的筆，稍稍用力的把我的筆推開，端祥那個掩藏在筆尖下的字。我抵着唇端祥妳的神色，妳又幽幽的粲然一笑。

時間總是捉弄着人們，那些個快樂而會心的夜晚，像悠柔的溪水似的流去了。結束？爲什麼凡事都要有一個結束？暑假來了，我接着暑期集訓的通知。那是前五天的事吧？我還去爲妳妹妹作最後一次的補習。我提早教完了她，走下樓梯。乍然，我的眼前一亮；我向下注視妳，許久許久；妳也定定的站在那兒。一眨眼間，妳竟一溜煙似的擦身而過，我問妳：「考試考得好嗎？」「不好啊，完了！」妳的聲音已遠在樓梯頂上了。我的心裏悵悵然的，說不上什麼滋味，大概，大概就像妳做不出一道題目而失去了一個最好的分數一樣。

然後是入營前夕，我到府上去辭行。我正在和伯母閒談，妳推門進來，帶濕的秀髮披散在額上，妳踏著輕盈的步子，走到電風扇前把它吹乾。伯母說：「把電扇給妳老師吹！」妳一溜嘴說：「他用不着！」我笑笑：「我走了，妳有空就着教教妹妹吧。」妳嬌嗔似的瞥我一眼：「我才不呢，你又不給我薪水！」好啊！在妳母親面前，妳竟也這麼放肆！可是，妳也許能料想得到的，我是多麼樂意聽到妳銀鈴似的俏語啊。

妳還記得第一次收到我來信時的心情嗎？妳的回信使我回想起太多太多。但是，妳能告訴我爲什麼嗎？爲什麼當我第三次去信並且附上一瓣楓葉後，妳始終沒有再給我片字隻語呢？妳的家人不許妳？還是妳自己——

隱隱的憾意在懷裏，我回到台北。妳的家搬了，我也曾作過一兩次禮貌性的拜訪，始終沒有再見到妳。聽說妳仍常去原來的房子裏讀書，有些個傍晚，我有意地（雖然我常使自己相信那是無意的）走過那裏，想發現妳捧讀的倩影。但，每次都只是失望，無底的失望……

我還該說些什麼呢？第一眼見到妳時，我不知怎麼是好；現在，一別多少日子了？我更不曉得該如何了。下一次（會有下一次嗎？）如果我們又相會了，妳會怎樣呢？羞躲開去，還是像往日一樣的迎我以明眸，以笑渦？也許我得先問自己：那時，我又會怎樣呢？

（下）

編者附啓：鄧文儀先生之「冒險犯難記」，續稿未到，暫停一二期。一俟稿到便續發刊。

基隆旅居記

仲公

入門便把蘋蘩輕，不戀親夫戀契兄；莫怪紅顏多薄倖，楊花水性本生成。

但願生女莫生兒，生女可爲錢樹枝；歌舞教成能接客，全家活計靠蛾眉。

情郎夜出打茶圍，脚曳拖鞋膊搭衣；無奈睡魔迷倦眼，雙門虛掩待他歸。

夫壻偏將野鷺憐，閨中少婦等匏懸；青春那肯甘岑寂，又抱琵琶過別船。

聖王廟口敞壇場，鐃鈸聲喧夜度亡；香火恩情如紙薄，空燒楮鏹付冥鄉。

仙洞幽深別有天，崎嶇一徑入螺旋；遊人多少留題詠，百尺蒼崖姓字鐫。（洞在基隆海口，深數百步；中多蝙蝠。）

巍然拳石矗江隈，曾否仙人踐足來；試上層台窺海跡，一泓碧水僅浮杯。（石上有仙人足跡足跟，有水尺許，作碧色，隆冬不涸。）

義重橋下放蘭橈，相約燒香到社寮；分付船家休緩槳，癡郎獃望已終朝。

臨流日日浣郎衣，貪看鴛鴦不忍歸；安得君心如此鳥，百年交頸莫分飛。

媽祖宮前夕照黃，閒從渡口數帆檣；欲知放港船多少，遠看桅燈幾點光。

芙蓉臉暈睡容新，自把牙梳掠綠雲；可愛情郎能解意，隔簾喚駐賣花人。

雲鬟亂繞插紅花，侵曉提籃去採茶；郎欲問咱何處住，金包里內是兒家。

繞膝無兒莫怨嗟，買來苗媳貌如花；他年嫁得陽城買，三斛明珠換一娃。（土俗撫女嬰名爲苗媳，未笄廹作皮肉生涯，迨慾壑及盈時，秋娘老去，始令招贅富壻，衣砵相傳，此生財之大道也，其如風俗何）

雙槳停橈漾碧流，蓼花紅處網初收；儂家也去投香餌，儘有魚兒上釣鈎。

統領楊兵夜渡河，大科崁內逞干戈；教郎莫去收樟腦，聞說生番出草多。（生番殺人，呼爲出草。）

獅球嶺上氣蒨葱，欲庇郎身孝地公；石磴縈廻初遇雨，春泥濕透繡鞋紅。（基隆人呼拜土地神爲孝地公，嶺上有一穴，深三百八十餘步，火車出入，鐵路在焉，嶺上有土地祠，頗著靈感。）

傍山臨水敞洋樓，漠漠平沙水圍秋；爲愛夕陽天氣好，數聲漁唱唱船頭。（哨船頭地名，即水基隆）

出海腰纏格外豐，船來一度一情融；生疏試較初相識，兩樣溫存各不同。（台人呼船上總理爲出海）

上元佳節鬧奇觀，趙帥廻鑾闔境歡；爆竹堆中同踴躍，人叢幻出石玄壇。（正月十五日，各無賴奉趙元帥神像，巡遊街市，所在商店，皆備爆竹數箱，紛擲神座，聲如雷動，烟燄漲天，各無賴跳舞於火光中，遍身如漆，否則衆揶揄之，蓋以此卜此店之盛衰興替云）

錫口初來新婦娃，芳心解愛少人家；背人暗說藏春處，門對青山多種茶。

枕邊終日語輈輈，說盡離情百種愁，明日探親台北去，願郎送到火車頭。

（五四）

我的社會生活

雷嘯岑

另有一位中樞的民意代表，他過去在大陸上華國民黨起家，紆青拖紫，允稱顯貴，我們認定他是吾黨健者，乃教報社發行部贈送本報一份給他看，然他拒不接收，我以爲送報人沒有說清楚是贈閱的，第二天再派人送去，附以「贈閱」的名冊，請他簽收（因贈閱本報的人數不少），結果仍饗以閉門羹，說某人已搬家了——事實上我知道他并未遷居，祗好一笑置之。至於香港市面上的一般小市民，怵於共黨的宣傳攻勢，又瞧着若干國民黨要人如黃紹竑、賀耀組之流，在海隅糾集多衆，宣言投共，而在港的一些政府機構，亦紛紛變節附逆，自稱「起義」的情形，十之八九皆不敢購閱香港時報，生怕沾上一點國民黨的關係，貽患他日，我常在電車或渡輪船上，仔細查看一般人羣手持着的報紙，曾未見有一份是時報的。這說明當時——從卅九年八月到美國派第七艦隊協防台灣海峽，聲明繼續對華實施軍援政策時止——海外一般人士的觀感，認爲中華民國已無希望，國民黨的前途更可想見了，而我們還要在海外辦報紙，宣傳反共救國的義理，跟優勢的共黨從事思想鬥爭，豈非不合時宜的笨伯行爲嗎？因此，我會在時報寫了兩篇社論，題目是「智識份子的時代使命」、「政治上的智與愚」，據述我們只問眞理，不管禍福利害的堅決意志，而嚮往於孔子所說「知其不可爲而爲之」的精神，藉以明心見性。今日看來，這算不了甚麼，但在當年那種孤危的環境中，可謂大胆了。

這也難怪，當卅九年秋冬之際，國軍尚在四川境內與共軍苦戰，而美國政府一面宣佈「一筆勾消」對華援助，教駐華大使司徒雷登在南京跟毛共接洽妥協，同時聲言「台灣且夕即將陷落」，國務院正式頒發撤退台灣美僑的命令，又將我國政府斥資在美國採購的軍用物品，亦禁止出口，唯恐中華民國政府不能早日崩潰，而使毛共的大一統帝業難以完成。海外一般中國人，覩此形勢，當然對國民黨喪失信心了。人莫不趨吉避凶，力求生存，當國難嚴重關頭，固不能希望每個知識份子都作文天祥、史可法。我們亦同樣地具有好生惡死的天性，其所以要在海外對共產主義作殊死鬥爭，乃徹悟了一項必然的結果，即中華民國如果亡了，我們縱然面縛輿櫬投降共黨，它亦非予以格殺勿論不可的。均死也，只好盡力一拚，樂得光明的下場，求其心之所安，如是而已。所以，像上述不肯用眞姓名在時報發表文章，不敢接收贈閱時報的那兩位國民黨員兼中樞民意代表，我們對他亦頗諒解，無所容心。時代考驗人生，在這種天翻地覆的大變亂之中，社會上各色人等——尤其是政治人物的心性品格，一例毫無保留的纖悉畢露，一覽無餘，滔滔者皆是，何足怪哉！獨惜政府當局强調忠貞之說，而對於一般臨難苟免，二三其德的五色瓶子式——搖動一下就變色——的人物，不加查考，每認爲忠義之士，再加信任，然如我們這類愚頑不屈的孤臣孽子之輩，偶爾對政治問題說兩句逆耳之言，却視爲不可靠的異端份子。政治上的是非功過淆亂若斯，又怎能產生廉頑立儒、貞下起元的中興氣運呢？

（六五）

別緻的壽筵

野鶴山人

六月廿七日是現住台北市的杜月笙夫人姚玉蘭女士六旬誕辰，旅居台灣的「恒社」同人，於是日午后六時假座台北市中正路「虎賁廳」，設宴公祝壽誕，賓主共計七十餘人。宴後舉行同樂晚會，集男女票友羣，清唱平劇，助興，濟濟一堂，樂也融融。來賓中有張岳軍（羣）顧默三（祝同）、蔣銘三（鼎文）、錢慕尹（大鈞）、吳開先、暨立法委員江一平、王新衡、周兆棠等，至晚上十時始盡歡而散。

清唱時亦有鑼鼓場面，杜夫人以壽星身份，自願唱開鑼戲，她唱的是「硃痕記」，嗓音嘹亮結實，不在話下。次爲王雲蓀夫人劉女士的「空城計」，據說是孟小冬老師教的，唱來字正腔圓，醇有味，不愧爲名師的門徒。繼而名票高華唱「硃痕記」，他是程派青衣在台灣首屈一指者，當然名不虛傳。還有一位毛太太（不是毛人鳳太太）唱「霸王別姬」的青衣南梆子很不錯，而杜美如女士的「黃鶴樓」小生唱腔，尤爲清脆悅耳。此時壽星杜夫人自告奮勇，學唱一段「轅門斬子」，學[illegible]鴻聲很到家，首唱倒板「忽聽得老娘親來到帳外」，響遏行雲，得未曾有。余派票友李家猷的「戰太平」亦受到衆人的讚賞。杜維藩麒派戲「追韓信」，有人說，好像是在上海聽戲啦！

中間夾着一場[illegible]，讓場面諸執事者休息休息。有位金君，先學淺波唱黃梅調，而且帶演身段和表情，逗人發笑；繼而向在座的貴賓張岳軍先生請示，可否允許他學習蔣總統每年在雙十節國慶大典中的講演情形？張岳公點頭認可。如是，他就先用口技，發出吹軍號[illegible]

公平劇清唱繼續演出，由高華、李家猷二位合唱「御碑亭」，後王新衡以特請壽星杜夫人再唱「[illegible]」，有人說是自從民國十九年在上海恭聆此曲以來，這是第二次得他耳福，眞幸運也。是夕來賓中尚有顧正秋，她因爲[illegible]，以致未能請她清唱一段，否則更錦上添花了。

內僑警台報字第〇三壹號內銷證

自由報
THE FREE NEWS

第四六〇期

中華民國僑務委員會頒發
台裁新字第三二三號登記證
中華郵政台字第一二八二號執照
登記爲第一類新聞紙類
（本週刊每星期三、六出版）
每份港幣壹角
台灣零售價新台幣弍元
社長：雷嘯岑
督印人：黃行富
社址：香港銅鑼灣高士威道二十號四樓
20 CAUSEWAY RD 3RD FL
HONG KONG
TEL. 771726　電報掛號：7191
承印者：田風印刷廠
地址：香港灣仔高士打道二二一號
台灣分社
台北市西寧南路壹叁零號二樓
電話：三〇三四六
台郵撥儲金户九二五二

蹂躪人權又一例證
——牢中有牢，刑上加刑

·李聲庭·

「牢中有牢，刑上加刑」這八個字是七月一日出版的自立晚報對台南監獄凌虐人犯致死所加的按語。我們讀了這一段血淋淋的事實報導之後，不禁打了一個寒噤；人權在這些地方眞是不值半文錢的了！司法界蹂躪人權的罪行，本不止一兩件，不過這一次則凌虐人犯致死，不僅多一例證，而且愈來愈進步了。當然是這位人犯受不了一再而三的被「修理」，才「自殺」于監獄內的「鎮靜室」（即自立晚報所指的「牢中有牢」）。不渴令人發生疑問的是：這名人犯「自殺」時手上有手銬，腳上有腳鐐。四肢被銬鐐了的人，如果沒有別人幫助，怎麼能「懸樑」自縊？如果不是報紙記載有錯誤，便是黃某爲人所他殺無疑。好在死無對證，算他自殺好了。

監獄裏對于監犯（一年六個月徒刑，這種情形甚至可以緩刑），居然以「精神失常」或「擾亂秩序」爲唯一理由扣上腳鐐手銬。即以這點而論，台南監獄之胆大非法妄爲，其作惡多端已可概見，自立晚報還說及很多黑幕的案子。至於另一人犯黃崑明，因欠了監獄福利社四元錢賬（合港幣不到一元），被監獄警衛課管理員戴超（亦即逼死或謀殺另一受刑人周榮君之主兇）以籐條向黃之背部、胸部、大腿等處猛抽毒打，打後並關入違規候𧭤室（又是牢中之牢）內禁閉一夜。則簡直是十八層地獄的現實畫相！

作者爲什麼把這次台南監獄私刑毒打人犯以及凌虐人犯致死的事說爲蹂躪人權的又一例證呢？因在五年前，台北地方法院檢察處的法警叫李元泰的，于光天化日之下，總統府貼近的司法大廈衆目睽睽之下，胆敢用刑拘禁交保的喻伯凱于禁閉室數小時之久。區區一法警便可這樣作威作福，目無法紀（似乎法紀早已不存在了）、妨害自由，蹂躪人權。難怪台北地方法院檢察處的檢察官更可肆無忌憚，變本加厲，距總統府咫尺之地，以莫須有的罪名，又把喻伯凱關了一星期。台南天高皇帝遠，又在不見天日的牢獄黑暗中，凌虐個把人犯致死，毒打個把人犯眞是不算一回什麼了不起的事。然而自立晚報記者修之與作者却大驚小怪的來報導與指摘，說不定有一天還要挨司法界的報復悶棍呢。

就在上月二十二日，做了若干年官的司法行政部長在總統府月會上表功，列舉了他在四年任內的大德政；但却忘了一項最可恥的虐政——蹂躪人權。台北地檢處的法警及檢察官非法關禁喻伯凱，與最近台南監獄之凌虐周榮君致死和毒打黃崑明，都是鐵一般的事實，何以不列入就任四年來從事司法行政工作的體驗之內，一併向總統報告？

看過紐倫堡大審一電影片的人想還不致于忘記在希特拉統治時期，無數的猶太人爲納粹黨所活埋、集體屠殺、凍斃種種罪惡，大家看了憤慨不已。這些事我們還可以秦越人之視肥瘠，推爲事不關己。但現在逼死與毒打人犯的事，發生在我們的眼前，我們還能裝聾作啞嗎？可是自立晚報的報導却是：「不但地檢處（指台南地檢處）對此一消息加以保密，連地院（指台南地院）刑庭審理時，也出現了歷來審案時所未有的怪現象：開庭不掛水牌，不寫登記薄不登記，雖說公開審理，但確屬悄悄地進行。」爲什麼要悄悄地進行？是不是也像台北地方法院極力縱庇李元泰一樣，想放縱這些蹂躪人權的監獄魔王，以便今後各處監獄相繼仿效，多逼死一些人犯，以減少囚粮的供給，以減輕國庫負担呢？

更奇怪的是：檢察官劉叡輝于六月九日將本案起訴後，第二天即被調職嘉義地方法院推事。這一調職事，含有兩種可能的意義。第一：劉檢察官太年輕，也太有正義感（自立晚報語），調離現職後，另派人將此案從輕發落。作者索性建議：最好仿台北地方法院的作風，說三被告已去金門服兵役，等服役完了再審理。因李元泰後被喻伯凱告到法院時，台北地院刑庭對喻伯凱說：李元泰現在金門服兵役，等他服役完了回來再審理。有先例可援，司法界要庇護自家人有什麼想不出的借口來？第二：劉某有胆量，作檢察官則碍手碍腳，這次可能是抗命而起訴（果爾，則與奉命不上訴先後輝映）。調升他爲推事，既可使他暗中高興，同時推事是不告不理。即使親眼看見了謀殺的事，如無人告訴，他也不能自動審理。調他作推事之後，這種有胆量與具有正義感的人便無所作爲了。而檢察官則須對犯罪勤加檢舉，爲社會除蟊賊，爲人類持正義。

雖然如此，作者對劉檢察官仍有不滿之處。戴超、仇平林、徐森林凌虐周榮君致死是犯的刑法第一百二十六條第二項的瀆職罪，應處無期徒刑或七年以上有期徒刑；而不是刑法第一百二十六條第一項的瀆職罪，只處一年以上七年以下有期徒刑。如果不是自立晚報記者不懂刑法，便是劉檢察官有意避重就輕，庇縱蹂躪人權的家奴（監獄與檢察處爲一家），也許這便是他指日陞官的緣由。刑法第一百二十六條第一項之瀆職罪，是指對于人犯施以凌虐，這一項的規定，僅適用于戴超毒打黃崑明案。至於戴超、仇平林、徐森林三人分別先後三次修理周榮君因而致死，應適用刑法第一百二十六條第二項之瀆職罪。因而致死與凌虐有因果連絡關係；不能因黃榮君是「自殺」于鎮靜室，便認爲凌虐與致死不相關。黃榮君「自殺」時四肢爲鐐銬所縛牢，則自殺便可疑，情理上亦不可能。有正義感的檢察官應對三被告提起故意殺人罪才算眞有胆量。不過劉檢察官畢竟升官了，這個年頭，升官要緊。正義、人權等都是騙人的鏡花水月。只有作者才抱殘守闕維護什麼人權！

作者素來不主張「亂世用重典」的說法，但在蹂躪人權的案子（尤其本案凌虐人犯致死及毒打人犯雙重罪行之下），作者却舉雙手贊成對這些人處以無期徒刑，即刑法第一百二十六條第二項的最重本刑，以示反共基地的司法界不同于納粹與共產黨的作風——一味摧殘人權，草菅人命。相反的，對司法界的蟊賊作無情的打擊，以挽救尚未十分（已然到了七八分）墮落、敗壞的司法風氣。司法行政部長的高見以爲何如？

七月五日于台中大度山東海大學

補不了！

三個流氓

今日與明日

印尼轉而親俄

經過米高揚赴耶加達活動之後。印尼忽然改變立場，聲明支持蘇俄參加第二屆亞非會議。

本來當毛共堅決反對蘇俄參加亞非會議時，印尼是佔在毛共一邊，指蘇俄並非亞非國家，無權出席亞非會議，此次印尼突然改變態度，當是受了蘇俄軍援的影響，米高揚答應供給的龐大數字軍事援印，打動了蘇加諾，也就顧不得毛共的友情了。目前的國際冷戰，不問美國與蘇俄，蘇共與毛共，都非錢不行，毛共雖然拼命打腫臉充胖子，但畢竟硬充不來，像赫魯曉夫到了開羅一張口就是一億英鎊的援助，毛共就不能相比了。毛共所倡導的「革命理論」，對未取得政權的共黨尚有吸引力，對納薩，蘇加諾之流來說，就變成了大逆不道，所以說在亞非國家中，蘇俄這樣大拋金錢去鬥爭，最後勝利就不一定是毛共了。

羅馬尼亞的立場

今天在東歐國家中，最使赫魯曉夫頭痛的，要算是羅馬尼亞了。羅馬尼亞第一副總理阿波斯托爾最近飛去維也納與奧國談判貿易問題，公開發表談話稱：「蘇俄仍繼續增加對羅馬尼亞的壓力，但羅馬尼亞將仍繼續採取獨立的不受莫斯科支配的經濟政策。」

像這種公開指責蘇俄的言論，出之於羅共大員之手，尚是第一次，雖然所指僅是經濟，但盡人皆知共黨國家的政治與經濟是無法分開的。

另一方面羅共政權總理毛雷爾又飛去莫斯科，與剛從北歐訪問返國赫魯曉夫會談。其用意當是在求得蘇俄的諒解。不過，除非羅共仍安於附庸地位，否則蘇羅關係也只有逐漸疏遠了。

蘇俄向西方讓步

蘇俄最近突然照會西方國家，要合組聯合國部隊，以維持世界和平。此項計劃原是西方國家所提議，因蘇俄反對而擱置多年，此時蘇俄自動提出，西方國家反而不敢相信蘇俄眞有此項誠意，認爲是一種詭計。

其實要分析蘇俄此項建議的眞僞，先要看它的處境，蘇俄目前內部有經濟困難，共産集團內又發生附庸國的叛離，毛共之外，又加上東歐的羅共，赫魯曉夫目前要先整頓內部，必先同西方國家取得協議，在重要問題上略作讓步，減輕外來的壓力，以便集中力量對付毛共及羅共。

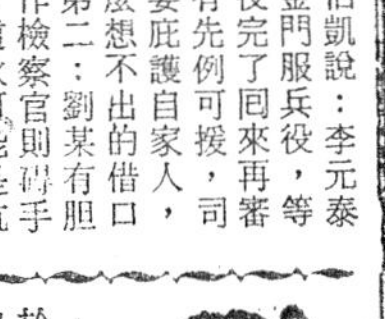

自由談

追求享受

馬五先生

美國地大物博，工商企業隨着科學進步而特別發展，生產力充裕非常，國富甲於全球，因而社會的消費力自然增高，人民日常生活都講究享受，且有許多地方不惜浪費，事實上亦非浪費不可，否則若干剩餘物資必將歸於廢棄也。所以，美國人談「消費刺激生產」的凱恩斯經濟理論，頭頭是道，言之有物，決無玄妙之處。

咱們國家的生產力如何？科技潛能又是怎樣的程度？即以曾經十年生聚教訓的台灣這塊復興根據地而論，大家都說經濟建設很有成就了，生產事業亦頗發達。然若干生產工具仍須仰賴外國貨，日常生活必需品並不充足，國民的收入額更不及美國人的百分之一。至於社會上貧富懸殊現象，昭然可覩。無論從那方面講，咱們的國富微末不足道，民財還不過是大貧小貧之別，絕對沒有享受奢靡生活的資格。可是，放眼瞻觀現時台灣各都市上的一般生活情況，奢靡浪費之風，視美國未遑多讓，政府當局隨時倡言節約，實際背道而馳。尤其是少數的資產階級與特權分子，恣意追求享受，窮極奢侈，要向美國人看齊，而以凱恩斯的經濟學說爲解嘲之資。過去住在上海、天津、漢口這些有外國租界地區的人，過的是「十八世紀的生產，二十世紀的消費」生活，以致國益病而民愈貧，現時的台灣各都市情形，似乎互相媲美，有過之而無不及，實在可怕！

不錯，近十多年來，台灣的經濟建設確乎有些進步，但其實質是虛浮的，依然患着貧血症。譬如台北市新建的若干觀光旅館，美輪美奐，外表巍巍然，但其內部組織與設備，是否合乎現代化的標準呢？我更懷疑何來如許的豪華游客惠臨光顧？即此一端，已可證明所謂都市繁榮，乃爲華而不實的了。

因此，實行節約，禁止浪費，實係當前應有的措施，而其要著即在制止少數資產階級與特權分子之奢侈浪費行爲。若夫一般社會大衆，日常粗茶淡飯猶虞不給，固不待政府對他們說教的。我認爲政治上的貪污風氣大作，最大原因就是這種追求享受的戾氣所鍾也。

緊接惡性補習事件之後

高市竟發現違法「聯考」

蛛絲馬跡岔子來自聯考試題走漏　證據昭彰勢非查個水落石出不可

（本報記者趙家驊高雄航訊）高雄教育界最近又發生了一宗校長集體違法舞弊，教育科主管瀆職事件，其影響之深遠，明示了教育之完全失敗。今日政府對台灣教育的重視高於任何建設，教育經費超出憲法規定，而高市教育經費更高達百分之四十三點八，這接近一億元的教育經費，是如何支出？有何作用？是值得檢討的。

教育部決定教育政策，教育廳詳擬教育計劃與法令，但到了縣市，即如高雄市不僅是大打折扣，棄而不用，甚至公然違抗，胡作非為，殊堪痛惜。如此結果，所謂「建設台灣為反攻大陸的模範省」者，豈非徒托空言，背道而馳？

省教育廳早便認為聯合統一攷試違背教育原理，三四年前就正式通令台省各縣市教育科局，絕對不能聯合統一攷試，凡印刷任何大批的試卷，舉行變相的統一攷試，都在禁止之例。教育廳一年前又曾再申前令。教育廳之所以禁止聯合統一攷試，認為學童的吸收力，因人，地，教學法而有差異，即城鄉之學童，吸收知識亦不盡同，同時教師的素質對學生亦有極大之關係，因此嚴格規定禁止聯攷（聯攷由一校命題令全市學童攷試同一題目也）。高市各國校舉辦「聯攷」，除少數的國校單獨印刷外，其餘均實行大量印刷試題的「聯攷」統印，自五十二學年度上學期起，各國校訂了一個「月攷期攷實施辦法」，參加的學校上學期有內惟國校等共九個，第二學期相繼參加者有獅甲及前鎮國校等三校，共十二個國校；而左營區有十幾個學校並已實施聯考二年餘，他們同在高市天德印刷所印刷共同試題。這種「聯攷」搞了如此長久，教育科是否知情呢？若知情而不阻止，豈非公開包庇乎？若謂不知情，教育科是幹什麼的呢？據一些教員語記者，學校的一舉一動，教育科立刻知道，因為教育科內有傳國治主管安全事宜，他們舉例說，芝蔴綠豆的事也要報科，比如，學校旅行也必須報准教育科，何況這幾乎是全市性的大非法「聯攷」之事，教育科能謂不知情？

問題出在國校五月廿六、七兩日舉行期攷攷試時，高市新興國校六年二班的國語，公民，地理，自然各科成績，特別優異，竟高達總平均九十分左右，（最差的六年五班成績四十分有零），平時的劣等生此次竟考得一〇〇分之現象，便引起懷疑，終於被查出是「聯考」試題走漏之結果。

據說，試題走漏經過是該校六年二班學童×××，×××等，於星期日（廿四日）下午在天德印刷所「拾得」的。又據說「拾得」的試卷是三種三張（計國語、公民、地理），上印獅甲國校試卷，因此而發生試題走漏之事。但另有傳說，則是有家長與學生向天德印刷所老闆楊振國買得試卷云云。姑不問眞相如何，這問題太大，勢非治安機關傳訊，不易澄清。

據說，幾年前的天德印刷所，即使別人定貨，往往亦發生無紙印刷之事，而今天，則已新置摩托車兩部了。據說該印刷所專拉學校的生意，很賺了幾文。新興國校之生意由該校教務部主任林清德拉去的，林與天德印刷所老闆是小同鄉，又與教育科代科長王清波是南師的同班同學，在學校聽說很驕橫，連王校長還拍他的馬屁。因此有些教師說，他們不相信王清波居然眞的不知情。

校長及教導們對外是否認「聯攷」的，說是大規模合印試題，是為了「節省印刷費」。這是否掩耳盜鈴的解嘲呢？又背後是否互相勾結拿回扣呢？均有待調查。

按：天德印刷所承印廿幾個學校一學年度之「聯攷」試卷共七次，這個龐大的印刷數字，相當驚人，然則學校，承印商天德印刷所，教育科有無通同作弊？祇要有關機關作進一步調查，不難水落石出。

六月廿六日省教育廳曾對報界表示：省教育廳為改革教育風氣，決定今後教育從業人員的任用，將特重操守，態度及品格。教育廳說：教育人員為學生的表率，其品格的高下影響極為深遠。今後所有教育工作人員的任用，除應合於任用資格外，對其品格，態度，尤應慎重遴選和攷慮。教育廳幷已將此一原則通令各縣市政府遴照辦理。

乃今日高雄市於證實「惡性補習」之後，居然又發現「聯攷」的非法行為，太豈有此理了。這不分明攸關教育從業人員的操守與品格？違反廳令，自更不待言了。然則，對於這等非法行為，教育廳如何處理呢？

青年黨余派台省黨部主席林權敏被檢舉十大罪狀

檢舉人為該黨七縣市黨部主席等

（本報記者台北航訊）青年黨自從播遷到台灣以來，內部糾紛迭起，莫可究詰。最近有隸屬於余家菊派整理委員會之所謂台省黨部主席林權敏，被其部屬同志檢舉十大罪狀。署名檢舉者，計有高雄縣、市，台南縣、市，屏東縣，台中市，南投縣等七縣市黨部主席楊龍添、曾東墻、陳文連、陳澤水、葉亮財、陳風角、張烈彬，暨省黨部委員李祖培、許君、胡龍通等十人。

他們同聲指責林權敏，利用黨員愛黨心理，假籌措黨費為名，乘機組織所謂「中國青年黨福利互助會」，以欺詐手段斂財肥己。因此黨譽一瀉千里，地方黨務從此一蹶不振，他不但不悛悔反省，且以曾參加陽明山會談而趾氣高揚。據楊龍添等檢舉林權敏的十項罪行如左：

一、假籌黨費為名，辦理互助會，斂財肥己。

二、要脅中央，用景公（按：即余家菊）名義函高雄地方法院，為其解脫刑責。

三、藉口發動同志捐獻救助港澳來台難胞，及颱風災民，而將所有捐款全部吞沒。

四、唆使幹部在屏東縣、台南縣、市，高雄縣各地設立互助會，彼則向經辦幹部收取所謂「省黨部補助費」，台南市一處，每月即繳納一萬元之鉅。

五、擅自越權開除省委楊景雲、許君之黨籍。

六、本年四月間，台灣各縣市長選舉時，公然正式行文打擊本黨候選人黃振三、黃順興二同志，貽笑社會。

七、本年四月間又公然以本黨名義，電日本天皇祝壽，媚日無恥，全黨蒙羞。

八、經常挑撥幹部彼此猜忌，破壞同志間之情感，阻礙黨務發展，同人等均曾親受其愚弄。

九、中央曾於五十二年間命令省黨部，對各縣市黨部主席以上幹部不得任意免職，林權敏奉令後，竟相繼免除縣市黨部主席三人，意在打擊老幹部，使地方黨部不能生根發展，瓦解同志信心，摧毀地方基礎。

十、林權敏利用省黨部名義委派人事，不計黨齡，不論經歷，省級重要人事不向省委會報告，任意發表，漫無標準，曾派流氓王繡春為省黨部選舉監察委員，影響人心至鉅。

受了地陷的影響

旺角地產有價無市

港大專家開始勘測伊館

（本報訊）港大專家已開始對旺角地質進行檢驗，據說有關方面深盼此次勘察能有結果，否則將自外國聘請專家來港研究。

港大專家調查工作先就伊利沙伯青年館着手，七日並將露天籃球場通道一段發掘，希望從中察得有關的地質情況。

由於港府證實旺角一些地方地陷，這一帶居民近來對居所處境均不放心，尤其是身為業主者，更怕樓房有被強制拆除的可能。影響所及，若干街道的樓地產已變得有價無市。一些準備改建的舊樓，業主持觀望態度，咸盼港府進一步勘測，並作出結論之後，再進行改建工程。

據物業行中人估計，旺角區受地陷影響樓宇，如情況繼續惡化，受累人當不限於住客、業主、商店等方面，甚至銀行、銀主亦必有牽連，例如某些按揭未到期的款項，以及支持建築的資金等等，數字亦相當龐大。

立法院前總務主任

李啓元被控瀆職案

法院予不起訴處分

（本報記者台北航訊）本報前月紀載立法院前總務主任李啓元被控涉嫌瀆職案，業經台北地檢處檢察官將[illegible]華偵查終結，由於「告發人檢舉各點，或係傳聞誤會，或屬行政上失職，被告（李啓元）犯罪嫌疑，尚有未足，爰依刑訴法第二百三十一條第十款處分不起訴」。

告發人王煥章不服台北地檢處所為不起訴處分，曾聲請再議，經高檢處首席檢察官夏惟上依法予以駁回，本案至此，業已告一段落。據聞李啓元將反訴王煥章以誣告罪，是否尚有餘波，殊不可知也。

寃獄賠償法實施情形

袁良驊質詢・鄭彥棻答覆

其二：

現行的寃獄賠償法對於寃獄被害人的賠償金額而有以四元以上六元以下折算一日支付之彈性規定，其目的無非是對於富裕的被害人，他以恢復名譽為重而獲得賠償費的多少為輕，應支付最低金額以四元折算在獄一日，但貧窮的被害人，則急想得一筆資本，賴以自力更生，那就應該支付最高金額以六元折算在獄一日了。但我歷次看到各級法院對於被害人所裁定的賠償金額，不問他貧富也一律以四元金額折算一日支付之。這是大失救濟之旨。甚至六十三歲瞎眼睛的寃獄被害人郭最順，他年老無依孑然一身以過街為人占卦為活，身世的淒涼還有甚於這個人的嗎？但法院也以最低金額每日四元折算一日支付之。因此我希望鄭部長糾正這樣習非成是的風氣，即通令各法院對於寃獄被害人應衡量他貧富而裁定他的賠償金額的高低，庶使不違救濟的本旨。

其三：

請把民國五十一年一月至十二月及五十二年一月至十二月寃獄被害人數和賠償費支付若干，逐年列表送交本席以備參考。我更認為司法行政部應該於逐年把這類事實公佈一次，使人民知道政府施行這善政，人身已有了保障而親愛政府，使國際知道我國司法已日進昌明而趨於健全，這是執政者聰明的做法。

（二）袁良驊

口頭質詢

一個國家之所以制訂寃獄賠償，其目的有三：

一、恢復被害人名譽，使能再立足於社會。

二、國家基於責任感，使善良百姓受到寃枉，因有過失，以賠償費補救過失。

三、對貧苦被害人，受牢獄之災，孑然一身，出獄後，得寃獄賠償，得以自力更生。

現在民主國家，如英國、美國、加拿大及北歐國家，對寃獄賠償費定得很高，往往以被害人每年的收益，平均計算為每天的寃獄賠償費，所以英國等國家對被害人的寃獄賠償費，為十萬或八萬美金是不足為奇。而我們的寃獄賠償法，為什麼將賠償金額定這樣低，因當時該法提出本院審議時，外界對賠償金額有誇大的宣傳，有人說，當寃獄賠償法通過，可能會拖垮國庫，有人說每年要寃獄賠償費二、三千萬元，有人說要三百餘萬元。因此，當時審查該法的召集人韓委員同，為明瞭眞象，曾實地作精密的調查，依民國四十年為根據，因寃獄而被害的有一三五七人，假使每天的寃獄賠償費以銀三元計算，共三十八萬餘元。那時，本院委員亦受外界誇大宣傳的影響，對賠償金不能不作審愼的考慮，有熱心支持該法的委員，且曾語重心長的說「寧可賠償金額定得低，使該法通過，打下根基，將來實際表現，不會拖垮國庫時，再予提高」。但是，該法經四年以來的實施，我看不但沒有拖累國庫，反因有寃獄賠償，被害人減少，為國家節省囚糧和管理費，譬如四十九年的寃獄賠費支出一百四十銀元，五十年，國庫支出寃獄賠償費一千八百餘銀元，這數字是微乎其微。同時，經過四年餘以來，物價高漲，所以，我正式提出，寃獄賠償金額提高一倍。說到這裏，我想到有一件事與該法有關的，就是民國五十一年，司法行政部認為訟費罰金罰鍰條例不切實際，應把這些費用提高一倍至二倍，嗣後送至本院，經審議通過，每年已為國家增加收入四千餘萬元，如果我們提出，要求把寃獄賠償法賠金額提高一倍，不過要多支出四萬元，兩相比較，祗有千分之一，取之於民者多而用之於民者少。我想，區區之數嚴院長本與人為善的本旨，對於我這建議當然樂於使其成功吧。

（三）鄭彥棻

答復

聽了袁委員關於寃獄賠償法的質詢以後，彥棻深佩袁委員的遠見卓識。早在民國四十一年袁委員即已提出本法案，終經貴院於四十八年通過，這可說是非常成功的一個法案。袁委員根據本法在四十八年九月實施以後的各種統計數字，說明本法提出時許多顧慮是過慮的，比方有人以為本法的實施，每年要賠償二、三千萬元，有人以為最少也要賠償三百萬元，據韓委員的估計，約為三十餘萬元（司法行政部即據以列三十萬元的預算）。現在已經實行了幾年，證明這些估計是過高了。（中）

監察院彈錯了對象麼

胡笙

並檢附許江富在基隆地方法院看守所之接見紀錄卡七張爲證。但陳綱等四推事對此重要之事實及證據,視若無睹,仍謂:『許江富之妻許珠枝初次接見之時間爲五十年四月十日,第二次爲同年四月十二日,談話內容,均爲安慰之詞,起訴意旨,指其如何串供一節,不攻自破。』陳綱等』推事此項抹煞事實證據之行爲,彈劾書指謂:『實屬胆大妄爲,令人驚異』!實不爲過。」

十、

至於陳廖二推事和李聲庭先生所痛擊的檢察官和刑事警察官對刑事被告的交互訊問,陳廖申辯書指爲「史無前例」。並說:「串辯人陳綱服務司法已逾四十年,廖源泉服務司法亦達三十年以上,從未發現此種刑警人員與檢察官交互訊問之離奇方式」。

其實這種交互訊問方式,由來很久,絕非史無前例。台灣許多大案子,多半經過這個方式。歷來報載地方法院檢察官某某派在警察局指導刑警人員偵辦某案云云,他們所用的問案方法就是這種交互訊問。這種交互訊問的經過情形和訊問筆錄,必須移送法院作爲證據之一,承辦法官必須閱覽。李先生表示驚奇,猶有可說,做法官的司空見慣,何能諉爲不知!那簡直是公然說謊。

我知道陶委員百川很反對這種交互訊問。就我所知,陶委員是反對這種方式的第一人,而且反對最烈。遠的不必說,去年五月,陶委員還在監察院提案,要求行政院糾正這種偵查方式。在陶委員替該院所寫的一個著名的糾正案中,監察院向行政院要求這樣四點:

(一)關於司法警察官之身份,調度司法警察條例第三條既已明定,則該條例第六條所謂保安機關、警備機關必要時之協助,自不包括偵查在內。今後警備總部不得就一般刑事案件行使司法警察官之職權,檢察機關自更不得以該條例第六條爲依據,將犯罪嫌疑人送請警備總部協助偵查。

(二)過去檢察機關准許司法警察機關延長羈押或帶同被告續行偵查,不獨流弊甚大,抑且於法不合。故今後犯罪嫌疑人必須依法於二十四小時內移送法院審理,並羈押於法院看守所。所有暫行實施之台灣省檢察官與司法警察機關辦理刑事案件聯繫要點之與有關法律違反部份,均應速予修正。

(三)檢察官與司法警察機關執行職務聯繫辦法,及台灣省檢察官與司法警察機關辦理刑事案件聯繫實施要點中,關於檢察官在警察局設處辦公,及檢察官在司法警察機關直接指揮偵查之規定,使司法警察機關得以延長羈押,流弊甚大,應予修正。

(四)刑求逼供,不獨違反人道,尤爲法令所嚴禁,本院一再糾正,迄今仍有所聞,應請行政院重申禁令,切實防杜。又以後法院偵查或審判時,經人犯陳述有刑求情事者,承辦檢察官或推事應即切實查明,移送偵辦,其置之不理或延遲不辦者,應即分別以瀆職或失職論罪懲處,以重人權而宏法治。

上述第三點,就在批評交互訊問的法律根據和流弊。但是監察院這個糾正案,行政院尚未採納。「惡法亦法」,所以不獨司法界仍得一體遵行,連監察院也無可奈何。(參看文星叢刊陶百川著:爲人權法治呼號)我們希望陶委員和監察院再加努力,以求貫徹。但是我們不能責怪陶委員在本案中採用許江富在刑警大隊的口供,因爲陳廖二推事和審理本案的任何法官皆未對此加以攻擊,(陳廖二推事的攻擊是在被彈劾以後)而且許江富所供又與事實相符,自無不可採信之理。(八·完)

我所知道的麥帥

肯寧將軍原著　徐熙光翻譯

一九四五年二月三日,麥克阿瑟的部隊進入馬尼拉,日軍越過巴西格河向西退却,沿途破壞並燒毀了每一棟建築物,有一部份人並在英特拉慕羅斯城負隅頑抗,歷三個星期之久始被殲滅。如果日軍不是對待非律賓人民極爲殘暴的話,他們應被譽爲有胆識有決心的軍人。日軍動則殺人數以千計,非律賓人無一不痛恨日本人。

進佔馬尼拉之初,我即已偵察過英特拉慕羅斯的情勢,我要求麥克阿瑟讓我轟炸該城,直至完全夷平,一介不留。因爲我認爲該城的居民在日軍到達以前,早已紛紛逃出城外。麥克阿瑟說:「不,我不能讓你這樣做。你可能把所有日本人都消滅掉,但城裏數以千計的非律賓人亦將爲之喪生。如果我們這樣做的話,全世界都會攻擊我們不義。這件事暫且慢點再說,因爲我已經命令陸軍攻打該城,我們將用許多大砲轟開牆壁,以節省時間,並節省我們的損失到最低程度。」

我同意麥克阿瑟的意見,但是根據日軍在馬尼拉撤退時的暴行,我相信日軍將會戰至最後一個人,而且會把所有平民一律殺光。

「是的,」麥克瑟答說:「他們會戰至最後一人,且將寧願切腹自殺而不願意投降。但我也想到他們會濫殺無辜,但是我不能讓你去轟炸英特拉慕羅斯城,非律賓人,美國人和全世界將不會原諒我們此一行動。」

二月廿四日,我們肅清了英特拉慕羅斯的最後一個敵人,日軍有一小部份乘船逃逸,大部份都已陣亡。我們救出了大約三千名非律賓人民,日軍屠殺非人的數目雖未經確切統計,但總在一千五百人以上。一年之後,當我同到美國時,我又聽到有人說麥克阿瑟之所以要讓陸軍部隊衝鋒陷陣去攻打英特拉慕羅斯,而不答應用空軍轟炸它,是因爲麥克阿瑟在該城擁有很多財產。這種攻訐方法簡直是無所不用其極,其歪曲事實,眞是莫此爲甚。麥克阿瑟在非律賓根本連一方呎的財產都沒有。

像這類的故事還很多,但都是無中生有,蓄意誹謗,根本不足採信。

韓戰時,又發生了一些這樣的插曲:在戰事剛剛爆發,亦即在一九五〇年六月廿五日時,就有人說「麥克阿瑟簡直就是在睡覺」,又說他「已經老了」,「不中用了」,認爲應該由別人來替換他。在九月十五日仁川登陸之後,他被大家奉爲軍事天才。可是十一月中共軍隊渡過鴨綠江大舉南犯,迫使麥克阿瑟再度後撤時,批評他的人又開始製造是非攻擊他。在國內和國外,麥克阿瑟是一個爲人所談論最多的人物,崇拜他的人很多,恨他的人也不少,他是世界上最常被人們提起的一個人,現在如此,將來亦復如此。

(廿五)

詩的意境格律及修辭

李純一

我國的詩人,悲哀、煩惱、孤寂,苦痛的時候,他們會自己找出調和感情的方法,宣洩他的悲苦,就如一個孤寂的老人寄情於花草的玩味上一樣。然而這種玩味的功夫也要相當的修養。我們認爲一個創作的詩人不但要有欣賞玩味的修養,並且要具有「不忍人之心」。惟其如此,才能夠寄衆事以宗情,才能夠達成詩的意境。杜甫的:「竹涼侵臥內,野月滿城隅。重露成涓滴,稀星乍有無。暗飛螢自照,水宿鳥相呼。萬事干戈裏,迢迢清夜徂。」他不但在他自己的情感應用「暗飛螢自照」找到了出路;他並且以「水宿鳥相呼」把握起了民衆的痛苦,寫出了痛苦的人生!所以,「向下的詩心」是要具有佛家的慈悲,耶穌的愛的。耶穌說:「我不入地獄,誰入地獄?」又如維摩詰經:「種種煩惱,終不得生。糞壤之地,乃能滋茂。」由是觀之,「向下的詩心」就是眞實的人生,一個偉大的詩人,是能盡其所有的力量去忍受最大的痛苦;忍受力愈大,成就也愈大,也就容易獲得大衆的共鳴。「向下的詩心」的作用也就達成其目的了。

總而言之,「向上的詩心」,就是要有積極進取的精神;「向下的詩心」,就是要有愛衆憫人的懷抱。「向上的詩心」與「向下的詩心」,該是融合在一處的。具有「向上」與「向下」的詩心才是健全的詩心。

站在一個偉大的人物面前,我們會覺得自己藐小;站在一個非常智慧的人物面前,我們會覺得自己愚昧;我們受了山的潛移默化,會覺得自己莊嚴與崇高;我們看見了流水,會覺得自己恬靜。如果,我們讀了一篇偉大的詩,我們自然便會受了它的感動而引起共鳴了。因此,我們研究詩學,首重意境。詩的意境是無限的。詩的意境是無窮盡的。詩的意境中有不可言喻的美,可以使我們會意。詩的意境中有一種活力可以提高我們的思想,健全我們的生命。願我們研究詩學的朋友,爲了要使我們的詩學更形擴大起來,我們要共同的努力於詩的意境上去尋求,去開拓。

(二)詩的格律

古詩章不限句,句不限字,在詩經以前的詩,例如「斷竹」歌:『斷竹,續竹,飛土,逐肉。』這首詩是兩個字一押韻。據劉 的文心雕龍說是黃帝時代的作品。其次有擊壤之歌,歌曰:『日出而作,日入而息。鑿井而飲,耕田而食。帝力何有於我哉?』見於帝王世紀。詩,到了三百篇才有了集,所謂詩經是也。詩經中有四字一句者,五字一句者,也有兩字一句者,三字一句者,六字一句者,七字一句者。例如:子衿:『青青子衿,悠悠我心。縱我不往,子寧不嗣音?』碩鼠:『碩鼠,碩鼠,無食我黍!三歲貫女,莫我肯顧!逝將去女,適彼樂土,樂土,樂土,爰得我所!』葛生:『夏之日,冬之夜;百歲之後,歸于其居。冬之夜,夏之日,百歲之後,歸于其室。』(四)

瘟君續夢

第十三回:惡貫難盈　巨奸逃火網　良知未泯　傑士出天羅

毛澤東聽了也大爲高興,說道:「這叫做猪八戒玩夜貓子,什麼人玩什麼鳥。」

陳毅大笑道:「主席把赫魯曉夫比成猪八戒,可是對極了,我想猪八戒大概就是他那個樣子。」

毛澤東又笑起來。兩人對笑了一陣,毛澤東忽然問道:「赫魯曉夫爲什麼會向你追債,你是外交部長不是財政部長?」

陳毅呆了一下,見毛澤東瞪大兩隻眼睛看着他,一時心情慌亂,想編謊話也來不及了。只好照實說道:「赫魯曉夫聽說我在瑞士買了房子,就借題發揮,說我們有錢在國外買房子,爲什麼不還他的債。」

毛澤東一拍桌子,罵道:「肥猪說這種話,硬是放屁,放屁,豈有此理。我們欠他們的閻王債,答應幾時還清就幾時還清,並未過了期,他爲什麼要來追債,我在國外買房子與他何干。」

陳毅說道:「是呀!這簡直是干涉內政,還想像三年以前那樣欺侮我們,我們當然不受了。」

毛澤東說道:「去電報告訴潘自力,蘇聯派什麼討債團都不給他簽證,他就沒法進來。」

陳毅鼓掌笑道:「主席這個辦法眞高明,以後不問誰來討債,就這樣對付他,使債主不能進門。」

毛澤東說道:「其實別的國家也沒有人會來討債,像日本鬼子就甘心情願賠給我們。」

陳毅看見毛澤東無事吩咐,站起來說道:「我剛下機就來見主席,還沒有回外交部去。」

毛澤東擺手叫他坐下,仔細端詳一陣,說道:「你的面色紅潤多了,腰痛病好了沒有?」

陳毅紅着臉說道:「多謝主席,近來不腰痛了。」

毛澤東說道:「你在瑞士搞了這麼多的女孩子,聽說排成三宮六院,按說腰痛病應該加劇才是,何以反而會好了呢?」

陳毅陪笑說道:「其實也沒有這麼多,只是傳說過甚些。不過,依照我的經驗,工作過度疲勞時,能在山明水秀地方休養一個時期,對身體到確實有好處,並不在於有無女人在傍邊。」

毛澤東點頭道:「這話到也不錯,我近來頭昏,心跳,眼睛看東西只能看幾尺遠,我想大概還是由於北京的環境不好,絕對與女人無關。」

陳毅說道:「主席日理萬機,身體最是重要,更要特別爲國珍重,因爲主席一身不僅繫中國安危,而且也關乎整個社會主義國家的前途,可眞是不能疏忽的。」

毛澤東點頭道:「我也是這樣想,我要有了意外,你們即使不被帝國主義消滅,也要被修正主義吞沒,所以我要堅持下去,再領導你們三十年。」

陳毅忍住笑,扮出十分誠懇的面孔說道:「主席身體健康,實在是全世界勞動人民的希望所寄,千萬要多保重。近來又沒有什麼意外的事,主席何不到南方找一個風景好的地方,休養一個時期。」

(三一四)

冒險犯難記

鄧文儀

十九、重病中入魔夢度一生

當我回到湖南醴陵東鄉老家的時候，我的家人，由祖父母，父母親到兩個弟弟、兩個妹妹，以及所有的親朋戚友，都熱烈歡迎我，十分的高興。認爲我去廣東當兵不到兩年，就在黃埔陸軍軍官學校畢了業，做了軍官，在我們鄧家，那是很少有的，認爲這不僅是光宗耀祖，而且是我們全鄉一種共同光榮與希望，他們希望我從此即可負担我一家的生活及帶領我鄧家的同宗與家鄉的青年子弟，到外面去，爲國爲家努力奮鬥。事實上往後的數十年中，我也確曾推介和引導了家鄉千百子弟離開家鄉，從軍報國，並沒有使他們失望。

由於親戚朋友的歡迎，這家請吃飯，那家請吃酒，差不多天天都作客，天天都有酒肉應酬。可惜我的病沒有好，無法消受，而且病越來越重，消瘦不堪，精神散漫，漸漸不能支持。這時家中的長輩及至親好友，却妙想天開，不找醫生，而要我趕快結婚，藉喜以療病。因爲那時我除了創傷未全好，身體瘦弱，精神萎靡之外，並無其他病狀。我自己也想早日結婚，因爲我是一個早熟的孩子，這時已是二十歲了，無論從那一方面說，結婚都是當前唯一的大事急事，心中雖沒有忘記汕頭博愛醫院醫生之言，「一年之內，不能結婚」，但經不起親友的勸導，我終於答應早日結婚。在我沒有回家之前，憑了媒妁之言，介紹一位李白堅小姐給我的父母，李小姐十六歲，已在國民小學畢業，品貌甚好，家庭是一個小農戶，我的父親曾知見過，認爲很滿意，所以我一回家，他們就向我提起。我同意之後，經過一個月的籌備，就在六月初用古老儀式迎娶了。結婚前後，因爲賓客甚多，我有好幾天都特別興奮，也特別忙碌；夜間睡眠甚少，食少事繁，體力就更不行了，幾乎到了不堪支持的程度，所以結婚成了形式，簡直可說是有名無實。

結婚之後一星期，因爲我早已約了幾位中學同學的青年朋友在醴陵縣城見面，所以我就乘坐弟弟推着的手推車到縣城去；由我們家到縣城距離約六十華里，手推車要一整天工夫才可到達，在途程中我就有些精神恍忽，頭昏眼花，我和弟弟說我要害大病了，很勉强才到達了縣城。

在縣城中住在鄧氏宗祠內一位同宗伯父的家中，當天晚上，體溫增加了熱度，第二天就發高燒，找醫生診治，服藥無效。（卅一）

大哉蔡元培先生

——他的爲學做人與抱負

・吳文蔚・

蔡元培先生一生不曾參加過實際政治，但他的學術思想却是一種良好的政治終極性；他不曾高喊過革命，但他的教育精神却給了青年學子們的一種打破政治現狀的革命感召；他不會着重標榜過主義，但他的學術思想和教育精神，却無形中凝合成一種應乎天理，順乎潮流，適合人羣需要的偉大主義。在他的爲學與言行中，蔡元培先生雖儘可能的避談政治、革命、與主義，但是他畢生的心血却無時無刻不在爲心目中的政治、革命、與主義而奮鬥，努力。

這話是從何處說起呢？原來，蔡先生的故鄉紹興，從前有一個「志學會」，志學會的會員雖已先後作古，但其宗旨，却爲蔡先生所秉承着，那便是要實行三大願：一願天下無窮人，二願天下無病人，三願天下無惡人。如果這三大願都能夠實現了，不惟世界人類不會再受爭奪征戰的威脅，而且還能長久安樂，永享太平，從此熙熙和和，天下一家。你看他這個抱負多麼的偉大！

蔡先生同時還有一個實行的步驟，這步驟是：如果能夠發展學術文化，增强人智，提倡科學，開發資源，一切都用機器生產，如此生產率超過人類的繁殖率，那麼物資便永不匱乏，所以就解決了窮的問題了。若是窮的問題解決了，人與人間便會把爭權奪利的念頭轉變爲服務的精神，從而有病都會得到診治，醫生也不再爲醫病而找錢，所以天下便沒有病人。若是天下沒有了窮人，沒有了病人，人類便不會再有衣食疫癘之憂，沒有衣食疫癘之憂，自然人都歸善，不去爲惡了，所以天下也就不會再有惡人。天下既無窮人，又無病人與惡人，自然便會長治久安，永無紛爭了。這便是蔡先生的學術思想的政治終極性，教育精神的革命感召性，以及這二種力量凝合成的一種應乎天理，順乎潮流，適合人羣需要的偉大主義了。

因爲蔡先生這種偉大的主義只是他的抱負，從不拿來宣傳，所以人只知道他是一個研究學問的人，而不知道他實在是這麼一個有偉大襟懷的思想家。

左舜生會這樣贊美蔡先生說：「蔡先生曾以很短的時間做過官，但他不是爲做官而做官，是爲他的教育與文化事業而做官。他曾不斷的到德國到法國去留學，也不是爲成就他自己一個純粹學者的地位而留學，還是爲他的文化與教育事業而留學。別人有他這樣的恒心，不必有他這樣的學問；有他這樣的學問，也不必有他這樣的眼光和魄力。『學而不厭，誨人不倦』；『發憤忘食，樂以忘憂』；『臨大節而不可奪』；『鞠躬盡瘁，死而後已』；我細細檢討這五十年來的人物，惟蔡先生庶幾近之。」這段話，說的恰到好處，一點也不誇張。

國父孫中山先生是本着孔子的「大道之行也，天下爲公」的最高理想，手創三民主義，作爲國民黨的治國大典。蔡元培先生却以孔夫子的「學而時習之」的學者態度，他服膺三願主義，指導青年們去遵循奉行。二者的方法雖殊，目的則一，而其終極性，又屬不謀而合，同樣的是走上世界大同之路。如此看來，蔡元培先生的思想與精神，其偉大之處，豈是我們能用幾句話所說完的嗎？

錢穆評論孔夫子說：「他不是一個宗教家，也不是一個專門的學問家，更不是一個政治家，或社會活動家；他只是一個學者，一位堪作榜樣的崇高而偉大的學者」。把這些話移用於蔡元培先生，亦正是合適的。

詠史詩

黃伯遠

曹操

論世知人許子將，奸雄一笑語無傷；
仲謀齊整寧堪羨，元德權奇意未忘。
只有阿瞞能解事，不稱天子愿分香；
循環天道終須復，依樣葫蘆看下場。

劉玄德

蒼黃豫楚起無雲，躑躅徐淮馬逸羣；
北海座中知有備，曹公眼底豈無君？
草堂三顧臥龍出，王業偏安蜀鼎分；
遺恨輕吳輸一戰，東風難再霸圖新。

我的社會生活

雷嘯岑

民國卅九年的雙十節國慶紀念，有些事情對我感觸甚深，刺激亦很大，中心臧之，永矢弗諼也。這是我逭難海隅第一次躬逢的國慶佳節，此時國軍尚在巴蜀、秦嶺一帶與共匪鏖戰，然大局的形勢是在逆轉中，香港市民百分之九十五都是中國人，其中十之七八又係反共非共的。當時丁文淵先生建議徵求過去曾在大陸上充任大學校長和教授的旅港學人，簽名發表一項慶祝雙十節宣言，表示擁護中華民國的意志，我曾經在南京中央大學法學院政治系教過書，極端贊成此舉，且願負起草宣言之責。不料丁先生向各方接洽結果，有一位歷任國內著名的大學校長某，即拒絕簽名（原來預定請他領銜的），因而其他的人乃有所藉口，意存觀望，若由少數人聯名表示，似乎不夠份量，宣言終告流產了！次爲公開舉行國慶紀念，當時馬義君（司馬璐）最熱心，常來時報樓上跟我商量，決定所需費用由時報担負，籌備事宜歸馬君任之，集會地點爲「六國飯店」大禮堂。然屆時應約前來參加的文化界人士不到二十名，且以香港時報和徐復觀兄創辦的「民主評論」雜志社同寅佔着多數，祗好改在該飯店的一間「閣樓」中舉行紀念會，而已故民社黨領導人伍憲子先生亦蒞臨參加，我們就推舉伍憲老担任主席，他即席致詞很得體，聲言雙十節國慶乃是全體中華民國人民的事，幷非一黨之事，大家非熱烈慶祝不可。我聽了伍老先生這番愛國言論，想起上述不肯簽名於國慶紀念宣言的那位大學校長，不禁感慨萬千，大有擊碎唾壺之勢。從此我對伍憲老特示欽遲，認爲很有種，而對那位大學校長十分鄙視，至今亦不屑跟他見面！等到美國第七艦隊協防台灣海峽，每年照樣舉行國慶紀念會，參加的人亦逐年增加，從韓戰結束之年起，參預大會的人陸續增加到萬名以上，非租用香港最宏敞的戲院，沒法容納了。但我個人近二三年來却很少參預此項盛會，雖承蒙籌備人員的盛意，推派區區爲主席團之一員，亦不欲應命，理由是參加的人既已盈千累萬，缺少我一個，毫無關係，我的個性是「熱不因人」的。譬如一些好友在貧賤生活中，我常常樂與周旋，談天說地，極其親熱，他若一旦發達，成了富貴人物，除非他瞧得起老朋友，依然不改故態，跟我不拘形迹的論交，否則決不敢高攀了。我對於參加國慶紀念的心情，亦復如是。

我在香港時報寫社評是用語體文，但在本報副刊上寫「世說新語」專欄筆記，却是文言。約莫半年之後，突有一位在香港經營茶葉出口貿易的商人（姓名忘記了），到報社訪問我，接談之下，知道是福建人，說的廣東話，他因爲每天看我寫的「世說新語」筆記，要請我給他的兒子（高中學生）教授漢文，說是身爲中國人，如果漢文不通，未免太不成話，問我需要若干束修？我很贊佩他的思想，聲明願意接受這項任務，束修不必計較，但詢問他的兒子是否懂普通話？答以祗能瞭解大意，最好是用粵語教授。這時候，我僅能聽懂四五成的廣東話，却不能說，乃告以三天後再答復他，過了一星期，他又寫信來重申前意，我終於失信爽約，不敢承受這項「人之患」的職責，辜負了這位愛國商人的美意，迄今耿耿在懷，引爲咎歉呢！（六六）

熊希齡二三事

漁翁

熊希齡，字秉三，湖南鳳凰人，故有稱熊鳳凰而不名者。少穎異；常熟朱其懿官鳳凰廳同知，試士日，奇其才，以妹妻之。由邑庠而舉於鄉，乙未成進士，在科舉場中，可謂一帆風順者矣。

滿清入關，開科取士，以章句學，束縛一般智識份子之心思才力與氣質，使其眷眷於虛榮方面，乃得從容而臥治之。但熊希齡雖出身翰苑，却思想前進，不受極權制度之影響，常與留學之士談新政，倡新學，在湘創辦時務學堂，聘梁啓超、唐才常、皮鹿門等爲講師，開全國新學之先聲。當皮鹿門上課時，熊每爲之搖鈴，有識之以聯云：「鹿皮講學，熊掌搖鈴」，而傳爲談笑。

宣統初，熊撫東三省財政監理官，奉天鹽運使等職。民國成立，以進步黨而被選爲財政總長，旋繼段祺瑞而爲國務總理。因力主裁兵減政，與民休息，而爲陸軍總長段祺瑞所不同意，乃憤而辭職，辭文中有曰：「心力竭盡，難買平勃之歡。去就忠貞，有負唐虞之德」。從此脫離政治漩渦，故亦不爲人所忌嫉，瀟洒自然，爲清末民初不可多得之人物。

熊妻朱氏，於民二十一年病逝，熊自撰聯輓之云，「以同德同心同情同志，並誓同患難，生死相期，卅六年如一日，誰知垂老分飛，事業未終瞑目；捨愛兒愛女愛婿愛孫，及所愛屋烏，教養諸孤，千百人將何依？何堪環境變異，觸觀無物不傷心」。因熊自少受知於妻兄，故對之恩愛情深，溢於言表。

朱氏沒後三年，熊已六十又六矣，老尚風流，與毛彥文女士在上海舉行結婚禮，在喜筵上，答新夫人所提出之剃鬚條件云：「此等小事，若不能犧牲，怎能犧牲一切，爲社會謀福利呢？」其風趣可見一班。

毛女士爲江西人，時年三十三，爲熊年之半數，有賀聯云：「老夫六六，新婦三三，老夫新婦九十九；白髮雙雙，紅顏對對，白髮紅顏齊眉」又一聯云：「熊希齡雄心不死；毛彥文芳塞頓開。」年老人再婚，難免不受人之譏笑，上兩聯均曾在報章上披露，傳誦一時。

熊婚後三年，以心臟病卒於香港，享年六十有九。毛女士痛失所天，抗戰期間，在芷江，桂林，柳州等處，設香山慈幼分院。勝利後，重建原院於北平；曾任北平市參議員，現任國民大會代表，久居美國，柏舟誓天，熊氏有知，當亦含笑於地下也。

飲冰古今譚

周燕謀

杭州爲南宋之首都，人文薈萃之所，故其在炎夏的季節，沿街便有冰雪出售了。田汝誠的「西湖遊覽志」云：「……而市中敲銅盞賣冰雪者，鏗聒遠近。」明代賣冰以敲銅盞代叫賣，和今日沿街按喇叭賣冰淇的小販差不多了。

古人賣冰、雪，做來並不容易，要在冬日冰凍時期，把水蓄在蕩田裏，讓它自行結冰，然後把它藏在窖下的冰塊，始能至夏日而不溶化。

今日科學發達，一切冷飲都是人造，而中國人今日之冷飲，則大多採取外人作法，比起古人的「雪藕調冰，浮瓜沉李」，不知舒服好多了。單以汽水一類而言，其名目已夠繁多，舉不勝舉；如桔汁、檸檬、楊梅、薄荷、沙士；再冰淇淋（即雪糕）這東西，更是五花八門，指不勝屈，難以數計。（三）

內偽警台報字第〇三寶號內銷證

自由報
THE FREE NEWS
第四六一期

中華民國僑務委員會頒發
台數新字第三二三號登記證
中華郵政台字第一二八二號執照
登記爲第一類新聞紙類
（每星期三、六出版）
每份港幣壹角
台灣零售價新台幣貳元
社　長：雷嘯岑
督印人：[illegible]
社址：香港銅鑼灣高士威道二十號四樓
20. CAUSEWAY RD 3RD FL.
HONG KONG
TEL. 771726　電報掛號：7191
承印者：四風印刷廠
廠址：香港灣仔高士打道二二一號
台灣分社
台北市西寧南路壹叁柒號二樓
電話：五〇三四六

救國與民主眞諦之實踐

·吳本中·

反共復國，斯乃千古艱局。『三分軍事，七分政治』，喊自在國內戡亂，迄今已成濫調。然而，亂未戡而大陸且陷，十五載孤島偏安而光復遙遙者，其眞因安在乎？

內獲人心，外求與國，始光復可期。然處今之世，人心非培植個人聲望所可得，國事必人人有份始可爲；政府非民主不爲功，豈私人所可戲弄！工欲善其事必先利其器。欲反共中興而政體機構不良，是用銹刀腐器而欲攻堅削銳，豈非緣木而求魚！

是故吾人欲反共復國必先有好政府，而現世好政府，必首指民主。政治，當然非烏托邦；然捨民主並無他可求。正如出言豪放，意態幽默之邱吉爾躁步議會走廊所常云：『民主是世界最壞的政體，如果別的都不算……』是即言：世界所有的各種政府都不如民主的好。你無論如何討厭它，這個制度還是諸壞中的最好的。

斯不必空言理論與原則，遠溯『天視自我民視，天聽自我民聽。』或拉丁文古語：VOX POPULI, VOX DEI.（民之聲即天主之聲），以及西史之『大憲章』，即以近代二百年人類之大歷史而言，一七七六年七月四日美國之獨立，一七八九年法國之大革命，一八三二年英國之『大改革法』（Great Reform Bill），以迄於第一次世界大戰，第二次世界大戰，英、美、法、三大民主國家之種種努力，何一非向民主大路邁進與改善中。亦正因爲全人類要與獨裁及極權，各種反民主及反自由之邪魔政權堅決奮鬥，所以吾們短短半生竟經有空前兩次大戰，所以吾們於希特勒，墨索里尼消滅後，尚不能『解甲歸田』，尚須手持寶劍與世界另一反民主反自由之共產極權作生死鬥。我們自己若不民主，若崇拜偶象，若甘做奴才，國事任由人家擺弄，是直欲自棄於現代文明人類，且有家歸不得，來日大難不堪設想矣。

英，法文均有簡單以兩字描寫專政對個人影响之不移定理：Power corrupts。誠然，權力使人腐敗，使人歪邪，使人乖謬，使人墮落，甚至使人慘敗而終不知回頭是岸，李承晚、吳廷琰，是最近之例。貞觀之治，是用魏徵等天天向唐太宗罵出來的。十年沼吳，是勾踐親身臥薪嘗胆，又叫傍人面立痛斥出來的。這是千百年前，天無二日，民無二主，極封建與專制時代的事蹟與產品。今何日乎？吾們爲民，即是主人，政府是給我們辦事的，是我們的僕役。給他們權是教他們把事做好。假使容他們弄權營私，反僕爲主，那還了得！甚至連罵一句，斥一聲亦不可得，是我們的處境竟不如千百年前最封建最政治制度落伍時代矣。

力不從心

絕路兩條

然而，什麼是眞民主？民主之眞諦何在？民主之實現又如何？是則，在政治上，應實事求是而少學院式理論爲宜。在此短文亦絕不能多談。二百年來，民主先進國，日日在演進中，時時在迎合環境而改善中。並非空中建樓閣也。試就英國而言。早年在維多利亞女皇盛世，議會所不欲之首相，雖極得當時聖主歡心者，亦祇可暗中含淚忍痛而不能提出。白金漢偌大皇宮，冬寒煤火不足，皇上凍得發抖，只因預算未定，內府大臣亦垂頭無法。顧維多利亞女皇非個性懦弱者，廿六歲登極，其母以鞠養至親，仍欲同室照顧，遭女皇嚴拒，告以今後一切自立，致慈母爲之痛哭失聲。然而她的偉大者，以立志順民意而得民心，終能立民主體制也。今英女皇伊利沙白第二，個人私生活往往受人民之指責，愛豹皮而不敢穿也，乃因護獸會之抨擊。駙馬王駕車女皇傍坐，孤單如平民，幾被告上法庭也，乃因遇見一位「學神」魯莽且未掛「學」車牌。用錢，更一文不能慮費公帑。非經議會許可，用不得也。倫敦「Tower 古堡」，養有巨形烏鴉，名爲 Raven，乃王室產物，有一定數目，不能失一烏鴉。據云因在詹姆士第一世朝，一鴉飛走，王因而薨。不祥之兆，焉可再臨！倘如筆者記憶不爽，每月預算十四先令飼費，由一位古宮衛士 Beefeater 負責，不能多費亦不能少用。（皇室烏鴉，且出之以預算費，其他更不必提矣。）『不出代議士，不納稅。』國家錢財大事，乃人民汗血所凝，世襲君主猶不得而專。衡量民主尺度，必在於斯！友人有工黨議員者，告以：「我們英國要皇室，因爲對於我們是既省事又省錢。」是的，美國每四年一選總統，勞民傷財而並不比英國眞民主。英人重實際，講本質，正如其詩人所詠：「一朵玫瑰，以任何名呼之，她總是芳味香甜的。」（For a Rose, by any other name,smells just sweet.）君主國之名號落伍，然英國之本質氣味，確係民主，則何有於英國哉？反之，我們自稱中華民國，既「華」又「民」，而實際上，中華民國亦不配也。因爲我們並未能如英國堅立一個樹範的『文官制度』也（英稱 Civil Service）。

關於民主之眞諦及實踐。最近英名政論家 John Strachey 死前最末遺著：The challenge of Democracy 內涵，及美名專欄政論家 Walter Lippmann 於本年六月七日在波士頓大學講演詞內幾段，均可爲吾人作鑑。簡括而言之，貫會而通之，就是：用中文說出，——

（一）要有一個眞有充份能代表人民性的政府。這是由全國成年男女，經過可靠又自由的選舉制度，從貢獻於他們眼前的不同種類政府形態中而遴選出來的。

（二）被我們選定的政府，於執行職務時期，其行爲亦必須受我們相當控制。

（三）我們能以自由意志把已選定的政府，在下次選舉時辭退之（Dissmiss or fire a Covernment）。這是以常理，對政治上軌道的國家而言。否則，我們是有『革命權』的。法學家稱之爲 Right of Revolution。用強力推倒一個政府。

（四）我們能與同職業伙伴或利害相同者，組團結社，俾可謀求我們工作應得之報酬及享受我們勞動之果實。（Freedom of Associatoin，結社自由權）

（五）我們能集團聯合（Adle to combine）注視是否有專斷，任意拘捕之危險及未經過公開審訊加於任何人身上之案件。（此即英人所稱 The Rule of Law）

（六）我們要能在相當寬大的法律界限內，說出、寫出及刊出我們所喜歡表達出的意見與事情。這就是所謂言論自由（Freedom of Speech）。

問題是：一個國家或民族，要達到民主之郅治，是否應具『民主先決條件』（英文所稱 Pre-conditions of democracy）。今之亞、非，有等新獨立國家尚有問題。然絕不能把立國五千年文明冠亞洲之中國列入落後民族之內，認爲沒出息到不能行民主地步！就我論事而不視外形，中國現時固去眞民主尚有相當距離。然其所以不民主者，非不能也，乃不爲也。這正是我們全體好中國人所憤恨處！一定要打倒的！民主的中國，應當而且必須實現的。（下轉第二版）

今日與明日

周陳二酋突訪緬甸

周恩來同陳毅於本月十日突然抵達仰光，此項行動十分詭秘，事前未露出絲毫風聲，在國際慣例上說，若是緬甸政府邀請，緬甸方面事先應當宣佈，若是毛幫提出，也應當有個理由，或者是緬甸國慶，有什麼會議。目前各種原因皆無，則周陳兩酋此次突然訪問緬甸，就必有其不可告人的事了。西方報紙推測是爲了對付米高揚，因爲米高揚訪問東南亞，會到達緬甸，與緬甸獨裁者奈溫作過幾次長談。米高揚此次訪問東南亞，由耶加達至仰光，動機當然在拉攏亞非國家支持蘇聯參加亞非會議。周陳二酋此外突訪緬甸，何嘗係爲了阻止緬甸支持蘇聯。從這裏可以看到了出，毛赫之間的鬥爭，已到了不擇手段之境，亞非會議開幕時，關於蘇聯能否出席問題，預料將有一場劇烈鬥爭。

阿育布汗的謬論

巴基斯坦總統阿育布汗在英聯邦國家會議上，聲言西方國家繼續以軍援印度，亞洲小國將投向中共。

對於美國過份重視印度，把印度和日本當成亞洲防共的兩翼，我們是極端的反對，事實上以印度的環境，決不可能派他的用場，美國因爲重視印度，失去了原本反共的巴基斯坦的友誼，確是十分可惜的事。

不過，阿育布汗爲了反印，竟然藉毛共作爲訛詐西方國家的資本，已經不是一個政治人物所應有，進一步更把亞洲小國作爲籌碼，居心就太不可問了。了解亞非情況的人都知道，亞非小國所以對美國離心，向毛共低頭就因爲看透美國對亞非沒有決心，在國務院一貫重歐輕亞政策下，美國決不會負起保護亞非之責。美國若不在韓戰停火，無論尼赫魯怎樣蠱惑，世界上決不會出了這麼多的中立國家。美國若不從越南縮手，迫法國開日內瓦會議分割越南，柬埔寨決不致變爲毛共的準衛星國。

反過來說，美國在亞非的立場愈堅定，反共的國家也就愈多，阿育布汗之言，實在是別有居心。

池田險勝

日本自由民主黨選舉總裁，池田得的票數比起全體投票人名額過半數只多了一票，勝的險過剃頭。池田失敗的原因很多，最後一票之勝，還是叨了太平訪華的光，由於太平訪華，使自民黨親華份子，尤其是大野系的議員，在最後關頭投了池田的票。希望池田以後好自爲之，不要再首鼠兩端了。

不思之甚

馬五先生

因參加亞洲影展，而在台灣坐飛機旅行喪命的馬來西亞僑領陸運濤氏夫婦，灰骨運回僑居地安葬追悼時，台灣方面特派這次主持亞洲影展的龔弘作代表，前往弔喪。我不知道這是甚末人的主意，可謂糊塗之至！

這次亞洲影展評判結果，給陸運濤的電懋影片公司太沒面子，已是大大的失策了，而陸氏夫婦旋又死於空中旅行，亦表示咱們這個東道主未能照顧週全，道義上不無遺憾。這些事情雖非龔弘一人之咎，但他是「亞展」的主持人，在電懋公司同人暨陸氏家屬親友的心目中，至少對他不會有親切之感，殆可斷言。再教他代表台灣方面到馬來西亞去參預陸氏夫婦的追悼會，這在情理上是適當的人選嗎？

陸運濤在馬來西亞的社會地位並不平常，而馬來西亞聯邦現時跟我們尚無邦交，政府應該乘此機會，特派一位比較夠份量、且爲星馬一帶華僑所熟悉的大員作弔喪使者，除表示對陸氏的重視心情外，且可作些國民外交活動。不此之圖，而以龔氏担當弔喪之任，假使對方給他以冷淡的待遇，豈非自討沒趣乎？他到了那邊，若說些道歉的話，即變成了「賠罪使」，若說明咱們這次辦理亞洲影展事宜很公正，招待亦週至，即不啻是證者誇稱自己的靈辣，那更要增加對方的不快之感。二者皆將落得替國家丟臉的下場，何其不思之甚也！再就龔氏個人而言，此行的處境亦極尷尬，根本就不應該接受這項任務的。

無論從任何一個角度設想，派遣這次主持亞洲影展的人，代表台灣朝野各界人士去參加陸運濤氏的喪葬典禮，終不免掉以輕心、缺欠考慮之譏。政治行爲原具有高度的藝術性，運用之妙，存乎一心。我國現階段的政風，表面上是個個官員皆能夠負責，實際是大家都不負責，遇事祇要敷衍過去，朦蔽着最高當局一人，即百無禁忌了。憑着這樣的行政精神與作風，而欲打倒共產極權主義政權，還我河山，別人是否有此信心，雖不敢說，我却杞人憂天，覺得太渺茫吧？

違法惡補與聯考經揭露後

高市滿城風雨人言嘖嘖

天德統印試題七次數字相當鉅大
二十餘校參加難信教科居然不知

（本報記者趙家驊高雄航訊）高雄市教育界連續發現之惡性補習與國校違法「統一聯攷」經揭露後，人言嘖嘖，滿城風雨。除前者業經市長下令「再查」另有報導外，後者多認為係一有組織，有背景之官商勾結的違法漁利事件，且亦更為市民所關心，茲續將採訪所得誌次：

「聯攷」勾當之始作俑者，為新興國校校長王海泉與教務主任林清德，五二學年度上學期，首次會議便在新興國校召開，由該王校長，林教務（林與王清波是同窗，又係同鄉，天德印刷所的老闆楊振國則是林清德的小同鄉，該所設在苓雅區中興街21號。）主持這項會議，各校教導與教務的會議，共同擬定了一項月攷期攷實施辦法（即聯合統一攷試辦法），參加的學校，有光榮（王清波的官舍即在該校）內維等九校，及至五十二年下學期，又增加獅甲、前鎮、樂群等三國校，合計共十二校；加上左營區十校，共二十二校。在一年內，舉行了七次「聯合統一考試」。

「聯考」各校所訂之「月考期考實施辦法要點」，明白訂定每校自一年級至六年級全體參加。上學期有兩次月考和一次期考，下學期有兩次月考，一次六年級畢業考試，和一次期考，共七次考試之多。左楠區之十校亦參加此種聯合性的非法考試。據統計該廿二校總人數約五萬人，佔全市學童之半數，此種龐大非法組織「聯考」，若謂無背景支持，其誰敢信？而且「聯考」由小而大，由暗而明，公然集會，毫無顧忌，胆大妄為，可歎觀止。

據天德老闆楊振國稱：每張試卷價格僅七分五厘，但據說此與其開往國校之統一發票數字（價格）相距懸殊，惟眞相如何，有待法院或治安機關之調查。設使以一角為單價計算，中低年級每位學生三張試卷，高年級六張試卷，以五萬學童計，每次「統一聯考」之營業總額達三萬餘元，七次試卷就有廿餘萬元了。若無幕後人的支撐，廿餘所國校，絕不至滙集一印刷所印刷試卷，係可以理解者。且據某些教師語記者，五月八日在復興國校開會之紀錄，除各國校派有教導或教務參加外，天德老闆楊振國，竟然亦簽名其上。果然，更為官商勾結的鐵證之一。

學生洪美蓮受害事

督學調查謂無事實
陳市長不滿意下令再查

（本報記者趙家驊高雄航訊）本報第四五七期報導，高市前金國校學生洪美蓮，因中途退出惡補及因未繳紀念品代金卅元，教師林貞治不予報攷昇學事，鬧到教育科後，市府曾派督學竇宗山前往調查，次日竇督學曾告訴記者說：該校校長及教師均不承認此事，故「查無事實」。但陳市長不滿意，已下令「再查」。

記者六月廿四日赴洪美蓮家採訪時，據洪美蓮的三哥洪富雄曾說：「洪美蓮很久不敢到學校去上課，督學來時卻說：『林老師在點名簿上依然給她劃到。』這就奇了。今日（七月六日）此間「中國晚報」：「陳市長下令再查」」。內稱：市府派教育科督學竇宗山查明眞象，該督學在報告書上指明：「查無事實」，有關單位對於這份報告書的眞實性感到懷疑，人事室亦認為，督學調查此事時，祇向前金國校校長及教導查調，顯是不智之舉，因校長與教導，均為林貞治老師的直接上司，惟恐遭受連帶處分，當然一口否認。市長認為此事顯係有包庇行為，乃於今日下令人事室，「重行複查，再作報告」云云。

竇宗山調查此事，對記者發表「查無事實」後，記者乃再到洪家，據洪富雄說：「督學與校長蔡西風均來調查過」，（在他二伯父家）又說：「他們希望不要將此事件擴大，並說絕對負責圓滿解決」。

記者進一步問他此間某報所載學校方面及教員都否認此事，與你今天對我說的完全相反，為什麼？」洪富雄反駁說：「林老師教別的學生對督學說『沒有』，不要洩露補習的事實」。

記者復問你們為什麼不對督學對記者的談話予以辯駁？洪富雄許久才說：「我最小的弟弟洪富裕還在前金讀書，惟恐他們報復。」等語。

七月三日記者再到洪家，問及洪美蓮的嫂嫂此事如何解決，洪嫂說：「學校要把那位林貞治林老師調走，那麼我們也就算了」。

由此似乎足證竇宗山的調查報告頗有問題，他一方為學校掩飾，一方面對洪家說些息事寧人的話，於是便以為「查無實證」向上級與報界交代了。按：依辦事通例，竇之報告必須王清波簽註意見後，始呈市長，乃陳市長竟下令「再查」，其中自有文章，最低限度市長是不滿意那種企圖敷衍了事之惡劣作風的。

冤獄賠償法實施情形

袁良驊質詢．鄭彥棻答覆

以五十二年來說，一共賠償了九千多元銀元，折合新台幣尚不及三萬元，因此五十三年的預算索性把卅萬元改列為十萬元。在司法行政部的立場，希望將來連一元也不需要列，這可說明完全沒有一件冤獄，在法治上是一大進步，司法同仁感覺非常榮幸和安慰的事。一般人以為法官辦案有很多冤枉，但是自冤獄賠償實施以後，我們列三十萬元預算的賠償金，還可以減低，這說明了過去一般人對冤獄賠償估計是不正確的，同時也使司法人員感到安慰。現在，對袁委員所提的四點意見，分別作以下簡單的答復。

一、袁委員建議，將本法規定的賠償金與撫慰金增加一倍。我們對此原則非常同意，因為自冤獄賠償法實施以來，已經四年多，我們可根據各種實際需要與統計數字酌予提高，使這種賠償金與撫慰金更能符合實際要求，本部當就職權所及，很快的進行這項工作。

二、袁委員希望司法行政部通令各法院，對冤獄被害人應在法定範圍內，衡量他貧富情形，裁定金額高低。原則上我也認為應照這樣的意思認眞去做的。按冤獄賠償法第四條規定：「冤獄賠償由原處分或判決無罪機關管轄，但依第一條第二項規定請求賠償者，由所屬地方法院管轄。賠償聲請人不服前項機關之決定，得聲請司法院冤獄賠償覆議委員會覆議。」可說賠償金的決定權在原處分或判決無罪機關，包括三審法院與司法院冤獄賠償覆議委員會。袁委員的建議，用意非常之好，我們對主管部分一定特加注意。不過，我要說明一點，根據調查所得，在五十二年度對被害人所裁定賠償金額，以五元折算一日者有七件，以六元折算一日者有一件，以四元折算一日者有八件。這統計說明按五元、六元金額折算一日者佔全部的一半，事實上也不是不問貧富一律以四元金額折算一日支付的。

三、袁委員問到五十一年五十二年冤獄被害人數字與賠償金額折合情形，我簡單的加以說明：五十一年一至十二月賠償四案，受害人四名，共賠償金額銀元一千三百零三元，折合新臺幣不到四千元。五十二年一至十二月，賠償十六案，受害人十九名，賠償金額銀元九千五百五十七元，折合新臺幣亦不到三萬元。為使人民瞭解本法的意義，及對人權的保障，所有的冤獄賠償案件，都是隨時公布的。

四、袁委員認為司法行政部應每年將有關這類事實與數字公布，使人民知道政府此項善政。我們也是這種看法。按冤獄賠償法第二十二條規定：「原決定機關應於決定確定後十日內將主文及決定要旨公告並登載公報及受害人所在地之報紙。」這與袁委員所說意思一樣，所以對每一冤獄案件都在規定日期內，公布事實。同時本部每年出版的「司法行政一年」內也有詳細記載其數字。今後為使人民更加瞭解政府保障人權的措施，本部更當留意，隨時發表這類消息，以符合袁委員的希望。（下）

救國與民主真諦之實踐

（上接第一版）

對於民主之眞諦及實現，筆者不敏，尚補加幾點。

（A）一個民主國家，就是在這個社會內生活的所有身體精神健康的成年男女，均有可能自由自在的，本有其天賦權能與智慧和努力所獲得的知識與經驗，龍飛虎躍的向上的發達下去，不但免於洗腦之患，教條之災等等，即受訓學習等有黨政性者，亦不宜加諸其身心。民主自由的社會應猶海濶縱魚躍，天空任鳥飛，把人性的好本能發展到最高點，俾科學、文藝、政治、工商等各界均生氣勃勃，人才濟濟。中山先生所稱『富強康樂之邦』其在斯乎！試看，英、美、法等民主先進國情形，即可領悟於一斑。

（B）凡為一個民主國民（或可稱『民主人士』？）必應具有或養成下列雙重優美性格：①對國家要時時不忘自己是主權者（法文有詞最恰當 Le Peuple Souverain），日日在謀求自己作主，自己治化自己，而不欲被一個自己不能監察或控制的政權統治。②對自己本身，要常常『自我教育』，『自我紀律』，具有一種自尊，自重，作之君，作之則的儼然為主人氣概。對國家及公共團體事情，要有深思熟慮，切己關心的習慣。對政府之組成分子及社會公共利益事務之辦理人員，要有眼精心明，辨別眞偽，遴選及信任賢能之公民習性與經驗。

（C）一個民主自由的社會，在政治上，應當是能創建，選定，組成，並能運用一個好政府的。這個社會內的大部分成年男女身心健全的男女是能辨思明辨，選擇賢能出一個賢能政府的。當然，這個社會亦可能有許多壞分子，但，他們一，不能成為多數分子；二，必為民主自由之好分子所淹沒或壓倒，而一個好政府亦能對人民的導向民主自由境域，起重要及決定性作用。便利他們對政府謹慎選擇賢能，增高政治素養及彼此起制衡作用。

中國有句古語：『自古皆有死，民無信不立』，又曰：『不誠無物』。我們無妨『老生常談』：治國之道，無他，誠信而已！至誠所至，金石為開。昭大信於天下，這是最末一分鐘了！軍隊、警察、特務、財閥、外援：：都將無用！因為此類種種，若果真有用，當有用，則錦繡大陸，不會慘遭淪失，其理至明。這是君子愛人以德，至誠忠言。（一九六四年七月八日）

確實應該整頓

台南縣新豐農校

校長辦事問題多

（本報記者謝君穎台南航訊）台南縣縣長劉博文接任之初，即曾宣示整頓與強化教育的決心。而台南縣的教育，亦確實問題重重。

即如毗隣新丰中學的台南縣新丰農業學校有五十餘位優良師資，七百餘位純潔活潑的莘莘學子，交通方便，環境清幽，確為讀書的好地方。但該校校長黃為業，却以專門搞他的辦學三板斧馳名，三板斧為建築，出版及長袖之舞。記者走訪該校時，便曾親見校工在該校大門邊小解，肆無忌憚，而亦無人過問。該校係男女合校，如此舉動，殊不雅觀。

尤有甚者，該校每學期硬性規定，每一學生必須繳書籍費兩百元，不管學生有沒有合用的舊書，這兩百元一定要在學期沒始時繳納，再等新書發下時，有舊書的學生把舊書呈向校方蓋印，認定與新書完全一致，始准使用。依理，這時候應該把那些有舊書的學生的書籍費發還了，但不！這一筆錢一直要等到學期終了才發還。這樣一來，家境富裕的學生還無所謂，可就家境清寒的學生哭笑不得了。

再者，因為該校校長黃為業，與其他三個學校的校長，同為台南某某出版社的股東的關係，該出版社所出版書籍，大部份均為該四個股東校長主持的學校所採用。

又，最近在中興大學農學院舉辦的農業教育講習班，教廳明文規定各學校必須選派農業教育的老師前往接受講習，但新丰農校校長黃為業却置教廳規定於不顧，自行派該校農場技士陳××前往。

按：該校有農學院畢業專攻農業教育的老師，而該技士則僅為高中程度而已，無論學歷與資格均屬不合，畢竟何以出此呢？或謂黃校長此舉，純係基於個人好惡，加以因為講習時間為三週，而受訓學員可得日薪台幣五十元，有此好處，自不能讓無關係者獲得云。否如此，尚待進一步之採訪。

教廳重視高市教育

（本報記者台中航訊）教育廳長潘振球，對於高雄市的教育發展，除了答應在水產學校的條件充實時，允許升格為水產專科學校外，其餘一無承諾。

潘廳長說：教育是循序漸進的，不能一蹴而成；而且，教育是百年大計，應該按步就班，不能操之過急。

因為，高市民意代表曾經來省請求作更多的發展，但教廳在高市各項條件尚未完成時，只答應予以研究。

馬列主義破產實證
共產集團需要自由世界餵養

·祝西·

去年一年間，自西方國家港口，特別是美國及加拿大兩國港口，平均每天有四點五隻大海船，每隻載一萬噸糧食，運往蘇聯及中共。

美國副國務卿哈里曼，在全國農協年會的演說中，對此一情勢的解釋是：「共黨在蘇聯半個世紀的統治，結果竟必須向西方國家乞食。……中共政權亦靠自由世界的食糧接濟，方得勉強活命。……同時所有實施共產主義的國家，結果無不如此。」

蘇聯官方雖希望本年度收成較佳，但西方專家認為，即算此一希望實現，蘇方仍需大量糧食輸入。蘇聯經濟學家估計，本年穀類需要總數為一億六千五百萬噸。當一九六二年蘇聯豐收之時，其收成總數僅有一億四千七百萬噸。此一數字為官方統計中的最高紀錄，甚至赫魯曉夫自己有時也不大相信。據紐約時報六月二十八日渥太華消息稱，加拿大經濟學家認為，蘇聯將來不但繼續需要加國糧食，而且他們可能「永不會重為主要的小麥輸出國家。」

中共的問題更加嚴重。去年全年，中共自西方國家購糧數字為五百七十萬噸，而在本年度的最初六個月中，其購糧總數已超過五百萬噸。事實上中共所需糧食絕不只此數；但由於其黃金外匯較蘇聯更加缺之，只有勒緊肚皮，望洋興嘆。

共黨國家的大量購糧，造成去年美加兩國小麥及麵粉輸出的最高紀錄。去年美國小麥輸出總數為二千五百五十萬噸，除大部運往蘇聯外，百分之四十六運往亞洲國家，其中約四百萬噸運往印度，另有兩百萬噸運往日本。加拿大自一九六三年七月至本年四月輸出小麥及麵粉數量約一千二百五十萬噸，為該國過去二十五年中的最高紀錄。

近年來，美加兩國的農業生產進步驚人，自一九五〇年至今，美國農場每人每小時生產量的增加將近一倍。美國目前是全世界農產最富的國家，日有十二艘運糧巨輪馳往世界各地。蘇聯東歐及中共的農業情況，則完全相反，在共黨當政之前的一九〇九至一九一四年間，俄國平均每年輸出糧食一千〇五十萬噸。自一九五四年赫魯曉夫從事處女地開發之初，蘇聯糧食生產曾有增加。一九五九年，其糧食輸出數字為七百四十萬噸。但當處女地的地力用盡，由於肥料缺乏而無法恢復後，生產逐年下降，至一九六三年儲糧盡竭，只有靠輸入解決民食問題。

東歐國家的情況亦復如此。第二次世界大戰前，東歐糧食生產過剩，在大戰發生前的四年中，匈牙利每年輸出小麥四十三萬噸，羅馬尼亞五十五萬噸，南斯拉夫十七萬噸，保加利亞五十萬噸。而目前除羅馬尼亞外，去年均需自西方購買糧食。

中國大陸的情況更慘。中共當政後，最初數年中，他們曾在國內實施嚴格消費管制政策，強迫人民勒緊肚皮，每年輸出糧食一百五十萬噸。但自「大躍進」失敗後，此種打腫臉充胖子的政策無法繼續，遂不得不靠國外輸入為生。自一九六一年起，中共自西方購糧總數已達二千五百萬噸。但在全國人民嗷嗷待哺的情況下，中共竟為了達成某種政治目的，將兩百萬噸輸入的糧食外運。

本年二月，赫魯曉夫發表一次三萬字的長篇演說，呼籲蘇聯農業專家少談理論，多有行動，並盡量以有限的資金投資於農業增產。本年的氣候雖相當樂觀，但在黨的控制計劃，機器的不足，以及農民缺乏自發性等情況下，將使此一工作難以完成。

十年前，赫魯曉夫曾吹噓他的處女地發展計劃，將可解決一切糧食生產問題，使他們的農產量超過全世界。他說：至一九六〇年，蘇聯公民不但將有足夠的麵包及馬鈴薯食用，肉類供給亦將超過美國。而今日的事實是，蘇聯的麵包馬鈴薯，一部份是靠外國食糧的輸入，其工人平均所能得到的肉類，尚不足美國的一半。（華盛頓航訊）

詩的意境格律及修辭

李純一

褰裳：『子惠思我，褰裳涉溱；子不我思，豈無他人？狂童之狂也且！』黍離：『彼黍離離，彼稷之苗。行邁之苗。行邁靡靡，中心搖搖。知我者謂我心憂，不知我者謂我何求。悠悠蒼天，此何人哉！』我們再一看看楚辭的句子：『朝發軔於蒼梧兮，夕予至乎玄圃。欲少留此靈瑣兮，日忽忽其將暮。吾令羲和弭節兮，望崦嵫而勿迫。路曼曼其修遠兮，吾將上下而求索。』以上由斷竹歌，擊壤歌，而詩經而楚辭，我們研究他們的章句的字數，可以歸納出一個現象來：在「詩」的格律的演變中，一面是由「簡」而「繁」，由「短」而「長」，另一方面是由「整齊」而「散亂」了。自此以後便是漢朝的「樂府」了，我們認為孤兒行及婦病行都是很好的詩，例如婦病行：『婦病連年累歲，傳呼丈人前一言，當言未及得，不知涕下，一何翩翩。』它的章句用字是很自由的，所以內容表現得非常眞切，不過漢朝設「樂府」，以作郊祀樂為主，采詩尚是其次的事。

詩經是以四言為主的，可以參見以上所提出的各詩，但也有用整齊的五言的，比如說行露：『誰謂雀無角？何以穿我屋！誰謂女無家？何以速我獄！』因之到了漢朝便有很好的五言詩了。例如古詩十九首：『庭中有奇樹，綠葉發華滋。攀條折其榮，將以遺所思。馨香盈懷袖，路遠莫致之。此物何足貴？但感別經時！』於是如此整齊的字句便與民間樂府有了一個分野，成為自由的與整齊的兩派。

自漢至六朝，可說是我們五言詩的時期，其間雖有七言或長短句，如漢高祖的大風歌：『大風起兮雲飛揚，威加海內兮歸故鄉。安得猛士兮守四方！』再如魏文帝的燕歌行：『秋風蕭瑟天氣涼。草木搖落露為霜。羣燕辭歸雁南翔。念君客遊多思腸。慊慊思歸戀故鄉。君何淹留寄他方。賤妾煢煢守空房。憂來思君不可忘。不覺淚下沾衣裳。援琴唱絃發清商。短歌微吟不能長。明月皎皎照我牀。星漢西流夜未央。牽牛織女遙相望。爾獨何辜限河梁。』於是七言詩由此而逐漸行成。

我國的古詩直到兩晉時代，都是以口語為自然的韻律，並沒有講究平仄對偶的。到齊梁時漸漸的講求對偶了。例如謝惠連的：『池塘生春草；園柳變鳴琴。』這在詩的格律上可算是一個革新。及至佛教流行，為了繙譯梵文經典，漸漸注意了聲韻，沈約乃提倡四聲八病之說。所謂四聲就是指平、上、去、入，所謂八病，是說在作詩時應該避免的八種弊病，但因此之故，我國的詩就由自然自由的格律走上了講究對句，講究整齊，講求文字技巧的道路！我國的詩由這個道路一直走到了今日。（五）

我所知道的麥帥

肯寧將軍原著　徐熙光翻譯

六、軼事拾遺

當我在一九四二年七月抵達西南太平洋時，我從美國和澳洲空軍官兵口中所聽到的第一個有關麥克阿瑟的故事是，他害怕坐飛機。我從來就沒聽說過麥帥怕過什麼，我當時就想該找個機會破除人們對這件事的錯誤觀念。到了九月時，有一天晚上在麥帥的房間裏，我有意無意地突然說想去視察一下新幾內亞的各空軍單位，希望他也能一道去看看，他立刻就回答說：「好啊，我們明天就去，我來做一次你的客人。」

第二天早上，我們乘一架B17轟炸機出發，那天的能見度只有五百呎高，但是雲層並不太厚，很快的我們的飛機飛到了六千呎高，麥克阿瑟瀏覽了一下機窗外的風景之後，靠在他的座位上假寐，我離開他走到前面駕駛室去。這時我們離開布里斯班大約只有一百哩，但是有一具引擎的油量表却指在零度的地方，我告訴駕駛員把那具引擎關掉，飛回布里斯班檢查。我們用三具引擎在海面飛行了六百哩，幸好沒出什麼大毛病。我曾在這期間回到麥克阿瑟那裏，他還睡得很安祥，我碰碰他的膝蓋，他張開眼笑着對我說：「我大概睡了有好一會兒了吧！什麼事呀？」「沒有，沒什麼特別的事」，我答說：「我只是想告訴你，這確是一架好飛機」，他點點頭。「這架飛機呀！」我繼續說：「用三具引擎飛的時候跟用四具引擎飛時一樣好，一樣平穩。我們已經用三具引擎飛了二十分鐘了，你一點也不知道，你一直沒醒吧！你看看窗外，那個第二號螺旋槳已經不轉了。」

他望望窗外，笑着對我說：「還是覺得蠻舒服的嘛！是不是？」說着他又靠在椅背上鬆弛一下身子。他比我開始知道一具引擎出毛病時更來得鎮定。

飛回布里斯班檢查那具引擎後，我們在第二天飛往摩里斯比港，我們一直在大雨滂沱的天氣飛行，飛機一直沒有再出毛病。我們一共飛了六小時，麥克阿瑟睡了大約三個小時。

麥克阿瑟奪取新幾內亞北岸拉伊港的計劃是在一九四三年九月四日先由一師澳洲軍隊在拉伊以東大約十哩的攤頭登陸，第二天由美軍空降團攫取拉伊以西大約二十五哩靠近那扎巴的一個機場。載運美軍傘兵的運輸機必須由戰鬥機嚴密保護，事先要由轟炸機實施轟炸，並且最好希望那天有濃霧來掩護傘兵的降落。從空軍人員的觀點來看，這是一個艱鉅的任務，用到的飛機大約要三百架──幾乎是我所有飛機的全部數目。附近兩處日本空軍基地的飛機無疑的將是個大威脅，這兩個基地一個叫威瓦克，在拉伊西北方約三百五十哩的地方，另外一個基地是拉堡，在東北邊，距離拉伊也有三百五十哩。兩個星期之前我們曾集中了所有力量攻擊威瓦克基地，結果炸毀了大約三百架日機。氣象官又告訴我在傘兵空降那天，拉伊和拉堡之間，將會有大霧。（廿六）

瘟君續夢

第十三回：惡貫難盈　巨奸逃火網　良知未泯　傑士出天羅

毛澤東說道：「你的話很有道理，我明天去西湖住上幾個月。」

陳毅說道：「主席去西湖休養，千萬要帶着江青同志去，可以貼身伺候。」

毛澤東一瞪眼：「你還眞是多餘的話，我不帶她去行嗎？她現在對我硬是瞎子放驢，一把也不丟，好似一鬆手我就被別人搶走了似的。」

陳毅說道：「是呀！張茜對我，近來也是如此，其實她眞是多操心，我現在眞的很規矩了。」

毛澤東抬頭看看他，冷笑道：「你要是不規矩的話，恐怕你在瑞士也許會找到三千粉黛呢？」

陳毅一聽到毛澤東提起瑞士的事，就不敢再插口。

毛澤東又說道：「其實你在外面玩女人，無論花多少錢，我都不理，只是你要能為黨，為我辦事，不要學彭德懷，在我面前說的非常好，出了門又變了。」

陳毅笑道：「彭德懷個性與我不同，他娶了一個浦安修，當成寶貝一樣，一點非份的事也不敢作，這種人那裏有出息。我追隨主席革命，不但要學習主席的馬列主義的修養，還要學習主席的革命浪漫主義精神，一生包不會走錯路。」

毛澤東笑道：「你這段話講的眞是不錯，可以記下來發給幹部學習。」

陳毅站起身來告辭道：「主席沒有什麼事吩咐，我就回去了。」

就在這時，周恩來慌慌張張進來，看見陳毅說道：「你回來了，在莫斯科見到金日成沒有？」

陳毅搖頭道：「未曾見到，我只見到范文同。」

毛澤東問道：「金日成去莫斯科幹什麼？我們事先怎麼不知道。」

周恩來說道：「這次到是非常秘密，就連勞動黨高級幹部也不知道，據崔庸健同志告訴爲曉光，他也直到飛機起飛才知道，其中經過完全是蘇聯大使同金日成直接商量的。」

毛澤東連連點頭：「這裏邊一定有鬼，肥豬正打算孤立我們，拉去了蒙古還不算，又拉朝鮮，再過幾日又去拉越南，到了全部兄弟黨被他拉去，肥豬就會對我們採取行動了。」

周恩來說道：「他拉去蒙古還容易，要想拉朝鮮恐怕很難，金日成同志與我們有血肉相連的關係，何況還有崔庸健同志在裏面主持。」

毛澤東說道：「話雖如此說，也不能不小心，我看最好由你出名給金日成寫封信，邀請他來北京訪問。」

周恩來說道：「金日成地位不同於范文同，最好由我同少奇同志聯合出名邀請。」

毛澤東點頭道：「這樣容易，明天在政治局常委會議上提出通過就是了。你且回去安排一下，明天開過會我就要去杭州了。」

陳毅這時才算同周恩來一道走出來，說道：「不是總理到來，我還走不掉哩！眞的急了幾身汗。」（三二五）

冒險犯難記

鄭文儀

第三天更加嚴重了，好像已進入昏迷狀態，又好像近似瘋狂，大喊大叫要回家去；第四天我乘轎子回到家中，好像著了魔一樣，接連三天狂呼亂叫，夢語連篇，到家四天之後，已不能動彈，體溫降低，我全在下意識中生活，不飲不食，開始做一個漫長的迷夢。

長夢開始是從看了很多小說故事連繫到幻想作一個英雄和美人共同生活在一起，因爲我在小學讀書時，就有很多幻想，這時就在幻夢中有部份的實現。夢中生活像是一個長期的奮鬥及一生生活的預演，由讀書到從軍，由從軍到從政，疆塲馳騁，宦海浮沉，從披星戴月，勞碌奔波，行萬里路，讀萬卷書，虛名時隱時現，怨火叢集一身，還夾雜著不少風花雪月，兒女愛戀的故事，好像過了五、六十年的生活。這漫長迷夢差不多接連到一個星期，直到端陽節前夕，才驚醒過來。迷夢時我很少飲食，一身冰冷，家人都以爲我已經死了。惟有父親認爲沒有死，不會死，全由他一個人照應。他是一個虔誠的佛教徒，宗教修養有相當成就，這眞是一個奇蹟！也是一大驚險。過去三十多年來的往事很多似都已在夢中經歷，人生如夢，生死榮華，很快即可決定。我夢醒時，曾自矢要不虛度此一生，要將重病時的長夢實踐。我的記力很强，隨遇而安，樂觀奮鬥，也許是在那長夢中得到了啓示和決定吧？

二十、回黃埔　任區隊長

當我病漸漸痊癒的時候，我的假期三月亦已屆滿，我很快要去廣東繼續服軍役，但是由於家中貧窮，結婚生病又花了不少錢，家中已是債台高築，自然沒有餘錢可作回廣東的旅費，六月底我曾寫了一封信寄給黃埔軍校，是向校長報告我回家患病經過，準備回粵，但是旅費無著，請求寄款，以便成行。兩個星期之後，接到學校回信說，校長已看到我的報告，要我趕快回到學校服務，同時寄來旅費三十元。我和家人都高興極了，雖健康未全恢復，但却迅速準備啓行。

我帶了弟弟和四個青年學生，取道湘南陸路，沿粵漢鐵路綫去廣東，因爲那時粵漢漢路尚未修通，由湘南僅可通到衡陽，廣東祗到韶關；由衡陽到韶關要步行，行程不到一百五十公里，但因山嶺甚多，天氣又熱，相當吃力，我們走了一個星期才到廣州。

到廣州之後，費了三天時間把弟弟和帶來的四個青年學生送到湘軍學兵營當兵，我亦得到學校命令，派我担任軍校第三期第三大隊第八隊的中尉區隊長，我在七月底就到差開始工作。（三二）

談自輓

漁翁

聯語中之一部份曰「輓聯」，用於悼弔之典。所謂輓聯者，乃哀死者之詞，援語以懸之喪幄，爲古輓歌之變體。石林燕語：「韓康公得解，過省，殿試，皆第三人；後爲相四遷，皆在熙寧中。蘇子容之云：「三登慶歷三人第；四入熙寧四輔中」。

凡赴戚族隣友世誼之喪，皆以聯輓之。而有生之日預作聯自輓者，亦不乏人；如清中興名將之左宗棠便是。左字季高，湖南湘陰人，道光時，舉於鄉，咸豐初，洪楊軍起，以四品京堂統軍，轉戰於浙江福建間，有功；旋又平陝甘，定天山，累官總督，拜東閣大學士，封恪靖侯。論功不在曾文正之下。

左感一生風塵戎馬與案牘勞人，故於彌留時，而有自輓聯之作，謂但願來世，作一清閒自在人。其聯曰：「慨此日騎鯨西去，七尺軀委殘芳草，滿腔血灑向空林，問誰來歌蒿歌薤，鼓琵琶塚畔，掛寶劍枝頭，憑弔松楸魂魄，奮激千秋，縱教黃土埋予，應呼雄鬼；

倘他年化鶴東歸，一瓣香祝成本性，十個月顯現全身，願從此爲樵爲漁，訪麂友山中，訂鷗盟水上，銷磨錦繡心腸，逍遙半世，惟恐蒼天厄我，再作勞人」。

是聯長聯凡一百一十六字，曾傳誦一時。

按輓聯彙輯載：有少婦臨終，自輓云：「大丈夫何患無妻，來年再續鸞膠，莫向生妻談死婦；小孩子終當有母，他日承歡膝下，須知繼母即親娘。」此聯雖寥寥數語，却包含萬丈，勸夫續紘，不必憶及死者，教兒奉承繼母，語重心長，如親娘然，堪稱傑構也。

南宋陸游，字務觀，會稽山陰人，乾道中，投夔州通判，因愛蜀道風土，故題其生平所爲詩曰「劍南詩稿」。其詩清新刻露，而出以圓潤，能自闢一宗。故宋以後，詩有劍南一派。游官至寶謨閣待制，范成大帥蜀，延爲參議官，以文字交，不拘禮，人譏其放，因以放翁自號焉。

當其臨終時，南宋半壁山河，以不見恢復中原爲憾，寫一絕示兒詩云：「死去原知萬事空，但悲不見九州同；王師北定中原日，家祭毋忘告乃翁」。此詩謂之遺囑也可，謂之自輓，亦無不可。陸游臨死而不降，臨刑時，猶眷眷於山河之破碎，無怪乎被讚美爲「愛國詩人」。

南宋末，右相文天祥在五坡嶺被俘，檻車送窮北，囚三年而不降，臨刑時，寫遺言三十二字於衣帶中以自輓，亦以自贊，正氣滂薄，視死如歸，固民族英雄也。其辭曰：「孔曰成仁，孟曰取義。惟其義盡，所以仁至！讀聖賢書，所學何事？而今而後，庶幾無愧！」

我的社會生活

雷嘯岑

在美國第七艦隊未到台海之前，原來住居台灣的人，亦多有遷徙到香港的，至於從大陸上避難到香港的人，却絕少願意赴台灣者，有之，就是老友安徽陳訪先兄（現任監察委員）。這時他單身住在九龍郊區的荃灣一家商店樓上，妻女都陷身大陸未逃出，一夕，他來時報跟我晤談，告以卽日前往台灣，我謂台灣局勢很緊張，是否稍加考慮？他毅然答曰：「大家可以去的地方，我也可以去；大家可以死的地方，我也願意死！」當時我的精神爲之一振，說道：「吾黨同志如果都有老兄這種志氣，還愁國家不復興嗎？」我倆談到十時以後，他纔珍重握別。訪先這幾句話，在我的心靈裏留下了深刻的印象，也增加我不少的鬥爭勇氣，「時窮節乃見」，値得大書特書的。另有位國民參政員四川謝明霄兄，却與陳訪先兄恰恰相反。他跟川籍立委彭勛武，寄居在香港海面停泊中的「民生公司」輪船上，由於舊交的關係，他隨時到時報來訪晤我，來卽問我以台灣國軍何日反攻？時報會否得到確實消息？我笑謂：「老兄的想法太天眞了。這是一場亙古罕有的大變亂，反攻決不是那末簡單的事，非有如越王勾踐十年生聚敎訓的工夫不可！」他聞而形色大爲沮喪，說道：「如此，我只好回去，太太時時來信促歸，心神晝夜不安，無可奈何。」我告訴他：「別人可以回去冒冒險，老兄却萬不可行，因爲你於半年前，曾以國民參政員名義，寫過一篇主張政府跟蘇俄宣戰的文章，交給我在南京和平日報發表的，你不怕共黨清算嗎？」他默然無聲而別，過了幾天，他并未再來晤談，悄悄地隨着何北衡、彭勛武回大陸去了。再過一個月後，我在共黨報紙上看到消息，說謝君回到成都家裏，僞裝進步，每夕召集一些「反動份子」，在住宅中，以扶乩爲掩護，進行反動工作，已經逮捕究處在案云。這當是欲加之罪，實際就是要清算他。像謝君這樣天眞而自投羅網的人，不知凡幾，可悲孰甚哉！

當香港時報創刊之初，黃紹竑、賀耀組之流，正在海隅號召一般中國知識份子，集體宣言投共，大罵國民黨及政府當局禍國殃民。我氣憤之餘，卽在時報寫社論詰問他們，指摘他們在過去二十年來，都居於黨政高位，參預國計民生和軍事決策的。政府既有失當措施，難道他們就沒有責任嗎？過去政權安定，好官自爲，對國事不聞有所貢獻，今日大局阽危了，又來嘵嘵譁咋，把過錯一概推到別人身上，眞是罔知廉恥也。黃等看見此文後，曾招待新聞記者，有所聲辯，說他們的意見不被最高當局採納，因而他們不能分担失敗的責任。雖屬言僞而辯，亦有些畏懼淸議的心情。某天我在渡海輪上遇着賀耀組，因係老上司，不得不招呼一下，他却冷語我道：「我曉得你在這兒幹甚末事。」我卽坦然答曰：「在香港時報作總主筆，上次指摘黃部長和貴公你們這兩位老長官（黃氏任內政部長時，我是首席參事）的文章，亦是我寫的。彼此思想不同，立場各異，希望兩位老長官原諒罷！」他表示苦笑而已，別無他言。（六七）

清代儒將羅羅山

羅雲家

在中國建軍史上，清代之湘軍可算是一個奇蹟。它從戰鬥中建立起來，以迄於凱奏膚功，完全由一羣農民子弟出身之讀書人主持。「此輩迂儒樸士，張拳蠻，以忠誠相期獎，以衛道爲目的，前仆後繼，雖百死而不辭。」他們發揮儒家基本精神，奮鬥到底，以天下爲己任，團結不渝，日人稻葉君山曾說：「湘軍非勤王之師」（意爲非保王室，乃踐學），算是確當的評論。

湘軍的台柱人物，以江忠源，羅澤南開其端，曾國藩，胡林翼、董其成，左宗棠、彭玉、揚其光。謝麟伯論「三楚武功」，稱：「新寧偉節，羅山邃學，益陽雄略，湘陰衡陽皆著勛名。」這些人出身庠序，平日都有很好的學問修養，尚氣節，崇廉恥，重行誼；他們的見解，是「兵兵事是儒學之至精」；「敬愼不敗，爲儒將之要領，亦兵機之善策」。所以能有百折不回的高度表現！而「邃學羅山」之羅澤南，更爲當時有名的儒將。一般人論清代中興諸將帥，首推曾左胡李，這是以事功而言的；若言儒將，則當首推羅澤南先生爲清代之第一人。

澤南字仲岳，一字羅山。成仁後，謚忠節。湖南湘鄉人。生性樸質好學，家世寒素，又逢飢荒，日食每不給。夜間常無錢買油點燈，常常移椅就月下讀。年十九，補諸生，卽設塾課徒，以贍家用。妻某氏，亦賢淑能安貧。湖南習俗，三餐皆煑乾飯，而家中米甕常空，她黎明卽起，取松楸舉火燒沸水，分飲家中老幼，她說：「豈可使吾家灶突無烟也？」某次，澤南試罷步行回家，抵達時，已臨初更，家中正以歲寒乏食，舉室嗷嗷。她見澤南疲憊已極，乃把僅有的一根銀簪，向鄰家質賒了幾斤米，掇園中野菜，煑粥以進。最不幸的是，既貧又迭遭死喪，十年之中，祖父母，母親，兄弟，子女的喪葬，凡十一次；其夫人以連喪三子，哀哭至於失明，鄰里莫不爲之扼腕！

一個人在貧賤饑寒與拂逆環境之中，最能考驗其品行與修養。澤南的遭遇，可以說是艱屯之極，而他却不怨不尤，一意安心著述。課徒餘暇，手不釋卷，對濂洛關閩諸家理義，多所闡發。平生主張篤實履踐，一言一行，均遵守自己所學，所知，絲毫不肯苟且。其感召力量，不僅化及子弟生徒，而且鄉里也同受感化。因此，遠近鄉人，都稱「羅山先生」而不名。

曾國藩奉旨辦團練時，爲咸豐二年十二月。在先，已有江忠源在湘西辦鄉團，稱楚勇；羅澤南在湘鄉辦鄉團，稱湘勇；純爲建立維護家鄉的地方武力。國藩開始舉辦時，不僅手無寸鐵，且身無一兵，因爲他和澤南是小同鄉，所以便把羅部三個營計一千零八十名湘勇，調赴長沙，作爲基幹。其編練營規，多出自澤南所擬訂。高級將領如王鑫、李續賓、李續宜、蔣益澧、劉騰鴻、楊昌濬等，基層幹部如羅鎭南、羅信東、謝邦翰、易良幹等，也都是澤南自湘鄉帶出來的。這許多人不是他的族戚，便是他的學生，對澤南的領導，可說是無條件地接受。曾、羅推誠相與，他們對曾也能絕對服從。湘軍的成功，這是重要因素之一。（一）

飲冰古今譚

周燕謀

西洋人傳來的冷飲，大概要算汽水爲早，約在清光緒中葉之後，便行銷於上海、香港、廣州、厦門等地。當時名字並不叫做汽水，而是叫「荷蘭水」——其實並非是荷蘭人所發明的，因當時我國初稱西洋貨品統名之曰荷蘭。汽水乃是使二氧化碳氣體溶解於水，再加以其他果汁而成，夏日飲之，五內舒爽，若再加以冰凍飲之，更能涼透心脾。光緒年間，清廷派李鳳苞出使德國，他的使德日記中有云：「席間，思茶竟不可得，惟飲蜜水，蘄桂之氣，通利胃腸，喉間有聲。」當時一位大使節，尚不知爲汽水，而曰「蜜水」，飲下後有氣直通喉頭，說是「利通腸胃」，此時大使固十足土包子也。

另一種外國傳來的冰淇淋，是用牛奶雞蛋加香料，攪和放在冰筒中，開動機器轉旋，使之凝結如冰而成；夏日飲之，甘芳可口。這是冰淇淋的原始作法。而今日則花式增多，優劣各異了。據營養家說：冰淇淋對于人體健康很有益處，吃多了人會發胖。因爲它含有大量的鈣質、磷化物和維他命，以及硫酸銨和尼古丁酸等成份。此一夏日佳品，而今已風行全世界了。比起古人那種窖藏的冰雪，當然是好了不如多少。在冷飲中，稱得上「萬綠叢中一點紅」的，正是「冰淇淋」，或云這是由中國先發明傳到西方去的，未必確當吧？

（完）

內政部台報字第〇三壹號內銷證

自由報
THE FREE NEWS

第四六二期

每份港幣壹角

社長：雷嘯岑

督印人：黃行素

社址：香港灣仔高士打道二二一號四樓
20, CAUSEWAY RD 3RD FL. HONG KONG
TEL. 771726　電報掛號：7181
承印者：四風印刷廠
地址：香港灣仔高士打道二二一號
台灣分社
台北市西寧南路壹叁叁號二樓
電話：三〇三四六

共黨在非洲開闢新戰場

·宋文明·

正當全世界的目光，集中於越南戰爭，寮國動亂，馬來西亞與印尼爭端，以及塞浦路斯危機時，在地球的另一個人所不注意的角落——非洲的剛果，共黨卻正在開闢一個新的游擊戰場。從長遠的歷史眼光看來，這一新戰場的開闢，其對未來整個世局的重要性，可能要比上述這一系列的紛爭，更有過之而無不及。

從去年十二月底開始，剛果西部距離首都利俄波維爾不遠的桂魯省，即已發現共黨游擊隊的活動。至本年二月初，這種游擊隊已在短短六個星期以內，控制了該地一百多個鄉村的地區。就在此時，剛果政府曾遣派陸軍參謀長艾亞貝中校率軍至該地巡視，不幸就在一次遭遇戰中為游擊隊所殺害。從此之後，剛果政府雖不斷派兵前往，全力進剿，而始終未完全解決。相反的，到了本年四月，剛果東部基夫省，亦出現了同樣的游擊隊，並聲勢浩大，不數週間，即已發展到數千人的規模。剛果政府面對此種情勢，遂派兵全力對付，一度並由陸軍司令莫布杜親自率兵前往。可是由於剛果政府軍平日訓練不足，中下級幹部缺乏指揮作戰能力及經驗，以及由於共黨游擊隊具有較佳的政治控制及心理作戰指導，所以兩者交戰的結果，剛果政府軍不是臨陣譁變投降，便是聞聲脫逃，使共黨游擊隊每戰必捷，連下數城，在短時間內便輕易控制了一大片土地。至六月中旬，這一共黨游擊隊已由基夫省發展到了北卡坦加省，並正在不斷壯大中。實際上，剛果政府軍具有較佳的裝備與武器，而共黨游擊隊除了少數步槍之外，多數為長矛刀箭之類，但以受巫術麻醉（實為非洲土著的政治宣傳工作），自信不為槍彈所擊傷，而竟能克敵致勝，使對方聞風喪胆，實在也是二十世紀六十年代的大笑話了。

現在剛果這種共黨游擊隊作亂情勢，由於六月三十日聯合國部隊的完全撤退，而更陷於危急。過去四年剛果在四分五裂中所以尚能保持一表面上的統一，建立一個像樣的中央政府，完全是靠了聯合國部隊的功勞。假若沒有這種聯合國部隊負責維持剛果的完整，剛果政府軍既無法保持國內的治安，更無法剷除像卡坦加省那種具有堅強實力的分裂割據局面。在全盛時期，這種聯合國部隊多達兩萬人以上，在大多數時間，也維持八九千人之衆。可是現在，聯合國於在剛果用去了四億三千多萬美元的金錢以後，終於不得不實行撤離，遂使共黨游擊隊獲得了一個更好的發展機會，也使剛果面臨了自獨立以來最大的危機。聯合國部隊在剛果所以無法再行延期，一是聯合國目前正鬧着財政恐慌，若無共同協議，即無法籌措一筆像樣的經費，而這種共同協議，亦無法輕易獲得。二是剛果政府基於內部的政治考慮，並未向聯合國提出這種延緩撤退的要求，聯合國部隊自不便超越原所規定的期限。於是剛果局勢的惡化，便成了勢所必然之事。

由於剛果在非洲所居地位的重要，所以自剛果開始出現共黨游擊隊以後，雖然剛境聯合國部隊並未出而積極介入，而美國中央情報局的人員，則以美國平民及古巴流亡份子的身份，則早在剛果境內協助政府軍作戰。對此一點，美國務院最近已作了公開的承認。除此之外，美國並敦促比利時政府，請將原在剛果服務的軍官，重新派往剛果，為剛果政府軍作顧問。但由於剛果及比利時兩國政府，對此均有幾分猶豫，所以至今仍未獲致最後決定。正由於這種種原因，剛果政府軍雖不乏武器的供應，人數衆多，但仍不是受非洲巫術及共黨政治宣傳所控制的游擊隊的對手。

剛果的這種游擊隊，在政治上是受一個所謂「民族解放委員會」（NATIONAL COMMITTEE OF LIBERATION）的控制。這一設立在剛果對岸布拉薩維爾市的政治組織，是受國際共黨的控制，顯屬毫無疑義。但它的基本性質，並不同於今日越南內部共黨所領導的「南越國民解放陣線」，而是近似於阿爾及利亞的「民族解放陣線」。因這批剛果政治上的叛離份子，並不是什麼真正的共黨，而是清一色的剛果首任總理盧姆巴的左傾民族主義份子。如在布城實際主持這一政治組織，作發號施令者，即為前盧姆巴黨的秘書長，和會一度担任剛果內政部長的格賓耶。在桂魯省領導游擊隊的摩里爾，曾為盧姆巴內閣的教育部長，並在吉森嘉的分離政府中担任過駐開羅大使，隨後並在北平留一年有半，學習游擊戰術。在基夫省領導游擊隊的蘇瑪勞及卡松古，前者為比利時軍隊傳令兵出身，後者為盧姆巴的外甥。由於這種人事背景，剛果的這種游擊隊頗有幾分為盧姆巴實行報仇的意味，並處處以阿爾及利亞民族解放陣綫為取法對象。但由於剛果這種游擊隊完全接受共黨的指導與供應，不像過去阿爾及利亞游擊隊的受納塞影響，以及由於剛果較阿爾及利亞更為落後，缺乏對共黨政治滲透的免疫性，這種游擊戰繼續發展的結果，終將完全為共黨所同化。所以稱剛果這種游擊隊為共黨游擊隊，在事實上也是非常合理的。

由於剛果游擊隊代表盧姆巴派在政治上的一種反抗，並眼看剛果軍隊不足以對此勝任一種軍事性解決，所以剛果政府在面對這種空前的威脅之下，便開始考慮以政治方式來解決這一危機。本年六月下旬，在剛果政府的邀請之下，兩位過去的反對派政治人物，前卡坦加省的左姆貝，和前礦產省的卡朗吉，陸續由國外返國，並準備從監牢中釋放盧姆巴的政治繼承者森嘉，以期建立一個包括各黨派各部族，由右至左各種勢力的全民聯合政府，設法結束剛果內部的紛爭。這種聯合政府若果能成立，勢將使剛果的政治產生一種全新的局面。但除非在這種聯合政府中讓盧姆巴派獲有相當大的發言權，它們將絕不會放棄游擊行動。可是若讓盧姆巴派獲有太大的發言權，也不為其他勢力所接受。所以這種大一統的聯合政府能否成立成功，尚是一大疑問；即使暫時能強獲得組成，其最後的結果，恐怕絕不會比一九五七年後的寮國聯合政府更持久。

若政治談判終於失敗，即使成功而無法持久，剛果局勢將要更進一步變成第二個越南，第二個寮國[illegible]

（下轉第三版）

戰魔！

從中取利

今日与明日

毛共九評俄共

毛共人民日報同紅旗雜誌對俄共又展開了九評，看來不知將要評若干次。毛共對美國的嚴重警告已達三百零二次，對俄共的批評是不是會有「三百評」，也很難說。不過，就文字而論，似乎一次比一次下流，像這次九評就指名攻擊赫魯曉夫，指赫魯曉夫為假共產主義者。究竟什麼是真共產主義者，在毛共及其黨徒看來，大概人人沒有飯吃，沒有衣穿，就是真共產主義了。

九評甚至攻擊蘇俄人民因飢餓而暴動，被赫魯曉夫監禁起來。在毛共眼裏，這樣作法當然是不對的。可是，赫魯曉夫若反問一句，中國大陸成千累萬的集中營，又是怎麼回事？集中營裏的人若不是被捕，難道是自己走進去的嗎？實際上共產黨人都是一個模型鑄出來的，誰也不必指責誰，毛澤東雖然咬牙切齒罵赫魯曉夫，但在別人看來，那正是「夫子自道」。

共產黨的階級

毛共九評又罵俄共有特權階級。更是多此一舉。毛共大頭目享受的特權，久為舉世所共知，也為大多數人所共見，最近毛共又在倫敦訂購十架筆萊斯勞斯豪華轎車，自然是供高級頭目乘坐，至於高級頭目所特有的俱樂部，百貨商店，子弟學校，都與一般小頭目隔開，與真正的人民距離更遠。南斯拉夫前副總統吉拉斯早就指出當權的共產黨人必然成為新階級，只是毛共的新階級更為具體化，也更為寵大，恐非俄共可及，毛共居然敢以特權階級攻擊俄共，未免顏之厚矣。

向蘇俄收復失地

九評雖然惡毒，尚是口頭爭執。最近傳出的消息，毛共已經唆使日本向蘇俄收回南千島，這個消息是經日本社會黨訪毛團代表佐佐木更三由大陸回來後，在香港宣佈的，當不會假。毛澤東當時曾指明日本應收回南千島，並表示願同日本簽訂中立協定。毛酋不但唆使日本收回失土，還表示要收回黑龍江外被蘇俄強佔的領土。這樣說來，赫毛爭執將由理論爭執變成領土爭執，最後除非有一方面屈服，是很難解決的。

由毛澤東同佐佐木的談話，不由使人聯想起最近羅馬尼亞要向蘇俄收回比薩拉比亞的事，可能也是毛澤東教唆的。毛酋對赫鬥爭已經盡其所能，赫酋的法寶還未用完，將來也許有意想不到的變化。

對日外交偶感

我國新任駐日大使到達東京後，日本外交大臣太平正方亦即來台訪問了。會記得今年春間，中日邦交陷入低潮狀態時，日本政壇元老吉田茂訪問台北之際，聲明彼回到東京後，外相太平正方繼踵而來，以期改善兩國關係。但太平藉口國會開會期間，不能抽身，遲遲其行，等到我新任大使就了職，他纔來台北作兩天貴賓，說些外交詞令，匆匆回去了。這證明太平正方訪華之行，殆為表面敷衍工作，談不上增進邦交，加深兩國間相互瞭解的實質問題。

何況日本自民黨總裁選舉在即，縱令池田勇人蟬聯下去，而內閣必然改組，大臣級人物將有多數變動，外相太平正方之去職，毫無疑問，因而他這次在台北無論有何種諾言，皆不能算數——事實上亦不會有甚麼值得注意的承諾，有之，亦不過所謂日本與中共交往是純經濟性這類自欺欺人的濫調而已。所以，我們對於太平此行，祇能認為普通的國際禮貌表示，並無特殊觀感可言。

日本人在國際間自命為瞭解中國情形最深刻，咱們對日本的認識何莫不然。怕強欺弱、重視現實利害、能屈能伸、窮得富不得、富了看不得，這就是日本民族性的特質。因此，現時咱們若希望日本政府在外交上對我國講道義、締深交，那便是憑不可及的笨伯。中華民國政府如果不能光復大陸，從頭收拾舊山河，將來膺受日本人的氣，更有甚於今日的什百倍，可斷言也。

我們亦不可存心倚賴美國從旁幫助對日外交，應知道日本一般人的內心深處，依然潛存着對美國復仇觀念，他們目前對美國表現着十分恭順的詞色，是懾於實力關係，無可如何，所謂「積威約之勢」也。一旦羽毛豐滿，國際形勢發生變化時，日本一定是大力反美的國家，且可以跟共產黨合作以對付美國的！

今後我國對日本外交策略，只可因應現實，維持普通邦交，切忌對日本多所期望。最重要的外交工作，是中、韓兩國切實攜手奮鬥，加強對東南亞地區曾經身受日本軍閥侵略痛苦的自由國家的聯繫，進而締成安全互助關係，應能立於不敗之地。假使再有「周鴻慶事件」發生，我們亦不必過於重視，而認為日本以怨報德，日本自立國以來，幾曾見有以德報怨的外交行為呢？

馮[illegible]先生

歷屆縣市長透支經費 財廳表示決查明追回

花蓮縣長更說收不到要移送法辦

（本報台北航訊）台灣省第五屆縣市長，已於上（六）月分別就任新職，前任縣長的移交，在理論上說，都已交接清楚，可是在事實上，有關於經費部份，還有許多縣市無法清理。這些尚未移交清楚的公欵，不盡是第四屆縣市長任內的濫賬，他們多是從前幾任手中接受過來的。這些賬累積起來，各縣市都有一筆很可觀的數字，現在省府財政廳又表示要準備追回，花蓮縣長已限令歷屆縣長設法清償，否則移送法辦。話說得這樣斬釘截鐵，像煞有介事，只怕結果還是落得一個「老虎蛇尾」，不了了之。

卸任縣長超支經費，無法辦清交待，各縣市都普遍發生，數額多少不等，多的有到千萬以上，少的也有數百萬元，本年度新預算內既無法編入，又因財源沒有着落，而使接任者備感困擾。

對於歷屆縣市長透支經費，移交不清的問題，據說財政廳原則上已決定：（一）卸任縣市長若在任內有不合法之超支情事者，經查明後決予追回。（二）若是超支係地方建設經費，而又不能編入新預算案內者，將派員調查後予以補救。

卸任縣市長透支虧空經費情形到了何種程度，茲舉台灣東部兩個偏遠縣份台東與花蓮爲爲例，就可見一斑了。

台東縣新任縣長黃順興上台後大喊苦經，據他說，台東縣差的經費達一千二百萬元左右，他上台後，只接到一個空空如也的縣庫，簡直是一文不名，政務推行，諸多窒碍。

臺東縣第二屆縣長吳金玉，六月三日應邀參加新縣長黃順與就職禮，以來賓身份致詞，就爲透支經費問題，大發牢騷。他先用國語演講，再用閩南語講。

吳金玉說：我做了五年縣長，被人目爲萬惡不赦的罪人，攻擊得體無完膚，五年任期過去，無官一身輕。過去一切已成煙消雲散，證明我不是那麼壞的人就算了。想不到七年後的今天，突又接到法院傳票，訴追我在縣長任內的暫付欵三十五萬元。

吳金玉說：這筆錢都是員工借支，或者用諸於公的，並非飽入私囊，其中有一筆還是招待民政廳長連震東吃飯的。徒似有滿腹牢騷大喊上臺容易下臺難。他還意味深長地說：黃拓榮（第四屆臺東縣長）縣長是以廉能政治自許，相信移交不會發生問題。

花蓮縣從官派到民選縣長，均有公欵未移交清楚，十多年來的四任縣長未移交的公欵達四百六十四萬八千八百三十元二角。現任縣長柯丁選已分別函請他們，限本月十五日以前設法償還，否則即移送花蓮的地方法院追繳。這是現任縣市長催索前任最狠的一個。

花蓮縣歷屆縣長積下來的超支經費，都是各該縣長在任內所墊付或不准報銷的員工薪餉、旅費、預支費用、預付欵，其中曹滙川任內最多，胡子萍任內最少。計爲曹滙川六萬八千六百四十六元三角五分，其中薪水二千九百二十一元，旅費四百五十五元一角，預支費用六萬五千二百七十元二角五分。楊仲鯨任內廿萬七千八百五十元四角八分，其中薪水二千九百二十一元，旅費一千八百十三元四角五分，預支費用廿萬四千六百七十五元九角九分。林茂盛任內廿四萬零八百四十一元零二分，其中薪水六百七十五元，旅費四百九十五元三角，預支費用二十三萬九千六百七十元七角二分。胡子萍四百十三萬一千四百九十二元三角五分，其中薪水三萬一千九百八十元八角八分，旅費一萬六千八百五十四元四角七分，預支費用七萬三千一百十五元零五分，預付欵四百萬零九千五百四十一元九角四分。

各卸任縣市長的超支經費，有兩種性質，一種是屬於建設方面的經費，一種是屬於臨時性支出的暫付欵。在數額方面，以暫付欵佔最多數。建設經費方面的透支，如果能編入預算的，可以設法逐年編列，即使有困難，只要是事實上需要，省政府也可以專案補助，解決起來不算太難。

問題最多的是暫付欵，暫付欵中有的是被人借支了去，有的是報銷有問題的暫付懸欵，都是最難解決的。報銷不可能，追收也有困難，歷屆縣市長都是拖了下去，一拖再拖，才形成如此大的一個包袱。如果沒有一個適當的解決辦法，從此止住，則像滾雪球一般，可能越滾越大，總有一天會把縣市財政拖得動不了的。（吳越七月九日）

香港與大陸

毛共進一步奴役學生

正在大量製造「問題學生」接着便把他們「放下」改造

中共又在大陸地區要大、中學校學生放下「知識份子的驕傲」，要「老老實實甘心做群衆的小學生」；對小學生，則要他（她）們進入「簡易小學」或「巡廻教學」，以便更多機會接觸農村，向農民學習。

據一位曾回大陸探親甫返抵港的小學教師梁女士透露：中共當局最近除在大、中學校的宿舍中建立「毛澤東著作自學小組」、「讀書組」，以加強思想教育外，並派遣大批的特務充當「職業學生」。

梁女士說：中共發言，這種措施是「勞動計劃的實施」。中共的這種措施，已使得幷將繼續使得大批的學生被指爲「有問題」，即成爲所謂「問題學生」，於是把他們全部「下放」到農村「勞動改造」。

梁女士稱：按照中共的規定，「下放」的學生，在農村除參加體力勞動的工作以外，還要繼續搜集「村史家史」材料，並定期依照中共的規定去編寫，以便細算「剝削帳」。

梁女士說：她有一表弟，原就讀于廣州市中山大學歷史系二年級，最近便被指爲「思想反動」，而被「下放」到佛山的一個農場勞動，每天除了上述細算「剝削帳」，編寫「家史」以外，還得強迫每天起早爲貧僱農抱柴，做飯，挑水，清糞，餵豬，推磨等。

梁女士轉述其表弟的話說：看來我是一生都要做農民了，就算可以回校，也得向同學們作「思想收穫」的報告，說出自己在「勞動改造」過程中，如何獲得「終身難忘，受用無窮」的好處。當然更得違背良心，歌頌「黨」和「毛主席」的「偉大」。

梁女士又說：中共對大、中學生如此，對小學生亦甚苛刻。現在共區的正式小學已越來越少了，而採取一種所謂「簡易小學」和「巡迴教學」等方式，來毒化兒童。

所謂「簡易小學」，多因陋就簡，既無設備，又無課本，晴天在露天上課，下雨則解散。而「巡迴教學」則更無體制，全憑共幹高興與否，往往集合一批村童，講解一些不倫不類的宣傳品，馬虎了事。而這些宣傳品，無非是「要聽共產黨的話，黨要你們怎樣做，你們就怎樣做」「兩種準備」（即升學和參加生產的準備）。

梁女士慨嘆地說：在大陸的學生，其實是如假包換的奴隸，他們在學校期間經常要參加校內外的勞動，而畢業以後，又註定被派回農村支援，精神身體均飽受折磨。（敬斯）

「三六」與「五九」俱樂部

——冷眼看台北市議會之一

本報台北記者　張健生

台北市長由執政黨外的高玉樹當選，台北市議會第六屆第一次臨時大會也由非執政黨籍的副議長陳少輝主持，這兩件事湊巧發生在同一時間內，因而便成爲市民們茶餘飯後的閒話題材了。市民們在閒談時，語多幽默而諷刺，有所謂「千算萬算不如天有一算」的說詞。

台北市議會爲什麼由陳副議長主持？張祥傳議長到那裏去了呢？在六月一日議會開會前幾天，有一次，張議長多喝了幾杯酒，不小心而摔了跤，立即發生腦充血之急病。乃送台大醫院治療，現在雖好些，但尚未痊癒，故議會開會只好由陳副議長主持了。有人說，公論報先後兩位發行人都住在台大醫院，大概是由於公論報爲不祥之物的緣故吧！但所不同的是：李萬居因失去公論報不久即病纏床第閒達三年之多，張祥傳在接任公論報發行人後而生病，這是最大的區別，姑妄記之。

閒話不提，言歸正傳。就在陳少輝主持臨時大會不到一週時，新聞報導台北市議會有「三六俱樂部」與「五九俱樂部」的「影子議會」的政團組織，儘管陳副議長於六月十日在市議會大會否認有這兩個組織，當天晚上由議會向報界發表書面聲明，說明係一二議員的建議，並無具體實施的方案，更不代表議會全體云云。這個聲明，有人說是此地無銀三百兩呀！

爲此，本報記者曾深入採訪。現在有兩種說法，一種說法是「三六俱樂部」的構成份子，爲本省籍議員的核心組織，其目的在團結本省地方人士，必要時作政治上的「買賣」，因爲現任市長太厲害了。另一種說法是「三六俱樂部」係不分省籍與不分黨派的政團，其組織爲集體領導制，有三人主席團，有幹事長，有七人政治綜合小組，分爲七個小組。據黃信介告訴本報記者，陳少輝、陳梧杜、陳鄭政代表三個選區爲「三六俱樂部」主席團主席，黃信介任幹事長，下設七個小組，分別參加議會七個審查會，七個小組召集人組織七人政治綜合小組。他們將經常集會，研究市政問題。

黃信介議員的話，是不是可靠？終有水落石出的一天，在沒有事實證據之前，我們姑且存疑。不過，根據一般人的觀察和分析，可靠性的成份較大。這是什麼緣故呢？因爲黃信介在表面已與高玉樹分手，各奔前程，現在假使他果眞擔任幹事長的職務，正如俗語所說：「吃南朝的飯，管北朝的事。」這正是高玉樹所放的一着暗棋，將來可以從事「護航」的工作，完成府會一家的使命。

現在，就有人暗中爲全體議員謀福利。外傳原已列入台北市五十四年度地方總預算案中的十個行政區民衆服務站的經費，約三百萬左右，執政黨已表示不要這筆錢了，市議會在初步審查會中也分別刪除；於是有人打算從中提數十萬元，作議會的福利金，但也有人提議這不太妥當，反而不如從工程管理費中提成若干較爲便利，這樣外界也不易了解眞情。此事到底是怎麼回事？也只待下回分解了。

按：所謂「五九俱樂部」係指台北市議會五十九位議員。該會原有六十位議員，今春有一位去世，剩下五十九人。

幾次呈省皆未獲准 高市教科代科長

王清波真除無期

（本報記者趙家驊高雄航訊）高雄市政府教育科的人事問題，自馬誠久科長逝世迄今，一直是兼代的局面，形成混亂的狀態。代科長王清波，在編制上是國教股長，在代理科長後，國教股長一席，乃交社教股長田登來兼代，而中教股長黃孝棪新任未久，復命兼代市女中校長之職。這一連串的兼代拖了兩三年之久，何以未能「正名」？

據此間「新聞報」六月廿九日所載標題爲「王清波眞除無期」之消息稱：「高雄市民所關心的高雄市教育科代科長王清波的眞除問題，省教育廳目前暫不考慮。」又說：「這在閻振興任教育廳長時，高雄市政府曾三度呈報，均未獲准，以後在吳兆棠任廳長時，亦曾呈報一次，亦未獲准。

「教育廳有關單位的主管，認爲王清波資歷尚淺，恐不能擔當大任。……」一位高級人員說：最近發生在高市教育科內的校長、科員互毆案，王代科長亦在現場，而未能迅予處理，顯示威望不夠。」云云。

另外，高市教育界不少人士，甚至以爲王清波眞除非但無期，簡直是無望。這些人所根據的理由，是省教廳最近給各縣市府的一項通令，內稱：「教育工作人員爲學生的表率，其品格的高下，影響極爲深遠。今後所有教育工作人員的任用，除應合於任用資格外，對其品格，態度，尤應愼重遴選和考慮」。他們於是認爲，省教廳果能認眞執行這項通令，王清波還有什麼希望眞除呢？

共黨在非洲開闢新戰場

（上接第一版）

若變成越南第二，共黨游擊隊將繼續向全國各地發展，準備與政府軍進行長期內戰，直至獲得全面控制而後已。但不論變成寮國第二或越南第二，在剛果若出現一種軍事對立或大規模的內戰，將都會使整個非洲局勢迅速產生一種全面性震動。因今日剛果，不僅部族複雜，黨派林立，小集團利益超越一切，根本談不到眞正的國家意識，而且由於交通困難，文化經濟落後，人民生活艱苦，更構成了共黨發展的最好條件。因此，若讓剛果長期陷於內戰，其最後將使共黨獲得全面控制的可能性實在很大。若共黨控制了這一人口衆多，位置重要，與地下資源極爲豐富的剛果，則剛果周圍的其他地區，很快就要出現同樣的情形。果如是，則非洲的歷史就要開始作不同的寫法。

總之，剛果的出現共黨游擊隊及其獲得迅速發展，已爲非洲及整個西方集團發出了一個嚴重的警告，也爲這一地區局勢的趨於惡化作了一個開頭。雖然現在世人的目光仍集中於越南及其他爭執，可是我相信不久的將來，剛果戰場將會凌駕一切。

毛共真敢擴大越戰嗎

布恩施

紐約時報沙茲伯格說，目前在蘇俄正流行着一個笑話，這個笑話的大意是：「毛共與蘇俄開戰後的第一天，一百萬毛共軍隊投降，第二天，兩百萬投降，第三天，又有五百萬投降，第四天，毛澤東打電話問赫魯曉夫：『你還要打下去嗎？』」目前在東南亞，毛共正使用這種繪影繪聲的人海戰術宣傳攻勢，希圖奪取越寮，威脅所有鄰國。

過去各方面曾不斷傳出，毛共不惜在核子戰爭中犧牲三億人民；千百萬中國大陸飢民，隨時均可能衝入鄰近的產米國家，開動搶糧戰爭；沒有任何力量可以阻止毛共軍隊的人海戰術等。如今毛共對外雖沒有公開提出保證，但從側面散佈空氣說，倘若美國不撤離越南，毛共將派大軍參戰，發動另一朝鮮式的戰爭。此一宣傳的目的，顯然是要使人相信他們在韓國自欺欺人的「勝利」。各國是否相信毛共軍所向無敵的吹噓，實為今日越戰中最主要的政治關鍵。

以軍事觀點看，韓戰與越戰並不完全相同。在韓戰中，毛共「志願軍」偷渡鴨綠江後，隱藏於地形複雜的北韓山地，聯合國空軍偵察難於發現，因而使他們得以人海戰術向聯合國軍的弱點進攻。但此種人海戰術，卻無法在客觀條件不同的地區使用。同時，毛共在韓戰中的最大優勢，是他們的補給基地近在東北，當時由於毛共與蘇俄的共同防禦協定牽制，華府為了躭心引起大戰，決定不許麥帥轟炸東北。是這種「庇護特權」使他們可以大軍深入。而在毛共參戰前，麥帥認為毛共參戰等於自殺，即根據聯合國空軍可切斷其補給線而言。由於毛共必須防範其他邊疆，在這樣有利的條件下，他們並未能動員全國大軍以爭取韓戰的勝利。此一事實足以證明，即使在最有利的條件下，毛共所能動員的兵力亦極有限。

毛共參戰並未能阻止聯合國軍隊的前進，當時聯合國的實力足夠再度打到鴨綠江，是政治的決策改變了軍事目標。聯合國認為，共黨對南韓的侵略被擊退後，基本目的已達，因而在毛共要求和平時，聯合國即同意停戰。

自此十餘年來，毛共即始終避免與美國的武力直接衝突。今日越戰的情勢，對毛共尤其不利。首先，西方國家絕不會再忍受「庇護特權」的存在；更重要的是，莫斯科最近已警告毛共，倘若自動尋釁，蘇俄將不履行共同防禦條約的責任。此外，在韓戰中，蘇俄裝備的毛共軍隊，現已落伍。為了報復毛共對蘇俄的惡毒而繼續不斷抨擊，莫斯科早已停止供給毛共新式飛機，坦克，重砲，以及重要零件等。而這些東西，中共自己並無力製造。

在地形方面說，越南是叢林，山地與沼澤，不像朝鮮適於大軍行動。中共倘若參戰，勢必將以小股游擊方式進行。而目前此種戰爭已有越共進行，在軍事上不需毛共參加；在政治上，越共亦可能反對毛共介入。凡此種種事實，均可能是毛共至今並未以參戰相威脅的原因。毛共宣傳人海戰爭的目的，除去恐嚇之外，可能是藉此阻止對北越的進攻。倘若南越對北越實施轟炸，河內必將束手無策。除空襲外，目前南越似無大軍北進之計劃，因而毛共的兵力出現與否，對越南戰局並無重要意義。

（華盛頓航訊）

詩的意境格律及修辭

李純一

雖然我國的詩在文字的運用的技巧上，在唯美主義的觀點上的成就，遠超過了世界上任何國家，但是在詩的意境上，就不免有了束縛思想的毛病。不過世界上的任何事情有一害必有一利，利害是必相互因循的。我們不能說我國的詩有了講求對偶及音韻便是不好，而因之使我國的詩到了唐朝，達成了「詩的黃金時代」。

我國的詩到了唐朝有「古體」「近體」之別。所謂「古體」詩乃係章不限句，句不限字。但是因唐朝以來五言古體詩非五字不可，七言則可有伸縮增減，不過大多數仍均為七言；至於平仄，「古體」詩不予限制，只要押合古韻就行了。還有換韻不換韻之說，五言古體不換韻的多，如杜甫的北征詠懷五百字皆一韻到底。而七言則多換韻，如杜甫的：『諸公袞袞登台省，廣文先生官獨冷。甲第紛紛厭粱肉，廣文先生飯不足！』這是兩句一轉韻的。不過，我們讀時仍感覺到語氣仍甚流暢、有的七言古詩前半段一韻後半段一韻的，有用來兩句轉韻的，有用四句一轉韻的；而平仄相間的，不但覺得音節高下抑揚頓挫，並且語調流暢。另尚有八句一轉韻的，音韻亦佳。

中國古詩當然絕不會一句詩皆用平聲或皆用仄聲，七言古詩要「三平落腳」，即末三字用平聲，如杜甫的：『捲我屋上三重茅，』末三字均為平聲才顯得穩重。還要「句中有眼」。所謂句中有眼，就是說五言詩第三個字及七言詩第五個字，一定要使用音節響亮的字。比方杜甫的：『八月秋高風怒號，』第五個「風」字，讀着便覺響亮，在音律上講，便是為健美。又如古詩十九首中的：『行行重行行，』均是第三個字，讀起來非常響亮。但是五言古詩有例外的，比如古詩十九首：『同心而離居，憂傷以終老。』讀時語氣便着重於第一個字及第四個字了。又如杜甫的畫鷹：『素練風霜起，蒼鷹畫作殊。』亦不着重於第五個字，但是讀時語氣穩健非常。所以我們研究古體詩「句中有眼」這一點，可以說五言古詩第三個字須響亮，有時亦可例外，而七言古詩第五個字必須響亮，且無例外。古詩的格律，畧如上述。但若初學作詩者，如欲從寫作古詩入手，亦不是容易的事。

「近體」詩到了唐朝才出現。它除了章有定句，句有定則外，還要講求平仄，好像是歌譜一樣。雖然如此，作詞的可以叫做填詞，而作詩的卻不能叫做填詩。因為作「近體」詩時，當然要按照着既定的規則格律去作，而有了成就以後，也是不太受拘束的，何況又可「一三五不論」，即第一第三第五個字可以不論平仄。又有拗體及特例。並且「近體」詩的體裁有五律、七律、五絕、七絕四種，每一種又分為五種形式。可以在思想表達意境之先隨意選用。茲將五絕、五律及七絕、七律的格式分述如次：（六）

我所知道的麥帥

肯寧將軍原著　徐熙光翻譯

九月三日下午我到摩里斯比港的麥帥前進指揮部去看他，和他討論支援那扎巴行動的詳細計劃。我告訴他我當天將乘一架轟炸機實地視察戰況。麥帥認為我不應該去，我說這對我來說是個重要的任務，而且那麼多我的部屬都在作戰，我要去看看他們。

麥克阿瑟靜聽我激昂陳詞，最後說：「你的話沒錯，喬治，我跟你一起去。他們也是我的部下呀！」

「不，你不能去」，我抗議說：「你是身經百戰不死的老兵，又是我們的統帥，沒有必要讓一個月只領五塊錢薪水的日本飛行員擊中你。」

麥克阿瑟一臉正經地盯着我，並說：「我担心的不是會被日機打下來，老實說，我唯一所担心的一件事是飛機受山上氣流影響而顛簸時，我會翻胃，會覺得不好受。我最恨病痛，最恨當着弟兄的面當場出醜。」

這樣我只好安排讓麥帥乘B十七轟炸機跟空降的傘兵們比翼齊飛，我決定讓麥克阿瑟乘一架飛機，我乘另一架，另外第三架B十七則担任掩護我們兩人飛機的任務。他曾建議我們乘同一架飛機，但是我告訴他我不願意把太多雞蛋放在同一隻籃子裏，以免一下失手，全部打爛掉。他大笑不置，同意我的意見。

九月五日凌晨，麥克阿瑟和我到達機場，傘兵們正在魚貫登機，準備在那扎巴空降。運傘兵的運輸機共有九十六架，以每三架為一小隊飛行，每小隊可載運一連的兵力。所有運輸機的兩側和上空都有戰鬥機護衛。傘兵在空降以前須先由轟炸機向地面的日軍陣地實施轟炸，再施放烟幕掩護。

麥克阿瑟走過一排一排的飛機，有時候則停下來和弟兄們談談並祝他們好運。大家都很高興看到他，也知道他將在飛機上看着他們跳出飛機。

氣象偵察機從天一亮就開始在那扎巴上空偵察。此時偵察機報告說地面的霧已經散了，於是我們發出了起飛的信號。我送麥克阿瑟登上一架由拉美上校駕駛的B十七轟炸機，然後我登上我自己的轟炸機，我們隨着載運傘兵的運輸機之後起飛。

這次攻取那扎巴之役是我所見最壯觀的一次聯合作戰行動。空降前的轟炸都是準確的命中目標。最後一顆炸彈投下的去以後，緊接着是在空降地點揚起了一片烟幕。七百名傘兵在一分零十秒的時間內躍出飛機，張開降落傘冉冉下降，他們很快地奪得了那扎巴。

當我們飛返摩里斯比港時，麥克阿瑟跳下飛機，對所有圍繞着他的基地人員說：「各位，那真是我所見最訓練有素的傘兵。」

拉美上校在旁邊告訴我他在飛行時遭到的麻煩。大約在起飛十五分鐘以後，拉美的飛機突然有一具引擎壞了。拉美叫他的副駕駛到後面機艙去通知麥克阿瑟。麥克阿瑟當時正在四面看着，副駕駛告訴他有一具引擎壞了，並說駕駛員拉美上校建議把飛機開回摩里斯比港。（廿七）

虛君續夢

第十三回：惡貫難盈　巨奸逃火網　良知未泯　傑士出天羅

周恩來冷笑道：「早把消息告訴你，你就更出汗了。」說過就把毛澤東罵他的經過說了一遍。陳毅真的聽得渾身是汗，心裏在想，真的在國外知道這個消息，不回來到好，把瑞士銀行存款全部提出，享一輩子清福豈不更好。

第二天，政治局常委開會，通過邀請金日成來訪，議定了日期之後，毛澤東就動身去杭州了。

金日成本來是較接近中共，因為韓共裏面有些高級幹部在抗戰時期原在中共軍中，中共軍進入東北後，更把韓共編成獨立作戰單位，以後也就成了北韓共軍的骨幹，所以北韓共軍同中共的關係自然較為密切。

赫魯曉夫也知道這一點，就拼命拉攏韓共，想把韓共拉過去。秘密邀請金日成到莫斯科訪問，時間也在陳毅經過莫斯科的同時，不過，事前並未通知陳毅，所以陳毅同金日成並未碰過頭。

金日成到了莫斯科之後，赫魯曉夫照例予以歡宴，然後留在克里姆林宮促膝談心，在座的只有米高揚，柯西金，布列日涅夫同柯茲洛夫。

赫魯曉夫問道：「金日成同志，你們國內情況比起戰爭剛停止時好得多了，是不是還有困難呢？」

金日成說道：「困難當然是有的，我們三分之二以上的國土皆被敵人蹂躪，戰火的破壞如此之大，一時自難恢復。」

赫魯曉夫笑道：「受敵人的蹂躪還容易恢復，受到友軍的蹂躪就更難收拾了。」

金日成默默不語。

赫魯曉夫說道：「中國志願軍在貴國境內胡作非為的情形，你不說我也知道，後來他們從貴國境內撤退，也還是我要他們撤退的，依照毛澤東的意思硬想永遠在朝鮮駐兵，把朝鮮變成中國的藩屬，還像一百年前，要你們年年進貢，歲歲來朝。」

金日成說道：「我們全國人民都感謝赫魯曉夫同志。」

赫魯曉夫說道：「由這件事可以證明，世界共產主義運動一定要有個中心。那時毛澤東還聽我的話，我要他撤兵，他就撤兵，若在目前就不成了。」

金日成一聽到赫魯曉夫扯到毛澤東頭上，就默然不語。

米高揚插嘴問道：「金日成同志，你們這幾年接受的外國援助，那一國給的最多。」

金日成說道：「我們的主要援助是來自蘇中兩國，東歐兄弟國家的援助十分有限。不過，中國方面這幾年來，援助的數字與預定的不符，所以也增加了我們的困難。」

米高揚摸着小鬍子說道：「中國這兩年自從毛澤東同志提倡的三面紅旗失敗以後，經濟情況就日趨惡化，不但人民沒有東西吃，就連部隊也挨餓，因此迫得向資本主義國家低頭，在澳洲同加拿大購買糧食，可是又沒有錢付，大部欠項都是賒欠，聽說澳加不肯賒了，明年就更難了。」

赫魯曉夫大笑道：「一個人自己窮，窮到喝清水過日子，連一條褲子穿都沒有，還要打腫臉充胖子，不知道這臉腫得都是水，一巴掌下去就打穿水泡，剩下的只有皮包骨了。」說過又哈哈大笑起來。（三二六）

冒險犯難記

鄧文儀

這時大隊長是雲南人張與仁中校，隊長是馮劍飛，第一區隊長黃維，第三區隊長陳德法，都是第一期同學。馮隊長是我同隊同學，我們好像兄弟一樣，彼此相處得很好。帶學生不比帶兵，當區隊長要比當排長困難得多，因為軍隊士兵腦筋簡單，服從性很強，祇要你本身健全，對待士兵好，士兵是很聽話，很容易指揮的。可是軍校的學生就不同了，他們多數是中學生，也有少數讀過大專的學生，是從各省市考選的，智識程度相當高，什麼事都要講道理，也有些學生很玩皮，對隊上官長要吹毛求疵，尤其是我年紀比較輕，那時不到二十歲，身體很瘦小，加以又是本校同學，學生中有些比我年紀大，學問好，身體高的，我雖然以十分熱心負責、虛心服務的態度對待學生，仍然遇到了不少困難。

有一個學生林澤深，是浙江溫州人，為全區隊最矮小也最年輕的，但很聰明，也很玩皮。我們隊上規定學生不准吸紙烟，他偏偏要吸烟玩耍，第一、二次看到他吸烟，我勸他不要吸，要守隊上的規定，我說：如果第三次看到，就要關禁閉了。結果我不僅看到他第三次吸烟，關了他半天禁閉，第四次關了一天禁閉，然後，我對他說，如再抽烟，便自動進禁閉室去。他笑著對我說：「謝謝區隊長的好意，我可在禁閉室休息，我很願意關禁閉。」我聽了眞是啼笑皆非！遇到這樣玩皮的學生，可眞是沒有辦法應付。

二十一、一次微妙的處分

我在軍校任區隊長，十分謹慎小心，刻苦自勵，自問學術操行都不在其他同事之下。可是隊長馮劍飛同學風流瀟灑，性好玩樂，我却受到他的影響，因為是好朋友，情不可却，而我也因此受到一次微妙而苦痛的處分。原來馮隊長在學校附近一個小商店裏，交了一位女朋友，常常約我去吃飯，同時馮隊長喜歡打麻雀牌，星期假日也邀我陪著他玩過一兩次。有一次却糟透了！

事情經過是這樣的：那天我是值星官，晚上，隊長及陳區隊長還有一位第九隊的區隊長想打牌，三缺一，硬要把我拉去充數，我說我是值星官，早晚要指揮隊伍點名，他們說，點名熄燈以後再去。結果是去了，打了一整夜！在沒有天亮前，我先回到學校，指揮隊上學生點名早操之後，張大隊長說：「今日早操改為跑步，由第八隊鄧值星官帶隊，喊口令，沿繞黃埔島跑一週。」（三三）

六六故事

漁翁

陰曆六月六日，在我國亦有不少故事流傳，這裏略舉二三事，以為茶餘消暑之談助。

宋眞宗時，恥檀淵與契丹盟約，用王黎若言，欲得天瑞，以封禪泰山諸地，而鎭服四方。乃託僞夢見神人，當正月及六月，果兩次降天書於京師與泰山，其實為王之所揑造也。眞宗即以第二次降天書的六月六日，定名曰「天貺節」焉。貺者，賜也，寓天賜之意。於是每年六月六日，下令京師禁屠一天，並率百官進香於上淸宮。上行下效，於是而成為煞有介事之令節。

迨至南宋，又以六月六日為崔眞君誕辰。按崔眞君，乃磁州崔府君，東漢人，見「夢梁錄」。靖康時，高宗為親王，出使磁州，崔顯靈護駕，因建祠於關門外，賜額「顯應」。上至皇室，下至士庶，每逢是日，進香設醮，以紀念之。而尤以臨安，即今之浙江杭縣，為最稱熱鬧。

六月六日又有曝書說，事見明朝沈德符所著野獲篇，有「六月六日，內府皇史歲曝列聖實錄及御集文集諸大函」等語。又據全國風土志載，舊曆六月六日為天貺節，相傳唐玄奘自西天取經歸，墮海中，為水所濕，故浙江麗水一帶，有曝經之俗，泰半以婦女為之。

又傳六月六日，為犬貓生辰，家家戶戶，把貓狗於河，為之沐浴。此風亦始於明代。而因此日為犬貓浴，遂致人有避浴者。據清人浮白齋主人筆記：俗傳三月三日，為浴佛日，六月六日為浴狗日；有客調楊南峯，值三月三日，楊以浴辭。客不解，謂其傲，思有以報之。後楊於六月六日往拜，客亦辭以浴，楊戲題其壁曰：「君昔訪我我洗浴；我今訪君君洗浴；君訪我時三月三，我訪君時六月六」。楊自擬神，而以犬比客，幽默詼諧，一時傳為笑談。

湖南王壬秋，雖一介舉人，而名滿天下，在湘潭原籍，築一別墅，名「湘綺樓」，晚號「湘綺老人」，風流放蕩，有江南才子之稱。縣令有余幹藩者，亦科甲出身，慕王名，嘗登樓執弟子禮。六月六日，為余令四十生辰，全縣人士，為之祝壽，王亦在座，席間，余捧筆求王一聯，以作紀念。王即揮筆書上聯云：「六月六日四十歲，」衆賓認為過俗，對余令開玩笑，待續下聯：「一琴一鶴百里侯」。衆又為之愕然而佩服矣。王壬秋之心靈手敏，率多如此。余令得此一聯，視同拱璧，懸諸中堂焉。

我的社會生活

雷嘯岑

此時駐在香港的兩航公司人員密議投共，愚友黃少谷兄之夫人先一天得到了消息，急忙找我設法通知台灣方面，如何制止。但我與台灣當局素無聯絡，亦沒有密電本，時報只有一架無綫電收報機，不能對外拍發電報。我乃走訪駐港的我國外交特派員，認為他一定有方法立刻通知台灣，請示處理。詎料該公署闃無一人辦公（此時英國尙未承認毛共政權），只有司閽者，問他特派員的公館在那兒，答以「唔知啊！」祇好廢然而返。第三天，兩航公司果然叛變了！後來政府費了許多心血，到英倫打官司，纔把停留在港的八架破舊飛機扣留下，實屬得不償失。

四川「民生實業公司」總經理盧作孚，帶着該公司新造不久的八艘輪船駐在香港，民國四十年春間，聽說他受着川人何北衡、何廼仁的游說蠱惑，準備回大陸去。一日，我在香港大道東的「蜀風」餐館遇着他，飯後品茗談天，我問他是否有回去之意？他吞吐其辭，我勸他不要上當，審愼為上。他慨然語我道：「老兄，我有甚末辦法呢？這八條新輪，對日抗戰末期在加拿大訂造的，造價除却所付初期定洋外，餘數（似為八十萬美金）由中華民國政府担保。最近加拿大政府以中共佔領了大陸，必不承認這項担保責任，而國府在台灣又搖搖欲墜，因此，加拿大政府有電報給港督，準備扣留這八條輪船。我也曾寫信給台灣某鉅公呼籲，請政府履行原約，到期償付欠欵，我就將這八條船開赴台灣，可是，不得要領。眼見這些新輪就要被扣留在香港了，與其送給外人，即不如送給本國人。」言下頗為憂鬱而帶惱色，我明知其意嚮所在，亦無從勸說了。究竟盧氏之言是否眞確，我至今不明白。但以盧氏平日的思想言行，決非願意投共之人，假使我政府當時注意及此，予以應援，這八條新輪即可增加咱們的航運實力，而盧氏亦不致枉死於共黨之手，所以我要提出這椿故事來談談。

辦機關報原係很費力而又極不容易討好的事，所以吾友成舍我兄常說，他一輩子亦不願意辦官家的報紙，良有以也。我在香港時報所寫的社評，十九都是闡述反共抗俄與民主自由的思想理論，以及探究內政得失問題，連續十年間所存的原文，即有八厚冊，可以稽考，由於遷就環境之故，正面對政府歌功頌德，或作誇大的自我宣傳之文字，每加避免，以期博得社會同情。編輯部同人對於國內重要消息，亦力求迅確詳明，這原是官報的特長，可以爭取讀者信任的，然而時報開辦初期，在國內要聞上就鬧過一次笑話，這責任固與報社無關，却大大地影響了本報信譽，間接就妨害了發展的機能。究竟是件甚末事呢？（六七）

清代儒將羅羅山

羅雲家

最初的湘軍，僅有三營，每營三百六十人，由澤南自任中營統帶，王鑫、羅信南分任左右二營。曾國藩過去沒有帶過兵，部伍訓練與戰技方法，澤南、王鑫貢獻最多。以一個理學家著稱的純然儒者，居然暢曉兵法，能使部衆樂與共生死。曾國藩嘗謂：「兵事起，湘中書生多拯大難，立勛名，大率為羅公之弟子。」如果說湘軍是由羅羅山領導而成的，似乎並不為過。

澤南是理學名家。其學說一本乎宋儒周程張朱五子，夏滌安先生曾稱他與陸稼書，汪雙池為清代三大儒。曾國藩於羅忠節公神道碑銘謂：「咸豐四五年間，公以諸生提兵破賊，屢建大功，朝野景仰，以為名將。而不知其平生志事，裕于學者久矣。公立學，其大者，以為天地萬物，本吾一體。量不明於六合，澤不被於匹夫，虧莫甚焉。凜降衷之大原，思主靜以研幾。于是乎宗張子，而著西銘講義一卷；宗周子而著太極衍義一卷；幼儀不愼，則居敬無基。異說不辨，則謬以千里。于是乎宗朱子，而著小學韻語一卷，姚江學辨一卷。……其為說雖多，而其本躬修以保四海，未嘗不同歸也。」

澤南的「西銘講義」宗張；「太極衍義」宗周；「姚江學辨」宗朱；而「姚江學辨」一書，尤有推崇程朱之功，與方植之的「漢學商兌」為清代無獨有偶的兩大名著。聖道之榛蕪，得此二書，廓如也。所以言事功，澤南在曾左胡李之下，言儒術，則羅山為有清一代純儒，遠非曾左胡李所能望其項背。文正調和漢宋朱陸王之爭，兼收老莊墨翟之說。其「聖哲畫像記」，列舉周孔等卅二人，竟列道家之莊周為聖哲之一，所以只能稱他為雜家，不能稱他為儒家。

澤南主張「靜」的修養，即是無論在任何情形下，臨事能守一靜字，必能挽回危局；此外更須一個「耐」字，不經繁難，必求澈底，與靜字表裏為用，從極艱苦中，運用智慧，靜心耐性，堅而不捨地做去，便是大功夫。同時，他的文武合一見解，認為「兵事是儒學之至精，非尋常士流所能幾及。」更以為一個人品格的修養，知能的灌輸，和軍事的成敗為不可分離，上馬殺賊的勇氣，和修身治己的訓練是要打成一片的。所以他的軍中讀書的風氣特別濃厚，每晚得暇，必集聚其幹部人員，研討學問。國藩稱其「矯矯其徒，相從征討，朝出鏖兵，暮歸講道」，因而這一班讀書人，打起仗來，能夠英勇無比，有我無敵。（一）

喜雨

吉庭

中華以農立國，雨之於農，重要莫過，詩曰：「雨我公田」。唐虞時，五日風，十日雨，稱盛世焉。蘇東坡之喜雨亭記：「五日不雨可乎？曰：五日不雨則無麥。十日不雨可乎？曰：十日不雨則無禾。無麥無禾，歲且薦饑，獄訟繁興，而盜滋熾」。

通俗編載：村塾課本有四喜詩，首句：「久旱逢甘雨」，固亦適合環境也。而蔣捷之虞美人聽雨詞，殊佳，其詞曰：「少年聽雨歌樓上，紅燭昏羅帳。壯年聽雨客舟中，江闊雲低，斷雁叫西風。而今聽雨僧廬下，鬢已星星也，悲歡離合總無情，一任階前點滴到天。」

此地去歲無雨，水塘枯竭，致受四天四小時供水之苦，三百餘萬居民，如大旱望雲霓者，幾達一年之久。今為龍年，果能興雲雨，利萬物，入春而雨，入夏而大降滂沱，甚且連綿不斷的落下去，乃有每日早晚源源之水供應，感天之賜，皆大歡喜焉。

余曾賦打油詩，其中四句為：「湯帝七年傷旱魃，蘇公一雨喜名亭。塘盈新水無窮碧，山得甘霖分外青」。

念奴嬌

——鷺江懷古

黃伯遠

北風橫掃；鷺江低，昔日故侯安在？此是滿明爭戰地，歷史惟存文宋。射雁西山，（指成功殺鄭聯）觀兵南武，（屏鄭鴻逵）子弟稱豪概。大江東去，風流雲散徒慨！　側望兩岸灘頭，（廈門，鼓浪嶼）龍蟠虎伏，（虎頭渡，虎母尿，廈鼓渡頭名）吞吐東南海。二百六年桑海變，世眼依然故態。對酒臨江，憑欄顧影，只有朱顏改。夕陽寮下，殘脂零粉猶寶！（夕陽寮郎寮仔後，舊為南北歌妓集中地，後遷大生里。）

中國古典美人

周燕謀

今日論美，恆以三圍之大小審之，女郎則以三十六寸大胸為奇貨可居，此乃西洋人之審美觀也。吾華族古典美人，約可分二類焉：一為「柳腰細纖、嬌不勝衣、臨風欲飛，瀟灑瘦弱」之美人；舉例言之，當以趙飛燕為其代表，餘如弄玉，戚夫人，李夫人，昭君，麗娟，班婕妤，綠珠，飄風，梅妃，潘妃，凝香兒，崔鶯鶯，霍小玉等美人。第二類為「曲眉廣頰，露滴牡丹，濃艷豐肌」之美人；此以楊玉環為代表，餘如妹喜，妲己，褒姒，西施，卓文君，武后，合德，虞美人，甘后，張麗華，皆然。前者可稱為飛燕型，後者曰楊玉環型。

唐朝風流詩人杜牧有詩云：「楚腰纖細掌中輕。」周昭王時，東甌國獻二美人，體輕，步於塵上而無跡，白畫行而無影，風到則飄而欲飛去。燕昭王時，廣延國貢舞妓二人，體亦輕，行則無跡，綽約而不能自支，入於人懷，則婉轉而如羽毛之從風。飛燕能為掌舞。此比比瘦妹，即今日所謂「排骨」是也。

肥仔楊玉環，贊曰「玉樹臨風，瓊林映月，如秋雲吐月華，春風拂花」之美人兒。唐玄宗嘗戲貴妃曰：「飛燕身輕，弱不禁風。成帝恐篠揚，故使之深藏于七賓避風台。卿為風吹，則當如何？」貴妃曰：「覽裳羽衣曲，足蔽前古，飛燕何足道耶？」一瘦一肥相映成趣。古人以飛燕比柳，貴妃擬桃。肥瘦雖異，而其美則一也。

內僑警台報字第〇三壹號內銷證

自由報

THE FREE NEWS

第三六四期

中華民國僑務委員會頒發
台教新字第三三三號登記證
中華郵政台字第一二八三號執照
登記爲第一類新聞紙類
（每逢星期三、六出版）
每份港幣壹角
台灣零售價新台幣貳元
社長：雷嘯岑
督印人：黃祥雷
社址：香港銅鑼灣高士威道二十號四樓
20 CAUSEWAY RD 3RD FL.
HONG KONG
TEL. 771726　電報掛號：7191
承印者：四風印刷廠
地址：香港灣仔高士打道二二一號
台灣分社
台北市西寧南路香峯大廈二樓
電話：五〇五四六
台郵撥儲金戶九二五二

自我宣傳的方法

·張健生·

時賢論及台北市第五屆市長競選，國民黨提名市長候選人周百鍊之所以敗於對手方，其中最大原因是一面倒攻擊對方弱點，而竭力宣揚周之優點所致。由於這種一面倒的宣傳，引起選民反感，所以周百鍊落選了。因此，本文所討論的範圍是宣傳適度問題，和自我宣傳以及政府的對內宣傳。

一、

宣傳的起源，據說是羅馬天主教所創。天主教所宣傳的是教義，它的目的在使大家信仰天主。這種「狹義的」的宣傳，旋被各國政府採用。後來發展到個人或政團都效法，馴致進步到「自我宣傳」的境地。

在中國君主時代，凡是政治清明的朝代，「極言直諫之士」頗不乏人，但「從諫如流」者並不多。就個人而言，「士有諍友，則身不離於令名」，這句名言從來無人敢去否定它。而事實上「能受盡言」的也到底不多。至於受人公開斥責而能聞過必改的，恐怕是少數的少數了。若從反面看，從前的中國人都不喜歡「自我宣傳」或誇大宣傳，假使有的話，不但得不到他人的同情與相信，且將自討沒趣而被人譏爲吹牛，結果是求益而反受損。他們的理想是「實至名歸」，大家要以行爲來博得「宗族稱孝，鄉黨稱弟」，要憑道德學問文章來達到「令聞廣譽施於身」。這種觀念，在今天的一般人心中還是牢不可破的。

台灣省地方自治實施以來，歷屆各種公職候選人，在政見發表演說會上，各候選人都是「自我宣傳」，都說自己如何有才能，如何有抱負，如何比別的候選人有理想；同時宣傳對手方沒有能力，沒有學問，等等。而政黨提名的候選人，往往則說黨提他的名，黨應該替他帮忙呀！這些都是從西方民主國家那兒學來的。

中國從前的官吏，要有「謙謙君子」的風度，要自稱「德薄能鮮」，「隔越時廣」，才合乎聽衆的脾胃」；同時要有「宰相肚裏好撐船」的度量。但大致說來，他們既不願受人斥責，也不作自我宣傳，便是他們一般的態度。而西方民主國家的官吏，誇讚自己的政績，爲自己的施政辯護，他們自我宣傳的花樣，朝夕不同，宣傳的角度也是從多方面推展。民國成立以來，中國官吏則和上述二者都不同。假使有人斥責權力在握者，被斥責者往往用權力去對付之，北洋政府的軍閥，和大陸上的毛匪作風，即是鐵的事實。而他們自我宣傳則不遺餘力，利用所有機會，利用所有宣傳工具，來歌頌自己的「德政」。

若有人問：「你以爲自我宣傳不好嗎？」所謂自我宣傳，目的原在揚名。但揚名的途徑，莫若著書立說，儘管著書立說可以達到目的，但亦視其書是否有價值。如果其書其說的內容眞有價值，則正是「立言」了，正是「實至名歸」了。這種自我宣傳乃是最高明的。反之，隨便著書立說，不但不能揚名，必然要得到「憒憒」之毀，被認爲覆瓿之作。官吏胡亂自我宣傳，也是同樣的道理。

二、

第二次世界大戰期間，英國的宣傳宗旨是：純粹的事實，率直的表現，對於聽衆必能產生最持久的效果。其實任何團體或政府宣傳，對其所要傳達的觀念，縱然在表面上不說出來，但字裏行間仍加以渲染。

中國有句格言，「爲政不在多言，顧力行如何耳」。這句話，今天還有不少人奉之爲眞理。果如此，則政府當局的對內宣傳不是多餘的事嗎？然而今天由於文明的進化，教育的普及，尤其在這個民主時代，無論那一國的政府，都有必要做宣傳工作。宣傳爲什麼有其必要？其理由是：一、宣傳是要形成「公意」，領導輿論。二、爲過去施政辯護，故需要宣傳。由於政府一切施政，不免有人批評，政府爲對抗起見，必須舉出種種事實和理由以爲辯解，這種宣傳，就個人或政黨言，與下屆選舉時政權之得失攸關，自有其必要；就國家社會言，施政已成過去，其實際效果已經發生，都不是宣傳所能改變的。但施政的是與非，都應平心檢討，切忌爲辯解而辯解，對於錯誤的施政，抵死不肯承認，並想出種種理由來強辯，其結果不但是不能達到宣傳的目的，反增人們的反感。這是今天一般人的通病。

次則爲今後施政作準備，必需宣傳。過去的施政不是宣傳所能改變，故宣傳有效與否事小；而今後施政宣傳則不然，宣傳若能收到預期效果，則政策之推行，一定是事半功倍。從前，我國的社會沒有多大變化，政治又尚無爲而治，一切制度都是「蕭規曹隨」，人們都知道，故不需要宣傳。近代的社會變動很大。政府常須更改舊例常規而另建適合時代潮流的新制章法，而這些新制章法並非大家都能了解的，若是好的政策，如得不到人民的支持，實行結果失敗多於成功的機會。反之，假使事先有充分的宣傳，能得大多數民衆的擁護，實行起來就不會阻礙横生了。凡是兩黨政治的民主國家，爲了爭取選民支持而執政，常常借題發揮，則宣傳尤爲必要。執政黨所施行的某一政策，在野黨往往吹毛求疵，加以無情的攻擊，故政府黨必須多方宣傳，然後可以減少反對黨的壓力而增加信徒。在民主國家，思想與觀念已不統一，無論誰執政，也就要加強宣傳工作了。極權如共產國家，雖不許有爭論，然爲了推行政策，它的宣傳却格外做得起勁。

三、

宣傳之必要已如上述，其目的不外是：形成公意以領導輿論，爭取民衆以推行政策。宣傳之要訣是：使人「知」，使人「信」，使人「行」而已。故宣傳與命令相異，而政府習於發號施令，往往把宣傳與命令等量齊觀，這是錯誤的觀念。也就是宣傳適度的問題。

至於宣傳應否以欺矇爲手段呢？「欺」是欺騙，將假的說成眞的，把死的說成活的。像共產黨天天說「一切爲人民」，其實他們只謀一黨的利益，而置人民的死活不顧。「矇」是矇蔽，將事實眞相隱而不宣，作歪曲的報導，而引人入於其預定的圈套。比方大陸匪僞政權派在海外從事統戰工作的匪特，對僑胞說大陸上如何進步，人民生活如何的好，其實大陸上的人民已經到了水深火熱、生死兩難的階段。匪幹這樣的宣傳，目的是引誘僑胞上其圈套。

（下接第二版）

爭地盤！

拉丁美洲

誰的手夠長！

緬甸

今日與明日

高華德的風暴

美國共和黨在舊金山召開大會，提名總統候選人，阿利桑那州參議員高華德以八百八十三票多數，擊敗對手史克蘭頓，成爲本屆共和黨總統候選人，十一月間將與現任美總統詹森一決雌雄，爭奪未來四年的美國總統寶座。

本來這是美國的內政，但因爲美國在世界上居於領袖地位，一舉一動皆關乎世局安危，因此全世界目光都注意在美國未來總統人選上，高華德出馬，確實震憾了一部份人心，尤其是西歐的姑息主義者，妥協份子，惶惶不可終日，好似世界大戰已經爆發一樣。皇帝不急，急煞太監，正是如此。

西歐國家所以反對高華德，因爲高華德反對姑息主義，主張對共黨強硬，必要時不惜同俄蘇絕交，並且聲明要拔除古巴卡斯特羅政權，甚至更要改組聯合國，以適應目前的形勢，這些舉動都使一些妥協份子驚駭，但却得到美國人的讚賞，否則的話，他的票數也不會如此之高。

世局在轉變中

由高華德的當選共和黨候選人，說明一項事實，廣大美國人對於目前不死不和的局面，已經感到厭倦，尤其是美國在越南，不求致勝的戰略，既賠錢又死人，美國人自然發生反感，高華德登高一呼，得到廣大響應，始而擊退洛克斐勒，繼而擊敗史克蘭頓，都是現任州長，百萬富翁的子弟，這種情形豈是偶然？若以爲是共和黨內部的事，將是大錯特錯，其實是代表了大部份民意。不問高華德能否當選，美國政府的作風必然要改變，過去那種鄉愿式的作風，已爲選民所唾棄，無論民主共和兩黨都要檢討自己的政策，以迎合選民心理，否則是很難當政的。最近半年來，世局轉變很大，唯一抱着教條不變的是毛共，因此毛共也遠遠地被抛在時代列車的後面了。

日本政局

日本首相池田新閣已經發表，這次新閣被日本報紙譏爲弱體內閣，估計半年左右即要辭職。是否如此，姑且不論，但新閣人事的更迭，却頗使人驚奇，首先是池田頭號親信前外相太平正芳被排出內閣，當了自民黨副幹事長。

自從池田當上首相，就交了鴻運的太平，始而內閣官房長官，繼而任外相，有些敏感人士甚至推測太平將是下任首相，這次却跌到比部長還低一級的位子上了，以後想當部長都要大費周折了。另外內閣官房長官黑金泰美，也是池田的心腹，此次也被擠出內閣，由這兩人的升沉來看池田內閣，確實是弱了一點。

自由談

上月中國國民黨秘書長唐縱到達美國訪問之日，駐在紐約的我國官方通訊機構發出消息，指稱唐氏爲「國民黨高級官員」，海內外華文報紙照刊不誤，令人閱之不勝詫異。對辦理黨務的人竟錫以「官員」名稱，即難怪一般社會人士流行「黨官」的謔論了！

近日有由印度新德里路透社發出的一則新聞電訊，說印度國會議員白爾德訪問台灣回國後，呼籲印度政府「承認」中華民國云云，咱們的報紙亦照刊如儀，這也覺得頗有研究之處。國際間所謂「承認」某國政府問題之發生，必係該國的政體或國體已有變更了。遠如我國辛亥革命推翻滿清帝政，建立中華民國，近如中東各國之軍事政變後，摒棄舊有政制，代以軍人獨裁專政政府，這纔在國際間發生承認問題。咱們中華民國政府現時轉移到台灣，仍然是原在大陸的憲政體制，不但國體與政體毫無變動，即國家元首亦沒有更易，這在法理上決無「承認」問題之可言。像印度以及若十原來早已承認中華民國的國家，自共匪竊據大陸後，暫時與我斷絕了正式交誼，若欲重修舊好，只能說是「恢復」邦交，無所謂「承認」問題。外國人創辦的通訊社，把「恢復邦交」和「承認政府」混爲一談，這是他們基於所謂「兩個中國」的下意識觀點，故作此說，其心可誅，我們爲甚末漫不經意，人云亦云，而不將其電訊詞句更正纔刊載呢？

讀報心得

記得十餘年前，政府剛從大陸轉移到台灣時，我在香港報紙上寫政論文字，主張暫時停止憲政，成立「軍政府」簡化行政機構，以期反共復國運動迅奏膚功。即有一位邃於國際法學的某公，自台灣函告我以如此改制，勢將在國際上引起承認問題，未可輕事更張，洎後我亦就不再彈「軍政府」的調調兒了。

幹新聞工作的人，對於任何事件之報導與評論，必須弄清觀念，把握大前提，萬變不渝其宗。尤其是政府的宣傳機構，更要特別注意，否則招致識者騃笑尚屬次要，給社會大衆以不良反應，因而喪失宣傳作用，關係實在匪淺也！

馬五先生

違反省頒果菜業務管理規則 省令取締屏東市合作社
該社成立經過本就不甚合法 主管單位似有蓄意包庇嫌疑

（本報屏東航訊）屏東市合作社成立後，因擅自經營果菜批發市場業務，而違反省頒果菜業務管理規則，省令取締，以昭法章；然主管單位對該社之成立，顯又涉嫌蓄意包庇，其原因與目的畢竟何在呢？地方各界人士深表懷疑，咸盼有關當局澈查眞相究辦。

據有關方面告訴本報記者說：屏東市合作社申請成立，應否核准，主管單位的合作室，應予事先遵照省府五十一年十二月十五日府社合三字第一〇九三五號令規定，原稿必須先會簽有關單位的農會輔導課，經簽註意見後再呈主官（縣長）核判，始屬合法程序。然該合作室對屏東市合作社之申請設立，事先既未遵循省府規定，原稿未予會簽有關單位，即送呈主官——縣長李世昌核可。事後該合作社申請登記時，經省合管處於本年（五十三年）五月十四日以『（53）合二字第二九〇六號函』批復：在『原屏東市各區合作社未解散前，不得另行籌組屏東市合作社』云。而該合作室主任何尚文，對省令却置之度外，不予理會，任憑屏東市合作社於本年（五十三年）五月廿四日剪彩揭幕，擅自經營果菜批發市場業務，不予制止。省農林廳又據屏東市農會（53）五月廿六日屏市農供字第四一四號呈，檢具事實請求令飭取締到廳後，再協同省合管處於六月六日以『（53）合二字第三六三七號』令，通知屏東縣政府，切實澈底取締。然該合作室一味袒護屏東市合作社，將省合管處之通知竟以『一、查該合作社設立，係經前任李縣長親自批准有案，至於該市原有各區合社之解散或改組事項，正由本室據實函請省合管處請示中。二、本案擬予歸檔，另俟省合管處指示後辦理。』兩點理由，簽呈不知其所以然之新任縣長張豐緒，意圖矇蔽長官，包庇於法有抵觸之合作社存在。好在其意圖畢竟爲秘書曾晌貽，蘇和興所察覺，而被揭穿云云。

據某權威人士透露：該屏東市合作社於五十三年五月上旬，由主管單位——合作室主稿，經李世昌縣長核准，有關單位雖會極力阻止其成立，然該社終不顧一切，而依縣政府核准命令爲藉口，於同月廿四日即宣告正式成立。其速度之快，當時曾一度引起各界人士之懷疑。再由於原稿未經有關單位簽會，因此衆多人士對之，皆認爲主管單位與縣長之間，難免有涉嫌串通勾結之處，然因乏於證據，雖多在猜疑，亦祇有傳說一番了事。

某權威人士又透露：由於事實的演變，再根據主管單位對本案之處理始末分析，該合作室主任何尚文因何「①不遵省令規定，原稿會辦？②省令既已不准其登記，爲何任憑其揭幕營業？③省令取締，因何將公文簽請歸檔？」其甘冒瀆職之嫌，藐視政府法令規章，目的與意圖安在？有關當局似有澈查究辦之必要。

再者：現在本案業經縣府農會輔導課主稿，令飭警察局屏東市警察分局執行取締在案，然則究於何時能完成取締任務，則屏東警察局又面臨考驗階段了。因爲該合作社理事主席，又是一位現任的民意代表——縣議員啊！（袁文德）

議員罵人與福利的傳說
冷眼看台北市議會之二

本報台北記者張健生

台北市議會議員的平均素質，若與省議會議員的平均素質相比，相差很遠。當然，地方議會議員都是來自社會各階層，份子複雜不必說，由於提名制度不健全，若干對地方自治有興趣的人，多未必是受過相當教育，甚至僅靠社會經驗者亦不乏人，這些人在「金榜題名」後，即置選民的福祉於腦後，而把自己的利益列爲第一，故他們的言行，每每失之粗獷，有時候，在討論着某些問題時，其發言，都是有目的的。

提到議員先生的發言，其俚俗不堪入耳，不足大驚小怪。我這裏可以列舉一件事，來說明台北市若干議員的言論風采是如何的？六月十一日，台北市議會臨時大會審議台北市政府五十三年度第一次追加減預算案，議程是二讀會，進行的程序是第四審查會，討論的項目是公園修建，其中關於南京東路及敦化路欄杆工程費一七六〇、〇一四元，編入教育經費內，議員們紛紛指責，認爲安全島欄杆建設，係屬交通建設範圍，不應列入教育經費項下。當時，由公園管理員列席大會備詢，議員們不但哮咆如雷，且作獅子吼，會場的噪音，如同菜市場那樣。不料有一位議員竟越出質詢範圍而罵政府列席備詢者「混賬」……，那種氣昻昻雄赳赳的樣子，連採訪新聞的記者都看不下去，忍受不了。爲此，有一位同業，把陳少輝副議長請到記者席，說明議員無權罵人。受過教育的人，或在一個文明的社會裏，罵人是野蠻的行爲，罵人者應該受法律的制裁。我個人是一個主張言論自由的，但侵犯人格權的言論，是不允許存在的。

議會在審查追加減預算時，此間就有許多多的傳說，這些傳說不外乎：台北市議員利用審議預算的特權，意圖謀取福利，什麼電視機啦！什麼機器腳踏車啦！什麼每月由市府津貼每一位議員福利金二千元啦！這種事出有因，查無實據的傳說，祇可作會心的微笑，豈可作公開的言傳呢！因爲在有些時候，政治上的事，是不能見人的。

不料，有一家採訪市議會新聞的晚報記者，把這件尚未成熟的內幕新聞於六月十三日在報上公佈了，該新聞且涉及市議員黃信介與議會主任秘書林家楠，及副議長陳少輝。在當天（十三日）下午六時散會前，由議會秘書室宣讀議員黃信介致大會主席的一封信，與林家楠的報告。

黃信介的信說：「查本（六）月十三日民族晚報會刊登關於本人向該報記者說『預算照案通過，議員提出條件，要索電車月費二千元』等事，全無事實……」云云。

林家楠的報告：

一、茲遵奉大會指示，就本市民族晚報六月十三日第四版刊登新聞，指職對該報記者發表談話一節，據實澄淸如次：

（一）民族晚報某先生於本月十三日上午十一時許，向職詢及議會審查預算有無向市府談判條件情事，當時職立即答以並無所聞。

（二）該記者隨後指稱：渠會與黃議員信介談過，據云市府業已答應每一議員增加兩千元車馬費，何以說並無所聞？職答以議會確無此事。如果少數人要相信這種決無可能的謠言，那也只好讓他一廂情願了。

（三）隨後陳記者繼續提到他縣市情形如何如何（記者按：外傳省議員已調爲四千元），省議員如何如何。職以其談話超出範圍，未置一言。

（四）最後記者仍認爲上述傳聞不能說完全是空穴來風，但職以私人身份表示說：一種謠言如果經過反復傳述，很可能造成社會歪風，彼此相互影響，最後將引起人心之不正常。談話乃到此結束。

二、查職係議會主任秘書，並無法定發言地位，上述接觸乃屬私人閒談性質，根本未會接受民族晚報記者正式邀請發表談話，謹附帶聲明。云云。

這件歷史性的報告文件，出自曾任記者林家楠的手筆，可謂文情並茂。記者就這件事，曾訪問大會主席陳少輝，他的回答：先「點頭」，接着又「搖搖頭」。聰敏的讀者，這件事到底如何？請你們去想吧！

華僑協會籌建會館經緯
——本報台北航訊

（一）

最近立法院僑政委員會，通過人民請願案，成立議案，提出院會討論。據該委員會報告：

一、李裕等請願書：爲華僑協會理事長馬××，利用特權，低價套購國有基地，强拆民房，先典後賣，售與梁甲榮等；現復與華僑訂約，變相轉手頂讓出租圖利，違反政府撥售（基地）規定，祈查明糾正，並依法收回該基地暨維護民等權益案。

二、蔡梓華請願書：爲華僑協會理事長，壟斷會務，營私舞弊，套購國有基地，變相圖利，請澈查以維政風案等兩案，經審查結果，應成爲議案。（院總第二五六號，人民請願案第三三〇號）

此外，蔡梓華具狀向台北地檢處告發，檢舉馬××，馬北拱等，「共同侵占華僑協會公款達新台幣三十八萬元，特依法告發」。由於馬××，馬北拱都係現任的公務員，故檢舉人蔡梓華依刑法第二十八條（二人以上共同實施犯罪之行爲者，皆爲正犯），第一三四條（公務員假借職務上之權力機會或方法者，以故意犯本章以外各罪者，加重其刑二分之一。但因公務員之身份已特別規定其刑者，不在此限），第三三六條第一項（對於公務上或因公益所持有之物，……處一年以上七年以下有期徒刑，得併科五千元以下罰金）之罪名，告發馬××、馬北拱觸犯上述刑章。同時，馬北拱另犯同法第三四二條第一項（爲他人處理事務，意圖爲自己或第三人不法之利益，或損害本人之利益，而爲違背其任務之行爲，致生損害於本人之財產或其他利益者，處五年以下有期徒刑，拘役或科或併科一千元以下罰金）之罪，請求依法偵辦，以肅世風，而維公益。

本案業經台北地檢處受理，由檢察官郭文彬偵辦，並已開過三次偵查庭，傳訊證人：華僑協會秘書長祝秀俠，副秘書長侯標慶，常務理事（立委）周雍能、鄒志奮、國大代表梁甲榮等。

（二）

該案由立法委員劉啟瑞等七人質詢於前，又由立委黃哲眞，吳鑄人，袁晴暉等四十二人質詢於後，足見該案並非如華僑總會所印發的「華僑協會總會籌建華僑會館經過紀實」小冊子的內容那麼簡單，那麼輕鬆。

黃哲眞，吳鑄人委員等署名質詢文，開宗明義便說：「本案傳說紛紜，滿城風雨，或爲利害之爭，或爲感情用事。我們祇是認爲僑務政策應以團結人心，促進建設爲重，政府處理此事，不能失當之處，所謂危，不能無害。純然依法言法，就事論事，乃望政府之能愼予處理，速爲解決。」（上）

自我宣傳的方法（上接第一版）

在民主制度之下搞政治的人，做宣傳工作時，要他把自己的缺點和盤托出，俾衆周知，幾乎是不可能的事。最低限度亦要把缺點避開不談，所要宣傳的當然是優點。這樣的宣傳，不是欺矇嗎？而所謂輿論都是有力者欺矇而製造出來的，所謂公意不是揑造的嗎？

政府宣傳施政應該從立「信」於民做起，誠如先哲所說：「民無信不立」。孔子的說法，政府要使人民相信自己，比足食、足兵都重要。而玩弄權謀術數的法家也是如此的說法。商鞅徙木示信的故事，便是鐵證。假使政府黨平時的宣傳不欺矇人民的話，則選舉時的宣傳效果自然是事半功倍。是故民主國家的宣傳不敢欺矇，在言論自由保障之下，人民對欺矇的宣傳可以盡量揭發，甚至透過民意機關代表予以迎頭痛擊。如果在重大事件上被判定是欺矇，則在下一屆的選舉中定會發生重太的影響，甚至可能因此而失去政權。基此，所以宣傳不應以欺矇爲手段。

（四）

宣傳的適度，必須從立「信」於民着手，已如上途。至於宣傳要如何纔能收效呢？不外乎：

一、政府要做到言行一致，也就是做什麼說什麼，政府每逢民間大拜拜，就教大家節約浪費；然而今天誰在節約，誰不節約，人們心裏都很明白。甚至要別人節約的人，他自己却上酒家，上舞廳，這種宣傳，會發生實效嗎？如政府推行三七五減租，政令一出，澈底執行，結果是事半功倍了。

二、自相矛盾的宣傳絕對避免。像警察是人民的保姆的宣傳，在民主國家內人民是主人，公務員都是僱用的公僕，警察是公務員之一，也就是僕人，爲什麼僕人可以謂之「保姆」呢？又如官派的公務員對民選縣市長演講，竟說是「訓勉」，假如有盟友問我們是什麼政體，將何以回答的？像這樣自相矛盾的宣傳，至今尚存在，其故安在？我想，都存在國人的內心深處，有類似的疑問吧？祇不過大家都不願意公開的說出來罷了。

毛共俄共狗咬狗
進入更劇烈階段

（本報訊）毛共喉舌之「人民日報」，本月十三日以四個整版的篇幅刊登俄共頭目赫魯曉夫和俄共報刊最近一個時期所發表的反毛共言論。該毛共喉舌報紙說：據由本年四、五、六，三個月的不完全統計，俄共中央一級加盟國的一級報刊，就刊登了一千三百多篇反毛共的文章。該毛共喉舌報紙還說：俄共那些文章都是又長又臭的，而且十分惡毒的云云。這反映俄共與毛共的狗咬狗的爭吵之進入更劇烈的新階段。

彼此利用・烏烟瘴氣
蘇俄與印尼反大馬聯盟

祝西

馬來西亞總理拉曼，將於八月三日左右與聯合國秘書長宇丹會談，在此次會談中，必將涉及蘇俄以新的軍事政治力量，援助蘇加諾「粉碎」馬來西亞的事實。拉曼目前正籲請全世界對此一在北平與莫斯科協助下的侵略行動，予以注視。拉曼總理指出，蘇加諾曾揚言「在來年元旦日出之前」，必將立國十月的馬來西亞聯邦消滅。拉氏認為此種威脅，不但違背北平及雅加達所倡的「班西拉精神」，更違反蘇俄所宣揚的「和平共存」理論。

拉曼在參加英國聯邦會議後，將赴巴黎訪問戴高樂，並預定在與聯合國秘書長宇丹會晤之前，於本月廿二日及廿三日前來華府訪晤詹森總統。華府對蘇俄參與蘇加諾反馬來西亞運動一事甚為注意。本月初，艾華州參議員米勒在參院演說時稱：「印尼情勢危及整個自由世界。蘇加諾真正在轉向共黨集團。目前的問題，只是何日被共黨吞沒」。米勒指出，倘若米高揚允予供給印尼的「最新」武器果為飛彈，「美國便將面對另一古巴危機。」米勒因而建議：美國應嚴密注意蘇俄專家前往印尼訓練使用此種武器之情況。

米高揚六月廿六日在雅加達的羣衆大會中發表演說稱：「以最進步的武器供給印尼軍隊，使我們感到十分驕傲。在印尼的蘇俄軍官，將以兄弟般的熱情，教授印尼官兵使用此種新式武器。」六月廿九日，米高揚在沙若巴亞又說：「在印尼的一段具有歷史意義的日子裏（即兩年前印尼取得西伊瑞安時期），作為印尼之友的蘇俄專家們，曾在你們的部隊和軍艦上服務。今天他們依然以兄弟般的熱情，繼續將他們的知識和經驗傳授給你們。」蘇加諾與北平及莫斯科的聯盟關係並非新事實；在過去數年中，印尼在蘇俄軍援下建立起該區最大的海空軍力量，亦係盡人皆知的事實。而目前局勢所值得人注意的，是蘇俄特別公開支持蘇加諾反馬來西亞的行為。蘇加諾一向是「共黨之友」，一九六二年四月，他曾向印尼共黨發表演說，誇耀他自己對「印尼人民說共產主義並不可怕」的成功。他說：若干印尼人認為共黨是「惡魔撒旦」，但他卻發現「共產主義的目的善良，……共產黨人更是我們的兄弟。」蘇加諾雖然企圖利用印尼軍隊阻止共黨奪取政權，但他卻稱讚共黨一九六二年在取得西伊瑞安事件中的功績。

在蘇俄最近保證以大量武器援助印尼之前，蘇俄武器早已大量湧入印尼。印尼的三十三萬陸軍中，有俄製水陸兩用戰車及大砲，空軍中有一百架米格噴射戰鬥機及伊留星式等轟炸機，其中若干續航能力長達四千五百哩；海軍中亦有俄製艦艇二百五十艘，其中包括兩艘巡洋艦及二十餘艘遠航潛艇，為蘇俄之外遠東最大之潛艇艦隊。此項武器，多半係售予印尼，並非無條件的援助。目前印尼欠款已在十億以上，而俄方在前帳未清之時又以大量武器供給印尼，其目的顯然是希望藉此爭取印尼支持，使蘇俄得以參加來年三月在非洲舉行之亞非會議。

當赫魯曉夫在斯堪狄那維亞半島上旅行，叫賣和平共存之時，米高揚卻在印尼兜售武器。此一事實，當拉曼總理向聯合國秘書長宇丹提出時，不知俄方將作何解釋。但赫魯曉夫、米高揚二人此種言行不一的作風，已行之有素，絕不會感到難堪。例如米高揚對蘇加諾所提應在北婆羅洲重行辦公民投票表示擁護，他說第一次投票時，英軍尚在北婆羅洲，故而無效。但此種理論，與蘇俄前此的表示是自相矛盾的。在東歐，蘇俄根本反對在各衛星國家中舉行公民投票，更不願在其軍隊撤退後舉行。（華盛頓航訊）

我所知道的麥帥

肯寧將軍原著　徐熙光翻譯

麥克阿瑟答說：「沒關係，你告訴拉美上校繼續向前飛，以前有一次我跟肯寧將軍同乘一架飛機時，也是碰到一具引擎出了毛病，我知道B—十七一個引擎故障了，沒什麼大關係，用三個引擎飛起來跟用四個引擎飛起來一樣平穩。告訴他別為我担心，我想他也跟我一樣希望看看傘兵空降的偉大場面。」

那部故障的引擎在麥克阿瑟座機的左側，所以從我的飛機上沒法看得到，否則我會在機上無綫電裏要拉美命令我們三架B十七返航。雖然我們四週有大批戰鬥機保護着，但是我們不能保證日機不會來攻擊這架載着西南太平洋聯軍統帥的飛機。其實拉堡的霧正濃，日本基地上的飛機根本不會起飛，威瓦克基地也不會有日機來擾亂我們，但是我總覺得不放心。

一九四二年年底，當我們正在進行攻佔布納的戰爭時，日本方面千方百計想阻撓我們的空中封鎖，把補給和援兵從拉堡運到布納去，由於他們的補給商船被我們擊沉了好幾艘，所以他們改用快速的驅逐艦，來增援在布納被圍的守軍。有一天晚上我們的偵察機發現在新不列顛和新幾內亞之間的威地亞茲海峽有五艘日本驅逐艦在活動。我認為攻打布納的美軍已經夠辛苦了，不能讓增援的日軍給他們增加麻煩，所以我命令轟炸機去把它們炸沉。飛機起飛以前，我告訴飛行員，誰要是能夠擊沉一艘驅逐艦，可以獲得一座銀星勳章。當天早上早飯以後，有幾架轟炸機的機員每個人得一枚銀星勳章，因為他們擊沉了三艘日本驅逐艦；另外兩艘驅逐艦被炸重傷，在海面上起火燃燒，無法行駛。

轟炸機是在晚上十時左右出擊的，大約在十一點的時候，我叫醒了麥克阿瑟，「將軍，」我說：「我實在不願意叫醒你。我們炸沉了一艘，另外四艘還在前進。」他說：「叫醒我有什麼關係？你有什麼好消息要向我報告，你儘管在任何時候跟我說。」

大約半夜十二點的時候，我又去叫他，「炸沉兩艘了，還有三艘」我向他報告。「好，很好，」他笑着說：「有什麼消息隨時通知我。」

凌晨一點多鐘的時候，我第三次去向他報告：「我們又命中了一艘，但是我不敢確定是不是已經沉掉了。今天晚上天氣很不好，能見度幾乎等於零，我怕有的日本兵會登上布納海灘，不過我相信海邊的美軍會好好對付他們。」

「好極了」，他對我說：「希望你向弟兄們代為轉達我的賀忱，他們能在這種天氣下達成任務，實在不容易。」我把麥克阿瑟的話轉告大家，大家都很興奮，都說願意為麥克阿瑟效力。

有一天晚上我和麥帥及他的參謀總長蘇德蘭共進晚餐，在這個場合裏，我對麥克阿瑟又有了一個新的，更進一步的認識。蘇德蘭認為在國家非常時期，實行民主乃是政府的一大弱點，他認為我們在戰時甚至可以廢止競選；又認為國會對總統的掣肘太多，使得總統沒有足夠的權力行事。麥克阿瑟說：「不，你錯了。民主政府在我們美國來講是一種最理想最好的政體。」（廿八）

詩的意境格律及修辭

李純一

五絕的平仄排列有四種：

（一）首句不押韻，第四字為平聲的平起式為：『仄仄平平仄，平平仄仄平（起韻）。平平平仄仄，仄仄仄平平（押韻）。』

（二）首句不押韻，第四字為仄聲的仄起式為：『平平平仄仄，仄仄仄平平（起韻）。仄仄平平仄，平平仄仄平（押韻）。』

（三）首句押韻，第四字為平聲的平起式為：『仄仄仄平平（起韻），平平仄仄平（押韻）。平平平仄仄，仄仄仄平平（押韻）。』

（四）首句押韻，第四字為仄聲的仄起式為：『平平仄仄平（起韻），仄仄仄平平（押韻）。仄仄平平仄，平平仄仄平（押韻）。』

五律的平仄格式乃是照着五絕的格式再各加上四句，成為八句就行了，其格式為：

（一）首句不押韻，第四字為平聲的平起式，係將五絕首句不押韻的平起式重複一次為：『仄仄平平仄，平平仄仄平（起韻）。平平平仄仄；仄仄仄平平（押韻）。仄仄平平仄，平平仄仄平（押韻）。平平平仄仄，仄仄仄平平（押韻）。』

（二）首句不押韻，第四字為仄聲的仄起式，係五絕的首句不押韻的句起式重複一次為：『平平平仄仄，仄仄仄平平（起韻）。仄仄平平仄，平平仄仄平（押韻）。平平平仄仄，仄仄仄平平（押韻）。仄仄平平仄，平平仄仄平（押韻）』。

（三）首句押韻，第四字為平聲的平起式，係五絕的首句押韻平起式加上五絕首句不押韻的平起式，為：『仄仄仄平平（起韻）。平平仄仄平（押韻），平平平仄仄，仄仄仄平平（押韻）。仄仄平平仄，平平仄仄平（押韻）。平平平仄仄，仄仄仄平平（押韻）。』

（四）首句押韻，第四字為仄聲的仄起式，係五絕首句押韻的仄起式加上五絕首句不押韻的仄起式為：『平平仄仄平（起韻），仄仄仄平平（押韻），仄仄平平仄，平平仄仄平（押韻），平平平仄仄，仄仄仄平平（押韻），仄仄平平仄，平平仄仄平（押韻）。』

五言絕句或五言律詩，若是第一句末字押韻，則第一句之平仄的排列與第四句的平仄相同。雖然其平仄如上述之規定，但大致每句可以第一個字及第三個字可平可仄，而第二個及第四個字一定要如規定，即是一、三、不論，二、四、分明。不過，我們所習見的，若是三個平聲字連着，則第一個字平聲字不論；若是三個仄聲字連着，則第一個仄聲字可以不論。

七言絕句的平仄亦有四種排列的方式：

（一）首句不押韻的平起式，首句第六字平聲為平起，較之五言絕句首句不押韻的平起式，第一句之上加「平平」兩個字，第二句加「仄仄」，第三句加「仄仄」，第末句則加「平平」，為：『平平仄仄平平仄，仄仄平平仄仄平（起韻），仄仄平平平仄仄，平平仄仄仄平平（押韻）。』（七）

瘟君續夢

惡貫難盈　巨奸逃火網
良知未泯　傑士出天羅

第十三回：

柯茲洛夫說道：「兄弟國家本來有互相援助的義務，不過，也要量力而為，萬不能一味誇大，不講實際，結果說過的話不能作數，既害人又害己，何苦呢？」

赫魯曉夫指着柯西金向金日成說道：「我們的財政大臣在此，你有困難可以同他談，包你說一是一，說二是二，不會講過話不算數的。」

金日成千恩萬謝，宴後又同米高揚、柯西金等人分別作一次長談，又發表一份聯合公報，啓程回北韓。赫魯曉夫恐怕他中途改道，派了一架圖一〇四送他直飛平壤。

金日成回到平壤的當天晚上，中共「大使館」送來劉少奇、周恩來聯名的邀請書，請到北平訪問。

金日成看了不禁搖頭苦笑。當時把崔庸健、金科奉、南日、李孝淳找來，說道：「中國同志同蘇聯同志的鬥爭日趨激烈，我們夾在中間，可眞是難處。你們的看法怎樣？」

金科奉笑道：「我早想到這個問題，我們最好以尼赫魯為師。」

金科奉一言既出，舉座震驚。李孝淳搶着問道：「尼赫魯是資產階級的走狗，僞裝進步的壞蛋，我們怎能向他學習。」

金科奉笑道：「我並不是要大家學習尼赫魯的思想，而是要學習他的手段。我們知道，印度這十幾年來，在東西兩大集團鬥爭中標榜中立，兩邊接受援助，騙了多少錢。十五年來若不是蘇聯同美國給予印度援助，起碼也要餓死一千多萬人。尼赫魯的為人雖然不成話說，但是，他標榜中立、兩面接受援助的手法，到是可以參考的。」

金日成縐眉說道：「你的意思是說我們可以在中蘇鬥爭中保持中立了。」

金科奉笑道：「正是這個意思。」

崔庸健連連擺手道：「這個可是斷斷使不得。我們不能同尼赫魯相比。若想兩面討好，最後必然兩面都不討好。」

金日成說道：「我剛從蘇聯回來，中國領導同志又約我去訪問，自不能不去。不過，既去之後，他們一定要問到我們的立場，究應如何答覆，要仔細商量一下。」

李孝淳說道：「我們黨的成立，中國同志幫了大忙；抗美援朝一仗，他們足足死傷了一百多萬人，連毛澤東同志的兒子毛岸英都被炸得血肉橫飛，屍骨不全。我們此時若是和中共同志採取敵對立場，實在說不過去。」

崔庸健說道：「問題尚不在此。我們部隊中下級幹部都親中國，假若我們跟着蘇聯走，引起他們的反感，又怎麼辦！」

崔庸健的話，直接威脅到金日成，他不敢再猶疑，說道：「我的意思也是如此。中蘇之爭，我們若能從中加以調解最好，不能調解，就只有站到中國一邊了。」

金科奉看見他們詢謀僉同，不好再插嘴，會議就算作出決定。隔了兩天，金日成就動身去北平訪問。消息傳到莫斯科，赫魯曉夫長嘆一口氣，向米高揚說道：「咱們這回恐怕又白白地賠了一筆錢。」（三二七）

自由報

冒險犯難記

鄒文儀

我聽到大隊長的指示，覺得很奇怪，為什麼不要大隊值星官，而要我指揮呢？當然我祇有奉命唯謹，勉強在隊伍前面，率先號令跑步，為了整齊步伐，不斷喊叫一、二、三、四。本來早操時間祇有半小時，因為環島距離較遠，結果費了四十分鐘才跑完全程，我汗流浹背，而因一夜未睡，聲嘶力竭，幾乎不能支持，回到宿舍，還吐了兩口鮮血！這真是意想不到的事，而事情也就是這樣過去了。

過了一個星期，隊長他們再約我打牌，我便委婉拒絕，從此在軍校不再參加打牌了。我經過三番五次的反省，才警覺到那天例外的跑步是張大隊長處罰我的；因為他在半夜查看學生睡眠的情形，到值星官室找不到值星官，他便知道我已離開學校外出去玩了，可是他知道我平日很努力，很守規矩，所以想出第二天早晨要我帶隊跑步的方法來處分我，希望我警覺。這是一次不露痕跡的微妙的處分，我很感謝張大隊長，既不聲張，也不公開。不過我確實很慚愧，為什麼自己擅離職守，貪圖玩樂，這不真該受到身體上特別是精神上自我譴責的雙重痛苦嗎！

二十二、參加留俄考試

民國十四年的九月，我奉命率領黃埔軍校第三期一區隊學生到廣州惠州惠館担任國民黨中央黨部的警衛勤務，有一天，在中央黨部門前看見一個通告，中國國民黨中央黨部招考赴蘇俄莫斯科孫逸仙大學的留學生。我非常高興；我查清了報名手續，就報了名，準備參加考試。這是我的平生最大的志願：「讀書要讀到大學畢業，到外國留學。」認為這是一個很難得的機會，我要把握這機會。

不過這時有兩種困難，我是現役軍人，投考雖然不受資格限制，但黃埔軍校祇准在校的第三期學生報名，不許已畢業的第一第二期學生投考；因為革命軍與軍校都感到軍官人數不足，所以不准現役軍官輕易離開現職。這是一大難關。但我因在中央黨部服務，近水樓台，我還是報了名；因為能否考取，還無把握，不取自然不成問題，取了到時再行申報。

第二種困難是我離開書本已過二年，報名之後，半月內就要考試，初試取錄之後還要複試，我準備參加考試的時間甚是短促，而且担任的工作，雖很簡單，但却要不少時間去處理，怎麼行呢？我憑我的記憶力不差，我僅找了幾本有關考試的書略為參考。（三四）

生與死

漁翁

淮南子云：「生，寄也。死，歸也。」生寄死歸，殆已成為曠達之成語。有生必死，在萬物中，雖命運之修短各異，而其結果同歸於盡則一。人之壽數，最高者不過百齡，在數十年光景間，如逆旅，如過客，「曾記少年騎竹馬，看來又是白頭翁」。李太白序春夜宴桃李園，有「浮生若夢，為歡幾何」之句，雖嘅歎，其實亦人同此心者也。

生者，產也。詩：「居然生子」。凡由之而產生者，亦曰生。又養也。左傳：「越十年生聚，而十年教訓」。故「人之所寶，莫寶於生命；德之厚者，莫厚於有死」。見「北史」。因此，每於利害相反，則競爭不已，適者生存，不適者滅亡，謂之「生存競爭」。

生之反曰「死」。死者，概言人物失其生命之謂也。論語：「未知生，焉知死」。禮：「君子曰終，小人曰死」。俗亦謂「不活動者為死」。然而「死有重於泰山，有輕於鴻毛」。如宋之文天祥，明之史可法，為國家，為民族而犧牲，謂之精神不死，浩氣長存，是死有重泰山者。若宋之張宏範，明之洪承疇，降敵求榮，雖苟活性命，而遺臭萬年，其及死也，誠一鴻毛之不若。

孔子云：「毋求生以害仁，要殺身以成仁」。孟子亦云：「生吾所欲也，義亦吾所欲也；二者不可得兼，舍生取義！」孔孟以仁義為道之本旨，認為違仁背義，雖生猶死，成仁取義，雖死猶生。所以春秋重死節之臣，而法有特書者也。

人生宇宙間，為着生活，而有競爭，甚至發生戰爭危險。每遇世局混亂，社會動盪，則有「寧為太平犬，毋作亂離民」；「生我以亂，毋寧死之」之怨恨聲。此陶淵明所以有「桃花源記」避世之作。今者，大陸淪陷，有識之士，義不帝秦，相率逃亡於天涯海角，有為生活所迫，而萌厭世之心。記得八年前，友某君，感國破家亡，而患病連年。一日，余探訪於廣華醫院，知其憂念思家，而突有「生不如死」之怨言。未幾，果歸天國！余輓之以輓云：「生有怨言，生來受難生寧死；死無遺囑，死到臨終死欲生。」蓋此君彌留時，以河山未復，兒女未長成，兩眼淚流，而猶不願遽離人世也。

本來，生死常態也，為人羣所不可避免。祇要視死如歸，死得其所，可矣。讀胡大川幻想詩：「生不願為上柱國，死尤不願作閻羅。閻羅點鬼心常忍，柱國憂民事更多」。此不但把生死看得最淡，而且視富貴若浮雲，而似乎想入非非，其實蓋深得生寄死歸曠達之道，可為貪生畏死者一當頭棒。

甲辰生日山居散步

黃少谷

不辭為釜復為薪，半世憂時老樂貧。
漫說登山天下小，卻誇開卷古人親。
待償橫海還鄉願，贏剩餘生歷刦身。
信步且隨雲入岫，聽鐘喜有寺為隣。

奉和少谷先生生日詩原韻

盧孰競

半生勳業在移薪，不計安危不計貧。
小隱且酣泉石趣，讀書常與聖賢親。
待時重振乘風願，增歲應稱鶴壽身。
遠志仍關天下事，避囂只合德為隣。

少谷兄卸西班牙使節之任，歸隱台北市郊「天母」，閑門却掃，悠然自樂其樂。日前偶晤於世倅盧孰競女士家，臨別以甲辰生日詩見示，盧女士讀之欣讚，即席賦和，僅歷時一刻而已。愚訝其才思敏捷，得未曾有，而深以故人有後為慰，亟刊出之，藉留紀念。孰競女士之先人盧旭（覺華）與愚共事於巴蜀有年也。）

雷嘯岑附識

我的社會生活

雷嘯岑

話說國軍於卅九年十月中旬棄守廣州後，各路兵馬皆以海南島為集中地點，而決計固守之。時報為採訪戰地消息，迅確報導起見，特派專人馳赴海南島，隨帶密碼電本，以便直接拍發電訊，同時函知當地駐軍統帥部，請予本報特派記者以各種便利，我們的計劃算是周全了。到是年十一月終旬某夕，本報接得海南島特派記者電訊，說國軍在海岸作戰大捷，俘獲了敵軍四千餘名，全島各界人士即將舉行祝捷大會，現時從國軍總司令部大門口起，蜿蜒全市各商店住戶，遍處掛滿了鞭爆，擬於祝捷大會開幕時一律燃放，以表歡慶云。輯編部認為這消息是該記者由軍方採訪所得，且經過當地駐軍的電台發出的，一定可靠，即在次日的本報第一版，以頭條新聞刊佈之，視為獨得之秘。然同日下午四時香港一家晚報亦刊出軍事要聞，說國軍日內即將撤守海南島（大概該報是截得外國通訊社的電訊），成為極端相反的消息，而國軍果然於第二天宣告放棄海南島了！所謂俘獲敵軍數千名，所謂全市遍懸鞭爆祝捷云云，盡係掩蓋撤退行動的烟幕彈，以致本報蒙受自欺欺人的撒謊聲名，而使社會羣衆對本報刊載的國內要聞，皆認為沒有一顧的價值，致令官報僅有的一點潛能，亦蕩然無存了；所謂「兵不厭詐」的作用，固如是耶？那家晚報自從刊佈這項獨家確訊以後，銷路即告激增，終躋於全港晚報之王的地位，間接就是叨着國軍所放煙幕彈之光。香港時報的銷路始終不能展開，每月總是賠本，刊載這種被動說謊新聞，殆有莫大的關係，只是本報同人不負說謊之責而已。我敘述這段故事，旨在證明吾輩置身於孤危環境中，從事文化鬥爭工作，既有外在的敵焰侵凌，又有內在的意外暗傷，一片堅苦奮鬥的精神，有些地方即不免歸於虛耗了。官報之難辦，有如此者！

時報開辦未到一個月，中華民國政府尚在廣州號令全國軍民抗禦共禍，局勢艱危忒甚，而美國杜魯門政府不惜採取落井下石的手段，由國務院發佈所謂「對華外交白皮書」，列述美國過去如何盡力援助我國，而我政府當局又如何腐敗無能諸情況。這對於咱們當時的士氣與民心之打擊力量，不啻是投下了一枚原子彈。時報原係代表政府在海外發言的，對此重大問題，自不能緘默無言，何況當時在海隅的毛共宣傳刊物，羣聲附和美方的說法，表示其幸災樂禍，洋洋自得的態度呢！我乃不暇跟社長和同事們交換意見，亦無從探聽政府當局對此作何反應，憑着個人的見解，即撰寫社論，評判美國這項外交行動的是非得失。過了幾天，有朋友在廣州晤及行政院長閻錫山，就問政府對於「白皮書」事件應否有所表示？閻說，香港時報那篇社論所說的，就是政府要說的話，不必贅述了。（六九）

清代儒將羅羅山

羅雲家

湘軍之中，獨當一面的大將，統衆不過萬餘，最多亦不過二萬，這與當時太平軍諸將所率兵額，相差甚遠。而湘軍憑着信守不渝的戰術，隨時作主動的攻勢防禦，隨時先求本身的穩固，伺敵虛隙，相機進取。其最著者如（一）穩紮營壘，以拒敵人；（二）審慎行軍，以防截擊；（三）探測地勢，以明險夷；（四）辨明主客，以制敵命。這種穩紮穩打的戰法，是得自儒家的修養工夫，臨陣堅定不撓，一如治學，富有守死善道的精神。有人問以制敵之道，澤南說：「沒有別的，大學『知止而後有定，定而後能靜，靜而後能安，安而後能慮，慮而後能得。』數語，即可概括一切。而春秋左氏傳所謂：「一鼓作氣，再而衰，三而竭。」的話，是其註脚。」這「以靜制動」之道，可說是羅氏獨得儒家不傳之秘的兵法。

澤南首次率軍進援南昌，一戰而勝。弟子中如謝邦翰，羅鎮南，易良幹，羅信東均戰死；國藩不弔而賀，認為書生致勇於犧牲，湘軍前途甚大，同時也是澤南帶兵成功之處！及國藩納郭嵩燾，江忠源之言，創練水師，以楊載福，彭玉麐分領之；陸軍則由羅與塔齊布分領。岳陽之役，太平軍聲勢浩大。羅斂軍不輕出戰，敵以為怯。塔齊布素號勇將，好幾回把話刺激澤南，要和他同時出去應戰；澤南仍閉壘不動。一日，登高望敵壘，下來說：「今日可出戰！」令開壁，所部如排山倒海，諸弟子皆躍馬陷陣先登，無不以一當百，乘勝追奔逐北，進逼武昌。國藩奏稱：「羅澤南與賊接仗以來，專用以靜制動之法，每交鋒對壘，賊黨放槍數次，大呼數次，而我軍堅伏不動，如不敢戰然，往往以此取勝。……」

金口軍事會議，澤南手持地圖，口講指畫，率所部二千餘人，自請攻堅。為時僅七日，破敵軍數十倍，跟踪追至田家鎮。太平軍秦日綱，韋昌輝兩部，為湘軍水陸兩師夾擊，殺得馬翻人仰，俘獲戰船粮食無數。這次輝煌的戰果，使他的威名震動全國。清史稿羅澤南傳的記載，對是役曾有下列描述：「咸豐四年九月，太平軍據興國，分陷大冶，澤南恐其上竄，馳抵興國境，斷大冶歸路，使不得合而為一。興國敵來犯，破之，追至城下，敵遁，復興國。遂進規田家鎮。鎮居大江北岸，與半壁山斜對，為上游門戶，陷於敵。敵更為鐵鎖扼水師，用重兵屯半壁山，夾江守。澤南進駐馬嶺坳，距半壁三里許。遙見山勢峻絕，俯瞰大江，敵列營堅固，與花園埠，而險過之。澤南方登高瞭望，敵突以數千進攻，北岸田家鎮渡江來援者，又近萬人。時澤南所部僅二千餘。衆色沮，有潛遁者。知府李續賓飛騎追三卒回，手刃之，衆心乃定。澤南令堅伏不動。度敵氣已竭，突起擊之！敵大潰，奔半壁山。扼其後路，不得上，觸石墜岩死者數千人。水師蔽江下，斷橫江鎖鐵鎖，燔敵舟四千餘，遂克田家鎮。」（三）

古代裸舞

周燕謀

古之風流好色著稱者，當以帝王為甚。中國之禮教以裸體為罪惡，而皇帝則往往無所忌憚，强迫宮女裸體以娛樂，代有可考。

漢成帝寵趙飛燕之裸浴曰：「三尺寒泉浸明玉」。靈帝與嬪妃，有行「裸體泛舟」之舉。唐玄宗與楊貴妃，於華清池行「鴛鴦戲水」，帝見貴妃雲鬢花顏無力，不禁恍然若失也。均其例。

尤其南宋廢帝子業，以叔母新蔡公主為嬪妃，並虐待叔父及諸王；（建安王之生母楊太妃亦廢帝之叔母也，廢帝竟使楊太妃裸而與左右之臣交，呈諸態之醜狀。是時南平王之生母，不肯從廢帝之命，廢帝竟殺之而滅其族。廢帝又遊於竹林堂，命宮女裸體跳舞。明帝每張內宴，擇嬪妃中之美者，强剝其衣服，使演裸體之醜狀而樂之。是時，惟王皇后以扇掩面而不敢觀。帝怒，皇后曰：「人間之娛樂亦多也，聚叔母及姊妹，而樂其裸體跳舞，亦未嘗聞之也。」帝亦狂怒。齊之廢帝東昏侯寵愛潘妃，淫戲無所不至，於諸「裸戲」之壁，畫男女狎褻之狀，裸宮女而與之戲。陳之後主叔寶，苦於酒色；與張貴妃、孔貴人以下之美婦千人，酣飲達旦，宴中令宮女演裸體跳舞。又常置張貴妃於膝上而聽政。北齊之廢帝，亦喜使宮女裸體。

十國時代之南漢王劉玢，常使男女裸而相逐。其弟劉晟即位，同時殺兄弟等十二人，悉納其女於宮。此輩皇帝王公，亂倫至此，與禽獸何異？今日之所謂裸體鏡頭，固尚不能望其項背也。

內僑警台報字第〇三壹號內銷證

自由報

THE FREE NEWS

第四六四期

中華民國僑務委員會頒發
台教新字第三二三號登記證
中華郵政台字第一二八六號執照登記爲第一類新聞紙類
（每星期三、六出版）
每份港幣壹角
台灣零售價新台幣貳元
社長：雷嘯岑
督印人：黃行富
社址：香港銅鑼灣高士威道二十號四樓
20. CAUSEWAY RD 3RD. FL. HONG KONG
TEL. 771726　電報掛號：7191
承印者：田風印刷廠
地址：香港灣仔高士打道二二一號
台灣分社
台北市西寧南路壹壹零號二樓
電話：五〇三四六
台郵撥儲金戶九二五二

剖視「實施都市平均地權條例」（上）

・施劍英・

一、緒言

實施都市平均地權條例第二次修正案，已於五十三年一月廿七日，經立法院三讀通過，完成了立法程序。這個修正案通過之日，佳評如潮，修正後的優點，可說已有話說盡。筆者不敏，對新修正案，一時無法詳解，致未能及時申言贊美之意，良以爲憾。各位立法委員先生，在鑼鼓頻催，急景凋年時節，尤能夙夜匪懈，公爾忘私，竭智盡忠，爲本修正案盡最大之努力，趕於春節之前，完成立法程序，使國父孫中山先生「平均地權」之主張實現，又向前跨進一步，使三民主義的建設，益增光芒。可說是劃時代之舉措，也是反共復國勝利的里程碑。

土地改革，是國父遺教的主要部份，是民生主義的精粹，也是民生主義成敗的樞鈕。民國以來，內患外侮，相乘迭至，政府忙於軍國大事，對土地改革工作，未能暢爲。北伐以前，政局未定，法制未全，難以實施。迨至民國十九年六月底，國民政府訂頒了土地法；土地法公佈後，並未立即施行土地整理，而直到民廿四年四月五日，國民政府公佈了土地法施行法，規定到廿五年三月一日施行。政府實行地籍整理工作伊始，抗戰軍興，戰端一開，舉國共赴國難，土地整理工作，因之停頓。嗣後，抗戰、戡亂，迨無寧日，因此，土地改革工作，除抗戰勝利前夕，一度實施實驗工作外，眞正的工作，還是在台灣由陳院長手中開始。

我們引以爲憾的是，民國成立了數十年，始終未能在大陸上完成土改工作，（因爲這是訓政時期的工作）而貽給共匪爲患的藉口。這個責任，雖然可歸因於政局，但也有不少是「地主官僚」的因循延誤。我們今天來回頭檢討，無心於責備任何人，責備也於事無補；我們只希望當今主管地政的官員，要瞭解既往失敗之源，惕於時間的可貴，把握時機，完成任務。倘稍蹉跎，又難免會有一天「時不我予」之嘆。法令典章，如不及時實施，等到時過境遷，主要因素變化，則最完美之法令，也會於國事無補。我們回顧土地法及實施都市平均地權條例，在第一次頒行以來，迄今春秋幾易，成效如何？假如我們今後仍如既往，我們台灣省的「都市平均地權」工作，不知要到何時才能完成。

此次修正的實施都市平均地權條例，衡之修正以前頗具優點。但也不可諱言，缺點仍有。平均地權是國父的遺教，是三民主義的實行。三民主義是完整的，不可隨便取捨的。我們若從遺教來衡量今天的實施都市平均地權條例，仍然有與遺教精神不能相符之處。我們若引舊條例實施困難之處，作爲此次修正的依據，我認爲困難仍有。茲僅將愚見所及，按修正案先後，提出管見。掛漏仍多，謬錯難免，僅供參攷。敬盼本題先進，主管當局，曲諒指教。

二、第二次修正案的剖視

甲、第一章總則部份

第五條：「（上略）都市地價評議委員會委員，應由地方民意代表，及其他公正人士參加，其名額不得超過半數。」本條例所稱都市地價評議委員會，係指當地主管機關，依規定組織之都市地價評議委員會。惟所指「當地主管各機關」，是否即本管第二條所指之各級主管機關？抑僅指各地方自治機關？都市地價評議會，除各縣市（及直轄市）級主管機關外，其如省（市）級、中央等本條例指定之主管機關，是否亦有成立都市地價評議會之必要？就既往言，當地地價評議會，易受「地主」影响，評議難期公正公平，而不受感情困擾。如地價評議要經過省級與中央復評，（當然也是組織評議會復評之）可能使當地評議委員，易於行事。評議委員，要明瞭地政法規，要擁護國策，要心地公正，不受人情困惑，知能、思想、品格，都要屬於上乘，才堪勝任。此次修正增添「公正人士」，誰是公正人士？是一件頗費周章的難題。主管機關又依據什麼法規去決定呢？萬一邀請稍一不愼，雖免遭受意外阻力和議論，甚或影响事效，都不一定。新條例第廿五條，與舊條例同條不同的地方，就是「及其他公正人士」七個字，給當地主管機關相當權力，也同時給他們無限困惑。說句老實話，評議會請民意代表及修正案增加這七個字，動機很好，但實行起來，民意代表及這七個字，對本條例使命的成效如何？殊難定論。以目前官場「明哲保身」態度，評議會將只有民意代表的意見，和「公正人士」的「公意」，如果「民意」和「公意」不被尊重、就是「違背民意」和「無視公意」，政府官員，在這個會中，將只是「備詢」與「凑數」而已。

乙、第二章規定地價部份

國父在民生主義第二講，解決土地問題之辦法之一中，是主張地價由地主自行申報，政府只照價徵稅，或照價收買，至於地價應該規定多少時間調查一次，國父遺教沒有規定。這將是技術問題，而不屬政策或原則問題。地主自行申報的地價，應該視爲在法律上有效力的地價，如其低於公告地價，政府如不照價收買，當可照公告地價抽稅，以維法律之前，人人平等之納稅義務。

本章第七條末段：「其已定地價者，自本條例施行後，重新規定地價。」這是舊案未修正之原條文，其效力發生始於上次公佈之四十七年七月二日，準該條生效後產生之事實，在法條未廢改以前，自然仍爲有效，則本條法意，可有三種解釋（一）指本條例第一次公佈施行而言，（二）指本案第一次修正後施行而言，（三）指最近修正案公佈施行後而言。

本章第九條，第四欵規定：「地主申報之地價，低於公告地價百分二十時，得由主管機關，限期通知土地所有權人，另行申報」。照國父遺教原則，地價以地主自行申報者爲準，政府只能照價收稅，或照價收買，來防杜地主投機取巧。爲何一定要地主照公定地價申報呢？公定地價之設立，僅爲主管機關在執行：照價徵稅，或照價收買之取決依據，土地所有人，自不必一律照公定地價標準申報，只要我們切實執行國父「漲價歸公」的遺教，並嚴格實施土地法（二八）「二九）「九六）（九七）各條之規定，地主自然不會低報地價，以逃稅負，都市「地權」平均原則，亦易達到了。

不中聽

上下夾擊

今日與明日

星加坡種族衝突

星加坡方面發生華人同巫人衝突事件，警察出動鎮壓拘捕，截至目前爲止，共計死九人，傷三百四十一人，被拘一百五十七人。

這是星加坡獨立以來，首次發生種族衝突事件，總理李光耀指是共黨策動，大體可信，尤其是星加坡政府最近大舉拘捕南大潛伏共黨，改組南大校友會，爲釜底抽薪之計作正本清源之舉，共黨受此慘重打擊，失去庇護所，必然要設法報復，挑起此次種族衝突，以製造混亂，希圖從中混水摸魚，自是應有之事。希望星加坡當局能善爲排解，不然華巫之間一且發生種族衝突，前途實不堪設想，將給印尼及共產黨人以可乘之機。

東埔寨屠殺中國人

東埔寨的施哈諾媚共自保，挾共自重的辦法，最近越來越下流，竟然殺反共中國人以媚共。據金邊公佈消息，說是有一批中國人乘劉少奇去金邊時，會企圖暗殺劉少奇及施哈諾。這個消息之離奇荒誕，正如十五年前毛共宣佈意大利人企圖架迫擊砲行刺站在天安門上的毛酋是如出一轍。推測這必定是一批反共的中國人，平日往來台北金邊之間經商，被施哈諾的爪牙記入黑名單，必要時就提了殺幾個以媚毛酋，表示施哈諾的忠心，希望等到毛共統一東南亞時，東埔寨可以幸免，施哈諾仍然作他的元首。不過，施哈諾還是應該望深處想一想：毛共政權在民主共產兩集團共同唾棄下，究竟還能苟延幾日？施哈諾爲什麼要在此日欠中國人血債？以東埔寨彈丸之地，他那個猥瑣之身，有一天中國人舉起拳頭，恐怕立成齏粉的。

赫魯曉夫回莫斯科

赫魯曉夫去華沙開會，東歐共黨頭目皆到了，外間本來盛傳赫魯曉夫要在華沙會議上決定同毛酋攤牌，召開世界共黨大會趕毛共出共產集團，但由於赫魯曉夫此次悄然回轉莫斯科，可知所謀一定未遂。

目前世界各國有一個怪現象，大家紛紛作中立國。始作俑者，是尼赫魯，尼赫魯的中立主義，害透了自由世界。直到今天埃及、印尼及大多數中立國家仍然還是走的老路。流風竟然傳進鐵幕，東歐共黨國家表面上雖然支持赫魯曉夫，骨子裏卻希望毛赫永遠鬥爭，這樣他們也可以兩面逢源，稍寬項上的枷鎖。因此，赫魯曉夫要想利用世界共黨會議以對付毛共恐怕十分困難，唯一辦法只有同民主國家攜起手來，才可以奏效。

自由談

檢查書報問題

書報檢查制，從對日抗戰時期起，即爲文化界爭議不休的一大問題，而以事前審檢、或事後追究爲爭議的焦點所在。

反對事前審檢的人，以人民享有言論出版之自由的人權與法權爲基準，認爲政府不能隨便剝奪人民依法享有的自由權利，若出版品內容有違悖法令之處，政府儘可按律查究。然行政當局認爲與其事後追究，不如事前防範之爲愈。所以，書報檢查制在近三十年來，幾乎沒有停歇過，約法和憲法上儘管規定「人民有言論出版之自由」，但政府以「戒嚴」時期爲理由，或明或暗的實行檢查、禁制如故。蓋近卅年間，沒有一天不是在革命、戡亂、抗日、剿匪的非常時期中也。

在歐美各國，人民的言論思想極其自由，出版物談政治思想，可謂百無禁忌，只對於誹謗個人名譽信用的文字，決無自由餘地，法律上的誹謗罪，處罰甚爲嚴重，而以世界憲政之祖的英國尤然，這是允符人權保障之義理的。我國却恰恰相反，書報上刊載的文字，稍有涉及與現實政治不相迎合的言論，即視爲大逆不道的嚴重問題，輕則扣禁書報發行，重則查封書店報社，吊銷登記證。然對於以文字圖畫實施誹謗他人的行爲，乃視爲無足輕重，法律上所規定的輕微刑責，亦未見法院切實執行過，本末倒置，有如此者，咱們有甚末資格談民主憲政生活呢？

我不反對政府對書報的檢查制，但認爲檢查書報內容是需要具備着高深的知識學問，纔可以達成合理的願望。從前我國北洋軍閥專政時，因爲查禁共產主義的馬克斯學說，連「馬氏文通」亦不許閱讀的笑話，萬不宜再有。負檢查書報者，必須讀書有得的高級知識份子，庶堪勝任愉快，否則任意檢扣，徒然窒息文化生機，斲喪國脈，招致民怨，對政府有百害而無一利，所爲何來？

人間最困難的事情，莫過於控制思想。共產主義與納粹主義者要以極權手段來控制思想，殺人流血，在所不惜，然結果終歸白費，徒自敗亡而已。祇要不是公然宣傳叛亂的言論思想，而僅止於學理上的探討，庸何傷乎？檢查書報的目的若在控制思想，百分之百是庸人自擾，沒有絲毫效用的！

馬五先生

越南危機四伏

首都險象環生戒備有如軍營 鄉村到處有共匪游擊隊潛在

（本報西貢通信）越南反共戰爭的現狀，可用「危機四伏」一語包括之。美國對越南的領導政策，從越南總統吳廷琰遇難後，更顯示着每況愈下的景象，如果不改變現行方法，則越戰前途只有失敗的公算，而整個東南亞將不堪設想矣。美國當局并非不瞭解這種嚴重的局勢，但一方面由於國務院和參議員中若干自號為進步的左傾份子得勢，堅持着「重歐輕亞」政策，一方面亦因總統大選的緣故，白宮主人為討好選民計，不敢對越戰採取制勝的軍事行動。所以，目前只是對共黨虛聲恫嚇，作些强硬姿態而已。白宮改派軍界巨頭泰勒為駐越南大使，即係「嚇阻」作用，希望中、越共不為已甚，等到美國大選之後再說。可是，共黨早已覷破美國的「嚇阻」伎倆，決不上當，近來不特在前線加緊進攻，且教潛伏在西貢以及其他重要省區的便衣隊，到處竄發，實施突襲擾亂，製造恐怖氣氛。越南士兵在前線作戰時，美國顧問人員和軍士們皆居於第二道防線，實行督導支援。然前線越軍聞砲擊多四散，留下空隙讓敵人瞭望第二線的美軍官兵極清晰，對着目標從事猛烈砲戰，以致每次戰役雖獲勝，而美軍官兵多所死傷也。越共實施突襲之際亦以美方軍營所在地為鵠的，用意乃在造成美軍人的厭戰情緒，認定越南戰事除非美國正式參戰，即無勝利結束的希望，因而影响到美國內的輿論，迫使政府採取退却政策，重演寮國「聯合政府」的舊劇，不戰而控制南北越。自泰勒上將使越南後，越共認為這是美國對越戰作最後掙扎的行動，如其在軍事上積極進逼，很可能激起美國實行參戰的後果。因此，目前越共使用各種方法，煽動南越發生政變，以期增加美、越間的猜忌隔閡，依然達成使美國放棄越南的最終願望。記者並非隨便臆測，有事實足以反證的。

現時駐在西貢的美國人，不但出門時乘坐的吉普車和卡車周圍，皆裝上鐵絲網，防範越共便衣游擊隊投擲手榴彈，即從居住的旅館二樓到地下或三樓餐廳去飲食，亦手持卡賓槍不放，以防共黨份子襲擊。西貢各大小街道上的電燈，入夜熠熠通明透亮，有若白晝，據說亦是美國顧問建議的，這樣纔可以看清楚夜間市街上每一角落是否有人潛伏着，以策通行的安全。西西貢的美國大使館，只有一扇鐵門出進，門外遍佈着越南政府派遣的便衣人員，專司護衛之寶，門內尚有身懷武器的美國壯士若干人，嚴密警戒，這簡直是一座刁斗森嚴的營壘，何嘗像外交官廨呢？西貢隍岸各地區的住戶，到夜裏十時後，即不斷地聽得炸彈和機關鎗的爆射聲響，徹夜不休，整個首善之區，形成了恐怖狀態，人心當然不安。

至於越南各鄉村，吳廷琰時代建構的「戰略村」制，原係效法我國過去在江西剿匪時的碉堡政策，使共黨的游擊隊受到尅制，無法隨便活動。但自吳氏垮台後，這項戰略村亦「人亡政息」了。現在四鄉各農村間，白天遍見着躬耕隴畝的農民，若有軍政人員出入，而護衛力量不多的話，那些在田裏耕作的農民，便有若干人崛起，取出懷中的手榴彈或其他武器來襲擊，他們實際就是越共的游擊隊份子！

綜觀上述情況，美國如不改變現行的越戰政策，誰也可以瞭解，越南前途是凶多吉少的。（癖翁七月十八日於西貢）

華僑協會籌建會館經緯

——本報台北航訊

問題的所由來，「在民四十四年間，華僑協會曾向行政院申請撥給國有財產台北市中山北路二段六十一號土地六二八坪（原為旅台皖籍人士呈請為劉銘傳紀念館），以為建築會館之用。經俞故院長批交台灣省政府予以處理，乃由省府擬具處理原則三項：『（1）應由華僑協會提出建築計劃及圖說，按其實際需要面積核撥。如使用及於違章建築部份，所須遷讓補貼費用，乃由該會負担。（2）上項基地價格，按不動產評價委員會計算，每坪約值新台幣三二五元，若市價則為七百元一千餘元不等。該會價撥以應兼顧省庫收入，採取出售當時之不動產評價標準計算，以期公平合理。（3）為防止轉售投機，似應由該會承諾必須依照計劃使用；並於建築物完成後五年內，不得將建築物及基地轉售或轉租，否則，本府發回原價，收回土地。』經俞故院長批准照辦，華僑協會乃於四十六年三月七日完成一切手續（土地價款二十萬零四千一百元繳清），由台北市政府發給所有權狀。惟歷時多年迄未建築，而四十八年間，且與商人（梁甲榮、金祖杲）簽約出典（於普益行）得款七十萬元。嗣因拆除違章建築，引起住戶反對，以監察院查究（陳翰珍委員調查，未成立）之故，除實行補償各違建戶外，並付給商人（普益行之梁甲榮，金祖杲）以二百一十萬元而解約。但年來復借給國賓大飯店放置材料，亦被人檢舉，指為轉租圖利。」

最近，華僑協會經由高信委員長之介紹，與「巴拿馬歸僑鍾金水君簽訂合作，擬建『華僑大廈』。其內容為：（1）由該會提供全部土地，鍾君出資建築，歸其使用二十年，以經營各事業，期限屆滿交回該會，但仍予鍾君以續租之優先權。（2）由鍾君經營『現代化戲院』，並建六層樓房，以經營商場餐廳及觀光旅社等。（3）鍾君請領建築執照等，須由該會負責協助，並由該會出名申請。（4）將頂樓約百餘坪之建築物，交與該會使用；另每月補助新台幣二萬五千元，以為該會辦公經費。（5）由鍾君付給該會新台幣五十五萬元，贖回抵押於他處之土地所有權狀，但須雙方共同保管。另提存四十五萬元，為拆遷該土地上違章建築之補償費。前項合約，業經呈由僑委會核轉行政院有案。」（中）

美國議員如此看法：

共產帝國處處不安

東歐鐵幕益形動搖

（華盛頓航訊）美國國會四十位議員，在本年「被佔領國家週」的演說中指出：證諸東歐各衛星國家的近況，彼等相信，在東歐五十萬方英里地區上的一億人民，獲得自由的機會，較一九五三——五六年東德、波蘭、及匈牙利反共暴動後的任何時期更為光明。若干議員認為，目前是蘇聯佔領軍的壓制，才使各衛星國家的人民不敢輕舉妄動的。納布拉斯加州議員皮爾曼說，各衛星國家的農工「並非愚蠢，他們深知今日的政府違反其傳統生活，是以強權建立的政府。」

各衛星國家獲得自由的希望，充份表現在本年度所發生的各種事實中。其一是總檢察長甘廼廸夫婦上月訪問波蘭時所受到的熱烈歡迎，其二是若干共黨領袖在俄共與中共爭論中的態度，以及羅馬尼亞，波蘭、匈牙利的獨立運動等。伊利諾州議員庫辛斯基說：「吾人已看出在各被佔領國家中離心反叛力量的增長。在日內瓦會議中，羅馬尼亞反對蘇俄提議的事實，足以反映此種傾向。吾人必須使各被佔領國家人民相信，他們追求自由的行動，已引起吾人的注視。」

米契根議員福特提出若干「鐵幕的眞實裂痕」，以證明「蘇維埃帝國基礎的敗象日露」：一、捷克工人工作熱情的低落，造成生產的粗劣和意外事件的增加，一九六三年捷克因此損失四億美元；形成嚴重的經濟危機。二、波蘭曾以大筆金錢投資於工廠建設，結果一無所成。三、蘇俄糧食生產的失敗，使他們不得不藉西方的輸入為主。四、波蘭、保加利亞及羅馬尼亞工人被廹以其百分之五十的工資用於購買食物。德拉威州議員麥道威稱：「共產帝國中的各種不安事實，顯示出歷史的潮流正在轉向自由世界，自由人和自由思想。」

煤氣公司會開放民營？

冷眼看台北市議會之三

本報台北記者 張健生

台北市煤氣公司為台北市政府的直轄事業機構。由於台北前任市長黃啓瑞任內處理該公司開放民營的程序，市議會認為不當，乃引起軒然大波。

台北市議會六屆首次臨時大會，在審查該公司追加減預算時，發現該公司開放民營的程序不合法，且有違憲違法之處。按照憲法規定：「公用事業及其他獨佔之企業，以公營為原則，其經法律許可者，得由國民經營之」。（第一四四條）又公營事業移轉民營條例規定：專賣或有獨佔性之事業，大規範公用，或有特定目的之事業，不得轉讓民營（第三條）。

因此，市議會對台北市政府於今年五月十五日函請議會查照的公文，認為有問題。該函開宗明義說：「查本市煤氣公司經貴會（按：本屆一次大會）議決開放民營，報端公佈後，本府即接台灣、中國、裕台、大台北等四公司先後申請承辦，并經呈奉省府（53）5 9 府建一字第三一八三九號令核定，准由大台北煤氣股份有限公司依照本府擬定應行遵守八項條件及有關法令辦理在案，除通知該公司來府辦理一切手續，并令飭台北市煤氣公司積極準備辦理事項報核外，至有關該公司財產之處理，當再專案送請審查。」

所謂八項條件，其主要精神（1）自核准之日起至完工供應煤氣止，不得超過二年三個月。但遇天災或意外，得予延期。（2）煤氣價格，由市議會審議通過後報省核定。（3）一切財產，請專家估價賣給新公司：現有員工，由新公司解決，留用或遣散。

於是，市議會化了一天半的時間，把預算擱置，來討論此事。並決議：（1）市政府未能在六月十日前把「台北市煤氣公司開放民營實施辦法」送議會審議，除糾正外，市府對本會決議案之執行，依法視為無效。（2）市府并不得與任何公司簽約。（3）本案市府違法措置，函請監察院查明依法辦理。

市府前任市長處理該公司開放民營怎樣違法呢？且聽記者慢慢道來。早在五十年間，日僑劉元禮回國參加國慶慶典，聽說台北市煤氣公司開放民營，乃於是年十二月間成立中國煤氣公司並經政府核准，後向市府申請，不料把他的公事壓在那裏，置之不理。五十一年一月中旬，台北市議會張祥傳議長成立台灣煤氣公司，也向市府申請，拖了幾個月，市議會有人質詢，要市府表明態度，到底開不開放民營，後來市政府才批答中國和台灣煤氣公司的申請案，礙難照准。到今年三月間，市議會以二十八票通過台北市煤氣公司開放民營的議案，另有十四票反對。接着，中國、台北、裕台等三家公司又先後向市府申請承辦，市政府仍舊擱置不理。等到大台北煤氣公司正式成立後，也向市府申請，市府立即轉報省府核准。市政府在處理大台北申請案，前後只有七天的時間，包括調查在內。當市府接到大台北申請書時，市長批交顧問賴春貴核辦，未依法定行政程序由民政局承辦，賴顧問把該申請案交煤氣公司總經理徐砥中調查後報省府。這次徐總經在議會答復質詢說不知道這件事，完全是騙人的話。

在中國與台灣兩家公司申請的當時，已故尹仲容先生為此曾召集雙方與有關機關舉行協調會議，要點有三：（1）雙方申請案在一月內核准。（2）台灣公司張祥傳先繳新台幣六千萬元資金，即由張辦；如果中國公司劉元禮先繳一百五十萬美元股金，即由劉辦。（3）假使中國與台灣兩公司同時繳六千萬元，則張祥傳有優先承辦權。後來市府說，這與議會決議不合，故未准。

現在裕台煤氣公司想與大台北煤氣公司合作，各投資百分之五十，但大台北不同意，只好作罷。目前，這件案子，正由監察院調查中，相信將來總有幾個要人會倒霉被糾彈的。在過去，台北市煤氣公司，都是民選市長安排競選功臣的地方，且因此曾被監察院提案糾正過一次。

來函照登

敬啓者 貴報本年七月十一日版載有「蹂躪人權又一例證」一文，述及台南監獄受刑人周榮若自縊身死一案，除該案實情，已由本部於本年七月八日在自立晚報詳加說明（抄附於後）諒邀洞察外，茲就 貴報指出之點，說明如下：

（一）「鎮靜室……牢中有牢」一節，按鎮靜室，乃監獄行刑法第二十二條所明定之設施，其作用在防止受刑人之脫逃、暴行或有其他擾亂秩序之行為。所謂鎮靜室不過受刑人一人之獨居房，非如「牢中有牢之想像。」

（二）「自殺時手上有手銬，腳上有腳鐐，便是：他殺無疑。」亦非事實，按當時情節，並無手銬，其係自縊身死，業經檢察官驗定有案。

（三）台南監獄人員對自殺之周犯，事先未能妥善戒護，致生此偶發不幸事件，在行政方面，直接負責管理人員三名已分別予以解僱或停止等處分，至涉嫌刑責部分，業經提起公訴由法院依法裁判。

（四）台南地方法院檢察官劉叙輝調任嘉義地院推事，乃依推檢互調制度之例行調遷，時間巧合，與本案毫無牽連關係。

（五）茲蒙 關注，無任感荷，倘報駐台記者同人，能實地參觀台灣監所，惠予指教，尤所歡迎。

司法行政部秘書室啓 七月十六日

高華德勝利進行曲

—舊金山航訊—

趙浩生

共和黨大會在萬種聲色中隆重揭幕後的第二天，該黨主席米勒即預料：「除非舊金山再度發生大地震，要不然沒有任何力量可以阻止高華德的當選。」史柯蘭頓雖然仍在努力爭取黨內的中庸及自由主義派份子作背城之戰，但一般預料，當本月十八日他過四七大壽時，將不會是一個十分「快樂的生日」。

高華德的當選，是美國政治中近半世紀來的大事。許多人認爲，這一事實在政治思想上，代表美國保守主義力量的具體化。過去五十年中，民主共和兩黨在政策和思想上差異極少，共和黨中的自由主義派與民主黨的政治思想大同小異，因而使兩黨中眞正具有保守主義思想的人士感到冷落寂寞，毫無用武之地。南塔口達州議員芒特，不久以前曾公開宣稱：「讓全國具有保守思想的人們團結起來，結成一個具體的政治力量，在選舉中一致行動，發生具體的作用。」而今，這個力量以高華德爲中心，贏得了共和黨中的勝利，並將在十一月的大選中，以鮮明的旗幟與民主黨會戰。這兩個壁壘分明互相制衡的力量，正是民主政治健康進步的表徵。

高華德的勝利，若干人認爲，更代表着美國國內經濟文化和地理方面的變動。許多年來，美國的政治經濟文化中心，多在東部諸州，除去胡佛曾當選總統，尼克森作過一次候選人外，西部人士還不會坐過天下。但在過去五十年中，西部及中西部的發展一日千里，今日在共和黨中擁高派勢力的如此強大，正是西部和中西部向東部的政治挑戰。這一事實，證明美國的「邊疆」已完全消除，正是美國經濟、文化普遍進步的最好表徵。

×　×　×

此次參加共和黨全國大會的代表共一千三百零八人。以職業分，百分之三十五是律師，法官；百分之二十五是商人；百分之十二是專門職業者；其餘的是家庭婦女及農民。男性與女性代表的比例是十比一。代表平均年齡爲五十以上。百分之八十受過大學教育。每年平均收入爲一萬五千元。同時，最出乎人們意料的是，在保守派領袖高華德麾下的工作者，多半是青年，其政治顧問更包括許多以自由主義見稱的名大學中的「蛋頭」學者。政綱委員會中有一百位刀筆之士，可謂集共和黨中文化人之大成。

×　×　×

高華德的聲威雖席捲整個共和黨，但高夫人自高氏開始競選至今，却盡量避免在公開場合拋頭露面。一般預料，高夫人對乃夫的政治活動所採態度，與美國歷史上的泰勒總統夫人大致相似。當泰勒總統一八四八年競選之時，泰勒夫人却私下向上帝祈禱乃夫競選的失敗。高夫人是一位雍容華貴和藹可親的人；結婚前，她是一位服裝設計專家。每次出現，人們都可以從她的衣着裝飾上，看出她卓越的審美觀念。在舊金山的某次宴會上，有人問她是不是願意作總統夫人？她直截了當回答說：「不願。這個地位使我覺得緊張不安。」高華德的弟弟曾對人說：「高夫人不但反對丈夫競選總統，甚至希望他連參議員也不要作。」高夫人自己說，作爲一名夫人，最使她覺得不自在的，就是面對電視鏡頭和新聞記者。因而至今日止，她始終不曾接受過任何記者的訪問。「生活」畫報曾要求以十五分鐘的時間攝一套他們家庭生活的照片，亦被高夫人婉言謝絕。史柯蘭頓夫人的作風則完全不同，她週旋於代表及記者之間，以各種方法相夫競選。（一）

我所知道的麥帥

肯寧將軍原著　徐熙光翻譯

他繼續說：「由於人民有思想言論的自由，他們的心智才能有進步和有伸縮性。在極權國家裏，人民因爲失去了眞正的自由，而變得嚴肅呆板。嚴肅而呆板的心智是遠不如有伸縮性的心智來得能夠應付戰時突變的情勢。當然任何制度有其利必有其弊，但崇尚自由的民主政治領袖能取長補短，利用獨裁政治家的弱點而打敗他。」

「爲民主而戰的人終必獲勝」，麥克阿瑟停了一下繼續又說：「我眞怕你不曉得我們就是爲了民主的原則和理想而戰的」。蘇德蘭聳聳肩，把話題轉到我頭上來：「喬治在這裏幹得如何？」

麥克阿瑟眨了眨眼睛開玩笑似地說：「噢！喬治呀，他晚生了三百年，他簡直就是個十足的海盜，打沉了人家日本好幾條商船。」

還有一件事使我覺得敬愛麥克阿瑟。有一天晚，蘇德蘭跟我正在辯論空軍是否應當成爲一個獨立的軍種的問題。蘇德蘭反對成立空軍，認爲航空隊應仍屬於陸軍，我則表示海、陸、空三軍皆應直屬國防部指揮。麥克阿瑟加入了我們的辯論，出乎我意料之外，他竟表示同意我的意見。我問他在一九三二年時他不是反對成立空軍的嗎，現在怎麼改變了主意？他說：「是的，當時對於成立空軍，我反對最力，那是我這一生中所犯最大的錯誤。」

一個偉人能自己認錯，確實不是一件容易的事，那需要很大的勇氣。有時候一個小人物都不願坦然認錯。可是麥克阿瑟就有這個風度。他自認一九三二年時他錯了，他認錯了，並修正他自己的意見。這種勇氣是很值得欽佩的。

一九四三年春季裏，有一天情報官向我報告，我們大約有五十架戰鬥機與同數目的日本轟炸機和戰鬥機遭遇，發生激戰，最後的戰果是，日機有二十五架被擊落，有十架可能被擊落，有五架重傷，我方則毫無損失。

我把空戰的結果向麥克阿瑟報告，他在作戰公報上寫着：「我方損失輕微。」

「但是，將軍」，我抗議道：「我們連一架飛機也沒損失呀！」

「喬治」，他說：「我也希望公報上的消息正確，但是我同時也需要人們相信它，我認爲最好還是說我們的損失輕微。」

我仍然表示抗議，他給我舉了一個例子，把他父親的一個故事告訴我。他說他父親年青時當過雪曼將軍的副官。有一次雪曼被派與印地安人的蘇族酋長們談判，因爲據報蘇族人將和白人作戰，會議的通譯是維德比爾·希孜克，有名的邊疆英雄。

會議開始時，蘇族的酋長在雪曼的面前坐成半圓形，口裏都含着烟斗，雪曼開始說話，他轉向希孜克，請他翻譯。（廿九）

詩的意境格律及修辭

李純一

（二）七言絕句首句不押韻的仄起式，即首句第六字仄聲爲仄起，較之五言絕句首句不押韻的仄起式首句，加兩「仄仄」，餘類推，則爲：「仄仄平平平仄仄，平平仄仄仄平平（起韻），平平仄仄平平仄，仄仄平平仄仄平（押韻）。」

（三）七絕首句押韻的平起式爲：「平平仄仄仄平平（起韻），仄仄平平仄仄平（押韻）。仄仄平平平仄仄，平平仄仄仄平平（押韻）。」

（四）七絕首句押韻的仄起式爲：「仄仄平平仄仄平（起韻），平平仄仄仄平平（押韻）。平平仄仄平平仄，仄仄平平仄仄平（押韻）。」

七言律詩的平仄排列方式亦爲四種：

（一）七言律詩首句第六字平聲爲平起式，其押韻的爲：「平平仄仄仄平平（起韻），仄仄平平仄仄平（押韻）；仄仄平平平仄仄，平平仄仄仄平平（押韻）。平平仄仄平平仄；仄仄平平仄仄平（押韻）（或換韻）。仄仄平平平仄仄，平平仄仄仄平平（押韻）。」

（二）首句不押韻，首句不押韻而第六字爲平聲的平起式則將首句改作：「平平仄仄平平仄」，其他各句與押韻者相同；其平仄排列爲：「平平仄仄平平仄，仄仄平平仄仄平（起韻），仄仄平平平仄仄，平平仄仄仄平平（押韻），平平仄仄平平仄，仄仄平平仄仄平（押韻）（或換韻），仄仄平平平仄仄，平平仄仄仄平平（押韻）。」

（三）七律首句押韻的仄起式爲：「仄仄平平仄仄平（起韻），平平仄仄仄平平（押韻）。平平仄仄平平仄；仄仄平平仄仄平（押韻）。仄仄平平平仄仄，平平仄仄仄平平（押韻）（或換韻）。平平仄仄平平仄，仄仄平平仄仄平（押韻）。」

首句不押韻則將首句改作：「仄仄平平平仄仄，」餘均相同，其平仄排列爲：「仄仄平平平仄仄，平平仄仄仄平平（起韻）。平平仄仄平平仄；仄仄平平仄仄平（押韻）。仄仄平平平仄仄，平平仄仄仄平平（押韻）（或換韻），平平仄仄平平仄，仄仄平平仄仄平（押韻）。」

以上所述五律、五絕、七律、七絕，等近體詩所押的韻，完全是平聲韻。

律詩的第三句及第四句要相對，第五句及第六句要相對，即動詞對動詞，名詞對名詞之義，絕句則大多是四句全不相對，也有八句全對的，不論律詩或絕句也有部份相對的，也有全不相對的，也有很多不但對句不按規定而平仄亦爲之變化的，是爲變體詩，這裏以李白的一首五律聽蜀僧濬彈琴爲例：「蜀僧抱綠綺，西下峨嵋峯，爲我一揮手，如聽萬壑松。客心洗流水，餘響入霜鐘，不覺碧山暮，秋雲暗幾重。」這首詩的前四句一氣呵成，令人讀之純以神往，而第三句及第四句並不對偶，尤其前三句的平仄都變化了，而這種變化我們不能運用，只有李白那樣大才作家才能大膽的運用，因爲他的在意境與情趣上是必須用那樣的變格才能表現出來的緣故。（八）

瘟君續夢

第十三回：

惡貫難盈　巨奸逃火網

良知未泯　傑士出天羅

金日成到了北平，劉少奇、周恩來、朱德以下傾巢出迎，比較在莫斯科還要熱烈。當晚劉少奇在人民大會堂宴會廳舉行公宴，宴會後舉行會談，跟金日成同來的是朴正愛、李孝淳。中共方面參加的是劉少奇、周恩來、鄧小平、彭眞。

劉少奇先說道：「最近社會主義陣營出現了修正主義，實在是很不幸的事，莫斯科宣言與莫斯科聲明都被修正主義者破壞了，影響所及，有許多國家的共產黨都走向修正主義路綫。維護純潔的馬列主義，責任就落在中朝兩兄弟黨的肩上。」

金日成說道：「其實修正主義本身也沒有前途，中國有一句話：見怪不怪，其怪自敗，不理會他也就算了，過一個時期自然會消滅的。考茨基的理論到今天已沒有人再會相信。」

鄧小平說道：「這點到也不然，資本主義同修正主義都不會自動退出歷史舞台，一定要經過嚴重的鬥爭，才能消滅修正主義，維護馬列主義的正統。」

金日成說道：「反對修正主義，朝鮮勞動黨是絕對支持的，不過，在手段方面是否要採取和平態度，勸使修正主義者回心轉意，回到社會主義陣營來。」

鄧小平擺手道：「沒有用的，我們對修正主義者領教的太多，他們嘴裏說的是一套，私底裏作的又是一套，希望他們改過，眞比駱駝穿過針孔還難，唯一辦法就只有加强鬥爭，把修正主義的領導權力鬥垮，讓正統馬列主義份子上來，這樣社會主義才能齊一步驟，與資本主義鬥爭。」

金日成笑道：「原則上我們絕對同意小平同志的意見。不過，萬不能逼修正主義狗急跳牆，逼急了他只有轉而投靠資本主義，與西方帝國主義結合。將成爲社會主義陣營的大患。」

鄧小平笑道：「金日成同志可以放心，修正主義如若敢投靠帝國主義，將失去人民支持，一夜之間就會垮台的。」

金日成只是搖頭苦笑。

朴正愛插嘴說道：「小平同志的理論自是不錯，不過，有些國家的人民因爲受了修正主義份子宣傳的毒素，追求享受，內心裏渴望同帝國主義國家有來往，短期他們未必會起而反對走上修正主義的領導呢。」

鄧小平說道：「就因爲有些國家的人民受了修正主義份子的麻醉，我們才要大聲疾呼，喚醒他們不要貪圖目前享樂，起來推翻錯誤的領導，爲全人類解放貢獻一切。」

周恩來看見這樣一味打啞謎不是辦法，陪笑說道：「這項問題太大，不妨留着慢慢商量，我看金日成同志還是先到杭州同毛澤東同志見次面再作決定。」

金日成問道：「毛澤東同志幾時去的杭州，我要到杭州同他見一次面。」

劉少奇也明白在北平談不出結果，還是交給毛澤東去辦還好些，當時也就草草結束了初次會談，推派周恩來陪金日成到杭州去探望毛澤東，周恩來行時又帶着陳毅，三人乘飛機次日就飛杭州。（三二八）

　　好在留俄學生考試的試題，著重政治思想及外國文，對自然科學并不很重視，我於是決定一試。

　　就我記憶所及，參加初次考試的人，似乎在三百以上，錄取的名額不過三分之一。而我僥倖初試考取了。而且成績不壞，發榜我的名字在二十名前。我看到榜上有名，眞是說不出來的高興。接著第二個星期舉行複試，口試爲主，錄取的名額八十多人，我也被取錄了。我很以一個黃埔學生經得起戰場與考場的考驗爲榮。

　　考取留俄學生之後，因爲船運及辦手續的關係，分兩批出國，第一批是十月，第二批爲十二月；我因爲離職手續來不及迅速辦好，第一批沒有成行。學校當局教育長王柏齡老師堅持第一期不准參加考試的校中命令，認爲我參加考試是違背校令，不許離職我在失望之餘，祇有作一報告呈報在東江前綫的校長蔣先生，說明我投考留俄學生的志願和經過，請求特准我離職加入第二批學生出國。報告寄出不到十天，就得到學校通知說：「校長有電報來准你赴俄留學」。如是我在十一月初，就把學校的職務交代了，積極準備赴俄的手續。

冒險犯難記

鄭文儀

二十三、赴俄旅途的波折

　　離開黃埔軍校，好像離開家一樣；那時我們一班黃埔學生都是習慣以校作家的，學校的師友眞如父兄子弟一樣，相親相愛，休戚相關，生死與共，人倫的溫暖，在學校裏可以充分享到，一旦離開學校走到社會，一切都顯得很陌生，最初一兩個星期，我簡直感到有些徬徨。

　　因爲廣州沒有親戚，等候赴俄的輪船要在一月以上，住在一個小旅社內，甚感寂寞無聊。如是就常到遊樂場所去欣賞戲劇，觀察世間百態。在友好應酬中，認識一位同鄉青年會志祖，他世故較深，帶著我到廣州各處吃喝玩樂，并且去了附近的三水佛山等較小市鎭遊玩，不到一月之間我的旅費差不多花光了。到十二月初旬接到通知，準備一週內搭俄國船去俄，中間要經過汕頭，上海及朝鮮到海參崴，然後循西伯利亞鐵路去莫斯科。這時我身邊僅有十幾塊錢，眞不知道沿途用費如何籌措。這是我入世以來第二次的冒險遠遊，第一次是十二年，由家中到廣東當兵，旅費不夠，也是成行了。

　　當我們的輪船經過汕頭的時候，因爲裝卸貨物，停留兩天，校長蔣先生是東征軍的總指揮，正駐節汕頭，他請我們四十多個留俄學生吃了飯，同我們講了話，送了我三百元旅費。我眞想不到校長待我這樣好，如此一來，我赴俄旅途的困難，就解決了，內心的愉快，是無法形容的。（三五）

洞庭湖

漁翁

　　洞庭湖，位湘鄂中間，湘居湖之南，鄂居湖之北，皆以湖而名之。湖長二百里，廣百里，在湘屬華容，南縣，安鄉，漢壽，沅江，湘陰各縣，環繞其間，岳陽城爲其入江之口。凡烏江以東，五嶺之越城，萌渚，都龐，騎田以北之水，如湘，資，沅，澧等皆匯之。春冬水淺，夏秋盛漲，一望瀰漫。所謂八百里洞庭者，蓋指夏秋而言也。

　　湖中小山甚多，其最著者，首推「君山」，一名「湘山」，又稱「湖庭山」，一小島也。山面對岳陽縣城西之「岳陽樓」。水經注「是山，湘君之所遊處，故曰君山。湘君，舜二妃也，君山有湘妃廟。」秦始皇浮江至湘山祠，逢大風，伐湘山樹，赭其山。即此。

　　島上有「朗吟亭」，呂純陽詩：「三醉岳陽人不識，朗吟飛過洞庭湖。」形容其仙踪飛來飛去於洞庭湖上，而人不知其爲一飄飄者。二十六年前，抗戰方殷，武漢告危，筆者隨軍岳陽，偸得半日閑，會買舟作君山遊，環顧全島，一片荒涼，即「朗吟亭」亦頹廢不堪。蓋地處湖心，遊人寥寥，亦無有人提倡整修也。

　　在陸上交通未開發以前，此湖爲湘鄂兩省水路交通之要津，往來帆船，不可以數字計。若一帆風順，不需一日，即渡過湖心；否則必在驚濤駭浪中，歷盡艱辛。有時更出現商旅不行，檣傾楫摧，而不能得達彼岸之危險。往日舟子於入湖時，往往先以香精酒餚而向湖中水神，虔誠禱告，冀獲庇佑。

　　湖上又有所謂「拜風猪」者，平時不易見，一俟大風將至，即成羣結隊，乘風作浪，其勢洶洶。湖中小舟，若遇此怪物，勢必載沉載浮，甚至有舟覆人溺之患。舟中人咸稱之爲「水神」，其實乃水中之獸耳。

　　湘水之神，指湘君言。據屈原九歌，既有湘君，又有湘夫人。王逸以湘君爲水神，而湘夫人爲二妃。舟子多未習詩書，以在水中作怪者爲神，馨香拜禱，以求其平安渡過也。

　　范仲淹記岳陽樓，有曰：「予觀夫巴陵勝狀，在洞庭一湖。啣遠山，吞長江，浩浩蕩蕩，橫無際涯，朝暉夕陰，氣象萬千！」宋廸繪「瀟湘八景」，以「洞庭秋月」爲其中之特出者。此景乃指「蓮花潭」而言，水光瀲灩，月色鮮妍，往往引起騷人墨客作吟哦之資料。李白賦洞庭秋月云：「南湖秋水夜無煙，耐可乘流直上天；且就洞庭賒月色，將船買酒白雲邊。」其愛月縱酒之情，躍然紙上。

　　筆者，湘人，每憶登南嶽，泛洞庭，尋芳攬勝，歷歷如在目前，今雖投荒南天，時猶戀戀不忘焉。

我的社會生活

雷嘯岑

　　當大陸淪陷的一二年間，每天從共區來到香港的政治難民，有若潮湧，其中大半都是些知識份子。這時候，毛共在海隅的活動甚猛烈，氣燄很囂張，而美國國務院的「巡廻大使」吉賽浦，亦在香港流連巡廻，竭力鼓勵中國人搞「第三勢力」的政治勾當。因此，到處遍聞攻擊、謾罵國民黨之聲，洋洋盈耳，咱們這般于役香港時報的人，都是如同臉上刻着字的國民黨份子，在這種環境中，頗有啼笑皆非之感。是嘛！國民黨執政廿餘年，竟使共匪竊據了大陸，累得許多人民受苦受難，還不該罵嗎？所以，我當時對於非國民黨人，以及雖隸籍國民黨而從未在黨政軍各方面幹過相當職務，或者受過國民黨培植的人，他們縱然當着我的面前大罵國民黨，既不欲辯解，亦不顧反詰，表現容忍精神，只是內心上感到有些難過罷了。唯有對那些曾是以國民黨爲衣食父母，當年在政治上紆靑拖紫，紅極一時，而今忽然視國民黨爲仇敵，或妄稱「起義」投共，或逃到海隅大罵國民黨的傢伙，即不期然而然的表示憤懣，乃於時報副刊上，特闢一種「新世說」專欄，而以「馬五先生」筆名，每天譔述一般過去靠國民黨起家，現在變節投降共黨之當代各色人等的故事和印象，聊抒抑鬱不平之氣，且使在海隅亂罵國民黨的政治難民，有所警惕，亦寓有辨別忠奸賢佞的褒貶作用，固不失其爲文化鬥爭之一環也。

　　談到罵國民黨這樁事，有一幕趣劇值得敘述出來。從民國卅九年冬間到韓戰發生這階段中，香港麕集着百萬名以上的中國政治難民，而「座談會」之風氣乃大作，相率呼朋引類，集結在臨時的地址，大談其救國問題。某日，丁文淵先生在他的寓所舉行座談會，我和老友張六師兄亦應約參加，一談到國事，座中有位姓×的先生，據說過去在大陸上作過「三民主義青年團」的省級幹事長，當時他以嚴肅的態度發言道：「要救中國，必須先把貪污低能的國民黨打倒纔行。」我正想起來說話，而六師兄已先起立，氣虎虎的說道：「請這位先生說話要弄清楚邏輯與事實，今天在座的即有若干國民黨人士，兄弟便是其中之一。國民黨人未見得個個都是貪污低能之輩，譬如兄弟，過去在大陸上就担任過軍政界的高級幹部職務，請這位先生不客氣的指出我究竟有那些貪污行爲呢？我在軍中作過師長，在國防部政工局作過處長，職位并不低於青年團的省級幹事長，却未見你這位先生比我『高能』在那兒。所以我不能聽受你這種全稱肯定，一篙子要打倒一船人的說法，非加以聲明不可」。六師兄說罷，舉座愕眙無聲，旋由主席丁先生打圓場，總使座談會繼續下去，但氣氛已不和諧，大家只是敷衍了事而已。像張六師兄這樣的國民黨員，友輩中我祇見到兩位，另一位就是已去世的段錫朋（書詒），段兄每聞人指罵國民黨貪污的話，即忿然答曰：「國民黨人亦有不貪污的！區區就自信生平絕無貪污行爲。」黨對於這類忠勇有爲的同志，似乎不應該等閒視之吧？

（七〇）

清代儒將羅羅山

羅雲家

　　他以三千餘人，當南北岸合兵萬餘之敵。敵色沮，他獨令堅伏不動。眞有泰山崩於前而色不變之概。他的堅定鎭靜功夫，于此可見一斑。而度敵氣已竭，突起擊之，即左傳再衰三竭註脚之運用。因爲他在田家鎭以寡擊衆，獲得大勝，國藩與林翼在無後顧之憂的情勢下，遂得以率水陸師東下，規取江西。

　　提起湘軍的水師，最初獻議者爲江忠源，郭嵩燾，而成之者實爲劉蓉與澤南。先是，江忠源以按察使守南昌，太平軍賴漢英部圍攻不下。國藩令澤南與嵩燾率部自醴陵赴援，是爲湘軍出境之第一功。江聞羅部至，迎於章江門，執手互相慰勞。江更感慨似地嘆道：「天不厭亂，乃使我輩書生困頓至此！」因論東南形勢，多阻於水，宜建水師。澤南有章江門城樓呈岷樵旅訪一詩：「突兀高城接上台，千重雉堞倚江開。浙閩山向雲中繞，章貢水從天際來。相見適逢多難日，持危要仗濟川才。與懷往昔情多少，聊坐高樓共一杯。」與和曾國藩會合詩中：「……懷昔癸丑夏，妖氛逼江西。老筠借我出，往助岷公威。賊聞胆已落，一戰旋解圍。」……即指此。老筠即筠仙，郭嵩燾之字。澤南原想退隱，國藩奏羅功，挽之與塔齊布分統陸營，故詩中述：「筠車漢水回，我馬吉水歸。共知才不逮，誓各隱衡嶷。侍郎（指國藩）何殷拳？非不我遺。更得塔將軍，拔之共轉移。甲寅六月初，旌旗下湘磯。洞庭倒巨浪，大江燃靈犀。巖巖半壁山，滔滔富池湄。長江沉鐵鎖，荊楚復藩籬。射蛟潯陽江，王師欲東之……賊旗復西指，鄂渚填積尸。東道廣與饒，浙閩路欲獻。賊又搗其虛，多方令我疲。侍郎曰否否，禍者福之基。丈夫誓許國，艱險復何辭！」……這般書生，原是以天下爲己任的，丈夫許國，艱險不辭，何等氣壯而心雄也！

　　湘軍乘勝東征，仍分水陸併行：國藩自率水師，澤南和林翼出瑞昌，攻湖口之梅花洲。太平軍守將，恃險負固，相持不下。國藩水師已抵鄱陽湖，時太平軍已易石達開，羅大綱，窺曾軍深入，斷其歸路，於是外江內湖，連絡阻隔。石達開又用舴艋船夜襲，水師被打得七零八落，國藩急走入澤南軍中。石達開留守林啓榮防九江，其餘則西進再陷武漢，國藩這時，處境相當艱苦，奏請以胡林翼署湖北巡撫，同攻武漢；自己則入南昌，撫輯水師餘衆；派塔齊布取九江，澤南取義寧。

（四）

象戰在中國

周燕謀

　　中國人知道有象爲時頗早，根據甲骨文中的記載和殷墟出土的遺物，至少在西元前十五至十二世紀的殷代，黃河流域已經有象了。卜辭有「田獲有象」之語，「殷虛書契前編」卷三有卜辭「今日其隻象」；「呂氏春秋」中記云：「商人服象，爲虐於東夷，周公逐之，至於江南。」

　　殷周之際，河南即爲產象之區，因氣候漸寒，象乃逐漸南移。同時在四川東部也產象，「國語」楚語云：「巴浦之犀、犛、兕、象，其可盡乎？」「山海經」有：「巴蛇吞象，三歲而出其骨。」

　　古代有名的象器，不勝枚舉，其著者有象箸、象揥、象梳、象笄、象決、象尊。所謂「諸侯飾口以象骨，天子飾以玉」。可見中國古代中原地區以及長江流域都是產象之區。後來殷人受周人壓廹而南移。

　　至於象戰，古代中外皆有。左傳記載楚王破吳軍時，即用象打衝鋒，在象的尾上縛火炬，驅之衝刺破敵。傳云：「鍼尹固與王同舟，王使執燧象，以奔吳師」。燧即是火炬。這種象戰，可以說是後來田單「火牛陣」大破燕軍的藍本。

　　到了光武劉秀中興漢室時，又有一次象戰，按「孔白六帖」卷九十六云：「王莽與世祖戰昆陽，驅象戰。」此一象戰在「前漢書」更有生動的記載云：「大象崩壞，號呼，虎豹股栗」。這種戰況想必非常激烈。在此後再未發現有象戰。直到明代最後一個君主，永曆帝逃往緬甸，和清人遠征軍所使用中國最後一次的象戰。清世祖順治十二年，李棲鳳的「暍帖」中說：「舊年征剿西逆（指永曆），陣獲象隻」。

　　此外，劉獻廷的「廣陽雜記」中亦云：「吳三桂之來湖南，有象軍焉。有象軍四十五隻，曾一用之，故長沙人曾多見之。」吳三桂之象軍，是在封爵雲南，滇近越南所取之；永曆帝之象軍，則可能取之於緬甸。

　　在外國也有象戰，在科斯馬所著「基督教諸國風土記」中記云：「印度北方爲白匈奴國，國王果拉斯，出戰時，有象一千頭」。此一象戰之役，其時相當於中國梁簡文帝天實元年。印度是象國，其「象戰」不算稀奇。

自由報
THE FREE NEWS
第四六五期
中華民國僑務委員會頒發台救新字第三三三號登記證
中華郵政台字第一二二二號執照登記爲第一類新聞紙類
（半週刊每星期三、六出版）
每份港幣壹角
台灣零售價新台幣貳元
社長：雷嘯岑
督印人：黃行寬
社址：香港銅鑼灣高士威道二十號四樓
20. CAUSEWAY RD 3RD FL. HONG KONG
TEL. 771726　電報掛號：7191
承印者：田風印刷廠
地址：香港灣仔高士打道二二一號
台灣分社
台北市西寧南路壹壹零號二樓
電話：三〇三四六
台郵掛號企户九二五二

剖視「實施都市平均地權條例」（中）

·施劍英·

本章第十條，大意與土地法（160）條相似，調整地價之目的，是爲增收一年一度的地價稅，但却失去了土地法（176）條「屆滿十年時征收之」及（177）條「屆滿五年時征收之」之增值稅，一般人以爲，增值稅只有在所有權轉移時發生之，殊不知土地法（176）條規定：「土地增值稅、照土地增值之實數額計算，於土地所有權轉移時，或雖無轉移，而屆滿十年時徵收之」。

地價時常調整，（土地法（160）條定五年、一年，本條例第十條定二年，本條例第十條定：「本條例施行後重新規定之」）即「增值稅」這個稅目，將是名存實亡，政府將永遠收不到土地增值稅，國父所主張的「漲價歸公」，被土地法改爲增值稅、又被本條例定二年爲期之地價調整，及一再修正，化爲烏有。

我個人認爲，私有土地地價，只有在以下三個情況下可予調整：

（一）所有權移轉，繳清增值稅後。

（二）符合土地法（176）（177）條而繳清增值稅後。

（三）自動報繳增值稅後。

除此三項以外，任何理由，都將等於協助地主逃避繳納土地增值稅。地價調整後，所增收之每年一度的地價稅，能否抵值永遠失去的「增值稅？」是值得仔細計算的事。只有公定地價，可以每年查定公告，作爲地政及地主之參考，自屬需要。

丙：第三章照價徵稅部份

本章第十四條：「自用住宅用地，面積在三公畝以內者，其地價稅，按其申報地價數額，千分之十征收之」（倘其申報地價，低於公告地價時，是否亦照公告標準征收？沒有規定）而一般地價稅規定，基本稅率爲千分之十五，可見對自用住宅，在三公畝以內者，表示優待。不過，在都市內之土地，雖尚未寸金寸土，每戶之「住宅」用地佔三公畝者，（依度量衡法第三條規定，一公畝即一〇〇平方公尺）恐怕不多，站在都市「平均地權」立場言，可以優待之面積，應在土地法第（28）（96）條限度內爲準，超過土地法（28）（96）條限度之住宅用地，應不在優待稅率之例，並應加重課稅，以促進土地法（28）（96）條之實施。

本條例貿然規定三公畝以內者，是否與土地法（28）（96）條事效有相悖的地方，值得加以研究，因爲土地法爲母法，本條例爲子法，不可抵觸。「住宅用地」一詞之界說，更應加以確定。

本章第十九條：「不在地主之土地，其地價稅，按應繳數額，加倍征收之」。立法用意非常正確，惟「不在地主」之所謂「不在」含義若何？比以高雄市言，土地在前鎭區，地主住鼓山區，是否算不在地主？地在甲里，人住乙里，是否算不在地主？我想本條例所指「不在地主」之「在」與「不在」之分別，當以戶籍爲依據，不過，戶籍是以鄉鎭爲主管單位，地籍以縣市爲主管單位，所以如何決定「在與不在」？應作詳確規定。

另外，地價稅是一年一次征收，這個地主的戶籍，在一年內，有在的時候，也有不在的時間，又該如何確定算在與不在？是否亦應以征收當時的戶籍爲依據。再本條例所指之「所有權人」與「地主」及「典權人」是否同義？因爲第十二條，地價稅規定「向土地所有權人征收之」，其設有典權之土地，由典權人繳納」。假設：土地在甲縣，地主在乙縣，典權人與土地同在甲縣，地價稅依法向典權人徵收，但確屬「不在地主」之土地，其地價稅應否照本條例第十九條規定辦理？這些仍待詳定之。

低於公告標準之地價，其地價稅本條例第九條第四欵，規定各公定地價征收地價稅，有人認爲不公，其實：地價稅是財產稅，財產稅由政府照現值估定征收之，當然合理，如房捐，即照現值計征。

丁：第四章照價收買部份

所謂「照價收買」之土地，除指本條例第廿條之土地外，並應包括，土地法（28）（29）條所指定之「額外土地」及（87）（88）（89）條所指定之「空地」「荒地」，以促進「都市平均地權」之早日實現，並促進都市土地之利用。照價收買之土地，其價格，依本條例，及土地法之規定，大意都指照「地主申報在案」之價格，（即低於公告地價達百分之二十者）照價收買之。惟在土地法（90）至（93）條，及本條例第（38）（39）條，所指之土地徵收價格，應以本條例第（31）條，所指都市地價平議會評定公告有案之「公定價格」爲準。個人反對本條例第卅九條，規定照市價之辦法。惟土地法指定「使用限制」之土地，如在土地法（28）（29）條限制以內者，站在地權「平均」立場，政府自應保障地主「均權」之權益，予以合乎情理法之補償。

本章第廿二條所指省市政府發行「土地債券」作爲政府爲執行「照價收買」之資本，是這次修正案最大的修正優點，不過，這個優點在土地法（34）條，早已提示了卅多年，一直無人去發揮他，眞是可惜。現在這一優點，被主管官員視而不見，故予冷遇，這是對奉行三民主義誠意之一大考驗，也是平均地權成敗之要點。

本來，「照價收買」在方法上，不一定即由政府直接付錢收買，可以實施公開拍賣，以超過公告地價最高標爲得標，如果無人得標，則土地仍由地主所有，政府照公告地價征收地價稅；如果有人得標，則照地主自報地價發給現欵，超收部份收歸公有，確實做到照價收買，漲價爲公。如此，則非僅土地債券，將無用武之地，政府也將不會有買進賣不出之顧慮也。

戊：第五章漲價歸公部份

我特別要說明，國父「漲價爲公」的遺教，不是像土地法以及本條例所訂「以徵收土地增值稅」爲手段。國父特別反對，土地自然增值，另行加稅的方法。國父在民生主義第二講中說：「地價定了以後，我們更要有一種法律的規定，這種規定是什麼呢？就是從定價那年以後，那塊地皮的價格，再行漲高，各國都是要另外加稅，但是我們的辦法，就是以後所加之價，完全歸爲公有」。

輪班動手

豈有此理

今日與明日

戴高樂的心理變態

戴高樂最近公開發表談話，主張召開日內瓦會議促成「印度支那」半島的中立，說明美國已不能支配歐洲，更指責西德總理艾哈德不顧法德合作的協議，過份親美。

自從本年初法國承認毛共僞政權以來，戴高樂的言行就日漸荒謬，這次談話更是變本加厲，結果自然引起各方的攻擊。美國總統詹森首先予以還擊，在記者招待會上說明美國從未支配過歐洲，也未打算支配歐洲。詹森特別指責中立「印度支那」半島不切實際，結果只有將該地區送給共黨。

其次引起了西德總理艾哈德的反擊，艾哈德指出西德絕對未受制於美國，同樣地也不肯受制於法國，戴高樂企圖控制歐洲的想法，必然會落空的。

戴高樂自從在二次大戰時受了美國的冷遇，胸中芥蒂始終不能化除，近年來似乎隨着法國勢力的澎漲，法美之間距離更遠，戴高樂爲了打擊美國，就不惜拉攏毛共，此種荒謬行爲，實基於變態心理，最後未必能毀了美國，却先毀了自己的歷史。

中立「印度支那」半島

從戴高樂到施哈諾都把中立中南半島爲解決目前寮越戰局的萬應妙藥，其實這種作法，基本上就弄錯了目標。首先要明白寮國在日內瓦會議上已經明白規定其獨立主權，今天使寮國發生動亂的是共黨集團，並非美國及自由國家。越南情形亦復相同。越南自從日內瓦會議劃分爲南北越以來，南越當局並未向盤據北越的共黨放過一槍，收復過一寸土地，北越却派出大批特務，軍隊，到南越去發動戰爭，破壞和平。要想解決寮越問題，只要共黨退出去，任何問題都沒有了，現在不此之圖，却要寮越中立，而中立又不包括北越在內，這是什麼邏輯？此種辦法，如能解決問題，未免太把天下事看得容易了。

日俄共罵戰

繼毛共「九評」之後，日共同俄共又大罵起來，日共的理由是指俄共強圖支配日共。其實俄共過去支配各國共產黨，並非一朝一夕之事，日共過去不反抗，何以延到此時始同俄共翻臉，當然是受到毛共的慫恿。就日共的人數來說，本是一個小黨，但是由於日本國勢的重要，日共公開與俄共鬧翻，對赫魯曉夫來說，打擊之大，是不在印尼共黨明白支持毛共之下的；如此糾纏下去，赫魯曉夫感到日趨不利，將會打另外主意的。

自由談

善事

行政院最近飭令所屬各級行政機關，凡是沒有必要的原設「執行小組」一律撤消，以期增進行政效率，此善事也，值得稱讚。

所謂執行小組，顧名思義，當然是該機關各部門共同組織的負責實施政事的中心單位。在執行之前，自須徵得內外各「有關」機關或單位的同意，而以開會爲不二法門。如是乎，協商又協商，討論再討論，會議不歇，廢話連篇，一種雞毛蒜皮般的事情，亦非開上若干次會議，難以實行，費時誤事，滿不在乎，却美其名曰「民主制度」，這不是胡扯嗎？

任何一個行政機關，都有遵循國家法令，處理日常政事的職責，幹嗎還要設置所謂「執行小組」呢？若說這是替該機關的主管長官分勞，則行政上所謂「分層負責」之說，究作何解？同時亦表示該主管長官是個低能尸位的官僚人物，笑話極了！既有「執行小組」，即有「研究小組」，又可以設置「檢討小組」，小組林立，會議孔多，以之鬼混時日則有餘，以之處理政務則不足，自然而然地就構成了「開會爲服務之本，請示爲負責之本」的怪現象，敗壞政風，莫逾於此，急起改革，不亦宜乎！

目前吾國政界最普遍的毛病，就是一般行政人員表面上像煞有介事的負責工作，極其忙碌，事實上卻假藉若干新名詞如「執行小組」之類，作爲推卸責任的擋箭牌。如果說咱們的政治建設有進步，祇有濫造名詞，瞎開會議這些作風，足以當之而無愧，至於行政技能與效率，比較政府在大陸時期，固然差得多了，即視四十年前的北洋官僚政治，亦有遜色。

政府果有改革政風的決心，我希望從大處着眼，謀根本之計，先把那有百害而無一利的所謂「人事凍結令」撤消，實現新陳代謝，任賢使能的合理制度，纔可以起沉疴而創進新生機運，庶幾耳目一新，積習丕變，而智勇辯力之士，皆將草茅思奮，樂爲國家效馳驅，中興之績，接踵而至矣。可是，有一大前提必不可少，即小圈子式的派系主義必須摒除，否則變來變去，依然還原，那又何必多此一舉呢！

新興國校王校長對記者證實
高市教科早知違法「聯考」
新興保送生作弊事亦確實事出有因
受害的學生家長曾請治安機關調查

（本報記者趙家驊高雄航訊）本報第四六〇期獨家報導：「高市竟發現違法『聯考』」之消息後，教育界掀起了一陣波浪，各國校校長、教員，奔走相告，爭相傳閱。本報辦事處及各報攤之報份，均被搶購一空。

尤其是發生事件之新興國校校長王海泉，真正是到處奔走，氣喘吁吁，汗流浹背的找本報記者。七月十三日下午六時，王校長終於找到了本人蝸居，一進門打躬作揖說：「老趙，你要幫忙，不能再寫了。再寫我在教育界蹲不住了」。記者對這突如其來的造訪，初猶莫明其妙，即問：「什麼事情這麼嚴重？」他說：「還不是因為你寫我們學校的事」？又說：「你們說『聯考』是違反教育原理與非法的行為，對的；但是我們曾報到教育科——關於走漏題目的事。」記者進一步問：「那麼，此事發生前，教育科知道你們『聯考』的了？」王校長毫不猶豫的回答：「教育科怎麼不知道呢！」

記者又問：「聽說你們學校『內幕』中有『內幕』，前者是『聯考』，後者是『保送生作弊』，改第六名為第五名，硬把六年二班第五名保送生歸若蘭拉下來，歸生以五名保送已成定局，你並且通知歸生之父歸文華報喜，為何以後又說題目算錯了，而把第六名曾麗華提上去？」

他回答說：「是那位級任老師糊塗，把分數算錯了」。

記者又問：「有教員對我說：六年二班試卷走漏後，貴校教務林清德，就抓住了顏鼎成的把柄，一方面恐嚇顏鼎成，另一方面仗着王清波脅迫你令老師改分數，是嗎？」他支吾其詞的把話題岔開道：「請你千萬不要寫」。我說：「為什麼？」他說：「我們是老朋友嘛！」我說：「怎麼辦得到呢？我已把此事經過呈報社方；不寫不但有虧職守，而且對社方亦不好交代。請你原諒我。」「唉喲，隨便想個辦法嗎？幫幫忙。要寫也等九月初中新生入學以後再寫，好嗎？」王校長在辭別時又再三對我說：「我改天再來看你」。

十四號上午，記者走訪歸文華，適歸先生已上班，歸太太即歸若蘭之母，帶着病出來接待我，並以電話通知歸先生；歸先生正開會，但有電話來囑其妻不妨一談。她說：「為了我女能保送而不保送，他們硬把她由第五名拉下來，我氣憤異常，因而病倒了幾個禮拜，直到現在還沒好。」又說：「王校長與林清德欺侮人」！說時怒氣形諸顏色。

記者請歸太太將此事件發生的經過情形談一談，她說：「我女若蘭，在校功課甚佳，此次校方通知我女成績列為第五名，即將保送初中。當然我們很高興，可是後來又變了，說什麼分數錯了！這才引起我們歸先生的懷疑，請治安機關前往調查。此時王校長與林清德前來說情，我們歸先生第一次不見；第二次正趕上我們吃飯，他們打躬又作揖，什麼『千祈原諒』，真是好話說盡了。」歸太太又說：

「我們查到他們改分數；但是牽連的太廣，恐怕影響其他幾十位保送生，我們才咬着牙齒忍痛犧牲，成全他們。尤其是若蘭的級任老師最可憐，被他們逼得走頭無路，內中的情由，我們很清楚」。

歸太太又說：「我們歸先生到學校去查分數，要顏老師講出真情，歸若蘭應該得分多少？顏老師却不敢講。我們歸先生以他先有維護若蘭之心腸，而後突然改變，內心必有苦衷；認為他的處境值得同情，所以也不再追問他了。最後我們對王校長說，以後你們不要這樣亂七八糟，不得對顏老師有任何迫害。並希望此等事不要再重演」。（上）

華僑協會籌建會館經緯

——本報台北航訊

立委們質詢指責「行政院之濫於批准；僑委會之誤於核轉；內政部之怠於監督」。又說：「我們以為華僑協會與鍾君的合約規定，乃是一方面提供土地，一方面出資本，而來合作興建大廈，歸由鍾君經管營業，於二十年後始予該會收回房屋。無疑其為變相租賃；而在限期內，土地所有權狀，須由雙方保管，更無異於出典。實在是一種租賃契約與典權設定契約之聯立。蓋以不動產交與他方使用收益，他方支付租金及押金，當非單純之租賃關係，因其所付租金數額，並未達該不動產全部使用收益之對價，則其收受押金，即非押租而為典價，此由所有權狀之共同執管足資證明。故與使用借貸不同，而為出租出讓者明矣。政府既限制其土地出租出讓，而令該會反乎誠信原則，公然違令使用，『解除條件』一經成就，法律效力使歸消滅，如果政府堅決收回土地，亦自有其依據。」

三

立委們希望政府當機立斷，表明態度。並說：「我們要問行政院：

一、華僑協會與鍾金水君合作興建大廈，是否違反撥售該地之處理原則？

二、如其違反前項原則，是否加以通融而予核准？抑將貫徹前令為之批駁？

三、華僑協會變更土地使用之申請如予批駁，是否收回土地？抑是另謀興建？

四、為真正的達到『推廣僑運』『服務僑胞』之目的，能否協助華僑協會建築會所？附帶設有華僑活動中心，及華僑招待所，真正能為僑胞服務，似亦值得考慮。

五、前項經費，政府能否加以籌劃，有其預算？或向銀行貸款，以促實現？

這個問題關係複雜，當局要有積極措施，不能消極應付，一方面必須重尊政府威信，一方面亦須關顧僑胞福利。所以，希望行政院慎予處置，早為解決」。

現在，立法院僑政委員會對華僑協會「有無營私舞弊，包庇瀆職情事，非屬本院職權範圍不予置議外」，而主張：「僉以推進僑運，扶植僑團，為政府一貫政策，華僑協會與人簽約合作興建大廈，有違行政院批售該土地之三項原則，以致糾紛迭起，此皆政府平時疏於監督所由致。茲為維護政府威信，保障僑團權益起見，有請院會通過成議案，函促政府恪依前訂原則執行，並對華僑協會之組織活動，為有效之指導監督，以符政令，而維法紀之必要。爰經決議『應成議案』紀錄在卷」。

由於華僑協會理事長已委請律師姚冬聲等代為聲明，看樣子，這件事尚有精彩的下文呢！（下）

市立婦產科醫院土地標售問題
冷眼看台北市議會之四

本報台北記者　張健生

台北市婦產科醫院的土地被國有財產局公開標賣，這是宋霖康議員根據中央日報一則廣告於六月九日向市議會六屆首次臨時大會提出臨時動議，經大會議決：請高市長與有關主管官員到會報告這件事的經過。因此，弄得滿城風雨，其中黑幕也被公開了。

該醫院位於昆明街一百號，周圍面積計九百零九坪，原有房屋建坪一百六十三坪多，台北市政府新建房屋二七四坪。該土地所有權，在光復初期，原屬台北市政府，後來，變更所有權為國有財產局。五十一年間，在周代市長任內，國有財產局通知台北市政府訂立承租契約，不料這件公文送進市府大門後，直到該案爆發之日，市政府既未訂約，也沒有告訴市議會，拖了兩年多，消息毫無。

若按照土地法第二十六條規定：各級政府機關需要公有土地時，應商同該管市縣政府層請行政院核准撥用。依此規定，台北市政府應請行政院准予繼續使用，否則，周代市長不問不理的處置，顯然失職。這就難怪市議會力主追究有關人員的失職責任了。而議員們也毫不留情把內幕揭穿。

據市議員們說，這是一件官商勾結的變相大貪污案。市議員歐陽斌等說：國有財產局標這塊土地的底價是千一百萬元左右，現在有兩個人爭着要這塊土地，一個是日本華僑黃堯，一個是國華人壽保險公司，其中以國華人壽保險公司的條件最優厚，也最誘惑。他們說：國華公司的暗盤是：願意把建築在台北市武昌街與康定路口的四樓洋房五棟，建坪五百坪，和木造屋五十坪，另外再拿三百多萬元現鈔，及市立婦產醫院職員宿舍由該公司另建。至於婦產醫院搬遷費與設備費用，全由該公司負担，作為向國有財產局交換市立婦產醫院的條件。

歐陽斌議員並指出：日僑黃堯願賠償地上物七百萬元。他說：如果國有財產局扣除這塊土地幾年來的租金，還欠台北市政府數百萬元，為什麼市府不運用這筆錢把它買下來？五十一年間，只要五百十萬元就可買了。為什麼不買？這個責任應該追究，應該送司法機關偵辦。

高玉樹市長應邀列席市議會報告並表明市府立場。他說：今晨（六月十日）財政局長報告：國有財產局公開標賣婦產醫院的土地，因為就任以來，只有一星期，對這件事尚未全部瞭解，真抱歉！台北市政府將依法請行政院撥用，並請國有財產局暫緩標賣，但希望議會支持。必要時，而請嚴院長准予同意使用。

當時，陳連祿議員問：前任市長黃啟瑞在移交時沒有交代嗎？高玉樹市長答：沒有。至此，市議員們一致認為：市立婦產醫院建築物既有市府財產，國有財產局在標賣前，應徵求市府同意，否則無權單獨標售。當初這塊土地登記為市有，為何變更登記國有？誰變更？什麼時候變更？應送司法機關查辦。市府失職官員，送監察院調查提案糾彈。市議會本屆首次臨時大會議決三點：

一、查市立婦產科醫院，係市政府的機構之一，且其為具有長遠性的公務機構，則其使用之公有土地，自應依土地法第二十六條規定，由市府依法層呈行政院請求核准撥用。

二、在前項層呈請求核准撥用以前，市府應即函請國有財產局，暫行停止標售，並公告市民周知，以免引起民間損失。

三、市政府前此處理有關本案失職人員，有無違法瀆職之處，應送監察院及司法治安機關，嚴查究辦。

這個案子，是不是有頭無尾？套句章回小說的話，欲知後事如何，且看下回分解罷！

台銀主管貸款有不當
省議員賴榮木提質詢

（本報台中航訊）台灣銀行前董事長與現任總經理辦理東亞紡織公司各項貸款，涉有「直接或間接圖利行為」，並對於東亞紡織公司、唐榮公司、泰隆染織公司等，連續開發空頭支票，被退票後，准其註銷退票紀錄。台灣省議員賴榮木認為該行主管人員，「勾結商人圖謀不法利益」，於日前省議會省政質詢中，向省政府提出質詢。茲誌賴榮木議員質詢要點如下：

關於台灣銀行前董事長與現總經理辦理東亞紡織公司各項貸款，對於主管監督之事項，有直接或間接圖利行為，茲將其違法事實臚陳如左：敬請省政府查明以書面答復。

（一）該東亞紡織公司未經立案登記前，台銀即予墊款美金叁拾壹萬玖千柒百壹拾元，以購買機器為理由，原因何在？

（二）四十五年七月以後，規定限制紡綻進口，第八十八次會，為何又專為東亞紡織公司，解除停止進口，其理由如何？

（三）按該東亞紡織公司在四十五年既未設廠，當無加工外銷所得外匯，所謂採購機器自備外匯一節，根本談不到，台銀何以竟為該公司三次墊支美金外匯，殊令人費解？

（四）查該東亞紡織公司，既無外匯購買紡織機器，台銀竟准墊付美金三一、七一〇・七四元，而第一期到期未還，何以又准第二期？第二期五〇、一一一・三〇元到期不還，台銀又准第三期墊款，於五一年五月卅一日到期又未見歸還，台銀仍繼續准借其他項目借款，報紙所指台銀主管監守自盜行為，並非無據。

（五）按該東亞紡織公司，自四十八年貸款均未履行規定還款，台銀於五一年五月十八日主管人又簽請董事長總經理等再准「進口原棉四六三包」，墊付美金借款六二、〇〇〇元。天下荒唐之事，何過於此？

（六）台銀於五一年八月十三日，因該東亞紡織公司之申請函中，聲明祇需要週轉金新台幣伍百萬元正，台銀主管人簽呈並經第二七八次常董會核示，准借新台幣貳千萬元，作為透支一千萬元，償舊欠五百萬元，週轉五百萬元。而董事長與常董總經理，設非是東南亞紡織公司股東，銀行家受命為國家經理財產，斷不肯拿國帑慷他人之慨。其真相如何？

（七）按公司行號，必須因週轉資金需欵，與銀行往來須基於平素信用卓著，才可准其在相當範圍內作信用透支借欵，此項規定，各國銀行均有。然東亞紡織公司四十八年五月十九日到五十一年五月十八日墊付借欵美金數萬元，到期均未清償，而於五十一年七月十八日復又准透支新台幣二千萬元，其非官商勾結，誰能信之？（未完）

高華德勝利進行曲
——舊金山航訊——

趙浩生

人們絕不會想到，民主黨的杜魯門，居然成了今日共和黨人口中的英雄。每逢有人提到高華德絕無法擊敗詹森之時，人們即引證一九四八年杜魯門擊敗杜威的舊事，艾森豪總統說，根據當年民意測驗所示，杜威與杜魯門的實力對比是十六對一，而選舉結果，杜魯門竟獲得勝利。而今一般理論亦認爲詹森必勝，高華德必敗，艾帥認爲一九四八歷史可能重演。當時主持杜威競選的的前共和黨主席郝爾也說：「倘若我們打開一九四八年的報紙，把杜魯門的名字換成高華德，今日的高氏必敗論與當日的杜氏必敗論內容幾乎完全一樣。」當年預測杜威必勝的民意測驗專家羅卜爾氏指出：「倘若今天舉行選舉，詹森一定獲勝。」但他鄭重指出，大選是在十一月三號舉行，今天雙方競選活動尚未正式開始，「任何人試作未卜先知的結論，均將鑄成大錯。」

× × ×

代表夏威夷州的華裔共和黨參議員鄺友良，於十五日在大會發表演說，鄺氏並以該州「寵兒」地位被提名爲總統候選人之一。提名者爲該州日裔參議員安西，附議者爲史米茲女士。夏威夷擁有八張選票，其中四張擁護高華德。

初選失敗自動退出的羅克非列州長，仍以紐約州代表身份出席大會，某記者詢以感想如何？他說：「本人毫無遺憾。任何事當你盡力而爲之後，即使失敗你也敗而無憾。」他始終相信史柯蘭頓仍有取勝機會。事實上，史柯蘭頓的競選人員，都是羅氏的原班人馬，連許多競選木牌也是羅氏舊物翻轉過來寫上了史氏之名。

× × ×

共和黨大會第一日中最動人的節目，是狄克森議員宣讀胡佛總統的講詞。胡佛總統今年八十九歲，一生從未缺席過一次共和黨全國大會，本年則以過於龍鍾老邁，無法出席，乃請參議員狄克森宣讀其致大會的「最後演說」。狄克森是一位業餘的莎士比亞悲劇演員，其聲音像教堂中的大風琴一樣，具有感人心靈的力量。登上講台後，他首先要求全場以絕對的安靜傾聽他的宣讀。此時整個會場，像一座巨大的歌劇院在傾聽着一位名演員的絕唱。狄克森說，胡佛是「這個偉大老成的政黨中一位最偉大老成的政治家。」他的聲音和這位老人的講詞，同樣充滿戲劇化的動人感情。宣讀完畢，他向全場聽衆宣佈，胡佛總統正在紐約寓所的電視機前。他提議：「讓我們全體起立歡呼，向這位造福國家人羣壽比南山德配天地的長者致敬！」整個會場立即爆發出排山倒海似的歡呼。這場面，給這位老人的安慰，也許只有當時坐在胡佛總統身邊的人，可以從他面孔上筋肉的顫動中看得出來。

× × ×

大會閉幕之日，各種社交活動亦像旋風似的飛捲在這座山城中。在十三日晚，擁護高華德的青年大會上，高華德說：「對一個作父親的人，再沒有比看到自己的孩子出而爲他競選的事更使他覺得驕傲。」高氏的四位男女公子，均已成人，目前都在爲父親競選。當高氏說出這段話時，在四位子女簇擁下的高夫人，感動得不能自已的流出眼淚來。在另一酒會中，當高夫人迎着潮水般擁上來的人羣握手時，高氏新婚的乘龍快婿在岳母耳邊輕輕說：「這光景和結婚典禮一樣。」

× × ×

史柯蘭頓起步雖晚，但在大會閉幕時，其競選組織的規模已十分壯大，他的競選總部佔有賀金斯飯店三層大樓中的四十八間屋子。其通訊網除去十五個電話專綫外，並有數條特別「熱綫」直通「牛宮」會場。工作人員談話多用密碼，以防敵人偷聽。（二一）

我所知道的麥帥

肯寧將軍原著　徐熙光翻譯

「比爾」，他說：「請你告訴這些印地安人，叫他們不要跟白人打戰，那對他們毫無益處，也毫無意義。白人比他們要聰明多了，我們發明的東西，他們連做夢都不會想到的。告訴他們，白人發明的火車是怎麼回事，你告訴他們，我們的火車一次可以載得了他們全族人一個月所獵得的水牛，火車一天的行程比他們馬一天的行程要多三倍。把我們的火車告訴他們，比爾。」

希孜克把火車告訴印地安人的酋長，印地安酋長先是咕嚕了一陣，然後一句話也不說了。「他們說什麼，比爾？」雪曼問道。

「將軍，」希考克說：「他們不相信你。」

「不相信？」雪曼叫道，「好，告訴他們輪船的事。告訴他們白人造的大船，用蒸氣發動，可以載他們全族的人在河上來往自如」。希考克把輪船的事告訴印地安人。情形還是跟第一次一樣。「將軍，他們也不相信」。希考克報告說。雪曼氣得滿臉通紅，發了脾氣使出最後一道王牌。

「比爾，」他說：「告訴他們，關於無綫電話的事，這他們一定會了解，因爲這跟他們放烟幕做信號傳遞消息一樣。你告訴他們，我這裏有一個小黑盒子，在白宮我們的總統也有一個小的黑盒子，只要我對着我這隻盒子講話，在華盛頓白宮裏的總統就能聽到我的話。他對着他的小盒子講話，我也能在這裏聽到他說的是什麼。告訴他們有關無綫電話的事，比爾。」

希考克站在那裏，驚奇的瞪着將軍，「怎麼了？比爾，」雪曼叫道。「將軍，」希考克慢條斯理的說：「連我都不相信了。」

「所以呀！」麥克阿瑟最後說：「我想最好還是說——我們的損失輕微。」

麥克阿瑟對我的戰鬥機很感興趣，差不多每天都要問問戰鬥機駕駛員最近的戰果，要不然就問我某個轟炸機駕駛員的事，或者在最近的某一特殊戰功裏，我給他們頒了勳章沒有。

每次我總要介紹幾個出色的飛行員給他認識，把他們最近參加的行動告訴他，或告訴他我如何獎勵他們。他也總是很高興地和他們見面，飛行員們，更是對此獲有極爲深刻的印象，對鼓舞士氣實不無幫助。

在我屬下的有一個重轟炸機中隊，由威廉伯恩少校當隊長。當我初到澳洲時，伯恩少校原來是我的副官，但是我覺得他太適合於從事實際作戰任務，所以我調他當B十七轟炸機中隊的中隊長。從他當那個中隊的隊長以後，我們日常所聽到的轟炸機中隊只有他那個中隊的名字。伯恩跟他的手下最擅長於攻擊日本船艦，在八月中旬開始此項對日本船隻的攻擊行動以來，他們一共炸沉了大約七萬五千噸日本船隻。九月份他們炸沉的敵人船隻比空軍裏所有其他中隊所炸沉的船隻加起來的數目還要多，而且沒有損失過一個人或是一架飛機。（三〇）

詩的意境格律及修辭

李純一

此外尚有五言及七言排律，是把律詩擴充而成的，大多是侍從，述宴，應制之作品，又稱之爲台閣體，在文學的價值上是說不上的。除去五古，七古，五絕，七絕，五律，七律及排律之外，又有三言詩，四言詩，六言詩，雜言詩。所謂雜言詩有三、五、七言的，亦有一、三、五、七、九言詩，每句的字數都是奇數，首句或押韻或不押韻，每兩句成一對偶句，其體裁實已近似乎詞了。又有寶塔詩，迴文詩，不過是文字遊戲而已。

我們中華民國肇造，不僅結束了二千餘年的君主專制政體，「新詩」也應運而生，有主張破除舊韻，重造新韻的；有主張增多詩體，增加無韻詩的；也有主張排除詩的格律，注重自然的音節的。迄至今日，我們實在沒有見到有什麼成功的作品。試舉胡適的湖上爲證：『水上一個螢火，水裏一個螢火，平排着，輕輕地，打我們的船邊飛過。漸漸地並作了一個。』這幾句整齊的句子究竟有什麼意味？我們是很不能夠了解的。比諸杜甫的：『暗飛螢自照，水宿鳥相呼。』其意境上高低優劣，不可言喻了。我們並不說近人的詩不如古人，但我們可以肯定的說：『放大了的小脚是其醜無比的。』總而言之，我們的舊詩的格律確曾經有一種光彩，一種完美，一種像希臘藝術一般的對稱，即使命運至今必須予以革新，但我們仍應該先接受這二千餘年來所遺留給我們的產業。所以我們要講求詩學，發揚詩學，就必須得先從欣賞我們的古典詩學做起。但我們切忌陳陳相因，偸襲古人的套板濫調；我們要推陳出新，衝出古人既成的範圍。因此，我以爲今後的詩學，並不一定要削足適履而爲既定的格律所限制，可是，我們也不能忽視歷史上已有的成就。關於格律的含義，劉海峯說得好：『無一定之律，而有一定之妙。』我們的舊詩已有了的平仄的美，對偶的美，神韻的美，我們爲什麼不能更進一步的拓展開呢？

三、詩的修辭

我們對於詩的意境及詩的格律有了認識之後，便要談到詩的修辭的問題了。我們先參考一下劉彥和的文心雕龍鎔裁篇裏的幾句話：『草創鴻筆，先標三準。履端於始，則設情以位體。舉正於中，則酌事以取類。歸餘於終，則撮辭以舉要。』他的意思就是說，不管作詩或文，要首先立下三個標準。比如作詩吧！第一要有意境，第二要選擇格律，第三要修飾辭句。有了適當的格律才能烘托出意境，但必須使用恰當的字句才能達成格律的目的及表現完整的意境。所謂咬文嚼字，我們作詩眞的就要費盡心力尋找我們所認爲適當的字句，在尋求之時要竭盡我們的知識，融合我們的思想，表現出我們的智慧，所以杜甫說：『語不驚人死不休。』再舉一個實例來說吧！王介甫詩：『春風又綠江南岸。』（九）

寫眞續夢

第十三回：

惡貫難盈　巨奸逃火網

良知未泯　傑士出天羅

金日成一行到了杭州，江華、周建人、吳憲，皆在車站迎候，在城內稍作休息，即坐特備汽艇到湖內別墅與毛澤東相見。

毛澤東聽說金日成來到，已在門首等候，兩人見面握手，毛澤東端詳一下金日成，說道：「你又胖了許多。」

金日成也笑道：「主席也比以前更發福了。」

毛澤東大笑道：「心廣體胖，自從蘇聯那些專家滾了蛋，沒有人在中國氣我，我就又重了幾斤。」

金日成笑笑，不好再插嘴。

一行人到客廳坐下，毛澤東開門見山問道：「日成同志，你在莫斯科同肥猪談的什麼？」

金日成一楞，問道：「誰是肥猪。」

毛澤東笑道：「肥猪還有誰呢，當然是赫魯曉夫了。你說他像不像一頭猪？那個嘴唇，那付耳朶，無一處不是猪形，叫他肥猪眞是名符其實。」

金日成想想也不由得大笑起來，問道：「主席同我也肥的很，像什麼呢？」

毛澤東說道：「你雖然肥，却身體矯捷，像一隻豹。我則像一頭牛。豹能爬山，能上樹，你有這付體格，才能抵抗住美帝國主義的進攻。我是一頭牛，一生的精力都貢獻給中國人民了，現在全中國六億多人口，全靠我一個人吃飯，若不是一條牛，那能負這麼重。」

金日成連連點頭道：「主席實在是全世界最辛苦的領袖，非赫魯曉夫可及。」

毛澤東說道：「咱們言歸正傳，到底肥猪這次同你談些什麼？」

金日成笑道：「他講的話無非譏諷中國窮，主席又何必生氣。」

毛澤東笑道：「我才不生氣呢！他這些屁，已經不知放了幾百次了。我們雖然窮，就是窮的有骨氣，欠他們的錢一文不少，如數清還。他們不窮，那爲什麼二次大戰時借美帝國主義的錢，就賴着不還呢？西班牙內戰時，共和政府運去莫斯科的黃金那裏去了呢？怎麼不拿出來交給西班牙共產黨政權之用呢？再說日本投降時，蘇聯紅軍在我們東北及你們那邊搶去了多少東西，到今天送回來一件沒有？搶我們的機器還作價賣給我們，價欵還要生利息，這都是你知道的事，不必我多說了。」

金日成笑道：「這些事情，赫魯曉夫都推到史大林身上了。」

毛澤東說道：「不錯，這些事情都是史大林幹的，不過，在史大林死後，赫魯曉夫當了家，應該把搶人的東西歸還才是。這一點起碼的好事都作不到，還憑什麼資格去反史大林。」

金日成看毛澤東說的口沫橫飛，也不好插口，只有陪着笑在聽。

毛澤東突然問：「肥猪許你什麼條件，提出什麼要求沒有？」（三二九）

冒險犯難記

鄧文儀

船到上海要停一個星期，我同第三期黃埔同學王光樞（他是貴州人，比我還年輕兩歲）乘機去了杭州，遊覽西湖。第一天在杭州市遊玩，第二天專僱一條小船遊湖，午前遊到湖中三潭印月時，遇到狂風暴雨，船無蓬蓋，我們遍體淋濕，好像一對落湯雞。風雨狂暴時，湖中波浪很大，船伏幾次幾乎不能控制，要是船翻了，相當可怕，因爲湖水雖然不深，但湖中却有一丈至兩丈深的汚泥，人如溺落，就無法自拔，救援均來不及。年青人出外，往往不知天高地厚，世途艱險，人情僞詐，水深火熱，孟浪遊玩是最易出岔子的。我當時便有這種感覺。

由上海到海參崴，輪船行駛了一個星期，中間在朝鮮北部的清津停了一天。到海參崴之後，據說西伯利亞運輸忙碌，要等兩個星期，才有我們乘坐到莫斯科的車位。這時海參崴早已下雪了，我們住在小旅館內，除了到華僑開的中國飯館吃飯之外，沒有什麼地方好去。在逆旅內悶得無聊，結果就常有些同學，如同俄國人一樣，在街上走來走去，散步兼遊玩。可是在我到海參崴第四天的時候，又遇到了一件困難與危險的事，使我窮於應付。

事情經過是這樣的：當我在馬路旁邊街道行走的時候，見有一個俄國人在我前面走，他有一小包東西遺落在行人道上，我經過時注視了一下，沒有理會，繼續往前走。那個人回頭來，拾起那個小包，趕到我身邊，要我同他一道走。他說的話，我其實不懂得，走到不遠的一個比較偏僻的街巷，他強迫我到一所無人的房子中，挪出手槍威脅，要我脫下衣服，并舉起手來，似乎要檢查我的樣子，結果他把我身上的錢（二十幾個金鎊和少數盧布）及一隻手錶，一個金戒子，一支鋼筆，一齊包在一塊拿走了。這時我才發覺他是賊盜，假裝檢查人員，騙搶我的錢物；我回頭找到一位俄文好的同學，去到附近警察所報案，警察受理了，并要我第二天再去。第二天去了，一位警官說：在海參崴這樣的盜賊有幾百，他拿出好幾本犯人像薄要我指認，我指出了有五個人很像搶我錢的，他要我第三天去對證。第三天把那五個人找來了，我對證之下，認定了一個。那人也承認了。警官說，等三天他們會把我失落的錢找回來還我。過了三天我再去，他們說還沒有收到。再過三天再去問，還是沒有結果，我們去莫斯科的火車，却卽將開行了，我又成了一個沒有旅費去莫斯科的人。好在火車上半個月用錢的機會很少。這是初到俄國旅途的遭遇，使我既受驚，也着實麻煩。好在我「素貧賤行乎貧賤」，卽使在外國，身上沒有幾文，也沒有家庭的接濟，也照常把書唸下去了。（三六）

名票演藝記

瀟湘散人

台灣平劇名票趙培鑫君，本月廿一日晚間在台北「國光戲院」演出「洪羊洞」，觀衆滿座，成績甚佳，中間係古愛蓮女士的「三擊掌」。我承老友蕭同茲兄贈劵，於八時入場，開鑼戲「界牌關」將近尾聲了。

古愛蓮原是空軍「大鵬劇團」造就出來的青衣人材，曾受名旦角章遏雲女士教導有年，以程派藝人著稱。三年前，我在「大鵬劇團」聽過她的「鎖麟囊」，認爲很有希望。最近在台北「兒童戲院」聽她演唱「碧玉簪」，殊深詫異，她不但是身段有些呆板了，卽唱工亦不如往年之近乎程派。據說她年來脫離「大鵬」之後，孜孜於中英文之進修，甚少練習戲劇技藝，更缺乏良師指點訓廸，因而不免表現生疏之象，實屬可惜。廿一夕的「三擊掌」，在唱工方面比較夠味了，微惜臉上、身上的表情與動作，尚欠靈活自然而已。藝術一道，貴能勤習苦練，常感不足，方可日見進步，尤須得名師循循善誘，耳提而面命之，若稍有自滿之心，造詣便有限了。

趙君過去在台北義演若干次，皆係西皮戲，如「空城計」、「探母回令」、「武家坡」等，這次初演二簧戲，且屬冷靜場面，不易見長，事前我很替他躭心。可是，他一出場來，亮出瀟洒的神色姿態，卽不平凡，再唱「爲國家」一段戲詞，小腔迭作，嗓音亦清脆悅耳，博得熱烈的采聲，歷久不歇，做工亦細膩。最後對着八賢王唱「自那日朝罷歸」一大段快三點，尤充滿着「慨當以慷，憂思難忘」的情緒，令人聞之盪氣迴腸，景象逼真，若非研習有素，體驗戲情至深，曷克臻此！飾焦孟二將的黑頭馬維勝、王福勝，亦佼佼不羣，唱腔一個學金少山，一個宗郝壽臣，都有工力，而以馬維勝尤佳。最難得是全部重要演員的唱工調門皆相伯仲（都唱軟六字調），連飾楊繼業的內行張慧鳴，飾八賢王的金鳴玉亦不例外，允稱配搭整齊，在台灣劇壇中，很難看到這樣的傑構。趙君連演兩晚，戲碼都是「洪羊洞」，唯古愛蓮女士第二場改演「會審」。廿一晚老友黃少谷兄亦係在座欣賞趙君戲藝之一人，散場後，少谷謂「明晚培鑫可能唱得更好些。他在第一天不得不保留一些工夫，表示越唱越佳勝，以免損失聲譽」，其然豈其然歟？這兩天連台戲的入場劵，最高票價爲台幣二百元，早已銷售一空，尚有許多向隅者，趙君爲酬答各界人士的盛情，決定在最近再演一場二簧戲「烏盆計」，我以回港在卽，不及欣賞了。

在台灣愛好平劇的人極多，本省人士尤嗜此道，劇壇新進的優秀人才亦不少，就是缺乏良好師資，而常演平劇的場所又沒有，臨時租用，所費不貲。這需要政府贊助提倡纔行，否則平劇前途殊不樂觀，終難免陷於沒落之境，將如滿清中葉後的崑曲，由盛而衰，成爲廣陵散也。

念奴嬌（逢張大話舊）

黃伯遠

大江西望，浪滔天，上下古今無物。漢魏晉唐何處去？只有洪濤劈拍。我輩蹉跎，青山明暗，無計驅横逆。繁華消盡，虫沙一例磨滅。

數徧眼底英雄，開來繼往，誰是新生血？折戟沉沙春去也，破甑徒悲殘缺。商女投懷，吳姬送抱，夜夜舞腰折。傷心今古，悲天惟有明月！

我的社會生活

雷嘯岑

由於座談會之盛行一時，咱們一般氣味相投，抱着反共產極權侵畧思想的文化界朋友，如左舜生、王雲五、許孝炎、成舍我、程滄波、陶百川、阮毅成、卜少夫和區區等，亦創立了一個座談會，固定於每週末的下午，大家聚談一次，沒有組織的形式，也沒有一定的話題和決議紀錄，彼此想到甚末問題就說，止於交換意見，而以反共救國爲共同目標。在某次談話中，現任中國國民黨秘書長唐乃健（縱）——當時他的職務是搞文化運動的某一單位負責人——因路過香港，也來參加座談，我原不認識他，對他的言談頗注意。座中有人談到在海外幹自由文化工作的人，亦有接受美國方面的財力支援，而對中華民國政府多所批評指摘者，唐氏卽答謂：「那有甚末關係？我們政府亦接受美援啊！」我覺得他的言論態度很開明而坦白，因之對他潛滋着好印象，認爲跟一般「官員」的思想與氣宇適不相侔。

我們這座談會進行了一個多月，卽談出一種共同的結論——醵資創辦一張小型刊物，取名「自由人」。列名發起者共計十四位，其中有無黨無派的王雲五，成舍我先生，有黨有派的左舜生，金侯城先生，此外都是國民黨人士，區區亦忝附驥尾。發起人分別向各有關方面的親友募捐作開辦費，地址就是現時本報社租用的一層樓，一共募得港幣壹萬七千元卽開張了。創刊號且將十四個發起人的眞姓名刊在報頭下面，發刊詞是程滄波兄執筆的，第一句就說「我們要做自由人」，開門見山，表示是基於反共思想的文化鬥爭工作。這時韓戰正在激化中，我在創刊號的副刊上，寫了一篇仿弔古戰場文體裁的「弔韓戰場文」，描述共軍所謂「人海戰術」遇到聯軍「火海戰術」的慘敗現象。左舜生先生在第一版專寫「時局漫談」，頭條社論初由十四個發起人按期輪流執筆，但規定必署眞姓名，後來慢慢地刊用外來投稿了。

「自由人」的作者確實很自由，各人所寫的文字題材雖相同，而見解不必一致，祇要不違背民主憲政與反共抗俄的大前提，儘可各抒己見，言人人殊，眞有百家爭鳴，百花齊放的景象，每週末的座談會情形亦然。但大家的情感很融洽，精神上團結無間，對任何事體決無爾詐我虞，或以多數箝制少數的作風。我當時曾聲言：假使憑這種精神組織「聯合政府」，担當國家政務，國事沒有不振興的。首任的「自由人」主編是成舍我兄，他包辦大陸通訊版，把大陸上的共報消息，參以陸續從國內逃到香港的難民所述情形，寫成有系統的通訊稿，可謂煞費苦心。（七一）

清代儒將羅羅山

羅雲家

不久，塔死於軍中，國藩親到九江陣地，因敵方石達開素稱知兵，此次又與天地會黨合流，湘軍兵力單薄，不敷分派，各部被牽制不敢動，當時對於戰守之策，頗感旁皇。曾有函致澤南云：「國藩爲江省計之，深望閣下之來援；爲大局計之，又甚不願閣下之回援。」澤南接函後，繞室踱步，他感到孤軍苦守，如坐甕底，而拉鋸式爭奪戰，實無補於戰局，遂上書國藩，大意謂：「武漢居長江上游，實爲東南樞紐，形勢重要，百倍於九江。今武漢復失，而崇通一帶，騷然不寧，欲制九江之死命，必由武漢而下，欲解武昌之圍，必由崇通而入」……他又從義寧間道謁曾，請「分兵規復武昌，取建瓴之勢。」對湖口各部，主張固守，不宜作進攻計劃，以免損兵損威，一定要等到湖北方面奏功，大軍專注九江，乃可議戰。曾羅兩人，同是主「愼」與「耐」的，反覆審慮之下，國藩同意羅的意見，遂命率五千人赴援武漢。

當二人商議之際，曾之幕府中人，均認羅爲狂言，江西自身且岌岌難保，有何力量顧到武昌？劉蓉向國藩說：「公所賴以轉戰者，塔羅兩軍。今塔將軍亡，諸將可恃獨羅公，又令遠行，如有急，誰堪使者？」國藩答謂：「君言誠是，吾亦極知其然；但爲東南大局計，宜如是。今俱困此無益。羅軍幸克復武昌，天下大勢可爲，吾雖困猶榮也。」隨與諸將餞羅行。臨別時，郭嵩燾把澤南拉往一旁說：「江西三面受敵，公一去更不能支。曾公意在有益於天下大局，其視自己一身，猶如鴻毛，固不自今日始矣！」羅曰：「天若不亡中國，此老必不死！」從曾羅兩人之計議，以及劉郭諸人之顧慮，他們一問一答之間，處處顧及大局，句句出於眞誠，書生謀國，胸襟氣概，無一不令人欽敬。而澤南所提供的戰畧，着眼深遠，適切不行，能獲得國藩的採納，也可看出他在軍事上的才華，是不尋常的。

澤南辭別國藩後，卽返義寧作如下之部署：自將中軍，以劉蓉將左軍；李續賓將右軍；劉騰鶴斷後。從義寧取通城，克崇陽，取攻擊行進方式，回援武漢。胡林翼聞羅來援，躬往迎迓，相見之下，執弟子禮，對僚屬部將，必稱羅山先生，事無鉅細，亦必諮羅而後行。在蒲圻東擊敵，胡部任東路，羅部取中路，大破之。又借回金口，與楊載福議水陸進攻策，由胡率部駐營堤上，羅駐營洪山南崗，留九谿營駐兵金口，掩護水師，以當西邊之太平軍。一面分兵攻漢陽，敗敵于龜尾湖隄，鮎魚套之敵船，亦儘行掃蕩，武昌以南，敵軍絕迹。於是餉道日通，軍勢日振，時爲咸豐六年三月。

在羅、胡各軍部署下，困守武昌城內之敵軍，擬突圍出走。澤南仍本「以靜制動」主張，夜間每率數騎，親臨前綫巡視，窺視敵情。某晨，天忽大霧，城內敵軍隱有出動之勢。澤南聞訊，急乘馬出。正瞭望間，左額忽中彈，左右卽扶歸，而創痛甚劇，不能安睡。日夜危坐帳中，心懸敵踪，無法合眼。衆弟子來省視，則揮手使去，令嚴守待敵。（五）

國人紀述陸佑之較早文献

李滿康

自馬來西亞華人企業巨子陸運濤，因乘坐民航機失事而死於台中附郊，台北若干報紙，詳述陸氏生平之行誼及事業，并提及其父陸佑，稱其經營多種事業於馬來亞，富甲南洋，但以陸佑之姓名，在最近之中國文獻中，未有片言隻語之記載，引爲遺憾云云。惟以余記憶所及，則陸佑之聲名，早見於半世紀前之中國文獻。遜清光緒三十二年（一九〇六年），香港商報（主筆伍憲子）特別印行畫刊一冊，爲四六開大，內載銅版照片多張，計有世界二大世家之衍聖公及日本天皇，亦有南洋華僑富豪鄭桂、陸佑二人，均御清制朝服（似爲捐官而製者）附有簡單標題。當時余以稚年之留日華僑，智識初開，因先君訂閱商報，而得閱及鄭桂、陸佑之大名，深感吾民之偉大開拓精神，視白種人有過之無不及，至今印象猶深。時序遷移，將近六十載，在台驚聞陸運濤之訃，使余腦際浮出昔時所見陸佑照片之儀容，且思及清末維新派報紙宣揚吾國近代殖民偉人之功績，在炎黃遠裔不齒於國際社會潮流中，舉出鄭陸二氏之事業，其啓廸國人之自尊心，實有不可磨滅之價値在，故泚筆書之。

自由報
THE FREE NEWS
第四六六期
每份港幣壹角　台灣每份新台幣貳元
社長：雷嘯岑
督印人：黃行寬
社址：香港銅鑼灣高士威道二十號四樓
20 CAUSEWAY RD 3RD FL. HONG KONG
TEL. 771726　電報掛號：7191
台灣分社

剖視「實施都市平均地權條例」（下）

・施劍英・

國父主張土地自然漲價，（不包括改良漲價）全部歸公，照國父主張，實在非常乾脆，做來也很方便。我們不知道，我們的官員，在這方面，一定要捨國父遺教不爲，而自創一格，雖然，國父在五權憲法中，賦予我們有創制權，但這種違背國父主張的出品，想非國父在九泉之下所企望者也。

漲價歸公，是指不勞而獲。「不勞而獲數」之求得，當然是：現値－（原地價＋改良）＝不勞而獲。時論有認爲，政府既然已按公告標準地價征收地價稅，在征收增値稅時，就應照新地價爲基數計算征收之，如仍照原價計算征收增値稅，無異政府承認二個地價，於法無據一節，其看法並不正確，土地實質的地價，只有一個，即地主自報者。實質地價如要變更，必須繳了增値稅而後爲之，本修正案第廿七條末段只重新規定地價後，土地有轉移時，其增値稅之征收，應以重新規定之地價，爲計算「基數」之規定，個人不以爲然。

本章第廿九條：對自用住宅地之賣出，在六個月內再易地買進，發生地價逆差時，可退還增値稅之規定，個人認爲只能適用於「政府爲國防及社會公衆利益而徵收之土地」。其個人自願買賣的行爲，而發生逆差等値數字，不能有此優待，否則，非僅增値稅將永遠落空，益且是對「炒地皮」者，一種特別鼓勵，雖有「自用住宅」的先決條件限制，但「自用與不自用」之分野，尙乏準則，何況三公畝的範圍，衡之現實都市情況，實嫌太大，尤以台灣都市的總面積，與台灣都市的總人口，如果每戶住宅可佔三公畝，而不照土地法（28）（96）條之規定實施，實在是不太妥當之規定（省議會要求改爲五公畝、實屬偏見）。

同條第二段，所指直接供工廠用地，之退還增値稅優待規定，除非是政府應公衆利益及國防征用，不應予以優待，規定超過原面積百分之三百更是不對，須知平均地權和節制資本，是國父遺教實行民生（國父在民權主義第一講解釋「甚麼是民？大凡有團體，有組織的「衆人」，就叫做民。」又在民生主義第一講，「甚麼叫民生主義？我今天拿這個名詞，來下一定義：就是可以說「民生」就是人的生活。即社會的生存，國民的生計，羣衆的生命便是。」）主義的二大法寶，我們不應該在平均地權條例中，還訂些鼓勵私人資本的條文，這等於背叛國父遺教，與諷刺國父平均地權，抵制民生主義，充滿了資本主義的色彩。我們不奉行三民主義爲建國的準繩則已，否則，我們不應該如此陽奉陰違，爲極少數地主和資本家設想，而置絕大多數人民生活利益於不顧。

己：第六章，土地使用部份。

本章第四十四條所指之「都市土地」，當與土地法（87）條所指含義同，本章四十五條，含義與土地法（89）條書同，不過，本條例（44）（45）條，却比土地法（87）（89）條網開一面，而有十公畝的限額，在十公畝內，可不受土地法（89）條之制裁了，這就等於本條例四十五條，對抗了土地法八十九條之效力，站在「土地改革」的立場來看，本條例四十五條，尙不及土地法（89）條的堅強，尤其是本條例修正於今天國勢，日蹙，政府據處海隅，竭力宣揚革命之際，革命性反不及土地法堅強，令人扼腕。

地主、及資本家，在都市中，可以留十公畝的空地，可以佔三公畝的宅地，廣厦櫛比，花園洋樓，而受低地稅的優待，大多數貧民，則在都市的角落邊，僅佔一席之地，尙時有受「違章」拆掉之危險，我們處於三民主義的世紀裏，對國父所講的民生問題，實還有加倍努力的必要。

庚：第七章罰則部份，本條例在未修正前，有很多困難，不能使本條例順利實施，所以行政院要提出加以修正，現在修正了，困難是否都解決了呢？且看大的幾點如下：

一、照價收買：各縣市主管機關，因無預算，財源缺乏，所以無法施行，因此，地價多「以多報少」，影響稅收，這次規定發行「土地債券」並規定「照標準地價」征稅，解決了這一困難。

二、各地「地價評議會」：這次修正案，加上「公正人士」，陣容加強，但要看「公正人士」如何產生？如何「公正」？利與不利，尙待將來證明。

三、地價稅無法繳清：原條例（46）條，規定逾期不滿一月者，加百分之三，過一月者，加百分之六，過二月者依法強制執行。本條正案（52）條，規定每過三天加百分之一，過六十天，移送法院強制執行。新舊不同之點，除罰率加重外，前者過二個月後，只要依法，就可強制執行；後者規定要移送法院，才可強制執行。

目前的事實，是新舊條例都無法使欠稅征清。只有土地法（201）條規定出最具體的辦法，只是時間要二年，不過我們看看，今天各大戶，欠稅超過二年的，有幾宗依照土地法（201）條去處理了呢？可見今天的關鍵，不在「法缺」，而是主管官員失職，或故意「縱容」也。如果不將失職官員責任心激發出來，地價稅征收的困難，將仍然存在，移送法院，只是給各級主管機關，卸責的機會而已，我們看台灣省成立的稅務法庭，二年績效，不如稅捐稽征處，就可想見了。

四、土地增値稅無法徵清：依土地法（176）條規定：如無所有權轉移事實，每滿十年，徵收一次。又土地法（177）條規定，依土地法（174）條規定事項增値之增値稅，於工程完後，滿五年徵收之。土地法施行法，於民國廿四年公佈，卅五年修正一次，從卅五年起算，台灣省的私有土地增値稅，都有經過一次徵收機會，如已經轉移手續的、自然應該在轉移手續申報時征收之。

很奇怪的是，本條例原（45）條，現（51）條，都同樣一字不改，對土地所有權移轉不依法（土地法（176）條，本條例原修正案（27）（45）條，新修正案（32）（51））申請登記，不依法繳納土地增値稅者，竟有：「但在本條例施行前，准其補辦登記，並免處罰」之規定。（第一次頒行時可以有此條文，以後修正案就該刪除）這不僅無視土地法之存在，亦無視本條例既往之存在。本條例四十三年頒佈施行，到四十七年修正一次，又頒行一次，至五十三年又修正一次，又頒行一次。這樣三至五年，來一次修正，來一次施行，這樣，不等於是對欠稅，逃稅者，加以安慰和寬恕，鼓勵嗎？這樣做法，還有誰不鑽法律矛盾的空隙呢？難怪逃避拖欠之案件不勝其多了。（下轉第三版）

自由談

官吏挨罵問題

馬五先生

挨罵，乃是作官的人應有之遭遇，毫不足奇，也不必耿耿於懷，引爲恨事，所謂任勞任怨是也。「豈能盡如人意，但求無愧我心」，本此精神以從政，再於出處進退之間，自有本末，也就算是有爲有守的官吏了。

官吏挨罵最多的場合不外兩種：一是與論的批評指摘，一爲議會的質詢反對。這些罵法，如果都是基於對事不對人的義理，而以庶政得失利害爲依歸，那末，受之者不但是不應該生氣，並且引爲藥石之言，大有裨益，「禹聞昌言則拜」、「子路聞過則喜」，此物此志也。

不過，官吏固應具有挨罵的雅量，却不能接受無理的侮辱，這就涉及罵人的方式與界限問題了。換言之，即看批評指摘與質詢反對的內容如何？沒有事實根據而輕率評判指摘，很容易陷於誹謗攻訐；不辨別事與人的範疇而渾然貿責反對，其不流於「人身攻擊」者幾希！這些毛病皆可構成法律問題。儘管官吏不惜忍辱含詬，息事寧人，畢竟是有損與論信譽與議會尊嚴，不足爲訓的。

在進步的民主國家中，言論極其自由，民權特見伸張，官吏挨罵原屬家常便飯。但享有批評質詢權能的人，皆具備着自律的道德情操，明份際，識大體，因而受之者心甘情願，知所警惕，彼此相得益彰，了無遺憾，政治自然蔚成清明之象。美國允稱世界上首屈一指的民主自由國家，但美國與論界、議會裏，很少見有誹謗攻訐，或對官吏近侮辱的言論。議會可以隨時教官吏出席作證，却不把官吏視同犯人，而議員則以法官自居。至於議員們因對某項主張不同而互相謾罵叫囂，官吏因受不了責難而向議員們作揖打拱，連聲告罪討饒的情形，尤爲罕有之事。

權力之爲物，切忌使用到盡頭。官權若過度發揮，獨裁專政的惡果必應運而生；民權如隨便濫用，暴民專制的危機即四伏矣。夫是之謂權力中毒，可不戒慎乎？

赤色的蝗虫

赫魔的把戲

今日與明日

蘇俄要併吞羅國

最近毛共人民日報全文轉載了羅馬尼亞「經濟生活」雜誌一篇論文，批評蘇俄有意在多瑙河下游組「國家綜合體」計劃。根據這項計劃，要羅馬尼亞拿出半個國家，保加利亞拿出北部各州，蘇俄只拿出幾個區。綜合體有一千二百萬人口，羅馬尼亞佔九百萬，保加利亞二百萬，蘇俄約六十萬到七十萬。羅馬尼亞認爲這是一個破壞羅國領土主權完整，肢解其民族與國家統一的計劃。

毛共及其海外爪牙抓住這個題目大做文章，認爲反赫魯曉夫已不僅是共產黨人的事，任何人都應該起而反對赫魯曉夫，因爲他不但亡人的國，甚至要滅人的種族。

其實，仔細研究這個「綜合體」，也只是東歐經濟合作範圍內一個計劃，蘇俄從中想討便宜，剝削附庸國是眞的，而且也非自赫魯曉夫起。若說亡國滅種，到也未必，毛共只是張大其辭，以加強反赫，並無新意。

羅國反俄

不過，由這篇文字，可以看出羅馬尼亞的反俄，已經全部暴露出來，羅共當局似乎也無意隱瞞兩者之的糾紛。而且羅共反俄的方法與毛共不同，羅共並不希罕共產集團的援助，打垮赫魯曉夫，或者自詡本身是馬克思、列寧主義的正統。羅共的辦法却是自求多福，向西方尋求援助，以脫離俄共控制，改善民生爲目的。最近繼羅國副總理去美之後，羅國總理毛雷利又訪法與戴高樂會談，目的都在尋求援助。就其居心來說，羅共頭子尙有國家人民之念，比起毛共不知高出若干倍；就對共產集團打擊來看，羅共行爲也較毛共可取，因爲毛共同俄共鬥爭，無論誰勝誰敗，世界上還存在着這麼一個邪惡集團。羅共方法若能成功，必將吸引其他附庸國脫離鐵幕，促使共產大帝國早日瓦解。

澳門之爭

最近毛共新華社又攻擊蘇俄造謠，重申無意求葡萄牙承認。對於蘇俄指責毛共利用澳門輸出鴉片事，却未敢作正面答覆，大概因爲蘇俄已握有證據，否認也否認不來。至於澳門的地位問題，更隻字未提。毛共此種答覆，實際上還不如不答覆，因爲避重就輕的結果，只是坐實了蘇俄的指責。

値得警惕的應是葡萄牙當局，一味在聯大，在澳門遷就毛共，希望毛共能高抬貴手，現在迷夢應該醒了。

關於保送學生作弊之事

治安人員到新興調查時 林清德誑稱顏老師不在

據說顏老師曾謂王校長要他改分數

（本報記者趙家驊高雄航訊）（續上期）記者接着去訪新興國校六年二班級任導師顏鼎成，說明來意，並請他表示一點意見。

他說：「請不要再發表了，這是我最大的希望。要不然最好趙先生跟校長談一談」。

又說：「就整個學校行政來講，我是一個小份子，這個請趙先生諒解我。」又說：「請不要再問，我懇求你去找他們。你要知道我不是高雄市人」。

我當然不便再問。臨行他說：「我們去吃飯」。記者當然婉謝了。

記者晤見顏老師時，六年二班的歸若蘭在旁，記者曾問他：「妳這次不是考的第五名嗎？」

「是的。」若蘭答。

「怎麼又變成了第六名？」

「我不曉得。學校先說我第五名，以後又說第六名……」

記者綜合新興國校有關方面幾位人士對此事的透露，計為：一、某治安機關來調查時，王校長不在，欲逕詢六年二班級任顏鼎成；林清德等見勢不妙，立刻通知顏，不准他下樓。回頭林清德則對治安機關人員佯稱顏老師也不在。來人於是不得要領而去。

二、治安機關人員一來，王海泉急得要命，他一方面向歸父求情，另方面速令顏鼎成改分數（技能課的分數如美術勞作等沒有試卷，只要多出零點六分那麼第六名便變成第五名了。）現在可能已經作得天衣無縫了，要追查非治安機關傳訊顏鼎成老師不可。

三、顏鼎成老師處境非常惡劣，上下左右逼得他幾乎發瘋，主要的是林清德抓住了他班上走漏試題這一弱點，威脅校長，把第五名歸文華拉下，將第六名曾麗華補上去；顏老師王海泉在此時亦只有聽命於林清德了。顏老師處於此種煎熬與威迫情形下，還有一種同情愛護若蘭的心理，但形勢比人強，他終于向環境投降了。有位老師說：顏實在感到痛苦（即違背良心做不願做的事之苦）。他怒極曾說：「分數是校長要我改的」。

四、新興國校五、六名保送生爭奪如此激烈，有位老師說歸家先得到報喜五名的通知，隨後校方以林清德為主的派系聚口指責顏老師，王校長看情形不對，由校方又通知歸家說分數弄錯了。同時又通知第六名曾麗華家，說她是第五名，曾家喜出望外。有位老師說：若治安機關不插手，歸若蘭必是第五名。問題是又通知了曾家。這兩面反覆作法，歸若蘭終被犧牲掉了。若歸父堅持調查到底，不僅教師完蛋，即校長王海泉亦難逃撤職處分。

五、歸家既不追究，顯示歸文華先生容量之大，而王海泉林清德等如此惡劣作風，當然招來不少非議。

十七日（七月）晚間七時半，新興國校校長王海泉又過訪記者，再度要記者帮忙。記者會問王校長上掬水軒酒家有無其事，他說「沒有」。但當記者指出請客者為某人，他這才承認：「對了，對了，那是畢業典禮那天晚上。」又說他回家曾被他太太大罵一頓云云。

王校長說：「請你不要再報道好嗎？報道出來面子過不去。」記者告訴王校長說，「我跟你既無恩怨，又非世仇，無奈我已將經過報向社方，若不報道，我可能遭受撤職處分，所以請你原諒」。（下）

美商重視香港繁榮 積極發展對港貿易

（紐約航訊）此間國際貿易專家指出，香港市場，代表着一個國際貿易的奇蹟，人們每年都預料其發展已到達頂點，但每年都出人意料的造成新的記錄。從香港今日各行各業的發展情況看，多數專家均認為，香港的潛在力量尚在春雲初展時期，不但對歐洲的輸出尚未開始，其對非洲，拉丁美洲及中東的輸出可能性亦不可限量。而更重要的是，作為美國及歐洲對東亞輸出的轉口港，香港的地位更日漸重要。

以一九六二及一九六三年的貿易記錄為例，一九六二年香海本地產品的輸出增加百分之十三，一九六三年為百分之十五；轉口輸出一九六二年增加百分之九，一九六三增加百分之八。一九六四年頭三個月中，本地產品的輸出，較去年同一時期增加百分之十五，轉口輸出增加百分之二十。

由於輸出的激增，原有的工業設施均在擴大規模，新工業之發展，更如雨後春筍，此種情勢，不但造成工廠及商場建築業的驚人發展，同時原料及工業配備的輸入亦因而益加興旺，就業人數及人民的購買力也隨着增加，形成了一個週而復始互相關連的全面經濟繁榮。

此間經濟專家指出，美國的國際貿易界人士，對此一充滿奇蹟飛躍發展的香港市場尚未完全認識。他們認為，除非美國貿易界對此充份了解，並予以盡情發展，否則當香港輸入逐年激增之時，美國的對港輸出反將逐漸減少。

一九六三年香港輸入增加百分之十一，總數為十二億九千七百萬美元。美國對港輸出反減少百分之[illegible]，總數為一億三千八百萬元。因而美國對港輸出，在香港全部輸入中所佔的比例，一九六二年為百分之十二，一九六三年減至百分之十。對港輸出最多的是中共大陸，其次是日本，英國佔第三位，美國佔第四位。

一九六三年底，美國商務部曾派遣一官方貿易代表團赴港訪問，藉以推廣對港貿易。港方反應極好。自該團歸來後，美國對港貿易已有驚人的增加。一九六四年頭三個月，香港輸入較去年同一時期增加百分之十九，即自三億零一百萬美元增至三億五千七百萬美元。在此期間，美國對港貿易增至百分四十三，即自三千萬增至四千二百萬元。使美國在香港輸入總額中提高到百分之二十，取英國而代之，成為對港輸出國家中的第三位。

美國商務部目前正計劃於一九六五年初在港舉辦商展，同年秋天將派遣另一貿易代表團，進一步推動對港貿易。一般預料，對港輸出物資項目中最重要的是塑膠混合物，棉花，人造纖維、烟葉、潤油、紙版、衛生及自來水用具；在生產機器方面，包括建築機，包裝機，裝配機，公事房用機器，冷器機，電冰箱等；此外其他衣、食、住、行生產消費各種用品，香港都是一個不可限量的市場。美國貿易界人士特提醒有意於發展對香港貿易各廠家，香港是一個貿易競爭最激烈的市場，必須大力推銷，宣傳，並伴以適當的分期收款辦法，方可望在與其他外貨競爭中獲勝。

香港貿易的奇蹟，是自由經濟所造成。全世界所有實施自由經濟的地區無不欣欣向榮。而位居於中共大陸邊緣的香港，其自由經濟所造成的繁榮更具有重要的政治意義。即反對自由經濟的中共政權，亦不得不依靠香港的自由經濟市場，作為其爭取外匯的主要來源。

電動屠宰場工程案一波三折

冷眼看台北市議會之五

本報台北記者　張健生

台北市議會在今年三月間，舉行六屆首次大會期間，成立一個專案小組，調查電動屠宰場興建工程案。這個調查小組，迄記者撰此通訊時止（六月十四日），尚未提出正式調查報告。

興建現代化的電動屠宰場，這是台灣省政府六年前的決策，也是黃啓瑞競選連任第四屆市長的政見之一。由於利之所在，人謀之不臧，至今仍「不見人下來」，竟成了問題，實在有點叫人氣短。

政府為維護台北市民公共衛生，及提高屠宰量起見，省府於四十七年十月間，擬具興建新型合乎國際標準的屠宰場的計劃，並與美援會商談貸欵事宜，且獲得准予貸欵的允諾。當時由美援會懷特公司會同建築師吳文熹，及日本設計師中島博士，前往台北市東園街東園段地方勘察建築基地，約兩萬多坪，由省府頒發新型屠宰場計劃要點，提經台北市都市計劃委員會議討論通過，報請內政部核准在案。按理說，這個工程，既有經費，設計完備，又完成法定手續，應該是沒有問題的了。

但天下事，往往天不從人願，就在這時候，黃啓瑞市長因涉嫌公車案和市宅案，被省府停職，另派省府委員周百鍊兼代市長。假使一個制度健全的政府，決不會因人而變更既定的政策，可是在民主政治尚在學步階段的中華民國，則又當別論了。五十年八月二十八日，周百鍊代市長上任後，將興建電動屠宰場案，交由周代市長顧問賴春貴獨權處理，於是問題發生了。

五十一年四月二十五日，賴顧問把這件案子，藉詞原已定案之基地，係低窪地區，以容易浸水為理由，竟自變更在舊里族段，其理由是該地地勢較高，不易浸水，乃提交台北市都市計劃委員會第六十次會議審查，但未通過。而賴顧問仍不問三七念一，擅自推翻原案，擇定舊里族地方為新型屠宰場的預定地，並函請澳洲商人鮑威爾公司台灣代理商海洋實業公司代為計劃，當即得到該公司同意。賴顧問明知雙園堤防築成，東園段地方已沒有浸水之虞，竟擅自變更建地，且置都市計劃委員會，決議而不顧，他究有何恃而不恐？固值得令人懷疑，其胆大不顧一切，應得最佳勇敢奬。

其中有沒有文章呢？第一、變更建地後，市庫損失，浪費公帑，外加帶來一件不必要的訴訟糾紛。電動屠宰場工程，黃市長任內，在四十八年二月間，市府與建築師吳文熹已簽訂合約，市府並付給吳建築師百分之二十的公費，計三十五萬零九千元。周代市長任內變更建地，另請鮑威爾公司代理，因此吳建築師依合約規定，委託律師姚冬聲向台北地方法院提起訴訟，請求台北市政府賠償損失。第二，市府顧問賴春貴以政府代表身份，於五十二年九月十八日，與澳商鮑威公司訂約。第二天，即十九日賴顧問簽請周百鍊代市長在請欵單上批示：「如有其他問題，由興建會負責辦妥，該欵即付。」賴顧問在當天即把工程設計費一百八十萬元付給鮑威爾公司。第三、市府與鮑威爾公司所簽訂之合約，其中第五條規定，未經乙方（即鮑威爾公司台灣代理商海洋實業公司）同意，不得公開招標。

由此可見，其中是有文章的。同時，市府向省府強調議價之必要。一方面請政府准予議價，一方面於五十二年十月間在中信局先行議價。後經省審計處審查的結果，認為：議價仍嫌過高，且未提出成本分析，無法證明其價格是否低廉，核以節省公帑為限之原則不合。於是，省審計處於五十二年十一月一日以（五二）審處三字第七五五六號令台北市政府，把議價取銷，另訂公告招標辦理，以免延誤。乃賴顧問仍置之不理。由於市議會成立專案小組調查，這個案子，算已面臨水落石出的階段了。

台銀主管貸款有不當

省議員賴榮木提質詢

（八）五十一年六月十一日該公司函請因訂貨信用狀開到，無力開工，所以申請台銀担保進口關稅記賬二百萬元，台銀主管人帮忙該公司，而上級更無條件帮忙該公司，並未因該公司不守信用，而受阻礙。同為工商界，其「貸欵機會」竟不平等如此之大，所謂法律之前人人平等，誠不知台銀作何解釋？

（九）該東亞紡織公司串通外貿會，以五〇年十一月十七日外貿輔發字第六六三九、七一七三號函，藉口因向該公司訂貨原棉八百萬包，主辦人註明「照台元紡織公司辦理」，經奉准照借美金十一萬八千四百元，並准該公司。該東亞紡織公司董事長李玉林先生，既可作借欵人，又可作担保人，天下滑稽事，無逾於此？

（十）東亞紡織公司總經理王祝康，自四九年八月一日至四九年九月十二日止陸續簽發空頭支票一百五十七張，計一千四百七十一萬元，唐榮公司唐傳宗自四九年九月十二日陸續簽發空頭支票二百餘張，泰隆染織有限公司代表簡慶隆陸續簽發空頭支票三十二張計二百九十四萬元；台銀對於一般廠商退票，立即移送法院處刑，並追償票據債欵，而台銀獨對東亞紡織公司、唐榮公司、泰隆染織公司退票准其註銷退票紀錄，主管人員，設非勾結商人圖謀不法利益，何克如此？（下）

屏東縣府新聞股長 有職無權坐冷板櫈

（本報屏東航訊）屏東縣府新聞股長方新吉，係前任縣長李世昌所派用，曾經紅極一時的；現在被打入冷宮了。

張豐緒就任縣長之初，倍受各方人情包圍，張縣長在不開罪任何一方的人情原則下，乃決定方新吉暫時繼續留任，同時請了一位記者出任新聞秘書。起初方新吉仍感滿意，認為尚有部份權職在握（新聞發佈），因為秘書祇是在主核新聞稿件以及搞搞公共關係而已。卻沒有料及過了幾天，又委派了一名「黑市股長」，專斯新聞發佈之職。據說這位黑市股長是無職無薪的，他之所以甘願為此，是由於新聞秘書的人情。

因此，目前屏東縣政府新聞股，在人事上弄成了有職有薪的坐冷板凳，無職無薪的忙個不停。（袁文德）

高華德勝利進行曲
—舊金山航訊—

趙浩生

其「代表活動總部」一二〇二號房間，內外警備森嚴，以防敵人滲入。史氏有三套有關全體代表的完整檔案。開會前曾派專人監護分由飛機及火車運送舊金山，以防發生意外。史氏在短短的四週競選活動中，曾用去二十萬美金，遍歷二十五州，旅程二萬餘哩。到達伊利諾州春田市時，該市市長不勝惋惜的對史氏說：「閣下尋春較遲，應該在春暖花開的時候到這裏來。如今已是綠葉成蔭子滿枝的季節了。」

尼克遜姍姍來遲，在大會開幕的第二天才到達舊金山。在正式談話中，他雖堅持中立，但是明眼人一看就知道他已爬上高華德的競選列車。尼克森在大會的正式職務，是向大會介紹當選的總統候選人，這使他必須保持中立立場。但他曾公開表示，高華德思想是共和黨的「主流」，並認為高必可擊敗詹森。在記者招待會中回答問題時，他只提到過一次史柯蘭頓的名字。當記者們為他照像時，他甚至戴上了一頂擁護高華德的「牛仔帽」。關於他個人的出處問題，他知道競選總統候選人，已完全無望，因而此來輕騎簡從，除去尼夫人相伴外，並未帶來任何工作人員。但內心仍希望有奇蹟出現，再度天降大任。至於他是否願作副總統候選人問題，他已公開表示絕不接受。

×　×　×

事至此，高華德勝利的歡呼已響徹「牛宮」。今後，競選的新聞就是高華德與詹森的對壘了。綜觀兩人過去的言論，兩人政見的基本差異，計有下列各點：（三）

詩的意境格律及修辭

李純一

據說他是由「輕」字，「過」字，「入」字，「滿」字，很多字輾轉的改過來的。由上幾字每個字代表每一個意境，是各不相同的。所以在詩的修辭方面講，是牽一髮而可以動全身的。王介甫最後改為「綠」字之後，他才認為滿意，這便是他的詩的意境的最高表現。究竟在他的思想中是先有了「綠」字呢？或綠字的意境呢？在詩的修辭的原則上講，他是先有了綠的意境同時想到了用「綠」字，而不能說是用了「綠」字之後才有了綠的意境的。

我們往往遇見了偉大的事物，要想作詩的時候，便寫不出來，這是因為修養不夠，認識不足，才能有所不及的緣故。

關於造字造句，我們看一下李白的聽蜀僧彈琴：「蜀僧抱綠綺，西下峨嵋峯，為我一揮手，如聽萬壑松。」白樂天的：「離離原上草，一歲一枯榮，野火燒不盡，春風吹又生。」這都是多麼好的詩句；而都是白話，沒有一點雕琢。再讀杜甫詩：「平野所臨眺，頗色白勝雪，見癡背面時，嘶聲不竊腳，不穢……」此能寫的意境，都是自然的寫到詩句裏去。胡適之愛讀楊誠齋的詩，究竟胡適之為了什麼愛讀楊誠齋的詩，他沒有說過，我們沒法臆測；但是我們都知道，楊誠齋的詩多是淺明的白話，而胡適之是白話詩的祖師。楊誠齋凍蠅詩：「……」又寒雀詩：「千隻雀下空庭，小集梅梢話晚晴。特地作團喧殺我，忽然驚散寂無聲。」這不都是些白話嗎？但其中情趣夠多麼的活潑而新鮮，使人讀了便立刻引起了同情的共鳴作用，所以沈尹默說道：「凍蠅寒雀亦奇才，盡入荊溪集裏來，誰道深人無淺語，淺之又淺見誠齋。」由以上所述，我們可以知道尋找一個恰當的字句是怎麼一回事了，所以說：文字的技巧並不是詩，而詩是需要文字的技巧的。

易經說：「修辭立其誠。」就是說我們為詩為文要說出心中的話，不可以辭害意。在這裏有一個古人着實講究詩的修辭的實例，賈島做僧人時，得詩句云：『鳥宿池邊樹，僧敲月下門。』因思用「推」字為『僧推月下門。』究竟用「推」字或「敲」字，在他的心中拿不定主意，於是雙手作推或敲狀在街上走過去，闖上了韓愈的車駕；韓愈想了一下告訴他說：「用敲字好。」賈島聽了很高興，於是賈島拜韓愈為一字師。（十）

我所知道的麥帥

肯寧將軍原著　徐熙光翻譯

麥克阿瑟問我準備什麼時候頒勳章給伯恩，我說我早就想給他勳章了，但是使我覺得猶豫的是，他在六個星期以前還是我的副官，我怕有人會說閒話，認為我偏心，賞罰不公。麥克阿瑟笑着說：「對，像這樣事你該小心處理，所以還是由我自己來頒勳章給他吧。請你寫一張褒揚令，頒給他十字勳章。」

我馬上通知伯恩到布里斯班來，他一抵步，我就帶他上樓到麥克阿瑟的辦公室裏去，麥克阿瑟看到他向他道賀，並為他佩帶十字勳章，我從未看過有人像伯恩那天下午接受勳章時，覺得那麼高興和驕傲。

麥克阿瑟對戰鬥機駕駛員也很感興趣，常為他們的戰功引以自豪，每次聽到有轟炸行動時，他總要從頭到尾，把整個行動的來龍去脈知道得一清二楚，還要曉得誰立的功勞最大，我嘉獎他們沒有。他認為空軍的轟炸可以發揮最大的火力。有一天，在一次參謀會議上，有人抱怨大部分的軍事工程師都在為建造空軍基地而努力，麥克阿瑟同這個提反對意見的人說：「那是應該的，你要曉得，在今天的戰爭裏，勝利是決定在轟炸機所發揮的能力和成果上的。」

在所有我的傑出戰鬥機駕駛員中，最有名的一位名叫狄克，經過正式統計，他在空戰中共贏過四十次，這項紀錄在空軍中迄今未被打破。當狄克擊落第二十七架日機，打破第一次大戰時的空中英雄艾狄雷根貝克的二十六架的紀錄那天，我帶他到麥克阿瑟的辦公室，向他介紹。麥克阿瑟拍拍狄克的肩膀，並告訴他非常高興能見到這次大戰中，創造新的空戰紀錄的英雄。正在這時，麥克阿瑟轄下的第七艦隊司令卡本德海軍上將走了進來。

麥克阿瑟馬上把狄克介紹給卡本德認識，他說：「卡本德，你真該好好謝謝這位弟兄，他和他的夥伴使得日本人無法擊沉你的軍艦。」

卡本德熱烈地和狄克握手，並向他道賀。我很快地把狄克帶開，因為他引起最高將領們的注意，已經開始覺得有點受寵若驚，不知如何是好，過了好幾天，他才恢復常態。

一九四四年十二月，在菲律賓，狄克的戰績已達擊落日機四十架，我決定送他回美國。麥克阿瑟很喜歡這個年青小伙子，對他每次空戰獲得的勝利特別感到興趣，他幾乎每天都要問我：「狄克有什麼表現沒有？」他向政府建議頒授最高榮譽的國會勳章給狄克，華盛頓方面批准了這項推薦。我要求麥克阿瑟在雷伊泰的塔克羅邦機場舉行一項公開儀式，把國會勳章頒給狄克，他同意了。（三一）

剖視「實施都市平均地權條例」

（上接第一版）

我們對主管機關提出「實施都市平均地權條例」修正案其動機，將予懷疑，如果沒有這些修正案，甚至沒有本條例，乾脆照土地法，不是滿十年，或五年，就可征收一次土地增值稅嗎？因為三至五年修一次，重新規定一次地價，就把土地法（176）（177）條之關卡，輕易過關，本條例修正案第7、10、27、51條，是否執行「修正案」掩護地主逃避繳納土地增值稅的嫌疑？本條例（55）條，我覺得罰得太輕，也欠具體，倒不如改為「除責令補繳外，得處與匿報相同之等額罰金」，甚至可以加倍，較為合理。

如果我們要勇敢一點，多發揚一點國父的革命精神，我們應該修改土地法及有關法令，凡是土地買賣，不論公私，均應由政府各級地政機關主持，實施公開標賣，禁絕一切「炒地皮」活動，標賣不用投標登記，可定時定地，當衆公開定標，以超過標準地價最高標為得標，這樣，也可杜絕地政官員與炒地皮者的微妙關係和圖標。這樣做，並非事無先例，國父在民生主義裏就講過一個澳洲醉漢以三百元買地成富翁的故事。

三、結論

政府制訂「實施都市地權平均條例」，顧名思義，這條例的主要宗旨和目的，是「求都市地權平均」，執都市地權之「權」者，為都市之「民」，換句話說，實施都市地權平均，就是要使「都市之地」為「都市之民」所「均有」，而不是只為求地利之均享為已足，何況在地權沒有切實平均前，也難辦到。本條例所定內容，大部是推演土地法或仿照土地法有關條文而來，所訂「規定地價」「照價征稅」「漲價歸公」「土地使用」「罰則」等內容，實在都是土地法分內之事，充其量也只是本條例的手段，而不是目的，真正要使「都市地權」達到「平均」，只要貫徹土地法第（28）（29）（96）條，（不過（96）條的但書仍不妥當），則不難實現了。

我們自然不懷疑政府實施「都市地權平均」的誠意，但土地法，本條例，公佈了多年，我們的效果又如何？我們希望政府要拿出「耕者有其田」的精神，和辦法，朝向「居者有其屋」的目標前進，只要有誠意，有決心，耕者有其田的成功，就是好例子。願各級官員以民生為重，各級民意代表以民意為歸，切勿玩弄職權，切勿假借民意，絕大多數人民，願官員代表們，都做一個真正的三民主義信徒，百尺竿頭，再進一步，以善民生，以慰國父在天之靈。（完）

盧君續夢

第十三回：惡貫難盈　巨奸逃火網　良知未泯　傑士出天羅

金日成說道：「他要柯西金同我談，提出許多援助，唯一要求就要我們的黨在社會主義陣營發生爭論時守中立。」

毛澤東冷笑道：「肥豬就是這樣無恥，他以為什麼事都是可以拿錢買的，甚至於正統的馬克思列寧主義者，經他一收買就會變成現代修正主義者，未免把天下事看得太容易了。」

金日成看毛澤東搖頭擺尾，說的十分得意，也不好插嘴。

毛澤東說道：「當然我們也曾經用錢收買過人，但那是買的敗類，叛徒，像渡過長江時，曾經收買過江陰要塞司令戴戎光，一九五六年我們也曾以每頭三千元的代價，在海外收買了一批下三濫的文化人；但是，對於自己的同志，我們決不用這種手段。」

金日成不明白毛澤東繞了這麼大的彎子，到底是什麼意思，也不好插口。

毛澤東又說道：「我們就算沒有絲毫援助給予朝鮮同志，都會站在我們代表正義公理的一邊。」

金日成說道：「這是自然的，不過，我們的國內經濟情況也實在惡劣得很。」

毛澤東笑道：「這是小事，古人說乘肥馬，衣輕裘與朋友共，何況我們是兄弟一樣，你們需要什麼，我們供應什麼；需要多少，我們就供應多少。我不是肥豬這樣小氣，未借款先規定還期、利息，絲毫不能通融，完全是一個市儈，那有絲毫兄弟的情誼？」

金日成說道：「主席為人的大方，社會主義陣營都是知道的，不過，中國這幾年經過一連串前所未有的天災，本身已經有許多困難，我們實在不忍再增加中國同志的負担。」

毛澤東說道：「這點你不必多慮，我們中國人最肯幫助朋友，自己有力量固然幫助朋友，沒有力量，也一樣地幫助朋友。」

金日成奇怪道：「自己沒有，怎能幫助朋友呢？」

毛澤東說道：「我講一個故事你聽，戰國時代，有兩個讀書人名叫羊角哀、左伯桃，一道去楚國求官，中途遇到大雪，眼看兩人都要凍死，羊角哀當時把衣服都脫給左伯桃，讓左伯桃一人穿了去楚國，自己甘願凍死。你說這樣的朋友多麼偉大。」

金日成連聲贊道：「真真偉大，像這樣的朋友真可以說同生共死了。」

毛澤東笑道：「還有下文哩！左伯桃埋葬了羊角哀之後，就趕去楚國，到地方果然作了大官。可是，卻夢見羊角哀託夢，原來羊角哀的墓鄰近荊軻墓，受荊軻欺負，要把他趕出去。左伯桃一連作了幾次夢，知道事情不是假的了，就趕到墳前，禱告一番自刎了。這天夜裏，附近人們聽到一陣殺聲，到天明就見荊軻墓被掘，骨殖洒了遍地。大家就把左伯桃葬在羊角哀墓傍，並且替兩人修一座廟。你說這種朋友多麼偉大！」（三三〇）

冒險北極記

鄭文儀

二十四、莫斯科的冷凍生活

初到莫斯科，第一個感覺就是這個歐洲的北國，到處都是冰天雪地，氣溫常在零下二十到三十度之間，最冷的時候，爲零下四十度。西伯利亞鐵路中間伊爾庫次克冷到零下五十多度。我們來自溫帶的中國，尤其是湖南廣東的人，對於這個寒帶的冷凍生活，實在不容易適應，更談不上習慣於那樣的氣候了。

莫斯科一年差不多有三分之二的時間，都冰雪滿地。從每年的九月開始到次年的五月，經常有雪，雪難溶化，結冰甚厚，都市馬路是天天要掃雪才能通行的。我們携帶的衣服不足禦寒，大學裏雖製發了尼大衣及西裝，廸可對付，講堂、飯廳、宿舍均經常生火，房屋建築多是夾牆，重門叠戶，連窗戶也是雙層，室內倒不覺得冷，室外便眞是可怕得很。

我對莫斯科的冷凍生活，有兩種困難的感覺，也有兩種克服困難的方法：一是莫斯科房屋奇荒，宿舍與學校相當遠，每天晚上自修完了之後，由學校回到宿舍，行路要走三刻鐘，坐電車也要十五分鐘的時候；電車却很擁擠，我們走路的時候居多，雖則這可代替散步運動，幫助我們習慣冷凍生活，但寒風刺面，手脚冷凍得發僵，那種滋味，不是親身經歷，是不知其苦況的。我對這種生活，早晚由宿舍到學校，由學校回宿舍，當作一種行軍操練及娛樂運動，常常心念着蘇武牧羊北海邊的歌曲，蘇武在北海雪地冰天裏，可以窮過十九年，我們在莫斯科讀書至多不過兩三年，那有什麼關係呢？我是軍人，軍人的生活習慣是要鍛練到不怕冷，不怕熱，不怕苦，不怕死的，這不是很好的練習嗎？因爲有這種心裏建設，所以我對莫斯科天寒地凍生活的困難，很快就加以克服了。

其次是莫斯科很少人情的溫暖，俄國人同我們幾無來往，雖則那時候由於中國國民黨實行聯俄容共的政策，在感情上兩國人民不算壞，但是俄國革命以後，中國政府明令禁止俄國人民與外國人來往，中國人也是外國人，自然他們的而孔表現出來也是冷酷的。同時，就在莫斯科中山大學裏而，雖然二百多人，都是來自各地的中國人，但其間大多是中國共產黨黨員或共產主義青年團團員，有些名義上是跨共產黨國民黨兩黨之間，眞正的國民黨不到三分之一，而且每個人都在不斷的被共產黨人挑撥，離間，分化，爭取，隔離，孤立的狀態，要不投機取巧，或隨和他們的言論行動，就容易隨時隨地遇到冷酷的墻面，遭到苛刻的抨擊。這是十分困難的處境。（三七）

立言

漁翁

言者，發聲以表達意思也。說文：「直言曰言，論難曰語。」周禮注：「發端曰言，答述曰語。」孔子以六藝教人，各因其材，而又以四科分授之。言語，列於四科之次，以宰我，子貢，善辭令，故論語：「言語，宰我，子貢。」

古制，主諫議之事者，曰「言官」。令之民選代表，如立法委員，監察委員，國大代表，以及省縣市議員，其責任爲代表人民講話，亦可謂今之言官也。至新聞界之主筆，專寫評論文字，力能進匡言，關謬論，所謂與論之代表人也。左傳：「太上有立德，其次有立功，其次有立言，雖久不廢，此之謂不朽。」疏：立德，謂創制垂法，博施濟衆，如伏羲神農黃帝堯舜。立功，謂拯厄除難，功濟於時，如禹稷。立言，謂言得其要，理足可傳，如老莊荀孟管晏楊墨屈宋馬班制作子書，撰集史傳文章皆是。

在三不朽中，列立言於第三，其實立言何讓於立德與功。有了「非禮勿言」，便可表現其德行。有了「各言爾志」，便可胡日後之功勳。因言爲心聲，一言可以興邦，一言可以喪邦！言發於事之先，事成於言之後，所謂言必顧行，而免徒託空言也。

晏子，春秋齊人，字平仲，一言而齊侯省刑。郭子儀單騎見回紇，片言而使其下馬羅拜。又季布不苟言，言必有中，故楚人諺曰：「得黃金百斤，不如得季布一諾」。謂誠實之言可貴重也。錢起詩：「且感千金諾，寧辭萬里游。」今稱「一諾千金」，本此。

我國在歷史上善辭令者固多，而以晏子爲最著稱。當其出使楚國，楚人知其善言，欲有以難之，以晏身材短小，特別掘一小門，使其入，晏子曰：「使狗國者，從狗門入。」後在宴會中，故使捕一人過堂下，楚王問此人犯何罪？答稱爲盜，又問何處人？答齊人也。王顧晏笑曰：「貴國人善盜耶？」晏子答曰：「吾聞橘生淮南則爲橘，移植淮北化爲枳，水土使然也。此人在齊奉公守法，一到貴國，即行盜竊，無乃貴地水土易使人爲盜歟！」楚王爲之啼笑皆非。晏子固外交使節中不可多得之人物也。

其次，藺相如，爲戰國趙上卿，秦昭襄王以十五城求易趙和氏璧，相如懷璧往，既獻璧，秦王無償城意，乃掉三寸之舌，設計而紿取之，卒完璧歸趙，不辱君命。後相趙王，會秦王於澠池，秦王欲辱趙王，又爲相如所阻，足見一言可抵千軍萬馬。

今者，世界各國，爭強稱雄，不僅僅在乎科學上之武器比賽，而從外交方面爭取與國，尤爲切要之圖。談到外交人才，首重辭令，一言足以感動人心，與聯繫友邦，而收事半功倍之效。在登壇演講時，以博得在座之掌聲如雷者爲勝利。試觀今日各地之任何競選，亦必先將其預備之政見，發表演說，以迎合羣衆意志，而爭取選民。獲選之後，再履行諾言，如何博施濟衆以立德，如何拯厄除難以立功。是立德，立功，必先在立言上見之。禮云：「齊顏色，順辭令」。自古迄今，對言語一科，均甚重視。尤其現代以外交爭取勝利，對外交人才，要嚴密眞選拔，務求不辱國家不負使命，所謂一言興邦者也。

和黃少谷兄甲辰生日山居散步詩原韻

馬五先生

時勢阽危似積薪，杞憂徒抱且安貧。閒同知己談風月，懶與俗人論怨親；漫道浮生驚去日，却從禪理悟前身；山居即景饒奇趣，且莫常爲異客鄰。

註：少谷寓所周圍，皆有異域旅客寄居。

我的社會生活

雷嘯岑

「自由人」從創刊到停刊，共歷九年的歲月，平安無事，中間祇有我担任主編職務時，曾被當地政府派武裝警察到報社搜查過一次，並捕去事務員一名，而伍憲子、左舜生二先生恰在報社候我同來商談文稿問題，適逢其會，亦被禁止走出門外，悶坐在客廳中歷二小時，眞是无妄之災。我於次日被傳到治安機關，尚不明白究竟是爲的何事？迨與治安首長談話後，纔知道治安人員曾在本報事務員的行篋中，搜出大小印章和密電本，跟當時在冲繩島搞「第三勢力」運動的×將軍有關。我對此事完全莫名其妙，某事務員從未向我談過他和×將軍的關係。經我說明「自由人」的宗旨與內部組織情形後，又表示個人的感想道：「我們都是從共區逃出來的政治難民，如果沒有香港這塊自由地區作逋逃藪，中國許多知識份子都將死於共黨之手。因此，凡屬妨害本港安寧秩序的行爲，我們皆知自律，有所不爲的。」那位英國帮辦登時很客氣的跟我握手道歉，說是「誤會了」，即將在報社搜去的公私函件和文稿一小袋，交還給我。本報事務員羈押了一些時日，亦就予以省釋了。這是我有生以來第一次被衙門傳訊，亦未受到脅迫凌辱，且認爲英國的官員很有理性，不愧爲憲政國家的民主風度。尤其是我被帶進那位英國官員的辦公室之際，他以和諧態度說道：「今日請你來帮助我們解決一項問題」，絕無訊問犯人的官派氣燄，殊出意外。我總希望本國政府的治安機關人員，多多學習別國官吏對人民的風度，對於被訊問的犯人，按律治罪，槍斃他都可以，却不宜在訊問時加以凌辱虐待，要取得犯人的合作，決不是使用强暴脅迫方法所能見效的。

我在「香港時報」寫社論短評，同時在「自由人」寫政論和短評，前者不署名，代表一個黨報說話，當然要以執政黨的政策爲圭臬，不能全憑個人的見解以從事。後者是民營報紙，寫文章要署姓名，表示這是個人的[illegible]，在不違背反共復國的原則[illegible]，對於庶政得失，憑着中華民國公民的立場和權利，自可發抒己見，加以批評。這是政黨黨員與國家公民的身份區別而已，與人格無涉，亦與學說思想不相衝突，因爲國民黨黨章亦註明「本黨是革命的民主政黨」，允符民主憲政之治。然由於我在「自由人」常有批評時政、臧否政治人物的言論，竟有人指摘我是「雙重人格」，在「香港時報」寫的文章，跟在「自由人」寫的不一樣，乃視我爲不忠貞的異端份子。這使我大有啼笑皆非之感。（七二）

清代儒將羅羅山

羅雲家

又數日，創益痛，人益疲，但還能口占忠義詞聯句，使隨從寫下。至第七日，體已不支，命取紙筆，就榻上仰書十二字，留示諸將：「危急時，站得定，纔算有用之學。」翌晨汗如雨下，自知不起。命請胡林翼過營，執胡手顫聲說道：「武漢未克，江西復危，不能兩顧，死何足惜！願公與廸庵好好計劃……」言未訖，氣已不屬，張目而逝，年五十歲。廸安即李續賓，爲澤南得意弟子。胡對羅待之若師禮，對李續賓則爲左右手，至是乃遵遺命，奏請以續賓總統其軍。

羅澤南這一壯烈成仁的戰役，不特見其勇，見其定，尤其可見其安而能慮。非積學功深，升堂入室，未有臨死而能從容若是者。這種儒將風度，把孔孟程朱明體達用之學，曝白于世，可謂儒家的一大功臣。

。上曾國藩書，于剿匪情勢，瞭如指掌。後果先收復武漢，沿江而下，成建瓴之勢，直搗金陵。又可見其才略之大。

澤南于咸豐二年，太平軍入湖南，在籍倡生徒，辦團練。率其所教子弟，及其祖若父之門生，四年之間，轉戰湘鄂贛等省，大小二百餘戰，克城二十。這一支法周張，宗程朱，勇敢誠樸，有古烈士風的儒家軍隊，更可折宋儒空談理性，不切實用等譏辭之角了！胡文忠疏：「澤南以諸生講學，宗法程朱。其所著小學韻語、西銘講義、周易附說、太極衍義、姚江學辨、皇與要覽諸書，體用兼備，洵堪輔翼名教。咸豐二年，賊犯長沙，即日倡生徒，辦理湘鄉團練。忠義至性，感動鄉里。率其鄉人，轉戰湖北湖南江西，克城二十，大小二百餘戰。自上年圍剿武昌以來，力攻九十餘日，督催至嚴，雖水陸弁勇，傷逾三千餘人，而忠義之氣不稍懈。及攻城受傷，以未能尾賊入城爲憾。且言武漢自古用兵之地，賊必死守。不力戰，恐荊襄一帶，均無乾淨土矣！臣林翼爲之痛哭。澤南握臣手言：『危急時，站得定，才算有用之學。今武漢未克，江西復危，死何足惜，恨事未了耳！其與李續賓善爲撐持。』言未畢而目瞑。蓋其心術學術，不愧名儒，故臨危不亂，語不及私。而臨陣勇敢，馭兵嚴明，猶其餘事。」文忠此疏，已將羅山學術事功，扼要臚舉。「危急時，站得定」，尤爲至理名言。此脫胎于大學者。其所著「小學韻語」將朱子小學，編爲韻語，使兒童易于諷誦，洵爲初學必讀之書。羅山之人，想必人手一冊。忠義之氣，養之于童年之始，充之于成人之後。講西銘，知萬物之一體；辨異說，識正路之所由；說周易，通兵法之奇正；覽皇輿，明山川之險阻。故能以數千之衆，縱橫掃蕩，以寡勝衆，與數萬之大敵周旋。咸豐五年，澤南由義寧赴湖北會剿，進駐羊樓時，上諭：「羅澤南所帶各勇，雖僅五千餘人，然皆精銳。自江西饒州義寧，轉戰無前，遂能克崇通。此軍于剿賊大有關係。」上諭稱他於剿賊大有關係，則其在中興諸將帥中，若不早死，其功當不在曾左李胡之下。澤南殉職時，胡文忠爲之痛哭，稱其不愧名儒，則謂名將，朝野景仰。以有清一代名儒名將，澤南一人合而爲一，我們再錄國藩所作羅忠節公神道碑語，以爲傳贊：「……大本內植，偉績外充；……百世所宗，謂茲豪傑。」（六．完）

妬婦篇

周燕謀

古人以妬爲婦女之「惡德」，列於「七去」之中，於是專制之君利用斯旨，而任意肆虐，用種種殘忍手段以對付后妃；專橫之夫亦可利用斯旨廣置妻妾。對於妒嫉之妻子，更是有經可據。然婦女之妒，其實人之恒情也，亦愛之表現也。設夫無引起妒嫉之行，則妻必無妒嫉之事，可斷言也。

「妒嫉」二字皆從女，女性之富於愛情者，妒嫉亦深。若女性全無妒嫉之心，則不論如何美貌麗人，亦必全無情趣矣。國人向多抱一夫多妻主義，故多疾視女性之妒嫉，而懼內男士，對妒嫉甚深之潑婦，則有本末顛倒之現象。五雜俎云：「世有勇冠三軍，而智周六合，而術不濟於紅粉；俯首低眉，爲之下，此非人生之大不幸耶！」此爲懼內者大發慨嘆，懼妒而威不行於閨房，無可奈何者，婦爲可笑也。

國人又素有尊男卑女之風，故有不責男性好色，而咎女子性妒嫉之論，此亦男性之偏見也。清人俞正燮作「妬非女人之惡德論」，公諸於世，女性始得因此而稍揚眉吐氣。其中有妙論云：「夫買妾而妻不妒，則是恝也。恝則家道壞。天地絪縕，萬物化醇。男女構精，萬物化生。三人行則損一，二人行則得其友，是夫婦之道也。依經，史正義而言，則妒非女人惡德也。妬而不妬，是爲上德。……」（上）

內僑警台報字第〇三壹號內銷證

自由報

THE FREE NEWS

第四六七期

中華民國僑務委員會頒發
台報新字第三二三號登記證
中華郵政台字第一二八二號執照
登記為第一類新聞紙類
（半週刊每星期三、六出版）
每份港幣壹角
台灣零售價新台幣弍元
社長：雷嘯岑
督印人：黃行富
社址：香港銅鑼灣高士威道二十號四樓
20. CAUSEWAY RD 3RD FL.
HONG KONG
TEL. 771726　電報掛號：7191
承印者：田風印刷廠
地址：香港灣仔高士打道二二一號
台灣分社
台北市西寧南路壹壹零號二樓
電話：三〇三四六
台郵撥儲金戶九二五二

『宣傳之道』偶悟

‧馬力‧

讀最近本刊兩篇痛論「宣傳」的文章，再看兩個電影女明星瘋魔香港台灣兩地的事實，竊有所感，深思其故，寫爲本篇。

這一個月，香港整個社會被林黛之死震驚了，她的自殺新聞佔了香港各報大部份篇幅，接連一週都是如此，送殯男女達數萬人，每日到墳場致祭的人也有數百之多，十多天都是如此。何以致之？何以有這麼多的影迷，實在難以索解。死林黛之於香港，活凌波之於台灣，堪稱「雙絕」。這豈不值得深思麼？

我曾經深切地思索，今天要教青年男女希聖希賢，希義希烈，的確很難，但就大多數青年影迷來說，「希星」倒是他們的自然願望。「希星」是爲了名成利就，得人崇拜，那也難怪。試看因突襲大陸而成仁的烈士在此間報紙所佔的叙述篇幅，及其所得的一般反應，比起「雙絕」中任何的一絕豈不瞠乎其後，太過懸殊麼？孔曰成仁，孟曰取義，這類的話該向誰說？

「希星」的狂熱不只香港台灣有之，許多地方都有之，電影事業最發達的美國更不消說了。有一點原因值得拈出來一說。今天各國各地的電影院，播音與電視台，報紙及雜誌等等，都是影星歌星們的「宣傳地盤」。他們這麼多的地盤經常放射出「宣傳的魅力」，和無數的觀衆聽衆頻繁接觸，自然產生一種巨大的吸引力和影響力，絕非別種人物所可比擬的了。幾許青年人是經常到教堂去的呢？電影院却是他們常到之地，他們扭開收音機電視機和打開報紙，便會接觸到影星歌星的形像或者聲音，以及到「起居注」之類的東西。這種「浸潤的宣傳」太厲害了。若干青年人對於耶穌基督，釋迦牟尼或者孔子的認識，倒不如對於幾個「紅影星」認識得那麼熟穩，說怪也不怪，這是書本不敵電影，教堂或學校不敵電影院與廣播台的自然現象。我們如要把岳飛、文天祥、史可法的行誼及其精神打進某些「影迷」的腦子裏，光靠書本是不成的。孔子之不及耶穌基督，論語之不及新舊約全書，有關於宣傳未能「普及」者甚大。我們但向事實深按實察索解便不甚難。這是我對於「宣傳之道」偶悟的一點。

我們要注意「經常接觸」的重要性，更要注意宣傳須有「地盤」，這種地盤當然多多益善，但也要這種「地盤」經營得好，猶如一枝可以隨時發揮強大戰鬥力的軍隊。

我的另一偶悟，是由於電影巨子陸運濤不幸在台灣乘機罹難一事得之。陸氏靈柩由台運經香港，曾有盛大的公祭場面，一位日本電影大亨親自飛來香港致祭。這固是禮所應爾，但以日本電影界此時的處境而論，陸氏之死當使他們看作一種嚴重的損失。

香港有些電影公司與日本電影界的密切合作，已是衆所週知的事實。中國人在香港的電影製作技術，有些要依靠日本同業的幫忙，這便造成雙方進一步的合作。中日著名影星合拍影片已是常見之事，這些影片透過電影院的宣傳和放映，對於「中日親善」的潛在宣傳是很有用處的。以陸氏在星馬經營電影院之多，這類影片由這一條路綫而在星馬普遍發揚「中日親善」的「美景」，當然可以冲淡日本在「軍事南進」時期所遺留的惡劣印象。這樣，日本目前既可收「經濟南進」之益，又可在「政治宣傳南進」有其無可估量的收穫了。

我拈出這一點來說，絕對不是對陸氏有任何不滿的微詞。年前，當一位紅到發紫的中國女星和一位紅到發紫的日本男星合拍影片，儼如珠聯璧合，被許多「影迷」爭相傳說，視爲美談的時候，我在內心裏雖覺有些不自在，還沒想到這些可能和「政治宣傳」發生聯繫，直至現在，我才於「偶悟」之中有這一想，認爲可以有這一解。這一悟一解是否有當呢？日本的經濟政治圈裏是否有這麼一個幕後「大導演」呢？大家用心思索思索吧！

如所週知，日本對歷屆「亞洲影展」都持禮讓之旨並不用心去爭取什麼榮銜。他們要爭取國際性的榮銜，而以「亞洲影展」歷屆榮名讓給別人，尤其是中國電影圈裏和他們有了合作情誼的人。他們的影片要向台灣，香港和東南亞各地放射出去，所爭取的實際市場，實在利益，尤其那極爲難得的「宣傳地盤」——電影院。

這是不是十分厲害的打算呢？大家用心思索思索吧！

日本人在南侵時遺下的惡跡，至今仍未磨滅，而以星馬一帶爲尤烈。星馬華裔力量比較其他東南亞各國爲大，日本「經濟南進」在星馬遇到的阻力當然是特別堅強的。我們看到日本對印尼所做的拉攏工作，事實是以配合東南亞「排華力量」爲目標，但在另一面，我們又看到日本「電影南進」的宣傳作用是那麼多采多姿，也該對「宣傳之道」獲得悟解了解才是啊！

要宣傳便要花錢，但花錢到了某一階段，還可以把錢賺回來的。「宣傳的投資」當然不容忽視，但也有人把資本擲之於虛牝，使宣傳變成泡影的。這種事實並不稀奇，但如以爲從事政治鬥爭，不必注重宣傳，或者根本毋須宣傳，那便不如嚮慕「無懷氏之民，葛天氏之民」，索性把政治鬥爭也放棄了，還更乾脆得多呢！

單就香港一個地區看來，中共「宣傳的投資」已用了一大筆本錢，地盤也有不少了，賺錢的也有，最顯著的便是那幾部古裝影片。這是我們不必諱言的事實，而且要正視的事實。雖則他們有時宣傳得拙劣可笑，而且往往弄巧反拙。但他們那種鍥而不捨的長期投資，還值得我們細心推究一下。

我們不要忘記，宣傳鬥爭是政治鬥爭的前哨戰，不該放棄。

誰是贋品？

雙面人

自由談

行政上的「陋規」

不知道是根據那種法令制度，也不明白是誰始作俑者，現時中華民國行政院舉行院會時，台灣省府主席必須列席敬陪末座。台省府是設在台中的，因此，省府主席每週至少必在台北流連兩天，往來不歇，跋涉維勞，而其作用不過是恭聆三公九卿的政務報告與議論，却不宜妄贊一詞，爲的是甚麼？令人大惑不解。

若說這是爲要使省政負責人明瞭中樞施政情況，則彼此同在一隅，相距咫尺，並無隔閡之虞，而且現代的通訊工具極簡便，台北與台中電話暢通，必要時搖電話商談問題，毫無阻碍，何必硬性規定省主席非來列席院會不可呢？似此虛耗時間與精神，省政主持人如係勇於任事者，必視此爲誤時害事的形式主義，有苦說不出。如係因循敷衍的官僚人物，即樂得常在台北作逍遙游，揖讓周旋於名公鉅卿之間，名正言順，誰也不能說他有虧職守。不特此也，省主席既常到台北來消遣，省府的廳長委員們，亦有充足理由，每週到台北住幾天，所以，省政大員的公館都在台北。據說，台中中興新村的省府各廳處，到了星期五下半天，即有人去樓空的景象，連科長階級的職員亦渉無踪影了。上有好者，下必有甚焉，所謂提高行政效率云云，廢話而已！

若說這是爲着施政便利的權宜措置，不需要法令根據，然則福建省主席亦轄有金門、馬祖等疆土，何以又未見他奉命列席行政院會議呢？可見單獨教台省主席每週列席院會之舉，不特於法無據，亦復於事無補，利弊得失之數，昭然可覩。我不相信當局者見不及此，祇以積習相沿已久，不欲輕事更張，且認爲這是無關宏旨的問題，毋庸介意。殊不知因此而使台省政府滋生若干不必要的困擾，聯帶影響到各廳處主管及其僚屬們的工作情緒，豈可等常視之乎？

行政院最近通令各級行政機關，撤消「執行小組」，以免貽誤政事，可謂明智的決策。我希望嚴院長再能將此於法無據的台省主席列席院會的「陋規」，加以廢止，表現「崇法務實」的績業。我敢担保立法院不致於提出質詢，監察院更不會從事糾舉，吾輩新聞記者且將歌功頌德，視爲善政，詎不懿歟！

馬五先生

今日與明日

高華德旋風

自從美國共和黨代表大會以史無前例的壓倒多數票，選出參議員高華德担任本屆總統候選人之後，不特美國國內各界大爲震驚，而英倫與莫斯科，乃至於北平的毛共集團，莫不譁然騷動，好像高華德馬上就會進入白宮，按開核子武器的樞紐，對共產世界實施戰爭手段了。

俄共集團害怕高華德當選總統，結果將對他們大不吉利，理有固然。英國人亦嘵嘵譁咋，相驚伯有，所爲何來，眞是匪夷所思了。唯一原因就是高華德如果主政，英國即不能牽着美國當局的鼻子，厲行重歐輕亞的姑息主義吧？

最可哂是美國民主黨元老杜魯門，受到了一陣「高華德旋風」的震撼，六神無主，急不暇擇，竟以「蠢材」這種粗鄙的詞句攻擊高氏，失格丟人，莫此爲甚。然高氏很技巧的以矛攻盾，說當年美國人民選了一個「蠢材」作總統，却作得很好。兩相比較，誰傑奚似呢？

不管高華德將來能否主政白宮，但他這陣政治旋風，對美國政界必然發生鉅大的影響無疑也。因爲這陣旋風幷非偶然發作的，它是代表着美國中西部工商企業人士以及軍人們不滿民主黨對外政策的「思變」心理，縱使詹遜僥倖獲選繼任，他亦不敢漠視這種民心的。

高華德已經據有「時勢英雄」的地位了，當選與否，他在美國政治史上亦佔有光榮的記錄，大丈夫不當如是耶？

關於對日外交

據說，我總統府秘書長張岳軍先生要赴日本訪問，這是爲着日本政界元老吉田茂曾經訪問過台灣，禮尚往來，固其宜也。

我們認爲張岳公此行，對中日外交前途自有一些好的影響，但不能抱多大的願望。若要日本當局不跟中國大陸上的毛共政權通聲氣，攀交情，那是幻想。我們亦不必責難日本人罔顧後患，理由很簡單，美國且處處對毛共獻媚作態，而美其名曰「維持世界和平」，日本在經濟上既要倚靠美國，它當然烤大火，而唯美國的馬首是瞻，對咱們只好以「政治與經濟分開」這類濫調來敷衍，此外任何道理，它是不會措意的。

所以，在國際局勢沒有變化以前，中日外交既不致於再惡化，也決不會有好轉，張岳公去東京報聘一下，表示外交禮貌，對大局無損，咱們可不能存甚末奢望呵！

赫、毛之爭

美國人認爲中俄共的理論鬥爭，只是赫、毛二酋的個人權力之爭，這種常識的見解，誰也懂得。可是，美國當局和一般以哈佛大學教授爲首的雞蛋頭人物，始終痴想着中俄共眞有決裂火拼之日，以便達到不勞而獲的最後勝利。

自由世界很可能被這種莫名其妙的領導方法埋葬掉，可懼也已。

喻伯凱控訴高玉樹案件 纏訟八年多迄今未了結

此案在我國司法上已造成罕見紀錄 高院五次判決最高院五次發回更審

（本報台北航訊）「法律之前，人人平等」。這是真法治的精神之所在。遠在數千年前的商鞅變法，為了實行法治，曾經刑及太子，所謂「王子犯法與庶民同罪」是也。近在二十世紀初，英國有一位首相，因未循法律手續，擅自下令逮捕一位老百姓，後經被害人向法院起訴，旋經法院判決：「私行逮捕，處罰英鎊一千鎊。」在英國的法治史上創下著名的紀錄。一九五二年，美國總統杜魯門，在韓戰方酣時，因鋼鐵業發生勞資糾紛而下令沒收鋼鐵業，後經鋼鐵業業主向法院起訴，第一、二審判決，原告鋼鐵業敗訴。上訴到美國聯邦最高法院時，經聯邦最高院判決：「總統只有直接指揮三軍之權，無權直接接管鋼鐵業。」杜魯門總統因而敗訴。翌日有新聞記者向杜魯門詢問：「總統先生，你被控違法接管鋼鐵業的官司，現經聯邦最高法院判決，總統無權直接接管鋼鐵業，你的官司敗訴了，怎麼辦？」杜魯門笑笑說：「國家的法律，高於一切，自然我也得遵守法律的裁判。」杜總統於接到判決時，立即下令工商部長將鋼鐵業發還原主。現在我國的法律，究竟是不是「法律之前，人人平等」呢？

自第五屆台北市長選舉後，大家都知道高玉樹當選了第五屆台北市長了，但却很少有人知道高玉樹在第二屆民選市長任內，犯了一件不大不小的刑事案，犯的是刑法第353條的毀損罪，依律可判六個月以上五年以下有期徒刑。這件民告官的官司，已經打了八年多，經最高法院五次撤銷高院原判決，五次發回更審，現在更審期中。筆者忝為當事人的法律顧問，故對此一訴訟情形的經過，知之甚詳，特地報導出來。

這件小市民告大官的案件，在自由中國尚屬創舉，此案係發生於民國四十五年十一月。緣有台北市市民喻伯凱，在四十五年春季，經台北市工務局、警察局、公車處等單位核准，在仁愛路一段自費建築公共汽車候車亭及售票房一間，圖樣較一般售票房為大。不料建好後還不到半年，當時的市長高玉樹，即藉口以整理新生南路仁愛路為由，通知喻伯凱：「自行拆遷，否則派工代拆。」喻以係經核准建造，不同意拆遷，遂向省政府提出訴願，當經台省府嚴主席（即現任行政院長）以府祕法字第 111041 號命令（最速件）停止拆除。詎高玉樹祗省主席命令若無睹，照拆不誤。省府法制室對此不聽命令之市長也無可奈何，除簽請嚴主席以府建上字第102P35號命令台北市政府照合法房屋賠償，刑事部份面囑喻伯凱直接向法院自訴。喻乃於四十六年三月一日向台北地方法院自訴高玉樹等毀損。此小市民告大官的序幕，於焉揭開。

台北地院受理後，曾三次票傳高玉樹，高以官高可恃，拒不到庭，僅聘王培基律師出庭辯護。地院曾一度諭命雙方在外和解未成，旋地院宣判高玉樹等無罪。喻不服，上訴台灣高等法院。高院後來駁回其上訴。

喻乃再上訴最高法院。經最高法院於四十七年以台上字第八〇五號判決：撤銷原判決，發回高院更審。發回的理由是：一、查工務局核准通知：「該建築地點將來為四十公尺道路預定地，」「將來該道路拓寬時，應無條件自行拆遷」等語，是否以拓寬時為拆遷之先決條件？二、既經省政府命令停止執行，何以仍予拆除？其拆除之原因何在？有無毀損他人建築物之故意？

不意台灣高院更審後，仍然駁回上訴。其駁回之理由謂：「被告等係本於行政權之運用，不聽從省府命令停止拆除，不過為行政處分問題，縱有未合，仍屬侵權行為，僅屬民事賠償責任，尚不涉及刑事罪責」云云。

喻不服，再上訴最高法院，旋經最高法院於四十八年以台上字第 1483 號判決：原判決撤銷，發回高院更審。此為第二次發回。發回的理由是：「上訴人的建築物是否應依核准通知所載：「將來該道路拓寬時，應自行拆遷」，為拆遷之先決條件。且既經省府命令停止執行，何以仍予拆除？有無毀損他人建築物之故意？原審未依本院前次發回意旨詳查置論，已有未合。而且何以省政府事後又復命令台北市政府照合法房屋賠償？原審未予詳查，似嫌速斷。」（上）

台省第一條超級公路

——邱家文——

台灣省內的農、工、商各業，近來在政府極力的扶助下，都有突飛猛進的成就。交通事業因各業的產量激增，運輸需要激增，亦跟着日進千里，四通八達。尤其是公路局與鐵路局的彼此合作，辦理聯運，收到了相得益彰的效果。最近公路局又在政府的扶助和公路工程人員的努力下，完成了一條本省獨一無二的超級的新型公路，取名為「麥克阿瑟超級公路」，全線業於本年五月二日竣工通車。

這條符合國際水準的新建高級路面的超級公路，自五月間正式通車以來，不僅於經濟和軍事上都具有相當價值，並可使台北至基隆間的車輛之擁擠問題，得到了相當的調劑，暢通無阻，在我國公路建設史上寫下了新的一頁。

興建歷時三年

民國四十九年底，中央和地方的機關，為了配合北區運量輸的增進，以爭取時間及經濟上的效能，遂決定開闢這條超級的新築公路。民國五十年初，公路局及有關單位，即成立「北基新路工程處」，並着手展開路基與圖樣設計的工作等，然後再向行政院申請徵購土地等事宜，到同年五月間，正式動工興築。

超級新路的全部工程之分配，係按照實際的需要，由北基新路工程處本身承當三分之一，另外三分之二則由榮民工程處負責建築。依照原來的估計，雨天平均為晴天的百分之二十，全部工程預定三年完成，即其中預計有七個月的雨天不能施工。事實上，經過三年來的計算，雨天却佔百分之五十三左右！因為下雨天多，塌量的增多於是超過原預定的百分之五十，在雨天，機械陷入泥沼，無法進行施工，因而通車之期不得不一延再延。

根據通常築路的慣例而言，要建築一條高級路面的公路，是先鋪起簡易的路面，等到路基完全穩固後，再在上面加鋪一層柏油，俟柏油風乾時，再撒鋪細碎的沙石，並經過壓機的重壓，藉使路基堅固耐久。然而，麥克阿瑟高級路面的新築公路，却因為受了天時的影響，遂致拋去了築路的程序，在鋪上柏油之後，路面的柏油還未乾固，就在時間的催迫下趕鋪碎石了。如此一來，柏油與碎石却凝成為團團的黑鐵餅。因之，通車後不及三個月的這條超級公路，已出現了裂痕，雖然不很嚴重，却到底是美中不足的憾事。（上）

台省縣市預算的兩個問題

本報台灣中部記者熊徵宇

六月二日，我在本報寫過台灣省主計處推行「績效預算」的成就的報導。由於對一部門業務的研討，發現透過績效預算制度，在各縣市議會所通過的預算方面有兩個問題存在。

第一個問題是經征費；第二個問題是差旅費和加班費。

這兩個問題如果不澈底解決，如果不拿出具體辦法來，流弊所至，不但是妨害地方建設和文化事業，而且對於匡政事正人心都是很大的傷害。

績效預算．遭受威脅

預算的制度，是建立在法治的基礎上。「績效預算」從五十四年度建立起來，是本省光復以來的一個創舉，在地方自治史上，是值得讚揚稱道的。但是如果不嚴格的以預算配合政策，確定財政的收支計劃，不以會計監督財務管理，不以統計分析施政的得失，那末不但是這種最合科學原理的良好制度失去了效能，而施政的計劃也失去了依據。於是省主計處主計業務工作者，在各種困難的環境下所建立推行的新制度，今年一開始就受到破壞。

而法治與地方自治的前途，也必然失去了保證。

台北增列．征費千萬

我們就經征費方面舉例來說：

台北市五十四年度的預算，曾經被議會退回重編，引起府會雙方的強烈爭議。在焦點上，市議會認為上年度經征費實際支出高達二千五百萬，而五十四年度的預算，只編列三百二十萬，將來再依慣例辦理追加，顯然是隱瞞稅源。

而且間接影響教育經費的法定比例。因之議會要求重編。

市政府則認為，市議會對稅捐處部份有意見，可以提出附帶決議，不應該把整個預算退回，影響法定期間通過總預算。況且預算退回重編於法無據。

於是雙方到中興新村評理。結果是財政廳出面轉環，答應增列經征費一千萬，才算緩衝了事。

稅源流弊．值得研究

這個爭端算是解決了，但這件事的是非曲直，在實質上是不夠要求的。

我們知道，全省各縣市的經征經費以多列少是事實。各縣市的稅捐處，編造年度預算時，酌編一點，事後再陸續的辦理追加預算；而各縣市的追加數字，往往要比原預算增加三倍到六倍不等。

此中流弊，自然很多。如台北市議會所言「隱瞞稅源」，也不是沒有道理的。

若果如此，財政廳該負怎樣的責任呢？而且對地方自治事業來說，影響是很大的。我們希望財政廳開誠佈公，取信於民，有效的迅速改進，提出解決的辦法來，在法治的基礎上謀求財務制度上的合理。

旅費加班．強爭弱嘆

差旅費和加班問題，中央級的民意機構立監兩院，和省級的民意機構省議會，都曾不斷地大聲疾呼，要求改善公務人員的待遇，

但是問題始終存在。於是公務員們在爭取差旅費和加班費上，八仙過海，各顯神通；花樣百出，強爭弱嘆。

就各縣市的預算上來分析，大家挖空心思的增列差旅費和業務費，然後改為加班費來開支，形成畸形變相的津貼，你爭我奪的不成體統。

此為亂源．根除有待

各縣市科室主管，有的一年出差三百六十六天以上。有的全月加班報滿了，借不申報的人來報，在那加班費中，稍微分一點好處給被借報的人。

這些事實，有時也遭人檢舉，見諸報端。但是上級主管查明以後，只是糾正了事。像這種現象，不但是浪費公帑，戕害人心更甚。主管機關，應該如何從嚴考核，而使其綜覈名實，必需要拿出具體辦法來切實執行。否則再好的制度都等於零；而對於健全財務行政與加強行政管理的「績效預算」制度，也自然要在這兩個問題上，受到蝕食，澄清吏治的功用，更是談不上了。

戴高樂妄發謬論

對東南亞及歐洲問題 美德均加以駁斥

（紐約航訊）戴高樂是一位自命不凡的人物，紐約時報社論說他絕無解決世界問題的良藥，却專會在傷口上撒鹽。紐約前鋒論壇報指出他每年很少舉行兩次以上的記者招待會，而每次招待會，都是他自己先把問題準備好，然後授意某記者在會中提出。他更在事前把字句鏗鏘的答案記得滾瓜爛熟，到時候在會場上以偉大莊嚴的姿態背誦一番。倘若他預先佈置好的記者不按照預定台詞發問，而提出真正的問題，戴高樂則佯作聽而不聞，移向另一預伏的記者，待全部台詞背完之後，他就揮手宣佈散會。

戴高樂在本年第二次記者招待會中所發的高論，不外二點：一、東南亞問題，二、德法合作。兩者俱遭受有關國家的奚落反擊。

詹森總統在華府記者招待會中，雖未提及戴高樂的名字，但指出維持東南亞的和平並不需召開新的國際會議，只要實行日內瓦會議的決議即可恢復和平。紐約時報說：戴高樂根本對中立印度支那問題無能為力，「他和東南亞公約組織差不多斷絕了關係，自己在東南亞根本無一兵一卒，憑什麼保證東南亞的中立與和平」。

在德法合作問題上，戴高樂之所以發出謬論，是因為七月初他要求西德政府幫助法國製造核子武器時遭受拒絕。關於戴高樂碰釘子的經過，紐約時報駐波恩記者有一段詳細的報道，據說此事發生在七月三日戴高樂與西德首相艾赫德會面之時。當時戴曾對艾大發其歐洲應有獨立核子武器的偉論，艾一言未發，等戴議論完畢，艾問他此種核子武器應如何控制？戴說：「法國可以負責」。艾當場表示西德對此不感興趣。使戴高樂頗為難堪。因此戴在此次招待會中公開批評西德的政策是「追隨」美國。西德政府對此明言反駁稱：「西德的政策既不依賴美國，亦不依賴法國；德美兩國政策的相似，並非依樣葫蘆的追隨。」

美國輿論之力量

曹德宣

編者案：監察委員曹德宣先生最近從美國訪察歸來，對彼邦情形多所瞭解，本文只是指出美國人因珍視自由權益而構成輿論政治的所以然，使國人憬悟世界大戰不容易發生，用意殊深也。

大家都知道，美國是崇拜自由的國家，更是重視輿論的國家，「自由神」是代表美國立國之精神，也代表美國輿論之鵠的。美國建國迄今不過百八十年，而其富強甲天下，主要因素，惟在崇拜自由，保障自由，人民有充份自由之享受與保障，輿論更能指導政府，啟發人民向自由崇高之大道而邁進，上下一致，向此崇高的目的共同努力以赴，國人各展天才，各發揮智能去創造，去發明，去進步，故很快的而達到富強康樂之地步。自由是它們立國之精神，與論是代表民意之所向，以監督指導政府者，故輿論能走在政府的前邊，而不是跟着政府後面走的。政府要重視輿論，採納輿論以行事，而不能壓迫輿論，摧殘輿論以行事，所謂「言論自由，信仰自由」，全國皆視同神聖不可侵犯的。不獨美國如此，所有歐洲民主國家無不如此，所謂「不自由毋寧死」是也。彼共產獨裁國家，正與此背道以馳，不但無言論自由，更無信仰自由，只有摧毀剝削自由，從無保障愛護自由。共產國家因摧毀人民自由，當然更要壓迫輿論，甚至假造輿論以欺世，所以反對私有，反對資本家，這就是共產國際經濟落後，生產不足的主要因素。大陸中共之「大躍進」而遭致經濟破產，普遍饑荒，殆為自作孽不可逭的必然結果。

民主政治是一切取決於公意，視輿論為轉移，以法治為中心。絕對服從多數，此次民權法案之終能通過實施，其歸於輿論之指導，人民大多數之要求，雖有南方少數頑固分子盡力反對阻撓，然光明終能戰勝黑暗，正義必能打倒邪魔，平等自由之真諦，終告實現。這是美國立國之精神，亦是美國領導民主國家，反抗強權，反抗暴政專制，以遏制共產國家侵略顛覆之陰謀所在。彼共產國際，以及世界落後國家之政府，專事壓迫民意，違反民意，統治者一意孤行，不顧是非，顛倒黑白，視輿論為仇敵，斥反對者為叛逆，不僅抹煞大衆之福利，甚至斷送國家民族之生機，共產主義終必歸於失敗，固勿待言，它們不但不能埋葬資本主義，反爾向資本主義國家看齊，承認人民私有，提高人民生活水準了。

由美國目前之輿論，看美國人民大多數之傾向，無論大學教授，青年學子，農工商和宗教團體，以及家庭主婦與退休老人們，都不樂意戰爭，厭惡戰爭，和反對戰爭之空氣，非常濃厚。尤其經過南韓戰爭之教訓，和現在南越戰爭之進退維谷的局面，更使美國人不樂戰爭，厭惡戰爭。（未完）

我所知道的麥帥

肯寧將軍原著　徐熙光翻譯

第二天上午，我們把六架戰鬥機排成一個半圓形，每架飛機前面站一個飛行員，另外由十二個也是戰功彪炳的戰鬥機駕駛員組成儀隊，狄克站在儀隊的前面，他有點怯場，身體抖得像一片樹葉。在天空中，狄克面對那麼多向他攻擊的日機，他那麼鎮定，冷靜，一點也不害怕，可是面對着這麼多人，在麥克阿瑟準備頒授勳章給他時，他却害怕得發抖起來了。

麥克阿瑟和狄克面對面各走了幾步，在相隔幾呎的地方停下來。麥克阿瑟走上前幾步，把他的雙手放在狄克的兩肩上，並說：

「在軍中，最值得欽佩的美德就是勇敢。美國國會為表揚最勇敢的軍中英雄，特頒最高榮譽的國會勳章，我把這個榮譽勳章佩帶在你的胸前時，你即升為少校。你佩帶這枚國會勳章代表你在生死戰鬥中所表現的無比的勇氣。願仁慈的上帝繼續保護你，我以最高統帥的名義，為你祈禱。」

麥克阿瑟把勳章別在狄克的胸前以後，儀式宣告結束，每一個人都擁上前去，想向狄克道賀。狄克覺得儀式完畢對他來說是如釋重負，他衝出重圍到飛行員餐廳去問中餐吃的是什麼。

他太興奮，也太緊張，所以他那天早上連早餐都沒吃。

麥克阿瑟在一九四四年二月二十九日攻佔阿得米拉提群島。在這次戰役裏，雖然日軍為數不多，不能被認為是一次龐大的軍事行動，但是在戰略上却具有無比重要的意義。由於阿得米拉提群島的得手，使得原來攻佔新愛爾蘭北部的卡維恩和新幾內亞北岸日軍重要港口漢薩灣的計劃都變得沒有必要而省略掉，也使得太平洋戰爭的時間縮短了好幾個月。

麥克阿瑟以第一步兵師的一千人兵力在洛斯尼格羅斯島的灘頭登陸，很順利的佔有了各島。洛斯尼格羅斯島是阿得米拉提群島中的第二大島。阿得米拉提群島有良好的機場和海軍基地，這使得俾斯麥海等於變成了聯軍控制下的一個湖，日本在拉堡的強大軍力立刻被孤立，毫無用武之地。麥克阿瑟說：「那等於把一個瓶子用瓶塞給塞起來」，眞是再恰當沒有的譬喻了。

阿得米拉提群島的日本守軍大約有四千人，大部分在馬奴斯島，這個島是阿得米拉提群島中最大的一個島，和洛斯尼格羅斯島之間，只隔了一道寬不過幾百碼的狹窄的海峽。

我曾經和麥克阿瑟討論過洛斯尼格羅斯島上的飛機場，這俏機場鋪滿了珊瑚石，我說我希望日軍在鋪珊瑚時已把鬆的泥土統統移掉了。麥帥答應我，他從洛島回來以後，將告訴我有關這個機場的資料。（三二）

詩的意境格律及修辭

李純一

中華民國建國以來，研究詩學的有兩種說法：一是認為用敲字不如用推字，是唯美主義。他們說，如果用「推」字可以表現得特別幽靜。鳥到了晚上宿在池邊的樹上，有倦鳥知還之意；僧推月下門有獨往獨來自在無礙的意思。「推」字無聲，即使有聲音也不會太大。而用了「敲」字就發出了剝啄之聲，難免驚起了宿鳥，擾亂了環境。在冷寂的月光下，飛鳥歸巢之後，池水與月光相映，是如何的調協！如用了「敲」字，豈不是把整個的幽靜的氣氛破壞了。另一種說法是寫實主義，他們要考慮當時的事實。他們一面認為，用「敲」字不僅在音節上響亮，讀起來好聽，同時另一面認為用「推」字讀起來好像音調暗澀，並認為這兩句詩雖是在描述鳥倦知還，一個人乘月訪友或返歸，但表現的太冷苛了。用「敲」字必有人應門，至少也有一些溫情的表現。可是他們仍不肯定用「敲」字。他們說，不管用「推」或用「敲」，都沒有什麼關係。只是要追究一下當時賈島心裏所玩索而思想表現的是什麼？問題不必於「推」字或「敲」字那一個字比較妥當。而在於那一種意境，能夠與賈島當時心裏所玩索的可以調和，而去用那一個字。這乃是修辭立其誠的一個說法。

而現在我們認為這兩句詩，根本算不上什麼是好的詩，不論用「推」字或「敲」字或其他什麼字，這兩句[illegible]意境總是有限的，沒有什[illegible]大或美妙。因此，我們可以確定其字句本身沒有多大文學價值。但我們不能否認修辭的作用，我們可以想像一下，當時韓愈是做官的，並且極力反對佛老之學，而賈島當時是和尚；賈島當時不知用推字或用敲字那一個字好，是在當時的心中已具有實在的矛盾，韓愈教他用「敲」字，驚起了他的鳥倦還巢的意念，給了他人世的思想。而終於賈島還了俗，做了官，這是韓愈的[illegible]則，並不是賈島有了什麼好的創作。可見作詩的功用，雖是一個字的變動，其影響力所及，是如何的重要了。

在詩的修辭另一方面，我們要講到「音色」的問題。除去字義的推敲之外，音色的研究也是很重要的，本來聲音與字義是不能硬性劃分開的，有時因為聲音而使我們所聯想到的意境會比字意所表達出的更微妙。所以作詩修辭必須在「音色」上下一番最重要的工夫。

（十）

—舊金山航訊—
高華德勝利進行曲

趙浩生

[illegible]

[illegible]君續夢

第十三回：惡貫難盈　巨奸逃火網　良知未泯　傑士出天羅

金日成點頭道：「實在偉大，這種朋友哪裏找去。」

毛澤東說道：「我們願作羊角哀，而以左伯桃期待朝鮮，你說誰是荊軻呢？」

金日成笑道：「當然是指的美帝國主義了。」

毛澤東搖頭道：「美帝國主義者最多威脅到我們的生存，也不致於死過了連墳地都要趕走，說起來只有肥猪才眞像荊軻，他的辦法硬是要掘社會主義的祖墳，若讓他得了勢，相信社會主義就沒有第三代了。」

毛澤東越說越氣，臉上早已沒有笑容，成個臉通紅，好似全身的血都上了頭一樣。

金日成有點害怕，恐怕毛澤東一旦腦冲血倒下去，自己可担不起這個責任。連忙勸道：「主席不要太氣憤，要同赫魯曉夫的現代修正主義鬥爭，全靠主席領導，主席若氣病了，赫魯曉夫就沒有對手了。」

毛澤東聽了這句話，臉上氣色緩和下來，喝了一杯龍井，又燃着一支茄力克，情緒漸漸平靖，笑着說道：「日成同志，你既然認定同赫魯曉夫現代修正主義者鬥爭，非我不可，你就要支持我，像霍查同志一樣支持我。」

金日成說道：「這是當然。不過僅靠我們兩人支持，主席能戰勝現代修正主義者嗎？」

毛澤東笑道：「萬事起頭難，梁山將初聚義時，也不過晁蓋等六七人，後來發展到一百零八將，是要慢慢來的。再說我長征到了陝北時，剩下也不過兩萬多人，現在六億人口都握在我手裏，只要肯幹，最後一定會由少數變成多數，不但把肥猪鬥垮，還要把莫斯科領導中心遷到亞洲來，為黃種人爭口氣。」

金日成暗想馬克思主義者怎麼分得出黃種，白種，這樣一說不正是變成了赫魯曉夫所說的種族主義了嗎？不過却不便說出來，恐怕毛澤東又動肝火。當時就順口敷衍道：「只要主席能取得勝利，淨化社會主義陣營，至於領導中心在何處，却沒有什麼道理。」

毛澤東說道：「不成，我這回不但要鬥肥猪，也要鬥大鼻子，這些年我眞被他們欺負苦了。」

金日成笑道：「我記得主席講過，鬥爭的最高戰術是分化敵人，我們要想鬥垮赫魯曉夫，必須先孤立他，萬不能把所有的俄國人都連在一起，這樣就反而幫了赫魯曉夫的忙。」

毛澤東說道：「你不知道蘇共這些黨員多麼可恨，尤其是主席團的那批委員，我鬥赫魯曉夫原是為了幫助他們，解放他們，結果却沒有一個人響應。西方帝國主義過去都說蘇斯洛夫是史大林主義者，按說應該同我們合作才是。可是在鬥爭時，他比別人更支持肥猪，你說多麼可惡！因此，我眞是恨透了大鼻子。」

金日成說道：「他們不敢明白表示態度，馬倫可夫、莫洛托夫尚且被鬥垮了，何況蘇斯洛夫？相信一旦赫魯曉夫地位發生動搖，他就會出頭了。」

毛澤東點頭道：「這點到是不錯，我們現在就專以肥猪為目標好了。」

（三三一）

冒險犯難記

鄭文儀

我那時很少講話，但很熱心，積極的參加黨中各種活動。我矢志不隨波逐流，決心做一個純粹忠貞的國民黨員。共產黨對我很鼓勵，極盡拉攏爭取的能事。不到三個月，我就當選了學生公社的委員，兼衛生蘇維埃的主席，又担任學生練習射擊的女生隊隊長，當選學生教授班的班長，國民黨總支部的委員，還兼一個小組的組長。我眞是忙極了，但內心中却很孤寂，明知他們是利用我，爭取我，我不動搖，他們就會奚落我，用冷酷的方法對付我。我克服這種困難的方法有兩種，一是在精神上取了一個別號叫雪冰，因爲學校替我取了一個俄文名字叫（Zayeunh）沙雪平，我就其諧音，自名爲雪冰，意在警惕我要有冰雪的聰明，冷靜的頭腦，應付學校裏冷酷的黨派鬥爭，始終保持我如雪如冰的淸白，能應付一切艱難，險阻，威脅，迫害，這在精神上是一種好武裝。一個熱情的靑年，要和共產黨鬥爭，不冷靜是不行的。後來有師友說我的別號未免太冷了，不知道那名號乃是我度過莫斯科冷凍生活最重要的精神武裝。幾十年來，我遭逢了千百次的危險困難，就全靠用冰雪聰明及雪冰冷靜的精神應付裕如呢！

渡河幾乎送命　二十五、五月

莫斯科的生活，大部份是冬天，課餘的娛樂運動，主要的是滑雪溜冰。可是一到夏天，大陸氣候還是很熱，人們就都要歇夏和游水划船了。冬天連着春天一起過去，一到五月很快便是夏天了。

我一向喜歡遊山玩水，莫斯科城郊有一座列寧山，山不甚高，遊人很多，我們差不多常在那裏渡週末，順帶約集國民黨的同志在那裏舉行秘密小組會議。但是一到五月中旬，天氣轉熱，我們就開始到莫斯科河游水。七月間就全校學生遷到鄉下，而在山水之間的夏令營歇夏了。

莫斯科河環繞着莫斯科，可以通達好多條重要的河流，河水很淸，河面寬約八百到一千公尺，除了秋末到冬春三季，大部份時間爲冰雪封凍外，整個夏季及春末秋初，都可航行及游泳。我們選擇游泳的地段，是市區郊外的地方，河的彼岸爲遼濶的沙灘草地，沒有人居住。

那是五月中旬的時候，天氣相當熱，我們同學約二十餘人，利用最長的下午沒有課，同去作第一次的游泳。因爲水流並不湍急，初下水時大家都很愉快。我向三位游得好的同學提議泳渡過河，到對岸去看看那邊的風景，四個人祇有一個中途折回，三位一同游過河去，很是輕鬆。（三八）

關張之勇

匡謬

漢以後稱勇者，必舉關張。餘不與焉。足見關羽、張飛乃天生神勇也。二公之勇見於本傳者：

袁紹遣顏良攻劉延於白馬，曹操使關羽、張遼救延，羽望見良麾蓋，即策馬直入，刺良於萬衆之中，斬其首還。紹將莫能當者。

當陽之役，先主棄妻子走，使張飛以二十騎拒後。飛據水斷橋，瞋目橫矛曰：「身是張益德也，可來共決死！」敵皆無敢近者。（張益德、演義爲翼德）

而三國時人之震其威名者，據魏志程昱傳曰：「劉備有英名，關羽張飛皆萬人之敵。」

魏志劉傳奕曰：「劉奕勸曹操乘取漢中之勢，進取蜀，曰：『若小緩之，諸葛亮明於治國而爲相，關羽張飛勇冠三軍而爲將，則不可犯也。』此乃魏人之服其勇者。

吳志周瑜傳云：「周瑜密疏孫權曰：『劉備以梟雄之姿，而有關羽張飛熊虎之將，必非久屈爲人用者。愚謂大計，宜徙備置吳，盛爲築宮室，多其美女玩好，以娛其耳目；分此二人，各置一方，使如瑜者，得挾與攻戰，大事可定也。』此吳人之服其勇者。（此美人計之所本也。）」

三國之後，仰慕關、張之神勇者，皆比之關張：

晉書劉遐傳曰：「遐每擊賊，陷堅摧鋒，冀方比之關羽張飛。」

晉書：苻秦遣嚴閣負殊使於張元靚，誇其本國將帥，有王飛、鄧羌者，關張之流，萬人之敵。

禿髮傉檀求人才於宋敞，敞曰：梁崧、趙昌，武同羽飛。（晉書）

宋書檀道濟傳：「檀道濟有勇力，時人以比關羽、張飛。」

南史安都傳：「魯爽反，沈慶之使薛安都攻之；安都望見爽，卽躍馬大呼直刺，應手而倒。時人謂「關羽之斬顏良，不是過也。」

齊書文惠太子傳：齊垣歷生拳勇獨出，時人以比關羽、張飛。

魏書楊大眼傳：楊大眼驍果，世以爲關張弗之過也。

魏書崔伯延傳：崔伯延折念生，既勝。蕭寶寅曰：崔公古之關、張也。

陳書蕭摩訶傳：吳明徹北伐高齊尉破胡等十萬衆，來拒，有西域人，矢無虛發。明徹謂蕭摩訶曰：若殪此胡，則彼軍奪氣，君有關羽之名，可斬顏良矣。摩訶即出陣，擲銑殺之。

以上皆見於各正史者。可見三國演義言關張之勇，非過言也。亦可見二公之勇名，當時人已望而畏之，即身後千數百年，亦多有震而驚服之者。天生神勇，亦可謂不朽者也。

滿江紅

黃伯遠

萬里江山，何日復？尚無消息。抬眼望，洪荒一角，今非疇昔。海濶天高鴉不到，雲根漠影鴻相識。想當年鄭氏闢蒿萊，哀兵殖。

新亭淚，揮無益。會稽恥，終須滌。但迎頭趕上，救亡猶及。正氣歌流秋露白，朱門肉臭餓莩泣。到而今仍是蔣山靑，仁無敵！

我的社會生活

雷嘯岑

我既不違犯黨紀，又不反對本黨領導人，祇是以公民資格，對現實政治有所評判，這與人格問題何關呢？若謂做了政黨黨員，即須放棄國家公民資格和權益；一切思想與意識形態，皆以非黨勿言，非黨勿視，非黨勿聽爲本，這是共產主義與納粹主義者的規律，非所語於民主社會的政黨生活也。

因此，我認爲在民國十三至十六年國民黨採取容共政策時期的某些觀念與作風，都不免受着當時俄共顧問鮑洛庭的傳染，習焉不察，迄未揚棄，如省政府組織採用委員制始終不改，即其一例，所謂「主席」這個名詞，在現行憲法上就找不着，類此玩藝，不一而足。朱舜水有言：「滅虜之策，在事事與虜相反」，而以澄淸觀念爲第一義。

「自由人」在言論上發生過一次笑話，亦出過一次岔子。前者是自命學問淵博的胡某寫的文章，認定蘇俄絕對造不出原子彈，當時引起中外一般有識之士的譏嘲，使「自由人」無以自解。後者是刋載了一篇「從三無到三不」的政論文字，對中華民國元首不無失敬之處。這時候主編「自由人」的已不是我了，但我恰好在台北旅行中。一日，奉蔣總統召見，提到「自由人」的言論問題，我向總統報告「自由人」內部組織情形，以及主編陳克文君之爲人與思想決無問題，或許因爲臨時稿件缺乏，隨便拿一篇存稿充數，以致發生了錯誤等見解。總統即以很和悅的詞色指導我曰：「民國七八年間，本黨在上海創刋的『建設雜志』，名義上是由戴季陶同志主編的，事實上總理教胡漢民、朱執信二位同志隨時從旁協助照料。你們應該學習這種方法，以求進步」。我除了敬謹接受總統的指示外，內心上對於蔣總統這種慈祥誠坦的態度與言談，大爲感動。叩別出來後，曾對當時陪伴我晉謁的老友黃少谷兄說：「我認定總統確有聽受盡言的恢閎度量，當朝袞袞諸公，應該本着知無不言，言無不盡的忠悃，對於國計民生諸問題，隨時向領袖據實呈報建議纔是」。

後來「自由人」之所以停刋，最大原因並非經費問題，而是原始的十四位發起人之中，有半數以上漸漸地離開香港，到了台灣，精神上已有渙散之象，加以所刋言論文字常有惹起是非的地方，例如「自由人」常轉載一些被台灣禁止入口的報紙雜志中的政治論文，對現實政治多所抨擊，住在台灣的「自由人」原始發起人諸君，當然不能負責，但當局者對他們還是不無責難，認爲「自由人」利用內銷機會，把海外某些「反動」言論「走私」進入台灣宣傳，殊有未合。可是，他們又無法控制或干涉。在香港出版的報紙編輯和言論，徒然代人受過，有苦難言，唯一辦法祇有自動停刋，別無兩全之道了。所以，我們在開會停刋之際，採納左舜生的意見，只刋出「本報於某年某月某日創刋，於某年某月某日停刋」的啓事，實行關門，却不必申述關門的理由。「自由人」就是在這種情況之下宣告結束的。近有妄人龔德柏在台灣散發傳單，對我攻訐誹謗，說「自由人」之停刋，是因爲我向行政院要錢的關係，狗屁胡說，不値一晒。（七三）

燕塵識小

無負生

古城文廟

自漢以來，尊崇儒術，孔孟之道，蔚爲兩千餘年文教之本源。因之歷代建制孔廟，崇祀孔孟以及歷代先賢先儒。內而京城，外而各省省會，以迄府廳州縣，凡有城池之處，殆無不有文廟，以備春秋時享，士庶仰瞻。北平古城先師廟金碧巍煥，肅穆莊嚴。三十年前，數經遊覽。値文化復興之會，寫古城文廟之篇。稽古之士，儻所樂聞歟？（註一）

謹按元明淸三朝，先後建都北京，文廟之建制，蓋亦歷三朝之增廣，而始具後來之規模。廟在北京（今稱北平）安定門內大街東之成賢街（俗稱國子監胡同），東西有坊曰成賢坊，與太學（古之辟雍，詳下文）左右並列。文廟在左，太學在右。試取北平地圖證之，可知其處也。

廟南嚮正門曰大成門，崇基石欄，前後三出陛。門左右列戟二十有四。石鼓十（註二），右石鼓音訓碑一。左右各一門，門內東西列舍北嚮。圍牆之西別有一門曰持敬門，西嚮。大成門外東爲神廚宰牲亭，井亭各一。西爲神庫，致齋所，更衣亭。每科進士題名碑分列左右。（註三）

大成殿崇基石欄三出陛。兩廡東西嚮。殿東西列舍南嚮。西廡南燎爐一，西北瘞坎一，甬道左右御碑亭。

元初，舊廟燬於火。王楫（元史有傳）請以金之樞密院地創之。於是置南學並立廟。世祖至元二十四年還都北城，以南城國子監爲大都路廟學。廷議另建，久而未成。成宗大德六年初建，十年廟成（西元一三〇六年）。明成祖永樂九年依舊地重建。世宗嘉靖九年改大成殿爲先師廟，大成門爲廟門。神宗萬曆廿八年易琉璃瓦。淸世祖順治八年（西元一六五一）重修。高宗乾隆二年改用黃瓦。三十二年（西元一七六七）重修，有高宗御製碑文。

殿中南嚮安設至聖先師孔子神位。東旁西向，復聖顏子，述聖子思子位。西旁東向，宗聖曾子，亞聖孟子位。

次東，西向，先賢閔子損，冉子雍，端木子賜，仲子由，卜子商，有子若位。次西，東向，先賢冉子耕，宰子予，冉子求，言子偃，顓孫子師，朱子熹位。

東廡祀先賢公孫僑，林放，原憲，南宮适，商瞿，漆雕開，司馬耕，梁鱣，冉儒，伯虔，冉季，漆雕徒父，漆雕哆，公西赤，任不齊，公良儒，公肩定，鄡單，罕，柴旆，左人郢，鄭國，原元，廉潔，叔仲會，公西輿如，邽巽，陳亢，琴張，步叔乘，秦非，顏噲，顏何，縣亶，牧皮，樂正克，萬章，周敦頤，程顥，邵雍。先儒公年高，伏勝，毛亨，孔安國，后蒼，許愼，鄭康成，范寧，陸贄，范仲淹，歐陽修，司馬光，謝良佐，羅從彥，李綱，張栻，陸九淵，陳淳，眞德秀，何基，文天祥，趙復，金履祥，陳[illegible]，方孝孺，薛瑄，胡居仁，羅欽順，呂枏，劉宗周，孫奇逢，張履祥，陸隴其，張伯行。（一）

妬婦篇

周燕謀

中國古諺云：「到老方知妬婦功」。言家有妬婦之妻，初覺其可怖，而到老年則覺其有益於身家。此或亦經驗之言歟？唐有「怕婦歌」云：「怕婦亦是大好」。此不但不以懼內爲可恥，反以爲福矣。

以妬爲惡德，倡有以懲之者，應以陳元龍爲巨擘，特爲之作「妬律」，以爲治妬婦之法條。其律十四條，第一條云：「凡婦人，臨鏡梳髮之際，見夫與婢以目相挑，發聲而妬者，杖七十，徒一年半。」判詞云：「迷悶沈吟，聞蟻聲而驚夢。疑團凝結，飲弓影而爲痾。以是披畫圖而含哀，詢洛神而赴水。羣狐滿腹，魍魎集胸。婦德無極，女怨無終，情寧可憫？」其實可笑極矣。

魏王以美人贈楚王，楚王夫人鄭袖，知楚王之愛之也，而愛之更甚於王。楚王因夫人之不妬也，而反愛夫人。嘗謂鄭袖曰：「凡婦人之所以事夫者，色也。故妬他人之色者，情也。今汝愛寡人之所悅，過於寡人。是孝子事親，忠臣事君之道也。寡人甚以爲賢。」鄭袖知王之信其不妬也，則謂美人曰：「楚王愛汝倍於人，然不悅汝之鼻。汝後見王，宜以袖掩鼻，毋以鼻當王之目也。」美人信其言。其後見王則掩其鼻，而現半面。王疑之。某日，以其事語鄭袖。鄭袖對曰：「是厭王之臭也。厭王之嗅，故掩其鼻。」王怒，使人斬美人之鼻。鄭袖可謂「面如菩薩，而心實夜叉也」。此妬婦離間人之妙計也。

亳州有鎖陰城，其名緣於妬婦而得。婦因其夫與女婢通，乃搗蒜塞入女婢私處而用線縫之。女婢不堪其苦，哭啼嚎啕，隣人聞之，訴諸於官。官逮妬婦，喚皮匠數人來，備錐及釘，擬以其施於婢之道還治其身。其夫以事爲家門之辱，跪而保其將來，且求免刑。有司罰其夫捐金修城以贖其罪。其夫耗資竣工，妬婦乃幸逃法網。至今土人呼是城爲「鎖陰城」。此因婦妬而罰及其夫者。（中）

自由報
THE FREE NEWS
第八六四期
內僑警台報字第〇三零號內銷證
中華民國僑務委員會頒發
台教新字第三二三號登記證
中華郵政台字第一二八二號執照
登記爲第一類新聞紙類
（每星期三、六出版）（半週刊）
每份港幣壹角
台灣零售價新台幣貳元
社長：雷嘯岑
督印人：黃宇宙
社址：香港銅鑼灣高士威道五十號四樓
20 CAUSEWAY RD 3RD FL. HONG KONG
TEL. 771726　電報掛號：7191
承印者：田風印刷廠
地址：香港灣仔高士打道二二一號
台灣分社
台北市西寧南路壹百零壹號二樓
電話：三〇五四六
台郵撥儲金戶九二五二

評『都市平均地權施行細則條例』

．張健生．

立法院第三十三會期第三十四次院會決定把行政院函請查照的「實施都市平均地權條例台灣省施行細則」案，改交該院內政、財政、經濟、司法四委員會審查。

本案發生的原因，由於台灣省政府擬定並經行政院於今年六月二十五日第八七〇次院會決議核定的該施行細則，違背實施都市平均地權條例（以下簡稱條例），所以立法委員周慕文等二十三人提議，說：「茲行政院於五十三年六月二十七日函送『實施都市平均地權條例台灣省施行細則』，請本（立法）院查照一案，經查：本細則與實施都市平均地權條例內容不盡符合，顯有變更或抵觸法律之處，敬請將「實施都市平均地權條例台灣省施行細則」改交內政、財政、經濟、司法四委員會審查。是否有當，敬請公決」。因此，立法院院會依據這個提議，而作如上的決議。此項決定，在近數年來，是鮮有的事情。不過憲法明文規定：命令與法律抵觸者無效。

一、漲價不歸公

立法院於今年一月間通過「實施都市平均地權條例」，今年二月六日，由總統命令公布。政府修正該條例的目的偏重於財政；由於偏重於財政，所以把重複課征的戶稅防衛捐，一律併爲正稅，故稅率較高。同時並遷就大地主利益，變更孫中山先生「漲價歸公」之遺教，而規定重估升値之地價，歸地主私享而不不歸公，致損失大量增値稅，使財政目的落空。蓋補救稅率偏高的方法，在評定地價，假使評定地價的人，都是些正人君子公正不阿之士當然可補救稅率偏高的缺點，可是條例中明文規定，把評定地價之權，賦與地方民意代表，及所謂公正人士，地政機關，與代表本身利益的地主，（條例第五條）以致新估地價超過市價黑市。該條例爲防止土地有所權人低報地價，規定申報地價低於百分之二十者，仍照公告地價征稅，這不是違反「照價收買」的遺教嗎？

例如，最近台北市公告的地價，比四十四年間公告的地價，最低的增加五倍，最高的增到近二十倍，大多數的地價超過黑市。這與立法院在審查修正條例時，立法委員所希望最高不要超過五倍的紀錄，大相逕庭。台北市政府已於七月十一日公告地價，至筆者撰此文時，已逾半月，在此全市十三萬多戶中，申報者寥若晨星，主要的原因，是稅率太重，地價過高，人民不勝負担。誠如立委所說，「勢必糾紛迭起」。而「工廠用地之地價稅，亦已正式要求減免。如此稅制，如何培養財源？」與殺鷄取卵何異！

二、照公價徵稅

儘管實施都市平均地權條例與遺教有違，在未經重新修改之前，大家只好遵守，因爲「惡法」比無法要強得多啦。

就在法言法的立場來說，不管該條例的立法精神如何，政府和人民除應一律遵守而外，都無權變更。然而，台灣省政府擬訂、行政院核准的該條例施行細則，却與原條例立法精神背道而馳，甚至原法所沒有的規定，施行細則却無中生有，自作主張加重規定，給地主製造發財的機會，給有錢人留下逃稅的依據。這就難怪立委周樹聲質詢說：「我們國內大資本家屈指可數，窮家仍然太多，而我們的社會基礎，由歷代以至今日，完全建立在中產階級之上（包括中產與小產），所以中產階級至關重要，爲政權興衰之所繫……」。

施行細則違反原條例的條文，重要者有：

都市計劃範圍的「農業區及綠帶之土地」，「在未建築使用前，其土地稅仍照「田賦徵收實物條例」之規定征收之」（施行細則第七十九條）。

所謂農業區及綠帶之土地，係特定專用之土地，在未變更都市計劃使用前，不能作爲建築使用，此爲「都市計劃法」明文所定。而施行細則第七十九條第一項規定：「經都市計劃編爲農業區及綠帶之土地，於建築使用後」一語就是說特定專用的土地，可以不經變更都市計劃的程序，即可作爲建築使用。這不是無中生有嗎？

凡是依法公布爲都市計劃範圍內的全部土地，均應規定地價，照價征稅，以期達成平均地權，地利公享的目的；不能在都市計劃範圍內，把一部份農業區及綠帶土地徵收田賦。這是原條例第十一條的硬性規定。但施行細則竟以「在未建築使用前」，得課田賦云云。此固違反原條例規定，且與增加稅收而達成財政的目的之政策相左。

三、幫地主逃稅

所謂「都市平均地權由台灣省政府擬定分期實施計劃，經省議會通過後呈報行政院核定之」。（施行細則第三條）筆者查遍「實施都市平均地權條例」條文並無「分期實施」字樣，顯與擴大實施都市計劃範圍的立法精神不符。查原條例規定地價稅累進起征點，縣市都市土地以七公畝之平均地價爲準；假如某一縣市都市土地「分期實施」，則其地價稅累進起征點，乃因「分期實施」而有所變動，且地主所負担之稅因之而不同。在同一縣市內，同一法律下，不能享受同樣的權利和盡同等的義務。說得過去嗎？

又如所謂以「原劃分區段土地爲準」（施行細則六十條）而否定原條例以「縣市爲準」的規定，這無異幫地主逃避土地增值稅。像這次縣市政府公告地價，某一土地每一分地價假定爲三千元，等到二年後，即五十五年的八月間，該土地市價假使上漲，地主當然不會要求重新規定地價；如果該土地市價下落，則地主定會利用施行細則第六十條規定，向縣市政府申請以「原劃分區段土地」「辦理重新規定地價」。

（下轉第二版）

到處碰頭

醜惡的傀儡戲

今日與明日

施哈諾又製造新聞

施哈諾沉寂了四個多月之後，又開始製造新聞了。據泛亞社的消息，施哈諾拿了毛共贈給的武器，發給邊境民兵，當衆聲明今後任何事情都不再投訴聯合國，將於八月份去北平與毛共締訂聯防協定，以後有人侵犯柬埔寨的邊境，毛共出兵援助；若有人犯了「中國」邊境，柬埔寨的王軍也要參戰。施哈諾這次表演比荷里活最滑稽明星還要滑稽，只是太幼稚了一點，最多像個十歲小兒的口吻。

自從今年春天，施哈諾因要求西方國家保證他中立（實際是要西方國家保證他可以任意搗亂）失敗以後，即發下惡言，限定西方國家在三月底以前，派人到金邊開會，保證柬埔寨中立，若遲過了三月，他即動身去北平與毛共締結軍盟，成爲「社會主義國家」。

施哈諾向英美及其他西方國家作這項聲明的時間是三月二十七日，比較日本向中國提二十一條最後通牒的時間還要短，就算美國肯乖乖聽話，立時派人也趕不及辦好手續。

當時西方國家對施哈諾這種小兒科的舉動，還不了解，以爲他以此作爲藉口，眞的要一面倒向共黨集團了，毛共也許懷了萬分熱誠等着接待新來的「弟兄」；那知到了四月六日，施哈諾又對西方記者發表談話，說明不去共區同毛共訂軍事協定，因爲這樣將是西方國家所希望的，他就偏不去作。消息傳出，西方國家爲之失笑，毛共自然失望。

最近由於聯合國派員去調查柬埔寨控告越南侵略，調查結果對柬埔寨不利，施哈諾又彈出舊調以嚇西方國家。不過，把戲越玩越笨，結果只是替國際間增加一個小笑話。

赫毛共黨正式分裂

俄共決定召開世界共黨大會，討論與毛共的關係，先行召開二十六國共黨開籌備會議。毛共馬上就覆文拒絕，極盡嘻笑怒罵之能事，最後及加上絕對附會不上的北宋晏殊詞：「無可奈何花落去，似曾相識燕歸來。」一望就知出自毛酋手筆，其他頭目皆不會如此之酸。

赫魯曉夫此時決定開世界共黨會議，自然也會估計到毛共定不參加，若非眞有決心與毛共徹底分裂，把毛共趕出共產集團之外，不會作出如此行動的。

毛共被驅出共產集團之外，自不甘心，必然糾合已經倒向毛共的共黨及分裂出來各國親毛共黨，合組一「純潔的」馬克思、列寧主義者集團，共產集團將正式分裂爲二；它們爲害人類的日子，大概越來越少了。

自由談

談揮金與殺人

自古以來，凡是在政治上幹大事業成功的英雄人物，必須具備着兩大要素，即揮金如土，殺人如蔴是也。

要想在政治上飛黃騰達，創造一番大事業，無論是流芳百世也好，遺臭萬年也好，如果捨不得花錢，百分之百的終歸失敗無疑；縱然能夠花錢，而使用不得其當，不得其法，那也是等於白費了。史稱沛邑亭長劉邦與西楚霸王項羽爭天下，劉邦採取「鬥智不鬥力」的策畧，終成大業。所謂「鬥智」的內容，就包括着「揮金如土」這項作用的。

劉邦教陳平担負對外「統戰」「行間」職責，花錢不在乎，如鴻門宴中之得以從容避禍，史記指爲是因張良拉攏項伯的關係，然臨危之際，劉邦竟能藉「更衣」而脫出項王的警衛綫由間道潛回灞上，這其間若無重金賄賂之力，豈可能嗎？至於後來他親征冒頓，被圍困於塞外，並無救兵而安然脫險，更係得力於陳平的金錢和美女之計，事證昭然可覩。

一個政治領導人物，爲着爭取政治鬥爭的勝利，在軍事上多所殺傷，「一將功成萬骨枯」，固屬平常的行爲，必要時爲對付某些政敵起見，剷除若干反對者，甚至於藉故幹掉一二勢不兩立的勁敵，或不足爲訓的投機份子，亦所弗惜，歷史上這類紀錄很多，毫不稀奇。項羽在作戰時，屠城池，坑降卒，殘酷之至。但對於一般政敵和投機份子了，却滿懷婦人之仁，昀昀不忍，又不能花錢，更不肯給人以祿位，敗死垓下，不亦宜乎！反觀劉邦，在爭江山時殺幕中的司馬曹無傷；在天下未定時，擒斬大將韓信，且將叛主歸降的投機份子丁公明正典刑；狠勁兒十足，強過項羽多矣。他之成功，決非倖致的。

總而言之：有政治野心的人如其愛惜金錢，那根本就不必妄作政治活動，否則徒然丟人出醜而已。能花錢而沒有殺人的勇氣以清除政敵，鎭懾人心，結果還是陷於失敗之途，不成問題。爲政之道固戒「嗜殺」，但必要時不得已而開殺戒，亦不爲過。若夫民主憲政與人權保障之說，乃是處常的圭臬，却非應變的良策。有人說，國父孫公一生就是太仁慈了，因而終其生未及竟革命之全功，賚志以歿，這話似乎不無道理吧？

馬五先生

喻伯凱控訴高玉樹案

高院處理有兩項怪現象

第五次發回已年半及今猶未審理
高玉樹始終不到庭高院亦未拘提

（本報台北航訊）（續上期）不意高院更審後，仍舊駁回上訴。其駁回理由爲：「被告等未依省令停拆，亦屬無可厚非，良以省令與總統府侍衛室之命令相抵觸，（實際上是侍衛室一封箋函）不但台北市長有服從之義務，省主席亦有服從之義務。何得妄指總統府侍衛室無權過問市政？」

這一紙傑出的判決書，是由已故大法官王××的哲嗣王明焱推事主稿的。若以這一判決理由來與美國聯邦最高法院所判杜魯門的鋼鐵業判決來作比較，那眞不知要落後到什麼時代了？

喻不服，第三次上訴最高法院。幸虧最高法院尙有一線法治光明，於四十九年以台上字第1037號判決：撤銷原判決，發回高院更審。此爲第三次發回。其發回的理由，仍與前二次相同，從略不錄。

誰知高院更審後，照例舊調重彈一番，照樣駁回上訴。但這一次的判決有一個特色，値得提出：依刑事訴訟法的規定，刑事被告經合法傳喚無正當理由不到者，得拘提之。高院更審時，被告等均傳而不到，但高院的判決理由則謂：「被告高玉樹、楊濟華、林永倉，均經合法傳喚，無正當理由而不到庭，自得不待其陳述，逕行判決。」

喻不服，第四次上訴最高法院。旋經最高法院於五十一年以台上字第334號判決：原判決撤銷，發回高院更審。此爲第四次發回。其發回理由是：「被告等是否應將上訴人經核准之建築物予以拆除？尤難謂僅屬違反契約及侵權行爲之民事責任問題而不負刑事責任！原審未依本院以前迭次發回更審意旨詳加調查審認，遽謂被告等並非有毀損他人建築物犯罪之故意，爲民事責任問題，自嫌速斷。」

喻君於收到此種判決書後，自以爲勝訴在握了，想不到高院更審後，仍是上訴駁回。氣得那位小市民喻伯凱拍案驚叫：「司法黑暗，怎麼黑暗到如此地步？」高院的駁回理由，一則謂：「被告等係基於建築第卌一條之規定，乃行政官署依法行使強制處分的結果。」再則謂：「被告等不服從上級主官（指省主席）之命令，係屬行政處分問題，要不能與刑事責任混爲一談。」

喻還是不服，第五次上訴最高法院，業經最高法院於五十二年以台上字第296號刑事判決：原判決撤銷，發回高院更審。此爲第五次發回。其發回理由謂：「原審於更審後，並未就本院前數次判決發回更審所指各點詳予審究，逕行判決，已屬未合。且查總統府侍衛室尙有四十五年九月十日侍屏0764號函一件，並未要拆上訴人的合法建築物，何以不採？次查工務局核准建築時，並未令塡——「臨時建築切結書，」何以累次判爲臨時建築？」

按照最高法院發回更審的案件，應於二十二日內開庭調查審理，此爲審限規則第一、六條所明定。但這件刑案，自經最高法院於五十二年二月十四日第五次判決發回更審後，直到筆者寫稿時爲止，已有一年零五個多月沒有開審，雖經當事人喻伯凱一再具狀催審，亦不理會，這是怎麼一回事？筆者不敢妄測高深了！而且還有最難令人索解的疑問是：高玉樹自地院開審起，至高院五次更審止，經法院票傳二十餘次，沒有到過一次庭。若是普通人被告，一次二次不到，法院即依法拘提，毫不留情；然而法院對高玉樹却不依法拘提，這是怎麼一回事？也只好請讀者先生去自求答案了！

這件民告官的刑事官司，發生在嚴家淦先生榮膺省主席與高玉樹先生當選第二屆台北市長任內，現在嚴先生已於去年拜命組閣，做了行政院院長，高玉樹捲土重來，當選了第五屆台北市長，亦得算是一種「巧合」了。

綜觀這件小市民告大官的訴訟經過：若就台灣高等法院五次判決的理由來與本篇通訊開頭所舉英美兩國的判例來說，那就不知自由中國的法律要到何年何月何日才能談得上「法律平等」呢？若就最高法院五次發回更審的理由來看，似乎高玉樹勢將難逃敗訴的厄運。讀者先生們如果要問我們中國是不是「法律之前，人人平等？」請拭目以待——等待這件小市民告大市長的刑案的最後定讞吧！（下，遷客）

原名「北基新路」

台省第一條超級公路

——邱家文——

目前，在美國等國家，都有許多的超級公路，其特點是可以一直前進，因其沒有十字路口也。如果碰到十字路口或交义處，則超級的公路不是向上架築，便是轉入地下。美國的寬度，普通都是來往各四條駕車路線，且其界限分明，故汽車駕駛者，很少在超級公路上發生開不動的事故。美國的超級公路，最右側的一條駕車路線，均爲慢車道，以次進入第二條路綫、第三條路綫及第四條路線，便都是中途不能停靠的快車道了。

麥克阿瑟超級公路原名爲「北基新路」，原以台北至基隆爲其路名。到本年四月底，有關機關爲應各方之要求，乃將「北基新路」的原名，更換爲「麥克阿瑟超級公路」。該條超級公路全線長爲二一、〇〇公里，係自台北南京路東段的羽毛球館算起，迄基隆市區孝三路爲止。另再從基隆市孝三路，向西南伸築一條支綫至基隆港三十一號新建碼頭，其長爲零點七五公里。麥克阿瑟超級公路，原來亦擬擴建爲來往各爲二條駕車線的公路，因經費所限，乃改爲先建築現已通車的這條來往各一條路綫的超級公路，另外兩條的路綫，將俟經費有着落時，再加寬擴建。據公路局之原計劃，該條公路的全部費用爲新台幣二二七，九〇〇，〇〇〇元，其中美援專欵爲一二六，九五〇，〇〇〇元，政府補助專欵爲一〇〇，九五〇，〇〇〇元。

每小時百公里

麥克阿瑟超級公路在最初開闢路基的時候，靠近基隆市區的一帶，因山林密集，難見路型，致使開路先鋒的重型機械必須由水田裏衝過去，因此，農作物頗受到損失，有關工程人員難免與附近的農民發生衝突。尤以特別低窪地區，常須塡入七、八公尺的新土，始能使路基堅固，不致土鬆泥爛，幷使重機械能夠舉步操作，發揮到最高的效能。在開拓山坵時，或使用炸藥需要爆破山堆土質，又因山石滲雜着些許的黏土，因之炸藥的威力雖然能把巖石炸成石塊，却對那些黏土，根本無法發生炸成碎片的作用。（中）

揭開台灣省教師福利會
偷天換日的爛帳

本報台灣中部記者熊徵字

在談這個事件以前，我們要先把這個組織的過程和形態弄清楚。

台灣省的教師福利會，是在劉眞廳長的任內搞起來的，從四十七年開始籌備，四十八年元月，具體擬定辦法。

那辦法共有兩種。一種是「台灣省立中等學校教職員婚喪節約互助辦法」；一種是「台灣省中小學教職員福利金籌集管理辦法」。

頭一個辦法的細則內容，在於結婚互助提倡節約，消除送禮請客鋪張浪費的積習；而喪亡互助，旨在推己愛人，惠及孤寡。

四路財神·六載加番

第二個辦法的細則，規定了籌集福利基金的四個來源：

一、在經常家長會費內提供五分之一。按：台灣全省各中小學都有家長會的組織，而家長會得向每一學生家長徵收會費，此一會費，定額爲每一中等學校學生家長每學期繳納十元，每一國校學生家長繳納五元。此項家長會費，規定用之於充實學校設備及教導生活事項。

二、由全省公立中小學學生樂捐。按：這種「樂捐」，是由教育廳通令全省公立中小學校，於每學期開學時，以中學生二元，小學生一元的標準，作爲教師福利金。

三、由台灣省特種教育基金委員會每年撥助教師福利會三十萬元。

四、接受社會人士與公私營事業機構之捐贈。

這四項福利金的來源，在六年前的估計，每年可以收八百萬。而學生一年一年的增加，數字當然也就跟着學生多。今年的數字是一千七百萬。

八面佈兵·二人主帥

在這四項取之不盡用之不竭的基礎上，於四十八年四月廿四日，宣告正式成立：「台灣省公立中小學校教職員福利金籌集管理委員會」。

在台中縣霧峯鄉教育廳對面大樓的一間小房辦公。這委員會的主任委員由教育廳長兼，副廳長佐之。六十九位委員由省立中等學校校長中選出十人；縣市立中等學校校長選出九人；全省廿二縣市局各產生委員一人。

其餘的委員名額，由主委遴聘教育廳有關主管人員與省議員和家長會的會長。

委員會設常務委員十五人。兩年改選一次。但是不選主委。委員會下設總幹事一人，承主委之命辦理一切會務。幹事若干人由教育廳職員中調任。

地面豪「滑」扔夢老

閣高樓大「裁」劉眞

福利會的福利項目設得不少，做了多少外界不明。表現得最有聲色的，是建築在日月潭與台中市的兩個教師會館。那兩座會館的華麗，在台灣實不多見，可以媲美圓山飯店的金龍廳和麒麟廳。所以房費雖然高達每天五百元，觀光的旅客還是很多。（教員住，打折扣）

因爲有名廚燒菜，所以多數在中部舉行的高級一點的集會，都在台中教師會館。

本年六月十九日，在台北榮民醫院去世的蔣夢麟博士，於去年十二月，往台中教師會館出席某一集會時，因爲地面太滑，跌了一跤，跌斷腿骨，遂使健康大受影响。

而劉眞在其任內弄得焦頭爛額，四面楚歌的原因，也是因爲這兩個會館所引起。如果說精明幹練的劉白如當年是栽在這兩個教師會館上是不過份的，雖然因素是多方面而複雜的。

「欽選」委員
通令「樂捐」

教師福利會，從四十八年初的八百萬基金，每年隨着學生相對增加，今年收到一千七百萬。這樣龐大，這樣學生不息的財務收入和支出，却沒有納入政府的會計制度。

主事者認爲這是人民團體，財務應當獨立。但是負責籌集抽取家長會費五分之一，和接受教育廳通令，向學生「樂捐」中學生每學期二元，小學生每學期一元的，却都是各級公立中小學校長和各縣市的教育科長；而教育廳長和副廳長又根據什麼法令不經選舉而當然兼任主委副主委？

全國的人民團體又哪有用政府機關的通令來徵收基金的？

兼主委的教育廳長與副廳長，又根據什麼法令保留廿八位委員的名額由他們遴聘？而總幹事和若干幹事，又何以非由教育廳的職員兼任不可？何況十五個常務理事中教育廳的官員佔的名額不少。（一）

評「都市平均地權施行細則條例」

（上接第一版）

這固然影响該縣市地價稅累進起征點之變動，甚至影响該縣市土地全部所有權人之利益，給地主大開逃避納稅的方便之門。

而所謂空地「他人佔用」（施行細則第八十七條）的規定，替空地所有權人多一逃避征收空地稅的藉口。如某甲有空地十公畝，其中有五公畝被某乙、某丙分別佔用，未能在規定期內收回自用，依法「視爲未逾期使用」而不繳空地稅。這與原條所定亦不符合。

四、注意法治精神

從上文所述施行細則有關條文規定觀之，殊缺乏民主法治的精神。剛從美國考察回來的監委曹德宣在監察院會議中告訴國人，美國之所以强盛，而成爲民主國家的領導者無他，民主、法治、平等、自由八個大字而已。看看人家，想想自己，眞是無話可說。我們政府的官員們，口口聲聲民主法治，以此細則爲例，不是牛頭不對馬嘴嗎。

訂正

本年八月一日出刊之本報第四六六期第三版所刊高雄市新興國校保送生作弊新聞中，有「把第五名歸若蘭拉下，將第六名曾麗華補上去」句，「若蘭」誤爲「文華」；另段中「喜水仙」酒家，誤爲「掬水軒」酒家。合亟訂正，幷致歉意。編者。

美國保守思想抬頭

嘯岑社長先生道右：

美國共和黨大會於兩週前結束後，民主黨大會亦將於八月下旬舉行。共和黨所推舉之正副總統候選人高華德氏及密勒氏，均爲反共與反左派鬥士。高氏在近數年受盡各種誹謗與攻擊，伊則我行我素，不加理會，終獲致初步成功，而使美國及國際對共妥協人士大爲震驚。甘迺迪總統遭暗殺後，美國左派人士表面哀悼，暗中則認高氏等保守主義者從此不易出頭，深爲慶幸。本年初高氏宣布正式競選後，共和黨中左派分子張皇失措，出而競賽先後敗北。就中洛克斐勒氏在加州所支銷之初選費用即達一千萬元（此據「人事週刊」所報導，普通報章謂洛氏祇用去三百萬元），高氏亦花費在百萬元以上。洛氏款項有銀行界工商界中識時務迎合潮流之份子捐助，高氏者則以小市民而愛國之人士居多數。總之美國政治近三十年來業經變質，由民主政治而轉向富豪政治，與古希臘及羅馬者相類似，在我國歷史上則相當於後期戰國時代。甘總統與洛州長、史州長等人，近乎孟嘗、平原、信陵、春申等公子，但伊等輔翼者大多接近雞鳴狗盜之徒，而甚少侯生與馮驩之流輩也。

近十餘年來，美國反共最力者當推麥克阿瑟元帥與杜勒斯、福萊斯特、麥加錫、小胡佛等人。伊等均遭受各種批評攻擊。麥帥爲杜魯門免除職務；杜勒斯十年前主張在越南用兵，未能貫澈後賫志以歿；福氏跳樓自殺；麥加錫參議員則因不能忍受誣衊而病死；碩果僅存者爲小胡佛局長，但不久伊即將退休。當前對共主張強硬應付，不受其誘惑與威脅者，祇有高華德氏一人。高氏言行一致，與近年多數政客之言行不相符者異趣，故甚得美國之愛國青年與保守主義者愛戴，而自動的出錢出力，在全國各地爲高氏競選效勞，近來聲勢日益雄厚。高氏被選參議員之前，曾在故鄉任祖遺百貨公司總經理，首先賦予黑人職員以公平待遇，全國黑人福利促進總會之當地分會曾贈以獎狀，故高氏實非主張種族歧視之人。一九五七年及一九六〇之兩次公民權利法案付表決時，高氏均經投票贊同其成立。本年此項法案中有第二與第七條款，關於私人企業對公衆關係及雇用人員兩項，高氏認爲美國憲法上未明文授權聯邦政府加以管理，在憲法未修正前，此等職權應屬於各州政府，因之對該法案投反對票，並發表聲明說明理由。全國左派報章雜誌對高氏大事攻擊，而對參院外交委員會主席傅伯萊所投之反對票，則隻字不提。但高氏顧問人員中甚多績學者，伊四年前所著「保守主義者之良心」一書，現在仍爲暢銷書之一。經濟名宿Roger Babson氏且撰文謂高氏乃繼華盛頓、林肯後之美國最偉大人物，如伊此次競選失敗，則將在歷史上成爲先知先覺者中之一人云云。紐約時報反高氏最力之專欄作家James Reston亦謂詹森總統僅侈談美國經濟進步，不能取得選民信任，必需在哲理上將高氏主張駁倒，方可得到勝利云云。弟多年來即認保守主義之復興爲人類獲救之福兆，請參看民主評論第十五卷第十四期「高欣羨所譯弟在紐約華美協進社講演詞」，故謹陳如上。手此敬頌

著綏

弟顧翊羣拜啓　七月卅日

我所知道的麥帥

肯寧將軍原著　徐熙光翻譯

我們的陸軍部隊在登陸洛斯尼格羅斯島時只遭到日軍很小的抵抗，很快的，他們攻下了機場。麥克阿瑟在機場上來回地走着，踱着冷靜而安穩的步子，他的副官來巴斯上校勸他趕快離開空曠的機場，免遭日軍狙擊手的伏擊，因爲他戴着菲律賓元帥的帽子，目標太大了，除了嘴上含有煙斗以外，身上什麼都沒佩帶。

「讓我們挖挖看這層珊瑚有多厚」，麥克阿瑟說：「我答應過肯寧將軍，要把這個機場的情形告訴他，他說他希望日本人鋪的珊瑚很厚，以便讓我們的大型飛機起落，我答應過他，所以我要看個究竟。」

來巴斯後來告訴我，他們挖了只幾分鐘就發現日本人只在原來的泥地上鋪上一層只有兩三吋厚的珊瑚，這樣地面已經足夠讓日本的輕型飛機升降。但是如果我們的大型飛機要用這個機場的話，非要再重新翻修過不可。

「肯寧將軍一定要覺得失望」，麥克阿瑟說，他巡視了一下四週的陸軍陣地以後回到旗艦上，他向臨時艦隊司令蔡斯將軍說：「已經得手了的，好好守着它，我們已經擊中了敵人的要害，別讓他跑了。」

蔡斯貫澈了麥克阿瑟的命令，那天晚上和第二天，日軍不斷地從馬奴斯島向我們襲擊，打算把我們逐出洛斯尼格羅斯島，但是蔡斯固守陣地，毫不退卻，每一次日軍的攻擊，都被他打了回去。三月二日騎兵師的增援部隊到達以後，危機過去，再也不要担心日軍有力量把我們趕出洛斯尼格羅斯島。我們佔有洛島以後，對於攻佔阿得米拉提群島的其他各島，簡直等於是殲滅殘敵，有如秋風掃落葉。這下子，我們真用瓶蓋把瓶子給塞住了。

在進攻馬尼拉的時候，麥克阿瑟的總部設在畢米格爾的糖業中心那棟房子裏，距離馬尼拉約一個小時的行車時間。一直到四月中旬馬尼拉城裏一部分被戰火所毀的辦公室修復以後，他才把總部遷進帆市。在郊外，有一間房子原來是一個日本高級將領住的，略事修葺以後，供麥克阿瑟居住。

有一天晚上我去看他，他的興緻很好，精神也很飽滿，告訴了我一個很有趣的故事。一九四一年十二月當他撤離馬尼拉的時候，家裏什麼東西都沒帶走，所有傢俱細軟，銀器和私人的東西，包括一間精緻的圖書館都絲毫不動地留給了日本人，那間圖書室裏的藏書是麥克阿瑟和他的父親多年蒐集的成果。當他一九四五年二月收復馬尼拉以後，發現日軍已把他所有財產破壞殆盡。

他搬進馬尼拉城幾天以後，突然有一個以前在他家做工的一個菲律賓男孩子來看他，這個孩子說他知道有一個屬於麥克阿瑟的盒子藏在什麼地方，原來這幾年，日軍的將領一直佔有着那隻盒子，當美軍進攻馬尼拉的時候，這個孩子在兵荒馬亂中把這隻盒子藏了起來。

麥克阿瑟跟那位孩子到一個古老的地窖裏去，從地底下挖出了那隻桃花心木做的盒子，裏面盛滿了麥克阿瑟的父親收藏的銀器。

這個菲律賓孩子說，有個日軍將領一直想要看看盒子裏裝的是什麼東西，但是因爲這隻盒子裝有暗鎖，沒法子打開，這個日本將軍一方面因爲迷信，另一方面因爲害怕裏面不曉得到底是什麼東西，也就始終沒去開它。（二三）

詩的意境格律及修辭

李純一

范文正作嚴先生祠堂記：「雲山蒼蒼，江水泱泱。先生之德，山高水長。」他的朋友告訴他說：「『先生之德』不如改作『先生之風』。」他很樂意的聽從了他的朋友的意見。因爲「德」字是仄聲，而「風」字是平聲；「德」字音啞，而「風」字讀起來沉重響亮。最重要的還是從這個「風」字的音色裏所聯想到的微妙，較比用「德」字就差別的太多了。用「德」字枯燥少味，用「風」字可以把「雲山」「江水」都呼應起來，就有了動力，有了生命。關於這一點是無法分析，無法解剖，只可會意，不能言傳的。要完全憑藉着自己對於詩學上的修養來領會，體驗，而創作的。

西洋文人總認爲我國的文字，尤其是詩，在顏色上很難劃分清楚，我們可以說這乃是他們對於我們的詩學認識不夠的緣故。我們詩學對於顏色的表達上，更是不可失之毫釐的，比如杜甫的「諸公袞袞登台省，」如果改作「諸公皇皇登台省，」那還能叫做詩嗎？又如杜甫的：「映階碧草自春色；隔葉黃鸝空好音。」如將「碧草」改作「綠草」，亦是不可以的事。再如杜甫的：「無邊落木蕭蕭下，不盡長江滾滾來。」也都是在「蕭蕭」「滾滾」的聲音含蓄更多的意味，留待着我們去仔細的欣賞，努力學習。

西洋的詩是動盪的，而我國的詩是凝重的，往往因爲凝重結果走入渾融。比如王維的：「洞庭明月一千里，涼風雁啼天在水。」可以說使用文字的技巧，已經美到了極點，在文字與意境的協調上，可以說是已達成了唯美派的目的了；但是，美是美的夠了，仍談不上「寄衆事以忘情。」因此，我們寧願我們的詩在修辭上有所不足而我們要用我們真實的筆法寫出我們真實的人生！也許，我們的詩學的今後之出路，將由此而前進，希望愛好詩學的朋友們，在我們詩裏找尋出更爲新鮮的字句。（完）

美國輿論之力量

曹德宣

蓋美國衣、食、住、行、和娛樂，供應無不充裕，安居樂業，豐衣足食，幾乎平等，它們對外又無領土野心，根本就無對外發動戰爭之意念，除非被迫不得已而應戰，它們接受了赫魯雪夫「和平共存」之建議。所以[illegible]顯然，用盡方法以爭取。至於共產國家目前之[illegible]，因生產落後，[illegible]人民生活不安，尤其[illegible]，更怕國內戰爭，所以深怕大戰，能維持美俄目前的小康和平局面。依目前形勢看，第三次大戰之爆發，是絕對不可能的。至於中共問題，[illegible]又公然高喊美帝爲紙老虎，大事宣傳，[illegible]美國[illegible]則有餘，[illegible]它，[illegible]所以[illegible]敢[illegible]，[illegible]是要[illegible]公然[illegible]和大戰[illegible]。故日前[illegible]共[illegible]，[illegible]至於其他外[illegible]擴大戰[illegible]而已。[illegible]發生[illegible]，勢之演變，[illegible]和我們反攻復國當前的國策大有距離的，國人應當特別注意而時時加以警惕，若希望第二個珍珠港事變的奇蹟重生，那是很少可能性了！（續完）

寫君續夢

第十三回：

惡貫難盈　巨奸逃火網

良知未泯　傑士出天羅

金日成在杭州同毛澤東談了兩天，雙方決定採取一致立場對付赫魯曉夫。金日成動身前，毛澤東特地去個電話給柯慶施，將正在上海登台的麒麟童劇團用飛機運到杭州唱一晚戲，招待金日成。

杭州最大戲院在拱宸橋側，是中共新建的人民大戲院，麒麟童劇團從上海運來，就在人民大戲院登台，特給毛澤東、金日成預備一個華麗的包廂，另外也賣票，以示與民同樂，不過有錢聽戲的，也都是中上級的共幹，眞正老百姓哪有力量去聽戲。

戲院開鑼之後，不多時間，毛澤東陪着金日成在前呼後擁下走進來，陪着一齊來的有金日成帶來的幾名代表團團員，有周恩來，陳毅，還有中共浙江省委第一書記江華，省長周建人，副省長兼杭州市市長吳憲。戲院裏台上台下一齊鼓掌，毛澤東瞇着眼，張着大嘴，擺手示意。

毛澤東入座坐好，正戲就登場。陳毅一面聽，一面用手在打板眼。

李孝淳的座位恰靠近陳毅，低頭看陳毅左手五個指不停在動，十分奇怪，問道：「陳副總理，你的手指是不是感到痲痺，要趕快找醫生看看，說不定是輕微的中風。」

陳毅笑道：「我在打板眼，留心台上唱錯了沒有。」

李孝淳說道：「陳副總理原來還會唱戲，眞眞難得。」

陳毅洋洋得意說道：「雅歌投壺，本是韻事，尤其我是解放軍有名的儒將，自然也能唱幾句了。」

李孝淳問道：「戲台上也有許多腳色，不知道副總理是唱的那一類。」

陳毅說道：「我唱青衣，我們總理是唱小旦。」

金日成，李孝淳都不懂什麼叫做青衣。恰好這時台上在唱武家坡，王寶釧剛剛出場。陳毅指指道：「這個角色就是青衣。」

兩人看着陳毅的水牛腰，想想剛才台上扮成王寶釧的角色，將會成什麼形狀，不由得噗哧笑起來。

毛澤東不理會他們談話，只是聚精會神聽戲，他不同陳毅用手在底下打，毛澤東却是用右手的食指同中指在椅上輕敲，不時也點頭幌腦哼幾句。

金日成悄悄向李孝淳說道：「毛澤東同志也會唱戲，只不知他唱的是什麼角色，要是也唱青衣，那就妙了，相信戲台上出了這兩名青衣花旦，一定可以叫座。」

李孝淳不由得掩着口笑。

他們二人談話時，周恩來未插口，此時聽到金日成同李孝淳低聲談論，雖然不知說的什麼？却可以猜出一定是談的陳毅，當時笑着說道：「你們不要聽陳毅胡扯，他一句也不能唱，完全是冒充內行，他根本就不懂板眼，手指頭是在亂打，眞正唱起戲台唱一句，他也跟不上胡琴。」

金日成同李孝淳聽了都是笑，陳毅翹嘴不在乎，仍然打的板眼。

就在這時，場內突然有人大叫：「火！火！火！」陳毅由包廂伸出頭一看，四面皆起了火，頓時嚇得坐在椅上起不來身。（三三二）

國歌

漁翁

有土地，有人民，有主權者，謂之國。一國之內，疆土之廣，庶民之衆，非一日可以觀其八方之情景，非一耳可以聽其羣衆之聲音，於是乃有國旗，國歌之制定。一望國旗，則數萬里之山河，如在眼底；一聽國歌，則數億兆之袍澤，如在目前。而國歌爲代表全國人民之意志與心情，尤有深長之意義焉。

歌，詠也。曲合樂曰歌。書：「歌永言」，謂長引其聲也。世界各國，皆有國歌之制定，頒行全國，凡遇國際往來及大慶典皆奏之。

我國自北伐統一後，教育部曾發起徵求國歌，經過半年之久，收到二千餘首歌詞；初步審查，選出二百餘首；復經各專家評審，均認爲不合用，遂擱置之。迨民二十五年，政府成立一「國歌編製研究委員會」，又登報公開徵求國歌，在四個月內，共徵得三千餘首，將教育部以前所評審之二百餘首一併加以研究，結果仍認爲無一完善者。

後來，咸認爲國父孫中山先生昔日所頒黃埔軍校的訓詞，大中至正，足以代表中華民國的立國精神，經政府邀請專家再三商討和研究，方始決定爲國歌，並由政府明令公佈。

這首國歌，爲文言，計四十八字，恭錄於次：

「三民主義，吾黨所宗；以建民國，以進大同。咨爾多士，爲民前鋒；夙夜匪懈，主義是從。矢勤矢勇，必信必忠；一心一德，貫徹始終」。

其意義深遠廣博，充分表現革命性之建旺精神，試申釋之。

三民主義，爲國父所手創，就是民族、民權、民生，可以促進我國的國際政治、經濟地位平等，而達成民有、民治、民享之鵠的，應爲吾黨（中國國民黨）所宗也。

推翻滿清，建立民國，胥賴三民主義爲本旨，不僅僅建中國爲已足，更進一步，要促進世界於大同。大同者，謂盛世大和平也。禮：「大道之行也，天下爲公」。故三民主義，爲救中國，救世界之萬寶靈丹。

這篇歌詞，雖然是一座警鐘，還須要有志之士，站在人民前面，領導策動，廱朝廱夕，爲主義而奮鬥；本王陽明「知行合一」之學說，坐而言，起而行，以力求三民主義之具體實現。

最後則訓勉同志，要從「勤、勇、忠、信」四字上去努力，整齊步伐，統一意志，自始至終，堅定一貫之信仰與奉行，不爲任何環境而稍異志趣也。

編者附誌：鄧文儀先生之「冒險犯難記」續稿未到，暫停。

記中美兩個傖俗軍人 段祺瑞艾森豪之陋行

上月麥克阿瑟將軍喪禮時，因有人發表了一個可笑的不參加喪禮聲明，令我想起兩件可哂的故事。茲分記於后：

當民國九年至十四年之間，我在北平讀大學時，正值總理以國是而北上，蒞平後不久，於十三年春不幸以肝癌逝世於平。當時北洋政府之當局爲段祺瑞，時稱段執政。當總理移靈香山碧雲寺暫厝前於中央公園公祭時，他未出席參加典禮，但當日之各報上却大登總統府秘書長梁鴻志之談話一段文曰：「執政原擬要參加孫先生之公祭禮，但臨時因洗脚熱水把脚泡漲了，以致鞋子穿不上了，故無法參加：」。這是段執政不參加孫總理公祭典禮的理由。不期於四十年之後又在美國發現了一位大軍人，其行徑之鄙俗，堪與吾國段執政前後媲美。據上月報載，麥克阿瑟將軍於上月十一日在諾福克城安葬時，除民衆十數萬人與各國之代表團外，其本國各機關之首長及其舊時之袍澤，皆含悲參加葬儀，獨兩名卸任總統未參加典禮：一爲杜魯門，一爲艾森豪。杜之不參加儀式，似無人注意。因麥杜不睦，世人共知，參加固爲人情，不參加亦爲本份。艾森豪可就不同了。他是麥帥之舊屬，麥任陸軍參謀總長時，他爲麥帥的隨從副官。麥在菲律濱領軍時他任參謀六七年之久。惟因他當政時無能，麥帥曾批評之曰：「他的政府（指艾森豪）並不依據『是或非』作決定，而是純粹以『謀求艾森豪連任總統及共和黨控制國會』爲前提。」因而與麥帥意有不愜。故不願參加，亦爲人情之常，不足深責。但他的一段聲明，其傖俗不堪亦與段祺瑞之聲明東西輝映，前後媲美。艾森豪之發言人聲稱：「艾森豪不參加麥克阿瑟將軍在佛吉尼亞州諾福克城舉行之喪禮。他說：艾森豪如果乘火車去，就不能及時到達諾福克；而他又不願沒有夫人同行。艾森豪夫人從來不乘飛機旅行。艾森豪夫婦目前正在加州避寒」云云。

艾森豪是一個好軍人，但不是一個好政治家。他又不肯藏拙，違背了美國軍人不參加政治之良好傳統。他勉強進了白宮以後，處處顯得手足無措。他首先昭告世界說：美國前政府對蘇俄共產主義之圍堵政策，是消極的防衛政策，不足以應付現實共產黨之擴展侵畧。他的政府要積極的解放鐵幕後被奴役的人民，使其掙脫枷鎖，以遏阻共黨之擴展，以奠定世界之和平。世人信以爲眞，遂引頸而望此救世主之大言能獲兌現。不期匈牙利革命起後，他的美麗謊言被戳穿了。他居然袖手旁觀，不肯加以援手。致使匈牙利之反抗共產革命之功敗垂成。無數人民白白作了他們欺騙謊言之犧牲。事後却派了一位副總統在奧匈邊界上假惺惺的作了一番無聊的憑弔，徒增加匈人無限的憎恨。

越南奠邊府之戰時，艾克先生始而揚言：越南爲中南半島的米倉，奠邊府是東南亞的瓶塞，必須握住此瓶頸，始能保衛東南亞之安全。美國決以全力協助法國越南，並不惜派兵參戰，以保衛此重鎮。但臨時又抽回了腿，以致法越慘敗，奠邊府陷落，越南分割爲二。艾克先生却又說：「即是越南全爲共黨所攫去了，東南亞尚有可守之地」云云。噫！是何言也。以自由世界盟主之尊，以美國總統之貴，其言前後如是之矛盾、自私，食言背信，欺天下人以無知。天下之人其誰能再信賴美國耶？自此教訓之後，東南亞各小國，皆萌中立之念，仿印度之行，藉求自保。法國亦一切自主，不願再作美國之尾巴，以免受騙被賣。近年法國拒簽停止核試，不贊同裁軍，與北約一切不合作者，皆有違因，豈美然哉！此皆爲艾克先生確非政治人才，不適於作政治家之實證也。乃艾克先生事後不作檢討，不知反省，徒以因麥帥批評其在政治上自私無能而不慊於心，而竟以不參加葬禮報之。在世人萬目睽睽下，又公佈了那樣一個鄙陋傖俗令人生厭的理由，其淺薄無義，不讓段祺瑞專美於前。武人不懂政治藝術，故有此傖俗之行，可哂亦復可憐也。

和黃少谷兄甲辰生日山居散步詩原韻

嚴南方

但願人才似束薪，不辭九死詎言貧。文章報國期微補，壇坫論交痛故親；青史長留應有語，白頭始證本來身；談禪未是吾曹事，難得素心松菊鄰。

我的社會生活

雷嘯岑

從民國卅八年秋冬之間起，到四十五年止，由於美國民主黨政府不斷地鼓勵中國人搞「第三勢力」的政治活動，海闊華人社會中，常鬧「第三勢力」之聲，一般智識份子對此多感興趣。但「自由人」集團雖包括有各黨派和無黨派人士，却無人參預「第三勢力」運動的行列。最大原因就是「自由人」有個週末座談會，凡屬崇尚民主自由生活，擁護中華民國的知識界朋友，均可參加，不拘形式，亦無任何約束，大家品茗座談，各抒己見，很自然地把意志溝通了。我認爲這是「自由人」對於反共救國前途的一種潛能，頗有效用。可惜後來有人以「擴大座談會」爲名，將它脫離「自由人」報社而另起爐灶，企圖據爲私人邀功干祿的工具，終於宣告解體了！

所謂「第三勢力」運動搞得最熱烈之際，美國方面又由某一社團出面，在香港揚言對中國智識份子予以救濟，且派員設立機構，從事調查登記，說是必要時可到新大陸去求生存。曾有友人送給我若干份登記表，我一笑置之，不願乞取嗟來之食，友輩中抱定同樣見解的頗不乏人，迄今思之，良足自慰，蓋所謂「救濟知識份子」云云，實際徒託空言而已。關於「第三勢力」運動，我雖敬謝不敏，亦不表示反對，士各有志，悉聽自由。但於民國四十年雙十節，曾受到「第三勢力」朋友的窘迫，言之可笑。是日午前，海闊文化界人士在香港時報社隔壁的「六國飯店」大禮堂舉行國慶紀念大會，我與伍憲子先生等被推爲主席。迨散會不久，我從時報社再到六國飯店找朋友，見有一羣人正在大禮堂集合着，且有若干碧眼黃髮人士摻雜於其間，禮堂上懸出兩面青天白日的國旗。那位主持人瞧見我，即生拉活扯教我進去，坐在他的身旁，我不知道他們是搞甚末名堂？繼而主席致詞，說是慶祝雙十節，先講國語，繼說洋話，當時聞之不勝詫異，即擬抽身，然主持人不讓我離席，只好悶坐到收場。同是反共的中華民國人民，同屬旅居海闊的知識份子，同樣是慶祝雙十節，爲甚末要各搞各的，弄成不合作的分裂現象，而且拉來若干洋人湊熱鬧呢？難道雙十節國慶紀念亦有黨派利益的區別不成麼？據說，這是表示「第三勢力」的立場與作風，要使人相信他們是跟台灣對立的。似此幼稚的兒戲行爲，寧不大可悲哀耶？所謂「第三勢力」之始終不能成氣候，馴致歸於幻滅，良有以也，豈徒然哉！

香港中國筆會成立後，我受邀參加作會員，旋被選爲筆會幹事，亦兼任過幹事會的執行秘書。（七四）

燕塵識小

無負生

古城文廟（續）

西廡祀先賢蘧瑗，澹臺滅明，宓不齊，公冶長，公晳哀，高柴，樊須，商澤，巫馬施，顏辛，曹卹，公孫龍，秦商，顏高，壤駟赤，石作蜀，公夏首，后處，奚容，祖句，井疆，秦祖，縣成，公孫句茲，燕伋，樂欬，狄黑，孔忠，公西，顏之僕，施之常，申棖，左邱明，秦冉，公明儀，公都子，公孫丑，張栻，程頤。先儒穀梁赤，高堂生，董仲舒，劉德，毛萇，杜子春，諸葛亮，王通，韓愈，胡瑗，韓琦，楊時，尹，胡安國，李侗，呂祖謙，袁燮，黃幹，蔡沈，魏了翁，王柏，陸秀夫，許衡，曹端，陳獻章，蔡清，王守仁，呂坤，黃道周，陸世儀，湯斌。

崇聖祠在大成殿後，本名啓聖祠，明嘉靖九年建。清雍正元年加封先師五代並爲王爵，乃改易名。正中南嚮肇聖王木金父公。裕聖王祈父公。詒聖王防叔公。昌聖王伯夏公。啓聖王梁公。東嚮先賢孔氏孟皮，顏氏無繇，孔氏鯉位。西嚮先賢曾子晳，孟孫氏激。東廡祀先儒周氏輔成，程氏珦，蔡氏元定。西廡祠先儒張氏廸，朱氏松。乾隆三年易蓋黃瓦。三十二年重建土地祠在崇聖祠後。

清初康熙朝以朱子昌明聖學，有益斯文。命禮臣升躋十哲之次。乾隆二年徐文定公元夢奏請以有子升堂配享。且以宰我冉求一因短喪有不仁之責，一因聚歛有非徒之斥，謂宜移祀兩廡。其舊在兩廡之南宮适宓不齊俱以君子見稱於孔子，亦宜升予升配。疏下大學士九卿，議以有子升配子夏之下，移祀朱子於子張之下，餘悉仍舊。於是向之所稱爲「十哲」者，至是增爲十二矣。（名位見前）

前清末年升孔子爲大祀，議增廟制，未及興作。附祀諸賢增入顏習齋宅（元）李二典（顒）兩先生。清儒從祀者，初僅陸隴其，陸世儀，張伯行，及湯斌四人。顏李二先生入祀已在清末，位列二陸之前，抑在張、湯之後，有待另攷矣。

民元以後，祀典尚存。袁世凱在總統任內，且會特製祭祀禮服（註四）。每年陰曆八月二十七日孔子誕辰由內務部舉行祭典（春秋丁祭是否依舊禮今不復憶）。先一日入廟習禮，柬請各界敬觀。四十年前余曾躬逢其盛。今述於此，用誌不忘。（二）

註一：本文取材多從順天府志，燕都叢攷，間及郎潛紀聞，天咫紀聞等書。原文有不分段，無句讀者，改從今式，以便[illegible]觀。（完）

妬婦篇

周燕謀

又有懸不畏死之妬婦者：唐太宗以宮女二人，賜兵部尚書任瓌，持國色也。任瓌之妻柳氏甚妬，以熱水淋二人之頭，使之成禿。太宗聞之，遣使者以金瓶酒賜其妻，傳命曰：「後不復妬則可！仍妬吞之，將立即毒死。」柳氏拜勅曰：「妾與瓌爲結髮夫妻，起自微賤，而相輔相匹，遂見今日之榮達。然瓌忘昔日之困苦，內寵多而至於輕妾；妾不如仰藥酒而死也。」說畢郎傾瓶而盡其酒，昏睡多時而醒。原來酒本無毒，太宗欲以此懼之而已。太宗聞柳氏盡吞其酒，謂[illegible]曰：人之不畏死者，不能以死懼之。如汝之妻，朕亦莫奈何矣。」因下詔使二女居別宅。

唐宮城公主，因妬裴巽之妻，而剝妾陰部之皮，截其耳鼻，貼於巽之額上；更剪其髮，召集婢僕以笑謔之。

三國袁紹之妻甚妬，紹敗後，其妻殺其五婢曰：「死者若有知，則將會紹於地下矣」。又剝死女之頭，使之禿，漆其面，使之黑，毀其容，使人不認識，以已死之袁紹，不能識此五婢之鬼也。此則妬直至死後矣。餘者欲東武子因妬而險誤殺其兒，皆賈后之母郭氏，因妬而殺其子。則如之報也。最怪者，世間竟有療妬之藥，食療本草云：「以鶬鶊之肉爲膳，使女食之，則不妬。」怪哉！（下）

內僑營台報字第〇三壹號內銷證

自由報

THE FREE NEWS

第四六九期

中華民國僑務委員會頒發
台教新字第三二三號登記證
中華郵政台字第一二八二號執照
登記為第一類新聞紙類
（本週刊每星期三、六出版）

每份港幣壹角
台灣本售價新台幣貳元

社長：雷嘯岑
督印人：黄行匡

社址：香港銅鑼灣高士威道二十號四樓
20. CAUSEWAY RD 3RD FL.
HONG KONG
TEL. 771726　電報掛號：7191
承印者：田風印刷廠
地址：香港灣仔高士打道二二一號

台灣分社
台北市西寧南路壹壹柒號二樓
電話：三〇五四六
台郵撥儲金戶九二五二

論名詞與觀念問題

・李聲庭・

余于去年底在台灣文星書店印行的「人權・法治・民主」一書的前言中，說了下面的兩句話：「作者受英美文化的影響與薰陶甚大，相信一個國家要期政治清明，人民安居樂業，英美的一些優良制度是可以效法的。」（見原書前言第一頁）。這兩句話說了之後，卻萬不料因此引起一些吃黨飯的人的嫉視，又萬不料引起了一些朋友們的責難：有的認為這句話傷了某些人（或者說老師吧）；有的則認為這個名詞排逆了某些一向同情作者的人，以後可能不會替我說好話了；有的朋友心直口快，索性警告作者，說是得罪了一般從事黨務工作的人，很可能招致意外的不良後果。

事實上，我的原意決無傷人或忤人的動機在內，充其量只是由於感受了某種事情的刺激，不免表示一點小小的牢騷情緒罷了，而且「吃黨飯的」這一名詞的本身也並無惡劣的含義。在中國，信天主教或基督教的叫做吃教，傳教的當然不必說了。在行政機關服務的稱為「吃衙門飯」，就拿作者這個大學教授的頭銜來說，也有人稱之為吃粉筆灰的。至於說和尚是吃十方的，那更是由來已久的稱謂了。這意思跟所謂「職業軍人」、「職業外交官」一樣，實在沒有什麼可怪和可憐的。

「吃黨飯的」這個名詞的所以產生，據作者揣測，恐怕是自從有政黨組織以來，便有一般以辦黨起家的人，因緣時會，轉入政治舞台，紆青紫，飛黃騰達而然的。至於終身吃黨飯，把全副心力貢獻於黨務的有志之士，自為人們所崇敬。

吃黨飯的另一代名詞是「搞黨務的」。比方有人問：閣下在那裏得意？回答說：在黨部工作。聽的人當面稱讚一番，但心裏卻在暗想：原來他是搞黨務的！這與吃教的，吃粉筆灰的，吃十方的等等稱呼相同，不一定就有侮辱或輕視的意味，不過因為成了一個名詞，大家隨口便說出來了。

自從北伐完成，全國統一以後，國民黨實行訓政之治，出現了「黨國」這一新詞彙，黨在國之上，為黨服務比為國服務的人更覺得可貴可羨，以致人們對於「吃黨飯的」這一詞句，乃有異樣的感覺。可見一個名詞流行後，即使夾雜着某些不莊重的意思在內，如果大家用成了習慣，也就不覺得怎麼樣。譬如英國保守黨的混號叫「托里」，自由黨的混名叫「毀格」，而毀格與托里這兩個字的原來是含有壞的意義，但自由黨或保守黨員並不因為人家稱他為托里或毀格而感覺到有侮辱的意思。如果說為黨服務的人，因為人家稱他為吃黨飯的，便認為是侮辱，那就未免妄自菲薄，所謂，大可不必。因為所謂吃黨飯的人，是指為黨服務而維持他的生活的意思，即以為黨服務作為一種職業，這有甚末羞愧之處呢？只要無忝厥職，問心無愧，又何必管人家什麼樣的稱呼呢？

最近讀到一本論美國政黨提名總統候選人的書，其中有一段述及美國民主共和兩黨舉行全國代表大會的代表時說：「（代表）參加全代大會是一宗很花錢的事。……而在某些州中，要想做代表，必須向黨部捐一筆欵項才行。此外，代表們參加全代會的一切費用——旅費、食宿費，固然需要自掏腰包；而且在全代會期間，維持各州代表團的一切費用，也要由代表們自行捐獻。」由此可見在美國那樣民主的國家，沒有靠黨吃飯的人。那本書還把一九四八年出席全代會的代表們職業分析一下：士農工商以及主婦都有，就缺少以黨為職業的。湊巧得很，編那本書的人卻是一名黨官，也就是本文所謂的「吃黨飯的」。又順手拿起喬志高的「紐約客談」一翻，發現在談「羅斯福與威爾基」一文中卻有這樣一句話：「本屆兩黨候選人的舉出，皆是出乎常軌，超過一般慣吃黨飯者（所謂「職業政客」Professioual Politicians）之手；以致……」驚奇之餘，才知道「吃黨飯的」並不是土產名詞，早在二十四年前便有人發之于文章了（見原書第九十九頁上）。

作者認為人們對於一種名詞或術語的解釋，基於個人的觀念不同，而發生認識上的差別，如果不存成見，專憑客觀理念來辨認，那就不致引起誤會。例如美國共和黨候選人高華德所說：「為維護自由的極端手段並不一定是壞事，為追求和平的中庸之道，也未見得是道德。」曾引起一般自由主義者猛烈抨擊，指為違反了美國憲法原則，大逆不道。若以客觀的理念來詮釋這兩句話的意義，又何嘗不正確呢？艾森豪勸高華德要避免「極端」的主張，高氏就問道：「林肯為解放黑奴而激起南北戰爭，算不算是極端主張呢？」又如廿年前我國實行一黨訓政之治，說「一切權力屬於黨」，「黨權高於一切」，那是對的，現在已進入憲政之治，再要如此云云，便不合理了。荀子指出人生一切是非爭訟之發生，多是由於觀念上的「蔽」與「惑」，他教人去蔽去惑，便可以蔚成人間的祥和之氣。作者撰寫本文的用意，亦復如是，知我罪我，非所計也。

倒台在即

無法動工

今日與明日

東京灣風雲觀

近旬日來，美國在中南半島東京灣的軍事行動，頗有劍拔弩張之勢，世人或許要問：美國是否即將越南戰事擴張到越北地區呢？答曰否否！

自韓戰發生以來，自由世界中最害怕美國對共產地區有戰爭行為的，就莫過於英國了。她基於重歐輕亞的西方策畧，隨時拖住美國的手足，不要在東方從事熱戰——即局部戰爭亦拼命反對。當年越南奠邊府之役，美國原已決定參戰的，臨時由於英國的阻撓而退縮了。這次美國出動海空軍膺懲越共，而英倫方面並無驚惶表示，且聲稱美國這項自衛行動是合理的。可見唐寧街的政治人物知道內幕，認定東京灣事件是有驚無險，不必躭心因此觸發大戰，而使英國有挨洲際飛彈襲擊之虞。再看美總統詹遜與國務長官魯斯克的言談，一面說不惜對越共進行熱戰；同時又聲明決無擴大越戰的意念。情見乎詞，昭然若揭。

然則美國當局何以為着一艘驅逐艦被越共的魚雷艇襲擊，又未受到甚末損害，而竟採取「大打出手」的姿態呢？此無他，為爭取未來的大選利益，不得不然。否則必然被政敵——共和黨——抓住弱點，大力宣傳指摘，民主黨政權即非垮桿兒不可，呵！

所以，我們今後對於世界局勢的動靜，不妨以英倫作寒暑表，只要英國方面沒有喧譁叫囂之聲，那怕美國把氫彈和核子潛艇全部擺出來，躍躍欲試，結果還是「嚇阻」作用而已。

星加坡的種族糾紛

星加坡的華巫民族，無端發生激烈衝突，死傷累累，近日消息傳來，打鬥行為又因巫人挑釁，而有繼續發生之可能。我們綜觀馬來亞聯邦政府當局對華巫衝突事件所表現的態度與作風，以及馬來亞執政黨——巫統——最近發表的文件，即知巫人存心排華，蓄謀已久，糾紛方興未艾，值得重視。

自從毛共竊據中國大陸後，十餘年來，東南亞各個地區，除卻泰國以外，到處厲行排華政策，而以印尼、菲律賓為最甚。毛共的政治觀念原是否定國家存在的，而海外華僑又多係抱着反共思想，它對於華人在海外被排斥，熟視無覩，理有固然。中華民國政府，則以偏促台灣，基於各種關係，亦未能對海外僑胞盡其維護之責。因此，東南亞一些新興國家乃本其「乘人之危」的不良心情，實施排華政策；戾氣所鍾，連那華籍居民佔有當地人口百分之八十的星加坡，亦演出排華的惡作劇了。是可忍也，何以立國？

我們希望中華民國政府不再事緘默，對馬來亞聯邦雖無正式邦交，未便採取直接的外交行動，亦應對華巫衝突發佈嚴正聲明，表示護僑的決心。假使巫人的仇華運動不停止，且有惡化趨勢，即不妨出以實力護僑的作為，在所弗惜。我們至今覺得：當年黃杰兵團進入安南時，若把全越予以佔領；李彌兵團在滇緬邊境不撤退，佔領緬甸有如反掌，則今日東南亞形勢另是一樣，而在這些地區的華僑，亦不致被人任意凌虐蹂躪了。

海外一千多萬華僑，是咱們反共建國的一大潛力，政府再不拿出一種維護海外僑民的有效辦法來，將有噬臍莫及之日，豈可忽乎哉！

世界選美的玩藝

西方商人們為着生意眼的關係，每年搞出所謂「世界小姐」的選舉把戲，在西方人的心目中，乃是不作無聊之事，難遣有涯之生，拿女人來作消遣品，并不稀奇。

可是，處在臥薪嘗膽、救國第一之環境中的中華民國政府所在地台灣，亦好整以暇，每年大搞其選美玩藝，選派「中國小姐」，遠涉重洋，給別人湊趣，而美其名曰「國民外交」，中國小姐僥倖入圍，即說是「為國增光」，這真是上海人所說：「阿要難為情？」

明星競選世界小姐，大捧電影情調，這都是太平盛世的生活調，今日住在台灣的人，生活是緊張的，心情是沉重的，是亦不可以已乎！

自由談

言論官司的我見

最近中華民國監察院向法院控告在台灣出版的「政治評論」雜志，指其「任意誹謗全體監察委員，乃至比之為偷東西之小偷，實已令人無可容忍」。台北地方法院首席檢察官已致函該雜志社，查詢所刊六篇有關文章作者真實姓名與地址，表示受理了監院的控訴，依法進行偵查，靜候傳訊。這是民意代表機關控告民間刊物的非常舉動，我們特別重視，而且頗為驚詫！

監院認定「政治評論」公然侮辱全體監委的主要事實，就是該雜志第十二卷第一期社論「評監察委員與法官之爭」——為監委彈劾最高法院推事陳綱、廖源泉審判前任台北市市長黃啓瑞瀆職案，有庇縱罪犯之嫌——對於監院在彈劾案未交付懲戒機關以前，即將調查報告書宣洩於外，見諸報端的處理，認為不對，曾引用立法委員黃強所謂「個人宣洩，個人違法；院會宣洩，院會違法」之說，附以比喻的言詮道：「一個人偷東西，個人違法；若干人開會後去偷東西，若干人全部違法」。監察院覺得這是公然侮辱與誹謗，非依法控訴不可。

我對於監委與法官的爭執問題，不欲置喙，即對於監院控告「政治評論」的是非曲直問題，暫時亦未便遽加批判，祇就新聞記者和國家公民的立場，摅述一些感想：

在世界各先進民主國家之中，民意代表為着私人的權益跟人興訟，乃係常事；若用民意機關的全體名義，控告一個民間刊物，卻是罕見的事情。監院的控訴如果勝利了，人們認為這是無異於獅子搏兔，勝之不武，且將膺受「摧殘言論自由」的聲名，得不償失。萬一敗訴了，那對於監院的尊嚴信譽，損傷何等重大呢！監察院的地位，依照大法官解釋，即等於西方各國的參議院和上議院，英美各國人民隨便批評、責駡國會議員的情形，司空見慣，毫不足奇，縱有過份的指摘，亦是不為罪的。這次「政治評論」的社論中，關於監院宣洩調查報告書一事所作的比喻之詞，或不免失之輕率，取譬不倫，監院基於維護言論自由的重大職責，予以譴責警告可也，一定要在法律上見個高下，得無因小失大之虞乎？我希望到此止步，由監院自動撤回告訴，曷勝企幸！

馬之驌

啟事： 上期本報頭條論文題目「評都市平均地權條例施行細則」，顛倒錯植，特此更正，並向作者與讀者致歉。

編輯部

把人當猴子耍弄還乘機大刮外滙

毛共設局欺騙外邦觀光客

歷經六個城市節目全由共幹安排 衣著單調民無表情卻亦被人看穿

（紐約航訊）當自由世界在溫飽之餘，以觀光當作賞心樂事，觀光事業正蓬勃發展之時，中共亦將中國的大好河山和古老文化的遺蹟敷粉改面，當作欺騙宣傳和換取外滙的工具，開放其有限的觀光事業。巴基斯坦國際航空公司，每星期五上午有一班飛往上海的客機，使用的是美國波音公司七二〇式噴射機，來回票價爲美金四百二十八元，通航至今已有三個多月。由於生意興隆，該公司現已決定每星期再加一班。

中共爲了推廣此項觀光和宣傳業務，除向各地旅行社寄發大量宣傳品及廣告外，各駐外領事館亦特別簡化簽證手續，赴大陸觀光旅客三日內即可獲得簽證。目前除美國及中共雙方均不許美國公民前往中國大陸旅行外，由於好奇心驅使，欲往竹幕內觀光的各國旅客頗不乏人。

據最近一期的英國「時代」週刊報導稱，這些觀光客人一旦進入竹幕之後，他們立刻會發現中共爲他們安排的，並非自由世界字典中所說明的「觀光旅行」。中共當局除去以近乎敲詐的方法使他們每日付出三十多元美金的用費之外，所有觀光的節目，均由官方所指定，並在官方所派的嚮導監視下行動。觀光客人被帶往六個城市，參觀事先選擇好的公社，學校，工廠等。有一次，當一羣法國旅客參觀一所幼稚園時，學生們特別爲他們表演歌唱節目，其中有一首歌最精彩，這首贏得的掌聲最多。這位不懂中國話的客人聽來是一首「小的歌」，但其中有一位會中國話的客人事後指出中文歌詞是：「怪，怪，怪，醜惡的帝國主義快滾開！」原來這羣花錢觀光的客人，被孩子們當面咒罵一場，不但一無所知，反而拍手叫好。

這些遊客們說，中共當局雖盡量設法使各觀光旅館舒適，但在冬季旅行的人，發現南方的旅館常熱如蒸籠，北方旅館卻冷如冰窖，夏天整個大陸的觀光旅館中，只有廣州的羊城飯店有冷氣設備，但僅在下午五時至十時開放。沒有冷氣的旅館雖備有電扇，可是由於每晚停電並不能整日使用。遊客們對大陸各城市有一個共同印象，就是街道上不但絕少塵土，即昆虫鳥雀亦完全絕跡；路人的面孔上，多數毫無表情，人們相見時也絕少笑談喧嚷。既無人聲亦無鳥語，每個城市都單調得近乎死滅。有一位旅客說，在中國大陸旅行期間，他感到自己像置身在一艘與世隔絕的海船中。

此外這些來自自由世界的旅客們，看到中國大陸上男女一律穿着列寧裝的情況時，更使他們對共產主義的生活發生疑問。來自花都巴黎的電視廣播評論家魏塞爾曾經表示：「人們不但很少看到男女併肩挽手而行，甚至很難分辨出他們的性別。」即保守的巴基斯坦旅客也認爲在中國大陸男女的性別，正遭受着違反人性的壓制。他們因而提出一個十分幽默的問題：「在這種情況下，中共何能有人口過多的問題？」

在這些旅客的眼中，古香古色多彩多姿的北平，現在完全變成了一個大兵營。他們在那裏所看到的，是市民男女老幼終天列隊而行，忙於各種集體勞動。每天清晨無綫電廣播晨操節目，在響徹全市的廣播聲中，沒人敢於不參加操練。某旅客曾看見一位女醫師在一條最熱鬧的街上打着太極拳過街，却沒有一個行人注意她。整個北平只有國際俱樂部中可以跳舞，但樂隊所奏的都是「東方紅」一類的「前進」歌曲。各大旅館中酒吧裏所供應的也只有土釀和含有毒素的威士忌。街頭的招貼，和娛樂場所中所演出的節目，完全是如何打破生產記錄，和學習某某勞動英雄等宣傳品……。

大陸的景象雖然如此，但一般預料中共的觀光事業，仍將不斷發展，因爲人們在地球上很難看到這麼一個無聲音，無歡笑，無光彩，無人性的世界。而且除此之外，中國的錦繡江山並未改，「雕樑玉砌應猶在」，對赴中國大陸觀光的客人，這都是稀有罕見的景色。（趙浩生）

台省第一條超級公路

——印家文——

從台北市公路局東站起算，迄基隆港三十一號新建碼頭上，全長計爲二十三點四公里，係按這條麥克阿瑟超級公路的速度，以平原地區每小時一百公里，山嶺地區八十公里而設計的。該線全部的彎道計有十七處，較原有的北基公路五十多處的彎道減少三分二。不但彎道少，更沒有人行道，牛車道，台車道，和慢車道等等，因而，沿線的居民、牛車等一律禁止通行，或加以限制。當你由台北到基隆，或者從基隆乘搭金馬號公路來往之時，將會在這條新型公路上，看到一個個起伏的山坵，并嗅到清新的氣氛，使你的胸襟爲之豁然舒暢，又可使你的行程較以往縮短二十分鐘。

麥克阿瑟超級公路之工程標準，比起省內一般現有的公路爲高，且其橋樑及山區的開闢，路面構造，和圖樣的設計等，都是全由我國公路界的工程師一手所包辦的，並以最現代化的機械而施工，及分段鋪築完成的。超級公路的路面之設計，是以七五公分的「熱拌式」瀝青凝土混合建築的，爲一種加強加厚的高級路面。這在中華民國，是唯一的一條超級公路。

居民感謝政府

麥克阿瑟超級公路之命名，完全爲了紀念麥帥對自由世界的貢獻，與他對中華民國的深厚友誼，藉使他的英名永留於人們的心中，與這條超級公路同垂不朽。經過三年來的淒風苦雨中胼手胝足，使荒山曠野變爲平直的公路，這條克服了重重的困難的麥克阿瑟超級公路，現已成爲台北至基隆間疏運量最高的公路了。

這條超級公路，自通車以來，已促使台北市區和基隆市區更進一步的發展，例如位於公路沿線的森林，煤礦，瓷等都得到了更方便的開發。對於基隆港口的繁榮，亦有很大的幫助。在銜接基隆市區的那些橋樑，兩旁原有的民衆住處與工地等，經政府依公定價格收購後，現再爲他們建築了一幢幢美麗而整齊的房屋。他們對政府這種收購土地，另建新房屋供給他們居住的優厚待遇，一致表示滿意和感謝。（下）

掀開台灣省教師福利會偷天換日的爛賬

本報台灣中部記者熊微宇

官辦人民團體？立法根據何在？

像這樣的組織基礎組織和財務以及徵收基金的辦法，你能承認它是人民團體？

當事者若果說這組織的原則和徵收的集基金的辦法是由省議會當年通過的，但原則是一般性的業務單位的措施處理，並不是立法。

我知道，近四年來，省議會教育組各組的很多議員們，不止一百次的陸續對教育福利會提出指責；今年春天舉行的三屆二次大會中，有幾位在議會具有影響力而平素不大談教師福利會的議員，也都提出猛烈的抨擊，要求廢止這個制度。

於是就成立了專案小組調查福利會的賬。其實如果不了解福利會從前偷天換日的手段，這賬是查不清的。

錢向大家要·賬歸自己管

像那樣運用官方的力量與組織向民衆要錢，而財務制度人不納入官方的系統，這種情形之下，財務權自然就集中在主任委員副主任委員和「承主委之命」的總幹事的身上了。

那十五位常務理事們在三個月舉行的一次會議內，在一天的時間上，除了聽取總幹事的會務報告以外，當然只談些關於福利金運用上的原則，既不能詳盡的研討提案，也沒有時間像審查預算那樣逐項目的核對收支。

疑障重重·衆神默哭

那麼教師福利會有沒有會計？有。由福利會聘請教育廳主計室的人兼任。在福利會的帳上有筆跡的，有張學俊，林錦昆，鄭長汀。

所以在形勢上，教師福利會的會計，是由教育廳主計室兼辦，也可以說在搞不清楚內情的人看起來，認爲教師福利會的會計業務，完全歸入教育廳的會計室。但實際上教育廳的主計室根本無權過問福利會的帳，只不過是由福利會聘請那幾位職員兼任而已。

於是這賬目的最高主宰者，當然不是省主計處或者省審計處，而是兼任主委的教育廳長和副廳長；而負實際責任的財務執行者是總幹事。

大旗子·金招牌·撩人眼花

從這些角度和事實來看，我們當然無法承認教師福利會是人民團體？實質上，很像是教育廳的附屬機構，但又不是。而主宰這個會的和這個會的基層組織負責者，却又全是教育廳的官員。

全省最高的行政機關省政府管不了它，監督人民團體的社會處管不了它；與教育廳的行政系統更不相干。可以說幾句話的只有省議員，但是由於這個組織太特殊，各種情況又很微妙，所以省議員對於有些問題也搞不清楚。而有些了解內情的省議員，可能是受到這福利會的「尊敬」，不肯掀開它的底牌。

所以雖然教師福利會在劉眞還沒有離職的時候就一再被人檢舉告發，經過立法監察兩院與治安單位的多次偵查，却一直得不到滿意的結論。

這個基本原因當然是由於組織的特殊而形成了多種角度，因這問題的彈性很大。而最主要的，是搞不清楚那些偷天換日的手段，給「全省公立中小學教職員福利」的那面大旗子金招牌搖幌發亮的搞花了眼睛。

劉白如獨點秋香 林春暉財祿並佔

我不想多討論擁有龐大基金的教師福利會六年來在它所規劃的教職員們的身上到底謀了些什麼福利？在這個制度上到底收了些什麼成效？因爲那需要的篇幅很多。

我其所以在它的制度上費這麼多文字的原因，乃在說明這個組織的獨特和財務上存在的許多問題，因之就產生了使我們意想不到的許多爛賬。

（二）

屏東市合作社面臨內憂外患

（本報屏東航訊）屏東縣屏東市合作社成立經過，及省令取締，一般認爲主管單位似有蓄意包庇嫌疑等部份，經本報第四六三期揭露後，地方各界人士極其重視。

該屏東市合作社應否取締一節，此間固見仁見智，各有說法不一。一說爲調節市場，供應消費，確有保留該合作社繼續營業果菜市場之必要；一說依法令規定，同一地區（指鄉鎮或縣轄市）不得設有同一性質合作社一個以上，屏東市係屬縣轄市鎮，縱然爲調節消費需要，但礙於法令規章，仍應加以取締。

屏東縣政府秘書兼業檢室主任多和興對記者說：依照法令規章的限制，屏東市合作社違反省頒果菜批發市場業務管理規則，擅自經營果菜批發市場業務，應予取締，係屬順理成章。又說：該合作社之成立，省合管處依法未予核准，而係主管合作事業的本府合作室所違法簽報李前縣長核准設立者；故該合作社成立雖取得縣政府核准，及領有登記證，然此舉顯屬違法與失職。

該屏東市合作社揭幕成立至今僅二個月又十天（八月三日止），然由於擅自經營果菜批發市場業務，屏東市農會因權利之爭，曾散發文字攻擊該社，而該合作社遂訴之於法，控屏東市農會涉嫌毀謗。另又控縣政府業檢室主任，謂其污辱憲法云云。糾紛正多，好戲殊不少也。

據熟悉合作社內情的人士對記者說：屏東市合作社是以股東制創立，每股新台幣一〇〇元，計五〇〇〇股，資金額定爲新台幣五〇、〇〇〇元。凡股東至少得認購五〇股，並約定先繳股金百分之五十，餘數在合作社揭幕後繳清。然合作社揭幕已二個多月，各股東認購之股金仍未繳足。故該屏東市合作社目前正遭遇內憂外患，如何善後，已面臨考驗矣。（袁文德）

香港春秋展覽

大會堂再次舉行

（本報訊）大會堂不久前曾經舉行「香港春秋」圖片展覽會；八月十五日將再次展出，藉使前次未得看到的人，亦有機會前往欣賞，從那些圖片及文字，了解香港過往百多年的發展紀錄。

這次的「香港春秋」展覽會，除前次所展出的資料外，新的有一幅上水鄉村，那是滿清末年的東西了；另又有一個該村祠廟的模型。

美共和黨兩派政見之異同

張大艾譯

本文譯者，現居美國加州巴克萊，曾親自參觀美共和黨提名大會的進行。雖這一大會已告結束，保守派領袖高華德參議員已贏得了共和黨總統候選人提名，但它們兩派在政見方面的爭執，今後仍將繼續進行。我們為了要瞭解美共和黨這兩派政見的異同，及更進一步瞭解高華德參議員主張究竟為何，特列出此文，以供對本年美國大選關心者的參考。　編者。

關於美國選舉問題，合衆社記者向高華德參議員及史克蘭頓州長，提出了十一個重要問題，冀由爭取共和黨總統候選人提名的兩位領袖——此即為他們兩人所回答的七個問題。

（一）你將如何改善社會福利事業？

史克蘭頓：我是忠實的擁護社會福利制度，因為這一制度，單從字面來說，已給美國數百萬人以很大的幫助。我完全不同意高華德參議員的主張，他主張參加社會福利制度，純出於自願。這一種財政上的不負責任，可以徹底破壞社會福利制度。我贊成共和黨領袖在議會中所提出的寬大的社會福利制度。

應特別注意寡婦們的需要，把他們包括在這種制度之下，並擴大兒童的福利至二十一歲，倘若這些兒童願意進入學校。

高華德：我贊成一種健全的社會福利制度。我希望看到這一制度加強。我希望看到每一個參加的人，能得到這一制度所給予的一切利益。我並希望對這種利益，應付給百分之百的金錢。保護這一利益的價值，是一種基本的需要。

（二）你贊成老年人的健康治療經費，通過社會福利制度嗎？

史克蘭頓：這在賓夕法尼亞州，已很普遍，對於老年人最進步的醫療計劃，在Kerr—Mills Act規定之下，已遍及該州各地。我希望其他各州亦隨之實行。

假設這種費用的負担，參入於我們的社會福利制度之中，那麼擴大這種制度的利益，將使我們的財政發生困難，如此，收入低微的人，將被強迫付出一種不合比例的部分，以供給老年人的醫藥費用。

同時，我認為聯邦政府對於健康治療的費用，應該增加。這種費用應取償於聯邦政府一種有規律的賦稅制度之中。各州參加健康治療的計劃，應該維持，其標準應設立一種計劃，俾各州供獻其基本的利益。

政府的保險計劃與私人計劃之間，應盡可能使之有一種緊密聯系，如最近賓州所提出的建議，已為詹森政府所禁止。

高華德：老人醫療計劃不是一種有效的作法，此乃實際破壞福利制度，因其担負一種新的不需要的負担，如醫藥費用。假定我們破壞了保護他們的這一個制度，等於我們處罰每一個年老人。

（三）對於減少聯邦政府的經常費用，你有什麼特別計劃？

史克蘭頓：聯邦政府的經費，應在一定限度之內，予以嚴格的控制，類似管理家務一類的善為使用。我的政府在賓州已如此實行。（一）

康有為的亡命

丘峻

「戊戌政變之秋，余誠有十死之危，苟遇下列一事，即不能免：一、若早出上海督辦官報，則上海道奉旨來拿，必死無疑；二、若帝不促出京，必死無疑；三、政變早一日發生，必死無疑；四、遲一天出京，在南海會館被捕，必死無疑；五、如在津居旅邸，船期不合，必死無疑；六、如初六日輪船不開，必死無疑；七、如乘招商局海宴輪，英領無法救之，必死無疑；八、如飛鷹艦不因煤絕，折回天津，必死無疑；九、苟登萊道不赴膠州，接電截捕，必死無疑；十、如上海道不請各國領事協拿，英領不知其事，無從救之，必死無疑；十一、英人不派兵艦護送，半途截獲，必死無疑。在諸多必死之中，竟能不死，豈非幸哉？」——康氏自述

滿清末葉，政治腐化，外交失敗，瓜分堪虞。一般愛國志士，不忍見國家之破亡，咸思有以拯救之。於是先有康有為之上書，主張變法維新，富國強兵；繼有孫中山之奔走，鼓吹革命運動，改制建元。雖然保皇與革命，君主與民主，兩不相容，要皆為改革庶政，救國救民則一。結果：革命成功，建立民國；變法失敗，康梁亡命。

當康氏之上書也，條陳利害，三次始達。德宗見之，大受感動，痛哭者三晝夜，且謂：各大臣不以國際及國家大勢奏聞為欺君之輩。迨氏連續上書，進呈卷籍，極言國事之危殆，變法圖強之不容緩，德宗感其忠誠，乃決心變法，咸與維新。屢擬召見，輒為守舊大臣如恭親王奕訢，慶親王奕劻，禮部尚書許應騤等所阻，不得已乃命總理衙門五大臣先行約談奏覆。中間更得給事中高燮曾，相國翁同龢，翰林院侍讀學士徐致靖，湖南巡撫陳寶箴，內閣學士張伯熙等之先後奏薦，譽氏「才可大用」，甚且「請舉國以聽」。德宗據奏，更衷心感動，乃力排萬難，竟以四月二十五日下詔：康有為，張元濟，預備於二十八日召見；黃遵憲，譚嗣同，着督撫送部引見；梁啟超，着總理衙門查看具奏。

至是，太后黨羽，守舊大臣，羣相震駭，亟圖挽救，於是透過那拉太后，突於召見康氏前一日，即四月二十七日，強迫德宗罷翁同龢相職，而假惺惺作態謂：「協辦大學士戶部尚書翁同龢，近來辦事都未允洽，以致衆情不服，屢經有人參奏。且每於召對時，諮詢之事，任意可否，喜怒無常，詞色漸露，實屬狂妄任性，斷難勝樞臣之任。本應查明究辦，予以重懲；姑念其在毓慶宮行走有年，不加嚴譴。著加恩准其開缺回籍，以示保全」。康氏聞之，悵觸萬千，即賦作為「析狗教猴」之嚴重警告：「懷翁常熟去國七律一首」云：「膠州警近聖人居，伏闕憂危數上書；已格九關空痛苦，但思吾黨賦歸歟。早携書劍將行馬，忽枉軒裳特執裾；惜深追亡蕭相國，天心存漢果何如！」是氏之懷翁相國者，正自所以感懷身世也。（一）

那個淘氣的孩子說他也不曉得到底裏面放的是什麼。以後日本人發現盒子上刻着有「亞瑟麥克阿瑟將軍」等字樣，就斷定這是麥帥父親的骨灰，就再也不想去開它了。這是唯一麥克阿瑟家人失而復得的一件東西。

麥克阿瑟搬進馬尼拉以後，立即把他的夫人和兒子亞瑟接來同住，當時麥帥夫人和兒子還留在布里斯班。麥克阿瑟自從一九四四年把總部移到荷蘭底亞以後，就沒再見過他的妻兒。

我和麥克阿瑟到碼頭去接他的夫人，當時正有大隊轟炸機和戰鬥機從頭上飛過，去攻擊馬尼拉以東數哩地方的日軍山頭陣地。麥帥夫人向她丈夫招呼，並抬頭仰望那些呼嘯而過的飛機，一直到隆隆的機聲在空中消失，他才轉身對我說：「看着『我們的』飛機從頭上飛過，使我感觸良深，上一次我在這裏的時候，頭上飛過的盡是日本飛機，我們顧着找地方躲藏，那有心情和時間去欣賞飛機。噢，還有，喬治，你們把葛雷基德島那地方弄成什麼樣子了！今天早上我們從那裏經過時，幾乎都不認得了，看起來好像整個島嶼被你們削低了至少四十呎。」

麥克阿瑟和我聽了她的話

我所知道的麥帥

肯尼將軍原著　徐熙光翻譯

以後都笑了。不過珍說的是事實。一九四五年二月上旬，我們在葛雷基德島一共投下了大約有四千噸的炸彈，然後由一旅傘兵空降下去，再由一營步兵從巴丹登陸。原來在葛雷基德島上大約有六千名日本守軍，但是當地面部隊進行掃蕩時，幾乎沒有遭遇抵抗，島上的每一座碉堡和砲位幾乎都被炸彈直接命中，沒有一座建築物不會被砲火轟擊，雨點似的炸彈使得島上的天然景物都為之完全改觀，山頭被炸平，岩石被炸碎。所有樹木花草都被燃燒彈或火焰噴射器所燒光，整個葛雷基德島已經面目全非，難怪地平面看起來比我們未實施轟炸以前要低很多。

佔領葛雷基德島以後，我隨麥克阿瑟作一番戰場巡禮，看完許多遭受徹底毀滅的地方後，麥克阿瑟告訴圍繞在我們四周的弟兄說：「各位，建設固定堡壘和工事的時代已經過去了，葛雷基德島就是一個活生生的例子。」

一九四五年五月二十六，參謀首長聯席會議主席下令在一九四五年十一月一日以前攻佔日本的九州。麥克阿瑟被任命為所有登陸部隊的總司令。同時，他還必須消滅英屬北婆羅洲和荷屬巴里克巴邦的日軍。

北婆羅洲的攻擊行動預定在七月十日執行，麥克阿瑟在前幾天離開馬尼拉登上波義斯巡洋艦，他邀我同行，參觀一下登陸作戰。我頗猶豫，因為我很忙，但是麥克阿瑟說：「沒關係，別人一樣能替你做得好好的，你最好跟我去一趟，一則可以趁此機會休息幾天，再則在波義斯艦上，我們一天可以吃到三次巧克力蘇打冰淇淋。」

我們在八日登上波義斯號巡洋艦，向南行駛，當天中午與載運登陸主力，澳軍第九師的船團會合。當時我們正在巴拉望島與北婆羅洲之間的巴拉巴克海峽中，天氣很好，海峽兩側的山巒清葱美麗。（三四）

第十三回：惡貫難盈　巨奸逃火網　良知未泯　傑士出天羅

毛澤東的感覺比較遲鈍，還在輕輕拍着桌子，突然看見台上演員戲也不唱了，有的向後台跑，有的就從前台跳下去逃命，毛澤東才覺得有變，回頭問道：「出了什麼事？」

陳毅說道：「戲院失火，戲台上的人看得清楚些，所以他們逃得快。」

毛澤東趕快站起身，這時火已自戲院四面燒起，火勢已經衝上屋頂，室內濃烟籠罩，逐漸看不見周圍事物。

許多小共幹因為坐在後面，一時奪路奔逃，尚還容易，只有他們這一批坐在包廂裏的人，發現起火的時間既遲，離太平門又遠，及至走出包廂，四圍大火已經封了門，陳毅嚇得直是哆嗦，想跑也跑不動，兩腳好似生了根一樣。

毛澤東兩眼本來已經模糊，這時四面失火，被濃烟一薰，眼淚鼻涕一齊流，一手掩着眼，一手扶着政治保衛局長楊奇清，一句話也說不出。

金日成同李孝淳不料聽戲聽出這個麻煩，更是懊悔不迭，金日成想起毛澤東剛講過羊角哀與左伯桃共死的事，更是不祥之兆，越想越怕。

這時四面火勢越燒越大，包廂已經燃着，一行人只好逃到戲院中央，火勢越近，濃烟越密，毛澤東被薰得連聲咳嗽，陳毅也緊閉雙目，不敢睜眼，周恩來雖然也心慌，卻還比較鎮靜，向吳憲道：「你們杭州市的消防隊跑那裏去了，怎麼不知道來救火。」

吳憲也覺得很奇怪，不明白戲院已經失了火，城內何以不知道。

楊奇清畢竟是行家，冷冷說道：「恐怕是國民黨特務幹的，大概早把周圍電綫割斷了。」

一聽到是國民黨特務放的火，毛澤東頓時魂不附體，連聲說道：「你們事先怎麼不知道國民黨放火，卻把我們請來聽戲，這個責任就應由你負起，現在就責成你救大家出去。」

陳毅連聲長歎道：「這回死定了，這回死定了！真未料到在戰場未打死，竟然被國民黨特務燒死，張茜同孩子們還以為我明天回北京呢？真是死不瞑目。」

毛澤東叱道：「就你一個人有老婆孩子，別人沒有，是吧！真是沒有出息的東西。」

周恩來向楊奇清說道：「我們不能坐在這裏等着燒死，你應當派幾個人衝出去看看，如若消防隊趕不來，就要發動人民來灌救，最低限度先救息一面，我們可以出去。」

陳毅連聲說：「對了，只要我們能出去，戲院燒掉了還可以再蓋。」

楊奇清當時派小組長王剛率領一組人冒着火衝出去，當時就有兩個人被濃烟燻暈，倒在火焰裏未站起來。不過其餘的人雖然衣服頭髮都被燒着，總算衝出去了。

王剛衝出去，馬上就召集拱宸橋公安局的幹部，集合所有壯丁救火，大家雖然持的是水桶，水盆，但因為人多，不到半個鐘頭，終於澆息了一角，王剛再衝進來，只見一羣人瑟縮在兩張桌子下面，趕快架出去。毛澤東同陳毅都已經昏迷不醒。（三三）

冒險犯難記

鄧文儀

我們在河那邊散步及賞玩附近沙灘草地的風景，那時已是下午四點多鐘，其餘兩位同學，不久就游回去了，我因爲流連欣賞景物，遲了半小時，才開始游回去。這時已有些微的晚風涼意，同時因爲我們連游水到沙灘遊玩，亦已近三個小時，人也有些疲倦，游起來甚是吃力，想不到這時河水的溫度已然銳減，也許河底的結冰還未溶解，當我仰游到河中一半的時候覺得十分寒冷，舉手看看，皮膚已呈灰白色，手脚都好像要抽筋的樣子！這時心裏未免有些恐慌，同來的同學們都早已上岸去了，一個人孤孤單單游水，在心理上也有些驚駭，但我終於用盡了力量，游到來時的河岸。但由於水冷，用力過度，一到岸邊，就站立不起來，幾乎快到奄奄一息的程度！有兩位同學，把我扶持到岸上，換了衣服，才無精打彩的回到學校宿舍，睡了兩天，服了些藥，才恢復健康。少年氣盛，不識水性，五月渡河，幾乎送命，事後想到，這眞是冒無謂的險，如果眞的死了，那才不値得呢！

三十六、中山大學的反共鬥爭

俄共中央在莫斯科創辦的中山（孫逸仙）大學，主要目的是在培養及訓練蘇俄共產帝國主義侵略中國，奴役亞洲民族的第五縱隊領導幹部，表面上則是爲中國共產黨養成幹部，因爲中共那時尙在孩提時期，乃利用中國國民黨的名義及中俄合作的名義實施，企圖從中國國民黨的優秀青年幹部中，拉攏及爭取他們加入共產黨，而重點則放在造就忠於第三國際及蘇聯共產黨的聯共幹部。因爲這樣複雜的組織關係，所以在中山大學內的共產黨秘密活動與反共秘密鬥爭，就錯綜的不斷展開，其間曾發生很多激烈的場面，比較重要的情況，可概括成下列四方面：

一是蘇聯共產黨內部的鬥爭，即中央派與反對派或史達林派與托洛斯基派的鬥爭；參加的人物爲學校中的教職員及少數中國學生。

二是中共內部黨員和團員及江浙同鄉會對中共支部的明爭暗鬥；參加者爲中共黨員及共產主義青年團員的學生。

三是國民黨與共產黨的鬥爭；中國國民黨在中山大學設有總支部的黨部，黨部活動是由跨黨的中共及其可以運用的國民黨員所把持操縱，在國民黨部組織內，也有不少對問題的爭論。

四是眞正的純粹的國民黨員，另成立了秘密黨團小組，從事防止共黨威迫利誘及曲解三民主義理論，攻訐國民黨領袖，暗中從事防共反共的鬥爭；參加者爲學生中的忠實國民黨及黃埔學生。（三九）

高恩洪其人其事

雲家

在民國十一、二年間的政治舞台上，高恩洪可說是一位響噹噹的人物。一則他是直系軍人吳佩孚的親信之一，二則他是曹錕總統手下的交通總長。人可不貌相，海水不可斗量，若問他的出身，祇是上海電報局材料房的管理員，實實在在只能算是交通界一個無名小卒。何以他出身低微，且當初他與吳佩孚又非親非故，能自一個小科員一躍而成炙手可熱的首要人物呢？說起來當然也有一段奇特的淵源。

民國九年，皖直兩系發生戰爭，剛一開始，皖軍佔了上風，直軍本來是兵微將寡，除了吳佩孚自己嫡系的第三師可稱勁旅而外，其他都鴉鴉烏，加以餉彈兩缺，勝利自是毫無把握的了。高恩洪適在此時，把材料房內重要的器材，偸偸賣去了一部份，得欵十餘萬銀元，掃數滙給吳佩孚。吳收到了這筆錢後，雖說不是個大數目，但能得到這一個接濟，倒也可以鬆了口氣，因而軍心大振，局勢隨之改觀。沒好久，直系軍獲得了反敗爲勝的戰果。吳對高的接濟自是心裏有數，十分感激。

高恩洪偸賣材料之後，便溜之大吉。眼看攀附權貴的初步計劃成功，便北上調見吳佩孚。吳熱忱地接待他，並問他的錢來自何處？高照直說了；結語是「爲了國軍的當前大計，也顧不得什麼小節」云云。由於高的個性一正和吳的不畏強暴，一派死硬作風相同，故兩人傾談之下，吳十分欣喜，認爲才堪大用，即留用于軍中，對他十分信任。迨至直軍完全勝利，皖軍垮台，高被任爲運輸處長。等到第一次直奉戰爭結束，曹錕賄選爲大總統，高遂一躍而成交通總長了。

北洋政府時期，中樞的一批閣員，如曹汝霖，吳毓麟，曾毓雋，鄭洪年，葉恭綽之流，統稱爲交通系，都是交通界的風雲人物。到了國民政府成立，交通界新人產生，此輩又稱之爲老交通。那時政府的混雜，眞是五日京兆，這許多首要人物，你去我來，像打麻將攀風換位子一樣。惟有高恩洪尙係新進，來頭如何？是何許人？誰也沒有見過。套句文學術語，大有叫人丈二和尙摸不着頭腦之感哩！

那天，他就任總長，部內大小官員都站立恭迎。久久不見總長駕到。正當大家猜疑之時，忽見一個穿着高領窄袖的長袍，不罩馬褂的人，既未坐汽車，也沒有隨員，只坐了輛人力車，直向交通部馳來。下車昂首直入，傳達上前問話，此人掏出一張名片，上面赫然印着高恩洪三字，大家這才知道他就是被歡迎的人，就是他們的新總長。他這種儉樸的作風，在民初以來的總長裏，除了蔡元培，薛鎮冰而外，恐怕再也找不到第四人了。這是他成功的因素之一。

他的這身寒酸氣，自然是沒有人瞧得起的。但他不管這些，到部的第三天，他首先整頓人事。現有職員的一大堆履歷片呈上之後，他先一一查核、然後個別談話。當時有位科員，資料上填的×××大學×科畢業，精通英法文，能夠翻譯等等，他便召見該科員，當面遞過一份英文報，指定一篇文字叫他譯成中文，那位科員登時面紅耳赤，只得用離校過久，外文早已荒疏來搪塞。其實那些履歷都是亂吹牛的。高恩洪毫不鄉愿，等到對方退出後，馬上一個條子，就把那人降爲錄事。反之，對於埋沒的人才，發現了後，也有自錄事而連升三級任用的。

他在用人上，就是這麼不講交情，那怕你來頭再大，他仍是要裁便裁，要降便降，絕不客氣。另一方面，如你果眞有學問，有才幹，他也眞肯隨時提拔。並不是假借考核爲名，而暗中搞派系，排除異己；把他人裁了，補上自己的私人。這種用人無私的精神，可說是今人應該效法的。

高恩洪担任了交通總長之後，外調膠澳商埠任督辦。亦即後來的青島市長。說到青島，第一任督辦是熊炳琦，當時青島爲華洋雜處之地，各國的領事館鱗次櫛比，特別是日本倭子，潛在勢力最大，艦隊一到，陸戰隊登陸，張牙舞爪，我國政府往往受其威脅。熊炳琦等官吏以國勢強弱懸殊，什麼事都只好忍氣吞聲，逆來順受，目的僅在委屈以求全。到了高接長督辦後，作風大改，嚴格執行下列事項：凡各領事館與督署往來的公文，一律須譯成中文，且要用呈文，否則不予收受。將日本僑民居留地和商業區，與中國區劃分界限，不相混雜，以免引起事端。日本軍隊，不准在青島圍內駐紮。後面的這件事，幾經交涉，沒有結果。高恩洪乃電吳佩孚，請調大軍前往鎮壓，準備和日本拚一下。日本領事見形勢不利，終於允將軍隊撤去。高不怕強暴的精神，不只是在當時，就是在今日，仍然是鳳毛麟角，不易多見的。其成功處，確非凡夫俗子可與比擬也。

我的社會生活

雷嘯岑

「筆會」（Pen Club）之組織，創始於英國，起初是一些在報章雜志上投稿的作家，爲着稿費問題而結合的小團體，漸漸地形成了全國性的文化機構，流風傳播於歐洲大陸和美國各地區，相率繼踵成立分會，終乃蛻變爲國際組織，以英倫爲總樞紐。二次大戰後，每隔二三年舉行一次「國際筆會大會」，分別指定某一會員國的都市爲會議所，專題討論文學問題暨東西文化交流方法，預會人士多爲各國著名的文藝作家。筆會雖不談政治，但其精神是反共的，所以，每次大會皆有鐵幕附庸國家如東歐各國的「流亡筆會」代表出席，卻沒有蘇俄以及中共區域的筆會代表插足，無形中成了思想反共的國際團體。我隨香港中國筆會代表諸君之後，參加過兩次大會，一次是一九五七年四月在日本東京，一是一九五九年在西德的福朗克佛（Frankfurt），會議經過詳情，曾有專篇記述刊載香港時報，不再贅。最難得的是到福朗克佛開會時，順便游覽了西柏林和東柏林，再赴比利時、荷蘭行脚一趟，遍覲歐陸風物，增加了不少的見識。我希望有生之日，能夠環遊東西兩半球我未曾去過的地區，此願不知何時得告實現也。

「自由人」停刊一年後，我也離開了香港時報。綜計在時報主持筆政整整十載光陰，雖不敢說有甚末勞績，但辛苦確已備嘗。尤其是在創刊時，民國卅八年秋，以迄韓戰發生前夕的三數年期間，中華民國的國運陷入逆[illegible]階段，執政的國民黨在海外每不齒於人口，且受着共黨宣傳刊物拚命圍攻。（七五）

燕塵識小

無貝生

古城文廟（續）

註二：其文爲周之大篆，韓退之石鼓歌所由作也。歌云：「宣王奮起揮天戈」；又云：「鑿石作鼓隳嵯峨」。可知其爲周宣王時之作。考古家或有斷爲周成王時作者，鄭樵指爲秦刻，全祖望謂必不出於秦前。姑無論爲周爲秦，保存至今，已歷兩三千年之久，不可謂非瑰寶矣。鼓於唐時始爲人知，初在陳倉散棄於野，故或稱陳倉石鼓，鄭餘慶移置鳳翔孔廟中。其後如何移入燕京，恭藏文廟，今不可考。近人註韓詩，有謂其仍在鳳翔者，殊不然矣。歌中又云：「年深豈免有缺畫」，故歐陽修所見拓本已僅四百六十五字。清高宗臨雍講學，見石鼓原刻。憫其日益漫，爲立重欄以護之。別選貞石，摹勒鼓文，使人椎拓。於是石鼓遂有新舊兩種。

註三：余向寓北平，數往瞻仰。有清一代始自順治四年丁亥呂宮榜，以迄光緒三十年甲辰劉春霖榜，二百七十餘年間進士題名萃於是矣。其間中興名臣如湘鄉曾國藩，合肥李鴻章，同光宰輔如高陽李鴻藻，仁和王文韶，壽州孫家鼐，元和陸潤庠，常熟翁同龢，南皮張之洞，及我桂省三元陳繼昌，狀元龍啓瑞，張建勳，劉福姚，以逮南通張謇，四川駱成驤，固嘗一一獲睹大名。先曾祖以咸豐二年壬子章鋆榜成進士，入詞林，名亦與焉。高陽仁和，同登此榜。即以甲辰一榜而言距今亦六十年矣。

註四：民初，爲符世界之趨向，採用西方通行之燕尾服等爲我國禮服。有大典禮輒用之。周旋壇坫固得其宜，以云祀孔，究有未安。而長袍馬褂彼時視爲便衣，未足以昭莊重。於是禮制館特定祭服，以備祀典之需。惜其過於泥古，轉成優孟衣冠。行之不遠，蓋必然矣。

前代辟雍

禮記：「天子曰辟雍，諸侯曰泮宮」。辟雍之制，由來之矣。以今語釋之，則中央政府所設立之國立大學也。晉始立國子學，隋改學爲監，是爲國子監定名之始，歷代因之。迄於清末，轉爲清流養望，京卿升。轉之[illegible]實亡。[illegible]而設京[illegible]遞嬗[illegible]南京中[illegible]而商量[illegible]英才[illegible]所善多矣。

謹按：[illegible]門內文[illegible]十四年[illegible]國子監[illegible]監於[illegible]（西元[illegible]）於西[illegible]改爲[illegible]平，復[illegible]監曰彝倫[illegible]街曰[illegible]進士[illegible]堂外[illegible]之所[illegible]。臨雍[illegible]之[illegible]南[illegible]許衡手[illegible]（未完）

鬥鷄

周燕謀

動物之中性愛鬥并被人類作爲賭博之工具者很多，如鬥牛，鬥狗，鬥蟋蟀，鬥鵪鶉，鬥雞等。在中國惟以鬥雞鬥蟋蟀二者爲最，鬥雞尤早，遠在春秋時代已有了。左傳云：「季郈之雞鬥，季氏介其雞，郈氏爲之金距」。又「鄴都故事」云：「魏明帝太和中，築雞台。趙王石虎，亦以[illegible]鬥雞於此」。[illegible]以樂府雜歌辭也有鬥雞篇。寒食之節，城市各鬥雞走狗爲戲[illegible]雞之詩云：「五德稱名不自[illegible]郎好勝眞英主，亞子爭強豈小兒[illegible]臨場喜入孟幹詩；紅羅纏項[illegible]」。此詩描寫鬥雞之盛況，足見歷代鬥雞[illegible]。南洋熱帶民族，對鬥雞之戲，尤感興[illegible]著，最善鬥雞。即英國之本土，此風猶存[illegible]之家雞，而另有一種特爲搏鬥之「鬥雞」[illegible]雞」之種類亦多，屬雞科，原產之地爲英[illegible]養畜，其價不貲。此種「鬥雞」，性情威[illegible]，後身作半傾斜態，體肥大而腳長，嘴爪[illegible]桃狀，即俗稱之曰「茶裏冠」是也。肉搏[illegible]黑褐，尾細而短，色黑而有紅色光澤，狀極威武，作戰力強，但繁殖力較普通雞爲弱。

內僑警台報字第〇三壹號內銷證

自由報

THE FREE NEWS

第四七〇期

中華民國僑務委員會發給
台教新字第三二三號登記證
中華郵政台字第一二八二號執照
登記為第一類新聞紙類
（本報逢星期三、六出版）
每份港幣壹角
台灣零售價新台幣貳元
社長：[illegible]
督印人：黃行[illegible]
社址：香港銅鑼灣高士威道二十號四樓
20 CAUSEWAY RD 3RD FL.
HONG KONG
TEL. 771726　電報掛號：7191
承印者：田風印刷廠
地址：香港灣仔高士打道二二一號
台灣分社
台北市西寧南路[illegible]二樓
電話：五〇三四六
台郵撥帳戶九二五二

印馬對抗問題的輪廓

‧余　蘊‧

蘇加諾一再發誓要「粉碎」馬來西亞，但直到目前為止，他並未能說出為什麼他非這樣做不可的使人信服的理由。

前前後後，他說過三種理由。第一種是他最常說而又說得最響亮的：馬來西亞成立後，印尼受包圍了。好像馬來西亞是為了包圍印尼而成立似的。

但他並不能說明為什麼合攏起來不到一百二十萬人口和只擁一千幾百名警察的沙撈越和北婆羅洲，一加入了星馬成為聯邦之後，便會構成對印尼的包圍；更不能說明何以沙撈越與北婆羅洲同是英國殖民地時候，不會對印尼構成包圍，一旦加入馬來西亞之後，反而構成了包圍。他也不須說明何以合攏起來不到一千萬人口的國家，如何能對一個擁有一億人口的國家從事包圍。

第二種理由是以江湖俠客的姿態來說的：作為反殖民主義的印尼，不能坐視沙撈越和北婆羅洲的人民受英帝國主義者剝削和奴役。他假定沙婆兩地的人民是反對被圈進馬來西亞聯邦裏去的，雖則聯合國的鑑定委員會以及兩邦內部的選舉都證明了絕大多數贊成加入。他硬要拯救那些絕不需要他來拯救，而且一聽了他的名字就吐口水的人民。他不能說明為什麼當這兩個地區是英國的殖民地時，他不來拯救，而現在他們至少在名義上已經不再是殖民地時，他卻非來拯救不可。

第三種理由是他只偷偷地對菲律賓人說的：馬來西亞裏面的中國人太多了。和印尼，菲律賓裏面的中國人合起來就更多，這是三個馬來民族國家的隱患，為了排除這種隱患，非先把以華人人口佔第一位的馬來西亞搗碎不可。這種理由之所以只能偷偷地說，是怕引起中共的反感，而中共則是可以在這場糾紛中給印尼以有效的幫助的。所謂有效的幫助自然不是指中共可以發表聲明或舉行羣眾示威運動，也不是指中共可以對印尼在經濟上或武器方面多所接濟，而是指當戰爭有爆發的危險時，中共可以在某一方面造成緊張的情勢，使英國本來就不夠抽調分配的兵力更加捉襟見肘。

其實呢，蘇加諾並不是沒有他喊出「粉碎馬來西亞」口號的理由的。他只是說不出口而已。而這些說不出口的理由卻都是他的真正理由。

第一是，一如一般人所看穿了的，他的確需要製造對外的糾紛來轉移國內人民的注意力和討好軍人與共黨。這些年來，在蘇加諾的「印尼式社會主義」之下，印尼的確已到了民不聊生的地步。工業不發既日等於零，農業生也日見萎縮，以至糧食也成了問題。蘇加諾的確需要在國外樹立一個敵人，以免人民的怨毒集中到自己身上。馬來西亞實在給他一個再好沒有的機會。印尼的軍人自然也歡迎這個可以擴充勢力和升官發財的機會。而印尼共黨則更不用說了，既可以藉此使印尼和西方國家更乖違，和共產國家更接近，又可以加速從其混亂疲敗的印尼攫取政權的陰謀的實現。

第二是，蘇加諾的確懷有這樣的恐懼：蘇門答臘有一天會脫離印尼而聯併到馬來西亞來。要是這樣時，那他的「海洋帝國」之夢就做不成了。蘇門答臘是印尼最為富庶之一個大島，經常負担印尼整個支出之百分六十以上，但在印尼的軍政上都沒有地位。蘇門答臘人對爪娃人極為痛恨，要求獨立的情緒是極為普遍的。蘇加諾自然設想得到：在安全地有秩序地飛躍進展中的馬來西亞，對蘇門答臘的吸引力是怎樣的大。他不從安定自己的國家因而穩定了蘇門答臘這方面着想，因為他知道他自己沒有那種本事（他是一個好大喜功而只會言說的人物）。他只希望把別人也攪得一團糟，以掩蓋住自己的糟。這可能是他心裏一個最大的鬼。但他卻不便說出來。

第三是，借此來斷絕和星馬的商業關係，迫到印尼的商人和小工業者放棄依賴星馬而自行發展。原來印尼的原始生產者都樂於把產品賣給星馬的商人，以避免印尼官吏重重的剝削和取得更有價值的外幣。印尼的土產收購者也不能做好加工的工作而必須轉售給星馬的初級工場或工廠。要是把這條依賴之路切斷了，則印尼人便非自己找出加工和外銷之路不可。這倒是一種極對的想法。只是要達到這個目的，卻大可不必出之以對抗的態度，祇須在國內採取有效的經濟措施就行。不能採取有效經濟措施，卻想以絕交來完成經濟的目的，其結果卻利未覩而害先至。今天印尼的樹膠，胡椒等原始產品仍然大批地不絕地走私或轉運到星馬來。在一個無官不貪污的國家裏，走私和舞弊如何杜絕得了？

根據以上的分析，我們可以看出來：所謂馬來西亞問題者，其實是一個百分之百的印尼問題。印尼的問題不是一時可以有好轉的端倪的，因之馬來西亞與印尼中間的準戰爭狀態也不可能在短期間內解決。近幾年來，蘇加諾這條狗已經漸漸不能夠隨意搖擺印尼共黨這條尾巴，只是漸漸為尾巴所搖了。印共的目的只有一個：就是加速印尼內部潰亂的過程，以便攫取政權。

這裏存下了兩個問題。第一是，印尼和大馬之間會不會爆發大規模的戰爭？有資格的觀察家都相信不會。主要的原因是蘇加諾沒有發動和支持一場大戰的本錢。他的兵多，但不會鬥；他有着大批蘇式的軍備，但不精於使用。更重要的是，這個阿飛型的人物也知道一旦爆發為大規模的戰爭，首先有被轟倒的危險的就是他自己。因此在大言炎炎之餘，他所幹的只是放縱一些散兵游勇作邊境的劫掠，以及讓安塔拉社散佈些毫無根據的戰訊而已。

第二個問題是：這樣拖下去，英方的損失是不是很大？不大。有幾個人死傷，有若干土產商人做不得生意。雙方互相叫罵一頓，如此而已。就中真正頭痛的，恐怕只有英國，因為英國總得有萬把兵員被牽制在那裏。從另一方面看，其實雙方都不無好處。蘇加諾可以繼續要印尼的人民，過他阿飛式的生活。馬來西亞則可以藉此消弭內部的矛盾，加強團結。一個新生的國家，有外敵如印尼者，機會實在不多。附帶說一句，這對於美國也不無好處，因為這可以迫使英國在其他方面，譬如在古巴和越南，更為遷就美國的觀點。

無法前進

反應迅速

今日與明日

自由世界日趨渙散

自由世界為着反抗共產極權侵略勢力而組合的各個區域安全體系，已顯露着分崩析離之象，這是一種靈耗，而其責任應歸之於英美兩國的自私與無能。

首先是「中東公約」由於英美坐視忠實盟邦伊拉克王朝之覆沒，且搶先承認伊國親共的革命政權，乃使公約作用化為烏有，名實俱亡了。「東南亞公約」自始就是瞎湊合的玩藝，連「反共」的言詞亦不敢公開表示，作用殆等於零，自從巴基斯坦掉頭親近中俄共集團後，再繼之以法國大唱反調，已變成虛有其表的空殼子，沒有存在價值了。否則越南的安全便不必由美國獨力保障呵！

北大西洋公約比較是堅強的組織，亦符合西方各國重歐輕亞的小我利益。可是，公約總部所在地的法國表示携貳，而居於公約領導地位的美國，又私自與俄共集團進行妥協勾當，以致公約體系日形渙散。最近土耳其為着塞普魯斯島的糾紛，聲明撤回原由北大西洋公約總部指揮的空軍，自由行動，事實上只有美國派駐西歐的陸空軍，算是公約的生命力，英國的軍力微末不足道也。但美國既熱中於俄帝所倡的「和平共存」，公約組織的意義已極微薄，形同餼羊告朔而已。

歷史的事實是可能重現的。二次大戰前的「九國非戰公約」「洛迦諾公約」，以及英美日的「海軍協定」等等，亦曾經煊赫一時，視為維持世界和平的有效措施，終以英法各國之自私自利企圖，使集體安全組織為之解體，促進了世界大戰爆發的速度。後之視今，亦猶今之視昔，現在自由世界的區域安全體系，亦由於一二大國的私心用事，逐漸渙散了。若說大家怵於核武器破壞力之鉅大，可能永久和平共存下去，那末：二次大戰前各國皆擁有化學戰的毒氣武力，何以戰爭依然要發生呢？

塞普魯斯糾紛愈甚

塞島的希、土民族打鬥事件發生時，英國即派遣傘兵前往鎮懾，而雙方打鬥更激化；繼由聯合國安理會指派「和平部隊」馳赴該島調處，而雙方釀成大規模的戰爭行動了。現在聯合國安理會又授權秘書長宇丹，負責處理塞島爭端，這真是瞎扯淡的無聊作風！

自由世界許多地區的動亂，如果沒有自私自利的強權國家從中作祟，本可以大事化小，小事化無，只要強權主義者一過問，問題就惡化了。塞島事變之愈演愈烈，非洲與東南亞動亂之連續不已，皆源於此也。

老　謂「聖人不死，大盜不止」，今日的世界形勢，即可轉語為「強權不死，大亂不止」，所謂聯合國，不過是強權主義者的御用工具而已。

招商局病入膏肓

中華民國監察院對於交通部所訂定的整頓「招商局」方案，[illegible]

自由談

哲學家的玄想

英國著名哲學大師羅素，最近對於美國海空軍膺懲越共之役，大力抗議，其詞氣之激烈，超過俄共頭子赫魯歇夫對此事所表示的態度若干倍，可與中共攻訐「美帝」的言論媲美爭輝。

羅素於三十多年前訪問蘇俄後，即寫過一本「布爾希維克主義的理論與實際」的書，對於共產政權的罪惡，認識甚為深刻。不圖他在卅年後的今日，竟聲稱寧願接受俄共統治，亦不贊成反共的戰爭行為，他相信俄帝控制全世界以後，就會實行仁政的！像這種幼稚透頂的見解，居然出於哲學大師羅素之口，寧非咄咄怪事嗎？

凡是讀過羅素所著「自由與組織」這本名著的人，都認定他是個學識淵博的自由主義者，誰也不會意料他活到行年八十以上，思想早已成熟定型之秋，乃有此駭人聽聞的突變，而且變得昏憒糊塗，難以想像呢！

羅素主張對俄共集團實行姑息主義的唯一理由，就是要避免戰爭，消弭人類的災難。實則人類自從有集團生活方式以來，戰爭行為即不斷發生，古今的大學者，大思想家所倡導的非戰理論，比羅素更激切而完備，然戰爭依然生生不息。萬一共黨統治了全世界，而人類所受的災難將十倍於今日，因為共產主義者，以不斷鬥爭為生存法則的，他們內部為着權力鬥爭，照樣是要訴之於戰爭手段，毫無疑問。羅素所期待的共產仁政，夢想而已。

所謂學者、專家之流，盡係沉迷於理論而昧於實際事象的迂濶書生，若教他們來搞實際政治，固然糟糕，即按照他們的玄想高談以施政，亦未有不誤盡天下蒼生的。讓他們專力於藏之名山，垂諸後世的學問事業，少談實際政治問題，庶幾有益。以羅素為例，當國者對於學者、專家的作用，應該慎思明辨，知所鑑別纔是。

政府倡導節約聲中怪現象
高市教科安全室副主任 結婚宴客竟筵開數十席

（本報記者高雄航訊）適值政府倡導節約，社會各階層全面響應之際，高雄市政府教育科安全室副主任傳國治，於上月十六日晚在此間致美齋大飯店舉行結婚大典，筵開六十桌，參加慶典的以各學校校長教員爲最多，其次是市屬單位人員，正是車水馬龍，極一時之盛也。

傳國治此次結婚，喜柬滿天飛，惟獨學校方面未下請帖。學校是傳國治的直屬，何如付諸厥如呢？據幾位教員稱：「傳主任令飭住校安全人員，向教員們說：『傳主任此次結婚，學校方面未下請帖，各位要參加，可以自動去』。這比之喜柬的力量高出若干倍」。又說：「也許這是傳主任的『自由』『民主』的作風，值得欽佩」。

據聞：傳原來估計可有千人來賀，原訂酒席八十桌，以後看情況不對勁兒，乃取消二十桌，結果擺筵六十桌。稽征處派員駐征筵席稅，清點爲四十六桌；教育科安全室的劉先生說五十一桌。而據若干參加婚典的人士告記者：六十桌正，一桌不多，一點不少云。果如是，稅捐處是被傳蒙騙了。

又傳宣稱每桌酒席爲三百五十元，但該店經理告稅捐人員則爲每桌價格四百五十元；每桌相差一〇〇元之數。是何所爲也？或云：志在少繳稅而已。

傳婚開筵之數姑以五十桌每桌十二人計，共六〇〇客人，平均每位送賀儀二百，亦可收入十二萬元；則除去二萬元之筵費，亦尚餘十萬元。這筆可觀的數字，據若干教員稱：「咱們幹一輩子難得此數。傳主任却一下擒十萬元！這年頭眞是不怕官只怕管」。言外之意，不言可喻。

記者報道此事，用意所在，無非欲對戢止奢侈的壞風氣，稍盡新聞記者之棉力而已。或有人會爲傳國治辯護，謂此是私人行爲，有其自由。

其實不然。如果政府未有倡導節約之事，則傳婚即使擺筵六百桌，記者亦不欲置喙。現在的情形却并不如此。傳國治大小是個官，行爲自必須檢點，藉以「爲民表率」，才是正理。今不此之圖，公然無視政府的苦心美意，設若人爭效尤，還談什麼節約呢？

大陸人口之謎
毛共攪心理上人海戰術 它所說的數字斷不可信

（紐約航訊）一九五三年中共對外宣佈，他們曾在大陸舉行人口調查，所得結果是總數爲六億零一百九十三萬八千零三十五人。此一消息宣佈後，中共即開始據此對外實施心理上的人海戰術，說明共產主義的勝利是「歷史的必然性」，周恩來更荒唐的指出：「倘若六億中國人民一起跺脚，可以使整個地球失去重心。」

記得當時我曾以中國人口問題詢問胡適之先生，胡先生說：「過去我們號稱四億五千萬，這個數字的本身就不科學。如今中共忽然宣稱中國有六億人民，我絕不相信這個數字的正確性。」他說他之所以不相信的理由是，過去數十年中，中國天災人禍，八年抗戰，這些意外所造成的死亡數字，必定比人口的正常增加數字爲高，中國何能忽然間增加到六億之數？胡先生認爲這是中共的政治戰畧，是根據西方人所謂「數字絕不會說謊」的理論實行恐嚇宣傳。事實上在過去十餘年中，中共此種恐嚇宣傳，確曾收到相當效果。國際間親共、懼共的人士，動輒就提出這個數字，證明其「反共無望」「死亡不如赤化」的理論。而且由於時間的增長，西方專家亦逐年將這個數字增加。根據一九五三年中共所宣佈的六億數字和每年增加百分之二的估計，若干專家認爲，大陸目前的人口總數已到達七億五千萬。

不過這其間中共數度改變其宣傳方式。毛澤東在一九五七年曾宣稱將採用一切必要措施，使中國人口保持六億之數不再增加。這大概是因爲他認爲六億之數已經足夠達成其心理人海戰術的效果，再多了，不但別人不會相信，而且將引起西方學者各種不利於中共的推論。

現在美國國會圖書館工作之世界人口問題專家陶白博士，最近正在寫作一冊有關中國大陸的書籍，陶氏在回答紐約時報記者問題時稱：吾人對中國人口問題所知者甚少，目前所有的數字，都是根據中共一九五三年所發表的數字所作的猜想。但她對中共人口調查的方法及其可靠性均表示疑問。陶博士表示，最使她驚訝的事實是當蘇聯駐美大使館及蘇聯國內學者得悉她正從事於有關中國大陸問題的著作時，曾紛紛來函向她索取有關中共大陸人口問題的資料。她最初以爲是蘇聯故弄玄虛，但由於他們繼續不斷的要求，才使她發現蘇聯對中國大陸情況的確十分隔閡。原來在一九六〇年蘇聯技術人員自中共撤退之前，雙方關係十分接近之時，中共並未將任何有關人口之資料供給蘇聯。

普林士頓大學人口問題研究所所長瑙特斯坦博士亦同意陶白博士的看法，認爲中共將人口問題看作國家的最大機密，並提出最近北平正大力推行節育、遲婚及墮胎等運動。

中共之所以將人口問題，當作國家機密的原因，顯然是要以此作政治工具。十一年前他們以六億之數對外宣傳，是要達成心理人海戰術的目的。而今推行節育、遲婚及墮胎，則係藉人口問題以掩飾其經濟的慘敗。（趙浩生）

掀開台灣省教師福利會 偷天換日的爛賬

本報台灣中部記者熊徵字

要談那些爛賬，得先從「官陞得快」，「財發得大」的林春暉說起。

此人現在的職務是教育廳的視察，今年四十四歲，台北人。畢業於台北開南商職。民國三十五年，以雇員的職位進教育廳服務，四十六年，在劉眞當廳長的任內陞爲科員，四十八年陞爲主計室股長，參與籌備教師福利會。該會成立後，就担任「承主委之命」的總幹事。

四十九年，陞爲視察，一直負責總幹事的職務到五十二年八月底，閻振興交卸廳長的前幾天才換。

教師福利會的爛賬，都是在林春暉的手上搞的。

「閉門造人」．妙手做賬

由於教師福利會的收入來源是四方八面來的，而其支出又因爲福利的項目很多，局外人要把這筆累積幾千萬新台幣的賬弄清楚，事實上不太容易。

在那種誰也管不着止於僉主委與副主委的會計制度，所謂賬目與單據的處理，眞是只有「天曉得」！有些單據上的經手人，驗收人，保管人，根本就是假名假姓假圖章，不但福利會沒有那些人，甚至連教育廳也沒有。

在當初，經手、驗收、保管，是由幾位僉任福利會的教廳職員分別「用印」，後來大家發現，有的以小報多，有的驗收看不到東西，有的負保管之名，實際不見物件，於是大家都不願揹這份責任，於是林春暉就異想天開的乾脆「閉門造人」，一手包辦。

於是賬面上數字完整，單據上紅印斑斑，用以示人，誰以爲假？

愛國公債入私囊 禮品估價進官賬

我們不了解教師福利會爲什麼要買愛國公債？從四十九年開始到五十二年，一共買了二十萬台幣的。這種「運用」與教師福利有什麼關連？

聽說這筆公債林春暉移交時沒有全部交出來，而每三個月算一次的利息也沒有全部入賬。

五十年與五十二年，先後在日月潭與台中市興建的兩座教師會館，似乎一共是化了一千多萬。但是賬面所列的數字，在各個支出科目上，超過了實際數字的兩倍。

教師會館的許多設備，有些是發動全省各公立中小學根據需要集體贈送的，但是林春暉却一一的按照各處送來的物件，折成市價入賬，大大的報銷了一筆「設備費」。光是台中教師會館就報了六十萬。

這種賬，送禮的人看不到。而賬目上列設備費當然是合理的項目。手法之高，實具「才華」！

至聖先師招財 一紙文書歛貨

在這兩個會館興建期間，林春暉拿着一封通用於各公立中小學和各縣市的一封信，分別走訪各中等學校和各縣市教育科，說是兩個教師會館要各建一所「杏壇」，表揚至聖先師的教學精神，作爲全省教育人員的精神象徵。但是因爲經費不夠，要大家發動一次「樂捐」，完成這件爭取全省教職人員光榮的建築。

於是各中等學校和縣市教育科局，依照那封信上的預定標準，中學生，每人「樂捐」二十元；小學生每人十元，（小學由教育科發動彙繳）。

這筆錢，最少有好幾百萬。但是「杏壇」並沒有建，日月潭的教師會館，似乎有座「杏壇」的模型。

那封信運用得非常巧妙，在每一個對方看起來都具有絕對的權威，但是那封信又不交給任何人，只到「任務」達成，信件還在手上，不留痕跡，乾淨利落！眞是「允執厥中」，「一以貫之」！這封信是誰寫的？該想得到。

誰說文章賤？ 稿費價最高！

從五十年到五十一年，教師福利會出版過一種會內刊物「教師福利通訊」。半個月出版一次。後來不定期。四開一張的版面上，除了「會務報告」「主委訓話」和「會上」之類的記錄文字以外，多半是感謝福利會所賜德惠之類的報導，每期談得上算稿費的文字，可能不超過一千字。

這刊物一共出了十期，而登帳的稿費，竟達卅二萬！若以每期一千字的稿費計算，十期卅二萬，每千字可發三萬多元。這種高額稿費，確實「重道尊師」。

兩次展覽．賺三十萬

五十年和五十一年，教師福利會，分別在兩個會館舉辦過：中等工業職業學校工業品展覽；歷史古物展覽。

第一個會的展覽品是由各工業學校陳列的。第二個展覽會是由歷史博物館供應。以兩座豪華的教師會館場地，辦這兩種小型展覽會，當然不需要什麼特別佈置，但是林春暉却在賬上報了三十多萬的佈置費。（三）

台灣證券市場的畸形

本報台北記者張健生

前言

由於國際糖價上漲，農產品及加工品出口的增加，使貿易變入超爲出超，庫存外滙超過兩億五千萬，誠空前可喜的現象。按理說，政府應把握這個難逢的良機，利用現存資金，創設新的企業，發展經建，方爲正途。不料，財經當局竟把外滙凍結而未能及時作有效的運用；且濫發通貨，貨幣供給量，由三十八年底的三億九千二百萬元，增至五十一年底之七十九億二千三百萬元，十三年間，其增加率不能說不驚人。銀行不能有效運用資金，大量吸收存款，反而拒收長期儲蓄存款，使通貨變成游資；銀行爛頭寸以億爲計，高喊游資無出路，而工商界因銀行借欵條件太苛，得不到適當的輔導與資金。有錢放不出去，要錢的商人借不到，這種畸形的現象，確爲財經政策一大諷刺。

由於游資與爛頭寸缺少正當的出路，使穩定的證券市場，以及金鈔，頓起風波。若不有效遏止游資氾濫，勢必影響物價，動搖經濟基礎。

當前的急務

如何健全證券市場，如何撲滅畸形怪狀，乃財經當局目前最急之務。如無健全的證券市場，投資者得不到應有的保障，則無論僑資外資，甚至國內的資本，均將不能爲產業界所使用。由於證券市場是資本市場的重要部分，在二十世紀的今天，家族企業逐漸淘汰，代之而起的是大規模而複雜的企業組織，工商業者不得不隨時代潮流而前進，於是公司組織乃普遍被推行採用；而公司形態組織的特性，即公司股權的分散，投資者爲廣大的羣衆，而證券市場遂爲資本市場的重要一環。公司組織的工商企業，也需要短期的週轉資金，這些資金例由商業銀行供給。至於獨資經營及合夥經營的商店或工廠，除老板與合夥人自行出資外，有時亦需借入資本。但是這種借欵行爲，純基於該商店或該工廠主持人及合夥人的個人信用，所謂「信用貸欵」是也。而商店主人及合夥人對債權人均負有無限責任，對於一般公衆投資者的影響不大，故證券市場中之衆多小額投資者，其情形較特殊，需要法律給予特別保障。而公衆投資人爲甚麼需要法律給予特別保障？其故安在？需要較詳細的說明：

因爲證券的性質，不同於其他商品，乃代表投資者於某一事業或股票中的權益。其價值實由於許多經濟的複雜因素所決定。如估計某一事業的現有財產的價值，決定其獲益能力，並衡量此項投資所負担的風險等，乃爲一高度技術性的工作，即素有經驗的證券分析家對此有時亦感困難。一般公衆投資人，對此更是「盲人騎瞎馬」，一無所知。因此，投資人需要知道各項有關證券及發行者的事實眞相，以爲決定是否投資的判斷基礎。

然而，台灣證券市場公衆投資人，眞如「盲人騎瞎馬」一樣，只能到處亂撞。有人很担憂，如不改進的話，終有一天，一般公衆投資人會傾家蕩產的。（一）

美共和黨兩派政見之異同

張大艾 譯

解決我們目前農業政策的混亂情形，應該在實質上減少我們政府現在農業的龐大費用。而盡可能預先注意一下我們的外交政策，在以後幾年內，可以減少某些軍事費用。

必須堅持減少浪費，及一些不必需的計劃。聯邦政府的實際費用，與經濟的一般情況，有密切關係。一種健全的經濟，要防止通貨膨脹的各種因素，如是乃允許我們監督政府，立於一種有效的基礎之上。

尤其是我們不必欺騙人民，如詹森今年實行的預算。空頭的預算的減削，比不減削還壞，因將有隱藏的惡果，隨之而來。

高華德：詳細的研究預算，是遠超過所問問題的範圍之外，各個項目，須逐項加以審查，顯然，我的願意研究每一項聯邦費用，使之成為絕對必須的費用。

①使之成為實際需要的預算，並不是用作給人的一個政治糖果。

②我們能擔負這個預算。

③除此而外，沒有其他更為迫切的需要。

④預算制度中，應建立一項定期審查辦法，凡某一工作完成的時候，應該把這一預算除掉。

⑤即使證明這種預算是必須的，也必須證明應由聯邦政府去完成，或由州及地方政府去完成；倘州及地方能夠完成，凡為一個共和黨人，應將這事交州或地方去完成。

（四）你認為減稅有助於經濟繁榮嗎？

史克蘭頓：自從減稅實行之後，對經濟是有某些幫助，至少在短期間內。其缺點在於政府減稅時，應繼之以稅制改革，及削減政府的經費，但政府並未作此二事，所以使經濟方面之某些特殊利益，抬高其特權地位，並且從長遠觀之，有增加通貨膨脹的危險。

我們必須準備使政府預算案，成為財政工具，如艾森豪政府所做過的，它不是一種競選文件。除非我們面對着政府責任的困難事實，則將來進一步的減稅，或為不可能之事。最近減稅暫時刺激的結果，將因通貨膨脹的意義，螺旋升高，而把一切掃蕩以去。更重要的，以減稅為刺激經濟之方法，將在經濟衰落時，失去作用。

高華德：提高生活費用，通貨增加及政府費用的增加，對美國大多數人民來說，已完全失去減稅的效果。

雖然我衷心希望減稅，並且儘可能使之成為政策，然我反對現在的作法，因為它已證明有長期通貨膨脹的危險。現政府沒有增加相等的節省費用，而繼續其收入不足的開支政策。

（五）你認為民權法案成立之後，可以減少街上的示威嗎？假定示威發生，是否會引起北方白人方面之「反應」？

史克蘭頓：這一新的民權法案，是向前邁進了重要的一步，但不能終止黑人的示威運動，除非更進一步，迅速使之成為完整的民權法案。

聯邦政府新民權法，對北方及西部各州似乎沒有直接的效力，對民權法案，這些州已採取最有效的辦法。

在這一點上，進一步需要真正解決的，為居住，教育與就業問題。自然最後是一種仁慈心的問題。在全美國，假使我們能終止這些不幸的歧視。我們即必須改變人們的心理。

高華德：根本上是一種心理問題，種族歧視，不能僅憑法律來解決。但我首先同意，法律能有所幫助——在冷靜的氣氛下，法律可以仔細考慮與衡量，而不用政治煽動家之所為。且依照憲法的基本原則以為之，我們現在有太多管理，而很少瞭解，有太多的群眾政治，很少知道個別的責任。（二）

我所知道的麥帥

肯寧將軍原著　徐熙光翻譯

四周的天空看不到一架日本飛機，只有我們的戰鬥機在船團上空來回巡邏，一切都顯得那麼平和、寧靜，使人覺得似乎不是置身在戰爭中。那天我和麥克阿瑟各吃了四份冰淇淋。

十日晨，艦砲開始對我們的第一個目標拉布安島的灘頭轟擊，空軍對日軍陣地實施轟炸後，麥克阿瑟、澳洲陸戰隊司令摩里斯亥將軍、海軍司令羅義爾上將、空軍司令布斯托克副元帥和我一同登陸。

第一舟波登陸的部隊已經推進了四分之一哩，他們正在稍事休息，一方面派出巡邏隊，大部分士兵則開始在烹茶。對這支精銳的部隊，我們都有信心，深知他們必獲勝利，他們每個人都戴着鋼盔，體格都很健壯，裝備精良，士氣旺盛。他們只遭遇很小的抵抗。當地的土著告訴他們，大約十天前，我們開始大規模轟炸該島，大部份日軍已經撤離。原來拉布安島上有日本守軍三千人，現在只剩一千人不到仍留在島上。

我們幾位高級將領沿着離海岸不到半哩的一條路在巡視着。在我們前面，不時可以聽到日軍狙擊手放的冷槍和機槍的聲音，那使我想起了我們在雷伊泰登陸的情景。我們走着，麥克阿瑟似乎興緻頗高，有時還停下來跟一個巡邏兵談談。摩里斯亥和布斯托克問我，我們到那裏去，我聳肩表示我也不知道，我說：「跟着麥克阿瑟將軍走就是了。」

這是有一輛戰車從我們後面開來，我們讓路給它過去，那輛坦克在開到前面距離我們約五十碼的一座小丘上時，突然聽到一陣步槍和機槍的聲音，坦克停了下來，一個澳洲兵從砲塔裏探頭出來說：「我們解決了兩個日本兵。」麥克阿瑟走上前去看個究竟，我們也跟上前去，地上躺着兩個死去的日兵。麥克阿瑟說從他們所穿質料很好的制服和精良的裝備看來，這兩個日兵似乎是隸屬於一支第一流的部隊，他們可能是掩護主力撤退，殿後的自殺部隊，我們都點頭表示同意。這時有一個澳洲陸軍的攝影員走上前來，想要拍麥克阿瑟檢視日兵屍體的照片，麥克阿瑟拒絕他拍這樣的照片，所以他自己一個人上前去拍兩個日兵屍體的照片，正在他照相機閃光燈一閃的時候，狙擊兵的子彈擊中了他的肩膀。看到這個情形，我覺得我們的處境太危險了，我走上前去，告訴麥克阿瑟別再在這個地方走動，免得被狙擊兵所乘。我說我們到岸上來沒什麼多大的用處，我建議回巡洋艦去。其他的人都不置可否，我想我的建議已獲多數通過。

麥克阿瑟笑着說：「好的，喬治，我們回去吧！我不想讓你失去吃巧克力冰淇淋的機會。」

我們回到波義斯艦上，晚餐後用冰淇淋當甜點。（三五）

康有為的亡命

丘峻

德宗處此，敢怒而不敢言，雖無實權，而意志堅決，仍不顧一切，卒以原定日期——四月二十八日，特旨召見康氏於頤和園之仁壽殿，垂詢周詳；正擬倚畀，授以卿銜，因阻於恭親王而又礙於太后，只面諭軍機大臣着其在總理各國事務衙門章京上行走，惟特許專摺直奏，參預大政，統籌全局。此在守舊大臣等之所以屈辱康氏者；而氏亦藉口編書，終未就職。然氏仍具摺謝恩，並重申：「統籌全局，以圖變法；御門誓衆，以定國是；開局臨政，以定制度」之變法維新三大原則。氏雖未就職，而帝寵用益加，倚為變法之指南，維新之舵夫，新政大計，悉聽主持。

康氏從此參預國家大政，統籌全國維新事宜，引薦新人，實行變法，雷厲風行，舉國驪然。惟后黨，舊臣，則感惴惴不安，急謀對付，思所以抑之，并進而消滅之。由是兩不相下，鬥爭漸烈，皇帝與太后，勢成水火，新黨與舊派，誓不兩立，而維新主腦人物之康氏，遂成為守舊派的衆矢之的。環而攻之者，或謂其非聖無法，莠言亂政；或謂其伸張民權，廢棄君權；或謂其名為保國，勢必亂國；或謂其徒保國民，置清廷度外；甚或謂其扶持漢族，覆亡清廷；而彈奏劾，交接進呈。德宗固不之聽，且多加斥責，益使后黨，舊臣不可忍，慈禧尤不能耐。雙方既各走極端，惡化更形尖銳，箭上滿弦，成一觸即發之勢。

德宗倚重康氏為變法維新之靈魂，實施新政，銳意推行，稍遇不遜或阻撓，毫不寬假，益招那拉太后，后黨，守舊大臣，及部分封疆大吏等之忌恨。遂使新政推行，上制於太后，內阻於舊臣，外藐於疆吏，而帝益奮發踔厲，兼程並進，祇求成功，不計生死。雖德宗儘痛斥權貴，嚴責封疆甚至屢罷黜大臣，終無補於新政之推行，徒愈增雙方之恩怨與仇恨。於是暗鬥明爭，傾軋愈烈，急劇表面化，而醞釀數月之「政變」，已瀕近爆發邊緣矣。

當此舊派着着進逼，新政已屆成敗關頭，危機四伏，德宗與康氏同一命運。德宗雖感處此至危，而仍不稍餒，更發明諭：

「近來朝廷整頓庶務，如學堂、商務、鐵路、礦務一切新政，迭經諭令各將督撫，切實籌辦，並令將辦理情形，先行具奏。並該將軍督撫等，自應仰體朝廷孜孜求治之意，內外一心，迅即辦理，方為不負委任。乃各省積習相沿，因循玩忽。雖經嚴旨敦迫，猶復意存觀望。即如劉坤一，譚鍾麟，總督兩江兩廣地方，於本年五六月間，諭令籌辦之事，並無一字覆奏；迨經電旨催問，坤一則藉詞部文未到，一電塞責；譚鍾麟並且電旨未覆，置若罔聞。該督等皆受恩深重，久膺疆寄之人，泄沓如此，朕復何望！倘再藉詞宕延，定必予以嚴懲！直隸距京咫尺，榮祿於奉旨交辦各件，尤當上緊趕辦，陸續奏陳。其餘各省督撫亦當振刷精神，一體從速籌辦，毋得遲玩，至干咎戾！」（二）

虐君續夢

第十三回：惡貫難盈 巨奸逃火網　良知未泯 傑士出天羅

王剛嚇得魂不附體，楊奇清同周恩來也睜開了眼，一看這個情形也嚇得魂飛天外，趕快把兩人送到市立醫院，進行急救，又過了半點鐘，才悠悠醒來。

陳毅拉着楊奇清問道：「我是死了還是活着。」

楊奇清笑道：「你好端端地躺在床上，怎會死了。」

陳毅用咬口下右手食指，覺得疼痛，才放了心，嘆口氣道：「我實捨不得死，好容易熬到革命成功，福還沒有享透，張茜這麼年輕，孩子又小，我一死不知便宜誰。」

楊奇清笑道：「不要胡思亂想，好好保重身體，最少還可以活上三十年，那裏就死得了。」

這時毛澤東也醒了，睜開眼就問：「楊奇清呢？」左右警衛人員如飛跑過來找楊奇清。

楊奇清聽說毛澤東也醒了，不由得怔了一下，尚未舉步，又跑來一名警衛員催他快去，說毛主席正在一疊連聲的喊他。楊奇清嚇得魂不附體，不顧思索，趕快跑步過去，到了地方，只見毛澤東斜躺在牀上，兩個顴骨通紅，眼睜得似銅鈴一樣，看見楊奇清，劈面問道：「到底這次火是誰放的！查出來沒有？」

楊奇清戰戰兢兢說道：「尚未查到。」

毛澤東問道：「查得到查不到？」

楊奇清連聲說道：「一定查……查得到！一定查得到。」

毛澤東冷笑道：「你不能抓野猪還願，隨便找到幾個人出頭認罪，承認是國特，就算交了卷。那可是不成的！」

楊奇清說道：「只要把搜查面擴大些，總能找出正犯的。」

毛澤東說道：「這些我不管你，殺一萬兩萬人沒有關係，只要其中有一個國民黨特務就成。只怕你殺兩萬人，還是查不到一個國民黨特務，我就不能原諒你了！」

毛澤東話猶未了，田家英已陪着藍蘋進來，藍蘋嚇得玉容慘淡，面上還掛着淚痕。見面就說道：「潤之，你這次大難不死，全靠佛菩薩保佑，還是積點德吧！不要張口就殺一萬兩萬人，殺業過重一定會遭報的！想想你剛才要被燒死了，我母女兩人靠誰？」藍蘋說着又流下眼淚，周恩來勾頭看着田家英，田家英趕快低下頭。

毛澤東笑道：「被你一哭，我的一股勁就散了，這就是英雄氣短，兒女情長了。既然這樣，還是少殺一點吧！」

楊奇清見毛澤東面上有了笑容，乘機說道：「搜捕國民黨特務光靠公安部隊是不成的，必須要人民合作才可以，還要省市委會同志從中協助。」

毛澤東看看汪華同吳憲說道：「你們是地方官，在你們境內出了事，就是你們的責任，不能完全責備楊奇清，主要應由你們負責。」

汪華同吳憲都不料楊奇清輕輕一句話，竟然把責任推到他們身上，頗為吃驚。汪華接着說道：「管理戶口是省人委會的事，最好是把周建人省長找來，由他去普遍檢查一次戶口。」

毛澤東未開口，周恩來聽不下去了，縐眉說道：「怎麼向周建人身上推，他是一個民主人士，能作得什麼主，辦得什麼事？」（一一四）

冒險犯難記

鄭文儀

因爲中山大學校長拉狄克先生，當時即被列爲蘇聯共黨的反對派，所以上述各種反共鬥爭得到無形的掩護，鼓勵或支持。同時更因爲在俄國境內不許外國黨派存在，中共也須納入聯共的組織，沒有中共本身公開的組織。中國國民黨黨部組織的允許存在是由於國民黨聯俄及國共合作的政策關係，事實上他們認爲這是他們滲透國民黨，從國民黨內部爭取吸收國民黨青年加入共產黨的外圍組織，所以就任其公開存在與活動。在這種組織活動中，自然包含了上述四種反共鬥爭的因素在內，這是有形或無形之間，給中山大學同學們一種精神上稍獲自由的啓示，即使這種自由是在若有若無之間，但有這個名義或形式上的非共產黨的國民黨黨部的存在，比沒有是好多了。

共產黨裏面反對派或托洛斯基派反共黨，中大共黨學生的黨團之間的反中央派，附和托洛斯基派的反共鬥爭，因爲我未參加共產黨黨團組織，不知道其中經過，無可記述。不過從表面活動及間接情報上，知道他們之間的明爭暗鬥很激烈。比如中山大學校長拉狄克當時就是學校的反對派領導人，在中山大學舉行民國十五年的雙十節的慶祝晚會中，拉狄克校長主席致詞時，台下即有不少來賓及少數學校職員學生狂呼攻擊，要主席滾下來，大罵拉氏是反對派。拉氏很從容也很嚴肅的對付，教訓了他們一頓，講完半個小時的話之後，呼喊俄國革命萬歲口號時，夾雜著諷刺的音調，反對俄共中央派，情見乎詞。又如當時學生中的江浙同鄉會如王新衡，蔣經國等，都是事實上從事反共鬥爭的代表人物，和反對派相呼應，反對俄共中央派。

國民黨總支部表面上當然不介入共黨內部的鬥爭，事實上非共黨的支部各級負責人或明或暗之間，却都支援防共及反共的鬥爭。

我和幾十個國民黨的忠貞同志共同連繫，組成了好幾個小組，致力秘密活動。我是小組召集連絡人之一，我們經常每個月都有一兩次小組會，在週末到列寧山郊外舉行，交換學校俄共及中共的情報，尤其是對於他們批評曲解孫文主義及攻訐國民黨領袖等言論行動，採取防禦的攻擊，事實上就是研究及檢討保衛國民黨與反對共產黨的鬥爭。因爲我當時爲共黨極力爭取及利用的對象之一，我在公開場合，常是沉默寡言，不輕意表示態度，秘密場合却是一個積極的反共鬥爭份子。這是一個很困難也很冒險的角色，在莫斯科參加反共鬥爭，眞是談何容易！（四〇）

乞巧雜話

漁翁

古詩十九首中的第十首云：「迢迢牽牛星，皎皎河漢女。纖纖擢素手，札札弄機杼；終日不成章，泣涕零如雨。河漢清且淺，相去復幾許？盈盈一水間，脉脉不得語！」悱惻纏綿，爲詠七夕最古的名句。

陰曆七月七日夜，謂之「七夕」，爲牛郎織女渡河相會的良宵，也是痴男怨女談情訴苦的時候，更是征夫離婦悲啼輾轉的日子。「河漢三更看斗牛」，此情此景，多麼艷美，豈容虛度，失之交臂。

七夕又曰「乞巧」，據荊楚歲時記：「七夕，婦人結綵縷，穿七孔針，陳瓜果於庭中以乞巧；有蟢子網於瓜上，則以爲得」。又天啓宮詞注：「七月七日午間曝盎水於日中，生膜，投針則浮，看水底針影，有成雲龍花草形者爲得巧；若如椎如軸者爲拙徵」。宋代詩人楊朴詠七夕云：「年年乞與人間巧，不道人間巧幾多！」此詩問答體，謂年年乞人間之巧，却不道人間之巧究有幾多耶？

相傳唐代郭子儀爲乞得巧者第一人，郭在陝西銀州，今米脂縣，忽見天上雲羽葆，緩緩而降，仙樂悠揚。子儀以今夜爲七夕，度必織女臨凡，趨前禮拜，叩問休咎，女微笑曰：「大富貴亦壽考」。其後位列公侯將帥，七子八婿，十三孫，壽八十五，封汾陽王，一身富貴壽考，果如織女所云。此故事詳見「神仙感遇集」。

據吳淑秘閣閒談：「蔡州丁氏，精於女工。每七夕，禱以酒果，忽見流星墜庭中；明日，於瓜上得金梭一枚，自是巧思益進。」又據雜異書疇載：「有女子尚幼，七夕，見家人出庭望候天門開，獨在室中不出，曰：『聞若會當見者，雖暗室中亦當見之。』至深夜，忽見上天開門，雲氣赫奕，因求富。及長嫁去，家累鉅萬」。據所云然，則千百年下，乞得人間巧者，除郭汾陽，丁氏，與此少女外，未之聞也。楊朴所謂：「不道人間巧幾多」，其此之謂乎？

粵人於七月六日，即有「迎仙」，「拜仙」之舉，故詩人黃晦聞有「粵俗乞巧以六夕」句。是蓋一年之時間過長，而一夕又太短，以是等不下去而提早一天？是可見久別思聚，爲天上人間的同概矣，其然乎？其否乎？

雖然，牛女過着不自由之生活，而一年三百六十五日，亦猶有七夕相會之機緣。而若夫流落他鄉，十餘年而未有歸期，且「嶺上音書絕」，又莫能探其夫婦間之眞消息者，值此良夜，望銀河而憶故鄉，能不萬感交集！好在月缺終必圓，今日花落，明日花開，是在吾儕自我戮力之如何耳。善耕耘者，收穫固隨之，此理甚明，無庸其失望灰心也。

輓許克祥將軍

李仲侯

英雄誰計千秋名，馬日一擊舉世驚；
遭遇一時寧可再，艱難萬死竟無成。
徙薪曲突誰能用，填海冤禽意未平；
在莒難忘薪胆苦，怛化應作怒濤鳴。

其二

幾番新竹訪隱淪，重過黃壚淚滿襟；
四海誰與言舊事，九原從此負知音。
骨懸台海終當返，魂傍嶽雲何處尋；
寡妻弱子知何倚，雪虐風饕話悲辛。

我的社會生活

雷嘯岑

我担負着國民黨機關報的言論總責，居於思想戰鬥的前哨上，不能氣餒，不可示弱，而時報所聘請的主筆之中，竟有拒絕譔寫反共文章的投機份子（詳情將有專篇紀述），我祇好盡其力之所及，除却每星期至少寫三篇社論外，每日又在副刊上寫方塊散文和掌故各一段，一是皆以反共的思想鬥爭爲本，發抒了我們湖南人的騾子性質，常常引用莊子所說「大旱流金石而不熱，巨浸稽天而不溺」這兩句話，藉以自慰有勉，因而任務雖然艱困，精神却很泰然，絕無絲毫恇怯的意念。

這時候老友鄭學稼兄在台灣，隨時來信惦記我的安全，盼我注意，盛情可感。我曾經把學稼這番友好的意思，告訴一位對共黨問題具有深刻研究和經驗的朋友，且以在海隅被共黨暗殺的文化人陳寒波事件爲例，請教他如何注意之道。這位朋友却說：「陳寒波原是參加過毛共特務機構的人物，他半途離開共區，到海外來又宣佈一些毛共的特務內幕，所以共黨恨之刺骨，一定要幹掉他。共黨對於普通政敵的一貫方法，是要運用挑撥離間，造謠中傷手段，使對方在內部及其社會羣衆中，喪失信譽，沒有號召力，這就是解除了你的精神武裝，教你陷於孤立之境，它就不怕你了。所以，你的情形跟陳寒波不同啊！」如今回想我遭遇的事情，這位朋友的話，是可信的。

我離開香港時報後，台灣一些知己朋友，極力勸我回到國內幹政治或文化工作，生活不成問題。我從對日抗戰結束時起，目擊政壇上小圈子主義流行，只講人事關係，毫無是非功過可言的情況，即決計不復從政，還我清白自由之身。如今跟政治生活絕緣十幾年了，一切皆已生疏，而個性既不善於奔競逢迎，遇事喜歡硬幹實幹，且又未曾受過甚末訓練，實在不合時宜。當時在台灣對一位關切我的長官說道：「我若回國內幹政治工作，最多三個月即非滾蛋不可，如其不受到撤職查辦的處分，連累薦舉者，那就是萬幸了！」因此，我抱定宗旨，依然在海隅度其流浪生活。

可是，有朋友提醒我，說在香港作寓公而無職業的人，除非你在銀行存有鉅額金錢，否則治安機關就要查問你是怎樣過活的？必要時即以「不受歡迎」的理由，教你自動離境，甚至於很禮貌的遞解去境，亦非意外之事。吾聞其語，不禁悚然自忖。既缺乏資本，而自己的智能亦如粵語所謂「唔係個皮」，祇有文化事業，還可勉強對付。如是乎創辦一張小型報刊，說自己要說的話，寫自己愛寫的文章，且以「自由人」的精神爲基準，致力於闡揚民主自由思想，聊盡書生報國的天職。辦報非錢不行，我是窮人，祇有乞助於親友們，承他們不棄，分別解囊，共醵得港幣兩萬元。我認爲這比當年「自由人」創辦時的資金還要多些（「自由人」開刊時只有港幣一萬七千元），乃大胆向香港政府進行註冊手續。（七五）

前代辟雍（續）

東講堂之東轉西南廊房三間屬於東廊。西亦如之。東廊近北爲繩愆廳，其南舊爲鼓房。次率性，誠心，崇志三堂，助教學正學錄蒞之。西廊近北爲博士廳，與繩愆廳相對。其南舊爲鐘房。次修道正義廣業三堂，亦助教學正學錄蒞之。

彝倫堂後堂之北，中爲敬一亭，南嚮，繚以周垣。前爲門題曰敬一之門。東爲東廂，祭酒司業治事蒞焉。後軒爲敬思堂，東曰崇實，西曰振雅。署之東北闢建御書樓。西爲射圃。大門外隙地平敞，設箭亭。

大學門內彝倫堂之南爲辟雍，乾隆四十八年（西元一七八三年）建，南嚮。池環如璧，徑十九丈，深一丈。四達以橋，各長四丈，濶各二丈二尺。周池護以石欄。池岸設巽水龍口四以達水，水由大學門外東西井及六堂後簷外東西井暗溝分注之。

池內爲殿，基方十一丈一尺，白石甃之以起殿。殿圓頂，冠以火珠。宇方檐重，覆黃琉璃瓦。殿[illegible]丈三尺，而各三間，中[illegible]方一丈一尺，四正四間濶如之，深一丈六尺。四隅四間方如之。九間合爲一間。四面啓門，門四扉，左右窗各面，外周以廊，深六尺八寸。柱高一丈六尺，徑一尺八寸。廊外出簷四尺三寸，柱高一丈八尺八寸，方一尺，四出陛。

殿門外設玻璃坊座，南面額曰圜橋教澤，北面額曰學海節觀。御碑亭上，恭勒新建辟雍圜水工成碑記，碑陰恭勒御製三老五更說，皆左清文右漢文。敬一亭內恭勒康熙四十一年御製訓飭士子碑，并御書四碑，一曰功存河洛，一曰嵩高峻極，一曰靈濆安瀾，一曰昌明仁義。

漢靈帝時定五經，石碑於白虎觀，蔡邕等爲之校勘。其碑經魏晉之禍，盡皆湮沒。唐開成中刻九經文於國學。至今傳千餘年，字皆漫漶，失眞。又間有明人補刊者，字體惡劣，實無足觀。雍正中有生員蔣衡字湘帆者，善書法，立志書十三經，十餘年乃成。乾隆初上之，特賜國子監學正，藏其書於大內。乾隆五十年庚戌上念蔣衡寫經之功未忘，乃命其書刻於太學中，六十年乙卯春告成。筆力蒼勁，燦然可觀。士大夫過者無不摩挲賞鑑焉。（見嘯亭雜錄）（未完）

燕塵識小

無負生

拼拆字聯

吉庭

聯語之巧妙者多，而把字拼合與拆開而成聯，出之者不易，而對之者尤難，若非觸動靈機，難有佳構。特將目所見、耳所聞者，錄一二如左：

有一讀書人，家貧，以採山釣水爲活，一日，肩木柴赴市出售，書一聯於柴上，如有能對者，以此柴贈之。其聯曰：「此木爲柴山山出」，「此木」爲「柴」，「山山」成「出」，七字中僅一「爲」字爲語助。時觀者雖衆，無有應對者，就中有一宿儒，亦百思而不得，乃出價將柴購去。及至天晚，徘徊小邱，見萬家烟火，忽觸動靈機，對曰：「因火成烟夕夕多」，喜極如狂。

相傳昔有一名士，好風流，見隣村倪家，有一少女，年方二八，姿色甚美，乃出一聯：「妙人兒倪家少女」，把倪字拆開爲「人兒」，妙字拆爲「少女」，一時無有應者。後有一秀士偶然間對曰：「傳衣者褚氏青人」，可謂天衣無縫矣。又有類似一聯：「凍雨洒窗，東兩點，西三點；切瓜分瓣，上七刀，下八刀」。亦稱璧合。

台南勝跡小紀

羅緣

返國匆匆三年了，台灣名勝幽跡，猶未一得登臨縱目，今春二月十五日，爲台南各界每年一度之大祭祀，特休假往遊，得觀先賢之烈蹟，不勝滄桑之感。

台南市位本省南部平原之中央，西孕安平港，南接高雄縣，二層行溪，曾文溪映帶左右，天寬地濶，形勢極勝。明朝萬曆間，即三百三十年前，明福建漳州泉州，廣東潮州惠州數地居民，泛扁舟破浪濤，相率渡海抵此，荷鋤劈莽，披霜忍飢勞，逐漸建立一城市雛形。明天啓四年，荷蘭正稱雄於歐州，不知怎的忽然發現本島，調集大軍，挾其銳器砲火，侵奪我安居樂業毫無防守之古都父老。估據安平，築熱遮蘭城以常固海防。又築赤嵌樓，置政務府以統治附近。（一）

自由報

內僑警台報字第〇三壹號內銷證

THE FREE NEWS

第四七一期

中華民國僑務委員會頒發
台報新字第三二三號登記證
中華郵政台字第一五八二號執照
登記爲第一類新聞紙類
（半週刊每星期三、六出版）
每份港幣壹角
台灣零售價新台幣弍元
社長：雷嘯岑
督印人：黃衍當
社址：香港銅鑼灣高士威道二十號四樓
20. CAUSEWAY RD 3RD FL. HONG KONG
TEL. 771726　電報掛號：7191
承印者：田風印刷廠
地址：香港灣仔高士打道二二一號
台灣分社
台北市西寧南路金本號二樓
電話：三〇三四六
台郵劃撥儲金戶九二五二

論公教人員退休問題

·雷嘯岑·

國家公職人員到了一定年齡，即須依法退休——一般退休年齡爲六十五歲！——這是全球各國通行的制度，只有共產政權沒有這種明文規定，事實上還是沿着這個路綫進行的。中華民國政府亦頒訂了同樣的法令，却未能切實執行，據調查統計所得，依照退休法令實行告退的，實際不到百分之一二，有些年屆八旬的人，依然當政如故，因而引起輿論上的責難，認爲太不合理。我覺得這情形不能完全歸咎於年老的公教人員有意戀棧，阻塞賢路，這其間有幾個問題值得研討，除法制本身的缺陷而外，社會背景的關係亦甚鉅也。

法制的缺陷

在歐美各國，公務人員依法退休以後，按照法令規定，有生之日，皆由國家按月給與原有薪俸額的六成或七成，直到死亡爲止。凡是對國家具有特別功勳的文武公職人員退休後的待遇更優厚，無論如何不會有凍餒之虞的。記得一九五九年八月間，筆者在西德鄉鎮「那騷」（Nassau），訪問前任中國顧問團主任的德國名將法根霍森將軍時，談到他的家世和生活情況，據說，他原籍是在東德的萊比錫，家有農田二萬餘畝，住宅若干棟，都被德共沒收了，現時孑然一身，寄居西德，度其晚年生活，老妻已去世，僅有一兒亦於二次大戰時殉難了。他在二次大戰中，曾受希特勒驅策，領軍攻下比利時，升任爲比國總督，戰敗後以「戰犯」資格被逮問於紐倫堡國際法庭，旋經宣告無罪省釋的。當時我就心他如何過活，稍事探詢，他說全靠西德政府給以優厚的退休金，晚境不惡，他偶爾赴西德首都波恩的「中德文化協會」講演，政府亦支給旅費，不須自掏腰包。即此一端，可概其餘矣。

反觀吾國的公教人員退休法，除了申請退休時，按年資給與一次爲數有限的退休金之外，死活不管，而核計年資的手續又格外麻煩，必須具備着原始證件。然一般流徙到台灣來的公教人員，當大陸淪陷之際，誰也不曾把那些無關宏旨的資歷證件攜帶出奔，只好乞取現時在台灣或在海外自由地區的舊有長官予以證明。可是這樣還不行，更要這個長官的舊有上級主管機關再證明他確實作過某官某職，方合規定，筆者就有此經驗。如此繁瑣苛刻，不特令人望而生畏，且視一般公職人員都是騙徒，尤不免有損其人格之嫌。同時，政府遷移到台灣後，又實施所謂「人事凍結」政策，這無異否定了退休法令，讓一般公教人員鞠躬盡瘁，死而後已。因此之故，公教人員誰也不願退休，雖然薪俸所入不足以贍養家妻孥，却亦不致於餓死，與其依法退休，一次領得有限的退休金，轉瞬即有淪於餓莩的危險，就不如抱住現有的鐵飯碗，得過且過之爲愈。何況中國的士大夫多屬貧寒出身，缺乏恆產，每以從政爲營生的捷徑，年事既長，更沒有轉業的能力，脫離了政界，生計便告斷絕，若無兒女加以照顧，祇有死路一條，大家不肯告老還鄉，非不爲也，是不能也，乃流弊所及，政治上產生「多做多錯，少做少錯，不做不錯」的腐敗風氣，而以隨時開會說廢話爲推諉責任，排遣歲月的不二法門。所以，現行的公教人員退休法令，已使大家感到來日大難，謀生乏術之憂，而政府既採取與退休法令相違背的「人事凍結」政策，他們自然樂得永久幹下去，不恤人言了。

社會背景的關係

西方國家的社會中，凡是在政治上有相當地位的文武人員，或在學術上有相當成就的學者專家們，一旦告老退休了，各界人士都對他表示尊敬或關懷，有些工商企業機構，且願意推戴爲董事長（這情形美國更普遍。政府對他們除却經常給與退休金外，關於國計民生問題，隨時諮詢其意見，禮遇優渥，使他們的精神上得到安慰。如美國的麥克阿瑟元帥退職在生時，五星上將的公俸照支，秘書副官依然設置，國會對他表示尊崇，民間對他特別重視，曾任總統的胡佛，行年八十以上，雖未能參預共和黨的總統提名大會了，然該黨全體代表大會，聽到胡佛的祝詞後，歡呼擁戴，熱烈異常。英國的政治元勳邱吉爾七十歲生辰之日，反對黨的工黨首領艾德禮，在國會帶頭糾合全體議員簽名祝壽，又致詞推崇邱翁對國家的功勛；今年邱翁年屆八旬以上，表示不復競選下屆衆議員了，而全體議員對他服務議會卌餘年的勞績，稱讚不忘，令人感動。就是日本歷任首相的吉田茂，雖已退休，但其言論主張在社會上仍有很大的影響力，後來的內閣總理大臣們，亦隨時向他徵詢國家大事的意見。他如一般著名的學者專家，在社會上亦有其崇高的地位，迥異常人。這是就少數特殊的公教人員而言，他們退休之後，依然受着朝野人士的尊崇，享有榮譽。至於普通的公教人員宣告退休了，而其固有的人權與人格尊嚴，決不會受到任何損傷，換言之，即其自由生活是沒有人干擾的，可以悠然自得的安居樂業，無所顧忌。這說明歐美各國的公教人員告老還鄉之日，在物質生活上有相當的保障，在精神生活上沒有意外的煩惱，可以自甘寂寞，怡逸天年，大家就誠心誠意的及時退避賢路，把政壇上的接力棒，交給年富力強的青年選手去競賽了。

咱們的社會情況却不然。公教人員一旦退休之後，不特物質生活失去了依據，精神生活亦多有苦惱的，最大原因就是個人的人權與人格尊嚴，難免發生意外的威脅，決沒有在職時的那種安全感。即如身居政治高位的院部長階級人物，他們告老下野後，物質上的生活享受固然不及在職時之行有車、食有魚、居有公廨，前後恍若隔世，如果平時沒有積蓄的話，或許更有「饔飧不繼」的憂患來臨。精神生活呢，那更是感慨萬端，不堪回首。在朝的袞袞諸公，覺得你是老朽昏庸之輩，沒有推崇之必要了；在野的芸芸衆生，認爲你是已過時效的「愛國獎券」，毫無一顧的價值了。充分表現着人情冷暖、世態炎涼的勢利相，教你感覺難受。所以，那些「杖朝」「杖國」之年的高級顯宦們始終不願退休，實有其不得已的苦衷，殊堪憫恕。

改變現行給與一次退休金的辦法，而向西方國家看齊，同時撤消「人事凍結」政策，開拓新陳代謝、衆庶樂從的大道。政府對於卓著勞績，或對國家有功勳的元老重臣，不妨特設類似樞密院或諮政院的機構，予以物質上的優厚待遇，這纔是實行公教人員退休制的根本之計。若謂這將增加國庫的鉅額支出，然實際每年退休的普通公職人員並不多，安置少數的元老重臣，所費更不足道，何樂不爲呢？

心狠手辣

你從何處來？

今日與明日

越南政府改

越南政府恢復總統制，阮慶將軍被推選爲總統，此乃明智的措施。

政治上最無謂而又誤盡天下蒼生的作風，就是所謂「集體領導」制，在集體領導體制之下，內部的權力鬥爭必然激化，私爾忘公，不知遺誤若干的國家大事。尤其是外患頻乘，四郊多壘之秋，搞集體領導制乃有百害而無一利。發明「集體領導」這一政治方法的是共產黨人，然實際上，獨裁的却係共產政權。所以，行政機關的集體領導制可謂成事不足，敗事有餘，使不得！

阮慶[illegible]南於危，要看他的手腕和作法。他既居於國家元首地位，負責所在，自可一展其抱負，好好幹一番，身當之，功罪分明，無從推卸，總比幾十個軍事首長共理國政的效能高得多啊！

美國大選舉戰

近日來，美國總統府僚，國務長官魯斯克，駐聯合國首席代表史蒂文生，以及參議院的民主黨要員曼斯非爾、韓富利、福爾布萊特一干人等，連續發出攻擊共和黨總統候選人高華德的言論，指高氏說白宮當局對越南東京灣事變曾授權軍方可以使用原子武器云云，是妨害美國安全與世界和平的謊言。

兵不厭詐，高華德所說的事情無論眞假，對共黨皆具有心理戰的作用，也符合白宮當局者所標榜的「嚇阻政策」，讓敵人去猜猜，又何致妨害美國安全與世界和平呢？此無他，爲着大選關係，民主黨人要利用一般民衆害怕戰爭的心理弱點，把政敵高華德形容爲好戰份子，中傷他的信譽，因而置國家利益於不顧了。這便是民主政治的黑暗面，可哂亦復可悲也。

中日外交的表裏觀

正當我國特使張岳軍先生在日本報聘，且受着該國朝野·人士熱烈歡待之際，而日本又由商家出面，與毛共簽立賒售第二個尼龍纖維工廠全部設備的合同了！同時，毛共的「貿易代表團」人物亦紛紛進入東京，公開活動，實行所謂「政經分開」政策，滿不在乎。

表面上跟中華民國維持交誼，背地裏側重對毛共表示友好妥協，這就是日本現行外交政策，不管我國的反應如何，它總是按照這項決策幹下去的。我們如其不能光復大陸，日本人根本瞧我們不起，今後淘氣之處多着呢！

千言萬語還是要本身有力量與作法，能夠站得起來。張特使此行，可能改善中日外交上的一般氣氛，却難以變動日本短視的外交政策。

自由談

自作多情

美國參議院以絕對多數票表決停止對印尼的軍經援助，白宮當局大爲驚訝，認爲這項主張如果經過衆議院同意後，即成爲正式法案，非執行不可，而美國將失去印尼這一「橋樑」的接觸關係云。

所謂印尼的「橋樑」關係，大概是指蘇卡諾政權走的親共路綫，美國要想通過蘇卡諾的關係，跟中共從事暗盤交易，因而不惜給印尼以軍經援助，作爲買路錢吧？

美國對於亞洲問題，除了一廂情願的期望着中共改變反美政策外，始終六神無主，沒有定見，一是皆以眼前的小我利益爲本，而自信這是自由世界獲致反共運動勝利的領導方針，可哂亦復可哀也已。

五年前，印尼人民反蘇卡諾的革命戰爭發生時，美國艾森豪政府原是同情革命軍的，旋又中途變卦，轉而援助反革命的蘇卡諾政權，給以軍火與財力應援，使革命勢力歸於敗亡，嗣後民主黨政府對印尼的軍經援助日益增加。可是，蘇卡諾並不承情，且說美援是地獄的魔鬼，然美國還是自作多情，死心眼兒的照樣把美元和軍需品恭送如儀，終致引起了大多數參議員的忿懣，斷然提案予以停止。

凡屬接受美援的國家，祇要採取「兩面人」作風的，美國就表現着慷慨大方的意志，應援唯恐弗及；越是堅決反共，對美國忠誠不貳的友邦，動則以停止美援相脅迫，反而多所挑剔箝制。如此的援外政策，不知其用意安在，目的何存呢？

白宮當局指印尼爲「橋樑」之說，實係遁詞，唯一的解釋乃由於印尼地廣物博，尚待開發，尤其是石油及其他的礦產很豐富，美國志在控制這個商業上大利所在的國際市場而已。明乎此，則美國對南韓、越南以及台灣的一切作法，不言而喻了。

若憑着這種思想和政策，而欲領導自由世界打倒共產極權侵略集團，其不陷於「以若所爲，求若所欲，後必有災」的結局者，鮮矣！

馬五先生

毛共的國際三反運動
反美反蘇俄反以色列
推行地區非洲·方式則無所不包

（紐約航訊）毛共的國際「三反」運動內容，是反美，反蘇俄，反以色列；推行地區是非洲；進行方式是外交活動，以普遍的宣傳攻勢。

毛共在非洲反美宣傳的主題是美國的種族問題。任何種族事件發生後，非洲人一定可以從毛共聽到一套共黨編成的宣傳。這種宣傳是對黑暗儘量予以誇張，對光明及進步的事實則予以曲解。毛共新華社對美國三個民權運動工作者在密西西比州失踪的事件，曾發出連篇累牘的報道；但對詹森總統簽署民權法的重大新聞，却一字不提。

除去種族問題外，毛共的反美宣傳，更有一種無所不包的內容，即任何影響非洲大陸的罪惡都與美國有關。在非洲擁有最大利益的法國，過去也曾是毛共咒罵的對象，但自從法國與毛共建交之後，毛共已不再攻擊法國，而把在非洲從無一寸殖民地的美國，宣傳爲一切罪惡的化身。

毛共在非洲的反俄宣傳中，除去說蘇俄也是白人之外，更是「反革命與帝國主義勾結的修正主義者」，藉以證明她絕無資格參加毛共所倡議召開的亞非國家會議。

此外，毛共抨宣傳以色列對非洲的技術協助是「帝國主義」的陰謀。此一宣傳的目的，一方面是希圖破壞以國對非洲國家技術援助的成就，一方面是藉以表示他們爲反以色列的阿拉伯國家鬥爭的熱情超過蘇聯。

這種宣傳對反以色列的中東國家，可能發生若干作用。倘不及早予以揭破，阿拉伯人民可能眞的相信，中共是唯一支持阿拉伯國家，同情巴勒斯坦難民的朋友。

據說周恩來訪問非洲時，曾向非洲國家領袖說明，蘇俄企圖與以色列修好合作。但各非洲領袖指出，蘇俄在國際上反以色列，在國內淸算猶太人的事實，當時雖使周恩來無詞以對；但毛共今日的宣傳並未放棄此種說法。

毛共對非洲的「三反」宣傳，自周恩來赴非洲訪問之前開始，目前已發展成爲一種全面的心理作戰及無所不在的宣傳攻勢。毛共新華社對非洲發稿之份量已與對亞洲相等。新華社所發的英文稿固勿論，北平廣播電台最近已開始每天有一小時的斯瓦赫利及豪沙語的廣播，前者是坎尼亞及參西巴的語言，後者是尼加利亞及蘇丹的語言。

此外，毛共派往非洲的文特，已經成爲各地叛軍的發言人，在剛果鄰國布隆廸首都布加巴拉的毛共大使館，經常與克亞省叛軍保持聯絡，爲他們發佈宣傳及戰報。

毛共在非洲的宣傳攻勢和武裝叛亂，雖收到若干效果，但對整個非洲人民，並不會發生根本的影響。因爲目前非洲人民對毛共與蘇俄兩毒間的爭論，並不感覺興趣。他們所渴望的是如何確保國家的獨立，政治的進步和生活的改善；誰能幫助他們解決這些問題，必將贏得他們的友誼。相反的，宣傳不能當飯吃，叛亂僅足以引起人們的憤怒和警覺。（趙浩生）

掀開台灣省教師福利會偷天換日的爛賬

本報台灣中部記者熊徵宇

林春暉脂粉邪行

林春暉既獲得主委副主委的信任，錢又來得這般容易，於是飽暖思淫慾，搭上了當時在福利會兼職的一位黃小姐。這些事在公家的宿舍裏當然不便，於是就利用福利會的經費十二萬元在台中市押了一棟房子。

黃小姐乃是有夫之婦，這事當然不久傳開，於是黃小姐愧對衆人，不敢上班。但是却拿了近一年的福利會的津貼。

我無意於揭發這件無恥的私事，但是用教師福利會的經費押房子玩女人却不能不寫。何況這件事已非秘密，凡是教育廳的人盡皆知。此人的邪惡，已到極點。

副座購新邸。洋人上賬
鋪陳掩繡緩·會館相埒

五十年的秋天，劉白如在國防研究院受訓，不能經常回廳，於是福利會的會務就由賴順生副廳長一手掌理。

台中教師會館由賴順生主持招標。各項的購置，經他核定。後來賴順生被人控告過，他到法院去出過庭應過訊。

這場官司是怎樣結束的我沒有注意。但是五十一年，賴副廳長却在台北置了產業。在台北市南京東路四段買了一棟房子。

於是聰明伶俐的總幹事林春暉，就想出了一個送禮的辦法。他用中華民國台灣省教育界的名義，買了一套來路貨最新式的電器用具，說是送給剛設立的美國新聞處台中圖書館。

但是這套東西，並沒有送給洋人，而是林總幹事賚夜雇輛大卡車，親自送到台北賴公館。那車上當然還有旁的東西。

台北賴公館的桌椅茶儿和窗幔門帘乃至一切陳設用具，都跟台中教師會館款式一樣，華麗相埒。

聽說省政府調查過這個案子。結果如何不大淸楚。

「有志一同」開飯店
「視察」坐鎮六層樓

林春暉，兼任教師福利會的總幹事，教育廳的視察，如今在那里辦公？在台北市重慶南路「新中國大飯店」的經理室。

他在担任福利會總幹事的任內，曾以鉅額股份投資於台北市通衢要道的重慶南路一段的長春圖書公司。一方面在同一街市開設了新中國大飯店。

五十二年九月初，移交了教師福利會的總幹事後，林春暉就帶着視察的職務，離開福利會那間小辦公室，到擁有六層大樓的新中國飯店的經理室和觀光旅客打交道去了。

這個規模可以列入台北市第二流的觀光大飯店，很像是個「有福同利」的集團；到如今還有權主宰教師福利會的賴順生副廳長也是這裏的股東。

巧妙運用·造成錯覺

我敘述的，教師福利會的這些爛賬和事件，也許治安機關和立監兩院都會查過。也許有關單位所查的是別的案件。

我覺得，不管是那個單位查，若果不把這個組織的情形弄淸楚，若果不從頭到尾核對收支，而在片斷的情況上要求獲得滿意的結果是不可能的。

我在前面說過，由於這個組織的情況特殊，運用官方的力量向民衆要錢，由教育廳通令向學生們「樂捐」。而財務制度又不納入政府的系統；在全省公立中小學教職員「福利」的大旗之下。

（四）

更正

本欄第一節「籌集福利基金的四個來源」的第一個來源，爲「在經常家長會費內，提供五分之二」。誤植爲「五分之一」。合亟更正。

台灣證券市場的畸形

本報台北記者張健生

比如說，像台灣紙業公司，自從移轉民營後，股東（即投資人）有三萬多人，但其經營每下愈況，且有相當的虧損，就該公司五十二年度而言，賬目表面上盈餘達一千零七十七萬九千元，由於該公司向台糖購買蔗渣十三萬公噸，其價格爲一公噸計一百十五元，而市價則爲二百五十元，每公噸差價爲一百三十五元，以十三萬公噸計算其差價，共爲一千七百五十萬元。但該公司與台糖訂契約規定：蔗渣必須外銷。可是該公司竟違約而把蔗渣百分之七十內銷牟利，因而發生糾紛，其違約獲利部份爲一千三百五十萬元，若扣除此項差額，台紙五十二度不但沒有盈餘，反而要虧損二百七十多萬元。同時，該公司向台銀貸欵多達八千萬元之鉅，在八年中未分配股利。台紙經營不善，其股票當然下降，可是，台紙股票試行上市以來，在短短的二年半時間內，其股票價格自每股三點九九元漲到三三點一〇元，幾達十倍。其股票流轉速度自一年不到一次，而增至三個月就有四次以上，其漲幅之高，週轉速度之快，不因財務不健全而受到影響，即美國證券市場亦自嘆不如。公衆投資人雖然有上當之虞，而證券主管官署却袖手旁觀，不問不理，這是日、美證券市場鮮有的畸形。

保護投資人

其次，在累進所得稅制度之下，一般人根本沒有立即可以獲得暴利致富的機會，一般小額投資人均由其辛勤的工作，如公教人員，如家庭主婦，獲取若干報酬，除繳納稅捐後，尚須維持一家大小的生活費用，所賸可作爲儲蓄或投資者爲數實屬無多，因之一般小額投資人對於投資的安全應特別敏感。同時，今天公司組織的企業，已成爲一種社會性的機構，亦有其社會的職能，其所發行的證券當然與公共利益有關，爲促進公共利益及投資的安全計，法律上的特別保障，自有必要。

反觀我們的證券商管理辦法中，除了證券商有操縱的情事，應依妨害國家總動員懲罰暫行條例第五條規定：得到科處七年以下有期徒刑，併科七千元以下罰金外，證券承銷人及經紀人，如對主管機關作虛僞的報告，或拒絕（規避）主管機關查賬及查詢者，僅受到撤銷註冊的行政處分。對於一般公衆投資人因購買證券而蒙受損害時，發售證券的有關人士，均不負民事上的賠償責任，也不負刑法上的詐欺罪或重利罪，所以一般投資人都沒有法律上的保障，於是變投資爲投機，這是孰令致之？

在通常的商業交易行爲中，售貨者如以詐欺的伎倆誘致交易，買貨者可提供事實證明售貨的詐欺者行爲，向法院提出刑事與民事的控訴，使售貨者獲得應有的罪刑，使買貨者得到應有的損害賠償，此爲我國民刑法中明文所定。但此項法律上的權利對於制止詐欺性的證券交易，其效力有限。假定說，某甲在購證券後，發覺遭受詐欺時，出售證券的某乙，早已不知去向了。如某甲知道某乙的住址而向法院提起訴訟，至於是否能獲勝訴而得到賠償，當然沒有把握，同時，出售證券的某乙事前對防止被控詐欺定有準備，在兜售證券時竭力避免眞正虛僞之說明或引誘，而代以不可捉摸之意見及暗示等，則某甲即無法獲得具體的證據，就難於進行訴訟。

基於前述的事實，投資者受損後，對於控訴兜售證券者頗多顧慮。像美國過去的投資者，因購買證券而遭受損失的，每年近十億美金之多，足見其爲害之烈。因此，政府當局對一般小額投資人的特別法律上的保障，乃是刻不容緩的措施。（二）

港革新會[illegible]當局
教師應[illegible]保健

（本報訊）[illegible]新會以學生新[illegible]度，依據公開[illegible]學生參加者約可[illegible]六人。該會以是項制度對于學生健康之照顧，誠屬得法，但日夕與學生相處之教師無是項享受，似公平。因目前學校教師，大部份仍支所謂乙級薪，待遇低微，仰事俯畜，已極感拮据，對于醫藥兩費自更難于負担，故其對保健制度之照顧，愈爲需要。

按目前學生保健制度爲：學生家長如同意其在學子女接受此項保健制度，則可向其子女就讀之學校領取該項申請書，填妥後，連同保健費七元，交由該校校長或監督，由校長或監督製回收據。學生參加保健計劃之時間，最適當係在學期開始註冊之時，家長每出費七元，政府即捐助七元，另撥一元爲行政費。凡在註冊幼稚園及中小學攻讀之學生，均有資格參加。

香港革新會以推行此項新保健計劃之法案，已予立法局會議通過，參加此項服務之私家醫生，照料每一學童，每年可獲得十元，醫生照料學童之名額，限額二千。參加該項計劃之學童，不能選擇其私家醫生，但參加之學校，可以由學生保健計劃委員會所擬定之醫生名單中，選擇醫生爲其學生服務。該會建議立法局應將此一制度擴及于學校教師，並建議學校當局出資七元爲該校教師申請保健。

港存水量大增
若干地方全日供水

（本報訊）由於過去幾天來連續下雨的結果，雖然造成若干災害，但水塘收益大增，截至十七日九時，本港水塘的存水總量增至一百三十三億七千三百萬加侖。其中一百二十九億一千四百萬加侖貯於各水塘中，一億三千七百萬加侖存於各濾水塘中，另外三億二千二百萬加侖仍可從深圳取得。本港三個水塘滿溢，它們是大欖涌水塘（容水量四十五億零八百萬加侖），城門水塘和薄扶林水塘。城門水塘的容水量是二十九億五千四百萬加侖，薄扶林水塘容水量是五千七百萬加侖。

本港最大的石壁水塘，截至十七日晨九時止，已存水三十一億二千五百萬加侖，這個數字差不多是這個水塘的容量五十三億百九千萬加侖的分之六十。

各水塘相繼滿溢之際，有些地方已放長喉。本港香港仔區、薄扶林區及北角居民，已獲整日來水的便利。但是這不是正式公佈的。而其餘地方，是否也可增加放水時間？水務當局應加以考慮。如果讓大量食水流向大海，不如供應給本港居民使用。

本港第二大水塘大欖涌水塘這次是建成後的第二次滿溢。在數年前，大欖涌剛建成不久，曾滿溢過一次，後來存水日漸減少，在去年大旱期間更下降至低水位。

美共和黨兩派政見之異同

張大艾　譯

地方上混亂及不安的風暴，係一種政治哲學長久不理會個別的責任，及個別的能力。我提出控訴，即參加此項鬥爭的任何一方，而在街上示威者，即爲違犯法律，即爲不尊重其所爭的理由，即爲藐視他們的領袖，即爲毀損國家的名譽。

（六）對於美國現在軍事防衛政策，你大概的看法如何？

史克蘭頓：美國是世界上最強大的國家，倘保持着徹底有效的軍事政策，則美國仍爲最強大的國家。今年沒有共和黨人將效法一九六〇年之民主黨人，對我們國家的軍事準備，提出虛僞的懷疑。

在一九六〇年，民主黨候選人用一種「飛彈空隙（Missile Gap）的煽動宣傳，來動搖我們人民及西方盟邦的信心。當民主黨人執政幾個星期之後，他們自己又承認沒有飛彈空隙的存在。今年共和黨的領袖們，不作如此不負責任的罪行。

一個新的共和黨政府，要維持一種正當的混合武器制度，我們將利用有經驗的軍事領袖爲顧問，來發展這種組織，不單獨信賴機械計算者爲顧問。

爲着自己的目的，共和黨政府不生產不需要的武器，但是爲維持我們國家的軍事優勢，仍不顧節省經費。

高華德：軍事的基本觀念，是爲着國家安全，迫切要求重行估計「空間與飛彈時代」已經到來，在這個新世紀，不能控制空間與依仗飛彈者，這個國家將不能生存。

但同樣的，我們不能單獨依賴飛彈組織，而反對混合武器——包括飛彈，人駕飛機，各種類型的海軍艦艇。

我過去已經提出，將要繼續提出，直至一切事實完備爲止，即其根本的問題，是關於我們洲際飛彈的可靠性。他不是一個理論正確的問題，這個事實是洲際飛彈的設計者，沒有進行過一次，在假設情況下之充分試驗。（一切混合武器，包括 Warheads）。這意思並不是我們的飛彈組織應該廢除，或者應該漸漸回到重視人駕飛機。但是沒有一件事情，比停滯與呆板更爲危險。這個國家爲要求生存計，關於武器與戰畧，必須有一種伸縮性，我們必須保持前進態勢。

我們對於現政府之防衛政策，所以批評之者，主要有下列幾點：

1、自一九六一年以來，沒有完成一種新的主要戰畧武器，因爲所需時間，從動念到行動爲止之任何重要武器組織，是須多年的設計，單獨信賴我們現在的飛彈力量，是一種高度冒險遊戲。

2、在現在的情形之下，專用飛彈武器的能力，將使我們人駕飛機完全廢除，在七十年代的美國，將單獨依賴於一種呆板的武器。

3、政府決定參加禁試條約，禁止所有空中氫彈試驗，其意義爲，使我們的飛彈組織，不能有正確的試驗，我們亦不能試驗我們所信賴的堅固的飛彈機場，則將來第一次襲擊之後，如何採取報復行動，如何能有保險方法。

4、我們知道高度的氫武器，能夠破壞我們飛彈組織的電力系統，我們可以想像這種武器能使我們大部分飛彈組織失去效用，因此其他一切有力武器，包括人駕飛機與艦隊上的氫武器，仍應繼續使之成爲兵庫中的一部分。

5、關於空間，我們現在沒有計劃看到將來重要的軍事使用，我們有理由相信，蘇聯對於空間的技術，已有着精確的方向。我們必須面對着一種可能，即環繞四週空間的機械，遭到徹底破壞之後，可以使用現在我們兵庫已廢棄的ICBMS從事報復，我們須要仲展空軍優勢進入太空之中。

6、文人控制軍事，爲民主政治不可缺少的原則。但是我們政府，過於依賴沒有受過軍事訓練的文職官員，同時輕視軍事專家之忠告。

假使我們繼續過於依賴飛彈，而不依賴混合武器，則我們立於不能忍受之考驗下，惟有屈服而已。否則進而爲氫彈戰爭。在熱戰與冷戰之間，有許多型式的戰爭，我們必須準備應付各類各樣的戰爭。（三）

康有爲的亡命

丘峻

上諭甫頒，既准羣臣上書議，又革堂官大臣，復徇康氏之議，降旨任用新人，更致舊黨之懼，益觸太后之怒，正如火上添油，而成爲新政之催命符。蓋舊黨既人人自危，詆譭新人新政益力，而德宗侍奉那拉太后幸津閱兵陰謀，遂告決定。德宗預感情勢危迫，大難將臨，乃以七月二十八日，對楊銳諸人發出密諭：

「近來朕仰窺皇太后聖意，不願將法盡變，並不欲此輩老謬昏庸之大臣罷黜，而登用英勇通達之人，令其議政，以爲恐失人心。雖經朕屢次降旨整飭，並且有隨時幾諫之事，但聖意堅定，終恐無濟於事。即如十九日之硃諭（指禮部六堂官革職事）皇太后已以爲過重，故不得不徐圖之，此近來實爲難之情形也。朕亦豈不知中國積弱不振，至於阽危，皆由此輩所誤；但必欲朕一早痛切降旨，將舊法盡變而盡黜此輩昏庸之人，則朕之權力實有未足。果使如此，則朕位且不能保，何況其他？今朕問汝：可有何良策，俾舊法可以漸變，將老謬昏庸之大臣盡行罷黜，而登進英勇通達之人，令其議政，使中國轉危爲安，化弱爲強，而又不致有拂聖意？爾等與林旭、譚嗣同、劉光第，及諸同志，妥速籌商，密繕封奏，由軍機大臣代遞，候朕熟思審處，再行辦理。朕實不勝十分焦慮翹盼之至！特諭。」

同日又交楊銳傳出硃諭與康氏：

「朕維時局維艱，非變法不足以救中國，非去守舊衰謬之大臣，而用通達英勇之士，不能變法。而皇太后不以爲然，朕屢次幾諫，太后甚怒。今朕位幾不保，汝康有爲，楊銳，林旭，譚嗣同，劉光第，可妥速密籌，設法相救！朕十分焦灼，不勝企望之至！特諭。」

康氏已早見及此，以有設立參謀本部及遷都上海之議預爲之防，惜以時日遷延，未獲施行。迨袁世凱被召見，榮祿等即嚴加戒備，及袁氏告密，進而圖先發制人。那拉太后於袁所言，尤爲置信，深懼德宗與諸臣之不利於已，遂急遽入宮，搶其幾先，亟謀廢立，而進於三度聽政。情勢演變至此，人咸爲德宗危，康氏及維新黨人，尤岌岌不可終日。然在此危急萬分之際，德宗仍力謀所以保全康氏之性命，以圖後效，特以八月二日令林旭傳親筆密諭，促氏速行離京：

「朕今命汝督辦官報，實有不得已之苦衷，非楮墨所能罄也。汝可速出外，不可延遲。汝一片忠愛熱腸，朕所深悉！汝其愛惜身體，善自調攝，將來更效驅馳，共建大業，朕有厚望焉！特諭。」（三）

我所知道的麥帥

肯尼將軍原著　徐[illegible]光翻譯

一九四五年七月一日澳軍第七師登陸巴里克巴邦時，麥克阿瑟也跟他們在一起。澳軍幾乎沒有遭遇抵抗，因爲島上的日軍在兩個禮拜以前大規模的轟炸時，差不多已經都被殲滅了。

有一個跟隨麥克阿瑟上岸的副官，後來告訴了我一個麥克阿瑟在島上的故事。他說澳軍都認爲麥克阿瑟非常偉大。當麥克阿瑟上岸走了大約半哩路後，他和一羣將領登上一個可以環顧四周和遠眺巴里克巴邦鎮的小丘，一個澳軍准將拿一份地圖給麥克阿瑟，並把各重要據點指給他看，突然一陣日軍機槍朝小山上射來，打掉了旁邊樹叢的葉子，四周地上更揚起了一堆堆的塵土，那個澳軍准將和麥克阿瑟若無其事的繼續談着，就像沒聽到槍聲一樣。衛兵則衝下山坡，一陣亂槍消滅了那個日軍機槍陣地。澳軍准將講完話後，麥克阿瑟摺起地圖還給他，並謝謝他的指點。然後他指着不遠處的另一座小丘說：「讓我們到那邊去看看，不過，准將，最好先派巡邏兵去搜索一下，免得發生無謂的傷亡。」

人家都管麥克阿瑟叫「防空洞」，這時我領悟到了，這個綽號也許正是在強調麥克阿瑟的和這個綽號意思完全相反的勇敢性格，就像常有人叫一個胖子做「瘦皮猴」一樣。

七、一個演說家

麥克阿瑟並不常當衆發表演說，不過一旦他必須演講的時候，他事先一定有充分的準備，他會小心謹慎地擬定演講稿，並且一再加以修改，直到他認爲聽衆會因此完全知道他心裏面所想講的話爲止。他從來不用「那使我覺得」等字眼。在他的演講裏，你也無法發現有幽默的味道，他從來不設法使他的聽衆發笑，這可能跟他發表演說的場合大半都是嚴肅的地方，演說的內容也大半都是正經的大事有關係。麥克阿瑟認爲演講的目的，在使得聽衆心中留下一個與自己相同的印象或觀念，他每次都能很成功地達成這個目的。他演說時的聲音並不大，但是抑揚頓挫，恰合中節，那比用手勢和大聲疾呼更能使人留下深刻印象，他演說時是從來就不裝腔作勢的。

三十年前，他當陸軍參謀長時，他每次的演說就已經是很短的了。當時一般的演說都在一個小時左右，但是麥帥的演說很少有超過半個小時的，陸軍參謀長任內的最後幾年，他的演說往往只有五分鐘到一刻鐘。

麥克阿瑟演說的語氣低沉、緩慢、清晰而能令人信服，他把他全付的感情都放在從他口裏說出來的每一個字上，所以每一個聽衆都能感覺到他的眞誠和懇摯。聽說曾經有一個人看了麥克阿瑟的某一篇演講稿以後，對其提到上帝的內容不以爲然，但是當麥帥發表這篇演說的時候，在場的人，卻沒有一個人懷疑他對上帝的眞誠，或認爲他所講的有什麼不對的地方，足見他用全付感情灌注到演說裏時，是如何的能夠打動人們的心。（三六）

瘟君續夢

第十三回：惡貫難盈　巨奸逃火網
良知未泯　傑士出天羅

一句話提醒了毛澤東，拍床罵道：「混賬，眞眞豈有此理！平日你們專權怙勢，把自己當作神仙，什麼都懂，什麼事都能辦，一旦遇到困難，就互相推諉。今天閑話少說，三天以內查不到縱火的國民黨特務，這場火就是你們三個放的。」說過就向江華、吳憲、楊奇清三人頭上指了一指。

江華等三人嚇得面色如土，毛澤東回頭向藍蘋笑着說道：「國民黨特務一把火，把我們聽戲的大小幹部燒死、踏死了幾十個，我只殺三個人總不算多吧！你不必担心殺業太重了。」

藍蘋勸道：「潤之，你息息火氣，他們三個都是你的忠實幹部，追隨你多年，怎會是國民黨特務？你一時衝動拿他們頂缸，過了兩天就會後悔的。」

毛澤東說道：「我並未說他們是國民黨特務，但是他們職責所在，抓不到特務就要連坐，這是公公道道的。這法子若不行，以後誰還亦心替我辦事。」

正在說着，金日成帶着李孝淳、朴正愛走進來，毛澤東連忙打手勢讓他們坐下。

金日成說道：「眞是抱歉的很，我們這次來拜訪主席，不料引起這麼一場麻煩，連累主席受驚，眞眞不安。」

毛澤東說道：「我也感到抱歉。中國解放十幾年後，國特居然還能潛伏在內地，謀刺首長，可見我們公安人員實在太廢掉。」說着又看看楊奇清，楊奇清站在那裏直是打戰。

金日成說道：「主席千萬不可這樣講，不用說中國才解放十多年，蘇聯革命成功已經四十多年了，有組織的敵人全被消滅了，但是，蘇聯內部也何嘗眞的治理得好；作什麼壞事的都有，而且規模十分龐大。幸而美帝國主義找不到這種竅門，若是同那些壞份子聯絡起來，馬上就可在蘇聯境內建立起一個完整的情報網。」

毛澤東聽說蘇聯境內也是如此混亂，臉上不由得浮起笑容，追問道：「雖然如此，蘇聯境內並沒有人行刺過肥豬。」

金日成笑道：「蘇聯對內統治雖然不穩，對外保密還十分成功，赫魯曉夫即使被人行刺過，我們也不會知道，因爲在莫斯科幾個大城市未曾發生過。」

毛澤東聽到這裏，心情比較舒服得多，回頭向江華說道：「你們三人努力去拿特務，但是，却不要把今天的經過洩漏出去，尤其是不能讓蘇聯及東歐國家的商人聽到消息，以免報告上海他們總領事館知道，傳到蘇聯去讓肥豬聽了快活。」

江華三人唯唯稱是，心裏都把金日成看成救苦救難的天尊。

金日成又坐了一時，起身告辭道：「我今天就回去了，主席可以休息幾天，不必太焦勞國事，身體自然復原的快。」

毛澤東說道：「我稍微好些就要走，杭州這地方國特太多，不能長住。你今天回去，只有恩來同志一人陪你了，陳毅恐怕還不能起床。」話剛說到這裏，陳毅却扶着拐杖走進來。

（三三九）

後來曾有不少同志被發覺，遭到嚴重打擊及充軍西伯利亞。但這正是四十年來中國國民黨反共抗俄幹部中，留俄學生曾充任積極看門角色的最初學習和鍛鍊，因爲留俄學生都深知俄國及共產黨的內幕與陰謀詭計，也知道他們滲透顚覆中國革命的方法和技術，在反共抗俄的長期艱苦鬥爭中，這是很有意義的。俄共沒有想到他們訓練的學生會反對他們，而且這些人致力反共鬥爭都很堅決很徹底，這必非他們始料所能及，而也是中國最初的反共鬥爭與中國最後的革命——反共抗俄將獲最後勝利的主要因素之一。

冒險犯難記

鄧文儀

二十七、擺脫第三國際

中國代表團

民國十六年一月初，由於中國革命軍北伐勝利，很快便達到長江流域，中共在廣東、湖南、湖北、江西，已建立了廣大的農工群衆基礎；更利用俄顧問及國民黨左派，控制了中國國民黨政軍的領導中心。他們曾派代表團到莫斯科向第三國際及俄共中央報告中國社會主義革命已達到高潮，勝利在望。第三國際曾開了好多次的會，決定在中國實行一九二七年的大革命，好像一九一七的俄國革命一樣。俄國革命是在十月，他們準備在中國實行四月革命，由中共號召，用全國總暴動及中央革命的方式，奪取中國國民黨的革命領導權。爲了執行決議，他們很快組織了一個第三國際中國代表團，指派第三國際的常務委員印度人路易爲團長，團員約一百名，其中有少數俄國人、日本人，而以中國人爲主要成員，在莫斯科的中共首要份子譚平山等，固然同行，同時更在中山大學選派共黨黨員及共認爲可以運用的學生四十人參加組成，期以最快的速度到達中國的廣州漢口，直接指導中國一九二七共黨大革命。

代表團中四十個學生中，三十七個是共產團的黨團員，祇有三個中國國民黨黨員，爲羅芳烱，溫忠和我。也許因爲溫忠和我都是黃埔軍校第一期學生，平日在學校比較用功積極，也很誠實熱忱，被認爲可供他們利用。我在啓行前，才接到學校負責人的通知說是派我回國參加中國大革命，我向告訴我的人說，我學業尚未完成，可否申請緩行？他說這是很重要的使命，很榮耀的派遣，不宜申請緩行。我當時眞不明白；爲什麼要派四十個同學回中國？爲什麼會派到我去？但行期匆促，不由分說，我就悄悄的於第三天整好行李，搭上由莫斯科直接赴遠東海參崴的特別快的專車。到火車上才知道同行的人有一百多。（四一）

譚選票

周燕謀

在今天世界上的國家，除共產集團及少數國家外，莫不利用投票的方式來表達民意，如欲獲得「選票」當非爭取「選票」不可。那麼，選票當是民主政治的產物了。特在這裏追述「選票」的歷史故事。

選票的歷史不到兩個世紀，在十八世紀以前，在大英帝國及其領地上是不知什麼選票的地方。當時雖然也推舉地方官吏和其他官員，但都用口頭推選的方式；後來感覺這種方法難免不受別人的影響，爲了選舉人的獨立，才採取了投「選票」的方法。美國獨立之前，德拉瀉、賓西法尼亞、南卡羅林納三州首先實行此制，以代替口頭選舉。不過那時的選票還是由選民自己準備紙條，而不是由政府發給的選票，選舉人自己用白紙寫上所帶來的人姓名之後，投入選票櫃中。後來才由候選人出錢印製選票，放在投票的地方，供給選民使用。這種方法看來似乎有些幼稚而好笑，但以當時的尺度衡量，却已經是一種極進步的方法了。

在由選民自行攜帶選票的時候，選票長約十八吋，寬約三吋，因爲狹而且長，當時人稱之爲「鞋帶選票」。爲什麼要如此狹長的形式呢？據說是爲了携帶方便，放在上衣口袋的緣故。像那種選票摺疊之後，很容易舞弊。有的選票當然很容易製的選票，各候選人印一同的顏色製成，用各種殊無一定之規定。以不同顏色印製選票的原因，據說是便於在投票時估計選票的多少，而於事先設法補救。有的故意用極薄的紙印製選票，以便在必要時將若干張票一齊投進去；更有些人乾脆用種種欺騙與不道德的方法來爭取選票，因此，英國、美國便先後採用了「澳洲選票制度」。

所謂「澳洲選票制度」，爲一八五六年澳大利亞所首創。一八七二年，英國仿行其制。一八八八年，美國也繼之而起。直到如今，不但英、美普遍使用，而且風行全世界。澳洲制度下的選票與鞋帶式選票不同之點，第一爲形式上長寬有適當的比例。最初美國印製的選票，長約八吋，寬約二吋半，一律用白色厚紙。第二此種選票由地方政府印製，不准私人印贈或捐獻。第三，投票的方法爲秘密不記名方式，與現今的投票方法相同，給予選民極大的便利。因爲這種選票形式與鞋帶選票相反，好像一床毯子，所以一般人戲呼之爲「毛毯選票」。一直沿用至今日。

當時的澳洲選票上除了寫明公職名稱與候選人姓名之外，在姓名之下還加註政黨的名稱，以便人民抉擇。一八八九年，印第安納州採用此制，又加以變化，將各政黨所有公職候選人姓名分別排在一起，選民如支持某黨，須在某黨欄內規定的地方，作一個投票符號，便可以一次選舉該黨若干公職候選人。這種投票法，目前亦尙爲流行，稱之爲「投純粹票」。這種票式，便叫做「印第安納」式。

因爲「純粹票」的便利，使得選民大爲欣賞，尤其是一般不願意多用腦筋者，更樂於使用此種選票。於是參與競選的各政黨，除了要求政府在選票上將政黨名稱印得特別顯著之外，爲了便於識別，各黨都製造了一個專用的黨徽，印在選票上端，以求醒目。如一九二六年美國新墨西哥州的選票上共和黨的黨徽是美國國旗，民主黨是老鷹盾牌，社會黨是盾劍自由神。一九二八年印第安納選票上的黨徽，共和黨是飛鷹，民主黨是雄雞，禁酒黨是落日，社會黨是地球上兩人握手的圖案，社會勞工黨是鐵錘，工人黨是鐮刀鋤頭等等。……雖然光怪陸離，倒也坦坦蕩蕩。

（未完）

我的社會生活

雷嘯岑

香港政府對於創辦刊物申請註冊的法定手續很簡單，只要主持刊物的人沒有甚末問題－即不被視爲有藉此作政治活動的嫌疑者——不問張三李四，一例照准。但對你平日的生活情況和思想行爲，早已調查清楚，無所隱遁，要想欺朦亦不行。自由報申請註冊時，主管機關認爲我是「有政治理想而無政治行動的自由主義者」，很快就批准了。自由報乃於民國四十八年二月十七日，憑着兩萬元港幣的資金，大胆開張，究竟能夠維持多久，有無發展之前途，都是未知數，我是以「知其不可爲而爲之，爲而不有」的精神，姑且嘗試的。

這張刊物的宗旨，是以闡揚民主自由思想，反抗共產極權主義爲圭臬，在精神和風格上，跟舊有的「自由人」週刊完全相同，一般作家亦多半是「自由人」的「宿將」，這對我的精神鼓勵之力甚鉅，尤其是讀寫「癌君夢」的居爲先生，曾對我說道：「祇要是嘯老辦的報，我義務寫稿十年亦不在乎」。這樣誠摯而深厚的友誼，即在太平盛世亦未可多得，何况同是天涯淪落人的避難生活中，眞教我感同挾纊，永矢弗諼也。

香港是外國殖民地，也是一個本身沒有甚末生產力，而專靠產品加工、轉口以維生存的工商業都市。一般市民對政治的問題多不感興趣，他們每天看報紙的唯一注意之點，就是社會新聞和武俠、偵探小說之類，然而關於政論文字，大家是漠不關心。然自由報的內容，是以政論文字爲中心的，這跟香港大多數民衆的胃口不相投合，就生意經設想，可說是先天的基本缺點，然就文化思想鬥爭關係看，實屬應有之義。在創刊伊始，爲着遷就現實環境，曾刊載了一篇武俠小說，等我到台灣晤及胡適之先生時，他以嚴肅的態度對我說道：「爲甚末你辦的報，亦登載那種時代落伍的武俠小說呢？」答以旨在應付環境，希望報紙能打開銷路而已。他又說：「你是爲理想而辦報呢？抑是爲營利而辦報？我相信你的目的是屬於前者，那末，以有限的寶貴篇幅，似不宜刊載與現代文化思想潮流相背馳的文藝作品吧？」我無詞以對，馬上把武俠小說停刊了。幸而這篇小說乃是好友彭浩一兄所寫，而且是義務幫忙性質，聲明不受酬的，因而彭兄很諒解我，無所吝心。但我對適之先生的關懷指教，銘感殊深。

自由報的言論方針固然本着民主自由主義，而以維護中華民國的生存發展爲前提，但對於本國的施政得失，知無不言，言無不盡，即對於政治人物，亦不憚予以臧否批評。可是，我們所立言的動機是誠，望之也切，而責之也嚴，決不以「反對派」自任，作惡意的抨擊。因此，有些人認爲自由報的言論太「中和」而缺少刺激性，與舊有的「自由人」風格迥異；有些人又認爲本報乃是我這個國民黨人主持的，而其言論未免太自由了。前者懷疑「自由報」是官方的「別動隊」，後者又覺得「自由報」對政府似不忠貞，另眼看待。這是本報處境困難之點。始終我自問良心，了無愧怍，然信其所守，我行我素。（七八）

燕塵識小

無負生

前代辟雍（續）

又按清史職官志：兼管國子監大臣無定員。祭酒滿漢各一，司業滿漢蒙古各一。掌成均之法以教國子及俊選之士。監丞掌學規以督教課，糾勤惰均廩餼。博士掌闡明經說以助啓迪。典簿掌簿書以及文移之出入。均滿漢各一。典籍漢一人掌經史以備諸生論習。率性修道誠心正義四堂漢助教學正各一。崇志廣業二堂漢助教學錄各一，掌教直省俊選之士。其下有筆帖式八員。國子監官制大體如此。（註三）

最後略談監生，監生者今之國立大學學生也。而可以捐納得之。明制令天下擇諸生學行優者，送國子監就學，稱爲太國生，亦曰監生。明初監生極爲重視，景泰時始有納粟入監之例，清制五貢皆得入監肄業，實則沿明之舊，悉以捐納得之。乾隆元年降旨，將京師各省見開捐納事例一律停止，獨於生童捐納一款，其應停應留之處，着漢九卿翰詹科道會同確議具奏。尋議：「生童捐監，係士子一進取之路。順天鄉試，例有南北監生，定爲皿字號中式。且游學隨官在京者亦得藉爲應試之階。應留戶部捐監一條，各省一律停止不得照前考職。并請以每歲捐納之銀留爲各省一時歉歲賑濟之用」。從之。由此以後，兩百年間，所謂監生悉由捐納而來。原定五貢入監肄業之制遂成具文。

註一：郎潛紀聞載每科臚唱後新進士齊赴國子監釋奠。禮竣，大司成暨酒堂東偏各獻爵三。以堂中爲御駕臨幸地，故避就東偏也。

註二：大思偶聞載國學許文正柏，前人皆有詩。然此元初國學，非今之地。此因元史而誤，蓋不可信。

註三：祭酒秩從四品，品謂之爲四品京堂，略如今之大學校長，司業正六品似教務長，繩愆廳監丞正七品似總務長兼訓導長，博士廳博士從七品，今之教授，助教從七品，學正學錄正八品相當於副教授及講師。典簿廳典簿從八品相當文書科長，典籍廳典籍從九品，則圖書館長也。

（未完）

補正數行

前人述：「民國以後，祀典尚存。每年陰曆八月二十七日孔子誕辰由內務部舉行祭典。春秋丁祭是否依舊行禮，今不復憶。」云云（見本報八月八日第四六八期），與事實微有不符。按：民國三年二月八日政府公報所載命令，係「以夏時春秋兩丁爲祀孔之日，仍從大祀。其他孔子生日仍聽各從習慣，自由致祭，不必特爲規定」。可知民初恢復祀孔，係於夏時（陰曆）春秋丁祭舉行，非於孔子誕辰致祭也。今爲更正於此。原文附錄，以備覽觀。

台南勝跡小紀

羅緣

二十年後，天佑中國，鄭成功振旅來攻，一戰登陸，再戰南城，荷蘭人堅甲利兵竟無所逞，終於繳械請和，下旗歸去。

成功既收復台垣，銳意經營，勵精圖治，改熱城爲安平鎮，駐節台南，惜爲時甚短。其子鄭經立，用參軍陳永華議，創設承天府學。即今文廟地。崇敬先賢，教化民衆禮義，使孔孟文教，遍溉全島，故二百五十年前，台南已爲全島政治，軍事，商業及文化之中心。

赤崁樓：一六五〇年荷蘭人所建。鄭氏時代稱爲承天府。名士高拱乾有詠云：「百尺高樓鎮海東，夕陽綺照滿城紅；分明繪出皇圖壯，想見當年血汗功」。此詩之寫景寫意，均洒然脫俗。

延平郡王祠：鄭成功[illegible]……光緒元年，欽差大臣沈葆楨奏請建祠，[illegible]上好木料，運來改建，[illegible]開山神社，將兩側後殿改祀其部將一百四十名從征部將，[illegible]田川氏，[illegible]寧靖王及其五妃，[illegible]每年二月十五日舉行大祭，[illegible]老幼攜香，誠非常。（二一）

自由報
THE FREE NEWS
第四七二期
內僑籌台報字第〇三〇號內銷證
中華民國僑務委員會頒發
台教新字第三二三號登記證
中華郵政台字第一二八二號執照
登記為第一類新聞紙類
（半週刊每星期三、六出版）
每份港幣壹角
台灣零售價新台幣貳元
社長：賈曉岑
督印人：黃行富
社址：香港銅鑼灣高士威道二十號四樓
20. CAUSEWAY RD 3RD FL
HONG KONG
TEL. 771726　電報掛號：7191
承印者：四風印刷廠
地址：香港灣仔高士打道二二一號
台灣分社
台北市西寧南路壹叁零號二樓
電話：三〇三四六
台郵撥儲金戶九二五二

從女傭冤案看台灣警察的偵訊法寶

·張　筌·

八月八日的台北「中央日報」有一則消息：「涉嫌行竊被捕的十七歲郭姓少女，由台北市警三分局繼續羈押偵訊中，辦案人員昨晚根據他新供述出來的行竊資料，替一位已被確定為有竊盜嫌疑的陳姓女傭洗刷了清白。」陳姓女傭如何被誣枉為行竊呢？該消息說：「陳女在台北市中山北路二段二〇三巷溫姓市民家幫傭，三個月前的一天下午，當她的女主人剛去晒衣擱不久回房時，發現放在抽屜皮包裏的項鍊，手鐲及戒指等金質飾物，不翼而飛，懷疑被女傭所竊，把陳女送警偵訊。由於陳女無法說出何以失物，在測謊器顯示的劇烈心臟跳動下，無法辯白，乃承認行竊，並表示願在溫家繼續幫傭，分期以每月全部工資作為賠償失物的價款。」

可知陳女之所以承認行竊，乃是由於：

1、無法說出何以失物；

2、測謊器顯示的劇烈心臟跳動下，無法辯白。

於是承認行竊。

使人奇怪的，警察何以要陳女「說出何以失物」？陳女幫傭溫家，她不是替溫家負有「保險」之責，「保險」溫家財物不致遺失。雖然傭人有替主人看管財物的道義，抑沒有看管財物的責任。以前在大陸上有錢人家請保鑣，但若主人遭有不測，法律上亦沒有規定保鑣抵命的條款；若東家財物被竊，保鑣亦沒有賠償的責任。更何況是「女傭」呢？女傭是幫主人做事，不是幫主人看什物的，警察把不應該由女傭負責任之事，強加在女傭身上，這是什麼道理？

「何以失物」的原因，要問的不是女傭，而是溫家主人。主人「懷疑女傭所竊」，警察就「確定女傭所竊」，而且不要證據，這是什麼「偵」？什麼「訊」？這種警察還能維持秩序嗎？還配稱為「人民的保姆」嗎？

「測謊器」是偵訊的輔助工具，祇有受過訓練的刑警們知道如何使用，普通人民根本不知道怎麼回事。陳姓女傭自不知其為何？更不知如何「測」？是可想而知的事。警察拿了這類為小民所不知的東西，唬範嚇詐，強人誣服，這與「刑訊逼供」有什麼兩樣？「測謊器」若確屬正確的科學儀器，那麼警察以此向犯人逼供，殆無異議。如測謊器不能測出準確的事情，警察便不應藉此作為斷案的依據。

值得吾人注意的，陳姓女傭之所以「承認行竊」，絕不是所想像的那樣簡單——說不出何以失物；測謊器顯示下無法辯白——其中必有其他情節。監察院，警務處應該查一下，這是基本人權，不容侵犯。因為將來如此搞成習慣，那裏還有老百姓活的呢！

依刑法第三百二十條規定：「意圖為自己或第三人不法之所有，而竊取他人之動產者，為竊盜罪。」警察為司法警察，「調度司法警察條例」第四條規定：「應受檢察官推事之命令，執行職務。」又「檢察官與司法警察機關執行職務聯繫辦法」第三條規定：「各院轄市及其他刑事案件較多之省市，由警察機關之聲請，該管法院得酌派檢察官於警察局設立辦公處，以直接指揮該局刑事警察，辦理偵查程序。」此即「警察法」第九條第三款規定的「協助偵察犯罪」。台北市三分局警察不僅超越了「協助偵察犯罪」的範圍，而且行使了推事的「審判權」，裁定陳姓女傭「繼續在溫家幫傭，分期以每月全部工資作為賠償失物的價款。」這種濫權違法的現象，實屬令人驚駭！

照北市警三分局的警察認定，陳姓女傭既屬竊嫌，就應按照刑事訴訟程序辦理。刑事訴訟法規的第九十六條規定：「訊問被告應與以辯明犯罪嫌疑之機會。」警察何以剝奪這位女傭辯明之機會呢？同法第九十八條規定：「訊問被告應出以懇切之態度，不得強暴、脅迫、利誘、詐欺及其他不正之方法。」警察以「測謊器」不實之結果，斷定陳女說謊，認定她行竊，請問：這是否與「不得用詐欺及其他不正之方法」的規定相違背？

第一五四條：「……因調查證據及犯罪情形，得實施勘驗。」「辦理刑事案件應行注意事項」第三十項補充本條說：「……調查證據及犯罪情形，能勘驗者，總以勘驗實施為要。不得以法文規定係「得實施勘驗」，輒將該項程序，任意省略。……均應親驗明白，不得專憑他人報告。」陳女竊嫌，如警察確予公正偵查，至少應以刑事訴訟法第一五五條第一款之規定：「履勘犯所或其他與案情有關之處所」。警察不遵循法律途徑，獨斷專行，僅憑溫家主人之報告，不予勘驗，如此草率，不惜枉法入人之罪，此與警察法第二條規定：「警察任務為：……防止一切危害，促進人民福利」的意旨符合嗎？

再如「辦理刑事訴訟案件應行注意事項」第七十九項規定：「犯罪事實，應憑證據。關於證據之取捨及證據力之強弱，固一任法院推事之自由判斷，但對法意所憑證據，必須經過法定調查之程序。所下判斷，必須斟酌多方面之情形，且不違背一般人之共同經驗。所得結論，不能有理論上之矛盾。仍應有證據之存在，斷不可憑空推測，僅以理論之詞，如「難保」「非」「自屬當然」等字樣為結論。」警察認定女傭盜竊，「事實」何在？「證據」何在？既未經過「法定之調查程序」，「且違背一般人之共同經驗」，而僅以「測謊器」之「劇烈跳動」，「難保」「不為」「盜竊」，因而認定陳女之竊盜為「自屬當然」是嗎？這樣彰然的違法事實，若任其發展，老百姓的命運豈不掌捍在警察手中了！

依刑法第三百二十四條規定之竊盜罪，直系血親，配偶或同財共居之親屬之間，得免除其刑。其他五親等內血親或三親等內姻親之間，屬告訴乃論。警察既認定陳姓女傭盜竊，而陳姓女傭與溫家主人間並無三百二十四條之親屬關係，警察應移送檢察官辦理。何獨北市警三分局違法侵權，獨斷專行逕自裁定？請問警察這樣做的依據為何？既屬盜竊，依法不得「免除其刑」，而警察免除其刑；既屬竊盜，依法不屬告訴乃論，警察改為告訴乃論，請問警察有這樣大的權限，變更實質上的法律嗎？我們可以斷言：若警察依法移送法院辦理，法院不會像警察那樣違法，陳姓女傭的冤案就不會發生。

（下轉第二版）

陷冷藏

袖手旁觀

今日與明日

中俄共醜詆之聲

中共攻訐俄酋赫魯歇夫與英美帝國主義妥協，要想恢復資本主義社會制度；俄共亦指摘毛酋澤東勾結西方國家，平分香港、澳門這些殖民地的「剝削」利潤。相罵無好口，彼此意氣用事而已。

可是，美國的政治人物視此鬧劇，一心以為鴻鵠將至，幻想共產集團真有分裂火拼之日，讓西方列強不勞而獲，重溫十九世紀資本帝國主義的舊夢，因而對中俄共皆表示好感，充分顯示着「漁翁」的心情，幼稚哉山姆叔叔也！

赫、毛二酋祇要有一個失勢或死亡，中俄共馬上就要破鏡重圓，攜手合作的。這日子並不會太遠，且拭目以俟之罷！

白宮當局耀武揚威

美國民主黨人士大力攻擊共和黨總統候選人高華德的強硬反共主張，指高氏是「損害美國利益暨世界和平」的好戰言論。

然口血未乾，國務長官魯斯克，國防部長麥納瑪拉，聲言美國擁有的洲際飛彈，可以毀滅蘇俄與毛共全部區域而有餘，火藥氣味十分濃厚。假使這類耀武揚威的話是出之於高華德的口中，一般民主黨顯要人物如史蒂文生、富爾布萊特之流，勢必跺脚大罵為「戰爭販子」無疑也。

有人說，這是白宮當局運用「嚇阻政策」，旨在消弭大戰。實則所謂嚇阻政策早已破產了，殆如兒童持着一大串鞭爆在手，卻害怕燃放，老遠瞧見別人在地上將燃放一枚小爆仗，即掩耳疾走，魄喪魂飛，徒然嚇阻自己而已，別人只是好笑啊！

有樣學樣

塞浦路斯總統聲言向蘇俄請求援助，以抵抗外來威脅，而俄酋赫魯歇夫亦說是決不坐視塞島被英美教唆下的土耳其進攻。一唱一和，像煞有介事。

自印度尼赫魯發明「兩面人」作風，大嘗其甜頭以來，自由世界到處都有樣學樣，而且很得法，乖氣所鍾，連彈丸小邦的高棉王子施哈努亦如法泡製，使美國感覺頭痛了。

將來尼泊爾、蒙地卡羅，乃至於北非洲某些部落酋長們，說聲要向蘇俄請求援助時，美國當局亦將張皇失措，趕快把美援奉送如儀，而美其名曰「維持世界和平」。和平可以用美元購得，嗚呼哀哉！

自由談

法治的佳音

馬五先生

最近台灣省政府建議行政院修改違警罰法，把處理違警案件的職務，交由司法機關担任，警察只負檢舉之責。這是一項極其明智的意見，善莫大焉，希望中樞迅予採擇施行，以慰民望。

國家公職人員與民衆接觸最密切的，莫過於警察，催征吏役尚在其次，而人民在日常生活中，又很容易觸犯違警律，被警察機構來究處，或罰鍰，或拘役，有時候且不免發生打罵情事。警察原是民衆的褓姆，由於處理違警案件之故，無形中跟人民常常居於對立狀態中，無論警士和警官們怎樣的公正廉明以從事，亦容易引起民衆的惡感，損害政府威信，流弊所及，難以枚舉。

台省府的建議書中，引述了現代東西各國由法院處理違警案件的制度，足見其潛心研究，言之有物。實則近在咫尺的殖民地香港，凡屬構成違警律的行為，皆得經過法院審判，警察決不能自由處理，如果發覺警察對人民有勒索情事，那怕只有一二元的金錢，亦以貪污論罪科刑的。我國現行法令，將違警事宜歸諸行政處分之列，殊不合理，看似小問題，後果却甚重大，及時改革，不亦宜乎！

過去本報迭次指述我國現行各種法令，多係訓政時期的產物，與憲政之治不盡脗合，非切實加以整理不可，有的應該廢止，有的應該修正，須由立法機關統盤審核，分別去取為是。若干年來，行政院亦有「法制整理委員會」之設立，何以迄無下文，令人難以索解。現在台灣省府首開其端，實事求是，我們盼望政府以此為例證，憬然於若干法令之不合時宜，實行全面的檢討整理工作，而對於各個行政部門自行頒訂的單行法規，尤須特別注意，凡與國家大經大法的意旨相違背者，一律宣告無效，蔚成法治國家的績業，詎不懿歟？

進步中的退化現象

柯仁

台灣論壇

這幾年來台灣的一切，在蔣總統的英明領導之下，無可否認的，的確是有不少的進步，可是相反的一般官吏的媚外心理，連帶的也造成了難以補救的——喪失民族自尊心的危機；還有摧殘第二代身心的惡性補習，與環境衛生等問題。謹提出數點，請教負有大任務的官員們。如不改革，何以對得起宵旰憂勤的元首呢？

第一是洋奴買辦心理。明明是中國人自己製造的牙膏、自來火、糖果等等的國產品，但上面看不見一個中國字，好像用了洋字，就能提高身價，也好像是「洋」字就能唬住同胞，稍爲有點國家觀念的人，見之莫不悲憤萬分。但負責的官員們呢？祇知道一天到晚造報表，向最高當局報功，什麼「百分之百」啦！進步「多少多少」啦！洋人說的啦！再就是剪些小塊外國報刊的好話文章，放大了呈上去，作爲進步的證明物。

第二是每天的廣播劇，大部播出來的劇本，不是哭哭啼啼的，就是什麼男人壞啦，要報復啦！說女孩子長大後就玩弄男人的，算是報復，結局是悲劇下場，引得一批忠實聽衆（大都是小學與初一的女孩子與老太太們）掉下眼淚。這與反共復國教育有何補益呢？

第三是電台與電視的廣告，完全是把聽衆當十三點，教訓一大頓，好像你不聽話去買，那便是莫大的罪惡似的。最莫名其妙的末了還要來上一句：「外國人也喜歡用」！這裏面包含了多少媚外的奴才心理！叫眞正的中國人聽了，要掉多少眼淚？

第四是「惡性補習」。世界各國的兒童，除了鐵幕內及落後地區之外，民主國家的兒童們都是精神活潑，健康愉快的。但是我們的兒童們呢？從踏進小學起，就開始在受罪了，做不完的習題，做得孩子們一個個食慾不振，無精打彩。五六年級是大難關，一早起來直到晚上十一時（有可靠紀錄，決非妄言）除了喫幾口飯粒，整天愁眉苦臉的做習題，孩子們臉上沒有笑臉，跳跳蹦蹦的精神蕩無存了。負責的人口口聲聲說要消滅惡性補習，輿論也會一再呼籲，開會啦，研究啦，發佈消息啦，理由比我所說的還要嚴重千倍萬倍。可是結果呢？到今天，孩子們仍是那麼可憐兮兮。儘管我們每人每日所得的熱量佔亞洲第一二，但是照這樣下去，東亞病夫的帽子怕又要扣上了。

第五是環境衛生。就拿首善之區的台北來說吧！叫了幾年的不准燒生煤，但是到今天，大街小巷照燒不誤；公車後面的一條黑龍照樣放出；水溝成了培養蚊子與蒼蠅的溫床；除了幾條主要馬路之外，晴天時是煙塵瀰漫，雨天則水深沒膝；從高處一看，整個台北似是霧都，毒死人不償命，因爲好像誰也沒有責任。但負責的官員們良心上過得去嗎？以上數則，希望有關單位的公共關係室剪貼向上呈閱，如能因此提起注意，大力改革，則你無形中就修了陰德，澤沾蒼生，上帝佑你連升三級。

起因僅爲請見院長採訪新聞
本報駐台南記者謝君頴
在高雄地院遭法警黑打
打得遍體鱗傷手腕骨亦被扭折
且曾被刧持入拘留所禁閉起來

（本報台南記者曾振軍航訊）前些日子，李聲庭先生在本報（今年七月十一日）四六〇期撰寫「蹂躪人權又一例證」，文中談到他評論台南監獄黑幕，可能有一天要挨司法悶棍呢。現爲時僅個多月，果不幸言中。但受害的不是李先生，而是本報駐台南採訪部負責人謝君頴。謝君不但當場挨了一頓悶拳，尚被拖進拘留所內黑揍，致遍體鱗傷，手腕骨也給扭拆了。

謝君在高雄挨了黑揍後，返回台南，當同人詢以事件經過時，他起初不願說，表示事情既過，拉倒算了。後來經同人等再三告以此風不可長的大義，謝君始吐露眞相如次：

本月十一日上午十時光景，謝君赴高雄地院採訪新聞，收集資料。先在地檢處，晤首席談了數十分鐘辭出後上樓欲晤院長有所請教，一上樓即遭院長門口之庭丁擋駕，大聲說：「你幹甚麼的」！「你找誰？」謝君客氣的回答：「我是記者，要拜訪院長。」該員稱：樓上是推事室，閒人免進。謝君正準備退下樓梯時，發現院長室就靠樓側，因此便向院長室走去，進門後由一書記官出面，謝君當奉上名片，幷說：「我有事須拜見院長。」書記官看了名片，滿臉不高興，將謝之名字登錄在彼之案頭日曆記事頁上之後，將名片一摔說：「院長不在」！幷拍桌子大吼：「你憑什麼資格見院長，名片拿回去！」（有台灣新聞報八月十二日第四版所刊爲證）謝君處此橫逆，雖心中老大不高興，但尚保持君子風度，說：「名片留在這裏，沒有關係。」又說：「我不明白見院長要具備什麼資格。」那書記官老羞成怒，立即用眼色暗示庭丁召喚法警，謝君正與理論時，該庭丁已返來，突然攔腰將謝君抱住，隨後五六位法警，氣勢洶洶，一湧而上，不由分說，由兩位法警左右將謝君挾持拖出門外，餘人則用拳頭向謝君臉部猛擊，幷罵道：「媽的×！甚麼記者，揍了有什麼了不起」！謝君內體受不了，只好大叫：「打死人呀！救命喲！」可是這一叫，問題又來了。

那幾位法警，趁謝君呼救驚動全院，多人圍觀之際，一不做二不休，竟生拉活扯的把謝君弄入拘留所，之後又是一陣毆打！謝君被刼持在拘留所內約十餘分鐘時，門外曾有自稱同業的若干人，向謝君謾罵：「媽的！你冒充記者，眞他媽的丟記者的人！」等語，極盡侮辱之能事。當時謝君只聞其聲，未見其人，畢竟他們是否同業，或係冒充，便未敢武斷了。

事後謝君帶傷返回台南，由記者陪同到各法醫師處請驗傷，但他們都說須先到地院檢察處申告，方能驗傷，否則不行。謝君與記者不得已，只好請教其他醫師幷經照X光片，發現左腕骨被扭拆，腰部內有一硬核，醫治時，謝君曾暈厥數次。

記得今年七月二十五日本報四六四期所刊司法行政部秘書室來函，對李聲庭先生於本報四六〇期的評論有所辯正之文中，曾有歡迎本報駐台記者同人實地參觀監所的話，乃謝君欲拜訪法院院長，即不明不白的捱了打，這究竟是怎麼一回事呢？

從女傭冤案看台灣警察的偵訊法寶

（上接第一版）

行竊被捕的十七歲郭姓少女，竊遍台北，惡行滿貫，但因此卻間接的做了一件好事，使含冤女傭得以洗刷。這是辦案人員將郭女押赴溫家進行現場查證時，得到澄清。但陳姓女傭被控時警察何以不作查證？是不是陳女爲傭，家道貧窮，就得不到法律的保障了？是不是窮人的道德品格就一定低下了？這可以從警察要陳姓女傭說出「何以失物」的詢問中找出結論來。這種偵訊法在世界上可能都沒有的。照這樣一問，警察可以使任何人犯罪。請問：溫家「何以失物」？你們警務處長說得出來嗎？你們的局長說得出來嗎？說不出來就認定「竊盜」，這是什麼話！溫家失竊，除現已破案的郭姓少女外，任何人都說不出來，是不是即可以認定任何人爲竊盜？若這樣，這還成什麼世界？什麼社會？我告訴你們，偵查是：「偵出別人的犯罪證據」；不是要被告替警察找證據」。

我們這個社會的人心就有這麼壞，警察可以隨便蹂躪老百姓的人權，陳姓女傭就是一例。對於有特權的大官，或有惡勢力的地痞流氓，就卑躬屈膝的不敢爲其所應爲。我可以肯定的說，警察絕不敢對有權勢的人實施如此非法偵訊，亦不敢這樣武斷認定。

陳姓女傭給警察這樣一咬定，名譽破產了。我們中國人最講「名」。外國更有榮譽就是第二生命的格言。英文中的 "Hondur" 或德文中的 "Ehrlichkeir"，本含有「人格」的意義。所以中外歷史上，有不少因失去榮譽或人格受到侮辱的人而了結生命。憲法第七條：「中華民國人民，無分男女，宗教，種族，階級，黨派，在法律上一律平等」的規定，即含有「人格權」平等的實質意義。警察比法律高，無故予陳姓女傭侮辱，冤指竊盜，詆誣人格，破壞榮譽。請問：假如這位女傭因無故被辱而感生命失去意義光輝，憤而自絕，警察負不負責？是不是犯間接殺人罪？那時的報紙記載，可能是：「陳姓女傭竊盜，案破羞憤自盡」。這不是成了件千古不白之冤獄？

刑法第三百零九條規定：「公然侮辱人者，處拘役或三百元以下罰金。」警察誣指陳女爲賊，應負刑責。又陳女蒙受三月不白之冤，精神之痛苦可想而知，亦應依法賠償損失。這雖屬告訴乃論，台北市警察局應主動出面慰問陳姓女傭，承辦該案的警察尤應嚴予懲處，不能這樣不了了之。

我們現在的作法，是保障權貴。陳姓女傭的冤案，政府與輿論界竟都沒有什麼表示。難道陳女不是國民？然則他爲什麼要與權貴們在法律上受兩種不同的待遇？國父說：「革命就是打不平」。我國傳統的精神是崇尚俠義，是抵抗强權濟弱扶傾。現在則成爲「强凌弱，衆暴寡」。陳姓女傭冤案得以洗刷，是一種巧合。巧在郭女破案，巧在郭女竊取溫家金飾僅時三月，巧在郭女坦承。這三巧如果有一巧不合，陳女的冤情永難昭雪了。如果郭女不破案，陳女無法洗冤；如果郭女竊取溫家財物時間過久，記憶不清不能坦承，陳女更無申冤之望。因此我們可以推想，像陳姓女傭似的冤案，在這個社會裏，或許還不知隱藏多少！這是一個不可忽視的問題，是涉及「人權」「民主」「法治」的一個大問題。我建議：監察院不妨作一全面的調查，如屬違法失職，應提出糾舉及懲戒案來。

女傭是服侍別人的工作，性質上與古代的奴婢無異。所以他們得來的一點可憐薪俸，實有無限的價値。誰願意當女傭去侍候人呢？這中間當然有許多難言的苦衷，他們得來的每一文錢，都要作極大的用處。所以在情理上，無論警察及法院，對於類似人民的審訊，應特別慎重。他們無知，但誠實，沒有些許狡猾的惡習，一切聽由警察及法院安排。如果執法者不予適當的保護，豈不成了這社會的羔羊。請想這次警察無故冤誣陳女竊盜，囑陳女將每月侍候別人的所得薄酬，無故賠償主人，警察的心裏有何感想？尤其在未洗刷前的蒙冤三月中，主人，隣里，親友對陳女的卑視，其所受的痛苦將是如何？我們可以想到，陳女的歲月是在如何悲慘的情況下度過的？我們也可推知，除陳女外，可能還有多少個陳女！爲防患再犯，政府應澈底設法革除警界惡習，保民權，厲行法治。

台灣證券市場的畸形

本報台北記者張健生

建立制度

在證券交易行爲中，有所謂「差額」購買證券，與所謂「買空賣空」的墊股墊欵交易，因此，有人主張：應禁止經紀人的墊欵墊股，銀行不准股票作短期性的抵押貸欵，這樣可以消滅特權。但這是只知其一不知其二的說法。

所謂差額購買，即購買証券者可以其所購証券作爲抵押借入部份價欵，而僅付其差額。此即證券交易場中的所謂差額購買。但此項差額常隨證券市場之波動而變動。購買證券者把所購的證券爲抵押，或向經紀人借欵，或向銀行借欵，僅須付借欵利息，借欵利率視用作抵押的證券而決定。差額購買的優點，在於購買者可能獲得更多的利益。如某甲有現金一萬元，可購買證券一萬元，如此項投資生利百分之十，假定此項證券之最高限額爲百分之八十，而目前借欵利率爲百分之八，照差額購買辦法，某甲可購進此項證券五萬元，以證券爲抵押借欵四萬元完成交易，則某甲一萬元現金之投資可生利百分之十八，高於全部付現時生利百分之十。不過，差額購買也有缺點，由於借欵的本金及利息是一種固定義務，投資人所負担之風險因而增加，如果所購買的證券市價趨於下游，則全部損失爲差額購買人的。因之投資人必須對差額購買所能獲得更多利益與所負担更多風險兩者之間的輕重得失，有所衡量抉擇。

所謂賣空，在證券市場中可分爲兩類：一種賣空係出售證券者在成交時手中並未持有此項證券，在這種情形下，爲履行交貨義務起見，必須向他人借入證券。另一種賣空係出售證券者手中確有證券，但因某種緣故一時無法交貨，在這種情形下，亦必須向他人借入證券，以履行其契約義務。有人說賣空，會造成投機，並無經濟的職能，這種說法不一定正確。不錯，賣空方法常爲投機者所利用，緣賤買貴賣係商業交易行爲中不易的眞理，投機者認爲目前某種證券價格過高，預測其價格即將下落，乃先行賣空而希望在價格下落後再行購進。假使證券價格果如投機者所預測而下落，則投機者可獲暴利；假使證券價格未如投機者所預測，反而上漲甚至猛漲時，則投機者須以高價購進證券以歸還賣空所借入的證券，勢必蒙受損失。有時候，投機者於賣空後證券價格上揚時，爲避免損失過多，急於出手購貨，因而促成證券市價之急趨上漲，此乃投機者對於證券市不利的影響。社會人士對「賣空」投機行爲極爲鄙視，其實「賣空」也有其經濟職能。若投機者能客觀而正確地分析證券之市場價格，則其賣空有助於抑止證券市價的上漲；同時，投機者於證券價格下落時，出手購證券，可有助於減少市價下落的幅度，如是則賣空的實施，可導致證券市的穩定。

（三）

港人自殺多
三月死逾百

【本報訊】據官方發表的醫務衞生數字稱：四月、五月及六月本港有一百零二人死於自殺。殊屬驚人。此數爲該季內死亡登記總數的百分之二．五。該季內死亡總數是四千零七十六人。

根據自殺死亡統計指出，因自殺而死的有五十八名是男子，四十四名是婦女。在港島區發生三十四名，在九龍及新界區發生六十八名。

美共和黨兩派政見之異同

張大艾譯

事實上，政府的防衛政策，歸結於片面的解除軍備，在武器的技術與新組織之發展方面，我們都已經落後。美國永不應跌落防衛及陷入於解除軍備的「陷阱」之中，因爲極簡單的視察制度，不能保障我們的安全。

另一方面，政府的宗旨，似乎是我們應該減少武器，認爲這些武器可以「激怒」蘇聯。還說在這種做法之下，可以使蘇聯隨着做效。這是空想！此乃對於世界上每一個自由人民，婦女以及兒童，構成一種可怕的賭博。

歷史的教訓，是很明白的，眞正和平的賴以維持，唯有依靠實力，及小心的使用武力，或用之作爲一種威脅。從防衛預算中，削除其多餘的部分，是應該的，但是我們的軍事人員，爲他們工作的需要，必須使用多方面的工具，來保衛我們的國家及保障和平。

（七）在一九六四年的競選運動中，大概你將想到一些什麼重要問題？

史克蘭頓：無疑的，在一九六四年的競選運動中，將有着許多問題的爭執，這些問題，大約已經討論過。

假設我是總統候選人，我的競選主張，是依據一種健全的財政政策，有活力與有效的外交政策，維持聯邦政府與州及地方政府的固有權力與責任，並注意於各方面之權利平等。

高華德：政府外交政策的失敗，已煽起戰爭的火焰。顛覆及反美暴行，遍及世界各地。美國人應爲之工作，即爲：取消政府之贈與手段，財政上的責任，及掃除一切臨到白宮本身的恥辱的暗影。（完）

我所知道的麥帥

青寧將軍原著　徐熙光翻譯

麥克阿瑟向來不喜歡臨時毫無準備地就發表演說，有時候，在某些場合，有人把麥克風放在他面前請他講幾句話時，我總覺得他好像事先就知道會有人要他說話，所以早就打好了腹稿。一九四二年三月二十一日，當他抵達墨爾缽，走下火車時，澳洲廣播公司的記者在他面前擺了一具擴大器請他發表簡短的演說。麥克阿瑟立即講了幾句非常得體而中肯的話，他向大家道好，強調必勝的信念，並呼籲大家奮起抗日，他說：

「我感到非常高興，即將與澳洲的將士們攜手合作。自從世界大戰爆發以來，我對澳洲士兵就有了深刻的認識和敬仰。我深信我們的合作必能獲致最後的成功。但是現代戰爭成功的要素，除了勇氣和獻身國家的不怕死的精神以外，還需要有充分的準備。所以我們必須有足夠的兵源和物資，才能戰勝潛力雄厚的敵人。世界上沒有一個將軍能憑着赤手空拳打敗敵人的。本人在此能否成功，端賴美澳兩國政府給我的支援。我一本躬鞠盡瘁，死而後已的精神，努力以赴，這是作爲一個軍人，所應該具備的信念。」

麥克阿瑟在演說時最喜歡提到的就是美國士兵，他認爲美國兵是世界上最能征善戰的戰士，所以他一有機會就對他們表示由衷的讚美。他對美國大兵所作的最動人頌詞之一是一九三五年七月十四日在華府一次四十二虹師舊部的聚會上發表的演說。當時他的陸軍參謀長任期即將屆滿。對第四十二師的兵來講，沒有一個人不認識麥克阿瑟。據說一九一八年在法國的謬士之戰時，有一個麥克阿瑟的西點同班同學要找他，在謬士河邊，這位同學看到了兩個四十二師的士兵，他問這兩個人看到麥克阿瑟沒有？他倆說沒有。這位同學又問：「你們看到麥克阿瑟將軍時會認得出他是誰嗎！」這兩個士兵微帶怒意地說：「四十二師的士兵沒有一個不認識麥克阿瑟將軍的。」

以下是麥克阿瑟在一九三五年七月十四日那天晚上對四十二師官兵發表的演說的一部份：

「師長，各位同袍：謝謝你們給我的熱烈歡迎，那使我深爲感動。我曾在生命中最輝煌的幾年裏與你們共事。你們所留下給我的，是無盡的憶念。

「那已經是十七年前的事了。現在，我們又在此聚首，重溫昔日比肩奮鬥的舊事。那是美國士兵和世界大戰的事蹟。在那次大戰裏，我們一齊經歷了許多次戰役。從那時候開始，我對美國士兵敬佩良深。此種感覺，迄未稍或變。我一直認爲美國士兵是世界上最偉大的戰士。這不僅是因爲我曾目睹他們輝煌的成就，所有人們在任何時候都會認爲這是不爭的事實。我不僅認爲美國士兵是世界上最偉大的戰士，而且認爲他們是不朽的偉人，他們值得每一個美國人民引以爲榮。

「皮卡迪、凡爾登等次戰役的勝利事蹟，可能在多年以後爲人們所淡忘，時間將會冲淡大家對美國士兵戰果的記憶。但是美國士兵不屈不撓的毅力，犧牲小我的愛國熱誠和無可比擬的軍事天才，將永遠在人們心中留下光輝而不可磨滅的印象。（三七）

康有爲的亡命

丘峻

事關匪大，文非急要，而密諭敦促，康氏益瞭然於大禍之將作。翌日，復發衣帶密詔，促即行，不可一日留。康乃召集梁啓超、譚嗣同、徐仁錄及其弟康廣仁（袁氏幕府徐世昌亦參加），會商救帝之策。氏以未能救帝，不忍去。其弟乃毅然與譚嗣同以救帝自任，勸氏微服即行。會李提摩太應召到京，亦勸康氏速即赴滬。氏意始決。四日奏報出行，五日未明離京。事前，友人黃紹箕勸告，勿路經天津而繞道逕由山東烟台乘船南下，免遭榮祿毒手；雖未予接受，然亦不敢在津停留，乃乘火車直抵塘沽。初擬附招商局海晏輪，以無頭等艙，且須待至六日下午四時始能開行，乃改乘英太古公司重慶輪，因得於六日上午十一時離沽南下。是日清晨，正慈禧從頤和園命駕回宮訓政，幽禁德宗，遂捕維新分子之時，康氏若不早日出京，固不能免此大難，即離塘沽而不改乘英輪，或遲數小時啓航，亦尚有在船上被捕之可能。

難作之前，德宗召見伊藤博文，賜之坐，太后疑而竊之，帝不得言，退入。太后怒，蹴帝於地，數其罪而大加申斥，隨即送往南海瀛台幽禁。同時，仍假德宗口氣，發一詔書云：

『現在國事艱難，庶務待理，朕勤勞宵旰，日綜萬幾，兢業之餘，時虞叢脞。恭溯同治年間以來，慈禧，端佑，康頤，莊誠，壽恭，欽獻，崇熙皇太后，兩次垂簾聽政，辦理朝政，宏濟時艱，無不盡善盡美。因念宗社爲重，再三籲懇慈恩訓政，仰蒙俯如所請，此乃天下臣民之福。由今日始，在便殿辦事。本月初八日，朕率諸王大臣在勤政殿行禮，一切應行禮儀，着各該衙門敬謹預備！』

矯詔下而三次垂簾聽政經始，並露布德宗病重之諭。繼即頒太上訓政之詔，誣康氏圍頤和園擬害太后，師紅丸故智以謀弒君，一以加重康氏之罪，一以與德宗病重之諭相應，預爲他日弒廢埋伏一筆。隨又下詔略謂，『康有爲結黨營私，莠言亂政，屢經人參奏，着革職！其弟廣仁，併着步軍統領，闔門拿交刑部，按律治罪！』即由九門步軍統領崇禮率兵直趨宣武門外南海會館，圍捕康氏不得，而僅繫其弟廣仁及其弟子從僕人等。復命榮祿派兵三千，於京津兩地，三斷鐵路交通，兩次閉城搜捕，又不獲。於是急電各省，嚴查搜索，甚至懸賞三十萬兩購其首級。並令兩廣總督譚鍾麟，逮捕家人，查抄家產，追捕黨羽。捕一形同匹夫之人，其情勢之嚴重，規模之大，範圍之廣，可謂空前。

京師急遽難作，實出康氏意料之外，雖明知情勢險惡，然猶以大難至早當在九月後也。是以船過烟台，尚登岸採購萊陽梨及五花石，態度安詳。時駐烟台登萊道李希杰，已接天津密電，以事急赴膠州，及譯，至膠譯出，命拿捕就地正法，趕還追捕，而船已啓行。若無此巧合，則氏即陳屍烟台矣。（四）

中外空軍運用史實

羅雲家

飛機研製之成功，是一九○八年九月十六日的事。其時美國陸軍部爲使各方研製飛機迅速成功起見，特提出了七個條件，如有人滿足了這些條件，即給獎金五萬元。有俄亥俄州的東台地方的萊特（Wright, Wilbwr）兄弟，以多年研製的飛機，屆時參加比賽，滿足了這些條件，因而獲得了巨獎。得獎的紀錄是：第一天飛行了五七分三十一秒，行程三六哩；第二次飛行了六二分十五秒，行程三八點五哩；第三次飛行七四分鐘，升空二五○呎，時速三八點七五哩。自此以後，各國競相發展飛機，使歷時已久的平面戰爭方式，逐漸趨向於立體戰爭的構想。

第一次世界大戰發生於一九一四——一九一八年。此期間，飛機的研究發展雖有相當進步，但用之於參加戰鬥的條件還是不夠，所以在該次戰史上，尚未發現有關飛機參戰的任何紀錄。有的，也只是用於偵察活動。雖然如此，飛機於第一次大戰中亦曾發揮了無比的功效。據說：英法協約軍於最初的國境戰，發現德軍侵入比利時，就是由於「活動於九天之上」的一架飛機偵察的結果。此外，與漢尼拔的康納包圍戰，俱稱爲世界二大美技的一九一四年秋的坦能堡殲滅戰，亦是飛機的賜物；興登堡元帥於戰後述懷說：「沒有飛機，便沒有坦能堡。」（一）

瘟君續夢

第十三回：

惡貫難盈　巨奸逃火網
良知未泯　傑士出天羅

陳毅一走進來，大家都很奇怪。

周恩來問道：「醫生說你驚嚇過度，血壓增高很多，要多休息幾天，怎麼就起身了。」

陳毅說道：「我要同你們一起回去，這個地不能住了，對我的精神威脅太大。」

周恩來奇怪道：「現在事情已經過去，你又不會再去聽戲，在醫院裏休養還怕什麼？國民黨特務再厲害也不能放火燒醫院哪？」

陳毅搖頭道：「這些情形我都曉得，但是我非回北京不可，我要回去看看孩子。」

周恩來面對着金日成、李孝淳，不好再搶白，只是搖頭嘆氣。

江華問道：「把張茜同志和小孩子都接來，你就可以在此地多住幾天了。」

陳毅搖頭道：「算了吧！搞不好就同歸於盡，變成絕戶了。你何必害我。」

毛澤東睡在床上聽的清清楚楚，揮手說道：「讓他回去吧！他已經嚇破了胆，留在這裏血壓只有越來越高，爆了爲止，死了也少一個獻世寶。快點把他帶回去。」

陳毅連連點頭說道：「主席意見永遠正確，我這就回去。」

藍蘋首先噗哧笑出聲來，趕快又用手掩住嘴。周恩來、楊奇清、江華等人再也忍不住了，一齊大笑起來。金日成、李孝淳都懂中國話，也跟着大笑。只有陳毅不笑，扶着拐杖，一跛一顛地走出來，連病房都未回，就隨大家上了飛機。

毛澤東眼睛都氣紅了，向藍蘋說道：「你看陳毅那個鬼樣子，還能派什麼用場？一旦國民黨打回來，他一定帶起老婆孩子逃到瑞士去，那裏有一間別墅，是經他的手買的，正好作爲他避難之用。」

藍蘋勸道：「這也不能怪他，他也六十多歲的人了，脾氣不能和三十幾歲相比，當年那股勁那裏還會有？」

毛澤東冷笑道：「他見了女人，比二十幾歲的小夥子還有興趣，爲什麼這個毛病不改。」

藍蘋抿嘴笑道：「你批評陳毅什麼都可以，就是不必批評他亂搞女人，老實講這也是在你領導之下養成的！你手下的人，那一個見了女人不似蒼蠅見了血一樣？不過別人都隱蔽得高明些，只有你同陳毅是四眼狗不咬人——惡名在外，這也不能單責陳毅的。」

毛澤東被藍蘋一席話擊中了要害，翻身面向裏睡了，不再開口。

藍蘋同田家英悄悄退出來，一道又回去劉莊休息。

毛澤東在醫院住了一個多月，藍蘋每天過來陪他，親手整理飲食。江華、吳憲也常來報告國際消息，各地大躍進的情況。毛澤東的病已經全部痊癒，決計離開杭州，由武漢經濟南回北平。

毛澤東離開杭州去武漢，剛到地方，却來了一位貴賓就是英國的蒙哥馬利元帥，也由廣州到了武漢，由陶鑄同王任重陪伴去看毛澤東。

（五三六）

中華民國五十三年八月廿二日　自由報　星期六　第四版

冒險北發記

鄭文儀

同學有四十個，是一個團體，第三國際特別組織的中國代表團，要在三星期內就趕到我國廣州去參加中國大革命。我因爲不明瞭中國大革命的實際性質是什麽，一直是莫名其妙的在隨著盲目行動，滿腹疑團，無由解答。

我們來時由海參崴到莫斯科坐的是普通快車，沿途走了兩個星期。這次由莫斯科到海參崴的特快專車眞快，沿途一切的車輛都僻讓，加水添煤都是準備好了，車頭在接力趕快，僅一個星期就到了海參崴。下車休息不到一天，就改乘專用的輪船，船早已準備好了，升火待發。輪船是用最高的速度直航，僅五天多就到了廣州。

在車上船上聽到有些同學們談到我們這一代表團去參加大革命的任務如何重大，大都面有喜色，認爲一定可以馬到成功。我在這時曾和溫忠及羅芳烱兩同志談及，却認爲我們這一次的行動困難重重，而且十分危險，如果共產黨眞是革國民黨的命，我們盲目跟著行動，更不堪設想。我却他們說看情勢隨機應變。我在心中盤算：第一步如何擺脫代表團？第二步計劃如何參加維護國民黨，打破共產黨的陰謀詭計？代表團行動詭秘，組織嚴密，人人都要受嚴格約束，事事有人監視，要擺脫是很困難而危險的。

代表團到了廣州，共產黨曾發動有關機關團體學校熱烈歡迎，預定在廣州停留一星期，就全體去黃武漢，（那時中國國民黨中央黨部及國民政府與中共中央都已早遷到武漢）一週內有好幾次熱烈的歡迎會。其中有一次是在黃埔，由黃埔軍校全體官佐學生舉行五千人盛大的歡迎會，歡迎會中學校當局主要人員致詞歡迎之後，參加代表團的人臨時推我致答詞，我當時以頗出意外，也沒有準備，經推辭不獲，結果講了很簡單的感謝歡迎盛意及讚美黃埔軍校成績卓越，戰果輝煌的話。我眞佩服共黨擇人手腕的厲害，同時也誠惶誠恐。因爲我是黃埔學生，那時我才二十二歲，離開學校才不到兩年，我眞不敢登台向數千師友說話。這是我第一次登台講話，面紅耳赤，全身發熱，不知所言，好在結果尚能勉强度過難關。由此使我感到共黨在利用我，用抬舉我的方法掌握控制我。這將使我更不容易擺脫。

代表團快要離開廣州之前，我曾先後見過黃埔軍校教育長方鼎英，中山大學代理校長朱家驊，二十師師長兼廣州警備司令錢大鈞（黃埔老師），表示我不願去武漢，想暫時留在廣州的意思。他們都很贊成。（四二）

談傘

漁翁

傘爲圓形，禦雨蔽日，可以卷舒者。又曰「繖」，蓋也。晉書：「遇雨請以繖入」。據說爲魯班之妻所發明。魯班，即公輸子，爲我國古代一大工程師，善創造樓臺亭樹橋樑。因其朝夕在外工作，不免有雨淋日晒之苦，其妻用綢布製成一種工具，可以遮風雨和太陽，並命名爲「繖」。不用時，又可收起來。俗稱之曰「雨傘」；其實落雨天晴，可以兩用。因此流傳於後代，成爲世界各國不可一日或缺之雨陽具。

我國過去所用之傘，因階級而有所區別，如北齊時，非本姓王則用鳥尾傘，皇族一二三品官，均用青面紅裹傘，普通之士子，則用青面綠裹。到晉朝，大臣改用車，車上有蓋，可以避風雨，於是用傘者鮮矣。唐代，一二品官用銀塔頂傘，三四品官，用紅塔頂傘，其質料爲黑羅，內部紅色，外加三檐邊。五品官用紅塔頂，青羅作外，而裏用紅絹子，外加兩檐邊。六品至九品，則用紅塔頂，外表用青絹，裏用紅絹，外亦加兩檐邊。由此可知唐以前之用傘，不僅僅遮晴雨，且寓有官階之標幟，尚未普及到一般老百姓方面也。

後來製造雨傘，分紙與布，用布質者，有五顏六色之絲、綢等，雖壯美觀，但紙可遮日，而不可以禦雨；若用紙，塗上油，不透水，雖不如絲綢之輕便與美麗，但可以遮烈日與禦暴雨。昔之農村，多用油紙傘，而市面上則用布質傘。不過布質之傘柄，多用鋼鐵，易於觸電，近來有將傘柄改用膠木製成，以避免觸電之危險，而又可卷舒數段，携帶更爲方便矣。

在小說上，有不少關於傘的記載：如「封神榜」上四大金剛中，有一位手執傘者，又「白蛇傳」中，也有許漢文借傘的一段故事。到明清兩朝時代，爲傘業發展最盛時代，據說紅油紙傘，發明於清季，便宜而實用，爲各國所重視。

粵人稱傘曰「遮」，按遮，掩蔽也，如遮護遮蓋。雖音不同而其義則一也。此間之遮，所製者皆布質，用油紙者不僅見。筆者初入港，着一布長袍，執一油紙傘，環顧左右前後，無有着長袍與用紙傘者，無怪乎被小孩們追隨譏笑也。

傘爲行旅所必需，遇雨而借傘，等於雪裏送炭；若雨過而送傘，又何殊錦上添花。可是錦上添花者多，而雪裏送炭者寥寥也。俗云「雨過送傘」，即形容事後說風涼話。今日社會裏的人羣，泰半染有冷暖炎涼之毛病，吾於談傘而有此感想焉。

病中偶起書所見

黃伯達

生命如絲强起支，風光還似去年時；老妻笑我開門早，白日登堂曝背宜。燕子吟巢花落地，黃鶯築室口銜枝；明年此日如相待，定有新凰學唱詩。

補正數行（續）

據政治會議呈覆，前奉諮詢祀孔典禮一案，經開會全體議決，僉以爲崇祀孔子乃因襲歷代之舊典，議以夏時春秋兩丁爲祀孔之日，仍從大祀。其禮節限制祭品與祭天一律。京師文廟應由大總統主祭，各地方文廟應由該長官主祭，如有不得已之事故，得於臨時遣員恭代。其他開學首日，孔子生日，仍聽各從習慣，自由致祭。不必特爲規定等語。孔子性道文章，本生民所未有。馨香俎豆，更歷古而常新。民國肇興，理宜率舊。應准如擬施行。

同日又發表命令，申明中華民國爲五大民族組織而成，自未便特定國教，致戾羣情。宗教信仰，仍聽人民自由。文曰：

信教自由，爲萬國之通例。我中華民國本由漢滿蒙回藏五大族組織而成。其歷史習慣各有不同。斯宗教信仰亦難一致。自未便特定國教，致戾羣情。至先聖先賢，歲時祭饗，載在前清典制，無關宗教問題。既於共和政本，初無抵觸之嫌。自應賡續舊章，用昭馨香之報。惟是崇祀垂爲定制，觀聽繫於四方。誠恐遐邇聞知，或疑尊崇先聖之禮文，爲提倡宗風之先導。用是揭櫫大旨，剴切申明。須知尼山俎豆，壁水鼓鐘。實本於多數人景仰之誠，亦以存數千載不刊之典。至於宗教崇尚，仍聽人民自由。期共游熙皞之天，以促進大同之治。勿滋誤會，咸使周知。

燕塵識小

無負生

偶閱三水梁燕蓀先生年譜，其中民國三年三月十二日記云：

十二日（陰曆二月仲丁）先生代表大總統詣孔廟行釋菜禮，畢，臨雍講演聖道，其詞曰：「士詒從事政界垂二十年，學殖久荒，何足以闡揚聖道。但今日恭逢大祀，代表大總統行釋菜禮，圜橋觀聽，典至鉅也。士詒不敏，謹舉聖經一二語，以宣揚聖教於萬一。論語謂『導之以德，齊之以禮』，德者道德，禮者禮制。爲政者能以道德化民，尚矣。然處法治之世，國家多事，恆賴法律以濟道德之窮。故齊之以禮者，不外議禮制度，因古今沿襲，斟酌而損益之，以爲化民成俗之具，事當自政府任之。若導之以德，非特從政者應以身作則，凡國中人士，或司教育之權，或持言論之柄，以及鄉里耆儒，山林逸士，皆當同負導引之責，使諸大夫國人皆有所矜式，則共和之精神，胥賴於是。聖學昌明，在於躬行實踐。是所望於諸君子。」

右文甚簡，當係典綴禮儀，適可而止，原不必長篇大論也。此可不論。梁燕蓀以名翰林，時爲公府秘書長，燕京物望，羣彥交推。臨雍講學，亦確係最適宜之一人。年譜所述，如此詳實，自無可疑。然官書所載，則有與此歧出者。本年三月一日政府公報刊登代理國務總理孫寶琦呈略稱：奉令以夏時春秋兩丁爲祀孔之日，惟祭品祭服等項，現在尙未議定，此次上丁釋菜，勢難如期舉行。（未完）

說紅

汶津

紅是五色之一，據說象徵着熱情與朝氣。紅之爲色，鮮明强烈，所以箭靶上、橋牌上，都有形異色同的紅心。紅之爲用也廣矣。

女子比較愛美，故尙紅愛綠，於是紅粉即是佳人，紅粧也非女莫屬了。雖然今之男子亦有大穿其紅襯衫招搖過市者，但給人「紅得像團火」的印象者，還是陰性居多。可是紅字有時亦能勾起邪淫的聯想，美國大小說家霍桑的名著「紅字」，即是以一紅字母公徵一失貞的母親的，這種淸教徒的殘酷玩意，竟被用來象徵原罪，而紅之所以爲紅，也給人非同等閒之感了。

商業社會咸重紅利；紅包雖屬「古物」，於今却翻陳出新，配合時代需要，大大流行起來了。學童成績單上有紅十字出現，紅臉之餘，家長不免斟酌斟酌是否須要準備紅貨。

在另一方面，紅顏固然命薄，紅星却紅得失了正色，變得有些發紫了。「某人走紅了！」一傳十，十傳百，嗚呼，從此門庭若市，即守門的工友亦紅光滿面起來了。

時至二十世紀七十年代，紅字又有了最時髦的定義，紅色份子乃馬克斯主義之忠實信徒，不可誤與裙釵混淆了。而且此輩朋友早已遍佈各大洲，唯恐天下之不能「大紅特紅」而「紅一色」焉！

不過，這畢竟不是「傳統文化」。以紅喩體態之美，舊約聖經中便屢見不鮮。雅歌中新郎稱讚新婦：「你的唇好像一條朱紅線」（希伯來人大概欣賞薄唇，與中國古書中的「櫻唇」各有千秋），新婦也回敬新郎公：「我的良人，白而且紅，超乎萬人之上」（這個直是一幅抽象畫！大概也有點情人眼裏出西施的意思。）如此說來，紅白分明，朱唇皓齒，眞不必婦人獨擅其美呢。想想我國古代潘安之流受花的美男子，寶玉之類愛紅（嘗脂膏）的「下流毛病」！）的大公子，更可深得個中三昧了。

朱門象徵富貴之家，紅樓却又不過一夢，紅娘爲人作嫁，紅魔女則索性騰雲駕霧。紅拂故事成爲後世巾幗的典範，

明人周朝俊的劇作「紅梅記」，更以小小紅梅撮合了一對才子佳人，天下事眞是匪夷所思了。

清代的禮帽頂披紅纓，所謂紅頂子人物都是炙手可熱的，但面對九五之尊，其奴才相表演得也特別賣力。有些西方貴族喜歡在臃腫的身軀上略作綴飾，胸前插他一朵大紅花，則又是別有一番風光。

中國的相思豆紅得纖小，王摩詰以詩詠之且不說，到今天洋人們還拱之若璧呢。至於紅葉題詩，更是東方雅人所得而專，甚且因而成就姻緣，皆大歡喜，更替楓樹們添了不少身份。

典雅的事兒談罷，也莫忘了紅有它嚴肅、沉重的一面！血色深紅，有目共覩，歃血爲盟或者還有些詩意，血流漂杵可就不太輕鬆。紅十字會固然是菩薩心腸的現代化，可是他們的任務也往往不甚愉快遂閑。至於迫在眉睫的紅禍，無疑是遠超過數百年前的黃禍的。

病有腥紅熱，術有紅燈罩。前者使現代華陀束手，後者不過是世紀末的暴民借端燒洋人房屋，向老佛爺邀功而已。更有人說紅色代表妒忌之情。如此這般，誰還敢只憑一二傳奇故事，便準信紅是一種「富貴色！」

附啓：「我的社會生活」暫停。　編輯部

不男不女

周燕謀

今日所謂「陰陽人」者，古人謂之「天閹」或曰「不男」。周禮便有「不男之訟」。註有云：「天閹不能御女者曰『不男』。」男子無男人之機能，不能得後繼之子女者，名爲「天閹」。天閹即「不男」也。佛典分之爲五種，曰天、捷、妒、變、半。痿而筋不成者曰「天」，値女即男，値男即女者曰「捷」，似有似無者曰「妒」，半月能男，半月能女者曰「變」，無異而不能者曰「半」。

此類不男不女，陰陽怪氣之人，徵之往史，其例不鮮，其帝王貴族中爲多。尤如晉之廢帝海西公，漢之武陽侯，魏之仇洛齊，北齊之臨淳令李庶，隋之大將軍楊約，宋之楚王英煥，大臣楊文、倪文毅岳、士人閔夢得等……。

所謂「不女」者，亦有五：曰螺、筋、鼓、角、脈。

台南勝跡小紀

羅緣

武廟：鄭成功克台後，爲欲激勵士氣，獎揚忠義，特建關雲長廟，命名曰「武廟」，以寓漢賊不兩立之意。每由鄭成功親率文武官員祭祀。是亦爲鄭氏生前唯一所手創之遺愛也，至今香火猶鼎盛。

安平港：古稱安平鎭，或台灣城，或王城，又或與台南併稱爲赤嵌城。面對台灣海峽，爲本省對內地唯一之交通門戶，船舶往來廈、閩，商業極一時之盛。中法戰後，與基隆、淡水、高雄，同爲台省四大港口。可惜四十年來，泥沙淤塞，輪船不能進泊，昔日繁華市場，已由高雄取而代之。

億載金城：清同治十三年，牡丹社事變，沈葆楨赴台與日本交涉，爲防後患，就原熱蘭遮城遺址所建。面有大砲五尊，對準海岸。正面刻有「億載金城」，故以名之。現已闢爲觀光遊樂之地。

自由報
內僑簽台報字第〇三壹號內銷證
THE FREE NEWS
第四七三期
中華民國僑務委員會頒發
台教新字第三二三號登記證
中華郵政台字第一二八二號執照
登記為第一類新聞紙類
（本週刊每星期三、六出版）
每份港幣壹角
台灣零售價新台幣弍元
社長：雷嘯岑
督印人：黃衍甫
社址：香港銅鑼灣高士威道二十號四樓
20 CAUSEWAY RD 3RD FL HONG KONG
TEL. 771726　電報掛號：7191
承印者：四風印刷廠
地址：香港灣仔高士打道二二一號
台灣分社
台北市西寧南路壹叁零號二樓
電話：三〇三四六
台郵撥儲金戶九二五二

危急存亡之秋的東南亞局勢

• 陳侃 •

現時世界上動亂日亟的地區，就是東南亞和中非一帶。由於地理環境的限制，俄帝與中共在非洲的援害魔力並不嚴重，止於少數第五縱隊之滲透顛覆作用而已。美國最近以實力對剛果進行剿共工作，中俄共除了叫囂謾罵而外，無技可施。唯有東南亞方面，到處受着共禍的直接侵襲，岌岌可危，而美國對東南亞政策又以補苴罅漏為能事，舉棋不定，瞻顧徘徊。長此下去，東南亞自由地區很可能突然變色，如不觸發大戰，美國將來就只有退出亞洲之一途了！

（一）

東南亞局勢演變到今日這樣糟糕地步的基本因素，不外兩點：一是當年英美對於法國在安南的剿共戰爭袖手旁觀，不肯合作，迨奠邊府戰役劇化之際，美國本來決計插手干預，擬出動海空軍從事應援，嗣以英國臨時變卦，乃揚言「不單獨行動」，終且參加由英國安排的日內瓦和談協定，把安南的大部分土地送給越共，貽禍至今為烈，而越南問題又終須美國單獨負責，事倍而功半，且致目前進退兩難的處境，早知今日，何必當初呢？二是韓、越戰役之後，美國當局公開鼓勵「中立政策」，對於印度尼赫魯的「騎牆作風」，恭維備至；又壓迫寮國跟共黨組織聯合政府，處處表示着姑息妥協主義，而印尼的蘇卡諾即與印度看齊，實行中立親共政策，作為敲詐美援的法寶，甚至彈丸小邦的高棉政府，亦向中俄共獻媚作態，表示反美了。由於美國積極應援印度，又激起巴基斯坦的反感，而悍然與中俄共親近，而美國所倡導的「東南亞公約」體系乃陷於癱瘓狀態中，名實俱亡了。假使美國當年對安南戰役不唯英國的馬首是瞻，即不致構成今日單獨應付越南問題的困苦境遇。美國若不鼓勵以印度尼赫魯為首的中立親共政策，則印尼與巴基斯坦很可能至今還是自由世界的忠誠夥伴。

美國對東南亞問題的基本觀念，亦前後迥異，混亂之至。在韓、越戰爭時期，認為不宜用實力打擊中共，否則蘇俄必然介入，引起世界大戰，竊所不取。等到中俄共發生世界革命的理論爭執後，乃迷惘於俄酋的「和平共存」之說，認定中俄共將告分裂，幻想與俄共攜手，迫中共放棄反美政策，亦跟美國講「和平共存」，而美國即可利用中俄共之間的內部矛盾，實施縱橫捭闔之計，拿美援作香餌，企圖不戰而屈人之兵，一廂情願，遠景固極美妙，其於不瞭解共產主義本質及其生存發展的法則何？結果乃招致目前對越南問題欲罷不能的苦惱，越南如不保，泰國馬上就告危急，這是美國是否退出亞洲的關鍵所在，不容忽視的。

（二）

美國害怕以軍事手段解決越南問題，致有激起中共參戰的危險；中越共亦害怕以實力進取越南，迫使美國為着面子關係而大力抵抗；彼此具有同樣的心病，不言而喻。如是，中越共對越南的策略，採取軍事與政治併行方針，一面進行游擊戰，一面運用滲透顛覆方法，不斷地煽起越南政變風潮，雙管齊下，使美國感覺難於應付，釀成朝野人士的厭倦心理，自動放棄援越計劃。中越共這項策略有成功之望嗎？不但有，而且很可能。

先說軍事：美國根本就不瞭解所謂游擊戰的真諦，希望由美國軍人來訓練、指導越南人民從事游擊戰，可謂隔靴搔癢，不切實際。游擊戰略的基本條件是政治作用，光是以直昇飛機載運一些軍隊和武器，到處尋覓流動無常的敵人，收效甚微，損失卻很大，試看美軍官和越南軍政人員常常中伏而遭受重大傷亡的情形，即了然矣。美國軍人所受過的「游擊戰訓練」，祇是一些叢林與湖沼戰的技術問題而已，這與共黨的游擊戰性質相去甚遠，決無勝算可言。現時駐在西貢的美軍，每到餐廳飲食，亦要持着卡賓槍，乘車出門時，車身外面亦必須纏繞着鐵絲網，為的是防備越共游擊份子的襲擊。西貢堤岸入夜即鎗聲不歇，因共黨游擊隊乘機竊發之故。美國最近轟炸越共軍事基地之舉，若非為着大選關係，即不會有的。似此情形，誰敢相信美國現行對越南軍事作風必有前途呢？

次說政治：自吳廷琰政府垮台後，越南政局一直不安定，影響民心士氣匪淺。現在阮慶的新政府剛告實現，佛教徒即不斷地與學生示威游行，要求政府驅逐一般所謂「勤勞黨」的吳廷琰「餘孽」，又指政府有「迫害」佛教徒的情事，完全重演過去反對吳廷琰政權的舊劇，形勢洶洶，不可終日。我們回想中華民國政府尚未撤離大陸時，各地大學生在共黨煽動之下，喊出「反迫害」、「反飢餓」、「剷除豪門資本」等類口號，游行示威，擾攘不休的情況，不禁為越南前途慄慄危懼，而這些內容固非美國的駐越使節和軍事顧問們所能瞭解，即越南政府的文武大員亦沒有經驗，應付起來未必能得當的。共黨利用這種政治魔術以進行政變陰謀，比較在疆場上取得戰爭勝利的益處更大。可不是嗎？美國中央情報署官員馬蒂亞斯發出文件，認為越南問題沒有憑軍事解決的可能，要改用政治談判方式，且主張越南中立化。祇要越南的政變頻作，人心厭亂，而反游擊戰又不行，士氣低落，美國國內即將掀起一陣反戰之聲，跟法國戴高樂同調了。美國要想不退出亞洲，必須先在越南獲得有限度的反共勝利，而其方法則在改變現行政策，以不惜與共黨進行局部戰爭的決心，從事正規的剿共戰略，把越共的實力消滅大部分，穩定越南政局，改善人民生活環境。然後改組「東南亞公約」體系，加強集體防衛力量，使越南亦參加公約成員之列，庶幾有救。白宮現在特派洛奇赴「歐洲各國游說，希望「北大西洋公約」」各國來援助越南，可謂文不對題，枉費唇舌。不棄置名正言順的東南亞集體防衛公約於不顧，而轉乞援於馬牛不相及的西方列國，會有結果嗎？我們懷疑這是美國預作將來實行退出越南的伏筆，否則洛奇此行太無意義了。

中共修改中的馬克斯、列寧、史太林肖像
（轉載「東歐月刊」漫畫）

今日與明日

愚騃的觀察

美國有個曾任會計師協會會長施曼其人者，最近前往外蒙古旅行一次回來，發表他的觀察心得，說中共垂涎外蒙古的豐富資源，以致中俄共之間將由分裂而動武。如果中俄共實行火拼，美國即站在蘇俄一邊併肩作戰，有如二次大戰時期然。這是滬諺所謂「瞎話三千」，可發一噱。此人並不知道外蒙古的實際情況如何，更不瞭解中俄共所謂「革命路線」之爭執，實際只是赫、毛二酋個人權力與意氣之爭。只憑着美國人一廂情願的癡思幻想，期待共產集團因內鬨而仇視相殘，讓西方列強不勞而獲，坐享其領導反共運動的成果，愚甚矣！

美國的若干「遠東問題專家」，他們對於遠東問題的見解，跟這位會計師是唯之與阿，相去幾何，此亞洲共禍之所以日益猖獗也。

蘇俄不履行國際義務

蘇俄積欠聯合國的會費有年，為數甚鉅。日前聯合國秘書長宇丹聲言：派駐塞浦魯斯島的聯合國和平部隊，由於經費缺乏，將於九月間宣告撤退。因此，美國會議員主張取消蘇俄在聯大會議的表決權。

蘇俄根本就是以聯合國為宣傳場所，專門對國際問題實行搗亂，視聯合國憲章如廢紙，區區會費之不繳納，何足道哉？西方列強如果真有維護國際信義的魄力，應從修改聯合國組織法着手，光是藉會費問題來喧嚣一陣，徒然使俄帝自笑存之，不會發生絲毫作用的。

聯合國人口統計之謎

日前聯合國發表一九六三年的人口調查，除敘述全球各地區的人口概況外，指現在世界上每五個人之中，就有一人是中國人，根據是一九五八年非正式的統計中國大陸上的人口數字為六億七千萬至八千萬左右云。這項調查統計中，關於中國人口的增加率，筆者認為決不可靠，而且含有所謂「黃禍」謬論的不良思想。

「六億人口」之說，原係毛共竊據大陸後參加韓戰時，信口宣傳的，旨在以「人海戰術」恐嚇英美各國，事實上并未經過調查統計，想當然耳。十五年來，聯合國亦未曾派員在中國大陸上進行調查，僅以毛共宣傳的數字，加上六七千萬想像中的增殖率，人云亦云的。

依照很保守的常識估計，中國人口在大陸未淪陷之前，約為四億五千萬，中經十餘年間的內戰與八年對外戰爭，再加以毛共在大陸上實施殘酷的清算鬥爭和大饑荒等情形，死亡率必然倍蓰於出生率，最多不致超過五億吧？

聯合國的人口調查報告書，盲目地以毛共宣傳的人口數字作根據，就說是世界人類每五人中即有一華人。然則全部歐洲、美洲和蘇俄的白種人口總數，超過中國人口更多，何以又不把它跟全世界人口作個比例分析呢？自十八世紀中期以來，全世界的有色人種即備受白種人侵陵壓迫，至今猶烈，咱們不談「白禍」問題，你們卻大倡「黃禍」謬論，不亦乎！

洛奇的游說之詞

馬五先生

美總統特使洛奇赴歐洲各國游說，為美國對越南政策作辯護，這是應該的。但他的一段說法不高明，而且顯得太幼稚了。

洛奇說：越南問題不能用軍事手段解決，須從政治方法着手，只要人民有豐衣足食的生活，共產黨自然就會消滅的。這話若適用於一般膾受共禍直接威脅的落後地區，可謂隔靴搔癢，一無是處，中國大陸之淪陷，便是極顯著的例證。

一個國家的人民要豐衣足食，不是一蹴可以幾及的事，必須有安定的環境，讓政府發展生產力，促進工商企業之建設，增加社會財富，以提高人民生活水準纔行。像越南這些受着共黨擾害侵略的落後地區，人民救死不遑，政局極不安定，若不用軍事力量先把共禍消除掉，使人民安居樂業，造成和平生活環境，那有發展生產力之可能呢？共產黨的世界革命策略，就是要摧毀社會秩序，製造動亂環境，藉以劫持民衆，為所欲為。洛奇所謂用政治方法解決越南問題云云，無異於「唸孝經以退黃巾賊」的迂腐書生見解，絲毫不切實際。

記得當年安南重鎮奠邊府被越共攻陷後，有位美國記者很詫異的說道：奠邊府居民曾由美國與聯合國救濟機構贈送大量的糧食、衣服、藥品等日用必需品，連奶粉與維他命丸亦不少，何以人民尚不能抵抗共黨的侵略呢？這跟洛奇所說的理論倫暗相同，都是憑英美的生活環境來衡量遭受共禍甚烈的落後地區，牛頭不對馬嘴，笑話一場而已。又如我國對日抗戰末期，美國副總統華萊士到重慶訪問之際，亦以驚詫的心情詢問我政府當局道：美國也有共產黨，但政府決不怕它，你們為甚末這樣地害怕中共呢？

美國人如不改變這種對別處——尤其是落後地區——共產黨的蒙昧思想，結果不特亞洲的自由世界保不住，美國本身亦危乎殆哉，終有「械胥及溺」之日啊！

對美俄關係兩種謬論 美學者專家痛加駁斥

兩國社會制度永無逐漸接近可能 俄經濟發展更斷無超過美國之日

（華盛頓航訊）若干討論美俄未來關係的人常常提出兩種理論：一是兩國社會制度的發展日漸接近，最後可能「合而為一」，冷戰必因而減少，或完全消除。第二是蘇俄自己的宣傳，他們說蘇俄的經濟及工業發展，早晚要超過美國。這兩種謬論均遭遇到美國學者專家們嚴重的否定。

紐約維金書局最近出版了一冊新書，書名為「美俄兩國的政治力量」。作者布辛斯基及杭庭頓兩教授，在該書中對美俄兩國的制度予以詳盡的研討，作者說：蘇俄達成豐衣足食的可能性極其渺茫；即使蘇俄生活改進，也不會消除他們的共產主義思想，影響蘇俄共產主義制度的存在及其赤化世界的計劃。因為共黨在一個世紀以前已指出民主絕不適於富足的都市社會。作者更進一步說明，蘇俄為了維護此種制度所建立的官僚組織，需要一個獨裁者，此種獨裁政權由於赫魯曉夫的當權，更為加強。作者指出：「共黨領袖對文化人及提倡思想共存者的攻擊，足以顯示蘇俄官僚們深知，黨在思想及政治方面領導力量的減低，為共黨政權的主要危機。」此一事實足以證明，是共黨的統治力量決定未來蘇俄社會的變化，而有限的科學及和外國的接觸，絕不會發生重要影響。

作者認為，美國社會雖在進行着各種革命性的變化，但絕不致走向蘇維埃式的制度，有人認為當美俄兩國「合而為一」時，必將共維和平。但本書作者特以目前共黨世界中的糾紛為例，指出「共產黨人目前應已了解，共產主義的美國及共產主義的蘇俄間所可能發生的鬪爭，必較落後的中共和蘇俄間的競爭更加激烈。」

此外蘇俄認為，當蘇俄的生產超過美國之後，美國將自動走向共產主義。這更是一種痴人說夢的妄想。作者在本書中會列舉了若干新的數字證明雙方的生產進步，相去十萬八千里。蘇俄人口總數為二億三百萬，美國為一億八千八百萬，但美國各種消費品的生產總數，超過蘇俄三倍至十六以上。一九六二年，美國生產洗衣機三百七十九萬五千，蘇俄為一百七十萬四千；同年美國銷售電冰箱三百七十七萬五千，蘇俄為八十一萬二千；美國現有電話八千萬架，蘇俄僅有三百萬架；美國有汽車七千三百萬輛，蘇俄僅有三百萬輛；一個蘇聯工人需要六十二小時二十分的工作，其所得工資方足以夠買一雙皮鞋，在美國只需要三小時零四十分。美國參院司法委員會專家指出，蘇俄年復一年的經濟危機，都是共產制度本身缺點所造成的必然結果。該委員會專家之一葛伊說，蘇俄故意利用太空發展的成就，掩飾其整個經濟的脆弱。葛伊認為，最自然的補救方式，就是採取西方自由經濟的原則，但「由於此種原則不但違反共產主義教條，且赫魯曉夫亦不願見其政治制度被埋葬」。故極少實現之可能」。（布恩施）

台灣證券市場的畸形

本報台北記者張健生

台灣證券市場，由於籌碼少，游資日益增多，常有供求失調的現象，以及不合理的漲落。由於企業經營規模不大，故發行證券數量不多，故「大戶」操縱壟斷市場極易，外加「郎中幫」的經紀人從中興風作浪，於是在「弱肉強食」的畸形下，證券主管機關也奈他們不得，因為沒有一套像美國政府管理證券商的完整制度，去制裁「大戶」與「郎中幫」。為今之計，應建立投資信託制度，發揮經濟的職能。

應迎頭趕上

所謂投資信託制度，也就是美國的次級證券市場（Secondary Securities Market）。它有較好的組織，其職能在完成已發行證券所有權的轉移。一個完善的信託公司，其存在既有利於投資人，且發行的新證券易於市場出售，因為投資人既易於在有利條件下，迅速處置其持有證券，故樂於購買此項證券。在一活潑的交易市場，可使證券的所有權分散，進而穩定證券市場，是故發行者宣稱以誘導投資人購買其新證券，使游資轉入生產企業。

美國的證券交易所委員會係隸屬於聯邦政府的一個獨立性兩黨的準司法機關，屬其主管的有關證券立法，計有證券法，證券交易所法，公用事業控股公司法，信託契約法，投資公司法及投資顧問法等。此外，尚有郵務詐欺，及各州的「藍天」法案與「反詐欺」法案，這些法案，旨在保護投資人（即購買證券者）的利益，並防止出售證券商人的詐欺行為，與防止發行證券者不實的財務報告，假使投資人受騙而損害被詐欺的話，則證券及交易所委員會，可將各項有關違法之證據移交聯邦檢察長，對違法者依法提起刑事訴訟，處以五千元之罰款或五年以下之有期徒刑。並連帶負民事上的損害賠償，被害的投資人可收回其全部蒙受的損失。這是我們建立信託公司應效法的。

如欲改善台灣證券市場的各種流弊，與如何建立一個完善的證券市場，其關鍵完全在於良好的管理制度，美國是工業先進國家，證券市場內曾經發生過各種反正常的活動，最後且於一九二九年證券市場的總崩潰，及其後發生經濟大恐慌，根據這種慘痛的教訓，美國國會制訂了各種有關證券的法律，施行以來，成績極好。茲值各方殷切期待政府對證券市場在管理上應該拿出有效的辦法，促使投機者轉為投資人，使證券市場穩定下來。不過，政府應從經濟上着手，切忌以政治手段去作干涉行動，否則，證券市場易造成紊亂。

從美國證券市場形成發展的歷史來看，他們是先有證券市場的設立，而後纔發生流弊，危及公共利益，始制訂法律加以管理的。根據此一歷史經驗，按理說，我們的證券市場不應再走他們的老路，重蹈他們的覆轍，開始即制訂各項有關法律，加以管理，此即中山先生所說迎頭趕上的道理。果如此，則台灣證券市場目前的畸形，當不致發生。現既未有制訂有關證券的立法，以保護投資人的合法權益，又因噎而廢食，不建立投資信託制度，以應工商界的需要，行政當局為了方便行事，竟捨本求末，動輒以政治手段干涉，這不僅剝奪投資人的投資機會，及工商業者尋求資本的權利，且影響經濟發展，從而將成為反攻復國的絆腳石。（四、完）

掀開台灣省教師福利會偷天換日的爛賬

本報台灣中部記者熊徵宇

在以「人民團體」對外的立場之上，以各種巧妙的運用，造成外界的錯覺，誰也管不了它；全權止於廳長。如果不了解這些情況，閃避的彈性是很大的。是查不出明堂來的。

「自求多福」依法何據

我知道，省議會有所責難時，教師福利會就說：這是教職員們「自求多福」的福利，希望各位支持。而當初的辦法，是經過省府委員會議和省議會通過的。

這樣振振有詞，大家口舌為塞。於是除教育廳以外的政府機關若果有什麼意見的話，教師會在意識上與立場上就覺得我們這個會是人民團體，你們管不着。但事實上，與監督人民團體的社會處又不相干。而它的組織形態與基層的份子可都是教育廳的官員，你說這個組織到底算啥？殊不知，即或教師福利會的那兩個辦法是府會通過的，那麼難道府會就不能修正？而省議會通過的議案，必要時也是可以廢止的。那兩個組織辦法也並不是經過三讀完成立法程序的台灣省的單行法規，即或是法規，也能修正啦。

林春暉這班人，其所以敢於胡作妄為，乃在掌握這些多邊形態。挾「人民團體」以自持；官方力量以自固。用省府委員會的陣勢堵塞省議會；用省議會的「民意」招架政府機關。交相運用的把持財務，在全省教職員福利會的大倉庫內，監守自盜的偷天換日，抽樑折棟！

掌握組織形態 澈查全部收支

我們覺得要澈查這件案子並不是件難事。我們希望立監兩院教育組的委員們成立一個聯合小組，在掌握這個組織的形態與財務制度的基礎上，具體的着手於我在這篇通訊內所提出的：

（一）教師福利會成立以來，在收支上到底有多少？與實際數字相不相符？特種教育基金委員會每年補助三十萬是固定的。該徵信的是從該會成立的當年，到五十二年八月底，林春暉任總幹事的這段時期，家長會費收了多了？學生「樂捐」共有多少？比照全省公立中小學校學生每學期的人數，合計收費的標準，自然可以算出每學期每年應收多少？總共收了多少？福利會的賬上收了多少？而支出的各個項目，是否都符合教職員們的福利用途」。抽取家長會費和學生「樂捐」的數額，我在前面寫得有。

若果林春暉提出哪個家長會或者某一學校在哪一學期沒有繳足，調查者可以向他所說的家長會或學校徵信，如果有所反證，當然是他舞弊。

我想家長會或學校應該有底案，應該向福利會取得有繳款的收據。即或家長會改組，即或校長換了，人總是在台灣的。

兩座教師會館 到底化多少錢

（二）該會籌集福利基金第四個辦法中規定：「接受社會人士與公私營事業機構捐贈」。看看有沒有這項收入？甚至於可以登報徵信。因為這種捐贈非當事人提出是不容易查的。

（三）澈底核對各購置單據上：經收人、驗收人、保管人的姓名圖章。調查到底有沒有那些人？若果是教育廳的兼職人員，他們在哪個科室服務，可以當面查認，辨別真偽。

（四）查核購買愛國公債的數額。一共買了多少？利息入賬多少？以及移交了多少？

（五）日月潭與台中兩個教師會館的建築費，對外宣佈化了多少，實際化了多少？賬上各項目中列了多少？是何人發包？哪一家承建？地價幾何？這些建築材料和水泥鋼筋等，當時的市價是多少？開標的情形是怎樣的？逐一稽查，自有結論。

查案要深入 謹妨包天手

（六）日月潭與台中兩教師會館，接受了多少禮物？報了多少設備費？調查者，可以通函各中小學校和各家長會徵信。而設備與當時的市價，也要作個比較。

（七）林春暉有沒有拿着一封信向各學校和各縣市教育科，募捐建築兩個教師會館的「一杏壇」？如有。杏壇建在哪裏？而那封信是誰寫的？此案也必需以某種方法徵信調查。

（八）出了十期的四開一張的會內通訊，何以需要稿費卅二萬？這件案很容易查。（五）

言猶在耳便告變卦 張豐緒棋錯一步 屏東人嘖有煩言

（本報屏東航訊）屏東縣長張豐緒對國校校長案之處理，改變原來立場，縣民嘖有煩言，表示希望張縣長謹言愼行，而勿貽笑於人，失信於民。

屏東縣於上學年度（五十二年度），有勝利、潮東、玉光、秦安、鹽洲等五所國校校長，奉令退休。前任縣長李世昌，於卸任前一月（四月二十八日）運用其神秘伎倆，東南西北一變，匆匆地居然由五名校長缺額，調派了九名校長。當時地方上敏感人士，曾一度傳說着其中的文章，許多人對李世昌的此一作法深表不滿，并聯名給省教育廳寫了封信，說明該案的來龍去脈，及該校長等之委派權責，應屬五屆新任縣長，請省府不予核准。因此，該案當時雖由李世昌率人事主任、教育科長等親自赴省，請求核准該九名校長的委派，然終未為省府所接納，并予原案駁回。

當該案被駁回時，李世昌已經交卸縣長，但他為使該案能有圓滿結果，據說他曾在自宅設宴申謝地方各界首長在其縣長任內所予合作之忱時，再向現任縣長張豐緒說情，解釋該案之經過，期能獲張之支持，將該九員原案復呈省人事處核辦。然當時張豐緒曾以堅定口吻與立場，表示人事調遷升降，得依其本身工作能力與成績為準繩，決不以人情作事，如該九員再由縣府復報，勢將導致更多謠言，同時教育人事將更為混亂，永遠無法走上軌道，與其受屏東縣七十萬縣民之責難，不如準備承担九名當事人之埋怨云云。

張縣長的這一席談話，經高雄某晚報發表後，在地方上確實曾一度傳為美談，深慶屏東縣本（五）屆縣長得人，確可在屏東自治史上，創下改革政風，杜絕紅包，建立健全制度的輝煌條績。豈料時未逾月，餘音猶在耳之際，一舉推翻了前言，來個一百八十度轉彎，仍將李世昌所委派屏東市區勝利國校楊永熙原案報省核派。

此間地方人士認為，張豐緒此舉，不但失信於民，且違背了處事之原則，與常理。據說：張豐緒此舉，固然替李世昌「擦了屁股」，解決了困難，但就張豐緒自己的業績論，是不是走錯了呢？（袁文德）

代郵

劉敦輝先生：大函收到。關於先生自台南地院檢察官調任嘉義地院推事之經過，七月廿五日本報所刊司法行政部秘書室來函中，已有說明。大函已無刊載之必要矣。謹復，并頌公安。

自由報編輯部啓

中外空軍運用史實

羅雲家

（按：是役俄軍傷亡十一萬五千人，被俘九千一百人，軍團長二員被擊斃，第二軍軍長薩姆索開夫自殺，而德軍傷亡一萬五千人。）可見飛機之於戰爭，早在第一次大戰時，就爲軍事家們所重視了。

二次大戰中飛機不僅可舞於九天之上而俯瞰，且可搭載大量炸彈、原子彈，作遠距離的轟炸，成爲對敵直接攻擊的强銳武器；倘若想起：牠加於敵國的首都，主要都市，戰畧要點的巨大威力，則孫子「動於九天」的戰畧，正是古今一貫的大原則。

二次大戰是飛機廣泛應用於戰爭遂行的光輝時代。德國希特勒，於一九四〇年五月十日五時三十分，對色當所發起的閃擊戰，在空軍方面曾使用了兩個戰術空軍團，計有常備機九千架，預備機六千架，並且每月有二千五百架補充機。對方的法英兩國，在空軍方面的常備機亦達四千五百架，預備機四千五百架，每月的補充機三千二百架。希特勒當時所給予空軍的任務，主要爲：「妨害英法兩國空軍對其陸軍之協同作戰，並直接妨害兩國陸軍之前進，同時拘束英法空軍及妨害英國陸軍在比、荷之海岸登陸。」由於德軍兵力優勢，行動迅速，戰術新穎，所以能獲致偉大的戰果。

希特勒對西歐發動閃擊戰的同時，爲了突擊埃本埃美爾堡壘，及佔領亞培爾運河上的威特威資特、烏倫哈文及坎尼三座大橋，以利進攻荷、比的裝甲軍團通過起見，曾以飛行第七師編成「克士突擊隊」（共四二三人），於五月十日五時二十五分以滑翔機從事無聲之襲擊，爲時僅十五分鐘，此一襲擊即行奏功，德軍僅傷亡一百廿九人，而被襲之比軍却傷亡九六四人，被俘一七〇〇人。自此，遂使空軍之身價，日益增加焉。

一九四一年十二月八日拂曉，日本運用空軍奇襲珍珠港，結果使美國損失慘重，計重傷與沉沒的軍艦有十艘，被難的軍艦八十艘，海軍陸戰隊損失官兵二千餘人，被毀飛機十九架。這個損失，要不是美國生產力强大，能即時補充的話，第二次大戰太平洋上的形勢，就很難說。美國吃了這個大虧，原本不願參戰的，現在不參戰也不行；逼着她只有硬着頭皮打下去。如此一來，敵我雙方，對空軍的大量運用，乃成爲不可避免。如西西里登陸之役，反攻冲繩島之役，諾曼第登陸之役，緬北反攻之役，空中進攻荷蘭之役，使用飛機之多，人員之衆，聲勢之大，眞是空前。

在盟軍未曾大規模空降之前，德軍在一九四一年五月間，爲了攻佔位於東地中海、横列於愛琴海入口處的克里特島，已作過規模龐大的空軍運用。其時島上防守的英軍數約二萬七千餘人，此外尚有數約一萬四千人，編成七個步兵營的希臘軍隊。爲要奪取此島，德軍組織了一個空降特遣隊，由空軍中將羅爾指揮。並有芮琪多汾統率下的第八航空隊担任空中支援（備有中型轟炸機三百架，俯衝轟炸機一五〇架，戰鬥機三百架）；司徒登指揮的十一航空隊則担任空中攻擊部隊（備有十個空運大隊，內有TU－52運兵機五三〇架，滑翔機五三架）；進攻的作戰部隊爲第七空運師，連同配屬的傘兵和滑翔攻擊部隊一個團（約一萬五千人），另有第五山岳師，及第六山岳師之一個團（約萬餘人）與數約五千人的海運部隊。攻擊前兩星期，德軍曾予該島及其海上補給綫以戰畧轟炸，五月二十日上午六時戰術轟炸開始，兩小時後大軍實行空降，不到一天，在島上站穩了脚跟。十天後島上英軍全被肅清。（二一）

我所知道的麥帥

肯寧將軍原著　徐熙光翻譯

「美國士兵爲國家獻出他們的青春，忠誠、活力和他們所有可以貢獻出來的東西。他們不需要我或任何人來加以頌揚。他們已在歷史上寫下光輝的一頁。但是，每當我念及他們在逆境中所表現的忍耐，在戰火中所表現的勇敢，和在勝利中所表現的謙遜，我不禁對他們肅然起敬。我對他們的欽敬非我言語所能表達。他們爲我們的國家寫下了光榮而燦爛的歷史，爲我們的子孫創造未來自由和平等的美景，更爲目前我們每一個美國公民樹立了至高無上的楷模。

「美國士兵所留給我們的記憶將歷久常新。這種記憶不必靠雕像和紀念碑來維持，因爲他們自己和他們不死的精神早已深深地烙在每一位同胞的心坎裏。他們的雕像塑在每一個同胞的心中，而不是立在廣場或公園裏。他們的紀念碑立在同胞的記憶裏，而不是刻在廟堂的碑石上。

「我不曉得這些美國士兵生時的尊嚴，但是我曉得他們死時的光榮。他們馬革裹屍，慷慨捐軀，毫無怨言。他們至死仍然堅信最後勝利必定屬於我們，仍然喃喃地說希望我們得到勝利。

「這是無名英雄的精神！雖然他們的軀體已逝，但是他們英勇的精神永遠不死，就像上帝在世界末日時所說的：『只有不怕死的人才能生存。』」

英國的邱吉爾是麥克阿瑟崇敬的人，麥克阿瑟和他一樣，常會利用加重語氣來加深聽衆的印象。他們兩人都善用有力而動人心弦的辭彙和字句，使之成爲便於記誦的口號。他們的演說有詩般的用語和韻味，令人一聽就會想起聖經，莎士比亞和林肯。他們兩人都具有表現自己的特殊口才，他們知道在什麼樣情況下，應該對聽衆說什麼樣的話。他們從不說不合時宜和令聽衆掃興的話。麥克阿瑟和邱吉爾的演說錄音我都聽過，我覺得他們兩人的演講一樣好。但我當場聽他們演講時，我跟其他聽衆一樣，覺得他們的話字字充滿感情，能深深打動人心，其精彩處不下於莎士比亞的幾篇有名的講詞。透過收音機，麥克阿瑟和邱吉爾的演說能令人留下深刻的印象，但是如果他們出現在電視上的話，更會使人覺得不同凡响。

麥克阿瑟向菲律賓人所發表的演說和文告已成爲菲律賓歷史的一部份。當然這些演說和文告大部份是在菲人反抗日人侵畧那段時間裏發表的。菲律賓人是愛好自由的，他們是具有很深的宗教信仰的民族，他們欣賞麥克阿瑟的眞摯，和他對宗教的虔誠，更喜歡他經常提到上帝。麥克阿瑟喜歡菲律賓人，而菲律賓人也敬愛他。他們對一九四一年十二月三十日麥克阿瑟在奎松總統連任二屆總統的就職典禮上所發表的演說，至今猶念念不忘。那次就職典禮是在葛里基德島上舉行的，正當日軍入侵菲律賓的前夕。麥克阿瑟發表演說時，在他身後站着奎松總統和美國最高行政長官，他說：

「菲律賓歷史從未有過像今天一樣莊嚴而意義重大的就職典禮。這是民主政治過程的象徵，面臨着即將到來的無情的戰爭，今天的就職典禮，意義尤其重大。

「死亡和毀滅的威脅已迫在眉睫，我們幾乎已經可以聽到戰爭的吼聲，天邊已籠罩上了一層戰火的烽烟，也响起了炸彈爆炸的隆隆聲音。

（三八）

康有爲的亡命

丘峻

榮祿大索京津不獲，及知康已乘重慶輪赴滬，即命每小時能行二十九浬，速率倍於重慶輪之飛鷹快艦追捕。似此情形，原不難追及，惟艦長某（據說即入民國後歷任海軍總長之劉冠雄）以重慶號爲外國輪船，縱追及亦未必能得康，而自己又何必作此惡人，因藉口儲煤將盡，折回天津，該艦長亦即以放走要犯嫌疑下獄。事後氏賦戊戌紀變詩：『縱騎蒼黃徧九關，飛鷹追逐浪如山；我横滄海天不死，猶在之罘拾石還。』以感歎其遭此大難而猶在夢中。如此險象，誠可謂生死之交，間不容髮矣。

初九，船抵吳淞口外，上海道蔡鈞（和甫）已奉捕康正法密電，乃親率小輪直趨吳淞，嚴密搜索天津來船，一面根據前榮祿所捏造並經佈告各方之康進紅丸弑君致死電訊，連同康氏照片，分別照會各國領事，請其協助查拿。幸事前廣學會會員程治建議於李提摩太，由李於初六日電滬英代總領白利南（Byron Brenan），白爲久慕康氏之人，乃逕電告英外交部請示，得首相沙士勃雷（Salisbury）電飭英駐香港海軍提督 Maj Gen wilson Black 及港督 Henry Artaur Bake 營白氏援救。是日下午二時許，重慶輪駛抵距吳淞口數哩之海面，氏在艙面眺望，忽有一英人乘小輪到船，出照片，認旅客，見氏，即携手入房曰：『子非康某乎？』氏曰：『然。』繼問：『君在京曾殺人乎？』氏答：『異哉！吾何爲而殺人？』又問：『然則君何事而出京？』答：『奉我太皇帝密旨，令即出京。』曰：『密旨云何？』氏命取筆墨書以與之。其人即從懷中取出北京政府電上海道：『已革工部主事康有爲進丸毒弑大行皇帝，着即行就地正法！欽此！』之密諭以示氏。康閱畢，預備蹈海，復握筆疾書：『忽灑龍漦翳太陰，紫微移座帝星沉；孤臣辜負傳衣帶，碧海波濤夜夜心！』一詩，涕泗交流，痛不欲生。繼書：『濁世衆生，莫不苦惱。我不入地獄，誰入地獄救諸衆生落？既以獄救，諸爲事，不獨入地獄，當常住地獄；不獨常住地獄，當常樂地獄。』諸語，遺囑弟子，勉繼其志。並以『吾以救中國故，冒險遭變，竟至不測，命也！然神明何曾死哉！君勉爲烈丈夫！吾有老母，謹以爲託，照料吾家人，力任大道，無變怠也！同門中誰能仗義護持吾家吾國者，吾神明嘉之！任公若存，並以爲託。』書遺其得意門生徐勤，囑託家國後事，勉爲烈丈夫，力任大道。至此，該英人告以己乃上海總領事白利南派來相救之上海租界工務局職員濮蘭德，請從予行，且謂：皇帝大行，尙無確證，並請忍死須臾！旋又得英總領事登船勸解，始隨之下小輪，登另一英輪巴拉勒特號。甫上英輪，蔡道小輪即於是時開到，且有兵艦兩艘泊近英輪。英亦即調兵艦兩艘來助，復調威海衛之二等兵艦來滬，以厚實力，而防意外。

（五）

宦海續夢

第十三回：

惡貫難盈　巨奸逃火網
良知未泯　傑士出天羅

毛澤東握着蒙哥馬利的手說道：「老元帥；你精神比去年還好。」

蒙哥馬利說道：「主席也比去年更肥了。」

毛澤東說道：「是呀！中國人民的日子比去年過得更好了，我也就跟着胖起來了。」

蒙哥馬利說道：「我這次到貴國來，想多跑幾個地方，參觀一下貴國的進步情形，將來可以告訴西方人士。」

毛澤東說道：「老元帥，你願意到那裏看，就到那裏看，即使山溝水涯，只要你願意去，我們絕不攔阻就是了。」

蒙哥馬利說道：「主席這一句話就證明中國實在沒有鐵幕存在，全是西方報紙造的謠。」

毛澤東說道：「我們就在謠言中長大，一向對謠言都是抱着見怪不怪，其怪自敗的政策。」

蒙哥馬利說道：「主席說到謠言，最近西方盛傳一個謠言，說中國同蘇聯在鬧分裂，究竟有沒有這回事。」

毛澤東笑道：「老元帥，依你的估計有沒有可能呢？」

蒙哥馬利說道：「無論如何，日前是決無可能！」

毛澤東問道：「何以見得呢？」

蒙哥馬利說道：「我在家中開過農場，養了一羣猪，每到冬天下雪時，猪隻就緊緊靠在一起，不敢分開，恐怕凍死了。今天中國同蘇聯的處境，好似一羣受到風雪侵襲的猪，一旦分開就各自凍死，只有靠緊一起，才能渡過嚴冬。因此，我才斷定兩者之間在現階段不會發生磨擦。」

毛澤東鼓掌道：「老元帥你眞說對了，有人要在此時間鬧分裂，簡直連猪都不如。」

蒙哥馬利說道：「主席的話對極了，我知道中蘇之間是決不會鬧分裂的。」

毛澤東笑笑，不好再向下說，轉過話題問道：「西方國家最近對我國的批評怎麼樣，有沒有什麼新的謠言。」

蒙哥馬利說道：「西方報紙除去造謠中蘇決裂之外，還有就是說中國窮，窮到人人沒有飯吃。」

毛澤東大笑道：「這種謠言太離譜了，西方報紙所說的人人沒有飯吃，自然是包括到中國的來賓在內，老元帥你從廣州到漢口，餓了一餐沒有。」

蒙哥馬利連忙說道：「吃的太豐富了，尤其在廣州竟然吃到道地的法國大菜，吃飯中間，大師傅出打招呼，竟是道地的法國人，怪不得烹調出這樣道地的法國大菜。」

毛澤東說道：「我們西菜都是請的各國大師傅親自主理，本來我可以請你吃俄國大餐的，惜乎俄國大師傅今年六月走了。」

蒙哥馬利笑道：「到了中國再吃西餐就未免太笨了，誰不知道中國菜世界第一。」

毛澤東笑道：「其實我們的第一很多，到不僅是烹調方面，例如我們的人口，歷史，還有我們的領導人。」毛澤東說到這裏，故意把話頓一頓，滿以爲蒙哥馬利會說幾句捧場的話，那知蒙哥馬利似乎未聽懂，木然坐在那裏一言不發，只好算了。（三三七）

冒險犯難記

鄭文儀

如是我就假借身體不舒服爲藉口，向代表團的連絡人請求緩去武漢，結果竟未遭留難，從此我就擺脫了第三國際中國代表團，眞是不幸中之大幸。

二十八、廣州清黨反共首當其衝

擺脫第三國際中國代表團之後，我恢復了自由，住在廣州一家小旅社內；我進行兩種活動，一爲訪問國民黨在廣州負領導責任的人，二爲找一個我有興趣，也勝任愉快，可以實踐我所學，并參加積極的反共抗俄的工作。

我首先見到了廣州中山大學副校長代理校長（校長戴季陶先生這時恰不在廣州）、朱家驊先生，廣東省黨部青年部長甘乃光先生，總司令部政治部代理主任曾養甫先生等人，和他們談了好幾次。甘乃光先生把我從俄國帶回來的很多圖書資料及記錄，大部份借去看；曾養甫先生對我十分客氣，關切，因爲我沒有錢，住不起旅館，在未找到工作前，同時也怕共產黨徒們找我麻煩或催我去武漢，曾養甫先生接我住在他家裏，我們談得很多，都是有關俄國及共黨的問題。甘先生、曾先生都要我寫文章。由於曾先生的介紹，我更見了後方總司令部參謀長兼代總司令與中央軍校副校長李濟琛。我也一再訪問了軍校教育長方鼎英及錢師長大鈞等。我告訴他們第三國際和俄國派的中國代表團是來指導中國共產革命的，是對中華民國及中國國民黨與國民革命有極大的陰謀的，如果國民黨本身不早自爲計，準備反共抗俄的行動，危急存亡的事變，或共產黨的暴動革命，很快就會發生，必須提高警覺，早籌對策。他們很重視我的意見，似乎也將我的意見反應到了國民黨的中央負責任與前方領導北伐的蔣總司令。

我開始寫文章，以中國革命與民生問題爲題目，由三民主義的觀點批評資本主義與共產主義，主張中國革命要積極解決民生問題。

其次我必須找一個工作，曾向三方面進行，一爲到中山大學作助理教授，繼續研究在俄國莫斯科中山大學沒有完成的政治經濟社會科學，并在教學相長中整理資料，我向中大朱先生接洽，他應允我去做助教；二爲去黃埔中央軍事政治學校服務，方教育長已答應我到政治部担任中校組織科長（國民黨黨務科長），并正式發表命令，要我早日到差；三是曾養甫先生希望我參加廣東省的國民黨黨務工作或軍中政治工作，作他的幹部。

（四三）

說黃

汝津

黃在中國歷史上是標準的帝王色。黃袍加身是何等驚喜；望之儼然，一半也是爲了那一團耀眼的金黃吧。至於西洋人以黃色象徵溫柔、寧靜等，兩相對照之下，未免太小家子氣了。法國詩人藍波有詩，以五個母音與五種顏色相配，而獨缺原色之一的黃；此事原係玄妙，而今也不能起詩人於地下以請益了。

說黃可以根據民生主義，分食衣住行育樂六項逐一說去。黃豆，黃瓜，黃梅，黃粱，黃鱔，黃連，黃　，或爲美食，或爲良藥，理當留待營養專家或醫科高材先去處理。黃袍非爲禦寒，黃巾之用，也不在乎美觀與否，都應列入社會學範圍討論。但黃冠或爲農夫標幟，或爲道士制服，便不可或不加意細察，明人還有「寄情太虛」的黃冠體呢。黃裳在詩風裏更是象喻賤妾蒙寵。吾人在顏色方面玩的藝術可眞不愧文化古國。住有茅茨，其原料色黃；有宮室，其漆或朱或黃；行有黃色車皮的巴士以及黃包車。娛樂時有黃牛攔路，教育子女時又不免爲黃色讀物傷神。

黃牛經不是區區數語可以盡。而且此種「人牛」的性別，年齡亦不宜想當然耳。七歲稚娃，七十老翁，都可以安詳地客串一夕的。警伯眼睛睜得再大，怕也不免智者千慮。

黃色新聞原是十九世紀美國報紙上一篇卡通連載引起的典故。原來只是誇張得聳人聽聞罷了。後來不知怎的，變質又變本，竟奪了紅的生意，成爲粉紅色新聞的代稱了。如今凡是稍涉「性」意味的文字，小市民們便爲之代冠「黃色」二字，既然人人嘴邊掛此一詞，便有些不假思索之妙了。甚至連一流作家勞倫斯的作品，也被默認爲「非黃而何」了。由此而開除女作者的會籍，關閉雜誌社的大門，眞可說是黃色的餘威了。江河日下，世風不古，連曾經受盡帝王寵幸的元老色，也竟流落江湖，涉足花叢了！

無論如何，東方人對於這一色還是不由自主地偏袒的。何故？皮膚作祟也。種族問題愈鬧愈烈，範圍也更廣，但黃種人畢竟是這星球上的「多數黨」，如其種族的自尊心有朝一日發揮了潛在的向心力，世界的大勢未免有改觀之虞。西方人士對大陸政權的側目，誰說不是膚色之爭的濫和表現？

和吾族同色的動物亦復不少。小鴨小鵝的軟毛，黃鵲黃鸝的色澤，都是怡人心神的。「春江水暖鴨先知」如果予以入畫，也必少不了一片柔黃的色彩吧。純正的黃色確有一種溫暖感，不如紅的酣熱，也不似黑的冷峻，難怪對於愛好中庸之德的人民，它是一大恩寵了。

面黃肌瘦的難民或患了黃膽病的君子，總是欠缺艷陽或藍天的精神，說黃也能代表自然或人生中萎頓不振的一面，該不是厚誣之辭吧。黃口孺子或許要提出抗議，何況黃金台拜相禮賢的光景，何等氣概！天下事原不可一語獨斷的。

黃髮古以稱上壽老人，現在卻成爲美麗女星的資本之一，但爲免朱紫相亂起見，還是正以「金髮」之名吧！否則豈不是白委曲了偌許多拉丁民族的秀色？

中國也是個對黃特別敏感的民族，黃粱一夢，不僅是戲劇史上的重要資料，也正反映了黃帝子孫千來的若干東方哲學。淒翁的黃[illegible]終有悒然醒來的一日。碧落、黃泉[illegible]迢迢，君子坦蕩蕩，又何憂之有！

記張蒼水

湘南遯叟

我年四十五，
今朝九月七；
含笑從文山，
一死萬事畢。

這是距今三百年前即明崇禎帝亡後二十年，有明兵部尙書兼翰林院學士張蒼水先生，於淸康熙三年九月初七日被執後，在杭州臨刑時口占的一首絕命詞。對這首詞，當日有幾種不同的紀載，是他就刑時口占命人書寫的，還錯了一個字，不能改正，他笑着說：「他日自有知之者」。我們今日播遷到了台灣，偪促海上，靠海以存正溯，海之爲海，在中國歷史上，確不失爲忠義之藪。宋朝末年，有陸秀夫張世傑等人，奉小朝廷於海嶠，到了厓山遇颶，纔告覆滅。明之季世，除鄭成功以外，就祇有張蒼水一人，縱橫海上，留漢臘達二十年。如果宋亡時，無文、陸、張這些忠義衛國之士，則宋季的乾坤，豈不是太感覺寂寞了嗎？明亡時如無張蒼水與無鄭成功，則明季就太無生氣了。

張蒼水，本是明崇禎十五年中試的一名舉人，充其極，不過算是當時的一個高等智識份子。翌年李自成陷京師，崇禎在煤山自縊殉社稷。又明年乙酉，蒼水的同鄉刑部郎錢肅樂等召集鄉兵，起義勤王，那時在籍的舉人何止千萬，有幾個關心國家民族的興亡大事？惟獨他痛哭流涕，拜別祖先家人，披髮攖冠，首先參加戰鬥行列。肅樂派他去天台迎魯王以海監國；魯王到了會稽，即賜他一名進士，加翰林院編修，入典制誥，出籌軍旅，從此他就成了魯王的左右，鞠躬行在，艱難萬狀，無日不以恢復中原爲職志。他起兵的時候，年僅廿六歲，自丙戌至甲辰十九年間，「飄泊於波濤巨浪之中，竭蹶於干戈顚沛之際」。他隨魯王這久，純是過的游擊生活，以海水爲金湯，以舟楫爲宮殿，海舶中最苦的一是沒有淡水，侵晨洗臉，不過一盞水，海舶之大者僅能容身，需穴而下，如有兩人祇能側臥，實無異於在棺材中。御舟算是稍大的，名曰河艍，船頂即爲朝房，大臣都在這裏議事，所謂：「落日狂濤，君臣相對，亂礁窮島，衣冠聚談，零丁飄絮，猶未罄其形容也。」較之我們今在台灣，有洋房可住，有汽車代步，實不啻天淵之別也。

他雖忠於魯王，與當時鄭成功所奉之永曆，各爲其主，然始終能與成功和衷協力，團結一致，杜鬩牆之內嫌，禦方張之外敵。當魯王在舟山失敗，蒼水扈王入閩，成功僅待魯王以寓公之禮，蒼水以監張名振軍得名，成功亦因之加禮；蒼水亦極推其忠，曾對成功說：「招討始終爲唐，眞純臣也」。成功亦說：「侍郎始終爲魯，豈與吾異趣哉」！蒼水從此與張名振，推誠相與，共事成功，益以北虜爲共同敵人，處處能相忍爲國，始終合作無間。

（一）

美妹

羅雲家　著

……長篇小說……

何健文這傢伙「失踪」兩個多星期了。在一些窮朋友中，我自信與他是較爲處得來的，彼此也最爲瞭解。我不知道他這些日子幹啥去了？該不會出什麼事吧？

幾次去他寄住的地方，傳師母都說一直沒有見他回來。眉宇間露出一股憂愁之情，看來她們與我都爲健文的不知去向，有着同樣深沉的關切。不過由於他臨走時，說是要到外面去找工作，所以也不便「小題大做」地去報警。

出乎意料之外的是，昨天他居然出現在我的面前。不容我先開口，他就伸出手來，要我把準備製作冬裝的那筆錢借他。我猜想他一定有急用。「朋友有通財之義」，他既伸出了手，自不便讓他失望。於是我把錢給了他。還未等得及問他的近況，他就拔腿朝門外跑去了。

我看着他那修長的背影，消失在人車熙攘的馬路中。禁不住回想起他可歎的身世來。一個溫馨的家，在赤流泛濫下給整個毀滅了。想當年，他父親在常州開設一間規模頗大的工廠，他吃喝玩樂着，生活永遠滿足。雖然母親在他的弟弟出生滿六週歲那年就積勞病逝，可是上有祖父母與父親的疼愛，下有奶媽傭人的服侍，以後又有繼母的照扶，所以他們兄弟倆一直是幸福家庭中的寵兒，絲毫不感覺到人世間的悲慘愁苦。三十六年初春期間，他轉到上海讀書，我們也成了同學。他常常請同學們看電影、上舘子，而口袋裏的錢總是不會短少，眞不知羨煞多少窮同學。加上他那漂亮的表妹對他的熱愛，簡直就像一對相敬如賓的小夫妻，兩口子會有一些親熱的鏡頭，叫人看了心裏癢絲絲的。誰知好景不常，上海受到赤色風暴，他奉父親之命，於是匆促逃來台灣。原想家人可以在此重逢的，可是他父親早被潛伏的敵人爪牙監視了，再也走不動。等到那些無法無天的[illegible]一綫時，[illegible]父親、叔[illegible]「地主」[illegible]逮捕，沒[illegible]死去。祖[illegible]母以及繼[illegible]齊「掃地[illegible]不知流淚[illegible]、誰也不[illegible]

燕塵識小

補正數行（續）

擬請將祀孔典禮暫行展緩，俟本年秋季再行遵照致祭，以昭愼重。呈請[illegible]示等語，當經批「應准如擬辦理」。由此可知民國三年春丁祀孔，并未舉行，何來臨雍講學之事？今姑以愚意揣之，不外兩途。一則事在今秋或明春，而年譜編者偶未注意，遂入今年；[illegible]一則當時旅燕[illegible]遺老，準備舉行，[illegible]祀典在先，而明令展緩之旨[illegible]期在後，於是一般參[illegible]

台南勝跡小紀

羅綠

天后宮：宮址原爲明寧靖王朱術桂住邸，稱寧靖王府。康熙二十二年，施琅平台，與鄭軍激戰於安平海面，炮火震天，鄭軍敗退，施琅[illegible]祖。[illegible]定每年農曆三月中旬舉行大祭。此風至今未替。

文廟：鄭成功參軍陳永華，胸懷謀略，才氣縱橫，不得[illegible]發揚政教，以[illegible]後，鄭經建文廟，因而[illegible]文學，[illegible]今日猶見[illegible]始更[illegible]兩廡[illegible]士，廟貌莊嚴[illegible]亦寶也。[illegible]儀門[illegible]光緒十五年改稱台南府學[illegible]「全臺首學」橫額。

（四）

內僑警台報字第〇三壹號內銷證

自由報

THE FREE NEWS

第四七四期

中華民國僑務委員會頒發
台教新字第三二三號登記證
中華郵政台字第一二八二號執照
登記爲第一類新聞紙類
（本週刊每星期三、六出版）
每份港幣壹角
台灣零售價新台幣弍元
社長：謝曉岑
督印人：黃行富
社址：香港銅鑼灣高士威道二十號四樓
20 CAUSEWAY RD 3RD FL.
HONG KONG
TEL. 771726　電報掛號：7191
承印者：田風印刷廠
地址：香港灣仔高士打道二二一號
台灣分社
台北市西寧南路壹壹零號二樓
電話：三〇三四六
台郵儲金帳戶九二五二

編輯部啓事

本期第二版刊有「透視胡秋原的中行與潔癖相」一文，希讀友注意爲幸。

民主自由的眞諦及其典範

吳本中

所謂文明，是人生而有意義，不但人人能普遍享受日益創進之物質便利，更能順其性，宜其天，各適其所，各盡其能；人生而具有意志，必須接受所欲接受之政治生活，發抒「人類是政治動物」的本能，福國利民，以期無忝所生。衆人的事，按照衆人的意志辦理，此之謂民主政治，非可假借歪曲者也。

鳥本能飛也，魚本能躍也，民主自由就是「天空任鳥飛」，「海濶縱魚躍」。若拘鳥於籠，困魚於缸、則生機萎縮，生意凋殘，人生亦猶是也。民主是世界性的進化潮流，任何人無法遏制，否則必卜失敗，所謂順之者存，逆之者亡，良非虛語。林肯有不朽之言，大意謂：「可以欺一人，可以欺一時，而絕不能欺衆人，欺永久。」凡屬有心創進民主政治以適應世界潮流的政治家，皆應辨明此義，奉爲主臬，方不愧爲立德立功的時代英豪也。

邱吉爾出自英國最光榮最有勢力的世家之一。其祖先馬爾賓祿大公，出將入相，不可一世。其父蘭道爾·邱吉爾勳爵，貴爲財政大臣。其祖父襲世爵爲大公，於任愛爾蘭總督時，小邱吉爾及其父均隨往。然邱吉爾一生自認爲民主議會之子，酷愛國會民主風度與傳統，六十年之長久政治生活，均在議院中過去，直至其最近退休爲止，從未違犯民主自由之政治原則。既歷任首相職位，退休時即可封Lord而出席貴族院（即上議院），然邱吉爾不肯也。老亦老在平民氣味十足之下議院。且在其早年政治生活開始時已被認爲：『貴族之叛徒』（英原名：Traitor of the Dukes），曾一度不爲保守黨所容，不得已而加入自由黨。因其思想，在當時保守黨人士看來確係太自由了！前幾年筆者在倫敦執教兩載餘，潛心深入其國政治社會之各階層，幸能兩次親眼看見邱氏在議會之活動。默念其一生，政治上遭四次大失敗，等待四十年始能爲首相。從無如一般政客稍有逢迎取媚之態，或微作違心之論，更不能變更其信仰，或放棄其主張。他吃眼前虧的地方很多，常被人譭恨辱侮亦常常有。然其爲民主之子則始終如一。氏生於一八七四年十一月三十日，不久即年滿九十。民主風度可謂老而益壯。典範所在，無怪其繼承人，如麥美倫辭退首相，即仍操舊業，婉卻英皇貴爵而不受，一身平民，排隊靜候公共汽車；又如現首相徐莫，敝屣三數百年祖傳世襲諸侯爵位而不顧，但願爲一民主人士，給人民辦事而已！嗚呼！其國之所以日治，其民之所以安，區區三島，猶在世界舞台上有舉足輕重之勢者，吾儕亦可以憬然而深思矣。

至於「老虎」克里孟梭，法人尊之爲「勝利之父」者，縱其性格及出身與邱吉爾異其趣；其靈魂中有悲劇性，具古希臘羅馬英豪與哲士氣派，然其爲泰西民主潮流之子則一也。克氏出身寒微，早年立志追求民主之實現，遠航新大陸，欲親身體驗北美合衆國之民主實質。流蕩美洲，教法文餬口。血氣方剛，戀一美國鄉村女郎而娶之，兩性旋即格格而不得不離異，生有一女，後嫁於巴黎一醫師，乃克氏惟一後代，蓋自此，即終身不再婚矣。克氏之民主政治生活，常是單刀匹馬，在法國亂嘈嘈政客羣中，完全自己奮鬥出來，而其亭亭玉立，出淤泥而不染，始終保持其政治熱烈而純潔之品質，及其堅強不撓獨往獨來之性格，土苴名利，精誠愛國，功成悄然引退，自甘寂寞，海濱沙灘之上，仰天長嘯，其氣概與高風亮節，令後人景仰憑弔，嘆高山之仰止焉。

克氏生於一八四一年，死於一九二九年，享壽八十有八。筆者少年留學法國時，崇拜其人，曾盡搜購有關克氏之書籍，圖照與雜誌報章。惜乎三大箱紅皮金字藝術裝訂之各種西書，均於日軍攻入南京時，全部失落。思之心痛，今已無法，更無此財力再蒐集矣。偶欲有所述寫，手下已無書可考證，僅憑記憶而已。

克氏乃古今罕見之民主堅强鬥士，其勁氣內練，視死如歸，平民氣，正義感，愛國熱，雖其政敵亦不能否認。克氏更有哲人涵養，功業振世而終身不接受任何勳章，本國政府或友邦元首欲以極光榮之勳爵贈賜者，均事先致意婉謝之。以布衣而傲視王侯，以窮措而浮雲富貴；享壽近九十而從不稱觴上壽，死後遺囑不接受國葬，夜漏人靜時靈柩運出巴黎，不欲驚動任何人。惟須立葬棺中，千秋萬古，不肯倒下！然克氏絕非冷酷無情之政治人物。感情之深厚，賦性之幽默，有如山高水長，桃園杳林，感人之深，引人入勝，有不可以言語或筆墨形容者。氏以耄耋之年，於敵軍壓境，國將不國之時，以萬機待理之身，常提起手杖，紮上腿綏，不但到前線去，而且坦然入槍林彈雨之戰壕內，欲與强敵拼

所在，眞理所示，且可橫眉冷對千萬選民而不稍俯首，明知選舉慘敗且不顧也。在此點，克里孟梭與邱吉爾頗有相同處，故亦均曾在政壇上大敗過。倘未遇世界大變大戰，兩人恐均無機緣躋於世界偉人之列。至於視人間虛榮若無物，猶佛家之超然塵外，羽化登仙，克氏尤有足多焉。

我們深信中國民族的前途是在民主自由的光明大道上，決非共產極權主義所能阻擋。國父中山先生如果未死，必亦舉雙手贊成。他一生奔走革命，艱苦卓絕，無非是謀求中國的自由與民主，「積四十年之經驗」所未達到者，今日吾人若能高舉民主自由的大纛，鳴大義於天下，即是國父最眞誠、最忠實的可靠的信徒，願與國人共勉之。

花言巧語

蘇式幫忙

今日與明日

大可憂慮的越南前途

越南强人阮慶將軍，接納學生與佛教徒示威羣衆的要求，宣告廢止新憲法，辭去總統職位，企圖消弭內部紛爭，穩定政局，以免妨害反共救國的大計。如果越局眞能從此化乖氣爲祥和，阮慶此舉是值得讚美的。

可是，事實上仍未可樂觀，試看：西貢方面的佛教徒領導人又提出了驅逐政府文武公職人員中的天主敎份子，指爲「吳廷琰黨羽」，且有示威羣衆向美軍官舍投石的暴行；而越南重鎮的大南市暴動不已，一面攻擊天主敎徒集結的難民村，同時跟駐在當地的美軍衝突：死傷百餘人，暴動者揚言是美軍開槍所致。這證明示威運動已有共黨份子滲透於其間，煽惑操縱，將由「反對獨裁」「實行民主」的口實，變質爲反美活動，目的就在製造生生不息的內亂，破壞反共的軍事計劃，使美國知難而退，讓共黨控制全越。

當一九四七—四九年之間，共黨在中國大陸上醞亂的階段中，始而在南京、上海一帶，煽動學生請願遊行，高呼「反迫害」「反飢餓」，繼而在北平製造「沈崇事件」，掀起反美高潮，終乃使美國民主黨政府停止援華，指我政府爲「腐敗低能」，要與共黨和平談判，不聽，美國就宣佈「一筆勾消」中華民國，讓共黨奪取大陸。今日的越南情形，跟當年中國的動亂經過一模一樣，言念前途，可憂亦復可懼也！

美國執政黨的夸言

美國民主黨爲總統選舉而召開的代表大會中，宣傳本黨執政四年來的政績，特別指出廿廼廸應付古巴事件，以及詹遜最近對付越共襲擊美艦的報復行動，夸夸其談，認爲莫大的勝利，自說自話，未免可笑。

古巴問題至今猶是美國的一大隱患，不知如何是好，越南問題更糟糕。若非爲着大選的關係，白宮早已沿襲當年對中國問題的故技，主張跟越共和談了！看情勢，美國的「嚇阻政策」業已破產，而對越南問題的指導方法又完全錯誤，最大限度維持到明年二月，如果民主黨繼續當政，大概就會宣佈退出越南吧？因爲現時駐在越南的官員，已有「這個國家之氣數已盡」的說法，而美國在越南進行的反游擊隊戰，絕對不會發生效果。

世界危機日亟

美國民主黨人士宣稱：自一九六〇年以來，世界和平景象以今日爲最佳。我們的看法恰恰相反。

北大西洋公約原係自由世界反極權侵略的中心力量，由於法國之携貳，陷入了萎縮狀態；他如中東與東南亞公約，更已歸於幻滅，整個自由世界呈現着分崩析離之象，戰亂的因素有增無已，和平云乎哉！

吸香煙的神經戰

透視胡秋原的「中行」與「潔癖」相

—用眞憑實據檢驗—（下）

雷嘯岑

今年四月間，曾有妄人龔德柏在台北散發傳單，對我妄作惡意造謠的人身攻擊，而其詞句俚鄙無謂。當時我認爲這類下流的玩藝兒，沒有理睬的價値，決計一哂置之。

詎料到了六月中旬，台北有所謂「中華雜志」者，又將龔某所寫同樣的無聊文字——即攻訐我過去在內政部未曾兼任過常務次長暨代行部務，指爲說謊——特予揭載，而該雜志發行人胡秋原，且在原文之前附以長篇大論的按語，肯定我是個說謊的混濁小人。說他自己所受的教育，「素以中行爲目標，又受潔癖之拘束」，自命爲正氣充溢，大義凜然的清白君子，因而悍然爲龔某負弩前驅，表現着爭打頭陣之勇。更聲明該雜志刊載這類指名道姓，從事人身攻擊的文字是第一次，他跟龔某「尚須謀集體安全，也互相聲援」云。態度極端惡劣，詞氣咄咄逼人，除却表示他是蓄意同惡共濟，有計畫地串通龔某，對我肆行誹謗外，還實施威脅恐嚇伎倆。我素有不信邪的個性，平生立身行己，抱定「人不犯我，我不犯人；人若犯我，我必犯人」的原則，對胡秋原等如此變本加厲，公然侮辱人格的惡作劇，殊難容忍，迫使我不得不闢斥龔某的讕語，以正觀聽。現在更以親身經歷的事實，印證胡秋原的「中行」與「潔癖」眞相，讓世人瞧瞧這個自炫學問淵博、品格高超的「胡君子」，究竟是何許人也？他應該列入呂新吾所述士大夫流品的第幾等呢？本文所述胡秋原的「嘉言懿行」，只限於大陸淪陷後，他在香港跟我相處一段時期的情節，都有人證物證可憑，我願負道德與法律上的完全責任。至於過去在大陸上所聞見的關於「胡君子」之若干事情（例如陳銘樞所談的），概予從略。胡秋原固以健訟著稱，如要對我構訟，悉聽尊便。

一、

中華民國卅八年八月初，國民黨在香港創刊「香港時報」之際，鄂省已被共匪佔領，胡秋原在其黃陂家鄉，并未出來。到十月初，時報主持人語我：「胡秋原已到廣州，有信給陶希聖兒（陶先生亦在港籌備時報出版事宜）願來本報作主筆」。這時我在時報負責處理社論部門的業務，聞訊當然表示歡迎。隨後爲着安置這位胡大主筆的關係，且將原有的一位同仁辭退了，至今引爲疚歎。

繼而胡大主筆到時報就職了，跟我一道住在報社三樓上。不意他首先就以嚴肅態度，向我聲明不願寫反共的文章，只寫國際問題和國內與政治無關的事情如紀念孔子誕辰之類（這時剛剛過了孔誕不久），我聞之驚詫不置。香港時報原係爲着反共抗俄的文化鬥爭而創辦，請來的主筆竟不肯寫反共文章，這成甚麼話呢！他所持的唯一理由是家眷未出來，我就告訴他：「我全家大小皆在大陸上，但我經常讓寫反共文字，有時候在報章雜志上，且用眞姓名發表專欄論文。國事至此，祇有死拼之一途，顧不得許多了。」但他依然堅持己見，我會將此情轉告報社主持人，且表不滿之意。此時「胡君子」確有言行一致的「中行」與「潔癖」之品性，直到他離開香港時報，絕未寫過片言隻字的反共文章（時報有合訂本可以稽考），眞是了不起的「超越前進」份子啊！

未幾，胡大主筆的家眷來到了海隅，我以爲他從此已無內顧之憂，大可以展其自負爲學貫中西，舉凡經史子集、數理化工、聲光電力之學靡不精通的「天才」，爲反共抗俄的文化鬥爭運動，將有所表現了。然而失望得很，他還是「受潔癖之拘束」，不談反共問題。越民國卅九年春間，他忽然向報社申請辭職，說是有湖北商人組織公司，請他去作董事長。既有高就，報社自不便挽留。可是，他又佔據着時報三樓上的一間房子，早出晚歸，歷時頗久，更當面囑託我轉告報社收發處，嗣後凡有寄由香港時報交給他的信件，一概退回，并要在信封上註明「本報無此人」字樣。看他這樣鬼鬼祟祟的行爲，我心裏頗覺奇怪，經理部同寅尤其嘖有煩言。最後迫不得已，由經理部教工友把「胡君子」的行李，搬到報社員工們下榻的大宿舍中，藉以「劃分眞僞清濁君子小人之界」——借用「胡君子」攻訐我的按語原文——使他明白「香港時報」并非接待行商的旅店，這樣他纔黯然搬走了。

二、

「胡君子」遷出時報社不久，一夕，時報一位高級同事密語我道：「不得了，胡秋原在文匯報寫社論啦！」香港文匯報原係李濟琛創辦的反動刊物，這時候已成爲毛共在海隅文壇上的頭號打手，專以時報爲對象。因此，我認爲胡秋原之爲人雖卑卑不足道，似不致墮落到這步田地，對於這位同寅所述的消息，覺得過於離奇，不敢相信。但他說是確訊，却不告訴我以消息來源，我還是抱着懷疑的心情，期待事實證明，亦不欲向外人探詢究竟，姑妄聽之而已。

約莫經過七八個月的時間（此時胡秋原已進入台灣，且以反共英雄姿態招搖過市了。），偶於應酬場合，遇着原在香港「文匯報」担任高級職務的張××君，他不是共產黨人，過去我在大陸上跟他認識的，到了香港後，彼此沒有往來，忽然狹路相逢，祇好閒談招呼一下，迨散席出門後，我乘機問他：「聽說胡秋原曾在文匯報寫社論，眞的嗎？」答謂：「確有此事，我并不認識胡氏，係本報高級幹部孫思毅介紹的，胡氏到職之日，報社編經兩部高級人員，且在『思豪酒店』設宴歡迎他呢！」我心裏潛存着的一大疑問，這纔釋然了。

胡秋原到香港後，初在以反共爲職志的國民黨機關報作主筆，却拒絕寫反共抗俄的文章，繼又替共黨機關報寫社論，更不可能有反共的意志表現，就其思想體系而言，可謂「吾道一以貫之」，不愧爲「受潔癖之拘束」的有道君子。假使他的言行眞是一貫到底，則士各有志，別人亦不願說甚末，充其量各行其是，劃分眞僞清濁之界，亦就算了。否料他這自詡爲深受「中行」教育與「潔癖」約束的「清白君子」，竟是個五色瓶子式——一搖動即變色——的人物，混濁極了！

胡秋原本是一名立法委員，但在韓戰未發生以前，他從不談立委這回事，有時當着朋友面前，且大罵國民黨及其領導人。迨韓戰爆發，美國第七艦隊協防台灣海峽後，他覺得台灣比香港更好「撈世界」了。如是乎，憑其「超越前進」的故智，又以立委身份，藉着立院代辦入境證的便利，舉家轉進台灣。不過，想到自己在香港的諸般言行，不免有些慚惡，乃趕忙撰寫一種名曰「俄帝必敗論」的小冊子，委託香港時報的「東南印務社」，急速排印裝訂一大堆，隨身携帶入台，藉作護身符兼敲門磚，表示他是個積極反共的忠義之士（在這以前，他印行了一本「中國之悲劇」小冊子，其中并無反共詞句。），而且到了台灣之後，又自動的寫些反共文章寄到香港時報發表，前後判若兩人——他的反共文章并不寄給我，怕我置之不理，只投遞編輯部逕行刊佈——可鄙的「中行」教育，可恥的「潔癖」約束呀！

胡秋原轉進台灣後，如其安份守己，自愛自重，不要大言不慚，自炫學問淵博，動則盛氣凌人，張牙舞爪，惹事生非。那末，別人雖然瞭解「胡君子」之爲人如何，亦甚於「與人爲善」的恕道，不會多所深究的。然而，他自己所作所爲的情形如彼，却要以「清流」自居，對人裝出渾身正義感的「潔癖」相。自身骯髒不堪，臭氣薰人，口口聲聲說要「保持文壇學界之純潔」，說要「劃分眞僞清濁君子小人之界」，而指稱異己者爲「文奸、文流氓之屬」，妄冀一手遮天，欺世人以無知，眞所謂不知人間有羞恥事了！

胡秋原認爲「說謊是一切罪惡之共同要素」，這話很對！可是，他對於自己參預其役的公然變更國體與政體，毀棄中華民國的國號國旗，實行軍事叛亂的「福建人民政府」事變，竟靦顏否認是變局，而詭辯是「誤會」的「事」。這不但是閉目說謊，而且當面造謠，其罪惡遠甚於說謊也。至於我當年在內政部担任過的職務，不特有檔卷可稽，現在台北主持「中央勞工保險局」業務的張國幹先生，當年就在內政部作科長，請問問他，對於我所敘述在內政部的事情，是眞抑是假？這類過眼烟雲的政治幻影，我只在寫個人的生活過程中，偶爾提到它，最近廿年來，我與政界又絕了緣，還有甚末說謊的價値與必要呢？「胡君子」原不知道內政部是何內容，更昧然於近代中國的行政沿革史實，即以小人之心度人，跟妄人龔某一唱一和，武斷我是說謊者。這與瞎說「閩變」不是變局的觀念無異，誠不知其係「文流氓」呢？抑「武流氓」的論調？

檢驗了上述胡秋原的各項言行，比較參證，即知其全身的細胞組織機能是何狀態，原形畢露，一覽無餘，「中行」乎？僻行乎？「潔癖」乎？汚癖乎？不須多所詮釋了。「史載少正卯之爲人，言僞而辯，行僻而堅，順非而澤」，足見少正卯是個具有相當見識的士大夫，由於品性惡劣，太不安份，致受魯司寇孔丘之誅。像少正卯這類人物，誠如「胡君子」所說：「何國何世無之」？而以今日的中華民國特多，然時無魯司寇孔丘，致令小人道長，君子道消。因此，我不禁想起已故立法委員徐源泉先生在生時說過的話：「大陸上的一些壞人，怎末也到台灣來了？」唉！（完）

掀開台灣省教師福利會偷天換日的爛賬

本報台灣中部記者熊徵宇

（九）有人說賴順生在台北市南京東路買房子的錢，和一切傢俱舖設是林春暉在教師福利會撥給他的。這點不難查，如果化點精神找找業主，對對付欵的情形和交易時情況以及文書支票什麼的。

傢俱和電氣設備，除非全部更換，否則當然很容易查。

（十）調查「新中國大飯店」的投資情形，營業執照上當然不是林春暉，如果能查閱原始合同之類根本文件，就可以在某種調查方法上看出林春暉集有多少財富，就可以知道賴順生有沒有投資。長春圖書公司也是一樣。

林春暉任內的教師福利會的賬，移交後由不由教育廳主計室保管？我不淸楚，要是主計室無權「封存」的話，很難保險我這篇通訊見報後，或者在我採訪時已經聞風改賬。

而我所舉的那十項事件，已在着手「補救」。或者是在我了解這些問題以前就動了手。因爲調查的單位已經查過好幾次了，而省議會一個月前也組織過專案小組在查。

但我認爲，有很多存在的事實是無法偷天的，只要認眞去查，不難獲得眞象。

基金來自各個階層　社會不容假名自利

新聞記者對他自己所服務的報館和社會國家所負的責任，是要說該說的話，不隱瞞不該瞞的事情。

我寫這篇稿的動機，就是本着這種原則。在一個追求淸明社會的法治國家，像教師福利會這種組織，在屬性上是値得研討的。而財務制度的不健康更是一種絕對不能容許存在的病態。

社會不容許任何組織假衆人之名圖自利之事的事件存在是顯而易見的。

特別是教師福利會所彙集抽取的錢，來自每個黨國大員與販夫走卒。各階層的人們，都有子女就學，而所有學生家長却得出錢給福利會。

這會像一座神明赫赫的廟，接受來自十方的供養；所不同的，是拜廟的香客有不捐獻的自由，而學生進了學校，就得向福利會繳欵。

修正管理辦法

所以値得我們有關機關花點精神和時間，作一澈底的調查。我們希望教育界的朋友和各家長會的負責人乃至所有的公立中小學的學生家長們支持一個新聞從業員的建議！

我覺得，這個組織既然成立六年，就該讓他繼續存在，因爲這個組織多少對教職員有些好處，雖然他們所獲得的福利在個別上比起來萬不能有林春暉他們多。

但是這個組織首先應當嚴正的完成立法程序，廢除以教育廳爲最高主管的不合理現象，研究一個更洽當的辦法來管理，使這個組織不因爲不是教育廳主管就收不到費。

而代表與常務理事，應該有中小學的教員和家長。減少教育廳與省議員的理事名額。在這個構想的原則上，切實地健全適當的福利和財務制度。

廢除會舘豪華

把台中和日月潭的兩個教師會舘，改爲全省學校的藝術中心，或是與學校有關的陳列活動之類的什麼。留幾個房間切實給教員住。

廢除冷氣設備，削低宿費。台灣的教授和教員在生活水準上還沒有到需要冷氣的環境。

房間的設備儘量大衆化，自然就可以改正以教師會舘爲名，行觀光旅社之實的現象了。

而達官豪客自然也就不會去住。自然就可以澄淸「貴賓招待所」的說法。而兩個教師會舘的用人費，也能相對減少。

把那筆用人費，移之於教師福利會專任職工之用，停止教育廳的兼任人員。

把以往的爛賬搞淸楚以後，朝着這方面走，那末以每學年學生人數相對增加的福利基金，必然能發揮很大的功用。爲淸苦的中小學教員們提供福祉。

（六·完）

中外空軍運用史實

雲家

戰果統計：英軍傷亡、失踪及被俘達一萬四千人，希軍一萬多人全部損失，皇家海軍地中海艦隊的百分之七十五的直接效力，均喪失於此一役中。德軍呢？陣亡的約四千人，負傷八千人，損失飛機一七〇架。

盟軍在向軸心反攻之前，曾在一九四二年七月四日起，開始對敵人的工業設施，機場、廠庫作長時期的戰略轟炸。第一次使用「波士頓」式機六架混於英國較大的隊形中，轟炸荷蘭境內四個德國機場，波機有兩架損失，英機更多。（同年五月三十日三十一日英軍出動一千架飛機夜間轟炸科隆，損失飛機亦達四十二架）翌年六月十三日，美第八航空隊，不用戰鬥機掩護，以七十六架攻擊基爾，損失二二架；後來以二九一架再去空襲，又損失六十架，每架飛機擊落後至少有十人犧牲。因而使盟軍大傷腦筋。蓋計劃迄於一九四四年六月止，盟軍在歐洲戰場所能使用之空軍兵力爲：戰鬥機五〇九四架，重轟炸三四六七架，中型輕型及魚雷轟炸機一六四五架，其他戰鬥機六九八架，運輸機三二一六架，滑翔機二五九一架。如不設法減低決戰前之使用損失，將會嚴重影響決戰之遂行也。

盟軍進攻西西里，爲大量使用空降部隊及空軍的一役。使用的部隊包括：美國步兵第四十五師、第三師、第一師，裝甲兵第二師，第八十二空降師，以及突擊部隊。英國之加拿大軍團，及第八軍之一部。新發明的裝備，如戰車登陸艦，水陸兩用戰車，開路機，吉普車，兩噸半大卡車及C四七運輸機，均計劃於此役首先使用。海軍則由六艘巡洋艦與十艘驅逐艦及其他船艦組成一個龐大的艦隊。會戰自一九四三年七月十日至三十日結束。敵軍約兩個師强，在攻擊前一週中，盟軍每日以空軍投下千噸高熱炸彈，予敵以極大之損害。攻擊之時，以傘兵先行降落，接着是兩側的兩棲登陸。由於風速較大，傘兵所乘之若干滑翔機，吹入海中。所幸犧牲數字不大，卒能會合步兵痛殲頑敵。是役德軍傷亡甚夥，計一萬一千人被俘。該島第二階段的戰役——自卡梯南沃進向墨西拿之攻擊，亦在八月十七日清晨結束。

英軍於緬甸北部對日軍之空中挺擊作戰，是在一九四四年三月五日至十日間實施，英軍計使用了三個傘兵旅（第十七、第十四及第三WA）及步兵第十六旅，奇襲日軍第十五軍，使敵驚惶失措，損失慘重。反之，使英軍獲得了下述四項利益：（一）使日第十五軍對伊姆法爾作戰的統帥陷於混亂。（二）遮斷日第十五軍及第十八師團的後方補給。（三）牽制日第五飛行師主力，使其無法協力第十五軍的地面作戰。（四）日軍兵力受英軍敵後挺擊部隊的牽制，以致第十五軍主力，對伊姆法爾及胡康河谷的作戰遭受極大的影響，成爲日軍在緬北作戰挫敗的主因。

盟軍對法國西北部（諾曼第）海岸登陸戰，是戰史上罕見的運用空軍最多的一次，會戰于一九四四年六月六日開始，迄八月廿五日光復巴黎。防守的德軍估計初期爲五個師，五日內可能增加到七至十五個師（其中可能有五至八個裝甲師），兩個月間，可能增援者約爲廿多個師。故盟軍決定先以五個師登陸，兩個師緊接增援，並於登陸之前先空降三個空降師（美第一〇一及第八十二空降師，英第六空降師）；至後續部隊，預計自登陸至登陸廿日內續登陸三十個師（其中有十個裝甲師）。空軍方面，美第九航空隊直協美第一軍團，英皇家第二戰術航空隊直協英第二軍團。（三）

我所知道的麥帥

肯寧將軍原著　徐熙光翻譯

「此一新的政府，新的國家恰在此一多難之秋誕生。四百多年來，菲律賓人一直在爲達成自治的目標而努力奮鬥，正當此菲律賓獲得獨立之際，又面臨了此一嚴重的考驗，這是菲律賓存亡絕續的關頭，我們絕不可猶豫彷徨，更不可稍事懷疑，動搖我們的信心。全國人民都必須奮起跟隨你們的領袖爲自由而戰，爲反奴役而戰。你們的領袖剛剛宣誓就職，就已負起此一艱鉅的任務，但是只要你們與美國及世界上的其他自由國家携手合作，必能獲得最後勝利。不管遭遇何種逆境，最後勝利必將屬於我們。

「這個國家所要經歷的痛苦將使她付出如邱吉爾所說的『血、汗和眼淚』的代價。仁慈的上帝，請降福給這個國家，請保護這個民族的人民。」

一九四五年二月二十七日，奧斯敏納總統在馬尼拉的馬拉卡南宮就職。馬拉卡南宮原是西班牙總督的官邸，現在作爲菲律賓總統的居住和辦公處所。那是一棟有好幾百年歷史的古老建築物，它很幸運未遭戰火的破壞，精美的彫刻，宮燈，名畫，傢俱，地毯和各種陳設都還完整無損，在菲律賓找不到第二幢像這樣漂亮的房子，那就是舉行就職典禮最理想的場所。麥克阿瑟率領所有高級參謀人員，陸軍司令克魯格將軍，海軍司令金凱上將，本人、及其他高級將領出席這項典禮。菲方參加儀式的則爲文武百官，他們的夫人都穿着菲律賓人的本地服裝。此外接待室裏還坐滿了許許多多來自各地的新聞記者和攝影記者。當時清掃日軍的戰事仍在進行，馬尼拉東郊八哩之外的砲聲仍清晰可聞，使得此一戲劇性的歷史事件更令人覺得難以忘懷和值得紀念。

奧斯敏納總統宣誓以後，麥克阿瑟發表演說，他的這篇演說詞，深深地打動了在場每一位聽衆的心，尤其是菲律賓人，當麥帥演說完畢走下台來時，大部份在場的菲律賓人眼裏都含滿了眼淚，我看到麥克阿瑟的兩眼，也隱約地閃着淚光。以下是他的演講詞全文：

「總統先生。

「自從我率軍撤出此一美麗而未設防的城市，迄今已三年有餘。這三年多的時間是苦痛，奮鬥和犧牲的歲月。教堂，紀念碑和文化中心，都慘遭戰火的洗禮。但是從這些廢墟中，我們可以預見敵人覆亡的命運。

「三年前，我們的軍力單薄，強大的敵人戴着友好和善的面具，向我們大舉進犯。但是上帝站在正義的我們這一邊，三年來，美軍得到各盟邦的協助，扭轉了太平洋戰爭的頹勢，反敗爲勝，收復了貴國的失土，恢復了貴國人民的自由，美國實現了她的諾言。

「美軍與貴國人民爲人類自由而獻身，爲消滅殘酷的敵人而比肩作戰。貴國人民此刻又得以在民主的旗幟下揚眉吐氣，他們從廢墟中重建教堂，來崇敬上帝和感謝上帝所賜與的恩典；他們的學校又開放自由教育的花朵；他們安心播種、收成、種瓜得瓜，不用擺怕辛勞得來的成果被沒收；他們從流汗出力，重建工業；他們從此安居樂業，不要再怕有强權暴力和侵佔。

（三九）

康有爲的亡命

丘峻

康得英艦護送，至八月十四晚，始脫險到達香港。因上海自總領事之電告，何東爵士，輔政司波君，總巡捕梅君，迎於碼頭，親送至總捕房安頓，並日夜派警探數十，嚴密保護。越二日，其母勞太夫人亦由廣州率家屬避難經澳門來港相會。當時以爲救康係出於上海英總領事之自動，直至光緒二十六年，康始知己之被救乃由程氏所策動也。

當六日政變初發，梁啓超急電滬麥孟華告變。七日得電，即由狄葆賢（楚卿），歐榘甲（雲樵）向日本亞東時報館中人設法營救康氏。而曾加入「强學會」之汪康年（字穰卿，晚號恢伯）則竟密告上海縣而引捕役至大同局及梁啓超家搜捕，皆撲空而回。八月再由陳榮袞電告廣州愛育善堂區諫之，夜渡珠江至花地八公祠對面之氏家『素園』，竟夕坐催趣裝逃難，儘速往港澳暫避。兩廣總督譚鍾麟亦於八日奉電，即夜至惠愛西街之『雲衢書屋』，捕氏家人，並抄家產，追捕黨羽，亦一無所獲。隨於九日破曉到氏家『素園』搜索，適康家人方下白鵝潭紫洞艇，得免，僅看屋者三人被捕而已。唯時值星期日，港澳輪船停航，乃命座艇在白鵝潭整日游來游去。舟子怪而問曰：「貴客究欲何往？」衆答：「吾等游河耳！」驚恐生活，經一晝夜之提心吊胆，度日如年，翌晨，方始登輪赴澳，船啓碇驚魂始稍定，亦云幸矣！祇因事出倉皇，急於逃命，以致『大同書原稿』不及携出，遂遭遺失，則殊爲可惜耳。

至十一日，氏之花埭家屋，首遭查封。其從叔康國器之中丞第及田園兩畝，同被抄沒。十二日，再封市西之雲衢書屋，氏所藏書及所著書稿之存於是間者盡失。十八日，氏在銀塘鄉之田産屋宇及其高祖炳堂公祠，又被封閉。二十二日，復封萬木草堂，又將氏所藏書畫三百餘箱，付諸一炬。而所著刊各書，則行文各省抄沒坊間所有，並盡燬其版。其象岡鄉（又名象台鄉）仲叔達遷之屋宇及衆人祖祠，又一併被封。再梁啓超之鄉，亦於十九日被圍，鄉人皆避，捕其遠房一孕婦墮胎而死。於是風聲所播，奸人生心，擄挾親朋，勒索貨財，日夕數遷，三族走避。甚至梓里六親及長登陸鄉，數十萬戶亦皆逃避一空。黨禍株連，可謂慘絕！

康氏抵港，任總巡捕房一週，至二十一日，何爵紳親迎遷居於其西摩道之私宅。先後居停凡二十日。日本總理大臣大隈重信命原任駐華公使而請假回日之矢野文雄電氏招遊，並匯三千港元作旅費（註一），遂以九月初五日，乘河內丸赴日。十二日轉往東京，即與大隈首相，伊藤博文，犬養毅等，共謀救帝。居凡五月，西渡加拿大，而英倫，而還居加拿大。所到之處，國人爭迎之，而氏則隨地發表演說，以大義激勵國人，並創組『憲政會』（或稱『保皇會』）（光緒二十五年六月十三日），以賡續推進其變法維新之救國運動。

（六）

虛君續夢

第十三回：惡貫難盈　巨奸逃火網　良知未泯　傑士出天羅

蒙哥馬利在武漢停留兩天，與毛澤東共進晚餐、午餐各一次，吃的十分滿意，然後動身去北平。周恩來、陳毅都在飛機場歡迎。

蒙哥馬利下機後，與歡迎者一一握手，看見陳毅，左右端詳了一下，問道：「陳外長，你怎麼瘦了這麼多？」

陳毅紅着臉說道：「我過去太肥了，醫生要我減肥，因此瘦了二十多磅。」

蒙哥馬利點頭道：「還是瘦了好，一個偉大的軍人沒有胖子的。」

陳毅說道：「偉大的軍人雖然沒有胖子，但是眞正最偉大的軍人，卻一定是胖子。」

蒙哥馬利正在向前走，被陳毅一句話講的愕然站住，問道：「這是什麼理由，閣下的話有什麼根據？」

陳毅說道：「一個偉大的軍人所以都是瘦人，因爲他們軍書傍午，用盡心機，自然不會發胖。可是更偉大的軍人，不但能打仗，還能作詩，一個偉大的詩人必然是樂天派，精神不會太緊張的。每天打仗之外，還作作詩，自然就會胖起來。我打了半輩子仗還是個胖子，就因爲我又是個詩人。」

蒙哥馬利與美國死去的馬歇爾一樣，都是淡漠無情的人，一生一世也不會大笑一次，這次卻也忍不住了，不由得哈哈大笑起來。一邊笑，一邊還向陳毅端詳，看着陳毅兩百多磅的身體，更是越看越好笑。陳毅更加得意，一路上搖頭幌腦，左顧右盼，儼然是當代最偉大的軍人。

蒙哥馬利到了北平，當天晚上，周恩來在人民大會堂設宴洗塵。中共大頭目在北平的全部出席，尤其是一些「大將」、「元帥」都帶着金碧輝皇的領章，穿着鑲有金綫的服裝出席，再加上一些「夫人」的珠光寶氣，把蒙哥馬利看得目瞪口呆。好似劉姥姥進了大觀園一樣，只是左右張望。

宴會開始前，周恩來先致詞道：「今天舉行酒會，歡迎蒙哥馬利元帥，因爲蒙哥馬利元帥不但是一個偉大的軍人，也是一個有遠見的政治家，一貫主張與中國親善，熱心協助中國恢復在聯合國的席位，更極力在資本主義國家爲新中國辯護。當我們的同志都造謠說我們窮得沒有褲子穿，只能喝清水時，只有蒙哥馬利元帥挺身出來證明新中國家給戶足，人民營養充足，精神飽滿，對帝國主義及現代修正主義者予以無情的打擊。這份友情是可貴的！因此，我們衷心歡迎老元帥，並祝老元帥健康。」

周恩來說過，大家一齊鼓掌，蒙哥馬利起身答道：「剛才周總理恭維的話我實在不敢當。我今天參加這個宴會，有一個很大的感想，就是中國實在富了。在國民黨政府時代，我也到中國來訪問過；國民黨的軍官都穿一身土布衣服，最講究的也不過一身呢質軍服，像今天這樣壯麗的場面，不僅國民黨時期沒有，就是在英美各國也很少見。誰再說新中國窮困，這人簡直就是個瘋子。」

蒙哥馬利說到這裏，又用拳重重擊下桌子，全場響起歷久不息的掌聲。許多「元帥」、「大將」更是高興，你望望我，我望望你，越拍越起勁，正是：「優孟衣冠空自喜，望之不似待如何？」

（二三八）

冒險犯難記

鄧文儀

我正在考慮的時候，就接到總司令部的命令，總司令任命我担任國民革命第二十師的上校政治部主任，兼廣州警備司令部政治部主任；我是軍人，自應服從命令，二月旬，我就到任開始工作。因爲祇一個人，爲了工作方便及經濟關係，我搬到廣州八旗會館警備司令部裏面，住在政治部的辦公室內。這時二十師及警備司令部的政治工作是相當重要，也十分困難和危險的，因爲原有政治部的秘書、科長及團連政治指導員多是共產黨員，部隊裏面及廣州市上，國民黨和共產黨的鬥爭，非常激烈，已到短兵相接，由秘密鬥爭發展到公開鬥爭的階段。本黨對我期望殷切，共產黨對我很入骨髓。

我在政治部工作不到一個月，曾經不斷到二十師各部隊視察講話，接見軍官及政工人員，考查觀察廣州市的治安情況，人心動向及共產黨的宣傳、民運，將所得情況與分析，隨時報告李代總司令及曾代政治部主任與錢師長兼司令，同時我更和國民黨省市黨部及黃埔同學會，廣州機器總工會，省會公安局，中山大學等負責同志密切連絡。我發現共產黨正在積極煽動宣傳，準備暴動，由很多的集會及標語傳單與情報資料分析判斷，廣州已在暴風雨的前夕。我一面反應我的意見，同時更積極建議，連絡國民黨的忠實同志，開始普遍調查監視共產黨的組織和行動。各方面很快都有了警覺，不斷的舉行小規模的秘密會議會報，交換情報，商酌必要時自衛及主動進攻共黨的方法與行動。由於政治部的地位與責任，我又剛從俄國回來，在無形之間，對於反共鬥爭工作中，很快的便處於首當其衝的地位。好在那時國民黨一般同志都很熱情，對反共救國，都人同此心，心同此理，一經發動，便共同以赴。公共關係相當良好，李代總司令，曾代主任及錢司令等都決心堅定，命令并支援我們積極籌謀對策，部署防止共黨暴動，及主動搜查逮捕共黨的行動。

十六年四月十二日，中國國民黨由於中央政治會議的決議實行清黨，蔣總司令發佈宣言，命令全國實行清除共黨，這時廣州及各地接到通知，都非常興奮，緊張。共黨正積極準備總暴動，成千成萬的共黨羣衆組織及武裝的工人糾察隊、農民自衛軍，都在向廣州市集中、演習及不斷遊行示威，全省各縣市的農會會員代表與農民自衛軍，號稱十萬，正分別向廣州市郊集中，表面上他們用慶祝國民革命軍克復南京上海勝利大會的名義，實際上就是幹共產黨的武裝暴動，推翻國民黨奪取權與革命領導權的行動。（四四）

談「怒鞭督郵」

周燕謀

三國演義中，有「張翼德怒鞭督郵」（第二回），此乃小說家之言！張三爺蒙受此誣久矣。實則「遭打朝廷命官」督郵者，劉玄德也。三國演義第二回如是云：

劉備破黃巾有功，得授中山府安喜縣尉。到任數月，適遇朝廷降詔：凡有軍功爲長吏者，在淘汰之列。督郵行部到縣，倨傲無禮，仗勢凌人，故欲加罪，其目的則在索「紅包」也。劉備初任縣尉，且爲官清廉，那得財物奉獻？劉備不諳爲官之道，督郵先將縣吏提去，勒其誣指縣尉害民。玄德欲往求免，被阻門外。適張飛喝了黃湯，乘興闖到館驛，聞衆百姓述告情由，張飛大怒，衝將進去，直奔後堂，見了督郵，大喝一聲「害民賊，認得我麽！」督郵未及開口，被張飛扭住頭髮，拖出館驛，縛之馬樁之上，折下樹枝，飽抽一頓。幸得玄德趕到止之，否則督郵早見閻王去了。

此乃是「擅打朝廷命官」的大事，在專制時代，簡直等於今日的叛亂罪，非同小可。小說家描繪個性人物，必須單純化，誇大化，爲了此，羅貫中便將此一「擅打朝廷命官」的舉動，「劉冠張戴」了。不僅此也，小說家顯示之歷史背景，觀張飛大喝一聲「害民賊！認得我麽！」可見羅貫中當時對於現時政治之腐敗，深惡痛絕矣。三國演義之張飛，如同「水滸傳」中的李逵，是很重要的角色，表現作者的心情，全在這些人物。如李逵說：「你的皇帝姓宋，我的哥哥也姓宋，偏我哥哥做不得皇帝！」如張飛說：「異姓之人皆欲爲君，何況我哥哥乃是漢朝宗脉，莫說漢中王，就做皇帝有何不可？」這在專制時代，豈不是要造反麽？由於三國演義的張飛和水滸傳的李逵，二人之言行，足知元明文人對於時政仇恨心理之一斑。張飛李逵口中所說的話，正是作者心中的話。因此「劉冠張戴」的事，就在此種情況下成立了。

然而看三國演義者多，讀三國志者少，因此人們均知「張翼德怒鞭督郵」，却不知「劉玄德怒鞭督郵」也。

三國志先主紀云：「先主率其屬徒校尉鄒靖，討黃巾有功，除安喜縣尉。督郵以公事到縣，先主求謁不通，直入縛督郵，杖二百。解印綬繫其頸，著馬柳，棄官亡命。」漢末之世，賄賂公行，官吏橫悍，大致也與羅貫中時代彼此彼此。小說家故意「劉冠張戴」，於是將此一筆帳算在張三爺頭上。

筆者要畫蛇添足的提出奉告讀者，在此，「歷史小說」仍是「小說」，而並不是歷史。三國演義中的主要人物的個性，作者往往亦加改造，而誇大化，單純化了，甚至張冠李戴了。此類例證甚多，張翼德怒鞭督郵不過其一。他如「單刀會」，「斬華雄」，「斬蔡陽」……舉不勝舉。就以張飛一人而論，三國志中的張飛字益德，三國演義則爲「張翼德」。三國志中的張益德，是智勇雙全，有國士之風；演義中的張翼德，明白言之，則是粗莽之夫。張益德乃是實有其人的張益德；張翼德乃是羅貫中筆下的張翼德也。

長篇小說　美姝

羅雲家著

終於廹使他不得不輟學，如果不是得到恩深義重的傅老師來撫慰，收留他，這些年來，眞不知他是病死？還是流落街頭？……現在他出現了，大家最爲他操心的安全問題，總算不成問題了。只是他那急匆匆的來去，帶給人一種猜疑：究竟他有什麽急用，而必需這樣一筆不多也不算少的錢呢？如今錢已給他了，我計劃中的冬裝只好擱淺。唉！爲了朋友，這有什麽辦法啊。

做夢也想不到的！今天的早報上，竟會登着他與黃美姝雙雙私奔的新聞。這是眞的嗎？還是傳聞失實的報導？

正當我想去探問究竟時，一個穿着樸素，但却塗抹脂粉唇膏的少女走來找我。我一下楞住了。何健文這傢伙怎麽眞做出這樣的事呢？等到她的人影消失時，我才發覺我冷落了她。

×　×　×

碰巧這天是個壞天氣。爲了朋友，有什辦法呢？我只得推着車子出門。

雨越下越大，風愈來愈急。褲子裏的雨水透過內衣，漸漸往下滲入；到了背上，到了腰間，……我不住地打着哆嗦，可是我并沒有折轉身去的意思。

到了東門的時候，我才想起究竟到那兒去？該怎樣走呢？候車亭中候車的人不多，我下了車，推着它走進亭子。支好車，掏出香烟吸着。我想剛才經過第四分局時，何不借用電話向承辦這案子的派出所探問一下，看看健文是移送去分局了？還是移送去法院了呢？……美姝這孩子也眞是，既不把她與健文的「私奔」經過概畧告訴我，也不說清楚他現在拘留的確實位置，就不哼不哈的走了。

揩去了面上與頸項間的雨水，抬頭望着前面的幾條路，我倒眞的有些躊躇起來。一直走是新生南路，在那兒我或許可以依據昨天那位記者採訪到的地址，見到健文的朋友，從他們那裏得到健文與這少女的一些資料，從而磋商着如何設法營救健文的方法。往右走，一邊是杭州南路北段，一邊是通往承辦這件案子的第七分局，再往西是執行拘捕健文的××派出所。我如果循杭州南路往北，再轉仁愛路，也許可以依新聞報導的地址尋覓到黃美姝，讓我好好地問問她，藉以發掘眞正的「內幕」，并打聽健文的現在地方，以便好去探望他……如果往左走，則不妨直奔分局去，若他正在那裏，我就套套他的口氣，看他需要我幫忙的是什麽？是有關生活上衣食的支援？抑是官司上的辯護？或者是有關她這方面的照顧嗎？……若他不在，那麽就再依據詢問到的確切地址，去派出所或是法院……這樣，我總可以算是初步盡了朋友應有的義務了。

對了，當初我穿雨衣時，不是就是打算去看他的嗎？要不是這個十五六歲就塗上口紅胭脂的少女主角匆匆來找我，也許我早就見着健文了。何至於現在還呆在這裏，猶疑不決呢？

一枝香烟通常得要消磨我十分鐘的光陰。但現在竟四五分鐘就將燃燒到這有點焦黃的手指了。我用力扔掉了它。在水溝中，它給雨水冲走了。彷彿健文在許多朋友的心目中一樣，特別是報上登出了他的「不名譽」事件後，原先懷有對他的那一份淡淡的關切，也將因此而決定開始不再與之交往；於是多年的友誼就此烟消雲散，自然消失了。

（二）

記張蒼水

湘南遯叟

因爲他曾三次監督張名振大軍，深入長江腹地，縱橫掃蕩，如入無人之境，迨永曆十一年成功會集閩浙之師，四次大舉北伐，以蒼水熟習江上形勢，派充水軍統將，爲先遣部隊。不過到了永曆十五年，成功進取台灣，他就極力反對，認爲消滅北虜，必須在大陸和敵人周旋，一入台灣，就成了偏安之局，有孤天下之望。他賦詩有：「中原方逐鹿，何暇問虹梁」？即是責備鄭成功的話。他是熟諳歷史的，知道晉室南渡，典午凌夷，新亭之會，四座興悲，而王茂弘獨說：「當共戮力王室，恢復中原，奈何作楚囚相對」！他的意念，即在於此。鄭氏一生忠於明室，大節凜然，最後驅荷入台，開闢草萊，成了今日反共抗俄、復興民族的基地，當然是值得後人無限景仰和追思，然蒼水百折不撓的精神，三死靡他的勇氣，忠貞壯烈之氣，充塞蒼冥，蟠鬱於黎庶胸宇，積歲月而不散，其豐功偉烈，實與鄭成功不相上下，其謀畧遠識，或更有過之。可惜明清兩史都不爲他立傳，官書既紀載不詳，野史又多附會，尤其是代清的立言者，諸多污蔑之詞，故有許多事蹟，晦而勿彰。茲將其家世，三入長江，與鄭成功合作，反對鄭成功入台，以及局勢逆轉慷慨就義諸大端，粗記崖畧如次。

一、張蒼水的家世

張蒼水諱煌言，字玄箸，浙江鄞縣人。宋宰相知白的後裔，父名圭璋，天啓甲子舉人，官至刑部郎中。

蒼水長身玉立，氣宇非凡，聲如洪鐘，目烱烱有光。輕財結客，不修邊幅細行，少時酷嗜賭博，日從博徒游，一擲千金，不稍吝嗇，數斥賣其生產，雖其父管束嚴，亦無如之何。年十六補邑諸生；時崇禎帝以天下大亂，欲諸生習武備，著令試文後，較射，一時諸生皆非素習，多倉卒應故事，觀者匿笑不止。獨蒼水引滿，三發皆中，一時驚服。崇禎十五年，年廿三，舉鄉薦。

甲申崇禎殉國。乙酉清攝政王初定北都，尚未派兵南下，適許定國殺高傑，傑妻邢訴於史可法，必要報仇。定國懼，納欵於攝政王，願爲嚮導，清兵就決策南下。豫王以輕兵，邐行千里，直抵揚州，五月丙辰，王抵南京，開洪武門，明室大僚統百官獻冊，行四拜禮，請豫王進城。乙巳劉良佐奉豫王令，追至坂子磯，黃得功中弩，自刎死，良佐入其營，挾福王回南京。浙西各郡縣皆望風降服。閏六月十三日，浙東士民起義勤王，無所期會，守城以外，窮鄉僻壤，都各自爲戰。鄞縣董志寧、王家勤與刑部郎錢肅樂等會鄉老合兵，張蒼水首先響應參加，肅樂即派他赴天台迎魯王以海監國。至會稽賜進士，監國授以行人。加翰林院編修，并授檢討，兼制誥，併統籌軍旅。（二）

台南勝跡小紀

羅緣

日本侵佔台灣後，於民國六年又大加修建，如大成殿，東西廡，崇聖祠，入德門，泮池，禮門，崇聖坊，櫺星門，明倫堂，文昌閣，節孝祠等，雖台北之文廟亦所不及。

開元寺：此寺乃鄭經爲其生母所建之別莊，又稱「北園別館」。清時改爲寺。康熙二十五年，巡撫周昌令台垣當局加添亭樹，夾置於茂林修竹中，頗饒水木清華趣。後又由巡撫王效宗改造，擴大殿堂，初名「海會寺」，嗣更名「淨海寺」，最後改稱「開元寺」。今沿此名。寺貌清靜，絕塵俗。內廷猶存桂樹一株，相傳係成功之妻攜自閩南親手所植。幹枝虬勁，花香滿院。山門彌陀像及中堂釋迦佛像及兩廡之十八羅漢像，雕刻精細，栩栩如生，的是名手之作，極藝術之精華。而迴廊棟柱，瓦簷高聳，金碧輝皇，古趣盎然。斜陽夕照，酣息其間，幾不知人世紛紛擾擾也。

法華寺：此寺爲明末避清義士李茂者所築茅屋曰「夢蝶園」，參軍陳永華所撰之夢蝶園碑石，文辭凄惋，感人肺腑。康熙二十二年知府蔣毓英爲保存古蹟，就茅屋傍建寺名曰法華寺。門外有泮月池，池北築泮月樓。小橋流水，擅幽雅之勝。惜早已傾圮矣！

成功大學：日踞時代，爲台南高等工業學校。光復後政府爲提高學術，培植工業人才，改爲台南工學院，搜聘專家學者，添設機械器材。增建大層樓宇，一時來學者益衆。民四十七年，升格爲成功大學焉。（完）

自由報
內版台報字第〇三壹號內銷證
THE FREE NEWS
第四七五期
中華民國僑務委員會頒發
台敎新字第三二三號登記證
中華郵政台字第一二八二號執照
登記為第一類新聞紙類
（半週刊每星期三、六出版）
每份港幣壹角
台灣零售價新台幣弍元
社　長：雷嘯岑
督印人：黃行審
社址：香港銅鑼灣高士威道二十號四樓
20 CAUSEWAY RD 3RD FL. HONG KONG
TEL. 771726　電報掛號：7191
承印者：田風印刷廠
地址：香港灣仔高士打道二二一號
台灣分社
台北市西寧南路壹叁柒號二樓
電話：三〇三四六
台郵撥儲金戶九二五二

在危疑震撼中冷觀詹森政府的亞洲政策（上）

宋文明

（一）

我們知道，美國甘迺迪政府的亞洲政策，主要是圍繞着一個中心概念。這一中心概念便是：積極扶植日本與印度的強大，然後再以這二者與東南亞地區其他國家作共同結合，建立一個完整的非共國家勢力圈，以與中共作長遠競賽。由這一中心概念出發，甘迺迪政府的亞洲政策，便在意指：

（一）所謂扶植日本與印度強大，並不僅要協助它們充實國防力量，以備應付軍事需要，或在外交上要擴大其發言權，使其成為太平洋及南亞洲的盟主；而且還要促進其經濟發展，技術與科學新的進步，使其充分達成現代化的目標。

（二）既然以扶植日本與印度強大為甘迺迪政府亞洲政策的核心，則美國對於它在亞洲的主要對手中共，除了繼續防制其向中國大陸以外地區發展勢力，絕不對其本身的存在採取干涉態度。

（三）美對中共的態度既然在於僅防制其向外擴張，而不在於積極干涉其存在，則美國除了繼續保持警戒，堅守亞洲地區的軍事聯防協定及承諾外，對於中共周邊的各種動亂，非至萬不得已，亦絕不採取軍事性應付，而是儘可能經由政治手段予以解決。

換言之，美國甘迺迪政府的亞洲政策，主要基於一個「往者已矣，來者猶可追」的根本概念。即認為中共的統治中國大陸，已成為一項既成事實，對此既成事實，美國並不打算設法予以推翻；但美國亦絕不允許中共在中國大陸以外地區繼續擴展勢力，以危害其他國家的安全。要防制中共在中國大陸以外地區尋求擴展，眼前的手段，主要在於加強美國在此一地區的軍事力量；及與其他國家的聯盟；而長遠的對策，即全在於促進日本與印度的強大，以與中共作百年競賽。所以扶植日本與印度的強大，實際也便是美國反共政策的一種延長。

為了要扶植日本的強大，甘迺迪總統與日本首相池田勇人於一九六一年六月二十二日在華府發表聲明，協議成立美日兩國閣員級委員會，及其他兩種混合委員會，加強雙方的密切合作。甘迺迪總統復於一九六二年三月十九日發表聲明，正式承認琉球為日本領土的一部份，並準備舉行商談，允許日本參與對琉球的經濟事務。為了要扶植印度的強大，甘迺迪政府於一九六一年曾自動提議增加對印度的經援數額，並當一九六二年藏南發生邊境戰爭時，甘迺迪政府又聯合英澳加等國，立即予印度以有力的軍援。這些事實明顯指出，甘迺迪政府對於日本與印度兩國，並不簡單視為美國的友邦或盟邦，而是作為美國對亞洲政策的兩塊基石，把長遠的希望完全寄托於它們兩者的身上。

（二）

詹森繼甘迺迪而為美國總統後，美國的亞洲政策，仍沿用甘迺迪政府時代的一套作法。其主要事實在於：

（一）詹森政府繼續強調日本與印度的重要：一九六四年四月二十五日，美日兩國代表在東京簽訂一項協議，宣布成立聯合諮詢委員會，以協調對琉球的經援事務。並於一九六四年五月二十五日，美國對其他八國及世界銀行協議，以十億零二千八百萬美元，給予印度作為其第二個五年計劃第四年度之用。前一協議的成立，使兩年前甘迺迪總統對日所作允諾獲得實現，也使日本在恢復琉球的全部主權上又進展了一大步。後一經援的給予，使四年來印度從美國等所獲援助已達四十四億四千萬美元以上。這表示詹森政府在扶植日本與印度的強大一事上，仍和甘迺迪政府一樣的積極。

（二）詹森政府一再聲明，美國將不改變現行的對華政策。即一面繼續反對承認中共，及不允其進入聯合國，另一面又表示美國並不絕對敵視中共。一九六四年四月二十日，詹森總統在紐約演講，甚至公開指中國大陸上的人民，「美國的反對別人侵略你們，正如反對你們的統治者侵略別人一樣」。根據這種表示，祇要中共不打算將其勢力繼續向外伸展，美國亦不作逼迫中共的打算。

（三）詹森繼任總統後不久在遠東所作的首一重要外交行動，便是遣派司法部長羅伯．甘迺迪前來訪問，從事調停印尼與大馬之間的爭執。這一行動，固在反映這一爭執當時所呈現的危機的嚴重，但主要的，則表示美國政府將絕不允許遠東地區的非共國家自相殘殺，以為共黨的從中漁利機會。這一事實，再加上不管印尼政府如何左傾，及美對印尼政策遭到何種指責，而美國仍堅持其對印尼的一貫支持態度而不動搖，更可看出詹森政府的胸有成竹。

（四）詹森政府今在遠東地區所面對的真正戰爭局面，便是越南的反共黨游擊隊戰爭。對於這一由前任政府所留下的戰爭負荷，詹森政府因基於客觀情勢需要，曾有過實際參戰，把戰爭帶到北越，以及由越撤退而使其中立化等各種考慮。但最後還是拋開了以上這各種想法，而選擇了以現有範圍及基礎而設法加強對共作戰的這一途徑。這表示詹森政府在不得已下繼續進行越南戰爭，也是儘量把這一戰爭縮小，而不使之波及其他地區，而致影響到全區的安定。

（五）當一九六四年四月寮國右翼少壯派軍人，因不滿佛馬聯合政府的無所作為，而發動政變時，美國務院立即發表了一項嚴厲的聲明，指責這一政變的錯誤。這一聲明說：「我們密切注視寮國局勢的發展，並和我們駐寮國大使館保持密切聯繫。美國政府過去充分支持，現在也仍然充分支持一九六二年的日內瓦協定，與寮國全國聯盟的皇室政府。因此我們斷然反對任何攫取政權的行動，我們要求立即釋放中立派份子作為恢復局勢的第一步」。

（六）就在同時，當美國務卿魯斯克因出席東南亞公約理事會議前來遠東，而詢及美國是否贊同更大規模的亞洲反共同盟時，他說：「我們已和韓國、日本、中華民國、菲律賓訂有防衛條約，並且還有東南亞公約與美澳紐公約。這些防衛條約的危險是出自一個來源的危險｜就是來自這一地區的共黨的危險。所以我們對此一地區的安全與和平，及對抗那些可能企圖從事侵略的人所持的立場是絲毫不成問題的」。這種說法就在表示，美國根本不贊同在亞洲地區建立另一個集體公約組織，既無這種認識，亦無這種打算。

魔鬼之舞

畸形寄生

今日與明日

越南的悲劇

連續多日的越南動亂局面，由於強人阮慶將軍之告假休息，讓副總理阮慶安代理中樞政務，在兩個月內召集國民會議，起草新憲法，成立新政府，似乎可告苟安了。可是，「大越黨」聲言不合作，而越政府「三人委員會」之一的陳善謙將軍，即係「大越黨」的實際領導人。這證明越南內部權力鬥爭的悲劇並未閉幕，好戲還在後頭哪！

越局動亂的基因是幾個軍人爭奪權力，利用學生與宗教徒紛起鬧事，因而使共黨份子乘機滲透、煽惑，擴大亂象，終致不可收拾。私爾忘公，不惜以國家人民利益為之殉，該死之至！

若不是美國當局再三聲明支持阮慶的話，越南的政變場面，早已出現了。試着楊文明、陳善謙二人，對於學生與宗教徒騷擾不已，甚至發生殺人放火的行為，始終袖手旁觀，不發一言的情形，即思過半矣。如此不顧大體，專事爭權奪利的統治階級人物，難怪別人認為越南的「氣數已盡」啊！

阮慶比較有種

卅八歲的阮慶將軍，搞政治固未臻於老練之境。但他有兩項行動殊堪讚許。一是單人徒手跟那些上萬名的示威羣衆講道理，交換政治意見；二是對示威遊行，乃至於違犯法令、破壞社會安寧秩序的暴民，完全不採取高壓的手段，最後宣告引退休息，以期終止動亂。

這兩點應付方法，看似平凡，實係很不容易之事。因為他是個血氣方剛的軍人，乃能夠不動意氣，而以大局為重，這種修養工夫，却非一般赳赳武夫所能企及的。

如果越南的氣數未盡，則我們不妨判斷，阮慶的政治前途，即很有希望，吾人拭目以觀其後罷。

亞洲歷史會議

這幾天，香港正在舉行「亞洲歷史會議」，來自各國的「歷史學者」二百餘人，濟濟一堂，共襄盛舉，可謂大觀也矣。

然而，咱們頗懷疑這些學者是否真正懂得亞洲歷史？西方的「遠東問題專家」們，平日對於亞洲問題的高見，咱們領教已多，實在不敢恭維，即亞洲地區的歷史學者，究竟對亞洲問題的本質，能有幾許真知灼見，亦是未知數吧？

研究歷史問題，最要條件是完全憑客觀態度以尋求真實答案，不能含有絲毫的主觀願望或政治成見。這次「亞洲歷史會議」的成就如何，且聽下回分解焉。

自由讀

作官不忘讀書

史載孫權謂呂蒙曰：「卿今當塗掌事，不可不學。」蒙辭以軍中多務。權曰：「孤豈欲卿治經為博士耶？但當涉獵見往事耳。卿言多務，孰若孤？孤常讀書，自以為大有所益。」蒙乃始就學。魯肅過潯陽與論議，大驚曰：「卿今者才略，非復吳下阿蒙矣！」這段史事，不特證明了政治人物不學即無術的真理，亦是君臣相處的佳話，足以垂範於後世也。

掌理國計民生問題的政界顯要人士，沒有相當的知識，必然誤盡天下蒼生。知識可以增加智慧，不讀書，則其知識永遠不會有長進，對於治亂興亡之道，蒙昧無知而自以為是。如是乎，剛愎用事，文過飾非，馴致遠賢親佞，倒行逆施，終於禍國殃民，身敗名裂而已。

孫權教呂蒙不必作學人，但常涉獵書籍以見往事，這就是要從歷史知識之中，領悟治亂興亡的義理，作為政治人物立身行己的準則。此種見解到今天還是確切不移，無可非議的。我希望一般紆青紫的大人先生們，對於歷史紀錄，多所省覽，借取古人成敗得失的教訓，念念不忘，縱不能獲致定國安邦的成果，至低限度亦可以減少自己在政治上的若干罪孽，殆可斷言。

每見今日政治上的達官顯宦，平日不讀本國書史，却孜孜於學洋話、習洋文，稍有成就，即顧盼自雄，以為治國平天下的能事，盡於是矣。舍本逐末，何其陋也！不懂得洋文洋話，未必不能「當塗治事」，若對本國書史的知識過於淺薄，甚至一竅不通，即未有不折鼎覆，貽誤政事者。昔人謂「宰相須用讀書人」，正是這個道理。如果大家抽暇讀讀「資治通鑑」之類的史籍，觀今鑑古，知所憬悟，小之足以端品勵行，有所不為；大之的政治風氣，蔚成清明，臻於郅治，達到福國利民，光復中原之目的，善莫大焉。

馬五先生

合作界掀起風波

新課合作事業營業稅

省議員與合作社皆不贊成

（本報記者曾振軍台南航訊）台灣省議會於日前通過一件臨時動議，建議省府撤回修正營業稅法草案，請維持各類合作社一律免課營業稅之原規定。

此一臨時動議案，是由賴榮木、陳重光、賴樹旺、李建和、張振生等五位議員提出，全體與會議員未經任何討論，即照案通過。

記者因爲本案通過，特趨訪合作界資深之士台南市第三信用合作社理事主席洪金湖，請其就首省請願爭取合作社免征營業稅之有關問題，表示意見。

洪金湖說：「台灣自光復以來，合作事業發展甚速，目前全省合作社約百餘家，遍佈在各縣市區鄉鎮廣大地區（消費合作社除外）約有社員六十萬人，連同眷屬有百萬人以上，而且業績良好，信譽卓著，這顯示地方經濟日趨繁榮，社會安定，人民生活水準提高，合作事業普遍發達，尤以信用合作社最爲顯著。此次省府修改稅法，課征營業稅問題，掀起全省合作社總動員，各地合作界紛與代表，分別向政府當局奔走請願。」

洪金湖指出：「行政院長嚴家淦親自接見各地代表時，曾表示對此事將愼重處理。谷正綱先生亦表示將竭力爭取。其他立監委及民意代表，一致表示願傾全力支持。」洪金湖說：「此次政府財稅部門擬議修改營業稅法，課征合作社營業稅，係受美國正式發表經援停止之刺激，使財政首長面臨着重大難題。」據某民意代表說：「由於他們（指財政官）只知做官，或許是好官，只管收稅，不管法令，在研究不出較好的辦法——饑不擇食的情況下，不能不想辦法以補財政上之窮困。」「但此一問題之嚴重，實有關合作社之存廢與合作事業之萎縮。因此，引起全省合作界人士譁然，與廣大社員惶惶不安，相繼集會討論，引法據典，陳情力爭，才搞出此次請願行動之無謂紛擾。」

洪金湖認爲：「財政是一切事業之母，財政政策之確立與運用的妥善與否，關係國家行政措施，和國民經濟的建立，至爲緊要。」「因爲合作事業，是推行民生主義經濟建設的基本步驟，是經濟不等的民生政策。我們首先應該認清，合作事業并非營利事業，合作社的組織是社員的互助經濟團體非營業稅課征的對象。」「憲法第一四五條第三項訂有明文，合作事業應受國家的獎勵與扶助，列入國民經濟基本國策。又合作社法第七條規定：合作社得免徵所得稅及營業稅。而現行營業稅法第六條第六項明文規定，依法經營之合作社免征營業稅。所以，合作社免征營業稅，不但合法，而且有助國家經濟發展。」又稱：「政府當局實應運用配合，以安民生大計，才能臻於富强康樂。所謂民富則國强，政府立法收稅，均應取信於民，才是明智之舉。何況大多數的合作社信譽明著，辦理優良，經營沒有超出法定範圍，顯勵民生建設安定繁榮的進步現象，政府允宜依照憲法規定獎助之不暇，何以反加課征有限微少之營業稅？此種殺鷄取卵，法隋意改的課稅手設，效果是得小失大的。」

蔣總統曾說：「合作事業是推行國策偉大的社會運動」，具有崇高完美的理想，是爲廣大社員謀福利的，政府應實行民生主義，貫徹國策推行，使台灣成爲三民主義模範省。洪氏提調合作社對社會國家的貢獻，不宜課稅，政府當局對於此一强烈影响合作事業生存重要措施，應有萬全之策，妥愼處理，不但仍應維持現行免征營業稅的規定，更應[illegible]世界合作國家對合作社全部免稅的規定。」如此[illegible]

雷鳴遠事蹟搬上銀幕

「烽火鐘聲」片開鏡

七彩寬銀幕王引飾雷神父

（本報台北航訊）以描寫「抗戰老人」雷鳴遠神父生平事跡的七彩寬銀幕影片「烽火鐘聲」，八月二十二日在台北三軍軍官俱樂部舉行開鏡典禮了。

開鏡典禮由于斌總主教主持，並由雷神父生前好友莫德惠剪彩，雷神父繼承人曹立珊神父講述其生平經過。觀禮的來賓計有：中央研究院院長王世杰，行政院長嚴家淦，救國團主任胡軌，國大代表暨立監兩院委員等共千餘人。

「烽」片劇本係根據「雷鳴遠神父傳」改編而來，「雷鳴遠神父傳」則係由其高足趙博雅神父所譯述者。

雷神父原籍比國，一九〇一年三月十六日來華（年方二十四歲），旋即到北平受任大修院教授職，未幾而入中國籍。一九一〇年創法政學堂。一九一二年出版廣益錄，爲益世報之先聲。一九一四年在天津召開全國公教進行大會。翌年，創辦國大合於天津。同年十一月一日益世報出版。

抗戰軍興，即一九三七雷神父成立救護隊，翌年復成立便衣隊與野戰醫院，冒槍林彈雨之危險，搶救傷兵數萬人，致被譽爲「抗戰老人」。一九三九年五月間奉召赴渝，在途中，被共匪扣留，曾經受盡折磨，然其以身殉道之精神，及其浩然正氣，共匪亦不敢公然殺害他。

「烽」片係由自由太平洋協會託由台北自由太平洋文化事業公司攝製，由該公司董事長于斌監製；該公司總理亦雷神父再傳弟子段宏俊策劃；周大賢製片；助理製片林彬；莊國鈞執導演務；張方霞、陳幸之任副導演；丁衣編劇；劉福貞攝影；王引飾雷鳴遠神父，焦媛飾王素貞，戴天虹飾張國祥。

自由太平洋文化事業公司耗巨資攝製的伊士曼彩色新藝綜合體巨片「烽火鐘聲」，預定六十五個工作日完成攝片。自由中國第一部宗教新聞片。「烽」片得能順利進行，完全係該公司全體同仁全力支持所致。該公司全體董事督促與總經理段宏俊先生策劃下，在過去的一年中，已出版的書籍，有段宏俊編著的「于斌總主教言論集」及其所著的「天籟集」，張鐵熊撰寫的「曉窗集」，馬五先生（本報社長）的時論「良心話」，暨刊物多種。另並承印各種定期刊物多種。在這言論界很沉寂，出版界很蕭條的時候，該公司能有如此的成就，誠屬是一件可喜的事。（健生）

台南市長葉廷珪

選訟困擾心情重

（本報台南航訊）台南市長葉廷珪受選舉官司的困擾，心情沉重，對人不肯多講話，進入了「無言之境」。

翁余森櫻向台南高院控訴現任台南市長葉廷珪「賄選」請求判決「當選無效」之訴，已經開過調查庭。翁余森櫻指葉廷珪向寺廟捐錢及爲監察員購便當盒電筒都是「期約」「賄選」行爲。但在十四日的調查庭上，證人對翁余森櫻的指控，一致予以否認，所以在形勢上看來，葉廷珪所受威脅不大，可是，官非纏身，總是一件十分使人難受的事。因此，葉廷珪心情沉重，不願說話，也是不得不然。

本報記者十八日上午八點二十分至台南市公園路四十號葉市長的寓所訪問他。葉市長穿着一套半舊睡衣，在他經常接見客人的地方與幾個人談話，他特將記者迎入去之後，又喚人去取一包雙喜煙進來待客。這個待客的地方十分簡陋，只有五六席大，室內佈置已經非常陳舊，一張小圓桌，幾把舊椅子，如此而已。

葉市長蓄約一吋的頭髮，並未特別整理，完全是自然形式，頭髮已經大半花白，看起比他五十多歲的實際年齡還稍微出老一些。他面色凝重，顯然是心事重重。

記者「開門見山」地與他談選舉官司問題，他苦笑一下，說：「最好不談這個問題」。接着並補了一句：「我是不談的」。一下便將記者的嘴吧堵住了，可見其對這件事情的厭惡已到了相當程度。

我們轉換一個話題，談他的生活。不談選訟，他情緒似乎輕鬆許多。他指着牆壁上一張小紙條說：「那就代表我的生活」。記者順他的眼光看去，那是一張寬約三寸，長約一尺的小紙條，上面用毛筆寫了三行字，正中頂端是四個字「無言之境」，下端併排兩行，右邊一行寫的是「事事反省」，下面還寫了兩個英文字母B·S，下端左邊的一行好像是落的欵，寫的是「山巖學人」四個字，下面也有三個英文字母YEH。

葉市長說，那幾個字是我寫的，寫得不好，但却代表我現在的心情。他要記者原諒他不肯多談選舉的事。

記者問他，「山巖學人」是不是他的名號？是什麼意思？他先說沒有什麼意思。後來自動又說：表示他要到山裏去讀書，研究學問的意思。問他研究的那門學問，他說那是研究政治學的大學問（？）。他研究的興趣是不離政治問題。他告訴記者，他要著一本書，書名叫「政治哲學」，二十多年前他就開始在寫這部書稿了，因爲戰爭關係，書稿又燬的燬了，散的散了，現在只有從頭寫起。記者問他甚麼時候可以寫好，他說不能一定。

這個問題好像引起他談話的興趣，他說，他在日本明治大學是學憲法，所以他研究的興趣是不離政治問題。

他特別告訴記者，政治學與政治哲學是有分別的。好像這是他研究政治學的大發現。

研究政治學的人，當然無法不注意當前的政治形態，何況他還是正在從事政治工作的人。因此，記者問他對於當前的政治問題，研究的結論是甚麼？比如說，對他的選舉官司，他有什麼感想？尤其因爲，上次辛文炳當選台南市長後，他告辛文炳，他是原告，而這次是他當選了市長，別人告他。他由上屆的原告變成了這屆的被告，是一個一百八十度的大轉變，他必定有特別的感想。

葉廷珪說，他讀明治大學二三年級的時候，他担任過校刊的採訪，對於新聞採訪，他多少懂一點。他說記者很會問，繞着圈子問他，但他還是不肯說，他要記者原諒，他要做到「無言之境」「事事反省」。

他告訴記者，他每天起得很早，六點多鐘就起來了。問他有沒有什麼愛好的運動。他把一個拳頭伸到記者鼻子前面幌了一下說：「我以前喜歡這個。」「喜歡打拳？」記者問他。

葉廷珪說，不是打拳，是柔道，他以前是學柔道的。記者問他是柔道幾段？他說已經多年不練了。柔道是一種「借力使力」「以巧取巧」的武術，與打官司有許多類似的[illegible]記者問他有無從柔道[illegible]

[illegible]九點鐘他要去市府參加一個會，記者只得一無所獲地向他告辭了。（吳越於八月十九日）

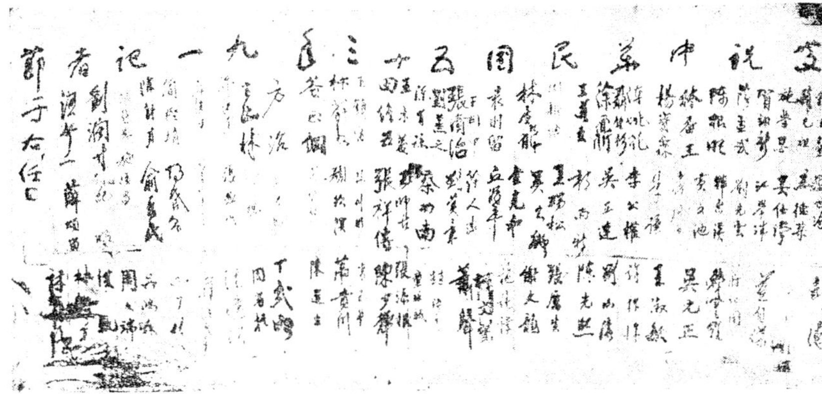

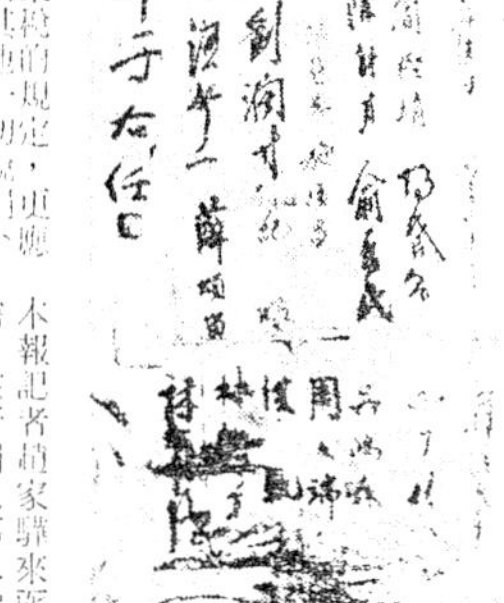

訂正

本報八月十五日第四〇期第二版所刊「高市教育界安全室主任，結婚宴客竟筵開數十席」之新聞，本報記者趙家驊來函稱，該新聞之第二段[illegible]係屬誤傳，請求訂正。特此訂正如右。

本報編輯部

中外空軍運用史實

羅雲家

戰略空軍方面：美國的第八航空隊，及英國的轟炸總隊，均直接由艾帥親自掌握。盟國空軍曾在登陸前完成下列任務：（一）加萊區投彈量大於塞納灣區；（二）削弱德潛艇之威脅；（三）轟炸法境飛機場，迫使德空軍退回德境……而在登陸實施時，他們更發揮了無比的威力。D日三時四十分開始轟炸時，使用飛機達二、二一九架，僅在塞納灣沿岸的投彈量，一瞬之間即達一萬噸。以後，在登陸第一週內，曾出動了飛機三萬五千架次，並在灘頭陣地建立了三個飛行跑道。由於海陸空軍的緊密配合，所以使他們獲得了下述驚人的戰果：殲敵二十五萬餘，俘敵廿餘萬，敵戰車被毀被俘計四千五百輛，砲三千五百門。迄八月一日美第三軍團成立，入法參戰後，盟軍在光復巴黎前的布勒塔尼一戰，曾使敵軍四十三個師全被殲滅。而盟軍的傷亡及失踪，亦達六萬九千七百餘人（死亡八九七五人）。所謂「人類浩劫」，眞是莫此爲甚了！

一九四四年九月十七日盟軍空中進攻荷蘭之戰，可以說，它是歷史上最大規模的空降作戰了。盟軍爲了協助蒙帥所指揮的第廿一集團軍，切斷駐荷德軍之主力，並吸引萊茵河與齊格非防綫敵軍之兵力，佔領橋頭堡，打開一條路徑，供英第二軍裝甲部隊驅至須德海之用起見，使用美第一〇一、第八十二空降師，英第一空降師，波蘭第一傘兵旅，及英第五十二空運師編成空降軍，担任此一重任。此際在西歐的盟軍空軍兵力，計有戰鬥機四千七百架，各式轟炸機六千架，偵察機運輸機，及其他型式機四千架。故對此一大規模的空降作戰支援不成問題。當時防守敵軍的兵力約爲兩個軍（德第七、及第十五軍）約十個師。由於德空軍空中喪失制空權，及其士氣低落，加以盟軍空中攻擊的十分火辣，致使敵望風披靡，而獲致豐碩的戰果。

反攻沖繩島之戰，則爲歷史上最偉大的一次海空決戰。會戰自一九四五年的四月一日開始，一直持續了四十多天。島上有守（日本）軍十八萬人，及殘餘的海空軍主力。爲了死守冲繩島，日本主要寄望於他們的神風自殺飛機的飛行員。美軍自復活節日起，即集中海空軍主力向該島前進。兵力包括四十艘以上的航空母艦，十八艘戰鬥艦，二百艘驅逐艦，好幾百艘運輸艦，補給艦、掃雷艦和登陸艇，載運進攻部隊——總共艦艇一千三百二十一艘，十八萬三千人。四月六日—七日，日本起而防衛作戰的飛機約四百架被毀，號稱世界上最大的一艘戰鬥艦太和號，也被美軍第五十八派遣隊的飛機所擊沉。在以後的長時期劇戰中，美軍總算達成任務，攻佔了冲繩，但所付的代價亦殊爲可觀。計傷亡四萬九千以上的美國人，艦隻方面：印第安納波里士號、丹姆斯號、穆勒號、卡森容號、吉福斯號、阿比里號、田納西號、愛達和號、新墨西哥號、英曲比德號、菊來克司勒號、匹兹堡號、大黃蜂號……等。損失了三十六艘，損壞了三百六十八艘；被自殺飛機擊沉了二十六艘，擊壞了一六四艘。飛機方面：損失了七六八架。被攻的日軍，除了死亡十一萬人以外，損失戰鬥艦十六艘，被巡邏飛機擊沉的商船達數萬噸，被毀的機多達七千八百三十架，另作戰中損失的飛機亦多達二千六百五十架，以後日本之終於無條件投降，其受此役戰力損失的影響最大。（四）

我所知道的麥帥

肯寧將軍原著　徐熙光翻譯

「因此，貴國千百萬人民應從此胼手胝足，竭盡智慧，爲建立一新的強大的國家而努力。各位應勿坐失此一良機，那是英勇的戰士們在沙場拋頭顱，灑熱血所換來的。

「本人於此謹代表美國政府嚴正聲明，所有主權與責任交還菲律賓。

「貴國已重獲自由，由於各位的努力，貴國將躋於自由國家的陣營中；貴國的首都現已收復，它將成爲東方民主政治的堡壘。」

我認爲麥帥最動人、最偉大的一次演講是一九四五年九月二日，在東京灣米蘇里戰艦上，日本正式投降的典禮上，向美國人民發表的文告。這是向全美國人民，也是向全世界發表的文告，在任何時候讀起來，都令人回味無窮。麥帥其他的各次演說，都有人批評過，但是他這篇演講詞，沒有人敢妄置一詞，以下爲演講詞全文：

「同胞們：今天，槍聲已經沉寂，人類的一個大悲劇已告結束，我們贏得了空前輝煌的大勝利。天空上不再落下致命的炸彈，海上航行的只有商船，每個人也都已能在陽光普照下昂首遨步，全世界都在安享和平的寧靜。我們已完成了神聖的任務。我代表無數在叢林，在戰壕和在太平洋深處陣亡的將士們，向各位同胞報告此一和平的信息。我代表成千成萬捐軀的無名英雄向各位同胞說話。

「回顧在巴丹和葛里基德時，那一段長遠、痛苦和晦暗的日子裏，整個世界陷入一片恐懼；民主政治作垂死的掙扎着。現代文明搖搖欲墜地在顫抖着。幸賴仁慈的上帝賜與我們信心，勇氣和力量，使我們獲得最後勝利。我們曾爲失敗而飽嘗痛苦，現在爲勝利而狂歡鼓舞。失敗和勝利的經驗告訴我們，人們不可重蹈戰爭的覆轍。我們必須永遠維護從戰爭中贏得的和平。

「一個新的時代正展露在我們的眼前，我們關心未來人類的安全和文明的復甦。但是由於科學的昌明，傳統的戰爭觀念已被推翻，戰爭的破壞性潛力，已經一天比一天來得大了。

「自古以來，人類莫不渴求和平。也曾用盡方法來阻止或解決國與國之間的爭端。但是國際性的和平機構卻從未在這方面獲得過成功，國際聯盟，軍事同盟，力量均衡，都相繼失敗，留下一條叫人類走上殘酷戰爭的道路。我們終於又飽嘗了戰爭所帶來的毀滅的痛苦。現在只剩最後一個機會了，如果我們不設法建立一個大規模的維持正義的機構，我們仍將遭遇一場大的決戰。這在基本上，是個理論問題，與人類精神的復甦和人性的進展，都有關係，也與過去兩千年來，人類在科學、藝術、文學和所有物質與文化發展的進步情形有關。爲免生靈塗炭，我們必須建立此一和平機關的信心和精神。

今天，我們身在東京，憶及九十二年前我們的一位同胞，伯理將軍。他平生的目的是引導日本步入開明和進步的時代，使日本與各國經商貿易，友好相處，而不再孤立和閉關自守。但是，令人可嘆的是日本吸取了西方的文明以後，竟將之發展爲壓迫和奴役人類的工具。人類言論的自由，行動的自由，甚至思想的自由，都被無知的迷信和訴諸戰爭的思淼剝殆盡。我們已經訂立了波茨坦宣言，希望日本人民能免被奴役的厄運。（四〇）

康有爲的亡命

丘峻

政變發生之日，除康氏先期出京，康廣仁、張蔭桓、程式穀、錢維驥被捕外，尚有梁啟超、文廷式、王照等人，亦均奉旨拿辦，抄家。時日本伊藤博文正遊歷北京，住日本使館。梁啟超於康廣仁等被捕後，即赴日本使館見其代理公使林權助，告以政變經過，希望日本能救護光緒帝，及在赴滬途中之康有爲，而彼則願靜待逮捕就死。林表示願盡力相助，並勸梁不必死，亦願救往日本避難。梁辭出。林即以此事告伊藤，伊藤亦力主救梁。梁即於是晚再赴日使館。譚嗣同曾往見；日人並願救譚，而譚則決心以流血殉維新，願坐以待死。值日本駐天津領事鄭永昌在京，林即以梁託鄭，伴同化裝，於康氏出京後四日，乘帆船，下白河，至塘沽，登日兵艦大島號，東渡橫濱，得免於難。

康梁分別得英日之拯救而脫出險境，既使慈禧痛恨仇人之漏網，及康發表奉詔求救文，數其十大罪狀，『比諸燕啄皇孫，則天禍宗室，殆猶過之，』布告海外，則更促其放棄毒弒陰謀，而急施廢立手段；惟因未能盡得疆臣之同意及礙於外交團使節之詰詢，影響弒篡毒計，兩均頓挫，而益形成外弛內張之局勢。

翌年己亥（光緒二十五年）九月，康氏以母病離加歸港。侍疾不及四月，至十二月十九日，閱報大驚，知承恩公崇綺，預備召見，則廢立急矣。即以二十日遍電各省保皇會，通電力爭，準備舉兵勤王（註二）。那拉勢成騎虎，狗急跳墻，乃以二十四日，詔立道光之孫端郡王載漪之子溥儁爲大阿哥（皇太子）。而海外四十六埠，百餘萬華僑具名，請保護聖躬之電，又連日紛紛到京。時旅滬各省紳商士民一千二百餘人，亦由候選知府上海電報局總辦經元善（蓮珊），會同翰林院編修蔡元培（孑民）領銜，聯名奏請帝勿退位，一若與海內外保皇會作桴鼓之應者。那拉至此，以各事爲康梁所策動，憤恨已極，遂於光緒二十六年正月，詔捕元善，李提摩太救之，逃往澳門，再賴謝纘泰之營救，得免引渡。繼又頒僞上諭：『康有爲、梁啟超，罪大惡極，迭經曉諭，令各省懸賞購緝，尚未弋獲。該逆等開設報館，肆行鼓簧，悖逆情形，殊堪髮指！着沿海各省督撫，仍行明白示諭：如有能將康有爲、梁啟超緝獲送官，立即賞銀十萬兩。該逆所著書報，嚴查銷燬，以申國憲，而安民心。』

當政變初起，那拉以查抄南海會館，圍捕康氏不得，隨命榮祿派兵大索京津又不獲，一怒之下，竟懸三十萬兩，購其首級。今再懸賞十萬兩以相購緝，更由各省督撫加重賞金至五十萬兩，又莫如之何。及聞康氏離國遠行，則分遣刺客於途；或賄通護卒，冒深夜以登樓；或賃居鄰舍，開地道以行炸；此則在香港也。或託於知交之故舊，而密來挾刃；或遲於已行之不遇，而刖及車夫；此則在星嘉坡也。若暫過而焚所居，殃及清議報館，此則在橫濱也。儘窮追不舍，仍一無所成。於是復遣大學士李鴻章總督兩廣，懸封公爵，以圖康氏，並着掘先墳，毀骸骨，李氏亦抗旨不肯爲。那拉迫於內外情勢，不得不以二十七日發布諭旨，爲帝慶祝三十大壽。至是，弒廢密謀，兩俱敗矣。（七）

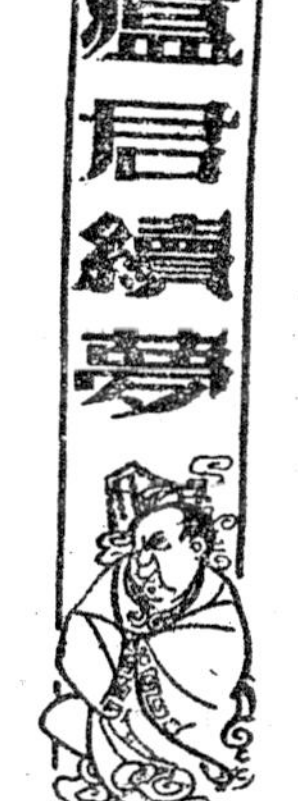

第十四回：

誰與慶昇平　呼朋湊興
居然爭霸業　背主孤行

蒙哥馬利在北平周旋了一陣之後，又去北方各省會及重要都市遊覽，仍由陳毅陪同。先到了鄭州，河南省委第二書記兼省長吳芝圃率領高幹部齊集車站歡迎。照例舉行了宴會之後，又把豫劇團女團員挑來二十多名年輕貌美的，陪同跳舞。陳毅自從在杭州被燒一次，心魂俱喪，遇到公共集會能躲就躲，這次因爲他陪蒙哥馬利前來，是首席陪客，自不能不來，進門就坐在一張靠門的椅子上，也不下池跳舞，一味東張西望，預備一旦再有火警，馬上就可以奪門逃出。

吳芝圃不曉得他這位老領導怎麼今天會不跳舞，十分奇怪，過來問道：「副總理同志今天是否身體不舒服，怎麼不下舞池跳舞？這些舞伴都是從省立豫劇團挑出來的最年輕貌美的女同志，副總理對誰有好感，可以叫她陪你個別談談話。」

陳毅對吳芝圃的話，似乎聽不入耳，只是向舞池張望，半天問道：「你們這間大會堂蓋的有毛病，爲什麼不多留些太平門，假若國民黨特務在四面一放火，會場裏的人怎麼跑？」

吳芝圃笑道：「哪裏會有國民黨的特務來放火，不用說混不進國境，就算混進來也難逃掉人民的眼睛。」

陳毅縐眉道：「你那些標語上的話怎麼拿來同我講，實話告訴你，我最近同毛主席、周總理在杭州招待金日成同志看周信芳的戲，被國民黨特務四面放了火，差點把我們一齊燒死在裏面。」

吳芝圃登時打個冷戰，問道：「竟有這樣的事，後來怎樣了？」

陳毅說道：「幸虧有我在場，你知道我向來胆大心細，臨危不亂，當時一面挾着毛主席躲進桌子下面，一面派公安人員冒火出去集合人民灌救，最後總算救熄了一角，我才帶着大家衝出來。出來不到十分鐘戲院房頂就塌了，差一點不被燒死也被壓死，你說危險不危險！」

吳芝圃說道：「這還是毛主席同副總理的福大，所以才能逢凶化吉，換了別人也許就完了。」

陳毅說道：「還是中國人民的福大是真的，你試想假若把毛主席、周總理我們三人燒死在裏面，中國事怎麼辦，世界事又怎麼辦！中國六億人民還吃不吃飯。」

吳芝圃連連點頭道：「這話一點不錯，國家事眞少不了你們三個人。只是這件案子後來怎麼辦了，放火的國特抓到沒有？」

陳毅冷笑一聲：「咱們公安人員的本領你還不知道，從來的案子沒有不破的，只是抓到抓不到正主，就只有馬克思同列寧曉得了。」

吳芝圃噗哧笑出來。

陳毅說道：「所以你們不能痲痺，更不能把責任推給人民，寫標語，呼口號是一回事，眞正作起來又是一回事，到底有多少人民與我們同心，你應該有個數，不要把宣傳上的話當成眞實。」兩人正在說着，只見負責管理舞池的共幹單邦賢慌慌張張走過來。（三三九）

冒險犯難記

鄭文儀

他們定期四月十六日，在廣州市舉行大會，我們收集了很多的證據，證明共產黨是在陰謀暴動，國民黨中央清黨反共的決定，蔣總司令號召全國執行清黨普遍搜查逮捕共黨的命令，明智果斷，得着機先，眞是中國歷史與國家民族存亡的重大關鍵。

廣州的黨政軍民，因爲早有若干準備，接到國民黨中央及蔣總司令的清黨反共命令，後方總司令部令廣州警備司令部負責執行，時間不到三天，且眞正準備行動的時間，僅有二十四小時，因爲時危勢迫，共產黨既已準備四月十六暴動了，如果不機先行動，以當時共產黨的氣焰及其實力論，國民黨無論如何是注定慘敗的。就是機先行動，也十分困難與危險。

由於當時國民黨雖有警覺，也有相當準備，但以組織實力論，實在無法勝過共產黨。國民黨唯一可恃的優勝條件，便是政權和軍事指揮權在握，可以用維持治安名義下命令緊急處置。加之蔣總司令的命令，上海南京已於十二日實行清黨的事實，及廣州市的人心士氣，均有利於國民黨，這些便是成敗的基本條件。

四月十二日晚上錢司令約我去談，共同研究、檢討當時的情勢，及如何採取緊急行動的方法，我把各方的情況與連繫的情形報告他，認爲在社會及黨政方面，動員黨及社團與黃埔同學會在廣州的黃埔同學，機器工會的工人，中山大學的學生，配合軍警實行搜查逮捕，應該沒有問題；最成問題的是兵力，因爲當時，在廣州担任衛戍的僅有第二十師的五十九團，這個團的營連長，除第二營營長阮齊（軍校二期湖北人）是孫文主義學會會員，全營可靠可用之外，第一營第三營的幹部多已受共產黨滲透，緊急時恐不易接受命令，團長蔣超雄（軍校一期江蘇人）雖未加入共產黨，但喜談馬列主義，似同情共產黨，乃是問題人物。錢司令知道這些情況之後，決定即日執行命令，除囑向各方面緊急連繫，加速動員準備外，軍事方面決定明天（十三日）約司令部高級軍官在他家裏吃晚飯，并邀蔣團長參加，會商應變緊急處置。

我負責分別通知連繫各方面有關負責同志，十二日通宵未睡。黨政公安社團民衆領導人均曾經分別集會會商，檢查共黨組織及擬予查捕名單，分配任務，由各有關單位就其所知道的人員及位置，分別派出人員配合軍警查捕小組行動，當時所以如此者，是因爲時不我予非倉促行動不可；至於成敗之機，也就不能不全憑國民黨革命的精神，以赴事機。（四五）

三國志誤書舉隅

匡謬

三國志作者陳壽，史家多稱其「善於敘事，有良史之才」，與史記、漢書、後漢書而合稱中國四大正史。此外，陳壽尚著有「古國誌」五十篇，「益都耆舊傳」十篇。言陳壽「善於敘事，有良史之才」一面，固爲其好之一面，然三國志無春秋之筆，則爲其最大之失，亦最爲史家所詬病者。尤其對於魏晉，多有「迴護」，既爲曹魏纂逆而迴護，更不得不爲司馬氏之纂逆而迴護。此外，亦尚有意氣用事者，如對勸蜀漢後主投降之譙周，則評曰「譙周詞理淵通，爲世碩儒，有董揚之規」（董仲舒楊子雲），是蓋譙周爲陳壽之師也。又對諸葛評曰：「……然連年動衆，未能成功，蓋應變將略，非其所長歟？」則分明貶抑孔明矣。次如魏志立傳較短，蜀吳立傳較詳，「迴護」之筆固俯拾即是，而誤書者亦不在少。茲篇所考，乃列舉其誤書之一二而已。

一、魏志魏武操下云：建安二年，汝南黃巾賊何儀、劉辟、黃邵、何曼等衆各數萬，操進軍討破之，斬辟、紹等。是則劉辟，何紹是役已死矣。然而建安五年劉辟又復活了！時（建安五年）曹操與袁紹相持於官渡，汝南降賊劉辟等叛操，（同爲一地）略許下。紹使劉備助劉辟。前後矛盾如此，何者爲是，何者爲非耶。不僅此也。劉辟又在于禁傳中被斬。于禁傳云：禁從黃巾劉辟、黃邵等，夜襲操營，禁擊破之，斬辟邵等。此事在官渡之前，蓋建安二年之事也。而建安五年又有劉辟出現，是又死而復活矣。

凡陳壽此等筆墨，皆在三國中主角人物之傳紀中見之；如先主備下云：「操與紹相拒於官渡，汝南黃巾劉辟等，叛操應紹，紹遣先主與辟等略許下。」此紀亦爲建安五年事，與魏武紀中同。按魏志悉據魏之官史而成，曹操于禁傳中何其如此矛盾？按曹操與袁紹官渡之戰，乃三國關鍵性之大戰，可與赤壁鏖兵比肩而道，操而敗也，歷史當重寫矣，何能舛誤如此？陳壽大寫官渡之役而在赤壁大敗之曹操，則僅書「……公至赤壁，與備戰不利，於是大疫，吏士多死者，乃引軍還」。此又明明「迴護」之筆也。諸如此類，展卷可見於字裏行間。

二、高唐隆傳：魏明帝大營宮室，隆疏諫曰：「吳蜀二賊稱帝，若有人來告，權備並修德政，陛下聞之，豈不惕然！」按劉先主崩於魏文帝黃初四年，何至於到魏明帝時尚稱權、備？應稱「權、禪」方妥。

三、夏侯惇傳：「建安二十一年，從征孫權，二十四年，曹操擊破呂布於摩陂，召惇同載，以寵異之。」按曹操擒呂布在建安二年，距建安二十四年，爲時相差二十二年矣。又按建安二十四年，爲關羽圍曹仁，操遣徐晃救之，而自至洛陽親應接之，未至而晃破羽，羽已走，操遂軍摩陂。則夏侯惇傳所云呂布，應係關羽，夏侯惇應，亦爲徐晃也。

四、吳志孫壹傳：孫遣朱異潛兵襲壹，壹奔魏，魏以爲車騎將軍，封吳侯。以故主齊王芳貴人邢氏妻之。魏黃初三年死。按黃初係魏文帝年號，文帝至齊王芳，已二十餘年，何得妻芳之妃，而後又死於黃初也？魏志孫壹之來降，在高貴鄉公甘露二年，則其死當在景元、咸熙之間。今曰黃初三年死，必誤無疑。

五、魏志又云：建安十三年十二月，孫權爲劉備攻合肥，公（曹操也）自江陵征備，至巴丘，遣張憙救合肥，權聞憙至，乃走。公至赤壁，與備戰不利，於是大疫，吏士多死者，乃引軍還。備遂有荊州江南諸郡。

據吳志：劉備先破操軍，然後權始攻合肥。此記云先攻合肥，後有赤壁之役，魏志與吳志同述一事，互爲矛盾若此。實則當以吳志爲是。

美妹

長篇小說

羅雲家著

路上已經有了一些積水，單車輪子走過，會發出嘰嘰的響聲。車往左轉彎的時候，一輛客車從我左側快馳而過，濺了我一身的泥水。我用憤怒的眼睛望過去，不料──車子的後窗裏正有一對大眼睛凝視着我，定睛一看，竟會是剛才那不聲不響而別去的美妹。她的口張開着，激動地在喊叫着什麼。但我聽不清，我用力踏車前進，連吃乳的力也用上了，但終於是失敗的。車子漸漸遠去了。我看見她仍在揮動手。

她是想起還有什麼話必須對我說，才轉身來找尋我的嗎？或者她是後悔說那些感情衝動的話，來找我有所修正嗎？再不然，是案件出了什麼意外的問題嗎？……到南昌路了，我本是要一直前往七分局的，但想到她可能會在前面的車站下車等候，所以就往右邊走去。

可不是嗎？老遠就看見她急急地朝這邊走了過來。

××××

「丁先生，本來我是要急着回家的。」在附近的一家咖啡室裏叫了茶點，兩人對面坐定之後，她不自然地將雙手放在膝上，低着頭說：「但是，我覺得我想要對你說的話，還沒有說完，所以又折回來了。」

「妳又去過我那小屋了？」

「是的。」

「妳怎麼知道我會走在這條路上？」我看着她圓圓的臉蛋上的一片愁雲，與一股同情的神情，禁不住興起一眉頭緊鎖的心意：「是不是妳斷定我是往七分局會見健文的？」

「他不只一次提起你。他說在許多朋友中，只有你是最知己，甚至連自己留着冬裝的錢，都可以慷慨地拿給他。所以我想你在聽了這樣的消息後一定會立即去看他。雖然你不一定見到他。」

「快到中午了，妳來回奔跑，一定餓了？來，我們不妨一面吃點心，一面談話好了。」我伸手讓她吃，她不好意思地拿了一個蛋糕，咬了一口，又放在盤子裏。接着喝了一些咖啡。看樣子，她是心情沉重，沒有口味吃的。於是我勸她：「年紀青青的，身子最要緊。事情已是這樣，着急憂愁是沒有用的。慢慢來，生活在這民主法治的社會裏，冤枉的事情不會弄不清白，何健文也不是沒有經過風浪的人，他既然能救妳，他就考慮過各種可能的後果。他一定早有打算，他不會怨妳，也不會怨自己的。來，我們吃了點心再說，好不好？」我端起了點心盤子遞過去。她總算是聽話了，動手拿了一片奶油麵包湊到了嘴邊去。

「謝謝你，丁先生！」更像是比剛才在我的小屋子裏，懂得禮貌一些。

「不用客氣，美妹。」我說：「報紙上說健文引誘妳離家出走，妳說那是妳家裏的人告訴記者先生的，又是妳的父母親告發他。既不是別人有意要陷害他，那究竟怎麼回事呢？」老實說，憑我的智慧，當時眞的是無法推知得出來。

「……」她又低下頭去了，好像是非常的羞愧。停了半響，才慢吞吞地說：「說來話長，丁先生。」

「沒有關係，反正我有的是時間。」

「……」她沉默着，在低頭玩弄手帕。

「何健文是你的好朋友，而我是何健文的要好知己。我們不是外人，妳說了，當不會對妳們有什麼不利的。」（三）

記張蒼水

湘南遯叟

他雖與錢肅樂共事，而持議不盡同，時閩中頒詔至越，魯王在江干集大臣會議，朱相國大典主張奉詔，並且具表稱謝；錢相國肅樂說：「今日事宜合力，不宜遽示爭端」；張相國國維，恐渙亂人心，力持不可；熊相國汝霖亦以爲宜；遂罷開讀之禮。後來閩越嫌隙，即由此而起。當日蒼水極力贊成張國維之主張，因自請充報使入閩，以釋二國之嫌，王從之。及閩還，屢有所建白，不見用。足見他當初起即盡忠魯王，後來之不附和成功，固是當然的道理。

魯王監國，駐節紹興，那時定海總兵王之仁，方國安，石浦游擊張名振，慈谿沈宸等，均各以兵餉來歸，封張名振爲富平將軍，東自固陵，西至蕭山，列兵錢塘江上，畫地成守。方國安守七條沙，王之仁守西興，鄭遵謙守小亹，朱大典守金華，孫嘉績、熊汝霖、錢肅樂分守瀝海。各營皆受國安節制。那時號令所出，不出八個縣，共有兵二十萬，分正兵義兵，各立門戶，發號施令，不相統屬。而且內有廠臣張國俊與馬士英、阮大鋮，表裏作奸，諸政不舉；外面更有悍將方國安，縱兵截食，以致義軍餉精不繼，而與清兵劃地相守，屢戰不戰。未幾，方國安、張國維、錢肅樂會師和清兵大戰草橋，連陣十日，戰皆有功，會天大雨，弓矢不能發，引兵而回。當時各地義軍蠭起，蘇、松、嘉、湖，列營數百；杭州危急，祇因義軍得不到餉項，錢肅樂棄軍入山，軍勢就弱。方國安與馬士英再渡錢塘，進窺杭州，爲清兵所敗，退守江東、赭山、朱橋、范村等處，縱肆劉掠。順治三年三月，清兵驅船，開堰入江，張國維令王之仁等水師，從江心搏戰，值東南風起，王部乘勝擊敗清兵，鄭遵謙率部助戰，亦獲鐵甲八百餘副，國維乘勝渡江，進圍杭州，不克而退。會唐王遣僉都御史陸清源入浙犒師，方國安殺之，魯王恐閩起兵問罪，令國維抽兵西禦，以余煌代國維督師江上。四月清貝勒偵知浙中空虛，益兵北岸，以巨砲擊方國安營，廚竈盡破，國安歎曰：「是天欲奪我食」，遂欲撤師投閩。是月王正中雖率衆渡過海鹽，奪得澉浦城，然到了五月，孫嘉績、熊汝霖二軍，餉亦不給，士心渙散，加以二人不諳軍事，乃以軍付黃宗羲，王正中領之。二十七日方國安撤師入紹興，封魯王南行，畫江之師，到此，遂完全崩潰。于潁入閩，王之仁、鄭遵謙俱入海，祇有張國維護魯王南下。當江上師潰，魯王復奔台州，宮眷舟出定海，總兵張國柱襲擊以降，元妃張氏見害，周妃用破瓷槃扼喉死。蒼水倉卒歸家，告別祖先，拜父曰：「兒將隨王航海」。家人挽之，不顧而去。他隨魯王擬奔台州，不得，而次黃巖，馬士英與方國安定謀，擬出獻監國，遣人入守，值守者病，監國得脫岸，登海舟，傳諭國維，退保四邑，遂過東陽。（三）

姦屍古捉

周燕謀

發墓姦屍者，古史有記。而以漢代始祖之呂后被赤眉姦屍爲最著名。王莽篡漢，天下大亂，樊崇等起兵，皆畫眉爲標識，因以爲賊號──赤眉。光武入洛陽時，赤眉入長安，封掠近郊，遂發掘歷代帝王諸陵，而取其中寶貨。凡帝后妃之屍，均注水銀，入玉匣，納於數重棺之中，經數百千年而形體不壞，容色如生。赤眉賊先取呂后之屍而姦之，次及於諸皇妃之屍。（見於後漢書劉玄傳，及資治通鑑）

東漢靈帝時，盜發桓帝寵妃馮貴人之塚。馮貴人先桓帝而殁，蓋薄命而年幼之人也。死後七十餘年，其顏色如生，惟肌膚冷耳。羣賊發棺後因姦之，且有爲此相……而死者。公達曰：「貴人雖受尊配，今屍體被汙，不宜配至尊。」晉書云：「平原王幹愛妾死，納於棺而不釘棺蓋，置後室中，時時出之，或行淫穢，待屍壞而後葬。」自古美人有幸，而亦有不幸者；此輩姦屍之徒，則禽獸之不若矣。

內僑警台報字第〇三齊號內銷證

自由報

THE FREE NEWS

第四七六期

中華民國僑務委員會發給
台僑新字第三二三號登記證
中華郵政台字第一八二一五號執照
登記爲第一類新聞紙類
（逢星期三、六出版）
每份港幣壹角
台灣零售價新台幣弍元
社長：劉曦岑
督印人：黃衍齋
社址：香港銅鑼灣高士威道二十號四樓
20 CAUSEWAY RD 3RD FL.
HONG KONG
TEL. 771726　電報掛號：7191
承印者：四風印刷廠
地址：香港灣仔高士打道二二一號
台灣分社
台北市西寧南路壹〇壹號二樓
電話：五〇三四六
台郵撥儲金戶九二五二

在危疑震撼中冷觀詹森政府的亞洲政策（下）

宋文明

（三）

由於以上這些事實，詹森政府的亞洲政策，正如甘迺迪政府的亞洲政策一樣，其主要的作法，便是在積極扶植日本與印度的強大，以抵銷中共的影響，並準備和它作長遠競賽的這一指導原則之下，儘量保持這一地區的現狀和安定。爲了保持現狀與安定，美國既不希望亞洲的非共國家之間發生戰爭和分歧，也不希望這些非共國家受到共黨的攻擊與威脅。因非共國家之間若發生任何戰爭與重大分歧，其結果都將要削弱這一地區的團結，而影響到對共黨的整個實力平衡。同樣，若非共國家受到共黨的攻擊與威脅，不論其程度與性質爲何，都將會直接間接牽連到美國的聲望，而危害到美國在此一地區的整個打算。換言之，在這一力求保持現狀的政策之下，美國絕不允許共黨在亞洲獲得任何新的進展，亦不允許反共國家作更有力的攻勢表現，而只是希望在和平與安定之中，逐漸改善非共國家的共同地位，以加強對共黨的抵抗與肆應。

可是越南境內現所進行的激烈的戰爭，與美國這一保持現狀政策多少發生了若干衝突，也使這一政策受到了極大的壓力。固然，美國竭力使這一戰爭局限在越南地區以內，也是直接和這一保持現狀政策有關，希望這一戰爭能在不影響其他地區的情況下獲得解決。可是當事實證明現有這種努力不足以贏得這一戰爭，反而有日趨惡化之時，美國對於這一戰爭的態度，就會要重作考慮。在那種情況下，美國所將考慮的，一個是把這一戰爭擴大，而致損害到保持現狀的這一基本亞洲政策，另一個便是繼續堅持這一保持現狀的政策，而在越南嘗試採行戴高樂的作法，即把越南予以中立化。要把戰爭擴大，而致損害這一保持現狀的政策，對美國是一件大事。同樣，要在越南實行中立計劃，而冒共黨最後攫取越南的危險，亦屬一件不易決定的問題。至於美國終將作何選擇，主要亦要看何一決定更能爲日本與印度所支持，和何一決定更能有益於扶植日本與印度強大，以對抗中共的這一基本目標。美對東南亞的任何決定，不能與這一基本目標相違悖。因此，即使美國在某一時候決定擴大越戰，也完全是爲了更快結束越戰，而不是爲了其他。即使要在越南實行中立，也是爲了穩定整個東南亞的局面，而不是爲了中立本身。

（四）

美國詹森政府雖在亞洲竭力維持穩定與現狀，但美國的亞洲政策，並不表示就此完全陷於停頓與僵化狀態。相反的，詹森政府正和他的前任甘迺迪政府一樣，就在這種表面上的停頓狀態之下，仍在竭力尋求亞洲政策上的新的途徑。這種原因就在於：美國既然認爲中共的統治大陸已成爲了一項既成事實，而且並不打算要把這一既成事實設法有所改變，那麼美國對於中共態度嘗試保持幾分彈性，乃屬一件勢難避免的結論。當然，美國要與中共作較大和解之前，必須要求中共先要改變態度，接受某些基本條件。當這些基本條件還未接受，美國就永不可能作這種外交上的更多接近。不過，縱使作這種接近的時機尚未成熟，而美國也是不會放棄各種試探性的嘗試與努力，以求最後能有預料中的進展。

就因爲這一原因，美國總統甘迺迪在其被刺逝世前的不久對記者談話，就已公開表示，若中共願與其鄰邦和平共存，美國自將重估其政策。同時，就在這一談話的前後，美國高級外交官員一再發表言論，均強調美對中共態度上的彈性立場。尤其主管遠東事務前助理國務卿何斯曼於一九六三年十二月中旬在舊金山演講，提出所謂對中共門戶開放的說法，更把美國對中共的態度，作了進一步的闡明。至一九六四年三月二十五日，美參院外委會主席佛爾布萊特亦發表長篇演講，要美國對中共外交採取一種更現實的看法。雖然在技術上，佛爾布萊特的主張並不代表美國政府的立場，但美國政府自總統以次各有關人物，從未對佛爾布萊特這一主張直接提出反駁。足見佛爾布萊特這一說法，多少也爲美國政府所默認。

事實上，不論甘迺迪總統，何斯曼助理國務卿，及佛爾布萊特參議員的這種言論，以及本文第二節中所提到的詹森總統的說法，都不是什麼新鮮的意見，而是早在艾森豪政府及杜魯門政府時代就已由美國政府當局表示過了。所不同的，在杜魯門及艾森豪時代，由於中共態度莫測高深，遠東局勢諸多曖昧，美國政府的這種表示，只是一種長遠的意向而已。而時至現在，由於中共的基本態度已成定型，遠東局勢大致已告凍結，所以美國的這種表示所含的實際政策意味，也較過去更爲濃厚了。時間越到後來，美國的這種態度亦將益趨明朗和正式化。

因美國在亞洲所追求的長遠目標，既在於這一區域的和平安定，以及經由扶植日本與印度強大，而與中共作歷史性競賽，則美國認爲，沒有什麼步驟比它和中共作接近更具有決定意義。因祗有如此，可使它們們雙方的門爭趨於緩和，也才可設法誘使中共願意經由政治談判的方式解決問題。亦祗有如此，亞洲才能有充分的和平機會，足使美國全力扶植日印兩國強大，以與中共作對抗。

（五）

總之，自中共控制中國大陸以後，美國的亞洲政策，都在以如何團結非共亞洲，以阻止中共作更進一步的對外擴展爲目標。自杜魯門直至詹森政府，其對亞洲政策的中心想法，莫不如此。不過，在杜魯門時代，美國的對亞洲政策，偏重於從軍事上加強中國的週邊以遏阻中共武力前進。艾森豪政府亦承襲這一概念，而擴大並加深其範圍。至甘迺迪政府上台，一變這種單純的軍事防阻觀念，而把政策重點轉移到政治與經濟的長遠門爭，積極扶植日印兩國，以備日後能代替美國而爲亞洲的共同安定力量。詹森政府仍堅持甘迺迪這一政策，而繼續追求其既定目標。

在美國的亞洲政策中現所不能忽視的一個新的因素，便是印尼的崛起。這一因素對美國亞洲政策的影響，現正隨着時間而俱增。因在杜魯門時代，印尼剛行獨立，其對外影響微不足道。就是在艾森豪時代，印尼還經常陷於內部紛擾，其國防地位亦仍無足重輕。

（下轉第三版）

害人的玩意

戰爭與和平

今日與明日

越南學生的非法行爲

越南大南市的佛教徒青年學生們，藉示威游行時機，拘捕了兩名屬於天主教友的現役軍官，迄未釋放。軍方再三以和平方式囑學生羣衆守秩序，送還二位軍官，否則擬採用武力手段，強制執行。

這次越南內部的動亂，完全由於幾個軍人爭奪權位，乃利用宗教徒的排他性、青年學生的衝動心理，大事叫囂騷擾，馴致放火殺人亦悍然爲之。據說，越南軍人現已指摘阮慶政府對學生們和宗教徒之非法行爲太軟弱，主張強硬對付，不然即將發生政變。同時，西貢方面的佛教徒又要求政府釋放在示威騷動中被捕的羣衆五百人，而這些份子都是左傾的越共同路人。

綜觀上述情節，青年學生與宗教徒之動亂，很顯然地已被共黨滲透劫持，亂象方興未艾，勢將使越南陷於萬劫不復之境，充分表現着落後地區各界人士的墮落相，親痛仇快，曷勝嘅歎！

軍人藉武力干政固非國家之福，學生與宗教徒以非法行爲干政，貽禍維均，未可諒恕。美國人對於接受美援的國家，動則要求實現美式民主政治，對本相課，不許稍有走樣，越南動亂不已的基本因素，即導源於此，不知美國人亦有所警覺否？

美國競選運動激化

美總統競選運動已進入短兵相接的白熱化階段，白宮當局對於外交問題唯有靜觀而已。因此之故，越南局勢在明年二月以前，美國不會有斷然處理之可能。

越共洞悉此中竅要，決不放過這種大好時機，大力煽動南越內部的亂事，讓樹上的蘋果因熟爛而自然掉下來，毫不費力的檢取入懷，不亦快哉！

美國一向沾沾自喜的所謂「嚇阻政策」，不特在東南亞完全宣告破產了，即在其他地區亦係無用之長物，塞普魯斯問題何莫不然？

艾契遜計畫碰壁

塞島風雲日亟，美國始也派第六艦隊前往游弋示威，繼則派政客艾契遜實地游說，搞出甚末「艾契遜計劃」，弄得幾面不討好，土耳其的反美運動勃發，希臘亦不表好感，俄帝更指其爲「英美帝國主義的陰謀」——要將塞島納入北大西洋公約組織之下。

所謂艾契遜計劃，至少是受到英國方面的影響而然的。煩惱皆因強出頭，美國既要領導自由世界，又沒有一定的政策可循，烏得不焦頭爛額乎？

自由談

共黨的盲動主義

馬五先生

毛共在大陸上厲行「改造戲劇」，先把舊有的若干戲詞和情節修改，以適應所謂「政治路綫」，如「玉堂春」所唱「蘇三離了洪洞縣，將身來在大街前」，即改爲「蘇三離了洪洞縣，去到農村搞生產」，而戲中人物王金龍亦被農民處死了。諸如此類的把戲，不一而足。

近來又提倡所謂「現代劇」，即演員皆不化裝，更不鈎畫臉譜，大家穿着「列寧裝」登台演唱，令人不忍卒覩，這比民國初年的文明戲更爲醜陋。但共黨沾沾自喜，認爲是「革命性藝術創造」，可哂孰甚！

戲劇乃是表現一種時代背景和社會生活情況，含有教育作用的。戲中人的裝束、臉譜等，代表着每一人物的個性與身份，使觀衆容易瞭解劇情，鑑古觀今，多所啓迪。像共黨搞出來的「現代劇」，演員除却男女性別昭然可見外，都是一樣的形色，觀衆不知道他們究竟是甚末玩藝兒，感覺莫名其妙。再說唱、做、唸、打諸動態，在舊式化裝勾臉的表演中，配合劇情，各各不同，維妙維肖。若大家穿的同樣便裝，只憑聲音以別劇中各種各樣的角色——如生、淨、丑、末之類，豈不糟糕嗎？如此這般的舞台戲劇，祇西洋人的魔術表演亦不如，更與中國人的雜耍場面不能同日而語，那有絲毫藝術價值之可言呢？

毛共的「簡體字」與「現代劇」運動，都是不知文化爲何物的盲動主義，跟「土法煉鋼」、「消滅麻雀」等作風，後先媲美，表現其無知無識而已。現在因爲土法煉鋼而樹木砍盡，旱潦不已，因消滅麻雀而蟲害大作，自貽伊戚，又強迫人民種樹養雀了。將來由於簡體字與現代劇作祟，在文化思想上尚不知產生若干弊害，勢必使中華民族五千年來的文化藝術掃地以盡，回到蒙昧野蠻的原人生活中，這纔是毛共的滔天罪惡啊！

案中有案互相控訴
屏東縣長選訟惹人注意
落選人控當選人及前任縣長違法　當選人亦控落選人妨害選舉投票

（本報台南航訊）屏東縣長選舉官司密鑼緊鼓，突起高潮，繼黃振三狀訴屏東縣選舉事務所辦理本屆縣長選舉違法，請求判決「選舉無效」，及縣長當選人張豐緒違法賄選請求判決「當選無效」之後，對方也向屏東地方法院控告黃振三之助選員鄭錦堂、陳政順等人及黃振三以害妨投票妨害兵役罪。黃振三等在本（八）月十五日接到屏東地檢處傳票，十八日下午五時開庭審理。此一案中之案傳出後，引起各方一致注目，使屏東縣長選舉官司，更趨複雜。

黃振三狀訴「選舉無效」「當選無效」兩案，都分別經過調查庭。由於原告黃振三繼續向受理本案的台南高分院提送了證人證物，列舉新事實，並要求庭上傳訊選舉期間在屏東縣視察選務的立法委員徐漢豪、王子野，監察委員葉時修等作證，據說因張豐緒的助選員用肥皂委託村長賄買選票時，村長曾向葉委員等報告。立監委員果然出庭爲此官司作證，在本省實行十多年來的地方自治中，尚是創見。

「當選無效」之、訴，八月十八日在台南高分院開第三次調查庭由陶振聲推事主審。「選舉無效」之訴開過兩次調查庭，由鄭健才推事主審。兩案均爲合議庭，除一位主審推事外，尚有兩位陪審推事。原被告中兩位是縣長（張豐緒、李世昌；李爲上屆縣長主辦選舉，爲選舉無效之被告），一位落選縣長（黃振三），都是地方風雲人物，六推事合審三縣長，難怪其轟動南台灣。

「當選無效」之訴，台南高分院八月十八日開第三次調查庭時，從上午九時開庭，一直審理到下午一點半鐘才退庭。

原告黃振三及其代理律師戴桂生出庭應訊，被告由律師陳樟生、謝耀桂代理出庭；被傳訊的證人，有鍾士勇、李彩與等十八人（二人未到），旁聽者踴躍，擠滿法庭。

黃振三告訴張豐緒命助選員鍾士勇以耕耘機送肥皂十箱另八十塊給二崙村長李彩與，請他轉發村民，每票兩塊肥皂一事，庭上詢問最詳盡，幾乎佔去三分之二的時間。

證人李彩與向庭上陳述鍾士勇用耕耘機拉肥皂給他，他用廣播器叫鄰長來領肥皂的經過情形，與黃振三呈庭的李彩與錄音譯本中所說內容相同。十一鄰鄰長張鄰昆，九鄰鄰長李玉清十二鄰鄰長張貴榮等人的證詞與李彩與相同。庭上問他們，領肥皂的時候李彩與有無告訴他們要投誰的票，張貴榮說李彩與向他說肥皂是張豐緒送的，每個公民分給兩塊。

張豐緒的助選員鍾士勇是現任屏東縣議員，他否認四月廿五日有送肥皂事，他說廿五日清晨兩三點鍾還在國民黨屏東縣黨部招待室睡覺，有同室的兩位黨部人員可以作證。原告代理律師戴桂生則向庭上陳述，上次庭訊時鍾士勇還舉不出能證明他那天行踪的人，這次突然舉出了，顯然是事後才串通了的。

被告代理律師請求庭上問對選舉出的證人，問他們是時來台南的，車費和旅館錢是多少，因爲據他們所得到的報告，那些人都是黃振三事先串通好了的，由原告集體帶來台南，招待在五洲旅社，不是他們出錢，他們一定答不出。庭諭。此事與當選無效無關。黃振三卻主動要求庭上如被告代理律師之問，於是庭上一一訊問各證人來台南的時間與所用的交通工具，有無受人招待。證人的答覆是來台南時間先後不同，有乘汽車有乘火車，沒有一個是住五洲旅社的，沒有人招待他們，車費旅館費都是自己花錢，也分別說出了大小的錢的數目。

黃振三在庭外向記者表示賄買選票公然用廣播器廣播叫人去領肥皂，這是從地下賄選變到了地上，他選風實在太壞了。民要使選風改觀，民主政治走上正軌，所以他不得不告，這不是爲了他個人，而是爲了國家前途

原告在庭上舉出一個新證據，張豐緒的助選員洪祝賀在已禁止競選活動的投票當日，僱王分士去村內四處鳴鑼，喊村民去投張豐緒的票。王分土向庭上證實有這件事；並說，洪祝賀原答應酬謝他三包味精的，結果只給了兩包，他氣憤不平，以此前來作證。洪祝賀向庭上說明，王分士僞證之罪。被告代理律師向庭上說明，王分士曾經犯罪被拘，由黃振三保出，故幫黃振三講話。王分士說並無黃振三保他之事。黃振三也否認保過王分士，如果保過，警方和法院一定會存有案卷，請庭上調查，就知決無此事。

原告指被告登記有案之助選員洪祝賀，爲協助被告助選，於四月廿三日下午八時許，召集高樹鄉泰山村民二百餘人，在泰山國校課室內舉行會議，分送與會村民每人香烟三枝，每桌餅乾一包，洪祝賀向村民公開稱「張豐緒當選後，對本鄉有利益，各道路可鋪柏油」一事。證人藍仙財、陳慶賀證實有此事，王福生、曾明知、黃啓明則根本否認有在泰山國校開會的事。洪祝賀說他當時在別處，不可能分身去泰山國校。

黃振三向庭上報告，證人李榮東昨天在屏東向他報告，洪祝賀於十六日晚約王福生、曾明知，黃啓明和他四人去洪家開會，要他們今天不出庭，就是出庭也不要講洪在場，約他們今天早上七點在泰山國校前集合乘計程車來，故王福生、曾明知、黃啓明的證詞是洪串通好了的，不可採信。庭上問李榮東承認是如此，他是乘公路局車來的，自己花錢。庭上問王福生、曾明知、黃啓明三人，他們回答是早上七點一道乘計程車來的，庭上問他們出了多少車錢，回答說還沒有算。此時，被告代理律師黃起立說李榮東能向黃振三通風報信，證明他們二人相熟，故證詞不可採信。原告代理律師戴桂生接着起立說，被告代理人剛才說「通風報信」四字，可見他也承認十六日有開會的事。被告代理律師急起立辯說原告「通風報信」是原告說的，事實上黃振三只是說明李榮東告訴他的事經過，並未說過「通風報信」四字。

庭訊至此，已到下午一點半鐘，審判長起立宣佈退庭。本報記者在退庭後向審判長訪問，審判長表示不對本案表示意見，至於是否傳立監委員作證，將視案情來決定。本案仍需續開調查庭，何時可以審理終結，尚不一定。

（吳越）

已在台鬧得滿城風雨的：
俞友田低價售木案原委

（本報記者張健生台北航訊）台灣省大雪山林業公司總經理俞友田在日本以低價標售檜木製材，有損國家權益一案，已引起朝野人士的注意，如省議會組織了專案小組調查，監察院初步調查報告文也見報了，而木材商也把其中內情訴諸社會。儘管各方面的指責和批評不斷而來，但有關官員仍好官自爲，笑罵由你，尚故作鎮靜中。

大雪山林業公司總經理俞友田，物資局第四處處長陳振熙，該公司廠務部經理陳雪，林務局林產組長蔡佑之等四人，其中除蔡佑之外，餘三人均非林業專家，而俞友田乃因緣時會榮任斯職，當出國考察之機，於今年六月十六日在日本東京，由物資局代表陳振熙與日本米星商事株式會社代理人周氏貿易行周淡生簽訂合約，標售檜木製材，使國庫損失外匯美金數百萬元之鉅，因而轟動社會，甚至有人說他們得了數百萬美元的回扣。

按照合約規定：

扁柏製品每立方公尺，平均價FOB美金九八元八角五分五厘正。

鐵杉製品每立方工尺，平均價FOB美金二十八元七角。

自今年六月十六日起，到五十五年九月三十日止，共兩年三個半月的時間內，出售扁柏製品三萬立方公尺；鐵杉製品三萬立方公尺。

扁柏製品規格：

一、正角三五%，其品等爲四方，無節者二〇%，佔總量七%。三方無節者，三〇%，佔總量一%。隣接二方無節者，四〇%，佔總量一四%。一方無節者，二〇%，佔總量七%。

二、平角五五%，其品等爲四方，無節者七%，佔總量三八・五%，三方無節者，三〇%，佔總量一六・五%。

三、椽甲板一〇%，其品等限四方無節者。

前述規格，四方無節者佔總量五五・五%，應製材一六・六五〇立方公尺；三方無節者佔總量二三・五%應製材七、〇五〇立方公尺；鄰接二方無節者佔總量七一四%，應製材四、二〇〇立方公尺。此中四方無節者相當本省的特等品；三方無節相當本省一至二等品；鄰接二方無節者相當本省二至三等品；相對二方無節者相當本省三至四等品；一方無節者相當本省四至五等品。

按本省歷年製材情形：扁柏原木製材率，約爲七〇%，但我民間工廠約八〇%。其中一等品約佔製品總量二〇%，二等品約佔二五%，三等品約佔三〇%，四等品約佔一五%，五等品約佔一〇%。依照規格，四方無節的特等品一六、六五〇立方公尺，約需扁柏原木一六〇、〇〇〇至二一四、三〇〇立方公尺。品等之高，需要原木之多，實屬驚人。

據合約所載：扁柏售價平均爲FOB美金九十八元八角五分五厘，三萬立方公尺，應售美金二百九十六萬五千六百五十元。如以此項製品所需原木以最低的標準十六萬立方公尺計，該原木此間市價爲每一立方公尺美金四十五元，十六萬立方公尺原木，應售美金七百二十萬元。依此計算，則出售扁柏製品三萬立方公尺，損失美金四百二十三萬四千五百五十元。

合約中所載：鐵杉製品三萬立方公尺，以每立方公尺價格FOB美金二十八元七角計，應售美金八十六萬一千元。按照規格，鐵杉製品三萬立方公尺需原木一〇四、〇〇〇立方公尺，而原木的市價爲每立方公尺美金二十五元，應售得美金二百六十萬元，則出售鐵杉製品三萬立方公尺，損失美金一百七十三萬九千元。兩共損失五百九十七萬三千三百五十美元。

同時大雪山林業公司五十二年度原木生產，一級原木約五萬四千立方公尺，二級原木約五萬二千立方公尺，三級原木約六千立方公尺。其中一、二級原木年產不過十萬零六千立方公尺，而出售扁柏、鐵杉製品各三萬立方公尺，所需原木最低二十六萬四千立方公尺，以此而觀，該公司能依時供應嗎？

最大的笑話是：物資局於今年四月二十日代大雪山公司標售製材品四千立方公尺，由此間廣益行周淡生得標，其中一級木特等品及一等品，佔四〇%，較這次合約所訂五五・五%品等爲低。平均單價爲FOB美金一百十一元九角三分，較合約九十八元八角五分五厘爲高。二級木平均單價爲FOB美金三十九元九角一分，較合約二十八元七角爲高。因而周淡生棄權，並放棄押標金新台幣十萬元。而周淡生赴日本透過米星株式會社得標，此乃引起各方面懷疑的最大的原因。

日益繁榮的基隆港

邱家文

基隆位於台灣本島的北端，爲縱橫全球的海運航線，貫通國際間各大小港埠，曾被外邦人士譽爲台灣省的第一大海港。近年來，基隆港的貨物吞吐裝卸量突飛猛進，每月均超過三十萬噸級，與光復初期的貨物裝卸量眞是不可同日而語。而裝卸速度每小時每一吊桿平均可吊貨四十噸級以上，超出了每小時三十二噸級的國際標準。

目前，基隆港可供停泊輪船的面積，有三十六萬餘平方公尺，裝卸貨物的碼頭有二十六座，每日可供給二十六艘萬噸級巨輪裝卸貨物之用。基隆與世界各大小港埠均有定期班輪及不定期的客貨班輪，業務猶蒸蒸日上中。

基隆與高雄港花蓮港同爲台灣省三個國際貿易海港，其中以基隆港建港歷史最久，已百年有餘，規模亦最大。基隆港務局係於公元一八六三年（即同治二年）間建港的，於公元一八八六年（即光緒十二年）完成第一座碼頭，復於光緒二十五年間開始分期擴建港內各項工程，至民國三十二年前後完成五期建港的工程計劃。

二次大戰中因受到盟軍轟炸，損失頗重，光復時的基隆港，滿目瘡痍，一切的設備俱毀，殆已全成廢墟。光復後成立基隆港務局，經十餘年來的慘淡經營，使這個以多雨著名的基隆港建設猛進，繁榮更逾於戰前。

據統計：基隆港務局自民國三十五年至民國五十一年間，包括修建和新建的共有十九項的重要工程，計爲：

三十五年修建完成二萬五千噸級的船塢；同年修建完成三千噸級的船塢；三十六年完成一萬五千噸級的船塢一座；三十七年至四十二年完成外港防波堤；深水部份塢身東堤三十八公尺，西堤一八八公尺；三十八年修補東堤缺口三十二公尺；四十三年至四十五年新建外港特種貨物深水碼頭一百八十公尺；油輪碼頭八十四公尺；四十年新建危險物品過駁碼頭二百四十公尺；又完成危險物品倉庫一座；四十年新建四號碼頭倉一座；四十五年修建三千噸級的船塢一座；四十三年至四十年新建復興隧道三千九百六十四公尺；外港連絡公路十六公尺；鐵路三十七公尺；四十七年新建二千噸級的危險品倉庫一座；又完成設備全套的起卸散裝各類機械；四十八年增建四號倉庫三百七十五公尺；四十二年新建修船碼頭二百五十公尺；四十八年增建信號台；四十八年完成五千噸級的倉庫一座；四十九年新建外港二線道路；四十八年完成六千噸級的倉庫一座。（上）

中外空軍運用史實

羅雲家

一九四五年八月六日及九日,美軍先後在廣島、長崎所投下的兩個二〇KT原子彈,可以說是空軍運用新武器的最壯觀之嘗試。該一重任係由美第二十航空隊第二十一轟炸聯隊所屬三一三大隊的五〇九中隊担任。起飛的機場是馬利安納羣島的狄南島基地。第一顆原子彈由B二九「伊諾格」號載運,由提伯慈上校駕駛,費畢少校投彈,毀滅半徑達四點七平方哩,使廣島軍民死亡七萬人,傷殘七萬人。第二顆原子彈由B二九「大阿思」號載運,由威利少校駕駛,畢漢上尉投彈。毀滅半徑一點八平方哩,使長崎軍民死亡三萬六千人,傷殘四萬人。(按:美軍曾對日本之東京作了九十三次轟炸,每次投彈平均一六七噸及若干燒夷彈,其所造成之傷殘為一〇二、〇〇〇人,死亡及失踪八三、〇〇〇人。)

俄軍與德軍在二次大戰中的決定性會戰是庫爾斯克之役,時為一九四二年六月五日至八月廿三日。當時德軍集中三十八個師的兵力,並以空軍實施猛烈的空中攻勢,企圖攻佔並擊潰防守庫爾斯克及別洛郭羅德地區之俄軍。此一計劃,希特勒是在忽略了俄軍每每不斷增長戰力的情形下決定的。當時的俄軍每年平均可以生產自動砲,裝甲車,戰車五萬輛,飛機四萬架,各式口徑大砲十二萬門,手鎗及重機槍四十五萬枝,迫擊砲十萬門,步槍三百萬枝以上。當然,會戰結果,德軍大敗,損失戰車三千七百五十二輛,自動推進砲一九五門,野砲八四四門,飛機二、三九二架,汽車五千輛,傷亡十一萬一千人,並迫使其不得不得不得不由攻勢作戰轉為守勢。以後在短短的三個多月間,使俄軍收復失土三分之一,及約一億人民又回到俄帝的掌握中。於此,俄帝紅軍所使用的飛機之多,我們當不難想像矣。(按:依據可靠的資料顯示,於該一戰役十年後之俄帝空軍兵力,數字如下:陸軍航空軍方面:地面作戰協力航空軍十二個,計一萬二千架,防空航空軍,計三千架,空輸軍三個,計二千架,戰略航空軍三個,計一千架。海軍航空軍方面:計五〇個團,約二千架)

我們中國對空軍在現代戰爭中的重要性,最先具有深刻認識的人,厥唯我國父孫中山先生。當民國元年他在南京就臨時大總統任內,即已設立航空隊,並購買飛船。民國六年他於致南洋同志的手書中說:「飛機為近世軍用之最大利器」。(五)

康有為的亡命

丘峻

康氏死裏逃生,嘗語人云:「戊戌政變之秋,余誠有十死之危,苟遇下列一事,即不能免:一、若早出上海督辦官報,則上海道奉旨來拿,必死無疑;二、若帝不促出京,必死無疑;三、政變早一日發生,必死無疑;四、遲一天出京,必死無疑;五、如在南海會館被捕,必死無疑;六、如在津居旅邸,船期不合,必死無疑;七、如初六日輪船不開,必死無疑;八、如乘招商局海晏輪,英領無法救之,必死無疑;九、如飛鷹艦不因煤絕折回天津,必死無疑;十、苟登萊道不赴膠州,接電截捕,必死無疑;十一、如上海道不請各國領事協拿,英領不知其事,無從救之,必死無疑;十二、英人不派兵艦護送,半途截獲,必死無疑。在諸多必死之中,竟能不死,豈非幸哉!」康氏奉命督辦上海官報(係時務報所改),原為孫家鼐所奏劾,意在擠其出京,反使其得保全性命,氏詩所謂「我橫滄海天不死」,巧合如此,其可信矣乎?

康氏自微服出京,倉皇就道,以亡命之身,周遊異邦,而尚能隨身携帶一刀(日本人所贈武士刀)一鎗(六輪手鎗),日措行囊,夜置枕畔,出入則藏諸身,以防意外,卒獲無恙,幸矣,亦奇矣!

此次政變結果,康氏微天之幸,得以出死入生,安然去國;自餘被戮者六人,被拿辦,下獄,革職,圈禁,停差,逮捕家屬,查抄家產者,三十有二,而康氏即為其中之一人:茲一一併略及之。

溯氏兩奉密諭,大難將作,猶不忍舍帝而去。而其弟康廣仁與譚嗣同則力促其立即走避,廣仁且曾設法使之遠行而不果。其致友人書云:

「伯兄(指有為)規模太廣,志氣太銳,包攬太多,同志太孤,舉行太大,當此排者,忌者,擠者,謗者,盈衢塞巷,而上又無權,安能有成?弟竊深憂之,故常謂但竭力廢八股,則危崖上轉石,不患不能至地。今已如願,八股廢,力勸伯兄宜速拂衣,雖多陳無益,且恐禍變生也。伯兄非不知之,惟常熟(翁同龢)告以至篤,萬不可行。伯兄遂以感激知遇,不忍言去。但大變法,一面為新國之基,一面令人民念聖主以為後圖。第且夕力言新舊水火,大權在后,決無成功,何必冒禍?伯兄亦非不深知,以為死生有命,因舉華德里落磚之證。弟無如何,乃與卓如(梁啓超)謀,令李 老(李端棻)奏荐伯兄出使日本,以解此禍;乃皇上別放公度(黃遵憲)而留伯兄,眞無如何也。伯兄高思而性執,拘文牽義,不能破絕藩籬,至今實無他法。不獨伯兄身任其難,不能行,即弟向自謂大刀濶斧蕩夷藪澤者,今亦明知其危,不忍捨去,乃知古人所謂鞠躬盡瘁死而後已,固有無可如何者!兄在遠不知情事,易於發論,倘在此豈能遠遁?若能遁,則非人情,又何以為人?固知志士於人之不易也!……今嬰國事,如陷阱羅!」(八)

我所知道的麥帥

肯寧將軍原著　徐熙光翻譯

「本人將貫澈此一宣言的主張和目標,儘速將武裝部隊復員,並保護日本的國力,使日本民族重獲自尊,從戰爭的廢墟和斷垣殘壁中重建他們的國家。

「美國在菲律賓為此一新的自由亞洲樹立了一個榜樣,向世人證明,東方人和西方人是可以比肩努力,互敬互惠的,從在菲律賓所獲得的經驗,我們現在對東方已經有了信心。

「所以,同胞們,今天我在此向各位報告,你們的子女在這次戰爭中作了最了不起的貢獻和努力,他們忠誠愛國,鎮定而有信心,具有作為一個美國戰士的最堅決戰鬥精神。由於他們的努力,不屈不撓的精神和毅力,使我們贏得了這場戰爭。他們均正在凱歌聲中,重返家園,請各位父老好好照顧這些從戰場上回來的青年。」

八、「我已經回來了」

當麥帥在一九四一年三月撤離菲律賓時,曾向菲律賓人保證——「我將會回來」。這個承諾變成了團結菲律賓人的口號,也因為這個承諾,才使得菲律賓人能苦撐幾達三年,與日本繼續作戰。對麥克阿瑟來講,這不僅僅是一項承諾,而是一個他必須實踐的誓言。

麥帥很喜歡菲律賓人,而菲律賓人也敬愛他,為他而戰。他認為美國對菲律賓有一項神聖的任務,那就是及早把菲律賓人從日本人掌中拯救出來,使他們重獲自由和自治。一九四四年七月,當他在夏威夷晉見羅斯福總統時,海軍方面曾提議放開菲律賓不談,而在台灣登陸,麥帥對這個計劃大不以為然。他告訴羅斯福總統,菲律賓人民是屬於我們的,他們一直忠心耿耿的站在我們這一邊,為我們而戰。如果我們先在台灣登陸,必將使菲律賓人大感失望,也將使得數達二十五萬駐在菲律賓的日軍耗盡菲律賓的食糧而使菲律賓人陷入飢餓的絕境。根據最近的情報報告,糧食供應的情形已經不穩定。如果我們棄菲律賓於不顧,將使我們失信於菲人,不但菲律賓人從此對我們沒有信心,就是整個亞洲也將認為我們為了自私而犧牲了我們一貫的原則和承諾。日本人在菲律賓絕不會把食糧讓給菲律賓人而叫他們自己挨餓。除了這些道義上和政治上的錯誤之外,如果我們放棄菲律賓和一千七百萬忠貞的菲律賓人,從戰略觀點上看也是大錯特錯的。

我不知道是不是麥帥的這一席雄辯滔滔的利害剖析,打動了羅斯福總統的心,但是羅斯福最後在珍珠港終於決定收復菲律賓,同時計劃越過台灣,攻佔琉球,再直接對日本本土採取行動。

一九四四年九月一日,我們開始轟炸民答那峨島南方的納卯港。這是大約兩年半以來,菲律賓人第一次又看到美國轟炸機。

麥帥對於打回菲律賓簡直已經得不耐煩了。對於只有幾百或幾千日軍佔領的島嶼,他往往用數倍兵力攻擊,以求速戰速決。但是我們所缺乏的是運輸作戰部隊的船隻。他告訴我:「今年秋天我一定要回到菲律賓。」(四一)

在危疑震撼中冷觀詹森政府的亞洲政策

(上接第一版)直至甘廼廸政府執政的第三年,印尼接收新幾內亞與連續獲得俄國大量軍援後,印尼便逐漸變成為亞洲非共地區的第三個亞洲大國,開始對南亞洲的國際關係產生一種前所未有的重大影響。因此,詹森政府的亞洲政策,除了繼承其前任的既定目標,積極扶植日本與印度的強大外,還得特別注意這一新崛起的南亞海上大國印尼的問題。在這一方面,又由於印尼政府的與共黨接近,以及它的反對馬來西亞聯邦,使整個情勢更趨複雜。從長遠的觀點來看,對於印尼,正如對於日本與印度一樣,必須採取一個友好與扶植的政策,以穩定南亞洲的局面。但在明白採取這一政策以前,又必須先要善處理印尼與共黨集團的關係,以免造成不幸。此一問題,很可能是詹森政府及其繼承者,未來在亞洲政策上所面臨的僅次於中共的最棘手的一個問題。(完)

第十四回：誰與慶昇平　呼朋湊興　居然爭霸業　背主孤行

陳毅霍地一驚,先站起來向大門首挪了兩步。吳芝圃問道:「有什麼事?」

單邦賢說道:「沒有什麼大事,不過是兩位女演員的衣服出了毛病。」

陳毅聽到這句話才放下心,又回到原來位子上坐下,威風凜凜的盯着吳芝圃同單邦賢。

吳芝圃問道:「怎樣出的毛病?」

單邦賢看看陳毅,陪笑說道:「因為陳副總理陪蒙哥馬利元帥來我省訪問,是一件大事,所以連夜派出專車,把散處在各縣市的女藝員都召來了,準備舉行一個盛大舞會,歡迎兩位元帥。」

吳芝圃聽得不耐煩了,說道:「這些經過我都知道了,還用得着你說嗎,到底發生了什麼事。」

單邦賢陪笑說道:「女藝員都到了,可是她們都沒有衣服又沒有鞋,所以出了事故。話劇團的一位女藝員陪蒙哥馬利元帥跳舞時,一個轉身,褲子竟然扯破了,屁部全露出來。」

陳毅正在擬着嘴生氣,聽了這句話突然笑起來,連說:「有趣,有趣,可惜我剛才不在場,沒有這個眼福。」

單邦賢陪着笑臉說道:「副總理要看,我可以要他再扯爛一次給你看。」

陳毅擺手道:「這種事情要來得自然,出其不意才有意思,故意扯開有什麼味道。」

吳芝圃楞着問道:「另外還有什麼事呢?」

單邦賢說道:「還有就是豫劇團的女藝員實在沒有衣服穿,竟然把穆桂英大戰洪州的戲裝穿來了。」

陳毅不由得「啊」了一聲。

吳芝圃跺脚大罵道:「該死,眞眞該死,這叫做什麼話!查明她的團長,一定是右派反黨份子。」

陳毅「哼」了一聲,說:「我怕是國民黨的特務呢?」

吳芝圃點頭道:「副總理的懷疑的有理,可能是國民黨特務混進了劇團領導方面,才能安排出這樣壞事。」

單邦賢說道:「我當時也打電話去質問他們劇團領導幹部,據說是黨委支部書記決定的。」

陳毅一翻眼,說:「你以為黨委支部書記就靠得住了,是吧!說不定中委會都有對方的人。」

吳芝圃問道:「她既然穿着戲服來了,為什麼不替她更換一套呢!」

單邦賢苦笑道:「找不到衣服換,而且時間也不允許再更換衣服,只好讓她進來坐在角落裏,那知蒙哥馬利元帥看見,要拉她跳舞,當時狼狽不堪。」

吳芝圃站起來問道:「現在怎樣了,我去看看。」

單邦賢說道:「問題已經解決,我當時告訴蒙哥馬利,她穿的唐朝服裝,專門表演唐朝舞的,不能跳現代舞。」

吳芝圃說道:「她會跳什麼唐代舞,你越搞越離譜。」

單邦賢笑道:「我當時命她把在戲台上那一套步法走出來,手上再打着手勢,也像一馬跳舞,就把蒙哥馬利搞過去了。」

(三四〇)

冒險犯難記

鄭文儀

警備司令部和廣州市公安局及後方總司令部，於十三日完成緊急應變行動部署。錢司令晚間約集餐敘，僅是解決軍事指揮問題。飯前要我探詢蔣團長的意見。我和他說南京上海已於昨日開始清黨反共，廣州局勢嚴重，問他的意見如何？他說：無論如何，我們總不能殺共產黨。」我問如果共產黨要暴動，殺國民黨，我們如何對付呢？他說暫時不會有這種事。他袒護共產黨，詞意非常堅決。錢司令知道這情形之後，便決定不要蔣團長指揮，囑其晚間不要輕易離開團部，另派副團長徐敦榮與第二營營長阮齊担任軍事指揮。這是明智的決策，軍事指揮問題得到完滿解決。

十三日夜晚二時戒嚴，實行全市清查搜捕共黨及工人糾察隊，到十四日早上十點鐘解嚴。八小時內逮捕共黨份子超過萬人，臨時送到八個戲院拘留，然後分別審問，處置。太多數的工會農會及武裝隊員聞風逃散，十六日的共黨暴動就煙消雲散了。

二十九：連升三級誠惶誠恐

古語說：「年青而居高位者不祥」，我因緣時會，在很年青的時候，就佔到很高的位置，我深以古語作爲警惕。雖然沒有患得患失的觀念，也從未去鑽營謀求一個較高的位置，但總以出身太早，太快，引爲痛苦而危殆的事，即使冒險犯難是我的良好習性，但不度德，不量力，雖欲不敗，眞是難得。

我在民國十四年冬季離開黃埔軍校到莫斯科去留學的時候，軍階是中尉。十六年一月回國，想到母校服務，二月初軍校一就派我到政治部任中校科長，一年時間，祇是在俄國讀書，回來就超越了上尉少校階級而升到中校，升了三級，已經是出我意外，爲同學們少有的事。更有甚者，奉到軍校中校科長令未久，正準備去到差，而未開始工作，二月中旬又奉到蔣總司令派任第二十師上校政治部主任，工作不到二月，由於清黨反共署有貢獻，任黃埔軍校政治部熊雄副主任兼代主任，因爲是共產黨，在清黨時被處決了，同時學校中担任政治教官及政工人員之爲共黨份者，亦多相率逃亡或被拘審問，一時軍校政治教育無人主持。四月下旬我接到總政治部轉來總司令兼黃埔軍校校長命令，要我到黃埔軍校任副主任兼代主任（主任邵力子在前方不能回校），階級是少將。我接到這個命令，眞是不知如何措手足，曾三次請求收回成命，另簡賢能，我自問學識能力都不足勝此重任也。但事實上是請辭不准，代校長及教育長都面諭勉爲其難，三個月連升三級，我眞是誠惶誠恐。（六四）

袁世凱二三事

漁翁

袁世凱爲河南省項城人，因顯貴而以地名，故字之曰項城。在清室末年，先總理孫中山先生鼓吹革命的怒潮中，清廷起用袁世凱，以抵制民黨；而袁乘此大好時機，一面暗結民黨，一面恐嚇清廷，不即不離而攫取政權爲己有。當中山先生在南京就職臨時大總統後，袁表面上不反對，而骨子裏藉倡議遷都北平相逼迫；中山先生以革命功成，把總統讓與袁氏，閱四年而有袁氏稱帝之舉。但袁之開倒車英雄思想，終於失敗了。此一代奸雄亦因此憂憤而死了。

當袁氏束髮就傳時，塾師以「普天之下，莫非王土，率土之濱，莫非王臣」命題，袁落筆成八股式排偶一聯云：「東西兩洋，歐亞兩洲，隻手擎之不爲重；吾將舉天下之士，席捲囊括於座下，而不毛者，猶將深入。堯舜假仁，湯武假義，此心薄之而不爲；吾將强天下之人，頓首稽首於闕下，而不從者，殺之無赦。」塾師閱後，便驚異的向人道：「此兒有帝王思想，只講威武，不顧仁義，恐無良好結局也。」後果如其言。

據袁世凱軼事：袁年少讀書時，性放蕩而不好學，常受夏楚之加，欲思有以報之。在夏季某夜，知師歸，必經山谷間，袁先伏於深林下，捕螢數百，藏於一小玻璃瓶中，待師至，即遍塗面上，向前霹靂一聲！師不知爲何物，疑鬼作祟，昏仆於地，起而奔歸，因此害病云云。果有其事，證明袁賦性鬼怪，是則彼其後之假民黨以廹清室，幷陰謀奪取大總統之寶座，進一步尚欲做其皇帝，亦就不足爲奇了。

滿淸時代，尚章句學，此爲袁所不喜者，謂之爲雕虫小技，壯夫不爲。一日，師出一題：「善戰者服上刑」，袁開宗兩句：「以殺止殺，而殺人者殺，則殺即止矣」。句句不離殺字。欲以霸道而統一天下，袁入邑庠後，不復從事舉子業，嘗慕范希文爲秀才時以天下爲己任之志，亦有「方今天下，舍我其誰」之慨。

袁又曾在洛陽市上，操刀筆，替人做訴狀。傳說有一日，某佃人所住之房，已歷三代。佃主欲收回，彼不肯退出，被以霸住不退祖訴諸官署。某乃求袁作一辯狀，袁率筆成之，中有：「鵲巢鳩居，久住於此，爾何不控祖而控孫？」等語。法官閱後，批曰：「鵲巢鳩居，既直認霸佔，何得抗延不退？着速遷出，毋違干究」！某因袁辯狀而敗訴，不免有所怨言，市人遂咸嗤袁之無法律常識，使袁無顏留在洛上，乃遷地而學劍，終成爲禍害民國之一代奸雄，然此在袁氏個人，安知非福歟？

美妹

長篇小說

羅雲家著

「…………」她仍然是沉默着。

「一個人的出身與家庭環境的好壞，並不是本身的能力所可決定的。妳用不着不好意思。說了出來，誰也不會恥笑什麼。妳剛才不是說有許多話要對我說，而沒有說完所以才來找我的嗎？怎麼，現在又不相信我了？」我是個急性子，看她老是不吭聲，所以就這樣急着催促。

「不是，丁先生，我不是這個意思。」她終於開口了，但她的眸子充滿了盈盈的淚水。她一面用手帕擦拭，一面接下去說：「我是不知從那裏說起好…………」

「有那樣複雜嗎？」我在她停頓時，插嘴說：「眞是如此的話，就不妨先從妳與健文認識說起。」

「也好。」她的眼睛變了兩下，大概感到睫毛上有什麼，她又用手帕擦着眼睛。當右手在桌上放妥後，這才悠悠地打開她那記憶的心扉。

×　　×　　×

快到午后兩點的時候，她把她與健文的交往情形說完了。我聽了深受感動。但因這是出自她一個人的叙述，難免會在某些地方保留，另在某些地方誇大，某些地方加以歪曲：…………這樣一想，所以我遂有些將信將疑起來。

會了鈔，我們同往承辦本案的派出所走去。我希望會到健文以後，能從他的口中，得到事情的眞象。不巧的是他們已將健文轉送分局去了。我倆遂又急調轉身來趕到分局。值日警官回說何健文在這兒。我算是鬆了一口氣，覺得心中的疑團，不久即可解開來啦！但當我倆請求會見他時，却被拒絕。理由是正在偵查期中，一切訪客暫不接見。我們哀求了許久，結果仍是「礙難照准」。所幸當日回去後，接到健文在被拘前託人寄給我的一件包裹。打開一看，裏面除了幾篇稿件信函之外，並有一冊近期的日記。這使我眞是喜出望外…………因爲，從美妹的嘴中，與健文的筆中，使我充分瞭解了他們的案情。

原來他倆認識並不久，而且還是在她想用投水的方法，來了却她可憐的生命時偶然相識的。

那是兩個月前的一個夜晚，她帶着滿腹的委屈與痛苦、躊躇在西門國校西側的河邊。過往的人們誰也不會注意她的存在，或高談濶步從身旁走過，或挽手並肩，有說有笑了行而行，或竊竊私語，倩影雙雙，坐在河畔傾訴着心曲，或一葉扁舟，與心上人遨遊在徐徐流去的淡水河上…………唯獨她是這樣的孤單悽涼，與人家比，是這樣的不相同，這樣的被社會冷落。使得並不怎樣執意要自我毁滅的她——黃美妹，竟然因此堅定了以死來求得解脫痛苦的決心。

但那時間還早了一些，她既然想死，就不能讓人家救她活。所以她隨着一批人向南走來，到了內江街口，她隨着另批人走回去。如此這般，不知走了幾個來回，直到行人稀少，甚至說看不到有人來往時，她才鼓起最大的勇氣，雙眼緊閉，用力往河中跳去！

凑巧的是，何健文那時正自武昌街走往淡水河邊去散心。在朦朧的月色中，他看到了有人跳水，於是就像新聞記者描寫青年救美一般，他「見義勇爲」，連衣服鞋襪也來不及脫，一縱身子就往投水者投水的地方跳去。（四）

記張蒼水

湘南遯叟

那時當平將軍張名振駐師岑江，聞訊遣裨將張名斌，統舟師迎駕，由海門扈王出海，往依舟山黃斌卿。斌卿不納，王舟泊蛟門。至此兩浙全失，淸師長驅入閩。鄭芝龍退保安平，欲降於淸，鄭氏一門諫阻不聽，鄭彩率所部北上。斌卿素畏鄭彩，閉城不納，彩乃奉魯王入閩。鄭芝龍降淸後，鄭彩迎魯王保厦門。蒼水在海，追魯王未及，遇颶風覆舟，登海島，饑困待斃，夢神告曰：「餉君千年鹿，俟十九年還我」。明日，果得一鹿，炙食之，嘗一臠，歷旬不饑。遇他舟至，得救。從此就開始他在海上十九年的游擊生活矣。

順治八年，淸提督田雄，總兵張杰，巡海道王爾祿，都有書招降，不能屈。他復書畧曰：「兩間自有正氣，萬古自有綱常，忠臣義士，獨行其是而已。區區此志，百折彌堅，不過恪守人倫，即是深明天道」。又云：「河北羣盜，皆以復興漢室爲名，今日山中義師，大率類此。故足下得以折柬招之。不孝而日如何，亦微以此術相籠絡，誤矣！蒯水陸自有長技，戰守自有定謀，縱以全力來，勝負未可知也。我輩相晤，正自有期。不孝未便以文山自況，足下不必以夢炎輩自居爾」。那時也好像今日居在台灣的官吏一樣，時常有家人在共匪廣播內寄信，當時淸朝大吏，常要蒼水的父親寫信招降，他復父親的書有曰：「願大人有兒如李通，弗爲徐庶，他日不憚作趙苞自贖」。他的父親亦是一位深明民族大義之士，暗地寄訊給他說：「汝好自爲之，無以我爲慮也」。故他回淸吏的書中，常有不孝字樣。

到了順治九年，他屯兵涓島，接到他父親的死訊，一慟幾絕。比甦，遂不再哭。他自念既已破家，必須殉國。父死不葬，妻子顚連，無以存活，遂終身不蓄姬妾。那時他有「追慕」二首詩曰：

國難驅人出，家傾待子歸。可能磨墨盾，其奈冷斑衣。金革三年淚，冰霜寸草暉。髮膚雖不毀，猶恨故園非。

廿載嗟何恃，長銜惓愁。節旄看盡落，斧鬣悔遲謀。燕去巢應改，烏號屋僅留。在堂有委蛻，無計翦青楸。

長至日諸大臣行禮，他因服制不預，志感賦詩二首：

棘人經歲解朝簪，憂國江湖一片心。太史徒然吹鳳律，諸侯空自鸞音。風塵飄泊隨南北，雲物淒涼變古今。慰藉新陽來六管，朝霜朔雪不須侵。

陽回曙鼓動樓船，遙憶千官上壽年。漢殿徹侯原裂地，周廬亞相盡朝天。香爐重傍疑難望，綵線初添喜復憐。猶恨身違冠帶會，心隨日影到虞淵。

他是年思家之餘，還有一首「夢內」詩：

到處青山足住家，無端歸夢繞天涯。中宵細語頻繁節，滿地離愁蘆荻花。約畧刀環窺月影，分明砧杵喚霜華。遽然一枕成何事，亂逐秋風向若耶。

（四）

小論三（四）

周燕謀

三國三雄之開創天下，三分鼎立，然其成功各有不同。劉備與曹操爲篳路藍褸，以建基業者；而孫權則藉父兄之力，已坐享其成。以才畧較之，孫亦不如劉曹遠矣。

三國之稱帝，魏最早，蜀則於曹操已死，曹丕篡漢之後稱帝，吳爲最晚，係於昭烈已崩，劉禪即位之後。其中備與權皆自身爲帝，而操則留待其子，所謂「吾其爲周文王乎」？

分爭之局，魏勢最壯，蜀吳均受威脅。蜀吳與吳魏時和時戰；而蜀魏則有戰無和。合計：吳與蜀和多於戰；吳與魏則戰多於和。

三國之亡也，蜀則見併於敵（魏）；魏則見奪於臣（司馬氏）。魏原以臣篡君，晉即如其事以報之，斯可戒於後世，亦遺惡例於後世也。吳則亡於晉。吳奪荊州，害關羽，助魏以攻蜀，及蜀亡，吳亦不得免矣。

以時間而論，吳稱帝五十二年，爲最長；魏次之，得四十有六年；蜀最短，僅四十三年。如連前割據之時計之，吳爲八十四年最長；魏次之七十年；蜀最短四十九年。

挽妓聯舉例

吉庭

妓，女樂也。古有家妓官妓之分。家妓，即私家所蓄之歌妓也。官妓，乃供奉內廷及公署之娼妓也。漢武帝置營妓，以待軍士無妻室者，是爲官妓之始。

女之爲妓者，多柳腰纖細，桃脣冶艷，善歌舞，具有吸引力。騷人墨客見之，往往贈之以聯，並嵌名字於內，而妓懸之室中以自豪。清末京師名妓玉如，花容月貌，一時車馬水龍，門庭若市，有贈之以聯云：「玉宇無塵，銀河瀉影；如花美眷，似水流年」。按上聯用西廂，下聯用牡丹亭，可謂天衣無縫矣。

凡名妓生前得文人墨客所贈之聯，不勝枚舉，可畧而不書，玆就其死後而有長短聯以輓之者，錄一二，以供讀書茶餘酒後之清遣。（一）

內政部台誌字第〇三[illegible]號內銷證

自由報

THE FREE NEWS

第四七七期

中華民國僑務委員會頒發
台教新字第三二三號登記證
中華郵政台字第一二八二號執照
登記爲第一類新聞紙類
（本週刊每星期三、六出版）
每份港幣壹角
台灣零售價新台幣弍元
社長：劉曉岑
督印人：黃衍奮
社址：香港銅鑼灣高士威道二十號四樓
20. CAUSEWAY RD 3RD FL. HONG KONG
TEL. 771726　電報掛號：7191
承印者：四風印刷廠
地址：香港灣仔高士打道一二二號
台灣分社
台北市西寧南路壹叁叁號二樓
電話：三〇三四六
台郵撥儲金戶九二五二

測謊器不可亂用

李聲庭

現代西方國家由於科學技術之發展，產生所謂「測謊器」的奇技工具，作爲治安機關偵查人們犯罪事實的一種手段，藉以避免刑訊的惡作劇，用意未可厚非。問題只在使用這種機器所得的結果，是否有如持着明鏡以照人，纖悉無隱，原形畢露呢？人類是有智慧的高等動物，品性各別，思想複雜，專靠一種機械以測驗人們的秘密行動，因而確認其是非善惡，資爲定讞，實屬渺茫而又危險得很。它的效用，遠不如我國小說家所指述的「彭公案」「施公案」那類用智能以推測人們犯罪行爲的方法，比較可靠些。

使用測謊器的人，必須具備相當智慧，且對心理學頗有研究，更不可拘着成見以從事，庶幾測驗所得，或許可供法院訊究人犯的參考，但亦不能認爲絕對可靠。所以，首先發明使用這類奇技工具的美國，在法律上即有兩點消極的規定：人民可以不接受測謊器的約束，拒絕答話；測謊器所得的判斷，不能在法庭提作證據。假使不管是甚麼人，情緒緊張也罷，智力低下也罷，一律迫其接受這類電器作用的測驗，視爲確實的結論，那就不知道將要造成多少冤獄呵！筆者且舉出美國一位最著名的測謊器專家Leonarde Keeler在在一本書上所說出的例子，證明測謊器決不可亂用。

原來有一個人把他的太太殺死了，但對外却揚言他太太出遠門看親戚去了。但他太太許久未回來，同時亦沒有在附近地區發現女人屍體。因此，警察只好教那人接受測謊器的測驗，那人亦不拒絕，而測驗的結果，認定那人並未說謊，如是，警察就把他釋放了。（美國沒有所謂『延長覊押』之說，這是蹂躪人權的惡法。）

但警察總覺得這人的嫌疑很大，於是請了Keeler去再作一次測驗。警察把那人找來，問他是不是願意再接受一次測謊器測驗，他當然滿口答應。

Keeler問把題安排好，受測的人只能答是或不是，不要任何解釋和說明。Keeler問：你把你太太的屍體火燒了嗎？

那個人回答：沒有。

問：你把你太太的屍體沉在水底下嗎？

答：沒有。

問：你把你太太的屍體埋了嗎？

答：沒有。

問：你把你太太的屍體埋在房屋附近嗎？

答：沒有。

問：你把你太太的屍體埋在離房屋很遠的地方嗎？

答：沒有。

問：你把你太太的屍體埋在地下室內嗎？

答：沒有。

問：你把你太太的屍體埋在淺的墳內嗎？

答：沒有。

問：你把你太太的屍體埋在深的墳內嗎？

答：沒有。

問到這裏，這位專家從圖表的線紋顯示：這人把他太太的屍體埋了的。於是他便進一步的說：你太太在那個淺墳內既冷（這時天氣很冷，測驗時正下大雨又刮風）又孤獨得很，我們何不去把她掘出來，安放在棺材內重行埋葬呢？不料那人就隨口回答：那很好，我們就去吧。

於是他們一起去到一個附近的花園裏，那人指着一塊地方說：那就是他太太的屍體掩埋的地方。他們掘不到兩三尺，便發現了他太太的屍體。

這一個實例指出：測謊器不是一般人所能亂用的，同時接受測謊器測驗的人，亦決不能在心情緊張之下以從事。台灣的警務機關裏有沒有測謊器專家，或曾受過嚴格的訓練而又小心翼翼的人，不得而知。如果只是爲着不負刑訊之名，遇事乞靈於測謊器，認爲這樣很省事。則以美國國民教育那樣普及的社會，尚有上述的情形發生，流弊豈勝言嗎？如本報四七一期所刊張笙先生論列台北溫家女傭郭氏膺受測謊器構成的冤屈，不過是其中最顯著而算是幸運的一例罷了。這種事情如果發生在眞正的法治國家如英美，却不是少數的賠償金所能了事，更不是女主人表示歉意，和警察連稱「對不起」，便算完了的。

吾人憑常識即可認定一種機械決不能支配、驅使人類的心靈活動，僅賴測謊器以求犯罪人之誠實供詞，那是極不科學的方法，偵訊人員祇要有相當智慧和耐心，總可以得到比較正確的判斷，而不必倚賴測謊器。如謂藉此可以消除「刑訊」之風，表現文明之治，這是極不合邏輯的說法。舊時吾國並無測謊器，但許多清明廉能的官吏，雖不採取刑訊方法，亦能夠訊得案情複雜的犯罪眞象，毫無枉縱。若隨便藉機器以求供，而使用機器的人又沒有相當的智能和經驗，只是利用強烈的電力，對嫌疑人犯作間接的威脅恐嚇，這與刑訊有何區別呢？試看台北的溫家女傭，在測謊器強烈電光之下，心情恐怖，祇得誣服行竊的經過事實，即可證明了。

人類的物質文明愈發達，使用物質的智慧即更須優越，纔可以了無遺憾享受物質的益處，而不致產生相反的副作用。測謊器與冷氣機或電視機的作用不同，牠有直接妨害人權的惡劣影響，最好是摒棄不用，要用亦不可當作靈驗的神奇品，偶一爲之，聊備參詳可也。這就是筆者譔寫本文的用意所在。

可憐的公正

鼠輩横行

今日與明日

中俄共的新爭執

據俄酋赫魯歇夫聲說，毛共曾向俄共提出修正領土的要求。這是指俄國在最近百餘年來，蠶食中國東北和西北邊陲諸土地而言，難怪赫酋要大事咆哮了。

實則毛共亦不是眞有「還我河山」的意念，只在藉「攘外」姿態以期「安內」而已。中國人對俄帝素無好感，毛共即利用這種民族思想向赫酋示威，企圖消弭中國人民反共運動的激化趨勢。因爲中國人沒有不痛惡俄國老毛子的——知識份子尤其普遍而急切。

一九五七年毛共搞「鳴放」把戲時，降人龍雲指摘了蘇俄曾經刼掠我東三省的工業設備，而毛共即謚爲「右派」份子，對龍雲大張撻伐，凌辱至死。如今爲着與俄酋從事個人權力之爭，又表現反俄的言行，出爾反爾，恬不知羞。「人民的眼睛是雪亮的」，毛共以騙術起家，亦將以騙術垮台，不成問題。中國人固然討厭俄帝，更憎恨共產政權，毛共要想以反俄姿態來和緩中國人民的自由運動，決無倖理也。

毛共的內部矛盾

毛共的黨校主持人楊獻珍，因爲發表了「矛盾統一」的辯證理論文字，違背了毛酋澤東與俄酋赫魯歇夫爭雄的意旨，正在被檢討圍攻之中，次一步驟就是整肅了。

楊獻珍在毛共集團中踞有相當地位，又是專門研究思想理論問題的黨校校長，他的言論決非曲高和寡之談，也不是掉以輕心，隨便鬧着玩兒的。這表示毛共內部的一大矛盾現象，很可能促成一種「革命思想」的劇烈鬥爭，終於招致內潰的結果。這跟毛共過去那些整風運動的性質不同，値得注視的。

毛澤東曾經侈言「如何處理人民內部的矛盾問題」，這回惹火上身了，看他怎樣下塲呢？

同情章翠鳳

深得劉寶全薪傳的大鼓藝人章翠鳳，最近在台北貧病交加，因腦溢血而偃臥在醫院中，醫藥費甚感困難，可謂晚境凄涼也矣！

很奇怪，我們朝野人士，對於一個電影女演員，不惜大捧特捧，譽之爲「明星」，尊之爲「影后」，一斥鉅萬金，滿不在乎。唯獨對本國固有文化戲曲的藝人，依然抱着五十年前那種愚頑鄙陋的觀念，不加重視，誠不知其是何居心也？只要把狂捧電影明星所耗費的財力物力，分出千分之一，以照顧舊有戲曲工作者如章翠鳳等人，對社會國家的裨益，決不在一些電影演員之下，大家仔細思量思量罷！

自由談

香港亦要賽狗？

馬丞覺

澳門創設賽狗場之後，每逢週末，從香港去博賽的人有如潮湧。近來香港方面亦擬舉辦狗賽這項玩藝，以免利權外溢，雖然民間團體、會社以及報紙等均提出反對意見，而有關方面似認爲不必鰓鰓過慮，無妨向澳門看齊。香港賽馬事業已馳名於世界，而聲色之樂更熱烈，再加上跑狗，則聲色狗馬的生活情調，可謂至矣盡矣，蔑以加矣！

人類經濟生活之創進發揚，是基於慾望的刺激作用，大家爲着提高生活水準，努力從事工商企業以增殖社會財富，所謂發展生產力是也。跑狗、賽馬、炒金鈔與地皮，乃至於搞股票市場，都是些賭博性的投機行爲，不能附於生產事業之列，這可說是資本主義社會的黑暗面，因而造成社會上貧富懸殊的不平現象，促發共產主義者所謂階級鬥爭的邪說偏見，良有以也。

歐美人士常說「貧窮是培育共產主義的溫床」，却不知道製造貧窮的源泉，乃是資本主義本身這套不事生產的腐爛生活行爲，騎馬尋馬，不思實甚。社會上聲色狗馬之風大作，隨之而來的，即爲姦盜命拐的戾氣充溢，二者如影隨形，勢所必至。主張香港亦開設賽狗場的唯一理由，就說是藉此「繁榮市面」，「吸引游客」，實則彈丸小島，擁擠着四百萬名居民，市廛人滿爲患，已夠熱鬧繁榮了，多搞些賭博性玩藝兒，游客並不見得會增加，本港的社會風氣却一定愈趨惡化，影響治安，汨沒民德，爲害不可勝言，只有極少數的資產階級份子，樂此不疲，造孽人羣而已。

天下烏鴉一般黑，凡屬富豪鉅賈，要他對社會福利事業捐助一文錢，那比割他身上的一塊肉更感覺痛楚，談到聲色狗馬這類害人的事，他們却熱心得很，而且還要搬出一大堆的道理來曉曉譁咋，振振有詞。這些人纔是培育共產主義的細菌，可不懼哉！

掀開台灣省教師福利會偷天換日的爛賬—外記

本報台灣中部記者　熊徵宇

自從八月八日，本報分期刊載台灣省教師福利會的專欄後，不幾天就有幾位讀者寫信給我。一直到今朝，我先後收到了十六封信。

那些信，來自台灣北部南部和中部。寫信的先生們，大多數在教育界，也有學生的家長和攪出版的商人。

盡言責

信中對我個人的過獎我是不能領受的。一個新聞從業者，讚揚有利於公衆與國家社會的一切措施，和研討揭發一些不合法理的政策規章與行爲，是份內的事。也可以說是社會與公衆賦予的責任。

我們總希望把日漸削弱的是非觀念整飭起來，站在客觀的立場上，不「媚世悅俗」，不「睥睨一切」地談點問題的癥結，說幾句眞眞實實的話，從一點一滴之中，促進公衆的願望，對國家社會做點有益的事。

國事如此蜩螗，實在不能再對「巫者」、「郎中」、「假瞎人」們的串鈴聲充耳不聞。

答讀者

但是那些來信內，對我所提出的討論，是我該感謝的。

我感謝讀者們對我那篇報導的注意，感謝他們研討問題的眞摯情感以及對我服務的報社和我個人的信任。

我覺得不能不寫這篇外記：答覆應該答覆的來信。但是，經過我採訪而設有憑證的不寫。關於地方性的縣級教育科局的問題，因爲我對那些問題的了解不夠，也暫不談。而我採訪的範圍只是省府各單位和省議會。

法術？法則？

有位讀者說：「教師福利會根本沒有『副主委』這名稱。副廳長賴順生掌理福利的職稱，是『興建委員會的主任委員』。你再採訪看。」

「副主委」這名稱確實沒有。但是在「福利金籌集管理辦法」上，也沒有「興建委員會主任委員」這名稱。我常聽人在口頭上稱呼「副主委」。

其實，像這個非官不民的組織，只有「法術」，沒有「法則」，搖身一變，稱啥算啥。否則何以僅憑兩項辦法攪出那大的威力，放出萬道霞光哩！

有位讀者說：「你在第三節寫的『教師福利通訊』，一共是出了二十四期。並非十期。而所花的稿費是二十多萬，不是三十萬。每期可以算稿費的文字不超過一千字是對的。」

您既然說得這樣具體，我信賴您的更正，因爲我一時也找不到那合訂本。但是，每千字一萬元的稿費，還是夠格打破全世界的標準。目前台灣的特級稿費，千字不過二百元。一般的是六十、八十、一百。

出國公案

有位讀者說：「副廳長賴順生，於五十一年五月，以教育廳特教會的公費赴美考察教育，同年十月，省府改組，劉廳長召其返國。賴在回國途中，客機道經日本，在機場停留的一回，歸來後，除在特教會報銷支領差旅費外，另外又以考察日本教育爲名，在教師福利會再拿一萬。

「這種不法情事，算不算犯法貪汚？閣下是否失於採訪？爲何不寫？您該知道，那一萬塊錢，都是學生家長的血汗」！

小巫也！

此事據我瞭解，賴順生拿一萬塊錢，先是出具借條，後來經當時的總幹事林春暉運用之下，在某次舉行常務委員會時，依據借條做成提案，經「決議通過」，算是補助。把那張借條給抽回了。留下的，只有教師福利會的一筆記錄。

變更借欵爲補助，當然是違法貪汚。而且既然是拿特教會的公費出國考察教育，又憑啥子理由在福利會領取補助？而同時在美國考察，用日本名義拿錢，豈不是把腊燭記在蘿蔔賬上？

但是福利會的神通，一直是碧落黃泉，無所不及。所以我沒有寫的原因，乃是覺得在諸種偷天換日的事件上，這還只能算是小巫而已。

光復書局情形雜複

有位讀者來信說：「在賴順生副廳長台北官邸之同一條街上—南京東路—林春暉他們「有志一同」開設的一家「光復書局」，已經近三年了，何以未見提及？蓋此一書局，亦爲林春暉任福利會總幹事時所『集金』開設。該局出版經售之書籍，均以福利會之關係與名股東之權勢，推銷全省各校。」

「光復書局」，問題複雜。如果要澈底的討論，需要很多文字，而牽涉也很多，我不想多談。

我只願說：最近，台北大同中學與台北市立女中，在林春暉掛着某人的招牌的那份力量之下，推銷了不少的「實用英文法」。

日益繁榮的基隆港

邱家文

如果依照目前每年平均十二萬四千噸級的營運量推算，基隆港務局的營運量，到明年度將到三百萬噸級的數量，屆時港灣的設施，勢將感不敷供用。因而，解決基隆港容納百萬噸級船隻的唯一途徑，只有向外港發展，基隆港務局爲了應付未來的需要，早經擬定一項長期擴建外港的計劃。

擴建基隆外港的第一期工程，已於五十年七月間開始進行，並建造深水碼頭三座（即三十一至三十三號），長達六百四十公尺，俟完成後，可容納三艘二萬噸級到二萬五千噸級的貨輪。此外，建造單層通棧一座，將可容納貨物二萬二千五百噸級，和填築土地八萬平方公尺，及將原有的二十九號油輪碼頭（長達八十七公尺），予以拆除改建爲一一〇公尺，與將深水碼頭建築成爲一線，及疏濬港地航道挖泥二十萬立方公尺，以利巨輪進港停泊使用。

上項工程，預定於民國五十五年底全部完成，營運量每年將增加九十餘萬噸級。如第二期及第三期的工程全部完成後，基隆港的營運量每年可達六百萬噸級，在十年內即可應付該港的吞吐量，而不必再加以擴建了。

基隆港務局現有二、三、四、十四、十五、十六、三十號等七座碼頭，均設有通棧，專供輪船停泊裝卸之用。五十二年度進口輪船計有一千九百多艘，較前年增加九十餘艘。去年八月四日一天之內，即有三十二艘商輪進港。基隆港局爲了應各輪船公司之實際的需要，專門負責處理基隆港務局的船席之調席，順利作業上的技術，以補救船席之數，仍於今年度成立一種「船舶調配作業小組」，使有限度的碼頭發揮到最高的效率，更給予各輪船公司在處理工作上的方便。

船舶給水的設備，以前每天可供四十噸級，現經擴建後增至六千噸級，並整理停航的船舶，使之復航者計有三艘，疏散國軍停航機艇十艘，打撈三沙灣沉沒機艇五艘。其次，增置機械設備堆高機七台，和起重機及拖車頭等計有二十七台，水上起重船三艘，和另建挖泥船五艘，均在本年七月間全部先後完工，參加挖泥行列。

根據統計資料，基隆港每年的吞吐量平均增至十二萬四千噸級，到去年度卻激增至四十萬噸，致使貨滿爲患；後經向軍方借用十七，十八號碼頭之倉庫以濟急用，始解決無倉可容的危機。

但第十七號碼頭之倉庫，業由軍方收回一部份，其他正在作技術上的協調，勢必不致再使倉庫的貨物發生擁擠之現象。

基隆港務局爲配合台灣省發展觀光事業，加強服務國際觀光旅客，於年前特在該港二及三號兩個碼頭，成立客運服務中心，設備頗爲豪華；內部的設備均符合國際水準，並設有服務台，電信，郵局和旅客休息室，接客室，各類冷熱飲料販賣部等，使能賓至如歸，得到親切的照料。爲了使裝卸人員新陳代謝，保持年青，及使客貨安全起見，又成立一所裝卸人員訓練班，經三年的專業訓練後，分發到各碼頭裏去參加實際的工作。

基隆港務局在政府的扶助，和農工業的建設中，由於農工業的增產量提高，使港口的吞吐量在日飛猛進之中。尤在港務的經修建設，除了無定期的港埠建設外，對於基隆港務局的計劃，對今後擴建與配合經建無關的各項設施，即一律拆遷離港區，從十三號碼頭起迄三十三號新建碼頭止，開始整建爲一個新的港區。預定十年時間內，實施整建完成港區的計劃。（下）

台灣省肥料工業現狀

台灣肥料工業自光復以來，由於政府之領導，各方面之合作，以及從業員工之努力，肥料產量與年俱增，已達成自給自足之目標。其中就氮肥言，不僅可以供應省內農業方面之需要，且還可以供應台省其他工業作爲發展高級化工業品之原料，提高台省工業水準；另方面用以輸出國外，爭取外匯，其貢獻並非僅限於一域也。而台灣肥料工業今後努力方面，因目前世界肥料工業，多趨向製造高成份之多效性肥料，以節省包裝，運輸，倉儲費用及農民施肥時間，故台省亦步隨此一趨勢，利用省內所產剩餘液氮與磷鉀肥料相配合，製造多效性之複合肥料。同時由於肥料增產已非當務之急，台省肥料工業擬改向多角化經營之途邁進，其工作重心，將逐漸移向各種化學產品，包括半成品及工業原料之生產，而不以肥料生產爲限。此項經營方針轉變之主要目的，爲[illegible]成本較高，利潤較薄或售價較廉之肥料產品，另予加工利用，或利用原有設備改製其他價值較高之化學產品，以提高利潤。如此逐漸發展可成爲規模更大，更宜於經濟經營之化學品製造企業。

台灣肥料公司，係台省唯一國營生產事業，擁有七個所屬工廠，規模宏大，分設於基隆、高雄、宜蘭、新竹、台北及花蓮等地，該公司主要生產品，計有：（一）第一廠生產氰氮化鈣，年產能力三六、〇〇〇公噸。（二）第二廠生產過磷酸鈣，年產能力五二、〇〇〇公噸。（三）第三廠生產過磷酸鈣年產量七〇、〇〇〇公噸外，該公司復於民國四三年間在該廠增建新廠一所，生產化成氮磷，年產量三〇、〇〇〇公噸。（四）第四廠生產電石，年產能力二[illegible]級品八、六〇〇噸，該廠於蘇澳鎮設有石工場，開採石以供第一，五廠製肥原料之需，並以其餘量供銷外界。三八年時其年產量爲三萬餘公噸，由於不斷充實設備，現時年產能力可達廿萬公噸以上。（五）第五廠生產氰氮化鈣，年產能力三九、〇〇〇公噸。（六）第六廠生產尿素，年產能力七五、〇〇〇公噸。（七）第七廠生產硝酸錏鈣。年產能力六〇、〇〇〇公噸。此外該公司爲配合利用苗栗慕華化學公司所產年三萬二千噸液氨，於第五廠內籌建硫酸錏工廠一座，生產硫酸錏。其次要產品有氧氣，氨水，液氨，氟矽酸鈣，氧氣，花卉肥料，電石，電極，硝酸，石灰，電極糊，石灰石，矽鐵，鐵錳，氮氣，原煤等十七種。

台肥公司五十二年實際生產各種肥料：氰氮鈣六四、〇七六公噸，過磷酸鈣一七二、一六〇公噸，尿素七六、〇〇八公噸，硝酸錏鈣五五、〇九一公噸。如將氮肥部份一律折爲含氮百分之二十，磷肥部份一律折爲含磷酸鈣百分之十八，則總共生產各種肥料四六六、一六八公噸，較以同樣方式折算之當年各種肥料計劃產量四四五、〇四四公噸，約增產百分之四．七，亦較以同樣方式折算之五十一年度各種肥料實際產量四五三、六七八公噸，約增產百分之二．八，經營情形甚佳。

台肥公司所有產品之銷售，均以台省爲主，其中各種肥料均長期交台灣省糧食局，及台灣糖業公司轉配農民。該公司五十二年主要產品之銷售，計係氮化鈣六五、三〇四公噸，尿素七七、七八〇公噸，硝酸錏鈣五六、六七一公噸，過磷酸鈣一七七、三九〇公噸，外銷方面淨取外匯美金二、九六八、二四七．七三元，較五十一年度美金二、三二四、六〇〇．五三元，五十年度美金一、七五八、九〇〇．四三元，四十九年度美金一、〇四五、六〇九．四四元，逐年均有增加。外銷產品種類，爲電石、氰氮化鈣，氮氣，消石灰，液氨，尿素，矽鐵，氟矽酸氫及預計可資外銷，而成交有望之過磷酸等鈣。至外銷地區已遍及泰國，越南，新加坡，馬來亞，琉球，寮國，婆羅洲，香港，日本，非律賓，韓國，關島，巴基斯坦，柬埔寨而遠至美國。

該公司五十二年度更新擴建工程包括：（一）硫酸錏廠興建工程。（二）第三廠硫酸工場更新工程。（三）第七廠改用燃料油代替電解水製氮計劃。（四）第三廠利用更新後硫酸工場廢熱蒸汽發電。（五）第三廠磷酸製造。（六）第五廠硫酸鉀之製造。（七）第六廠改用天然氣製氨計劃等，均能按照既方針，逐步趕進。

香港風災損失重　死亡使達三十人

災民登記將近六千名

（本報訊）七日爲止，香港此次因颱風「露比」而死亡的人數是三十名，失踪數字則是十一名，受傷數字爲三百零三名。包括警方人員一死九傷和十六名消防員受傷。

直至七日爲止，已登記的災民，在港島方面有二千二百三十名，九龍方面有二千一百九十九名，新界方面則有一千五百一十五名。合共五千九百四十四人。風災的災民登記，目前仍在進行中，而社會局的賑濟工作也在緊急進行中。受災災民可以得到飯食之類的派發。

關於木屋方面的損失，在港島方面的，全毀有四十六間，嚴重毀壞的有五十四間，輕微毀壞的有二百三十六間；在九龍方面的，全毀有三百七十八間，嚴重毀壞的有一百一十九間，輕微毀壞的有三百零一間；在荃灣方面的全毀有五十間，嚴重毀壞有三十四間，輕微毀壞有一百間；在馬仔坑方面，有四五十間木屋受到水浸。此外，有三艘輪船沉沒，十五艘擱淺，超過一百隻漁船或沉或受毀。

又港府社會福利署署長巴鄉說，救濟基金現有的結餘只有二十五萬元，將撥出二十萬元作爲救濟用。這再一次說明是怎樣必要在持續的基礎上維持基金，以便一旦遭有這樣的時候，期能隨時能夠立即動用此欵項。目前在這個時期，只能希望社會各界響應十分緊急的呼籲，以期能夠對風災災民進行救濟。

中外空軍運用史實

羅雲家

國父[illegible]行，派遣同志到外國學習航空，提倡「航空救國」，及在廣州大沙頭設置航空局；擁有飛機六架，水上飛機一架。到了民國十二年我們自己造成了第一架飛機（見致鄧家彥函），其性能，國父認爲比外國的還要好些。他曾說：「像飛機，不是一次做成了便可以飛的，是經過許多次的改良，才完全成功。……像大沙頭的那般青年飛機師，從前不知道怎麼飛，只是請外國的技師來教，所以學到現在，便飛得很好（見國民黨奮鬥之法……講詞）」。由於他具有如此高瞻遠矚的思想、見解，加以如此熱心的擘劃，親手建設空軍，因而奠定了今日強大的中國空軍之基礎。

我國空軍運用於戰陣，最早是在民國十二年八月廿三日至十一月中旬的討伐陳炯明叛逆之役。國父爲導致戰局於有利的形勢，在此次東征中，曾派空軍到前方助戰。雖說當時擁有的飛機爲數僅僅十架，未能實行「杜黑的大空軍主義」，以協同地面的作戰，係一舉而殲滅敵人。且機上所裝置的機槍，係步兵使用的手提機關槍，所投擲的炸彈，係改裝的水雷或迫擊砲彈，一切都是很幼稚的，但却可以看到國父實已拋棄了陳舊的平面戰爭觀念，踏上了嶄新的立體戰爭的大道了。（據李仙根對李浴日之口述，及據國父促王棠速辦攻惠軍需書）。

民國二十六年「七七」抗戰後，是我國空軍對敵作較大規模使用的開始。當時日本擁有陸軍飛機一、四八〇架，海軍飛機一、二二〇架，較之我國空軍的僅有三一四架，無論在數量及性能上，都是不可同日而語；但我們却毫無畏懼之念，人人都是咬緊牙根，抬頭挺胸地，來迎擊這驕橫的侵略者。我們的空軍當時編成九個大隊，及一個直轄大隊，每大隊轄二個至四個中隊不等，計第一、二、八大隊爲轟炸部隊；第三、四、五大隊爲驅逐部隊；第六、七大隊爲偵察部隊，第九大隊爲攻擊部隊。所用的飛機，則包括了諾斯羅小，弗力提、羊城、達格拉斯、單翼達、亨克爾、薩佛亞、霍克、波音、可塞、復興、許來克等十二種型式。運用的編組，初設空軍敵前總指揮部，以周至柔爲總指揮，毛邦初副之。八月又改設第一軍區司令部以沈德燮爲司令官，石邦藩爲參謀長，並增加一個學生暫編大隊，及六個縮編隊；十一月，又成立一個空運大隊。翌年五月，繼撤銷敵前總指揮部後，設立空軍路司令部，以張孟廷爲第一路司令，劉牧羣爲第二路司令，田曦爲第三路司令。抗戰第一年，作戰飛機消耗過大，廿七年六月間只剩下一二六架，迄至是年底，才補充了一〇四架。在此一年間，我空軍奮不顧身，斬獲甚衆，其最著名之戰役，計有下列十一次：

（一）八一四空戰之役，擊落敵機九六式轟炸機三架。

（二）鹿屋木更津航空隊殲滅戰之役，經三日作戰，計擊落敵機達四十六架之多，時爲民廿六年八月十五至十七日。

（三）轟炸上海敵司令部之役，計擊落敵機兩架，我閻海文壯烈殉國。時爲八月十七日。

（四）轟炸白龍港敵艦之役，炸沉敵巡洋艦一艘。

（五）九一九首都空戰之役，擊落敵機一架，創敵機四架。

（六）太原空戰之役，擊落敵機一架。時爲九月廿一日。

（七）南昌空戰之役，擊落敵機二架。時爲廿七年二月廿五日。

（八）漢口空戰之役，擊落敵機十四架。時爲二月廿八日。　（六）

康有爲的亡命

丘峻

覈其文，知其人，洞燭機先，慷慨赴義，不讓乃兄。至以無職守之身，代兄負救帝之責，留京不去，死而後已，更屬難能而可貴！及被逮，訊於刑部。堂官問：『你兄何在？』答：『已去上海。』問：『何以私逃？』答：『奉旨敦促，經奏報初四出京，亦非私逃。』最後堂官則謂：『汝必寫信令汝兄來！汝兄不來，必不釋汝！』廣仁知不免，及聞同時被捕繫獄之程錢二人『我等必死矣』之言，而猶厲聲以慰之曰：『死何傷！汝年已二十餘矣，我年已三十餘矣，不愈於生數月而死，數歲而死者乎？且一刀而死，不猶愈於抱病歲月而死者乎？特恐我等未必死耳！死則中國之強在此矣。死又何傷哉！』噫！何其壯也！又居常語任公云：『吾生三十年，見兄弟戚友之年與我相若者，今死去不計其數矣。吾每將己身與彼輩相較，常作已死觀；今之猶在人間，作死而復生觀；故應做之事，即放胆做去，無所罣礙，無所恐怖也！』可見其從容赴義之根柢早已深且厚矣。至其爲潘蘭史題獨立圖七絕詩云：『迢迢香海小闌干，獨立微吟一笑歡；我亦平生有心事，好花留得與人看！』於以知其爲國犧牲之決心，固不自今日始也。

梁啟超嘗謂：『戊戌奏稿六十餘篇，皆口授，君（指廣仁，下同）作草，與君議。先生（指有爲）不在，則君代接賓客。夜共謀議。故戊戌維新之業，君贊助最多。』世稱康梁戊戌變政，廣仁獻替至夥，於茲益信。

當有爲奏請廢棄八股，鄉會試及歲科試，改用策論，奉旨先行。海內有識之士，咸認去千年愚民之弊，爲維新第一盛事。惟頑陋守舊之輩，驟失所業，心懷憤恨，有欲聚毆之者。湖南舉人曾廉竟上奏指摘，並謂梁啟超在湘時務報所言民權，自由，爲大逆不道，請併殺之。帝非惟不加以罪，反令譚嗣同逐端予以駁斥。駁詞中有云：『臣嗣同以百口保康梁之忠；若曾廉之言屬實，臣嗣同請先坐罪！』時劉光第同値勤二班，乃連署曰：『臣光第亦請先坐罪！』譚大敬而驚之。光第曰：『即微皇上之命，亦當救志士，況有君命耶？僕不讓君獨爲君子也！』譚益大服。帝以駁詞呈太后，得免。洎乎變作，四卿被逮，未經訊鞫，十三日使者即提君等六人出西門，光第太息曰：『吾屬死，正氣盡！』聞者莫不揮淚。君就義，其嗣子赴市曹伏屍痛哭一日夜以死。誠可謂『有其父有其子』矣！

及廣仁就捕，梁啟超、譚嗣同、容閎等，尚聚集李提摩太寓所，籌商挽救新政之法：由李提摩太往見英國公使；容閎往見美國公使；梁啟超往見日本公使。適英公使竇納樂（Sir C. Mac Donald）尚在北戴河避暑；美公使康格又赴西山消夏；梁啟超雖會見日代理公使林權助，亦僅口頭同情而無所行動。（九）

我所知道的麥帥

肯寧將軍原著　徐熙光翻譯

「上個星期我告訴珍說，我已令人準備好了在非律賓過感恩節用的火鷄。她說這樣的話，到時她會準備蔓越橘醬佐飧了」，我說。麥克阿瑟和我都笑了。不過這毫無問題可以做得到的，麥帥已在快馬加鞭，儘速發動攻擊中。

我們原定的計劃是在九月十五日，在哈馬后拉島的莫洛泰登陸，十月十五日在達勞羣島登陸，十二月二十日在雷伊泰登陸，但是麥帥對這個計劃還認爲不夠滿意。我們計劃中的行動已經夠快了，但是麥帥要求更快的攻擊，使日軍毫無招架之力。尤其是，他希望能早日奪回在非律賓的空軍基地，這樣就可以炸沉每一艘從荷屬東印度羣島經過中國海，載運石油、錫、橡膠、鐵礬土等戰畧物資回日本本土的船隻。他說日本如果斷絕這些戰畧物資的供應六個月以後，日本的軍事工業將完全陷入癱瘓，日軍也將無法繼續與我們作戰。他相信日本也知道這一點利害關係，所以他們必將盡全力來保有非律賓。

麥帥於是開始研究是不是可能越過達勞羣島和民答那峨，直接登陸雷伊泰。

兩天之後，他在九月十三日率同海軍司令金凱，親自指揮在莫洛泰的登陸戰，他說他從莫洛泰回來以後，將立即召集參謀們着手擬訂加速攻擊的計劃。

九月十五日，我到麥帥總部與蘇德蘭參謀長討論署去達勞羣島登陸的計劃，我告訴蘇德蘭情勢已經有了新的變化。

海爾賽將軍的航空母艦最近這幾天曾對呂宋和雷伊泰的機場發動攻擊。十三日那天，航空母艦上的一架飛機在雷伊泰上空被擊落。飛行員跳傘逃生，被非律賓游擊隊救起送回航空母艦，這位飛行員從游擊員的口中獲悉日軍在雷伊泰的人數很少，駐防的飛機也很少。

海爾賽電告尼米茲，建議我們登陸達勞和民答那峨的計劃同時進行，他自己也計劃攻佔雅浦島。海爾賽認爲我們的下一個目標是雷伊泰，我們應該及早開始行動。尼米茲同意了海爾賽的建議，並將之轉告參謀首長聯席會議，尼米茲還建議調兩師夏威夷的步兵給麥帥作爲攻擊雅浦之用。聯席會議在接到尼米茲的上項報告後，立即電麥克阿瑟，徵詢他的意見。

當時麥帥正在莫洛泰外港的一艘巡洋艦上，爲了保密的理由，無綫電通訊被禁止使用，而聯席會議又要求我們立即答覆他們的徵詢，所以麥帥總部的參謀們焦慮異常，不知如何是好。他們原可以根據此一突變的狀況擬定新的作戰計劃，但是要他們未經麥克阿瑟的同意而用他的名義答覆聯席會議的徵詢，使得他們深感猶豫。當時我則表示我們都知道麥克阿瑟希望加速攻擊計劃的進行，以便早日在非律賓登陸，我們原來準備在十月十五日登陸達勞的兵力轉而用來登陸雷伊泰，實無不可，何況還有尼米茲支援的兩師兵力，攻擊雷伊泰是足夠的了。唯一我們需要知道的是，海軍是否到時將助我們掌握雷伊泰的制空權，一直到我們佔據了該島的機場以後。（四二）

寫君續夢

第十四回：

誰與慶昇平　呼朋湊興
居然爭霸業　背主孤行

陳毅同吳芝圃不由得都笑起來，吳芝圃又嘉獎了單邦賢幾句，不久舞會就結束了。

蒙哥馬利離開北平不久，毛澤東也從武漢回來了，劉少奇、周恩來、鄧小平及留在北平的政治局委員全部到車站迎接，只見毛澤東面部浮腫，兩眼無神，行路竟然要人左右扶披，比起未去杭州休養時還差，大家都不由得吃了一驚。

一羣人簇擁毛澤東回到西山「官邸」，剛坐下，毛澤東先嘆口氣道：「眞是兩世爲人！」

劉少奇說道：「我們在北京聽說主席在杭州遇險，都很着急，後來恩來同志回來一說，知道有驚無險，大家才放下心。」

毛澤東搖頭道：「國民黨的特務眞厲害，何以捉不完，殺不盡，我最近發現似乎比從前更多了，簡直遍地皆是，到底是什麼原因，你們詳細檢討過沒有。」

別人都未開口，賀龍搶着說道：「說起這個問題，先念同志要負大責任。」

大家都吃了一驚，李先念驚得跳起來，說道：「賀龍同志，你這是什麼意思，我不管公安部，又不管政治保衛局，怎麼要我負責任。」

賀龍咧着大嘴笑道：「你不是公安部長，也不是政治保衛局長，但你是財政部長，才眞眞應該你負責任。假若你把財政辦得好，全國人民都有飯吃，國民黨特務混進來又向那裏存身？」

賀龍講過，大家一齊點頭，李先念也放下了心。毛澤東却聽得不耐煩了，向空噴了一個烟圈，歪頭看着賀龍說道：「你個渾人隨便給同志們戴帽子，已經不是一次了，這次你竟然把帽子戴到我的頭上來了，你怎麼知道人民都沒飯吃，聽誰講的？」

賀龍一見毛澤東變了臉，趕快𢭃着臉坐好，不敢開口。

毛澤東轉過臉向彭眞說道：「北京市附近的人民公社，什麼地方辦得最差。」

彭眞說道：「大概要說到管莊了，那裏住的都是機關人員的家屬，平時既懶惰，又惹事生非，最難管理。」

毛澤東說道：「這個容易辦，把賀龍派去當三個月人民公社總支書，叫他切身體驗一下人民公社生活，回來就不說人民沒飯吃了。」

賀龍一聽這句話，頓時魂飛天外，趕快站起來說道：「主席饒我這一次吧！我再也不敢胡說了。主席知道我的飯量，下放到人民公社有十天就餓死了。」

毛澤東一拍桌子：「混賬，你還是說人民公社沒飯吃。」

賀龍愁眉苦臉說道：「人民公社有飯吃，只是我吃不慣。」

毛澤東說道：「那是爲什麼？」

賀龍說道：「我喜歡吃猪肉大米飯，人民公社都吃小球藻，我怎麼能飽。」

一句話引起哄堂大笑。

毛澤東笑道：「看你說話坦白，饒了你這一遭，只是你記住，以後再替政治局內同志亂扣帽子，就下放你當人民公社社長或者黨委書記。」（一三四）

中華民國五十三年九月九日　自由報　星期三　第四版

冒險犯難記

鄭文儀

我於四月底前往軍校接任。二月前，我受命爲政治部中校科長，尚未到任，二月後就作了政治部的副主任兼代主任，要主持軍校八千子弟的政治教育，年輕識淺，我眞是坐臥不安，深恐校中高級官長會瞧不起我，政治部的教官及同事不服我，事實上缺少的人員甚多，我認識的人甚少，困難重重，不知如何解決。

我到差之後，就住在學校政治部的辦公室，一棟很大的房子，就是我一個人和一個勤務兵晚上在裏面住宿，我眞害怕共產黨人早晚會來同我開玩笑，因爲軍校共產黨滲透潛伏活動已有很長的時間，清黨在軍校幷未嚴格澈底進行。於是我想了很久，才到中山大學找了好幾十個教授和畢業學生到軍校來担任政治教官及政治部宣傳編纂工作人員，他們都很年輕，但都很熱心，努力工作。我則每天輪流到各學生隊講演三次，每晚到各學生自習室巡視，和學生們交換意見討論問題。

我創辦了好幾種雜誌，幾乎每天都寫一篇短文章在黃埔週刊，黃埔月刊或黨軍日報上發表，在個人是以勤補拙，在需要上是用國民黨三民主義的思想，理論，填補及代替共產黨共產主義的思想宣傳，經過一個月之後，才安定下來。教育長常患喉痛，紀念週常由我作政治報告，我雖幼稚淺薄，但以最高熱忱和最大努力工作，也就取得了全校過萬官兵學生的好感，方教育長批評我少年老成，我在誠惶誠恐之餘，唯有以誠實的革命作風，克服困難，度過危險。

三十、黃埔軍校的政治工作

黃埔軍校因爲國民革命軍北伐著著勝利，民國十六年的軍官養成與召集教育訓練擴充得很多。除開本校學生第五期有一千五百多人外，更有由前方戰勝俘擄敵軍的軍官一千八百多人，在軍校軍官訓練班受召集補習教育，入伍生部第六期的入伍生有兩個團約三千人，更有第七期入伍生近千人，與軍士教導隊三千多人，還有高級班的設置，全校學員生軍士超過一萬人。教育對象相當複雜，軍官訓練班的教育以政治教育訓練爲主，這樣多的教育單位與學生，政治工作的政治教育與政治訓育。實在是十分艱鉅，除了入伍生部另設有政治部主持政工，僅是政工計劃及黨務組織宣傳統一辦理外，軍校政工業務實在繁複極了，困難的問題，比比皆是。尤其過去主持政治工作及政治教育的多是共產黨員。（四七）

南安臘鴨今昔

黃葉村人

廣州臘味，諸如臘腸、金銀潤、臘肉、臘鴨腎、臘肝腸等，皆馳名海內外，風味與他省臘味不同。獨有臘鴨，則稱：「南安臘鴨」，而不曰：「廣州臘鴨」也。原來福建有南安縣，江西在昔有南安府，民國建制，廢府，南安府改爲大庾縣，即今日一般所稱南安臘鴨之發源地也。

南安臘鴨，何以稱美一時？乃緣昔日交通不便，以及邊境省分天時地利人事因應得宜，有以致之。可是，時至今日，不獨天時、地利、人事、都大有變遷，即南安二字，亦名實兩亡；顧賣家猶沿用舊名以圖利，買家亦耳食而不察，習慣相承，不知糾正，可慨也。

嘗考南安鴨，也非產於江西，而是來自湘贛交界之湘省各鄰縣。在昔日湘省之「鴨種行商」，即每於春夏之交，以籮滿載鴨卵，用糠粃破絮爲孵具，沿途且孵且行，擔而求售於贛省南安各縣，以資販他物，晝行夜宿其常也。既抵贛境，遇鴨子出殼，即就地脫售，而歸。他、她們經常十人廿人，結隊而行，途中有伴，既不寂寞，亦不虞有他也。

江西鄰近湖南，廣東各縣，塘湖溪沼多，水草亦極滋潤，利於養鴨。而在南安則有廣大的各自經營的主宰臘場，專製造臘鴨以運銷廣東之南雄，再由南雄分運廣州、香港、以及南北各省，南洋各埠，此大概情形也。或問：南安臘鴨何以在本省及北方各省都寂寂無聞，但一經南雄入廣州即身價陡增，此何以故也？

蓋有說焉。在昔贛粵貨運交通，除了肩挑背負者外，還有一種獨輪車，用人力上山落嶺以推運貨物。而由南安製售之臘鴨，則是用此車裝載，從大庾嶺北運往大庾嶺南以達粵北之南雄的。裝鴨之木箱，係用疏板釘成，四圍通風，當獨輪車推經大庾嶺時，陣陣北風從箱之四面吹入鴨身，鴨之汁液，則自上滴下，而以最下一層之鴨爲特佳，因原汁皆集中於下層也。這是製鴨商人利用過嶺一段時間，使空氣清曠之北風吹乾臘鴨，既免晒晾，費時傷力，也不遭受蒼蠅塵沙種種的迫害。故臘鴨一經運抵廣州，其味甘香，其肉濃厚，使人咀嚼有味，不忍吞下，此其所以名貴也。

但是，自從公路火車路交通發達之後，此種古舊車運，已成陳迹。昔日自北而南，水陸需時約廿日，方能運抵廣州者，之後，由嶺北過嶺南，用汽車載運僅數小時，續由南雄火車南運廣州，亦用不了二三天時間。時間固然是縮短了，可是，南安臘鴨之所以名貴者，就是需要吸收嶺上、河道這十多天的北風，才會產生自然的風味；一旦消滅，則南安臘鴨之爲南安臘鴨，也就無甚稀奇耳。

何況，人事方面，自經日寇、共匪雙重曠刼以後，亦今昔大有不同。例如一、往者不論，只談目前，在共產統治的地方，寸步難行，是否鴨種仍可源源自湖南運贛？已是一謎。二、贛省人民，自養已感不足；那有大量穀麥以豢專製「南安臘鴨之肥鴨」？三、往日大庾之臘棚東，什九都被以中間剝削階級，鬥爭淸算，死亡無所，製鴨工人，亦流離失業，死亡相繼；一連串的鴨子無來源，人民無能力以養鴨，臘棚鬥倒，製工死亡與失傳，都成問題。恐南安臘鴨之爲物，在香港縱仍有因緣爲利者，亦已名實兩亡，不足重視矣。（上）

美妹

……長篇小說……

羅雲家著

當他抓住了她，用力將她舉起，在長頭髮暴露於月光下後，才知道他救起的是一位少女。她已經喝了幾口水，可是她的神志還是淸醒的，她大嗓子叫嚷，教他放了她，讓她痛快些死！並且憤怒地罵他，用拳頭搥他那有力的胳膊。「誰要你管人家的死活！放了我！放了我！天下的男人，沒有一個好東西……」這是她在被救拖至岸邊時責備他的話。可是他不理，反而一把將她抱起，背着她爬上了河岸。

但是他放下她，用手擦去自己臉上的水時，想不到她却在此時抓起一把灰塵，朝他灑了過去，然後拔起腳飛奔幾十步，又「咚」的一聲跳到了水裏。她是眞的不要活了。

救人一命，勝造七級浮屠。健文雖然不是十足的佛教徒，但他却懂得這句諺語。他搖了也頭鬢鬢眼，甚至眼，甚至眼中洒進了灰塵而睜不開眼，他來不及擦拭了，馬上趕了過去，跳到水中，像在池塘中摸魚一般，沒有好久，她終於又被救了起來。

這時，可以想像得到：不再是她罵他，而是他罵她了。「如果不是看妳年紀輕，我眞想揍妳幾下子！世界上，就是有天大的事，也沒有不能解決的。妳才活了十幾年，就如此急急地想尋死！妳也不想想：妳對人類還有未盡的責任嗎？一個人光是想着現在，而不去想到未來，是眞正的傻瓜。看妳長得倒還聰明伶俐，可是却一再地做着傻瓜的事情。說！姑娘，如果再想尋死，我可要把妳送到派出所去啦！」

黃美妹這回乖順了，她對他的觀感變了一些。她也許是精疲力竭，也許是覺得回答「不再想死」，在一個青年男子面前是句難出口的話。她只是連連搖頭，表示聽從他的勸告，也表示請他千萬不要將自己送到派出所去。

其實，送她到派出所去那只是嚇唬嚇唬她的。何健文難道不知道一個人要自殺，尤其是一個女孩子要自殺，她會是希望藉此暴露自己的隱情嗎？當然不。而我們中國人，又是最怕「壞事傳千里」的民族。何況他救了人家的性命，也並不是希望讓自己的名字登在報上，表揚自己一番的。他看她連連搖頭，於是就改了口吻說：「不用害怕，何健文不是一個喜歡多事的人。如果妳樂意，我就送妳回去。如果妳相信我，也可以暫時跟我去到親友家裏住一宵；等衣服弄乾了，明天再回家去。或者是暫時住到妳的親戚家去。」

「我不要回家！」她已週身發冷，戰慄着哀求似的說：「我也沒有可以借住的親戚家。何先生！求求你，讓我自己管自己吧！你一身也都是水，天又涼，不要凍病了，快請回去吧，不要管我了。」說完，她想走開去。

「那怎麼行？小姐！」他跟上去抓住她那濕濕的衣袖：「既不想回家，又沒有親戚家可住，那就跟我去。我是住在親友家的，他們對我很好，對妳也不會不歡迎的。看！冷的只打哆嗦。快聽話呀，走到前面我們可以叫三輪。不要多久，就可以到了。來，走吧！」（五）

記張蒼水

湘南遯叟

順治十六年，他四十歲，是年他會集鄭成功舟師，從大江突入京口，攻陷瓜州，直趨燕湖。不幸成功大軍被清兵破於江寧，誅其將甘輝，他援絕路阻，乃捨舟登陸，潛行山谷，復歸臨亹。當時清室遂藉沒他的家產，將他的夫人董氏及兒子萬祺逮繫鎮江監獄，他有：「代內人獄中有寄」詩：

國破已飲泣，家破復間關。自君之出矣，妾鬖君亦鰥。兒女雖有情，不在別離間。上堂潔蒯，下堂代斑斕。知君驅汗馬，豈敢怨紅顏。夷官張羅網，忠義委草菅。奄忽大椿謝，君滯滄海灣。兀然生死魂，並作蛟珠潸。君行竇膺髮，奔跣安所還。妾自感百罹，飛蓬在雙鬢。衰門既零落，空閨惟貞艱。哀哉井臼婦，終歲困犴狴。非不輕微生，將雛實且孱。圜扉滋味惡，嬿青碧血殷。古稱東海婦，嚴霜暑露斑。天胡嘗夢夢，莫辨玦與環。如何貫索星，獨照望夫山。視彼摩笄峯，高名良可攀。。報君還祝難將妾巾幗，來佐君羽綸君，旂常樹人寰。

他又有一首「擬答內子獄中有寄」詩：

盛年不惜別，客久始懷慚。我非蓬蒿人，江湖遂屢淹。况復避豺虎，誰能解征衫。孤雁自西來，彷彿墜書函。書中寄珍重，書外淚重緘。恍見閨中秀，呑聲圜素　。卿今陷虎穴，雙魚何從探。珊珊魂魄來，關河諒非諳。棘林魑魅鄉，骨肉各生嫌。稚子亦襲頭，狼狽形影兼。憶我初行役，兵戈未解鑱。馳驅悲九折，輾轉歲華添。白雲空繚繞，長此傷烏銜。水鷗雖忘機，安得此鶼鶼。名教自束躬，柔情非所耽。憐卿持門戶，鼎俎心已甘。豐獄有埋劍，紫氣若烟炎。莫邪獨淹抑，干將慘不銛。神物應終合，造化焉能殲。生當挽鹿車，死當駕雲驂。

康熙元年，他仍居臨亹。他復曹監軍從龍書：「弟棲遲沙關幾三月矣，金盡粟空，誰能爲景升仲謀者？只得仍圖北返。兩番鼓棹，又以石尤留滯。今春風至矣，決計回浙，亦且晚間事。弟非不知兵力單極，况二阮、一陳俱徘徊閩境，則聲勢更微。然弟以爲寧進寸、毋退尺，寧玉碎、毋瓦全，其素志然也。但不知果能自存否？近有小詠云：『虬髯定擬浮家去，雁足空傳屬國還』。又云：『平沙一旅眞孤掌，可有天戈靈武間』。」（五）

挽妓聯舉例

吉庭

湖南王闓運，生於淸道光壬辰年秋間，故字之曰「壬秋」，晚號「湘綺老人」。雖一介舉人，而得賞貂入翰苑，名噪一時。惟王恃文才傲世，有政治野心而無政治活動能力，有對婦人女子，則極盡纏綿之致。當樊樊山任陝藩司時，王有西安之行，眷一妓名秋雲，兩情彌篤。後王再赴陝，而秋雲已埋玉多日矣。即於郊外覓得其葬地，獻花果以祭，並集唐人詩句成聯弔之曰：「竟夕起相思，秋草獨尋人去後；他鄉復行役，雲山况是客中過。」嵌「秋雲」二字，典切不移，所謂文章天成，妙手偶得也。有徐海宗者，一茂才也，嘗爲輓妓長聯曰：「試問十九年磨折，却苦誰來？如蠟自煎，如蠶自縛，沒奈何羅網橫加。會與郎云：子固憐薄命者，何惜一援手耶？嗚呼！郎可以悲矣。憶昔芙蓉露下，楊柳風前，舌妙吳歌，腰輕楚舞，每看酡顏之醉，頻勞玉腕之攜。天台無此遊，廣寒無此遇，會眞無此緣。縱教善病工愁，拚他憔悴，尚甚地談心遙夜，數盡雞籌，况平時裊裊婷婷，齊齊整整」「豈圖兩三月歡娛，便拋儂去！望魚長杳，望雁長空，料不定琵琶別抱，私爲渠計，卿竟昧夙根哉，而肯再失身也？噫嘻！迨其死歟。迄今苔蘚香消，離燕路斷，門猶崔認，樓已秦封；難招紅粉之魂，枉墮靑衫之淚。女媧不能補，精衛不能填，少君不能禱，猶冀降靈示夢，與我周旋，更大家稽首慈雲」乞還鴛牒，合有箇夫夫婦婦，世世生生。」此聯達二百五十字，悱惻纏綿之情，流露於字裏行間。不但傳誦一時，且有援式而弔其他者。記得民五袁世凱改元稱帝失敗，並憂憤而死，有好事者，用徐海宗輓妓長聯之二百五十字，以弔袁氏，載在報端，一莊一諧，袁氏地下有知，當亦啼笑皆非也。（二・完）

自由報
THE FREE NEWS
第四七八期
內僑警台報字第〇三壹號內銷證
中華民國僑務委員會頒發
台教新字第三二三號登記證
中華郵政台字第一二八二號執照
登記為第一類新聞紙類
（半週刊每星期三、六出版）
每份港幣壹角
台灣零售價新台幣貳元
社長：雷嘯岑
督印人：黃行富
社址：香港銅鑼灣高士威道二十號四樓
20. CAUSEWAY RD 3RD FL.
HONG KONG
TEL. 771726　電報掛號：7191
承印者：田風印刷廠
地址：香港灣仔高士打道二二一號
台灣分社
台北市西寧南路壹壹叁號二樓
電話：三〇三四六
台郵撥儲金戶九二五二

以黨義治國乎？以黨人治國乎？

與「政治評論」任卓宣先生商榷

陳健夫

最近我在校勘印刷中的國父全傳，校到「以黨治國的眞諦」一章，對國父孫公那種大公無私及其革命懷抱之高尚，深致欽仰。於追慕沉思之際，接到政治評論十二卷十一期的一冊，順手翻閱之，見其社論中說到國父的以黨治國一段，對其中的議論，深覺有曲解國父遺教之處，頗為驚愕。任卓宣先生為我舊識，向知他是研究國父遺教的權威作家，然該社論竟將國父遺教的精神曲解到與原意相反的程度。此文如出自別人，自也無足輕重，但出自素以研究國父遺教著稱的任先生之手，便不無影響了。深恐此種曲解，會在時下的社會中發生不良影響，因此，不能不鄭重提出討論，以就教於任先生。我敬重任先生，但更敬重國父的思想、眞理，不敢知而不言。

任先生的社論是針對左舜生先生在「民主潮」雜志刊佈的一篇「必也正名乎」的文章而發。我未見該文，亦與左先生無一面之識，我對二公的其他論旨，也不擬提出意見，只是這一段「以黨治國」的解釋太重要了，未便默爾而息。茲將任先生那段原文引列如下：

「左先生論述國父底三民主義以後，就來論述國父底以黨治國。他說：『更可惜的，乃是中山所謂「以黨治國乃是以黨義治國，並不是以黨人治國。」（大意如此）。這個意思也早被國民黨拋至九霄雲外去了」。不錯，國父說過：『以黨治國並不是用本黨的黨員治國，是用本黨的主義治國。』（黨員不可存心做官）但是誰了解本黨底主義？這是本黨的黨員，還是非本黨的黨員？很明白是本黨底黨員而不是非本黨底黨員。左先生為非本黨底黨員，不了解三民主義，就是一個例子，那末，要用本黨底主義治國，就必然要用本黨底黨員治國了。所以國父在說那兩句話後又說：『至於本黨黨員，若是確為人才，能勝大任的，自然優先任用，以便實行本黨的主義。』（同這樣一來，國民黨之用黨員治國，正合於國父底『以黨治國』。左先生以為國民黨拋棄此說，乃是對於國父底『以黨治國』採取斷章取義的結果。」

以上是任先生原文，一字不易的照抄。我由這一段文字，便覺得有不妥當，易生誤解，有使國父遺教變質的可能。

一、孫公既稱為國父，便是中華民國的國父。國父的三民主義既為立國的最高原則，則凡屬國民，人人有研究國父遺教的責任。對於「了解」這種立國的主義，也就是國民應有的常識，更是學者專家應有的責任。照任先生的文章看，了解本黨主義」的人，說是：「很明白是本黨底黨員。而不是非本黨底黨員」照此一說，則只有國民黨員「了解本黨底主義」，而為大多數國民的都是不知不識的，都是不了解本黨底主義的。即令是學者亦無例外。因為凡「非本黨底黨員」都不了解國父的主義，那末，中華民國的堂皇憲法，何以會被國民大會通過，以三民主義為立國原則呢？何以全體國民會接受這個立國的主義呢？這就很明白，了解國父遺教的並不限於國民黨，而是大多數國民了！——尤其若干政治學者，歷史學者，不能說他們都不了解國父遺教。

二、關於以黨治國的原意，究竟是不是如任先生所說的：「要用本黨底主義治國，就必然要用本黨底黨員治國了。」雖然任先生引用國父的「至於本黨黨員，若是確為人才，能勝大任的，自然優先任用，以便實行本黨的主義」這句話為之證實。但任先生却是斷章取義，沒有將其他相關的重要原文引述，更將這句話下面的一句重要言論遺忘了。國父說過上面那段話後，接着便說：「倘若有一件事發生在一個時期或者一個地方，於本黨中求不出相當人才，自非借才於黨外不可。」可見國父的原意，決非如任先生所云：「要用本黨主義治國，就必然要用本黨底黨員治國。」如果事事非國民黨員不用，而且「必然要用」，那就永遠是在訓政時期，無所謂憲政之治，適與國父遺教相違悖。這個「必然」二字，未免抹煞了中國人才。中國人口之眾，人才之多，國民黨要想統治中國，完成憲政之治，若不遴用黨外的人才，那是不可思議的，更非國父天下為公之旨趣吧？

三、任先生的文章中用了許多「誰了解」「很明白」「必然要用」的字句，亦覺過於武斷了。國父思想明確，文字流暢，他的學術思想，人人易懂，希望學者專家不要將國父的原文，你解釋來我解釋去，反而失其眞面目，希望研究國父學術思想的學者們特別留神為幸。

為了使國人對國父的以黨治國的眞理有完全的明確了解，謹再引述國父的原文一段，以為本文的結論。請留意文句中許多強調重複的語句，如：「那種意思，便是大錯」，「所謂：是要」「簡而言之等」，都足以證實國父的用意如此，國父當日深恐有人附會曲解，所以再三說明。沒有想到今天以研究三民主義著稱的任先生竟有如此其甚的附會，曲解。因之，筆者不得不略為辯正；這不是為左舜生的文章辯護，而是申述國父的眞理。謹引述國父原文於下，請讀者細細讀之。

（下轉第三版）

預為準備！

親者痛仇者快！

讀自由

詩教

近閱台北「中華藝苑」第廿卷第一期詩集，卷首為愚友李漁叔「感近事有作」二律，第一首咏「亞洲影展」慘劇，慷慨悲歌。其第二首云：

金闕千尋擁翠鬟，萬夫鵠立候芳顏。不曾犀甲迎潮去，直待蛾眉奏凱還；未信人才輸寇盜，權憑脂粉壯江山；南朝夢斷歌聲歇，玉樹重傳曉枕間。

迴環雒誦再三，始也啞然，繼而惆然，終乃怒然，而深切欽佩詩人諷世勵俗之苦心孤詣，不同凡響。漁叔其有憂患乎？是何立言之感人心脾也！

今年春夏之交，台北最熱烈的玩藝，即係徵拔所謂世界選美大會的「中國小姐」「出國競選」，以及「亞洲影展」的最佳演員評獎鬧劇，都是以女性為中心人物，張皇幽渺，盛況空前。區區適行腳寶島，躬逢其盛，幾疑置身於唐虞三代之世，不知有漢，遑論魏晉？再想到金門前綫石山上，蔣總統所題「毋忘在莒」的警語，不禁感慨萬端，書空咄咄而不自已也。

所謂世界小姐選舉，原是西方市儈們基於「不作無益之事，莫遣有涯之生」的無聊心情，鬧着玩兒的。咱們却視為不啻於反共復國的重大事業，趨之若鶩，唯恐弗及，而期望着「中國小姐」去到異域「為國爭光」，獲致「國民外交」利益，不亦僞乎！讀到「未信人才輸寇盜，權憑脂粉壯江山」之句，感懷國難，觸目時艱，能不怒然憂傷嗎？

我並不認為「選美」與捧女明星都是壞事兒，祇因國難嚴重，政府播遷海隅，臥薪嘗膽，生聚教訓之不遑，此時此地，國人應該以生於憂患的精神，淬勵奮發，表現戰時生活情調，以期早日光復中原，還我河山，庶不致重蹈田橫之覆轍。既然「不曾犀甲迎潮去」，又何忍「直待蛾眉奏凱還」呢？君不見有個「國姐」和其監護人，在紐約社交場合大丟其人，使彼邦華僑痛心疾首之事乎？詩人之詞婉而諷，記者之言直而質，但其憂時之心則一也。然而吾漁叔遠矣！

馬五先生

今日與明日

美國與南越

動亂不安的南越，使美國進退維谷，有如用諺所謂「手上捞起一顆炭丸」，丟了可惜，拿着燙手，不知如何是好？試看美駐南越大使泰勒回到華府述職，亦承認南越內部的矛盾紛擾因素沒法消除，即可想見了。

就整個自由世界的動亂局勢來說，南越問題乃是比較單純的小問題，美國可以單獨行事，不受外來的干擾、牽掣，為所欲為的，然愈弄愈糟，情勢日益危歹。即小喻大，美國領導自由世界的能力，實在令人耽心啦！

形勢比人強，泰勒此次回國述職後，白宮當局無論如何總得拿出一種辦法來，否則將陷於不可收拾之境。可是，為着大選關係，又很難作斷然的決策，這便是南越問題的死結，可怕也矣！

美國政治人物最大的毛病，就是不肯接受失敗的教訓，他們現時對南越的所作所為，依然走着過去在中國對付共黨釀亂的老路子，終於失敗完事。

以幻覺為勝算

近來美國方面竭力宣傳中俄反目情形，既說蘇俄在西北利亞的軍事佈署是在對抗毛共，又謂赫魯歇夫準備訪問西德，用意亦在和緩西歐局勢，以便全力對付毛共。總之：他們不特認定中俄共必然分裂到底，而且一定兵戎相見，自由世界大可靜觀其變，一切以保持現狀為原則，等待中俄共實行火拼時，坐收漁人之利，不勞而獲，豈非計之上上者？

過去若干年來，擬望着毛共成為「亞洲狄托」，跟英美攜手合作以抗俄；現在又幻想着俄共為制服毛共而與英美妥協修好。一廂情願，以幻覺為勝算，惰性十足，誤己誤人，東南亞前途固然岌岌可危，整個自由世界亦非大遭其殃不可啊！

基本的敗因

無論是任何一個國家，若要發展生產力，實行民主憲政之治，必須先有安定的環境，按步就班，循序漸進。如果受着外患侵襲，戰亂不息，則人民救死逃生之不遑，奚暇治禮義哉？

然而美國對於接受美援的自由國家，不問其處境如何，生產力與生產關係是何情況，文化教育程度是怎樣的？却以實施美式民主制度為急務，否則指為專政獨裁、腐敗低能，消極的不加援助或策動政變，積極的撒手退出，讓它淪入共黨魔掌中，南越現時即處在這種邊緣上，可憂孰甚！

台省十餘年地方自治之創舉

屏東縣長選舉官司高潮　三位立監委員寫信作證

（本報台南航訊）屏東縣長選訟，黃振三控告現任縣長張豐緒違法賄選請求判決「當選無效」的官司，由於立、監委員日前致函台南高分院，作有利於黃振三的陳述，使此案又起高潮，進入另一個新境界。

台南高分院為此案已開過四次調查庭，一般證據多調查完畢，而立、監委員此一證函，更加證實歷次庭訊之資料，故一般預料，此案勝負不久即可見分曉。

黃振三控張豐緒違法競選，舉出三點事實：一是指張豐緒透過屏東團管區召集全縣後備軍人會議，公開支持被告，訓令後備軍人為一定之行使，應投被告選票；二是指被告助選員鍾士勇送肥皂請二崙村長李彩興代向村民以每票二塊肥皂的代價賄買選票；三是指張豐緒助選員洪祝賀約集泰山村民開會，分贈香烟、餅乾為被告拉票。

「當選無效」之訴，八月十八日開第三次調查庭，重要證人李彩興出庭作證，證實張豐緒助選員鍾士勇於投票前日（四月廿五日）清晨三時許，以耕耘機運肥皂十六箱八十塊到他家去，請他轉發村民賄買選票，他於當天早上七八點鐘趕到黃振三家說明，由黃振三電話約請在屏東視察選務的立法委員徐漢豪、王文野，監察委員葉時修到黃振三家去，由村長李彩興向立、監委員當面報告以上情形，然後始返回家，用擴音器召喚鄰長領去轉發。庭訊情形，本刊前期已有報導。

本月八日，「當選無效」續開第四次調查庭。

原告曾向台南高分院申請，請傳立、監委員作證，以立、監委員職位崇高清貴，明察原委，得其一言證實，必可使眞相大白。而立、監委員出庭為選舉官司作證，在本省實行地方自治以來，可謂從未有過之創舉，因此立、監委員之是否出庭，成為一般人最關切之焦點。

八月十八日第三次調查庭，台南高分院並未傳訊立、監委員，僅傳訊重要證人二崙村長李彩興，李彩興對庭上供述，業已證實張豐緒助選員鍾士勇有運肥皂去請他賄買選票之事實，在證詞中且明確說出曾向當時在屏東視察地方選情之立、監委員報告。所以，李彩興之證詞，固然足以證實其事，然而立、監委員如果出面證實李彩興證詞之確實，則更為一極其有力之旁證。因此，立、監委員是否作證，及證詞內容如何，為本案關鍵，亦為大家急切欲知之答案。

據本報記者獲得確息，四月下旬在屏東視察第五屆縣長選舉情況之立、法委員徐漢豪、王文野，監察委員葉時修三人，於本月四日聯合寫了一封信給台南高分院，證實確有二崙村長李彩興向他們報告鍾士勇運肥皂去為張豐緒賄買選票的事實。

該函內容是這樣的：

查本年四月二十六日，本省舉行第五屆縣市長選舉，漢豪等視察地方選舉情況，曾於二十四日到達屏東，寓居於國際旅社，二十五日晨接候選人黃振三電話，謂有要事奉告。當即前往黃寓，有二崙村長李君向漢豪等報告稱：另一候選人張豐緒之助選員鍾某，昨晚運來肥皂多箱，請分送村民，為張豐緒活動選票，並出示肥皂，請問如何處理。其時選舉即將舉行，各有關方面當亦無暇及此，故未作任何決定，僅表示可繼續注意，留心證據而已，坐談片刻，即行離去。村長作此陳述，確有其事。因事冗不克到庭作證，特具函說明如上。

該證函寫給台南高分院，由立法委員徐漢豪、王子野，監察委員葉時修三人親筆簽名。

自黃振三控訴張豐緒後，突有山地獅子鄉草埔國校教導主任廣東籍的胡光榮，及鹽埔國校教員河北籍的李贊臣二人，向屏東地方法院控黃振三及其助選員陳政順、鄭錦堂以「妨害投票」「妨害兵役」之罪。該案八月十八日檢察官開第一次偵查庭，當日適因黃振三在台南高分院為控訴張豐緒「當選無效」案出庭，無法分身趕回屏東，僅鄭錦堂出庭應訊。八月二十五日，屏東地檢處開第二次偵查庭，關心本案聞風而至之民衆達三百餘人，擠滿了屏東法院樓上樓下，檢察官因見民衆過多，當庭宣佈改期偵查。

本月三日檢察官續開偵查庭，被告黃振三當庭反駁原告李贊臣，因李贊臣控黃振三本年四月十七至十九日三天於屏東市中央市場政見發表會演詞欠當。黃振三向庭上陳述，李贊臣本年四月三日至五月三日止，一個月期間，在台北國防部戰地政務講習班受訓，有其服務學校出勤簽到簿及縣府教育科核准在其受訓期間由謝朔芳代課的事實可以查證。黃振三指李贊臣對他的指控，完全是憑空捏造，幕後有人主使。政見發表會有選舉監察小組人員在場監聽，而且每場都有錄音，如黃振三言詞確有欠當之處，監察小組當必將加以制止，何待半年以後，才由毫不相干而且不在現場的李贊臣來提出控訴哩！

胡光榮自提出對黃振三之訴後，已由草埔國校教導，躍升為屏東縣政府教育科額外督學，原在教育科服務九年的督學林國章已被排除。鹽埔國校教員李贊臣，據說即將調升為惠隆國校教導主任。

黃振三表示，他這次只告了選務所「選舉無效」和張豐緒「當選無效」，不過是要為地方自治樹立一個好風氣，因此不累及無辜，對其他人，不擬提出告訴。（吳越九月四日寄）

透視十五金融機構的呆賬

本報記者台北航訊

監察委員蕭一山、曹啓文、于鎮洲、馬慶瑞等，化了兩年時間，把中央銀行等十五機構，從四十六年起到五十年間的呆賬，呆欠款項，查得淸淸楚楚，並提出一份長達八萬多字的書面調查報告，其中有若干「特權階段」借錢不還的，也榜上有名。與論對監委鐵面無私的精神，多表讚揚，並希望監察院進一步追查呆賬的原因，以及追究各金融機構負責人的刑事責任，暨研究政策性的放款是否有不適當之處。

由於金融政策對經濟發展具有絕對性的重要，所以國人對金融機構的呆賬與呆欠都表示非常的重視。因為金融在現代經濟社會中，可以直接影響經濟資源使用的數量，也可以控制經濟資源分配的方向，但我們的金融未能發揮其功能，凡是稍為留心金融的人都知道，而監察院的調查報告更足證明這一點。

據調查報告指出：中央銀行等十二金融機構自四十六年到五十年度之呆賬損失，與催欠款項及懸欠應收款項：

呆賬損失：總計新台幣一千零九十四萬八千二百一十九元九角一分；美金一百二十元；港幣六十四萬五千一百三十一元七角。

呆欠部份：共計新台幣一億八千二百五十五萬三千四百零九元七角二分；美金一十萬零六千四百四十九元八角七分；港幣八萬二千三百七十二元二角三分；英鎊八百十三鎊；意幣二萬一千二百五十三元七分；德幣九百三十五元七角；法郎五萬六千三百五十五元七角一分；印幣二千五百四十七元；非幣一萬四千九百四十五元五角六分。

又：中央銀行等十五單位四十七自年至五十一年度之呆賬損失，及催收款項，與懸欠之放款等：

呆賬損失：總計新台幣二千一百二十四萬零六百七十七元五角一分。

催收款項：總額新台幣二億五千七百九十三萬一千九百四十九元四角五分；港幣三萬元。

各項放款：新台幣六億一千九百九十七萬一千三百四十六元八分；美金六百零三萬三千七百二十二元五角五分；港幣二百八十一萬八千三百三十八元四角四分。

應收款項：新台幣一千六百十八萬六千二百十六元五角四分；美金一百零一萬八千六百十二元二角五分；港幣一萬一千零四十五元；英鎊七百零七鎊。

五十二年底，中國、交通、中信局、台銀、土銀、合庫、一銀、華南、彰化、華僑等十行庫局，放款總額一百七十三億零七百萬元，與五十一年底之一百六十二億一千五百萬元相比，增加十億零九千二百元，增加率為六、七%。而各銀行提存呆賬準備金額為二億七千九萬元，較五十一年底之二億三千六百萬元，增加四千三百萬元，增加率為一八、二二%，但與所得稅法第四十九條之規定：壞賬準備額之五%限度相差甚遠。若干銀行歷年來備抵呆賬提存比率，多逐年向低調整，而逾期放款及催收款項數額，近年來均呈遞增趨勢，兩者適成反比，與銀行穩健經營之原則殊有不合。

各企業向十行庫局借款總額超過四千萬元者，五十二年度共五十二單位，金額約六十九億九千八百萬元，其中公營企業約二十七億一千四百萬元，佔三九、一%；政府事業機構約二十億四千八百萬元，佔二九、二%；民營企業約二十二億三千六百萬元，佔三一、七%。

政府事業機構中，糧食局借款十二億八千萬元為最高，次為招商局借款五億六千七百萬元，再次為唐榮及公賣局。

（上）

檢討立法院的人事糾紛

本報記者台北航訊

最近，此間新聞報道說：立法院秘書長尹靜夫有倦勤之意云。為此，本報記者曾深入採訪此一消息的來龍去脈。

立法院的人事糾紛，由來久矣，不過如今較往昔更為劇烈而已。好像立法委員周雍能等三十九人，去年便曾提案檢討院務，後來經過一次盛大的宴會，該案由檢討院務改為檢討院內事務，並送法制委員會研議，而暫時擱置。當時，立法院長黃國書把責任往秘書長尹靜夫頭上推，因而使尹頗為頭痛；經過愼思後，尹氏夫婦乃於公餘分別到若干委員家中，作個別拜訪，並解說其苦衷，因而，其處境也獲得委員們的同情，雖然也有不少的人，還是對他不諒解。

有人批評尹靜夫說：這個人既可憐又討人嫌。可憐的是他既無權，討人嫌的是他又過分小心，他事事請示的結果，其應有的職權也旁落了。老實說，立法院的人事紊亂，責任在黃院長。這裏姑且順序列舉幾件有關人事制度問題來談談。

立法院前任院長張道藩，他在任內，曾建立一種人事制度，即院內任用新進的員工，一律必須經過公開的考試，使每一個人都有公平競爭的機會。這樣，對外可以杜絕人情與八行書的包圍，對內可使大家心服。但這個制度，在黃國書走馬上任後，就被不肖之徒乘機加以破壞無遺。

黃氏當選院長後，第一個破規升官的是：立法院收發科技工趙乾邦，未經考試而調升書記。自此而後，凡是立法院的員工，都未經考試而升官。

第二是：台灣省警務處派任立法院警衛隊長的鍾仰亭，係中央警校畢業，由於為人老實而不擅於吹拍，致被其主管時常無故辱罵，只好請調他職，於是一個薦任級的公務員，改調降任立法院福利科的書記官。

但另一位幸運的警員卻升調為巡佐兼隊長的職務。由於這位連升二級的警員公開辱罵前任隊長鍾仰亭，致被尹靜夫在動員月會上公開宣佈記大過二次。按規定，公務員記大過二次，年終考績與年終獎金應該沒有份的，不料，這位被記過的警員，倚仗朝中有人，記僅過三月左右，其主管即簽報黃院長暫代警衛隊長，並正式發表任命。

按照立法院處務規程所定，警衛隊長之人選，向主管機關（警務處）借用，由立法院指揮監督。易言之，警衛隊長的任命權在警務處，立法院無權干涉警務處的人事行政權。可是立法院長黃國書任用的警衛隊長，已三年，呈報送審有六次之多，都沒有獲准。

警務處為什麼不准？難道有恃而無恐嗎？是的，警務處不准的理由，是因為這位幸運的警員，曾任中央銀行的警衛而被開除。中央銀行為什麼開除他呢？原因是行為不檢，而且法院有案可稽。今年春間，警務處函立法院，要把他調走，另派韓君任隊長，但立法院置之不理。（上）

毛共自我供招　欺騙僑胞慘事

騙回十餘萬悲驅作苦工

（本報訊）中共「華僑事務委員會」于七日召開的第三次擴大會議，該會副主任方方于八日報告「一九五八年以來僑務工作總結和今後任務」，自我供招其欺騙僑胞之悲慘事實。

方方在報告中，強調六年來海外華僑的「統一戰綫」有了進一步鞏固和擴大。在支持中共對海外的經濟攻勢，政治滲透和搜刮僑匯等方面，作出了一定的貢獻。

方又說：在各個時期的「中心任務」和歷次的羣衆運動中，大陸歸僑、僑眷們，都和其他民衆一樣被驅參加。

方又說：幾年來被中共誘騙赴大陸的海外華僑共達十餘萬人，十九被分配在卅多個「國營華僑農場」中，充其牛馬奴工，其餘有的遣往各僑廠礦，有的遣之回鄉參加體力勞動。

方方談到今後「僑務工作任務」時，強調以下數點：

一、策動大陸僑眷和歸僑參加階級鬥爭，和科學實驗的「三大革命運動」。

二、調動海外華僑的「積極因素」，為中共「社會主義革命和社會主義建設」而盡力。

三、「教育」農村僑眷，歸僑，安于鄉居，安于生產，熱愛勞動，堅持「社會主義方向」，加強自我改造。

四、年青的僑眷和歸僑要服從中共分配，安于學習和工作。

方方並透露，中共為了便于搜刮外匯，允許歸僑和僑眷依靠僑匯為生。

以黨義治國乎？以黨人治國乎？

（上接第一版）

「本總理向來主張以黨治國。以黨治國的這一說，是什麼意思呢？是不是所有的黨員，都要做官，才算是治國呢？如果黨員的存心，都以爲要用黨人做官，才算是以黨治國，那種思想，便是大錯！大衆都知道，滿人滅了中國之後，就是以滿清治中國。試問當滿清的時候，全國所有的大官，是不是都是滿清人去做，才算是滿清治中國呢？完全不是的，最初滿清入關的時候，便用洪承疇治中國。洪承疇是什麼人呢？洪承疇就是漢人。到了後來，滿清更用許多漢人來治中國。推到春秋戰國的時候，有很多國家，都是聘用客卿治中國。像李斯相秦，楚材晉用，都是用外來的人治國家。因爲要某人做某官，就是要那一個人去做那件事。如果那個人的才能，可以做那件事，才可以使他做那個官。若是他的才能不能做那一件事，他一定去做那一個官，便是不勝任，便沒有好結果。好像諸君在家內要有好菜吃，便要專請一個好廚子。要做好衣穿，便要專請一個好裁縫。要做好屋住，便要專請一個好建築工程師。

這些廚子，裁縫和建築工程師的任務，在諸君自己家內的人，不能夠說都可以做得到。諸君自己家內的人，不能夠說都要做廚子，裁縫和建築工程師。諸君要請廚子，裁縫和建築工程師，家內的人便不能一定要反對。國就是大衆的一個大家庭。國事就是和家事一樣。如果說要黨員做官，才算是以黨治國，那麼，本黨的黨員，現在有三十多萬，廣東的知縣，只有九十多個，其餘的大官，更是很少，用這樣少的官，怎麼能夠分配到這麼多的黨員呢？所謂以黨治國，並不是要黨員都做官，然後中國才可以治。是要本黨的主義實行，全國人都遵守本黨的主義，中國然後才可以治。簡而言之，以黨治國，並不是用本黨的黨員治國，是用本黨的主義治國，諸君要辨別得很清楚。至於本黨黨員，若是確爲人才，能勝大任的，自當優先任用，以便實行本黨的主義。倘若有一件事發生，在一個時機或者一個地方，於本黨中求不出相當人才，自非借才於黨外不可。

本黨自成立以來，在國內進步很慢，在海外進步很快。但是到民國以後，就是海外進步也不甚快。這是什麼原故呢？就是由於一般華僑黨員，自以爲革命成功，我是黨員，應該得官做，如果得不到官做，便心灰意懶，失掉原來奮鬥的精神。所以弄到海外各處黨務，至今都沒有朝氣，各處都是暮氣很深，前途是很危險的。我們要除去現在的暮氣，恢復朝氣，便要諸君恢復從前爲黨奮鬥之精神。要存心做大事，不可存心做大官，然後本黨才可以望蒸蒸日上，不致失敗。否則長此以往，本黨前途，便很危險，便要失敗。」（國父演說，廣東黨員懇親大會講）

（完）

康有爲的亡命

丘　峻

泊密論三下，危機將達極點，康氏環觀四境，誤認厥唯袁世凱一人可以救帝者，乃交譚嗣同遞一密摺，請帝用『撫袁以備不測』之謀，即行命袁陛見，事先且令徐仁錄（義甫）往袁幕探察隱情，繼又遣譚同嗣夤夜往法華寺袁寓見之，示以德宗詔，稱帝處境艱危，榮祿等密謀廢立弒君，九月五日太后偕帝幸津閱兵，請即舉兵勤王，保護聖躬，率死士數百扶上答午門，誅榮祿，廢太后，以清除舊黨。袁氏陽爲允諾，且曰：『殺榮祿乃一狗耳！然吾營官皆舊人，槍彈火藥皆在榮祿處，且小站離京三百餘里，隔於鐵路，慮不達事洩。若天津閱兵時，上馳入吾營，則可以上命誅賊臣也。』議至中夜始散。

嗣同回報，有爲知袁氏不能舉兵救帝，乃託人謀於英日二使，以二使避暑北戴河，緩不濟急。容閎再欲求援於美公使，康氏以其無兵，不能有所舉動，又拒不接受。

種種救帝之謀，演變至此，已屆山窮水盡之境。世凱雖感不次拔擢之恩，然既患嗣同之操急，又憚榮祿之權勢，不敢有所作爲。而榮祿則已微有所聞，伺世凱陛見回津來謁，即留之天津，命護理直隸總督，並猝然詢及前事。袁氏爲人，機詐反覆，知帝大勢已去，大變將興，爲個人利害計，不惜虛構謊言，賣君邀功，遂背叛新黨，向榮祿告密。榮祿據報，旋即入京，奏聞太后，加速廢弒。太后回宮，即幽帝瀛台，捕康不獲，乃繫其弟及弟子二人，復先後逮捕戶部左侍張蔭桓，御史楊深秀，軍機譚嗣同，楊銳，林旭諸人，而軍機劉光第，禮部右侍徐致靖，則自行投獄。

回顧政變初作，嗣同本可逃生，以與廣仁同謀救帝，願留京而有所待，迺從容語梁啓超曰：『昔欲救皇上，既無可救；今欲救先生（指有爲），亦無可救；吾已無事可辦，惟待死期耳！天下事知其不可而爲之，足下試入日本使館，謁伊藤氏，請致電上海領事而救先生焉！』遂竟日不出門以待捕者，而捕者不至。明日入日本使館，勸梁東遊，且攜所著書及詩文辭稿本數冊，家書一篋託梁曰：『不有行者，無以圖將來；不有死者，無以酬聖主。今南海之生死未卜，程嬰、杵臼，月照、西鄉，吾與足下分任之！』相與一抱而別。日使館人員及志士亦欲救之，而勸其東遊，再四強之，不聽，且曰：『各國變法，無不從流血而成。今中國未聞有因變法而流血者，此國之所以不昌也。有之，請自嗣同始！』迨身繫囹圄，題詩獄壁：『望門投宿思張儉，忍死須臾待杜根；我自橫刀向天笑，去留肝膽兩崑崙！』（係指有爲與大刀王五。蓋廣仁與嗣同二人，且與義俠大刀王五密謀，將以力士入宮負帝投外國使館；又禍變之初，王五曾詣譚所，力勸出走，願以身護其行，譚固不可，乃已。）其悲壯氣概，誠可與汪兆銘（精衛）行刺攝王未成被捕所詠：『慷慨歌燕市，從容作楚囚；引刀成一快，不負少年頭！』一詩等量齊觀，後先輝映也。（十一）

我所知道的麥帥

肯寧將軍原著　徐熙光翻譯

雖然海爾賽認爲雷伊泰日軍的防務是一「空殼」，但我們獲自非律賓游擊隊的情報卻顯示雷伊泰的日本守軍有三萬人之多，而且雖然海爾賽的航空母艦在過去兩三天來對日本空軍基地痛加攻擊，我仍然認爲日本在非律賓還有很多飛機。不過我同意海爾賽所認爲日本的空中威脅不足以阻止我們在雷伊泰登陸的看法。我相信日本空軍的有效作戰組織已近解體，因爲最近兩個月來，我們在空中遭遇的抵抗力量非常薄弱，而且海爾賽的航空母艦已經炸毀了大約在各處機場上的四百架日機，只剩大約五十架在空中的飛機未遭攻擊。

第二天早上我們以麥克阿瑟的名義拍發電報給參謀首長聯席會議，表示如果他確能獲得尼米茲兩師陸軍和海爾賽的航空母艦的支援的話，他將在十月二十日登陸雷伊泰。幾個小時後，華盛頓來了覆電，命令我們取消達勞和民答那峨的行動，依照我們電報中所定的日期，在雷伊泰登陸。

十七日，麥帥自莫洛泰回到總部，他的精神很好，因爲莫洛泰的登陸戰進行得很順利。他一進辦公室就問他不在的這幾天有什麼重要的事或有什麼新的發展沒有？蘇德蘭參謀長一直就担心，不曉得麥克阿瑟在知道我們擅用他的名義和擬做如此重大的決定以後，會不會大爲生氣。可是蘇德蘭在還沒有把整個事情向麥帥報告完以前，麥克阿瑟就說：「好極了，我現在要計劃一下是不是可以同時在呂宋和仁牙因灣登陸。」他又走在我們的前面了。

如果我們動用所有運輸艦裁運登陸部隊，再加上尼米茲的兩師步兵，我們一共也只有五師兵力可供登陸作戰之用。我們計劃把四師兵力用在雷伊泰，就算雷伊泰的行動減掉一個師，用來登陸呂宋的頂多也只能有兩師兵力，而呂宋的日本守軍卻多達五師。我們把這個情況告訴麥克阿瑟，他說既然如此就先攻取雷伊泰，然後在聖誕節時登陸仁牙因灣。

此後的一個月中，我們加緊作各種登陸準備，每一個人都有必勝和成功的信心。日本空軍的威脅已經解除，因爲他們已經喪失了大部份優良的飛行員，而且汽油的供應已極困難，尤其是在非律賓。爲了使日本空軍油料的供應完全斷絕，我們集中全力轟炸在婆羅洲巴里克巴邦的兩個大煉油廠。日本軍用油大約有百分之八十是依靠這兩個煉油廠來供應的。十月十日我們炸毀了這兩座煉油廠，附近的貯油庫亦已完全焚毀。同時我們日夜趕工建造莫洛泰的飛機場，十月中旬，兩隊重轟炸機進駐莫洛泰機場，這兩隊轟炸機共有九十六架，準備攻擊民答那峨和維薩雅的日本空軍機場，以免他們干擾我們在雷伊泰的登陸行動。不過我們的攻擊範圍尚無法達到呂宋的機場，所以只有賴海軍來監視呂宋的日機，一直到我們完成在雷伊泰的機場爲止。

（四三）

附啟

本期稿擠，「中外空軍運用史實」暫停一期。

——編輯部啓

廬山續夢

第十四回：

誰與慶昇平　呼朋湊興
居然爭霸業　背主孤行

賀龍連聲說：「不敢了，不敢了，再也不敢了。」

毛澤東說道：「一開口就同渾人嘔氣，把正經事也忘記了，馬上就到了國慶節，究竟今年邀到了多少外賓，已經確定了沒有？」

周恩來說道：「今年安排的不錯，拉丁美洲請來古巴總統多爾蒂克斯。」

毛澤東笑道：「古巴是兄弟國家，它們總統來捧場總是好應該的了，這也不算一回事。」

周恩來苦笑道：「即使兄弟國家的領導人物，我們能請到的也不多，東歐方面除去阿爾巴尼亞，就沒有那一個國家的領導人物肯來。」

毛澤東「哼」了一聲：「不肯來是假，不敢來是真，此中情形我不說你們也明白，其中有人在舞着指揮棒，那一羣猢猻只能俯首聽命，誰也不敢多要一個跟斗。」

周恩來說道：「亞洲方面請來了尼泊爾馬亨德拉王及王后，不久就可以來到。」

毛澤東笑道：「尼泊爾那個小國，原是中國的藩屬，過去三年要進貢一次，自從英人勢力侵入，久已不修貢職，這次馬亨德拉來，只當他是來進貢朝覲的，仍照清朝接待藩屬的禮節接待他，這要查古書才知道，你們都不明白，可派郭沫若找文史館那些老古董問一問。」

劉少奇忍不住了，說道：「尼泊爾雖然是小國，人口比柬埔寨還多，就馬亨德拉爲人來說，也還比施哈諾像樣，萬不能慢待了他。」

陳毅也說道：「馬亨德拉過去相當頑固，第一次我同總理去加德滿都訪問，我們剛離開了新德里，他就乘機去了東京，不肯同我們見面，此次把他請來，可是眞不容易。」

毛澤東點頭道：「這樣說來，這人比施哈諾有骨氣，是個好樣的，只是你們怎樣把他爭取過來的呢？」

周恩來笑道：「這裏面有兩種力量，第一是尼赫魯幫了我們的忙，尼泊爾過去是眞的投靠印度，較早時期尼泊爾連貨幣都沒有，用的是印度盧比，但由於尼赫魯欺凌太甚，把尼泊爾看的同不丹、錫金一樣，馬亨德拉忍無可忍，才憤而反印，在中印之間採取中立立場。第二是我們主動要求與尼泊爾劃界，把未定界地區全部劃讓給他，尼王自然轉而親我國了。」

毛澤東大笑道：「恩來同志，你這次的國際統戰又成功了，正合着統戰的規律，把反對的變成中立，把中立的拉過來。」

周恩來笑道：「我有什麼功勞可言，說起來多虧尼赫魯是眞。」

毛澤東點頭道：「說起尼赫魯，將來社會主義成功了，眞要給他鑄個像，以紀念他對社會主義的貢獻。」

陳毅笑道：「給尼赫魯鑄銅像，怎樣安置赫魯曉夫呢？」

毛澤東說道：「那還不容易，送去北大荒或柴達木勞動改造就是了。」

大家聽了都大笑起來。

（未完）

冒險犯難記

鄧文儀

共黨集合了不少優秀幹部，配合他們黨團秘密組織活動，政治工作的聲威與影響是非常强大和深刻，我想在短期內將其澈底改變，眞不是容易的事。

單以政治教材，文化宣傳，課外讀物的改編充實，政治教官與各級政治指導人員的選拔培養補充，及軍校官生思想的領導，士氣的鼓舞，康樂運動日常生活的革新與發展而論，就夠政治部一天到晚忙，都忙不了。好在學校全力支援，要人有人，要錢有錢，凡有興革，都可迅速獲准實施，加之我在中山大學找來一批青年幹部及政治部秘書譚計全（一期同學）與從軍校畢業同學中選拔一批指導員，都很年青，精明能幹，人事上的困難很快就克服了。教育訓育與編纂出版工作，陸續發展，期刊方面辦了黨軍日報，士兵週刊，黃埔週刊，黃埔月刊，軍事政治季刊之外，更有新編政治教程及主義時事叢書的不斷出版，在廣州市創辦了一所黃埔書店担任對外發行，不僅可以供應本校官生士兵閱讀，而且可以酌量供應軍隊及社會。清黨之後，學術思想文化宣傳一時甚感空虛，等於是一項思想革命，或者說三民主義思想文化的復興，這些在當時的廣東，軍校政治部都負有很大的責任，是十分困難的工作，但我們盡到了這責任，克服了這困難，即使沒有作到盡善盡美，沒有能夠澈底消除共產思想毒素，以致民國十六年十二月，共黨終於在廣州組成了一次大暴動，但那時我已離開軍校，已不是我的責任。

我在軍校政治部服務曾提出兩大問題，一是有關國民革命軍的問題，一是中國革命與民生主義的問題。我認為要使國民革命軍眞正作到軍隊黨化，黨軍隊化，及軍隊社會化與社會軍事化，不僅在政治思想上要澈底肅清共產主義思想毒素，而且要澈底實行改造軍隊，使所有國民革命軍，都成為眞正的三民主義革命軍。同時更要在社會上把共產黨的組織澈底消滅，使全國青年及廣大工農羣衆，不再受共產黨的煽惑，鼓動，威脅，欺騙，那就要國民黨切實實行三民主義，尤其是實行民主主義，解決民生問題。我曾寫過「中國革命與民生問題」及「革命軍問題種種」兩本小冊子，把上述各種問題都提出來了，在軍校學生政治討論會上都受到很大的重視，可惜我當時人微言輕，加之國內戰爭及國共鬥爭與國民黨內的派系鬥爭，不斷發生，使得國民革命軍疲於奔命，沒有時間整理和改造，三民主義的實行與民生問題的解決的切實進行，形格勢禁，軍事北伐的勝利却被北洋政府的官僚政客滲透，實行政治南伐變質了。這是中國近數十年來反共鬥爭初勝後敗悲劇上演的前奏。（四八）

曹操之奸與殘

周燕謀

曹操之為往古「奸雄」之巨魁，實乃蓋棺之定論，儘管有少數人為之「打翻案」官司，却始終洗刷不了他的「奸雄」惡名。曹操「奸」與「殘」之眞面目的犖犖著者如次：

曹操自幼便奸狡，恍若出自天賦者。他幼好遊狎，喜歌舞，放僻邪侈，無所不為。其叔常具實以告操父，操乃心生詐術，佯裝中風，使乃父不信其叔言。而彼乃得更為所欲為。有人說：此「曹瞞傳」乃東吳人所撰，不可信也。然則「曹瞞傳」亦極寫曹操之才能，同樣亦不足以採信了。

再看許劭對曹操論相之語曰：「子治世之能臣，亂世之奸雄」。操竟大喜！在彼時代，聞己為奸雄而大喜者，除曹操之外，未之聞也。可見曹操是深以自己能為「奸雄」而得意的。

「捉放曹」誤殺呂伯奢全家之事，事出疑似，形勢逼人，猶或情有可原也。而又於途次再殺呂翁，則誠「心狠而手毒」之尤了。而陳宮以為「明知故殺，究屬有背大義」時，操笑曰：「寗教我負天下人，休教天下人負我」！是何言也？倘直不可理喩了。

又曹操與袁術相持於壽春，時値粮草不濟，粮吏向操請示：「兵多粮少，當如之何？」操曰：「你可改用小斛發之。」粮吏曰：「倘若士兵嗟怨，又如之何？」操則曰：「那你就不管了，我自有辦法」。於是粮吏乃依命而行，以小斛發之。士兵大怨！操便密召粮吏入，問曰：「我要向你借一件東西一用，你願意嗎？」粮吏曰：「丞相要何物？」操曰：「我要借你的人頭一用！」粮吏大駭道：「某無罪，丞相何故殺我？」操笑曰：「我知你無罪，但如不殺你，則軍心譁變。你死後妻子兒女從重撫䘏，汝可勿憂。」粮吏欲待言，刀手已等待多時，遂斬之以謝將士。這是曹操用權術行詐騙之實例也。

其餘如對陳琳之假示寬懷，對禰衡則借劉表之刀而殺之；以及明明逼獻帝遷都許昌，為刦持天子，獨攬大權，却靦顏自比周文，功在社稷，更無庸論。

「世說新語」曰：「魏武將見匈奴使，自以形陋，不足威遠國，使崔季代。帝自捉刀立床頭。既畢，令間諜問曰：魏王何如？匈奴使答：魏王雅望非常；然床頭捉刀人，此乃英雄也。魏武聞之，追殺此使」。又曰：「魏武常言人欲危己，己輒心動。因語所親小人曰：汝懷刀密來我側，我必覺心動，執汝使行刑。汝但無言此事，無他，當厚相報。所親信焉，不以為懼。遂斬之。此人至死不知也。左右以為實，謀逆者挫氣矣。」如此枉殺好人，以行奸狡，而為一己，可謂極奸與殘之能事矣。

曹操「精彩」的一幕奸與殘例證是他逼宮殺伏皇后及伏后之父，使獻帝眼睜睜看到拖出去宰了，而無可奈何。至於單言曹操之殘，舉其著者，莫如屠城。征陶謙，假報父仇為名，「所過多殘戮。」「東征呂布。冬十月，屠彭城。」生擒宮、布皆殺之。又建安二十年春征張魯，氐人萬餘持險不服，五月操攻屠之。」還有曹操心腹大將亦常屠城，「建安二十四年，仁屠宛。」又「建安十九年，遣夏侯淵攻兵於興國，屠之。」是上行下效，其部曲亦所過雞犬不留矣。

美姝

長篇小說

羅雲家著

「……」可是她仍是呆呆地站立不動。

遠處傳來閣閣的皮鞋聲，漸漸，那聲音近了。抬頭看，是帶白帽子的巡邏警察：「小姐！有警察來了！難道妳想他來盤問我們嗎？快走吧！」健文把握了這機會。

「……」她仍是不做聲，但腳步却在他的攙扶下移動了。

他倆就這樣急促地併肩走着。她的個子比他矮了半個頭，一雙平底皮鞋中灌滿了水，走在路上會有被壓榨而發出的嘰嘰之聲。也許是怕巡警追上，也許是因為渾身發冷，所以兩人走的步度都較大，步速也很快。

到了內江街口的時候，迎面來了一輛三輪車。看看，車子是空的。何健文呼喚着那車，對方馬上停下來。他扶她先上去坐好，然後自己才坐上去。車夫踏動車子，問他去何方？他說出了他住的地點。但她提出了異議，叫車夫先拉到仁愛路口，然後再送他回家。

他在默然中同意了她的意見。

昆明街過了，中華路也過了，車子進入了衡陽路。夜風帶有涼意，當車子愈快，風愈大，車上的人也就愈益感到寒冷。他倆一直沒有交談，店鋪都已歇業，少數的零食攤與三兩家夜店，這些街景幷不是今天才見到，他也無心欣賞。腦子裏像是在想着她的問題，但似乎又是想着自己的問題。

「小姐，我還忘了問妳的姓名。如果請妳告訴我，不會認為是含有壞意的吧？」當車子跨過重慶南路時，他忍不住問。

「對不起，我不懂禮！我叫黃美姝！」她低下了頭，看也不敢看他一眼。

「這名字像是本省人的，但妳的人，却長的像是外省小姐。」何健文側轉頭望着她，又說：「究竟是那一種猜想對？」

「都對，又都不對。」她終於看他了，但頭仍是低垂着的。

「眞會這樣稀奇嗎？」

「稀奇的事情世上多着呢！」她停了一下：「比方今天，我原先決定想尋死的，可是却遇見了你，這不就是很稀奇的嗎？」

「而且妳原來是決心想死，却反過來要決心活下去了。不是嗎？多奇怪。」他看她心情好些了，也就半開玩笑地回敬了她一句。

「何先生，你猜對了！」她這次是抬起頭來，用感激的眼光，凝望着他說的由衷之言。

「眞的！」他覺得像是中了愛國獎券的特獎般的高興了。

「……」她嬌羞地點點頭。

車子已到了仁愛路，他沒有作聲。他在想：她會眞的在此下車而去？還是跟着自己去親戚家借住一晚呢？……

椰子樹梢在夜空中搖幌着。她對他說，她要下車了。他叫車子停住，扶她下了車。

「讓我送妳回去吧？」他說。

「不，謝謝你了。從這巷子進去不多遠就到了，沒關係的。」她拒絕了，在難為情中抬起頭來，瞥了他一眼，就揚起手，走了。

「再見！」他心裏另有了主意，就跳上車，和她告別。

「再見。」她頭也不回，逕往巷子中匆匆走去。

何健文讓車踏動，朝南走了沒多遠，他就叫停，付了車資，然後急急地折回來，向美姝前進的巷子跟了上去。

他發現她停止在一個竹籬巴邊，沒有動作，却在哭。

他躲躲藏藏地又走近了些。聽她的哭聲，如怨如訴，悽涼悲切，心也有些酸了。可是他不願立刻去招呼她，他怕她會惱他多管閒事。就只好在暗中監護着。

哭聲越來越大，終於屋子裏開亮了電燈。一會兒，有人開門出來了。「是美姝嗎？死到那裏去了！半夜三更，像游魂樣的！回來了還要哭？小婊子眞是越來越不像話啦！」一個中年婦人邊罵邊開了竹門：「進來呀！還要我請妳不成？……」兩巴掌過去，黃美姝立即驚叫着，那婦人將她連拉帶推，算是把她弄進屋裏去了。（六）

記張蒼水

湘南遯叟

是年他問在鄞縣的族屬被他牽連被逮，許多親朋都遭波及，又有詩曰：

宗國既飄搖，家門遂顛覆。感此多難生，欲泣不成哭。我生實數奇，乾坤方百六。獫狁滿中原，赤靈社已屋。逋臣骨可糜，豈敢惜孥戮。所悲諸父行，斑白罹三木。女兒與所天，株連遭桎梏。幸或作流人，否亦登鬼籙。稚子竟何辜，十載尚淹獄。伉儷有寡妻，墨幪兼緇幗。國亡家亦亡，我固甘湛族。邇聞告密風，舊游多被錄。白虹慘欲垂，黃金貧莫贖。天地豈不寬，誰念忠義屬。惟應千秋名，芬芳追王蠋。破涕慰親朋，安知此非福。

按康熙三年蒼水被逮赴杭州，於九月七日賦絕命詞，從容就義。先三日，清吏已將其監禁在鎮江獄僅十餘歲的兒子萬祺處死；他的妻室董氏，繫獄後，已剃髮為尼，例當從戮，因尼得免。後以再從子鴻福繼，祧為裔。

二　三次督師入長江

順治四年，松江提督吳勝兆，頗懷故國，謀反正，吳中義士，欲因以為功，於是相繫幕中，為他策劃，而以招撫為名，內結太湖義師戴之俊，周天等，外求援於海上。兵部尚書陳子龍臘書抵黃斌卿，斌卿猶豫不敢應，故都御史沈廷揚曰：「事機之來，間不容髮，奈何坐失之」？張蒼水、馮京第均力贊之。定西侯張名振慷慨請行，以蒼水監其軍，並約沈廷揚等偕行為嚮導，廷揚曰：「兵至必以崇明為駐紮地，禁打粮，然後可」。名振許之。至崇明食盡，名振違約，登岸掠食。舟泊鹿苑，五更颶風大作，船自相擊，軍士溺者大半，清兵逆之上岸，大呼薙髮者不死，廷揚死，名振、蒼水皆被執。有百夫長者導之走，間道復還於海。

又說，張名振於船碎後，滿身濕衣，投入松江某僧庵，以腰藏之銀印，向僧玄一換布衣二件，剃髮留頂而逃。後被小民許忠出首，從僧庵中搜得銀印，將玄一正法。斌卿以名振逃歸後，全軍覆滅，益輕之。名振乃招故部，營於南田。從此張黃之隙日深。是年蒼水居州，有九日陪安昌王，黃愍擬，張侯服，張淵，朱閒玄、徐闇公、沈公子昆仲登鎖山和韻詩：

蠶背霜寒菊自開，欣看萸佩宴吹台。尚書履近東山駐，大將旗聯西府迴。香冷金華雙使至，秋明玉樹二難來。追陪誰復題糕字，愧向蠻坡問筆才。

又有留節翁城同諸公行長至禮詩：

幾年臥節夢金鑾，縣蕞猶班舊握蘭。葭管初開周甲子，蔥珩重見漢衣冠。當呼恍覺爐香近，海曙還疑扇影寒。惟有臣心冰雪淨，誓將綵線續雙丸。（六）

南安臘鴨今昔

黃葉村人

抗戰勝利後，余曾遊贛南、粵北各縣。諸如：贛縣、大庾、信豐、南城、寧都、弋陽、以及龍、虔、定三南，暨粵北之南雄、曲江、清遠等縣，余均到過。時故人羅定梁榮求為十二集團軍駐龍南後方辦事處主任，為余述南安臘鴨之沿革甚詳，惜日久多忘，茲所紀者僅什之一二耳。據梁君言：贛南十餘縣人民多以養鴨為業；每歲秋來，各縣養鴨者，把鴨羣曉行夜宿趕至南安，（即今之大庾縣）掃數售之臘鴨棚商。屆時，棚商已早在附城有水草河沼之地，搭棚為寮，以息鴨羣。並以半炒半生之稻穀飼鴨，而禁其活動。直至冬節前一二日，才把肥鴨宰光，去毛和臟腑後，以鹽醃之。並一隻一隻疊壓之以石使平扁。過了一夜，再以八成乾的布抹淨鴨內腔外皮污物和鹽屑，晾于竹笪上，經風吹日曬一天，然後過秤入箱。製法要訣：一、拔毛後，一經開肚，即不許見水，取出內臟後，只可用八成乾布稍抹，不能滴水沾染。二、灑鹽要薄而勻平。三、雙眼須用棉紙封密，勿令蒼蠅叮嚼放卵。四、宰鴨前要把握氣候。（下）

自由報
THE FREE NEWS
第四七九期
內政部台報字第〇三〇號內銷證
中華民國僑務委員會登記證
每份港幣壹角
台灣本島價新台幣壹元
社長：雷嘯岑
督印人：黃行齋
20 CAUSEWAY RD 3RD FL HONG KONG
TEL. 771726　電報掛號：7191
承印者：田風印刷廠
地址：香港灣仔高士打道二二一號
台灣分社
電話：三〇三四六
台郵撥儲金戶九二五二

「功利主義萬歲」

馬力

看到東南亞破碎與紛擾的現狀，讀到西方國家政治巨頭爲東南亞公約十周年紀念所發的陳腔濫調，覺得也有寫一篇「紀念文章」的必要。

「東約」的會員國是英、美、法、澳、紐、泰、菲、巴基斯坦。其中巴基斯坦已被人拆去了。法國正在聯同中共向美國拆台。以菲律賓來說，是「東約」亞洲國家中最熱心反共的一員，但也已走錯了一步，受過敵人「統戰」魔術的欺蒙，上過一次大當。照此看來，「東約」會員國還有幾個是同心協力的呢？

英國正在盡力支持馬來西亞，抵抗印尼的壓迫與侵凌，澳、紐唯英國馬首是瞻，美國也在旁聲援叫喊。就是爲了這一關係，美國在南越苦苦撐持當中，還不至於受到英國的阻擾與留難。而這兩個多事的地方，英美處境同樣困苦。他們只是「各顧各」的「分頭應戰」，談不上有計劃的「聯合作戰」。

南越之危，不在外而在內；大馬之憂，也在內而不在外。南越有宗教的衝突，有親美與親法者的衝突，有軍人集團之間的衝突，政潮起伏不定，民心煩躁悵惑，以這樣的人心與政局而能抵當得住共黨的長期攻擊，已可算是軍事的奇跡，怎還可望肅清潛入的共黨游擊隊，再建鞏固的堤防？是誰把這種衝突挑撥起來，由這一波以產生另一波，使之永無底止的呢？共黨當然是潛伏的要角，但誰也檢不出眞憑實據來。

大馬有足夠的本身實力和外援對付印尼，却因華巫衝突連綿發生，內部力量也大大削弱了，相當有利的形勢，竟在一夜之間變爲不利。是誰把這種衝突挑撥起來的呢？這當然是印尼特工和共產黨合演的傑作。要找眞憑實據嗎？印尼的明顯劣跡易於指證，共產黨埋在地下的根那很難發掘。

共產黨在東南亞就是倚靠這種魔術，令到英國有力無處使，令到美國只可在外幇大馬的忙，不能在內彈大馬之亂。他們可以化弱爲強，轉[illegible]作實，西方國家[illegible]相反之道而行[illegible]什麼原因呢？[illegible]是西方國家[illegible]自私的心理作[illegible]於其心，害於其[illegible]「東約」會員國的[illegible]合神離便是最明顯的病徵。

中共握住緬甸、高棉與半個寮國，配合北越的一股強大壓力以臨泰國與南越，有隨時可以發動進攻之利，決無突然被攻之虞，西方姑息主義者和自私自利者替它付了「保險費」。這種「保險費」是由亞洲反共國家的苦難人民和戰士用血淚集結而成的。

中共和蘇俄都把印尼當作脚下的「風火輪」，永遠不許它停止。印尼蘇加諾在「統戰」方面担當的角色相當重要。由於他喊出「大馬來聯邦」的新鮮口號，曾把菲律賓煽動了，也使日本一見猶色喜了。假使不是馬來西亞毅然如期建立，打破了蘇加諾的好夢，恐怕東南亞以至整個亞洲大局會變化得更加離奇呢！但縱然如此，印尼已把菲律賓拉離了原來的位置，使它曾經一度與印尼同一鼻孔出氣，聯合携手以對付馬來西亞了。最近，馬來亞英文時報著論痛罵印尼，詞連菲律賓總統，說他附從蘇加諾的一黨，具有圖取私利的野心。該亞社發自馬尼拉的一篇消息則說，菲律賓情報人員業已開始警惕，相信菲律賓將要被迫把印尼視爲第一號敵人，因爲印尼在菲律賓的特工已與中共地下人員合作，在菲律賓南部某地有不軌的圖謀。估計蘇加諾曾在進行馬來西亞召開之前，把移目標到菲律賓。上述各種消息綜合起來，追溯到一年前三國的高峯會議，我們可作這樣的判斷：由於蘇加諾對菲律賓「統戰」的部份成功，赤色特務份子已在菲律賓獲得新的基地。所有蘇加諾在各地的進展與收穫，都很容易被共產黨順手接收。印尼共黨躲在蘇加諾的背後做了不少的事。姑不論他們所援受的指導是來自莫斯科抑或北平，他們總會鍥而不舍，繼續前進的。

整個亞洲局勢如此沉晦與混沌，完全由於西方國家以功利爲前提，各作自私的佔據與操縱，只求保存一部份的私益，但作消極的守勢。他們本身的義勇精神既已蕩然無存，而又致力於扼殺亞洲反共國家的義勇精神，以及由此精神而生的各種積極行動。

我們常罵共產黨鼓吹仇恨鬥爭，當然罵得對。但是我們也要知道，由仇恨而生的狂熱正是戰鬥的原動力，共產黨既要推行鬥爭到底，自然要不斷播散仇恨種子，使他們的鬥爭巨輪永遠不愁沒有動力去支持。他們不能駕駛一輛沒有汽油的車子向前邁進，便要靠仇恨種子燃起怒火作爲他們的汽油。可惜得很，我們這方面却不能由仁愛燃起義勇的火炬。相反的，功利主義者却要向義勇之火潑冷水。因此，我們的戰志只有漸衰漸滅，對方却越來越見旺盛。這是思想上心理上一個根本問題，只要挖出根源仔細看驗一下，我們便知「東約」十年的可哀，正局勢有必至，理有固然了。

共產黨向非洲的迅速滲透乃至向美國本土煽動黑白衝突，都以播散仇恨種子爲產生戰志與戰力的主要來源。我們與其徒然指罵他們鼓吹仇恨，不如反問我們自己一句話：我們的義勇精神那裏去了？中國先哲先賢每以「大仁」與「大勇」並舉，唯「大勇」始能「一怒而安天下之民」，而「大勇」必生於「大仁」！試問今天美國還有幾人高叫「解放被奴役人民」？十年前艾森豪喊過的口號，在今天已成高調，而高華德的強硬主張，却惹起洶洶的爭辯，事實上還是低調呢！

亞洲仍要亂下去的。日本正在追隨西方國家之後，走向功利的路綫。在功利主義者眼中，反共義勇精神是應該受誅鋤的。而他們自已却又沒法抵禦敵人的滲透。敵人決不愁沒有播散仇恨種子的園地，也不愁沒有可資利用的虎倀，這樣發展下去，終非引致一場大戰不可。到那時，功利主義者又將搥胸高呼，裝出義憤填膺的樣子，以「同生共死」爲號召了。

「東約」十年是值得紀念的。我們應該喊一句：功利主義萬歲！

各不相讓

分贓不勻

今日與明日

越南又有政變

自從吳廷琰政府於政變方式中被推翻以來，越南內部始終動盪不安，政變迭作，總不外利用一部分軍人，擁甲倒乙，循環不休，而越局危矣！

吾人不欲究問越南政權應由何人主持乃可，但認爲値國難嚴重，四郊多壘之秋，軍人不能捍衛外患，恪盡職守，而竟敢於內部權力爭奪的惡作劇，決非國家之福。

尤其是軍人隨便干政的惡例一開，國事未有不大糟特糟者！

越局如此，得益者爲越共，受害者是越南人民，而最感頭痛者殆莫過於美國當局。美國朝野人士過去因不滿吳廷琰的作風，千方百計地鼓動軍事政變，打倒吳廷琰，從此越南軍人視政變爲家常便飯。美國乃深感一發而不可收拾的困苦，沒法善後了。

美國既不能立即退出越南，又不能直接干涉越南內政，眼見反共戰役日露敗象，除了派遣大軍入越鎭壓，指揮反共戰事以外，別無可尋之道。美國願意這樣做嗎？

池田勇人掩耳盜鈴

日本近又以價値數千萬美元的尼龍纖維工廠整套設備，賒給毛共了。內閣首相池田表面不予正式批准，藉以敷衍中華民國，骨子裏却讓商業銀行出來貸款給廠商，完成這項買賣。

我們早就預言：世界局勢如果沒有新的變化，日本對毛共的親媚行爲，將見層出不窮，夠我們嘔氣的。好漢打掉門牙連血吞，一時的忍辱算不了甚末，就看自己能否知恥振作，不要俯仰由人，以行動來表示其不可輕侮的本質？照現時的作法，那就只有永久嘔氣的命運呵！

刑求之風何時已？

聞台北報紙，台灣高雄一名鐘錶匠以竊盜嫌疑被刑警隊非刑逼供，他受慘毒，最後又無罪釋放了。

國人經常強調民主憲政，保障人權之說，而極端殘害人權的非刑逼供事件，有若家常便飯，滿不在乎，寧非咄咄怪事嗎？

筆者認爲這類冤案──對無罪之人濫施非刑──決不能以口頭道歉或所謂「冤獄賠償」方法，即可了事的。濫用非刑的胥吏，必須依法懲究，處以應得之罪，方足以彰公道，慰人心，平民憤。

警察號稱爲「民衆保姆」，而對民衆大肆淫威，恣意凌虐者，每出於這個「民衆保姆」之手，眞是一大諷刺。剷除這項虐政的根本之計，唯有提高警務人員的素質，而輔以信賞必罰的政令，此外都是廢話！

自由談

幼稚的宣傳

美國有一位記者史克拉維茨，最近在「華爾街日報」發表一篇通訊文字，指述蘇俄東陲「伯力」──俄語叫作「哈巴洛斯克」──地區的各項軍事佈署甚嚴密，認爲這是「針對中共」的軍事對峙狀態，好像中俄共隨時有發生戰鬥之可能，殊堪發噱。

「伯力」是西北利亞中部的軍事重鎭，自俄共政權成立以來，即係「遠東赤軍」總部所在地。民十五年秋間筆者旅行西北利亞時，曾任廣州國民政府軍事首席顧問的加倫將軍（又名布魯轍）、即駐在伯力担任「遠東赤軍總司令」之職。伯力距離西北利亞火車終點的烏金．斯克，約有一天多的火車路程，由烏金斯克到外蒙，坐汽車要走一整天。再從外蒙到內蒙，現在據說築有鐵路了，也需要兩天的工夫。這說明伯力軍區與中國大陸相距甚遠，而蘇俄對伯力的國防建設工作，歷時已閱四十餘年，與中共渺不相涉。今日若認爲蘇俄在伯力的軍備是「針對中共」而然的，那末，赤塔與海參威的駐軍，亦係對抗中共的佈署了，這不是笑話嗎？蘇俄的軍事力量固不及美國遠甚，但對中共却是大巫之與小巫，有如石頭對鷄蛋，用不着多所佈署的。美國這位記者自說自話的宣傳，徒見其愚昧幼稚而已。

自從韓戰停止後，英美人士即拼命宣傳毛共將成爲「亞洲狄托」，不斷地對毛共拋媚眼，送秋波。繼而毛共跟俄共反目了，但不走狄托路綫，始終仇視「美帝」「英帝」如故。英美人士失望之餘，又轉口竭力宣傳中俄共將實行破裂，進而從事戰爭之說，自我陶醉，恬不知羞。用意就在坐收不勞而獲的利益──讓英美照舊雄視亞洲區域，莫之與京，毫不費力地支配着亞洲各國的經濟市場與政治生活。這種癡思幻想，不特「華爾街日報」的記者有然，即「紐約時報」的記者與作家亦無二致。英美一般「亞洲問題權威」和「遠東問題專家」，都是這類材料也！

馮五先生

更正

上期自由談所引李漁叔詩，第一句金「闕」誤植金「閱」，應予更正。

一個小天地。風光大不同
高雄市光榮國校破如古廟
校內王清波公館富麗堂皇

（本報記者趙家驊高雄航訊）高雄市本年度教育預算已增至總預算的百分之四十二點五八，實際數字爲八千五百三十四萬零四百八十八元。但據市長陳啓川本月四日透露，「本市今年度教育預算佔了總預算百分之四十四」。陳市長表示他「很重視教育」，所以教育預算幾乎半分總預算之半。據云，若以百分比計算，超過了台北市。陳市長「希望把教育辦好」的主意固屬可嘉，然實際上教育是否辦得好，這問題實在很不簡單。

本報記者對高雄教育新聞報導逾年，幷未發現有值得歌頌的佳音，殊屬遺憾。記者的職責不該粉飾太平，自也絕不能做傳聲筒，而必需抱着「是什麼就報導什麼」的宗旨從事，才算克盡天職。

高市教育科掌握如此龐大的教育經費，而教育辦得如此窳敗，不消說是人謀不臧所使然。今天不談「惡補」，「聯考」，「派系」，「小組織」，「代辦費」等等問題，只談一談六十所中小學校校舍保養與修繕的問題。這裏記者只提出市中心區的光榮國校校舍保養修繕爲例，因爲代教育科長的公館就在光榮國校內，以該校作一例證，其餘可以想見。

據說：光榮國校十年來的校舍，教職員宿舍，以及教室，都沒有修繕過，這可能是事實。除五年級三個班級的教室五十三年因地震壁牆龜裂有傾塌之虞，修理過一次地板，走廊，換瓦，裝釘天花板用去一萬六千五百元外，其他幷未有教室、廁所與校長官舍的修理情事。

記者於九月二日下午三時親赴光榮國校參觀，一進校門，但見左右兩旁置數花壇，枝葉扶疏，花香撲鼻，精神爲之一振，不禁對外傳該校如何如何等問題有所懷疑。欣賞了一會花壇之後，由左手走進廁所，見內面屋角滿佈珠絲，突然一個老鼠跳出，嚇我一跳。啟門如廁，廁內的竹籬敷泥巴牆，大部頹下，光線由外透進，廁所內之瓷盆已被掀起四分五裂。記者就地蹲下，見糞坑外之出糞洞大開，出而視之，全部廁所，爲六大出糞洞，高約一尺五，寬也約一尺，原有之六塊糞洞板，完全不見了，內面的自來水龍頭已壞，如此荒涼落漠景象，一種不勝今昔的感觸，不禁湧上心頭（十年前記者會在該校執教鞭故也）。這間廁所靠近辦公室，對面亦有一所與之相對而立，情況亦相若。記者描寫該校廁所浪費甚多筆墨的最大原因，是因爲此爲該校女教員最大痛苦所在，道路傳聞已久，忍不住要爲她們一抒心頭的氣憤也。

五十二年上半年某日，有小流痞越牆而過（牆距廁所近在咫尺），見女老師入廁，即冒屎尿淋頭之險爬進糞洞，旋頭仰視，若津津然有味者！某女教師突見下面出現人頭，頓吃一驚，急忙提褲大叫，奔入辦公室，向另一女老師訴說經過，而有的男老師則不禁掩掌大笑。校長陸水成穩坐於校長室內不問不聞，雖女老師提抗議，陸校長亦置之不理。以後女老師遂視上廁所爲畏途，甚至男老師亦不敢嘗試，此廁於是而無人問津矣。

用六塊木板塞糞洞，爲數不過一二百元，然校長竟不顧女教師痛苦羞憤，硬是不管。該怎麼去解釋呢？

記者繼又參觀教室，教師桌的玻璃破碎者甚多，有以三夾板代替者，亦有用紙貼遮之者。牆上，地上水泥多被風雨剝蝕脫落，教室門窗更五顏六色，破裂不堪。辦公室亦然。儼然猶似一個破廟子。

記者由左邊進去繞至最後一層，遠見王清波公館建築甚爲新歟，富麗堂皇，便知新蓋不久。原來之竹籬巴牆，亦已換砌圍牆，外加水塔。內外的陪襯物增加不少，與原始建築圖樣大不相同。有人說，王公館內的布置與規模，猶如「小白宮」，是耶？非耶？

記者又至教職員宿舍，（係原來廢棄之倉庫）一進門，一股窒人的臭氣便竄進鼻管，令人難忍。但見鴿子籠似的房間陰暗潮濕，共住教職員七家。聽說校長連換瓦也不准。記者問他們有什麼意見？他們都搖頭不敢說。另十五家，數十人，僅廁所一，還供幼稚園及市場小販過路行人使用。他們對陸校長不增添廁所，敢怒但不敢言。（上）

透視十五金融機構的呆賬

本報記者台北航訊

其次是每戶在五十萬元以上部份：此項放款總額計一百二十四億三千萬元，其中已到期尚未收回者二三八戶，金額約八億六千二百萬元，佔放款總額六、八%。利息超過三個月未收到者共二三六戶，金額五億五千二百萬元，佔四、四%。信用放款超過半年者一〇六戶，金額十一億五千九百萬元，佔九、三%。質押放款超過一年者二二七戶，金額十四億九千六百萬元，佔一二%。貼現超過半年者一戶，金額七十六萬元。

同年底十行庫局逾期放款轉列催收款者略有增加，其總額共二億七千三百萬元，其中台灣銀行一億七千四百萬元，次爲中信局約五千萬元，合作金庫約二千萬元，土銀，第一，華南銀行等各約七、八百萬元，彰化銀行五百八十萬元。華僑銀行未列催收款。

所謂呆賬損失，係指應收款項或票據因無法收到所遭受損失而言。

所謂催收款項，係指逾期收回困難之款項，對內停計利息者而言。

所謂呆滯欠款，係指逾期欠款仍多收回之望，照計利息之款項而言。

根據調查報告統計：

呆賬部份：四十六年至五十一年底，六年間，中央銀行等十五單位損失總額，計新台幣二千一百二十四萬多元。

催收部份：五十年底，中國銀行等十單位共計新台幣一億六千餘萬元（外幣未計）。五十一年底，中國銀行等十二單位共計新台幣二億五千餘萬元，均不計利息。

呆欠部份：中國銀行等十一單位，各項期欠款，共計新台幣六億一千餘萬元，美金六百萬元，港幣二百八十一萬餘元。

懸欠部份：至五十一年底，中國銀行等十一單位，共計新台幣一千六百餘萬元，美金一百萬餘元，英鎊七零七鎊，港幣一萬一千餘元。（按：總計將近十四億元左右）

由此可知，政府的金融業務，仍未脫離舊銀行論的範圍：而商業組織，缺乏法人觀念；而現行法令，限于資之說，對人民債務之保障欠週，對私權的維護不密，以致社會信用未能建立，企業經營的方法，多爲保密，會計賬目向以逃稅爲目的而永不公開，循至公司組織龐大，往往爲少數人所吞併。加上我國數千年來儒家思想的貴仕輕商，學而優則仕，仕而優則富的觀念，甚至成功的工業人才，亦以進入仕途爲最終目的，爲政者過份重工輕商，使工商不能互濟爲用。

英美國家工商企業資金的來源，係由於間接投資而來，恆在百分之六十至九十之間。而我國則以國家銀行作賠累的生產貸款，除非爲一時的權宜之計，終不能當作財金方案，如此因循相因，終將轉嫁於全體人民的負担。今天的金融政策，係受傳統財用觀念的影響，因此可濟一時之用的財政措施，便往往占先，主持財政金融者，好採急功近利的保守作法，積沿成習，經濟基礎不免遭受影響。

自由經濟的生產建設，將在經濟進行中自己去發現，由市場消費的需要來發現，憑着優勝劣敗的途徑，永續產生優良的工商企業，而不由政府去選擇保護，更不許特惠與特許等特權的存在。由於我們的工商企業常以政府所賜的特惠特許作經營圖利的目標，不以效率爲競爭，結果造成國家銀行的損失，間接使納稅人也蒙受重大的損失。這個責任，應由誰負？就法律而言，銀行賬目表冊或報告，有故意爲不實之記載者，得科銀行負責人一年以下有期徒刑（銀行法四十三條）。誠如調查報告所說：「但過有放款行庫經辦技術上之弊失，以及勾串舞弊情事，仍聽追查其責任」。至於政策性的放款得失，「其成敗應由決策機關負責」。

財政收支平衡可以穩定經濟，而多年來財政上的負荷多半由於公民營生產事業負累，成爲無可掩飾。癥結所在，都爲缺乏資金。穩定經濟環境，須以充沛資金爲體，而以公平分配爲用，今後的財政金融，愼宜做到嚴格的分工合作，務宜求其與經濟趨勢相配合。（下）

檢討立法院的人事糾紛

本報記者台北航訊

其次，立法院因新建議場而感警力不夠，乃函請行政院准予增加警員名額，當時，經行政院准予增加警員四名，結果立法院錄取六名，其中最大的問題是：照成規往例，立法院招考警員係由警務處代辦，這次立法院却自告奮勇底自己辦理，不知有何依據？事經立法院收發科工友郭傳善正式檢舉，至今未見下文。

最近立法院的人事制度，越來越糟。比如說，有一位一字不識的工友，名叫裘作墨，居然調升書記，這不是笑話嗎？又如，內政委員會專門委員張浩然死了，由黃院長的英文秘書郭隆朝遞補張浩然的缺，新聞室編審何立長遞升郭隆朝的秘書缺，並兼新聞室主任，而新聞室編審職務由經濟委員會秘書郭海清（現任國大代表）遞升。由於郭海清與經濟委員會科長譚尚清不睦，郭調秘書室工作而不到新聞室工作，譚尚清調升經濟委員會的秘書，經濟委員會科長的職務由檔案科長張國訓調任。而經濟委員會主秘李瑞生與邊政委員會主秘于榮寰對調。檔案科長一職調文書組專員蕭大炎代理，近又派台中聯誼會專員王月昇爲檔案科長，於是代理檔案科長的蕭大炎落空了。至於原新聞室主任倪搏九調總務主任，原總務主任因故回秘書室工作。這裏有一個笑話值得一提，那就是檔案科，現有三個之多，一是文書組有檔案科，二是秘書處有檔案科，三是立法院檔案科。現在的問題是：蕭大炎代理那一個檔案科長？王月昇調升那一個檔案科的科長？

這裏可以說明立法院的人事制度，亂到了怎樣的程度，記者不用說，相信讀者們都會搖頭而嘆！

此外，有一位國大代表唐仁民，原任立法院簡任秘書，於四十九年九月間，立法院前任張院長以「造謠生事，誣控長官」而免職，到去年九月間，唐奉銓叙部通知應予復職，乃向立法院申請復職。斯時，立法院以「目前院中員額編制一如往昔，早告額滿」爲理由，未准所請。不料去年底，立法院秘書處簡任秘書張益東辭職，於是唐仁民據理力爭，但黃院長未及時作妥善處理，因此，唐仁民乃向全體立法委員請願，並抨擊「黃院長國書處理本案，前後矛盾，卒至失信」云云。除此而外，尚李謝的緋色新聞，醫務室新建二樓因偷工減料而未驗收的事情，姑予保留。容日再談。

由此可見，最令人驚訝的是：立法機關居然不守法，且有毀法之事實。像這麼個樣子，能質詢行政機關官員違法失職嗎？能代表選民監督政府嗎？立委諸公對此有什麼感想嗎？

（下）

這是什麼教育？
要學生大太陽下聽訓話 還不許擦汗不許動一動

（本報台北航訊）九月六日台北市的室內氣溫是攝氏三十六度，太太陽底下的溫度却是三十九度。台北市某女中夜間部的學生，却在這種氣溫下參加朝會，她們正受着惡補，體力那裏會好？所以五十分鐘之內倒下了十幾個。校長大人訓話還說：「今年比去年有進步，進步的是，今年倒下的人去比年少」。所有參加的老師也和學生們一起曬，好在他們有橙子坐，要倒也可以不倒在地下。請問：這種教育，究竟好處在那裏？更不近人情的是，還不許學生用手帕擦汗；也不許動一動。誰要是動一動或用手帕擦汗，那就記學號處罰，扣品行分數。請閉目設想：這種情況，彷彿是舊時的軍閥在練兵。但事實是：對付的是三民主義模範省的十二三歲的女孩子們！

台灣的氣候是熱的時候多，尤其太陽底下，這份熱，好像是在烤爐之中。中學生吃不消，小學生當然更加吃不消了。但是說起來痛心，所有的小學也是一樣。主管教育當局，不知是否曾去實地的視察過呢？也不知到底，他們亦有沒有孩子在上學？假如有，請問：見此實情有何感想？既使事不關己，但：「幼吾幼以及人之幼」，身爲主管當局，幹什麼去了？

與此有相連關係的是，前天一個受到惡補的學生，因爲天曬，在學校裏的樓上跌了下來，皮開肉爛，四肢刺入小砂石，開刀急救之後，到現在還未脫險。據受傷學生的母親對記者說：「將近兩個月的暑假，孩子沒有什麼假期，每天晚上回家都累得東倒西歪，吃不下飯，睡後亦常發惡夢」。如此這般，即令孩子學問眞能好得不得了，每門功課都是一百分，但是這不過，爲國家造成一個病夫，有何裨益？

一天到晚的在叫「進步」的大人先生們，難道連這種道理都不懂？（言誠）

編者與讀者

台北周百閱先生惠鑒：九月九日來函敬悉。承示教育部新任版內容，自屬實情，亦爲持平之論。唯今日政界用人，多見其用非所學，才不適事，滔滔者皆是也。於某君何責焉。來書因顧慮引起無謂之誤會，留中不發佈，希諒詧之。——編者

中外空軍運用史實

羅雲家

（九）武漢空戰之役，擊落敵機二十一架。時為四月廿九日。

（十）遠征日本之役，我機二架於五月十九至二十日，達成遠征日本長崎、福岡、久留米、佐賀、九州等地散發傳單，及偵察日本軍港、機場情況等重要任務。

（十一）武漢保衛戰之役，炸燬敵艦六七艘，炸沉二三艘，炸燬敵機十六架，擊落敵機六二架，擊傷九架。

對日抗戰空軍之第二期作戰，係自二十八年至抗戰勝利為止，其時日本在華空軍兵力大約在六百至八百餘架之間，並以政畧襲擊為主，戰畧襲擊為輔，故曾對我重要城鎮，文化商業中心，採取普遍之轟炸，以摧毀我戰鬥意志。到抗戰結束前，其空軍兵力已減至三百餘架。我空軍經整訓後，作戰部隊計有七個大隊，一個獨立中隊，及四個自願大隊，各型飛機為二一五架。二十九年並將軍區司令部改為第四路司令部。迄該年底，我軍飛機經作戰消耗後，僅剩下六五架。三十年初我自俄補充轟炸機一百架，驅逐機一四八架，六月復自美購到P四〇機一百架。三十一年三月以後，美國新機漸次到達，H二九，P四〇，P四三，P六六等式飛機，加入我戰鬥序列，至年底遂有各型機三三七架。三十年五月間，曾增設第五路司令部于昆明，所以到三十二年仍保留五個路司令部，轄七個作戰大隊，一個混合大隊，及美國志願航空隊。為配合盟軍作戰，嗣將四個作戰大隊編隸中美混合空軍團。三十三年的作戰編組大致如上，經陸續接收P四〇及P五一等飛機後，我空軍力量已大增強，裝備性能及速度，均較日機優越。在此期間中，我空軍作戰重要戰績如下：

（一）轟炸運城之役，炸燬敵機十餘架。

（二）蘭州空戰之役，擊落敵機十五架。

（三）轟炸南昌之役，對敵軍陣地，曾予以重創。

（四）轟炸漢口之役，擊落敵機三架，炸燬敵機八十餘架。

（五）桂南會戰之役，炸燬敵機十五架，擊落敵機十一架。

（六）宜棗會戰之役，曾出動二八四架次，予敵重創。

（七）陪都空中爆炸敵機之役，擊落敵機兩架，擊傷甚多。

（八）璧山空戰之役，我機被毀十三架，損傷十一架。

（九）轟炸宜昌之役，予宜昌渡上之敵以慘重傷亡。

（十）成都空戰之役，擊落敵機六架。

（十一）長沙會戰之役，對洞庭湖敵艦，及長沙以北之敵，宜昌敵機場之敵，予以嚴重之創傷。

（十二）第三次長沙會戰，我空軍轟炸湘北退卻之敵，擊落敵機一架，擊傷兩架。

（十三）轟炸越南日軍機場之役，首次出擊河內，使用計時轟炸，成果豐碩。我除邵瑞麟迫降後河，一七六三號機發動故障，轟炸員何健生跳傘落入敵境，兩人為敵俘獲外，其餘各機均安全返航。

（十四）滇西戰鬥之役，我空軍一、二、五大隊及美機P四〇、P五一多架，於三一年五月間不斷對滇緬邊境之敵攻擊，終使敵未能渡過怒江，從而使滇西得以反敗為勝，昆明得以固守。

（十五）鄂西會戰，我空軍擊落敵機四十一架，炸燬敵機六架。

（十六）梁山空戰之役，擊落敵機三架，擊傷多架。

（七）

康有為的亡命

丘峻

自帝於七月十三日，先後召見嚴復、楊銳、劉光第、林旭、譚嗣同後，隨以同月二十日降諭試用新人：『內閣候補侍讀楊銳（字叔嶠，又字鈍叔）刑部候補主事劉光第（字裴村）內閣候補中書林旭（字暾谷）江蘇候補知府譚嗣同（字復生，號壯飛），均着賞四品卿銜，在軍機章京上行走，參預新政事宜。』旋又硃諭彼等四人，開列新政條理，竭力輔佐，無須忌憚。從此奏摺之批閱，詔書之擬撰，多出四卿手筆，而康氏意見，亦因透過彼等而更能發抒。似此，四卿位屬章京，權同宰輔，據軍機之上腦，徒招舊黨之大忌。林譚於康又以師生關係，日謁商談，而帝有密詔，即交林旭遞，至此，帝與康氏之機密可以直通，無虞外洩，則德宗之特擢四卿，其用心亦良苦矣。

至帝后兩派漸入火拚階段，即維新大業將至生死關頭，康氏忽謀利用袁世凱，藉作困獸之鬥，以圖挽救新政之推行。此一看法，在維新首要人物，原匪一致。康廣仁、林旭、均表懷疑，頗不謂然。林氏曾作一小詩代簡致譚嗣同等云：『伏蒲泣血知何用？慷慨何曾報主恩！欲為公歌千里草，本初健者莫輕言！』（註三）千里草，不得生，熟知袁氏之奸詐，而怪責健者之輕言，先見之明，高人一等！『臨刑呼監斬吏問罪；吏不顧而去，君神色不稍變。』『妻沈靜儀，得報痛不欲生，將親入都收遺骸，為家人所勸禁，乃仰藥以殉。』是夫從容就義而妻亦節烈者矣！

若御史楊深秀（字漪邨）與廣仁交至厚，論學特多，條陳新政亦最夥。惟上書所言，定國是，廢科舉譯日本書，派親王遊歷外國，遣學生留學日本等事，多出有為手筆，然則楊之為楊，又不啻為康氏代言人耳。及聞政變，楊氏氣不稍餒，八日猶『抗疏請問皇上被廢之故，援引大義，切陳難國，請西后撤簾歸政』，遂就縛，其犧牲精神，無畏氣魄，感人至深！

他如楊銳，劉光第二人，皆為康氏所倡保國會會員。先是，乙未議和以後，有為與志士倡設強學會，楊氏響應甚力。是年十月，御史楊崇伊承某大臣意旨，劾強學會，遂被封禁。會中志士憤激，連署爭之，氏居首焉。於是京師譁然，謂將興大獄，氏又衎然率諸人以抗爭之，亦可謂不畏強禦矣！明年冬，膠變起，康氏入京上書，氏日與謀，極稱之於給事高燮曾，高之薦康，氏之力也。及上於七月十九日召見，賜衣帶詔，命康氏與四卿設法救護，豈特勞而無功，終且被逮授命焉。

（十一）

我所知道的麥帥

肯寧將軍原著　徐熙光翻譯

十月十六日，麥帥率同蘇德蘭參謀長及本人登上那士維巡洋艦，前往雷伊泰。

麥帥隨時與雷伊泰的菲律賓游擊隊保持聯繫，在巡洋艦上，他向游擊隊探詢雷伊泰島日本守軍的實力。最初的報告是全部日本守軍約有兩萬人，其中有八千人在塔克羅邦都拉那個我們準備登陸的地方。當我們抵達雷伊泰的外海時，游擊隊的報告又說日軍人數增到兩萬三千人。那個告訴海爾賽的飛行員說島上只有很少日軍的人，不是不明事實眞象就是所獲情報不實。

十月二十日拂曉，我們進入雷伊泰灣，經過三個小時的艦砲轟擊以後，登陸部隊在上午十時踏上海灘。在都拉登陸的有兩師兵力，另外兩師則在塔克羅邦港以南六哩的地方登陸，這個登陸地點被稱為紅色海灘。麥帥，蘇德蘭將軍，奧斯敏納總統，陸軍司令克魯格將軍，第七艦隊司令金凱上將和我以及其他少數美軍和菲律賓參謀人員在下午兩點半登岸。當時我們的部隊已向內陸推進了三百碼，正暫時與日軍的幾座碉堡對壘中，我們不時可以聽到日軍的子彈在頭上呼嘯而過，有人警告我們四周的樹上可能還藏有一些日軍的狙擊手。

我們踏上海灘時，都彼此握手道賀，奧斯敏納表示歡迎我們蒞臨菲律賓國土，麥帥則說：「我們回來了，這是我們一九四二年三月許下的承諾」。他頭上戴的菲律賓元帥帽子和口裏含的用玉蜀黍穗軸製成的烟斗使他成為日軍狙擊手的最明顯目標，但是他還是泰然自若地與我們談話。他看起來好像年青了不少，褲子上的皺摺也沒有我們來得多，雖然我們每一個人都是從水深過膝的海邊涉水上岸的。

我們離開那士維巡洋艦準備登陸時，麥帥告訴我這一天是他登陸菲律賓的四十一週年紀念，原來四十一年前他剛自西點軍校畢業，還只是個年青的少尉時，他就被派到菲律賓來了，第一個登上菲律賓的地方就是塔克羅邦港，這眞是一個戲劇性的值得紀念的日子。

我們沿着海邊道路，尋找紅色海灘登陸部隊的司令歐爾文將軍，我們看到有些士兵躲在棕櫚樹幹的後面，虎視眈眈地瞪着前面的小樹叢，間或放上一槍。

我們到達歐爾文的臨時指揮部，歐爾文向麥帥報告戰況以後，我們走回剛剛登岸的海灘上，通信人員已建起了一座無綫電廣播站，準備麥帥和奧斯敏納總統向菲律賓和全世界其他各地的人民宣佈我們在雷伊泰的登陸。麥帥的廣播詞簡短而動人心弦，他告訴人們他已經回來了，並呼籲菲律賓人奮起抗日，為菲律賓人的自由驅逐日本侵畧者。接着他把麥克風遞給奧斯敏納總統，請他說話，然後我們回到那維士巡洋艦上。

第二天早上，麥帥和我登上都拉海灘，我們的部隊已向內陸推進了大約兩哩，當時正與日軍在進行膠着戰。我想要看看都拉鎮西郊日本空軍舊有的機場，可是當時這個機場正由美軍和日軍在激戰着，麥帥不理這些，決定還是去實地察看，所以我也跟着去了。一路上我們遭遇了多次阻撓，一次是日軍狙擊手在大約七十五碼以外的樹上向我們偷襲，但他終被我們的隨行士兵擊中掉了下來。另外一次是我們看到前面有一部日軍坦克車，我們停止前進大約二十分鐘，一直到這部坦克被火箭筒擊中，並消滅車裏所有日軍以後我們才繼續前進，我們經過那部正在燃燒着的戰車，向機場走去。

（四四）

瘟君續夢

第十四回：

誰與慶昇平　呼朋湊興
居然爭霸業　背主孤行

毛澤東說道：「既然如此，對馬亨德拉也就以元首之禮相待就是了。歐非兩洲又請到什麼客人。」

周恩來說道：「非洲肯來的都來過了，不肯來的再請也不來，所以今年非洲未請到客人，歐洲卻請到比利時的伊麗莎白皇太后。」

毛澤東奇怪道：「比利時同我國沒有邦交，他們的皇太后怎肯來我國慶祝國慶。」

周恩來笑道：「我們並未說請她來參加國慶，只說到中國遊覽，這位皇太后已經六十多歲，尚未到過中國，所以一邀就來了。等她來到之後，拼着送點禮物，予以盛大招待，到了國慶這一天，請她到天安門上站站，她總不好不去吧！」

毛澤東伸起大姆指道：「恩來同志，眞有你的，這種策畧的運用，非精通馬列主義是辦不到的，下月蘇共要召開二十次大會了，我看這次你去吧！」

周恩來不禁嚇了一跳，說道：「我的理論水平太淺，主席是知道的，我看還是少奇同志或小平同志去比較合適。」

毛澤東冷笑道：「你的理論水平無論怎樣淺，比起赫魯曉夫還深得多。況且現在也不是講理論水平的問題，只要能隄防着不墮入現代修正主義的圈套就成了。」

鄧小平插嘴說道：「我可不能再去了，上次去莫斯科開會我當着許多人，眞的把赫魯曉夫罵苦了，後來雖然仗着胡志明同艾地兩同志從中斡旋，簽署了莫斯科聲明，但是我知道赫魯曉夫恨死了我，我一去又要引起大衝突。」

周恩來又向劉少奇說道：「少奇同志，還是你去吧！」

劉少奇摸摸鷹鉤鼻子，下半截臉笑着說道：「其實這次去莫斯科開會是不會有意外麻煩的，因為這是蘇共全代會，所要談的是蘇共黨務及蘇聯內政，無論如何也扯不到兄弟國家的關係上去，我黨代表團也不過到台上唸一遍頌詞就完了，無論誰去都不會引起衝突的，你放心好了。」

周恩來沒想到引起這場意外風波，一時十分為難。

毛澤東說道：「你放心，橫豎人不犯我，我不犯人，如若肥豬在大會上胆敢指責我們，或者是我們的戰友，你只管挺身而出同他幹上，無論鬧出多大的事，都算是我鬧的就是了，姓毛的向來說話算數，決不含糊。」毛澤東說到最後，又用手連拍幾下胸膛。

周恩來看看無法推辭，當時說道：「根據蘇共的邀請書，開會日期定在十月底，過了國慶日再動身也不遲，目前要研究的是如何接待三位貴賓。」

毛澤東說道：「這些事情又不是辦了一次，過去都有前例，仍然按照舊例辦理就是了。」

周恩來說道：「不過，馬亨德拉王此來主要目的在劃定藏尼邊界，約定在北京簽約，必須要事先準備一下。」

劉少奇說道：「簽署協定是外交部長的事，尼王來時一定把外交部長帶來，到時簽個字也就完啤！」

周恩來說道：「不過這裏面還有一個難題，尼王堅持喜馬拉雅山的額非爾士峯要屬於尼泊爾。」

（三四三）

冒險犯難記

鄒文儀

卅一、到南京遇到戰爭

黃埔軍校第五期學生未依規定應於民國十五年八月畢業，除了特科學生已有大部分隨軍北伐去到武漢前線，就近畢業分發部隊服務外，步科總隊學生一千五百多人，於七月上旬奉到總司令兼校長蔣先生命令，到南京畢業，以應北伐前方部隊缺乏幹部之需要，由廣東用船舶輸送到上海，再乘火車到南京。

這時南京已開始籌備設立中央陸軍軍官學校，銜接黃埔軍校的教育與學生期別。我們一部分學校高級軍官隨同學生於七月底離開廣州，於八月初到達南京中央軍校，準備於八月十五日舉行第五期畢業典禮。

由於中國國民黨由寧漢分裂到合作，黨內團結實現之際，又發生軍事上嚴重的變化，一方面是軍閥孫傳芳殘部得到山東軍閥張宗昌的全力支援，大舉反攻南犯長江，威脅南京，另一方面，蔣總司令爲了實踐反共清黨之後，國民黨如能實行團結，即準備辭去總司令職務諾言，提出下野要求，未能得到全黨的支持，尤其國民革命軍高級將領如李宗仁，白崇禧等，亦未表示蔣總司令不能去職的意見，以致遭到議論未定敵人軍閥大軍業已渡河之危機；蔣司令雖痛心大敵當前，仍未得到黨中軍中忠誠擁戴與諒解，終於不能不敵屈個人尊榮，於八月十三日宣言辭去北伐軍總司令職位，離開南京，回到浙江奉化故鄉去，這是國民革命軍北伐及反共清黨勝利之後，由於國民黨及革命軍內部不能精誠團結，陣前易帥，危機四伏，眞是國家民族的不幸。

軍校五期學生照規定於八月十五日舉行畢業典禮，但以校長去職，既未能參加主持畢業典禮，又未能主持學生畢業以後的分發工作，全校師生好像一個家庭，家長被迫離去不能管理家務，痛心疾首，眞是不可言宣。

五期畢業之後，孫張軍閥號稱十萬之敵軍業已全部到達長江北岸，并已完成立即渡江圍攻南京的部署，軍校五期畢業學生迅速分發就近部隊第一軍及第七軍担任見習官及補充排長，副排長的缺額，參加防衛南京及和軍閥最嚴重的長江大戰，他們到達部隊不過三天，就已開始戰鬥，因爲八月十八日孫張軍閥的主力，即已强渡長江，進犯南京東邊的龍潭！龍潭戰役爲北伐以來最大與最嚴重的一次戰役，十九日戰火已迫近南京東郊，南京城內可以聽到激烈的槍炮聲響。由於五期學生畢業分發之任務完了，在南京沒有職守，蔣校長離開南京之前二日，曾召見我，并指示我應於學生畢業之後，趕快回去廣東黃埔軍校繼續服務。（四九）

雲和月

漁翁

自然界一切現象，對於人類情緒上，引起極大感觸者，要算天空上的「雲」和「月」。岳武穆作「滿江紅」，有曰：「三十功名塵與土，八千里路雲和月」。以塵土表達功名，以雲月形容路程，不但視富貴若浮雲，抑且望雲月而前進，「莫等閒，白了少年頭」，及時努力，藉免「老大徒悲」之嘆！

雲，由於地面濕潤之氣，升至高處，遇冷而凝成微細水點，浮遊於空中者也。又濕潤之風，行至冷地，或溢空氣與冷空氣混合，皆能成雲。周禮保章氏：「以五雲之物辨吉凶水旱」。左傳：「公既視朔，遂登觀台以望而書，禮也。」

在明朗的蒼空下，遙望天際，浮雲變幻，有白，黑，紅，黃，綠各色，形狀不一，有像人，像獸。像山水，誠令人不可思議。霍元鎭寫山水雲物，殊有標致。杜甫詩：「思飄雲物外」。李白詩：「雲想衣裳花想容」。足見雲之五顏六色，極具大觀，爲詩人們幻想之對象也。

月較雲尤爲美麗，人類之愛月，較愛雲更加上數倍，因爲月屬陰，象徵女人，不若日光之烈，焰可畏也。故月當空，人影在地，當清輝之夜，不禁油然而興起一番愉悅之感！

在我國歷史神話上，有許多故事，像月中兔，月中桂，月中嫦娥，月中蟾蜍，散見於羣書者，不一而足，即是認爲能入月宮，是天上之飄飄者，故唐明皇有遊月宮之陳，後主有造月宮之幻想。

尤其古之詩人，往往以明月作爲吟哦之資料，而以李白爲最著稱，所賦「將進酒」：「人生得意須盡歡，莫使金樽空對月」。又「月下獨酌」：「舉杯邀明月，對影成三人」。李後主也有幾首對月感懷之作：「無言獨上西樓，月如鈎」。「春花秋月何時了，往事知多少？」「故國不堪回首月明中」。「車如流水馬如龍，花月正春風」。句句不離一「月」字，蓋一輪月色，最富詩意，就此描寫出來，便成名句。

吳門朱野航，館於王氏，與主人晚酌，適月上，得句云：「萬事不如杯在手，一年幾見月當頭」！喜極發狂，與主人取酒更酌。余以爲在晚上休息一時間，憑欄仰望，見一輪晶瑩的玉盤，高懸在晴藍色的天幔中，欣賞之下，有無限喜樂和快慰。

可是，雲和月，既令人喜悅，同時也使人悲愁。飄泊在外者，一見天空上的雲，不免有「暮雲春樹」之思，再看雲漢上的月，又不免有「舉頭望明月，低頭思故鄉」之「靜夜思」。依依雲樹，皎皎明月，何其動人心情乃爾！然吾人處此境地，要隨遇而安，不因自然界的現象，而引起無謂之感傷。最好把「白雲歸處寄鄉心」，「且邀明月伴孤斟」以自解自慰耳。

讀澹歸盧生日詩敬步元韵一章

黃伯遠

未因老病始安禪，難得相逢易變遷；病重漸驚緣會少，情深或許夢能圓。還鄉有願仍求佛，化鶴無心爲遇仙；三載觀燈猶未踐，一詩償債羨因緣。

長篇小說

美妹

羅雲家著

何健文本想再走近門口去聽聽爾後的情形。但一想，覺得不妥，於是就轉身回去了。……

一連好幾天，他都病着，那是因爲受了涼，得了感冒。病中，他一再不讓自己再想到那天晚上的事，不再想到想死的少女，不再爲別人的煩惱而操心。可是，他不能！他一閉眼休息，眼前就會出現她的影子。瘦削的圓臉蛋，黑溜溜的一對大眼睛，小嘴唇中鑲着兩排雪白的貝齒。彷彿她在對他笑，有兩只小酒窩掛在兩頰間，就像他那淪陷在大陸的表妹玉蓮一模一樣地可愛。……

提起表妹，那是他唯一的姑媽的獨生女，從小與他青梅竹馬，兩小無猜。他寄住在上海讀教會學校時，她還遠自常州常常跑來看他。見了面總是叫他健哥長，健哥短的；有時候握住她的白嫩小手，她都會兩頰飛起陣陣紅暈，頭低垂着，看也不敢看他一眼了……啊！日子過得多快呀！卅八年春在赤焰的威脅下，他只得隻身逃到台灣來，如今一幌眼就是十年了！哦，玉蓮呢？該有廿五六歲了吧？不知她如今是否無恙？……

愈是不想黃美妹，黃美妹的影子愈是出現他面前。第五天，他再也忍不住了，就騎着鐵馬到街上去蹓躂。

是那條巷子了，他的心有些蹦跳起來。減慢車子的速度，下了車，推着車子朝不遠的圍竹籬笆的那一家走。是在附近等着機會見她？還是叩門去探訪呢？他想到這樣都不是辦法。不被人家目爲太保，也要被人家認爲是不懷好意……這樣吧，就先看清了門牌號碼，等到必要時再請人打聽她的近況好了。

想妥了，他推着車子走近那一家門口。還好，院子裏沒有人，竹桿上晾有許多衣服，壓水機的附近穢污不堪，臭水、蒼蠅、菜屑、紙頭……多不衞生呀！美妹的家人竟是這樣的不懂清潔。抬起頭，看見門框上釘了一個「劉成義」的名牌。哦，門牌號碼呢？竟沒有。對了，是寫在竹籬笆的門框上，××巷九號之三。房子是克難式的建築，低矮的紅瓦房，佔地倒不少，總有三四間。看樣子，還有後院。可不是嗎？那後院裏栽着兩顆桂圓樹，長得高過房子呢。怎麼會不見一個人呢？門虛掩着，窗帘沒拉開。裏面似乎一點動靜都沒有，難道都還在睡覺？……管他呢！咳喝一聲吧，看看主人是個什麼樣子也好呀！於是他在門口支好了車。

「喂！有人在嗎？」話一出口，又覺得這成什麼話？

「……」還好，裏面沒有回音。

「你找誰？」想不到的，在隔壁的房子裏却探出頭來。

「對不起，我找黃……不，劉先生不在家嗎？」

「他們呀，打一夜的麻將，睡啦！小妹昨天到人家燒飯去了。大明那孩子，怕不是扛着釣竿釣魚去啦。下午來吧，他們兩口子不到中午不會起床的呢！」這位鄰舍太太倒很熱誠，總算使他對劉家有些瞭解了。

「是嗎？謝謝妳。太太。」他無精打采地推着車子朝原路走去。心想：美妹會上那兒去做工了呢？（七）

記張蒼水

湘南遯叟

順治五年；蒼水赴平岡收兵，準備第二期之抗戰。當日魯王會合鄭彩，周瑞，周崔芝等進攻福州不下，連克長樂、連江、閩清、永福等縣。劉中藻、林恣、林汝翥各起兵響應，中藻攻福寧州，連破福安、羅源、寧德、政安諸縣，從與汝翥合軍攻克福清；明西、浙東山寨，亦羣起遙應，局勢大爲好轉。可惜鄭彩專權，擅殺熊汝霖、鄭遵謙，抗戰力量大爲削弱，閩中各地得而復失，鄭彩兄弟竟率所部棄魯王而去。

魯王自被鄭彩遺棄後，舟次玉環，張名振乃書約阮進迎魯王還浙，次於南田。名振與阮進攻下健跳，魯王改駐健跳，名振赴台州治兵。清兵略取湖南，江西，還軍圍攻健跳，阮進擊敗之。王在健跳，令阮進以百舟叩舟山告乏食，斌卿不應，亦不使人詣健跳，于是名振與阮進上疏，合軍討舟山。斌卿應敗，求救於安昌王恭梟及大學張肯堂，上表謝罪。未幾斌卿部下叛變，砍斌卿投之海中。名振已殺斌卿，遂奉魯王居於舟山，召張蒼水於平岡晉兵部尚書，留備侍從。是歲他感懷時事，詠懷古詩二首：

我懷申大夫，哭秦卒復郢。人定能勝天，一言重九鼎。亦有張長史，唐室賴藩屏。當其語江中，籌畫先井井。古人秉忠貞，謀國無僥倖。操此左券言，勳名終彪炳。如何逋播臣，智勇不得騁。廢興寧有運，吾欲訟青冥。

其二

雲本依龍翔，風亦附虎烈。古來王佐才，往往待聖哲。白水有眞人，乃能顯高密。先生自梟旟，隨中顚蕩滌。卓哉一臣靡，赤手挽再曆。湛湛既迭生，鄭潛且並滅。君方何有仍，臣也奔有鬲。國亡四十年，興滅復繼絕。祀夏伊誰功，萬古冠臣節。

到了順治八年，蒼水奉魯監國命，治兵鹿頸頭。是年九月朔，清軍估舟山，他即率鹿頸兵同張名振軍衛監國入閩，十一月舟泊南日山，遇風失大學士沈宸荃，王舟再次頭，後入中左。其間徐孚遠等往還周旋閩浙之間的微嫌，鄭成功待魯王以寓公之禮，授張名振爲水師鎭，對蒼水亦甚爲禮重，故他答閩南縉紳公書有云「……憶壬辰之春，不肖同定西侯張公扈從南下，蒙延平王誼篤派數，慨然安置……」

第一次入江

第一次北征，也是初入長江，當然是張名振發動的。名振自魯王入閩後，即上啓曰：「名振生長江南，將兵數十年，茲金衢各處，既併力於閩，都將虛浙，直入長江，我以百艘乘風破浪，攻城掠地，因時號召，手足心腹，虜無暇南顧，制其得以恢復閩省，會師浙直，指日可待也」。可見這次北征入長江，是由於名振的建議而施行的，目的是在牽制金礪援閩。當年四月，據報金礪犯海澄，五月再到海澄，六月擊敗金礪，即奉旨調回。名振師，當在是年五月以前起程，並遣忠靖伯陳輝……一齊進入長江。張蒼水是次持節監名振軍的，當然亦偕行。他有「壽忠靖伯陳[illegible]師北伐」詩：（七）

三國志本文與注疏

匡謬

陳壽三國志，史家稱其善於敘事，有良史之材。然其缺失在於客，時有所脫漏。裴松之乃博采三國異同，補陳壽之缺。據裴松之大功告成後上表稱：「……三國雖離年不遠，而關漢、晉首尾，所涉出入百年，記分錯，每多舛謬。其所記載，事宜存錄者，則罔不畢取以補其闕。或同說一事而辭有乖雜，或出事本異，疑不能判，並皆抄內，以備異聞。若乃紕繆顯然，言不附理，則隨違矯正，以懲其妄。其時當否及壽之小失，頗以愚意有所論辯。」

松之注三國志，鳩集傳記書冊，共約二百六十餘種之多，作者可考者九十七，不可者十九，另諸葛亮集等九集，家譜凡十，別傳凡二十四，家記凡九。總共二百六十八種。除補以各家註疏之外，其有訛違者，則出已意辨正之，以附于註內，所謂「搜輯宏博，以補之闕也」。

三國志除裴註之外，尚有龍官等之考證乃是取何焯所校正本，擇其引據精確者，概行摘出，逐卷分綴爲考證，計有千餘條，附於每卷之末。三國志一書，裴註文字超過正文三倍，除能補陳志之闕失外，更使三國志生色不少。尤其三國演義受裴註之影響尤巨。胡適之先生說三國演義的材料是「搜羅一切竹頭木屑破銅爛鐵」。誠然。但它是小說，似又不必認眞也。

自由報

內政部台報字第〇三一四號內銷證

THE FREE NEWS

第四八〇期

中華民國僑務委員會頒發

台救新字第三二三號登記證

中華郵政台字第一二八二號執照

登記為第一類新聞紙類

（半週刊每星期三、六出版）

每份港幣壹角

台灣零售價新台幣貳元

社　長：雷嘯岑

督印人：黃行富

社址：香港銅鑼灣高士威道二十號四樓

20 CAUSEWAY RD 3RD FL. HONG KONG

TEL. 771726　電報掛號：7191

承印者：田風印刷廠

地址：香港灣仔高士打道二二一號

台灣分社

台北市西寧南路壹壹柒號二樓

電話：三〇三四六

台郵撥帳戶九二五二

怪哉！保險法第一零七條

——兼論法人有無犯罪能力——

陸嘯釗

保險法修正以後，我檢視了一遍整個條文，發現其中有個大錯誤。這個錯誤，祇要略通四年法律的人看到了，會忍俊不住，噴出飯來的。可是我們的立法諸公，竟會自說自話，疏忽懈怠到如此程度。從擬定草案到三讀會通過，對這樣一個顯著的漏洞都看不出來，委實應當好好加油，否則難免不再鬧出更大的笑話。

我們翻開保險法第一〇七條，看看這個怪條文：

「以十四歲以下之未成年人，或心神喪失、或精神耗弱之人為被保險人而訂立之死亡保險契約無效。

保險人或要保人故意違反前項之規定者，處一年以下有期徒刑，拘役或五百元以下罰金。」

這個條文跟修正前保險法第七十九條全文，一字不差，可是這麼一抄，抄到了修正後的新保險法上去，就變成了「牛頭不對馬嘴」。

因為新保險法有一個最大的特色，就是全文中多了幾條定義，把保險中的主體和關係人都有了一個明確的解釋，我們看保險法第二條的規定：

「本法所稱保險人，指經營保險事業之各種組織。在保險契約成立時，有保險費之請求權，在承保危險事故發生時，依其承保之責任，負担賠償之義務。」

所謂保險事業之各種組織，我們再看保險法第一三六條之規定：

「保險業之組織，以股份有限公司或合作社為限。」併合這兩個條文，我們可以得到一個概念，就是保險人是法人，而我們的新保險法，卻要把違法的保險公司送到監獄裏去坐牢。

如果，我們承認這種觀念的合法性，這可真要算得上是刑事法理的大革命了，不但理論上的矛盾，而且文字上也有許多瑕疵，甚而基本觀念也發生了變，這些因素的存在，恐怕就是原來起草的那位大手筆，也難以自圓其說吧！我隨便提出幾個問題來研究討論一番，看看我們的保險法第一〇七條，究竟是「怪胎」，還是[illegible]？

垂涎欲滴

赫酋：「有權利，無義務！」

一、理論上的矛盾

我國刑法，向不承認法人有犯罪能力，因為法人究竟是一個抽象化的東西，與自然人不可同日而語。法人必須由它的代表機關，來表現法人的人格，代表機關的人格，是自然人，可是總不能說它無[illegible]，應是自然人的行為犯罪，則由自然人的身體受罰，這是一致的，中間毫無假借。法人由於代表機關犯罪，因此就使法人受罰，這裏面的問題就大了。

再說法人的存在，必定有它存在的合法目的，法人代表機關的行為，即使我們算它是法人的行為，也必須在合法的範圍以內，方才有它的效力。假如行為已超出合法範圍以外，我們就不能認為它是法人的行為，而祇能算做代表機關自身的行為，因為法律決不能認許法人有違法的目的。這是一個極其淺顯的道理。

二、文字上的瑕疵

依照保險法第一〇七條規定，不問是保險人，還是要保人，祇要違反這種規定，都要處以一年以下有期徒刑，拘役或五百元以下之罰金。徒刑是最高刑，罰金是最低刑，並沒有規定保險人祇能科罰金，而不能處自由刑，假如法院判決保險人（法人）受自由刑，在現有的法文觀察，決非違法。

刑的輕重，是根據犯罪的動機和犯罪後的態度等等而決定的（刑法第五七條），假若我們認為法文的真義是指要保人需處一年以下有期徒刑，拘役或五百元以下罰金，保險人（法人）僅是專科罰金的，那麼，保險法第一〇七條的立法技術就顯得太拙劣了。至少，我們看不出保險人（法人）不能受自由刑。

假如我的觀察不錯，我們丟開法人有無犯罪能力這個問題不談，試問如何把法人擬制的人格送進牢裏？如果拿保險人的代表機關董監事之類的人作為執行對象，又根據什麼法理？我們在法文上也看不出來。

總而言之，這些文字上的瑕疵，襯出這個條文，實在不太高明。

三、觀念上的衝突

任何一個行為的處罰，必然有它的作用，是報應呢？是預防呢？我們看不出處罰法人，能達到前面所講的任何目的。

在合法範圍以內，代表機關的行為就是法人的行為，超過這個合法範圍，代表機關縱然以法人的名義為行為，也不能算做法人的行為，這個道理，前面我已經講過。

現在僅僅因為代表機關自身的違法行為，（違法契約是代表機關訂立的）而要全體股東或社員集資而成立的公司或合作社來負責，作為代罪的羔羊，道理上是否說得過去？再說光處罰法人，而使有違法行為的代表機關，逍遙法外，又如何能夠達到預防的目的？

在每個人的觀念上，我們都有這麼一個看法，法人沒有刑罰的適應力，祇有自然人纔能犯罪，祇有自然人纔能受到刑罰的制裁。立法院在保險法上，給我們開拓了一個觀念上的新境界，可是這個新境界，在整個觀念上卻很難自圓其說。

四、結語

立法院擁有不少民刑商法的專家，我能看得出的毛病，卻不相信立委諸公會看不出來，在這十幾年當中，我實在不明白這些大人先生究竟在忙些什麼？

保險法是新修訂的，尚且如此，其他可想而知。這個條文，我想如果這樣修改，即比較妥當：

「以十四歲以下之未成年人，或心神喪失，或精神耗弱之人為被保險人而訂立之死亡保險契約無效。

保險業之負責人或要保人故意違反前項之規定者，處一年以下有期徒刑，拘役或五百元以下罰金。」

祇要改添上五個字，一切都解決了，立委諸公計不及此，總結一句話，他們實在太忙了。

今日與明日

美俄的冷戰游戲

上週，美總統[illegible]透露：美國擁有一種威力強大的新式核子飛彈，可用核子潛艇從海底發射，五千哩內的地面目標，立即毀滅無孑遺。近日俄酋赫魯雪夫亦宣稱蘇俄擁有一種能毀滅地球上一切生命的新武器，彼此耀武揚威，殺氣騰騰，[illegible]

[illegible]戰游戲[illegible]兩個國家的軍備[illegible]於國防[illegible]，不肯輕易[illegible]武器，保密唯恐不週，以免敵人偵知，而留為他日克敵制勝之利器。若乃大言炎炎，自我宣傳，即係色厲而內荏的心理表現，連嚇阻作用亦談不上。這有如咱們中國朱、項二姓人鬥春聯法寶然：朱家聯語稱「兩朝天子」，項家就貼出「一代完人」；「作學人師」一「宗天子父」，以示壓抑。實際都是誇語所謂「車大砲」，可發一噱。

美俄皆希望不戰而屈人之兵，保持既得利益，儼然世界的霸王。因而故意宣傳新式武器的威力驚人，作為相互妥協以控制弱小國家的大好口實，自欺欺人，諱不為怪。赫酋指斥毛共「眼高戰爭」，黷武好亂，殊不知毛酋早就看穿了美俄這種遊戲，恰恰利用它來繼續其謀殺，要與美俄分庭抗禮，以期爭霸統制世界弱小國家之一[illegible]焉。

美俄冷戰不已，毛共的好戰姿態亦益猖獗，反對「美帝」之聲更將高唱入雲，這是它基於辯證法則的策略，有益無損的。

英美自作多情

最可嘆的是英美人士指說俄酋此次宣傳新武器的言談中，並未提到「西方」——即英美方面，為之沾沾自喜，認定赫酋是專對中共而作此誇耀武力之詞，好像中俄共就會由革命理論的爭執而實行核子大戰了！

以購買「馬票」的心情來領導自由世界反共運動，寧有倖理嗎？縱使中俄為着邊境問題而發生武力衝突，俄共亦決不肯動用那能毀滅地球上一切生命的核子武器，這是常識。英美人士因為昕夕祈禱中俄共破裂火拼，乃不惜發出這類沒有常識的觀察論斷，好不笑煞人也！

聯合國的無聊作風

聯合國安理會為着印尼侵襲馬來西亞問題，曉曉辯論若干日之後，纔擬定了幾點不着邊際的決議，僅說是對整個世界各地區所發生的事件表示遺憾，惋惜，希望雙方不採用武力威脅手段，依談判以解決爭端云云，連印尼的名字亦不提及。這等於一篇廢話，無聊極了。

可是，蘇俄代表對於這種廢話性質的決議案，亦聲言要行使否決權，不讓通過。試問：聯合國有維護世界和平的絲毫作用嗎？假此無用的國際組織，每年還要若干國家繳納巨額會費，豢養一般專門說廢話的代表們，以有俄帝從中獲致宣傳搗亂的利益，不亦寃枉乎！

自由談

政治家的風度

馮五先生

南韓政府宣傳部長李壽榮，因不同意內閣總理的管制新聞政策，毅然辭職，這是值得欽讚的風度。

部長職位屬於政務官之列，對其主管業務範圍以內的政策，是要負責的。無論內閣總理訂定的管制新聞計劃是好是壞，主管當局如認得難同意，祇好拔劍去職，以明心迹，這纔是政治家應有的自處之道。

凡屬有為有守的政治家，出處進退，一是皆以政見政策能否實行為本。為着實現自己的抱負，固不妨任勞任怨，負重忍辱，卻不宜隨俗浮沉，貪戀祿位，而隨便放棄自己認為合理的政見政策。此即政治家與官僚政客的區別所在，不可不省察也。身為部長，既不能否決內閣總理的決策，又不願依違立朝，自慚衾影，除掛冠以外，別無他途可尋。

具有政治家之才幹與品質的人，一定是有個性的，擇善固執，有所不為，道不同，不相為謀，辭官不做，原不犯法，光明磊落，與世人以共見，誰不欽敬！若夫官僚政客則異於是，無所謂政見政策，更無所謂好惡之心，但求干祿固位，無所不為，雖[illegible]裝[illegible]，亦甘之如飴。如脂如韋，遇事揣摩上級意旨，阿諛逢迎，萬一受了上官的斥責辱罵，且引為無上的寵榮，揚言於衆曰：「真糟糕，今天又被老頭子大罵了一頓」，藉以驕其妻妾鄉黨，沾沾自喜。政治上如果盡係這類人物充塞於其間，國事未有不敗壞，民心未有不離者，所謂「亡國者與[illegible]處」是也。史證昭然，班班可考。

唯有英明求治之主，纔樂意容納有個性的政治家，竟為股肱[illegible]之寄，只要看看唐太宗李世民的貞觀治績，恍即然大悟了。所以，南韓宣傳部長李壽榮因政見不同而辭謝尊榮，毅然引退，亦不同而[illegible]社會人士有所說明，[illegible]名譽，殆不愧為政治家的優越風度，足以矜式末俗，垂範當世也。

自由報

抬他上台再拆他的台

北市議會執政黨外議員醞釀罷免副議長陳少輝

罷免申請書擬就據說勢在必行

（本報記者張健生台北航訊）被台北市民譽為政界突出人物的陳少輝，在今年二月二十一日，台北市第六屆市議會成立的當天，這位原來沒沒無聞的「黑馬」，以三十四票對二十一票的多數票擊敗了執政黨提名副議長候選人周財源，當選台北市議會副議長，因而震動政壇，使人另眼相看。

如果不是地方派系與政治恩怨作祟的話，陳少輝又怎麼會當選副議長？當時幫他忙的朋友，乃是執政黨外議員黃信介等人。據說，他僅僅化了五、六十萬元，就輕而易舉地擊敗了對手方；且據說，這筆競選費用也不是他自己拿出來的。不料，陳少輝做副議長不到半年，此間又傳出市議員黃信介等，正在醞釀進行罷免他的消息。因此，台北市民被弄得有些莫名其妙了。記者就這件事會花了一段時間，與有關市議員們交換意見，探詢眞相。

首先從這份罷免申請書上寫明罷免副議長陳少輝的五點理由加以分析，或可以瞭解亞外之「因」了。五點理由：

（一）蔑視議員職權：本年六月第一次臨時大會時，討論應行退回稅捐處的預算案，有些議員主張提付表決，但主持會的副議長堅持不表決。（記者按：今年六月十九日，市議會首次臨時會以三十票對七票而退回預算。）

（二）破壞議會制度：依議會組織規程，臨時會議應一次開完。但今年七月召開的第二次臨時會，開了十二天便休會。當時雖有李福長等七人提請繼續開會，但主持會議的陳副議長拒絕，迄今猶在休會中。

（三）阻礙市政推行：陳副議長主持第二次臨時會議時，不將會期開完，把市府所送的單行法規草案的審查工作耽誤。

（四）蔑視市民權益：第二次臨時會議時，只開了十二天會，未受理人民請願案。

（五）未依規定公開專案調查報告內容：陳副議長主持第一、二次臨時會議時，煤氣公司及水肥購買醱素等案未經大會通過，即行公佈。

這五點理由中，似乎包含着私人的恩怨。第一、市議會曾有所謂「三六俱樂部」與「五九俱樂部」的政團，後來，由於陸阿龍議員的去世，「三六俱樂部」主持人決邀陳少輝副議長加盟，以免外界有地域之分的誤傳，然而陳副議長不但不加盟，且有「五九俱樂部」之倡議，而否定「三六俱樂部」，致與其結怨。其次，當「三六俱樂部」決定把台北稅捐處預算退回之際，在表決前，陳副議長主持會議時，再三猶豫而引起衆怒。事後，「三六俱樂部」幹事長黃信介議員以個人身份陪同市府官員到省府協商時，而陳副議長對報界發表談話，說黃信介議員陪同市府四位官員晉省，就議會退回稅捐處預算，所引起法令問題與省府法制室及民政廳所協商一節，係個人身份之自由行爲云云。因而使黃信介耿耿於懷。加上副議長提名落選人周財源雪恥心切，於是罷免案乃適時而產生。

誠如張祥傳所說，陳少輝年輕氣盛，一向經商，他固然精明能幹，但在政治圈中，經驗尚差，可能無形中在言詞方面，開罪了部份血氣方剛的議會同仁，因此而引起誤會。尤其是生意人的算盤緊，投資某項事業，必須講求效率與報酬；如果把這種觀念運用到錯綜複雜的政治舞台上，那是行不通的。同時，一帆風順而躍登副議長的陳少輝認爲搞政治並沒有什麼困難，由此而產生一種驕氣，亦在所難免。

根據目前的形勢觀察，罷免案的提出勢在必行，按照台灣省各縣市縣議會組織規程第十三條第一款規定：「罷免案應敘述理由，並有議員三分之一的簽署，具備正副兩本，向縣市政府提出」。現在有三十一位議員在罷免申請書上連署，已超過法定人數。至於有極少數議員否認簽署一節，也不足以影響罷免案的提出，因爲同法第十四條規定：「議長、副議長之罷免案，在未提會前，得由原簽署人全體同意撤銷之。提會之後，除應得原簽署人全體同意外，並應由主席徵詢全體出席議員無異議後，始得撤回」。故少數議員是無法撤回的。

據黃信介議員說：罷免案一定提出，而且一定會成功，絕不至像前議員張詩經提案罷免副議長在投票時僅得十二票那樣慘兮兮。他說：他不做沒有把握的事。他對執政黨有人竟替陳少輝幫忙之說，認爲是一件滑稽的事。照政黨政治常軌言，黨外人罷免黨外人，執政黨應該高興才對。據說，台北市長高玉樹曾着一位與黃信介淵源根深的朋友，向黃信介作試探性的暗示，那就是不要開笑話而又失立場，勸黃慎重考慮。但黃信介把這位好友的忠言婉拒了。

這次罷免案是否成功，要看雙方的魯仲連的努力成績而定了。其次銀彈攻勢自也是成功與否的要素。不過，執政黨的處境很困難，很不希望罷免案成立，但又有苦說不出，因爲陳非黨員，所以不好公開約束黨籍議員，而發動罷免者又不是黨員，亦無法勸導。

由於本（九）月十四日，台北市議會舉行第六屆第二次大會，故雙方已展開劇烈的活動。假使陳少輝被罷免，究由何人競選呢？聽說周財源很有東山再起的意思，而黃信介亦想試一試。這件事已引起各方面的重視，結果如何，且聽下回分解。

台灣論壇

望個個做好官

陸嘯劍

爲政不在空言，能切切實實爲老百姓做點事情就是好官。政策雖好，執行的人尤其重要，否則儘管說得天花亂墜，也祇是空口白話，無補實際。

「自反而不縮，雖千萬人吾往矣！」這是一種勇者精神。勇者無私，一切干擾困惑，自必迎刃而解；成功與失敗的分野點也即在此。

老百姓決不是不知好歹的，他們的表現方式是單純的直率的，他們不會歌功頌德，也不會拍馬逢迎，一個政策的成功，他們就把一切由於這個政策所獲致的收益，都冠於這個政策的名字，過去的三七五房子，三七五牛，甚至於因爲三七五減租而有能力討到的老婆，也叫做三七五妻子。同樣他們對於政府官員的尊敬和感謝，也是很自然地，祇把官員的名字，改一個他們所喜歡的受益作物的名字，中南部的蕉農把徐柏園改做徐蕉園，雖然僅僅改動了一個字，可是一切感謝和尊敬，都因這一字之易，而盡在不言中了。

「民之所好者好之，民之所惡者惡之。」萬能政府的目的，就在造成一個福利國家。能掌握這個原則，勇往直前，不愁做不好事。怕祇怕畏頭縮尾，面面顧到，做事無原則，處事無是非，一付鄉愿面孔，全套官僚手段，滿嘴巴仁義道德，一肚子男盜女娼，這才是眞正的「德之賊也」。國家設或交在這般人手裏，能不葬送者幾希。

任何一個時代，任何一個政府，有好人必有壞人，有好官亦必有壞官，壞人必爲壞官，好人則未必爲好官；好好先生做官做得身敗名裂的很多，最大的原因，就是好人的天性裏，多半有一個妥協的性格，「擇善固執」，擇善而不固執，等於不善，請托一多，又有幾人能始終堅持原則，個人聲名固然毀於一旦，國家利益也必受到損害。

希望人人成爲堯舜，這是好高騖遠，不切實際的要求。希望個個做好官，祇要授受之間清白，執行之時貫徹，時時想到愛國，處處記得便民，便不難做到。唯天下好官太少，總括一句，不能力行耳。

港破獲間諜案

（本報訊）三日來此間盛傳之香港警方破獲間諜案，據十七日英文「南華早報」載稱，業經獲得官方之證實。但間諜案之性質以及因此被拘捕之人數，則未經透露，仍屬疑問號。

傳說中的此間諜案，係由曾任少將之秦××爲首。但未獲證實。傳說中因此被拘者達三十人之衆。亦未獲證實。港府發言人僅云警方確曾引用遞解外人出境條例扣留若干人云云。

高市光榮國校修繕費問題

（本報記者趙家驊高雄航訊）（續上期）在這個小天地內，就分着兩個截然不同的世界，生活的分別一在天之上，一在地之下，能不令人浩嘆？

王清波公舘竣工不久，此宅應該由陸水成校長住，但他不住讓王清波住。陸住本市前金區文武路六十二號，開設一片「家庭商號」之雜貨店，爲市政府配給宿舍，由其妻徐張珠于五十年七月申請開業者。

據有關方面稱，市府宿舍以住戶保養爲主，市府每年修繕一次，修繕費僅十餘萬元，共有宿舍一二〇棟。據說陸校長的宿舍并未修繕過，又說他調離市府好像修過一次。據說陸校長調長光榮國校爲四十七年，是否四十七年修繕過一次，承辦人也已經記不清了，即或四十七年修繕過一次，這幾年來并未修繕過，事務股林先生作如此說，當爲事實。

記者獲悉，五十三年四月陸水成領了一筆國校校舍修繕費約八千元之數，這一筆款是陸水成自感校舍必須修繕而領的？抑是王清波授意他去領的？不敢臆斷。既曰校舍修繕費，即必須用在教室或教員宿舍；但此款并未修繕教室或教職員宿舍。據稱：光榮國校教員請修繕宿舍，陸校長只答允一半修繕費，其餘一半要教員自籌云。

九月四日下午，記者因足疾行動不便，特在市府水產科以電話邀約陸校長至，記者問：「請問陸校長，學校修繕你請了多少款？」答：「我記不得了」。又說：「我的立場困難，大家都是老朋友，不必採訪。請到我這裏來。」一面說，一面便一溜煙的去了。

越日，九月五號上午九時，記者往訪陸太太，客套以後，記者問：「陸太太，貴店開了多久？」她支吾其詞未答覆。我續詢：「孩子們上學去了」？她說：「我眞忙得不得了，一早晨要侍候四個孩子上學，回頭還要看生意，忙得我頭昏眼花」。我問：「你比前幾年瘦多了？」她答：「我的身體不太好」。我又問：「那麼你買菜，家裏不是沒人看門」？「我只有在門口買點菜，那裏有時間上菜場。」記者又問：「生意所賺夠不夠生活？」「那裏夠啊」！記者又說：「開店做生意可不能用陸校長的姓名。」她說：「當然不能用他的名申請開店啊」。記者又問：「這新蓋的店面是否市府修理的？」她答：「當然是市府修理的，我們那有錢修理？」記者臨行見店內門首高懸：「高雄市政府宿舍」下有編號爲市字第〇四八號，一黑色木牌，書白字曰「陸水成」。

市府事務股說是未修過，而陸太太則說新店面是市府修過，而學校校舍未修理，那麼陸水成在五十三年四月領一筆國校校舍修繕費約八千元之數，這就不能不令人懷疑用到那裏去了。王清波的宮邸竹籬換圍牆，增加水塔等物，及陸校長的「家庭商號」雜貨店的舖面煥然一新，這些，都是疑問，卻沒有答案。

記者非常同情陸校長及其妻室，原因是公教人員的薪水不足以贍養家口，開店營業也是正當行爲，賺幾文補貼家用，是於情於理，誰說不行？問題是公家的宿舍，不允開店，若各公教人員均起而效尤，就似乎很有些不成體統。（下）

來函照登

編輯先生：

讀貴報九月二日報導本人談話，係將當時各位民意代表，立法，監察委員所表示的意見與建議，轉告記者先生。但該文第三欄第七行「洪金湖說」，應該是「據某財經人士說」之誤（因用台語恐係聽得不十分清楚）。特此函懇訂正，煩勞之處，不勝感謝。謹此敬請撰祺

洪金湖拜啟

五十三年九月十日

中外空軍運用史實

羅雲家

（十七）常德會戰，擊落敵機廿四架，可能擊落十四架，擊傷十九架，炸燬敵機十三架，炸燬敵船艦及人馬甚多。

（十八）中原會戰，擊落敵機八七架，炸毀敵機七九架。

（十九）長衡會戰，自三三年五月廿七至九月六日，共出動四五二三架次，計擊落敵機七〇架，可能擊落二九架，擊傷十七架，炸毀敵機五二架，可能炸毀十餘架，另斃敵二、五八四名。

（二〇）桂柳會戰，出動一、三八六架次，計擊落敵機三四架，可能擊落十四架，擊傷十架，炸毀敵機六架，另斃敵四、五五〇名。

（二一）洞庭湖空戰之役，擊落敵機十架。

（二二）豫西鄂北會戰，我空軍出動一、〇四七架次，曾予敵以重創。

（二三）湘西會戰，出動一、一三一架次，曾於邵陽殲滅敵一個聯隊以上的兵力，及甚多砲兵被毀。另於拔洞、水口、武岡地區，將進犯之敵，協同陸軍予以殲滅殆盡。

此外，抗戰期間我軍防空作戰的戰果，亦極可觀，值得一述：計二六年敵機空襲一、二六九次，機數二、二五四架次，投彈一、〇七四枚，我高砲部隊共擊落敵機四〇架，擊傷九〇架。廿七年敵機空襲二三三五次，投彈四九、七四九枚，傷亡四九、九四五人，毀屋八萬餘間。我高砲部隊共擊落敵機四三架。二八年敵機空襲二、六〇三次，機數一四、一三八架次，投彈六〇、一七四枚，死傷六〇、〇〇九人，毀屋一三八、一七八間。我高砲部隊擊落敵機三十一架。二十九年敵機襲擊二、〇六九次，機數一二、七六七架次，投彈五〇、一一八枚，傷亡四〇、六三二人，毀屋一〇七、七五〇間。我擊落敵機僅十五架。三十年敵機空襲一、八五八次，機數一二、三一一架次，投彈四三、三〇八枚，傷亡三一、〇二三人，毀屋九七、七一四間。我擊落敵機十四架。三一年敵機空襲八二八次，機數三、二七九架，投彈一二、四三五枚，傷亡一〇、五七一人，毀屋一七、六〇九間。我擊落敵機八架。三二年敵機對我空襲六六四次，機數三、五四三架次，投彈一三、六四二枚，死傷五、七三九人，毀屋一四、一六一間。我擊落敵機十三架。三三年敵機空襲九一七次，機數二、〇七一架次，投彈一七、二六六枚，傷亡一、三二三人，毀屋一、一七三間。我僅擊落敵機七架。三四年敵機空襲四九次，機數一三一架次，投彈三、七一八枚，傷亡一七五人，毀屋一五一間。如將上數加以統計，抗戰八年間，敵人每百枚炸彈，平均炸死國人三、六一九人，炸傷四、四二三人，損毀房屋一、七二一間。至其他物資財產，則無法計算，我所受敵機空襲之損害，可謂慘重得很！

國軍在大陸戡亂剿匪作戰，我英勇空軍亦曾發揮無比的威力，予敵以嚴重之打擊。茲舉幾次重要戰役說明如下：

（一）三十六年四五月間孟良　之役：匪軍以廿六萬人來犯，我空軍以B二五、F五一、C四六、C四七等式飛機五十餘架協助地面友軍作戰，出動約五百架次，計斃敵傷匪軍六萬九千餘人，馬二一二匹，毀屋九七九棟，毀車三五四輛。

（二）三十六年六七月間南麻之役：匪軍以十八九萬人來犯，我空軍曾出動一千架次協助地面友軍作戰，計斃傷匪軍十六萬餘人，騾馬一、二四二匹，毀屋二、二〇四棟，毀車三八六輛，毀工事二二四處，毀船五十餘隻。（八）

我所知道的麥帥

肯寧將軍原著　徐熙光翻譯

當我們抵達機場的東邊時，麥帥來回走了幾圈並問我這個機場是不是可以很快的由我們來使用，我說那要等我仔細察看以後才能決定，最好是能乘着飛機在機場上空巡視一番。

塔克羅邦城攻陷後，麥帥決定在那裏設立他的前進指揮部，他選定了城中最完整的一幢房子，房主是個叫布萊士的人，已在日軍佔領期間被殺害。這是一座建築得非常堅固的房子，日軍佔領塔克羅邦城時，曾拿它當作軍官俱樂部。

我們進入房子的院落察看，一進大門，麥帥就看到了一個大土堆，他問道：「陽台邊那個大土堆是幹什麼用的！」旁邊的侍從人員說那是一個防空洞，一個設備非常好的高級防空洞，裏面有電燈、通風設備，傢俱和地毯，陳設得非常舒適，而且深達地下二十呎。

「把土堆移掉，把防空洞填平」，麥帥說：「那破壞了草坪的美觀。」

當時我覺得麥帥的這項命令是不必要的，我向他提出抗議，麥帥則說那個防空洞沒什麼用處。我曾勸他留着，也許有一天會用得着，但是他未接納我的建議。

幾天之後，發生了雷伊泰灣海戰，這次戰役的功過和得失在當時頗引起一般人的爭論。日本原來派了一支艦隊到雷伊泰島的南方，即雷島與民答那峨之間的海面上，準備對付支援我們登陸雷伊泰的第七艦隊。這支艦隊共擁有五艘最新的戰鬥艦，十艘重巡洋艦和十五艘驅逐艦，正準備通過薩馬耳島和呂宋島之間的聖伯那迪諾海峽。海爾賽上將則統率第三艦隊企圖阻止日艦通過聖伯那迪諾海峽到雷伊泰灣去攻擊我們載運雷伊泰登陸部隊的運輸隊。這時狡猾的日本人又從日本本土派了一支艦隊來轉移海爾賽艦隊的注意力，使其疏忽聖伯那迪諾海峽的防守。十月二十五日，海爾賽航空母艦上的飛機曾對日本中央艦隊實施轟炸，並報告說已予敵人重創，第七艦隊則南行對付日本的南方艦隊。

次日凌晨，形勢突變，一餘四艘戰鬥艦，七艘重巡洋艦和十二艘至十五艘驅逐艦的日本中央艦隊突然沿着薩馬耳島北上攻擊停泊在該島和雷伊泰之間的十二艘小型航空母艦和幾艘驅逐艦，這是金凱的第七艦隊留下來支援登陸部隊的。此時我們突然聽說海爾賽艦隊已北上追逐日本的那支「釣餌艦隊」，留下第七艦隊單獨防守雷伊泰灣，第七艦隊此時的彈藥已有不足之虞。

金凱立即向海爾賽求援，但未得到答覆，等到尼米茲在夏威夷獲悉這個消息後，才命令海爾賽儘速掉轉頭來，向南進發，救援第七艦隊。

此時，日本的中央艦隊已擊沉了數艘金凱的小型航空母艦和幾艘驅逐艦，但是突然又毫無理由地向西航行通過了聖伯那迪諾海峽，後來我們知道，可能是爲了迴避海爾賽南下救援的艦隊。（四五）

康有爲的亡命

丘峻

上述諸人，后黨銜恨特甚，僅次康梁，既已先發制人，勢必除勦務盡，立解刑部嚴究，以遏亂萌。刑部以案情重大，請旨會審，諭飭榮祿，剛毅會辦。勢利之徒，乃爭攻新黨新政以邀寵。御史黃桂鋆則以「若稽時日，恐有中變」，奏請殺戮諸人，無貽後患。遂不待審訊，即於十三日晨光熹微之際，以「大逆不道」罪，將康廣仁，譚嗣同、楊深秀、林旭、楊銳及劉光第六人，駢斬於柴市（菜市口），棄市者三日，是爲「戊戌六君子」。行刑急不及待，次日始矯詔宣示天下：

「近維時事多艱，朝廷孜孜圖治，方求變法自強，凡所設施，無非宗社生民之計。朕憂勤宵旰，每切兢兢。乃不意主事康有爲首倡邪說，惑世誣民，而宵小之徒，羣相附和，乘變法之際，隱行其亂法之謀，包藏禍心，潛圖不軌。前日竟有糾約亂黨，謀圍頤和園，劫制太后，陷害朕躬之事，幸經覺察立破奸謀。又聞該亂黨私立保國會，言保中國不保大清，其悖逆情形，實堪髮指！朕恭奉慈闈，力助孝治，此中外臣民之所共知。康有爲學術乖僻，其所著述，無非離經叛道非聖無法之言，前因講求時務，令在總理各國事務衙門章京上行走，旋令赴上海辦理官報局，乃竟逗留輦下，構煽陰謀，苟非賴祖宗默佑，洞燭幾先，其事何堪設想！

康有爲實爲叛逆之首，現已在逃，著各省督撫一體查拿，極刑懲治。舉人梁啓超與康有爲狼狽爲奸，所著文字，語多狂謬，著一併嚴拿懲辦。康有爲之弟康廣仁（有溥字）及御史楊深秀，軍機章京譚嗣同、林旭、楊銳、劉光第等，實係與康有爲結黨，陰謀煽惑。楊銳等於每日召見時，欺蒙狂悖，密保匪人，實屬同惡相濟，罪大惡極。前經將各該犯革職，拿交刑部訊究，旋有人奏，若稽時日，恐有中變。朕熟思審慮，該犯等情節較重，難逃法網，倘語多牽涉，恐致株累，是以未俟覆奏，於昨日諭令將該犯等即行正法。此事爲非常之變，附從奸黨，均已明正典刑。康有爲首創逆謀，罪惡貫盈，諒亦難逃顯戮。現在罪案已定，允宜宣示天下，俾衆咸知。

我朝以禮法立國，如康有爲之大逆不道，人神所共憤，即爲覆載所不容，鷹鸇之逐，人有同心。至被其誘惑甘心附從者，黨類尚繁，朝廷亦皆查悉，朕存寬大，業經明降諭旨，概不深究株連。嗣後大小臣工，務當以康有爲爲警戒，力扶名教，共濟時艱。所有一切自強新政，胥關國計民生，不特已行者，即應實力奉行，即尚未興辦者，亦當次第推廣，於以挽回積習，漸臻上理，朕實有厚望焉！特此通諭知之。」

六君子見戮而新黨受挫，僞詔下而新政夭折；惟人心思變則益不可收拾矣！康氏抵港，行裝甫御，驚聞噩耗，悲憤不可名狀。一面立遣髮妻張氏潛赴澳門輪船碼頭對面之某寺，爲之誦經超度，一面即遙弔之以聯云：「逢比孤忠，岳于慘戮，昔人尚爾，於汝何尤；朝局總難言，當隨孝孺先生，奮舌問成王安在？

漢唐黨錮，魏晉清流，自古維昭，而今猶烈；海疆正多事，應共子胥相國，懸眸看越寇飛來！」（十二）

瀛君續夢

第十四回：誰與慶昇平　呼朋湊興　居然爭霸業　背主孤行

毛澤東瞪着眼想了一下，說道：「額非爾士峯好似世界第一高峯。」

周恩來點頭道：「就因爲如此，尼王才堅持不肯放手。」

劉少奇問道：「我們好似不叫額非爾士峯。」

周恩來說道：「我們是叫珠穆朗瑪峯。」

毛澤東說道：「不管叫作什麼峯，祇要是世界第一高峯，就不能讓給外人。我們無論作什麼事，都以第一自居，現在卻把第一高峯讓給別人，還成什麼話。」

周恩來一看毛澤東又發了牛性，不敢開口，就使個眼色叫陳毅說，陳毅明知道張口可能要挨罵，但是也不好不講，當時陪着笑臉說道：「主席的話是永遠正確的，不過，我們目前並不是眞的把珠穆朗瑪峯割讓給尼泊爾，只是爲了國際統戰，尼泊爾尚有利用價値，姑且作爲釣餌，不久還是要收回的。」

陳毅講話時，毛澤東用兩個手指輕敲着桌子，留神細聽，並未發脾氣。

周恩來接着就說道：「主席常說將欲取之，必先與之，我們今天對外的統戰方略，都是遵循主席的意旨行事，在非洲、拉丁美洲都投下巨量的金錢，也還是爲了將來。」

毛澤東聽了周恩來提到拉丁美洲同非洲，立時精神來了，眉飛色舞地說道：「這些地區到處都有我們的人，都用了我們的錢，有一天要解放該地區時，相信不過一舉手之勞。不過，這種事情要慢慢地作，俗語說只要功夫深，鐵杵磨成針。」

周恩來連聲說道：「主席的指示絕對正確，我們目前正在同印度鬥爭，爲了邊境問題，已起了幾次衝突，因此更要拉緊尼泊爾，將來在邊境談判時，就不能不讓它佔點便宜了。」

毛澤東點頭道：「這些都是小事，你只要記住珠穆朗瑪峯是全世界第一高峯，第一是不能讓人的，遲早要拿回來，就成了。」

周恩來唯唯稱是。

陳毅笑道：「關於珠穆朗瑪峯，我到有一比，好比娶老婆的訂婚戒指，將來連老婆都要回來了，戒指還不是一齊帶回來。」

大家都笑起來。

毛澤東點頭道：「這次比仿的到是不錯，不過也要小心，訂婚有時也會變卦的，像我們在印度阿三身上下的工夫，現在不是白費了？」

九月二十三日尼泊爾馬亨德拉王及王后到了北平，劉少奇、周恩來、朱德、鄧小平、陳毅都到飛機場歡迎，市民出動達三十萬。馬亨德拉下了飛機，周恩來走上去替劉少奇介紹，兩人握手後，又介紹其他的人。尼泊爾王后也隨着國王後面一一握手，到了陳毅面前，陳毅想抓起王后的手吻一下，被王后一擺手掙掉了，周恩來惡狠狠瞪了他一眼，陳毅卻若無其事，依然洋洋得意走在後面。

馬亨德拉到了北平，作了一連串的應酬，又同毛澤東見了面，然後就開始談判邊界問題，尼泊爾由外長吉達任代表，中共就由陳毅作代表。（三四四）

自由報

冒險犯難記

鄒文儀

我於十八日夜在砲火聲中由南京去到上海，在上海停留了一星期，等到龍潭戰役，大獲全勝之後，才由上海回去廣東。

這次由廣東到南京遇到戰爭是我第一次遭逢驚險的局面，雖則我無責任，但看到第五期千餘革命青年軍人，在國家與革命危急存亡之秋，英勇赴戰，在勝負未分之前，提心吊膽，深恐總司令忽促離開指揮革命軍崗位，敵人兵力雄厚頑强，孫張兩軍閥過長江進犯，乃是背水之戰陣，勢必死拼硬拼到底。

革命軍在京滬綫的第一軍第七軍以劣勢兵力，臨時集中作戰，統帥離職尤其影響士氣與信心，幸而全軍將士英勇赴戰，將孫張軍閥渡江主力五萬以上，全部殲滅，正渡長江敵軍半渡被殲滅亦在兩萬左右，長江之水爲之變色，大戰爲期不過一週，十萬軍閥軍隊慘敗，僅有三分之一的殘兵敗將，棄甲曳兵而逃，國民革命得到全勝。雖則將士英勇，黃埔革命犧牲精神高度發揚，得以轉危爲安，鞏固首都南京，奠定北伐統一中國的基礎，但這次戰役實是慘勝，是哀兵，是正義革命軍戰勝强横軍閥，三民主義的勝利。第一軍第七軍及其他友軍傷亡當在三軍以上；第五期畢業生在這次戰役中傷亡三分之二，陣亡者達五百人，傷者亦不少於五百！是以證見戰鬥之激烈及黃埔學生之英勇。在戰術及戰鬥方面，第五期同學的奮鬥犧牲乃爲這次大勝的主要因素之一，他們的勝利，使我感到無限的光榮。他們三分之二的同學出校初戰即告傷亡，尤其令我感到悲傷痛悼。

在這次由廣東來到南京不到一個月的時間內，遭逢革命戰爭嚴重的變局，我的感覺是無限的沉重，因爲既恐道高一尺魔高一丈的革命前途，無此必更增多艱難危險，尤耽心校長蔣先生在危急局勢中被迫暫離革命領導職位，是否將予帝國主義及軍閥共產黨等革命敵人以機會，被他們針對國民黨國民革命軍內部之不團結，而更進一步實行挑撥離間，使國民黨分化國民革命軍自相殘殺，而遂其各個擊破的陰謀詭計！我在上海及回到廣州途中，有好幾天一句話都說不出來，革命前途，爲禍爲福，令人無從逆料。

這次在南京的時候，有一件事令我很得意，也使我困難，因爲我到南京之初，聽說有五十多個留俄學生，從俄國回到上海，都被逮捕經過嚴格審訊證明確非共產黨而係國民黨的學生，有二十多人業已釋放來到南京，其間有二十人是我最好的同學，他們在沒有找到工作以前，生活十分困苦。我從廣東來時將我半年來服務的積蓄約三千元通通帶來了，看到同學們困難。（五〇）

關羽的典型

周燕謀

關羽之受中國人普遍敬重，一般咸以爲「三國演義」致之也。驟聞之，很覺言之有理，因爲三國演義有增益其威武之事，此有演義可稽，毋容爭論。然而增益亦並非有絕對美好之效果，相反的何嘗不也有相反之效果？

案三國演義描寫塑造人物最着力最成功者有三人：諸葛、關羽、曹操是也。作者對於諸葛亮尤爲賣力，全書一百二十回，有三十回皆與諸葛有關，超過關羽多矣。何以諸葛亮未如關羽一般之受後人禮拜？如照「三國演義」之描寫而論，諸葛亮應當更受人歡迎才對。諸葛亮未如關羽之受人禮拜，而演義把他塑造爲第一重要角色況，羅貫中可能以之自關羽，而其結果乃不如關羽，此復何言？

三國演義誇大了關羽之威武，從而百姓禮拜之，確爲事實。然而關羽之受百姓禮拜並非僅以其威武。如以爲威武便可受人崇拜，則項羽何以不受歡迎？彼二人皆爲失敗之英雄，何其結果又大相左也？項羽也有西漢演義流行，爲之生色不少焉。

其實關羽之受百姓禮拜，遠在三國演義未問世之前，民間早已有之。唐、宋、元各代之說書人，乃發揚口碑者，他們並未看過三國演義也。而何以說書人偏愛關羽、劉備，而惡曹操？據蘇軾的「東坡志林」載：「塗巷中小兒薄劣，其家所厭苦，輒給錢，令聚坐聽說古話。至說三國事，聞玄德敗，輒蹙眉，有出涕者；聞曹操敗，即喜，唱快——。」這是否爲受三國演義之影響？又今以關公顯聖，皆以爲受演義之影響，豈不知遠在隋代已有此記載，見於隋代之「荊州玉泉寺見靈跡」。五代時人們重關羽則更進一步，時已有繪關羽相爲人膜拜者。如五代蜀王令趙忠義繪關將軍「起玉泉寺圖」（見益州名畫錄）便是其證。關羽這樣受到敬重以至禮拜，與三國演義固不相干也。

關羽顯聖在宋代，又有記載：宋崇寧間，帝召天師張虛靖召關羽破蚩尤，復鹽池，見靈。遂封崇寧眞君。明清以降，因三國演義已問世，此風尤盛，自不待言。是見關羽之受後人禮拜，並非全完因爲三國演義爲之張目而然也。

凡三國正史所遺之故事，而演義擇之，世人謂爲羅貫中造謠，實則羅每事皆有所本。如正史書關羽斬顏良，而未載誅文醜，演義則增之。但此非羅貫中爲始作俑者，在三國演義尚未問世之前，已有此傳說與記載。據「老學叢談」云：「三國演義所載，雖不見正史者，往往亦有來歷。如正史但言羽斬顏良，演義并言斬文醜。或疑虛造。然洪邁「容齋隨筆」，言羽手殺顏良，文醜。則宋時已有此說矣。」是見增益關羽之事，並非全爲羅貫中之虛構，往往而有所本。何況三國演義亦非出自一人之手筆，羅不過集大成而已。

關羽之受後人禮拜，非全由於三國演義渲染而來，已如前述。至其所以爲後人禮拜者，筆者以爲有四點：

一、關羽具有忠君報國的中心思想，故在任何風雲變幻中，能肆應自如，而無不中節。

二、關羽具有中華民族英雄之氣節，不求苟全，寧全玉碎，而心口如一。

三、關羽有大義凜然及仁、俠之精神，守諾言，重道義，受恩必報，嫉惡如仇，同情弱者，打擊强項，如其驕於士大夫，而善待士卒可證。

四、關羽有磊落烈烈的大丈夫氣概。此種氣節，即爲富貴不能淫、貧賤不能移，威武不能屈的氣節。關羽於此種性格，表現得特別淋漓盡致，因而能令人肅然起敬，而以「天人」視之。

關羽[illegible]上四點，均可從[illegible]本傳求得之。可知，關羽乃因其受後人禮拜者，世人之道，深合乎中國人理性上之要求，而塑造起一個「忠臣義士」和「大丈夫」的典型，而千古長春，歷久不變也。

美妹

長篇小說

羅雲家著

將到東門的時候，他看到前面提着菜籃走來的那少女，很像黃美妹。他趕緊穿過馬路，下了車。定眼一看，可不正是她嗎？

「黃小姐，妳買菜回來啦！」

「啊！何先生你好！」她笑着點點頭。又說：「你去那裏呀？近來很忙吧？」

「我，我感冒才好。我是出來亂跑的，正悶着沒有事啊！」他調轉車頭，有意思陪她邊走邊談。

「幾點鐘了？」

「九點多，還早。」他看看錶，笑了起來：「妳不會是有意思叫我趕緊走開去吧？」

「不！何先生。」她移動了腳步：「我只是怕那死鬼出來釣魚，在路上給他撞見了。」她低垂着頭說。

他也跟了上去：「妳說的是誰？大明嗎？」

「你怎麼知道的？」她像是吃了一驚。

「對不起，我剛才去過妳家了。」他歉然地說。

「遇見了誰？」

「誰也沒有遇見。是隔壁的鄰舍告訴我一些情形。」於是他把他造訪的經過，照實說了出來。

這樣一來，美妹的情緒激動起來，笑迷迷的臉色不見了，面龐上罩了一層愁雲。眸子中閃着淚光，睫毛快速地閃動，一語不發，拖着沉重的步子在走。

他緊隨着，想對她安慰些什麼，但又不好開口。

來到一個巷子口，她停下步。

「何先生！你爲什麼要一再救活我呢？」她忽然提出了這樣的問題：「想想看，活着過沒有自由的日子，多痛苦？在家挨打挨罵，做一些永遠做不完的粗活，又要逼着我嫁給那死鬼，不答應，強迫着我給人家燒飯，晚上回去仍然要做苦工，洗衣服，擦地板，[illegible]夜……唉！你爲什麼不讓我那天死去？」說着，她哇的一聲，就嗚嗚嗚地哭了，眼淚鼻涕地，多可憐呀。

他倆幸虧有[illegible]擋着過路人的視綫。要不，給人家鬧上來看熱鬧，那嗎面上尷尬些。他安慰地一陣，當她情緒稍爲平靜一些時，才正對問題說：「美妹，自從遇見了妳，我的生活彷彿充實得多了。也許是妳太像我留在大陸的一位表妹了；也許是由於我救活了妳的生命，使[illegible]覺得我是不應此生；而同時，也因爲社會上還有比我更孤苦零丁，無依無靠，需要人們伸出同情，援助之手去拯救他（她）們，所以我感到了幸運，感到了自滿。美妹，爲了那些更不幸的人們，我們必需忍受一切苦難活下去！好多少爲苦難的時代，爲社會，爲人類貢獻一些……。俗話說：好死不如惡活。船到橋頭自然直。任何困難，[illegible]破的一天！美妹，聽我的話，不要再只想到眼前的[illegible]，[illegible]爲今天不幸的事情[illegible]着。知道嗎？你我都有許多明天！在等着我們，我們要迎接明天，懂嗎？」

「……」她沒有答話，但點點頭。

快十點了。而且他勸她擦去了淚水，[illegible]的心情去人家工作。如果她不討厭，假時可以來看他。[illegible]她以感激地微笑，說每天上午[illegible]和下午[illegible]的時候，她希望見到他……（八）

記張蒼水

湘南遯叟

曲逆助名蓋代才，邵從祖帳獻觴杯。威弧自昔懸仙嶠，寶劍新經掛將台。桃實偏隨榴火焰，星精正向陣雲開。歸來燕喜歌鐃日，席上還應張仲陪。

又「重經南日，弔沈彤庵相國」詩：

木落天空肅氣森，重來海岸悵人琴。從秦狐假空投筆，去越鴟夷枉鑄金。澗曲瑞隨雙鯉逝，延津劍化一龍吟。只今桑下誰相語，獨倚孤蓬淚不禁。

又「舟次琅琦謁錢希聲相國殯宮」詩：

琅江東去水如油，拜墓停橈古渡頭。赤手曾扶板蕩運，黃腸猶帶黍離愁。波濤腥聚蛟龍，風雨荒墳麋鹿游。勾踐霸氣已成灰，轉憶當年漢幟開。王謝聲名原伯仲，溫劉事業總追陪。自從化劍分豐獄，誰復調琴到夜台。我馬南方猶未息，故人空負炙雞來。

又有「北還入浙偶成」詩：

南浮北泛幾經春，死別生還總此身。湖海尚容奔高客，山川應識報韓人。國從去後占興廢，家近歸時間假眞。一寸丹心三尺劍，更無餘物答君親。

名振這次出師北伐，至浙招集舊部，先破舍塘山（爲舟山羣島中之大島）。獲叛將金允彦。師次崇明，乘勝入平洋，名振欲避其鋒，蒼水曰：「此用武地，急擊勿失」！且日，以王善長、姚志卓，以數百人衛其左，蒼水親統神將以數百人衛其右，鳥銃火器犯其中，左右皆深溝，騎不可退，清師大敗。江東遂犂起響應。然後入長江，趨丹陽，掠丹徒，左次崇明，冬盡乃還。

第二次入江

蒼水監軍第二次入長江，應該是順治十一年，「東南紀事」張煌言條載：「甲午再入長江，觀兵儀眞，夏逼吳淞，我捷，皆與名振俱」。這年的正月，名振以長江上游有蠟書請他作內應，他率海船數百，溯流而上，再入京口，掠儀眞，至觀音門。十三日泊金山，遙祭孝陵，設醮三天，揮淚題詩云：

十年　上一孤臣，佳氣鍾山望裏眞。鶉首義旗方出楚，燕雲羽檄已通閩。王師桴鼓心肝壯，父老壺漿涕淚親。南望孝陵兵縞素，會看大纛龍津。

過了兩日，擄掠許多輜重船上鎭江，焚小閘，至儀眞，索鹽商助餉金不得，焚船六百艘而去。

當蒼水與名振合成功所遣水軍總制甘輝再入吳淞，有「再入長江」詩：

江山嵯古似開基，天險依然渡水犀。淡虜亦當經再戰，盧龍應復待三犂。調弓控處驅玄武，鎖甲翔來失白題。兵氣至今猶未洗，自慚無計慰雲霓。

（八）

今夜月明人盡望

漁翁

中秋之有節，始於宋代，據宋史太宗紀載：「以八月十五日爲中秋節」，「三公以下獻鏡及承露盤」。又稱：「中秋節食玩月羹」。可見宋人在這一節令，不僅僅是玩月，且有隆重的宴會，更爲重視了。

以餅賞月，亦見於宋朝。蘇軾詩：「小餅如嚼月，中有酥和飴」。又周密所著「武林舊事」的「蒸作從食」條，那時以其形似餅，故名「月餅」。用餅賞月，則見明人陸啓浤的「北京歲華記」，云：「中秋之夕，人家各置月宮符像，符上兎如人立，陳瓜果於庭，餅中蟾兎，給男女肅拜者，日而焚之。」又明人田汝成著「西湖遊覽志」所載：「中秋民間以餅相遺，取團圓之義」。遂演進而成爲秋節餽送月餅之風習。（未完）

內僑警台報字第〇三壹號內銷證

自由報

THE FREE NEWS

第四八一期

中華民國僑務委員會頒發
台教新字第三二三號登記證
中華郵政台字第一二八二號執照
登記爲第一類新聞紙類
（半週刊每星期三、六出版）
每份港幣壹角
台灣零售價新台幣貳元
社長：雷嘯岑
督印人：黃行富
社址：香港銅鑼灣高士威道二十號四樓
20 CAUSEWAY RD 3RD FL HONG KONG
TEL. 771726　電報掛號：7191
承印者：田風印刷廠
地址：香港灣仔高士打道二二一號
台灣分社
台北市西寧南路壹叁柒號二樓
電話：三〇三四六
台郵掛號金戶九二五二

法治的基本觀念與條件（上）

張笙

今年五月一日，美軍援華顧問團軍法組組長海勞德上校，在台北市美軍軍官俱樂部，慶祝「美國法律節」（LAW DAY USA）暨「以法律爲達到世界和平紀念會」（WORLD PEACE THROUGH LAW）午宴席上發表演說，其中言及美國人的法治觀念，及美國對法治觀念的培養方法，是很值得吾人借鏡的，特爲文申述其義理，以資參證。

（一）

法治的基本條件是「守法」。守法不僅指國民而言，政府的行政、立法與執法者，亦必須有守法精神。國民的守法須表現在日常的言行生活中，行政官吏須以法律爲一切措施的指臬。立法者的守法，在制定的法律不能抵觸憲法。

我國憲法第一七一條規定：「法律與憲法牴觸者無效。」執法者之守法，在執法人員忠實於憲法及法律，不得曲意解釋，或發佈與憲法及法律牴觸的命令。美、奧等國的法官有審查法律權，我國行政官署「認爲法律在適用上發生異議」時，亦得聲請司法機關（大法官會議）解釋。其目的在排斥立法者制定違憲之法律。另方面，行政機關所頒佈的行政命令，須送立法機關核備；立法機關認爲所頒佈的行政法規或命令與原來法律精神不符，得要求行政機關修正。「中央法規制定標準法」第七條規定：「各機關發布之命令，不得違反、變更、或牴觸法律。」第八條規定：「各機關應將發布與法律有關之規程、規則、細則、或辦法全文，即送立法院。」這種相互制衡的作用，是在要求各部門「守法」。換言之，在貫徹法治精神，

從我國制度上看，對法治的要求，存有二點缺憾。一爲「人民團體無聲請解釋權」；一爲司法機關的審判案件，在適用上發生疑義時無聲請解釋權。就第一點說：民主國家人民對於政府的違憲違法措施，應有排斥力或申訴權。憲法第八條規定：「人民身體之自由應予保障。除現行犯之逮捕由法律另定外，非經司法或警察機關依法定程序，不得逮捕拘禁；非由法院依法定程序，不得審問，處罰；非依法定程序之逮捕，拘禁，審問，處罰，得拒絕之。」此處所謂「依法定程序之逮捕，拘禁，審問，處罰」，規定於刑事訴訟法第七十一條，七十七條，七九十二條第二項，一〇二條規定「於偵查中由檢察官，審判中由審判長或受命推事簽名」發出命令，始得執行。可知該項職權屬於檢察官及審判長，並且須具備一定條件，例如：

傳喚被告：刑事訴訟法規定「傳喚被告應用傳票。傳票應記載左列事項：一、被告之姓名，性別及住居所。二、案由。三、應到之日，時，處所。四、無正當理由不到場者，得命拘提。……：傳票於偵查中由檢察官，審判中由審判長或受命推事簽名。」

拘提被告：同法第七十二條：「對於到場之被告，經面告以下次應到之日，時，處所，如不到場，得命拘提。……」第七十六條：「被告犯罪嫌疑重大而有左列情形之一者，得不經傳喚逕行拘提。一、無一定之住居所者。二、逃亡或有逃亡之虞者。三、有湮滅、僞造、變造證據，或勾串共犯或證人之虞者。四、所犯爲死刑，無期徒刑或最輕本刑爲五年以上有期徒刑之罪者。」第七十七條：「拘提被告應用拘票。拘票應記載左列事項。一、被告之姓名，性別及住居所。二、案由。三、拘提之理由。四、應解送之處所。第七十一條第三項及第四項之規定，於拘票準用之。」（即拘票之簽發，於偵查中由檢察官，審判中由審判長或受命推事簽名）第七十九條：「執行拘提應以拘票示被告。」

人犯逮捕：同法第八十八條第一項規定：「現行犯不問何人，得逕行逮捕之。」何謂「現行犯」？同條第二項釋示：「犯罪在實施中或實施後即時發覺者，爲現行犯。」至（一）被追呼爲犯罪人者。（二）因持有兇器，贓物或其他物件，或於身體，衣服等處露有犯罪痕跡，顯可疑爲犯罪人者。以「現行犯論」。第八十九條：「執行拘提或逮捕，應注意被告之身體及名譽。」第九十二條：「無偵查犯罪權限之人，逮捕現行犯者，應即送交檢察官，司法警察官或司法警察。司法警察官；司法警察逮捕或接受現行犯者，應即解送檢察官。」此外對於被告羈押以及人犯處罰，皆有詳細的明文。

憲法既然規定「得拒絕之」，何以人民「不得拒絕」？這毛病出在人民對政府的不法侵害無抵抗力，無聲請解釋權。「司法院大法官會議規則」規定「聲請解釋權」屬於「中央或地方機關」，就其職權上適用憲法，或與法律、命令有無牴觸憲法」時，得聲請解釋之。」警察對其自己的不當措施，如何會聲請解釋呢？人民無聲請解釋權，祇有忍氣吞聲而已。

歐美國家對這類不當的行政措施，得訴於超黨派的法院，法院得藉審查權予以排除。我國法院無審查權，於是人民祇有服從違法的命令，「法治」精神被破壞無遺。去年九月我寫了一篇「現行大法官會議解釋權之檢討」，刊於「政治評論」第十一卷第一期，曾提出三點主張：

一、大法官會議應有主動審查解釋權，以杜立法與行政專制之弊，確保人民權益。

二、民衆團體及職業團體有聲請解釋權，以維護法治主義與民主政治精神。

三、無論中央或地方機關，對於適用憲法或法律而發生疑義時，得不受上級機關的拘束，而逕送大法官會議解釋。但對於適用命令而發生疑義時，則由上級機關予以解決；如上級機關無力解決，則應層轉解釋之。

這些粗淺之見，站在「守法」以貫徹「法治」的觀點設想，有關當局應加以考慮改進。還有現行選舉訴訟之實體法，爲行政院頒佈的「台灣省各縣市實施地方自治綱要」及其他附屬規章，其爲行政命令而非法律，爲明甚。四十二年八月，台中地方法院將台中，彰化，南投三縣市一二十餘件選舉訴訟判決駁回。其理由爲：「選舉訴訟，必須法律明文規定，台灣省各項選舉規程爲行政命令，既非法律，法院自僅可駁回，不予受理。」[illegible]……自應依照各該法規辦理。」

流氓扮相

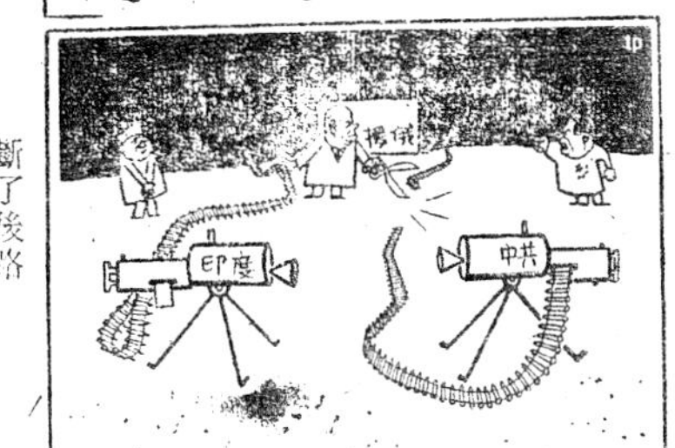

斷了後路

今日與明日

美國人的想像力

美民主黨的下屆副總統候選人韓富萊，最近發表競選演說，主張美國的對外政策要有「想像力」。這話並不新奇，只是拾取過去廿迺迪總統所謂「新境界」的牙慧而已。

任何國家的對外政策都應該有想像力，庶不致囿於眼前的小利小害，毫無是處。可是，發揮想像力的基本條件，必須知己知彼，洞明問題的癥結所在，然後肆應得當，克收預期的效果。否則所謂想像力也者，不過是自我陶醉的一種幻想而已。

就亞洲問題而言，戰後十餘年來，由於美國政治人物的想像力太過豐富之故，以致養成今日這種局勢。例如：美國當年認定中共是與蘇俄無關的「土地改良主義者」，千方百計的替中共張目助勢，使其竊據中國大陸，成爲亞洲禍亂的源泉，貽害至今爲烈！美國又阻止亞洲的自由國家對共黨採取軍事行動，認爲共黨若被攻擊，蘇俄必起而參戰，終將觸發世界大戰，使美國亦捲入漩渦。如今事實證明美國人這些想像力，係不切實際的幻想，亞洲自由人類受到這種幻想的災害，眞是一言難盡啦！

正確的想像力基於高度的智慧，而高度智慧是從深厚的文化精神產生的。美國立國尚不到二百年，太年輕了，還是先求瞭解實際情況，少談想像力爲佳。

東京灣又發生炮戰

美軍艦在東京灣巡邏中，又遭受越共砲艇的襲擊，這類事情今後必然層見迭出，不成問題的。

美國既不願意退出越南，且以肅清當地的共禍爲己任，然對共黨巢穴的越北地區，卻不敢加遺一矢，膠柱鼓瑟，徒自苦耳。這當然又是美國人的想像力所使然，只是越南人民太不幸了！

英國人的現實主義

最近英國調遣陸海空軍，源源增援馬來亞以抗禦印尼的侵襲，形勢相當緊張。

印尼蘇卡諾政府仗有中共作背景，乃敢公然興師動衆進攻馬來亞。假使這場戰事發生在亞洲其他的自由地區，英國一定大力主張和談，唯一理由就說是要避免中俄共干涉，以防有引起核子大戰之虞。越南之所以陷於目前這樣悲慘的境遇，即由於英國當年導演日內瓦會議的和談協定而造成的。

英國人專講眼前的現實利害，美國人侈言未來的想像力，自由世界就受着英美這兩種思想的影響，動盪不安，貽患無窮，可嘅也夫！

自由讀

毛共大捧史大林

毛共最近發佈長篇文字歌頌曾被俄共鞭屍掘墳的蘇俄大獨裁者史大林的功績，洋洋灑灑，十分落力，只是未將十餘年前高呼着的「史大林爺爺」、「永恆的太陽」、「不朽的鋼」等等肉麻口號再喊叫出來而已。

當年俄酋赫魯歇夫對史魔實施鞭屍運動時，毛共爲着仰賴俄援，不敢表示異議，祇得批捏其詞地發佈了一篇「論無產階級革命的歷史經驗」專文，間接替史魔解嘲，以報答其培育之恩。假使赫酋不撤回在毛共區域工作的俄共技工人員，不停止對毛共的經濟援助，毛澤東今日還是大叫「蘇聯是社會主義國家的頭」這類口號如儀，不成問題。

毛酋要報赫魯歇夫的一箭之仇，乃藉所謂「修正主義」來攻訐赫酋，希望煽起俄共內部糾紛，讓史大林派抬頭；現又對史魔表示追思推崇的意念，作用只是一點：即爲俄共的反赫份子張目助勢，證明赫酋是馬列主義的叛徒。

中國人——毛共份子除外——基於歷史經驗，對俄國老毛子素無好感，無論史大林也罷，赫魯歇夫也罷，皆視爲一邱之貉，無所軒輊的。毛共這種崇拜史大林的作風，在中國人的心目中，實可斷言，絕對不會發生作用，相反的將因此而使一般在大陸上的非共人士爲之腹非失望，妨害着毛酋藉攘外以安內的策略，顧彼失此，莫可如何。

毛共這篇文告能否在國際共產陣營中，發生一些影響呢？這對赫酋正在籌備中的國際共黨會議前途頗有關係，也就是毛共是否將被逐出國際共黨大家庭的關鍵所在。職是之故，以美國爲主的西方資本主義國家，坐觀成敗的惰性觀念，勢必日見濃厚，如加拿大總理皮爾遜，日前即對北大西洋公約組織說，此時不宜使毛共陷於孤立，否則將招致核子大戰的危險。其言固謂幼稚，卻是代表西方國家的心聲，可憐亦復可哂也。

馮五先生

高市中學代辦學生服裝

價格一改再改莫名其妙

有兩間學校已宣佈不再代辦

（本報高雄航訊）本學年度暑假期間，中學方面，又在代辦學生服裝，皮鞋，帽子，皮帶，書包等物品，向家長照收代辦費不誤。今年與去年以及以往許多年所不同者，爲由各校合作社經理出面，組織一個招標委員會，奉教育科之命行事。但亦鬧得笑話百出。教育科憑什麼法令來做這件事？受誰委托來代辦學生物品呢？

據教育科中等教育股錢國瑞科員稱：「教育科并未代辦學生用品，只是以主管的立場，從旁監督而已。實際上是聯招會負責。」又說：「潘廳長會致各學校長函，內容是：「在同一地區，根據設計一致，聯合招標，分校驗收三大原則辦理」云云。

據此，教育科乃令各校合作社經理，成立「聯招會」，并公推市二中訓導主任陳金河爲主任委員。招標委員會自八月五日開始辦公，邀集各校委員會議決定樣式與規格。乃經兩次招標未成，陳主委與錢國瑞請示代教育科長王清波，經王清波指示「按照議價」辦理。彼等不明「議價」之辦法爲何？爰請主計室解釋爲：在底價一成之內，可以進行議價。陳主委即按王清波的指示，進行議價，關於女生服裝議價以二〇四元成立。越數日，舉行校長會議，由陳主委報告議價成立時，王代科長却面帶慍色對陳主委說：「你報告錯了，『聯招會』無權決定議價」。陳主委即席答以：「既然主委無權決定，還是請科長及校長會議作決定好了。聯招會決定遵照辦理」。

後來幾位校長先後發言，第一位是七中校長曾子榮說：「剛才科長說主委報告錯了，我認爲主委并有錯；招標他是遵照委員會決定來辦理的，議價是『奉科長指示』而進行的，主委既然是校長經理聯席會議推選者，應有權力決定」。

第二位講話者是八中校長曾建順，他說：「校長會議既推選主委，他應有權處理」。

第三位亦是一位校長說：「應把權力交主委才對」。

第四位二中校長林守盤說：「聯招會到底誰管？應該弄清楚，這是大前提」。

第五位三中校長說：「陳主委你去告訴商人，議價不成，這是校長會議不通過，教育科長不通過。」

陳主委告訴記者說：「此時會議陷於殭局，緊張極了，王清波儼然尷尬萬分」云云。

王清波爲下台，乃作結論說：「議價後你（指陳主委）應該到教育科請示呀！好了（自己轉圜），現在我們決定把權交主委議價」。一塲不愉快的會議，就此結束。

記者問陳主委王代科長爲何要你議價後報告他？他只搖頭微笑。

關於衣服問題，某日，教育科召開委員會議，到會人員計有王代科長，股長，錢科員等，由中教股長黃孝捵任主席，黃說：「現在包商有三家：一、華成，二、星光，三、麗發，既議價不成，科長指示各學校合作社統通不准拿福利金，女生服裝最後決定爲二〇九元」。據陳主委說：「這一次會雖由黃孝捵主持，但一面開會，黃股長一面好多次請示科長才決定的」。

最近一次會議，是八月三十一日上午，到各校長及經理，由王清波主持，又討論女生服裝，另決定二〇四元，由以上三家分做。較黃孝捵決定的二〇九元相差五元，未悉何故？而越日，有「新光」廠異軍突起，廣告各界，願照聯招會所定規格、式樣、顏色、尺寸，以一九〇元承製。「新光」這一手很厲害，把聯招會及各校弄得不知如何是好。於是，市女中及三中公告週知，學生願照聯招會二〇四元定做者可逕自辦理，學校方面不予代辦。該兩校學生及家長深感快慰，并稱這兩位校長還不錯。

記者爲此事，曾拜訪新任市女中校長蘇本煌，他當記者的面拉了兩個女學生過來問話，校長問一位學生：「你這件裙子多少錢」？該生答一五〇元。另一位女生則答「十幾塊錢」。由這個實例，可以說明一個事實：有錢人家子女可以高價購置衣服，滿不在乎，但貧窮者，即是十餘元也是捉襟見肘的。然則爲什麼教育行政當局偏要學生替代辦這些東西呢？（九月十三日）

立監委員糾紛事件

本報記者台北航訊

監察院於本年八月十一日，提案糾舉中華機械工程公司營建部副理蔣振南違法失職，送主管機關依法辦理；其刑事部份，另案移送最高法院檢察署依法偵辦。

由於該糾舉案中涉及關係人立法委員宋梅村，因此，宋梅村認爲該案係屬「將明知不實之事項，登載於職務上所掌之公文書，已構成（刑法第二一三條）僞造文書罪；因其僞造文書，散布於衆，使他名譽受損害，已構成（刑法第三一〇條）誹謗罪，依法（刑法第一三四條）應請加重其刑」。於是，宋梅村於九月四日向台北地檢處控告監察委員于鎭洲、吳大宇、王文光、熊在渭、丁俊生等五人，涉嫌僞造文書、誹謗罪，並要求地方法院加重其刑二分之一。

此一新聞，使台北各界人士議論紛紛，而監院亦於九月五日發表書面聲明，說明該糾舉案經過。

聲明說：查本案係由小粗坑發電所明渠修復工程之工頭陳耀輝，王永利等向監察院檢舉，認爲有官商勾串逃稅及侵佔勞工利益情事，并附呈照片九張，經交審計部查復到（監察）院，由經濟委員會（第二〇四次會議）討論決議推吳大宇、熊在渭、王文光委員會同原批辦委員丁俊生、于鎭洲審議；僉以案情複雜，須再詳查，復由院派秘書賈雲松會同審計部原調查人協審權世俊續查，再提出調查報告，經審議委員提案糾舉，由陳嵐峯、劉延濤、田欲樸三委員審查成立，依法公布並提報經濟委員會。宋梅村所認爲被涉及者，殆爲該案轉圖利及官商勾結舞弊部份。

工程轉包部份：台電公司小粗坑發電所明渠護岸，於五十一年九月五日因愛美颱風過境而被洪水冲毀，當時，台電公司土木處處長戴之煐擅自以議價方式交由中華機械公司承辦，既未徵得審計部同意，又未通知審計部派員監視，且又違背經濟部所屬事業單位相互承辦業務簡化手續辦法第五條：「互辦業務之機構，對於議價如不能一致時，應報由本（經濟）部邀集審計部代表核議決定之」規定。也未遵守台電公司五十一年九月十二日第一次會議決議第三點：「土木處自應迅擬計劃，編列預算，通知各公營機構比價辦理或洽請兵工辦理」的規定。（按：中華機械工程公司與台電公司均屬於經濟部的國營事業）顯係逃避稽察限額程序（按：稽察限額爲營繕工程四十萬元以上者，應公開招標），違反審計法規。中華機械工程公司與台電公司以新台幣一百五十三萬元訂立工程契約後，該工程公司營建部副理蔣振南在書面答復時說：「本案工程迫切，爲達成合約任務，乃通知大誠及劉祥發營造廠估價，比價結果，以大誠營造廠估價較低，經奉准以新台幣一百四十三萬元與大誠營造廠在技術合作名義下訂約。惟卷查並無比價紀錄可稽，且該估價單亦未附卷。所謂比價，所謂技術合作，一般懷疑乃是官商勾結的幌子。蓋中華機械工程公司承辦工程與民營廠商技術合作，已往均有固定對象，本案工程沒有在業經登記之固定技術合作廠商範圍以內招商合作，而另轉包與大誠營造廠。

按台電公司土木處處長戴之煐擅自非法把該工程交與中華機械工程公司辦理的理由是：因爲中華機械工程公司擁有各式重機械設備，可以縮短工期。而中華機械工程公司於訂約後，反而認爲以人工辦理較之使用機具爲迅速經濟，即以此項理由把工程轉包給大誠營造廠承辦。由此可知，台電公司以中華機械工程公司擁有機械設備爲理由而訂約；而中華機械工程公司以大誠營造廠可以雇到大批工人而轉包交由該廠承辦，均可能是屬欺人自欺的虛妄之詞，而且互相矛盾，實則另有不可告人的文章。

所謂技術合作，係由於公營機構的技術人員限於定額編制，對於浩大工程力難勝任，乃以技術合作名義借重民營廠商的技術人員及工人；而該項人員的薪水與工資，由技術合作營造廠商繕具印領清册，由公營機構核實發放，其應用工材，均由公營機構直接採購出賬；此外，則以工程總價欵的百分之三，付給技術合作的廠商作爲酬勞。然而，中華機械工程公司並未按照上述規定辦理，僅以新台幣一百四十三萬元連同工材工資與技術人員的薪水，一併交與大誠營造廠承辦，顯係轉包而非技術合作。（一）

南市安南區鋪柏油路面

營造商以空桶混冒實桶

當塲被民衆揭穿并向當局檢舉

（本報台南記者曾振軍航訊）台南市安南區，鋪置海岸柏油路面事，經台南市民選出之省議員白世維，費了九牛二虎之力爭取促成後，甚受省府、省議會、公路局、市府等有關單位重視。當奉准施工鋪置柏油路面時，該區數萬鄉民，莫不歡欣鼓舞，良以完成之後可給安南區帶來繁榮與便利，對市區漁業供銷，亦且莫大價值也。

該工程初發包軍工協建，工程進行約三個月之後，軍工因軍情影響，調返防地，乃移包台南光復營造廠，以繼續未完工程。却因此出了岔子。傳說因爲該廠工地負責人周平安，「利令智昏」，不知謀求合法利益，專以偷天換日之手法，搞偷工減料之事，且尚誣賴鄉民偷竊柏油四十餘桶，致鬧得滿城風雨，而激怒海東、溪心兩里居民，由海東里長楊茂松等四十二人，聯署向台南地檢處，警察局刑警隊等有關單位檢舉，控告光復營造廠周平安，誣民爲盜，侵佔柏油，偷工減料等罪名。

告發書說：今年七月間，該廠據稱遺失柏油四十多桶，案報市警三分局處理，而將頂安里一位八十出頭的老翁蘇雙旺，傳訊至深夜，乃一無所獲，終於不得不交保釋放，不了了之後，乃今年八月廿一日下午七時前後，該廠以三輪機踏車，配合員工，搬運柏油至安南區公所十字路起，至永樂街段四公里餘道路前一公里中，配置打洒柏油，同時架上火鼎兩個，北面火鼎，放有柏油十三大桶，南面火鼎，爲十一大桶。是項柏油從車上卸下時，有的一推而下，亦有的由工人抬下；并由周平安另派五人看守。其時適逢附近溪心里民張登風，周金發，翁文明等，發現柏油桶卸下輕重有異，乃加以個別推敲，乃獲知十一個柏油桶中有三桶未盛柏油，顯係企圖魚目混珠。即將前情訴於安南派出所處理，并邀里長楊茂松赴現塲查勘證實。既又續查北面之十三桶，其中已有三桶放置火鼎口，內有兩桶亦爲空桶，目的顯爲欲於翌日晨乘不覺時發火，溶出柏油，使人無法查明，而以桶數抵賬，混水摸魚，以遂其偷工減料目的。海東里長見狀，深爲氣憤，乃再次向安南派出所報案，始由蔡主管偕同警員前往查驗，并繪圖存證。

該區鄉民認爲，此事絕非微不足道，因爲以空桶柏油混實桶柏油，欲謀不法利益，將使路面之壽命減少，既造成國帑之損失，爾後之安全尤深堪慮。因此該區居民甚感不滿，他們說：該廠從前所稱有四十餘桶柏油失竊，是否故弄玄虛的謊報呢？甚堪懷疑。且因此連累八十餘歲老翁涉嫌受訊，尤令該區鄉民猶有餘忿。

爲此一事件，記者曾走訪市府土木科林錫山科長，據稱：該項工程不屬市府監督，係由省公路局第五工程處負責設計監督，所以市府不大清楚云云。但無論怎樣，該區居民深盼有關機構，確切注意此事，審愼處理，以抑民憤，并亦維護政府威信及公衆利益。

屏東教育會鬧笑話

因酒滋事被記過之羅某

居然獲選為優良教職員

（本報屏東航訊）屏東縣立某中學教務主任羅郁培，於上學年度在高雄因酒滋事，縣府認爲爲人師表而出此醜聞，殊大不該，故於一個月前核定，以「行爲不檢」之罪名，給予記過一次之處分。

巧的是，事隔僅一個多月後的九月十四日，被縣府記過的羅郁培却又被屏東縣教育會選拔爲五十三年度優良教職員。消息傳出，民衆大譁！尤其教育界人士，對教育會此次評選時未免馬虎，未能盡到應有的職責，引爲憾事。而對該校之首先未能愼重提名送審，尤多責難。

某中等學校有幾位被選爲優良教職員的人對記者表示：優良教職員及教育模範家庭之當選，雖是僅享有教師節優良教職員表揚大會之精神鼓勵，然而像這樣沒有是非的亂來，豈不是沒有比有更好嗎？

一向爲人詬病的屏東縣財政業務，自八月份以後的情形，大有改進，廣得了不少單位的讚揚，值得一提。

屏東縣政府財政科的業務，幾年來一直爲所屬各單位所不滿，究其原因，不外①人事經費始終沒有走上制度，按時撥發；②經常費常需由鄉鎮學校派人到縣府辦理請欵手續達四、五次之多，始能到手；③各項補助建設經費常因請欵需時而阻碍工程之進行。

據幾位鄉鎮級行政單位與校長告訴記者說：縣政府財政科各項經費之撥發，七月份雖由於年度結束的關係時間較慢，可是自八月份起以來，確已上了軌道，迅速確實，爲前所未見。他們并一致表示希望能保此傳統，勿要日久玩生。（袁文德）

中外空軍運用史實

羅雲家

（三）三十七年冬徐蚌會戰：匪軍以六十餘萬人來犯，我空軍以B二五、B二六、F五一、F四七、B二四、C四五、C四七、F三〇、F一〇等式飛機參戰，計出動三千四百餘架次，會戰結果，使匪軍傷亡四十餘萬人，斃匪牛馬一〇九五匹，毀工事五九〇處，毀木船七百餘隻，毀火車頭十六個，毀車廂三節，毀汽車三七〇餘輛，毀手推車一六〇輛，毀戰車四輛。

至於近年台海之戰，我空軍健兒發揮高度之革命精神，與熟練的空戰技術，造成一比二三的空前戰果，尤為中外人士所共知。將來一旦反攻令下，我空軍健兒定能達成以一當十，以十當百，以百當千的「八二三」空戰戰績標準，那是可以預見的事。

一九五〇年六月廿五日由北韓匪挑釁所釀成之韓戰，是近年較具規模之戰爭。其間雖未使用核子武器，但海陸空軍都曾作過像樣的硬拼戰。為說明近年空軍運用之進步實況，茲舉韓戰中最初一年聯合國軍空軍之戰績如下：使用美、澳、加、希、荷、與南菲等國人員與飛機共出擊二十二萬三千架次，每天平均出動六〇〇至七〇〇架，其最高紀錄為一、二七七架次，計每架次平均投彈一噸，這一年所獲得的戰果如何？據統計共斃傷匪軍十二萬六千人，擊落敵機四〇〇架，聯軍空軍本身亦損失八五七人，飛機二四六架。（上述戰果未包括戰畧轟炸、孤立戰場、空運、後送、空降等成果在內）聯軍海軍飛機在此一年中，亦曾出擊六萬七千架次，發射彈藥七千萬磅，斃傷匪軍六萬五千人，擊落敵機三七〇〇架。（海軍陸戰隊的飛機及海軍航空隊封鎖元山港一三〇天的戰績，尚未加統計）

由上以觀，可知空軍的運用，不僅日益廣泛，而其在現代戰爭中的地位，更是重要。謀國的軍政大員們，如何在這方面加油努力，期使空軍日益強大，迎頭趕上列強並超越之，這該是當前的大課題。（九・完）

耿耿之忠，憤激之情，躍然紙上，及今讀之益覺悲壯蒼凉，感慨萬千而不能自已！此聯有人以為梁啟超所輓，並易其詞為：『逢比孤忠，岳于慘戮，昔賢尚爾，公復何尤，且隨孝孺先生，抉舌問成王安在？漢唐黨錮，晉宋風流，自古已然，於今為烈，好學子胥相國，懸眸看越寇飛來！』張冠李戴，蓋誤矣。（註四）越二年庚子，八國聯軍入京，『懸眸看越寇飛來』，其言果不幸而驗矣！

事後十八年，民國元年八月十三日，康氏又薦祭戊戌六君子於日本神戶月見山下須磨寺側屋『游存』，追憶當年英艦護送香港時，徘徊感傷，詩以寄慨：『舊時月色霧難開，海外驚看十五回。偶見朝衣過東市，忽經灰刼哭西台。永傷白首同歸日，怕見黃圖改色來！救國殺身誰念爾？波濤拍海夜堪哀！』悲折翼，念亡友，傷際遇，懷祖國，百感交集，愴痛何如！

康有為的亡命

丘峻

張蔭桓在后黨眼中，罪大惡極，原擬一併置之死地；但首由英公使竇納樂之函請李鴻章援救，時李已退出總理衙門，雖仍有發言力量，而素與張感情不洽，竇知之甚悉；因恐由英國單獨提出，力量或嫌不足，於是遣一參贊赴日本使館晤代理公使林權助，請其協助，林以告伊藤博文，伊藤亦認有與英合作之必要，遂由林見李，致伊藤意，告以殺張可能引起國際糾紛。李以告榮祿，張乃得暫免一死，而僅受革職，抄產處分。繼於八月十五日奉上諭，遣戍新疆伊犂：『已革戶部左侍郎張蔭桓，居心巧詐，行踪詭秘，趨炎赴勢，反覆無常，着發往新疆，交巡撫嚴加管束。沿途經過地方，着各該督撫等遴派妥員押解，毋稍疏虞！欽此！』惟因張與翁同龢接近，又為康有為之小同鄉，且有向康洩漏外交秘密之嫌，對李蓮英亦向不敷衍，而為慈禧及守舊派所深惡痛絕，迨拳變爆發，終被殺於伊犂焉。

徐致靖，原為翰林院侍讀學士，與康氏接近，所上定國是，廢八股之奏稿，即屬康氏所代草。迨御門誓衆，德宗表示決心變法，徐氏乃奏舉康有為，張元濟、黃遵憲、譚嗣同、梁啟超五人，會相國翁同龢，湖南巡撫陳寶箴，內閣學士張伯熙，給事中高燮曾，又同薦康氏才可大用。結果：康氏與張元濟二人陛見；黃遵憲，譚嗣同，着該督撫迭送部引見；梁啟超着總理衙門查看具奏。徐氏繼續條陳新政，至七月，特擢署禮部右侍郎。政變後革職，下獄永禁；後又被釋。其子翰林院編修仁鑄，仁鏡（瑩甫）兄弟，曾聯名上書，請求代父入獄，且以講求與力行新政，並被革職，永不敘用。

其餘，內外臣工多人，得罪各有等差。禮部尚書李端棻革職，遣戍新疆。禮部侍郎王錫蕃，湖南巡撫陳寶箴，革職永不敘用。寶箴之子，吏部主事陳三立，總理衙門章京行走江標，翰林院庶吉士熊希齡三人，革職，永不敘用，圈禁於家。前翰林院侍讀學士文廷式，舊為光緒帝所信用，而西后惡之特甚，於光緒二十二年二月革職，永不敘用；政變後拿辦，逮捕家屬。（十三）

我所知道的麥帥

肯寧將軍原著　徐熙光翻譯

我們在雷伊泰島上為此大大地鬆了口氣，因為如果中央艦隊繼續推進的話，可以很輕易地進入雷伊泰灣，一舉摧毀數百萬噸的船隻。雖然日本的中央艦隊在海爾賽艦隊返航救援時，會損失大部份的艦隻，但是日本海軍所關心的只是自殺任務，他們不會在乎失去多少軍艦，也不會計較他們是否贏得了這場海戰，可是對我們，則將造成巨大的損失。我們的十五萬大軍將因為喪失了運輸艦而無法得到補給，而且將遭受鄰近各島隨時可獲增援的日軍的攻擊。再說我們如果喪失了運輸艦，一時還無法從歐洲抽調來補充，因為歐洲當時情況也很緊急，屆時我們將一籌莫展，太平洋戰爭也勢必將多拖延五六個月的時間。

當天下午，麥帥和我以及前進指揮部的參謀遷進了布萊士的房子。大家對上午發生的事議論紛紛，許多人指責海爾賽不該北上追逐「釣餌」艦隊而把我們放棄。當天晚上麥帥和我步入餐廳時，裏面亂轟轟的，盡是議論和談話的聲音。麥帥坐下以後，聽到許多人都在談海爾賽，而且對他頗有微詞。麥帥用拳頭敲打餐桌叫大家肅靜。「夠了！」他說：「別再提海爾賽將軍，他在我看來，仍是一個能征善戰的海軍將領。」

麥帥愛護海爾賽將軍，他認為危機已經過去了，對海爾賽再加指責是沒什麼用的。我也敬佩海爾賽，我一直就認為他是海軍中所不可多得的人才，是海軍有史以來最傑出的將領。但是我不像麥帥一樣那麼容易不計較當天白天所發生的事。麥帥容人的度量是我所望塵莫及的。

金凱受創的小型航空母艦需要修理，艦上的戰鬥人員也必須休養，海爾賽的航空母艦轉戰南北，已經疲憊不堪，我們的機場又未修好，所以在雷伊泰海戰以後那兩天裏，麥帥在雷伊泰灣的地面部隊和艦隻，飽受日本空軍攻擊。日本的飛機是從呂宋起飛的，那兩天我們日以繼夜地眼看着天空中飛着的滿是日本飛機。它們確曾造成了一些損害，可是日本造的炸彈是我所曾看到最粗製濫造的劣等貨，有好多掉到地面以後都沒爆炸，這使我放心了不少，而且塔克羅邦機場已經完成，第二天中午我就能夠先派一部分戰鬥機來駐防，日機再也無法如此囂張了。

第二天中午當我正跟麥帥在巴萊士大廈共進午餐時，突然我們聽到一陣嗡嗡的飛機聲音，麥帥說：「噯！那是什麼聲音？」我說：「那是我從第四十九戰鬥機大隊調來的P三八戰鬥機」，說着我站起來離開了餐桌。但是麥帥此刻早已在我的前面，還叫我趕快上他的汽車。我們的車子開到機場時，看到機場上已經聚滿了一大羣士兵和非律賓人，他們對着P三八大聲歡呼，我看到三十四架戰鬥機大編隊從頭頂上飛過，我真為空軍感覺驕傲，此刻我的心情再輕鬆也沒有了。

飛機一架架降落，滑入定住，當那些年青的駕駛員跳出機艙後，我把他們介紹給麥帥，麥帥一一和他們握手並拍拍他們的肩膀，當麥帥告訴他們：「你們不知道我有多少高興看到你們」時，他們都笑了。（四六）

事實粉碎了謠言

易鳴

事實

自由報七月中旬出版的第××期的報紙，未能送到讀者的手裏，未送的原因，是該期的報紙遭受有關當局檢扣了。在以往亦常有受到檢扣的事情，但是，只不過兩三天，就會發還的；發還的報紙仍可送到讀者手中。這次的查扣卻是不再發還了。

謠言

謠言的傳說，是自由報社長馬五先生曾經運用了人事上壓力，使一向以幽默、諷刺為立論旨趣的「人間世」月刊，被迫停刊，關門大吉。當然，凡事無風不起浪，這個謠言是有所由來的；因為曾有龔德柏氏，撰文攻擊馬五先生，將文稿送「人間世」發表，適逢該刊被勒令關門，致使龔文無法登出來，（後龔的大作，在報上大登廣告，以傳單方式散發出來）於是乎謠言便如此傳出，議論紛紜。

事實‧謠言兩相對照

果如謠言之所傳，馬五先生的確具有使一家發行正常的雜誌，被關門的權力；為什麼連自己主辦的報紙也不能逃過查扣的厄運？難道說馬五先生自己設法查扣自己的報紙不成！真是天大的笑話。

現時的台灣，是一個講求法治、自由、民主的地方，公私營的報社數十家，登記有案的雜誌不計其數，縱然馬五先生能夠運用壓力，使「人間世」停刊，不使別人攻訐自己的文字刊出，那麼其他的雜誌就不能刊出了嗎？這樣，豈不是要把自由中國的雜誌統統關門大吉，才能遂其目的！

古人說：「流言止於智者」，聰明的讀者，看過這篇短文，亦會自覺好笑吧！

盧君續夢

第十四回：誰與慶昇平　呼朋湊興　居然爭霸業　背主孤行

尼泊爾外交部原來擬定了一份地圖，把歷來爭執不決的地區一概劃歸尼泊爾。在尼泊爾當局看來，也只是作為討價還價的依據，那知這張地圖一拿出來，陳毅就滿口應承道：「你們已經擬好地圖，也就不必再研究，就以你們的地圖作為根據好了。」

吉達頗感意外，問道：「這張地圖是我國劃的，與中國方面不盡相同，可否請閣下比對一下，看看有什麼出入，再作研究。」

陳毅說道：「我們相信你們的地圖一定不會錯，到是我們自己的地圖有問題，因為我們的地圖都是國民黨反動政府測繪的，國民黨專作對不起朋友的事，例如邊疆有許多地方，明明歸鄰國統治了幾十年，甚至一百年，國民黨卻不肯承認事實，硬說這些地方是自己的，於是到處出現了未定界；我們的辦法根本相反，已被鄰國佔領的地方，我們決不爭執，即使未被鄰國佔據，只要鄰國見愛，我們也樂意奉送。試看中緬訂約時，緬甸仍想維持南坎三角地的承租權，我們就乾脆把南坎割讓緬甸，省得兩方面麻煩。」

吉達看見陳毅指手劃脚，說的兩個嘴角皆冒白沫，知道這不是假的了，當時千恩萬謝把地圖收起。

陳毅說道：「關於劃界問題沒有什麼好談的了，現在要商談的就是援助問題。貴國自從同印度鬧翻，貿易方面受到很大損失，中國政府對此異常關懷，願意予尼泊爾以巨額援助，料想貴國政府應該不會拒絕的。」

吉達隨馬亨德拉來北平，主要目的是劃清邊界，以免中共軍再越界捕人，發生逮捕尼泊爾邊界警察的事，在尼王同吉達本意，即使吃點虧也無所謂，只求雙方劃清國界，免得以後再有糾紛。那知道陳毅這樣慷慨，所有尼泊爾希望得到的地區全部奉送，現在又進一步要給予尼泊爾經濟援助！尼泊爾與西藏毗連，對於中國大陸的飢荒，十分了解，此時陳毅忽然要予尼泊爾援助，由於事情太出意外，吉達一時反而不知如何是好。

陳毅看見吉達沉吟不語，又追問道：「閣下是不是懷疑中國的好意，以為我們此舉別有用心。」

吉達連忙說道：「外長先生不要多心，本人確沒有這個意思。不過，中國近兩年來經濟情況也不好，雖蒙閣下的好意，我們總覺得受之不安。」

陳毅笑道：「這有什麼關係，中國人最捨己為人，秦瓊為朋友兩脅插刀，傳為千古美談。我們中國共產黨人個個都是秦瓊，為朋友無論多大的犧牲都不在乎。」

吉達也不知道秦瓊是誰，只看到陳毅搖頭幌腦，口沫橫飛，覺得十分可笑，當時推辭道：「中國人愛朋友我們從來就知道，但是我們也不能負累朋友，況且敝國經濟也還可以自給，閣下厚意實在只有多謝了。」

陳毅看見吉達一味不肯接受，不由得急了。懇求道：「貴國即使不願接受中國的財力援助，也應接受人力援助，以表示兩國的友誼，否則就太生分了。」（三四五）

自由報　中華民國五十三年九月廿三日　星期三　第四版

冒險犯難記

鄧文儀

我就每人送給他們一百元或二百元，我覺得有錢幫助困難的朋友同學是最快樂的事，但我自己的錢完了，回去廣東的旅費都無着落，是在上海朋友那裏借錢才使我能夠成行。

卅二、想帶兵離開軍校

民國十六年的九月，我由南京回到廣東黃埔軍校之後，國內革命的形勢一時漸趨混沌局面，蔣總司令下野之後，在故鄉停留不久，已去日本考察，南京政府中樞失去了主宰，黨派紛爭，未全停息，北方軍閥雖無力南下進攻國民政府，但國民革命軍及國民政府所屬中央及各地軍政大員，由於政客官僚的挑撥離間，共產黨的造謠煽惑，很快就形成各種明爭暗鬥及縱橫闔的局面，黃埔學生雖到處有人爭取，也到處遭受打擊。廣東的政局也有不安的情勢，軍校負責人方鼎英教育長早已得到蔣校長的指示及李副校長濟琛的支持，儘量設法培養實力，將黃埔軍校的幹部與軍士改編成軍隊，這時原國民革命第二十師已改編擴充為三十二軍，軍長仍為錢大鈞將軍，軍隊已調往粵贛邊境，防堵由南昌暴動南竄的共黨朱德與第四軍賀龍（共黨）的部隊。軍校在校的學生及軍官訓練班與軍士教導隊合計起來官生士兵總在八千人以上，由後方總司令部發出命令着軍校編置新編第十三軍，由方教育長鼎英担任軍長，先就原有官兵編成新編第四師及第五師，依編制尚缺一個新編第六師，須在校外另外編置，這是軍校同仁由帶學生改為帶兵最好的機會。

我看到當時革命情勢的日趨複雜與惡劣，認為非有革命武力不足以維持革命的進行及阻止反革命勢力的反動。有好幾位同學都同時鼓勵我去帶兵，我把這些意見向方教育長兼軍長反應，他很贊成我離開學校，找機會帶兵，雖則帶兵早已不是我的志願，但在當時情況之下又沒有其他出路，也祇有向帶兵方面，尋找機會。

那時有幾位湖南同鄉同學從湖南來廣東，談及湖南廣東邊境有幾股土匪，每股有數百或近千的槍枝，他們都想棄暗投明，改邪歸正，接受政府的改編；我把這些意見綜合起來，加以研究分析，認感化土匪流氓是國民黨政綱中政策之一項，這是一個使我實踐帶兵的機會，如是我把我研究分析的結果，希望前往湘粵邊區收編土匪，如有成績，能有二三千人，接受編撫，就以為基礎編成十三軍的新編第六師。方教育長很贊成我的意見，鼓勵我積極進行，如有成績，即可保我任新編第六師師長，（五一）

唱戲趣譚

匡謬

我國各地方戲劇，有的劇情但依故老相傳，而無脚本，鄉村僻壤之地，多由伶人自編自唱，雖云不可登大雅之堂，然其解嘲之唱詞，頗足使人解頤。

河南梆子戲有唱「陳州放糧」戲者，某當家黑頭飾包拯，唱至退朝回府，包公道白：「王朝馬漢，打道回府」。不料台後無人應聲，始知人手不足，急計隨興，乃改唱搖板曰：「頭上整整烏紗帽，身上擦起滾龍袍，此番盤川帶得少，王朝馬漢不要了，邁開大步不坐轎，陳州放糧走一遭。」於是下場去矣。

川劇有某戲班唱「戰長沙」，紅生開好臉子坐在衣櫃上抽烟，青龍刀放置一旁。等到鑼鼓起，關公登場，到了前台，只聽得台下喧嚷，喊聲「滾進去」！原來關公手上拿的不是青龍刀，乃是一條棍子。唱關公者急中生智，即刻唱道：「走麥城，將壞月失掉，因此上才拿棍一條。叫兒郎與爺來換了！」結果龍套給換了一柄大刀，方告無事。

又川戲有唱「兩將軍」（夜戰馬超）張飛登場時忘了帶口鬚，鑼鼓咚咚，張飛與馬超相見，飾馬超者見張三爺未帶口鬚，隨口問道：「來將通名」！張飛用手一挑項下，心覺未帶口鬚，心中一急，計上心來，答曰：「小將張苞。」馬超曰：「娃娃不是老子對手，快去叫你老子出來會我！」張飛回道：「馬超！休得誇口，等着咱請三老子去也。」其實他到後台帶口鬚去矣。

有某票友客串「渭水河」，原詞應為老夫姓姜，名尚，字子牙，道號飛熊……」，但念至「子牙」時，一時心荒，竟忘了下句，遂將「子牙，子牙……」連擺十餘句。台下噓聲四起，大喝倒彩。票友愈慌，滿身是汗，忽有觀衆大叫：「不要臉被喝倒好了。」票友一聞「倒好」，（音同道號），心猛悟，乃接唱「道號飛熊。」

又河南戲唱「劉秀走國」，飾漢光武者出台唱搖板：「打馬來在潼關，不知是啥地方，待我下馬觀看。」隨下馬作觀望狀，道白曰：「啊，上面寫『三個』大字：『潼關』」。

地方戲劇，粗俚粗氣，笑話百出，自所難免。然開一代京劇泰斗譚鑫培，也曾為菊壇遺下笑料。譚素以喜修改戲詞著稱，某於「四郎探母」引子：「被困幽州，思老母，常掛心頭」。因嫌其音節不順口，改成：「金井鎖梧桐，長歎空隨一陣風！」實較原詞為佳，但得抑揚頓挫之勝，但文字上則有欠通。因「金井鎖梧桐」原為悲秋，但同齣代戰公主出場，則唱道：「芍藥開，牡丹放，花紅一片；艷陽天，春光好，百鳥聲喧。」夫妻同時出場，春秋各異，無乃馬嘴牛頭了。

病院養疴寄懷綽廬兄

四絕

黃伯遠

畫意詩情字字金，病中難得見知音；何因咫尺緣偏薄，訪戴相違直到今。

一書留念尚遲遲，強起寧堪自護持；孤負故人青眼望，病來痛苦寸心知。

室家破碎疾彌留，睡夢難安入暮愁；難與旁人說幽怨，一燈如豆爆清秋。

故人莫怨久無詩，竹院深深強起支；縱使倉公能再見，也無良藥救相如。（借用魚韻）

記張蒼水

湘南遯叟

又「和定西侯張侯服留題金山原韻六首」：

漢壇左鉞受宗臣，飛翰傳來消息眞。壁壘象橫開北極，流斷接南閩。雙懸日月旌旄耀，百戰河山帶礪新。從此天聲揚絕漠，還應吳會是臨津。

朝宗百谷識君臣，江漢依然拱赤眞。烽靖三湘先得蜀，瘴消五嶺復通閩。水犀飛渡扶桑遠，燧象橫驅貴竹新。指顧樓蘭堪立馬，肯令胡騎飲江津。

鍾阜銅駝泣從臣，孝陵弓劍自藏眞。猶聞雄雉能興漢，豈似乾魚僅祭閩。天入金焦鎖鑰舊，地過豐鎬鼓鐘新。何人獨愛尚征詔，賜履由來首渭津。

自古匈奴屬外臣，降王稽殿敢稱眞。千屯烽燧聯吳楚，萬軸波濤下浙閩。北固雲移龍節近，西陵潮湧虎符新。焚庭絕漢尋常事，銅柱先標若木津。

白草黃沙笑雁臣，衣裳鱗介已非眞。豈知捧翟猶賓粵，未必分茅可擅閩。南國羽書氛欲淨，西京露布壘應新。上游誰擁龍驤節，日轂新扶出漢津。

飛椎十載誤逋臣，喋血憑誰破女眞。霸就鴟夷原去越，兵聯牛女正當閩。投鞭不覺江流隘，傳檄兼聞鐃吹新。正為君恩留一劍，莫教龍氣渡延津。

又「同定西侯登金山，以上游師未至，遂左次崇明二首」：

劃雲半壁依江流，天塹東南形勢收。鐵甕潮函飛鷲嶺，牙檣影撼浴龍洲。諸江何代空鼓，橫海今來駐虛游。咫尺金陵王氣在，可能瞻梯問松楸。

相聞赤伏啟重離，一詔敷天並誓師。萬里鯨波趨錦纜，兩山鰲柱擁金羈。已呼蒼兕臨流蛋，未審玄驂下瀨遲。瓜步月明刁斗寂，行人猶指漢官儀。

當時西南有兩股大勢力，即李定國與孫可望。定國是邀約成功會師廣東的，決不可能再來一個期南都的宿約；祇有孫可望方面，據楊英的從征實錄，於永曆六年壬辰十一月條下有：「是日秦王孫可望移檄會師」。當日可望駐師沅州、或有席捲湘贛之想。但二張赴金山待約，所約究係何人，史書均無確實紀載，不過這次入江的目的之一，是為接應上游的義師，則是無疑義。黃宗羲撰蒼水神道碑便亦說：「癸已冬返浙，明年復監定西侯軍，入長江，登金山，遙祭孝陵，三軍痛哭失聲，燐火通於建業，題詩蘭若中。以上遊師未至，左次崇明」。大約那時清人鑒於上年「海寇」之患，不但大江南北，戒備森嚴，而南京左右江防更為嚴密，所以這次的結果，不如上年，待到金焦，上游義師未至，很快就撤退了。（九）

美妹

羅雲家著

於是他們道別了。他快樂得什麼似的回到住處，師母說有他的一封信。那是報社的稿費通知單，數目雖不多，但可以夠他十把天花用的。他高興得雀躍起來。

「師母！是一筆稿費，多難得呀，快一年了，恐怕這是數字最多的一筆啦！」他拿着那單子在半空中一揚，簡直似電影中那些中了彩票的人一般，滿臉顯現出幸運的色彩。

「眞是得來不易啊！退伍回來，爬方格子一年了，就沒有見過你這麼高興過。寫了怕不有廿多萬字的東西了吧？發表的還不到十分之一。我說呀，你的性子跟你老師一模一樣，什麼事情不好幹，偏要耍筆桿子，整天啃書本。如果聽我的話，脫下軍衣去替劉老闆管賬，怕不早已混上冬裝，甚至連女朋友也找到啦。唉！」師母五十多歲了，佝僂着腰，一面洗衣，那張瘦削的臉，瞧也不瞧他一眼，就接下去說了這麼一大堆話。

「師母，您別急，我何健文早下決心啦！中國的海明威非我莫屬。只要一個勁的寫，諾貝爾文學獎，遲早會落到我的頭上。那時候，這破屋子換成小巧的花園洋房，你儘等着享受享受一些清福，什麼都由佣人們去攪得了。一個人沒有冬裝可以混過寒冷的季節，沒有女朋友也可以活一輩子，但若沒有希望，沒有遠景，那就度日如年，一天也活不下去。」他瞪着那張通知單，想這樣說給師母聽，也讓她老人家樂一下子，可是他畢竟忍住了。他覺得這樣是不敬的。於是他改口說道：「師母，慢慢來吧！日子總會有天好起來的。老師上班去了嗎？明天禮拜天，我們可以加一點菜了。」

「他還不是老牛破車，每天都得勞累的。攪文學快三十年了，仍然是兩袖清風，不上班就沒有飯吃。這年頭，恐怕就是當老師的生活最苦了。你進屋去順便打開爐門。明天要加菜，回頭你就問問他想吃什麼吧！」

「好」！他邊答邊走入去爐門打開了，一會兒，屋子裏一股烟味嗆得他連聲咳嗽着。他記得誰說過的：日子久了，煤球烟可以薰壞屋瓦，一下雨就會滴打滴打地漏水，同時這烟對人體也有害，許多人患了呼吸器官的毛病，可能就是吸多了這種烟塵的原故。師母不是常咳嗽嗎？廚房不是常漏雨嗎？是不是都是因為這些煤烟造成的？……假如我成了名作家，每一本書都是洛陽紙貴的話！首先就得讓老師，師母的生活改善改善，最低限度，也不要燒煤球。……呸！做什麼白日夢啊！僅僅得了一筆較多的稿費，就想得那麼開心。要是以後的稿子都沒有人採用，恐怕就要喝西北風哩！

他走進自己的臥室兼書房。呀！桌子給抹過了，床鋪也重新加以整理。多虧老師與師母的照顧啊。六七年了！自從自己考進師範的第二年，因為退學，在窮途末路中，遇到了初中時代的國文老師傅秉先生，承蒙他收留在家休養以來，眞是視若子侄一般，愛護得無微不至。最初兩三年，在整天吃住休養之外，還要在非薄的待遇中，拿出一部份錢給自己來購買藥物，作長時期的治療。等到僅有的一點積蓄都花光了，糾纏了多少歲月的富貴病——肋膜炎——才算是治好。自己為了感恩圖報，雖也有過一些打開困境的想法，可是畢竟現實是殘酷的，想做的事一樣也做不到；那些與志氣不相投的差事，倒是有好幾次機會給他。像堂倌啦，業務推銷員啦，小機關臨時僱員啦；……呸！大專學生就只能混到這碗飯？他可以餓死，也寧肯不幹的！（九）

今夜月明人盡望

漁翁

為甚麼月餅以明初為最盛行？據說明太祖朱元璋起義時，由劉伯溫設計，於中秋之夕，引金陵民衆內應起見，事先於製餅時，內藏一紙條，上書「八月十五殺韃子」七字，果一鼓而下金陵。因此，月餅又成為有意義的復興民族之紀念品。

月之故事多矣，有月姊，月娥，月宮，月中兎，月中桂……，而最令人懷想者，莫若「花朝月夕」。月夕者，即八月十五夜也。「月令演義」云：「月之有華，常出於中秋」。值此天高氣爽，月華如錦雲捧珠，再加上五色鮮榮，正不知陶醉了多少多情兒女。

詠中秋月的好詩指不勝屈，要以王建的「今夜月明人盡望，不知秋思落誰家」！最為著名。「人有悲歡離合，月有陰晴圓缺。」此詩人之所以詠「但願人長久，千里共嬋娟也」。（續完）

自由報
內僑警台報字第〇三壹號內銷證
THE FREE NEWS
第二八四期
中華民國僑務委員會頒發
台教新字第三二三號登記證
中華郵政台字第一二八二號執照
登記為第一類新聞紙類
（半週刊每星期三、六出版）
每份港幣壹角
台灣本埠價新台幣弍元
社長：雷嘯岑
督印人：黃行富
社址：香港銅鑼灣高士威道二十號四樓
20 CAUSEWAY RD 3RD FL
HONG KONG
TEL. 771726　電報掛號：7191
承印者：田風印刷廠
地址：香港灣仔高士打道一二二號
台灣分社
台北市西寧南路壹叁柒號二樓
電話：三〇三四六
台郵撥儲金户九二五二

法治的基本觀念與條件（下）

張笙

這是什麼話？只是行政院通過，總統備案，立法院查照就成為法律了嗎？「中央法規制定標準法」第二條規定：「法律應經立法院通過，並由總統依法公布之。」行政院的命令顯然是違法的，但法院沒有排斥之力，亦無聲請解釋權。因為大法官會議規定聲請權屬「中央」及「地方」機關，司法行政部是法院的上司，即有「職權解釋」權（第五條）。

「法治」是不能馬虎的，一切依法而行，纔叫做法治。我舉這一例，並非反對現行台灣地方自治的做法。老實說，除此選舉案外，不法的事比比皆是，不過有一部份做得很妙，在命令上加以「戡亂時期」或「戒嚴時期」字句，經過立法院，就可以在形式上變非法為合法了。

更有一種情形，是違憲的法律照行不誤，這一事實尤其普遍，我僅舉出「陸海空軍軍官服役條例」第七條規定：「常備軍官服現役年限為十年，期滿後得依志願及軍事需要繼續服現役。」可知「十年」為法定役期，「延役」須經「志願」及「軍事需要」這二個條件。但該條例第三十二條規定：「本條例施行前已任常備軍官者，其在營服役年限，得依國防軍事需要酌予延長，其辦法由行政院訂之。」服兵役是盡義務，憲法第二十條有明文規定。第七條又規定：「中華民國人民，無分男女、宗教、種族、階級、黨派，在法律上一律平等。」今「陸海空軍軍官服役條例」對於一種身份之人，區分為二個階級，予以不同待遇，這非違憲而何？再就法理上說：法學上有「不溯既往」之立法原則。「刑法」第二條亦有這樣的法例：「行為後法律有變更者，適用裁判時之法律，但裁判前之法律有利於行為人者，適用最有利於行為人之法律。」但陸海空軍軍官服役條例「溯及既往」，在法理上說亦是違憲的。

我指出這些實例，目的便於有關當局知道檢討的方向，因為我國是號稱為「民主」「法治」的。海勞德說：「今天（美國法律節）……將有無數的美國人聽到『美國法律節』的文告，以闡明聯邦憲法和『民權法案』（The Bill of Rights）的精神，及其如何揉成權威和自由的樂土；以及美國政府制衡的制度。如何維護珍貴的民主，如何受法治而非人治及在一定而著名的標準下生活的權利，甚至不惜反對政府以獲得其應有的標準。」海勞德上校還特別強調說：「法治在我們之間，已獲得偉大的力量，因為他是自由人類的法律。」他的話，就是我今天論述的觀點，決心促進法治生活者，應深究斯言。

（二）

馬五先生在「自由報」四七二期的「法治的佳音」短評中說：「現在台灣省政府首開其端，實事求是，我們盼望政府以此為例證，憬然於若干法令之不合時宜，實行全面的檢討整理工作，而對於各個行政部門自行頒訂的單行法規，尤須特別注意，凡與國家大經大法的意志相違背者，一律宣告無效，蔚成法治國家的績業，詎不懿歟？」本文的第二段，即在響應馬五先生的「盼望」，協助政府從各個角度檢討「與國家大經大法的意旨相違背」之法律、命令；並提供解決之道，就看政府有無誠意與決心了。

政府果有蔚成法治國家的誠意，除自身守法外，尤需要培養全國人民的法治觀念，這是不可缺少的。人民若無法治觀念，又如何推行法治？所謂「不識不知，順帝之則」的時代過去了。法治觀念養成後，人民乃知如何排斥不法侵害，政府之不法措施勢必受到抵制。故法治觀念的培養非常重要。美國的法治觀念就是從國民教育普遍着手的，「美國法律節」亦由此而來。現就美國法律節的活動情形簡介於后：

美國法律節，起於一九五八年，由當時的總統艾森豪威爾以文告公布制定。艾森豪訂定五月一日為「美國法律節」的目的，主要在「指出美國法律自由，共產統治殘暴」，其次為「培養崇尚法治精神，使大眾寓生活於法律中」。海勞德在「美國法律節」上致詞說：「在過去，世界各國，多稱五月節為勞動節，為勞動大眾紀念的日子——勞動者於是得一日之閒。近代共產黨徒，亦利用勞動者，僭取為共黨的紀念日。」「約七年前，美國法律界同仁，為了反擊共產黨的狂暴，決定以五一為慶祝我們獻身追求人類自由、平等、正義諸原則的一天，以期鞏固人類幸福生活的基礎」。「現在，我們在國際的關係上，以尋求法律取代暴力的可能性」。可知美國人不僅把「法治」看作抵抗共產暴力的主要武器，而且亦視為追求人類幸福生活的憑藉，這與我國人的舊有觀念迥不相侔。

有些人認為自由是培育共產主義的溫床，如經濟上「貧窮」是滋生共黨的溫床一樣。他們以為：自由容易被共黨利用為滲透、分化、顛覆的手段，因此反對自由主義。其實這是本末到置的看法。政治上的專制與經濟上的貧窮，纔是共黨的溫床。人民在政治上有了自由，共黨雖能藉此活動，但不能發生效果，因為人的天性是不願喪失自由，過着專制的奴隸生活的。從某種變態事象看，自由似於共黨有利；但就人性的常態觀察，自由確為共黨的尅星。如英美的人民享有充分自由，尤其英國的工黨政策，類多與共黨相似。法國的政情更足以說明這點。然在事實上，以赫、毛為首的專制共黨，卻無法在英美法等自由民主國家中生根，這些國家的人民，從根本上就反對共黨。這是明顯的事實，不容吾人忽視；這是他人的經驗，我們足可參考。反之，經濟貧窮，加上政治專制的國家，今天無不成為共黨的附庸。

當然，我不贊同漫無限制的自由，即不受法律拘束的自由，自由如果沒有一定的制約，便成為暴民政治，而其制約的標準，就是「法治」。換言之，由人民自己通過立法的程序，來限制人民的自由。這個立法——人民代表的立法，不能與憲法抵觸，因為在性質上憲法是由人民自己制定的。如果不經立法程序，而由政府以行政命令來限制人民自由，這就是專制；立法機關若制定抵觸憲法的法律來限制人民自由，這是立法專制，或曰「惡法」。

「法治」對政府來說，是不自由的，政府必須依法而行；但對人民來說是對等的：法治內有絕對自由，法治外無絕對自由。由於這個原因，凡是權力中毒的統治者，儘管口上贊美「法治」，然在做法上常常破壞法治。他們尤其不願意人民有言論自由權，沒有言論自由，他們就可肆無忌憚，為所欲為了。（下轉第三版）

大小海盜

空車來滿車去

今日與明日

良好的政風

最近台省屏東縣刑警隊，對竊盜嫌疑人犯採取非刑逼供手段，社會人士羣聲指摘，監察院提案糾舉，而台灣警務處長即下令撤懲刑警隊諸有關人員，置之於理。此乃善良的政風，殊堪稱贊。

官吏多好護短飾非，濫權瀆職，又從而為之辭曰：「維持政府威信」。殊不知民怨沸騰，人心背畔之後，「信」固蕩然，「威」亦何有哉！

政府是為人民而存在的。所以，昔時操持生殺予奪之威柄的專制帝王，有時候亦得下詔罪己，承認某些錯誤的措施，藉以轉變人民的離心力，使政局趨於安定。因此，不特政府威信得告維持，民衆對於帝王個人的觀感，更覺得他是偉大的人格表現，愛護不違。至於民主政治生活，官吏原係為人民服務的公僕，做錯了事，只要「勿憚改」，庸何傷乎？此理實甚淺明，然一般官吏却明知故昧，怙惡不悛，此民主政治在我國之所以可望而不可即也！

台灣警務處這次的作風很開明，我們希望以此為嚆矢，政府大小官吏皆能改變觀念，見賢思齊，則人民幸甚，國家前途幸甚！

教育界的笑話

報載：台北市教育局在「大龍峒」孔廟裏張貼的一張佈告，全文不過四十餘字，然錯誤不通，令人駭笑，除別字連篇外，竟將腳踏車和三輪車列為「獸類」，視同犬馬之屬。

我們認為這是現代教育方針大大失敗的表現，不忍訕笑也。回憶民國五十年來的教育事業，幾曾見有一定的政策和方針呢？講西化，尊科學，固其宜也。乃因此而妄自菲薄，把本國文字視為文化糟粕，不屑注意。各級學校的國文教師，適任者不加保障、獎勵，濫竽者不予甄汰、放黜；尤其是中小學的國文課程與師資，多見其隨便敷衍，聊備一格而已。

如此這般的教育方針，宜乎台北市教育局即產生這類奇文妙句矣。悲夫！悲夫！

教育失敗又一例

早已歸化我國的英國女傳教士艾偉德，在台灣創辦了一所孤兒院。當她赴英美各地為孤兒院募集經費期間，院務交託一個自幼即由她撫養成人、又為之擇配出嫁的乾女兒主持之。詎料她回到台灣後，那位乾女兒和丈夫，乃霸佔着孤兒院，並且不許艾住在院內。如此涼薄行為，不是教育失敗的惡果嗎？

昔人謂：「世亂則濟之以義，時偽則鎮之以樸」。不知有關當局對此作何感想？有何處置呢？

自由談

精神第一

精神勝過物質之說，殆有至理存焉。無論其為個人或集團事業，假使精神渙散，意志頹唐，日趨於癱瘓而不復振起，即未有不喪敗者。

回憶對日抗戰時期，國土大部分淪陷，中央政府播遷巴蜀，四境交通梗阻，物質缺乏滋甚，而寇患日亟，前方軍事多不利。然朝野士庶局促重慶輦轂之下，人人淬勵奮發，毋忘在莒。從不因物質生活貧困，而移易抗戰禦侮之旺盛精神，亦不恃有國際應援，而「錯把杭州作汴州」，相率醉生夢死，追求享受，躭於逸樂。食則粗茶淡飯，藿藜自甘；衣則藍布大褂，悠然自適，最豪華者亦不過由公家配給一襲印度卡嘰布、或國產呢質之中山裝；住則簡陋宅舍，聊蔽風雨而已；行則黃包車柴油公共汽車，除最高當局暨少數卿相人物外，絕少使用私人汽車以代步者。

若夫政治上之貪官汚吏，固亦不免然，一經發覺，輒置重典。如中樞兵役署長陳沛民，川省教育廳長楊廉，楊全宇，西南交通運輸處長林士良等，皆以貪墨膺受大辟。諸人當時胥有顯貴權要作背景，而以林士良之靠山尤雄厚，然國法森嚴，決無倖理。凡屬違難巴蜀之所謂「下江人」，即使為豪富大吏或暴發商賈，亦罕有孜孜於求田問舍，苟安自娛之計者。至於賄賂公行，「紅包」四飛之怪象，未之前聞也。究其所以然，即朝野上下精神振作，衆志成城，因而克服一切困難，終奏勝利之歌。凡此情節，今日健在之海內外人士，年在四十以上者皆能知能言，記憶猶新。

現時國運迍邅，遠甚於對日抗戰之秋，而行都所在地之朝野上下人等，其日常公私生活之精神表現，比較當年在重慶時為何如，事實俱在，一望可知。若不急起振作，滌蕩頹風，蔚成臥薪嘗膽之奮鬥精神，而高呼反共復國口號，此與賭馬票以期發橫財之心情何殊乎？區區實不勝其慄慄危懼之感也！

馬五先生

一組往日本一組赴東南亞 半數省議員下月出國考察

因適逢世運會往日本的特別踴躍 縣市議員準備效尤要求出國考察

（本報台北航訊）繼省議會議長謝東閔出國考察之後，三十六名幸運的省議員也要集體出國考察了。省議員們嚮往了三年的出國心事，終於「有志者事竟成」，眼看便可成爲事實，其內心的喜悅，自盡在不言中。

出國考察的省議員，將分爲兩組：一組二十四人赴日本，一組十二人去香港、菲律賓、泰國等東南亞地區。赴日本的一組，將於十月中旬起程；赴東南亞的一組，將稍遲於赴日的一組，於十月下旬起程。

省議員出國考察名單，省議會視爲秘密，三緘其口，對外不肯宣露。而亦以此，更加引起外間注意，認爲其中難道有什麼隱情？省議會的解釋，則說是省議員出國名單，因彼此之間或還有調換，未到最後確定之時，還是暫緩公佈爲佳。

本報記者獲得迄至本月十九日止的名單如下：

一、赴日本二十四人是：李秋遠，許新枝，蔡鴻文，莊北斗，陳籌，劉金約，黃吳泉洝，張文獻，黃占岸，徐輝國，林亮雲，鄭大治，賴榮木，郭雨新，韋博隆，謝貴，黃國政，李卿雲，黃光平，黃運金，賴樹旺，蔡錦棟。另有兩人未定。

二、赴東南亞十二人是李炳盛，張富，陳新發，陳林雪霞，林明德，林福地，蔣天降，王國秀，楊玉城，李建和，呂錦花。另有一人未定。

這份名單也還不是本月八日第一次抽籤的原始名單，其中已有部份的變換。赴日本的一組，本來有李源棧，但他於十月初旬要率領高雄市網球隊赴韓比賽，無法參加考察，將名額讓給未中籤的郭雨新前去。赴東南亞考察的本來有陳重光，他因事不能參加，改由李建和參加。基隆市的張振生不去，換了張富參加。臨到正式起程以前，這份名單也許還要有少數可能調換，不過，不至有太大的變動。

赴日本考察的一組，團長已內定黃運金議員担任。黃議員將於十月十二日提前起程赴日，爲考察團預作安排。黃運金是我國籍在日本執律師業務的五人之一，與日本朝野各界關係都很融洽，最近日本政府同意賠償二次大戰期間征集我台省籍同胞陣亡失蹤者遺屬的事，便是得力於黃氏歷次的交涉。

赴東南亞考察的一組，團長原定由陳重光担任，現在陳重光不去，讓給李建和，團長一職自然也由李建和担任了。

副議長許金德與秘書長陳翔冰二人，將座鎮省議會，不出國考察。

這次未中籤的三十六名省議員，將參加第二批的出國行列。第二批出國時間還未決定，尚有待向政府交涉；不過，出國考察已有了這次例子，大致不成問題。

考察經費全部由省庫負担，據一般估計，每人約需新台幣五至六萬元，三十六人約需二百餘萬元，全體省議員約需五百餘萬元。但省議會方面表示，每人每日考察費按十二元美金計算，考察時間十五天，每人約需二萬餘元，並不如外間估計之多。

省議員各因事務繁忙，集體一次動身，勢不可能，將決定一個在日本集合的日期，各人先後分別起程，到時在日本會合，參加集體考察活動；最初幾天將分組考察，後幾天是集體考察，如過了十五天仍考察不完的，可以留在日本繼續考察，但經費由各人自行負担；而且至遲也須在十一月底回台北，出席十二月份召開的省議會。（未完）

立監委員糾紛事件

本報記者台北航訊

最荒唐的是：台電公司於五十一年十月四日正式函知中華機械工程公司，該工程議價交由該工程公司承辦，議價日期爲同月十三日，而大誠營造廠出具之估價單日期則爲同月三日。這足以說明該工程公司接獲台電公司通知後，即與大誠營造廠逕行轉包事宜。尤其是中華機械工程公司與台電議價時，所提出之報價新台幣一、六八九、四五五元，即爲大誠營造廠所提供的估價。於是，把該工程公司副理蔣振南所說的比價，及徵詢登記各技術合作廠均不願承辦等語，全部揭穿了。

官商勾結部份：據檢舉人陳耀輝、王永利等訴狀中說：中華機械工程公司職員（周重仁）接受招待。立法委員宋梅村，調查局職員葉芳霖收受工程介紹費新台幣六萬五千元一節。

監察院調查報告稱：查大誠營造廠總賬內，對於中華機械公司職員受賄並無記載，僅有一筆較爲可疑，即（五十一年）十一月九日付周王什費六千元。本案工程公司派營建部副工程師周重仁負責工地指揮督導工作，似有可疑。經台中地院檢察處偵查結果，係屬工程師周四全調解工地道路，通過張忠山等耕地問題之酬謝費，原控受賄一節查無實據。而中華機械公司副工程師周重仁於該項工程完工後，曾接受大誠營造廠謝塗誠的宴請。

該工程開始後，葉芳霖以大誠營造廠謝塗誠之通譯人身份，奔走於中華機械工程公司與大誠營造廠之間，繼又先後前往工地三次。所謂介紹費問題，調查報告指出：查大誠營造廠總分類帳第九頁什費科目項下，列有：五十一年十一月四日，付葉、宋先生欵二萬元，同月十三日付葉、宋三萬元。此項支出，台中地方法院檢察處偵查時，大誠營造廠負責人謝塗誠稱：係屬歸還借欵，并非介紹費用。另筆一萬五千元，未列支出帳，係葉芳霖在伊（謝塗誠）家中取回，未付利息。但詳查該總帳內借入欵科目中，并無此項借欵記載。詢據謝塗誠聲稱：該項借欵時在五十一年六、七月間，是爲了台灣省農會的一個工程而借的。台中地檢處對被告謝塗誠不起訴處分書中畧稱：「關於致送黃牛賄欵一節，經查帳簿之記載，據被告謝塗誠供稱：上項付葉、宋二人之欵，葉係葉芳霖，宋係宋梅村，該欵係經葉芳霖介紹向宋借得，供工程（小粗坑）期中週轉之用，事後歸還者……況退一步言，該支出之葉、宋二人爲被告介紹工程，被告（謝塗誠）致送酬金，葉、宋二人既對該項工程均非主管或監督之人員，即無刑責可言」等語。由此可見，台中地檢處不起訴處分書中，并未否定此項介紹費之存在。（二）

台灣論壇

從一場天氣官司說起

陸嘯釗

去年葛樂禮颱風侵襲台灣時，由於氣象所的氣象報告不實，人們疏於預防，釀成了巨大的災害。事後一位公民毅然決然地把氣象所長鄭子政告了一狀，指責他廢弛職務釀成災害。告發後經過檢察官的多方偵查終於提起公訴。今年九月十四日下午五時，鄭子政以被告的身份，帶同被委請的律師梁肅戎，接受台北地方法院的偵訊。

這件案子如果成立，依照刑法第一百卅條的規定：「公務員廢弛職務，釀成災害者，處三年以上十年以下有期徒刑。」

換句話講，鄭子政依法最重可以坐上十年的監獄。

在民事上依照民法第一百八十六條的規定：

「公務員因故意違背對於第三人應執行之職務，致第三人之權利受損害者，負賠償責任。其因過失者，以被害人不能依他項方法受賠償時爲限，負其責任。」

受災害損失的老百姓，也可以向鄭所長要求相當的賠償。

這一場天氣官司，是否能夠成立，因爲正在法院審理當中，我們不願意在審理的過程中，作任何事實上的評論，以免影響司法的公正。我們確信，嚴明的司法當局，必會作一個最審慎，最貫實的判決。

我之所以特別重視這件官司，並不在這件官司本身的嚴重，而是從這件訴訟的過程中，提供給我們一個健全的法治觀念。

一位勇敢的公民爲了公共利益，對一位官吏提出了控告。

一位公正的檢察官，並未官官相護，正當地行使了他的職權。

一位守法的官吏，決心面對現實，在法律程序中爲自己的清白，提出答辯。

這三個不同的主體，他們的決心，他們的勇氣，他們的態度，以及他們的攻擊防禦方法，都值得我們欣賞，都值得我們的尊敬，不問他的身份是原告還是被告，是官吏還是一個普普通通的老百姓。

「訟則凶」，中國人的傳統觀念是得過且過，息事寧人。打官司是一件凶事，即使爲自己的權利，也是能免則免，非萬不得已，總是儘量避免公堂相見。至於爲公共利益，挺身告官的事，尤其被認爲大逆不道。這種「敦風厚俗」，在匱之經濟的農村社會，雖然也不無價值，可是權利觀念之不能在中國社會生根，也就是這個道理。

權利是要靠自己保護的，不管生命、財產、名譽、自由，爲權利付出去的愈多，權利的保障愈鞏固。西洋社會，爲一塊錢的精神上損害賠償，可以化上幾千塊錢去打官司，在中國簡直是不可思議的事。可是西洋社會的權利意識究竟要比中國社會強得多。我們要知道保護自己的權利，尊重別人權利，是構成法治社會的一個主要條件。

以一個普通老百姓竟然敢告官，而告發的目的，完全出於維護公共利益，這是何等進步的法治觀念，而這一種法治觀念，畢竟在中國的社會成長了。

「官官相護」，是我國官場上的老規矩，作之君，作之親，作之師，掛上「三作牌」的人焉有做錯事情的道理？官吏的失職，與人民的權利息息相關，「王子犯法，庶民同罪」，法律之前，人人平等，法治社會就是這個樣子。受理鄭子政案的檢察官，不問他是否受到干擾，（自然，我們希望他根本不會受到任何干擾，因爲這是法治社會基礎。）祗要他能獨立地，本着偵查的結果，不管爲起訴或不起訴的處分，都值得我們尊敬。而鄭子政所長在這件案件的過程中，表現得也極其良好，他祗是合法地爲自己的行爲辯解，他似是默默地牢守在自己的崗位上，最後，勇敢地面對司法程序，聽候法律裁判——無罪還是有罪。

這是一個非常可喜的現象。我們樂意看到這個現象，讓我們都一切是非曲直，訴之於法律。鄭子政案件，正是我們法治形成的過程中，樹立了一塊新的里程碑。

來函照登

編者按：前接高雄地方法院書記室本年八月卅一日來函，要求更正本報第三七三期所刊台南新聞，其內容與左列函述者相同。但原函既有「揑造證據」「胆大妄爲」之詞句，又聲明關於本報記者「妨害公務罪嫌部分，交由檢察官依法偵辦」云云。本報認爲實與出版法第十五條規定之旨趣相乖違，未便照辦。茲接高雄地方法院岳院長成安來函，核與出版法之規定相符，應予刊佈如後。

查本年八月十一日上午十時許，有一不識姓名之莽漢，既不說明來意，亦不表示姓名身份，欲强進本院三樓審判人員辦公室，爲值勤工友阻止，並面告以：「本院三樓不會客，懸有『來賓止步』牌在樓梯口，你要見何人，我可以代你通報。」此人登樓被阻，遂惱羞成怒，認爲有失面子，面對工友大發脾氣。詰以：「三樓何以不能上去，是誰規定的。」工友告以此乃院長規定，請閱牆上牌示。此人見此牌示，更形氣憤，乃大聲喊叫：「台北最高法院，最高檢察署等法院，我到處可以去，都沒有此規定，你們院長有什麼權力下此命令，我找你們院長。」隨即飛步闖進院長室。其時適值院長公出，此人遂在院長辦公桌旁巡行不去。於院長室辦公之女錄事及書記官，看見有人未經通報遽行闖進，乃同時起立，詢其來意，並告以：「院長外出，你有什麼事情見院長，可留一名片，等院長回來再行約談。」不料此人誤會語意，震怒非常，口出穢言，厲聲斥責：「媽的，你是什麼人，你有什麼資格向要我名片。」繼咒拍擊辦公桌，大事咆哮，形狀極爲粗野惡劣。因其無理取鬧，聲聞室外，遂有多人羣集圍觀，值勤法警亦同時聞聲趕到，勸其有話慢說，不必太吵。此人見忽來多人，其內且有警察，認爲事態嚴重，乃先發制人，大喊「打人啊！」「打死人啦！」「救命啊！」極盡撒潑放賴之能事，頓使院長室秩序爲之大亂。法警見其不聽勸導，肆意胡鬧，乃將其推出院長室，帶至法警辦公室擬行依法究辦。本院書記官長爲息事寧人，爰命法警將其引出親加開導，彼始出示自由報台灣南部特派員謝君顯之名片，並聲明事出誤會，向本院表示歉意。本院書記官長念其一時衝動，對其涉嫌違法一節，因亦未予深究，洽談約三十分鐘與書記官長握別下樓，並自動赴法警室向各法警一一握手再行道歉而去。此爲本件事實經過，貴報五十三年八月廿二日第二版登：「謝君顯在高雄地方法院遭法警黑打，打得遍體鱗傷，手腕骨亦被扭折，且曾被封入拘留所禁閉起來。」顯與事實不符，爰敘明事實眞相，敬希依照出版法惠予披露爲荷！

此致

自由報社

台灣高雄地方法院發言人：林松濤

中華民國五十三年九月十八日

法治的基本觀念與條件

（接第一版）反共救國不單是政府的事，而是全國人民份內的事。政府祇是少數的統治者所組成；國家則包含統治者與被統治者二種人。如果我們確信「法治」是抗拒共黨的有力武器，我們必須把這一思想灌輸在每一人民心中，使其實踐於日常生活上，不期然而然的成為習慣。

美國為求「法治生活化」，所以在法律節的這一天，發動全國各級政府機關、民衆團體、學校、法院、教會來宣揚法律節的意義，以反證共黨的殘暴。無論大城、小市的律師公會及各機關學校教會和軍事部隊，都安排慶祝節日。國家機關參與的，有國立教育協會，國立家長教師聯合會，美國遺產基金委員會，美國婦女俱樂部同盟會，美國州長聯合會，美國青年商會，美國市長聯合會，美國戶外廣告協會，美國教堂理事會，美國法學院聯誼會，美國警察首長聯誼會，美國律師理事會，國際扶輪社，國際友誼促進會，國際獅子會，聯邦調查局，聯邦職業婦女俱樂部協會等等團體。在慶祝節日中，包括出版專號新聞紙，演講，傳道，集會，模擬法官裁判，參觀法院，論文比賽，電視及電台播放特別節目，電視及戲劇上演配合宣傳法治的影片及劇本，出刊壁報，圖書展覽等不一而足。

雖然美國人民的法治觀念，非一九五八年以後弄成的。在有「法律節」以前，美國早已積極的推行這項工作了，溯其淵源，可及於殖民時代。美國當初反抗英人中的一項最大理由是：「英國議會沒有美洲代表，英國無權向美人徵稅。」反觀我國的情形又如何？每年的「司法節」，絕大多數人民不知是怎末回事？其內容及其意義如何，即使許多知識份子亦不知其所以然。司法行政部部長的一篇訓詞代表了整個司法節。在這種情形之下，希望有效地創進「法治」生活，實在太渺茫了！

中西思想最大之不同點，就是中國重人治，西方重法治。人治與法治並不衝突，且為相輔相成的政治推進器之兩輪。有人治而立良法，可以垂訓後世，遺澤無窮；只有人治而無法治，則人亡而政息，如曇花一現。所以孔子說：「人存政舉，人亡政息」。這一思想，就現代政治學言，自非妥當性。假使有法治而無人治，亦能蕭規曹隨，維持舊業於不墜；若有法治而兼有人治，更可大展宏圖，躋國家於富強之林。兩相比較，法治乃較人治更重要，毋待贅述。為促進吾國的法治生活計，我贊同馬五先生的說法，政府應將現行的許多法律，全盤檢覈，凡是與憲政精神不符合的，如過去在訓政、勦匪、抗日時期頒佈的法律，一概交由立法機關加以審議複決，或修正，或廢止，再由政府明令宣佈，昭大信於天下。至於各級行政機關自行訂定的單行法規，尤須嚴禁與國家的大經大法相違背，否則政府予以制裁，人民拒不接受，台諫提出糾舉或彈劾，以為濫權非法者戒。例如三數年前，行政院通令規定，公家和民間需用汽車，須以採購本國產品為原則，非經特許，不得購用舶來品。但台灣省府即以「單行法規」作護符，向西德購買大批汽車進口，行所無事。似此惡風不掃蕩，所謂「法治國家」的實質，永遠可望而不可即，名義上號稱「法治」，實際上是「官治」，官吏知法犯法，無所顧忌，人民若不與官吏勾通，是不敢隨便亂法犯禁的。「法之不行，實自上始」，「法不論親貴，刑不及大夫」，這種封建落後的惡習如不剷除，我們再喊「法治」口號一百年，還是枉然啊！

康有為的亡命

丘峻

四品京堂候補王照，革職拿辦，逮捕家屬，查抄家產。王照之兄，世襲雲騎尉，京營游擊王樊，革職下獄。山東道御史宋伯魯，工部員外郎，總理衙門章京，兼辦鐵路礦務事李岳瑞，刑部主事，總理衙門章京，兼辦鐵路礦務事張元濟三人，革職，永不敘用，並拿問。三品卿銜督辦農工商局新政吳懋鼎，革職，查抄家產。出使日本大臣黃遵憲，免官逮捕。三品卿銜督辦農工商局新政徐建寅，削銜撤差。刑部主事洪汝冲，拿問。飛鷹艦長×××（一說即劉冠雄），因疑其伙義釋康，舉人程式穀，錢維驥（子良），因與康氏同居，三人皆下獄。瑾妃珍妃胞弟，工部筆帖式志[illegible]，新放知府馮汝[illegible]二人，革[illegible]。江蘇候補道，辦理天津鎮江鐵路容閎，撤差。內閣學士兼禮部侍郎銜張百熙，革職留任。三品卿銜督辦農工商局新政端方，銷銜撤差，後以其為滿人，復升任陝西按察使。此亦可見有清一代對漢滿人待遇之不平等，亦造成漢族革命因素之一端也。

此外，萬木草堂於二十二日被封之前，其員生逃難情形；尚堪一述。據湘子先生所稱：

『當時一般人看做康有為的巢窟，變法維新策源地的萬木草堂，處境顯然是十分惡劣的。代理堂長職務王鏡如，與十六個學生，在舊曆八月初六日維新運動失敗後，一直等待着康有為的指示來決定行動，可是始終都渺無音信。

最後，萬木草堂的員生們，幸而得到曾經在萬木草堂作過客的日本新聞記者田野橘次的協助，才得脫險逃亡到香港。他們逃亡的經過情形，田野橘次在他的『最近支那革命運動』一書，有很詳盡的記載，極為有趣。雖則時過境遷，而知道此中情況的人殊不多，茲畧述如後：

田野橘次於八月初八晚在香港英文晚報，得到了變法維新運動失敗的消息，就心萬木草堂衆人的安全，第二天便乘省港輪佛山號到廣州，下午七時許，船一靠岸，立即坐轎進城。到了文明門時，城門已經關了，他只好假冒日本官員，賺開城門，直奔萬木草堂去。

這時，萬木草堂黑黝黝，靜悄悄，田野橘次吃了一驚，以為衆人已被抓走了。可是，擦亮火柴，點着洋油燈一看，一切陳設却依然如故，於是乃大聲呼喚，王鏡如和學生們隨即陸續從各處走出來了。原來他們怕官兵來捉人，躲藏着呢。

衆人一見田野橘次，忙問消息如何？他簡畧地說了情形，便問康有為的家屬怎樣？他們又將如何？王鏡如告訴他：康的家屬業已去澳門，至於他們員生幾十人，仍然沒有得到康有為的指示。田野橘次覺得王鏡如書獃子氣味太重了，遂指出危險之際，權衡處置，是可以得任何方面的體諒的，並建議三十六着，走為上着，學生們都表示贊同。（十四）

我所知道的麥帥

肯寧將軍原著　徐熙光翻譯

四個小時以後，有九架日機前來轟炸，結果只有一架逃了回去，另外八架被我們擊落。從此以後日機在白天再也不敢出動，只有蟄伏到晚上才出來偷襲。

那天天黑以前，我到麥帥房裏去跟他聊天，看到我進來他仰起頭並把他正在看的一本書放在一邊，我看到那本書是李將軍傳。

「喬治」他說：「我剛看到一個很巧的故事。傑克遜將軍在臨死時，最後說的一句話是：『告訴希爾將軍，好好帶領他的步兵』。幾年之後，李將軍臨終的遺言是：『希爾，帶好你的步兵』」。他停下來點他的烟斗，吸了幾口繼續說：「如果今天或明天我不幸死去，你聽到我最後的遺言一定是：『喬治，帶好你的第五航空隊』」。

這兩天，他跟大家一樣，都覺得憂愁不已。但是現在一切都沒有問題了。日本海軍的艦隊已經不知去向，陸軍雖然還有淩厲的攻勢，但是並不嚴重，尤其是現在空軍的戰鬥機來了以後，對我們的軍力無異如虎添翼，防務上更是百密而無一疏。麥帥對空軍具有深刻而毫不動搖的信心，他知道空軍健兒不辱使命，一定可以達成他期望的任務，他知道他從此再也不用担心日本的空中攻擊了。他已經回來了，而且將一直和菲律賓人比肩作戰下去。

九、密蘇里艦受降

一九四五年八月四日，麥帥召見我。我走進他的辦公室後，他遞給我一封剛剛接到的來自華府報的電報。這封電說美國將在八月六日在廣島投擲一枚原子彈，屆時所有美軍飛機不得飛近離廣島五十哩以內的上空。

麥帥和我對此一新武器的發展知之已久，我們常在猜測那是否將被用之於戰場。我們都曾希望除非絕對必要，不要用原子彈來對付日本人。兩個月以來，各種跡象即已顯示日本已經準備投降，因為日本對於這個戰爭，已經無法再支持多久了。

他們的海軍幾乎已經完全失了戰鬥力，商船也被擊沉得所剩無幾。所餘少數的幾條船正繼續遭受我們的潛艇和以菲律賓及冲繩為基地的飛機的攻擊，日本已經無法再自荷屬西印度羣島得到錫、橡膠或石油等戰畧物資。其他繼續這場戰爭的物資亦已枯竭。我們的海軍不斷攻擊北海道的碼頭、船塢和貨輪，使得日本唯一的良好煤礦無法加以利用。從冲繩起飛的轟炸機日以繼夜地巡邏日本和朝鮮之間的海域以及中國的東北，切斷了僅有的煤、鐵和食物的最後供應來源。日本靠其本土有限的粮食生產已經無法養活人民，甚至主要賴以維持日人生計的漁業，也已陷於停頓。

日本的空軍對我們已經不再是一種威脅，在太平洋戰爭初期，日本空軍所擁有的優秀飛行員和轟炸機已喪失殆盡。開始時，日本空軍的飛行[illegible]平均都有大約六百到七百小時的飛行經驗。到了一九四五年八月，具有一百小時飛行經驗的駕駛員已經少而又少。他們對作戰技能和武器槍砲的應用幾乎毫無所知，實在不是我們的飛行員的對手。（五七）

瘟君續夢

第十四回：

誰與慶昇平　呼朋湊興
居然爭霸業　背主孤行

吉達聽到陳毅竟然要給予人力援助，不禁吃了一驚，問道：「請問閣下，貴國怎樣以人力援助尼泊爾。」

陳毅說道：「我們知道尼泊爾人口很少，有很多建設皆不能進行，中國願意供給相當的人力幫助尼泊爾建設。」

吉達大笑道：「陳外長，你對尼泊爾的情況尚欠了解，我國地方雖小，就是人口多，每年許多壯丁都跑到英國去當兵，在印度，馬來亞，甚至在倫敦都有尼泊爾的居喀兵團，尼泊爾兵士作戰勇敢，嚴守紀律，生活水平又低，所以隣近各國皆樂於僱用。閣下此時竟然想起以人力幫助尼泊爾，實在不必了。」

陳毅紅着臉說道：「你們的壯丁因為都當了兵，國內建設無法進行，我們所以要予以幫助，也正是為此。譬如你們國內至今尚沒有一條完整的公路，固然由於地勢太險，主要還是因為缺乏修路的專家，這一點我們到可以幫尼泊爾的忙。」

吉達心裏想道，那有強逼着要幫忙的，當然是未懷好意。不過看情形強加拒絕也不好，不如乾脆就出個難題試試，當時說道：「我們國內想修一條橫貫東西的公路，正如閣下所說，既缺乏專家又沒有足夠的財力，所以一直就擱下來。」

陳毅說道：「這個沒有問題，由中國負責代修就是了，我們可以把這項援助載入友好條約內。」

吉達看見陳毅又是一口答應，更不放心，說道：「不過這條公路相當長，又全是經過高山狹谷，工程大的很哩！」

陳毅擺手道：「沒有問題，沒有問題，中國人民的無比勇氣能令高山讓路，海水低頭，只要能運用馬克思主義同毛澤東思想，什麼都不怕。」

吉達無可奈何只好去見尼王報告，果然把馬亨德拉嚇了一跳，抱怨道：「你怎麼要接受中國的人力援助，他們每一個工人都是經過挑揀來的，身上帶有細菌，一旦在我國傳染開了，如何得了。」

吉達說道：「中國把援助同劃界連在一起，不接受援助就不肯劃界，陛下想想我又如何拒絕？」

馬亨德拉說道：「既然這樣，我們勢不能不早作準備，在國內劃定路綫，凡是中國派來的修路人員必須在指定地方居住，不得與本國人民來往，如有作修路以外任何活動的，馬上就驅逐出境。」

吉達唯唯稱是，出來答覆陳毅，尼泊爾願意接受援助，但援助以築路為限，不得作其他活動。

陳毅滿口應承，雙方派出專人研究築路的路綫，中共代表却要從拉薩築起，尼泊爾方面當然不肯，吉達又去找陳毅交涉。

陳毅笑道：「本來我們是不預備築這麼長的，後來感到不從拉薩開始修，所有器材不能運進尼泊爾國境，只好勉強多修一段，又增加了預算，實在是不得已的事，你們怎麼還會反對。」

吉達無話可說，只好長嘆一口氣算了，這條公路修成後，就打破了尼泊爾的鎖國政策。（三四六）

我如是作了一個計劃送給方教育長轉呈李濟琛代後方總司令，經過當面說明之後，很快得到核准，由後方總部派我爲粵湘邊區收編委員，給我相當權責，少數經費，及幾個幕僚人員，就在這樣情況之下，我因爲想帶兵，辭去了黃埔軍校政治部主任職務，離開了軍校，這是一種新的冒險犯難工作的嘗試與開始。

冒險犯難記

鄧文儀

卅三、改編土匪險阻艱難

接到派往湘粵邊區担任改編土匪任務的命令之後，很快辦妥軍校政治部準備離職手續，并指定先行由秘書代理，同時準備啓程前往粵北。總部祇許我帶兩個助手一個衛士前往，經費先發三千元，俟有成績及需要時電請續發。這時正當我的妻子由我的父親陪同從湖南來廣州不久，我要去粵湘山嶺邊區改編土匪，毫無憑藉，乃是十分冒險之事，父子夫婦之間，爲此不免多所躭心憂慮。我却認爲這是革命重要工作，憑我的決心和勇氣及熱誠，想必會有成就，至少不會有生命危險，要他們安心，並很快將父親送回湖南，妻子則託軍校政治部同事照料。剛剛成立家庭，和父親妻子相聚不到一月又要離別，心中自然有些惆悵。但這是我一生從事冒險犯難事業的開始，我是一向以「革命未成，何以家爲」的信念參加革命工作；雖則家庭觀念很深，對家中的老幼男女都關切備至，但我却從不因兒女私情，影響工作。所以這時對於家人雖很抱歉，也就輕易過去了。

我於十月底完成準備工作，並開始找人和土匪的主要人物連繫。等到十一月初旬，我和我的助手二人及衛士兼勤務一人，共四人，離開廣州，携帶了輕便行李及隨身武器手槍二枝，行動非常簡便。我們先乘粵漢鐵路車到韶關（曲江），這時的火車，南段是以韶關爲終站，在那裏停了三天就步行到粵北的樂昌，距離韶關不過五十公里，兩天就走到了。樂昌是股匪出沒的一個基地，這時在樂昌一帶土匪頭子是湖南汝城人的胡鳳章；在湖南和粵北毗連的土匪首領爲徐漢臣。他們兩人各有幾個縣的地盤，也各均統屬千多人，武器步槍七、八百枝，彼此互爭雄長，有時劃界相持，偶而也聯合統一，但一有機會就互相火併，這些情況，我們到樂昌不過一週就知道了。我決定先從胡鳳章部開始接洽改編工作，找到他派在樂昌的連絡人員商洽，我要他轉與胡鳳章約定時間地點和他會晤。（五二）

「國父全傳」序

段宏俊

孫中山先生在民國十四年去世，去世後十五年（民國二十九年），國民政府明令全國尊稱孫先生爲「國父」。到明（五十四）年十一月十二日，是我國國父誕生百年的生日；在這個時候，由陳健夫先生執筆撰寫「國父全傳」，該是十分有意義的事。

關於孫先生的傳記，最早的一本是一九〇三年（民國前九年，光緒廿九年）出版的「大革命家孫逸仙」（黃中黃著），那時候孫先生才三十八歲，正奔走革命。這本傳記出版後，使一般人對孫先生有了一番清楚的認識，對革命的推動，很有影響。觀其出版後即爲清朝政府查禁，與同年出版的「革命軍」（鄒容著）一起列爲禁書，就可看出它的重要性了。

孫先生去世後，關於他的傳記，出版了不少，但是眞正能夠通俗，普及而又詳細的却很難找到。在政府和國民黨黨史機構方面，也始終未能出一册類似「定本」的國父傳記。至多只能出些記錄性的哀輓錄和年表，年譜之類，但是裏面還是很多錯誤。

孫先生去世後第六年，商務印書館曾出版「孫中山先生傳」（胡去非著）一册，書前有吳稚暉先生題辭說：

「當定本史傳未出時，而此長編式之傳記，最爲詳備。尤善於語皆有本，又能無所遺漏，暫時欲讀一小册，能得總理一生革命之概要者，莫此書若矣！」

如今又過了三十年了，「定本史傳」仍付缺如，而胡去非的「孫中山先生傳」不但版已久，且亦有若干不妥與簡陋之處。陳健夫先生如今發願寫這部既通俗、普及而又詳細的「國父全傳」，在三十三年後的今天看來，此時此地，當更有嶄新的意義。

今年四月，我在拙著「天籟集」中，在「孫中山先生的偉大風範」一章裏，曾特指出：

「俗語說：『秀才造反，三年不成』。而中山先生便是我國歷史上第一個『造反』而又成功的秀才。

「他赤手空拳，憑一枝筆和一張嘴，便把統治中國兩百幾十年的滿清王朝打垮了，開秀才造反成功的先例。但是他造反成功却不只三年，而是經過二十多年的艱苦奮鬥。這其間，舉世聞名的失敗就有十次之多，到第十一次辛亥革命起義，才把滿清王朝打倒，締造了中華民國。」

「『秀才造反，三年不成』這句話也不一定完全是對的。古往今來的造反集團中，都不乏秀才的存在，如果造反沒有秀才參加，根本就不會成功，因爲『造反』之前，第一要有一個思想背景，而這種思想背景的造成，多是秀才的主意。歷史上的英雄豪傑，其所以能夠乘時而起，完全是靠思想背景，而這種思想背景的造成，非經經過二三十年甚至一二百年，當然是不會有什麼成效的。所以『秀才造反，三年不成』這句話也有它的道理。但究其實際，造反與秀才是分不開的。」

從這個角度了解孫中山先生，我們更會知道這位革命家的堅苦與卓絕。陳健夫先生用他的健筆，替孫先生的堅苦卓絕精神做了生動的畫像，我們可以說：這是一部成功的傳記。

這部傳記由「自由太平洋文化事業公司」出版。這個公司雖然成立才不過週年，但却有一套長遠的宏大的理想，它的目標是「文化救國」。這次出版陳健夫先生的這本成功的傳記，就是這種理想下的一塊基石。宏俊忝爲這個公司的主持人與這本書的發行人，爰述感想如上。

記張蒼水

湘南遯叟

第三次入江

按全祖望爲張蒼水作年譜，在順治十二年（乙未）條載：「公在吳淞，再合定西軍入江，掠瓜州、儀眞、抵燕子磯。卒以師徒單弱，中原豪傑無響應者，還軍於浙」。又楊英「從征實錄」載：「癸巳八月，鄭芝龍差李德、周繼武通知成功，清朝欲賜地求和，封成功爲海澄公，以一府地方安插鄭師。成功即曰：『清朝亦欲貽我乎？將計就計，權借糧餉以裕兵食也』。至次年（甲午）正月，清朝派鄭、賈二使齎澄海公即至閩。三月，成功以和議方就，乘勢分遣各提督總鎮就福、興、泉、漳屬邑派助樂捐，並移會清福建巡撫劉清泰，謂『以數十萬之衆，按甲待和，雖譏可俟而腹決不可枵』等語。

可見這次名振蒼水入江，完全是配合鄭成功的策畧，利用和談正在進行之中，深入長江各地，搶奪粮食。「魯春秋」永曆八年甲午監國九年條載：「……全師入京口……還觸吳淞關，掠北戰船二百七十號。名振以沙船九百號，泛登萊及高麗乃還」。江寧巡撫周國佐「……順治十一年五月揭帖亦載：「……賊犯九月以來，前後廿一疏，除呈報兵部外，大小四十餘戰」。更可知這次自名振、蒼水進兵長江沿岸以來，清師疲於奔命，忙於防堵，其戰爭是怎樣的激烈了。

是年冬，張名振病死舟山。蒼水歷爲名振監軍，起居與共，名振歿後，所遺的部隊，當然由蒼水完全接收了。他丙申有「哭定西侯墓」詩：

牙琴碎後不勝愁，絮酒新澆土一杯。冢上麒麟那入畫，江前鴻雁已分儔。知君遺恨猶瞠目，似我孤忠敢掉頭。來歲東風寒食節，可能重到鄮靑楸。

又詠「一紀」詩：

一紀戎衣有寸塵，到來江漢只孤臣。龍編未達劉琨表，蛟島空存豫讓身。甑墜妻孥寧復惜，劍懸朋友更誰親。頻年慚負蒼生望，敢向桃源問別津。

又「即事有感」詩：

久矣浮萍寄此身，倦游何日轉風塵。即看蓬鬢難逢世，況到灰心懶應人。一旅尚堪扶共主，百年誰肯鑒孤臣。也拚海岸投簪去，自有桐江足釣緡。

他自三次遠征長江，都無所成，張名振死後，愈覺孤掌難鳴。加以和鄭成功各事其主，不無貌合神離之感，如此長期抗戰，殊非了局，不免動倦鳥思歸之情矣。（十）

美妹

羅雲家著

他向命運反抗，他索性再也不求職於人。什麼也誘惑不了他，只是關起門來寫稿子。但，稿子投出去的，十之八九都被退回了！只有一個不出名的小雜誌上，採用了他一篇短稿。他想哭，哭人家爲什麼不同情和賞識他。他想罵所有的編輯先生。可不是？如果編輯不都是瞎了眼，不都是鄉愿，不都是懶鬼，說什麼他寫的東西，也不會只用上十分之一。同時，還採用了的那一篇不僅那刊物過了數期才寄贈一本給他，而且稿費一拖半年，數字少得只有十五元一千字。哈哈！這是什麼話？這簡直是在吊窮困文人的胃口嘛！

決心想當「文化鬥士」，文藝界「那一套」他當然也知道一些。有人對他說：要寫稿子，就得先學會「文壇登龍術」。可是他不信！他以爲寶文爲生的人，不也是賣生命；一點一滴的零售着自己的短暫生命。既然是以文章取勝於人，何用得吹牛拍馬或認乾爹呀？但，現在他開始有些相信那些「邪說」了。因爲，有許多「成名」作家的東西，是遠不及他的作品成熟，及有份量，可是人家的稿子用了，人家的大名在文化界響亮了。

對啦！他記起早幾天，一個朋友就曾對他說過什麼登龍術來。他說：你不要奇怪編輯先生退稿的快速！屬於業務上的，各地大報的副刊編輯，每天總要收到數十篇稿子，如果他把每一篇從頭到尾看過，定會累死啦！何況他們多半也是寫文章的人，他自己還要看書寫文章，混上幾個外快呀！既然沒有那麼多時間，副刊編輯們就想出了偷懶的辦法來，那就是找「名」作家，「老」朋友稿子來用。這些稿子有兩種「好處」，一是比較通順，二是由「名」作家自己負起責任。這樣，籍籍無名之人的稿子，可以不看就退回了。這當中還包括編者的好惡在內。正因爲編者有好惡，所以永遠沒有公平這件事。你不見某刊物有一個新人出現，便繼續不斷的發表嗎？那就是得編者之所好了。

那位朋友又說：在台灣之很難發掘新人，上面談的是它的原因之一，還有呢，就是若有一個新人出現，很多人都不無自危之感，認爲這個新人會搶掉他的地盤。如係在以往的大陸，這倒沒什麼。可是在台灣，說不定地盤一去，可能就吃飯無門啊！所以在台灣，一個有才能的人，要想插足文壇，眞是比登天還難哩！

他那時以爲今天這些「文豪」們在大陸時代，幾乎沒有幾個是有「名」的，後來爲什麼由「名不見經傳」而能發展爲「大名鼎鼎」的「文豪」呢？他的那位朋友告訴他：嗨！說起來他們各人都有一段不可告人的苦經。（十）

秋興詩

漁翁

秋爲四時之一。我國習慣以農曆之七月、八月、九月爲秋。秋字下有心曰「愁」，即禮記所云：「秋之爲言愁也」。蓋秋夜綿綿，秋月皎皎，秋虫唧唧，望月亮，聽虫聲，皆足以動人哀感！

古云：「窮愁而後詩工」，歷代詩人，觸秋所詠，愁緒萬端，氣候使然也。「秋夜長」，乃樂府雜曲歌辭，爲齊王融所作。魏文帝曹丕詩曰：「漫漫秋夜長，烈烈北風涼，輾轉不能寐，披衣起彷徨。」曹丕身爲帝王，平日過着最優越之生活，尚有輾轉不成寐之歎，其他一般觀景生情者，對此漫漫長夜，能無感慨萬千！

歐陽修之秋聲賦，以西風作，草木零落，多肅殺之聲，同時，蟋蟀之屬，入夜輒鳴，乃有此作。杜甫詩：「秋虫聲不去」。蘇詩：「秋聲不可聞」。凡此，皆寫鶴唳長空，虫聲四野之動人語。

唐代詩仙李太白，客湖北安陸者，凡十年，所賦「靜夜思」云：「牀前明月光，疑是地上霜；舉頭望明月，低頭思故鄉。」望月而疑霜，因霜而驚秋，在羇旅寂寥中，低頭徘徊，於是而有故鄉之思矣。

古詩十九首中，有曰：「明月何皎皎，照我羅牀幃。憂愁不能寐，攬衣起徘徊。客行雖云樂，不如早旋歸。出戶獨彷徨，愁思當告誰。引領還入房，淚下霑衣裳。」按此爲婦人之詩，以夫遠遊，久未歸里，望月而有所思也。

吾人流亡海隅，不覺十有五年，而猶未有歸期。每於秋夜漫漫，望明月而鄉心五處，固古今同感也！筆者因亦有「把杯嚼句憐天短，望月思家恨夜長」之句，與之所發，工拙未之計也。

自由報
THE FREE NEWS

第四八三期

內政部台報字第〇三一號內銷證

（逢星期三、六出版）

每份港幣壹角　台灣幣壹元

社長：雷嘯岑

社址：香港銅鑼灣高士威道二十號四樓　20 CAUSEWAY RD 3RD FL. HONG KONG

TEL. 771726　電報掛號：7191

承印者：田風印刷廠　地址：香港灣仔高士打道二二一號

台灣分社　台北市西寧南路壹壹壹號二樓　電話：三〇三四六　台郵撥帳金戶九二五二

再論憲法上立法委員之性質

何培生

編者案：作者係中央政校畢業生，僑居西德已十餘載，曾著有「民法總則詳論」一卷問世。本文乃其近作，屬於法學問題，與人事無涉。唯以立法院爲政府組織體系之一環，即係治權機關，因而認定立法委員是官吏，則監察院又何莫不然呢？我們對於法學沒有研究，特將何君大作刊佈，希望海內外的專家學者們有所指教爲。

筆者於民國三十六年二月十一日，在南京中央日報發表「論憲法上立法委員之性質」一文，依據「權能劃分」之學理立論，主張現行憲法上之立法委員，仍須認爲「官吏」。該文發表後數日，曾因機會與鄉人法學家黃右昌先生談及此問題，黃氏初謂：「在新憲法下，立法委員爲民選，是民意代表……」。筆者則以爲：「憲法上之立法權是治權之一種，立法院乃政府機關，與行政、司法、考試、監察各院同其性質。此四院所屬人員，皆爲官吏，立法院所屬之立法委員，自亦應爲官吏……」。黃氏答以「君言有理」。之後筆者出國，亦未與黃先生通訊，惟聞其任大法官，而逆料彼既同意筆者見解，必有機會以大法官職權將立法委員釋爲「官吏」，而無待筆者之贅言也。但十餘年來，筆者根據左列諸事，乃知國人仍將立法委員認爲民意代表：

（一）民國三十七年筆者在瑞士時，曾見當時報載國大代表要求支薪，其理由謂：「立法委員同爲民意代表而支薪，何以國大代表則不然？」

（二）行政院新聞處駐西德「自由中國新聞社」出刊之「自由亞洲」，每次均稱立法院爲議會。

（三）台北某社團專刊，若干現任立法委員執行律師、會計師業務。

上述（一）例，國大代表以立法委員「同爲民意代表」，足見一般國大代表對立法委員之性質有所誤解。由（二）例，足知新聞局人員亦有此誤解，因「自由中國新聞社」之材料，均由新聞局供給也。由（三）例，足見立法委員本身，亦爲此誤解，蓋依律師法第三十條，公務員（官吏）不得執行律師業務。今竟執行，自是誤認本身非公務員（官吏）也。

以上三例，不過筆者遠居異域所知之極少數事實而已，諸如此類之事，當不知凡幾，國人之一般誤認立法委員爲民意代表，亦可概見。爲辯正五權憲法「權能劃分」之法理，故對憲法上立法委員之性質，實有再爲論述之必要。

顧我國學者之一般通病，均是以五權憲法下之各部門與三權憲法下者相比擬，削吾之足，適人之履，而不知五權憲法與三權憲法，根本爲兩種不同制度。在憲法頒行以前，立法委員乃被任命者，其爲官吏，衆無爭議；行憲後，立法委員由民選產生，衆即以其爲民意代表。此種見解，殊屬不敢苟同。筆者認爲立法委員之性質，不能以其所產生方式而定，而應以其所行使之權力性質決之。以是欲確定立法委員之性質，則須先確定立法權之性質，即立法權爲「政權」者，行使此權之立法委員爲民意代表；立法權爲「治權」者，行使此權之立法委員則爲官吏。此何以言之？曰：欲明此義，須先明我國憲法之根本精神。我國憲法，乃依據國父中山先生之遺教所制定，國父鑒于歐、美議會之權太大，挾制政府太甚，往往使其成爲無能政府，不能爲人民謀幸福，故欲造成萬能政府，但又恐其專橫，爲防此弊，乃創「權能劃分」之特殊制度，此「權能劃分」制度，即構成我國憲法之特質，亦即我國憲法之根本精神。所謂「權」，乃選舉、罷免、創制、複決四種政權，此四種政權，操諸民意代表之國民大會，其作用在監督並控制政府。所謂「能」，乃立法，司法、行政、考試，監察五種治權。此五種治權，操諸政府機關之五院，其作用在治理國事，爲民謀福。在三權憲法，立法權操諸民意代表之國會，其整個國家之統治權，僅分爲立法、司法、行政三種，而無所謂「政權」與「治權」之區別。在五權憲法中，由于「權能劃分」，立法權却爲「治權」，而操諸政府機關之立法院；此乃五權憲法與三權憲法根本不同之處也。若依一般見解，以立法委員爲民意代表，則在邏輯上，民意代表之使命，爲監督並控制政府，就「權能劃分」之法理言，其所行使者，應爲政權。立法權乃創法之權，在此情形下，勢必解爲創制權，如是，不但立法權由治權一變而爲政權，且治權僅餘四種——行政、司法、考試、監察。此與國父「權能劃分」及「五種治權」之原則相違。因憲法是依據國父遺教所制定，故亦即與立憲精神相違，吾人實難苟同。

如上所述，在五權憲法下，立法權乃治權。因其如是，故行使立法權之立法委員，乃行使「治權」者，而非行使「政權」之人。立法院爲政府機關，立法委員自亦爲政府之屬員，既係政府屬員，即是官吏而非民意代表。且不問在三權憲法或五權憲法，均應如是解釋，至其產生方式之由民選抑任命，固無關宏旨也。

就我國憲法言，中央機關，僅國民大會代表爲民意代表，此非因其爲民選，而是因其行使者爲「政權」。立法委員雖爲民選，然其所行使者，爲「治權」，故仍不失其爲「官吏」。此又何以言之？曰：官者，職也；謂各守其職，爲國治事者也。吏者，理也，治也，凡使之理事治人者，曰吏。故所謂官吏，即職司治理國家事務之人也。立法委員參與政府機關，職司理國家事務，行使國家治權之一部分，當然爲官吏。若以立法委員爲民選而謂其爲民意代表，則由國民大會選舉（間接民選）之總統及由省議會與地方議會選舉（間接選舉）之監察委員，與夫由省、縣民選舉之省、縣長，亦勢必謂爲民意代表矣，豈非可笑乎？

據上所言，筆者依據「權能劃分」之原理，認爲憲法上之立法委員仍爲官吏，與行憲前由任命而生之立法委員，同其性質——同爲官吏。因憲法上之立法權爲「治權」，故行使此「治權」之立法委員，亦不因民選而變其性質也。此種見解，目下除筆者外，不另見其他學者主張，其理由則因一般學者之觀念，爲三權憲法所拘束，而未能明五權憲法上「權能劃分」之特質。筆者獨爲此主張，並非好奇立異，而是以「權能劃分」之學理立論。爲免立法委員法律上性質之久不確定，故建議大法官會議，以職權解釋，確定其爲官吏，以符憲法之根本精神。（筆者于漢堡）

身手如何

露出魔腳

今日與明日

越南的災難未已

越南軍人剛剛鬧過戲劇性的政變之後，「茶吻」山地佔有人口百萬的民兵領導者，又以要求獨立自治鬧，而且劫持着十幾名美軍顧問人員作「人質」，形勢相當嚴重。另外還有少壯軍人向總理阮慶提出最後通牒，要把現時在政府担任高級職位的六名顯貴人物驅逐出境。阮慶在這樣內訌不歇的局勢中，能否應付得了，致陷於無可收拾的下場，頗成問題。

憑着軍人以「苦迭打」手段，或利用羣衆以示威暴動方式來奪取政權，終非國家之福。尤其是一般剛從殖民地生活中翻身起來的新興國家，文化基礎薄弱，民智[illegible]陋，人才缺之，決不宜隨便試演政變的惡作劇，否則徒然自相作賤而已。

循環不已的政變結果，祇是替共產黨造機會，越南若不以軍事剿共爲第一義，而睢內部的權力鬥爭和宗教衝突是務，即屬無可救藥的死症，只有靜候越共來接收之一途了！

洛奇不瞭解越南

美國前任駐越南大使洛奇，最近以美總統特使身份，在歐洲各國遊說美國對越南政策，認爲越南的動亂是政治問題，美國素不過問內政，只是指導越南的軍事，而越南反共戰爭固未失敗也。祇要政局安定，越戰前途是很樂觀的。洛奇這種說法，未免幼稚可哂！

越南內部之不斷騷動，因爲對外反共戰事曠日持久，就不死不活。美國指導越戰的方針，依然遵循着過去在韓戰中的失敗路綫，旅進旅退，莫名其妙，對於越共區域，足不敢進攻，乃期待共黨適可而止，從事和談。同時又鼓勵越南軍人搞政變，要以揠苗助長的方法，實行美式民主政治。如此這般的指導作風，政局焉能穩定呢？

凡屬直接脾受共黨侵襲攻擊的國家，必須藉軍事擴外的行動，纔可以達成政治安內的願望。在四鄰多難，戎馬倥偬之中，而侈談理想的政治建設，那便是不切實的高調，毫無裨益。

假如阮慶垮了？

阮慶政府如果不能克服各種內在的危機而宣告垮台，越南政局更無穩定希望，實可斷言。

人才，在越南比較夠份量的政治人物，數不出十個，[illegible]

[illegible]

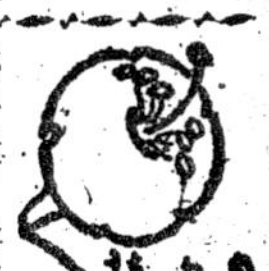

自由談

聯合國的價值

馮正先生

聯合國年會舉行在即，凡積欠應繳會費在一千萬美元以上者，將依照會章規定，取消該單位的投票權。因此，咱們中華民國乃趕忙繳付了三百多萬美元的會費，纔能夠保持投票的權利，這項代價可謂鉅大也矣！

然而，蘇俄積欠了五千多萬美元會費拒不繳納，且表示決不放棄投票權，理由是指聯合國派赴剛果的和平部隊爲非法，蘇俄不能分攤這項軍費，胡扯瞎纏，無可理喻。俄共素來就是以聯合國爲鬧劇場所，它藉口剛果問題而胡鬧，原不足奇，問題在聯大開會時，大家是否眞的根據會章，實行取消蘇俄投票呢？

我斷定俄帝的投票權不會被剝奪，因爲聯合國是由美英兩國從中操縱的。如果大家眞要按照會章行事，萬一俄帝老羞成怒，對世界大搗其亂，即有觸發核子大戰之危險，豈不嚇煞美英政府當局嗎？至於一般沒有核子武器的會員國，如中華民國之類，若不照章繳費，當然扳起面孔，依法行事，不成問題。聯合國根本就是一種怕強欺弱、不講公道是非的國際集團，例證孔多，不遑枚舉。

職是之故，咱們政府應以此次蘇俄的會費問題，爲最後測驗聯合國存在價值的準繩。假使將來俄帝不照章繳費，而其投票權依然享有的話，我國雖不宣告退出這種撈什子的世界政府，至少亦不必再將人民的血汗財產，繳付給成功湖上那一大羣的國際蛀蟲作滋養料。每年到了秋季，常在報紙上見到「我國在聯大代表權當無問題」的紀錄詞句，心裏即激起羞憤的思潮，不禁搔首自問：所謂聯合國代表權的價值究竟在那兒呢？

高雄市議會總質詢

宋長治議員痛責教育科

惡補未去出賣升班包攬畢業又成風

巧立名目亂收苛雜胡吃亂花并分肥

科長喪稚子居然勞師動衆設奠祭悼

（本報記者趙家駢高雄航訊）高雄市議會第六屆第二次大會，於九月十日開始，至九月三十日止。在大會總質詢中，最值得大書特書者，爲議員們對教育科之質詢，議員羣起猛烈抨擊王清波，王被議員斥訓得體無完膚。

關於高市教育方面新聞，本報記者報導逾年，在九月十八日上午宋長治議員提出之總質詢中，全省各報均有報導，惟未全部刊載，爲進一步證實本報記者年來所報導教育新聞的確實性，茲誌宋長治議員質詢要旨如次：

教育科年來公私表現，虛有少壯之表，並無少壯之實。茲以後列數事就教於科長：

（一）政績表現，少而不壯。

（1）面對積弊，拿不出辦法，惡補未去，而出賣升班，包攬畢業之風已成！科長股長是否也有所聞？有無對策？設無所聞，請試予探聽，以證言之不虛，俾免長此孤陋寡聞，實是不好意思！

（2）年耗鉅額預算，推行國語運動，請問有何成績？雖比較像樣的國語演講比賽，皆向由青商會代勞。貴科於此將何以自解？

（3）在升學主義與惡補之狂流下，各校課外活動，已是歷史名辭——學生與體育早已絕緣！試以各校充滿小癆病鬼，中小學運動會絕少新紀錄爲例，已可證體育活動之名存實亡；然而每年「九九」，却必照例慶祝一番體育節，且必大言不慚的亂喊「强國先强種」。請問說給那個聽？科長股長都不是剛到教育科，更不是初來高雄市，請看那個學校操場不是荒草沒膝！綜合運動場更是只有牛吃草，並無賽跑，各種比賽參加的人和隊都越來越少！請問本市的體育工作，是怎麼提倡的？難道科長股長場長諸公在空口說白話時，眞個不覺難爲情嗎？

再請問科長股長可會認眞要求過那間學校，不得佔用過體育時間？處分過那一個佔用體育時間的責任者？

（4）對政令的「陽奉陰違」，已轉化爲徹底的「相應不理」！層峯一再嚴禁借調教員，担任行政工作，却總是「陽奉陰違」！如今教育廳層轉監院令，再度嚴禁（本年五月文號34010），教育科乾脆相應不理——文照轉，人照調，是否有意開教育廳玩笑？

請問坐於科長面前，辦理督學業務的那位壽山國校教員——洪陽修，是否不在此一禁令之內？科長股長轉文給誰遵照？難道還怕那個大胆的國校教導，把教育科的人拉去當工友嗎？其實全市唯一應遵此令者，只有貴科。偏偏該遵者不遵；不必要遵者，却硬轉功令飭遵，寧非千古奇聞！

主秘對此妙文判行時，即使不忍處分此一公然抗令之主管人，至少也該勒令洪某歸建才是正理。總不好對廳令玩忽不理到如此地步！本席特於此向科長替教育廳求情，放回洪君歸建，以維廳令尊嚴，何如？

（5）對各校巧立名目的苛捐雜稅，既無對策，也不過問。①各校初中三年絀少實驗，每學期照收實驗費卅元，三年每生繳180元，僅以千人計，已是十八萬！請問如何運用？②每學期男生繳勞作費卅元，女生繳家事費卅元，但上勞作及家事課，仍須另自購買勞作及家事材料；且有教員乘機硬性銷貨，大作生意！三年白繳之數以千人計，又是十八萬元！請問作何動支？③校慶（運）動輒每生勒繳廿元。姑以三千學生計，一次可收六萬元！不議如何慶祝？如何運動？竟需六萬鉅欵！實際多爲胡吃亂花，最後送西裝，送布料，大家分肥，成何體統！

（6）師道敗壞動輒互毆，先是校長鬥主計，再是校長鬥科員，從學校打到教育科。前者不知已如何議處，後者聽說親見而不敢過問制止。教育風氣敗壞如斯，寧毋令人憂心如焚！

（二）作官弄權，壯而不少。

（1）科長喪三歲之子，校長弔過份之喪。省內輿論譁然！①童喪爲夭，禮不設奠，不舉哀，不入正穴，今則勞師動衆，設奠祭悼。中華立國五千年，向稱禮義之邦，不悉歷史上那一朝代，有此長上弔童喪，師表祭稚童先例？抑於孝經周禮有此記載？敬請指教，以開茅塞。②報載三小時以內發動全市校長百餘人奔馳往弔，主事者之工作能力可謂奇高，堪稱報喪專家。教育科有此能人，尤應慶賀。請舉其人，以資表揚！③際茲國事蜩螗，國仇未報之秋，雖位居要津之黨國大員，猶復極力避免鋪張，今科長代理尚未眞除實職之日，竟而張狂若斯，寧不令人爲今後之教育舉措憂！設謂別有心病狂，趨炎附勢之好事者，幕後策動，創此官場現形記之儒林怪現象，則應請市長從速查明，早日除此敗類，俾免其再度胡作非爲，無端的興風作浪，以肅官箴，而正視聽！

（2）教科要員，清一色的台南師範，十足的獨家經理！市府所屬各單位不乏先進之士，而絕少如此毫無忌諱之大胆人事安排。外界批評很壞，科長可否順應與情，今後畧作合理之調整，給他校出身者分一杯虁的機會，以免予人上下其手把持弄權之慮？市府近來已有少壯跋扈，氣餘凌人跡象，盼能稍自收歛。

須知作官絕不能一作萬年，因此弄權壟斷不可以過份！否則一且失勢，交出印信以後，非但不好作人，且將無法作事！

土銀員工檢舉各級首長

監察院正派員調查內容

（本報記者台北航訊）土地銀行董事長蕭錚與總經理陳運生被該行員工檢舉不法一案，監察機關已經派人調查，可望水落石出。該案列舉不法事實，請監察機關查明嚴究，內容如次：

一、該行過去新進人員，先就其學歷定基本薪額，再審其以往經歷，服務證件，折算年資，確定薪級，然後擬派相當于薪級之職位，提經董事會審查通過後明令發表。在職人員則憑其年資循序晉級，以提高同仁工作情緒。乃總經理陳運生到任之初，提楊家俊爲一等專員兼人事室主任，吳叧蒸爲一等專員兼秘書處副處長，夏之龍爲秘書；陳又以三天的時間，藉巡視全省分支機構業務爲由，回來後即將內外人士大肆調動，不問學歷，不計年資，更不憑業務成績，僅憑人事關係以爲黜陟標準；致輿論譁然，交相指摘，內定名單，暫時擱置。嗣後，爲防同仁不平之鳴，凡人事調動，一律不公開。自今年六月起，該行發引之行訊，亦不刋登人事動態，以遂其掩耳盜鈴之伎倆。其最顯著者，計有：中學未畢業之裘宗漢，四十六年進行，提升爲事務科長；三等專員許忠國，五十一年十二月進行，提升爲人事室副主任。而同仁中有高考及格者，有大學畢業者，年資多至十年以上，未獲升級。

二、該行逾期貸額近一億五千萬元；該行各地分支行處放欵業務，均受總行業務部之控制，經理袁忠渭，副理包星白等，被控涉嫌對巨額貸欵收受回扣，雖屢經檢舉，終以事出有因，查無實據而結案。例如儲蓄部五十一年三月，貸放義泰興有限公司黃明珠抵押借欵二百萬元，經辦人營業股長張翠堂向當事人收取回扣三十萬元，不久，該公司倒閉，致遭損失本利達一百九十餘萬元，結果反將張翠堂升任土地金融部科長職位。近經台灣省審計處審核該行五十二年度營業決算時，查出弊端，通知土銀，囑追究責任，陳運生置若罔聞。

三、該行董事長蕭錚兼民營農業機械公司董事長，該公司出具耕耘機提貨單，在土銀辦理抵押借欵，而此項耕耘機，經審計處派員點驗數字，缺少至夥。

此外，該行證券交易所甲種經紀人之代表郭仕樵，將該行應得之股票利益，如該行分配之南港輪船公司五百股，每股一百元（市價每股二百六十元），中華紡織公司二千股，每股十元（市價四十元），味新食品公司五百股，每股一百元（市價二百八十元）；其他尚有台灣火柴，中纖、台灣塑膠公司等股票，郭某將全部股票吞爲私有。前項股票，如全部保留至目前，可獲利九十至一百萬元。

立監委員糾紛事件

本報記者台北航訊

調查報告並把有關人員的談話紀錄加以分析，其中互相矛盾之處很多。

諸如所謂借欵還欵時間及原因，前言不對後語，各自矛盾。謝塗誠在答復監察院調查人訊問時說：（該借欵）係在五十一年六七月間爲省農會工程週轉需用而借貸者。謝塗誠在台中地檢處供稱：係因小粗坑工程開始當時現金不足而借的。謝塗誠的合夥人劉秋火在台中地檢處供稱：小粗坑工程當時有五、六百工人，每日均需現金支付工資，我也沒有現金，所以請葉（芳霖商）量借錢等語。至於還欵的時間：大誠營造廠帳列時間爲五十一年十一月一日付二萬元，同月十三日付三萬元，另一萬五千元，據謝塗誠在台中地檢處供稱：係葉芳霖到他家中取的；對還欵時間，始終未提出正確日期，僅說領到本案工程價欵後即行歸還。但葉芳霖則稱謝塗誠第一次還欵五萬元，其餘之欵赴東勢向劉秋火（謝之合夥人）催討，而在（東勢）東豐旅社調解工資糾紛事則係偶合。嗣後由花蓮返台北時，據宋（梅村）告知，謝（塗誠）欵已歸還。據（謝塗誠之合夥人）劉秋火稱：葉芳霖爲催討借欵利息前來東勢，關於還欵事都是謝塗誠經手的。從上述各人的證詞來看，前後不符。

五十二年元月七日，立法委員宋梅村，葉芳霖，中華機械公司副理蔣振南，大誠營造廠工程師江宗統等人，前往東勢，住東豐旅社，參加調解大誠營造廠與工區包工陳耀輝，王永利等工資糾紛。

葉芳霖於五十一年十二月卅日致函原控訴人陳耀輝稱：「昨晚曾去同謝（塗誠）先生商量結果，他委託蔣（振南）先生及弟等同去東勢辦理結束手續，惟這幾天因蔣先生，宋（梅村）先生及弟均因新年開始，事情很忙，稍後幾天，最遲元月七日可以到達貴地與先生晤面，絕不有誤」。

葉芳霖於五十二年元月三日，致函陳耀輝說：「蔣副理已函東勢戴先生，約先生七日在東勢候我等去會帳，請即通知劉秋火、陳茂金、黃（祺法）會計七日在東勢對帳，屆時我等當準時前來，在台北乘十二時車出發」等語。

監察院派秘書賈雲松，協審權世俊往東勢警察分局抄出東豐旅社五十二年元月八日旅客登記簿報告表，列有江宗統住三樓三一二號，葉芳霖住三○二號，立法委員宋梅村住三一○號（身份證爲中市西頭口字○○一六號，住台北市杭州南路一段七一巷一號之一）。

事後，葉芳霖於五十二年元月十一日致函陳耀輝稱：「元月十日接來函悉，經轉與謝（塗誠）經理，認爲僅可依照（去年）十月十八日第二次調整B表單價，及台電所計數量爲準結帳，故弟及宋委員對此事，實已無能爲力」等語。至於元月七日在東豐旅社所談的情形如何？這可以從陳耀輝於同月十六日呈中華機械公司節本內容即知，該節本：「元月七日，謝塗誠派江某代表，會同葉芳霖先生，及宋委員梅村先生，前來東豐，立會結帳，其情形如左：①不履行開工約東之單價，削減單價差額七千三百九十元不付。②冠軍獎金一萬元不付。③混合機按裝塔價工資一千及持工補助三千元不付。④其他工資殘額二萬元，算淸結帳無法即付，并約定一定元月十五日以前答復，一定付淸，也不會失約：：：：。」

（三）

西德對蘇俄的銀彈攻勢

（本報訊）據歐洲大陸傳來消息：西德政府最近向蘇俄總理赫魯歇夫提出建議，請俄方基於「和平共存」的原則，同意東西德人民以自由投票方式統一德國。西德政府除保證互不侵犯外，并願以美元四十億贈給蘇俄作建設經費，表示謝意。若蘇俄拒却，西德即擬以此四十億美元，無條件貸與中共，助其發展工業云。聞赫魯歇夫對此建議甚感困惑，尚未有所答復。覲察家認爲西德當局善於利用時勢，進行復興大計，且證明西德經濟力量之優厚，殊不可侮也。

省議員將出國考察

（本報台北航訊）（續上期）赴日本考察團在日考察期間，適遇世運會在日舉行，這是千載難逢的良機。因此，爭着去日本的人，多過去東南亞的人。

省議會上次大會曾經決定成立專案小組，以討論實施都市平均地權問題，因部份民衆認爲評定地價過高，稅負過重」，當時議員們一鼓作氣，希望在年底省府召開行政會議之前，提出報告以供參考，現在爲了出國考察「要緊」，這些事要「暫緩辦理」了。

最近爲了調整省屬員工房租津貼二百元，省政府猶在焦頭爛額，四處張羅，將不動惱筋開關新財源，而準備將平民使用的腳踏車稅自原來的十八元增爲三十元。但對省議員的出國考察費，却一擲四五百萬元而無吝色。

大概是鑿於各方的反廳並不太佳的關係，副議長許金德特別發表談話，呼籲各界對省議員的出國考察，加以支持，並且强調考察的目的，是觀摩當地國家的政治經濟建設，同時負有宣慰當地僑胞的使命。

因爲省議員出國考察，有的縣市議員已準備起而效尤。過去省議員要研究費，縣市議員也跟着要到了。今後，但看省府主管單位，用什麼說詞去平息縣市議員的出國要求。（吳越於九月十九日）

台北舊書攤的誘惑力

周燕謀

在這個自由的寶島上，足以誘惑人吸引人的東西和地方實在太多，不勝其一一枚舉。嚴格的說來，誘惑者與被誘惑者，那是要因人而異的。但無論你是誰，倘若你被什麼東西所誘惑，便會使你時常惦記着它，一有機會便要去親近它，想得到它，佔有它，以至成為一種精神寄託。

日益繁榮中的台北，眞的到處都具有誘惑力；但是能夠誘惑我的，不是夜總會、大酒家、明星，也不是鬧區、遊藝場所、風化區，更不是那「第一特獎在此」的獎卷行。偌大的台北市，對我具有最大誘惑力的，是那街邊攤上和書店裏的書卷。它已深入了我的心坎，可以夠得上稱它是我的第二情人。我的一顆心，早已被它攝去了，確確實實早已無條件的向它投降了。

台北市的繁華鬧區，書肆林立，書攤遍設。書攤上擺的琳瑯滿目。每當我逛街或者是路過書攤的時候，我就忍不住它誘惑，被它所吸引，使我駐足而觀，即使沒有購買的目的，也總得要瞧瞧再走。書攤上的東西雖不一定有我喜愛的讀物，但它至少對我具有一種「雅」的誘惑力，買不買都不傷大雅，經常總得要把攤上的書卷的封面，書名瞧上一瞧，看上一看畢竟有些什麼東西在那兒。你不要把街邊的書攤看俗了，在那裏也有一些名家的著作，古今皆備，也許會發現你所需要或深愛好的一本兩本。你徜徉在街邊的書攤時，你也許祇是「走馬觀花」，却還是一樣的「逸趣橫生」，百徧不厭，一次又一次的「捲土重來」。我認為，這比起那些一窩蜂爭睹明星之流，或者是追逐「美麗的動物」，要有意義得多了。

在台北逛街，當然大半都是在繁華的鬧區，除了眞是有任務在身，否則我打從書店或書攤而居然「過書門而不入」的時候，實在不多，往往百不得一。書攤對我的誘惑力，我是無法抗拒的，總是想進去看看才過癮。有的時候，即使僅在那分門別類的書架上，畧加瀏覽，看看書名也覺興致無窮。當然，當發現我心愛或者需要的書，更一定抽出來翻翻，詳加「鑒定」，俾作取捨了。許多書店都有一部份「廉價書」，那更是具有廣大的誘惑力，在那「廉價書」堆中找尋的人亦特別多，大家都在那裏翻來翻去，尋尋覓覓，流連忘返，樂在其中。當然，各人所好非一，各人的經濟環境亦各不同，甚至有的人就祇那麼翻翻算了，並無一定要購買之意，却亦并不關事，祇要欣賞一下別的一大堆人在書叢中討生活的那些形色，亦就覺得「此間樂」了。

也許有人會問：為何不要一張書目回家去，豈不省得許多麻煩？告訴你，單是書目往往而缺乏誘惑力，要一張書目拿回家去看，與在琳瑯滿目的書叢找書，其況味是不可同日而語的。當你留戀在書卷之間，你的心境是幽幽然飄飄然的，一冊書目可無此氣氛了。此中況味，唯有你亦參與其間，否則我再說得多些，你亦無從確切領畧得到。

我認為，在台北的舊書攤，比新書店新書攤，更加夠誘惑人。你不要看不起舊書攤，以為是一些陳舊的殘書，說不定那裏有你曾經「上窮碧落下黃泉」，期待渴望已久而未能覓到的孤本，尤其可能從中找到一本是你在書店中「踏破鐵鞋無處覓」的書呢。如果你碰上了它，眞好似他鄉遇故知，若不攜之入懷，手不忍釋，縱然要你高價也無吝色才怪呢。

台北是政治文化的中心，不僅新的書肆林立，每逢星期日，牯嶺街的舊書攤，擺的好似一條「書龍」，也好像一片「書海」，中外古今雜陳，林林總總，任何書局都比不上它的繁富。你可知道其中多有「寶貝」麼？不信嗎？你就不妨到那裏，逛逛翻翻試一試！

康有為的亡命

丘峻

正討論間，康有為的家僕倉皇來報，新會官兵已去康宅搜查，把所有書籍都搬到門外去燒了。話猶未了，門外陡地銅鑼大響，衆人驚皇失措，馬上吹熄洋油燈躲起來。田野橘次到門外探頭一望，竟是嫁娶的行列！

第二天早晨，王鏡如宣佈暫時解散萬木草堂，偕同各生到香港躲一躲風頭火勢。約定正午在沙基日本旅館賓來樓集合，下午七時乘搭佛山輪往港。

是日正午，衆人齊集賓來樓的時候，田野橘次恐怕給官兵發覺，引起麻煩，請該樓女主人關照一下。她却說：「別說你們幾十個人，更多些他們也沒奈我何，我這裏是有名窩家哩！」跟着她跟衆人說：「大家安心呆一呆吧，待我弄些酒菜來，給你們痛飲一回，紀念這一次的失敗！」衆人聽了，心裏深深地感到一種說不出的滋味。

他們終於乘佛山輪到了香港。一星期之後，康有為在英國戰艦護送下，也到了香港，旋又乘日本郵船河內丸到日本去了。至於王鏡如及萬木草堂的學生們，有沒有見到康有為，康有為又如何處置他們，田野橘次沒有說起。

萬木草堂，這一個人們看做維新變法策源地，康有為在這裏寫成他的代表作……的地方，當時轟動一時的新學府，從此成為歷史上的名詞了。」

註一：康氏黨人爭論紛紜，多主婉謝接受。

註二：耘農據伍憲子民憲黨史云：保皇黨之「勤王運動，幾乎全部總動員。康有為駐新嘉坡。……徐勤奔走南洋各埠。梁啟超駐檀香山。……梁啟田則遊美。澳門則由何德田、王鏡如、歐榘甲、韓文舉等負責。上海則唐才常，狄葆賢負責，並聯絡長江一帶。兩粵則梁炳光，張學璟等負責。日本則麥孺博、葉湘南、羅季高、黃慧之負責。」其規模之大，殆以全力作孤注。未幾，而有自立軍漢口一役之失敗，問者惜之！

註三：或謂，林旭有「獄中示復生」一絕云：「青蒲飲泣知何補，慷慨難酬國士恩；欲為君歌千里草，本初健者莫輕言。」而戊戌六君子遺集與此頗有出入。

註四：尚有人記其聯語為：「殷干酷刑，宋岳枉辱；臣本無恨，君亦何尤；當效正學先生，啟口問成王安在？漢室黨錮，晉代清談；振古如斯，於今為烈；恰如子胥相國，懸睛看越寇飛來！」則更貧誤多矣。

（十五．完）

我所知道的麥帥

肯寧將軍原著 徐熙光翻譯

日本空軍的飛行員已經害怕駕機從機場起飛，因為那將難逃被擊落的厄運。日本剩下的飛機為數還不少，但是只有飛機是不能被認為具有空中力量的。神風特攻隊的自殺機戰畧已成了他們最後苟延殘喘的唯一希望，然而這種自殺方法還是需要有良好的飛行技術。而且，不曉得為什麼，日本的自殺飛機上並未攜帶大型的炸彈來執行任務，好幾次我們的軍艦被三、四架僅携帶幾枚二百二十五磅重炸彈的自殺機擊中以後還能夠不沉。我想如果這些自殺飛機帶的是兩千磅的炸彈，情形可就不同了，一條軍艦挨上這麼一顆炸彈，差不多就要喫不消了。

至於日本的陸軍，我們知道得不太清楚。但是我們確知日本陸軍中最精銳的機師兵力已在西太平洋島嶼的叢林戰爭裏被殲滅了。日本本土也因為失去了空中的保護，日夜遭受我們飛機的轟炸，工廠被毀，糧食的供應一天比一天少，我們都認為日本軍民的士氣已大受影響，日本隨時都有投降的可能。

麥帥會在八月一日告訴我，十一月一日登陸日本本土的計劃將永遠不會實施了，因為他認為戰爭即將在兩個星期之內結束。

很快的，事情有了急轉直下的發展，八月六日，第一顆原子彈投擲在廣島，八月八日蘇俄對日宣戰，俄軍在翌晨越過了滿洲的邊界。八月九日，我們在長崎又投下了第二顆原子彈。

八月十五日，華盛頓時間八月十四日，杜魯門總統宣佈戰爭終止，麥帥立即電告東京派遣一代表團到馬尼拉來候令。麥帥告訴他們使用他們自己的飛機，這架飛機必須漆成白色，機身和機翼必須綠上綠色的十字，通訊時使用「巴丹」的呼號。這架飛機在沖繩西北角某戰鬥機基地降落，再換乘我們的運輸機前往馬尼拉。

日本在八月十七日覆電，表示不知道此次馬尼拉的會議是談判投降事宜還是簽署降書。麥帥答說他的電報說得已經夠清楚，命日方立即依照該電報行事。

第二天日本通知我們，他們的代表團將在八月十九日抵達沖繩島西北角的基地，所用的通訊呼號是「日本」。麥帥電覆表示已收到日本的通知，但是強調日本必須使用其原來規定的「巴丹」的呼號。

日本代表團於八月十九下午七時飛抵馬尼拉，會議立即開始，並一直繼續到次日日本代表團離去時為止。麥帥告訴日本代表團，指定橫濱以西約十哩的厚木機場作為盟軍進駐日本的基地。此外，在我們進駐日本以後，他們必須供應我們旅邸，住所和交通工具。所有日軍部隊自東京灣撤走並立即解除武裝。我們預定八月廿八日進駐厚木機場，受降典禮則於兩天後在東京灣的密蘇里號戰艦上舉行。

日本人表示我們廿八日進駐厚木機場有困難，因為這個機場在遭受盟軍飛機輪番轟炸時，受到了很嚴重的破壞，因此我們的首批佔領軍之進駐該機場的日期，必須予以延緩。

八月卅日那天的天氣是個最適合於飛行的良好天氣，我們從菲律賓出發前往厚木機場。麥帥搭乘一架四引擎的「巴丹」號專機，由兩架B十七轟炸機護航，其中一架載着我和其他所有空軍司令官，另一架則載着卡爾史巴茲將軍和他屬下的高級將領。（四八）

寫君續夢

第十四回：

誰與慶昇平 呼朋湊興
居然爭霸業 背主孤行

十月一日過去之後，蘇聯正式通知召開二十二次蘇共全代會，請中共派出代表團參加。

毛澤東接到通知後，立即召開政治局常委會議，商量應付之策，與此事有關的人員，也被召來列席。

毛澤東先向周恩來說道：「恩來同志，這次是輪到你去了，前天我們已經說定。你有什麼意見，可以提出來研討。」

周恩來苦笑道：「這不是一個普通的國際會議，是蘇共的黨大會，各國去的代表團長都是黨方負責人，對馬列主義皆有湛深研究，我的理論水平差，這也是大家都知道的事，我想還是派少奇同志或者小平同志去比較好些。」

毛澤東說道：「不必同他們談理論，肥猪如若不傷及我黨及與我們有關的兄弟黨，你就不必得罪他，致詞時多恭維幾句也就完了；假若肥猪胆敢在內部會議上傷了我們同兄弟黨，你就不必同他們客氣，最好學小平同志，指着肥猪的鼻子罵。」

周恩來說道：「這樣一鬧怎麼收拾？對我黨有什麼好處？」

毛澤東大笑道：「好處可多了！我告訴你們，想鬥垮肥猪，否定蘇聯的領導地位，唯一辦法就是要打擊它的威信。你們都知道東歐兄弟國家皆恨蘇聯，過去十多年受盡了它的壓榨、剝削，但是却沒有一國敢公然反抗，是由於蘇聯積威所致。只要有人當面折辱了肥猪，就是掃了蘇聯的面子，大家自然就不再怕他。好似城隍爺一樣，大家都敬他，也十分靈驗，一旦有人把他拉下來丟到茅厠裏，馬上一點都不靈了。蘇聯自史大林以來，久已建成一個城隍神的地位，現在我們偏要把他去進厠所裏，他從此就不靈了。」

鄧小平插嘴說道：「主席的意見正確得很，去年在莫斯科舉行國際共黨大會時，我大罵赫魯曉夫之後，東歐幾個兄弟國家尤其是羅馬尼亞代表，都含着微笑向我表示敬意，只是不敢公然說出來。」

毛澤東說道：「你第一次罵肥猪他們只能微笑示意，到了第二次再罵，他們就會鼓掌贊成，第三次再罵，時他們一定要起立歡呼了。」

劉少奇笑道：「不過把這個城隍廟推倒了，對我們的利害如何，主席仔細核算過沒有？」

毛澤東說道：「不用算，對我們也有百利而無一害。過去我們所以不敢得罪蘇聯，主要是怕經濟方面受影響，現在已成過去，肥猪雖然停止了貸欵，撤走專家，撕毀合同，我們想盡辦法也度過難關了，還怕蘇聯作什麼？乾脆把蘇聯這個城隍廟推倒了，讓所有的判官小鬼都過得舒服些。」

陳毅陪笑說道：「不過這兩年的日子可也實在過得太辛苦，不但賣盡了稀有的青銅白金，珍藏的古玩字畫，前天據葉季壯同志告訴我，我國最近對外出口又多了一項物品。」

劉少奇笑道：「是不是人肉罐頭及香腸。」

陳毅笑道：「比那種物品還乾脆，不用再加工製造，直接就輸出死屍。」

毛澤東聽說直接輸出死屍，高興得連拍幾下大腿，問道：「死屍賣給誰，怎麼會有人買死屍，趕快說。」 （三四七）

冒險犯難記

鄭文儀

好像是十一月二十日左右的那一天，胡鳳章派人到我住的小旅社內通知我，約我第二天上午到他的司令部會面。第二天我帶了助手一人和他派來帶路的人，一同前往。是在樂河流域的對岸，沿着山溪向一處山坡地行進，大約十五公里的距離，沿途都有帶槍的便衣警戒，顯出他山大王的威風。

我們步行三小時就到了，有兩百多人的胡的衛隊，擺陣相迎，胡鳳章同他手下的幾個高級幹部也在路上相接，一同走到他的司令部裏。房子雖不很大，但也有些戶外工事，形同一個小山寨的樣子。胡鳳章年齡已是五十以上，頗有倚老賣老的神氣，我那時才二十二歲，官階雖爲少將收編委員，但他心目中看我，却視同一個孩子。我們先談了些客氣話，然後才談到收編的事。經過兩小時的談話，我以誠意，果敢，新知識說服了他，因此，他對我的態度稍有改變，認爲我的談吐和轉達政府收編他們爲國效力的意見都很誠懇切實，並無虛驕欺騙情事，所以初次談判似很和洽。他提出了一些意見，說他有二千人以上，希望編成兩個團，至少他出任旅長。其他如點驗編組及先發服裝伙食等事，都希望我能考量，充分準備，他們是願意早日接受政府收編的。我說這些都可從長計議，不過我將很快把他們的意見轉報廣州政府及總司令部請求核示。但我相信政府和總部都會同意辦理的。相約再見，到下午三時我才回去樂昌。不久我們曾再在樂昌附近約談了兩次。在等待上級指示到來之前，我想去湘南進行徐漢臣部的收編工作。

十一月下旬我到了粵湘交界的坪石，那裏距樂昌不過二十公里，距湖南的宜章縣僅十五公里，有一條較高的和一條相當寬的河流作爲兩省的分界及分水嶺。坪石是廣東湖南交界的一個縣城，爲兩省互市貿易販夫走卒必經的要道，有粗具規模的市場，縣地有數百戶人家及小店舖，常住人口在三千以上，流動人口有時超過五千。

我在坪石因爲事先已派人和徐漢臣部屬取得連絡，很快就和徐見了面，談得很投機。他比胡鳳章年青，不像胡那麼老奸巨猾的樣子，而像一個軍人。我們談的結果，他建議將他的部屬編成兩個團，由他任旅長。希望我點編之後，從十二月起就由政府發給伙食，等待番號印信職務頒發之後，就可遵照命令行動。我除向上級報告接洽的結果之外，要他的部屬於一週內集中坪石聽候點驗編組，他接受我的意見約定於十二月二日前集中坪石。

（五三）

淺論譙周

匡繆

陳壽「三國志」余觀覽之再，其無春秋之筆，一意迴護，俯視即是意氣書史，不勝枚舉。茲以譙周傳之評語，列舉史實，以證其偏頗之謬論。

譙周乃蜀之西充人，他曾爲後主之傳，且爲陳壽之師。有此淵源，故陳壽爲之作傳，其文之長，在蜀志中，除昭烈，後主，武侯之外，無可與其匹者。傳末之評語曰：「譙周詞理淵通，爲世碩儒，有董、揚之規。」我們且看這位一世「碩儒」之行徑與董、揚之規吧。

後世皆以阿斗爲昏庸之主，其實阿斗在幾個後主之中，還算不錯的一個。他雖成爲「亡國之君」，但他並非甘願把他老子打下的江山拱手讓人的。再說劉禪根本無胆量把蜀國江山拱手奉人。他之所以成爲「亡國之君」，完全由於譙周老朽一人導演，逼着他走此一條末路的。

魏將鄧艾奇襲成功，兵臨城下時，後主慌亂無主，有人勸他南奔七郡，借蠻兵爲用，重作光復之計；又有獻議投奔東吳（因蜀吳原有同盟舊關係），暫避其鋒，以待天下之變；（因此時姜維尚擁兵在外），後主不敢輕決可否，最後是譙周表現他的「碩儒」身手，獻大議，決大策，他竟在此千鈞一髮之際，力排衆議，反對以上二條活路，竭力主張要後主「投降」！說是投降可「裂土以封」，自守宗廟。因譙周老兒爲當朝重臣，且爲後主之師，於是後主便聽了譙周的大計，而「自縛與櫬，出郭迎降了。」北地王劉諶力陳，說譙周於先帝在日未嘗過問國政，今竟妄議大事，輒起亂言，殊爲不妥。成都之兵尚有數萬，姜維大軍尚在劍閣，若知敵兵犯闕，必來救應，內外攻守，事猶可爲！豈可輕聽腐儒之言，廢棄先帝之基業乎？又曰：「萬一勢窮力竭，禍敗難逃，亦當父子君臣，背城一戰，同死社稷，奈何投降？」無奈譙周言足飾非，後主先入爲主，對於此一番血淚評諫，聽若罔聞。而這樣忠烈有見識的北地王劉諶，陳壽竟未之立傳，只在後主傳之末記，其殺家告廟自殉一節，向後主爭陳事則隻字未及。

陳壽書曰：「用光祿大夫譙周策，降於艾。並奉降書」。該降書也可能出自譙周大手筆。文曰：「……斗一隅絕，干運犯冒……開示門戶，大義炳然。而否德暗弱，竊貪遺緒，俛仰累紀……天威既震……神武所次，敢不革面，順以從命？輒勑羣帥投戈釋甲……奉齎印綬。請命告誠，敬輸忠款，存亡勑賜，惟所裁之。輿櫬在近，不復縷陳。」其詞令人不忍卒讀。

譙周反對奔南方七郡借蠻兵及走依東吳，皆有一篇荒謬之論，文長不列舉。他的主意，只有一個「降」字，除了投降之外，別無他策。如此老朽，究竟他「讀聖賢書，所學何事」？通的什麼儒而竟滿腦子的「投降思想」！或曰：譙周此一主張，救了不人的生命。其實他目的只在爲個人打算，絕不是爲蜀漢打算。他純粹是爲自己個人爵位生命之保存而已。譙周後來受到曹魏厚賞，既而又做起晉室高官，無廉無恥，好官自爲焉。如此行徑，還配得上稱爲讀書人麼？如譙周這種不知羞恥的人，也配稱爲「世之碩儒」嗎？所以筆者認爲，雖把譙周從古墳中拖出來鞭屍三百，猶有餘孽也。

……長篇小說……

美姝

羅雲家著

如果你讀過李宗吾的厚黑學（[illegible]心黑學），你就懂得其中若干奧妙了。大概說來，他們都是得了時人講求「明星主義」與崇拜偶像之賜。文章寫不好，寫不通沒關係，先有「名」了，就漸漸可以成爲「名」作家。至於如何而後成爲「名」作家？那要看他選用那一種登龍術才可決定。時下的登龍術至少有七八種在流行着。第一種是厚臉，咱們這時代，不要臉的人，正是最有辦法的人。第二種是心黑，眞正的名作家有的關進鐵幕，有的寓居海外，有的早已入土，許多人於是把名家的作品「改頭換面」或「原文照抄」，因而就此成名。好在出版法對「文抄公」沒有處以什麼罪刑的規定呀。嚴平先生曾在「自由報」上指出：某先生編導的「×來」，是香港某作家的「代作」，乃莫泊桑「兩兄弟」的中國版」；某先生的「×村傳」的改頭換面；某先生的「殘缺的×」係以歌德的「田園交響樂」爲藍本，蛻變而成；某先生「沒有×的路」，是因襲羅曼羅蘭的「克利斯朵夫」；某女士的「×與罪」是因襲雨果的「孤星淚」；某女士的「×雲」是因襲日本的「晚歌」……因爲編者只看「名」取稿，所以能臉厚心黑的人就能成名作家，眞是一點不假。第三種是「不擇手段」，[illegible]第四種是自辦刊物，[illegible]第五種是「入幫」，[illegible]爲其「門弟子」……第六種是「以女人身份和編輯打交道」，當然最好是女人，而且是未婚更好；第七種是「找名人推荐」……總之，達爾文說：「適者生存」，他們都懂得此道理，所以拚命運用這些文壇登龍術，因而，他們成「名」了。

何健文聽了這些話，他的心涼了半截，自己既不願黑心厚臉，又不願「入幫」「找名人推荐」，辦刊物吧？沒錢；化名爲女性與「不擇手段」等，也都不是他敦品好學者所願爲。唉！難道上帝給他安排的，就只有窮途潦倒的這條路嗎？

還好，服役的年齡到了。在軍中，他看到了光明面，因而於操課之餘，他又鼓起勇氣寫起來。一些軍中刊物非常欣賞他的散文，他的興趣因而愈益好了。一有時間就在課桌或公文箱上書寫。兩年中，他竟然也發表了幾萬字，剪貼成厚厚的一本，時常拿出來自己欣賞。使得在心底裏，他感到了一絲自慰。

退伍回來後，師母確實是希望推荐他去一個夜店裏管賬的，店主見過他，認爲他是一表人才、性情又忠厚，深覺滿意。店主的女兒也讀高中了，如果相處得好，工作認眞，眼目清楚，怕不會就此結成親家呢！怪的是他却不願意！他討厭與那些有銅臭味的傢伙朝夕廝混在一起。於是他只好又開始爬方格子，散文、短篇、中篇小說、評論，甚至時政建議等，他都寫。稿子一篇篇寄出去了，有的石沉大海，有的很快就退回來。有的說「留待採用」，但一直未見退回也未見刊出；只有少數的短稿登出了，但稿費都很少，只有這一筆，才是超過想像，兩萬字，竟然給了五百元！哈！一套舊西裝該可以買得起了吧？

（十一）

記張蒼水

湘南遯叟

三、閩浙會師，大舉遠征長江

據蒼水親寫的「北征得失紀畧」載：「……歲在己亥，仲夏，延平藩全軍北指，以余練習江上形勢，推余前驅。抵崇明，余謂延平：『崇沙乃江海門戶，且懸洲可守，不若先定之爲老營』。不聽。既濟江，議首取瓜步，時虜於金、焦間，以鐵索橫江，夾岸置西洋大砲數百位，欲遏我舟師。延平屬余領袖水軍，先陸師入，余念國事，敢愛軀命？遂揚帆逆流而上！次砲口，風急流迅，舟不得前，諸艘鱗次且進且却，兩岸砲聲如雷，彈如雨，諸艘或折檣，或裂帆，水軍之傷矢石者，且骨飛而肉舞也。余此舟人鼓棹，逆入金山，同數百艘得入者僅十七舟，而本艫則十三。嘻！危哉！次早，藩師薄瓜城，一鼓而殲滿漢諸虜，乘勝克其城。

「……翌日、延平大軍亦抵七里洲，正商量攻取建康，而余所遣先往蕪湖諸將捷書至，蕪城已降矣。爾時上游聲靈丕振，而留都守禦亦堅，延平謂余『蕪城又上游門戶，倘留都不旦夕下，則江楚之援日至，知非公不足辦此』。余謙讓至再，延平但促余旋發。於是率本艫戈船以行，而幕府自此不復與聞矣。七日抵蕪湖，傳檄諸郡縣，江之南北，相率來歸，郡則太平、寧國、池州、徽州，縣則當塗、蕪湖、繁昌、宣城、寧國、南寧、南陵、太平、旌德、貴池、銅陵、東流、建德、青陽、石埭、涇縣、巢縣、含山、舒城、廬江、高淳、溧水、溧陽、建平，州則廣德，無爲以及和陽；或招降，或光復，凡得府四，州三，縣廿四焉。先是，余之按蕪也，兵不滿千，船不滿百，惟以先聲相號召，大義爲感孚，騰書薦紳，馳檄守令，所過地方，秋毫不犯，有游兵闌入剽掠者，余擒如法，以故遠邇壺漿恐後。即江、楚、魯、衛豪雄，多詣軍門受約束，請纓旗相應。……」

「楊英從征實錄」亦載：「六月十五日隨進師紮瓜州北岸，傳令進攻，委刑官程應璠催督前鋒鎮等各水師船進取家洲大砲，令戴罪村官張亮泅水盪船，刻陷斬斷滾江龍，令張兵部（蒼水）水師羅蘊章督轄兵，候繼滾江龍，即直[illegible]瓜州上游，焚奪滿州木浮營」又載：「北浮營用大杉木板釘圈，內容兵五百名，大砲四十門，火藥，火礮不計，[illegible]船遇之立碎，此項最利害。」又云：「午時，張兵部羅蘊章等已奪滿州木城三座。」可見當時張蒼水是負的先鋒任務，責任極端重大，戰事亦就空前激烈。

成功自破瓜州後，大軍直趨石頭城下，七月八日委令[illegible]黃安督水師[illegible]口，堵禦清兵，自己統率陸[illegible]於初十日由鳳儀門登岸，進逼南京，不料誤中清總督郎廷佐[illegible]緩兵之計[illegible]釋戈開宴，縱酒捕魚爲樂[illegible]至廿三日，清崇明總將梁化鳳穴城而出，鄭師猝不及防，遂至大敗。成功倉皇失措，倂撤鎭江之兵，連夜引還廈門。

（十一）

遊橫斷公路漫記

羅緣

今年暑假，應約去梨山講課，因利乘便，飽覽勝跡。同行之三、四人，多屬初遊，我則舊地重來矣。全路風景名勝至多，紅籌綠瓦，飛閣流丹，又頗添幾許[illegible]信江山有靈，自不寂寞也。

此公路確實驚險萬狀，設計布局，煞費苦心，親臨其境，不得不佩服一些退役官兵們手腦并用的不凡成績。

此路全長三百四十八公里由台中縣東勢鎮進山起，橫貫東部花蓮太魯閣附近止。沿途崇山峻嶺，懸崖峭壁，重巒疊翠，翠溪縈帶，時而雲濤怒起，飛瀑雷吼；時而小橋曲村，風光綺麗。一日之間，十里之內而變化叢出，[illegible]白寫來，其實流水帳也。讀者有空閑與興緻，如能邀三數知己，結伴而遊，背小袋，持竹棍，慢慢走，施施行，則天寬地濶，品類彩霞，盡屬囊中之物，收獲必更豐富。若夫坐小包車就沒此情趣了。

仙山絕壁

由東進口，首到八仙山，公路如盤蛇似的，蜿蜒環繞山壁，蝙蝠而上。山腰巉巖怪石，高低起伏。懸崖飛勢，望如閃電。路隨山轉，仰望聳峯，隱隱約約，恍忽像在霧裏的瓊樓玉宇。夕陽落暉，煙霧紛紛，霞彩流灔，深淵萬壑，攀樹縱目騁懷，此時此境，不必羨神仙，自己即是神仙了。

（一）

內僑警台報字第○三號內銷證

自由報

THE FREE NEWS

第四八四期

每份港幣壹角
台灣零售價台幣壹元
社長：雷嘯岑
督印人：黃行富
社址：香港銅鑼灣高士威道二十號三樓
20 CAUSEWAY RD 3RD FL
HONG KONG
TEL. 771726　電報掛號：7191
承印者：田風印刷廠
地址：香港灣仔高士打道一二二號
台灣分社
台北市西寧南路壹壹零號二樓
電話：三○三四六
台郵撥儲金戶九二五二

越南險局及其悲劇根源

宋文明

在不到一年的時間內，越南連續發生了三次政變，和一次大規模的羣衆暴動。去年十一月的首次政變，推翻了吳廷琰政府，並使吳氏兄弟三人先後遭到殺害。本年一月底的政變，又推翻了楊文明所領導的執政團，許多高級將領由此遭到貶抑與軟禁。本年八月底的羣衆暴動及九月中旬的新的政變，又都以反對阮慶為目標，企圖要把這位三十六歲的青年將領推下台去。雖然由於美國的堅定支持與從中協調，阮慶終於克服困難，安全渡過了兩次驚險，得以繼續掌握政權，但當前越南的整個政治處境，就像剛行爆發而暫告停熄的一座火山一樣，沒有人知道它什麼時候將再度爆發，但人人都相信它一定還沒有死去。因此，今天越南本身及有關各國對這一局勢的態度，便是在一種震驚不安與焦慮等待的混合心情中，希望會有一個較好的明天能夠到來。

越南局勢到了這一地步，除非美國直接派軍實際參戰，要想獲得軍事勝利到，已經完全成為不可能。軍事勝利既不可能，這種情況，越往下去，其結果一定是愈來愈壞，而絕不會愈來愈好。越南軍事情況的所以難望好轉，主要是由於下列幾種因素所決定。即：（一）越共游擊隊實力的發展，今已大大超過了可用軍事力量予以擊潰的限度。既無法以軍事力量予以消滅，則這一戰爭必會無限期延長下去。（二）越南在短短十個月之內，數經政變與大規模羣衆暴動，政治上的穩定已完全破壞。不論美國或越南，不論美國是否繼續支持阮慶或支持其他人物，都無法在短期內培養出一種能統御全國，而為全越人民所擁戴的政治穩定力量。既然無法達成政治穩定，則內部變亂將相尋不已，勢將為越共所利用。（三）從二次大戰中期直至今日，越南一直陷於各種戰亂，人民厭戰情緒極為濃厚。當大多數人民已厭絕戰爭，對任何軍事行動不感興趣，則一種不受現社會法律道德所約束的破壞力量，便更容易在這種情況中獲得上風。這三種基本原因，再加上美國內部一部份人士的反對美國繼續介入越南，法國總統戴高樂的高叫談判與中立，以及東南亞幾個中立鄰國的從旁幫腔，致使越南處境更形艱困，整個情勢亦更形複雜。

在本文中，我無意提供一種藥方，不願對任何方面建議以何種方式來解決這一難題；我只希望以一種歷史的目光，來分析一下在短短一年多期內，何以越南竟分由一小康之局而演變到如此不可收拾的境地。

說起來，眞叫人難以置信。但越南的會有今日這種險惡局面，並不是由於越共游擊隊的實力增張，也不是由於美國的支持不力，更非由於寮國動亂和越南的內部的其他壓力，而其最根本最原始的原因，完全在於吳廷琰政府在一件不重要的問題上，作了一項嚴重的錯誤。就說是越共游擊實力的增長，及越南內部的政教衝突與政變加速了這一局勢的惡化，而這一切也是由於受了那一錯誤的決定所帶來的。假若吳廷琰政府不在那一小事件上鑄下大錯，所謂越南佛教徒的長期大規模反政府行動就不致出現。沒有佛教徒的反政府行動，吳廷琰政府就不致失去越南大部人民的支持，內部政治團結當亦不會發生問題。若吳廷琰政府內部及其與人民大衆之間不造成這種廣泛分裂，越共游擊隊的實力，也便不可能獲得猛烈的膨脹。

這一嚴重錯誤，就在於吳廷琰政府對於一九六三年五月八日所發生的順化事件，表現了一種出人意料的不合理的執拗態度。這一因掛旗問題而引起的當地佛教徒示威事件，實際上只是一個非常普通的事件，而這種示威中因發生爆炸而致十一人遭受死亡，其情況本來亦沒有什麼特別嚴重。假若這一事件發生之後，吳廷琰政府能立即採取有效行動，予負責者以嚴處，予受難者以合理賠償撫恤，以平民憤，則這一事件將永不會成為野火燎原之勢。可是由於當時吳廷琰政府缺乏最低限度的政治嗅覺，不知道一個大政治風暴的正在醞釀，反而自信過度，不對這一事件的善後問題作合理處理，遂使局面逐漸惡化，終至於不可收拾。吳廷琰政府的所以堅持此一態度，不願對其善後問題担負責任，主要理由即認為此一爆炸係由共黨破壞份子所為，而非出於政府人員之手。但縱使此一說法完全屬實，越南政府為了不致因小失大，造成更嚴重惡果，亦應該負起這一事件的一切責任。事實上，即使越南政府主動負起了此一事件的一切責任，實行懲兇及賠償，對政府的威信亦不會有太大的損失。而結果，吳廷琰政府雖堅持不作讓步，自認沒有在這一事件上喪失威信，可是這一政府的整個威信及存在根基，卻也就因為這一事件而完全毀滅無餘。我們實在不知道，假若吳廷琰本人當時能正確預料他日後的下場，會不會也對這一問題作一番新的考慮。

吳廷琰政府的如此缺乏政治識見及手腕，如此不懂統治藝術，在世界歷史上亦屬一大奇蹟。這一奇蹟究竟如何產生的？是由於吳廷琰總統本人的性格？是由於越南兩教衝突中的複雜牽連？是由於他的弟媳吳廷儒夫人的婦女之見？還是由於東方人的傳統政治作風在作祟？

以上這些理由，也許都有一部份原因，但其中眞正具有決定性作用的，可能還是在於最後一點上面。我們知道，東西方在政治問題上的一個最大不同之點，就在於：西方人認為政治是一種協調的藝術，如何把各種不同利害而互相衝突的政治力量結合一塊，而能長期和衷共濟，相安無事，便是發揮了政治的最大功能；而東方人對於政治，則完全採取一種硬碰硬的作法，在競爭過程中，各種政治力量拼個你死我活，及至其中一個力量攫取了優勢地位，便又要設法消滅其他各種力量。從這一觀點來說，西方人所說的政治，才是一種眞正的政治，而東方人所說的政治根本不是政治，而只是一種武力競賽而已。政治講究協調，以協調消除小集團矛盾，而促致團結與穩定。而武力講究勝負，成王敗寇，絕不容許有折衷餘地。換言之，西方的政治，永遠允許多元存在，追求多元共安；而東方的政治，永遠只求一元，台上台下永無妥協的餘地。這就是吳廷琰何以不對順化事件讓步的理由，也就是越南政局一變再變的理由。

總而言之，假若越南吳廷琰政府能對一九六三年五月順化事件稍知退讓，略事妥協，我實在看不出它有被迅速推翻的理由。這是什麼悲劇？只能說這是愚蠢的悲劇。

毛酋「自拍面部」

反面無情

今日与明日

事在人為

據我國立法委員調查所得，國防部在最近一年之內，對於各項經費報銷認眞審核結果，節省了七千萬元以上的公帑。這是一種良好的政風，難能可貴也。

即此可以證明文武機關的首長如果實心任事，廉正自持，則腐敗貪婪之風，自然不會產生的。譬如國防部早已停止用公家汽車接送職員上下辦公室，藉以節約汽油這椿事，其他各機關為啥不能照樣實行呢？台灣沒有一滴的汽油生產量，假使大家拿出抗日戰爭時期在重慶的那種苦幹精神來，可以節省公帑的地方多得很，豈但汽油一項而已哉！

事在人為，就看各人的良心血性如何？下命令，訂法規，貼標語等玩藝，都是無用之長物。

再看國營事業

根據五十二年度國營事業決算審核報告，全部國營事業卅七個單位中，有半數都是經營不善而陷於虧損的。究其實際，因浪費而招致虧損的情形，遠甚於經營不善，招商局便是很顯著的例證。

任何一種生產事業，若係國營或公營的，十九在虧損之列，原因就是恣意浪費。近來台灣輿論界對於出售公營事業和官股問題，議論甚多，我們認為除却直接與國防有關的事業外，總以民營為妥，唯一理由即係消除官吏腐敗的惡疾。

還有銀行

按照一般金融政策的常理，政府除了設立中央銀行，掌握通貨發行權之外，自不必再事經營其他的各種銀行業務了。

現存的中、交、農暨土地銀行等，名為公私合營，實係公營性質，而其作風乃與開當舖並無二致。法令上雖然規定某種銀行負責輔助民間某項企業，並不是那末回事。因為政府限定各銀行每年須繳納若干盈利歸於國庫，他們只好以營利為第一義，把輔導民間工商企業的職責置之次要了。

依我們的書生之見，這些各色各樣的銀行官股，都不妨出售給民間，讓他們自由經營發展，藏富於民，民間如其富足了，政府還愁沒有錢嗎？民生主義指出有獨佔性質、或為人民無法私營的企業，纔屬於公營範疇，銀行似不在內吧？

清醒之言

美國參議院多數黨——民主黨——領袖曼斯非爾，聲言殺害越南總統吳廷琰，乃是損害該國穩定局勢的錯誤行動；又說美國為越南問題而向「東南亞公約」國家要求援助之努力，毫無用處。斯言可圈可點，揭示了越南問題的癥結所在。

回憶去年十一月以前，美國政治人物暨以紐約時報為主的輿論界，對吳廷琰猛烈抨擊，公然策動越南政變的情形，適與中國大陸淪陷前夕，美民主黨政府大力贊揚毛共釀亂行為，而千方百計以打擊中華民國政府的作風，如出一轍；亦與美國當年指摘古巴反共的巴蒂斯特政府為獨裁，停止美援，表示唾棄，而拼命援助卡斯特洛奪取古巴政權的策略，並無二致。直到今日，美國飽嘗苦果之後，纔聽得曼斯非爾發出這項清醒的言論，曷勝嘅歎！

若謂美國存心要使中華民國、古巴、越南淪於共黨之手，那是不公道的。然則美國何以又一誤再誤，覆轍相尋而不知警覺呢？語其竅要，不外兩點：一是根本不瞭解共產主義的本質，也沒有跟共黨鬥爭的經驗，視亞洲以及其他落後地區的共黨活動，都是跟美共或英共一樣的玩藝，認為沒有甚大不了的危害性。二是無保留的推銷美式民主政治生活，祇要是接受了美援的國家，即不顧一切，強迫友邦非實行美式民主政治不可，否則便係專政獨裁，寧願支持一個帶着保護色的共產黨來奪取政權，期待它為着垂涎美援而與美國妥協。

基於上述的幼稚觀念，再加以美國駐外人員在別國對人處事不免有些優越感，甚至一切情報亦認為美國中央情報署的纔有可信之價值。因此，乃構成今日凡是接受美援的國家，皆對美國發生反感的奇怪現象，而給共黨以利用矛盾，便於滲透顛覆的大好機會。曼斯非爾的見解，是值得贊許的。

偶正先生

立委徐漢豪質詢行政院長

反共建國聯盟何日實現？
法院改隸何以尚未實行？

（本報記者張健生台北航訊）行政院院長嚴家淦於九月廿二日說：「反共建國聯盟會議，正由有關機關負責策劃籌備中，有專人負責，行政院將儘量協助。至於何時召開，由於有專人負責，定將徐委員的意見轉達。」這是嚴院長列席立法院第三十四會期第二次會議時，在答覆青年黨籍立法委員徐漢豪質詢所作的宣佈。

徐漢豪委員這次質詢了好多問題，其中最引人注目的，便是反共建國聯盟何時實現？地方自治選舉風氣與高等法院以下各級法院改隸的問題等。

關於何時召開建國聯盟會議的問題，他說：反共復國是一項艱鉅的工作，這一工作，除了『動員台灣的一千二百萬同胞外，還需要海外一切反共志士愛國僑胞的加强團結，發揮全國同胞的智慧才能，竭慮盡忠，共同奮鬥』。因此，總統在本年元旦告全國軍民同胞書中號召組織一個全民性的『反共建國聯盟』，行政院嚴院長在立法院三十三期第一次會議作施政報告時說：『一定遵照總統的號召，全力支持這一次聯盟的早日實現，透過具體的有效的方式，來促進全國大團結』。可是現在五十三年已經去了大半，反共建國聯盟的召開，尚無跡象可尋，請問嚴院長如何支持這一聯盟的實現？

台灣地方選舉的過事實告訴我們，這問題，每次選舉後，官方都有例行檢討的會議，並發表進步的消息。現在，我們可以從這位在野黨籍立委的質詢中，得到具體的眞象。徐委員說：行政院五十三年度施政方針中，關於內政方面，以「健全制度，改進選舉，以樹立良好政風」爲重要方針。現在行政院的施政報告中，內政部份也以「健全地方自治」一項列爲篇首，足見政府對於地方自治的重視。所謂自治，當然要從地方選舉着手。政府爲了要辦好選舉，對於今年的縣市議員和縣市長選舉，曾一再積極的鼓勵人民投票，消極的禁止非法助選與競選，原屬無可疵議。不次縣市長的選舉，如候選人的以味精、香烟、肥皂公然買票的就不在少數，而政府懸爲厲禁的軍公教人員助選活動，若干機關竟公然抗令，甚至於利用學校校長教職員公然指使未成年中小學生助選，叫他們回家去，吵着要家長選他們老師所說的候選人。行都所在的台北市，就有這種現象。其他縣市，更不待言。此種利用學校教職員學生助選的愚蠢做法，不但給下一代一個很壞的榜樣，還使學校校長教職員都捲入地方派系漩渦。最近，高雄縣因縣府調動國校人事而引起的殺人慘案，品爲利用學校校長教職員參加助選而產生的惡果。民國以來，即使在軍閥時代，教育界一向保持超然的善良風氣，將因這次學校校長教職員之參加助選而烟消雲散，我們還不知要經過多少年的努力，才能把好風氣恢復過來。無怪嚴院長的施政報告中祗說：「內政部均經分別派員赴各地督導，並檢討得失，爲改進之參考。」而沒有一句表示這次選舉已有改進的話。我（徐漢豪）想嚴院長心中一定也有無限的感慨吧！

拖了達十多年的高等法院以下各級法院改隸司法院的問題，是一個久懸而未解決的老問題，大家對此並不陌生。徐漢豪質詢說：高等法院以下各級法院，自四十九年七月第一五一次大法官會議作成解釋後，司法院與行政院於同年八月組織「調整司法監督有關事項會商小組」，這一小組曾經商得若干結論。一般輿論都希望這一問題早日獲得決定，立法院同人會經提過質詢，監察院也有過決議，催請執行，乃至今逾四年，還不見解決，究竟關鍵何在？何以這一問題要拖延如此之久？三十五年國民大會制定的憲法，事前商討也不過化一年半載時間，難道說一個法院改隸事件，比制定一部憲法還困難嗎？記得這個問題，監察院是於民國四十二年提請大法官解釋，我們德高望重的大法官竟解釋了七年之久，一直到四十九年才解釋出來。現在這一解釋要執行了，司法院與行政院又拖了四年不決，難道說要向大法官看齊，也來個七年才能決定嗎？政府天天喊提高行政效率，而今行政院與司法院的行政效率，低落到這步田地，我們身爲民意代表，除了感到痛心外，實已無話可說。然而這個問題，是行憲的重要措施。爲了維護司法權的完整，爲了保持司法獨立精神，我不得不提請行政院從速與司法院會商決定，不要再拖了。

台灣論壇

暴戾之氣不可長

段宏俊

感情和理智的不能獲得平衡，常常會做出一些愚蠢的反社會性的行爲。生存競爭的劇烈，生活空間的狹小，通常會養成人們一種偏狹的心理，稍有不如意，思想就會鑽牛角尖，感情一衝動，更是什麼禍事都闖出來了。

台灣這幾年來，兇殺案特別多，有的是情殺，有的是仇殺，一殺就是十幾條人命，甚至於一些無辜的人們也跟着遭殃。由此可見一般人心理對公權力的漠視，已經到了何等樣的程度。

任何人的成功，都是靠自己奮鬥出來的，純靠因緣際會，畢竟經不起攷驗，祇要立足點平等，誰也不能嫉視別人享受成功的果實。看着別人眼紅，就得自己爭氣，滿肚子牢騷，不合時宜，又有什麼用呢？「想當年」，當年已經過去了，現在是現在，針對現實需要極大的生活勇氣。暴戾之氣的形成，祇顯得自己是一個弱者，一個違法亂紀破壞公共秩序的弱者。

至於時下的一些情殺案尤爲可笑。跟一個女孩子認識，就認爲那個女孩子非嫁給自己不可，單相思的結果，一個手榴彈一把衝鋒槍就葬送了全家，甚至於把酒家、茶室、妓女戶的脚色，都作爲强迫「殉情」的對象，羅密歐和朱麗葉如果這個時代眞有其人，豈不笑掉了大牙！

談到仇殺更加荒唐！結仇的原因都是些雞毛蒜皮的小事，一個紡織廠的工人可以殺老板，一個退職警員可以槍擊警務處長，這還有什麼國法？這幾年台灣什麼都講人事保障，進來的時候叩頭作揖，一進了大門，啥事不幹，專門興風作浪的大有人在。人事保障的結果，同樣也保障了某些壞蛋。最近國校教員調動所引起的一件仇殺案件，一位專門「作育人才」的小學老師，由於懷疑被調動係校長的唆使，一氣之下殺了校長，殺了一位女老師，還殺了一位小學生，最後還殺了自己！這種愚蠢暴戾的舉動，不僅害了別人還害了自己。用這樣的人教育我們的下一代，這種教育方式也實在太可怕了。而不久以前，台北公事處司機駕車瘋狂撞人的案件，更是集暴戾之氣之大成！僅僅因爲攷績不好，一口氣竟然出在無辜的行人頭上，一部空車在鬧街上橫衝直撞，二三十條人命，又向誰算這筆血帳呢！

現行的刑事政策，採取預防主義，認爲犯罪的原因，並不是由犯罪人自己的自由意思所能完全決定的，刑罰的目的，祇是爲了預防犯罪，並使犯罪人能夠重新適合這個社會。這種捨棄原來報復的觀點而採取一種預防的看法，在理論上無寧是一種很進步的觀念。可是，在理論與實際並不能完全配合，目前基於預防主義所形成的刑事制度，諸如假釋，緩刑，刑的衡量，以及所定刑的寬度，適足以助長犯罪，而預防主義影響於社會輿論的，更產生一種憫罪恤刑的心理。在一個正常的社會裏，我們反對死刑，我們也希望能夠給犯罪人一綫生機，讓他重新做人。可是由這種暴戾之氣所形成的犯罪，我們基於現實的需要，贊成用重典，亂世用重典固然是不得已的手段，但到了非用重典不可的時候，我們便不應該保留着這份婦人之仁。

當然暴戾之氣需要疏導。疏導的最好方式，就是教育。尤其是建立一個感情和理智平衡的心理，更爲必要。我們無意抹煞某些人對國家的功勞和苦勞，可是也無必要特別强調某些人對國家的貢獻。社會是分工合作的，祗要盡力於各自的崗位上，就是對國家的貢獻。至於挾功邀賞，祗覺得社會欠他太多，給他太少，就很不適宜於一個正常的社會生活。

今天，我們在台灣，實在來講，對人還有什麼可求；在大敵當前，能夠偷安亂世，已是萬足。大陸一天不收復，任何個人的發展都是空的。想退後一步，海潤天空，想有大陸同胞的苦難情形，還有什麼事不能放開？

暴戾之氣不可長，這種心理的成長，祗能是自趨滅亡。

立監委員糾紛事件

本報記者台北航訊

有關人員答復監察院調查人員的證詞不符情形：

謝塗誠說：「與葉芳霖的關係，是四十三年間在龍潤包工時，在花蓮由劉秋火介紹認識，關係並不密切。五十一年六七月間向葉借過六萬五千元。至於與宋梅村關係，係葉芳霖討債時，帶宋到其家裏見面相識。該葉、宋二人曾調解工資糾紛，而去東勢」。

蔣振南說：「本案工程係我查勘工地後，自行通知大誠營造廠估價的。因葉芳霖担任大誠營造廠（經理）謝塗誠通譯，先後在工地及辦公室見面三四次而相識。與宋梅村則係於東勢東豐旅社調解糾紛時方始見面相識」。又說：「我於五十二年元月七日去東勢視察大雪山林道工程，及公路局東達段路基及附屬工程，住東豐旅社時，該大誠負責小粗坑工程人員江宗統、和工頭陳耀輝、李塗，及合夥人劉秋火，葉芳霖、宋梅村等，當天晚上到我房間內商討工資解決問題，并無結果」。

葉芳霖說：「我與謝塗誠係在龍潤相識，五十一年七八月間，由劉秋火從中洽請借欵十萬元（按謝說六七月間，向葉借六萬五千元），我則轉向宋梅村借欵五萬元。十一月間，宋催還欵，謝還五萬元，我還宋三萬五千元，自己留一萬五千元。嗣後，謝推說因與劉（秋火）合作，工程尚未結帳，請向劉催帳等語。故我於五十二年初，與宋委員去東勢向劉秋火討債，住東豐旅社。聽說蔣振南亦住在該旅社。大誠營造廠承辦台電工程，在事前及在期間，絲毫不知內情。由機械公司蔣副理由工程結束，除在東豐旅社見過面外，到現在沒有見面」。

江宗統說：「到東勢去的火車內，碰見葉芳霖，在東豐旅社遇見蔣振南而認識。葉芳霖是在大誠辦公室相識的。調解糾紛，除葉芳霖一人參加外，蔣振南、宋梅村二人均未參加」。

劉秋火說：「我與宋梅村不相識，宋、葉二人來東勢催討帳利息時方始見面相識。關於調解糾紛事，葉曾從旁勸說謝，宋未開口講話。借錢還錢是葉二人直接經手的」。

黃祺法說：「葉芳霖與蔣振南會一同到小粗坑工地來過三次，宋梅村是在東豐旅社見面的。調解糾紛，宋、葉同時在場」。

陳耀輝（檢舉人）於本年三月廿九日在東勢補充說明中稱：「因工資問題，我具狀向監院訴願；王永利也具狀向治安機關、稅務及法院告發。嗣後謝塗誠及中華機械公司恐怕事情鬧大對他們不利，曾派工程師江宗統會同立法委員宋梅村，調查局葉芳霖，及中華機械公司蔣振南，建明營造廠陳茂全等，來東豐旅社調解。依照開工前的協議，應付我六萬元。蔣振南說工程是他們以一四三萬元包給大誠的，中華機械公司不能負責。江宗統說本工程沒賺錢，反而賠了二、三萬元，無法照原協議發放工資。葉芳霖則稱：他站在公平立場上說以二萬元結帳，由宋梅村親自向我們保證於元月十五日以前付清」。（四）

高市議會的走廊政治

（本報記者趙家驊高雄航訊）高雄市議會總質詢之始，即有議員劉葆德首先發難猛烈抨擊機要秘書潘家煌。這是陳市長連任以來空前之遭遇，實爲始料所不及者。九月十八日以潘家煌越權行事，除劉葆德外，尚有洪福緣、宋長治、蔡建生、蔡億建、李陳玉蕊等紛紛提出指責，要陳市長把權交主任秘書黃麗川。陳市長在答覆議員質詢中表示：關於機要秘書潘家煌職權過大，決尊重議員們建議，將逾限之權予以收回，重交主任秘書行使。一場風波乃告平息。

越數日（九月廿五日），議會內部却發生內鬨，潘作宏及藍國徵兩議員對原質詢潘家煌的九位議員提出反駁意見。當時宋長治與劉葆德爲顧全大體，未作何表示。事後宋長治曾找議長王玉雲理論。（九月廿六日）上午，宋長治與劉葆德在市府秘書室對副議長陳田錨表示：要幹吧，咱們一個個的來，沒有關係。陳副議長說：「他們是新任議員，對自己的立場沒有認清。這種議員對議員的質詢，是議會空前的事例。」又說：「潘與藍是親戚關係，一唱一合，明眼人一目了然」云云。

之後宋議員在走廊上遇見「台灣水泥公司常務董事」陳啓清（陳市長堂弟，陳副議長之父），正與潘作宏談話，陳先生以老前輩的資格，對潘曉以「顧大體」的大義，於是宋潘二人握手言歡，「反質詢」之事即渙然冰釋。這一幕未悉是王議長和陳副議長的安排？抑是「巧合」？「議會走廊」的作用，往往高出若干倍，多少事件在走廊上化干戈爲玉帛；多少秘密是在走廊上被掩蓋，秘而不宜。記者親見稅捐處長高福翹與江晚來議員嘴對耳的「在場外交道」。

詹森在民主黨大會的表演

乾元

楚崧秋寫的美國總統與民主政治一書中，他會預測「今年（一九六四年）大選，可能因甘迺迪的音容宛在，以及詹森的穩健老成，仍使民主黨佔上風：：：」。

果然，民主黨充分的運用了上述的兩個優越的條件，身為領導人的詹森先生對於這方面的運用不但是穩健老成，簡直是出神入化。

首先他在大會的一切佈署花費了相當的精神，也表現了無比的技巧，時代週刊評之為：「自主席台上第一聲木槌宣佈開會起到最後閉幕的歡呼，澈頭澈尾是詹森總統一手導演下的精心傑作。」

在大會堂的佈置方面，用他自己的兩幅四〇呎高的大照片。把他說過的「讓我們繼續下去：：：」一語做為大會格言，又把「娃娃，你好！」一曲改成「詹森，您好！」作為會歌。他決定整個的程序，指導全部作業。重要幹部都配着電子通信設備，隨時可與總統通話。他控制了一切。

甘迺迪的音容重現是需要的，但是不能因為感情的浪潮左右了副總統候選人人選問題。所以他重新安排把甘迺迪生活電影放在大會最後一天才放映，這是多麼的老練和穩健。

副總統候選人提名的事，在大會中提名，附議，演說人的安排，更是萬分妥貼，而且亦顯示出黨團結一致的氣氛。在提名那一天，他還與好幾十位議員州長們和無數的工商領袖們洽商副總統候選人人選問題，直到最後搭「空軍一號」到大會去的時候才打開謎底；賣關子，弄玄虛，頗增加了大會熱烈的情緒。

為了使記者們自動報導詹森身體健康情況，在總統候選人提名那一天，他拖了六十幾位男女記者來了一次長達九十五分鐘的「馬拉松拖屍散步」，讓他們「體驗」一下總統先生的腿勁，弄得有些養尊處優的記者們汗流浹背，中途開了小差，有幾位女記者到是了得，不愧為「洋花木蘭」，竟然走完全程並未落伍；他當時每人分發獎章一枚。這些女士回到報館電台時候，以為老板也另外有獎。這一趟長途散步下來，自然說明了他身體的情況，事後拿出四位醫生的檢查報告也就形同具文了。但是機會決不能錯過，在摸報告的時候，順便還把民意測驗結果掏出來請各位過目，如何報導則悉聽尊便。

臨去參加大會之前，詹森還請記者們到白宮官邸點心啤酒一番，在臥室裏穿着短褲換衣服時還請記者陪着聊天，一切是那麼親切，那麼自然。

接受提名時，他說「我接受各位的提名，我接受領導本黨至勝利之途的責任。」接着他又說：「我感謝各位明智的選擇了未來的副總統：：：」說到這裏，代表們哄堂大笑，連他自已也忍不住了。

正如他在當天他的生日晚會上說的：「我從一九二八年起就參加大會，這是最好的一次。」

台灣東部遊記

羅雲家

從三十八年五月底參與上海保衛戰，隨軍轉進台灣，歲月不居，轉眼就是十五年！其間我曾作過許多次旅行，或因公，或休假，或探友，足跡所至，遍及本島北、西、南部暨澎湖列島。可惜就是沒有去過台灣東部，不免常常以此引為憾事。

這次作環島旅行，時值烈炎逼人的二伏天，且川資亦籌措得有限。同時有許多親友勸阻；均謂值此火傘高張，颱風頻仍，及雨季去外面遊玩，定會破財傷神，弄得不歡而歸，宜改在春初前往。我呢？一則因為獲得十天假期，且其間無課；以在軍事學校任教的人來說，這是難能可貴，機會不再的（休假可以每月有五天，但在批准的假期中，却是不准請人代課的）。二則第三個孩子已經三歲多，內子採取的避孕措施已屆兩年，行將失效；如果再拖下去，若是又有了孩子，那就非要再等數年才能成行了。三則全家大小的身體都很健康，經得住遠程奔波之苦。四則內子及孩子的興趣特別濃厚，且在心理上大家已經準備了一個多月，如果改期，不免不快。五則我是個愛好寫作的人，亟想藉此機會，見識一下進步中的寶島實況，吸收一些寫作的資料。六則住在花蓮的好友李豕如，近年經營電氣業頗有發展，曾多次鼓勵我去東部遊玩，並且樂予贈送機票，負責在花蓮一切用費。恐怕我們不去，他在六月間還特地趕來舍下面邀。有此數端，我和內子權衡利弊得失，認為目前是去的最佳機會。商量好了，馬上分頭給有關的親友去快信，製行裝，辦差假手續，訂車票。一切在七月十六日辦妥，只等翌日到來，即行出發。

七月十七日，星期五，天晴

為了長途旅行，昨夜全家都提早睡覺，平時總要熬至十一時左右才睡，昨日約在九時即强制成眠。一覺醒來，已是午夜四時正，想再睡去，不知怎的，再也無法入睡。躺在床上想着想着，到了四點半，忽聞雷聲，接着下起一陣大雨。妻此時也醒了，於是討論到天氣問題，彼此都希望這場大雨不要連綿繼續下去，誤了我們的行期。過了約五十分鐘，天大亮了，雨也停了，於是全家在歡欣中起身漱口洗臉，準備行裝；六時卅分，三輪車來了，大家提了簡單行李登車，負責看家的妻妹淑惠送至門口，揮手祝我們好運，我們就此離開家門。

鳳山至台東，全程約一百七十公里，公路局備有金馬號快車及直達快車可坐。因為金馬號軍人不能享受優待，而且我們帶了三個孩子，雖然都未達半票年齡，但需要多買一張孩童票，好讓孩子們在旅程中舒適些，所以我捨金馬號，訂購了第一班直達快車的十一、十二、十五號座位。六點五十一分，車子按時到達鳳山，我們登上車，只見訂購的座位已有人佔坐，經過一番交涉，那人才悻悻然讓了出來。車過大武營西側，轉彎處擁滿了人，車駛近一看，才知道是一輛貨車將一騎自行車者撞死馬路中，死者肝腦塗地，為狀至慘，頓使我們全車的人，都因此提高了警惕。（一）

我所知道的麥帥

肯寧將軍原著　徐熙光翻譯

當我們抵達日本的海岸時，為人所熟知的富士山積雪的山頂，首先映入我們的眼簾。不過當我們飛近富士山時，却發現山頂並未積雪。

當麥帥和其他高級將領在正午降落機場時，有大約五百名空運來的步兵在場担任警戒，由日本司機駕駛的日本汽車把我們載到了橫濱。在戰時，我們未曾担心過麥帥的衛隊問題，但是此刻我們却認為應該為他準備衛隊，至少應該在我們抵達橫濱市時，由衛隊保護麥帥所住旅邸的四周。因此我們挑選了二十名高大而魁梧的美國兵跟我們進入橫濱。

在過去新幾內亞和菲律賓的三年中，我們都習慣佩帶手槍。我們只要一穿上制服，必定會同時佩帶手槍。當我們準備前往橫濱時，麥帥建議我們除下手鎗。在數哩外大約有十五名尚未解除武裝的日本士兵，如果日本不是真正投降的話，我們佩帶的手鎗是會很有用的。但是我們還是解下了手鎗，後來從這件事證明麥帥對東方人的心裏早也有很深刻的了解。因為有好幾個日本人事後曾告訴我，日本人對這些高級將領和麥帥的參謀人員竟在幾天前仍是敵人的擁有七千萬人民的國家裏，身上不帶任何武器，隨便來往進出，覺得非常驚異，也留下了極為深刻的印象。這使得日本人在除了覺得他們已打敗了這場戰爭之外，有了另外一種感受。

全副武裝的日軍在沿着通往橫濱的路的兩邊列隊站着。當我們通過時，他們都以背朝我們站着。那一方面表示他們對我們的服從，但是另一方面也在防止某些頑固的日本人對我們開槍射擊。

橫濱原是擁有一百萬人口的都市，此時則到處敗壁殘垣，滿目瘡痍。有些街道已經過清除和整理，在佔領軍的駐防地，水電設備已暫告恢復，但是整個都市要從六個月以來飽受B廿九轟炸的浩刧裏恢復舊觀，仍需要很長的一段時間。作為我們臨時總部的新大飯店與其對面的花園已經整理得煥然一新，有如一片在廢墟中的綠洲。這使人能夠充分體驗到戰爭的殘酷。

麥帥只隨身帶着少數幾名士兵，處身在那麼多幾天前還是敵人的武裝部隊中，實在是一項賭博的冒險行為。當然，日本天皇已下令投降，而他不僅是日本的元首，更被人民奉為神明。不過話又說回來了，神怎麼會打敗仗的呢？也許日本人因此而開始不再承認他是神，也許會有暴動的意外事件發生，諸如暗殺事件，叛亂事件等等，這是經過大動亂以後所難免的。

然而幸好一切都平靜無事，麥帥抵達日本以後未聞有叛亂事件發生。不過在我們抵達日本以前，確會發生了一些令我們担心的事。

我之所以選定厚木機場作為我們降落日本的地點，有三個原因，第一、厚木機場有長而堅固的跑道，第二因為它靠近橫濱，第三因為它正在東京平原的中心。但是我却不知道厚木機場是日本三百架海軍神風自殺飛機的飛行員幾天前還駕着飛機在東京上空散佈傳單，說不管天皇說什麼，他們決定作戰到底。日本人說因為機場需要整修要求我們暫緩數日進駐日本，只有一部分是真的，這個機場整修起來很容易，主要的是他們要設法使神風隊不闖禍。（四九）

高君續夢

第十四回：誰與慶昇平　呼朋湊興　居然爭霸業　背主孤行

陳毅說道：「據季壯同志說，歐美各國醫學院需要解剖的屍體甚多，在外國除非有的人在死時自動願意捐給醫院解剖，通常想出錢買都很難，只有向非洲一些野蠻部落想辦法，出高價錢收買死屍。後來被我國駐非洲的貿易代表知道了，就把這項生意攬過來。」

毛澤東拍着大腿笑道：「這才是好幹部！真真有用處。着葉季壯同志查一查，出謀定計的是誰？已經入黨沒有？沒入黨儘快批准入黨，已入黨就提升三級。」

大家看毛澤東這麼高興，也都跟着陪笑。

毛澤東接着說道：「我早就同富春同志說過，叫他在國際市場上探探盤口，有沒有買人的？咱們這麼多的人，假若有了行市，一夜之間我們就成了世界上最富的國家。可是他一口就回絕了。」

鄧小平說道：「富春同志因為害肺病，就是有點懶。」

毛澤東說道：「到還不是純粹懶的問題，他認為把活人賣出去，除非給他們吃了啞藥，否則到了外國一張揚起來，成何話說？豈不是又給帝國主義，現代修正主義增加反華的材料。再說也沒有大量的買主，除非中東阿拉伯的那些土王可以買一些女奴去。由於不能大量出口，也無補於事。現在竟然能出賣死屍，還能大量出售，實在太理想了。」

劉少奇說道：「不過這件事情我還有點懷疑，鎮壓反革命早已過去，目前又哪裏來的大量死屍呢？」

陳毅笑道：「這一點我也問過了，小部份是處決的反革命犯人，大部份是送去火葬的人民。」

劉少奇奇怪道：「送去火葬場的死屍，家屬要等着收骨灰的，把他們賣了怎麼成。」

陳毅說道：「這就是要找竅門了！火葬塲預先買一些牛馬骨灰，到時就用偷天換日的手段，交給死者家屬，他們自然想不到屍體還有人更換，都誠惶誠恐捧回去了。」

毛澤東不由得又大笑起來。

周恩來說道：「不過也要小心，萬一運到海外，遇到死者的親友，馬上就會鬧得全世界都知道。」

陳毅說道：「這點也沒有問題。屍體運回醫院後，進行注射防腐固定劑，再塗上凡士林油，然後用白布包裹，裝箱外運，等到開箱解剖時，起碼兩三個月，屍體已經變成黑褐色，即使是死者家屬也認不出了。」

毛澤東伸出大姆指說道：「這種無本的買賣真真作得，比賣特貨還賺錢。」

劉少奇問道：「我們最近的特貨生意怎樣？」

周恩來搖頭道：「不太理想，據主管其事的幹部告訴我，第一由於海外所有的口子都查得緊，日本方面的進步人士都被警視廳嚴密監視，不能活動，特貨運到日本後，銷路就很困難，因為敢經手的人太少。還有一個問題是由於蘇聯專家撤走後，製造白麵的工廠一度大部停了工。」

劉少奇說道：「我們解放戰爭期間製造白麪假的技師皆是朝鮮人，怎麼後來也換了蘇聯人。」

周恩來苦笑道：「當時以為蘇聯人比較靠得住，[illegible]知道後來演變到這種地步。」（三四八）

冒險犯難記

鄧文儀

因爲部隊集中了，不能不籌發給養伙食錢。廣州方面始終沒有回信，也不見寄錢來，迫得我只有向坪石商會商借供應。徐漢臣部已有一千多人在十二月一日前集中到了坪石，我和他們見了面，講了話，紀律及精神尚好。約定胡鳳章部也在五日左右集中坪石附近點驗。

我不深悉他們兩部份之間，彼此並不和洽。坪石原爲胡鳳章的防地，徐漢臣部到坪石侵犯了他們的地盤。胡很不高興，藉我要他們集中點驗的機會，想用秘密偷襲的方法，一下子將徐部包圍解決。這個消息直到二日晚十時我才知道。因爲坪石商會答允續借我們的錢，不肯即付。事實上他們已接到胡的通知不必再付，胡部即將進駐坪石。我由商會不肯付欵，判斷定有原因，就私下訪問了好幾個有關係的人，問他們有何情報。有兩位說：情況嚴重，恐怕今晚就要發生事變。要我提高警覺。

我得到情報之後，立加判斷，看各商店都已提前關門閉戶情形，認爲事態嚴重，可能胡鳳章部要向坪石施行拂曉攻擊。由於坪石的地形爲一條狹長的市街，一面是水，一面是山，兩頭祗有一條通路，如果由兩路及水面三方包圍過來，在城市中的部隊必然全部被殲滅或被俘擄。根據情報及地形，我當即下決心立即撤退。我約集徐漢臣及他所部的兩位內定團長，還有他的參謀長會商。我告訴他們情況嚴重，要他們的部隊立刻行動，在午夜之前全部登山，拂曉之前脫離坪石地界，在山那邊湖南宜章集結，避免衝突火併。他們接受了，並且立即行動，比預期的時間還要迅速確實。土匪的形跡飄忽是他們的長處，這是可以預料的事。我在十二點過後離開坪石，費了兩小時才到山頂，我停下觀察坪石的動靜，不到三點鐘槍聲突起，非常激烈。我聽了一會向我同行的人說，胡鳳章陰謀詭計多端，這次他要叫苦了！同時我們也眞危險，如果不當機立斷，也許這時都已沒有性命，或被俘擄了。因爲變起倉促，這種三面包圍的夜間偷襲，是無法抵禦的。第二天拂曉，我們全部安全到達宜章。稍微休息一會，上午十點左右，就接到報告：胡鳳章動員了一千二百多人分五路向坪石突襲猛攻，黑夜中他們互相攻打，傷亡五十多人，老百姓也有十多人的死傷。徐部則未損一兵一卒。我立即寫了一封信給胡鳳章，責他不應對友軍陰謀火拼，結果弄到自己吃苦，遭遇損失。

我們在宜章停了一次，繼續向臨武縣徐漢臣的基地集中。沿途仍用我的名義佈告維持秩序，就地向民間借糧食及伙食錢。（五四）

借荊州之謎

匡繆

陳壽「三國志」中，惟吳志有索荊州之記載，但卻無荊州爲吳所得，爲吳所借與劉備的記載。三國演義則據以爲劉備借荊州之說，戲曲又爲之渲染生色，遂致使人多信以爲眞。

考「借荊州」之說，實爲三國史上之一大疑案，至今尚未有以正之者。而三國志的魏、蜀、吳三志，復各自美其說，使讀史者惑焉。陳壽三國志之原始史料，乃根據魏、蜀、吳三國各國史官所紀者，故對國際性之爭端，咸爲其本國而廻護，善者揚之，惡者諱之；再加之陳壽之爲晉時存廻護，爲晉廻護，又不得爲魏廻護，陳壽撰三國志而多爲晉、魏魏護，此乃第一大弱點，失春秋之筆矣。次爲三志同出自一人之手筆，而各志前後互相矛盾，則又構成笑話。因其紀事前後矛盾，故於國際性之爭端，各說其是，各非其非，人莫知其然焉。

借荊州之說，既無「吳人得荊州」之記載，又無「吳人借荊州與劉備」之記載，然又於吳志中（孫權、周瑜、魯肅）出現索討荊州之記載，此其原因，爲陳壽濫採吳人所撰之「江表傳」而爲是說。吳志既爲東吳史官所記，美吳而斥蜀魏者多，無怪其矛盾也。陳壽未愼採史料，故有此失。如壽於吳、蜀二志爭端矛盾者，採魏史料，則此矛盾外誤可免。茲先斥江表傳之謬誤，次舉吳志討索荊州之說，再及蜀志及魏志以證之，最後則及荊州所歷繼領之主。

虞溥之「江表傳」有曰：「周瑜爲南郡太守，分南岸地以給劉備，備別立營於油江口，改名爲公安。劉表吏士見從北軍多叛來投備，備以瑜所給地少，不足以安民，後從權借荊州數郡」。

江表傳所謂「劉表吏士見提北軍多叛來投備」云云，此乃建安十三年之事；周瑜爲南郡太守，則爲孫劉破操之後建安十四年事。吳志孫權傳曰：「十四年，瑜、（周瑜、曹仁）相守歲餘，所殺傷甚衆。仁委城走。權以瑜爲南郡太守。劉備表權爲車騎將軍，領徐州牧。備領荊州牧，屯公安。」周瑜傳亦同。劉備依劉表事在劉孫未破操之前，周瑜爲南郡太守時，劉表已作鬼矣，何有劉表吏士望見北軍多叛來投備？而周瑜爲南郡太守時，劉備已受劉琦臣下推爲荊州牧，並已取得長沙、陵零、桂陽、武陵四郡之廣大土地矣，何來「備以瑜所給地少不足以安民」之事？至「後從權借荊州數郡」之說，實在是虞溥「江表傳」之造謠無疑。請問當時孫權又何來荊州數郡？而裴松之引「江表傳」於先主紀之中，實乃淺陋之至也。先主紀裴松之引「江表傳」之注下，三國志蜀先主紀正文云：「先主表劉琦爲荊州刺史，又南征四郡：……琦病死，羣下推先主爲荊州牧，治公安。權稍畏之，進妹固好。」是明明白白爲「羣下推先主爲荊州牧」，然則此又何來「從權借荊州數郡」？而孫權傳中，也明明白白書：「劉備表權爲車騎將軍，領徐州牧；備領荊州牧，屯公安」。周瑜傳亦云：「劉備以左將軍，領荊州牧，屯公安。」是劉備向誰借荊州？這不是虞溥「江表傳」的造謠是什麼？江表傳出自吳人襲取荊州後之一種外交說辭，以爲吳之奪取荊州，乃是收復故土，其曲在蜀而不在吳也。趙翼二十二史劄記，便已力斥其非。（上）

記張蒼水

湘南遯叟

這次蒼水滿懷高興，以爲過去三次入江，迄無所獲，認爲此番大舉出師，弔民伐罪，一定可以成功，故他於征途所賦各詩，都充滿了喜悅之氣。如「師次觀音門」詩：

樓船十萬石頭城，鍾阜依然拱舊京。弓劍秋藏雲五色，旌旗夜度月三更。中原父老還扶杖，絕塞河山自寢兵。不信封侯皆上將，前茅獨讓棄穗生。

又「師次蕪湖，時余所遣前軍已受降」詩：

元戎小隊壓江關，面縛長鯨敢逆顏。吳楚衣冠左衽後，蕭梁城郭暮笳間。王師未必皆無戰，胡馬相傳已不還。寄語壺漿休怨望，懸軍端欲慰民艱。

又「師入太平府」詩：

天驕取次奉冠裳，鐵輔長驅鐵襠。王業昔誰開采石，霸圖古亦起丹陽。百年禮樂還豐鎬，一路雲霓載酒漿。此去神京原咫尺，龍蟠虎踞待重光。

又「姑熟既下，和州、無爲州及高淳、溧陽、建平、廬江、舒城，廬山，巢縣諸邑相繼來歸」詩：

干將一試已芒寒，赤縣神州次第安。建業山川吳帝闕，皖城干戈魏軍壇。東來玉帛空胡虜，北望銅符盡漢官。猶憶高皇初定鼎，和陽草昧正艱難。

又「驛書至，偏師已復池州府」詩：

赤羽飛馳露布譁，銅陵西去斷胡笳。橫流纜錦空三楚，出峽霓旌接九華。歌吹已知來澤國，樵蘇莫遣向田家。前驅要識王師意，剩躍弓鳴亦漫誇。

又「師入寧國，時徽郡來降，留都尚未克復」詩：

千騎東方出上游，天聲今喜到宣州。威儀此日驚司隸，勳業何人愧徹侯。舊闕烽烟須早靖，新都版籍已全收。遺民莫道來蘇好，猶恐瘡痍未可瘳。

當成功金陵戰敗，蒼水在寧國倉卒得報，急馳返蕪湖，還想穩住上游陣脚，與瓜州相犄角。時鎮江羅子木，亦勸成功乘敗出不意，轉帆西征。成功不聽，竟連夜退師，並棄瓜鎮不顧。張部隨之潰，太平守將首告叛變。蒼水立遣兵復取太平，即斬其將。清兵遂水陸並進，邀擊蒼水。楚將羅八戰船數百，亦已渡安慶。蒼水深恐上下夾攻，衆寡不敵，急勒全軍指向繁昌，想以繞饒徑趨鄱陽，號召義兵，回旗再取四郡。進抵銅陵，部衆譁變，僅與麾下數百人至無爲州，焚舟登岸，歷桐城黃金棚入霍山界，想轉走英山去打游擊，爲追兵所及，將士皆竄山谷。蒼水拚命突圍，得土人爲嚮導，乘月色變服夜行兩日至高河埠，再由樅陽出江，渡黃湓，走徽巖山，行經東陽天台，以達海壖。（十二）

美妹

……長篇小說……

羅雲家著

菩薩要金裝，人也要衣裝，整天穿着那件破舊夾克，人家怎能瞧得起？怎能相信我是文藝工作者，眞正的文化人呀！

第二天他掏出十分之一的稿費，買了一隻鴨子和作料，傳老師也興頭來了，去小店裏提了瓶酒回來。這頓晚餐吃得特別久，也特別的有味。因爲加菜的錢，竟會是老先生所希望的學生，在文學上能有成就的何健文用稿子換到的。而健文他自己呢？更是深信他的嚴謹寫作風格，正確的啓示人生的主題，終久會獲得讀者的喜愛的。嗬！如果有那麼一天，中國文藝協會的金質獎章，教育部一年一度的最高文學獎頒發到他的手上，他想：傳老師不高興得跳起來才怪呢！對！爲了不辜負恩師的指導與栽培，自己更應該在寫作上努力啊！

於是這天夜裏，趁着酒精散發出的一陣香氣，他有着極好的興緻之下，靜坐在斗室中，又開始埋頭寫了起來。

剛起了個頭，師母卻帶進一位少女向他的臥室走來。定睛朝着門外的通道上望去。唔，會是她——黃美妹！他不得不停了筆。

是夜月色甚佳，他循她之請，陪她走出門，在一條冷靜的陋巷中散步談心。褪了色的舊毛衣，左手肘上已經現出一個窟窿，她不好意思地用雙手交互抱在腹前，藉手掌把那窟窿掩住。他雖然看到了，但漫不經心似的，裝着沒注意。當然在他的心裏，並不會因此譏笑她的。因爲她目前雖窮，但那不是她本身的罪惡，她的家——不管是親生父母，養父母、或繼父的家——在表面上看去，可稱小康，她穿的壞，受不到良好的教育，那是人爲的，那是她的監護人的錯！何況黃毛丫頭十八變，過幾年，當她長得婷婷玉立，鶴立羣雞，一旦遇到好的對象娶了她，那不是儘可以過幸福的日子了嗎？而自己這個窮文人混得好，餬住了口；混得不好，怕不要潦倒半生，窮一輩子……又那能取笑人家呢？

一陣寒暄過後，兩人都覺得無話可說，又覺得要說的話太多，有不知從何談起才好的心情。就這樣，他倆沉默地併肩走着，不一會已經踱到了和平東路了。也許是因爲他酒後口渴，也許是覺得不招待她吃一些點心，兩人就這樣當壓路機未免有些寒酸，於是走到一家咖啡室門前時，他徵求了她的同意，帶她走了進去。

裏面的客人並不多，他靠街的窗邊找了一個客座坐下。叫來了茶點，她望着他，想講什麼，似乎又碍於啓口。他在看一份晚報，社會新聞版裏，刊載了一個養女遭受虐待，投井自殺，香消玉殞的消息。治安單位已將心腸狠毒的養母拘訊中。他陡地心裏一怔，面前坐着的難道會是與這養女相同命運的可憐蟲？他放開報紙。看到她一手撫着茶杯，正痴痴地坐在那兒想着什麼。

「那邊的工作忙嗎？」他想打破這沉寂的氣氛。

「是一個做生意人的姨太太家，先生不在時，她整天到外面去交際、打牌，兩個孩子交給我帶，那就非忙到十一點不可。」他笑着回答。

「哦，如果她先生在家？」

「他在時，她會幫着做些家務事；對孩子也像是很認眞地來撫養，那時我比較輕鬆一些，只管買菜、洗衣、煮飯、打掃院子，替孩子洗澡就行了。」

「今天是她先生在家的吧？」他猜想。

「唔！要不是他倆携帶孩子去看電影了，我也不能跑來看你啦！」她掠了一下散髮，眼睛霎一霎，望着點心盤子：「我以爲你今天會去看我的，但是沒有——」

「所以妳跑來了。不會是認爲我又感冒了吧？」（十二）

遊橫斷公路漫記

羅緣

十五年前在歐洲坐火車穿阿爾卑斯山，同廂洋人大讚好風景，若以八仙山奇妙景色與之比較，它那有此天造地設的雄偉之勝！謂爲「仙山絕壁」，誰曰不宜？

三岔夜渡

梨山是橫貫公路的三岔口，東馳太魯閣，北走宜蘭，迤邐霧社，西奔豐原，眞四方往來之地，八達之村也。一年來，退役官兵在此住家的很多，離離茅屋，蔚蔚畎畦，裊裊炊煙，咯咯雞鴨，纍纍蘋抽，行行梨樹，交織成一片美麗鄉村畫圖。洗個澡，換便衣，拖木屐，携壺茶，坐於山澗之上，明月在天，碧空雲飛，鳥無聲兮山寂寂，夜正長兮風徐徐，悠悠漠漠，忽有三五金絲雀嚶嚶嬌鳴，野草雜花，吐露芬芳，點綴得夜景越發幽靜。一天的疲累消失了，胸襟有無比的快樂！達官富賈，求利求名，若亦有福到此，必定肉輕骨舒，體會到人生的眞樂了。

日新崗

由合歡山北走數里許，見一小山坡，柏松森森，蒼鬱虬勁，林木蔭翳，氣象萬千。遙望平原盡處，崇山高嶺，巍巍深秀，如隱如現，好看極了！坡下有幾間簡陋房屋，在修公路時調來千餘囚犯，編爲工作隊，住在這裏參加修路工作。（二）

自由報

內僑警台報字第〇三壹號內銷證

THE FREE NEWS

第四八五期

中華民國僑務委員會頒發
台警新字第三二三號登記證
中華郵政台字第一二八二號執照
登記爲第一類新聞紙類
（半週刊每星期三、六出版）
每份港幣壹角
台灣零售價新台幣弍元
社長：雷嘯岑
督印人：黃[illegible]
社址：香港銅鑼灣高士威道二十號四樓
20 CAUSEWAY RD 3RD FL HONG KONG
TEL. 771726　電報掛號：7191
承印者：四鳳印刷廠
地址：香港灣仔高士打道一二二號
台灣分社
台北市西寧南路壹壹零號二樓
電話：三〇三四六
台郵撥儲金戶九二五二

論民主政治的病態

歐陽醴元

英國名人邱吉爾有一段意義深長的言論，大意是說：在沒有創進更好的政治生活方式以前，現時的民主制度，亦可能是世界上最壞的一種政治制度。的確，民主政治雖然是現代人類一致公認爲進步的政治制度，但實行起來，却有若干不容否認、不易克服的毛病存在着，大家明知其所以然，而又想不出有效的補救辦法，祇好嘗試下去，以待發明更好的制度來接替了。

關於民主政治的優點，世人多所闡述，家喻戶曉，毋須贅言，筆者試就其缺點，畧抒所見，以資參詳焉。

民主政治的精髓，就是選舉行政官吏和監督政府的民意代表，政治上的最高權力，都掌握在民衆手中，祇要實行普選制度，就算是十足的民主生活了。這在理論上固然很正確，按諸實際，則殊多缺陷。選舉的作用是要選賢與能，以管理衆人之事。可是，民衆要辨別賢能與否的候選人談何容易！古今來居於統治階級的行政首長，何嘗不想求得賢能之士來襄助政務呢，而結果多有「知人則哲，唯帝其難」之嘆。至於普通民衆的知識有限即使平日對政治感覺興趣，要他在選舉時眞能鑑定候選人誰是賢才，拔其尤者，那是辦不到的事，非不爲也，是不能也。試以英美這兩個先進民主憲政國家的情形而論，他們一般民衆的教育水準比較高，社會各階層的組織能力亦相當強，政黨政治的訓練運用又有素。但每次普選行政首長與代議士的結果，大多數都不見得是適才適任的賢能人物。至於一些後進的民主國家，其選舉功能更不如英美遠甚，多見其爲黃鐘毀棄、瓦缶雷鳴的現象。候選人必須憑着政見以爭取選民的同情支持，道理很對，然實際上都是表面文章而已。一般的候選人在競選時發表政見，儘管唱高調，說漂亮話，開出許多政治上的空頭支票，一旦當選之後，不妨食言背信，甚至反其道而行之，亦無所謂。人民雖說擁有罷免權，但實行罷免行政首長或代議士的舉動，那是罕見的，原因是民衆的意志，容易被政治權力所抑制抹煞，或強姦之。

產生上述各項缺點的因素不一，而以金錢的關係爲最重大。越是盛行民主政治的國家，在選舉中即花錢越多，這是必然之勢。在英美諸國，選舉費用雖由政黨負責籌措，但候選人如係窮乏之士，縱然才高八斗，學富五車，亦鮮有獲勝的希望。例如上屆的美國總統選舉，甘迺迪如果不是富豪之家，花得起鉅額的選舉費，而專靠旅行演說與電視辯論以求勝利，便不見得他就能夠擊敗尼克遜吧？在英美這類先進的民主憲政社會中，辦選舉既然非錢不行，可見一些後進的民主社會如吾國，其情形自無例外了。因此之故，選舉的影響不特勞民傷財，敗壞民德，而且釀成社會上的派系鬥爭，增加人與人之間許多是非恩怨，難解難分的副作用，實在得不償失。凡屬缺乏金錢力量，以進行「銀彈攻勢」，或有財力而不屑於「直尺枉尋」的知恥自愛之士，前者徒勞無益，視選舉爲畏途，後者有所不爲，對選舉避之若浼，終致構成賢者不爲，爲者不賢的不良後果，所謂選賢與能，豈非欺人之談嗎？就選舉的實質觀察，舊有那套不進步的方法——如規定候選人資格，採用複選制（亦名委任選舉制），結果總比全民普選的成績爲佳。因爲地方上一般無知無識而具有惡勢力之徒，受到無形的甄別淘汰，沒法入候選人之列，而有淨化選舉陣營的效能。就是在不民主的「官治」政制之下，如果執政者眞能本着天下爲公的精神，爲國求賢，他所委派的行政首長或議政人員，亦視全民普選更能集中人才。

民主制度與政黨政治爲一物之兩面，相輔相成，不能分割的，但政黨政治的運用問題諸多困難，按照民主憲政常軌而言，實行民主生活，應以多黨制爲原則，在選舉中，且須保障小黨派的權益，如所謂「比例代表」之說是也。可是，黨派林立的弊害，法國已有痛苦的經驗，舉世週知，現時戴高樂頒訂施行的憲法，否定了政黨政治的作用，實際并不合於民主憲政眞諦，可說是戴高樂專政獨裁制，然法國政局却賴以安定了。政黨太多固然不好，太少又難以發揚民主政治的功用，而政黨之創立雖容易，祇要糾合一些熱心於政治生活的知識份子，一夜之間亦可以組織成立一個政黨，但要在社會各階層植基生根，却戛戛乎其難哉！像英美兩大黨勢均力敵，憑選舉交互執政的情形，庶幾符合民主憲政精神了。然這種績業決非偶然倖致的，他們至少亦經過了百餘年間的創進改革，纔有今日的成就，各國的文化基礎、傳統習慣、社會結構，乃至於工商企業之發展程度，國民教育之水準等等，無一不是對政黨政治具有影響力。日本人從明治維新以來，即模仿英美的政黨政治方式，到現在歷時將近百年了，還是望塵莫及呢！政黨政治的功能如不健全，民主憲政的花果就永難培育出來。在這種情況之下，要實行全民普選制，若不是爲某種暴力所脅持，人民沒有選舉之自由，即係弊竇叢生，遍見非法濫選的怪象，甚至發生流血鬥爭悲劇，而選舉結果，比較不民主的「官治」主義更糟糕！

民主制度的毛病有如上述，又沒有其他更好的制度來代替，邱吉爾慨乎其言，良有以也。民主政治既爲人類共同嚮往的生活方式，自不能因噎廢食，回到專政的道路上去，那就祗有實事求是，按步就班，循序漸進爲上。基本工作是普及國民教育，發展生產力，以培養民主政治的潛能。治標方法即在使一般智識份子皆有參政的機會，如我國依照現行憲法，實行民意代表選舉時，由執政黨保障在野黨和社會賢達的候選人名額，分由各地區產生出來，亦不失其爲促進政黨政治的一種策略，若說這無異於分贓，誠然誠然。但美國立國之初，政治上會公開實行「分贓制度」（Spoil System），庸何傷乎？老實講，政治上的一切是非糾紛，都是由於一般熱心仕途的知識份子釀成的，跟老百姓毫無關係，祗要智識份子不藉民主口實而閒事，政府即可在安定中求進步。至於選舉方式，必須根據現實社會情況，斟酌進行，開倒車固然不可以，開特別快車也會僨事的！

出盡氣力

兩條烏賊

今日與明日

美國官員的驚人預言

日前美國務長官魯斯克，聲言中共將於本年十月一日試爆核子武器，說來肯定確鑿，像煞有介事。但毛共認爲「毫無根據」，而鄰近中國大陸的國家，亦未發覺毛共有試行核爆的迹象，使美國當局的情報工作，失色丟人，笑話極了！

可是，魯斯克的驚人預言，決不是隨便說着玩兒的。他這話的作用，基本上是替美國對共產主義採取姑息政策作辯護，同時亦爲民主黨的大選運動從事宣傳戰。

美國始終希望跟中共妥協，尤其是中俄共反目以後，這種妥協觀念特別強烈。美英兩國早有邀請中共參加「禁止核武器擴散公約」的腹案，爲着對自由世界掩飾美國的姑息政策起見，乃揚言中共亦將成爲核子國家，證明美國堅決要避免核子戰爭的主張是對的。再則共和黨總統候選人高華德，近來不斷地指摘白宮對越戰不進攻北越地區以求勝利的作風，認爲大大失策，而美國一般人民亦已表示不耐了，這對詹遜先生的競選前途，諸多不利。祗好宣稱中共亦擁有核武器，藉以間執政敵的攻擊口實，一般選民亦將懾於核子戰爭的禍事，而對詹遜經常掛在嘴上的「和平政策」，亦就不能不信任了。

這便是魯斯克大作驚人預言的用意所在。

越南政局依然動盪

越南又傳出政變的消息，令人慨嘆。在美國現行的指導政策之下，我們相信越南政局即永無安定之日。

美國駐西貢大使泰勒說，越南局勢之不穩定，完全是內政問題，與軍事無關，因爲軍事上並未失敗過。這是掩耳盜鈴之談，殊不足信。

正由於越南軍事剿共行動之旅進旅退，不勝不敗，以致士氣低落，民心煩鬱，給越共以滲透、煽惑的大好機會，而政變的惡作劇乃重演不歇。美國對越南問題的指導政策如不改變，終必陷越南人民於萬刼不復之地，就看來年二月以後的情形如何？

英國嚇阻印尼

英國政府人員宣稱，印尼如其再向馬來西亞侵襲，英軍即予大舉報復。這當然是嚇阻政策。不過，蘇卡諾並非紳士式人物，且有中俄共撐腰，他未必被嚇倒吧？若因此而釀成局部熱戰，豈不與英國在東方一向對共黨採取妥協政策的初衷相背乎？

自由談

共黨的咒語

馬五先生

共產黨人之所謂「唯物辯證法則」每使青年知識份子震於其新穎的名詞，多所憧憬，以爲眞是一種具有哲學基礎的正確理論。實則這是共產黨人藉以作惡行騙的魔術咒語，可名之爲「不要臉法則」也。

馬克斯竊取德國哲學家黑格爾的學說，顚之倒之，加上一些新術語，而自稱爲「唯物辯證法則」，古今來的學者對此已有許多評述，不必再贅，且舉實例以明之：當毛共政權僭立時，毛酋澤東對蘇俄以兒皇帝自居，向着世人大呼「可愛的先生，我們是一面倒」，又說「蘇聯是社會主義國家的頭」。後來降人龍雲指說蘇俄於二次大戰末期，刼掠了我東北價值廿億美元的工業設備，即被戴上「右派份子」高帽，鬥爭致死。

然而，現在毛共又教中國人一致反對蘇俄，背棄「工人無祖國」的馬克斯教條，大談其愛國主義了。你若問他們何以如此出爾反爾，前後自相矛盾呢？他就說：「這是唯物辯證法則呀！」假使蘇俄再給毛共以軍經援助，派遣技術人員到中國大陸上協助一切，那末，毛共們又要奉俄共爲「父皇」，甘作龜孫子，而美其名曰「唯物辯證法則」呢！

共產黨人爲着某種目的需要利用別人的時候，可以使用一切稱贊恭維的詞句，把你捧成聖賢豪傑。一旦他認爲無須利用，馬上又可以使用一切[illegible]的語言，把你說成萬惡不赦的頭等罪犯，死有餘辜。爲甚末要這樣？運用唯物辯證法則是也。

他們經常唸着「唯物辯證法則」的咒語，作爲壞事做絕的盾牌，對人對事，決無信義觀念，更無所謂理性與是非問題，一是皆以欺騙爲本。許多人受着這種咒語的催眠作用，懵然罔覺，視爲新奇進步的學說，不求甚解地被共黨麻醉其心靈，甘作鷹狗而猶以爲自己是前進人物，這不是時代悲劇嗎？

美奐美侖的大廈無補聲譽

北市議會笑話層出不窮

少數議員對罵口不擇言連珠穢語　女議員提抗議說這還成什麼體統

（本報記者張健生台北航訊）台北市議會並未因美奐美侖的大廈而提高其聲譽，相反的，議事程序亂七八糟，議場仍舊亂哄哄，議員與議員之間時有成見，少數議員失態的表現，已引起市民的議論。

台北市議會第六屆第二次大會於九月十四日開會以來，至今僅僅一週，但鬧出的笑話，層出不窮。那些口不擇言的少數議員對罵起來，滿口穢語，腥不忍聞。有台語之罵，也有日語之罵。這些罵人的話，如出自無知無識的婦孺之口，當然無話可說；而罵人者，係為社會所尊重的民意代表，且又在神聖的議堂之內，這就不得不叫人嘆為觀止了。

市議會化了一千九百萬餘元，經過將近八年的時間，在中正路與中山南路口的西南方蓋了一座大廈；這座三樓新廈造得很富麗堂皇，外表既壯觀，內部的設備，也冷氣化、現代化，與監察院暨行政院鼎足而立，遙遙相對。然而中央級民意機關的大廈，不是現代化的建築物，兩相比較，誠有天壤之別。不但監察院望塵莫及，即行政院也是自嘆不如。儘管這座吸引了不少觀光客的新廈很美麗，但據議會大樓、工程專案調查小組質詢說，建築調查部份：有五十三處不合規定，有偷工減料的嫌疑。水電設備部份：有六處不符規格。給水衛生工程部份：有六處錯誤。冷氣設備工程部份：有五處不對。電話與鋁門窗工程部份：也有許多地方有問題。

市議員沈應松質詢：議會大樓新建第一期工程，於五十一年六月二十二日公開招標，由洪文華營造廠得標，承包金額為一百四十一萬六千元（工程預算為二百零八萬一千零四十九元三角八分）。但第二期工程未公開招標，採用議價方式由洪文華營造廠承包，價款為一百九十九萬元（預算為二百零三萬七千多元）。裝修工程亦係議價，由洪文華營造廠承包，價款三百三十八萬元（預算為三百三十九萬六千二百七十四元五角六分）。一二期的工程是同樣的，第二期工程預算比第一期工程預算少四萬三千多元。為什麼第二期工程承包金額比第一期工程費要多出五十八萬三千元呢？同時，第一期工程費佔預算數之百分之六十八點零四，第二期工程費佔預算數的百分之九十九點五二；由此推算，工程議價有舞弊之嫌，使市庫損失達一百五十萬元左右。

市議會大廈果眞是不清潔的話，經辦的公共工程處能辭其咎嗎？當然市議會聲譽不因此而受影響。

這裏且記一段經過市議會議員罵人的經過。

九月十七日，市議員陳鄭岐質詢說：一個多月前，他和謝世輝議員到市政府去，謝議員先進了市長室，他跟着進去時被市長顧問「擋駕」了。他幽默地說：高市長的顧問原來是專司「顧門」的工作，未免大才小用。

接着，鄭建信議員說：以陳鄭岐元老議員的身份，到市長室去，居然被擋駕，這位官員眞是有眼不識泰山。他又說：他每次到市政府去，官員們之所以熱烈招待他，其中有秘訣。「我可以告訴你們這個秘訣，只要你們一到市政府，有人問你是什麼人？你只告訴他：『我是林水泉的爸爸！』他們都會笑臉相迎，拿烟端茶，對你客客氣氣；因為林水泉是高市長有名的助選員，人人認識他。」

鄭議員說完後，大家捧腹而笑，隨後林水泉議員站起來，他對主持會議的副議長陳少輝說：假如議場裏可以這樣隨便開玩笑，那末，現在他也要跟着開玩笑了。說罷，林水泉議員對鄭建信議員說：「我幹你娘，×你娘，巴格也鹿……。」

這時候，在場的女議員盧莊合起來抗議，指責主席陳少輝。她說：「主席，你主持什麼會議？這樣你神聖的議場，這種髒話都搬出來，還成什麼體統？」

至此，這場戲謔和玩笑雖然收場，但留給選民的觀感是什麼？影響是什麼？留給官員們的影響又是什麼？不知議員們想到否！

十九日下午，市議會在散會之前，宋霖康議員與主席張祥傳又發生衝突。他指責主席在程序方面專制獨裁，引起衆怒。散會後，在議會門前，有人指責宋議員，如不是黃信介議員從中勸阻，林水泉等與宋霖康可能打架。這幕未上演的「武打」，也會吸引了一大羣選民圍觀。

二十一日，此間一家小型報刊登一則有關張祥傳議長從中調解二十八位議員罷免陳少輝謠傳的紀事，張議長閱報後，氣得在議場向各報記者要求主持正義，並拒絕該報記者採訪市議會大會新聞。

立監委員糾紛事件

本報記者台北航訊

由前文列舉有關人員的證詞觀之，謝塗誠葉芳霖僅相識而無特別關係，謝與宋梅村原無關係且不相識，葉、宋二人借給謝塗誠的貸款而不要利息，誠出乎一般常情之外。況謝葉二人所說的借款數字又不相符，一說六萬五千，一說十萬元。而謝說還款時間在五十一年十一月間，那麼，五十二年元月七日，宋梅村與葉芳霖二人赴東勢已無借款可討，又否認參加調解糾紛，那末，到底為什麼事去東勢呢？

本案工程由中華機械公司承包後，轉包給大誠營造廠，大誠再轉包給工頭陳耀輝；請問，大誠與工人間的工資糾紛，與中華機械公司有什麼關係？中華械機公司副理蔣振南為什麼那樣熱心的從中奔走調解？究竟為何？假如內裏沒有文章的話，倒眞是怪事了。

欲瞭解立委控告監委的案情，必須先從監察院糾舉案的經過着手；欲瞭解糾舉案涉及立委宋梅村，必須從該工程案官商勾結事實經過說起。因此，前文意在先把這些問題弄清楚，使大家明瞭眞相。現在，就法理方面來試談這件事的孰是孰非，讓讀者有進一步的認識。

就法律而言，立法委員非監察院行使糾彈案的對象，早在十年前，司法院就有解釋令在案。但是，法律並未限制糾彈案不應把立法委員作為同案關係人，何況有例可援。監察院於五十二年五月卅一日提案糾正台灣合會公司董事長黃國書（立法院長）違法失職；該院同年九月十六日提案糾正台灣銀行暨臨貸小組，對於美昌印染化工廠申請貸款未依法審核，其中涉及美昌董事長于錫來（現任立法委員），不循正途申請，反由私人名義致函政府行政首長請求，在程序上均不適當等情。此足以說明，儘管立法委員非糾彈對象，但法律未賦予特權——雖係某案關係人而不得列為糾彈該案關係人。只要有事實，誰也無法異議。

立法委員宋梅村是否涉及該工程案？上面所引調查報告，已說得清清楚楚，假使調查報告眞實的話，許多人以為，宋梅村恐怕脫不了關係。

監院依法行使職權，屬於業務上之正當行為，依刑法二十二條規定：不罰。立法委員宋梅村控告五監委妨害名譽，其然，豈其然乎？假使所謂偽造文書罪成立的話，則監察院依據調查報告而成立的糾舉案，其所列事實皆是不實的事項嗎？如果是的話，則調查人根據台中地檢處不起訴書與東勢警察分局抄來的登記表，以及謝塗誠等人在台中法院的供詞暨答復調查人的詢問詞，都是不實了。果如此，豈不是連法院的文書也是偽造的嗎？依此推論，第一被告應該是連法院與謝塗誠等人，第二被告是監院調查人；而監察委員于鎮洲等五人，應列為第三被告。然而，宋委員不告第一、二被告，而告于鎮洲委員等五人，是不是張冠李戴，本末顛倒呢？具備簡任法官任用資格的立法委員如宋梅村，眞的連上述法律常識也沒有嗎？我不相信。

凡是因職務而提出的報告，即不屬於誹謗，法有明文規定。是故，憲法賦予監察院的職權，而監察院依法行使之，不能謂之誹謗。否則憲法條文豈非等於廢話？宋委員在訴狀中攻擊監委于鎮洲等五人未依監察法第二十六條規定：「約我晤談」。其實宋委員找錯了對象，因為于鎮洲等五人根本不是調查人，不是調查人當然無權約宋晤談。

至於這件官司的本身如何發展，靜待分曉可也。（五．完）

高市煙波

本報記者　趙家驊

△新任高雄市女中校長蘇本煌，是由廳方派出來的，在未履任之前，本市教育界曾有一種流言，謂蘇來高長市女中，是以陳市長力荐王清波代科長眞除為條件。但記者對此傳說，姑妄聽之而已。九月一日（各中學開學之日）記者往訪蘇校長，以此為詢時，蘇校長說：「沒有這回事，可能是外面的揣測之詞。」按本年全省行政會議，蘇校長要求調職（原任雲林縣教育科長職）奉准，調教育廳服務。蘇校長說：「因為高市女中遺缺，鑽謀者甚多，陳市長無法決定，是請廳方派出。」至陳市長，王議長，王清波到廳晉見廳長時，蘇校長說他是見到的。

記者問蘇校長今後市女中的人事及教務有什麼新計劃，他說：「我首先要建立制度，一切按制度行事」。記者對蘇校長說：此間教育界人士對蘇校長來高長市女中，認為是大才小用，有心做好，但阻障甚多，恐怕吃力不討好。蘇校長把桌子一拍，哈哈大笑說：「對，對極了。」

△高市七賢三路，為本市最精華之區，直通港口一號碼頭，為中外觀瞻之所繫。然而此一市區商店櫛比，酒吧林立（按該路為酒吧集中區）地帶美水兵登岸，沿途步向招待所時，兩旁之吧女大叫「哈囉」，接着上去拉客。於是水兵沿途皆挾吧女，招搖過市，進入招待所休息，如此來往山流不息。此事頗於觀瞻有礙，不知市政當局亦注意及之否？

△正當高雄市議會第二次大會揭幕之日（九月十日），此間「台灣新聞報」第四版刊載了一段消息，但未說明消息的來源，標題是「探求民隱，高雄市各區，分設意見箱」。內容為：高雄市長陳啓川，為履行競選諾言，接納市民對市政革新之意見，特於本市十個行政區內，分別設置民衆意見箱，探求民隱……」。議會方面對此，尚無任何反應。但許多人却認為：所謂「探求民隱」，於各區分設意見箱的措施，是不無予人奇特之感的，因為「民隱」是可以藉此探得來嗎？有人以為這是緣木求魚，笑話奇談。那投進意見箱內的也并非必是「民隱」，也許可能是「歌功頌德」的阿諛之詞，或自告奮勇的人物自願替陳市長沽名釣譽，也說不定呢。

△本報八月份起連續發表本報台灣中部記者熊徵宇所撰「掀開台省教師福利會偸天換日的爛賬」一文後，全省各界，非常注目，尤其教育界特別重視。昨（九月廿六日）高雄市議員一致主張，學校家長會費，全部補助學校，反對以四成交教育廳。這一反響，不僅是議員們的「德政」，而且可說是代表所有學生和學生家長的心聲。據教育廳長潘振球九月十八日告訴監察院巡迴監察組說：「本省人口學生約佔四分之一，逾二百八十萬人」云。由這個比例數字來看，教育廳每年所收取之各級學校家長會費之數字，可眞不小，而且這個錢，是不分貧富貴賤，一律照收不誤的。但高雄市議會反對以家會費四成繳交教育廳，是否能夠實行呢，就不得而知了。

土銀案續聞

（本報台北航訊）九月卅日之本報四八三期，曾刊土銀員工檢舉該行主持人涉嫌不法新聞。茲據悉，此事係由土銀主持人為發展業務作人事調整，致引起內部少數員工不滿而起，所控亦鮮根據。監院既經派員調查，不久即可澈底澄清。

台中市長留連舞廳

竟說係為敬陪上級

（本報台中航訊）台中市議員陳秀蘭于九月十九日在市政總質詢時稱：「市長常到舞廳跳舞，在市民心目中投下惡劣印象，希望市長少到這些地方冶遊，留下精力處理市政」。市長答稱：「每次到舞廳跳舞，都是陪同上級要員，而非自已玩樂」各等語。市長陪同上級要員常往舞廳跳舞，好像為官場酬應上所必需．此種現像及其想法，諒不僅此君一人，對麼？

跳舞在歐美為正當娛樂，為交際應酬的一道，在我國則視為奢侈享樂的「色荒」。誠以中西社會環境和觀念的不同也。何況今日偏處台灣，臥薪嘗膽勵精圖治之未暇，尚有何餘力和閑情去跳舞？各級官吏若仍有雅興徵歌選舞，風流自賞，眞是「商女不知亡國恨，隔江猶唱後庭花」！對得起國家和人民麼？而且跳舞為冶遊之一種，公務員服務法第五條列有禁止明文，任何公務員涉足舞廳，上級主管機關若依法予以糾正，將受懲戒處分，決不因其陪舞而未減，或事涉上級要員而曲予寬宥。此市長既承認為「玩樂」行為，但以陪同上級要員「玩樂」，未知上級要員更應貫澈薪膽精神，決不致于明令或暗示市長陪舞。縱使有之，踰閑蕩檢，有玷官箴的命令，市長也可託詞婉拒或置之不理。

當今民選縣市長應該謹身勵行，用全副精神，忠誠服務民衆，報效國家，決不宜于單獨或陪客跳舞，好爭取優良政績，博得人民愛戴，上級信任；不應該諂事上級要員，如陪同跳舞或其他超出必要酬應範圍的行動，自貶身份，日陷上級要員于不義，共同違紀，助長社會淫靡風氣，政府威重，也可能影響下届選票！（高嘯）

泰國的安定與繁榮

乾元

泰國的近隣都在一片極度動盪不安之中，惟有這佛教的王國却在四隣多難之中步向繁榮。

曼谷城裏，豪華旅社如雨後春筍，歐洲跑車東洋計程車不斷穿梭街頭，商店中百貨如山，機關大廈隔着寬廣的綠蔭大道與佛殿金頂交映成輝。到處顯出這個國家的欣欣氣息。

這種種現象不但可以在來往行人的臉上發現，同時也有統計數字的證實，在過去五年中，由於泰國和西方陣營的密切堅定結合，他的農工產量提高了百分之七，外滙儲備高達五億美元，但是生活指數從一九五八年算起才提高了百分之一。這種經濟上的成就應該歸功於故去的乃沙立元帥；他在一九五八年建立了革命政權，不但安定了政治局面，而且推行了一項有效的經濟計劃，就是以年產總額的百分之十八用於儲蓄和投資。儘管他身後留下了不少手續未了，但是他對國家的貢獻仍為一般人所推崇的。

目前泰國仍在軍事政府之下，現年五十三歲的乃他儂元帥，雖沒有乃沙立那樣多采多姿，但也是幹練異常，尤其老成持重，謀國以忠，殊為難得。

除了軍事政權之外，宗教與語言的統一也是重要因素之一。而且泰國百分之九十以上的農民是自耕農，因之也沒有土地和農民的問題。另外一個安定的因素就是泰皇，雖然早在二十年前皇室已無實權，但是他是泰國精神團結的象徵，他和美麗的皇后一直受着泰國人民的愛戴。

少數政治意識較強的泰國人，對政府歷代相傳的「專與貪」有所不滿，可是無能為力，也影響不了目前的政府。

泰國主要的問題在東北的十五個府，一共有居民九百萬人，他們雖係泰民，却是寮種。過去東北地區幾乎已被中央政府所遺忘。年來由於越共、寮共的成長與威脅，反共的泰國已醒覺，在乃沙立元帥有力指導下，大量的經濟援助輸入此一落後地區。

雖然如此，東北地區仍然是危機四伏，寮共由湄公河滲入，北越難民聚集，這些都可能變成他日出亂子的工具。

台灣東部遊記

羅雲家

車至屏東、潮州、枋寮，陸續有人上車，使車中擠得滿滿地，加以有位旅客暈車，未到楓港，即在車中大肆嘔吐，給其他的旅客帶來難嗅的怪味，使人莫不掩鼻叫苦。楓港是至鵝鑾鼻及台東兩地的中樞站，路局設備尚可。長途車到此休息十分鐘，旅客可以利用此時解大小便，購食物；站務人員則來打掃車廂中的紙屑及吐物。這寶貴的十分鐘，在旅客來說眞是太重要了。我的大女兒升妃，素有暈車毛病，車過枋山時早就想吐，經服用仁丹，酸梅等藥物後，始予控制未吐。然在下車休息時，再也忍不了，在廁所邊將肚內東西全吐了出來。內子還高興她會「吐後為快」的，誰知她在到達大武之前，又先後吐了兩次。我看看她那難受的味兒，眞想以後再也不讓她坐汽車了。

車子自楓港東行，到大武的一段，路既窄又危險，旅客頗受顛簸之苦。由於是雙行道，車速又快，所以途中有過三次，我們的車，幾乎與裝得滿滿的貨車驟然相撞。這段路不是爬山，就是圍繞着石頭山腹轉來轉去，因為彎太多，大彎小彎轉不勝轉，通視程度特差，司機為了專心開車，少按喇叭，致使轉彎時，一旦發現來車，緊急剎車後，彼此的距離有不及十公分者。萬一手脚稍慢，則人車的粉身碎骨刼運難逃，那是可以想見的。一般人謂台東至楓港的公路，較之蘇花公路尤為危險，確是身歷其境的老實話。因為蘇花公路是單綫行車，除了極少的人為因素機件因素及天候因素發生意外事故外，像上述的驚心怵目的鏡頭，是很少見的。

太武是台灣東部貫穿南部西部的交通要地，這裏原先十分貧瘠，近年在積極「開發台東」的政策下，由於各方面的配合與努力，居民日多，市肆日盛，若干現代化的建築也相繼出現街頭。長途車到達此地後，亦休息十分鐘，我們下車飲了五小杯冬瓜茶，每杯一元，質不佳，似乎價錢倒要比其他地方高。中國商人喜歡敲人竹槓的壞毛病，這裏的生意人也習染到了。這是令人可悲的風氣。

繼續北行，不數分鐘，又捨平地而登山岳，車子沿太平洋西岸的懸岩陡壁快速前進。就在一個左轉彎的時候，忽的一聲，有一輛空貨車不聲不響地自左側搶道越過，差一點將我們的車子擠落大海中。乘客飽受虛驚之餘，無不氣憤填胸，司機更是氣衝斗牛，剎住車，看清楚是怎麼回事之後，立即加油追趕。只見前面那輛「鳳正汽車行」的空車拼命快馳，揚起黃沙擋住了人的視綫。（二）

我所知道的麥帥

肯寧將軍原著　徐熙光翻譯

八月十四日前一天的午夜，一些神風隊的隊員聽到天皇已經灌了宣佈投降的錄音，他們正準備次日出動攻擊美艦的，聽到這個消息後，他們湧向皇宮，叫醒了近衛軍司令，要求他搜尋日皇在皇宮中的錄音地點，近衛軍司令拒絕了他們的要求，被他們所射殺。日本的作戰部長，原來是反對內閣投降的建議的，此刻也勸他們服從天皇的命令，然後舉槍自戕。有人鼓動日軍參謀長海津將軍領導政變，但為他所拒絕。於是這些叛亂者矯命捕捉了一些政府官員，他們衝進皇宮，但是沒能找到錄音的地點。他們搗毀了東京無綫電公司的建築和數座轉播站，把鈴木首相的官邸也放火燒掉了。

八月十五日凌晨，日本關東軍司令田中將軍領兵抵達日本皇宮，逮捕了四名叛亂的領袖，指責他們的行動褻瀆神明，並告訴他們應服從天皇的命令。田中的那次訓話想必甚為動人，他講完以後，參加叛亂的人紛紛當場拔出手槍飲彈自盡。於是此次叛亂為之平息；當天中午，電台播出了天皇宣佈停戰的錄音。

以後，日本陸軍包圍了厚木機場的神風隊，並開槍制服他們，有的神風隊員則紛紛自殺，因此神風隊的麻煩才解決了。不過他們的叛亂確是可以燎原的星星之火，事情鬧大以後，不僅我們要平添不少麻煩，對日本人自己來說，尤為不幸。

九月二日，我與所有其他參加受降典禮的盟軍空軍高級將領在橫濱搭乘一艘驅逐艦前往密蘇里戰艦，密蘇里戰艦當時停泊在東京灣的南端。

在以後的半個小時裏，我忙着向太平洋陸海空軍的各階層司令們道賀。接着由十一人組成的日本投降代表團登上了密蘇里戰艦，並在擺着等他們簽字的文件的桌子前站成一個小四方隊形。十一個人之中，有四個人是平民身份，以外相重光葵為首，其中三個人戴着高高的大禮帽，身穿燕尾禮服，另外一個人則穿一身白的服裝，禿了髮的光頭亦未戴有帽子，他們與七名穿着一身檻褸制服的軍人成了鮮明的對比。我相信這個對比使在場的我們每一個人都覺得困擾。因為看來日本軍方是有意想以不重視這個典禮的場合來挽回他們的面子，所以連鞋子也不擦，制服也不熨。當然我們也並不是盛裝來參加這個典禮，但是這是不能相提並論的，因為我們是勝利者。我相信那天我比在戰時的任何一天更不喜歡他們，他們不曉得以落落大方的風度來接受失敗。

典禮按照既定的時間進行，當我們在甲板上列隊觀禮時，麥帥出現了，由他的參謀長蘇德蘭將軍和一名副官陪同，步履敏捷地走向桌前的擴音器。在他身後站着同盟國的代表們，他們都將代表他們各自的政府，在受降書上簽字。

麥帥開始對着擴音器講話，他的聲音清晰有力而冷靜，顯得微微地發抖。他的情緒顯然有點激動，但不是像如鯁在喉，他像一個情被抑壓的狀態。他像一個宣讀判決詞的法官，代表着自由，民主和文明的戰勝野蠻的專制武力。他以嚴謹的口吻告訴日本戰敗者應努力以求在世界上佔一席地位。他講完話後，告訴他們在放在他面前的文件上簽字。

重光葵親王係代表日皇和日本政府簽字，他蹣跚地走上前坐下。當他把他的木製假腿放進桌子底下時，顯得有點困難。他看來很顯然有點激動，因為麥帥的話給他很深的感觸，同時他也覺得他正在做一件極為重要的事。兩千年來的日本歷史上，這是第一次她被迫承認戰敗。（五〇）

美式生活鱗爪（二）

大旅館式微　小跑車時興

美國那些專講派頭的豪華旅社已在日益衰落中；紐約高等旅社區最近有四家大旅社相繼關門大吉，改建辦公大樓。據旅館業的專家們分析判斷，紐約博覽會打烊之後，另有十家亦將步其後塵。原因是一、地價太高，修築大旅館不合算。其二，目前電氣自動的小玩意太多，只要每個房間裏有幾件，客人就可以一切自己動手，用不着再勞茶房們的大駕。紐約五十層的美國飯店中，每間房間都有電氣冰箱和製冰塊的機器。再加上自動販賣器的流行，方便已遠勝過了派頭；而且今日茶房中很少把客人當做一回事兒的，所以新式的旅社比較過去的大飯店佔上風。未來的趨勢是城中的汽車旅館，因今日的生活緊張忽忙，客人都喜歡把車子一直開到房門口，說來就來說走就走。

大洋房小跑車是成功的象徵，在美國錢越多，房子越大車子越小。房子大不必說，汽車在那裏是必需品，沒有車子就等於沒有腿一樣。但是外國進口的跑車就是另外一回事了，鈔票不多就無法問津。日本本田機車看準了這一招，把他的五十西西小摩托車打進了美國的社會，使沒有錢買外國跑車玩玩的朋友，買一部外國來的摩托車過過癮，每部的售價美金三百，於是釣魚，打獵，郊遊，野餐，談情說愛，沒有一處不見日本小車的芳蹤，去年一年這種小車賣了三千多萬美金。這種小摩托車不僅是供人玩玩而已，同時也漸漸變成了正式的交通工具。在紐約商業區的老板，律師，大人先生們深感「停車之痛」，便也紛紛改用小摩托車上下班了。

天眞與愚昧

一、自由世界的大悲劇

李敦復

一個國家於其對內和對外政策之制定，不外兩途：一是根據理想，一是根據現實。理想是理性的產物，是超現實與不顧利害的崇高觀念，其實現固不必在眼前，而收效却在久遠；現實是暫時的表現，是脫離理想的眼前狀態，依此而制定的政策，定然隨利害關係為轉移，縱能適應於一時，未必收效於久遠。因此，遠大的政策必須依據理想而短視的政策往往重於一時的現實。試一檢討近半個世紀的歷史，美國的對外政策，不管平時的，或是戰時的，都似在茫茫大海裏漂蕩，因為先沒有一個明確的方向，這國家的命運之舟便變得東碰西撞，無所適從。美國並未繪製一條導向安全避難所的道路，因之任讓此小舟聽命于風力的支配；沒有羅盤針，乃致行駛在欺騙，貪婪與侵略的岩礁間，只靠着點點星光而駛向虛無之邦。

今日所看到的情勢，雖然美國在第一次大戰和第二次大戰以強大的力量，協助各盟國贏得戰爭，但一無結果，而所產生的罪惡又遠較想要阻遏的為大，這一悲劇實是由美國缺乏可靠與現實的戰爭目標而產生的。這正如在第二次大戰時中國戰區美軍總司令魏德邁將軍在他所著的「魏德邁報告」一書中所敘述的：「當前危急的世界情勢，乃是我們自己所造成的。」

美國今天是自由世界的領導者，但，整個中國大陸淪於鐵幕，東南亞的擾攘不安，美國的對華政策都被恐懼，妥協、姑息、容忍，安撫所包圍。由於美國缺乏自己決定的計劃，而祇是「等着看」，「待塵埃落下來」，側重現實之對外政策，不僅使中國招致莫大的災禍，而於美國自身，與世界全局，均有莫大的損害。這是今天自由世界的最大悲劇！美國實在不能逃避整個中國大陸淪入鐵幕的責任。也可以這樣說，這政策的執行者，美國民主黨實難辭其咎的。為了要使得全界愛好自由的人士了解事實的眞相，揭露民主黨政府的錯誤領導，自有其心要。在這一個瞬息萬變跳躍的時代，六億的中國人民，動搖了歷史傳統歷來以美國的忠實友誼為可靠的信念，這裏透過文字的敘述，留下一點紀錄，使公正的最有智慧的歷史家去批判吧。

美國是中國的盟邦，當一個盟邦的主權，領土，人民等，被以赤化世界、征服全世界為其終極目標的共黨所佔領時，作為一個逃避赤禍的中國智識份子，處身于英國人的殖民地，以極客觀的態度來衡量美國的對華政策的錯誤，同時又以極沉痛的心情，來檢討美國人的天眞與愚昧的傷心故事，假使沒有艾契遜時代的國務院，將百年來堅強無比的中美友好邦交破壞無遺，或者不是被恐懼，妥協，「等着看」，「待塵埃落下來」等錯誤政策所造成，中國大陸未必會淪入共黨手中。這些年來，我始終有一個牢不可破的印象，這些所謂制訂對華政策的人，執行者，實在太愚昧了，太天眞了，太幼稚了，太膚淺了，他們不能掌握政策的重心，這正如從沒有陽光去拍攝照片，鏡頭是模糊不清的。（一）

附啓：瘋君夢纖稿，作者三日前便經寄出，但直至排印時尚未收到，迫不獲已，暫缺一期。特向作者及讀者致歉。　編輯部啓

秋思記

漁翁

秋下有心曰「愁」，蓋秋之爲言愁也。而愁由何來？心先之以「思」。思者，悲也，秋思也。古之詩人，詠「秋思」者多，而以王建「十五夜望月」：「今夜月明人盡望，不知秋思在誰家！」爲最名句。同此月也，照天下之悲歡，而悲歡則異焉。

月到中秋分外明，望之者衆，而感秋者誰？王建雖未肯定，其實怨落在自家也。王建，字仲初，唐潁山人，大歷十年進士，官侍御史，出爲陝州司馬，從軍塞上。後歸咸陽，工樂府，與張籍齊名，宮詞百首，尤膾炙人口。此詩恐在塞上所作，蓋望月思家詞也。

在這秋高氣爽，勿寒勿暑，一般有產階級，居有高樓，出有私車，食者山珍海錯，衣者西裝革履，衣食住行四大需要，已無顧慮，何有秋思之足言？

其次，袴褶子弟，在此秋涼季節，日趨花柳叢中，環肥燕瘦，綠酒紅燈，秋思云乎哉！

又其次，農人日出而作，日入而息，穀熟有秋，生計不匱。工人商人，均忙於製造計然之術，以日積月累，爲惟一之打算，當不匪夷所思也。

還有一羣愛好山水者，或登山頂，效牧童牛背之歌，或步水涯，作漁父鴨頭之釣，優哉優哉，不知暑往寒來，徒有「秋夜長」之感耳。

然則秋思竟落在何家呢？噫！我知之矣。俗歌云：「月兒彎彎照九州，幾家歡樂幾家愁？幾家夫婦同羅帳，幾個飄零在外頭！」無疑地，那秋思萬縷，落在有家莫歸，而飄零於外鄉者。

有唐一代，經過武韋安史之亂，一般文人學士，離鄉背井，遠避天涯海角，過着抑鬱窮愁之生活，往往由窮愁而發爲詩歌，一字一淚，描寫出飄泊落魄的心情，令人不忍卒讀！如白居易詩：「一夜鄉心五處同」，其趁秋望月之感嘆爲何如？

今之流亡海隅，其抑鬱窮愁之心情，百倍於唐代。離鄉十五年，而猶未有歸期，每到秋風颯颯，秋夜漫漫，秋虫唧唧，秋月皎皎，莫不有「舉頭望明月，低頭思故鄉」之「靜夜思」。筆者亦飄泊者之一，未能免俗，感慨尤多，亦寫「秋思」詩，結句曰：「最是欲歸歸不得，江楓漁火感何支！」

編者附誌：鄧文儀先生之「冒險犯難記」續稿未到，暫停。

借荊州之謎

匡謬

關於吳人索取荊州，多見於吳志孫權、周瑜、魯肅等本紀。吳志孫權本紀云：……「十九年（建安）……劉備定蜀。權以備已得益州，令諸葛瑾從求荊州諸郡，備不許。曰：吾方圖涼州，涼州定，乃盡以荊州與吳耳。權曰：此假而不反，而欲以虛辭引歲。遂置南郡長吏，關羽盡逐之。……」諸葛瑾討荊州之事，亦見於三國演義。

魯肅傳曰：「曹公破走（赤壁之敗），肅先還。權大請諸將迎肅……權撫掌歡笑。後備詣京見權，求都督荊州，惟肅勸權借之，共拒曹公。曹公聞權以土地業資備，方作書，落筆於地。……」此爲吳人自說自話也。此時，東吳限見劉備領荊州牧，復收四郡，心中大不安。劉備在赤壁之後，直接威脅東吳甚大也。周瑜病時，上疏權曰：「既與曹操爲敵，劉備近在公安，邊境密邇，百姓未附，宜得良將以鎭撫之。魯肅智畧足任，乞以代瑜……。」可見周瑜以劉備之得荊州及四郡，深爲悚悚之證。又魯肅傳云：「備既定益州，權求長沙、零陵，備不承旨。權遣呂蒙率衆進取，備聞自還公安，遣羽爭三郡。肅往益陽，與羽相拒。肅邀羽相見，各駐兵馬百步，但諸將軍單刀俱會。肅因責數羽曰：『國家區區本以土地借卿家者，卿家軍敗遠來，無以爲資故也。今已得益州，既無奉還之意，但求三郡，又不從命』。語未究竟，坐有一人曰：夫土地者，惟德所在耳，何常之有？肅厲聲呵之，辭色甚切。羽操刀起，謂曰：『此自國家事，是人何知！』目使之去。備遂割湘水爲界，於是罷軍。」此事甚重大，只見於吳志魯肅傳，而關羽傳無隻字之記載。再說，東吳以土地業資備，曹操作書落筆於地。此乃吳人之自爲美說也。曹操平生從無此驚措之狀。魏志武帝紀亦無隻字及之者，只云「公至赤壁，與備戰不利，於是大疫，吏士多死者，乃引軍還。備遂有荊州江南諸郡。」所云「公至赤壁與『備』戰不利」，更未及孫權也。可見赤壁破操者備爲主，權爲從也。吳志渲染過甚。其實劉孫之聯軍統帥，乃是劉備，諸葛亮與魯子敬爲謀士；吳則周瑜、程普二軍。劉備有關、張、趙雲、劉琦等，衆二萬餘，吳衆三萬，多係水軍。故於追操時，劉備優於吳軍。關於吳軍周、程二軍從劉備，吳蜀二志皆同，唯於孫劉聯軍共破曹操，蜀吳各不居於被動，吳則以魯子敬首倡此議，蜀則以諸葛說孫權，陳利害。其實三分鼎足之局，諸葛亮隆中對策時已開端倪。吳人魯子敬有此卓見而已。而魯子敬之說孫權，及黃蓋之詐降縱火燒操軍有聲有色，皆盡其渲染之能事。可見吳志多自美其說也。故借荊州乃吳人事後之遁詞，皆吳人之語也。夫「借」者，乃我有物而假與人也。荊州乃劉表之地，而非孫氏故物。當操南下時，孫氏江東六郡，岌岌不能自保，除魯周二人外，莫不主張北面事曹。而其巧合者，勢也。（中）

寄懷公展

近人詩選

許紹棣

潘公樗散氣猶昔，辯才無礙貌緘默，途窮不作老婢聲，蕭洒襟期送日月。聞君兩耳近失聰，上帝厚汝實至公，不痴不聾難爲翁，過耳詬詈俱成空。憐君一廢居異域，萬里關山夢故國，悲憤欲訴眞辛泣，肝膽灑盡中腸熱。憶昔滬濱相識時，君方而立振羽儀，四十年前恍如昨，斯須君欻登古稀。羨君白首天行健，蹉跎我負平生願，契濶天涯思友生，河淸有日當相見；狐裘蒙君莫怨，乾坤滿眼猶爭戰，一爲君歌排積悶。

美妹

長篇小說

羅雲家 著

「那倒不是。只是想看看你居住的地方。」她不好意思地突然低垂了頭，瘦削的臉頰上，泛起一些紅暈。

「看到了嗎？我是寄住在老師家裏。那間書房兼臥室，還是老師想了很久的辦法，後來請了一個會，才湊合着蓋起來的。」話中，表示出他對老師的感激；表示他有一個這樣的老師，多麼值得慶幸與驕傲；也表示他雖寒酸、窮困，但並沒有瞞着人家的必要——他一向不以此爲恥的。

「哦！」她有些驚訝：「他們竟會對你那麼的好呀！」

「可不是？算來有六七年了，差不多吃住都是花他們的。我每一想到這些，就會慚愧得無地自容！想搬出來，老師又不肯。妳想：我心裏怎能過意得去呢？」

「他們沒有兒女在台灣？」

「沒有。雖然曾經生有一個獨生兒子，可是在大陸戡亂期中，從軍報國，壯烈成仁了！所以只剩下他們倆，這後半生的漫長歲月，着實也夠寂寞的。唉！戰亂頻仍，多少人都是弄得家破人亡……」他還想牢騷一些什麼的，還想咒罵一些什麼的，可是他怕引發她的創傷，也怕觸起自己的舊愁，因此頓住了。

「哈！既然是這樣，你就認他倆作義父母，不是很好嗎？」她若有所思，覺得他若能這樣，就會心安理得地生活下去了。

「是呀！我的朋友丁述賢他也曾這樣提過的。可是我覺得那樣不妥。說好，人家認爲我重情義，懂孝道，是個感恩圖報的好青年；說壞，那就是別有居心——譬如說，是爲了貪圖他們的遺產啦，怕人家趕出去，活活餓死凍死啦，因爲感情脆弱，如一旦失去他們的愛撫慰藉，就會失去生活的憑依，勇氣啦……因此，我決定不要這樣做。何況，在我國，師生的關係本來就是蠻夠親切的，他是對我『授業解惑』最親密的長輩，我是繼承與發揚他的學術品格與道德思想的後生，這不是很密切，而與其他一般關係不可同日而語的嗎？而我的老師，我想他也是抱着『作之師、作之親、作之君』的態度待我，並不是企望我作他的義子的。」她的一句話，想不到竟引出他這一籮筐話來。

「唔，你的想法也很對。」她抬起頭，望着窗外的行人，有意無意似的又說上一句：「哦，如果我有一位義兄，那該多好呢！」

「妳的意思是？——」他的內心猛地震盪了一下。

「沒有什麼。」她却淡淡地說：「也許是因爲從小就沒有親人，所以我需要一位『像樣一點的』親人。」她把像樣一點的幾個字，說得很吃力。

他在心裏重覆着她的話。特別「像樣一點的」親人……：停了一會，才試探着問：「妳原來的親人呢？現在的劉先生，他們是妳的什麼人？」（十三）

記張蒼水

四、反對鄭成功入台

湘南遯叟

這次可說他被鄭成功害慘了，他在化裝逃亡途中賦「有間行雜感」二首：

鐵幰幾解又芒鞵，姓氏逢人且自埋。夜踏巖驚伏虎，朝避霧露避羣豺。乾坤蒼莽投金瀨，徑路蕭涼阻玉階。贏得風詢兼雨帽，相看不是舊形骸。

一椎可奈誤秦車，蕭瑟秋風圯上書。伏匿那能忘鐵馬，潛游猶覺負銀魚。荒村雲擾難欹枕，單袷霜深已敝裾。總是姓名隨地變，伍呼牛馬衆何如。

又「經烏江」二首：

楚歌聲裏霸圖空，匹馬歸來勢自雄。四百年餘炎火斷，誰知隆準一重瞳。

旌旗垓下亦堪翻，戰士其如憶故園。縱向江東收燼去，應無子弟到中原。

詩中含有無限悲憤。這次的失敗，實非他始料所及，他未料想鄭成功是這樣的輕進易退，一無布置。加之鄭部以旗開得勝，始初所向無敵，眞是所謂被勝利沖昏了頭腦，那時如蒼水能留在幕府，以他的老謀深算，或不致慘敗至此。天實爲之，謂之何哉！

蒼水自江上軍敗後，還滯臨亹，收集散亡，環顧魯邸舊臣皆盡，孤軍流寓窮島，鄭氏部曲暴陵，惟有推誠與之結納，心中憂苦，莫可名狀。是時他曾有上魯監國啓，畧曰：「臣萬里孤蹤，一軍特立。又懼旁疑他妬，未敢輕達封章。己亥夏，於東甌晤錦衣指揮陳貴，曾附疏轉達。豈意陳貴隨北上，因南師挫衄，流落江上，聞今已往山東。臣自入長江，直奪鎮江砲口，傳檄而下卅餘城，駐紮蕪湖，水陸兵至萬餘；豈意滿師潰於金陵，倉卒南旋，臣之孤軍，竟陷重地。虜酋百計阻絕歸路，貽書招誘，遂焚舟登陸，提三千餘衆，轉戰千里，相持廿七日。終以勢孤援絕，士卒罷敗，臣單騎突陣，竄伏山谷中，由間道徒步二千餘里，賴義士扶衛，始得生還海上。然志猶未已，力圖收燼，散亡漸集。奈囊空斧傾，力不如心。倘浙海決不可支，亦當南還一覲。昨差官自思明州回，始知移蹕金門之信，遵養時晦，尙無其地，此臣所以日夕旁徨者也。臣垂翅之餘，百事艱難，芹曝之獻，容俟後期。錦衣張士魁、楊澄亦經患難，俱得生還，現在臣營，合併具報」。

他回臨亹，有「復屯臨亹」詩：

十年兵甲滿滄洲，此日迴戈又上游。人去鹿場仍舊跡，秋高蟹浦足晨羞。空山臥犬聲如豹，失路窮黎狀似鳩。自笑經營何太拙，誤將島嶼作幷州。

（十三）

遊橫斷公路漫記

羅緣

原來，蔣經國先生督修公路經過此地住了一夜，晚上，邀他們聚會一堂，用他擅長的言語天才，指導他們以道德準繩，勸他們努力自新，激發良知，一心一意去愛人，爲世人出力，爲自身積德！有些人竟被感動得泣不成聲。

天快亮了，蔣對他們說：「現在將此坡改爲『日新崗』來作個紀念，希望你們日新又新，將來快快活活過個下半輩子安逸生活」！路成後，大家又名此坡曰「甘棠植愛」，取詩經甘棠篇讚美文王勸農課織之至德。此崗之名也，焉知百年後不成爲勝蹟嘉話嗎？

銀鞍弄笛看雪潮

合歡埡口是全路最高處，也是東西間中心點，東邊的溪水流滙太平洋，西邊的溪水流到台灣海峽。左側危巖高聳，宛如城障，斜陽日暮，餘光照到半壁巔際，都成灰白色。清波滾滾，從上流頭蜿蜒奔赴而來，溪中石筍數根，參差位列，急流到此，激成驚湍，珠噴玉濺，雪怒翻花，直如霧縠烟霏，冰紈彩幕，清麗無比。

自由報

THE FREE NEWS

第四八六期

每份港幣壹角

承印者：田風印刷廠

地址：香港灣仔高士打道二二一號

台灣分社

台北市西寧南路壹叁壹號二樓

電話：三〇三四六

台郵撥儲金帳戶九二五二

冒牌大亨

不上不落

本報啓事： 本報爲慶祝中華民國五十三年國慶，港澳區隨報附送國旗一面，敬請讀者注意。

慶祝雙十的一句問話

欣逢五十三年雙十國慶紀念，我們照例要恭祝一番，並抒所感。

我們是在慶祝中華民國國慶，而中華民國目前只以台灣一省為基地，這個基地如不能在一定時限內達成光復大陸的使命，勢不能永遠以區區一省支撐一個大國名號以自娛。因此，我們自然要在慶祝國慶當中想到反攻大陸這個最主要的問題。假如徒然看這是一個不得不喊的口號，而年年仍要照例在風雨飄搖的環境中慶祝雙十，而且年年要照例在聯合國爲中華民國的席位而奮鬥，那便是基本上不堪想像的矛盾，失掉了慶祝的意義。

我們總該向積極方面想，同時向積極方面做。我們有理由確立「中華民國不亡」的信心，昭示世人以國父孫中山先生的高超理想，並且取證於近數十年的國際大事。

近數十年國際變化雖大，社會主義與民族主義始終是兩股奔騰澎湃的主流，誰也不能否認。孫中山先生遠在建立民國之始，即以民族、民權、民生三大主義爲號召，作爲立國基幹所在。由那時看到現在，我們曾經看到社會主義派生之繁，對內對外衝突之烈，也看到自由陣綫與共產集團的對峙與鬥爭，終於看到民族主義在共產集團爆燃出分裂的火花，以及共產主義者鬧出「修正」與「反修正」的爭鬥。據此，我們該不該佩服孫中山先生當年創立三民主義的高明和博大？

建立民國的功績當然不該只歸於孫中山先生一人，也不該只歸於國民黨，這和抗日戰爭一樣，是全民由於民族精神高度發揚而建成的偉業。但在建國大業之中，也只有孫中山先生一人提出三民主義的一套崇高理想，和一個偉大的建國藍圖。而時至今日，不管中華民國經過多少災難，受過多少磨折，內內外外起過多少風波，他遺下的三民主義仍可發出燦爛的光輝，以五十年世變的歷史來證明它的正確性，融通性。這一點，難道不值得我們今天提起興奮的心情，作爲精神上自勉自勵的最好憑藉麼？

民生主義就是社會主義的一枝，但決不是共產主義。社會主義這一股主流引起的世變太可驚心動魄了。民主社會主義猶如一個溫和的老大哥，共產主義和法西斯「修正主義」猶如兩個兄慼的弟弟，這兩個弟弟是一對互罵互殺的死對頭，對老大哥」鬧權欺負和搶殘。社會主義大家庭內「三兄弟」的鬥爭流血史是悲慘的，而在共產主義陣營內部崛起的「修正派」，仍和「老大哥」所走的路綫有一段距離。我們一則看到共產主義者也要鬧，二則看到共產主義陣營內部爲着民族問題而鬧得分崩離析，那麼，對於五十年前孫中山的極大頭腦和眼光，怎不應該在此時向世界宣揚一下？

毛澤東欲毀滅中華民國，建立僞朝，心目中那裏還有孫中山先生？他最初只知有「蘇維埃」這個俄製的共產名詞，硬要搬到中國來開山立案。他早就把孫中山先生的民生主義看作不容併存的「改良主義」一類，所以，北平僞朝建立之始，對中華民國國父孫中山先生當然沒有半分敬重之意。到了近年，中共的宣傳嘍囉也開始再捧孫中山先生了。目前毛澤東正因「反克」「反修」而僞裝爲一個民族主義者，企圖使人忘記他曾經喊史大林做爺爺而高喊「一面倒」的可恥事實，當然需要利用孫中山先生的名義以自飾了。把前後事實隨便翻按一下，很容易抓着毛澤東的狐狸尾巴，使他要在中山遺像面前發抖出醜的。誰叫他毀棄民族主義於前，僞裝民族主義者於後？

民主社會主義已在若干國家有了良好表現，但也暴露了社會主義本身的一些弊病，這是事實。民生主義當然不是共產主義的修正主義，但在社會主義體系中自有其可稱的貢獻。台灣一省實行民生主義的溫和「土改」有了顯著成功以後，亞非兩洲乃至拉丁美洲各國紛紛派代表前來參觀，以資取鏡，這也是三民主義的光榮，也是中華民國的光榮。我們堅信中華民國必可[illegible]三民主義戰勝「一民也無」的中共。問題在乎：我們能否勸自鞭策與改進，能把我們在三民主義根本未做或做得不夠的地方，透徹檢討，加工猛進而已。

截至今天，台灣除了民生主義在農業上的實施有了成效，其他經濟根本大計仍在徘徊未定中。計劃經濟與自由經濟的雙重路綫究應何所取捨，如何協調，非從頭鄭重研究不可。關於民權主義的力行與勵進，同樣有很多方面要加強用功，本報近來在這方面迭發評論，意即在此。大家既說要把台灣建設爲「三民主義的模範省」便該快做實做，猛進不懈，勿徒作虛應故事的官樣文章，只會空喊口號，重蹈從前在大陸的覆轍。

今天尤值得大家警惕與振奮的一點，是毛澤東假揭民族主義以對內，更以「世界革命導師」自居，推行擴張主義於外，而西方國家有用心的論客更不惜宣揚「黃禍」之說，使中華民族飽受污衊，殃及東南亞若干新興國家鼓吹排華，百施其術，於是各地僑胞首當其衝，飽受其苦。此時我們必須發動全面宣傳，昭示世界，根據歷史事實，掃蕩「黃禍」的謬說，宣示孫中山先生所倡的民族主義，是溫和的，平等的，非侵略的；針對中共實行擴張主義的罪行，指出這是違反中華民族傳統精神的一黨與一人所爲，根本與中華民族無涉。

我們反對分裂中華民族的任何勢力，也反對假借民族主義之名，擅以暴力對外擴張，爲中華民族製造仇敵與污名的一切狂妄行動。站在中華民國青天白日滿地紅國旗下，對着孫中山先生遺下的三民主義巨著，想想五十餘年的世變，想想五十餘年來中華民族的種種災難，我們沒有自餒自沮的理由，只有自愧自惕的地方。

黃魂不死，事在人爲，唯能知恥才可有爲，唯能知錯才會改進。我們要在今天提出一句問話：爲什麼我們讓三民主義的宣傳變得如此軟弱無力？爲什麼我們尚不能在台灣一省建設起三民主義的光輝模範？

方南

自由談

國慶觀感

一年一度的雙十節國慶紀念日，今天又來臨了。像咱們這類「天涯淪落人」，躬逢其盛，真不勝其「別有一番滋味在心頭」之感啊！

過去在大陸上參加國慶盛會，總是懷着看熱鬧的心情，及時歡樂消遣而已。最近十五年來，遠離異域，每逢國慶佳節，感慨良多，心情兩樣了。

首先望着中華民國創造者孫公遺像時，一片慚愧思潮即油然而起，有如敗家之子看到興家立業的祖先而自，不覺自慚形穢，悔恨交迸，引不起歡娛的興趣了。尤其是忝爲三民主義信徒，緬懷孫公將艱難締造的革命產業——中華民國——這副大家當交給吾人承繼建設，如今竟敗壞到這步田地，能不愧煞人也！身爲孫公信徒的國民黨人，如其不能以贖罪的志願，淬勵奮發，光復中原，還我河山，那就是罪孽深重，難逃後世歷史家的嚴正裁判。

毛共把中華民國毀棄了，僭立僞政權，奴役人民，專政肆虐，但又揹着中華民國國父的招牌不放，每年照行「十．一」僞政權成立紀念會之日，竟將孫公遺像附列於一二共酋之後，褻瀆聖賢，莫此爲甚，我瞧着即憤怒不已，認爲最大的恥辱。同時亦理解一種事實：即大陸和僑居海外的中國人，大多數還是信仰孫公，愛護中華民國。毛共企圖收拾人心、鞏固政權，乃不得不昧良鮮恥，利用孫公名義來招搖撞騙。這也就是復興中華民國的偉大潛力，只看我們會不會利用了！

所以，咱們今天慶祝雙十節，祇有滿懷慚悚與憤怒的心情交織着。把這股慚憤之心情化爲反共復國的浩然之氣，自動的滌蕩苟安偷惰觀念，不要「錯把杭州作汴州」，醉生夢死，必期及身得見「王師北定中原」，而不寄望於後人之祭告，這纔不愧爲三民主義信徒，總算是中華民國賢孝的子孫。

馮王先生

惱恨他屢破竊聽設施
西德電子專家許克曼 慘遭蘇俄特務下毒手

（本報波恩通訊）在這冷戰積極進行的世界中，諜報人員無時無地不在作殊死戰，但是很少表面化，許多都是暗中解決了事。

西德電子專家侯斯特．許克曼，現年僅三十六歲，過去十年中他不斷在鐵幕內的西德使館中發掘俄國特務安置的竊聽設施，他的工作可以說是繁重異常。僅就莫斯科美國大使館一處而言，今年一年內，就發現了四十個隱藏的俄國麥克風。在西德使館要他發現有竊聽裝置之後，他設計了一個密談箱，供使館人員進入內談機密情事，不致被俄特所偵悉。他對防止搭線竊聽方面發明了一種特殊的小機關，一旦發現立有反應。因之他暗中的對手對他恨之入骨。

最近他又以「三等秘書」身份到莫斯科去「視察」，工餘和使館的幾個朋友到離莫斯科四十二哩柴哥斯克的一個中世紀正教院去做禮拜。在教堂裏暗處，他突然覺得左腿上挨了一下，他還以為是碰了什麼人，之後立刻發現左褲腿上濕了一片。事後一個滿臉鬍子自稱正教神學院裏的人堅執要領他們去逛柴哥斯克城，這幾個西德人謝絕未去。

驅車返莫斯科，許克曼感到左腿刺痛難忍，渾身疲乏不堪，經美國大使館醫生診視之後，囑立刻飛送西德住院診治。但俄國旅行局故意說所有飛機票已訂售一空。兩天之後方始將他送達波昂；住院後發現他左腿被灑上液體芥子氣。十天前他的情況很嚴重，現在已逐漸康復中。

蘇俄人為什麼要出此下策？一般推斷是：不能忍受他在電子偵破方面的造詣和機智，蘇俄然後故意延誤他的行期，以期迫使他住俄國醫院，再用針藥誘迫他吐露技術上的機密；也或者是想趕他出境省得麻煩而已。

台中市長請巨款 專為整修大公館

（本報台中航訊）台中市長接任不久，即向議會提議，撥款新台幣十九萬多元：整修市政府賓館，並擬闢第遷入居住。將歷任市長居住的公館改作賓館，「以羊易牛」，藉口原市長公館太小，不便接見民眾云云。

今日人民所仰望於地方大小官吏者，除必要的公出外能按時辦公，每天在公八小時，（夏令時間為七小時），不遲到，不早退，不因私請外出。辦公也好，會客也好，接見民眾也好，均可於辦公時間內在服務官署內為之，使是第一流的標準公僕；並不奢望於星期假日或退食時間內，求見洽談，除非是至親密友閒話，或秘密商洽勾結舞弊情事，在公館內大事接見人民，決無必要，且亦決無此種事實。歷任市長從未嫌公館太小，不便於民，市長先生竟獨具匠心，「愛民如子」，「夙夜在公」，僅思假日或暮夜求見者眾，排隊鵠立於其公館內外候見，未能一一延入多間寬敞客廳內請坐，有失禮貌也者，真是費解！無怪輿論譁然，議員林閩成等亦嘖有煩言，提出質詢了。

此座賓館富麗堂皇，僅次於台北，一次修理，即輒要動支十九多萬元，也可想見其規模宏大了！蓋為日據時代所建築作為皇族及達官駕臨時的行轅。日人君臨，奴役我台省同胞，處處表示官尊民卑的色彩，自視甚高，擅作威福的日籍歷任××州長不敢佔居賓館。光復至今，仍留作招待貴賓之用，官派及民選的市長多人也不敢遷入。市長先生竟敢破例有此決定，不能不欽佩其敢作敢為的魄力超人。但願市長先生移用此種魄力於公的方面，徹底整頓政風吏治，為市政多求建設，為市民多謀福利，當能更得民眾的欽佩和愛戴了。

新台幣十九萬多元的鉅款，若移用加入於國民住宅貸款部份，可能增建庚種國宅十五幢之多。十五年後，收回此十五幢借款全部本息，可增建同樣國宅三十一幢之譜。每過十五年，均將更多於幾何級數而增建國宅，此項鉅款有多麼偉大的功效！豈可隨便亂用於私人享受呢。若用以建築市長新公館，也可興造二幢，（市政府有的是公地，可以撥用，自不必再費地基價款。）市長若真有擴大公館或舍舊謀新的正當理由，假可於徵得議會同意後，動用此款半數，便可興建一幢了。市長全家僅有五口，實無此必要了。

即使賓館有整建之必要，亦應撙節開支，涓滴歸公，經手人員不從中揩油，不收取回扣，嚴密監督包商，不准其偷工減料，至少當能節省五六萬元之譜。不應定要報銷議會他通過的十九萬多元的修理費，更不應將費鉅款修好的賓館改作私用——市長公館。市長先生能做到先公後私（並不苛責以公爾忘私），且能節省市庫幾萬元，將來便可多得幾萬張選票。據說市長為一位虔誠佛教徒，我佛修身苦行，色相皆空，決不可求一家享受，而忘記了苦難眾生之有待拯救。孟子說：「君子之過，如日月之食，人皆見之；及其更也，人皆仰之。」「回頭是岸」，希望市長先生及早勇於改過罷！（高蘭）

颱風頻襲港，保險業賠錢

（本報訊）本港的保險公司，因今年的多次颱風而需要付出的賠償費約在一千多萬元。據本港一家大規模的保險公司一負責人說：在今年的一次颱風中，停泊大船隻受到損失的有十多艘，其中有兩三艘損失較為嚴重的，那就是「多拉號」和「順風號」。所有全港船隻的賠償費，大概要六、七百萬元。據說「順風號」的賠償費仍然在研究中。據估計，只是這一艘船隻的賠償費，可能也要在二百多萬元以上。

今日與明日

民主政治的醜態

英美兩國的大選期迫了，各黨競選人與助選人，相率使出渾身氣力，挖空心思，四出向民眾講演自己的政見，說出許多言不由衷的議論，也做出若干教人肉麻的媚態，如美總統詹遜抱着選民的小孩兒接吻撫慰之類。英國的競選情形更糟，工黨份子在演說場中，竟以叫罵謾罵敵黨人士，藉以阻礙對方的言論為能事。至於大家使用金錢以爭取選票的行為，所在多有，毫不稀奇。

英美原是世界上頭等的民主憲政國家，國民教育亦相當普及，知識水準頗高，然其選舉情況乃若是，即可想見其他國家的選政實質為何如了！

民主政治是要尊重理性，講究容忍的。但在競選時候，大家都是為目的不擇手段，隨便胡來。這證明政治生活實在卑鄙齷齪，莫可究詰，故英儒霍布斯認為搞政治的人盡係壞蛋，其言雖不免偏激，卻有至理存焉。

戴高樂自討沒趣

法國總統戴高樂在阿根廷京城訪問中，受到當地群眾激烈反對，座車的玻窗被投石擊破，他的眼睛亦為警察投擲的催淚彈烟霧薰出了淚水，可謂自討沒趣也矣。

戴氏此行遍訪南美各國，旨在與美國鬥氣爭勝，希望南美方面多產生幾個古巴那種反美的政權，削弱美國的聲光。殊不知美國在國際間的領導地位，是建立在雄厚的財力上，其他都不相干。戴高樂要想以「拆白」方法製造自己的國際信譽，未免太不自量了。

赫魯歇夫慷他人之慨

俄酋赫魯歇夫主張聯合國安理會增加兩席永久理事國，而以日本與印度承其乏。這是他企圖拉籠日、印這兩個亞洲國家的一種手段，使英美今後沒法操縱聯合國，而蘇俄更可在國際間肆行搗亂呢！

若論冷戰作用，赫酋這一着相當厲害，教英美沒法招架。來月聯大會議時，將不免辯論一番，我們且看英美如何應付吧？

國際第三勢力

所謂不結盟國家數十個，正在開羅舉行會議，對國際問題多所主張，表示他們是第三勢力。

既標榜為「不結盟國家」，實際就是結盟集團，有如吾國人士有以「無黨無派」自居者，實即有黨有派也。這類集團要想左右局勢，殊不可能，只在沒事時擺首弄姿而已，搞不出甚末名堂來的！

台灣論壇

台灣證券交易的透視

陸嘯劍

為了加速經濟發展，吸收游資，達到長期資金證券化的目標，台灣終於設立了交易所，當時有識之士已經指出，台灣證券交易演變的結果，會不會走上當年上海的覆轍；可是言者諄諄，聽者藐藐，設立交易所的計劃，並沒有因此而稍有改變。

股票上市以後，當時恰值銀行降低利息，國際糖價上漲，外匯充裕，而游資苦無出路，一窩風地湧進了證券市場，外加輿論的刺激，投機人士有計劃的哄抬，墊款交易的不加禁止，股票價[illegible]上漲，股票的市場價格早超過了它的帳面價格，很多財務情況極不健全的公司股票，也跟着大漲特漲，這種不正常的現象，使證券交易早已改變了投資的目的而變成了投機，當時凡參加股票買賣的人，未有不賺錢的，結果來得容易，去得也快，花天酒地，形成極度畸形的繁榮。

可是，這種好景並沒有維持很久，台灣的證券市場自從交易所的負責人舉振甫邀請所有的經紀人吃了一頓午餐，（時人稱之為黑色的午宴），希望大家不要再做違法的墊款交易以後，終於連續了兩次大跌風，一「套」、二「套」、最後一「殺」的詐欺手法運用的結果，散戶們不少傾家蕩產死了大鶴，形成了極其嚴重的社會問題，而同樣的交易所也變成了冷落門第，昔日的繁華，今日的蕭條，形成了極其顯明的對照。

這種現象，政府自然不能坐視，九月二十一日，乙種經紀人奉命進場，代表台灣銀行大量吸進台糖股票，穩定了當時行情。可是僅僅一天，終於乏力支持，又呈疲態。刀口上血的結果，未有不被割傷的，今天台灣股票買賣的情形，正是如此。

目前台灣的證券市場，並不能使社會的資金有效地運用於經濟的發展，相反地，提供給我們的，祇是投機、賭博、詐欺等多種罪惡的大匯合。

公司法第一百六十三條規定：「公司不得自將股票收買。」目的就是為了防止投機，可是透過董監事之手，就變成合法。目前有些公司股票上市，都是董事長買進，總經理賣出，總經理買進，董事長賣出；一哄一抬，抬高了股票價格，然後逢高吐出，逢低收進，一轉手之間賺了大錢！這種行為不是投機，不是詐欺又是什麼？

依照刑法第三百三十九條規定：「意圖為自己或第三人不法之所有，以詐術使人將本人或第三人之物交付者，處五年以下有期徒刑，拘役或科一千元以下罰金。」普通的詐欺行為，法律尚且還要加以處罰，可是證券市場集團有計劃地向社會大眾詐欺，國家竟然無對策，聽其自生自滅，我們不明白它的道理。

如果要想健全證券市場下面幾個措施，極其必要：

第一：任何一個公司股票上市的話，一定要公佈財產目錄，資產負債表，以及上一年度的營業情形，使社會大眾了解它的財務狀況，然後有所選擇。

第二：墊款交易一定要嚴格禁止，化暗為明大可不必，如果有時眼開眼閉，有時又像煞有介事地要予以取締，這祇是助長詐欺之風，[illegible]這個定時炸彈[illegible]，投資明明是賭博，又何必一次再一次地[illegible]，更失了原來設立交易所的目的了。

第三：股票落價時的拋售，政府一定要查究，有無客戶[illegible]。政府在某種政策沒有決定以前，必不要洩露，以免影響市場，否則難免不變成詐欺的共犯了。

總之，僥倖之風不可長，一旦到了[illegible]，一般投機[illegible]，何況最後[illegible]社會上各種犯罪，諸凡遺棄、勒贖、竊盜、搶奪、強盜、詐欺、侵佔、恐嚇，很多都是意圖暴利這個念頭所引起的，等到偷雞不着蝕把米，弄得傾家蕩產，鋌而走險，那就太不上算了。而台灣的社會經濟情形，也經不起這樣一而再，再而三的大風浪。

九月二十二日立法院[illegible]針對證券市場的管理問題，向行政院提出質詢，由此可見[illegible]證券市場的弊病[illegible]，如何使證券交易走上合法[illegible]的正路，進而加速經濟發展，引導游資，是我們迫切需要的課題。

[illegible]得不償失，刀口上[illegible]交易的流風所及，目前台灣的證券市場，最後終究[illegible]擔心它的惡果，已經[illegible]社會經濟公序良俗[illegible]無窮的隱憂。

編者與讀者

本報所刊「檢討立法院的人事糾紛」一文中有「裘作與事實不符」之語，查裘君係江蘇淮陰人，[illegible]學校高中部農業科畢業，考試及格，在台北經立法院升任書記，現為國民黨台北市第四區黨部28分部常務委員，特此奉告讀者，以釋群疑焉。

——編者——

天真與愚昧

李敦復

美國之建國原則爲自由及正義，爲尊重自己的自由，於是林肯爲解放黑奴運動，不惜掀起南北戰爭，雖犧牲重大而卒達目的。美國爲維護國內的正義，也就不得不主張世界的正義，在第一次世界大戰中，美國始雖無意捲入漩渦，終以激於對德國潛艇政策之義憤，不惜變更其多年的國策，對德宣戰，而以十四點主張正義之原則，爲其作戰鵠的；其後雖外格于國際現實主義，內阻於國內的孤立主義，未能達成其理想，然德帝國之推翻，與國際聯盟之誕生，均不能不歸功於威爾遜總統。美國在第一次大戰中，雖付出了不少的代價，然其在國際上的地位，也就因此而提高了許多。又當一九三一年的「瀋陽事件」，日本使用武力強佔中國的東北，這就是中國歷史上有名的「九一八」事件。當時美國國務卿史汀生氏，用橫越大西洋的長途電話，與英外相西門爵士商量，是否應提出抗議，但英外相回答說，他對此事不感興趣。歷史是一面鏡子，歷史上的一個另外轉扳點，大抵都是由事前去形成的，我深信假如在當時，英美二國對日本的進攻東北提出嚴厲抗議的話，日本政府或者會穩健些，改變政策。但等到國際聯盟派遣李頓調查團到中國調查時，那已經太遲了！日本人已經探測出各國不願被牽涉到這局面之中，而在基本上，彼此也缺乏團結。因此墨索里尼見到了這一點，就對阿比西尼亞採取了同樣的侵略行動，希特勒不久也趨而效尤。凡此一切，說不定那時可以因爲當時介入遠東國際對東北問題採取強硬一致的行動，而得避免。

在第二次世界大戰的初期，美國無論在未介入或已介入之際，羅斯福總統始能依據世界正義的理想，以制定其對外政策，觀其一九四一年八月間與英國邱吉爾氏聯合宣佈的所謂大西洋憲章，（即在紐芬蘭的洋面上宣佈的西半地方，便是被一般所稱的「大西洋會議」，「大西洋憲章」就是在那會議後所公佈產生的文件。）一九四三年十一月與蔣總統及邱吉爾所舉行之開羅會議，均能依據世界正義的理想，而求謀取世界永久的和平；及至戰爭後期，一九四四年十月的頓巴敦橡園會議，羅斯福的對外政策，乃開始轉變，於其原所主張的理想中，漸漸低頭於現實。該會議係分二部舉行，第一部參加者爲美、英、蘇三國，第二部始由中國加入，故頓巴敦橡園建議之起草者僅爲三巨頭。據杜爾斯氏在其所著「戰爭與和平」一書中所說：「它們是當時對德、日二國作戰的主要強國，也許因此之故，他們認爲和平之建立，須由強國利用武力強迫世界其餘各國接受其『和平』的觀念，也許該會議（係指頓巴敦橡園會議）之被指不公開的會議，而其參加者僅限於當時之三巨頭，實有不得已的原因，其後雖邀中國參加，然實上等於追認三巨頭的決議，在這情形下：：弊端之一是使形中造成一『和平是強國武力控制全球之一觀念』。」由於這樣個重現實之故，據杜氏說，在該建議公佈後，美國一般努力使輿論擁護世界組織的人，帶着某種保留條件而接受這建議，以期在一九四五年的國際會議中將這建議修正，因爲現實的大國共同軍事政策不一定可靠，故必須使世界組織可發揮道義的力量，並予弱小國家以較有力的地位。果然，到了次年的舊金山會議，蘇俄堅持頓巴敦的建議，不肯稍作合理的修正，而認爲蘇俄在安理會及大會中，甚至有權否決任何爲蘇俄所不願舉行的討論，其態度之橫強，幾陷會議於破裂；（三）

我所知道的麥帥

肯尼將軍原著　徐熙光　翻譯

他脫下他的絲帽，然後坐在桌邊，再除去白手套，把帽子擱回頭上，猶豫了一陣子，然後以沮喪的神情，很快地又把帽子摘下，和手套放在一塊。他注視放在他面前的紙張，面上充滿一片煙霧，就像他是第一次看到紙張一樣。

我們都全神貫注地看着他，四周一片死寂。

「[illegible]」，麥帥的聲音像一聲雷響，把我們都嚇了一跳。「[illegible]他簽在那裏簽字」，[illegible]步上前去。

[illegible]的聲音並不大，卻[illegible]而堅定果斷。蘇德蘭走到桌邊，指指簽字的地方。[illegible]簽好以後，[illegible]放下了筆，然後他站起來，[illegible]，再回到他原來站的地方。接着是日本陸軍參謀長梅津將軍簽字，他是代表日本帝國總司令部簽字的。

他穎眉雄頷，仍然顯得有點自大，他把[illegible]下，調整了一下牛角的眼鏡。戴好以後，他在那兒站了幾秒鐘，這幾秒鐘是夠他看完降書的最後一句：「日本天皇與日本政府的主權隸移交盟軍最高統帥，最高統帥將採適當步驟執行投降條款」。[illegible]他的眼鏡放進口袋，他[illegible]

帥一展，既然退到龍光炎的邊。

接替我們簽字了，盟軍最高統帥麥克阿瑟將軍和巴丹柯里幾多的文萊特將軍和守星加坡英軍司令白西佛站在他身後，他們兩人一直被關在滿洲的日本戰俘營，一直到前天才由我們派機接他們到東京來，他們已被日本人關了三年多，吃的不好，又常受虐待，所以已經骨瘦如柴，不成人形。兩個人都好像需要再增加三十磅體重才能穿上制服。

麥帥坐下，從口袋裏取出五支鋼筆來，整齊地擺在桌子上，他拿起第一支鋼筆在一份文件上簽名，然後把那支鋼筆交給文萊特將軍，他再簽第二文件，第三支鋼筆他放在一邊備保存在西點軍校裏，第四支鋼筆是給海軍官校的，第五支鋼筆則是他自己留作紀念的。

麥帥又從另一個口袋裏掏出一支紅色的筆，簽完字後又放回他的口袋，我認得那支筆是他的妻子珍的。那時麥帥夫人正和幼子小麥克阿瑟在菲律賓，像世界上其他各地的人們一樣在收聽第二次世界大戰最後一幕的實況廣播。

尼米茲上將，海爾賽上將和諸位將軍站在麥帥的身後，他們代表美國簽字。接着的是中國代表簽字，然後依序是英國、蘇俄、法國、澳洲、加拿大和紐西蘭代表簽字。

麥帥接着簡短致詞了一[illegible]此一莊嚴儀式，盼由此一世界能記取戰爭的痛苦教訓，[illegible]的五個簽字，[illegible]達成自由，[illegible]最高理想，[illegible]相信他是全人類的[illegible]全部典禮[illegible]然後麥帥[illegible]幕們目睹本世紀[illegible]的本身[illegible]中他所作的[illegible]來[illegible]信沒有人會不[illegible]看法，因爲這是[illegible]的。（五）

台灣東部遊記

羅雲家

我們坐的運輸直達車，司機先生則發揮高超的絕技，時加油時帶住煞車，緊追不捨，形成彼此在懸岩上競技的驚險鏡頭，叫人好不提心吊膽，追了兩三分鐘，正當乘客怕出車禍，高呼「慢些！」之時，事有湊巧，對面駛來了一輛貨車，「喫軋——」一聲，三輛車子同時緊急煞住了。此時車上較年青而氣盛的一些乘客，立即有七八人一面大叫：「下車！揍他！他媽的！簡直不要我們活命了嘛！」一面紛紛隨同司機下車，奔向那輛貨車理論。要不是那貨車的冒失鬼司機自知理屈，連聲道歉，求饒，恐怕好戲還要繼續。結果在路局司機教訓了對方一頓之後，他們的車駛至右側，讓路我們通過，事情才算草草收場。

自大武至台東，中間的一個大站是太麻里，街道者長，兩旁商店鱗櫛而稀落，房子都很低矮，大部份是用茅草蓋的，人民的生活，都停留在水準線以下，大武、太麻里上車的旅客中，有不少是山胞，他（她）們多數都穿着樸素，蓬頭垢面，不是肩挑兩袋物品登車，就是肩扛一包貨物而來，行色倉惶，似不習慣於現代化的旅行生活方式。由此可見我們對山地同胞在教育文化及生活改進上的努力還是不夠，還須積極加強。

自太麻里前行，漸漸地平原較多，房屋、居民亦漸多見。新原村、知本村、賓郎村等地，也就是接近縣治地——台東的關係，人民在環境衛生、生活水準上，都較該縣南部地區進步。十二時廿分進入台東鎮，可以看見若干工廠的煙囪冒着煙，可以聽見火車的汽笛在長鳴，路旁的高大行樹、鱗次櫛比的商店，柏油路面，乘坐各種地面交通工具的行人，及頭頂遮陽傘，或戴草帽的徒步男女，都映入我們的眼簾。我們在屏東時所見的[illegible]物，經數小時行程，於此得見，使旅客們不免笑顏逐開。

台東鎮的市肆，面積頗大，車行約七八分鐘，才到達火車站。原有的火車站拆了在重建中，現用的臨時車站[illegible]，簡直不能跟公路局的車站相比擬。我們在十二時卅分下車，走到站後的一條街，負物的街上選擇餐館，只見盡是些本省料理，而且是簡陋的棚棚建築。據說像樣一點的飯店，還得經過兩條街才有。烈日當空，渾身冒汗，不得已只好在一家本省料理小店中進餐。兩個大人和三個孩子，隨隨便便地吃了三十多元，吃得肚中彷彿，卻又不想再吃。吃東西不對口味，固是[illegible]多並損，就有多點損了。

從高雄至台東公路直達車，[illegible]快車至台北，爲時僅六個小時零十九分，[illegible]九個小時[illegible]，相差僅二十九分鐘，路程卻少了一半多；這段公路旅行之較鐵路爲艱難和不舒適，可以想見矣。

台東之遊，是我預定計劃中的第一個目標，使用時間是四小時零十五分。但到了這裏後，汽車穿越市中心所見的是冷清的街道，與逼人的驕陽，早已減低了我遊行市區的興趣，再想到坐十六次柴油快車，到達花蓮的時間太晚，而東線又須費數十元，乃棄快車，提前乘十四點的柴油車北上，這樣便可在日落時到達花蓮，又可令小孩們盡情飽覽沿路風光。決心既下，即到一家水果店一面吃西瓜，一面坐着休息等車。

休息中，我問悉這段公路的情形：高雄至潮州段最富庶，人車熙攘不絕，兩旁[illegible]；繼續前行至枋寮，都是柏油路面，車行甚穩，旅客甚感舒適。（三）

富君續夢

第十四回：

誰與嬰兒平　呼朋湊興
居然爭霸業　背主孤行

毛澤東說道：「蘇聯專家撤走了，還可以找朝鮮人回來，也不應該停工啊！」

周恩來說道：「現在找回一部份朝鮮日本的技師已經恢復生產，只是所有特貨經營，蘇聯專家是統籌規劃，我真怕將來會有問題。」

毛澤東問道：「你是不是怕他們又打主意破壞我國特貨的銷路？」

周恩來點頭道：「這只是其中之一，事實上我國特貨製造，銷售，每年生產數字皆掌握在各級蘇聯[illegible]，他們是熟悉我國特貨的路線及代銷路線，假如蘇聯把我們特貨銷售的路線及代銷路線[illegible]，特貨在國際市場就要受到大的打擊，非[illegible]。」

毛澤東點頭道：「這一點是可慮了，還有呢？」

周恩來苦笑道：「另外一點也是我們的隱憂，我怕蘇聯會不會把我國製造特貨的秘密公開出來，對我國的聲譽將是一項大的打擊，今後在國際進行[illegible]。」

毛澤東含笑道：「你的話並非沒有道理，不過，你也不必怕，就算他說得出，[illegible]。現在世界講的就是實力，誰有力量，[illegible]用聯合國判定我國是侵略者，說我們沾滿美國子弟的鮮血，可是西方國家[illegible]我們的錢有血腥氣，[illegible]來[illegible]王[illegible]南手上沾有美國人的鮮血，[illegible]界也不是秘密，就讓[illegible]，只要我們有錢，即使西方國家[illegible]他們也還是想盡千方百計來聯繫[illegible]。」

毛澤東接道：[illegible]劉少奇說道：「主席對當前[illegible]能作出別人不敢作的事。」

毛澤東[illegible]說道：「[illegible]黑就變了。封建主義者[illegible]看來，[illegible]完全不同。[illegible]火的[illegible]，因此落了一着，[illegible]關點，我不動手則已，[illegible]在地下爬不起來。」

周恩來笑道：「主席[illegible]」

大家聽了都笑起來，毛澤東[illegible]笑起來。

停了一時，毛澤東又問道：「恩來[illegible]，帶誰去呢？」

周恩來問道：「主席的意思呢？」

毛澤東用力抽了一口紙煙，噴了兩個煙圈，說道：「上次[illegible]同志任代表團長，小平同志任副團長，這次你任團長，[illegible]同志任副團長，至於團員必不要太多，就叫康生跟你去好了，他對那邊情形還熟悉。」（三四九）

八陣圖

周□諾

[illegible]

營中即八陣圖也。遺基猶存，[illegible]難識。又江水注云：「江水東逕諸葛亮圖壘，南有石磧平曠，望兼川陸，有亮所造八陣圖，東跨故壘，皆壘細石爲之。自壘西去，聚石八行，行間相去二丈，因曰八陣。」

考八陣圖乃古代用兵陣法之一也。[illegible]曰：宋神宗云：黃帝始制八陣[illegible]。諸葛亮造八陣於魚腹平沙之上，壘石爲八行，晉桓溫見之曰：「常山蛇勢也。」文武皆莫能識之，此即九軍陣法也。後至隋韓擒虎深明其法，以授其甥李靖，靖以時遇久亂，諸臣深曉其法者頗多，故造六花陣以變九軍之法，使世人不能曉之。大抵八陣即九軍；九軍者方陣也。六花陣即七軍，七軍者圓陣也。又王觀國學林云：「後漢竇憲傳，班固作燕然山銘曰：『勒以八陣，蒞以威神。』」故知八陣之法乃古傳之兵術，非武侯所創也。武侯蓋深得古法之八陣而發揚光大之耳。

揭開神秘之外衣，八陣即古代之平地防禦工事也。今日有各種火器陣地，只不過改易刀兵與槍砲武器之異耳！

編者附誌：鄧文儀先生之「冒險犯難記」續稿未到，暫停。

借荊州之謎

匡謬

[illegible]

即事吟

並引

許紹棣

[illegible]

長篇小說

美妹

羅雲家著

[illegible]

記張蒼水

湘南逸叟

[illegible]

遊橫斷公路漫記

羅綠

[illegible]

雲海爭奇

[illegible]

內僑警台報字第〇三二號內銷證

自由報

THE FREE NEWS

第四八七期

登記為第一類新聞紙類

（本報逢每星期三、六出版）

每份港幣壹角

台灣零售價新台幣弍元

社長：雷嘯岑

督印人：黃行書

社址：香港銅鑼灣高士威道二十號四樓

20 CAUSEWAY RD 3RD FL. HONG KONG

TEL. 771726　電報掛號：7191

承印者：四風印刷廠

地址：香港灣仔高士打道一二二號

台灣分社

台北市西寧南路壹壹壹號二樓

電話：三〇三四六

台郵撥儲金户九二五二

本報緊要啟事

本報原任台中記者杜冀芳，台南記者謝君顯，已於本年九月解聘。嗣後該員等在外一切言行，概與本報無涉。除向台省治安機關報備外，特此聲明，敬希各界人士注意。

論美英選舉與世界前途

鄭炳炎

美國總統選舉與英國下議院議員普選運動，正在密鑼緊鼓進行之中，很快就要揭曉了。世人對於這兩個大國的選舉結果如何，因其直接影響自由世界安危前途，多所關注，理有固然。可是，站在中國人的立場設想，無論他們誰勝誰負，皆屬無關宏旨的事，大可不必替今人担憂。兩國競選人揭櫫的政見，表面上好像各有距離，莫衷一是，實際都是詐取選票的一種法術，不足置信的。

先說美國

最近十餘年來，美國每屆總統選舉時，民主黨與共和黨的候選人，總是以對外政策為競選題材——尤其是注重於遠東問題，且以中國問題為焦點。過去民主黨政府因為對華政策之失敗，被政敵捏住痛脚，大肆攻擊，激起選民的同情共鳴，黯然垮台，度過了八年的在野生活。然共和黨擁戴艾森豪在白宮執政八年的結果，不特將競選時標榜的「解放政策」置諸腦後，無所容心，且使遠東地區的共禍更趨猖獗，自由世界的版圖日見縮小，自由人類的災害日益深重，如安南大部河山淪於共黨之手，中東若干自由國家直接間接為共黨所刦持，匈牙利人民之遭受俄共血洗慘狀，即其最著者。現在美國兩黨候選人對越南問題又爭論甚烈，民主黨政府的國務院長官魯斯克聲明美國絕對履行對東南亞自由國家的承諾；助理國務長官威廉斯亦昌言美國很關心波蘭和中歐、東歐的自由，又謂美國要努力防止受共黨威脅的國家喪失自由。這些都是為着詐取選票的花言巧語，欺選民以無知的空頭支票，世人如果相信他們的說法或有若干眞實性，那便是可欺以其方的天眞幼稚之輩。

美國兩黨候選人必以外交政策為競選題材，而避談內政問題，亦非偶然的。一因兩黨的對內政綱大同小異，沒有距離，二則國內安全繁榮，財富增殖如恒，別無可談者，充其量對於政府收購農產品這類小問題，偶爾提到而已。就是外交政策的爭論，亦係表面文章，美國眞正的外交方針，兩黨原屬一致的，即一切以符合美國利益為基準，甚末「解放政策」、「新疆界」，甚末「要努力防止受共黨威脅的國家喪失自由」云云，全係自欺欺人之談。然則所謂「美國利益」的眞諦，究竟是何內容呢？很簡單，美國一方面保持優勢的軍備，立於不敗之地，同時爭取國際市場為其大量生產品的推銷尾閭。美國決不需要侵佔別國的疆土，却須佔有海外的市場，而以美援為商戰的武器，美援所到之處，美國商品隨着充斥於其間，寖成壟斷之勢。明乎此，即知美國為甚末不惜對共產世界亦要自動給予軍經援助之所以然了。

次看英國

英國經過兩次世界大戰之後，由世界霸主地位，一降而為美國的伙伴，再降而淪於二等國力的景況，海外殖民地逐漸喪失，「大英帝國」的招牌，亦不能不改作「聯合王國」了。若不是仗着英美同文同種的深厚關係，美國在經濟上特別應援，在政治上多聽從英倫老大哥意見的話，英國今日的情況，恐怕尚不及日本呢！所以，美國如果被共黨逼急了，可能不惜一戰，英國却畏戰如虎，一聞戰色變，因為再有一次大戰，則聯合王國的構成單位，很可能只剩有英倫三島了，危乎殆哉！但英國為着要維護現存的海外領土，穩定所屬人民的向心力起見，必須保持世界強國的聲望，又不得不以打腫臉充胖子的作法，向美國乞取物力財力之資助，勒緊褲帶，大力從事於原核子武器之製造發展。英國進行原子彈製造工作，原是工黨艾德里當政時開始的，第一次派兵赴蘇彝士運河去鎮壓埃及反英運動，亦是艾德里政府幹的，現時工黨與保守黨對於應否單獨保有核武器問題的爭辯，完全是為的競選關係而然，旨在矇混選民觀感而已。世人如果認為保守黨執政，便會對共產極權侵略主義的威脅，採取強硬政策，而工黨則否，那就是愚昧之見。保持既得利益，跟美國密切合作，以擁有核武器強國資格，玩弄一般弱小國家，永遠與共產世界和平共存下去，不使英國陷於戰爭的危險境遇，這就是保守黨和工黨的共同政策，萬變不渝其宗。因此，在英國選舉運動中，競選人多致力於內政問題的闡述，如提高人民生活水準之類的說法，實係由衷之言。英國人民基於過去工黨的「國有化」社會主義建設的經驗，已厭聞「國有化」的理論，所以工黨人士這次競選時，很少唱出「國有化」這類調調兒了。

英國人對共產主義是極端反對的，就是那位主張不妨向共黨行仁政的哲學大師羅素，亦不例外，只因害怕戰爭的心理太甚，形成了歇斯底里狀態，乃發出驚人之奇談。目前印尼向英屬大馬聯邦侵襲，英國政府劍及屨及，派遣大軍東來馳援，好像不怕戰爭的神氣，實則瞭解印尼不堪一擊，纔敢作此示威行動，假使遇着的對手是中國大陸上的毛共，英國早已協同美國運用聯合國名義，進行妥協談判了。所以，英國這次普選結果，無論是保守黨何謨得勝也罷，工黨威爾遜得勝也罷，對於上述的英國基本國策，亦不會稍有改變的。

自由國家應有警覺

美英兩大強國的外交政策既如上述，一般被共黨威脅、侵略的弱小國家，如果始終幻想着美國將有從井救人，以實力制止共禍之來臨，即無異守株待兎，非大失望不可！在強權主義盛行時代，自己若沒有作為，而專門仰賴別人拔刀相助，寧有倖理嗎？自己有了相當的作法，那末，利用錯綜複雜的國際間各種矛盾關係，即可使強權主義者無法隔岸觀火，幸災樂禍。如越南的反共戰役，如其專靠美國主持其事，終必重蹈當年我國喪失大陸的覆轍無疑。最近南韓倡導東亞八國聯盟之說，未始不是一種自立自救之策，有人或許認為日本如置身事外，這種聯盟將不會產生多大作用。殊不知日本的經濟生活很繁榮了，它仗着美國的軍力保障，覺得可以大享安全繁榮之樂，決不願多事的。唯有直接間受共禍威脅的國家，一致努力奮鬥，對美國表示自力更生，有所不為的態度與行動，或者可以轉移現時的美國姑息、妥協作風。如美、毛在華沙之協談，幾年的美國政府即有理由要求趕快宣告停止，美國當局不必煩勞越俎代庖，私談台灣問題，這是中華民國人切身利害之事，中華民國政府總有權處理，若要談，咱們自己進行好了！

得而無用

吹肥皂泡

今日與明日

世運會的前途

世界運動大會已在日本首都揭幕了。但印尼與北韓這兩個受共黨刦持、操縱的單位，臨時宣告退出，使世運事業沾上了濃厚的政治色彩，可哂可歎！

追究根源，主持奧令比克總會的布倫達治一羣人，固不能辭其咎也。自從數年前在羅馬舉行世運會開始胡鬧甚末「中華民國隊」與「台灣隊」問題以來，繼有上屆在印尼舉行大會時，故意不邀請中華民國隊參加，而布倫達治一羣人始終不作正義公道的處理，且對印尼違犯世運規章的非法行為，熟視不以為意，直至現在，還鬧着中國隊的「正名」爭執。物必先腐而後蟲生，上樑不正下樑歪，如今印尼、北韓之搗亂，由來漸矣。

體育集團亦變成了政治性的鬥爭對象，誰能相信這世界眞有永久和平之可言呢？結果是世運會組織亦如聯合國一樣，勢必鬧至打狗散場而後已。

菲島的治安問題

黎巴嫩的一個商人，懷着黃金數十條在馬尼拉旅次，被幾個身穿警察制服的人搶刦了。當地官方正在偵緝搶犯之中，這樁事可能不了了之。

前夏記者客游馬尼拉之際，當地僑胞教我購置兩襲菲人所穿的花式夏威夷衫，作為出門行走時的服裝，切忌打領帶，穿正式西服在市街出入，因為這樣便係外來旅客的標誌，即有被歹徒覬覦搶刦的危險呵！

一個首都所在地的治安情形如此，實屬難以想像。可是，菲律賓的法律政治，多半指在美國朋友指導之下創制的，純係美式民主生活，犯罪人很有逍遙法外之餘地。這有如剛告解放後的纏足婦女，要她穿上高跟鞋跳舞，其不蹶躓者幾希！

即小喻大，可知民主憲政不是一蹴可以幾及的，無奈美國人不懂這種道理，由今之道，不變今之法，菲島的治安前途，可慮之至。

中立國家的鬧劇

在開羅舉行的所謂「不結盟國家高峯會議」，對於解放殖民地運動，分成兩派主張：有的要求各國通過軍事行動，以援助尙在外國統治下的殖民地獨立鬥爭；有的只贊成作政治經濟的支援。前者以印尼蘇卡諾為首倡，後者以南斯拉夫狄托為中堅，實則他們都是站在自身的利害觀點上說話。

蘇卡諾由於印尼內部之困苦不安，企圖向外搗亂，藉消內變；狄托他嘗了左右逢源的甜頭，希望揹着中立招牌，貪得美俄雙方的軍經援助以坐大。這兩派意見只好併存之，將來各行其是，唯利是圖，中立主義的本質，固如是也。

自由談

談「香港醜聞」

馬王先生

所謂「中國小姐」之一的李秀英，近在美國一個小城市的三等賭場中，充當脫衣舞女郎，且被洋人譏為「香港醜聞」（Hong Kong Scandal）！

我看到這項消息之後，首先就替香港的市民鳴不平，因為住在香港的數百萬中國人，並未選舉過「李女郎」到外國去競選什麼世界小姐，既未期待她「為港增光」，或為海關的僑胞從事「國民外交」，也就不願意蒙此「為港增污」的不白之冤也！其次是要替國內外若干同胞慷慨解囊，醵資贊助她的旅費與學費，希望她在海外求學上進，蔚成國家有用之才的一片熱情大感沮喪，眞是把金錢投入了鼠洞，未免暴殄天物了！

對於選舉「中國小姐」這玩藝，我跟台灣大學政治系一位教授的觀感相同，既不反對，亦無甚讚許。一個已屆成年的女孩子，她有從事社交活動之自由權能，競選「中國小姐」並非壞事，她願意參加，別人是管不着的。可是，戴着「中國小姐」頭銜去到國外，其言其行如有損害國家民族之處，那就不能默爾而息。我是國家民族的一份子，她在異域為國家丟醜，為民族失格，自非予以口誅筆伐不可。尤其是被外國的賭徒看作玩物，而又錫以「香港醜聞」——實際就是「中國醜聞」——這種惡名，實為中國人的奇恥大辱，是可忍乎？

我對此事有兩點建議：一是希望政府吊銷她的護照，藉以滌蕩國恥，讓她潛着無國籍的流浪人身份，在外國隨便胡來好了。二是希望今後熱心搞「中國小姐」選舉的先生們，於品評競選人的容貌身材是否合乎標準之外，對於每個競選人的身世及其教育水準，須作詳細調查分析，以免以貌取人，即難免得不償失之虞，李秀英便是例證，優生學的義理是很合乎科學的。

上了台使不理會競選諾言 台北市議會猛轟高玉樹

高玉樹強調建設下水道之重要性 但依計劃需時二十七年始能完成

——台北市議會總質詢之一

（本報台北記者張健生航訊）台北市議員在這次市議會第六屆第二次大會的市政總質詢時，指責市長高玉樹對競選政見沒有實現的計劃與步驟。因此，記者就這個問題，把他的施政總報告與政見，分別列舉出來，使台北市民瞭解眞象，由公衆加以評判。

高玉樹在今年四月間競選台北市長發表政見時說：「積極催繳官營公司巨額舊欠稅，爭回原屬地方財源年達億萬稅收及經徵費，加強監督稽稅工作，力求課稅公平，杜絕弊端。」云云。

但是，高市長就任後首次出席議會的「施政總報告」，對財稅問題，竟隻字未提，甚至連任何計劃都沒有。因此市議員尹毅質詢：「請問市長，目前那些官營公司欠稅？欠些什麼稅？欠多少稅？如何計劃催繳？已催繳了若干？」

所謂「杜絕弊端」，相反的，弊端卻層出不窮。

如台灣省商聯會彈棉小組套購原棉，自五十一年到五十二年，計有七百八十七筆，總價格合新台幣一億三千九百七十九萬九千九百六十七元三角，案經城中區分處查獲，移送稅捐處第六分處理，後又移送延平分處而擱置。為什麼擱置？無他，「紅包」作祟而已！

其次是延平區「一經建公司」，出售油毛毯，而漏開統一發票新台幣四十萬元，與二十萬元。該案已構成違反稅法規定；後因該公司與稅捐機關勾結，並由台北市某民意機關首長關說，使該逃稅案不了了之。

前述兩案，已由立法委員提出質詢。但據台北稅捐處饒處長說：這兩案絕非事實，且已自請財政廳徹查。

所謂「力求課稅公平」，是說明一切：這次台北市政府地價評議錯誤百出，例如：台北市民權路四十米道路大路邊每坪公告三千五百元，而裏面巷子內的土地，每坪公告四千五百元。如第七號公園，市府有人買賣，每坪千餘元。這次公告地價，每坪只有四百元。新生北路中莊段有些低窪的水田，每坪公告二千二百元，而上邊的建築用地，也是同樣的價格。（詳王松琳議員質詢）台北市十萬五千多筆的土地，在兩個小時內全部評定完畢，平均一秒鐘要評議二十筆。因此才發生不公平的事例。

假如根據高市長在市議會答覆質詢時說：「凡是事務性的問題，應由承辦的單位主管答覆；而市長只負答覆政策性的問題」。依此推論，則「力求課稅公平，杜絕弊端」的事務，高市長不負責答覆，而市議員又不滿意承辦單位主管的答覆。這樣一來，高市長的政見，豈不是永無實現機會的「謊言」嗎？

高市長在議會報告施政方針，說：「像台北這樣的特殊都市，重點建設尤有必要。我認為本市目前所迫切需要的是整飭環境衛生。要求本市環境衛生的徹底改善，決不可能僅憑現在的水肥處理委員會和清潔大隊兩個單位所能辦到，最主要的是要迅速完成下水道系統，建築汙水處理場，整建散佈全市每一角落的無數違章建築。」這是實現其政見的構想與藍圖。

但是，台北市下水道的建設，依據所公衛的計劃，計工程費十三億一千七百六十萬元，需時二十七年，才能完成，台北市政府每年編列五千萬元的預算；依此，則台北市的環境衛生，要等到二十七年後，才能「徹底改善」。換句話說，高玉樹的政見，在四年任期內，只能完成七分之一。就是地方自治法規修改後，高氏得無限期的做台北市長，在他有生之年，是不是能夠實現其政見？他自己恐怕也無法回答。因爲他今年已五十二歲了，加上二十七年，豈不是要活到七十九歲嗎？萬一上帝不假以壽年，怎能辦？

記者敘述這幾件事實，旨在說明「天方夜譚」的政見，莫非是政客的傑作，他以把選民玩弄於股掌之上而自爲得意。

高玉樹究憑甚麼法規不答覆事務性詢問？

——台北市議會總質詢之二

本報台北記者張健生

台灣省自實施地方自治以來，各級政府首長列席議會答覆議員的質詢，法令有明文規定，是一個不應成為問題的。然而，出人意外的事終於發生了！一向以「民主鬥士」的姿態，並且經常批評執政黨籍的官員，說人家不尊重議會，不守法的高玉樹，公然在台北市議會拒絕答覆所謂「事務性的質詢」；因此，他替本省自治史上留下新的歷史紀錄。

由於此間關心這件事的在野黨人士，都曾問過記者，因為我與高市長在過去有一段淵緣，大家又知道我的為人，有什麼說什麼，對事不對人，因此，記者撰寫這篇報導，一方面規勸友人如高市長者，應該為民主政治樹立良好的規範，一方面亦藉此作為答覆來信詢問的那些友人。

閒話少說，言歸正傳。

九月二十六日下午，台北市議會舉行第六屆第二次大會第七次會議，議程是總質詢。當時，高市長答覆議員李福長的質詢，李議員認為高市長的答覆，不能使他滿意，乃補充質詢，說：七年前，台北市拓寬南京東路時，收購部份民地，但到現在，三橋段八百九十坪的土地，尚未償還還建費，到底什麼時候才能償還？七年前的地價，每坪八九八九，現在已漲到一萬五千元一坪，到底是以何等價格償還？

另一位議員詢問：拖欠七年之久的還建費，以後償還，是否要把利息計算在內？

高玉樹答覆這兩位議員質詢時說：這種屬於事務性的問題，只能由承辦單位主管答覆。市長不答覆非政策性的問題。於是，市議員黃信介等十七人，乃羣起而攻之。並要高玉樹說明答覆與質詢的範圍。

民主國家的議會議員，是人民的代表，負表達民意監督政府之職責，對政府各項設施，不但批評，而且是知無不言，言無不盡，政府官員從未以「事務性的問題」而拒絕答覆，反之更藉答覆議員質詢的機會，宣佈政府實施某一項新的施政方針，使國人知道。

就本省而言，議會議員的質詢權，是根據法與台灣省各縣市實施地方自治綱要，暨各縣市議會組織規程所賦予的職權之一。各級政府首長列席議會報告施政及答覆質詢，既是義務，又是權利。這是民主政治的常識問題，婦孺皆知。

地方自治綱要第十七條：「縣市議會開會時，縣市長有向縣市議會提出施政報告之責，縣市議員有向縣市長質詢之權。」

各縣市議會組織規程第二十六條第一項：「縣市議會定期開會時，縣市長應提出施政報告，並受縣市議員之質詢。」

台北市議會議事規則第三十五條第三項：「市長應於本會開會時列會，對施政報告作口頭說明。」第三十六條：「議員對市長之施政報告，及其所屬各單位主管人員暨其他有關負責人之業務（記者按：請注意「業務」二字）報告有疑問時，得提出口頭或書面質詢。」

所謂「得」提出質詢」的「得」字，乃屬於議員的權利。在什麼情況下，市政府各單位主管可以拒絕答覆呢？除「議員質詢如近於攻訐汚辱被質詢人」外，其他的質詢，市長是無權拒絕答覆的，彰彰明甚。

假如說，議員同情高市長剛就任三個多月，對市政府各單位的業務，尚未全般瞭解，祇能由承辦主管人員答覆；這是基於「同情」，否則，高市長就是眞的不瞭解，也要答覆的。因為沒有理由和沒有法令依據而可以拒絕答覆的。

有人認為高玉樹的聰明與才智，比人高一着，他拒絕答覆是在玩弄手腕而已！可能確是這樣。他甚至也有恃而不恐，因為三五個俱樂部的議員會解圍的。他更懂得什麼叫做政治藝術。不過，他的「才華」，使用的地方未免不太適當了。

台灣論壇

老百姓敢誣告刑警？

張笙

最近台灣在不到一個月的時間裏，發生了三件老百姓控訴台灣警察「修理」的案件，而事後又爲警察官署否認。這就是說老百姓誣告了刑警；而不是警察官署包庇部下，反抗刑求禁令。這關係整個社會的「瀟風」問題，忽視不得。

第一件發生在九月八日，鐘錶修理匠陳天能在高雄縣記者公會招待記者，指控屏東縣刑警隊刑訊逼供。九月九日，屏東縣刑警隊隊長趙鎮亦招待記者，對陳天能的指控刑求逼供，謂係誣栽。

第二件發生在九月十四日，屏東縣政府兵役科科員王維江，在高雄縣議會大會堂招待記者，指控屏東縣警分局刑事組王局員等多人「修理」他。王維江招待記者之後，屏東縣警察局屏東分局副分局長吳玉清，亦趕往高雄縣記者公會招待記者說：王維江科員是慣對人家鬧事的人，很多人都知道。吳分局長並說：沒有人打他，也沒有人踢他，完全是他亂說，想報復警察而已。至王維江身上的傷痕，吳分局長說：是王維江在鬧事前一天和他老婆打架所傷的。

第三件發生在九月廿七日，公路局高雄站司機張寶貴，於上午十時赴高雄市議會，跪在地下，大呼冤枉，指控刑警教唆流氓把他毆打成傷，繼請市議員們主持正義，爲他伸冤。此時正列席議會的兩位警察人員，半拖半勸的把他請了出去，送到二分局所轄的大勇派出所處理。迨十一時，市警察長潘玉甸到議會說：「根本沒有此事，張寶貴說的根本不可相信。」九月廿九日，高雄市警察局發表聲明，指說張寶貴的傷，是在旁觀的市民，「後面衝出兩人，不分青紅皂白，將張林打了一頓」。市警局說：「刑警未離現場，怎能叫人去打他？故張寶貴的指控與事實不符。」

這三件案子，自九月八日至九月二十七日，前後祇有十九天。同時這三案中有一共同的特點：人民指控刑警「修理」後，皆有警察官署「公然出面」否認，並反控人民「誣告」。出面否認的人，都是警界各級官員，有刑警隊長，縣分局副局長，市警局局長，故警界的否認與「反控」，是以代表各該官署的行爲。

第一案業經監察院及警務處調查，認爲屏東刑警隊確有刑訊重大嫌疑，已分別提出糾舉案及停職法辦有關人員。這說明陳天能不是誣控，相反的，是屏東刑警隊隊長誣栽陳天能誣告。

第二案王維江已向法院提出自訴，爲免妨害獨立審判，我們暫不予討論。

第三案案子不了了之。果是張寶貴的公然誹謗官署（高市警局）及公務員（刑警）張寶貴可以豁免刑責，不予應得之懲處。反之，如果確是刑警教唆流氓毆打張寶貴，刑警可不受教唆傷害罪的處罰，高市警察局長亦可不負誣控張寶貴誣告罪及妨害名譽罪。這豈不是成了犯法不罰的「法治」社會？

就常理上說：人民爲什麼要誣控刑警？敢不敢誣控刑警？這是值得推敲研究的。刑警與警察不同，警察有一定的管區，在他的管區內，因與人民接觸多而深，彼此發生隔閡誤會以至恩怨，或許難免；刑警根本不與人民接近，彼此無冤無仇，人民爲什麼要誣告刑警？再說警察也好，刑警也好，他是治者，是管理老百姓的；老百姓是被治者，被管者，天下那有被治者「無故」誣陷治者之理？這豈不是自尋麻煩，在太歲頭上動土嗎？雖然，「負責」的警察，極易遭致務民物議怨恨；但我們又可以肯定，眞正的務民又怎敢公然誣告警察？尤其上舉的三案人民，都是有正當職業，從無犯案前科的良民，他會與警察「無故」「鬥法」嗎？

人民誣控警察「刑訊」或無故「修理」是犯法的。刑法第一二五條第一、二欵規定：濫用職權爲逮捕羈押，或意圖取供而施强暴脅迫者，處一年以上七年以下有期徒刑。又刑法第二十九條：教唆他人犯罪者，依其所教唆之罪處罰之。第二百七十七條規定：「傷害人之身體或健康者，處三年以下有期徒刑，拘役或一千元以下罰金。」可知無論第一案及第二案之刑訊，或第三案之教唆傷害，目的都在使「警察受刑事或懲戒處分」，應構成刑法第一六九條之「誣告罪」。警察認爲人民誣告，應依「刑事訴訟法」第二十一條，二一九條，二二〇條之規定，提出告訴，何必勞動警察主管長官，招待記者，發表聲明呢？

警察主管長官招待記者，發表談話否認人民控告，指爲「誣告」，顯欲使人民陷於刑法第一六九條第二項誣告罪，及刑法第三一四條之誹謗罪。如果人民所控確爲「誣告」，罪有應得，自無異議。（上）

省教師福利會爛帳 監院決定派人徹查

（本報記者台北航訊）監察院對本報於今年八月間，接連刊載一篇「掀開台灣省教師福利會偷天換日的爛帳」的通訊，極爲重視。監院地方巡迴監察小組委員鄭邁林，丁俊生等在巡察台省政府時，曾把刊載該通訊的剪報一份面交教育廳長潘振球，要潘廳長逐項答覆。

此外，監察院已決定另派監委調查，務使該案有關人員獲得應有之處分。

據說：省主席黃杰，聞悉監察院調查此案，曾下令將省教師福利會的所有帳冊查封，並派人徹查。

天真與愚昧

李敦復

其後雖以美國之力爭，蘇俄始同意作一小的讓步，即同意任何一國無權否決或阻止安理會向大會提出的討論，而對於其他的否決堅持如故。會議閉幕後，識者早已感覺聯合國不可能成為「強制實現和平」之機構，這是美國轉向現實主義的對外政策所遭遇的第一回挫折。

其後，一九四五年二月十一日，在雅爾達與英、蘇二國會議所為的協定，更是側重現實，除在東歐對蘇俄作了不少的讓步外，為着爭取蘇俄之對日作戰，在未經中國同意，擅為中國許下對蘇俄在東北及外蒙的重大讓與，致釀成戰後蘇俄對東北的侵略與資助中共，使蘇俄接替了日本而獨佔該地。密約包括旅順港恢復一九〇四年日俄戰前地位而成為蘇俄軍港，大連闢為自由港，同時一半港口設備為蘇俄所有，並共管東北各公路，准許蘇俄軍隊在大戰結束時進入東北，根據這些密約的條文，蘇俄在東北實已獲得事實上的統治權。在雅爾達會議中，羅、邱答應史達林，保證對中國施以壓力，迫其無條件同意這些密約條文之實施。在日軍投降前八天，蘇俄參戰，當然不會遭遇什麼抵抗，很快就控制了東北，蘇俄軍隊即刻佔據主要城市及交通綫，接受日本軍隊徵呈的軍用物資，然後資助中共，同時拆遷可以遷走屬於中國價值二十億元的工業設備，不能拆走的，也隨意焚燬。蘇俄為何要如此作法？這事實非常令我們注視，原來蘇俄根本不會想到美國會如此姑息、餵養他們，非常明顯的，當時史達林尚不信美國會出賣中國。這事的影響是：中國在東北的主權在開羅會議中已經公認，在以後一連串世界會議中，也為各國一再確認，可是在雅爾達會議中，羅斯福，邱吉爾却秘密地以東北向史達林讓步，作為蘇俄對日參戰的條件！但，不論羅斯福，邱吉爾當時在德黑蘭會議和雅爾達會議協商中，不論戰局發展到如何程度，美國出賣了他的盟國——中國，侵犯中國的主權，美國在道德上的欠缺，實在不能逃避那責任，這是毫無疑義的！

這事的發展，直到會議的幾個月後，當前美國駐中國大使赫爾利氏通知中國，中國才獲悉是項密約。但，事實上，美國在遠東犯了戰略上最大的錯誤，就是美國堅持要求蘇俄對日參戰！因為一九四五年的春季，美國已經知道日本準備退出戰爭，但竟「視而不見」，讓蘇俄參戰僅四天，日本就受到原子彈毀滅，而終于「無條件投降」，蘇俄坐享其成！這正如一盤香味四溢的排骨，史達林可以舒適地坐下來分享其中的一部份。因此，蘇俄進攻東北，僅遭遇到日軍象徵性的抵抗而已！這說明了雅爾達協定之簽訂，主要不僅是美國聯合參謀部犯了戰略上的錯誤，羅斯福的健康不繼，而這一錯誤是政治性的，過於「急功近利」，側重現實，而忽視了政策的久遠！

三、美國歷史塗上了黑點

這兩次對世界組織與遠東大局，因側重現實而種下的惡因，遂使美國以後欲回復其依據理想的對外政策而大感困難，或竟有所不能！因此，其後一連串有關美國對華政策，由於中國赤禍的泛濫，整個局勢的惡化，美國政府于一九四九年八月發了史無前例的「白皮書」，那即是以杜魯門總統的國務卿艾契遜名義所發表的「美國與中國的邦交」，在那本報告書中，用意是非常明顯，就是美國要將百年來傳統的友好忠實邦交，作「一筆勾銷」！其內容的特點：就是美國認為中國政府已經失敗，被逐出了中國大陸，同時與美國前後聲明的政策，均無矛盾的地方，亦無需負任何責任。（三）

台灣東部遊記

羅雲家

，大概是這一段有鐵路可通，公路局為了與鐵路局競爭乘客，所以道路保養及有關設備均列為優先。枋寮至台東鎮郊，這一段則全是沙石路，保養又欠佳，當車子以快速（亦不過每小時卅哩以上而已）前進時，人被顛得蹦蹦跳，不僅是臀部遭殃，而且使腦神經吃不消。公路局如果擁護「積極開發東部」的當前政策，同時確認「便利乘客」為服務之第一要務的話，似乎宜特別對這「獨家生意」的枋寮——台東段道路加以優先建整。如此，不僅是旅客之福，也是東部人民之福呢！高明的公路界先生們，以為然否？

台東至花蓮，全程一七四點三公里，雖有公路可通，但因路太難行，路面又壞，故主要的客貨運輸依賴鐵路以外，公路僅有區間客貨運輸。此外，近年國內航空業務日見發達，復興，中華兩公司，都開闢了環島班機，台東至花蓮，至高雄，亦每日有一兩班飛機來回，它們對東部的交通，當然增加了不少便利。東部的鐵路建築已有相當時日，雖尚不能與縱貫鐵路的日趨完善相媲美，但在台鐵的慘淡經營，努力改進的前提下，沿途所見亦還差強人意。每日自台東開往花蓮的班車，計有三班柴油車，三班柴快車，兩班柴特快，其他各地的區間車，則多至十二班。自台東及其沿綫北上的旅客，可說是十分方便的。班車準時到站，不誤點，以及客運的機車全是柴油動力，淘汰了燒煤的機車（台北——基隆間的慢車，仍有用燒煤的機車者），這是東花鐵路的特點。

我們坐的那班柴油車，一共三節車廂，乘客不多不少，到一站，有下有上，車中人數，始終保持正常狀態，使人有舒適、平穩的感覺。車中有一位服務生，倒茶，兜售糖菓、香烟、書報及獎券，態度誠懇、親切、有禮，較之西綫車上的若干蠻不在乎的車僮，予人對台鐵餐旅服務所人員的觀感一新。

鐵路是沿離太平洋岸自數公里至十左公里右不等的一條走廊建築，兩旁早經開發，稻田雖少，但多種雜糧及水果作物充滿眼前，尤其是鳳梨，種植最為普遍，孩子們邊走邊數它，一直到關山，他倆的這種興趣才停止。然而大部份的山地，水利條件差的平地，無人開墾的荒地仍是到處可見。政府積極開發東部的號召，由於若干條件的不能配合，一般人似乎極少興趣；有些去開發的人，一看情形不佳，倒頭走了回來；有些則在那裏費了許多心力，流了不少臭汗，結果投了資本下去，撈不回老本，因而也相繼離去。因此使得偌大的東部地區，仍閙着地廣人稀，荒地如故的老毛病。這似乎是有關當局值得好好檢討的重大課題。（四）

我所知道的麥帥

肯寧將軍原著　徐熙光翻譯

我陪同麥帥沿着密蘇里戰艦的甲板登上驅逐艦駛回橫濱。蘇德蘭則留下與日本人繼續磋商有關事項，因為加拿大代表簽字時簽錯了地方。正在此時，從南邊飛來了一大隊飛機，數目之多，幾乎遮掩了日光，這種美國空軍的強大實力告訴了日本人，他們及時投降乃是明智之舉。機隊以一千架B廿九超級空中堡壘為首，這些飛機每一架都能携帶十噸致命的黃色炸藥炸彈，接着的是近一千架的海軍戰鬥機和轟炸機，這個壯觀的大編隊飛過我們的頭頂，隆隆機聲震耳欲聾，它們在富士山後消失，這是令人難以置信的實力，但却是活生生的呈現在人們的眼前。

十、佔領日本

麥帥的新任務對他來講，是一種新的考驗。第一次世界大戰時他已經官拜准將，大家譽他為勇敢的前綫將軍。他深知應如何做一名指揮官，他的部隊敬仰他，也都對他有信心，他更是無時無刻不照拂他們。所以他是個生來就有基本領袖才能的人。

在他當西點軍校校長和陸軍參謀長時，即已表現了他的精幹辦事才能和治事的典範。他所釐定的政策，和在國會的雄辯滔滔，使得陸軍的軍力蒸蒸日上，也使得陸軍的經費沒有被削減到無可做為的地步。他不但有洞燭機先的本領，知道二次世界勢在難免，而且想到了在未來的戰爭中，空軍和機械化部隊必將佔極重要的地位。他把陸軍改組成現代化的部隊，使其增加機動力，能在敵人一發動戰爭時，立刻投入戰場。他處處顯示出具有組織和運用和平時期陸軍的能力，陸軍對他有信心，他也時時在為陸軍的改進而努力。他是一個道道地地的領袖人才，不過加上他這幾年的磨鍊，處事經驗和成就，他已經比一九一八年在法國當一名領導人物時，顯得更成熟和偉大。

第二次大戰使麥帥的領導才能發揮極致。他在日本開始攻佔非律賓時，以極少的兵力和極為有限的物資，竟能苦撐達幾月之久，日本在發動攻擊以前，原來估計不出一個月就能佔領非律賓的所有大小島嶼。麥帥的部隊從一九四一年十二月到翌年五月六日，盡了最大的力量，苦守非律賓各島，這使得日本無法實現其原訂切斷我們撤往澳洲的退路的計劃。如果日本的這個計劃得逞，勢將無珊瑚海之戰，摩里斯比港也早已陷落，日本將輕而易舉地達成他們下一個計劃，入侵澳洲本土。

麥帥在非律賓艱苦防守的另一效果是得到了非律賓人的一致呼應和擁戴。他們感覺到美國是他們真正的祖國，我們將不會放棄我們自己的子民，所以當麥帥說他將回來時，他們都相信他。結果，在整個戰爭期間，非律賓人的游擊行動幾乎遍佈了非律賓的所有島嶼，他們的組織都非常嚴密，有時予日軍以致命的打擊。麥帥與各游擊隊的領袖都保持着密切的聯繫，他不僅運送補給品給他們，對他們下達指示，而且經常利用機會鼓舞他們，給他們打氣。今天他被非律賓人奉為國家的英雄，實在不是一件偶然的事。

他在新幾內亞的多次征戰，攻取阿德米拉提群島之戰和收復非律賓之戰等歷次著名戰役中，他的戰略，善用機會、勇敢和時間的運用，將永遠為後世軍校的學生奉為圭臬。美國一直到一九四七年才設立陸、海、空軍各自獨立的國防部，可是麥帥早在西南太平洋戰爭時，即已採用了這種組織。他運用統御的卓越才能，指揮三軍的聯合行動，因此他能夠以寡敵眾，贏得西南太平洋的戰爭。第二次世界大戰使得麥帥成為曠古未有的「最偉大軍事天才。」（五二）

虛君續夢

第十四回：誰與慶昇平　呼朋湊興　居然爭霸業　背主孤行

周恩來連聲應是。

劉少奇說道：「上次我去開會，主席曾經派李井泉同志跟我去，意思是叫地方負責同志也去見見世面，歷練歷練，這次要不要也派一位去。」

毛澤東說道：「既然這樣，着陶鑄跟去好了。」

代表團人選決定之後，又加上在莫斯科當「大使」的劉曉，共計五人，於十月十五日從北平起飛，到了莫斯科機場，赫魯曉夫帶着柯茲洛夫、布列日涅夫、米高揚、柯西金等人來接，周恩來未到莫斯科已經三年，看看市面仍然未有改變，赫魯曉夫戴着皮帽，穿着厚皮大衣，搶在前邊來握手，拉着周恩來的手說道：「周同志，你怎麼越來越年輕，比我那次看見你更為漂亮了。」

周恩來笑道：「你也發福了，紅光滿面。」

赫魯曉夫搖着肥頭說道：「那裏是紅光，被西北風吹的凍紅了是真，我們在機場已經鵠候了半個鐘頭，不曉得何以誤了時間，我還恐怕會出事呢？」

周恩來笑道：「怎麼會出事，在兄弟國家旅行，再出了事還得了。」

赫魯曉夫笑道：「話雖然這樣說，有的人却抵死不敢到蘇聯來，怕我謀害他，你以為我會謀害人嗎？」

周恩來連聲說道：「沒有的事，蘇聯怎會謀害人，也沒有人會這樣想法。」

赫魯曉夫笑道：「你是沒有這種想法，別人就不見得了。」

周恩來不敢再開口。走出飛機場就去了列寧山上的蘇聯賓館，越南的范文同，印尼的艾地都已經到了，赫魯曉夫略為周旋幾句，率領一羣人回去克里姆林宮。

周恩來開始在賓館拜客，先去拜會范文同，問道：「文同同志，你來的早些，聽到什麼消息沒有？」

范文同搖頭道：「沒聽到什麼，這是蘇共大會，所討論的問題當然限於蘇共黨內，與兄弟黨應該沒有什麼關係。」

周恩來說道：「萬一牽扯到兄弟黨的內爭上去，你們的黨將採取什麼態度。」

范文同搖頭道：「這點我們事先未想到，所以也未作出決定，不過依我想大概不致於。」

周恩來得不到要領，又去拜會艾地，問道：「艾地同志，你對莫斯科情況比較熟悉，聽到什麼消息沒有？」

艾地說道：「沒有什麼消息，赫老真的有意清洗黨內某一部份同志，還會邀請我們這麼多的人來觀禮嗎？你放心吧！一定風平浪靜的。」

周恩來說道：「我不是這個意思，我是說赫老會不會乘機抨擊某一個兄弟黨。」

艾地遲疑一下說道：「你是指的阿爾巴尼亞了。」

周恩來點點頭。

艾地說道：「真的奇怪，阿爾巴尼亞代表團也沒有來，大概是未曾接到邀請。此事有點麻煩，總理同志何不着劉曉同志去打聽打聽。」

周恩來說道：「萬一鬧出這種事，又怎麼辦！」

艾地說道：「這點我還沒有想到，一時作不出決定。」（三五〇）

哀梨室戲談

一枝獨秀喜春來

劉豁公

遠在滿清的同治年間，正是十里洋場號稱世界四大都會之一的上海，萬商雲集，欣欣向榮的期間！也是舞榭歌臺漫衍魚龍的時候。手執海上梨園牛耳者，其人曰楊月樓！本名久昌，字伯衡，月樓是他的藝名。他是安徽懷甯縣石牌鎮人，爲清道光時伶界三傑之一張二奎唯一得意之高徒；老生武生「兩門抱」，對于應具之「唱腔」、「做派」、「武功」，「把子」，莫不研京練都，登峯造極！老生戲如「打金枝」，「取洛陽」，「雙槐樹」，「五雷陣」等，演來聲容笑貌，一一劇中人化！而其「唱腔」之美妙，與夫「作工」之週到，直欲比美號稱伶聖之長庚，駕乃師二奎而上之！武生戲如「昊天關」，「賈家樓」，「連環套」，「惡虎村」，「請宋靈」，「風波亭」等，每一齣戲，必有若干獨具之優點。非他人所能企及！特別是飾「長坂坡」之趙雲，美如冠玉，勇比孟賁，令人想見當年英姿颯爽之順平侯，揮戈殺敵，十盪十決之聲勢！時人因以活趙雲稱之！

又善演「猴戲」（即是「西遊記」中，美猴王孫悟空之戲也。）之「芭蕉扇」，「猴盜牌」，「火雲洞」，「水洞簾」，「五花洞」，「金錢豹」，「蟠桃會」等劇；他有一套連褲帶襪之猴衣，穿在身上，宛如一個特大的馬猴！並能手攀樹枝，以兩足自搔頸癢，氽跳蹦蹤，直與眞猴無異！特別是在演「安天會」時，出臺連翻一百零八個「觔斗」，只在一塊很小的地方翻來復去，始終不離原位，眞可以說是「絕活」！以此清西太后（即慈禧太后，因與慈安太后，分居東西二宮，故人稱慈安爲東太后，慈禧爲西太后。）當呼之以楊猴子而不名；其爲西后激賞之程度可想而知。

未幾應聘赴申，排日登場，無不人滿爲患！緣是杭人袁翔甫（祖志）之「滬上竹枝詞」有云：『自有京班百不如，「崑」「徽」「雜劇」盡刪除；門前招帖人爭看，十本新排「五彩輿」。』『金桂何如丹桂優，（金桂丹桂皆戲園名）佳人個個懶勾留；一般京調非偏愛，祗爲貪看楊月樓。』這很明顯的，前一首係指某園排演之新劇；後一首即是讚歎楊月樓的。

也就因爲是這樣，遂使楊老板顧盼自雄，不可一世，而一般的伶倫，亦皆敬而畏之！可是李春來不在此例，事實是這樣的：

原來李名茂林字起山，是北平高碑店人，出身於豐台之「喜春台科班」，移植到上海去的。（一）

後出師表

周燕謀

諸葛亮出師表，文辭精練，而忠義之氣，愛國之忱溢於言表，「文情並茂」實當之無愧。舊有「讀出師表而不哭，非忠也！」之說，可見其感人之深。蘇東坡云：「出師二表，簡而且盡，直而不肆，非秦漢而下以事君爲悅者所能至。」陸放翁有詩云：「出師一表眞名世，千載誰堪伯仲間」。其讚譽敬慕蓋至於極致。

出師表有二：一爲後主建興五年，（西元二二七）率軍北駐漢中，臨發所上之表，世稱「前出師表」；一爲建興六年十一月再度出師時所上，世稱「後出師表」。後出師表，早有人疑其爲僞作。

一、陳壽三國志，對於諸葛言教集資頗豐，搜羅殆遍，特予纂成專集，與荀勗、和嶠等奏請晉帝刊行於世。前出師表載其內，後出師表則缺如。注謂出於張儼默記，其眞實性可疑者一也。

二、表文中固多肝胆忠烈之語，如「漢賊不兩立，王業不偏安」，「鞠躬盡瘁，死而後已」等，皆爲傳誦千古之佳句。但就全篇辭意而觀，雖然慷慨激昂，亦有諸多洩氣之語，如「然不伐賊，王業亦亡；惟坐而待亡，孰與伐之？」最後更是顯然表示沒有必勝之信念，如云：「至於成敗利鈍，非臣之明所能逆料也。」出師之前，作此失敗論調的表章，非情理之常。諸葛亮前出師表曰：「興復漢室，還於舊都；不效則治臣之罪。」何其壯也！而後出師表則曰「成敗利鈍，非臣所能逆覩。」此又何其衰也！按當時情勢，雖有街亭之失，然猶拔西縣千餘家以歸蜀，山河天險如故；後主任賢勿二，非亡國之君。亮再舉，又斬王雙，殺張，司馬懿畏之如虎；大勢所在，非無成功之望，何至戚戚嗟嗟，而以才弱敵強，民窮兵疲等語，而上危主志，下懈軍心？此可疑者二也。

三、表言：「自到漢中，中間期年耳，然喪趙雲、陽羣、馬玉、閻芝、丁立等：七十餘人」。更是荒唐之至。按趙雲喪於建興七年，表爲六年所上，何得言其喪亡？趙雲爲當時唯一重望之宿將，諸葛亮絕不致誤記其已死。或曰：「散關之役在六年之冬，雲以信臣宿將，使其尚在，自當復出。其歿於是年冬也。雲傳七年卒當爲六年之誤。」（清人盧明楷之說）但此未必可信。陳壽搜集諸葛作品不遺餘力，如有第二出師之表章，當不致遺漏。而亮出師乃曰：「臨發上疏」，斯時並無所謂「前出師表」，「後出師表」之稱，後人杜撰後表出現後，始有所謂「前出師表」「後出師表」之名，此可想而知者。前表亦名「疏」，而不言「出師表」可知。

亮卒於建興十二年八月；建興六七年，正亮竭力伐魏之時，於情不應衰頹沮喪。蜀國任用賢能，國力未大衰，何致有「不戰亦亡，民窮兵疲」等語？另一疑點則爲在漢中期年，就喪了趙雲等七十餘人，此乃合計伐魏以來所喪之數，絕非漢中期年所喪之大將。街亭之敗，只馬謖一軍，及王平一部份人馬，趙雲更非死於戰場；何得一概列爲陣亡之數。趙雲六年與鄧芝失利於箕谷後，貶爲鎭軍將軍，後即不復聞矣，傳云七年卒，不致誤也。

記張蒼水

湘南遯叟

昔年長江之役，雖敗猶榮，已足流芳百世。若捲土重來，豈直汾陽，臨淮不足專美。即錢鏐、竇融亦不足並駕矣。倘尋徐福之踪，思盧敖之故跡，縱偸安一時，必貽譏千古。即觀史載陳宜中，張世傑兩人褒貶，可爲明鑑。九仞一簣，殿下寧不自愛乎？夫虬髯一劇，只是傳奇濫說，豈有扶餘足王乎？若箕子之君朝鮮，又非可語於今日也。

某倡義破家以來，恨才力謭薄，不能滅虜恢明。所伏殿下發憤爲雄，俾日月幽而復明，山河毀而復完，某得全髮歸里，於願足矣。乃殿下挾有爲之資，值可爲之勢，而所爲若此，則某將何所依倚？故不敢緘口結舌，坐觀勝敗。然詞多激切，冒觸威嚴，罔知忌諱，罪實難逭。願殿下俯垂鑒察，有利於國，雖死亦無所恨。謹啓」。

他這封書，委婉而激切，充滿了憂國憂時之淚。深知成功如入台獲勝，從此偏安成了定局，更無驅虜復國之望矣。無奈成功卒不見聽，他復作「感時」詩四首以諷：

箕子明夷後，還從徼外居。端然殊宋恪，終莫挽殷墟。青海浮天闊，黃山裂地虛。豈應千載下，寧擬到扶餘。閩說扶桑國，依稀弱水東。人皆傳燕語，地亦闢蠶叢。鐘路曾無異，桃源恐不同。鯨波萬里外，倘是大王風。

田橫嘗避漢，徐福亦逃秦。試問三千女，何如五百人？槎歸應有恨，劍在豈無嗔。慚愧荆蠻長，空探藥文身。古曾稱白狄，今乃紀紅夷。蠻觸誰相鬥，雌雄未可知。鳩居初得計，蜃市轉生疑。獨惜炎洲路，春來斷子規。

又「送羅子木往台灣二首」：

中原方逐鹿，何暇問虹梁。欲擲南溟勝，聊隨北雁翔。鯤帆落天外，蝦島水中央。應笑滄河客，輸君是望洋。羽書終歲杳，猶說袞衣東。此莫非王土，胡爲用遠攻。閫師原將略，墨守亦夷風。別有芻蕘見，廻戈定犬戎。

五、大勢一去，無法挽救

康熙元年，滇中赴至，纔知道永曆帝已於辛丑十二月被執，於是年四月十五蒙難。蒼水在東甌哭臨三日，軍中全體掛孝，並定策復奉魯王監國。不幸延平王鄭成功又於是年五月初八日薨於東瀛。他三上書魯王監國，以盡推戴之忱，其一曰：

「春來閱邸鈔，知去年十一月緬夷內變，道虜入緬，致我永曆皇帝蒙塵，扈從宗室官員無一得免，惟吉王自縊以殉，李定國入海，白文選亦遁深山。臣聞變之日，猶謂狡虜詐傳，疑信參加。及四月中旬，聞官眷竟從鎭江北轅矣。臣以爲延平藩當伸大義，而至今寂寂。道路謠傳，又有『子弄父兵』之事。（十五）

長篇小說　美妹

羅宗家著

又說：「要我不跟她來往，那是可以的。但是你們却也不准再虐待她。懂嗎？早些日子，她曾在淡水河連續兩次投水自盡。如果我不會救她，我就不會認識她，不認識她，也就不會想保護她。如今，我既然救了她的生命，假如她再被人當作牛馬般的欺侮虐待，那我就會義不容辭要幫助她！哈哈！條件——這就是我的條件！你們答應嗎？」

「媽的！說的什麼？揍他！」站在劉大明身後的人說。

「可不是，搶佔人家的未婚妻，還要要無賴，何必再跟他嚕囌哩？揍死他！」另一個附和着。

然而劉大明却搖着手，示意那些傢伙不要盲動：「看樣子，何先生倒是眞的有意和我們過不去囉？」

「隨你怎麼說好了。但剛才的話，是出於誠意的。」何健文猛吸了兩口烟：「聽說你們都是很講義氣的。如果我想的不錯，應該是你樂於接受的。對吧？」

「你對我們家和我的情形，瞭解得都很清楚嗎？」

「不敢說。」何健文看對方軟了些，改用謙和的語氣：「美妹是個好孩子，她並沒有直接告訴我這些。我還是從你們鄰居口中聽到的。你說：你是否眞的愛她？」

「那不關你的事！」

「自然是不關我的事。」何健文[illegible]了烟蒂，嘆了口氣說：「唉！這年頭，求淑女多不易啊！你不能錯過了機會。懂嗎？她可以成爲你的好妻子，但也可以成爲人家的好戀人。對不對？」

「你是說：她除了認識你，還認識別的人嗎？」劉大明似乎有些驚訝起來。

「想想看，十六歲的姑娘了。她不愛打扮，你們偏要逼着她搽脂抹粉。她不愛交遊，你們却連一點休息的機會，都給她安排着去這兒去那兒玩。接觸面廣了，學會些洋玩意，即使她最純潔，怎奈他人不時的挑逗，你想：她就是不去主動認識別人，別人也會設法接近她呀。對不對？」

「……」劉大明沉默了。

「我沒有壞意。」何健文抓住機會對他進一步說：「只要你對她好，並設法改變你的父母對她的管教方法，不要動不動就打罵。那我就滿足了。我自己家破人亡，流落異鄉，寄人籬下，靠筆桿子吃飯，你想：我會有心情管人家的閑事不成？假定你認爲我還可以交，那就常常見面吧。否則，以後我們誰也不理誰。同時，請你轉告美妹，就說我不要再見她好了。」說完，他拉起衣領，準備離去。

「好！何先生。」這回劉大明却先伸出了手來：「我們可以做朋友。我接受你的條件。我將盡力照你說的話去做。」這情形，簡直使何健文有些想不到的。他當然不會拒絕劉大明的友誼。於是倆人的手緊緊握住。（十五）

訂正

本報上期第一版頭條論文「慶祝雙十的一句話」，其短行第四十六行「山先生的民生主義看」，被錯移至第五十六行，而致前後不銜接。原文應爲『他早把孫中山先生的三民主義看作不容併存的「改良主義」一類，所以北平僞朝建立之始，對中華民國國父孫中山先生當然沒有半分敬重之意。』亟爲訂正，並向作者及讀者致歉！編輯部啓

遊橫斷公路漫記

羅綠

亭飛遠眺

洛韶之東，再轉一大灣，有一斜坡，聳立天際，無樹木花草，而其坡懸崖亭之奇之怪之絕，則不可名狀，可算舉世無儔矣！

此坡名眺望坡，伸出一片峭崖一如大屏風遮護。崖上築一亭，題眺遠亭。遠看此亭，像空中吊起的；在車上看，因爲車子隨山路曲折轉，則如騰空飛旋，銀花璀璨，盤擁白螺，或遠或近，或閃或隱，有趣之至。要沒鬼神工技，你決不相信是人的巧思造化呢！到亭上遙望青嶂疊翠，其爭奇鬥勢之狀，胸襟亦爲之磅礴而豁然開朗焉。

坡左下邊有一小平地，房屋數十棟，是過去築路工人結茅所居。他們闢山開地，耕鋤種植，養鴨養鷄，并育魚苗。和睦親愛，守望相助，台灣山熊花鹿也不敢侵害了，他們日出而作，日入而息，不貪慕享樂，不爲俗累，清清靜靜過此安安逸逸村農生涯，悠然自得景狀，不啻桃源中人。

虎口綫天

合流村至長春橋，曲折十三里，乃台垣最長之狹谷也。崖兩邊巔列如門戶，小徑迤邐，泉聲微聞，枯枝殘葉，紛紛墜落，餘暉照射，極像鱗片翻飛。谷深光暗，踏在細沙碎石上面，發出一種怪聲。配着崖峯削巘，壘沉沉萬丈底淵，狀像老虎吞狼。（四）

自由報
THE FREE NEWS
第四八八期
每份港幣壹角
社長：雷嘯岑
社址：香港銅鑼灣高士威道二十號四樓
20, CAUSEWAY RD 3RD FL. HONG KONG
TEL. 771726　電報掛號：7191
承印者：四風印刷廠
台灣分社：台北市西寧南路壹號二樓
電話：三〇三四六
台郵撥帳戶九二五二

我們必須有以自處
——對反攻復國問題的觀感

余蘊

噴觀世界大勢，俄帝由於國內粮食匱乏之，正爲着增產問題而胼手胝足，不遑寧處；加之以共產集團的分裂運動日益深刻，在最近的將來，縱然舉行國際共黨大會，能否消解所謂修正主義的爭端，尚難逆料。現在俄酋赫魯歇夫雖辭職，是否即能彌縫共產集團內部的分裂傾向，恢復史大林時代的態勢，實係未知數。因而蘇俄怵於內憂外患之交織洊臻，決不敢採取對外冒險政策，引火自焚，而將要藉着「和平共存」的口實，向自由世界表示親善姿態，進行和緩的冷戰工作，俄帝這種處境，及其苟和姿態，正是美英各國寤寐以求之的事，當然樂於聽受，日前詹遜總統聲言世界和平的趨勢更見進步樂觀，即基於此。這說明世界兩大集團間的苟和狀態，如果沒有突變事情發生，一定持續下去。中共既無俄帝的支援，亦沒有向外擴張之可能，充其量對東南亞地區從事擾亂侵襲，然西方國家對此固無所謂，但求「西綫無戰事」，即令中共控制了整個東南亞地區——只要不危及英國既得利益——他們亦滿不在乎的。

世界大勢如此，這對我們反共復國前途，是利少而害多，然則我們將何以自處呢？

毫無疑問，我政府最高當局以及三軍將士們，無時無刻不在準備實行軍事反攻之中，至於一般民衆和海外僑胞，更盼望「王師北定中原日」之及早實現，而且已有不耐的心情潛在着，再要荏苒光陰，蹉跎歲月，對於民心士氣，皆有極大的影響，尤其是海外僑胞，勢必由熱望而漸趨失望，因失望過甚而感覺悲觀，最後即將化悲觀的麻木呵！可是，談到軍事反攻問題殊不簡單。首先即與西方國家的苟和安協政策相鑿枘，而我國跟美國又締結了安全互助協定，美國不同意，即難望其對我們軍事反攻行動，加以物力財力的應援，相反的或許從中牽制，妨碍，終致引起糾紛的情形，這是大家瞭解的情形，不必諱言的。吾國既屬世界自由陣營之一員，基於國際條約的義務，自不宜操切從事，而不計及後果。所以，海內外輿論界責難政府今年不戰，來年不征，使師老民疲，坐失時機，固然振振有詞，而政府當局的痛苦心情，亦復一言難盡。在這樣內外煎熬的情況之下，我們如其不別謀自處之道，但知仗着中美安全互助協定的庇蔭，以台灣爲樂土，渾渾噩噩的苟安一隅，以自娛，俯仰由人，不思振作，甚至於抱着讓下一代人去完成反攻復國使命的惰性觀念，那就是十足的亡國大夫，不可與圖存也！

國家在憂患中，必須經常保持着各階層、各職業羣衆的戰鬥精神和堅强意志，纔有復興之望，而激發這種氣象的內燃力，就是軍事行動與政治措施。在軍事倥傯之秋，民衆對於政治生活縱不滿意，亦能加以諒解，相忍爲國；如果沒有戰事，大家即自然而然的注意政治問題了。本來，戰畧應受政畧支配的，政治措施對軍事上常能發生重大影響，有時候且可創造意想不到的奇跡，事在人爲，祇看智慧、作風和勇氣如何而已。若認爲政治乃是掛在槍桿上的附屬品，有了武力即不愁政權之失墜，這是落伍的陳腐思想，決無是處。

或許有人認爲台灣既在安全繁榮的環境中，我們儘可採取以不變應萬變的策畧，靜待國際間與本國大陸上漸起變化後，樓船橫海，揮戈反攻，即有事半功倍之效。這是一廂情願的想法，不足爲訓。未來的國際局勢，當然有變化，但其影響對我是諸多不利的：美俄將作更進一步的妥協，企圖迫使中共就範，同時美國又很可能以中華民國政府作籌碼，跟中共進行暗盤的政治交易；不惜出賣我們；中國大陸上如其發生突變，而使毛共政權趨於敗亡，然外國勢力必乘機而入，別有所圖，也不會以全力贊助我們收拾舊河山，有如抗日戰爭勝利後的那種結局了，詳情非短言所能盡，大家亦可以想見的。因此，我們此時再不從政畧上切實考慮，籌維自處之道，將來必有噬臍莫及之憂，殆可斷言。

所謂自處之道，當然是以政畧爲主，而從內政、外交方面，憑着自立自强的決心和勇氣，作大開大闔的改進革新。首先即須以劃時代的作法，使海內外的中國人士——共黨份子亦在其列——感到興奮滿意，認爲國事大有可爲，前途光明燦爛，大家發抒堅定的向心力，對外即表現着未可輕侮的實質，而國際姑息主義者自不敢妄發「託管台灣」的謬論了。改革內政亦不是補苴罅漏的方法所能濟事的。老實講，現存這套憲政體制，殆如一部陳舊的笨重機器，生產能力本來就薄弱，絕對難以肆應非常時期的需要了。因爲現行憲法之創制，旨在削弱行政元首的權力，而又不是强有力的內閣制，非驢非馬，得不償失。要談政治革新，唯有修改憲法纔是根本之計。至於內政、外交方針如何釐訂，怎樣實施，亦須徵集各界人士的意見，以期行尚而往有功。因此，政府應以誠坦公開的心情，召集海內外各界對政治有興趣與經驗的領導人物，舉行一次意義莊嚴而使命重大的救國會議，研討修憲以及革新內政、外交的原則，詢謀僉同，然後推定人員，分途進行，至遲於明年內完成其事。我們還要特別指出一點，即時人談到政治革新事宜，每每强調「維持領導中心」之說，這實在是多餘的。現階段的中華民國領導人，除卻蔣總統而外，誰亦沒有取代的心思與魄力，即使讓位給他，亦將遜謝不敏，一般在野人士之所以對政府有不滿的表示，只是基於愛國思想，認爲現行的若干政治措施，不敢贊同而已。政府既有根本改革的誠意，大家沒有不樂於貢獻意見，一致努力的，問題就在開誠心、佈公道，發揚國父所倡「天下爲公」精神，則貞下起元，國運大振矣！

至於外交策畧，其詳不易闡述，要以自立自助爲主旨，不復俯仰由人，瞻前顧後。譬如中美安全互助協定，必要時我們即可以宣告廢除，藉免作繭自縛之害。由於這項協定的關係，不特我們的軍事行動失卻自由，即政府在國內向人民徵收「防衛捐」，亦招來友邦的干預，眞是利未見而害已先嘗，何苦來哉！美國常常跟蘇俄談中國問題，又跟毛共談台灣問題，而置中華民國政府於度外，這就不是國父孫公遺囑所示「聯合世界上以平等待我之民族共同奮鬥」的意旨，我們不能容忍漠視，而必須有以自處，僅僅是聲明不受約束，未免卑以自牧，過於遷就，結果適所以增進強權主義者侮蔑我們的心情罷了。自侮而後人侮之，我們應以乾坤一擲的革命勇氣，團結起來，振作起來！

分裂又分裂

影子過界

今日與明日

選舉把戲

英國是世界實行民主憲政生活的元勳之邦，而其民族性亦以「紳士派」著稱於世。然而，在這次普選運動中，乃演出若干野蠻行爲：如工黨份子每於敵黨競選人發表演說之際，叫囂、哄鬧、詈罵之聲大作，甚至當着前任首相麥美倫爲保守黨作助選演說時，動手打架，秩序大亂。這比較後進民主國家的競選現象，糟糕多了！

英國選民在過去很少發生這種「非紳士」的動作，可見工黨人士對於奪取政權的猴急相，且表示自己沒有勝利的信心，縱使徼幸獲儁，亦係不光榮的成果。

英國尚且如此，其他國家選舉把戲是何內容，不言而喻，難怪有些落後國家攪選舉時，便發生殺人流血慘劇了。因此，若謂通過選民投票，即可獲致選賢與能的效用，吾斯之未能信。政治生活實在是卑鄙的球藝啊！

越南又要頒訂憲法

阮慶將軍依照新憲法執政不到兩個月，由於宗教徒鬧事，加以黨派鬥爭之故，宣告引退，定於十月廿七日還政於文治派。現在經楊文明將軍疏解協調，據說新憲法不日就要公佈了。

制定或修改國家的憲法，事關重大，不能隨便鬧着玩兒的，越南當局却很輕鬆地立法毀法，無所容心。這象徵着法治精神之脆弱，高談民主政治，非其時也。然而，非如此將不足以取得美國方面的贊許應援，奈之何哉？

即此可知越南前途未可樂觀，是禍是福，很難講啦！

何必直尺枉尋？

越南當局向「東南亞公約」國家請求援助，美國亦有同樣表示，可謂直尺枉尋，莫名其妙！

所謂東南亞公約如其眞有作用的話，東南半島又何至於烽火連天，動亂不已呢？夷考這項公約體系之所由來，原係美國在參加了分割越南領土的日內瓦協定後，爲着遮羞而勉强湊合的。名爲「東南亞公約」，實際是以美英法爲主幹，而英法與美國又同床異夢，甚至互相齮齕。現時列名公約的英、法、巴基斯坦等，對東南亞問題，且以親媚共黨爲能事，希望他們援助越南的反共戰役，這不是作夢嗎？

美國明知東南亞公約國決不會應援越南，但故作此態，且派員向北大西洋公約國作同樣的游說，用意只在準備後事而已。即將來可藉「不單獨行動」的理由，必要時放棄越南，振振有詞也。

愚陋的政客

英國工黨領袖威爾遜近發狂論，說是要把台灣託管，過些時期後，再由人民投票，表決其政治的歸宿云云。這類荒謬幼稚的邪腔濫調，自從中國大陸淪陷以來，在英美社會中，時有所聞，並不新鮮。威爾遜原是僅有「打工仔」知識水準的下駟之材，拾人牙慧，夸夸其談，自以爲這是一項競選的新穎政見，其言固可哂，其愚尤不可及也！

台灣之屬於中國領土，無論從歷史紀錄，民族生活，或國際協約各項證據來觀察，皆爲無可否認的事實。假使台灣可以發生「託管」問題，那末，大英聯合王國現有的版圖，除却英格蘭，蘇格蘭這兩塊土地以外，更有分別「託管」或「獨立」的充分理由。因爲英屬各個殖民地與自治領，當初都是用武力掠取別人的統治區域，據爲己有的，而愛爾蘭亦始終對英倫表現着離心傾向呵！職是之故，今日世界上最沒有資格過問別國領土問題的，就是英國人。威爾遜不先對着鏡子照照自己的醜陋面貌，却鎭日干預別國的領土問題，得無令人肉酸乎？

威氏作此狂言的用意，是在討好中共，企圖藉此乞取中共的歡心，不向東方的英屬殖民地鬧事——特別是香港和星馬等地區。這種癡思幻想之必然破滅，稍有常識的人，都能夠瞭解，祇有威爾遜之流，纔懵然自作多情，妄冀藉別國人民的血淚，以灌溉自身安全繁榮的花果，這是現代政治家應有的思想嗎？

英國要想保持東方現存的屬土，唯一可靠方法，只有跟亞洲自由人類同心協力，消除共產極權侵畧主義，庶幾有濟。共產黨進行世界革命的有力武器，即爲反殖民帝國主義，一旦時機成熟，它就毫不客氣的要置殖民主義者於死地，那時候你向它下跪求饒，亦必舉腿踢你，連「談判」二字亦免開尊口，沒有道理可講的。威爾遜蒙昧無知，以爲共黨對一般揹着社會主義招牌的僞裝進步份子，眞能和平共存，另眼看待，可哀孰甚哉！

馬五先生

議員質詢如是指出

北市有地下市長與副市長

前者指高玉樹胞弟後者指宋霖康　功臣親信齊入局計六大派四種人

——台北市議會總質詢之三

（本報記者台北航訊）高玉樹當選台北市長之後，其助選功臣，都從幕後走到台前，此本無可厚非，但非明智的做法。况這些「功臣」是不是眞的為民服務？眞正的替高玉樹分憂呢？這是值得檢討的。

所謂「地下市長」，係指高的胞弟省議員楊玉城；所謂「副市長」，係指高的結義兄弟議員宋霖康。這兩位特殊人物，在做些什麼？據執政黨外市議員張立中在總質詢時說：

現在本市發現有地下市長及地下副市長之名稱，這班人都是和高市長打過天下的選舉大功臣，聽說他們現在專門包辦市屬機關及學校工程，並介紹推售各種用品。這次中秋節，據說市府所屬單位曾經湊集二十萬元，交由某省議員代表分配這次助選大功臣過節，每人一千元。這筆錢如果是納稅人的血汗錢，請問市長是否會感到慷他人之慨？

「台北市政府政策性的事由市長負責，事務性的事由楊玉城負責。」這是另一位議員的質詢。夏效禹議員說：

據聞公共工程處最近化了八萬多塊錢（事實上，只有五萬多元），買了一輛很陳舊的黑色旅行車，號碼是一五——〇八三五二號，賣主是省議員楊玉城先生。但是照一般的估計，這部車子最多祗値二萬元，而公共工程處陳敏卿處長為什麼要化這樣高的價錢買一輛陳舊的汽車呢？據說是楊玉城先生放出市長要調動陳敏卿職務的消息，逼得陳敏卿只有向楊玉城低頭，所以出了很高的代價買了一部陳舊不堪使用的破車。有無此事實，應請予說明。

林水泉議員是高玉樹競選期間的發言人，他質詢高玉樹時說：自從高市長就任後，市府現有六大派系的領導人，都是高的「功臣」或「親信」。如市長派、徐俠（主任秘書）派、楊炎（公共關係室主任）派、李賜卿（煤氣公司總經理）派、陳益勝（機要秘書）派、楊玉城派等。

同時，現在市政府有四種人：第一種人是有說話也做事，第二種人是祗做事不說話，第三種人祗說話不做事，第四種人既不說話也不做事。這是女議員潘雪梅的評語。高玉樹也不否認。

宋霖康議員是高玉樹的正式助選員，他質詢高玉樹，說：一朝天子一朝臣的觀念，是要不得的。凡是一位有魄力有理想的政治家，他對於幹部的領導，人事的安排，絕不是排除異己，栽植私人的做法；他是網羅天下英才為己用之，集大家之聰明智慧，去實現自己的政見或理想！所以，他誠懇希望高市長有此認識，千萬不能有一朝天子一朝臣的落伍觀念！過去三個多月，高玉樹在這一方面的表現，宋表示他有點失望。請高玉樹深自檢討：

人事問題，的確值得檢討，但豈僅使人失望！誠如李清泉議員所說：「台北市的人事，却弄的一場糊塗」。因此「令人懷疑高市長的出發點不純正」！高玉樹接任市長不到四個月，安置了近百的私人。像各學校派了一些教員，有一部份資格是不合規定的。又如公車處奉省府核定增加員額一百餘人，高玉樹曾命令公車處全數保留，聽候安插私人，這是什麼人事制度？

假定議員們的質詢可靠，則高玉樹就任以來，其「功臣」與「親信」，都在人事上打主意，搞派系，和怎樣「揩油」方面下功夫。像自來水廠遷移新址辦公，為了美化環境，而栽植杜娟花五千株，結果，報銷一萬五千株，並將每株一元三角的價格提高為七元，計舞弊達九萬多元（李清泉質詢）；這類不法事件，高玉樹應該加以澄清才對。

台省出售十億公營事業股票

枝節已橫生·餘波何未息？

本報台灣中部記者　熊徵宇

台灣省政府為整頓河防，建立河川治理養護制度，設立河防基金；一方面，以省營事業的設備大半陳腐，財務結構多不健全，不足以言有效的營運，所以必需籌設資金充實更新。

基於這兩項計劃，擬具條文，訂「台灣省出售公營事業省有股票辦法」，以出售省有股票若干，籌款十億，以百分之卅撥充河防基金，百分之七十，為省營事業投資，充實營運。

這方案，經省府法規整理委員會與省府委員會議先後研討通過，並且獲得中央最高決策者七人小組的同意，然後提交省議會第三屆第三次臨時大會審議。

反臉·吵架·停板

這方案在省議會的第一階段非常順利。但是由財政審查委員會，提交大會討論時，却波折橫生，枝節重重！形成自有省議會十八年來，所舉行的臨時大會的人數最多，討論提案費時最久的一個案子；也是歷次會議發言記錄最高的，議員與議員之間，政府與議會之間，所形成的氣氛，可以說是「緊張刺激」。

有些平素相處得很好的議員，為這件案反臉爭吵，幾乎打架。這種情形在每天列席議會，一再申述這案子通過後，省府如何採行分批出售辦法，如何按照實際情形，計算單價底價，以適時，適量，適價為原則，財政廳長周宏濤的看法，覺得這樣激烈的氣氛，乃在議員們對這案子的重視與負責。

在我認為，固然有部份議員各自有其「政見」，但是「本身的利益」與「護航」的責任，以及一種「盲從」的心理成份較多。

因為省議會進行討論這案子的時候，股票市價一直下跌，而且停板，市價交易公告停頓。省議員們，有一部份，是工礦，農林等企業的大亨，都在搞股票。

楊部長·意難盡

就這樣，從九月十五日開始鬧轟轟，一直到九月廿九日，其中修改四次條文，五度宣告休會，忙煞議會黨團的奔走協調，加上財政廳長周宏濤與搞議會關係的該廳秘書陳炎生的「人緣」，以及這案子本身立意精神的正確，才算是照案通過了。

但是在中央方面，似乎餘波未盡，經濟部長楊繼曾，接着他廿二日在立法院答覆黃煥如立委時所表示，不同意省府出售公營事業股票的意見上，昨天，十月六日，又在答覆立委陸宗騏時說：

「與其為財政目的而出售政府擁有的公營事業股票，不如發行一項公債，較為切合實際需要。」

周宏濤·請處分

殊不知，楊部長九月廿二日在立法院答覆黃煥如立委質詢時說：「台糖、台電、台肥，等公司的經營，對於國家經濟建設，人民生活，以及國防等的關係，在目前情况下，實在宜將該各公司的股票大量出售」。他的這番談話，曾經引起省議員們不滿而公開提出指責，徐國輝，李源棧，陳火土，吳一衛等黨內黨外的議員，指責楊部長——中央級的官員——這樣干涉地方的政事，豈不是使地方自治開了倒車？

省議員們認為：今天省府為了籌集河防基金：不得已才出售股票，如果中央有餘欵收買我們的省股，何以不撥給省政府做河防基金？而且省府每年對中央的協助欵有數十億，如果楊部長說中央有欵買省的股票，省府應該考慮削減對中央的補助欵額。

而且在省議會討論股票時，楊部長一再發言，對省干涉太大，使得省府主席與廳處長動輒得咎，影響地方自治發展莫此為甚！

（上）

台灣論壇

老百姓敢誣告刑警？

張笙

但若人民所控屬實，不是誣告；而警察長官的招待記者，發表聲明屬於虛構，意在「誣控」人民，這不是反使自己觸犯刑法第一六九條第二項：「意圖他人受刑事處分，而偽造，變造證據，或使用偽造變造之證據者，處七年以下有期徒刑。」

警務處周中峯處長，九月九日發表談話說：①刑求迫供，侵害人權，早經嚴令禁止，任何警察人員，倘有此類情事，均將嚴加懲處；②過去常有不法之徒，揑造事實，以刑求為藉口，企圖誣衊警察，卸脫刑責，此風一長，足以打擊政府威信及警察聲譽，亦有依法訴究的必要。周處長的主張我們絕對擁護。第一案中的刑訊疑犯，周處長已命令停職法辦，足證周處長是言而必行的實幹人才。至「企圖誣衊警察，卸脫刑責」的人員，照屏東市警分局局長吳玉濤的說法；及高雄市警察局局長潘玉珣向議會的報告，王維江及張寶貴應為「誣衊警察」，觸犯刑法無異，自「應依法訴究」。但迄今我們未見高屏警局提出訴狀，予以追訴，這不是使周處長的主張落空了嗎？如果人民確是「誣衊警察」，這種「不法之徒」，打擊政府威信及警察聲譽，我們認為應嚴加追究。否則貽害社會，有失法律保障之旨。

但我們要問：如果有不法之警察長官，揑造或變造事實，發表談話，或向議會等有關官署報告，以人民誣控為藉口，企圖包庇不法警察（部屬），迫害人民，使其遭受不白之冤。此風一長，是否更足以打擊政府威信，消弭人民對政府的信心呢？第一案中的屏東刑警隊隊長趙鎮底談話，證明了趙鎮是「以人民誣控為藉口，企圖包庇刑訊下屬，迫害陳天能陳河海，使其遭受不白之寃」的不法警官。這種警官，以不實之談話，欺騙社會人民，至少亦違背了公務員服務法的「誠實公正」規定。這種人當了刑警隊隊長，他手下的刑警，怎會「公正」「誠實」？又怎會不「刑訊」？在刑警們的心中：刑訊沒關係，隊長不但不禁止，不追究，而且會發表談話掩蓋天下，一切免於無形。長此以往，他屬下的刑警就以刑訊為習慣。今天遭到「停職法辦」的刑警，其禍源實由於趙鎮平日不僅不予管教，姑息養奸；而且直接的包庇慫恿刑訊所致。周處長對這一點沒有注意，這次停職法辦的刑警中，沒有趙鎮隊長，實在是件非常遺憾的事。更何况趙鎮為一隊之長，隊中發生不法的刑訊案件，難道在行政上也沒有一點失職嗎？

這種不察實情，包庇屬下犯法，迫害人民的歪風，在警界已廣為流傳。上舉三案，都有警察首長出來抵擋，這是否值得周處長注意呢？周處長是有決心整頓警界邪風的，我們亦寄予無窮希望，但在整頓聲中，這是一件不可忽視的要務，願周處長注意及之。

刑警的偵案綫索是流氓，這已成了公開的秘密，故刑警與流氓關係密切。流氓得刑警包庇才得以存在，流氓無不聽從刑警的指使；刑警賴流氓的協助才易破案，刑警得流氓的「孝敬」才有醇酒美人。高市公路局司機張寶貴指控刑警教唆流氓毆打，以刑警與流氓的關係，是應寧信其眞而予以確切調查的。潘局長的話顯在搪塞。請問：

（一）我們社會眞有那些好管閒事毆打逞兇的人民嗎？

（二）如有好管閒事毆打張寶貴的人，刑警莊振裕在場，為何不加阻止？放他離去？

（三）刑警責在維護治安，具有司法警察身份，傷害為刑事現行犯，刑警莊振裕為什麼不予當場逮捕？

（四）張寶貴為什麼不控毆打他的人而要控刑警？是張寶貴神經不正常？

（五）所謂「旁觀市民公憤」，是「旁觀市民」說的，還是警局自己說的？旁觀市民說的，應舉人證；警局說的，顯是控造。

我這「五問」，高市警局能說出來嗎？能經得起「調查」嗎？所以我說：「人民不敢誣告刑警」，「刑警敢隨意誣栽人民」。有作為的周處長宜參考之。

「人權」是「法治」的基礎，「法治」是「立國，立信」的要素。筆者再三不忘人權問題，其理亦即在此。

（下）

省社會處國宅貸款

主辦人員藉機牟利

（本報記者張健生台北航訊）立法委員以質詢來揭發省政府社會處辦理五十三年度興建國民住宅貸欵案，其有關法令互相矛盾，主辦人員藉機牟利，且有鼓勵包商從中非法壟斷，造成官商勾結圖利之不法行為；因而引起監察院的重視，乃派委員調查。

立委劉兆勳質詢時說：「本年度國民住宅貸欵申請，已於七月二十日開始。興建國宅的目的，在實現民生主義『住者有其屋』的理想，並解決違建的嚴重的。」但若就其內容而言，「表面上宣傳改進，實際則為便利廠商壟斷而開（方便）一門」。

舉例來說吧，「社會處五十三年六月三十日社宅字第一六九五二號命令，所謂『台灣省興建國民住宅貸欵計劃實施注意事項』，」即與「六月二十二日省府會議通過公佈之『興建國民住宅建築用地貸欵規則』」相抵觸。「今社會處自己擬定辦法，自己執行，自己審核，自己批准，大權歸一，因此發生玩法，毀法之遺憾行為。」省社會處以「行政命令變更台灣省政府會議之議決案，所辦各項貸欵申請手續與處理審核，應一律無效。」如該規則第六條規定：「應採用社會處圖樣或自製圖樣」一語，社會處命令變更為：「各住宅圖樣，由縣市與建會晒製供應，應酌收工本費」，「顯然有意阻撓私人自行設計製圖」。（上）

天真與愚昧

李敦復

在白皮書發表後的四個月之後，（一九五〇年一月），美國政府宣佈不再給與中國以任何援助。此項政策被採用至一九五〇年六月，才予改變。如果中共不進攻南韓，國務卿艾契遜的下一着棋，必是承認中共。「愚昧無知」的美國政府這時纔知中共的侵略，對美國在遠東實有莫大的安全威脅。在事隔十五年後的今天，來回憶那一時期所發生的重大震動國際上的事件，我們中國人實在驚奇！國務卿艾契遜一手破壞了百年來中美傳統的友好邦交，如果艾契遜不是蓄意欺騙美國國會，便是欺騙了所有的美國人民，使光榮的美國歷史，塗上了一層無可磨滅的黑點。

中國是一個有五千年悠久歷史的文明國家，是一個禮義之邦，在中國人來說，友誼是高於一切的，在與相交的朋友中，如果有十年以上的歷史，其友誼是堅定不移，患難與共，何況中美二國又有如此悠長的友好合作，而輕易毀於一旦，此舉實動搖了中國人歷來以美國的忠實友誼爲可靠的信念，同時美國對其自身的偉大國格基礎，亦作了無可彌補的損害。這「損害」直至一九五〇年六月韓戰發生與美國國內人民掀起無比的憤怒浪潮始轉變，美國乃不計眼前利害，不惜重大犧牲以維護世界的正義，然其對於中共的態度，迄於中共大規模介入韓戰之時，從時間上來計算，前後有八個月之久，（從一九四九年十月至一九五〇年六月）美國政府的態度久未明朗化，一直繼續了如是其久，其對於中共的政策，不免抱着觀望的態度。在美國政府制定政策的觀點來說，這是一種「一石二鳥」的政策，一面拒絕給與任何援助予中國，一面以期待與觀望的態度來觀察中共政權的動向。在那一段「驚濤駭浪」「千鈞一髮」的時間中，美國政府不切實檢討反省所越出百年來密切合作友好邦交傳統和矛盾百出的對華政策，以至中國大陸迅速淪入鐵幕，不作一百八十度的急劇轉變，積極支持中國，反而削弱了它在國際上的地位，無形中增強了中共政權的聲望。美國政府何以「愚昧」一至於此，實令人百思不得其解！：

四、馬歇爾，史迪威，艾契遜

今天，我們以一種非常客觀的態度，來分析中國大陸之迅速淪入鐵幕，讓中共代替了當年日本在中國的地位，一面固然是當時美國的對華政策陷於錯誤與舉棋不定；另一方面，美國政府的官員，政策的執行者——國務院的官員們——如馬歇爾，艾契遜，史迪威等，他們對中共實一無所知，對中共本質，目標完全不了解。這完全由於他們的「愚昧」因素所促成，他們認爲中共不是莫斯科的附庸，而是一羣土地改革者，他們更不知道中共是與蘇俄一手培植的，與波蘭，東德，羅馬尼亞等暴力血腥統治完全如出一轍，以奴役人民，擴張領土，赤化世界爲其終極的目標。同時美國國務院有共黨的同路人及蘇俄的特務滲入，因此美國的政策，計劃及官方態度，受了這批滲入者所包圍，因此共黨對華府一切的動態，包括政治的，經濟的，軍事的，他們都瞭如指掌。正如美國的雙眼被人縛上，你看不見他們，但他們對你却看得非常清楚，這彷彿欣賞「碧姬芭鐸」的脫衣鏡頭，一呼一吸，一覽無遺。

在前面我已經提到過的前中國戰區美軍總司令魏德邁將軍，在其「魏德邁報告」一書中，他對馬歇爾將軍有非常中肯的記述，他說：「馬歇爾根本是一個軍人，他對於國際衝突之繁雜及共產黨徒利用人羣企求社會正義的心理，以達到他們的惡毒目的的詭計，實一無所知；同時他到中國担任中國特使，他已心力兩匱，不能將局勢作正確之評斷：……（四）

我所知道的麥帥

肯寧[illegible]原著　徐熙光翻譯

但是做爲佔領日本的聯軍最高統帥，對麥克阿瑟將軍來說，顯然是一項新的任務。歷史很少有前例，由一個將軍充任戰勝國對戰敗國的佔領者。他的敵人都相信他將在這個新的任務中失敗，而且都頗有自信地預測他戰後所獲的崇高聲望將因此而一落千丈。他的明友們雖然都相信他能做好他的新工作，但是也不免有點爲他担心。因爲做爲一個軍人，要想使百廢待興的日本起死回生，實在不是一件容易的事。

麥帥在一九四五年八月卅日飛抵殘敗、荒廢和瀕臨死亡邊緣的日本。日本人民懷疑他們已失去了戰勝的機會，他們沒有想到會如此一敗塗地。但是他們的天皇親口告訴他們日本已經無條件投降，天皇已經不再是他們所崇拜的精神領袖，他們已不再奉他爲神明，因爲神是永遠不會打敗仗的。日本人已經沒有作戰的士氣，也沒有工作的意志和幹勁。到處充滿了失望和灰心。海軍和商用船隻差不多已全部被潛艇和空軍所擊沉。日本的空軍雖然還有飛機，但是既無經過訓練的飛行員，也缺乏燃油。陸軍裏還有兵員，但是武器和彈藥已經告罄。工業方面，工廠的機器已在轟炸中破壞殆盡，而且也沒有原料可資製造成品。早在盟軍收復菲律賓和攻佔沖繩時，空軍的飛機和海軍的潛水艇已經切斷了日本的原料供應來源。在每一個大城市裏，人民都是住在炸毀和燒毀的建築物裏，和用扭曲的鐵皮，燒剩的建材臨時搭建的簡陋房屋裏。

整個日本都陷入了一片由戰爭的緊張而造成的恐懼和病態中。田裏的農夫仍然耐心地希望能得到收成，但是其他的地方，沒有一件事，沒有一個工作不是在停滯的狀態中。在日本人臉上，我們看不到笑容，他們對佔領軍並沒有敵意，只是感到失意和沮喪。在當時的日本，你好像覺得日本在等待些什麼，但是他們又不知道到底是在等待什麼。

麥帥要做的事可眞多着。而且一開始就不容有錯。但是失業的人比比皆是，食物的缺乏更是嚴重，這使得麥帥的任務更見艱鉅。日本可能從此變成一個共產國家，也可能被法西斯主義的野心獨裁者所把持。我們必須制定一項合於人民所需要的政策，而且必須即刻堅定地付諸實施。我們必須想法子刺激鼓動日本人去工作，使他們覺得他們必須工作。我們必須教他們忘記他們的帝國夢，做一個自治與崇尚和平國家的人民，對征服者的憤恨情緒不容滋長，因爲如果這樣的話，日本必須又武裝起一千八百萬充滿憤恨和叛亂情緒的人民。總而言之，戰後的日本，須要有一個卓越領導才能的人來主持和控制一切。

讓我們來看看麥帥自一九四五年八月三十日抵達日本以後的紀錄。

他的第一個行動是釋放盟軍戰俘並將他們送回本國，佔領軍的力量很快地予以增強，以便維持整個日本的秩序和執行投降的規定條款。接着設立了一個軍民各佔其半的大規模組織來幫助日本灌輸民主教育給人民。然後把日本的軍隊全部復員遣散。（五三）

台灣東部遊記

羅雲家

途中，我認識了一位芳鄰劉先生，他是衡陽人，堪稱小同鄉，四十來歲年紀，戴一副金邊眼鏡，笑口常開，退役已十年，現任台東長濱鄉××主任，爲人熱情好客，善於詞令。他告訴我一些東部的情況：台東縣及其各鄉鎮的衛生機構，外省人只佔極少數，這些人在那邊生根十分不易，且是多年前打入的，而今到處人浮於事，許多到東部去謀生的人，都是興冲冲的去，大失所望而歸。其次，他談到他的收入與縣鄉幹部的生活。他說他每月可收入四千多元。十年來他將積蓄用在池上、關山等地建造了幾棟房屋，這次乘車就是去收房租的。家中住的是公家配給的眷舍，僱有下女，外出則有公用摩托車，小輪車可供代步。一月之中，經常與各方面應酬吃酒，總在十次以上，較之北部、中部、南部的縣鄉鎮級人員的生活，有不相上下的自豪表現。我聽了眞是感慨萬千！但礙於他以前是同袍，而現在又是小老鄉，所以不便諫勸什麼。他到關山後下車而去，臨別在酒氣逼人中，還一再請我有空去他家玩幾天，我笑着揮手送別，沒有加以可否。看看多數平民匆匆趕車，爲着生活而奔忙，而我們的若干鄉鎮幹部的生活水準是如此之高，眞不知「做人要講道義、憑良心」這句話，是否還適用於這些醉生夢死的人？！

繼續前行，車子到了玉里。玉里是花蓮縣內的一個大鎮，如台東縣下之池上鄉焉。在短短的停車瞬間，我探頭看看站後街市的情狀，只見房屋不少是新式的建築，大部份則屬於木質、磚質的老式房子，低矮而狹小。也許是時間不到吧？（時在十六點五十分）街上行人不多，商店中的人，大多數都坐在走廊上的樹蔭下，三五成羣，乘涼聊天，一種與世無爭的悠然自得神情，令人不勝羨慕。

入夜車子進入花蓮市，只見到處房屋林立，燈光閃閃，馬路上行人摩肩接踵，快車道上的汽車川流不息，所謂「華燈初上，遊人如織」的現代化都市的特色，花蓮也有焉。十四時正開車，十九時二十分到達，全程一七〇餘公里，費時五點二十分，說起來雖是慢車，倒也叫人並無慢的感覺。如果比起西部的平等快，乘客把車廂擁擠得水洩不通，不僅沒有坐的位置，連站的位子也十分吃力的情形來看，無疑的是坐東綫的火車，要比西綫的舒適快捷多了。

魚貫下車，出了車站，立即擁上一批旅館拉生意的伙計，我費了許多唇舌，才把三、四個人打發走開，不意又來了一位中央旅社的伙計，他眞有耐性，而且也善體人意。一直跟着你走，似乎是這生意非拉成不可。你要打電話，他立即引導你去免費的地方打，你吸烟，他立即爲你點火，你閒步走，他殷勤地爲你提行李。管你說什麼，他似乎是不到絕望決不告退。他的這一手，眞令人佩服。我撥電話給琢如，接通了，說立即來車站接我。這位伙計聽得很清楚，知已無望，但仍然掏出一個名片，請我在需要住旅社時，務必光顧他們。我點點頭，他才鞠躬退去。花蓮市旅館業如此拉客的現象，在其他各縣市是很少見的。（五）

瘟君續夢

第十四回：

誰與慶昇平　呼朋湊興

居然爭霸業　背主孤行

周恩來聽不到消息回去就着劉曉去蘇聯外交部詢問何以未請阿爾巴尼亞共黨出席，外交部回答是屬於黨的決定，外交部並不知情。劉曉問不出所以然，回來報告一遍，周恩來覺得不妙，當時在賓館召開代表團的會議，爲了防備蘇聯當局在牆壁中藏有錄音機，幾個人只好用筆談。

周恩來先向劉曉問道：「據你的看法，蘇共這次大會，會不會公開譴責阿爾巴尼亞共產黨。」

劉曉點點頭，寫下四個字：「我看會的。」

周恩來又問彭眞道：「這種情況應當怎樣應付。」

彭眞笑了一笑，寫道：「我們來時，主席已經交待的清楚，如若赫老罵了阿爾巴尼亞，我們就回罵，沒有客氣的。」

周恩來眉頭縐得更緊，轉過臉又問康生的意見如何？

康生寫道：「我是不主張走極端的，不過，事情眞演變到了那一步，我們也只有硬挺下去，在此地退讓了，回到北京怎麼辦！」

周恩來長嘆一口氣，連頓了兩下腳，就打個手勢結束了會議。

十月十七日蘇共大會在克里姆林宮開幕，全世界共產黨除去阿爾巴尼亞共黨外，全部派員出席。赫魯曉夫在掌聲如雷中走上講台，先搔下禿頭，笑迷迷地向四面點頭爲禮。周恩來坐在主席台上看見赫魯曉夫態度十分安詳，稍微放下心，以爲不會有什麼意外大事發生，當時向台下的彭眞、康生遞個眼色，叫大家放心。

赫魯曉夫掏出老花眼鏡戴上，向前走了兩步，到了麥克風前，再從袋內掏出事先擬好的講稿，一字一句唸下去，在共產國家這是一種例行公事，越是高級黨員對此越有經驗，越能忍受住長期聽報告的痛苦，赫魯曉夫這篇報告，唸了一個上午，尚未唸完一半，就決定停止休息，下午再繼續開會。

中共代表團一行回到賓館後，周恩來悄悄說道：「赫老上午報告，到是和風細雨，看情形這次會議也許不會有什麼特別事故了。」

彭眞冷笑道：「我看未必，赫老今天上午只是報告農業建設，尚未牽涉到黨政方面去，雖然如此，他已經把開墾處女地失敗的事推到馬莫反黨集團的身上，可見這次大會內裏鬥爭還是相當激烈，我恐怕一談到國際共黨團結的問題上，他一定不能放過阿爾巴尼亞，總理還是早打主意應付吧！」

周恩來想想也確實有理，自愧沒有彭眞觀察的敏銳，內心就暗暗在打主意。

下午赫魯曉夫開始報告，又繼續宣揚蘇聯的農業發達，人民水準提高，科學上的成就更是超過了美國，這些都是蘇聯共產黨領導的功勞。接着又說：「蘇聯的科學成就，不但保衞了蘇聯本身，也鞏固了世界和平，更維護了社會主義國家，免於受到帝國主義的侵略。」

周恩來聽到這裏覺得十分刺耳，抬頭看看彭眞、康生，也都十分緊張，就在這時赫魯曉夫把話題扯到霍查頭上。（三五一）

哀梨室劉談

一枝獨秀喜春來

劉豁公

當他到達上海時，正值月樓將次北旋之前夕，這無疑的對於他相當有利。因爲楊在伶界之地位、聲望，僅略亞於程（長庚）、張（二奎）、余（三勝）三傑！至其同時之王洪貴，王九齡，孫菊仙，汪桂芬，譚鑫培，俞菊笙，黃月山等，雖皆負盛名，對於月樓，等於手掌手背，大小長短與厚薄，差不多是一樣的。況月樓面如冠玉，年富力强，又一貫的得西太后之垂青，自然愈唱愈紅，紅得要發紫了。

所可惜的是因一桃色事項，開罪於某一手握重兵之權貴，自顧力不能敵，只得遠足至滬，以避其鋒。先後在ABC各戲園獻技，所在人滿爲患。最後轉至寶善街之「丹桂園」，盛名之下，吸引得春江女仕，排日空巷往觀，等於一種必修的日課！遂使其他的戲園，同樣的受到威脅，而以同街之「金桂園」爲尤甚，幾於賣不止對成座兒。

但是意外，就在這一期間，上海謀得利洋行買辦英籍華人羅逸卿（懋榮），在寶善街南頭橫街上，新建築的戲園「滿庭芳」適告落成；他所邀請的「當家武生」就是那位向處囊中，一旦脫穎而出之李春來！他是初生之犢不畏虎，對於那位「文武不擋，崑亂兼擅」的楊月樓老板，根本不以爲意。竟和他唱起「對台戲」來；雖不說後來居上，可是「叫座」的能力，也並不差什麼。

月樓對於這位「初生之犢」，確有些感到頭痛！心想：「勝之不武，敗則有傷盛名。莫如離開他罷。」喜得那時某權貴已歸泉壤，於是自動的「辭班」北上，遂與春江人士，作了死生的永別。（原來「三慶徽」的大老板程長庚，對月樓劇藝之重視，較之他所耳提面命的義子（譚鑫培）門徒（孫菊仙，汪桂芬），有過之而無不及！故一聞月樓北返，即刻引爲臂助，讓他在「三慶」唱「壓軸」（即倒第二）戲。未幾，年老倦勤，即將他所掌管了三十餘年之「三慶徽」，交給月樓去掌管。而月樓感激知遇，特竭其力之所至，蕭規曹隨，始終保持「三慶」之榮譽。但是不幸，某一日被召入宮（清宮也，楊係「內廷供奉」，故有被召之資格。）偶然倦臥於西后龍床，竟爲東后所見，西后意不自安，遂以食物賜月樓，致令無疾而終！造成此一悲劇之因素至爲奇特；因爲牠與春來無直接關係，姑不贅述（容當另文記之。）而我們的李春來老板，就此取月樓之地位而代之，成了海上的武生領袖。（二）

木牛流馬

周燕謀

三國演義有「諸葛亮造木牛流馬」之記載，奇巧異常，閱之令人視諸葛亮如神人也。諸葛與司馬懿相持於北原渭橋，乃深感後勤補給堪虞，命杜叡、胡忠二將，密集匠作千人，在葫蘆谷中製造木牛、流馬；匠作不許放出，外人不許放入，以保機密。連本軍亦不得而知。忽一日楊儀入告曰：「即今糧米皆在劍閣，人夫牛馬搬運不便，如之奈何？」孔明笑曰：吾已運謀多時也。前者所積木料，並西川收買了大木，教人製造木牛流馬，搬運糧米，甚是便利。牛馬皆不飲食，可以輕運，晝夜不絕。」衆皆驚曰：自古及今，未聞有「木牛流馬」之事，不知丞相有何妙法，造此奇物」云云。此乃羅貫中拱托諸葛亮者。然木牛流馬之作，並非羅貫中造謠，亦實有所本也。

考諸葛亮傳云：「亮性長於巧思，損益連弩，木牛流馬，皆出其意。」不僅見於三國正史，更見於「魏氏春秋」及「諸葛亮集」。魏氏春秋曰：

亮作八務，七戒，六恐，五懼，皆有條章，以訓厲臣子。又損益連弩，謂之元戎。以鐵爲矢，矢長八寸，一弩十矢俱發。亮集載作木牛流馬法曰：木牛者方腹曲頭，一腹四足，頭入領中，舌着於腹，載多而行少，宜可大用；不可小使，獨行者數十里，羣行者二十里也。曲者爲牛頭，雙者爲牛腳，橫者爲牛領，轉者爲牛足，覆者爲牛背，方者爲牛腹，垂者爲牛舌，曲者爲牛筋，刻者爲牛齒，立者爲牛角，細者爲牛鞅，攝者爲牛鞦軸。牛仰雙轅，人行六尺，牛行四步。載一歲粮，日行二十里，人不大勞。流馬尺寸之數：筋長三尺五寸，廣三寸，厚二寸二分左右，同前軸孔，分墨去頭，徑中二寸。前腳孔分墨二寸七分，孔長二寸廣一寸，後軸孔去前杠分墨一尺五分，大小與前同。後腳孔分墨去後軸孔三寸五分，大小與前同。後杠孔去後腳孔分墨二寸七分。後截尅去後杠孔分墨四寸五分。前杠一尺八寸，廣二寸，厚一寸五分。後杠與等板方囊二枚，厚八分，長二尺七寸，高一尺六寸五分，廣一尺六寸。每枚售米二斛三斗。從上杠孔去筋下七寸，前後同。上杠孔去下杠孔分墨一尺三寸，孔長一寸五分，廣七分，八孔同。前後四腳，廣二寸厚一寸五分，形制如象，靬長四寸，徑面四寸三分。孔徑中三腳。杠長二尺一寸，廣一寸五分，厚一寸四分，同杠耳。」演義加上了「牛不飲食」，使之更奇妙巧思而已。演義描述其行動如活牛一般，上山下嶺各盡其便。自然語多渲染。其實木牛不過一種人力手車，從「轉者爲牛足」看來，足會轉，當然是輪子了。四足就是四柱，四柱並四輪，「方者爲腹」，豈不是盛粮之車箱？獨行較快，羣行較緩；因獨行時無滯澀之碍，羣行多阻，故較緩慢也。今日成都之雞公車和河南之土牛車，均有遺傳關係。建興十二年，諸葛亮出敘谷，順利進抵武功渭河南，因其地較祁山平坦，河流甚多，孔明又造流馬。流馬者，乃是水運工具也。注意一「流」字。今日渭河中仍存有一種身狹而長之快船，名曰「快馬」，在水中流行之快馬，非「流馬」而何？船首也許形如馬首足，的一如種馬尾運粮食如馬之快馬船，而已。有此水運工具，渭河沿岸之粮源大源運，五丈原準備大舉一往戰，孔明志在「興復漢室，還於舊都」也。

記張蒼水

湘南遯叟

臣終夜旁皇，恐孤島孤軍難以久持，況復加以他故。譬羸尫之疾，胸胃轉增雜病，其能久乎？只今廣遣招撫於浙、閩、廣每省二人，以解散海上，若不及早經營，則報韓之士氣漸衰，思漢之人情將輟。臣惟致命，以了生平，所悁悁者，主上羈旅島嶼，不獨與閩人休戚相關，且與閩海存亡相倚。計閩勳鎮正在危疑，不若急用收羅之術，以爲擁衛之資。此非欲做福也，免禍亦宜然。即未暇雪恥也，圖存亦宜然。伏乞密與寧靖王及諸搢紳謀之，發憤爲雄，以慰遐邇」。

其二曰：「臣違顏以來，忽經十載，百折千回，壯心未已。原非勳念動名，特以越國義旅，魯邸侍從，止臣一人尚在軍次，雖乖哭庭之志，尚圖掃境之功；以主上養晦，潛耀宜權，區區之情，盟之幽腑。何期行闕沾染胡氛，摹將莫逮。延平忽捐賓客，秉鉞無人。臣以孤軍子處荒壞，又無蟻子之援；日夜枕戈，與死爲鄰，亦以死自誓。若輕爲移蹕，則風鶴頻驚；仍棲浯島，竊恐號召既遠，復與呼喚不靈。乞與諸縉紳勳鎮熟籌妙策，或揚帆海山，或保據沙關，結納忠義，以絕窺伺」！

其三曰：「去冬緬甸之變，君亡臣死，天下已無復有明室矣。海上猶存一線，終乃天留碩果。顧島上勳貴罔識春秋大義，臣實兵微將寡，餉饋粮絕，見宗國之亡而不能救，幸舊主之在而不能扶，中夜椎心，淚盡繼血！但得南國首爲推戴，臣敢勿協力屈從？恭進膳銀，差官齎獻」！

是時蒼水在浙江，秣馬厲兵，以待閩音，久而消息全無，知鄭經無繼立魯王之意，極爲憤慨。適是年十一月十三日魯王薨於金門，他獲悉王之訃音，哭曰：「孤臣之栖栖有待，徒苦部下相依不去者，以吾主在也。今更何望乎」！從此悒鬱日甚。他遣使入閩祭監國，文中有曰：「十九年之旄節，爲國不殊。廿四郡之鼓鉦，平原無恙。恨哭庭而未效，嗟掃墓以何時。投璧還秦，早慚狐偃。扁舟去越，敢學鴟夷」？又曰：「穆王馭駿以來歸，已孤此願。望帝化鵑而猶在，莫慰餘思」！同時清廷再遣安撫使臣浙督趙廷臣致書蒼水招降，他復書曰：

「台翰儼頒，實深內顧。豈僕一片愚衷，猶未足以取信於天下也？執事爲新朝佐命，僕爲明室孤臣，時地不同，志趣亦異。功名富貴，既付之浮雲，成敗利鈍，亦聽之天命。寧爲文文山，決不爲許仲平。若爲劉處士，何不爲陸丞相乎？設云桑梓塗炭。實爲僕未解兵；則僕何難斂師而去，但未審執事果能保障否耶！區區之誠，言盡於此。聞使說辭，請從茲絕。冒復不莊」。

那時台灣自成功死後，其弟鄭襲與世子鄭經一度爲爭奪王位，互相火併；雖鄭經得勝，而鄭鳴駿投清，廈門很快就被施琅、黃梧勾結荷人合力攻陷，鎮海將領林順，南澳守將杜輝，相繼降清，所有金門，臨頭，牛頭門，楚山，玉環諸島，相繼解體。一連串不幸的消息，接踵而來，他眼見抗戰局勢全部逆轉，復國前途非常黯淡，窮山坐困，四顧悽涼，兵單餉絀，業已不知死所。他有「甄行志慨三首」，詩中：「苦口吾同澤，甘心彼喪名」；罵成功父子也。（十六）

長篇小說　美妹

羅雲家著

之後，劉大明又把同來的朋友介紹給他相識。他分別與那些朋友握手爲禮。這才揮手告別。

這夜躺在床上，他却翻來覆去地睡不着。

他想：我這樣答應了劉大明，是否對得起黃美妹呢？她不是說過：「如果我有一位義兄，那該多好呀！」「也許是她從小就沒有親人，所以她需要一位『像樣一點的』親人！」難道說：她的意思是養父母不像養父母，劉大明也不像有兄妹之情的哥哥，而需要找一位像我這樣的人做哥哥嗎？

這一點，她却沒有說明白。他繼續想：如果她坦白的說出她要認他作義兄，而且哀求着要他答應，他是否接受呢？如果沒有與劉大明碰見，沒有那些交談，沒有那些承諾，他或者可以接受她的心意的。但是現在，一切都成過去，他與劉大明有了交換的條件。他不僅不能答應她的請求，而且連交往的機會也就此失去。唉！這從那裏說起？簡直想都想不到的。如果我沒有那天在淡水河旁邊的散步，如果我不遇到這個少女，如果她不尋死，如果……「呸！如果如果些什麼？事情已經決定了，要挽回亦不可能。還担心這些撈什子幹嗎？」另一個他，在心裏提出了反駁。

現在他眞是後悔！後悔爲什麼要問起黃美妹的身世。如果不知道她的身世，對她的過去完全是一張白紙，他想他也許不會對她那麼關切。的確，她也不是什麼「明星」，長的亦不是國色天香的第一號美人。教育程度嘛，初中都沒有讀完。而且還學會了一些洋裏洋氣的玩意，頭髮燙成了最新流行的蜂巢式，褲子的腿做得既窄而小又短及小腿間，雖然當了傭人，腳趾與手指甲上却仍是塗着蔻丹，有時還描描眉，在耳根子上也帶上了耳環。本來就極瘦小的纖腰，由於一條紅色的寬濶腰帶的緊紮，更顯得那麼弱不禁風，一走一擺動，就像快要脫節似的。而一對顫抖抖的乳峯，和那凸的圓肥臀部，幾乎有些不像十六歲的女孩子所應有。這大概要歸功於劉大明等黨羽的「栽培」了。……可不是嗎？像這樣的女孩子，如果不是因爲瞭解了她的可憐身世，僅僅是偶爾遇到自盡而救了她，那也不會這麼關切她了。

何況，他也不是友情饑渴的青年。說異性朋友吧？他一直就不怎麼稀罕的。師母有意使他和那家夜店的女小開交朋友，他都不屑一顧。而那個妞，可長的比黃美妹漂亮多啦！其次，他也有時能找到廉價的「愛情」。好笑的是，在萬華與後車站，都曾遇到幾個失去了靈魂而又失去了自由的可憐蟲的「青睞」，總是甜言蜜語對他灌迷湯，希望得到他的「拯救」。還有，一個市女中學生看到他寫的一篇新詩很美，曾多次寫信給他，要跟他「求教」，邀他去「美而廉」見面。

（十六）

遊橫斷公路漫記

羅緣

由洞口望只一線光明，折出洞口路邊，即絕岩深獄。

九曲迴廊

行行復行行，穿越千山萬壑，忽遇一大片窪地，水草泥澤，雜花野草，遍地葱嫩，雲罄停泓，石潭青翠。在右方用水泥土砌成一座九曲迴廊，彷杭州西子湖內九曲橋式樣，緞柱朱色，於萬綠叢中添此一點紅，更份外顯得潔淨特立，靈境天開。徘徊廊欄，一塵不染，滿谷寂寥，地潤荒野，凌影空落。此處最引人感思，多情小寡婦，失意大政客，忠貞憂國的孤臣，孽子，慷慨悲歌的豪傑志士，能夠身臨此間，一定抱柱大哭！我幾年來，對俗態看得比較多，尤其今日人情之澆薄和卑鄙，又往往出現於智識份子間，屈膝金錢，輕棄道德正義，滿懷憐惜之心，遊觸斯景，恨炎何似！看浩蕩千崖，念萬里乾坤，俛仰今古，憑添愁惱也。

百燕飛谷

前幾處地方，有點「千山鳥飛絕，萬里人踪滅」的境界，實際却幷沒看見一隻鳥雀。誰知踏過一重溪，穿過幾個山洞的最後一個洞口，豁然高陽照射，光耀奪目，傍豎一矮牌坊，題刻「百燕飛谷」四字。奇怪！在看清地名意義之瞬間，心處上就感到嘈嘈嗟嗟，嚶嚶吱歧了。果然，前行千餘步，轉過斜石，就看到千百成犖的鳥兒，飛舞翎翔，隱天薇日；枝頭上，尖石上，蛸壁上，盡是各種彩色小鳥，好看極了。（六）

自由報

THE FREE NEWS

第四八九期

內價警台報字第〇三一號內銷證

中華民國僑務委員會頒發
台數新字第三二三號登記證
中華郵政台字第一二八二號執照
登記為第一類新聞紙類
（年週刊每星期三、六出版）
每份港幣壹角
台灣零售價新台幣貳元
社長：雷嘯岑
督印人：黃行審
社址：香港銅鑼灣高士威道二十號四樓
20. CAUSEWAY RD 3RD FL HONG KONG
TEL. 771726　電報掛號：7191
承印者：四風印刷廠
地址：香港灣仔高士打道一二二號
台灣分社
台北市西寧南路壹壹肆號二樓
電話：三〇三四六
台郵撥儲金戶九二五二

當前世界動態及其影響

陳佩

這幾天，國際間出現了一些聳動聽聞（Sensational）的動態：即蘇俄政府主持人赫魯曉夫突然去職，英工黨領袖威爾遜崛起當政，中國大陸上的毛共政權宣稱試爆原子彈是也。這對於未來的世界局勢，頗有影響，值得注意的。

赫酋去職的原因，世人揣測不一，殊難定論，但有一點可以認定：他決不是如莫斯科「眞理報」所宣傳，係由於年邁力衰而自動引退的。共產黨人一貫的都是以鬥爭求生存，關於政治權力之掌握或放棄，更非經過激烈鬥爭階段不可。赫酋之所以失勢，除卻農業政策——即開發處女地計劃——勞而無功之外，對付毛共所謂「反修正主義」運動的策略，亦大有關係。赫酋在八年專政之中，標榜着改善人民經濟生活與對外和平共存兩大政見，因而不惜向美國特別表示和睦姿態，且要研習美國農業生產品（如玉蜀黍）的進步技術。可是，經過了八年努力之後，國內粮食依然缺乏如故，人民住宅還是不敷分配，而開發處女地亦毫無成效可言。這原是共產制度先天的絕症，無可醫治的，但共黨人士決不承認，祇好將責任推在領導人身上，作為爭奪政治權力的絕妙好詞。至於赫酋與毛共交惡的情形，肇端於「人民公社」問題，他當時公開指說「人民公社」制是蘇俄曾經試行而失敗了的反動玩藝，表示不贊成，然毛共置之不理，且譏其為大國「沙文主義」；繼以蘇俄根據條約協定，向毛共追索遺負甚急，激起毛共反感；最後蘇俄忽然撤回在毛共區域的全體顧問與技工人員，使毛共的許多工業建設歸於停頓，終致引起所謂「修正主義」的爭執，彼此反目對立，形成敵體。這情況跟史大林時代的狄托政權脫離「國際共產情報局」相同，如果鐵幕內部各個「兄弟國家」的共黨，依然聽從俄帝意旨行事，對毛共的分裂運動一致反對，則赫酋的政權必告無恙。詎時代迥異了，東西歐各國共產黨亦乘機對俄帝携貳，強調「一國社會主義建設」理想，使赫酋原擬召開國際共黨大會以處置毛共問題的計劃，瞻顧遲廻，感到沒有成功把握了。俄帝處此境遇，進退兩難，左右不是，祇有讓赫酋退避賢路，徐圖補救之策，庶不致陷共產陣營於分崩析離的狀態中。如是乎，赫酋乃受到「輕率決策」、「不實行集體領導」、「創造新的個人崇拜」、以及「任用私人」、「注重裙帶關係」、這一連串的指摘訾議，不得不被迫去位了。

蘇俄這一動態的結果，對西方國家似不會有多大影響，所謂「和平共存」的冷戰態勢，仍將持續不變的，但對共產國際卻不然。我們早就預料過，赫、毛二人只要有一個被鬥倒，中俄共即會破鏡重圓，言歸於好的。中俄共之不能實行決裂，有如英美之必須互相依存，理由至為淺顯。將來國際共黨大會若召開，一定是號召團結，只有南斯拉夫是否被邀參加，殊難斷定。對於毛共，克里姆林宮的羣魔們必然加以拊循，希望釋嫌修睦，以加强對西方國家的鬥爭力量，殆為勢所必至。毛共亦以政敵垮台，報了一箭之仇，樂得乘機轉圜，繼續乞取俄帝的科技與物力應援，一面恢復工業建設，同時促進其原核子武器之製造發展，作為威脅英美各國的特效工具，這對毛共的生存前途，有利無害，何樂不為呢？當然，毛共還盼望蘇俄能夠重現史大林式的世界革命路綫，反對「美帝」到底，且使史大林派的人物再行抬頭。這並非絕對不可能的事，且看未來的情形發展如何，但在目前卻有困難，因為俄帝的唯一急務，是要消弭鐵幕內部的離心傾向，暫時不能給西方國家以重大刺激。何況美國總統選舉方在熱烈競爭之際，俄帝既希望民主黨繼續執政，即須維持「和平共存」的面目，否則無形中便有替共和黨候選人幫忙的副作用產生，對蘇俄並無好處。所以，克里姆林宮的新貴們，乃亟亟於聲明俄共依舊對內採取反史大林主義、對外實行和平共存的政策，用意就在祛除西方國家的疑懼心情。

英國工黨執政之後，在不危及大英聯合王國的既得利益之下，對毛共的姑息妥協作風，可能較甚於保守黨政府時代。但是，毛共宣稱試爆了原子彈的消息傳播後，威爾遜在競選時所倡英國不必單獨有核武器優勢權能的主張，勢將默默報罷，且對美國的依存性更得加強，殆為意料中事。因為毛共既已開始試爆原子彈，即使它是有如美國所說的「粗製濫造」之物，尚無軍事價值，但美英俄三方簽訂的核子禁試條約，前有法國不受約束，現有毛共試爆，從此即變成了廢紙。將來毛共倚仗俄帝協助，不難在最短期間，從事第二度的原子爆炸，規模自不相同，英美震驚之餘，更須緊密合作，以資對抗，日前威爾遜聲明要與美國實行聯盟，決非外交詞令。工黨在下議院僅以極少數的優勢席次，作為政權的支持力，對於國防大計，就不能隨便唱高調，否則隨時有垮台之可能。所以，美國的下屆總統如係詹遜連任，英美切實聯盟固然不成問題，就是高華德當選，對英國亦不致疏遠，國際形勢迫使英美不能不沆瀣一氣，應付危機。假使赫酋不下野，則共產世界有毛共立異，自由世界有法國扯腿，苟和局面尚可延續下去。如今眼見中俄共又將狼狽相依，而戴高樂獨立特行自若也，英美再不團結奮鬥，寧有倖理嗎？

綜合上述幾點動態的可能影響，今後世界局勢將是更趨緊張，而不會有所鬆弛。尤其是亞洲方面，毛共儼然以「核子國家」自命，對美英實施反嚇阻政策，虛張聲勢，耀武揚威，針對着西方國家害怕戰爭的心理弱點，對外肆行蠶食陰謀，在亞洲隨時隨地興風作浪，趁火打刦，而以越南、印度為主要目標。越共仗有毛共作後盾，氣燄必更甚，美國如其退出越南，則東南亞即告淪陷，要想保持越南，即非改變現行的戰略不可，但又有與毛共直接衝突，引起核子戰爭的危險，進退維谷，不知如何是好。美國雖然很希望跟毛共妥協，而毛共却不會輕於就範，理由是它始終要以反對「美帝」為生存發展的原則，這是「反修正主義」的理論根據，不肯隨便犧牲的。因此相激相盪，亞洲方面的局部熱戰，即很容易觸發，由局部熱戰而演化為全面大戰，並不稀奇。毛共如果一旦控制了全越，印尼便是它的貓腳爪，而馬來西亞即危如累卵了！所以，凡是不怕戰爭的，便有消弭戰爭的潛能，越是畏戰避戰的，戰禍乃終不可免，所謂「高明之家，鬼瞰其室」，理固然也。

魔鬼與核爆

怎打開和平之鑰

今日與明日

貽禍人民的罪行

過去毛共怵於美國擁有大量原子彈的威力，會以夜行吹口哨的心情，說美國是「紙老虎」，認為嘸啥道理。

現在毛共試爆了一枚粗製濫造的原子彈，却拼命宣傳，視為了不起的成就，共幹陳毅且稱「不穿褲子，亦要核武器」。可是，想到過去譏誚美國是「紙老虎」的話，不啻自我諷刺，太難為情了。又自說自話，曉曉而言曰：「雖有原子彈，也是紙老虎」！

既然認定原子彈是紙老虎，那末，毛共連年來教人民縮衣節食，悉索敝賦以從事原子彈之製造試驗，豈不是發了瘋麼？

共產黨人的宣傳技倆，就是這末一套，可哂可恥。「象以齒而焚身」，由於毛共之甘作紙老虎，中國大陸上的數億人民，今後眞有吃原子彈和氫彈之可能了。這纔是毛共的滔天罪惡，萬無可恕也！

紙老虎

赫魯歇夫亦有仁政

俄酋赫魯歇夫下台了，不管他是自動辭職的，或是被迫而去的，我們都無所容心。但他在位時施行了一種仁政，却值得讚揚。

按照共產黨人的鬥爭法則，凡是被當權者排斥、整肅的政治人物，十九皆難保首領以歿的，尤其在史大林時代，專以殘殺異己，血腥統治為能事，一遭整肅，決無生理。迨赫酋得勢後，他對一般所謂「反黨份子」，都採取和風細雨的處置方法，不特貸其一死，且給以低級職務或生活所需之資，讓他們活下去。大概這亦就是毛共所指摘的「修正主義」之一項證據吧？

「請看剃頭者，人亦剃其頭」，赫魯歇夫當年如果將莫洛托夫，馬倫可夫，卡崗諾維奇，朱可夫一干人等置之死地，那他今日還能夠以失勢之身，隱居莫斯科的鄉間休養嗎？

天道好還之說，有理有理。

何其慌張乃爾

美總統詹遜聞悉蘇俄政變、暨中共試爆原子彈消息後，立即中止競選的旅行演說，趕回華府召開緊急會議，研討應付策畧，實則大可不必如此慌張也。

克里姆林宮的新貴們，業已聲明對美外交政策不變，事實上要變亦須經過相當的時日。至於中共試爆原子彈一事，美國務長官魯斯克早就宣佈過了。這兩項國際動態，皆不會馬上對美國發生意外的影響，儘有觀察之餘地。居於自由世界領導地位的美國總統，應該持以冷靜態度為上。在這些地方，英國政治家就比較沉着些，美國朋友似有學習之必要呵！

自由談

宣傳事業感言

馮五先生

日前香港一家布廠老闆，被一羣自稱為來自大陸上的共黨幹部設計擄囚，勒贖四十萬元，指其曾在故鄉担任鄉長職務，血債累累，如不交付鉅額贖金，即將他解回大陸去清算，並謂「如果不相信我們是上級派來的，儘可報告警察」云。幸本港治安當局迅速破案，歹徒一網成擒，依法究處。

假使這些歹徒是冒充為台灣派來的「工作人員」，案發之後，海隅的共黨報紙，不管是眞是假，一定譁然起哄，拚命宣傳「國民黨特務」如何擾亂香港治安，如何危害社會秩序，繪聲繪影，振振有詞。例如最近台灣方面為着在香港被遞押出境的幾個新聞記者事件，表示異議，而香港的共報即指述這些記者都是有「政治背景」的，且以英文「南華早報」的社論為根據，翻譯原文刊出，加强其宣傳攻勢，無所不用其極。

反觀自由中國政府在海隅創立的官報，對上述自稱共黨幹部的擄人勒贖消息，視同極尋常的社會新聞，紀載簡畧，且不提匪徒自稱共幹這回事，好像有意替他們隱諱（其他的報紙却多有紀述），更不必談乘機宣傳反擊的話了。海隅有個洋律師，素來對中華民國無好感，常發抨擊言論，而當地的台灣官方報紙，為着某項市政，曾譔社評對這位洋律師大事恭維捧場，表示着五體投地的心情，眞不愧為以德報怨的偉大精神！該報在兩年前，亦曾為海外某投共名人的老婆出喪而大登消息，且刊出死者相片，令人閱之啼笑皆非，認為咄咄怪事！

共產黨是以宣傳起家的。我們既要反共救國，而對宣傳技術毫不講究，宣傳業務更顯示其聊備一格的衰頹現象，捉襟見肘，奄奄無生氣。憑着這樣的作風以與共黨進行宣傳戰，能有制勝希望嗎？

連年來，在海外怵目這些失策的宣傳問題，感慨萬端，亦悲歎不已，看敵人，想自己，一股煩悶氣氛，實在遏不住了，因而提出來談談，知我罪我，非所計也。

立委郭紫峻質詢嚴院長：我國當前財經缺點仍多 財富集中並非好的現象

（本報記者台北航訊）立法委員郭紫峻，以質詢來檢討行政院長嚴家淦的「施政報告」中當前的財經部份，并加以批評。他指出，施政報告「稍嫌過重宣揚，而忽視各項缺點。」很中肯，引人注意。

郭委員說：「各機關和各機構的財務管理，日見鬆弛。浮支濫報，和變相待遇開支日見增多，雖內（政部）教（育部）兩部亦不能例外。」尤其「使財務管理廢弛到主計制度不能充分發揮作用的程度，頗值得警覺。」其次，儘管「稅收欵頗有增加，而稅制稅政則似無甚進步。報告書中所示，稅捐部份實征淨額較預算數超收百分之一〇點七，而只能證明財政機關督導和稽征的努力，並不能充分說明稅制稅政的進步。舉事例以言：如統一稽征條例，財政部曾表示實施至今年底，請問能不延長嗎？防衛捐各種稅法，尚未修改完畢，而能自明年停征嗎？年來證券市場中致富千萬百萬者，社會上呼之欲出，財政機關將能收到應征之所得稅嗎？國民收入日增，財富又日趨集中，而所得稅遺產稅是否亦能比例增加？諸如此類的事實都證明我們的稅制稅政尚有許多地方需要改進。」

（記者按：我們的稅收，間接稅仍佔百分之八十以上）

郭委員說：行政院「對經濟部主管範圍內盡人皆知或爲國人所欲知的事實，亦是一字不提。」所謂「經濟發展之新形勢」，貿易由逆差而變爲順差，結果是「財富日趨集中，政府若干措施，尚在助長此種趨勢之發展。」「財富集中是工商業發展過程中不可避免的事，而在某種限度內，也未嘗不是好現象，但若任其長久發展下去，流弊即生。當今歐美國家對此尚均有積極的措施與其工業發展相輔而行，如反托拉斯法及累進的遺產所得稅等措施；我們只看到幫助財富集中的措施，而連在財富增加和集中過程中適數的直接稅也收不到。」

郭委員說：若干工業已達國際水準，可與其他各國競爭，固係事實；「但若干工業則因保護過度，和管理不當，正在暴利獨占和落伍的情況下發展。這些獨占或落伍的工業，就某一觀點上言，只能爲少數人製造財富，對國家和民族成了一種負担。但我們仍在無條件無限期的保護中。這實在是『經濟發展新形勢』中一項重要的課題，政府當局應當給我們一簡要的分析，並說明政府今後方針！」

至於當前證券市場的內幕，郭委員一語道破的說：「今日之股份有限公司」「依法使其股票，取得『上市』之條件，實重於對外招股，至公開與否，尤在其次。蓋多數股權仍握在創辦人之手。至增加幾家民營公司股票上市，有的信譽頗佳，爲人所共知；但亦有勉應政府之倡導，以少數股權應市拍賣，當日即以高價自行收回，僅製造了一個高價的紀錄，和留給市場少數『交際股』而已。或則劃出百分一二十的股票上市，在各該公司自行操縱下高抬至適當價格，逐漸抛出，以後仍由各該公司決定其股票價格之漲落，前後二者均與一般所謂之『資本大衆化』，『資本社會化』顯有距離。但登高必自卑，證券市場革創之際，有些不十分正常的現象，當爲國人所共諒；所以我們不必反對這種事實，更不必隱諱這種事實，實事實說，並揭示我們將來不斷努力的方向和方法，以實現眞正的資本大衆化，社會化，豈不好嗎。如果我們過分『美化』目前的現實情況，則將或徒貽民間以話柄。所以這一項不應視爲經濟發展步入正途之徵兆，只應視爲目前證券市場中已有的一種事實，而其事實本質，兼有其光明面和黑暗面。不知當局有此同感否？」

從去年度實績檢討 國營事業經營尚待改進

——本報記者台北航訊

國營事業在五十二年度經營情況如何？這是衆所關注的。就經營的成績而言，似較過去有進步，但並未達到決算盈餘及虧損的機構，仍佔半數。故如何提高其經營效能與增加盈餘能力，乃主管經濟當局的當前急務。

先從台糖公司說起。該公司五十二年度計劃生產砂糖八十萬零八百六十二公噸，但實際產量較預計產量減少七萬八千九百二十公噸，佔預計產量百分之九一點一四。減產的原因，由於農民耕種其他作物獲利較優，致種蔗興趣減低，加上天災如颱風、水旱及嚴霜等。實際產糖爲七十二萬一千九百三十三公噸，而實際銷售只有六十八萬零九百七十四公噸；其中外銷六十七萬三千零七十四公噸，內銷七千九百公噸。但由於國際糖價上漲，使該公司五十二年度營業預算盈餘由十億二千一百六十二萬餘元，提高到二十二億三千七百八十萬餘元。

台鹼公司的業務頗有進步，前途樂觀。但由於產品需求時常交易，且化學工業汰舊換新更添設備之需要，比其他各業更爲殷切，故每年淨值之累積有限，資本支出資金多仰舉債以資供應，其利息負担非常之可觀，以是週轉金頗多困難。凡此現象，若能設法改善，則其事業前途當更有發展。

台灣機械公司的產品，沒有固定規範，全視顧客之需要而定。儘管每一年度開始，訂有業務計劃，但係處於被動地位。審計部曾迭次建議，對業務方針不無商榷之處，而主管當局則力謀產品趨於專業化，但專業產品之市場與其生產設備及製造技術之不易配合，產銷尚難立即取得主動地位。這幾年來，該公司對內部管理制度及生產技術較以往似有改進，不過，在政策上對長期發展與現實環境仍須兼籌並顧，在設備上須設法更新，在生產上應求技術提高，蓋此乃發展高級技術產品之基礎也。

因此，該公司資本借入者佔百分之七一點四二，自有資本只有百分之二八點五八，所以負債頗鉅，資本結構不佳。復查其流動比率爲百分之一三點六〇，速動比率爲百分之四七點一〇，遠不及一般標準。短期償債能力薄弱，資金短絀之現象仍屬顯著，在在有待改善。

台灣鋁業公司五十二年度因受枯水停電的影響，原計劃內銷總量爲八千零五十公噸，外銷總量爲五千九百六十一公噸，但實際產量不及原計劃的百分之八十。由於國際市場鋁價下降，市場競爭激烈，該年度外銷鋁錠平均價格每噸一萬六千六百三十一元，而生產成本平均每噸爲一萬七千三百十六元，每噸差額爲六百八十五元。（上）

台灣論壇

台省出售十億公營事業股票 枝節已橫生・餘波何未息？

本報台灣中部記者 熊徵宇

在當時，陳火土議員曾經要求財政廳長周宏濤拿出勇氣來，不怕丟官，向上打個官腔。省議會絕對支持。

周宏濤當時說：「中央與省協調出售股票時，楊部長正在非洲，而楊部長回國後，我未能向他詳細解釋，決定請處分。並請大家對中央和楊部長莫再責難。」才平息了那場風波。

院長部長・話不一致

但是楊部長在省議會已經通過這個案子以後，又在立法院發表答覆立委陸宗騏的那番談話，實在是不必要的。

況且行政院長嚴家淦，十月二日，在立法院答覆立委金紹賢時，曾說：

「出售公營事業股票，中央與省的政策是一致的」。並且說：「省府出售公股，俟省報行政院後，行政院再行考慮研究，且應依照規定程序處理」。

這話交代得清楚明白，事實上，這案子如果出售的股票決定不賣，用那種事業的股票來彌補，在原則和細則上，都必需重新研究，而要做到適時、適價、適量，也必需要俟省報院後，從長計議，實在不必要楊部長一再的在立法院說來說去地「徒亂人意」，使股票市場不能獲得一種穩定的觀念。

而且部長的談話，對國會而言，似乎也不能過度的與行政院長的談話有所不合，而引起社會與羣衆對於這案的政策性的疑慮。

就記者個人而言，實在也弄不清楚楊部長的談話，何以與嚴院長的談話在基本觀念上與所持的措施上是那樣相反？

而且，楊部長對這案子的意見，又是自爲矛盾，實在使人不理解！

行文贊同出賣

我說楊繼曾部長自爲矛盾，乃是有根據的。根據經濟部五十三年九月廿日發出，九月廿五日抵達省政府的公文。那公文的「副本」，抄送「財政廳」與「台北市證券經紀人商業同業公會」，文上說：

（一）據本部證券管理委員會，案呈台北市證券經紀人商業同業公會，本年九月十六日（53）北市證紀福字第一五二號呈以：「①邇來證券市場餘波尚未平息，本（十六）日，各報刊載省府即將出售持有之公營事業股票十億元，暨在數量底價之報導，以致引起本（十六）日證券市場又一次普遍下降，計有十九種股票跌停板之事件發生。②本會仰體政府「長期資金證券化」之政策，並權衡當前局勢與社會秩序之安全，爰謹建議鈞部迅速洽轉省府，出售公營事業股票，暫緩實施，另訂合理之底價，俾資平定當前風波，穩定市場。③謹呈鑒核示遵」等情。

（二）查政府出售公營事業股票，以增添證券市場籌碼事屬必要，惟維持證券市場之安定，對於出售時間，數量及價格，等技術問題，似以配合當時市場需要籌劃處理爲宜」。

口頭何以不該

那公文蓋有經濟部長楊繼曾的簽名印。假如是發文的頭兩天十八日由楊部長判行的話，那末距離楊部長第一次（廿二日）在立法院發表「公營事業所有股票，目前不宜大量出售」的時間上，只有四天。何以在公文上贊同省府出售股票，而在口頭上又提出反對？

這是令人不可想像的！我們似乎找不出理由來說明楊繼曾部長何以「自相矛盾」？

這大的一件事體，居然發生這樣的情形，叫人對這件案子如何不存「疑慮」？不管這件案子將來省政府送到行政院後，是怎樣的處理，目前似乎不必再談，因省議會的立法精神，也是有其尊嚴的。

澈查透露拋空

我們覺得，目前應該注意，應該徹查的，是立委劉明侯廿九日向行政院所提出的要求：調查在省議會審查出售公股案的前二、三日，何以有人「拋空」？是誰透露？

我們聽說，省議會有幾位財團的議員，在審議本案時，手上的股票都脫了手，都「拋空」了！有一個集團，拋出了四億股票，有一位某公司董事長的省議員，一個人就分得純利六千萬。

股市下落時的拋空客戶到底是哪些人？若果不加徹查，今後的證券市場可能就不能終止暴漲暴落的情形。（下）

省社會處國宅貸款 主辦人員藉機牟利

（本報記者張健生台北航訊）（續上期）因「一圖之費，少則一兩千，多則三四千元，實屬駭人聽聞」，此非「意在貪索」？

該規則第三條第三項明定：「申請本貸，以個人自行包工興建住宅爲限」云云，不得委託合作社、廠商興建。而社會處在「注意事項」（戊）項第三款但書的命令中，准許「團結集中」興建住宅。「此不外爲廠商造成有利條件，以便分肥！」像「三興新村工程處」等數家之中所掌握的土地，有的是尚未繳清地價之（政府）放領地，有的是尚未終止租約之三七五耕地，有的是共有地尚未經其他共有人同意，有的承受廠商提供之土地而非建築地，並未取得合法使用權。依民法第七五八條之規定：「不動產物權，依法律行爲取得設定變更，非經登記不生效力』。」該廠商所掌握之土地，係近三月內購買者，「尚未取得合法使用權」，「假如社會處與廠商無勾結圖利行爲，應即依法執行，不予核准。」但「社會處祇有甘冒違法之危險，對各廠商等包攬（非法）代爲申請之行爲，不敢糾正。」究爲何來？

劉兆勳說：社會處「限於現購土地，請主辦機關加以設想，在三十天之短促期間，縱然有錢：：：根本買不到合法土地。並且申請書中限填十九項手續，每一位軍公人員之個人與貧民均擯棄於門外，再加以主辦人員與廠商有默契，因此造成非經廠商設計者，主辦人員非云填表不合，即云圖樣不合，以挑剔方法阻撓眞正需要房屋之人民及公教人員申請機會。」於是，「某某新村廠商受主管官員支持，公開向申請人先索詐定金三千元，再交三萬七千元，從中牟利，亦不視爲稀奇。此中情形，所謂廠商，實即主管官員的化身。」

劉兆勳舉「官商」勾結，貪索事實」來支持他的質詢。他說：「據悉，有主管處副處長與主任秘書等串通廠商設立新村工程處，並核准廠商所壟斷之申請貸欵案，接受紅包數達二千萬元之鉅；因此，社會處明知有三興新村工程處，幸福新村工程處，公開設置辦事處，登報招攬承受委託興建住宅，並聲明保證批准，而社會處亦居然對廠商開出支票，予以兌現，並鼓勵申請人去各廠商代辦。」

劉兆勳在質詢文後，把廠商所刊廣告一律作爲附件。

這次省社會處主辦興建國宅貸欵業務的，的確有許多措施是不合情理法的。

天真與愚昧

李敦復

因此他變為共黨同路人的獵獲物，他們運用他的虛榮心達成他們的目的，否則他決不會相信水與油可以混和，而從事於調解二個基本敵對的目標的政黨之衝突。他時常受到許多祇顧自己或他們所代表國家的自私人士之打擊，因此聽不見、也想不到美國久遠的利益，他繼續不斷的受到英國人的擾亂，後者正利用外國在破壞美國的戰略。他沒有時間，意向及機會去研究共產黨的方法。」

關於馬歇爾自一九四七年一月出任美國國務卿以後，魏德邁將軍特別指出其政策上的錯誤，他以非常真摯的態度敘述經過，他說：「我十分震驚，馬歇爾對國共衝突完全置之度外，好像此事與美國不相干。他根本不曾看出自己政策上的矛盾，當他建設以四億美元助希臘擊敗希共，而另一方面，拒絕將軍經援助畀予中國政府。我仍推崇馬歇爾將軍為我們這一時代的偉大人物之一，假使他能承認他對華政策之基本錯誤，即他曾以為國民政府及中共僅為爭奪執政權的兩個政黨，因此對他一九四六至一九四七年間採取禁運軍器，以此迫使蔣介石與中共談和；但是他始終沒有承認他的錯誤。一九四七年一月他離華返美出任國務卿前，他曾再度背責國民政府中的保守份子阻撓了他謀求國共組織聯合國政府之努力。」

至於美國國務院的高級官員，對中共的缺乏了解，實已到了「可笑」的地步，魏德邁將軍會作以下的坦率指費，他說：「在同年一月七日馬歇爾發表的聲明中，再度顯出他對共黨威脅之缺乏了解。他將那些坦白陳述政府與共黨合作之不可能，及唯有使用武力可解決糾紛的人士當作保守份子，他對一般共產主義，特別是中國共產產的性質及目標一無所知！他雖也承認有些澈頭澈尾服膺共黨的份子，從事破壞經濟以謀顛覆政府，但他以為仍有一大群非共產黨人會以人民利益為前提。」

這位曾經一同與馬歇爾從李思堡走到五角大廈的魏德邁將軍，對於馬氏的個性，更有深刻的描述，他是如此寫的：「在我與馬歇爾的接觸中，我發覺他總是那麼冷淡而不近人情……他總讓別人與他之間隔着某種距離……」以他倆關係之密切，加上魏德邁將軍忠於國家的熱忱，他對馬氏的看法，其可靠程度，當然百分之百的準確與客觀，那是毫無疑問的。同時我想在這裏應該特別指出一點，是必要的，而同時其于自由世界的意義，是非常深刻的，那就是：馬歇爾在出任杜魯門的駐華特使及國務卿期間美國所採取的立場與政策的錯誤和危險，是「史無前例」的，而美國國務院高級官員們的天真與愚昧，也是「獨一無二」的。

讀者諸君，如果把歷史廻溯到二十年前，那正是第二次世界大戰中美並肩作戰，以抵禦日本的侵略，當時在中國戰區指揮作戰的最高司令官是史迪威氏，同時並兼任印度及緬甸地區之美軍總司令。讀者諸君一定還能很清楚了解，中國戰區的遼濶要比歐洲戰區大上好幾倍，而當時有超過二百萬以上的日本武裝部隊進攻中國，到大戰結束前二年，祇剩下西南的半壁河山，但，英勇的中國軍隊與人民，仍舊以落伍的舊式武器繼續抵抗，以獲取最後勝利的來臨。但，這樣一個土地面積較英國廣大的中國，好一大片的領土被日軍佔領，人民被日軍蹂躪，因此在這一地區的重要指揮官——美軍總司令史迪威，其使命之重大與任務之艱巨，自可以想見。但，褊急的史迪威，却是一個虛驕又急於名利的典型小人，易受欺矇，具有偏見，他是根本不懂中國的歷史發展及政治情勢的人。（五）

我所知道的麥帥

肯寧將軍原著　徐熙光翻譯

到一九四六年一月一日，已經有將近四百萬的日本海陸軍士兵解除了武裝。以後的一年又兩個月裏，又有大約六百萬日本士兵從中國、朝鮮、新幾內亞和太平洋的數百個島嶼被遣送回國。

數百名被控訴的戰犯則予以監禁並加審訊。雖然我們有足夠的理由[illegible]日本採取報復，但[illegible]仍然是一件必須付出[illegible]的聰明才智來加以解決的[illegible]件，以免造成日本人的憎恨[illegible]世界一致公認對日本戰犯的[illegible]是公正的，戰犯們都服了他們[illegible]得的罪刑。有些日本人發現[illegible]名字列入戰犯名單，在未被捕前即已自殺，這使得麥帥頗為[illegible]。不[illegible]我對這種抱怨並不在意，尤其這些怨言是來自蘇俄方面。

另外有一些政治犯，他們的罪名是反對政府的政策或涉嫌有「不貞」的思想，麥帥一律將這些人釋放。當時共產主義在日本已被宣佈為不合法的主義，但是麥帥還是釋放了若干共產黨徒。

日本的「思想控制警察」一向聲名狼藉，其性質跟納粹德國的蓋世太保一樣，麥帥廢除了這個制度。麥帥還廢除了各種軍事秘密組織，其具有影響力的各黨派則令共加入政府內閣的圈子。

麥帥並宣佈了思想，言論，集會和宗教的自由。允許人民談論天皇制度。麥帥對這件事特別重視，因為他最強調言論的自由，如果天皇制度不允許人民討論的話，言論自由將只是名存而實亡。日本的報界也由多年的檢查制度下獲得解放，他們被允許有批評日本政府和其他一切日本的事情的權利。

掌握工業和財政的財閥世家，如三井和三菱等大的會社，麥帥命令將之解散，其股份則公開轉賣給人民或財閥工廠裏的工人。任何財閥世家皆不得購回任何資產。這些財閥數百年力量不斷滋長，事實上已經控制了整個日本的企業。他們任意降低工資，阻撓工會的成立，並與日本軍閥互相勾結。

麥帥推行的經濟改革旨在安定日本政府的經濟基礎，他向所有廠商和私人徵收百分之百的因戰爭所得之利益的稅收，連天皇也不能例外。財閥和天皇第一次發現他們的收入已不再屬於「免稅」階級。多年來，日本一直採用軍事年金制度，這種制度使得國家的預算一直不能平衡，所以麥帥把它取消了。

擁護軍國政策的黷武主義者則將之完全自政府、學校甚至工廠中淘汰。

地主所擁有的大塊土地是對農村經濟的一種束縛，麥帥下令把地主的農地分小，以公平的價格賣給佃農。此舉無疑地阻遏了共產勢力在日本農民階層中的滋長。佃農們從此有了他們自己的土地，有權決定種那些糧食或蔬菜，他們一個個都變成了小資本主義者。

日本的神道教原為崇奉天皇的國教，麥帥將之廢除，並勸請日本天皇在一九四六年元旦宣稱他自己不再是神明，勸日本人不得視他們自己為有權統治全世界的優秀民族。這個聲明並未在日本人之間造成絲毫漪漣。他們從一九四五年八月十四日那天開始就已經知道日本天皇不是一個神明了。（五四）

台灣東部遊記

羅雲家

等了三分多鐘，琢如弟騎車趕來迎接我們。接過行李，大家邊談邊行，一面欣賞市街的景色。穿過熱鬧的通車站的大街，在郵政局左轉進入中正路。為了與他的住地接近，他為我選擇了東部旅社，要了一個兩張床的大房間，訂價是五一元（連一台電扇）一天，較之台北便宜約三分之一。因為自早至晚，汽車、火車連續坐了一天，人人都一身臭汗，所以急急先去沐浴，再辦登記手續。一直等到九點鐘，我們才跑到「一家村」去吃飯。點了四菜一湯，喝了一瓶啤酒，共花去一百五十多元。吃的東西，此間的價格可算得上是相當公道。

十時過後，我們邊談邊逛來到了他的電器行。住在北埔某機關的正新兄在他的店中等候了三個多小時，為了趕車，留話歸去了。對於他的盛情我只有深深的感激！此君為人誠懇、熱情、講信守、重道義，與琢如是志同道合的一對，所以他倆在花蓮八年相處，始終親如手足，從未發生過什麼不愉快的事。人生得一知己，死而無憾，僅此一地，我就得到這樣好的兩位知己，那能不叫我深自慶幸呢！

琢如的店舖，是在自由街靠近中正路口，雖不是熱鬧的大街道，但地位適中，生意相當不錯。回憶他在卅七年投筆從軍，自湖南家鄉投考傘兵時，剛剛中學畢業，什麼都不懂。到了南京岔路口營房編隊，正巧編在我的那個排中，因為人矮，他站隊是在第二班最末，排內的弟兄們，多以「小鬼」呼之而不名。出操[illegible]與槍同高；打野外，常常跑不動，掉在老遠的後頭。倒是吃飯來肚量極大，對班長所分的定量的飯，常常感到吃不飽，要躲躲藏藏地託伙伕們買零食充飢。有一次他的這個舉動為我發現，好好地訓了他一頓，罰他站了一班哨兵。時隔十六七年，每每談起南京的往事，他總忘不了提起這些，叫人既好笑又好氣。這氣的不是別的，是那時候的主食補給，量不夠，質又差，使得做下級幹部的我們，在士氣、軍紀的維持上，都十分棘手也。

在南京訓練完畢，部隊開赴京滬綫的無錫、崑山，及浦東，上海北站駐防。翌年春，我奉派往松江去接兵。他與明華，國樑三人，在友人的介紹下，開小差去投裝甲兵×部，為的是那邊可以給他們較好的職務。從此我們不通音訊，凡一年餘。卅九年我隨部自舟山轉進台灣，駐在苗栗，適逢他們的部隊也住在那兒，於假日逛街中，無意間碰到了，這時才又恢復連絡。以後我隨部去過澎湖，小金門駐防，他以後也調到大金門戍守，不論到那裏，他對我這老長官都念念不忘，經常來信。他告訴我近年來，對電訊工作發生甚大興趣，且已活動調到電機通訊部門工作方面。我認為這是最好的志趣，多方面鼓勵他在這上面多加研究。他是一個刻苦自勵，努力上進的青年，由於興趣所趨，加以「在職訓練」的磨練，兩三年後他對電訊的原理乃至裝修的技術，都有了相當的成就。以後他又選派到電機保養學校受訓，更使他在這方面學有專長。（六）

盧君續夢

第十四回：

誰與慶昇平　呼朋湊興
居然爭霸業　背主孤行

赫魯曉夫接着說道：「阿爾巴尼亞的霍查集團，毫無理由的樹起反蘇旗幟，任何人都知道二次大戰後若不是靠着蘇聯的保護，早給人併吞了。但是，霍查轉臉無情，在地亞那竟然公開反蘇。我們的大使館人員受到監視，海軍基地被包圍。他不知道偉大的蘇聯是這麼容易欺負的？我馬上下令撤回大使館，封閉海軍基地，滿以為霍查應該悔悟了！不知霍查得到什麼人的撐腰，竟然變本加厲，在國內大舉反蘇，他在報紙上罵我，到莫斯科來罵我，我都忍了。甚至我在地亞那公園裏種了一顆樹，他也派人連根剷去。你們說霍查多麼小氣，像不像個共產黨員。」台下鬨然大笑起來，只有中共代表團不笑。

赫魯曉夫繼續說道：「假如盡是這一些小事，我也不與他計較。最不可原諒的是霍查、謝胡集團，竟然動手殺害黨內親蘇同志，其中有兩名政治局委員，八名中央委員，不經審訊就槍決了。」台下一片咒罵聲。

赫魯曉夫又說道：「霍查的罪惡說不完，其中有一名女同志已經懷了四個月身孕，要求等到分娩之後再槍斃，竟然未得到允許，結果雖然殺了這個女同志一人，却害了兩個姓命，你們說霍查及其伙伴們到底是人還是野獸。」

台下又一齊咒罵，許多人的眼光漸漸轉向中共代表團，周恩來坐在主席台上侷促不安，一張白臉時而發紅，時而發青。

赫魯曉夫又說道：「迫到最後，我們只好同阿爾巴尼亞斷絕外交關係，也取銷了一切援助，對我們不但無損，而且有益。因為我們每年可以省出一筆無謂開支，轉而援助友好國家。至於斷絕援助之後的阿爾巴尼亞，那可慘了，人民連褲子都沒有得穿，每餐只能喝一些稀粥。霍查當然也在向其他方面想辦法，不過，有的人即使想幫助他，無如本身也只有一條褲子，總不能把褲子借給霍查而自己光着身子。我們有把握相信，好看的戲還有後面哩！」

赫魯曉夫光是罵霍查，足足罵了兩個鐘頭，時而揮拳，時而跺脚，時而又仰面朝天咧開大嘴哈哈笑一陣。講完之後，主席就宣佈休會，一天的議程又完了。

第三天臨到周恩來以來賓身份致詞，周恩來已拿定主意，不慌不忙上去，開口說道：「今天是偉大的蘇聯共產黨全國代表大會會的第三天，請允許我代表中國共產黨一千七百萬黨員向你們敬致兄弟般的賀意。」台下登時响起一片掌聲。

周恩來接着又唸了一大段有關蘇聯對中共的幫助，中國人民的感激，中蘇兩黨萬古長青的兄弟般的友誼。好話說盡之後，突然語鋒一轉，說道：「值得遺憾的是你們這樣公開抨擊阿爾巴尼亞，却損害社會主義的團結，有利於帝國主義的挑撥，我們是不能同意的。」周恩來說過就結束了這段話，台下只有中共代表鼓掌。周恩來回到賓館，越想越怕。第二天就坐飛機回北平，留下副團長彭真在莫斯科應付。周恩來飛機降落時，一看毛澤東帶着劉少奇都來接機，不由得心中又是一喜。（二五二）

哀梨室劇談

一枝獨秀喜春來

劉豁公

憑良心說，那時春來的劇藝，絕對不如月樓之精湛，但他也自有他的長處。原來他是一個天生的伶材，又值年青貌美，「扮相」特別的俊秀。加以腰腿靈活，力大無窮，同時又有勇氣，有耐性，有責任感；無論唱什麼戲，同樣的悉力以赴，絕不減料敷衍因循。年甫弱冠，「八大拿」的「套子」，已自熟練得舉重若輕。但因身材較小，扮大將演「長靠」戲，未免稍欠威嚴；至扮英雄俠客的「打衣」戲，則短小精幹，標悍絕倫。如「三岔口」，「十字坡」，「武松打虎」，「惡虎村」「一枝桃」，「花蝴蝶」，「蜈蚣嶺」，「界牌關」，「獅子樓」什麼的，一齣齣都是他的傑作。身上手上臉上處處有戲；令人看了，有如啖哀家梨，再爽快也沒有了。

他又相當的虛心，常向前輩名伶夏奎章（字玉侯安徽懷甯縣小市港人，出身於北平科班，為清咸同間，最先南下獻技之文武老生；月恆，月珊，月潤，月華等皆其子也）求教，奎章亦喜其誠懇，教導之惟恐不力，因之春來之劇藝愈益孟晉！後來他又把名技擊家鄭雲鵬（即後此之名武丑賽活猴）留在家裏，專門教他實用的武功！因之他又具備了真實武藝，幾乎可與俞毛包（名菊笙，係當時武生元老，俞振庭即其子也。）分庭抗禮，並駕齊驅。

為此愛好劇藝者，都對他表示無上之歡迎；而某一類型之女性，更對他有特殊之好感，以能得到他一盼為榮。號稱北里「四大金剛」之名校書陸蘭芬，張書玉，林黛玉，金小寶，都和他有密切友誼。

然而春來老板，並不以此為滿足。在某一些情況下，他還是要拈花惹草的。

也眞有所謂「天從人願」吧？在某一個星期日晚間，春來貼演其拿手好戲「花蝴蝶」，「扮相」之英俊，與夫身手之矯捷，自不待論；特別是那一身新製的行頭，鮮艷奪目，並富於誘惑性。水紅色的「褶子」，裏子是湖色的；裏與面同樣繡着栩栩如生的黑色蝴蝶。「彩褲」，「花靴」，亦復如是。「羅帽」上又釘滿了珠製的蝴蝶，時時顫動，恰與因風起舞的蝴蝶一般。當二千座客同聲喝彩時，「花樓」上某一「包廂」裏面，一位儀態萬方的淡裝貴婦，突將一枚特製的眞珠蝴蝶，不聲不響的拋上舞台，一粒粒大如豌豆的珍珠，散在台上放光！座客為之愕然。（三）

再論「後出師表」

周燕謀

諸葛亮「後出師表」之令人惑疑者，余前有小論言之矣，前舉所惑者三：陳壽「諸葛亮傳」所無，或已削之，此其一；趙雲死於建興七年，而表上於建興六年，然稱趙雲等已喪之誤，此其二；表中多為失敗灰色喪氣之論調，謬於戰志，此其三。陳壽削之，蓋有故也。

反復誦讀後出師表，再考其旁證，則又多發現其謬疑之點，爰「再論後出師表」於次。

後出師表云：「……劉繇、王朗、各據州郡……」然考劉繇為豫州太守，在興平中；王朗為會稽太守在建安初年；孫策之沒在建安五年。此疏上於孫權破曹之時，則為建興（蜀號）五年也。（即魏太和元年）惟時相去二三十年，似不必贅述矣。三國志諸葛亮傳，裴松之注引「漢晉春秋」曰：「……亮聞孫權破曹休，魏兵東下，關中虛弱，十一月上言：……」又曰：「此表亮集所無，出張儼「默記」。」此又可疑者一也。

表中第二不解上云：「今歲不戰，明年不征，使孫權坐大，遂併江東。此臣之未解二也。」按孫權併江東，乃三十年前之事，此次出師伐魏也，與孫權坐大何干？列為不解之二，甚為無稽且無文義可言，與疏文立意不合。此又疑之二也。

表云：「曹操五攻昌霸不下，四伐巢湖不成；任用李服而李服圖之。……」考魏志各傳中，根本無李服其人。此又可疑者三也。

陳壽削之，可見其偽也。而裴松之亦云：「此表為亮集所無，出張儼『默記』」而張儼「默記」。現已失傳不可考。陳壽廣搜諸葛亮遺著述，不遺餘力，特表奏晉帝，其重視諸葛之遺作如此，開史家之創例。既不見陳壽之「諸葛亮集」，而裴松之已見之矣；然則今之諸葛亮集中，有前、後出師二表，何也？如非後人偽撰滲入，何以不見於陳壽之諸葛亮集，而僅見今之流傳「諸葛亮集」各版本，觀此可知後出師表實為偽託。此又可疑者四也。

袁枚曰：「此非孔明所作也。夫兵，危事也。伐國，大謀也。張皇六師者有之，一鼓作氣者有之，指馬而食以肥應客者有之。未有先自危怯，昭布上下而後出師者也。若果為亮作，是亮之氣已餒而其精已消亡矣。其前表曰：「興復漢室，還於舊都，」不效則治臣之罪」。何甚壯也！後表曰：「坐以待亡，不如伐之。成敗利鈍，非臣所能逆覩。」何其衰也！」袁枚之論卓矣，其為偽撰明矣。陳壽削之，良有以也。

後出師表，各本間有字句不一者：如「而不及今圖之」，殿本考證云：「及今」毛本作「及虛」，本集作「及蚤」（早也）。又「鞠躬盡力」，今之通行本皆作「盡瘁」。又「賨叟青羌」，而「叟」字多不知云何。考後漢書董卓傳注，叟兵即蜀兵也。漢代呼蜀為為叟。又劉焉傳注引孔安國尚書傳云：「蜀，叟也。」然光武紀注引「華陽國志「：「武帝元封二年，叟夷反，將軍郭昌討平之。因開為益州郡。」則叟者，蜀之西南夷。尚疏亦云：叟、蜀夷之別名，郎今之雲南也。又見李恢傳云：「賦出叟濮，耕牛戰馬。」此叟之在滇之一顯證也。青羌，則為青衣羌耳。又「幾敗北山」，明監本作伯山，通鑑亦同，誤也。殿本改正之。胡三省曰：「幾敗北山，謂與烏桓戰於白狼山時也。」因論後出師表而附考及之，非贅文也。

長篇小說

美妹

羅雲家著

可是，這些他只是應付一番就算了。從來就沒眞的動過情感的。為什麼他倒會這樣關心黃美妹呢？

他一時想不出答案。

也許是因為她太像他的表妹玉蓮了。也許是因為他曾救了她，把一個堅決想死的人，經過開導，改為堅決要活下去，不再想到過去，不再想到現在，而只是想着明天；覺得他活在這無情的世界，竟還對人具有這樣大的意義，因她的這個轉變，對他產生了極大的啟示，於是對她也起了好感。也許是因為她對他產生了相見恨晚的情愫，對他產生了依賴性，對他抱有太大的希望。「嗨！何必想那麼多，關心她又有什麼用？現在人家干涉你的關心她，而你自己也應允不再見她。還老是惦念着她幹屁！……」他決定不再想她了！他一骨碌爬起來，開了枱燈，鋪好稿紙。他想：既然睡不着，就把這篇小說寫下去！

這個短篇故事，原來是想寫一個脫衣舞孃的坎坷身世的，但寫到第五張稿紙，他寫不下去了。

原因是故事中的女主角也是孃女，她的遭遇與不幸，幾乎大多數是與黃美妹相同的。想到黃美妹，想到表妹玉蓮，又想到劉大明，……這樣腦海中千頭萬緒，就不知再寫什麼好了。

「健文！」就在這時，他的老師起來小解，看到他玻璃窗上的人影，叫喚了他一聲。

「唔！老師，我就要睡了。」他怕老師責備他又熬夜了。要他別熬夜，那是傳老師勸過他多少回的。

「你不是忘了看錶了吧？快三點鐘啦！快休息吧，白天睡一天也抵不上夜裏睡一小時的呢。」說着，傳老師走向臥室去了。

「是的，老師。」他即刻關了枱燈，爬上床。

剛闔上眼，却聽到門口有人的哭泣聲。

他仔細地注意那哭聲。他感到份外的奇怪。這樣晚了，有誰會在門外哭泣？不會是美妹吧？

可不是，那哭聲越哭越大，聲音尖而脆，是女人的，而且像是一個少女的。

「嘭嘭！」有人敲門了。

聽聲音，不是敲鄰居的門。「嘭嘭嘭！」繼續在敲了，而且正是敲在他家的門上。

「誰？」他一面披衣下床，一面奔到門口開了門燈。

「是我——黃美妹！」嗚嗚——她聽出了是他的聲音，哭的更厲害了。

「這麼晚了，是怎麼會事呢？別傷心了，快進來吧！」他急急地開了門，把她扶進屋，再關了門，然後帶她走進自己的臥室。

「那死鬼打我。叫我滾，叫我不要再見他。」她在一張藤椅上坐定，拭去淚水後，邊搯弄手帕，邊低着頭說。

「是剛才？」

「唔。」

「在家裏？」

「不！在外面——他的朋友家裏。」

「為什麼呢？晚上他曾找過我，並且答應了不再虐待妳呀！」他穿好衣服，扭亮枱燈，坐在她的對面，皺着眉頭詫異。（十七）

記張蒼水

湘南遯叟

「吹笳悲自壯，擊筑和誰親」；歎無同調也。「行矣河梁別，翻為送隴西」；傷解甲諸人也。「冰雪寒孤胆，風雲怯病蹄；玉關雖咫尺，敢復望芝泥」！太息前路渺茫，終無可為矣。

六、視死如歸，完成大節

黃宗羲作張蒼水墓志銘首段載：「語曰：『慷慨赴死易，從容就義難』。所謂慷慨從容者，非以一身關遲速也；扶危定傾之心，吾身一日可以未死，吾力一絲有所未盡，但不容已；古今成敗利鈍有盡，而此不容已者長留於天地之間。愚公移山，精衛填海，常人藐為說鈴，聖賢指為血路也。是故知其不可為而為，即非從容不可矣」。

這一段話，很可以說出蒼水當日從容就義的苦衷。他並不是不知道滿洲入關，是實行屠殺政策，來鎮壓漢族的反動，凡是稱兵反抗而不投順的，必誅及九族，縱然死了，也要剉骨揚灰。他在浙海領導抗清，縱橫出入十九年，大小數百戰，自然與滿虜結下了不少血債，今故主同袍，相繼下世，部曲星散，兵窮力絀，剩下孑然一身，看到鄭經無甚作為，入台當非所願，如隨朱舜水去東瀛為寓公，尤乖夙志。他籌之熟矣，既不能逃出滿清的魔掌，更無所容於天地之間，遲早祇有一死，以報君國，他就於康熙六年六月，將所部全行遣散，隱居南田之桃花山。山在海山，荒蕪無人煙，三面懸崖峭壁，僅山南有港灣，可通舟楫。蒼水結茅其上以居，從者祇幕客羅子木，門生王居敬，侍者楊冠玉，將卒數人，舟子一人。他雖隱遁，帳下猶積書充棟，旁置一棺材，棺中積米數斗，牀頭祇置一利劍，曾有「入山」詩一首：

大隱從茲始，悠然見古心。地非關勝覽，天不礙幽尋。石髮溪頭長，雲衣谷口深。此中有佳趣，好作採薇吟。

時康熙沖齡嗣位，海宇寧謐，鄭經既匿台不出，八閩安堵，獨蒼水風帆浪楫，儼岸於明台之間，到處展開游擊攻勢，清廷忌之最甚，索之亦最急，既已械繫其妻子族屬，並懸重賞以購。故他自六月歸隱，七月遂偵騎四出。由於提督張杰，多方懸賞購線，找到了他一個降清的部下，要誘他獲賞建功，遂與其徒數人，偽為行腳僧，投普陀山寺，會蒼水在山中遣舟至普陀糴米，降校率健卒埋伏以待，俟糴者至，急擊之，獲其將，使言蒼水窟處，出刀脅之，其將赴水死；又殺數人，最後的一個乃告他說：「張公不可得也，公畜雙猿，以覘動靜，敵舟在十里外，猿輒鳴樹杪，早作準備矣」！乃即駕所獲船，以夜半至桃花山，出山背，攀藤上。蒼水牀頭置利劍，本準備有警即自刎，是夜聞蘆葦颯颯有聲，急呼從者起，而官兵已入室，不及避！維時他正假寐，聞警遽起拔劍，來兵以帳蒙其首，縛之。並執子木、冠玉、舟子三人。這時七月七日的事。（十七）

遊橫斷公路漫記

羅緣

飛瀑長春

入夾蔭道，聞轟轟聲，再行千餘武，遙見天際白雲騰空飛馳，如雪匹練，矯龍狂舞，珠噴電掣，氣象雄奇而秀。山峯擁列，青翠雜樹，景題「飛瀑長春」，神溜極似。

太魯閣攬勝

閣高立山崖懸岩，視界非常空野。閣路附近，青枝碧葉，臥虹萬丈，夕陽斜照，各爭妍麗，故又有太魯閣鎖幽之名。左方絕壁，無路可覓，蒼青蔓藤，夾生叢蔽，如祟山峻嶺中蛇蜷千條，蜿蜓蠕動。晴空白雲下，新綠紅粉，搖曳生姿，凌波倒影，清逸入畫，更覺天地妙趣，生機活潑。比歐洲瑞士國人工之美的山水，不知勝過多少倍。到了夜晚，正是明月當頭，山下平噴之處，林木甚多，翠寒聳秀，適幹冲空，銀枝如蓋，玉蕊繽紛。山風吹來，浮輝汛彩，若藻披曳，碧霄澄翡，清新滿谷，彷彿把人沉浸在千蒔銀海的水晶宮中，俗氣俱淨，飄飄然如有仙氣。溪邊田陵，結茅五六家，都是退役壯士，居此看護公路。十之八九都已與山地之郎結婚，他們葬山臨流建築，屋小而清潔，擅幽雅之妙，安居樂業，怡然自得。（七，完）

自由報
THE FREE NEWS
第四九〇期
每份港幣壹角
社長：雷嘯岑
社址：香港銅鑼灣高士威道二十號四樓
20 CAUSEWAY RD 3RD FL. HONG KONG
TEL. 771726　電報掛號：7191
承印者：田風印刷廠
地址：香港灣仔高士打道二一二號
台灣分社
台北市西寧南路壹壹叁號二樓
電話：三〇三四六
台郵撥儲金戶九二五二

對我國高等教育的觀感（上）

彭樹楷

高等教育者，大專教育也。其教育目的，是期望造就一些「爲天地立心、爲生民立命、爲往聖繼絕學、爲萬世開太平」的「出類拔萃」人物。

可是，近十數年來，所謂「出類拔萃」人物在自由中國高等教育中並不多見。個中原因，值得研究，影响所及，發人深省。

高等教育不僅只是學術問題，也同時是政治問題、經濟問題、個人問題、社會問題、民生問題、和國家前途問題。筆者基於納稅人的身份，以及因職業關係而與千數大專畢業生接觸的經驗，綜合上述各項問題，探求對高等教育各項因素的改良辦法，以就教於賢者。

就政治立場看大專教育

自由中國當前的國家目標是「反共復國」。反共是「七分政治、三分軍事」；復國是「重建三民主義的中華民國」。因此可知反共復國是「政治高於一切」！

政治者，衆人之事也。衆人之事，需要賢能者領導、有專長者推動、有專業者主持，更需要具有大智大仁大勇者的綜理籌劃。檢討我國大專教育，到底培植了多少這類人材？每年一萬多大專畢業生中，又有幾人確有專業技能和專長技術？又有幾人能勝任「接棒」任務？

回答上述問題，只要從報刊中常有「後繼缺人」或「後繼無人」等字句中便可得到答案。這情形的嚴重性，不容忽視。

因而，提高大專教育的素質、充實大專院校的設備、擴展大專教材的範圍、充實大專課程的內容，以及人才出國的留學制度、和大專教師的深造等等，便是刻不容緩的工作。這些看來千頭萬緖，如下定決心，並不太難。這其間，最重要的便是「觀念」問題！

我國當前的高等教育觀念，大致與錢思亮先生「擴充大學設備；增設公立大學；獎勵私人興學」的教育觀念相同。錢先生主張「儘量擴充及添辦大學、培植大學師資，以達到年年高中畢業生全部升入大學」就算是解決問題了。這種單純注意到「文科」大專的教育觀念，與我們的國家目標——反共復國——不相配合；也就是說：我們這種大專教育觀念，不符合我國的政治利益，並且違反了國父「平民教育」的遺訓，不獨解決不了原有的問題，反而使舊問題更嚴重，新問題更複雜！因爲方便之門大開，使那些下智低愚者也混得大專學歷，害己又害人；再加上留學制度祇是讓少數智識份子放洋鍍金，回國之後，少數人憑着不正常的關係鑽入官場，其餘一大半便只有失業的份兒（每年七千大專畢業生找不到工作，而找到職業的百分之九十五都進入官場）。如此大量訓練做官的、失業的、和幫洋人幹買辦事業的高等教育，有繼續攬下去的理由麼？同時，大量「增設公立大學」的結果，國庫負担必更加重；並且嚴重地影响到軍事大專院校的招生人數和素質。筆者任教軍事大專院校已十八年，如今眼見投考軍校人數日少，素質每況愈下，不勝慨嘆。當各國力求提高軍人素質以適應新兵器需要之際，而我們實際情形乃相反，這如何能適應時代需要呢？這對「保衛台灣」和「反攻大陸」影响該有多大？所以，「獎勵私人興學」的觀念，我極表贊成，但若那只是注重增設普通大學的作法，却要反對！

就政治立場說，我們是三民主義的中華民國，有理由也有責任推行三民主義的教育。三民主義教育是「平民教育」——職業教育、義務教育、女子教育、民衆教育，是民生主義的「生活教育」、民權主義的「建國教育」，是「文武併重」的「教育」；絕不同於錢先生那種「重文輕武」的大學教育。

在現階段中，爲配合國家目的，我們的大專教育應重質不重量；應取消國立、減少省立、增加私立大專；普通的大專不是國民義務教育，大專與軍事大專有別，身報國的軍事大專，亦不應由國庫負担他們的經費。同時「教」「考」應予劃分，五權憲法的考試權，大專院校應予尊重，最低的要求大專畢業考試應由考試院主持——考試及格始同意教部在文憑上蓋章，藉以提高師生警覺，避免混世主義的惡習。

就經濟立場看大專教育

據國立台大民國四十八年校慶時的報告：每一台大畢業生的教育成本，由國庫負担者是台幣六萬元，等於每年一萬五千元，或每個月一千二百多元（等於兩個國軍上校的月薪）。再看國民學校每一小學生的教育成本是六百八十三元。每年政府化費一萬五千元培植一個台大學生，就等於國防部養兩個上校、或義務教育二十多個小學生。一個軍官熬到上校要二十年，其中且不算生死艱困的「爲國爲民」；以二十多個小學生義務教育之國民權利，換一個大學生教育，這不是「爲少數人謀福利」是什麼？這是不公不符的作法。假如我們有美國那樣富裕的國庫，我不反對這種偏厚國立大學生的辦法（美國號稱黃金國，也沒有我們這種慷慨的事情）。國庫消耗這麼多納稅人血汗錢，造就十多萬大專畢業生的情形又怎麼樣呢？十五年來，台灣社會從高等教育中到底獲得些什麼？高等教育是義務教育嗎？納稅人有爲他們負担費用的義務嗎？我們需要花錢的地方太多，而我們並非富裕的國家！

錢思亮先生在五十二年五月廿五日中央日報講「大學教育的幾個問題」說：「大學的經費，既然來自公家，那麼，公衆和他們的代表就可能感覺到……都應該有表示意見的義務和權利……」

筆者的意見就是廢除國立的普通大專，取消來自「公家」的經費！

就個人立場看大專教育

政府花錢供養大專生，專生畢了業（指公立者），又特別優待全體大專生只服一年預備軍官役，然後任其自由發展。這「厚恩」應使每一個大專生感激。可是，我經過五年時間，和近千位來自各大專畢業生交談的結果，情形竟出意外。他們大多數對政府的厚待茫然無知，他們只求快點混完這一年，俾便自謀發展——有的出國，有的謀官，有的只求找一糊口工作，大部份知有前途茫茫的滿腹牢騷。我對後兩者放察分析結果，發現他們竟是「一無所長」者居多數。他們混得大專文憑却無担任所學的工作知識和技能；有些連一頁報告都寫得文不對題！

損失重大

窮途末路

今日與明日

國際的稔秩者

這幾天，中國大陸上的毛共首腦人物，正藉着試行了一次雛形核子爆炸事件，妄自矜狂，多方作態，一則聲明他們決不首先使用核武器作戰，再則倡言舉行禁試核武器的國際裁軍會議，儼然以核子國家自居了。

究其實際，毛共試爆的原子彈，距離軍事上的使用價值過程，至少還要經過十年以上的時間纔行，而侈言不先使用核武器作戰，欺天下以無知，可哂已極！去年美英俄簽立禁試核武器條約之際，毛共大事抨擊，指爲這是蘇俄放棄世界革命計劃，向英美帝國主義投降的「修正主義」。而今自己試爆了一下尚未成型的核子炸彈，乃對英美各國擺出「國際核子俱樂部」成員之一的虛矯姿態，又大談其禁止核武器公約了。狐猾狐埋，說是說非，眞是不怕害臊啊！

這種政治敲詐、勒索行爲，世人一目了然，認爲無聊。唯有對國際上的弱小友邦滿懷優越感，對暴戾敵人又滿懷自卑的美國政治人物，纔接受這類稔秩術，且謂跟毛共簽訂禁止核試條約，並非意味着承認毛共的秧歌政權，這不是自由世界活該倒霉嗎？嗚呼，美國！

楊傳廣鎩羽而歸

號稱爲「鐵人」的吾國體育健將楊傳廣，這次在東京世運會的十項競賽中，連銀牌亦撈不到一枚，可謂大爲減色也矣！

他這次失敗的原因，人們多歸之於他生理關係——即年紀已到相當階段體力相應退化了，這當然有理由。可是，筆者却認爲他的心理關係更大！

在世運會揭幕前後，咱們本國朝野上下人等，對他期許綦切，希望甚大，宣傳之，鼓勵之，慫促之，在在不遺餘力，還教他的母親亦飛赴東京爲兒子打氣。這樣即使楊傳廣的心理上，增加着一種沉重的壓力，覺得只許成功，不許失敗，情緒特別緊張，得失之心，異乎尋常，如是乎，他終於鎩羽了！

立法委員的呼聲

我國立法委員近日要求政府與盟友美國交涉，請其應援我軍實行反攻大陸。這種民意固應表示，但效果將等於零，殆可斷言。

竊以爲此時此事，不如要求政府宣告廢棄中美安全互助協定之爲愈。我們同意別人用繩子綑住手足，而又希望別人贊助我作激烈運動，那有可能呢？

讀自由

汲汲於末務

所「世界小姐」甄選，這玩藝，濫觴於英國的市儈階層，而以「邁卡公司」（Mecca Company）爲創始者，目的是倖致商業利益。利用青年婦女作噱頭，穿着奇裝異服，站在一輛花車上，搔首弄姿，招搖過市，替商家作廣告，如是而已。

這種把戲，並沒有任何政治意味，有色人種肯來參加，不問容貌如何，總在榜上給你佔一席地位，用意還是爲着玩噱頭，對政治不發生絲毫影响。若說參加「世界小姐」甄選的人，即有「爲國爭光」或發抒「國民外交」效能的作用，那是笑話！殷鑑就在眼前，君不見「中國小姐」李某之在外國睹窟淪爲脫衣舞女郎乎？

還有推選「桂冠詩人」這項文壇結習，亦是肇端於英國。所以名之爲「桂冠詩人」，是緣於他們的民族習慣和文化傳統而然的，並非放諸四海而皆準的詩苑盛事，更與國際政治不相干。但咱們中國的詩人亦要如法泡製，推選代表去附庸風雅，且因此而爭議朋興，甚無謂也。于髯翁原係吾國政府中的大員，請他代表中國詩人，馳赴與我沒有邦交之國，戴着「桂冠」揖讓周旋於一般騷人墨客之中，得無諸多不便的顧忌，而深感處境尷尬難堪嗎？

台灣是中華民國唯一的復興根據地，國家正處在艱危迍邅的非常時期中，朝野上下皆過着臥薪嘗胆生活，大家抱有國破家亡的隱痛。諸如選舉「中國小姐」與「桂冠詩人」到異域去湊熱鬧，這類閒情逸緻，乃係太平盛世的社會動態，此時此事，是亦不可以已乎！他如強調觀光事業，大興土木，動則投斥以億計的金錢，競造所謂合乎國際標準的飯店旅館，誠不知這對於反共救國運動，究有甚末裨益呢？今也大家斤斤然、故故然，爲着這類不急之務，枉拋心力物力，張皇幽渺，唯恐弗及。吾思之，吾重思之，實不勝其「薰風吹得游人醉，錯把杭州作汴州」之懼矣！

風俗之隆替，繫乎一二人心之所嚮而已，念之哉！

馬五先生

台南市今後市政設施 葉廷珪說正研究計劃

對已辦工作進度他報告了八項

（本報記者朱武州台南航訊）卅七萬市民選出的台南市長葉廷珪，就任後在這短短的三個多月中，對市政設施究竟做了些什麼工作，市民是需求瞭解的，正值台南市議會第六屆第二次定期大會，葉市長親自列席，在大會中作了卅分鐘的施政總報告。這位市長在其首次出席市議會致詞中，先感謝市民之厚愛和支持，使其捲土重來，得有機會為桑梓服務，表示感激之忱。對今後市政設施，他說正作縝密的研究與計劃。談到他就任後已辦的幾項較為重要工作，他提出第一，辦理實施都市平均地權工作說：實施都市平均地權，是國父民生主義土地政策的具體實現，為繼實施耕者有其田後，本省又一重大土地改革工作。市府自奉令辦理以來，所有應辦事項完畢後，即於七月十一起至八月十日止，公告接受土地所有權人申報，結果（除道路水溝等用地外）已報省五一、〇六八筆，完成百分之九七、一八，成績甚好。本市實施都市平均地權範圍，原為都市計劃實施範圍僅二四、二一一筆，計二、四九七、一〇六二三公頃，現擴大依照都市計劃範圍，即除安南區全部及南區汚裏鞍子段等土地外，其餘均包括都市土地應辦規定地價及重新規定地價之土地，計五五、二六八筆，五、八五九、〇三七三公頃。較原有都市計劃實施範圍土地超過二倍以上。

第二，擴建山上水源工程方面，他指出：本市自來水廠過去數年來，曾在坎脚灣裏進學街等處掘井，增闢水源外，仍感供應不足；乃決定擴建原有山上水源地。該工程係由省公共工程局負責辦理，工程費一千六百萬元，於去年十二月一日動工，預定本年十月底完工。完工後每天可增加出水量一萬噸。他接任後，有鑒於本市水荒嚴重，經督促水廠積極協助該工程完成。該工程共分土木機電管綫三大部份，現土木部份工程已完成百分之九四、六，已完成者有原水進水口改建，原水抽水站改建，過濾池改善及沉澱排水溝等工程；未完成者有沉澱池改善、新市永康中途加壓站工程。機電部份工程完成百分之六七；已完成者有山上變電設備及外線改善工程，未完成者為清水及原水抽水機設備。荷綫部份工程，已完成百分之六三；已完成者有山上水源過濾室及過濾池之配管改善，暨市區大道路，海安路，與西區一帶之配管，未完成而正在趕工者，如市區勝利路之配管與中區，東區消火栓之裝設。

第三，繼續辦理延平郡王祠修建工程，他說：延平郡王祠修建工程，依照與承包商合約，應於本年四月廿日完工，惟迄今逾期五月，仍未完成。其未能如期完工原因，係建地上原有東區區公所與民衆服務分社，有礙工程之樹木砍除，標售拆遷與報省核准，遲延時日，以及各方捐欵與政府補助欵多未能即時撥到，以致工程付欵亦間有遲延；而承包營造廠商間亦因材料如琉璃瓦等由北運南延誤時間，工人間有短少等原因所致。經與承包商洽商結果，決於十月五日前竣工。

第四，對修建安南區海岸與土城子道路，他說：為發展本市安南區交通便利農產物的運輸，修建海岸道路與土城子道路，於本年五月間開工，現已完工。該兩條道路共長廿四公里，路面寬四公尺，係給配路基加鋪柏油，工程費三三〇萬元，市府負担一七〇萬元，餘由省府補助。該項工程係由省第五工程處辦理。

第五，興建小型體育活動中心，他說：為提倡本市體育，為配合爭取第廿屆省運在本市舉行，擬計劃籌建綜合運動場及體育館，統計工程費一千餘萬元，現正籌劃財源中。茲為應目前本市各種球類比賽需要，利用市府後面操場，加以整建一小型體育活動中心，現第一期工程業已落成，包括新建司令台，周圍看台鐵欄杆，整地等。第二期排水溝整及其他設備工程即將發包。該體育活動中心，場地長一百四十五公尺，寬八十五公尺，可容納一萬觀衆。該中心尚可作足球、橄欖球、歐式棒球、壘球、排球、兒童捧球、舞蹈等體育活動。

第六，對辦理申請自建國民住宅貸款，他說：為解決市民的困難，市府於七月廿日起，接受市民申請省籌資金自建國民住宅貸款及購買住宅建地貸款，規定住宅貸款分期十五年償還，月息五厘，每戶造價貸款八成；購地貸款分期五年償還，月息七厘五毫，照公告地價八成貸款，但每戶貸款金額不得超過六十坪。七月廿日截止，計收受申請案件三百三十五件，審查合格者二七七戶，貸款金額一千三百零九十一萬餘元。不合格者五八戶。購買建地貸款中請者五一戶，經審查合格卅三戶，貸款金額四百萬零五千餘元。不合格十八戶。兩者共計貸款一千三百四十九萬六千六百元。業經將審查合格名冊報省核定中。惟是項貸款多屬自備建地，市區覓地困難，市府將另覓適當土地，以供來年大量興建。

第七，安平路搶修工程，他說：安平路肩搶修工程已分為兩段，分別發包。第一段工程費二五〇、七〇〇元，第二段工程費二二二、六〇〇元。現施工中。臨海飯店前面，亦以八萬元發包搶修施工。以上三項工程，在六十工作天內可以完成，藉能保持台南安平交通要道。

最後，對處理北幹綫及沉砂池情形，他說：沉砂池一案，市府已呈請省府指派水利專家來市勘測研究，但迄今尚未奉到省府指復，今當再洽催。北幹綫被侵佔部份，已派員測量完畢，現正整理資料中，俟整理完竣即可開始執行。

選舉官司打敗了 黃玉嬌公開大發牢騷

她廣宴賓客幷招待新聞記者 斥審判不公但又稱不忍指摘

（本報記者台北航訊）台灣高等法院於本月一日上午十一時，宣判桃園縣第五屆縣長落選人黃玉嬌控告縣長當選人陳長壽當選無效案敗訴，訴訟費用由黃玉嬌負担。判決所根據的理由是「證據不足」。

黃玉嬌是中國民主社會黨中央常務委員，她這次競選縣長得有效票五萬二千九百三十六票，以二萬五千多票之差，敗於陳長壽。陳係執政黨提名候選人，得七萬八千五百二十票而當選。桃園縣有四位縣長候選人，其餘二人是曹成金與王新順，所得選票有限。

在法院宣判陳長壽勝訴的當天的晚上，黃玉嬌曾在南京大酒店龍鳳餐廳舉行中外記者招待會，並宴請民青兩黨籍立監委、國大代表暨地方縣市議員等三十多人。

據黃玉嬌說：她之所以向台灣高等法院提起這次縣長選舉無效與當選無效兩案的訴訟，絕非意氣之爭，更非挾嫌報復，因為選舉無效與當選無效兩案，縱然法院判她勝訴，她的當選與否，根本無關。她說她之所以起訴，目的祇在維護選舉風氣而已。

她於是指責法院的審判不公正，謂係斷章取義的判決。她還說，她這次的敗訴，早在她意料之中云云。她一方面指責法院審判不公止，一方面又說她「不忍」指責法院。同時她又要求新聞界「主持公道」。殊使人迷惑她此舉畢竟所為何來。

該案在審判時，有一點是史無前例的插曲，就是縣長當選人陳長壽的正式助選員陳增祥之侄孫陳秋晃，在法庭上攻擊陳增祥；陳秋晃在庭上陳述時，指責陳長壽於今年四月十七日晚如何宴客，如何分發香烟，如何要大家投陳長壽的票等情。最妙的是，陳秋晃於八月十九日在高院民庭作證時，要求承審推事浦德生保障他的安全及保障他全家的安全。他說他於六月五日出庭作證後，由於證詞是憑良心說的，所以桃園警察分局刑事組找他的麻煩，每隔兩天就有刑警人員到他家中突擊檢查戶口。他自己有兩個多月無法回家，每天有人硬陪他到舞廳裏去跳舞簽字。他又說他是華僑。浦推事對他說，如果你不犯法，誰敢隨便去找你麻煩？你可以向司法治安機關提出控告，台灣省是法治之地，你不循法律去要求保護安全，本庭怎麼保障你的安全？

因此，陳秋晃乃依法向新竹地方法院檢察處提起告訴，控告有關人員妨害自由，但地檢處以不起訴。陳秋晃不服，已向高檢處聲請再議中。

宋霖康主張區長恢復民選

——台北市議會總質詢之四

本報記者張健生

台北市議員在市政總質詢中，一般多是老生常談，間亦有比較突出的，茲誌如次：

市議員張四英在質詢中說：「地方選舉風氣太壞，候選人和選民都困擾不堪，賄選滋事者層出不窮，高市長也曾親臨其境，一定有同感。不知你有沒有改善的辦法？使地方各種選舉眞正的做到公平、公正、合理？」

宋霖康議員質詢時主張區長民選。他說：「省轄市的區長，在實行地方自治之初，是由選民直接投票選舉的，行了八年，現又改為官派。我一直認為這是開民主倒車，是本省自治史上的一個汚點。省轄市的區公所與縣轄的鄉鎮公所，實質上毫無不同，為什麼鄉鎮長民選，區長却由官派？過去，省議會修改地方自治法規之時，認為區是市政府所屬的事務單位，不具備獨立單位的要件，這係似是而非的說法，完全因為別有用心；與過去有人主張台北改為院轄市，市長改為官派的思想路線完全相同。」

因此，宋霖康希望高市長，在適當的時機，要求有關當局，對區長恢復民選一事，重加考慮。

周代市長任內的得意傑作，修建雙園堤防與興建南機場國民住宅，解決堤外居民住的問題，與論界一度頌揚為德政。不料，執政黨籍市議員歐陽斌在總質詢中認為造價貴而不合實用。他說：「南機場整建住宅之設計，除外表好看外，完全不合實用。如丙種住宅除廚厠外，可居者僅五坪；而參加整建者，據本席調查：二百戶中四分之一以上人口都在六口至十口之間，請問如何能住得下。而造價之高，實令人莫名所以。該處價格以樓下最貴，五樓最便宜，現以三樓為標準平均價格：甲種每戶造價五萬二千二百元（內含土地代金七千二百元），面積十點五肆坪（除廚厠僅八坪）。乙種造價肆萬五千元（內土地代金六千元），面積八點八零坪（除廚厠僅六點五零坪）。丙種造價三萬五千元（內土地代金肆千八百元），面積六點九零坪（除廚厠僅五坪）。」依此計算，「每坪造價甲種為肆、九七一元，乙種為五千元，丙種為五、一一一元。」反觀普通市民建造住宅，每坪造價在二千五百至三千元之間。其中是否另有弊端？值得研討。更妙的是，今後居戶仍要向市政府按期繳納地租。請問市政府土地代金扣回，該項土地所有權似應屬個人所有，為何還要繳地租？？而請教此乃根據何項法令？？而該處整建房屋為何不能如期完工？原因為何？造價如此高昂？請詳細說明。」

記者按：南機場整建國民住宅不合理不合法的情事，立委陳祖貽於九月十八日曾向行政院長嚴家淦提出質詢說：「當時川端某里里長李君就曾經驅開家人，懸樑自殺，以死來抗議，幸而拯救及時，不至罹難耳。而在這一段時間中，全市報章對有關此事的消息，都噤若寒蟬，立監兩院，對有關此事的請願，毫無動作，尤令人氣餒。其結果是政府拆去了房子，同時也拆去了人心。請看拆的主要執行人（周百鍊）在今年競選台北市長的結果如何，便可證明人心的向背了。」

周代市長這件事，在當時不諳行政程序，而又由於「急於邀功」，致被拆戶損失租金達十八個月之多，同時由於房子太小而造價又貴，土地代金被市府扣回而不給收據，又無業權，眞是不合理。而今如何解決這個問題是要得緊的，因為這批房子有許多人不要了。

國營事業經營尚待改進

從去年度實績檢討

——本報記者台北航訊

全年外銷虧損達二百五十三萬餘元。幸賴內銷暨大部份鋁製品之內外銷尚有利可圖，始能獲得盈餘。足見鋁錠原料外銷，在目前不太樂觀，故該公司的當前急務，係如何加强鋁製品的外銷。

中華機械公司虧損累累，已臨破產之邊緣，五十二年度奉准增資肆千萬元後，全數用於還債以減輕利息。五十二年度預算盈餘為八百零一萬餘元，實際盈餘僅有一萬七千多元。現在，該公司管理方面實施分部計算盈餘的辦法，藉以加强控制，樽節開支，營業狀況較前進步。

台灣金屬礦業公司五十二年度預算盈餘為二千一百四十七萬多元，而實際上的盈餘只有三百五十八萬餘元，計減少百分之八三點三。目前該公司自有資本佔百分之四六點七二，借入資本佔百分之五三點二八，負債與淨值之比率為百分之一一四點〇三，顯見自有資本不足。淨值與固定資產之比率為百分之一〇七點六三，固定資產與淨值相抵，營運資金則全賴借債，利息負担過重，影響事業經營甚大。

中國漁業公司五十二年度原列預算盈餘為四百零一萬多元，而實際則虧損一千一百零八萬餘元。其資本結構勉稱良好，自有資本佔百分之四一點五六，借入資本佔百分之五八點四四，較往年為差。流動比率為百分之一三二點七七，不夠標準，較五十一年之百分一六八點三七，顯有衰退，償債能力極不堅强。（下）

天真與愚昧

李敦復

此外，他的個人修養極差，他在印度及緬甸担任美軍總司令任內，也與魏菲爾將軍時常發生摩擦，同時他在中國戰區又與當時全中國人民一致愛戴的第十四航空隊司令陳納德氏，又積不相容。但，他有强烈的政治背景——馬歇爾支持着他，他對共黨淺見的不正確的觀念，至今還烙印在我們的心頭。二十年前的秋天（卽一九四四年），在大戰結束的前一年，赫爾利氏啣羅斯福總統命以特別代表之身份來到中國，他在「赫爾利傳」中，對於這位虛驕而有狂，妄，僞三者俱全的史迪威，作了如下的評價：「史迪威將軍在中國的行爲，紀錄分毫不差地配合着推翻中國國民政府陰謀活動的歷史發展，蓄意建立一個共產政權以取代國民政府——全部活動實爲當時在美國政府之中的共黨份子，成其外圍份子之一部份，兩者爲不可分之一體。」

吾人檢討並分析華府的對華政策，從中國單獨的對日作戰開始，直至中國大陸沉淪爲止，美國在爭取與保持世界和平的策略中，始終都重歐輕亞，同時華府也缺乏一種保持遠東均勢的政略，予他的盟邦一種穩定的力量，從不爲政策的久遠設想，所有政策上的依據，也都是根據片面的觀點與國務院的決策官員們幼稚的見解而制訂實施的，讀者諸君，試想一下，在這樣一種不健全的基礎下所產生的策略，是如何的危險，沒有國家的目標，祇憑一時的衝動，將國家的命運，任由這些角色去支配，玩弄，這正如一輛超齡的汽車，它的性能已發生了嚴重的危險，但，它的駕駛者，却不顧一切在懸崖上疾駛一樣的道理。一九四九年八月，在艾契遜任國務卿時代，他一手欺騙了善良而富正義感的美國人民，發表了震驚世界的「美國與中國的邦交」的報告，（卽白皮書）將百年來中美二國的友好關係結束，艾契遜根本沒有想到在「白皮書」發表後，美國和中國會將發生何種影響？對偉大的美國國格有無「損害」？但，艾契遜畢竟大膽地付諸實施——昭示了全世界，這對於打擊愛好自由的中國人民，是如何的「無情」啊。

美國今天是自由世界的領導者，有豐富的資源，以保持世界和平爲其正義的理想，維持世界所有民族的尊嚴，爲其立國基礎。中美兩國又有如此悠久的友好傳統，爲久遠的中美二國邦交奠定基礎，美國應愼重考慮它的對華政策，讓這些「荒謬絕倫」「史無前例」的對華政策告別，中國的先哲們曾說一句話：「往者已矣，來者可追。」我衷誠地希望，這是美國對華錯誤政策的終點，隨之而出現的是積極有爲，抵抗自由世界的共同敵人——共黨，在同一的目標下，行動一致，步驟一致，爲摧毀中共僞政權而努力。

五、輕現實，重久遠，謀根本之圖

我們不可否認，美國政策的目標，無論其政策本質及美國本身利益而言，是爲和平。美國雖曾不時提及「防止性的戰爭」（Preventive War），可是在受侵略之前，決不致故意向蘇俄及其附庸國首先發動戰爭，蘇俄可能不相信美國這點，但歷史却可給予證明。（六）

台灣東部遊記

羅雲家

四十五年，他因過於辛勞，得了必需長期休養的「富貴病」，請准住院治療，於是去到□□某後方醫院。一年多以後，他因病辦理退役，開始自食其力。起先是幫人做技工，經過兩三年的奮鬥，漸漸有了些積蓄，也建立起良好的信譽，於是電器界開始重視他，他的老闆更是倚爲股肱，不管在任何方面，都樂於幫助他。三年前，他在朋友們的協助下，遂獨資經營起現在的店舖來。在這幾年中，與其說是了賺了些錢，不如說是建立了良好的信用，凡是光顧過他的生意的人，再也跑不了，需要買什麼電器，裝修什麼電信器具，必定會再光顧他無疑。……想着他今日在商場如戰場上的競爭能有如此的成就，？迴顧我自己在事業上的奮鬥，八九年來都停滯在執教的粉筆生涯中，大有青出於藍而勝於藍的感慨。

他的店中僱用的技師，及所收的學徒，均爲本地同胞，相談之下，個個誠實，有禮，一臉的笑容，再加上沿途所見，及在花蓮車站、餐館、旅社中與許多人接觸的態度觀察，我發現東部的老百姓雖然較爲保守些，但最可愛的地方，是他們比其他地區的人要老實，忠厚。因此，人情味也就特別濃厚些。

七月十八日星期六晴

一覺醒來，已是七點多鐘。這情形可能是由於昨日太興奮、太疲倦，加以睡得遲，而旅館生意比較清淡，沒有喧嘩吵嚷之聲所致。因爲今日計劃是遊市區、港口及忠烈祠，用不着匆匆忙忙的趕車等車，所以趁吃早點之便，我們索與牽着孩子沿中正路、中華路，徐徐散步朝火車站走去。只見馬路寬敞，都鋪了柏油；兩旁的商店也盡是現代化的建築。高樓、大厦、霓虹燈，大幅廣告牌，遮陽布，以及各色各樣的貨品，一一展現在眼前。它給予我的印象是，花蓮市進步得不慢，比起高雄縣縣治地的鳳山鎮，在都市發展的成績上，它可要好得多。

昨夜下車走出車站時，只顧與朋友寒暄去了，忘記欣賞它的眞面目。現在我和全家的人，坐在站前一家早點店，邊吃邊看門外景色：火車站的建築，相當宏偉，這在東綫鐵路各站中，算是最大的建築物；而且也是設計最佳的建築物了。站前有一個佔地不少的廣場，中間是一個圓環，內有國父銅像，及扶輪社建立的標準鐘；鐘有四座，四方八面的行人都可利用。廣場的北面是公路局車站，看起來也還不算寒酸，與高雄東站相較差不多；廣場的西北面是「復興航空公司」及「中華航空公司」，他們毗鄰而居，我眞担心他們爲了競爭航空旅客，有時會弄得面紅耳赤呢！廣場的其他各方面，則都是市肆建築，夜間霓虹燈閃閃，行人車輛川流不息，那熱鬧的情況，大概可以與高雄、台南火車站相媲美的。

轉身走到郵局去的路上，見到許多家專營花蓮名產「花蓮薯」、「花蓮芋」的商店。記得去年李計兒遊花蓮，曾帶給我兩盒花蓮薯，及兩盒「玉米糖」，吃起來別有一番風味。我想當我們去台北時，也不妨多買一點帶着，送給親友們，以嘗當東部的特產。邊想邊走，一會兒郵政局到了，我進去發了兩封信，同時撥了個電話給警備分區司令部的莊陶兄。電話接通了，却使我失望地放下聽筒；原來他在一星期前調到台北軍管區司令部去了。（七）

我所知道的麥帥

肯寧將軍原著　徐熙光翻譯

新的選舉制度使得日本的婦女得到了她們第一次的投票權。日本國會中有卅九席是女性議員。在日本，婦女們一向被認爲除了生育子女和做一個善盡責任的家庭主婦以外，不能參加任何政治活動，可是現在她們在自己國家的政府也佔一席地位了。

麥帥又下令改革和解放各學校。新編的教科書把日本的眞正歷史和世界歷史告訴日本學童。具有舊封建思想及迷信天皇家族爲神明的教師們，一律解聘。

勞工們開始組成了工會，並且經由會商和談判解決勞資雙方的糾紛。

確定一項新的憲法規定，是麥帥最初所下命令之一。使日本國會不再成爲日本天皇和軍閥們的工具。他堅持日本國會議員必須由人民選舉，來爲人民說話。麥帥知道世襲的天皇是立憲君主，他是日本人民的全能領導者，他的希望就是日本的法律，因此麥帥堅持每一個日本人民都必需知道日本憲法是怎麼一回事，以便建立一個新的民主的日本政府。

如果一旦裕仁天皇發生變故，十五歲的皇儲明仁太子將繼位，這個新的天皇受過自由和民主教育的薰陶。過去四年來，他的家庭教師是一個美國女人，依麗莎白格甯威寧夫人，他是許多兒童讀物的作者。

俄國人一直堅持要把天皇列爲戰犯，麥帥拒絕了這項要求，麥帥曾因此遭受某些國家，甚至美國國內人民的非議。

不管日本天皇曾否計劃或發動戰爭，我們與日本所達成的停戰協定和日本的降書，都承認日本天皇應仍爲全國的精神領袖。雖然他的權力和日本政府的主權都將歸於盟軍統帥。如果日本天皇遭受審判，日本人的信心將喪失殆盡。如果我們仍使天皇制度保留，則天皇的重要性自將日益減少，對日本天皇已經失去崇敬心理的日本人民也自會決定天皇的去留。如果裕仁天皇一旦去世或退隱，可能日本政府的元首將是一位總統。所以如果我們夠聰明的話，我們應當讓日本人自己來解決這個問題。

我已經列舉了麥帥佔領日本期間的主要施政成就。其他成就不勝枚舉，其中包括他令美國的企業界不得利用日本人，不得視日本爲美國的一個殖民地。

麥帥的估領工作，實在不是一件容易的事，許多美國人、英國人、俄國人和其他國家的人民都曾批評他的決策。很多人建議、咆哮將麥帥免職，代之以一個由多人組成的委員會，但是這些建議未被採納。麥帥所採的漸進改革，俄國人最爲反對。俄國人所希望的是全面的不安和暴動，監禁所有資產階級和有錢人，把他們的財產分給其他人，把天皇作爲一名戰犯來審判，反對沒有共產黨參加的選舉。他們不喜歡麥帥所倡導成立的工會；事實上，他們一直沒有喜歡過麥帥。但是麥帥對俄國人的批評抨擊和所作所爲，却從不以爲意。有一件事使他自覺幸運和安慰，那就是在他一個人統治之下的日本，一切情況顯然比由四國分治的德國要好得多。（五五）

反對外圍賭馬爲合法化

鄧浩然

報載港督委任一個十人賭博政策諮詢委員會研究賭博政策，及修訂有關賭博法律問題，提供意見，及廣徵社會人士之建議。猶幸先徵求社會輿論之反應，虛懷若谷，從善如流，洵不失爲民主風度。然鄙人以爲准許外圍賭馬爲合法之一事關繫社會安危，至重且大，期期以爲不可，茲列舉理由而申論之：

（一）外圍賭馬一向視爲非法賭博，倘一旦准許爲合法，則無異以犯罪爲合法。則諸如娼妓及吸毒等，將步其後塵，被認爲合法。則社會秩序從此紊亂，非至不可收拾。無可救藥之境地不止，此不通之論也。

（二）倘若承認外圍馬爲合法，則勢必引起賭外圍狗亦將視爲合法。一般賭徒，以賭爲生活，以賭爲日常功課，將必妨礙正當職業，整日刨馬經、狗經，無心經營，影響事業前途，至重且大。而莘莘學子，偶一沾染，亦學殖荒蕪，寢且盜竊家中財物，以資揭注。工人沉迷賭博，則無心工作，精神渙散，則生產減低。抑有甚者，辛勤所得之資，轉瞬化爲烏有，仰屋興嗟，徒呼荷荷，馴至兒啼飢，妻號寒，債臺高築，貧病交侵，借貸無門，始嘆回頭無路，那時悔禍已晚，噬臍莫及，豈不慘哉！

其在僱員，因嗜賭而虧空公欵，畏罪自殺者，實繁有徒。婦女因賭敗而被迫出賣貞操，寡廉鮮恥之事，所在多有。工商界因僱員之沉迷賭博，生產萎縮，起貨每失預算，招致直接間接之損失，實難估計。僱員因賭敗而借支透支，廠方更難應付。不寧唯是，廠方賒出之賬，客戶因賭敗而拖欠，變成枯賬，撻數者，亦數見不鮮。總之，承認外圍馬爲合法，百無一是！

（三）賭博之害，甚於洪水猛獸，古有明訓。倘若准許外圍馬爲合法，無異縱數十萬隻猛獸，向市民狂噬，決東江之水，以淹沒港九每一角落，烏乎可哉！其或偶而獲勝，則窮奢極侈，揮霍無度，養成好逸惡勞，浪用驕淫之惡習。其或屢戰屢敗，則生希冀心，希望將欵贏回，豈知愈墮愈深，頹勢莫挽！然賭乃盜之源，不惜營私舞弊，以資彌縫，違背天理良心之事，無不爲已。凡此，皆由賭博之禍烈也。

（四）凡爲家長，必謹守禮法，以馭羣弟子。設若家長沉迷賭博，將何以推行家庭教育！其身不正，雖令不從，當棄於舉直錯諸枉之義，子女年幼無知，最富摹仿性，少成若天性，習慣成自然，父母好賭，則下一代亦爲賭徒，延綿下去，其害不知伊於胡底，更何家教之足云！

（五）除害卽所以興利，害不除則利無由見，政府應該設立一個禁賭委員會，以代替賭博政策諮詢委員會，專司負責禁賭事宜，注重宣傳賭博之害，利用電臺、報紙、電影，作宣傳工具，使父誡其子，兄誥其弟，使人人咸知賭害之可怕，若虎列拉症之預防，恐其傳染，則福利於社會，其功豈淺鮮哉！子輿氏曰：天下溺，援之以道。尤當推行社會教育，以灌輸德育於各階層，對於安定民生，維持社會秩序，有利賴焉。

（六）香港雅號東方之珠，民主之櫥窗，亦稱爲法治之區，倘一旦通過外圍賭馬爲合法，則賭徒變本加厲，視賭爲正當娛樂，法律所不能禁，家長所不能管束，香港勢將成東方之蒙地卡羅，予人以不良之印象，抑亦影響香港之聲譽，和傳統之習慣。

（七）凡非理之得，非份之取，皆屬不義。孔子曰：見得思義。孟子曰：非其有而取之非義也，義者，宜也。凡應做之事，謂之義；不應做之事，謂之不義。賭博皆由貪念而起，故皆屬不義。鄙人忝屬孔聖堂宣道委員，及孔教學院執行委員，凡見聞所及，於社會有休戚之關者，略抒管見，聊盡個人天職。當茲道德有待於重整，社會風氣有待於改善，實不應該讓其比目前再腐壞下去，有厚望焉！

編者附啓：高君夢續稿未到，暫停一期。

一枝獨秀喜春來

劉銘公

李老板却行所無事的，運用其種種美妙的「身段」，表演其水中搏鬥之情況，使觀衆們不得不爲之拍案叫絕。

及至曲終人散，春來老板習慣的卸裝更衣，走出「後台」，正待登車歸寓，突有兩個孔武有力的彪形大漢，用「綁票」的方式，硬把他架上他們帶來的新型汽車，向着麥根路新聞路飛馳而去。

李老板原是富於胆量氣力的，但處在這樣情況下，內心却也感到相當的不安。因爲他在被架上車時，即已意識到這兩位不速之客的勇力，並不比自己差點什麼，而自己單獨一身，他們却是兩個，加上一個少壯的司機，要想從事反抗，絕不會討到便宜，只好暫時忍耐，靜待它的發展。

車子到了一座大洋房門前，司機的一揿喇叭，鐵柵門即刻打開，車子直開到裏面，即見那位艷麗如仙之淡裝貴婦，帶着七八個靚裝使女，站在客廳面前，像外交家接待國際貴賓的模樣，滿面春風的，把他迎了進去。

這可不是尋常的地方，而是很有名的黃京兆別墅！不過京兆公已不存在。這位貴婦，正是他的遺孀。

據我所知，這位黃夫人母家姓朱，乳名喚作桂貞，原是蘇州山塘的小家碧玉。因爲家貧親老，被迫到春申江上，在三馬路公羊里，做了長三堂子的倌人，牌名叫張鏡蘭，也不知是誰給她取的。但因貌美如花，又長於酬應，遂致艷名鵲噪，雖里巷中之小兒，莫不知有張鏡蘭其人。而她本來的姓名，反被人給遺忘了。

時值京兆公仕途得意，刮了大量的地皮，趁着丁內艱之便，買棹南歸，名爲回里奔喪，實際是到黃歇浦去作寓公。特地造了一所輝煌高敞的西式大厦以便宴居，就是新聞路上那座有名的「瑯嬛別墅」了。偶於枇杷門巷中邂逅鏡蘭，驚爲天仙化人！慨然以萬金代價，把她娶作如君，而此一代名花，遂爲京兆公所佔有矣。

某報人嘲以打油詩云：『×老儒林舊典型，當年戲綵每趨庭；劇憐一塊昏迷日，午夜量珠納小星。』語雖近謔，亦紀實也。

距此不到兩年，京兆公的如夫人駕返瑤池，一向寵擅專房之鏡蘭，遂以夫人資格正位中宮。

又過了兩年，京兆公竟爲死神召去。生前憑了職權，巧取豪奪的大量資財，遂爲鏡蘭所享有；確數雖不可知，然其數字之驚人，固無疑義。

哀梨室劉談

國慶雅歌拾零

娑婆生

建國紀念的雙十節，今爲五十三屆，而光輝倍異尋常。民衆的心緒也特別興奮。國外華僑成羣結隊，趕回祖國，今年可達二千，他們的眷戀尤爲可敬。我們的雅歌集，平常提倡國劇，互相切磋，自五二年二月起，迄今已是第十八次。這次例會，特別假復興電台大禮堂舉行，旨在「復興」，期待反攻，爲唯一的願望。主人龔琦子明，龍肅國華，楊峯桂貞，咸具此心，因與余來辦這次邀集。細雨如絲，颱風成片，所慮集友望而却步；但英老美娜自南港來，德谿雨老分自永和松山至，皆深感其摯情。例會已畢，畧拾零綫，以作報道。

此次最特別的，高華君約再華、仰文兩君自基隆來，爲唱未曾露過的程派「風流棒」。此曲在台北市尚是初聆，伶界猶無能者。伴奏的音調與唱腔，抑揚頓挫，恍如在舞台中。

畬田破例與董翰章唱前後的連營寨，兩位北方老票友，果然不弱於人，音節大有又宸遺韻，在舞台上不易聽到的。

司馬音小姐自蟄居陽明山麓，杜門謝客，已有三四年不見。有時到陽明山管理局票房走走，也不常去，是日光臨出乎意外。集友以余與其相熟，堅請一唱生死恨的反四平，由林萬鴻兄助陣，嗓音很是響朗。

國代田席珍夫人初次來唱，所奏爲言派文昭關的「一輪明月」段，不意又獲知言派坤票，韻味十足，可把琴師徐春甫，累得滿頭大汗，但克副所命。

名坤票潘美娜自松山趕來，與趙之杰合唱探母快板，斬釘截鐵，鏗鏘有勁。聞將登台一試，大可爲浮三白。

是晚唱張派有李僑文的武昭關，蔡善功的二進宮，皆研究到家，韻味無窮。蔡君不日將與嚴秋心、章存森公演此戲，當可一聽。復興台主人李欣君，在臨別尾聲，忽自動一歌銀屏公主。此君未在雅歌集露過，對張派別有心得，也不示弱於李蔡，可稱三絕。

將近十時，名坤票李淑嫺，借外子宗榮先生，與琴票申克常君蒞止。她不想唱長段，決定唱永樂觀燈的平[illegible]一段，短短的唱腔，精[illegible]瀟灑，同行及老友，均深感其韻。

余向來極喜梅里，力請唱搜孤救孤。味兒眞不錯！叔季兩君莞爾而笑。而賈奚月華夫人的女公子馨園，也唱一段失街亭；這台灣小姐學了一年，已會六七齣。其身材與李亞瑛小姐相彷彿，唱得也很夠水準，是兩位小票友。

程派名票王震陸聽了高華唱過，也不示弱，唱文姬歸漢慢板，由琴票馬傑康操琴，配合得好，音量甚高。其弟子李曼雲女士，作唱鶯塚另，由林萬鴻伴奏。龔有侯慶祥君唱鎖麟囊，可說程派大集結。震陸不能公演，是一憾事可惜。

立委陳夫人將洵瑜唱春秋配的出門來，名票王蘊青獻唱壽，琴票方夫人孫若蘭唱大登殿的二六，由名坤票陳曼雲唱薛平貴，均甚妙，可說珠聯璧合。若蘭將在總統華誕，與簡志信、楊鳳仙唱興唐滅巢，值得一看。結尾焦賓樑唱一段探皇臺，別饒韻味，賓大聲宏。

九老偕英老來到，唱洪羊洞，與高熾老唱寄子，均是古調獨彈，有異於時下靡音。主人龍肅因在經展值公未來，許多集友說，少聽一段爲可惜。下次期待祝壽雅集，或另有佳音奉告。

正寫稿間，聞政辭女青年男同志自台北歸來遊行服裝鮮麗，令人興奮。園中疊花，經二月灌溉，忽報十四穗；祝壽之日，也許盛開，是否吉兆將來！

美妹

羅蜜家著

「快十二點了，他醉薰薰地摸進了我的臥室，動手動脚。一面說，他愛我，他要娶我，如果我答應，明天就可以不到外面去做工，而且爸媽再也不會打罵我。」

「妳拒絕了他的要求嗎？」

「爲什麼不呢？看到他那副太保流氓的德性，我就恨透了！」她氣憤地回答：「就因爲我不肯，他才迫着我跟他去朋友家裏揍我。」

「他答應過我；他也許會變好的。妳不能成見太深。做人雖然要想到明天，但有時候也得將就現實。妳說對吧？」他點着香烟，做了起來。

「別的可以將就，可是教我跟他好，嫁給他，我是寧死也不肯的！你不知道，他簡直壞透了——她忽然頓住不說了。好像那後面的話，很難說出口似的。

「壞，這個我知道。除了妳說的那些之外，還有什麼更壞的事不成？」他有些驚異了

「他！講起來丟臉死了！十四歲那年，我有了月經不久，那天他強制着我去陪他參加舞會，回來夜已深，我疲困已極，倒頭便呼呼入睡。可是他却乘機把我姦污了。使我從此失去了童貞——」

她的眼圈又紅了。停了一會，繼續咬牙切齒說：「這以後，有過好多次，他都強迫着我，要這要那，我無法，都依了他。可是他却瞞着我，另外找女孩子。甚至會叫那些騷貨到家裏來找他。你看！他壞到什麼程度？」

他現在不是答應要娶妳，答應對妳好嗎？也許他知道以前是錯了，今後要改邪歸正。」

「哼！改邪歸正，除非狗不吃屎。」

「如果妳的養父母，原本就是這般安排的，妳想：妳反抗的結果會怎樣？」

「我不管！我早已決定：就是不嫁給他！」

「是不是另外有了心上人？」

「也許是，也許不是。」

她低垂了頭說。

「不可以告訴我嗎？是不是恐怕我會漏洩了這秘密？」

「反正我就是不告訴你。我不知道理由。」

「哦！那麼現在怎麼辦？劉大明打妳，趕妳走，妳養父母知道嗎？」

「也許不知道，也許他回去後已告訴了他們。」

「妳想從此就不回去了嗎？」（十八）

記張蒼水

湘南遯叟

他有入定關詩一首，是爲被執時而作的，詩曰：

何事孤臣竟息機，魯戈不復挽斜暉。到來晚節慙松柏，此去清風笑蕨薇。雙鬢難容五岳住，一帆仍自十洲歸。疊山遲死文山早，青史他年任是非。

他精於壬遯之學，已亥渡東溪時，占得四課空陷，方大驚而兵已至。當羅舟未返，即以夢見昔年在荒島瞻鹿之金甲神，用課占之，大凶！在假寐中方呼其門生居敬告之，而兵遽至。

他被逮後，十九日至寧波，方巾葛衣，乘肩輿而入，觀者嘖嘖歎息。抵後直立牙門外，神色自若！左右令他從角門進，他兀立不動，提督張杰知其意，令啓中門延入。他左右顧盼謂人曰：「此沈相國第也，我昔曾會文於此，今忽忽二十年矣！不勝丁令威化鶴歸來之慟耳」。張杰設宴欵待，席間舉酒屬曰：「遲公久矣，何以屢邀不至」？他曰：「父死不能葬，國亡不能救，死有餘罪。今日之事，速死而已」！

他有「被執歸故里」詩：

蘇卿仗漢節，十九歲華遷。管寧客遼東，亦閱十九年。還朝千古事，歸國一身全。予獨生不辰，家國兩荒烟。飄零近廿載，仰止愧前賢。豈意避秦人，翻作楚囚憐。蒙頭來故里，城郭當依然。彷彿丁令威，魂歸華表顛。有靦此面目，難爲父老言。智者哀我辱，愚者笑我頑。或有賢達士，謂此勝錦旋。人生七尺軀，百歲寧復延。所貴一寸丹，可與金石堅。求仁而得仁，抑又何怨焉！

時張杰爲他僦民舍作寓所，列卒守之。有一千夫長者，有心人也，夜半，隔窗唱「牧羊記」傳奇蘇武罵李陵詞，音調凄涼，他擊節數賞，呼之共坐，擊節而和。和完，淚數行下。提督聞之，乃令諸將選優人奏樂以相娛樂。

八月他至杭州，在途賦「入武陵二首」，詩曰：

義幟縱橫二十年，豈知閏位在於闐。桐江空繫嚴光釣，震澤難迴范蠡船。生比鴻毛猶負國，死留碧血欲支天。忠貞自是孤臣事，敢望千秋青史傳。

國亡家破欲何之，西子湖頭有我師。日月雙懸于氏墓，乾坤半壁岳家祠。慙將赤手分三席，敢爲丹心借一枝。他日素車東浙路，怒濤豈必屬鴟夷！

他在寧波出發赴省時，前次投降諸將士送者數千人，無不爲之慟哭。張杰爲他備四人肩輿，出西門，呼「暫綴」！北面稽首曰：「臣志畢矣。」復向城四拜曰：「某不肖，徒苦故鄉父老廿餘年，有辜屬望」。又再拜曰：「從此不復見張氏宗廟矣」。然後與岸上送行者拱手而別。道傍觀者千人，亦無不爲之流涕。登舟後，左右翼護而行，恐他投水，他笑曰：「毋庸，此非我死所」！到省，總督趙廷臣不見，傳令獄中盛設帳具，吏卒毋許失禮。凡司道府縣奉總督令，按日來參見，多方勸諭，他兀坐胡床，但拱手而已，不起爲禮。舊時部曲，多爲幕府僚屬，總督謂曰：「此汝輩故主，何妨一見」？於是得屬至者，日不暇接，一時皆望之如天神。市民亦欲以一見爲幸，賂守者絡繹不絕，求翰墨者几案如山，他都稱情揮毫應之，並無倦色。（十八）

小論張飛

謬匡

歷史上的張飛可愛，小說上的張飛更加可愛。三國志評張飛爲萬人之敵，爲世虎臣。他義釋嚴顏，有國士之風；敬愛君子，而不恤小人。這種性格的人，雖然死於小人之手，但並不失爲一代的可敬人物。平生忠耿無二，只敬仰劉備、關羽，而以兄事之。演義之「桃園結義」，雖未見採於陳壽三國志，但其說並非全屬子虛也。張飛傳曰：「少與關羽俱事先主，羽年長數歲，飛兄事之。」又「備於大庭廣衆之中，關張恆侍立不離左右。」此等行徑儼然已超出同胞手足多矣，謂爲結義兄弟，不亦可乎？

張飛成爲小說人物更是可愛已極。因刻畫其直爽，豪邁，勇猛，無畏，而增其粗獷與人情味也。然此乃小說家筆下之張飛，史稱張飛雄壯勇猛，亞於關羽。魏謀臣程昱等咸稱羽、飛萬人之敵也。若夫飛之智敗張郃，義釋嚴顏，長坂拒曹等英雄氣概，謂有國士之風，良非虛語。非小說家刻畫之爲老粗行徑可以掩蓋者也。

姚惜抱評飛曰：「好義敢並張飛垂」！馮夢龍云：「張飛釋嚴顏，誨馬超，俱是細心作用。後世目飛爲粗人，枉矣！」鍾伯敬曰：「飛得大臣禮」。又蜀江有張飛刁斗銘文、鐵畫銀勾、爲世膾炙。又有眞多山題字云：「王方平采藥此山，童子歌玉鑪三澗雪，信宿乃行。」似漢隸，文字尤絕。飛居蜀甚久，其他遺跡尙多，此其一端耳。

張飛絕非粗人也！飛字益德，演義改爲翼德，乃本於「古今逸史」中所刻之「華陽國志」，幷非羅貫中造謠也。

自由報

THE FREE NEWS

第一九四一期

中華民國僑務委員會頒發
台教新字第三二三號登記證
中華郵政台字第一二八二號執照
登記爲第一類新聞紙類
（本報逢每星期三、六出版）
每份港幣壹角
台灣本售價新台幣弍元
社長：雷嘯岑
督印人：黃行富
社址：香港銅鑼灣高士威道二十號四樓
20 CAUSEWAY RD 3RD FL
HONG KONG
TEL. 771726　電報掛號：7191
承印者：四風印刷廠
地址：香港灣仔高士打道二二一號
台灣分社
台北市西寧南路壹壹肆號二樓
電話：三〇三四六
台郵撥儲金戶九二五二

對我國高等教育的觀感（下）

彭樹楷

夷考造成這種現象的原因，即使人想到台北出版的「新時代」（二卷八期——五一年八月出版）社論所述「對我們教育界的期望」的意見了。那篇社論說：「從小學至大學的教師，除少數能夠時時刻刻體會到時代的迫人，而思在教學上作改進的步驟外，大多數的人，不是敷衍從事，便是固執成性！」

當然，有了大多數「敷衍從事」和「固執成性」的老師，怎能不教出來大多數「敷衍從事」和「固執成性」的學生呢？因而，教這些敷衍從事的大專學生如何能適應社會的需要？他們自己「既不能文，又不願武」，還頂着大專文憑發牢騷、叫委屈呢！但，這能怪學生麼？不，應由高等教育政策負責，應由大專教師負責。因此，我建議大專期攷及畢業攷試應由考試院主持，以消除師生們的混世主義。其次，便是提高大專教師待遇並嚴禁兼課，並須改良教學方法——即減少對本相課的機械方式，增加使學生能夠參予討論的教學法則。羅素論大學教育一文曾說：「討論是優秀學生教育中最重要的部份。」「新時代」二卷七期「高等教育的危險」一文中也說：「一個教授如果不給他的學生質問或批評的機會，就等於一本教科書。」

由於當今大專師資程度低落及缺乏（「新時代」曾說：教大一國文的人，有講史記或左傳講得不對的；教普通化學的人，有講不來Pauling的教科書的。）如何還能「增設公立大學」？因此，我建議大專應嚴格攷查教師教學情況；並實施輪流出國深造或進修；各教師亦應主動地充實自己。孔子說：「德之不修，學之不講，聞義不能從，不善不能改，是吾憂也。」值得每位教師視爲座右銘。

這樣，便可望使學生學到一些實在的東西，上可進修深造和接棒，下亦可謀職糊口矣！

就社會立場看大專教育

在太空時代的今日，時空相對縮小，能量相對擴大，社會已急劇地前進，形成了一個嶄新的形態，符合國父預見——社會環境日趨複雜而提出「政府組織應是一個爲人民謀幸福的強有力的萬能政府」的遺訓。在「權能區分」中實施「權能平衡」（即「五權」分立合作而非制衡）時，政府官員應是專[illegible]專家担任，俾施[illegible]能和確爲人民謀幸福。

現在，看看我們大專教育培植了多少專長和專家？又在進入官場中的大專生爲人民謀了多少幸福？我們的大專畢業生有多少是既有知識又有智慧的？他們在大專學會了多少蒐集、分析、綜合、判斷和理解以及反應能力？他們又有多少「獨立思想」以支配他們發掘工作中的問題，和提出解決問題的可行方案？

假如這些都沒有或不多，我們的社會便難望有進步或進步甚緩！我們五權分立的三民主義中華民國，便不易創造出獨立國格的國家！我們的社會便沒有一股穩定的中興基礎！

如今，我們的社會逐漸失去我們原有的本來面目，太多的模彷、抄襲，使研究國粹也要跑到外國去了（台大發表十數年來已有一百多名台大畢業生在美國學中國文學）！我們失去了我們自己的，卻又沒有完全模彷到洋人那一套，這責任有大半應算在高等教育頭上。因此，我建議我們的大專教育應以我國社會的需要爲基準——雖然學術不分國界——但我們總不能不顧到自己，竟致漢文書法亦要到日本去學！

德國哲學家Eucken曾說：「改革教育乃是任何時代的共同呼聲」，我國目前高等教育的改革已迫不容緩了！我們的社會幾千來都特別重視教育，都認爲受教育是做官的階梯。這一傳統觀念錯誤到極點！比以前所說制度問題、政策問題、經濟問題等更害苦了大專畢業生。改革這一錯誤觀念，是整個社會的責任，而高等教育責任更重。

我把高等教育的效能看得很高，把高等教育的領域看得很廣濶；我希望有眞才實學的大專生多多參加社會上實際工作，而讓庸才、奴才們混進官府。社會健全了，便可利用「權」來將那些不學無術的庸劣官吏清除掉；如此，政府官吏也健全了，國家怎會不強？人民怎會不幸福？

大專教育能給予每一學生「實用」的知識，社會上無論農工商各行各業乃至各級政府機構，必將爲他保有一個受人尊敬並獲得舒適生活的位置；社會也將從這些大專畢業生的言行中得到進步、繁榮、安康、和幸福。

就民生立場看大專教育和國家前途

柏拉圖的學院是第一所大專院校，它的目的是在產生一種可以適於做他理想中的共和國守護人；羅馬滅亡幾個世紀以後，才由阿拉伯人經過猶太人傳到西方，直到十九世紀後半期，西方仍保持着柏拉圖學院原來的政治目的——產生一種多多少少可以獨佔政治權力的優秀份子。十九世紀末以迄今日，這個目的因爲民主和科學的兩個新要素加入而大受影響，終於發展爲多目標的現代教育——政治的、經濟的、工農商業和一切文化的科學教育。歐美高等教育並偏重自然科學，以至他們能憑藉其科學技藝和國防科學能力，藉經濟和文化向全球擴張，使我國大專教育也效法歐美而不顧及國情及社會需要，終於使一切都跟不上進步而一直落在時代的後面。

科學產品使社會發生變化，影響到西方以分權主義與制衡原理爲基礎的民主政治，使得東方專制時代以統治人民爲政府機能的思想發生動搖，進而滙合西方政治制度發展爲福利國家的功能組織，亦即政府不再是一種「權力的代表」，而爲「人民和社會福利的增進機關」；也就是政府的作爲以「民生」爲主要目標——除尊重個人權利、保障自由及整體的安全外，並同時辦理及改善人民的衣、食、住、行等民生問題。、

人類社會這種政治制度上的新趨勢，帶來要求各級教育「應該配合」的需要；特別是大專教育，理應配合這一新趨勢，來發展各部門所需要的學術和技能教育，使不獨能適應新趨勢的需要，並能進而推展及改善此一新趨勢，俾富國利民，而不應只顧形式上學生的數量，那些混文憑者，不獨無助於「萬能

（下轉第二版）

鬼影幢幢

流氓裝扮

今日與昨日

越南政局漸趨安定

越南政府改組，阮慶辭去政治職位，還政於民，專任武裝部隊統帥，而以文人潘克丑繼任行政元首，等到新憲法頒佈後，依法普選國會議員，實施憲政之治。

據說，潘克丑是個沒有黨派關係的政治元老，請他出來担任行政元首，庶可消弭越南內部黨派恩怨而引起的政治鬥爭。這有如卅年前我國在內亂頻乘之際，推戴林子超先生作國府主席的情形，頗有安內的效用，越南政局可漸入佳境了。

越南的政潮如果再不平息，即唯有「懸目看越寇飛來」而已。阮慶這般軍人們能夠迷途知返，實爲越南前途之福，殊堪慶幸！

自說自話

美國官方人士對於俄共政變與毛共試爆原子彈的動態，連日來不歇的發出各種論斷，夸夸其談，盡是些一廂情願的見解。既說俄共對西方國家將繼續和平共存政策，又說毛共縱然參加國際裁軍會議，亦不致在今年的聯大會議中獲許進入聯合國。說來說去，總不外是替美國的姑息妥協主義暗中鋪路，試探中俄共的意向如何。

美英各國對共產世界的妥協政策，昭然可覩，一覽無餘，而我們的宣傳家却認爲中俄共最近動態，更將有利於我們的反攻復國運動，不知何所據而云然也。

大可取法

英國這次衆議員普選中，計有各黨的一百幾十名參加競選者，皆未得到八分之一的選票，依法由政府沒收每人所繳納保證金五十鎊，國庫平添了兩萬鎊收入。

這項方法我們大可仿效，藉以增進選舉的功用，使一般無知無識之輩，不好隨便出來競選，徒亂人意。試思：八分之一的選票亦得不到的候選人，他的才學和聲望，殆可想見了。

今後台灣的各級民意代表和縣市長選舉，應該廢止政黨提名方法，塞弃競之路，泯賄賂之風，而易以競選人繳納保證金制度，相信其結果將比較現在好得多！

體育是武事？

有人在報紙上寫文章，爲楊傳廣在本屆奧運會中未能奪得錦標作辯護，說「我國自漢朝以來，一向以文治國，不尚武事，體育是武事」云云。這樣的宣傳技術，太可哂了！

體育如果是武事，日本民族素來注重「武士道」精神，習尚黷武主義，那末，每屆奧運會的金牌，日本選手即應囊括而去。美國並非尚武的國家，又何致奪取奧運會中的幾項金牌呢？

要替楊傳廣解嘲的正大理由很多，何必說這類外行話！

自由談

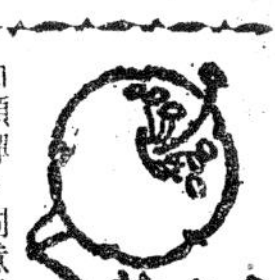

時代的悲哀

美英兩國的當政人物，經常以「尋求世界和平」爲口頭禪，詞意譾陋庸俗，了無新義，實在教人聽來膩味之至。到是俄酋赫魯歇夫在位時，却發出過一句頗有氣魄的政治言論，即所謂社會主義終將埋葬資本主義制度是也。他這話究竟有無可能性，那是另一問題，但不失其爲大氣磅礴而具有號召力的宣傳攻勢，以視西方政治家那種萎縮苟安的靡靡之聲，強得多啊！

二次世界大戰勃發時，羅斯福與邱吉爾二人，先有「大西洋憲章」的政治理想宣言，繼有教敵人必須「無條件投降」的戰畧決定，明明朗朗的對世人揭櫫戰爭目的和方針，是何意態雄且傑，不愧爲大政治家之風範也。

自從羅斯福夫世，邱吉爾退休之後，奄有自由世界領導地位的美英兩國執政者，盡是些二三流的政客策士，眼光短淺，氣宇狹窄，作風低能，每以能夠跟俄酋晤面爲榮幸，沾沾自喜，而認爲這樣就是創進了世界和平，功高蓋世了。然偶聞蘇俄搶先放射了一枚人造衛星進入太空，即驚惶失措，不可終日，充分表現着半吊子的本質，令人失笑。

美總統甘迺迪就任之初，亦曾大談其「新境界」的政治理想，好像頗有作爲的樣兒。他對於赫魯歇夫「埋葬資本主義制度」之說，祇是以鄉愿式的心情，答言「我們不想埋葬別人，亦不願被別人埋葬」。這種慳慳自守、毫無創造精神的惰性觀念，就不是自由世界領導人應有的氣概。若干年來，美國當局對自由世界的領導策畧，昌言必須符合美國利益云云，因而使自由陣營的團結精神，日趨渙散。似此小家氣派的說法，羅斯福卽不會有的，儘管內心上是這樣打算，口頭上亦決不說出，否則便是犯着幼稚病的低能人物，還配領導自由世界嗎？

共產主義者亦強調和平，且自命爲「世界和平之神」。但他們視戰鬥與和平爲一物之兩面，要以革命鬥爭手段創進和平。這比較西方政客們的和平說，無論在思想上或理論上，都有淩駕而上之的作用，可惜美英以一等國力，而讓二三等人才當政，不足以語此，這眞是時代的悲哀！

馮王先生

主持者胡攪亂來弄錢第一
國營中煤公司早經病入膏肓
經濟部決定以行政命令將其解散
立委認為處理不當監院決予調查

（本報記者台北航訊）經濟部決定將中國煤礦開發公司自今年九月一日起解散，原屬該公司豐林、南湖二礦，分別售與台電、台肥公司，新竹礦則併入金屬鑛業公司。因此，引起立監兩院的注意。立法委員董正之認為經濟部的措施不當，無異「把中煤公司葬送了」；監察院經濟委員會決定派委員調查，為的是經濟部未依法處理。

審計部對經濟部處理中煤公司的經過，認為未按照公司法解散的程序，所以是不合法。因為中煤公司係依照股份有限公司組織，經濟部不得以國營事業管理法第八條所賦予的職權而核定解散。同時，經濟部決定把中煤公司所屬豐林、南湖二礦分別讓售台電、台肥二公司，在台電、台肥係鉅大之建設支出，在中煤公司為大宗財產讓售其他國營事業與償債資金之籌措，依預算法規定，均應分別編入各該公司之營業預算。又新竹煤礦併入台灣金屬鑛業公司，改組另成立台灣金銅鑛業股份有限公司，因而涉及國營事業基金支出的增減變更，依預算法規定，應編入總預算內始稱完成法定程序。

但經濟部並未按照法定程序處理，所以董正之委員質詢說：「台電、台肥兩公司，本（五四）年度並未列有購礦預算，經濟部强令購買，是否違背預算法第四章預算之執行各項規定？」而「中煤、台電、台肥，均係公司組織，有省股，民股，賣礦買礦，公司撤銷，經濟部均以雷霆萬鈞，迅雷不及掩耳方式執行，使董監事會無法行使職權。此種措施，是否有違公司法？」

早在去年六月間，記者曾寫了一篇「中煤公司業務答客問」的報道，刊於本報第三四九、三五〇兩期。當時，政府對此會有說明，尤其經濟部認為記者「言過其實」。

現在，經濟部部長楊繼會在「節畧」中，却又不得不承認中煤公司「歷年虧損高達五千六百餘萬元之鉅，財務狀況之惡劣已達極點」了，由於「虧損逐日增加，周轉無門，償債無力，」於是而「岌岌可危，不可終日」了云云。

經濟部長的節略又稱：中煤公司係四十六年三月成立，原資本額為二千五百萬元。四十八年一月，將前新竹煤礦併入該公司，作價二千萬元。五十一年增資二千萬元。資本總額共為六千五百萬元。該公司五十三年七月底之資產總額為二億四千六百三十萬元，負債總額為二億二千七百十一萬元，淨值僅有一千九百十九萬元。且資產總額內尚包括遞延費用五千五百二十二萬餘元，其負債總額，已超過實際資產。

歷年營業虧損情形：四十八年度虧損三百六十八萬元，四十九年度虧損七百六十三萬元，五十年度虧損一千六百七十萬元，五十一年度虧損七百七十九萬元，五十二年度虧損一千二百十六萬元，五十三年度一至七月份虧損八百八十二萬元，共虧損五千六百七十八萬元。再加上待轉帳之遞延費用，其資本六千五百萬元，已虧損淨盡。

該公司借欵情形：截至五十三年七月底止，計結欠長期借欵共八千四百零七萬餘元，短期周轉資金借欵共一億二千四百五十六萬餘元，總共二億零八百六十餘萬元。按各借欵約訂利率計算，每月需負担利息一百七十五萬餘元，全年需負担利息二千一百零七十餘萬元。如不按期付息，息再計息，其負担自更重。本年六月底到期應償還之美援借欵共計二千五百五十餘萬元，已在按日計算延期利息及違約金。向部屬單位之借欵，依照行政院指示，亦必需清償，但均無法償還。

中煤公司之所以虧損，係由於浪費而使生產成本提高所致。楊部長在立法院答復董正之委員質詢時稱：本年上半年，六個月產量平均計算，豐林礦每噸總成本三百二十五元，售價二百七十八元零六分，虧差四十六元九角四分；南湖礦每噸總成本三百六十五元九角，售價二百九十四元六角九分，虧差七十一元二角一分。其總成本內直接成本約百分之七十五，而推銷、管理及財務三項，約佔百分之二十五，尤其財務費用佔百分之十三左右為最巨。

此外，據中煤公司員工向立監兩院暨有關方面檢舉指陳：由於前總經理程宗陽「用人行政，完全是以家庭方式經營，只顧個人利害，不計公司前途」，「不懂企業經營」，而且「程（總經理）與（經濟部）戚司長勾結，專司狼狽弄錢。為怕他人翻底牌，將新竹礦有爲有守之人，一夜間利用部令改調他公司，將整個公司造成靑一色，異己者即打入冷宮坐冷板櫈。如此不見天日式的經營，債台高築兩億以上，但仍是曚蔽經濟部」。因此而「無人得知公司財務狀況」。結果，治安機關調查該公司賬目及傳訊程前總經理，總務處長（部令停職查辦）及戚司長等多人。由此可知，該公司之病由來久矣！

應德里大學之聘
吳本中將赴印講學

（本報訊）本報作家吳本中先生，應印度「德里大學」客座教授之聘，將於最近偕夫人離港赴印度講學。吳夫人原在香港中文大學崇基、新亞學院担任法文教師，歷有年所，現正摒擋一切，擬隨同吳先生前往印度。日來文教界各方友好分別為吳氏夫婦餞別，頗為忙碌云。

省府出售公營事業股票
在立法院引起強烈質詢

本報台北記者張健生航訊

立法委員不同意台灣省政府出售十億公營事業股票作為整頓河防建立河川治理養護的基金，及撥充省營事業投資，而主張出售省營事業，充作河防基金。並抨擊台灣省議會財政小組的省議員在審議該案時公開洩露消息，認為構成刑法第一百三十二條之刑責。

立委黃煥如質詢行政院長時說：台灣電力公司，屬於國防獨佔專營事業；台肥公司，屬於民食之獨佔事業；台糖公司，為蔗糖獨佔事業。按照憲法第一四四條之規定：公用事業及其他有獨佔性之企業，以公營為原則，其經法律許可者，得由國民經營之。公營事業移轉民營條例第三條規定：凡是直接涉及國防秘密之事業；專賣或有獨佔性之事業；大規模公用或有特定目的之事業；應由政府經營，不得移轉民營。因此，電力公司，台肥公司，台糖公司，仍應由政府經營。

黃煥如指出：這次省府為籌措河防基金及充實省營事業設備財源，主張出售所持有之台電、台肥、台糖股票，似無可議。但政策之決定，應以國家利益人民利益為前提。籌措河防基金，不應與充實省營事業設備相提並論。應出售可移轉民營之省營事業，撥充河防基金。但不應為充實省營事業設備，而出售有關國防之國營獨佔公用事業股票。行政院為彌補預算赤字，出售台糖股票，事前未經立法院同意，顯有錯誤；出售價格，復多欠考慮，引起證券市場不少風波，增加台糖不少麻煩，亦增加國庫不少損失。中央為彌補預算赤字，可以出售糖股；省府為籌措河防基金，自可援例出售糖股及其他股票。此例一開，後果堪虞。

這位湖北籍的立法委員黃煥如，是一位經濟學者，他指出：行政院答復其質詢，謂：「出售台糖股票，截至五十三年四月四日，先後共拍賣十五次，出售台糖股票，截至五十三年四月四日，先後共拍賣十五次，出售股數二百八十二萬二千股，售得股欵四億四千二百餘萬元，拍定最低價為每股八十一元，最高曾達三百元，平均每股售價為一百五十六元六角七分。」認為超出預算。他說：假定照乙種經紀人最低估值每股二百五十元核算，國庫損失，即達二億八千萬元。至於因增資配股以及保留未分配盈餘等問題所引起的種種紛擾，在台糖公司，在證券市場，均屬重大損失。

黃煥如認為不應出售台電股票。他說：因為台電係有關國防的獨佔公用事業，過去為開發電源，籌措配合美援貸欵資金，自民國四十二年至五十年，經過七次加價。四十三年四十五年立法院討論第二次第三次電力加價時，會經院會通過決議：「台灣電力公司所有民股，應由政府從速設法收買。」因為開發電源，係擴充資產，照理應由股東增資，不應如重用戶負担。台電百分之三點六的民股，毫無負担，坐享其成，有失公平，故有上項決議。同時同意政府將台電每年應繳政府各項稅欵及政府公股應得股利，全部作為轉投資，表示政府象徵性的增資。以後立法院每次討論電力加價，均重申前議，希望台電的發展，不要受到少數民股的影响。

黃煥如說：台灣工商業發展迅速，電源需要逐年擴充，今後十年開發電源計劃，每年需要資金達二十餘億元。政府無多餘財力收回民股，似情有可原；如果繼續出售官股，不僅顯然違反立法院決議，且違背憲法第一四四條及國營事業移轉民營條例第三條之規定。事實上亦將阻礙今後電源之開發，與整個國防經濟建設之發展。行政院似不能再忽視此一問題。（上）

非洲新出現的第三十六個國家
小國贊比亞居然很左傾

——本報資料室

經英國統治六十年的北羅德西亞，於十月廿四日宣告獨立，取名曰贊比亞共和國。這個非洲第三十六個獨立國的贊比亞，領土七四六，二五六方公里，人口僅二百五十萬，首都叫盧薩卡，其第一任總統為肯尼斯．卡渥達。在此君統治下的這個小國，一開始便表現了左傾，實在是莫名其妙。

這次代表英女王參加贊比亞獨立慶典的，是王姑維多利亞．雅麗珊．愛麗絲．瑪麗公主——即有「被遺忘的公主」之稱的英女王伊利沙伯二世的姑姑。她今年六十七歲，是英故皇喬治五世的獨女，相貌酷肖結母。在喬治五世的兒女中，她不是最大的，但她結婚最早，一九二二年就結婚，那時她二十四歲。

本來，以她的身份——英國獨一無二的公主，是準備嫁給歐洲大陸某些王國太子的，但是一九一四年歐戰爆發，英德等王國成為敵國，瑪麗公主做王后的美夢給打破了；於是停戰後不久，就和一個英國人結婚，這個英國人已經四十一歲，比她大十五歲，而且不是貴族，不過很有錢。

這個英國人名叫亨利．拉舍利斯，是無端端發達的。原來：

亨利有一個叔公加蘭里卡德侯爵，年已八十三歲，是個有名的孤寒財主，污糟辣撻，人人討厭，他在倫敦聖占士俱樂部中，都是自斟自酌。一天，亨利從歐陸前線返英休假，遇加蘭里卡德侯爵於俱樂部，見其獨坐一隅，趨前與之傾談，二人談論戰局。亨利後來再上比利時伊泊爾前線。加蘭里卡德侯爵回家後，將遺囑加以修改，遺囑全文二百字，指定亨利．拉舍利斯繼承其全部遺產。兩個月後，加蘭里卡德侯爵去世。亨利就繼承這個叔公的全部遺產，估計共值二百五十萬英鎊，其時是在一九一六年。在當時，二百餘萬鎊是很多錢的了。

這個暴發的亨利，是個脾氣暴躁的人，喜怒無常，瑪麗公主婚後，常常受氣，此事在當時已是公開的秘密。公主婚後翌年，就生一個兒子，次年又添一子，以後再無生養。兩子後來都成音樂家，大的胡拔精於古典音樂，小的羅吉則玩爵士音樂。亨利已於一九四七年去世，享年六十四歲。

伊利沙伯公主在一九五二年繼位為英女王之後，是瑪嘉烈和雅麗珊這一代的公主出頭的日子，老一代的瑪麗公主是被人遺忘了。

但在今年二月，當英女王伊利沙伯二世、瑪嘉烈公主、雅麗珊公主、根德公爵夫人四人齊告有喜，而王太后伊麗莎白也有病在身，英王室應酬缺人之際，英王姑瑪麗公主復出了；她奉命代表女王參加一些應酬，但是代表女王出國，這次到贊比亞還是第一次。

在國際上，英王姑現在是不知名的，但在英國，特別是在約克郡，她早就出名。她一九三八年當選為英國乳牛業公會會長，女性當選為會長的，以她為第一人。她不是以公主的身份當選為公會會長的，她對牛乳的確是學識淵博。至於她做里茲大學校長，那才是名譽校長，有名無實。她又擅長於語言，她對德語、法語和意大利語，都講得很流利。

對我國高等教育的觀感

（上接第一版）

政府」，也無益於「國計民生」。因此，我建議我們大專教育應重質不重量；應着重於以民族文化爲本位的民生實用生活教育；應注意智慧和道德的培養；應認眞執行「教」「考」分權負責；並切實作到「考用合一」的要求，從民生主義中建立富强的國家。

再以國家前途來看，高等教育，表而上看不出兩者顯明的關係，實則影响大矣！我們當前大專教育太偏重和平用途而鄙棄國防軍事用途的學術，太重文輕武了！這也許是我國政治傳統影响所及吧？

我們的大專教育之目的似在發展人頭主義「重量不重質」，似在專爲太平盛世造就官吏，在爲外國造就人才。曠觀世界各國的高等教育，只有我國高等教育對國防軍事不屑一談！

高等教育既不注重民生需要，又不重視國防知識，我們的國民焉得不窮？我們的國家又如何强得起來？

總之，大專教育是件大事，人人都應關心，人人都有注意的權利和義務。筆者雖不敏，但不願放棄國民義務，故敢集多年心願，坦陳直言，萬望賢者有以教正，則獲益者又豈止筆者一個人哉？（完）

天真與愚昧

李敦復

自從第二次大戰結束以來，向外作侵略發展的，不是英法，也不是美國，而是俄共「帝國主義」。西方的政策，在過去十四年來是防守性的，主要係在謀求阻止一種新式帝國主義的膨脹。

對外採取防守政策，乃完全根據現實，而缺乏理想。此政策之利，在能獲一時之苟安；其害在一旦問題發生，必須付出千百倍之代價，始可將問題解決。孰愚孰智？歷史已有解答，無須再加評語。我在前面已經說過，就美國現行的防守政策，從利與害的觀點分析得非常明白，我現在舉出一個顯著的例子，說明這種政策實在太危險了，禍害太大了。這是以實際所發生的事實爲證，並不是理論的推斷。我所舉的例子，意在以事實來支持我的觀點，那觀點就是：一旦問題發生，必須付出千百倍的代價，始可將問題解決。

中共于執行俄共史達林的政策時，在其政權成立僅一年的時光，而其政權基礎還未穩固與完整的時候，以志願軍的名義介入韓戰，但美國却造成死傷士兵五萬餘，犧牲金錢近百億，才將韓戰結束。另一方面，如果杜魯門總統在顧及現實的政策之餘，仍能考慮到政策的久遠的話，杜魯門就不應該限制了戰爭的範圍——渡過鴨綠江，把戰爭帶到東北，限制了麥克阿瑟的軍權。如果杜魯門總統不使戰爭局勢限於中國領土之外，我相信今天遠東的局勢絕不會如此動亂，共黨在亞洲也不會如此橫行無阻，整個局勢必然大爲改觀，中國大陸鐵幕內的六億人民，其痛苦也不會如此之深。但，美國的先後二任總統杜魯門和第二次世界大戰的英雄艾森豪，在中共危急和動搖的時候，未能趁機利用，擴大戰爭，終於因循誤事，使它日趨強大，而終至成爲自由世界的最大威脅。由今思昔，因此，美國在制訂對外政策時，不論和平也好，戰爭也好，冷戰也好，熱戰也好，大戰也好，小戰也好，必須及早輕現實重久遠，謀根本之圖。這是我在這一段文中的中心思想。

從最近種種跡象看出，美國對遠東問題的政策和觀念，顯已有改變。這種改變，是否是在政策原則上作了極大的轉變，抑或是美國民主黨政府在大選年中的對外政策呢？據華府觀察家稱：「美政府現正秘密地研究若干軍事行動計劃，萬一北京及河內堅持進行東南亞的侵略政策，便將執行該等計劃。」這雖然是一種觀察，但是，是有很多證據可以支持此說；我們更以爲，美國除了要擺出姿態以阻嚇中越共對印支半島的行動外，還應有若干強硬行動以繼其後才對。

然則美國何以忽然會強硬起來呢？這一點，是不難了解的。本來，美國對東南亞政策，是不想太過強硬的，尤其是美國的西方盟國，都不願意見到另一次韓戰式的戰爭在亞洲方面發生。所以，若干時間以來，美國都只是維持拖的政策罷了。但是，時間越拖延，對美國越不利，而共黨方面，也以爲美國示弱了。

就最近美國對共黨的態度，突然轉趨強硬，從其動機來分析，至少大部份是由於大選原因所促起。糾纏不決的越局，形勢日蹙，寮局，如果再惡化下去，對民主黨政府是不利的。（七）

台灣東部遊記

羅雲家

在往旅社行進中，於一「華盛頓」理髮店前遇到了琢如。他是來陪我們去吃早點的，說是跑來兩次了。我告訴他已用過了。於是一同去他店裏騎自行車，在烈日下向港口進發。三個大人，三個孩子，剛好每人帶一孩童。我帶着孩子升俊，內子帶着升婷，琢如帶着升妃。因爲天氣太熱，琢如在鬧市中要我們停下，往一家草帽店買了三頂草帽給孩子戴。每頂十五元，價錢不貴。孩子在家每人有頂舊草帽，那是去年買的，現在有了由他們自己挑選的新式草帽，一時高興得在車上大唱「黃梅調」起來。把個琢如樂得笑出了眼淚。

去花蓮國際港，有兩條大道。我們去時是走靠海的那一條，路很寬，柏油鋪成。通過花蓮溪橋時，只見橋下一泓無波的綠水，想必是夏天消暑的好處所。琢如却告訴我，每年在這裏都要淹死不少人。原因呢！溪既不太寬，水流又不很急，附近都是行人，何以會淹死那麼多人呀？據說一是受了潮水漲落的影響；二是橋墩附近，有幾個深潭，內有漩渦。人若被捲入進去，四肢立即抽筋，設若水性稍差或體力稍弱的，自然就此一沉不起了。因此，雖是個好的游泳處所，却每每叫下水者提心吊膽，一些有戒心的人，更是裹足不前了。這似乎是花蓮市有關當局忽畧了的一面。

花蓮市區的地勢很低，曾經有好幾次，颱風過後釀成澤國，生命財產損失不貲。政府有鑒及此，乃計劃將之移往就近地勢較高的美崙一帶。爲了給民衆起帶頭示範的作用，縣政府、議會、警察局、醫院及若干小學、中學，國民住宅：：都相繼遷到新闢的花蓮市去了。可是要民衆無條件地自動遷移，又談何容易啊！如今已經時過幾年，我們經過美崙時，仍未能發現幾家像樣的商店。至於整條的街道，更是絕無僅有了。關鍵在那裏？說來十分複雜，最主要的，一是政府拿不出偌大的一筆錢來補助，或貸給市民遷居；二是所有的市民不願放棄既得之利。加以中國人怕多事，惰性重；在政府不便強制執行遷移的情形下，遂使遷市計劃擱淺下來。因此形成了兩個「市」，計劃中的市是有名無實，擬廢掉的市却日益發達，新的建築正在方興未艾。我們中國人辦事就這樣的虎頭蛇尾，有始無終，眞令人不勝慨嘆！

我們大人邊走邊談，小孩子則邊行邊呷，不一會，居然爬過了不算矮的高坡，可以看到美崙了。於是花蓮中學，民立里，民政里，民運里，乃至花蓮港都在望焉。因爲火傘高張天氣太熱，我們在民立里的一家冰店休息了十分鐘，吃了兩瓶汽水，然後才整裝進入東部這唯一的國際港口。

花蓮港是一個巨型的國際港口，係於去（五十二）年九月一日擴建後所開放。它已被譽爲「太平洋之珠」，原名「洄瀾港」。北距基隆約九二浬，南距高雄約一八六浬。這裏的天然情況，極爲良好，氣候溫和，一年之中，沒有特別大的酷暑嚴寒之分。據歷年統計，一年中最高溫度爲攝氏三五點八度，最低溫度爲攝氏四點四度，平均約爲二二點三度。至於氣[illegible]方面，也很正常。港口之風向，因地處太平洋之濱，每年飽受季風與颱風的襲擊，春冬兩季多爲北北東風，夏秋兩季則多南風或北風。（八）

我所知道的麥帥

肯寧將軍原著　徐熙光翻譯

麥帥一手造成日本的繁榮，這是盡人皆知的事實。戰爭結束時，日本人沒有領袖，他們亟需一位領袖。麥帥來領導他們以後，日本人都對他有信心，相信他是來幫助他們的。少數頑固的政治家和共產黨可能並不喜歡他，但是農民，勞工和婦女都擁護他，覺得他給了他們自由，平等，土地和機會。對於一般日本人來講，麥帥所做的並沒有錯。每天在四次上下班的時間，總有成百的日本人圍在麥帥總部，第一大廈的出口，爭睹他的丰采。他們都喜歡他那股淡淡的冷靜表情，畢挺的制服，富有信心的堅定步伐，透着權力的威嚴，甚至他的大汽車。他比任何好萊塢的大明星更受歡迎。日本人都把盟軍的佔領當作麥帥個人的佔領，他們對民主所下的定義是那些麥帥所想做的事。從他在菲律賓，在日本和在韓國與人民的相處看來，我得到一個結論：麥克阿瑟的確具有與亞洲人民和善相處的技巧，亞洲人民也莫不喜歡他。

十一、韓戰

一九五〇年六月二十五日，道格拉斯・麥克阿瑟將軍接到一項新的任命和職務。聯合國通過北韓爲侵畧者的決議，因爲他們越過了三十八度界進入南韓。三十八度界是一九四五在一項協議中所規定的，界線以北由蘇俄佔領，以南由美國佔領。聯合國的會員國在決議北韓爲侵畧者以後，應召出兵懲罰北韓，並恢復大韓民國的秩序。

一九四八年，美國曾要求舉行選舉來成立一個韓國政府，但是蘇俄拒絕了其佔領區的人民參加選舉。北韓政權變成了一個聽命於克里姆林宮的共黨附庸國家。於是南韓人民在一九四八年八月十五日選舉李承晚爲他們的總統。一九四八年十二月十七日，聯合國大會通過決議，承認大韓民國政府爲合法政府，並且決定美俄兩國的佔領軍應即自南北韓撤出。美軍撤離南韓後，留下一個編制單位很小的軍事顧問團，負責訓練剛剛成立的大韓民國陸軍。而蘇俄則不斷地訓練和裝備北韓的共軍。

戰端重啓時，麥帥一定覺得歷史又重演了。他是第一個聯合國部隊的指揮官，他又再次統率好幾個國家的聯合部隊，他也再次被召以不足的兵力和物資來抵抗久有準備的侵畧者。他又再次被迫撤退，繼續撤退，直至他得到足夠的力量來反攻。他又再度臨危受命，表現他的軍事天才。一九五〇年夏天，麥帥的部隊被迫一再後撤，侷促於釜山一隅。但是在九月十五日麥帥毅然在仁川登陸，予共軍以致命的打擊，這次精彩的登陸戰使美國海內外一致爲之鼓舞。幾天後麥帥攻克首都漢城，並迅即光復整個南韓。麥帥因此被認爲戰畧專家和當代最偉大的將領。他再度表現出他有善用有限物資和力量的天才。除了第一陸戰師以外，麥帥的其他各步兵師人員都不足。美國的補給和後備兵員有時接濟不上戰場上的損傷。麥帥的計劃不僅大胆，而且簡直是革命性的。他開始運用韓國的新兵，每一個步兵連裏各安插一百名韓國新兵。（五六）

虛君續夢

第十四回 誰與慶昇平　呼朋湊興　居然爭霸業　背主孤行

周恩來行時，赫魯歇夫還勉強趕到飛機場去送行，回到克里姆林宮越想越氣，拍枱罵道：「這眞是世界變了，無論小貓小狗，都來欺負我。這樣下去，我不是社會主義國家領袖，變成社會主義國家的出氣筒了，誰有氣都來莫斯科罵我一頓。」說到憤激處，又重重拍一下寫字枱。

書記處的人員都知道他是恨周恩來，可是誰也不好插嘴，停了半晌，還是柯茲洛夫說道：「周恩來的爲人最柔順，一向不敢多事，沒有毛澤東指使，他怎敢說出這種話。」

布列日涅夫說道：「我覺得周恩來的態度有干涉蘇聯內政之嫌，我們抨擊阿爾巴尼亞是我國的國策，因爲我國已同阿爾巴尼亞斷絕了邦交。中共可以不反對阿爾巴尼亞，但是却沒有理由禁止蘇聯反對阿爾巴尼亞。這種情形若容他繼續下去，整個社會主義陣營將由毛澤東發號施令了，到底誰是頭呢？」

赫魯歇夫說道：「是呀！我也就是要追究這一點。一九五七年毛澤東到莫斯科，曾當衆宣稱『社會主義國家要有個頭，這個頭就是蘇聯，全世界共產黨要有個頭，這個頭就是蘇共。』聲音還在我耳邊嗡嗡，他回到北京就開始同我搗蛋了，你們說可恨不可恨。」

赫魯歇夫氣得頭上青筋根根暴露。米高揚噗哧笑了。

赫魯歇夫用手一指，說道：「小鬍子，你笑什麼？」

米高揚摸摸那撮小鬍子，微笑道：「我笑你是個老天眞，竟然把毛澤東的話當眞。毛澤東嘴裏若能說出實話，世間那還有說謊的人。」

赫魯歇夫說道：「我也知道毛澤東嘴裏沒有實話，可是，他那次爲什麼要說這麼好聽的話，沒有人叫他說呀！」

伊里契夫插嘴說道：「根據毛澤東的紀錄，他若特別恭維誰的時候，就是打主意想害誰。一九四五年他去重慶，曾當衆舉手高呼蔣主席萬歲，這是誰都知道的事，但是他回到延安，就下令向國民黨地區大舉進攻。說不定他上次嘴裏在說蘇共是全世界共產黨的頭，底下已在踩腳發誓要整我們了。」

伊里契夫說過，大家都笑起來，連赫魯歇夫也撐不住笑了，伸起大姆指說道：「你眞了解毛澤東，把他的心肝五臟都看透了，你應該能想出辦法整他。」

伊里契夫說道：「我們過去曾經施過經濟壓力，如斷絕援助、縮小貿易、撤退專家，結果未能生效。並不是我們的經濟壓力不重，而是毛澤東根本上不把民命看在眼裏，餓死了人與他也無關，說不定他還感激我們替他解決人口增加的問題呢！」

伊里契夫說過，大家又笑起來。

赫魯歇夫說道：「依你說應該怎麼辦呢？」

伊里契夫說道：「毛澤東一生最怕拳頭，除去武力他是什麼都不怕的。」

赫魯歇夫說道：「武力怎麼用法，我們現在還不能派兵打他。」

伊里契夫說道：「派兵到不用，我們只要在新疆煽動內部反抗，支持少數民族要求獨立，毛澤東就沒有辦法了。」（三八五）

哀梨室剳談

一枝獨秀喜春來

劉谿公

但此已與京兆公無涉，因爲他早已骨化形銷，如果有鬼的話，也只能用紙錢了。

據說，鏡蘭雖出身青樓，却是一個達觀的女性，對於人們一致崇拜的金錢，並不怎樣的重視。長日無事，輒與二三知己的女友，坐着新型汽車，招搖過市；酒樓，戲館，賭臺，舞廳，夜花園等處，隨時都有她們的芳踪。自然一切費用，都是由她張鏡蘭（也就是黃京兆的遺孀朱桂貞）出的。

不過我們知道，她所以要這樣做，一方是爲了應酬女友，一方則是物色可意的面首以伴晨昏；而以武生姿態，活躍於舞台上之美少年李春來，無疑是她尋求之對象。

因之「天仙戲園」（係李春來離開「滿庭芳」後加入之戲園）便成了她日必光臨之處所。

然而落花有意，流水無情，春來對她，好像並不怎樣的注意。因之，才有類於綁票之趣劇發生。

但這只是一轉瞬間之情況，距此不多幾時，他倆已經形成刻不能離之情侶。求愛不擇手段之黃夫人朱桂貞，爲了博取愛人之歡心，特地不惜鉅資，給他在福州路，建築了一所規模宏大的「春桂戲園」！這個園名，是把他倆的雅號各取一字嵌在那裏面的。

這在她也許自以爲得計，又豈知弄巧成拙，竟以此引起各方之艷羨，妒忌，憤激，及憎惡等等；而其亡夫之友沈仲禮，關烱之諸君，更認爲恬不知恥，敗壞黃氏門風，恨不得置之死地而後快。

時關烱之方爲會審公堂會審官，特藉某事將春來捕去，判押提籃橋西牢七年！這可是多情之黃夫人，初意所不及料的。

她一貫是養尊處優百不縈心的；由這時起，竟平添了一種必修的日課，那就是每日晨起，必先指派一人，採辦某些精美的食物由她親自送到西牢去慰勞春來，就便作長時間之談話，嘘寒問暖，絮絮不休，關切之殷，是在一般情人之上的。

這樣持續到半年之後，方始變換方式，由排日改爲間日，並且只派一代表前去慰問。又過了一個時期，則並此代表亦不再見，慰問也終止了。

七年的鐵窗生活，爲時不爲不久，加以精神方面之打擊，這個日子的確是不大好過。但有耐性之春來，居然咬定牙關，將牠熬了過去。期滿出獄，除了額頭增加若干皺紋外，大體上仍與過去一般。（五）

偶記亞仙

憾厂

伍惠林先生在「春秋」創刊號，有談張宗昌殺金憲閒事，提到名伎亞仙，寵擅專房，脫幅適張；但未述其如何遇合，以及有無救人動態，爰就記憶寫出，以作惠林原記之補遺。

亞仙是北平韓家潭蘭花院的紅妓，面貌秀麗，而風騷特甚。有時在中山公園閒步，春明館，長美軒座客，無不注視。平常時間，不問手中有無積儲，隨心所欲，是興趣所好，無不爲之，艷名遂噪於京師。惟問津之人，幾度交往，不敢陷入深淵，知難而退，以無底壑谷，難填使滿也。因此識客雖衆，迄無嚙臂脫幅之人。時來運轉，做了狗肉夫人，並救了名伶梅蘭芳的困擾。

民國十三年冬，馮玉祥倒戈班師，張系再度蒞臨北平，張作霖稱帥於故都。宗昌原是關內悍將，投靠奉張，也駐城內，氣燄之盛，曾因潘俊的哭訴，而遂殺林白水（萬里），也是儘所欲爲。某夕張宴賓客於石老娘胡同，特召名伶彩串稱觴，特點「八五花洞」，由梅蘭芳、尚小雲、程硯秋、荀慧生、徐碧雲、朱琴心、小翠花、朱幼芬演之，給酬五千。在此以前，尚有生角武行好戲。總之這場戲耗費近現洋二萬之多。

八五花洞登場，宗昌坐池子觀劇，看到蘭芳的嬌艷秀麗，大爲贊賞，起了憐愛的心，動了嘗試後庭之淫趣。當潘金蓮猶在台上，譴訴胡大砲時，命副官到後台通知：大帥請梅老板在戲散後於大廳吃宵夜，勿走！吃完派車送回。梅聞此語，情知有異，託侍從之臣打聽何事；詎知端倪，嚇得戰慄，幾至流淚。

梅黨諸臣急得無法補救，形成呆鵝，最後決定，請薛大可疏通緩兵。派人到城外徵花侑酒，特定每名二百元，精選十名，風掣前來。當然他們熟悉何家有麗姝，按圖索驥，不難羅致。特別指定必要亞仙。頃刻間，燕語鶯啼齊聚於大廳。在座共宴者，皆長腿的故舊，兩席之間，男女雜坐。蘭芳亦恭陪，特示意於亞仙，託其多加勁送媚。於是長腿圍繞在十姝之中。

十姝心理，各姝多在作侍枕席之想，希望今晚得中選之望，大可痛快的洗個安適的澡。（在樂戶嫁人名曰洗澡）於此場合，亞仙不肯放過，渾身解數悉行使出，極其蠱媚，把長腿弄成混淘淘，如墮衆香園中。經過一段時間，長腿示意副官，命亞仙留侍。宴近四時，蘭芳起身告辭，宗昌說：今晚累了你，下次有機會再說。梅氏表示感謝無似。出門外，梅黨人士有些在車中已睏睡，欣見脫險，分乘二車，加油如電馳，直奔前門外北蘆草園而去。

梅氏行後，天露微曙，長腿命副官遣去九姝，每位賞三百，派車送歸。大家唯唯從命，不免有黯然自傷者，却爲亞仙慶幸。長腿有如播纓會中情景，張明燈，同歸羅帳。尤物曲盡精力，次日三時始起。或稱連戰三場，使自命九五之長者，俯首稱服，心境大喜，謀以脫籍。亞仙詭稱負逋三萬，擬准假五日以資安排。長腿悉允之，派副官到妓院辦手續，給鴇兒五千。亞仙大宴姊妹三日，以作話別，閧動八大之區，始歸張府。

其後齊魯迭敗，長腿攜四、六、九、三妾，亡命大連，蓋亞仙其九也。未半年，有大連之事。嗣後長腿赴魯訪韓（復榘），亞仙乞假先三日赴滬，謀在滬相晤同返。不意未及一旬，長腿有濟南車站之禍，終至殞命。遂亦無人約束，任其自由。後嫁高凌　子，亦是傷雨。乃結果野馬不易就羈，三年再離。抗戰時期，與名工業家胡君相暱戀，迨胡結褵於某女士，又復他適。她是抱定玩弄男性，人盡可夫，所難要如其意。後來不知又落誰家！余雖有三面之緣，她亦未知爲何人，卅五年後話此，始信是天生尤物。

美妹

羅雲家著

「是的。」她堅決地說：「他既然趕我走，我爲什麼還要回去呀！」

「別孩子氣了，不回去是不行的。問題總有解決的途徑；但不回去是最壞的解決方法。我勸妳，還是立即回去。看看養父母有什麼反應。」

「我想請你幫助我脫離苦海。明天就陪我去婦女會請他們幫忙解決。」她抬起頭，哀求似的看着他沉思的面容。

「美妹，聽我說，事情不能做得沒有一點餘地。不管怎麼說，妳的養父母能從幾歲把妳養到這樣大，總是恩深義重的。妳如果這樣做，弄得大家都知道，那會嚴重地損傷了他們。做人的基本態度，第一是少樹仇敵！知道嗎？照妳說的這樣做，所樹的仇敵太多。這對妳，甚至對我，都是不智的。何况我已經答應了劉大明，我不能不守信呀！」

「你已經答應了他些什麼？」她睜大了眼睛。

「他要求我從此不跟妳來往。」

「你答應了？」

「我說：如果他愛妳，他對妳好，他娶妳，而且他與他的父母不再虐待妳，我就接受他的要求。這些他都答應了。我想他不會食言的，所以我也就答應了他。」健文吸了一口烟，扔掉了烟蒂。

她沉思了，不知是在感激他？抑是在恨他？

「我這樣做，純是爲了妳好。我不希望妳這樣長此受苦下去。最低限度，不要給人當下女。妳懂我的心意吧？」他看她沉思着，又補充了一些。

「我懂，我懂！——你在逃避現實，你在討厭我。我這就回去，你高興了吧！」她賭氣似的站起身，用一隻手掩住臉，肩頭一聳一聳的，移動腳步向門口走出。

「妳誤會了，美妹。」他也趕緊起身，走在她的後面，這樣說：「回去是對的，我送妳好了。」

「……」她不聲不吭，連頭也不回，祇低首向前走着。

「回去以後，不能像在這裏似的使性了。要忍耐一些。也許他們會慢慢對妳好起來。如果劉大明那小子再自毀諾言，我們再照妳的意思做。好不好？」

她仍是不作聲。到了大門口，他開了門，兩人走出之後，他叫醒了老師，說明了自己的行動，請他起來關妥大門。

然後就這樣誰也不說話，沉默地往仁愛路的那條巷走去。

夜風忽嘟嘟的吹來，鑽進頸子裏，叫人打着寒戰。他心想：我這是爲了什麼？我……

……

一連好些天，他都心神不安。每當坐下來看書寫稿，不是看不了一會，就把書闔上了，就是寫不了幾行，就停下筆。嗯！見了什麼鬼？說了不想她，不再管人家的閒事，偏就那麼怪，一時一刻也忘不了她！

一想到她，那噘起的小嘴巴，充滿憂怨之色的眸子，沒有表情的臉蛋，蜂巢式的頭髮……又出現在他的眼前。「假如我有一個義兄該多好呀！」那天晚上她含意深長的話，這時又在腦中浮起。對啦！還有她向我傾訴過凄涼身世：她的父親是大陸人，而母親是台灣籍。他倆原於有緣千里來相會的婚姻。

（十九）

記張蒼水

湘南遯叟

蒼水作歌書獄壁曰：

「嗚呼！滄海揚塵兮日月盲，神州陸沉兮陵谷崩。余生則中華兮死則大明，寸丹爲重兮七尺爲輕。惟彼文山兮亦羈紲乎燕京，黃冠故鄉兮非余心之所馨。等鴻毛一擲兮，何難談笑而委形。念先人在淺土兮，傷忠與孝而無成。繫嗣子之牢籠兮，痛宗祀之云傾。已矣乎！荀瓊謝玉兮，亦有時而彫零。余之浩氣兮，化爲風霆與日星。尚足留綱常於萬兮，垂節義於千齡。何分孰爲國祚，孰爲家聲。歌以言志兮，肯浮慕乎箕子之貞。若以擬乎正氣兮，或無愧乎先生」！

還在獄中作詩甚多，有「羈恨二首」：

莫道輕生易，應憐速死難。聯床皆僕卒，傾座只奚官。魚睨嚴宵柝，狗攀異燕銜。歐刀安得借，虎穴正漫漫。

孤竹羞周粟，余懷胡不然。暫將吞炭恨，並作茹荼憐。一七分氈雪，三杯酌乳泉。終當從辟穀，豈羨赤松仙。

武陵獄中作三首：

灑血今何地，紅殷罟漢冠。雲台圖畫杳，雪窖夢魂寬。豈望黃羊乳，無勞白鹿餐。廣陵有絕操，琴碎不堪彈。

曾聞古俠士，相送白衣冠。生死關原重，興亡安肯寬。忍思供爨僕，誰識報壺餐。羞殺無魚鋏，從今莫浪彈。

文山不柴市，故里一黃冠。此意誰非屈，何人自可寬。羽微誰石飲，舌在任刀餐。今古綱常事，因吾好細彈。

又有「甲辰九月感懷」（在獄中作）：

口碑載道是還非，誰識蹉跎心事違。既熟熊蹯寧勿待，縱生馬角竟安歸。綸巾原當蘇卿節，葛帔猶然皆代衣。得與墨胎相把臂，九原應不恨知希。

羈縻斗室尚何爲，慷慨從容我亦疑。豈是殷頑能革面，雖然漢阨肯低眉。韝鷹躑躅堪誰語，鎩鳳躊躇祇自知。莫道故人多玉碎，蓋棺論定未嫌遲。

棘林宛轉盡針氈，便擬寒灰豈易然。空有沈湘魂黯黯，幸無入洛影翩翩。鸞刀欲下何須挽，雁帛當前不用傳。惆悵寸陰眞是歲，小樓爭禁坐三年。

一曲銅鞮自繞梁，主賓相對不尋常。莫言簫管空悲墨，豈信囹圄是福堂。唱罷秦青誰避席，悲深凝碧且停觴。請君休訝河清嘯，司馬於今正斷腸。

（十九）

壽二庵七秩晉一儷福

即寄菲島　黃伯遠遺作

近人詩選

春風桃李滿東南，墨妙詞章繼定庵。海外文壇稱獨步，袖中玄秘尚渾涵；傳書家有經帷五，晉德身猶日省三；更羨一杯常在手，禪機法乳嚮中參。

黃伯遠先生爲閩江老報人，大陸淪陷，息隱台省桃園縣。年來頻頻爲本報撰寫筆記散文，清新俊逸，讀者每多稱讚。詎先生於本月初突以病逝聞！此詩係其生前投寄本報者，特爲刊佈，聊誌黃壚之痛云爾。

雷嘯岑附識

內政部台報字第〇三一號內銷證

自由報
THE FREE NEWS
第四九二期

中華民國僑務委員會登記證台報新字第三三三號
（每星期六出版）
每份港幣壹角
台灣零售價新台幣貳元
社　長：雷嘯岑
督印人：黃行賢
社址：香港銅鑼灣高士威道二十號四樓
20 CAUSEWAY RD 3RD FL.
HONG KONG
TEL. 771726　電報掛號：7191
承印者：田風印刷廠
地址：香港灣仔高士打道二二一號
台灣分社
台北市西寧南路壹壹零號二樓
電話：三〇三四六
台郵撥儲金戶九二五二

有關中國法制史上的基本人權問題

陸嘯釗

維護個人尊嚴的基本權利，就叫做人權。現代的人權觀念，包括人身自由，生命身體的安全，禁止奴隸的存在，法律之前人人平等，不受非人待遇和不人道的刑罰，享受司法上有效救濟，居住、言論、集會、結社的自由，其中最主要的就是自由權和平等權。

這些觀念的發展，是最近三百年的事，目前已經被世界各國普遍接受了。我國憲法第二章也列舉了人民的基本權利。可是這些人權的法律和理論，在中國過去的法制史上，究竟有些什麼樣的規定？抱着一付什麼樣的看法？這是一個很值得研究的課題。

我們知道任何權利都是爭出來的，爲權利付去愈多，權利的保障愈鞏固，凡是了解西洋法制史的，都不難獲得這個答案。中國法制已經將近有三千年的歷史，在這三千年當中，法制不是沒有變遷，也不是毫無興廢，可是，人民的權利意識，不但沒有生根，卻甘心寧願地聽任宰割魚肉，這究竟是一股什麼力量在支配？而對目前支配我們生活的法制，究竟又有些什麼影響？這些都是值得我們靜心檢討的地方。

過去很多研究中國法制史的學者，認爲中國的法制是一種農業社會的產品，可是爲什麼中國的社會，始終不能脫離[illegible]之經濟的農業社會？爲什麼中國的政治從周初到清末，這近三千年始終建立在一個封建專制的型態上面？意識和存在是相互形成的，有當時的環境，才會產生當時的學術思想，由整個學術的中心思想，形成社會的經濟結構和政治型態，進而產生法制。

如果我們的思想始終停留在一個固定的模式裏面，社會當然不會改變它原來的型態，因此也就不會有什麼進步。

我們常常自誇在二三千年以前，便有了高度的文化；事實上也的確如此。當別的國家還是一片文化沙漠的時候，我們在學術上，在思想上，在文化上，在制度上，早已有了非常輝煌的成就。可是，我們並不問這些二三千年以前的成就，是否足以適應以後不斷變化的社會？要知道天下決無「放諸萬世而皆準」的道理，我們的不求變，不想變，[illegible]現實，不求進取，[illegible]大自誇，正是我們一味強調老祖宗成就的結果。

究竟我們祖先的想法是否一直都沒有可以非議的地方？單就保障基本人權這一點看來，我國過去的法制，和形成這些法制的中心思想，和今天世界進步的人權觀念比較，不可否認有很大的距離。

有許多學者特別強調，中國過去所以沒有爭取自由的事實，係由於中國人民一直都生活在自由的天地裏，自由與生俱來，根本無需爭取，他們引證先民的自由歌：「日出而作，日入而息；掘井而飲，耕田而食；帝力與我何有哉！」來強調這個論點。

我們知道先民的自由歌，是脫胎於列子的康衢謠：「耕田而食，鑿井而飲，帝力何有于我哉！」列子這本書，相傳是周列禦寇所撰，但是，書中都稱子列子，縱然眞有其人，也必爲傳其學者所追記；即使我們眞認實有其人，實有其事，也祇是記載着唐堯時代的一段史事。在一個政治體制還沒有完全形成的初民社會，政府的功能實在是非常微弱的，這種情形，世界各國的初期政治型態，幾乎都是一樣的，我們不能執此一端，就認爲中國過去的老百姓，一直都是非常自由。

酷吏列傳所記載的史實，「滅門知縣」所具有的權力，連坐之法，腹非之刑，我們的訟獄制度，我們的特務組織，法制史所提供給我們的，跟保障人民的自由這個目標，幾乎都是一些背道而馳的措施，中國過去的人民，實在說來，何嘗眞有自由。

再說到平等權，也有很多學者特別強調戰國時代，某些法家思想和儒家學說，來說明中國在二三千年前已具備法律之前，人人平等的進步觀念。

不錯，孔子的「有教無類」，孟子的「民貴君輕」，在當時都是很了不起的思想。而韓非子的「刑過不避大臣，賞善不避匹夫」，和商君的「刑無等級，自卿相將軍以至大夫庶人，有不從王令，犯國禁，亂上制，罪死不赦」。這些主張，也稍稍具有了法律上平等的旨趣。

可是實際講來，表現在中國法制史上的，却又是另一付面貌。八辟八議之制，九品中正之法，君主地位神化，官吏身份特殊，尊卑，男女，主奴，法有輕重，刑有等別，又何當眞正平等。

我們知道孔子是個教育家，對法律根本就是一個外行。他生長在魯國，魯國是周公之國，以魯跟周朝的關係，尊王思想的形成，是一件很自然的事。孔子生長於斯，也難免不受它的影響，孔子的特別強調禮治也就是這個道理。而禮治的最後目的，就在別上下，肅君臣，跟法律上一律平等的觀念根本就扯不上關係。孔子的有教無類，祇是他個人對教育學生的態度，擴張解釋，多少有點牽強附會。

孟子與孔子雖同爲儒家，他們的想法却並不完全一樣，由於孟子是平民出身，他的思想當然比較接近老百姓的想法。也正因爲如此，他的人權思想始終與現實政治未能配合，在法制的形成上，因此也就沒有多大作用。而實在來講，孟子根本是主張人性本善的，這種唯心主義的觀念，最後未有不流於輕法治而重人治的。況且他又是相當信奉「勞心者治人」、「勞力者治於人」這一套想法，這種思想是起源於孔子而由孟子發揚光大的。我們試看離婁篇那一段話：「上無道揆也，下無法守也，則大夫可以去。無罪而戮民，則士可以從。朝不信道，工不信度，君子犯義，小人犯刑，國之所存幸也。」滿口「道」與「法」，「大夫」與「民」，「君子」與「小人」的分別，何當眞有法律平等的觀念。

至於韓非子和商鞅這批法家，根本就是一些要政治權術的人，他們的目的，祇是如何取得君主的信任，使政府集中權力，干涉人民的公私生活；在此情形之下，他們所表現出來的，並不是眞正的法治，而是把法律作爲「朕即國家」的工具。

因此他們的法律思想雖然精神，可是表現在實際政治上却[illegible]

魔之舞蹈

騙子與傻子

今日與明日

英工黨內閣的新猷

英工黨內閣成立伊始，即宣佈增徵入口稅政策，引起了國際間很大的反響，將來且可能受到別國的報復。

內閣總理威爾遜聲述增稅理由，認爲英國過去是靠借債度日，這話或許不假。可是，保守黨執政了十多年，英國經濟並未惡化崩潰，而一般中產階層且有欣欣向榮之象，則所謂「借債度日」亦非壞事，何以工黨一旦登台，就感覺困難了呢？

開鑼戲就招來了一場倒采，如果工黨再要攪鋼鐵工業國有化的社會主義新政，我看威爾遜的政治命運必更惡劣，「短命內閣」的預言，雖不中，不遠矣！

天兵演習

中、美兩國空軍健兒，近在台灣中部舉行空降合擊演習，成績甚佳，美方將領亦稱讚爲「訓練優良」，「感到驕傲」。我亦作如是觀。

不過，演習成績儘管優良，如果僅是爲着保護台灣一隅的安全，却與中華民國人民的期望相反，咱們不但是毫無驕傲之心，且有喪氣之感。因此，筆者還要向政府作重複的呼籲：及早廢除「中美安全互助協定」的換文罷！

日本內閣改組

日本執政黨——自民黨——正爲推選新的黨魁接替內閣總理職位，內部各派系競爭甚烈，不知鹿死誰手？

不管是何人當選新總理，對我國還是保持着目前這種陰陽怪氣的外交作風，毫無疑問。假使美國對毛共的妥協勾當稍有進展，日本政府的親共面孔，更要難看得多，咱們不必對河野一郎、佐藤榮作、藤山愛一郎之孰得孰失,有所縈懷,一切要靠自己有辦法纔行啊！

高棉的反美狂

東南亞的一個綠頭蒼蠅式人物——高棉總理施漢諾，最近乞得了毛共的一點軍事援助，竟爾飛揚浮躁，派兵越境攻擊越南地區，又擊落美軍飛機，殺害美國軍人八名，且不許美方的直昇機尋找屍體。

似此情況，在亞洲方面多發生一些亦好，讓美國當道飽嘗這類痛苦滋味之後，或許可以稍加反省，改變其重歐輕亞的外交政策，亦未可知。

大國怕小邦，富翁怕窮漢，核子武器怕人海戰術，這是現階段的國際形勢，咱們作何感想與打算呢？

談報紙禁令

中華民國立法委員有人質詢政府主管當局：在台灣實施報紙禁制政策，究竟是何緣故？據內政部長，初步解釋，說是現在處於戰時，能就現有報紙加以健全，則屬更好。這意思即認爲台灣現有的報紙尚不夠健全，因而非限制新創的報業不可！吾聞其語，不禁啞然。

人民開設報館，跟一般興辦工商企業的性質相同。我看現時台灣許多工商業的營運情況，都不能說是健全的，而合乎社會要求的，且與戰時生活多不相適應，却未聞政府有禁止新設商業公司行號的法令；更有些顯然違背戰時生活的跳舞廳和酒家、以及純屬浪費作孽的娛樂事業，何以政府又不加以禁制呢？

報紙是文化事業，具有社會教育作用，無論怎樣的不健全，亦比較跳舞廳和酒家之類，對社會國家裨益良多，幹嗎要限制新設報館？實在令人百思而不得其解。若謂節約紙張的消耗，則台灣每年製造出來的白報紙，痛感滯銷，人所共知也。如認爲辦報不容易維持，不宜嘗試，則蝕本的是人民，政府似不必過於「厚愛」辦報的人士，而甘負「違憲」之責。倘以台灣現有的報刊數量已很多，可謂達到了飽和點，無須增加報紙了。則請查核這些報刊銷行的數字與人口比例，是否趕上了英美各國的百分之一，飽和云乎哉？

況且政府的禁令亦未徹底執行，例如：漢文報紙不許再創設，而洋文報紙又可以新辦；本報爲着節省內銷的航運費起見，去年曾請求政府准予打紙型航寄台北印行，而當局認爲核與報紙禁制令相違背，礙難照准。然最近一家非律賓的民營報紙，又被允許在台灣發行航空版了！同樣的事情，在同樣的法令之下，乃有此差別處理，咱們配稱爲法治憲政國家嗎？

一種政令必須合理而有益，且須貫澈到底，一律平等待遇，毫無假借，夫是之謂「威信」。否則空談威信而不顧事實，其將何以服衆乎？吾故曰：台灣現行的報紙禁令，及早撤消爲是。

馬五先生

胡作非爲罪惡重重之一例
毛共自承農業機械化失敗
慘叫應以農村爲課堂農民爲老師
雖屬官樣文章總可證其走投無路

（本報訊）毛共在大陸胡作非爲，迫使同胞過地獄般生活，罪惡重重，擢髮難數。即如所謂農業機械化運動，連它的「農業機械部」副部長李濟毅，亦自我承認全盤失敗，還慘叫應以農村爲課堂，農民爲老師，雖屬空口講白話的官樣文章，要亦足證毛共不學無術亂攪一通，以及走投無路之一斑，而老百姓則被整得更慘矣。

該李濟毅說：根據多年來的實際教訓，搞農業機械化運動，必須嚴格遵守以下原則：第一、堅持因地制宜，從實際出發。所謂因地制宜，就是說：一切工作都要着眼於地區特點，充分考慮半機械化農機具的地區適應性。無論科學研究工作，生產制度工作，宣傳推廣工作，供應工作，都應當從各地農業生產的實際需要出發；農機具的研究，生產推廣和供應，都必須做到商品對路，完全符合農民的耕作習慣和豐產經驗。只有這樣，半機械化農具的推廣工作，才能避免錯誤，少走彎路，眞正受到農民的歡迎，眞正達到農業增產的目的。而要做到這一點，就必須眼睛向下，上山下鄉，充分做好調查研究工作，而不能主觀主義，千篇一律。

第二、堅持羣衆路綫：農具改革是千百萬農民自己的事情，要搞好這一工作，要依靠農民羣衆，向他們請教，拜他們爲師。從科學研究工作來說，必須堅持科學技術人員的專業研究和廣大能工巧匠的發明創造相結合的方針，充分總結他們的經驗，聽取他們的意見，而不能自以爲是脫離實際。從生產製造企業來說，無論是生產新產品或改進老產品，也都要「詢之老農，驗之行事」，而不能背向農村，閉門造車。農民是實際生產者，是直接使用機具的人，他們最熟悉農業生產，也最懂得農具改革。什麼地方需要什麼農具，什麼好用，什麼不好用，那些效率高，那些效率低，什麼機具有毛病，怎樣改進才合理，他們都了解得最清楚。農村是最好的課堂，農民是最好的老師，許多企業都有這樣的體會。

據舉例稱：「遼寧阜新農業機械廠」就幾年來堅持出鄉訪「隊」，調查研究，訪向農民請教，拜農民爲師，根據農民的要求試製，生產了很多好產品。這個「廠」生產的「阜新改良犂」，在試製過程中，就是經過五訪農民，七次試驗，試了又試，改了又改，最後才定型生產的。因而一開始推廣，就得到農民很高的評價。由此可見，農民出題目，工廠做文章：工廠造機器，農民來鑒定；是地方企業發展生產的一條重要經驗。推廣供應工作，也必須廣泛徵求農民的意見，堅持羣衆「自願」的原則。凡是農業羣衆一時不願採用的農機具，即令確實能夠增產，也只能示範說服，而不能強迫命令。這樣做，看來慢、實則快；如果不這樣做，違背了羣衆路綫，結果一定是欲速而不達，事倍而功半云云。

黃煥如說：因爲台電過去向美援借款及現在向世界銀行借款，均以台電必須具有自籌資金能力佔總額百分之四十爲條件，而政府轉投資爲主要財源，如果省府出售台電股票四百五十萬股，照上年股利每股七．七元計算，台電將減少轉投資收入三千五百萬元。今後此一數字，每年均有增加，如果省股全部出售，台電每年減少收入達一億餘元，此項差額，如何彌補？立法院過去爲保證台電國際借款信用，曾規定股息年利六厘，不足時可以加價。如果民股增多，收入減少，影響股息六厘，是否仍照向例加價？抑由官股民股比例增資？如果加價不可，增資不能，勢必影響台電對外申請貸款信譽，影響電力建設資金來源，不僅癱瘓台電，癱瘓整個工商業，亦且危及國防，危及民生。行政院對省府出售台電官股計劃，似應早作明智決策。如果省府只籌措河防基金，出售所有台糖股票，即相差無幾；如果必須售台電股票，中央政府即應依照立法院決議，照價收買。

關於台肥股票出售問題：如果省府大量出售台肥官股，同樣影響償債信譽，影響建設資金來源。萬一民股增多，對於糧食換谷辦法及改良擴充計劃，有不同的意見，勢必影響糧價，影響國計民生。過去爲開發石門水庫，政府曾主張把肥料工礦等四公司轉移民營，立法院爲穩定糧價，臨時把肥料公司剔出。這次省府爲籌措河防基金，計劃出售一千萬台肥官股，如果確能保證台肥償債信用，維持肥料增產，維持肥料換谷辦法，不致影響糧食的產量與價格，其問題當不如台肥之嚴重。但不要再蹈台糖覆轍，讓少數人坐獲暴利，國庫蒙受重大損失。

省府出售公營事業股票
在立法院引起強烈質詢

本報台北記者張健生航訊

女立委方冀達，正秉執行律師職務。她認爲股市慘跌，係由於省政府出售公股計劃案之洩密，無異擾亂金融，政府應查究洩密的刑責。

她就法的立場而質詢，並要行政院追究責任。她說：省府出售公股計劃案以密件送審，省議會財務審查小組，亦屬秘密會議，自應保守公務上之秘密。省議員竟公開洩密，造成證券市場一再慘跌，於國計民生遭受嚴重之損害。此項行爲顯係構成刑法第一百三十二條罪嫌，行政院對國家安全經濟命脈之重大事件，有否作查究及防範之措施。

記者按：省議員非公務員，非公務員因職務或業務知悉或持有關於中華民國國防以外應秘密之文書、圖畫、消息或物品，而洩漏或交付之者，處一年以下有期徒刑，拘役或三百元以下罰金。此乃刑法第一三二條第二項所規定。

因爲證券商管理辦法係依國家總動員法第十八條之規定而制定，如發現其基於職務上洩密，勾結證券商惡性拋售，使證券行市發生劇烈波動，以擾亂金融業務，應繩以妨害國家總動員懲罰暫行條例共犯罪責，行政院是否有所處置。

凡違反國家總動員法第十八條規定者，得處以七年以下有期徒刑，得併科七千元以下罰金。但法律賦予特權之省議員，在議會內所爲之發言及表決權，對外是不負法律責任的，任何人和任何機關都無追訴權或請求民事賠償的。這種特權，稱爲議員之言論自由權或言論不負責權。

不僅美國參議院議員可以用冗長的發言來「破壞一個議案」，除非引用一九一七年所訂的限制辦法，否則，議員可以無限制地說下去，誰也無權可以制止其發言。換句話說，議員的言論自由權，縱然到達破壞議案的程度，也是享有不負責任的保障的。假使對議員言論加以限制或制裁，他們必將多所顯忌，不敢盡其言責，結果將扼殺民主政治的生機。但議員在議會以外的地方的言論，仍將負責的。省議會這次審議前速議案，到底是在什麼地方洩密的，必須弄清楚而後始能決定其是否要負法律責任。（下）

台南二三事

本報記者曾振軍

△近來台灣省南部縣市長的選舉官司，熱鬧異常。如台南市長葉廷珪，即被其助選之老幼臣翁余森櫻，控告賄選無效案。翁之律師武忠森，每次到台南高分院出庭時，自火車站至高分院約二百公尺道路兩旁，貼滿歌頌武大律師標語，而且還僱有樂隊伴奏吹打，鞭砲聲響連天，極一時之盛。而相反的，葉廷珪的律師胡鏮傑，則別具一套風格，欲人謂爲深諳「以靜制動」之秘訣。兩相比較，成爲強烈的對照。

△台南縣長劉博文，亦「無獨有偶」，被選民檢舉僞造學歷證件，常爲地院檢察處階下客。他屢次應訊，均盡量避記者採訪，悄悄地由側門進去，再悄悄的出來。

△台南市中山路圓環附近，懸掛招牌很大，佈置又很堂皇之性病醫院，其廣告招牌內容繁多，如各種性病的特殊療法等等，琳瑯滿目。內中有一項還特別引人注目，即「人工流產」是也。然而這是否公然在文字宣傳「墮胎」呢？法律尊嚴又何在呢？

△台南市街頭，甚多不良少年橫行，如西門路大雜台附近，一周姓退役軍人，擺一烤香腸攤，全家大小，皆賴此微薄利潤糊口；乃常有不良少年光顧，白吃白拿之外，還要鈔票。被害人雖累向治安機關檢舉，奈無下文。只好忍氣吞聲，自認吃虧了事。

△台南市議員巨烈砲轟教育科後，又調轉砲口對準建設局。據說難怪議員們找麻煩，好像小東路一巷有一孫姓地主，陳請建築，但房子老早建妥了，建築執照纔姍姍而來！假如你要問該局土木科，他會很妙的答覆你：「我們人員不夠呀」！如此這般，國家所頒佈的建築法，當然成爲具文了。

△政府三令五申，嚴禁公務員進酒家，可是成了官樣文章，究竟有多少人唯命是從？十月一日晚上八時許，曾有記者親見復興路××局台南辦事處的一個股長級職員，伴同幾位老百姓，坐上三輪車，招搖過市，直赴西門路口寶美樓酒家，大喝其花酒。正是，法令左耳進，右耳出，你命令你的，他幹他的。

△省議員歐雲明，因教唆傷害稅務人員，被處徒刑。最近南市稅處處長楊維禮奉調南縣，歐議員乃發表聲明，謂與楊處長相處甚佳云云。成爲轟動一時之作，許多人都說是「奇文共賞」，可歎觀止。

屏東地方法院院長
實心任事口碑載道

（本報屏東航訊）屏東地方法院，自五十二年二月十一日吳樹立接任院長後，以其業績昭彰，不但此次獲得上級嘉許，且亦深得地方人士讚揚，口碑載道。

法院業務並不容易贏得口碑，因爲中國人早有一項觀念，總認爲法院是「衙門八字開，有理無錢莫進來。」因此，絕大多數人，是抱着衙門可吃虧，除非萬不得已，決不與訟。人所共知，屏東地方法院以往是欠缺好名聲的。但自吳樹立主持院務一年九個月之後，地方人士確已耳目一新，觀念亦一新。

據曾因訟案獲吳樹立接見，并給予有關法律規定的詳盡指導的人士對記者說：吳樹立原爲台灣高等法院推事庭長，由於他有淵博的學問，高雅的風範，和生活清廉，律己甚嚴的節操，司法行政部長鄭彥棻，於一年九個月前把他調長屏院，雖屬高職低用（按台灣地方法院院長爲荐任級），但他非但並無半點不滿或牢騷，反之盡忠職守，以身作則，建樹彰彰可睹。而他難能可貴之一，便是沒有分毫的官僚習氣，比如其給予訴訟人種種方便，便是例證。

另據該院幾位推事語記者：吳樹立常以「司法業務的進步與否，及司法風紀的貞潔，直接關係着一個國家政治的清濁，」鼓勵該院同人「奉公守法，公正廉明」。又說：吳樹立就任屏東地院院長後，即以此爲其重心工作，推動不遺餘力。他平時除極認真的審閱判詞外，對司法行政部推行的便民措施，更是積極推行。爲了督促庭長推事們準時開庭，他常巡視開庭情形；爲了清除案件的積壓，常抽閱案卷；爲了便利訴訟當事人的詢問，及代爲擬撰書狀，對於訴訟輔導處人員的考覈及服務態度，要求特別嚴格。人民有要求當面陳情者，亦莫不立予接見，給予有關法律規定的詳盡指導，務使陳情者瞭解其所陳訴是否妥當。對於人民之控訴該院同人事故的，他必詳細查問，果眞責在承辦人員，他就決不姑息的嚴懲。結果，雖有同人遭到他的處分，却均無怨言。

又說：吳樹立的治事態度是學者風範加上民主作風。他處理院務雖極嚴謹，可是待人却甚寬厚。他凡事都以身作則，例如準時到公退公，從不遲到早退之類。他並經常訪問同人住宅，藉以瞭解同人的公私生活。凡該院同人公私生活上的一切正當請求，在可能範圍內，他無不允許照辦。他這種待人寬，律己嚴，處處照顧同人的精神，結果使得該院全體同人既尊敬他，亦愛戴他。該院風氣亦因而改觀了。

此外，對於該院員工福利，營鼎就業，院宇擴修，衛生等等，吳樹立都很關心，力之所及，無不做到云云。（袁文德）

蔣總統心戰示範之研究
定本月卅一日出版問世

羅雲編著：

（本報訊）陸軍某司令部研究員羅雲，公餘致力兵學研究殊勤奮，十餘年來曾先後發表「克氏戰爭論菁華」、「反水匪戰術研究」、「清代戰爭史述評」、「最新「邊緣戰術」」、「國父軍事思想研究」等專著多種。近又將其編著的「蔣總統心戰訓示之研究」一書，自費付印，定於十月卅一日，領袖七秩晉八誕辰出版問世。該書主要內容爲：（一）心戰在戰爭組織戰略戰術中的地位；（二）對毛匪心戰之剖視；（三）對俄共心戰之研究；（四）精神重於物質；（五）心戰之價値及其重要性；（六）心防要領；（七）心戰要領；並將總統「戰鬥心理的要點」等四篇訓詞作爲附錄，是一部研究心理作戰最重要的參攷書籍。全書凡六萬餘言，用五號字精印，每册訂價新台幣八元，港幣一元三角。凡直接向鳳山黃埔二村東三巷八三號作者函購者，特價每册六元；十册以上，七折優待；五十册以上，六折優待。港澳地區讀者，可逕函本社訂購。

天真與愚昧

李敦復

此所以詹森爲了大選，不得不有所表示了。美國歷史上擬訂計劃以爭取選票之事，時時而有，不難覆按。遠者不論，當第二次世界大戰時，英美雙方在華府會商制訂一種聯合軍事行動，以適應當時歐洲大陸的逆轉軍事情勢，當英美雙方的聯合參謀首長決定于一九四二年實施軍事行動時，當時的美國總統羅斯福，就表示軍事行動的開始，要在十月底前。這顯然與十一月初的大選有相連的作用，這在他的政黨在爭取選票上，是有着的有利形勢。羅斯福總統畢竟是政治舞台上的斲輪老手。由於今年是美國的大選年，本來美國的執政黨——民主黨，是不想在東南亞挑起事端的，但是由於共和黨提名的競選人高華德，把握着印支問題，而對民主黨政府的姑息主義，退守政策，妥協觀念，容忍態度加以猛烈的抨擊！這樣一來，可能爲民主黨在大選中致命的打擊，因此，美國政府就不能不强硬起來。詹森總統之突然採取强硬的態度，迫使共黨攤牌，甚至不惜對中共一戰，這就是原因之一，詹森不過是走羅斯福的老路而已。

另一方面，由於蘇俄與中共之分裂，日趨劇烈，從蘇俄的態度顯示蘇俄于必要時，不會援助中共，詹森或者以此觀點着眼，而採取這種態度的。從這些跡象顯示，詹森作出對東南亞局勢之新決定，對亞洲各反共國家來說，當然是歡迎詹森這種態度的。

是時候了，打擊亞洲動亂的禍源，摧毀中共政權，爲了美國政策的久遠，取得國內選民們的選票，美國採取軍事行動應及早實現，絕對不應遲疑與猶豫，需要把握當前最有利的情勢，一舉而擊潰共黨在亞洲的領導國家——中共。

美國前副總統尼克遜先生，爲一機敏的政治家，其聲譽之隆，曾到達最高峯，素爲世人所欽敬。尤其他對當前亞洲情勢的實況，有深刻的研究，尼氏認爲：「亞洲是今日全世界最不安的地區。」「對亞洲國家的援助，其重要性一如美國的製造飛機與飛彈，因爲如有一個亞洲國家淪入共黨之手，不但是對整個亞洲，就是對美國亦是個極大的災害。」尼氏在担任艾克的副手前後八年中，他是一個富有實際政治經驗的人物，他所具有整個世界的戰畧觀念，十分清楚，實爲當今美國最偉大傑出的政治家。我以爲一些在當今政治舞台上活躍的人物，如洛克菲勒，高華德，史克蘭頓，洛奇，堪富利等「生手」，縱使有某種機會讓他們一顯身手，由於他們本身缺乏實際政治經驗的緣因，會使美國的政局陷於空前的混亂，甚至一發不可收拾。這正如讓一個「生手」到香港最豪華的第一流酒店希爾頓，去做廚房司傅，雖然設備完全，但他炒出來的菜，必定使顧客難以下咽的。

提起魏邁德將軍，相信在第二次大戰時期的人，尤其是中國人，都耳熟能詳。他繼史迪威將軍担任中國戰區美國海陸空軍總司令，兼中國戰區最高統帥部的參謀長。魏德邁將軍在接替他的職務之後，貴爲中國戰區美國三軍司令，及中國戰區統帥部的參謀長，却不以自己手握美國軍事經濟物資援助的大權而驕傲自大，反而謙虛有禮，和中國政府朝野相處極其融洽，較史迪威任內的狂妄胡爲，截然不同。在當年戰時中國的陪都重慶，與魏德邁將軍共過事及認識他的，都對他留下很深刻的良好印象。

（八）

台灣東部遊記

羅雲家

花蓮港的潮位之差，爲二、〇五公尺，平均潮位之差爲一、〇七公尺，潮流張時向北流，退時向南退，流速每小時一、二浬。港口的地質，港底地層之上層爲砂礫卵石，下層爲黏土砂岩。港岸陸地，表層爲石灰巖，中層爲青石層，下爲沙石層，所以花蓮的地震雖較其他各地爲多，但仍能保持堅定完整。

此港係於民國二十年由日人籌建，費時九年，於民廿八年始告竣工。當時的建設僅預定三千噸級以下船隻進口停泊，陸上的設備以一年進口貨物二十萬噸，港內停泊漁船以五十艘爲準。第二次大戰中，受到盟國飛機轟炸，破壞慘重，尤其是碼頭倉庫，悉數燬於彈火，幾成廢港。

民國三十四年本省光復，政府接收花蓮港時，港口碼頭與防波堤，處處百孔千瘡，殘缺不全，航道淤塞，水深不及五公尺，二千噸級的船隻進口，亦頗受限制。因此，政府接收後，即積極進行復舊工程，並在民四十年間開始濬深，至四十六年底，該港完全恢復舊觀，不但可以容納三千噸級的輪船自由進出，還有陸上的設備，也跟着增加，倉庫容量達到八千噸以上。接收初期進出口量在三萬五千噸左右，經政府積極整修，逐年轉佳，至四十八年進出口量已增至二十九萬五千餘噸。

花蓮港歷年出口貨物均高於入口量，爲一出超港口。貨運吞吐量逐年上升，超過了港口原有的運輸能力。同時爲了開發東部資源，振興花蓮的工商業，政府決定將原有的港口擴建，使成爲一個符合國際條件的港口。四十七年十一月間省府委員會議通過開放花蓮港爲國際港並加擴建，此案翌年二月五日獲行政院會議通過，並於同年四月十九日動工。擴建工程計分三期進行，第一期由美援貸款三千萬元，及省府配合款千餘萬元，至五十一年國慶日完成。至於第二、三期擴建工程，目前還談不到。

自本省光復迄今，經積極整修加上第一期擴建工程，花蓮港的現況大致如下：（一）航道：濬深至七公尺半，寬度擴展至十公尺，可容萬噸級輪船進出。（二）港面：擴大港面十七萬一千平方公尺，較原有增加一倍以上。（三）倉庫：計有十棟，總容量一萬二千餘噸。（四）起重機：電動六十五噸起重機一座，十噸及五噸起重機四部，堆高機二部。（五）碼頭：深水碼頭三百二十公尺，水深九公尺，可泊萬噸級輪船二艘，三千噸級輪船三艘。淺水碼頭五百六十公尺，可停泊漁船百艘。登陸碼頭一座，可停泊登陸艇若干艘。（六）工作船：小型交通船一艘，拖船二艘，船台一座。

我們騎着自行車沿港灣巡行兩次，看到一艘砲艇，兩艘小輪船，一艘挖泥船，及若干工作船、漁船。這裏爲配合國際港開放的有關工程，如深水碼頭混凝土路面，碼頭鐵路岔道護軌，港區圍牆、崗亭、堆貨倉地坪等，亦均一一過目。岸上新建的港務大樓、海關大樓、檢疫所和派出所等，可以說得上是式樣新穎，富麗堂皇。花蓮港務局管轄的範圍，北面是自北緯二四度一八分四四秒（大濁水溪）綫以南起（含蘭嶼、綠島），南至鵝鑾鼻處北緯廿一度五四分一五秒，東經一二〇度五十四分五五秒向南北劃一垂直綫的綫以東止；輔助港口爲台東縣的新港。（九）

我所知道的麥帥

（肯寧將軍原著　徐熙光翻譯）

所以一個步兵連的編制變成了兩百五十人，每一個美國士兵都被賦予一項教導韓國新兵的任務。這是他們首次被納入「伙伴制度」，每一個美國兵都能與他的「伙伴」共同解決問題。韓國兵的學習精神很好，他們學會了如何使用武器以及如何與我們的部隊合作，他們都爲能夠成爲美軍戰鬥單位中的一份子，而感覺驕傲。

這是前人所未曾採用過的方法，軍事教科書和兵法上亦沒教人這麼做過，這是麥帥別出心裁想出來用以增强他步兵師力量的方法。

仁川登陸成功以後一個禮拜，我在東京和麥帥談起這件事。「將軍」，我說：「我早有預感你會採取這樣的行動來收復漢城，可是我總以爲此一行動的時間大約會在十月中旬，沒想到你在九月十五日就採取了行動，你能告訴我原因嗎？」

當時我們在第一大廈麥帥總部的辦公室裏，麥帥靠在一張皮套子的大椅子裏，口裏含着那根爲人所熟知的穗管烟斗，一片怡然輕鬆的神情。他比我上一次在一九四七年夏天看見他時，顯得更爲年青。他的眼睛半睜着，像是在看着遠處的天際，他對我問題的回答，我記得是這樣的：

「喬治」！他說：「我來告訴你爲什麼我要改變登陸的日期。八月底，我曾經有一天乘機在韓國上空飛行，從機窗向下望，我看到好一片美麗的稻田景色。當到東京以後，我就問，稻穀是什麼時收割，他們告訴我是十月裏收成。我決定先讓南韓人民收割稻米。」

由此看來，麥帥不僅是一個有遠見，有決心的政治家，而且一個偉大的人道主義者，而且還是一個能夠洞察東方的眞正問題所在的一個了不起的人。東方人最需要的糧食，數以億計的人民爲了糊口的糧食而可以不計工作的時數，他們可以爲他們相信可以賜給他們以糧食的主義、教條、宗教和意識形態而戰。這是人類的一個基本問題，人類爲生存的本能可發展成爲世界上最大的力量。共產黨以供給人民糧食爲號召，當人民向共黨要求讓他們能夠吃飽的保證時，共產黨的答覆是：「你們將像我們的牛馬一樣能夠吃得飽，因爲我們需要你們的勞力。」飢餓的人民爲了要能吃飽飯而依附共產主義。他們雖然也愛好自由、民主和人類的尊嚴，但是他們先必要求能夠活下去。

麥帥接着談到了仁川登陸戰的結果：

「因此我召集了我的參謀人員和各級指揮官開會，我建議約於九月十五日左右在仁川登陸。但是大家都一致表示這個時間訂得太早。我們沒有剩餘的部隊可以從釜山地區抽調出來以供他用。華克將軍說他連一個人也沒辦法抽調得出來，而且他不曉得那一天要被共軍趕下海去。我告訴他我將調用陸戰隊第一師來登陸，然後動用唯一的日本佔領軍——第七步兵師。參謀人員們都反對動用佔領日本的地面部隊，他們担心八千萬日本人會有不軌的企圖。我告訴他們我並不憂慮日本人，他們將會站在我們這一邊，他們不願意見到韓共在他們的後門囂張，對他們虎視耽耽。」

「海軍方面也不喜歡這個登陸的時間和地點，因爲仁川海面有一條三十呎長的海流。海流之間則是寬達數哩的泥沙淺灘。

（五七）

新書評介

『國父全傳』

雷嘯岑

陳健夫編著

自由太平洋文化事業公司出版

愚友江西陳健夫兄編著「國父全傳」最近出版，計六十六章，都二十萬言，愚受而讀之，殊不勝其慚恧之感。良以孫公崩殂迄今，歷時已閱四十年，而吾儕國民黨人猶未能譔次一部完整的國父傳記以問世，乃勞黨外人士如陳兄者，率先成此名山之業，捫心自省，於意云何？雖然陳兄常言凡屬中國人，皆有研究國父思想言行及其事功的職責。但站在一個國民黨員的立場，讀到這部著作時，總不免相形見絀，內疚不已。這是我在未評介本書之前的一種心理反應，不得不向讀者攄陳的。

陳著「國父全傳」中，對於孫公身世及其思想言行與革命事業之犖犖大端，皆根據原始資料，概述無遺。然使我最欽佩的地方，是他特別致力於孫公學說思想方面之闡揚，如原書第四十五章至四十七章，從「革命學」到「破天荒的學說」和「新文化運動」，第五十五章「三民主義奧義」立論甚詳，用力最勤，著墨亦最多，此係寫傳記文學的高明方法，普通人每容易忽畧的。他詮釋「三民主義」、「孫文學說」、「實業計劃」、「建國大綱」等重要的孫公遺教，我個人認爲允當正確，並無缺陷，可給後代人研究國父遺著的一種妥當準繩，實爲本書的精華所在。

其次，本書對於國父在其四十年從事國民革命過程中所遭遇的意外危難，如「倫敦蒙難」，如「陳烱明叛變」之役的經過情形，敘述亦甚詳實，處處顯示着孫公那種大仁大智大勇的修養精神，足以垂範後世。又如孫公晚年採取「聯俄容共」政策一事，世人議論孔多，觀點歧異；尤其是中共黨徒，竟將「容共」詭稱爲「聯共」，變造歷史事實，嘵嘵宣傳以厚誣孫公，很容易使後輩人滋生誤解。本書對此亦有正確詳明的紀述，指出這是孫公暫時的一種革命手段，與其主義和建國方畧迥然有別。這固然都是事實，且爲現代人習知習見者，然若出之於國民黨人的解釋，人們或許有「爲親者諱」的錯覺，由黨外人士陳君來作證評判，便不失其爲客觀的信史了。

可是，本書在第四十九章紀述「陳烱明叛變」始末中，有一項事情未及敘入，而這項事情乃是孫公偉大的人格表現，不宜遺漏的。那就是：民國十二年至十三年之間（公元一九二三——二四），陳逆被逐出廣州，仍率領殘卒，負隅惠州之際，民黨元老吳稚暉先生爲着革命利益，擬事疏解，他先請示孫公有何條件方許陳逆復歸麾下，戴罪圖功？孫公答以「沒有條件」，祇要陳氏寫一紙悔過書，即信任如故，仍教他作粵軍總司令。吳先生曾馳赴惠州苦勸陳逆遵辦，且將毛筆一枝納入陳逆掌中，請他即寫幾句懺悔之詞，以便帶回廣州呈遞，而陳逆峻拒，且擲筆於地下曰：「他事皆可從先生之命，此則非所願爲！」這情形吳先生事後亦有紀述，現時健在的民黨老輩人士，皆悉其詳，而鼓勵、贊助陳君寫「國父全傳」的李石曾先生知之尤審也。

本書第四十章名之爲「袁世凱不是個東西」，然其內容只是大約述及宋教仁被刺，袁氏大借外債，以武力摧殘國民黨勢力諸事項。對於袁氏唆使黎元洪及華北各省督軍干政，要求國會選袁爲正式總統，廢棄臨時約法；又在北京僱用流氓包圍國會，切斷電訊，不許議員自由行動，非將袁氏選出不可；繼復蓄謀背叛民國，實行帝制，而以承認日本帝國主義者所提「廿一條」要求爲贊成洪憲帝制的交換條件等重大罪行，皆未指出。（上）

編者附誌：溫君夢續稿未到，暫停一期。

冒險犯難記

鄭文儀

四號那天，徐的幹部開會，認爲我奉命收編以來，廣州方面並無接應，形同欺騙，決定要把我們處決。吃晚飯的時候，有人來向我告密，要我注意。我認定匪性難馴，若不機警，恐遭不測，決定當晚離開坪石，奔向廣東連江方向找許克祥獨立第三旅長庇護。我們十二點時離開，找了一個人帶路，一路都是崎嶇山路，由臨武到連江距離一百六十華里，我們僅在中間休息四次，吃了一頓飯，先派一個人持了我的信通知許旅長，下午三時左右我們就到了連江，許旅長的衛隊營約五百人，擺隊歡迎。我在十三小時內，接連走了一百六十里路，堪稱「神行太保」，亦因此得以脫離危險，並受到許旅長的歡迎欵待，悲喜交集。喜的是能在各種艱難險阻中安全出來，悲的是此行艱苦備嘗，一無所成。我自思自嘆說：感化土匪流氓，條件不夠，談何容易，一個年輕識淺的人，浪蕩江湖，能不送掉小命者幾希。

三十四、旁觀共產黨暴動

民國十六年十二月八日，我從連江縣搭小船轉到粵漢路，改乘火車，黃昏之前到了廣州。但我在廣州廣衛路的家，早已搬遷了，詢問新的住戶及隣舍，都說不知道搬到那裏去了。我這時好像喪家之犬一樣，眞是徬徨不知所措。剛剛從危險的土匪區域逃出來，而到了廣州，却找不到我的家，我祇有暫時住進一家旅社，慢慢來尋找我的妻子。我想他爲什麼要搬家，而又不留通訊處告訴她搬到什麼地方去呢？那一定是有原因的。

九日，我從上午到下午，在廣州市上跑了一整天，去看幾位好朋友，都沒有見到面，想打聽我家中的消息，自一無結果。但我却發現街頭巷尾，到處都是共產黨及工會的標語，多是反對政府鼓吹武裝暴動的內容或行動的暗示，證以廣州市民人心惶惶，商店住戶都有恐懼不安的現象，我知道這已是共產黨快要在廣州實行暴動前夕的景象，但當時廣州市黨政軍當局的主持人，我都不認識，也沒有方法去聯繫，我祇有從旁參觀共黨武裝暴動；但我住旅社不是安身之所，同時亦躭心妻子的安全，所以我還是盡力找尋我的家。

十日又跑了一整天，仍無結果。直到十一日的下午才在馬路上，遇到一位軍校政治教官屈鳳梧先生，他是我的好朋友，一見之下，喜出望外。

（五五）

三鼎甲

婆婆生

復興劇校許久不公演，這次爲了將應約赴日，再作實習起見，在藝術館演三晚戲，碼相當不錯。承望梅兄邀約，首夕四郎探母，去作前排客。看了以後，得個印象：此劇成功，完全在三鼎甲，也即復蓉的鐵鏡公主，復冰的蕭后，復慧的四郎，珠聯璧合，造成滿座。可見羣戲在乎個個稱強，不能偏重也。

復蓉的青衣，一向唱腔嗓音很響，但未能如乃父的梅味十足，此次與徐露同走途徑，所唱四猜，極似素琴，連念白亦如之，已漸接近梅派。尤慮不足，復請名琴票郭曉農洗練，完全迫眞，可說是一大轉變，將來當有無限的前程。是鼎甲之一也。

復興造就的鬚生，自劉復貫開始，葉復潤、李復裴，以至盤曲復敏、崔復芝、復薇，迄程復慧約有七人；離者離，中場者萎，偏左者不圓潤，缺少沉穩不敗者；祇復慧始終未厭，功力漸深。余曾告以當多演，旨在望其多唱。是日由坐宮到回令一人頂住，確屬難能。叫小番嚦調翻上，更妙。是鼎甲之二人，以後當更有突出。

孫復冰自唱蘆花河後，聲譽藉藉。她嗓音尖脆，那次所唱，好在快板，此晚的蕭太后，出場慢板，可說很帥，大有當年王琴儂腔音，眞是不可多得。以後此角，也如家常便飯，會有人請，可以自慰。希望努力，不可去過國外，遂以自滿。學校有事來幫助，以見道義。是鼎甲的探花郎。

日月潭

近人詩選

許紹棣

鬱鬱廻環山復山，浮嵐疊翠泉潺潺，下臨百尋古龍淵，日月出沒光斑斕；不施膏沐驚塵闤，別有天地非人間。山中何所有，萬木森森鳥綿蠻。潭上何所見，輕烟薄霧相追攀。就中化蕃兩公主，杵歌蠻舞妖且嫺；垂綸漁父戴青笠，時裝嬌女戲木蘭；光華窈窕似小鬟，倒景迷離媚白。我生不辰飽憂患，流離瑣尾鬢絲斑，對此不覺洗愁顏，碧波容與心自閒。湖山信美非吾土，因念西子何時還，故國親朋無一字，白頭吟望淚潸潸！

美姝

羅雪家著

隨着抗日全面勝利的來臨，她的父親李福圳來到台灣，住在北部的一個大鎮上。沒好久，他就和服務機關中的僱員丁罔飼有了愛情。罔飼也是位養女，所幸她的養父思想開明一些，給她讀了書，還准許她自由選擇她喜歡的工作。她覺得福圳人挺老實，又無不良嗜好，加以對自己很溫柔體貼，所以半年後，當他提出求婚的請求時，罔飼答應了。這樣他倆就在翌年的雙十節結了婚。養父母非常欣慰得到了這樣好的女婿，乾脆不讓他們走開，就住在自己家裏。李福圳自是感激涕零。

第二年秋天，罔飼生下了一胎女嬰，取名美姝。夫婦倆高興得什麼似的，一直把她當寶貴、心肝看待，冷暖寒暑，從不會令她過得不舒服。外公外婆當然也很喜愛，一有空就替罔飼抱孩子，不時的同她親嘴，逗弄她發笑，整個家中，眞是充滿了溫馨幸福的氣氛。

在美姝滿三歲那年，家中起了小風波。先是她的外公被治安單位逮捕，罪嫌是販賣毒品。不久，她的外婆也被牽連，被傳訊去後就在局中坐牢。以後他們都判罪了，再也沒有回來。福圳與罔飼經常探監，送食物，心情的沉痛，不必說了。於是小傢伙得到的歡樂也就從此少起來。

快五歲時，不幸的事情又發生，她的父親福圳得了癌症。爲了治病，積蓄化光之外，連屋子衣物都變賣、典當一空。即使這樣，給罔飼帶來的最後結果，仍是做了未亡人。

罔飼是個好女人，她下決心不再嫁人，立志要把美姝培養成人，最低現度也不要使她淪落爲養女的厄運。因爲自己就是養女。雖然自己在婚前比那些遭受虐待的養女們較幸福些，但這情形是百不見一的。而今自己命運不佳，喪失了父母，又遭亡夫之痛，這苦難是自己應該受的，不能怨天，也不能尤人。孩子沒有罪過，她應該得到良好的撫育。因而她就爲人做短工，或替人家洗補衣物、或挑着菜籃做小菜生意……日子就這樣打發過去，一年、兩年……

但，人要想走正路是多麼不易啊！

丁罔飼的表兄——林天賞，那個無賴的中年男子，却一直纏住她不放手。一天，孩子跟同學遠足去了，罔飼洗好衣服正掩門休息之際，她突兀被人推醒。定神一看，只見一把雪亮的尖刀幌在她的眼前。那該殺的無業游民林天賞，喝得醉熏熏地求歡來啦！她那能答應？這種不要臉的事情！再加上是這種黑了心的男人，她寧死也不願就範的呀！

經過一陣掙扎，她失敗了，奶罩被扯開了，短褲被撕下了，嗨！多羞死人啊！一個一絲不掛的女人，竟要跟恨之入骨的男人站在一間屋子裏。她的血管要爆裂了！眞的，地下如果有洞，她早就鑽進去啦！但，現在是一切無望了，她被他用力按住躺下了，刀尖對準了喉頭。她想什麼也白費，只有死路一條了。「殺人！救命……」還沒有叫出口，一條枕頭毛巾塞住了她的嘴巴。這時，眼前一陣昏黑，她索性閉緊了眼，咬着牙齦，用手一把抓住了那東西，用力，用力！他痛澈心髓似地叫起來。他吆喝着，要她放手，不然就殺了她。她沒有，她要與他同歸於盡……（二〇）

記張蒼水

湘南遯叟

獄中還留滿江紅詞二首：

一、示同難賓從羅子木

蕭瑟風雲，埋沒盡，英雄本色。最髮指，駝酥羊酪，故宮舊闕。青山未築祁連塚，滄海猶銜精衛石。又誰知，鐵馬也郎當，雕弓折。誰討賊？顏卿檄！誰抗虜？蘇武節！拚三台墮紫，九京藏碧。燕語呢喃新舊雨，雁聲嘹嚦興亡月。怕他年，西台慟哭，人淚成血！

二、步岳忠武韻

屈指興亡，恨南北，皇圖銷歇。更幾個，孤忠大義，冰清玉烈？趙信城邊羌笛雨，李陵台畔胡笳月。慘模糊，吹出玉關情，聲淒切。漢苑露，梁園雪；雙龍游，一鴻滅。遺臣怒，唾壺皆缺。豪氣欲吞白鳳髓，高懷肯飲黃羊血！試排雲，待把捧日心，訴金闕！

時總督趙廷臣勸降甚力，他自被執後，即不食，每日賦詩自娛，守卒叩頭哀懇，蒼水徐曰：「既辦一死，何苦累他人」？乃復食，日夜啖水菓少許而已。他復於獄中報趙總督書曰：

「昔宋臣謝枋得有云：『大元制世，萬物維新，宋室孤臣，尚欠一死』。竊以叠山業經市隱賣卜，可以遠害全身，而元參政魏天祐，必欲招致之，乃叠山有死無二，招之不來，餽之不受，却聘書尚存，可考而知也。卒觸天祐之怒，執以北去，叠山遂不食死。未嘗不歎古人守義之堅，殉節之篤也！某今日南冠而絷，視叠山所處已自不同。而台下尚欲貸其餘生，屢責貴屬存注有加。嗟乎！此固台下褒忠錄節之盛心，較之天祐奚啻霄壤？顧某自律，必不因此苟延旦夕也！急思慷慨引決，館伴防閑嚴切，不克自裁。絕粒三日，殆於貴屬勸勉，稍稍復食。他人聞之，寧不以某寡廉鮮恥，晚節可嘆哉！揣台下之意，不過謂某生宥斧，始足爲忠義者之戒。殊不知大丈夫目輕鼎鑊，慷慨從容，原無二義。猶記去歲華函見及，某之報書，有『寧爲文山』之語。非但前識，蓋齋心畢義時，早已辦此，至今日，敢有食言？自古廢興之際，何代無忠臣義士？何代無逋臣處士？義所當生，生賢於死！義所當死，死賢於生！聞舍生以取義焉，未聞求生以害仁者也！某之憂患過於文山，隱遁殆幾於叠山矣。被執以來，視死如歸；非好死而惡生也，亦謂得從文山，叠山異代同游，於事畢矣！獨惜台下經綸仁厚，後世不察，猥與張宏範，魏天祐比倫，不重可歎息乎？或謂某散兵在前，歸隱在後，可以覬覦赦死。殊不知散兵者，憫遺民之塗炭；歸隱者，念先世之暴荒；謬思黃冠故里，負土成墳，然後一死，以明初志。（二〇）

重陽糕

漁翁

「重九」、「重陽」，又稱「重九」。重陽二字，始見於屈原楚辭遠遊篇：「集重陽入帝宮兮」。宋洪興注：「重陽爲天，天有九重，故日重陽」。又曹丕與鍾繇書：「九爲陽數，而日月並應，故名重陽。」其說較洪注爲確。至重九之義，素問三部九候論，謂天地之數始九，而終於九。管子輕重篇，亦言伏羲作九九之數，以合天道，而易以九爲陽爻，如初九，九五是也。

重陽節，佩茱萸，食蓬餌，飲菊花酒，成爲千古不易之習尚。白衣送酒，落帽參軍，往往爲騷人墨客流詠之資料。不復贅述。茲所談者，糕也。五雜俎載：「九日作糕，自是古制，今江浙以北尚沿之。閩人乃以是日作糕，與端午間同，不知何取也。」呂公忌曰：「九日天明時，以片糕搭兒女頭額，更祝曰：願兒百事俱高。此古人九日作糕之意。」

古人製糕之法不一，而花樣亦多，據東京歲時紀勝載：「京師重陽節，花糕極勝，有油糖果爐作者，有發麵纍果蒸成者，有紅米黃米搗成者。」（上）

一枝獨秀喜春來

劉銘公

哀梨室劇談

但這只是表面的概況，實際上並不盡然。而更壞的是他懷着無限的隱痛，準備到新聞路黃家去一詢究竟，又豈知當他到達那裏時，渠渠的廈屋雖還存在，却已屈戌守門，不見玉人蹤跡。春來這才感到無上的悲哀。

由此翻然覺悟，痛改前非，刻日束裝北返，休養了一個相當的時期，然後再度到上海「搭班」。但因受了七年禁錮的折磨，又被齊同生死之情婦中道捐棄，遂致精神體力及劇藝，同樣的起了變化；每值登台，無論唱念，做，打，都感到力不從心。最後轉入「大舞台」獻技，名牌竟列於小達子（即李桂春）下！一代名優，就此淪爲「配角」，鬱鬱成疾而歿。身後蕭條，友輩以薄棺殮之。

我的朋友陳白虛曾經悼以詩云：『瑯嬛別墅鬱崔嵬，蘭蕊迎風細細開；銅雀春深人散盡，杜鵑聲裏有餘哀。』亦可謂慨乎言之矣。（六、全文完）

內僑警台報字第〇三壹號內銷證

自由報

THE FREE NEWS

第四九三期

中華民國僑務委員會頒發
台教新字第三二三號登記證
中華郵政台字第一二八二號執照
登記爲第一類新聞紙類
（本週刊每星期三、六出版）
每份港幣壹角
台灣零售價新台幣弍元
社長：雷嘯岑
督印人：黃行齋
社址：香港銅鑼灣高士威道二十號四樓
20. CAUSEWAY RD 3RD FL.
HONG KONG
TEL. 771726　電報掛號：7191
承印者：田風印刷廠
地址：香港灣仔高士打道二二一號
台灣分社
台北市西寧南路壹叁柒號二樓
電話：三〇三四六
台郵撥儲金戶九二五二

從台灣看中共核爆

祁倫

韋伯斯特大辭典解釋：任何有效的核子爆炸，都將使一切正常秩序被破壞，是一種巨大的不幸事件，是一個災難。

中共十月十六日試爆核子裝置，在台灣一千二百多萬人的心理上，沒有韋伯斯特所解釋的那種感覺，沒有害怕，也沒有恐怖。

這兒的美籍軍事顧問感到奇怪，奇怪台灣的「鎭靜」功夫。他對我說：你們市塲沒有一點波動？我笑着說：當古巴飛彈浪潮中，甘迺迪總統對名政論家阿爾塞伯曾說：「大多數美國人，對於國際形勢將如何轉變都漠不關心」。

這是人情之常，因爲人們在日常生活中，對於不愉快或是痛苦的事情，總是希望不去想它的。在台灣，在校學生忙着讀書以備激烈的升學競賽；社會青年忙着自己的工作、事業、愛情；中年人忙着謀職討生活。這批人是「感情時代」，但他們有更重要的地方需要他們的感情。老年和部份高階軍人，相信中共核爆離核武器階段還有一段爲時五年或十年的時間距離，他們相信中共發展核武器的主要目標是「美帝」；次要目標是「俄共」。而且，他們相信在中共核子武器發展到可供作戰之前，便可配合大陸反共抗暴力量一舉摧毀毛記政權。

這想法也許天眞，但却不無道理。在中華民國正陷於國際事務低潮中時，意志力是唯一的本錢，信心是可靠的武器——戰勝自己的有效武器，也能戰勝友邦乃至敵人。

筆者在「今日大陸」半月刊二一四期（本年八月十六日出版），曾以「中共核子武器發展問題的探索」爲題，談到「一般人對中共發展核子武器問題，發生兩種偏向，一是忽視事實，全盤加以否定；一是過份强調，近於誇張。」這兩種偏向，都不能正確解决問題。中共核爆後，世界流動着這兩種偏向，在相當時候，將混合而成一「冷靜」的「理智」，因而將有淸晰的判斷和認識。目前，台灣對中共核爆的認識與分析及應付方針，已爲美方重視。台灣民營報紙「聯合報」，連續數篇「共匪舉行核爆後對美所提建議」之獲得各方重視，可以說明民間的態度；政府高級官吏及高級民意代表之提前反攻言論及建議，可以說明官方的態度。各報刊廣泛分析中共核爆的文章大致都很客觀。筆者曾應邀爲四家月刊及半月刊撰寫這類文字，就所獲資料報導中共的核子潛力，包括人力、礦產、糧食、科學技術、工業基礎等。筆者認爲中共可以成爲核子武力集團之一，但永不可能擠入核子强國之林。其在一九八〇年的人口可望達到十億（六億五千萬現有人口每年增加約一千五百萬，七年增一億）。其糧食在一九八〇年僅夠目前人口飽食（中共現有二億人在以雜糧爲主的半飢餓狀態中，其農業增產永趕不上人口壓力，這也同時是世界問題；聯合國公布三十億人口有五分之一在飢餓狀態中，糧食一直是趕不上人口膨脹）。其礦產除鈾（核彈原料）佔全球百分之二十五（百分之五十在非洲）較爲豐富外，油、銅則極爲缺乏，而這兩者又是重工業必須原料；特別是發展現代戰爭必須的油料，這是中共不能躋身於核子强林的主因之一。但，中共雖不能趕上美、俄核子力量，但其威脅則仍存在，這威脅主要的是用於政治敲詐方面的「心理震嚇」，使人們因中共核子武力產生一種「預想的恐怖」——長時間的潛在威脅，這種想像中的威脅比實際上的威脅還更要使人受不了！另外，中共核子武力又將使人們產生一種「條件的恐怖」——在長時間的緊張和不安全的狀況下，產生了一種在心理上稱爲「凍結的害怕」，知覺麻木，神經失靈，完全或部份呈爲「惰性」狀態。中共便不須經過火力戰鬥，即可順利地達成它赤化世界的「長程任務」。

台灣這種分析，有利於世人對中共核爆的認識，因而產生提前反攻的希望。

在美、俄核子對峙的年代中的那種「核子僵持」時代，將不再出現於未來美、毛的核子對峙，因爲美、俄核子均衡，所以才產生了核子僵持；美、俄的地形和人口分佈及工業分佈狀況，也不利於核子互毁大戰，所以兩國均各採取下述避免核子戰爭的大戰畧：蘇俄所執行的大戰畧，是把核子武力，大陸軍，空軍支援，海軍和各軍式武器系統鑄成一體，再藉「經濟競賽」，「和平共存」，「擴大中立」，「破壞和諧」，以求獲得所謂世界革命的最後勝利。美國所執行的大戰畧，是以核子實力迫使對方就範，同時利用核子武器以外的新武力系統，來阻遏共產集團的武力擴充，和更用强大的經濟力和潛力來消滅敵方可能的經濟攻勢。美國大戰畧中還有兩點公開宣稱的，一是堅決否定採行局部戰鬥；二是決不在第一擊中使用核武器。

美國上述這種對付蘇俄的大戰畧，直到目前並不是全勝（如太空科學技術落後，局部戰爭仍在進行，放棄決不在第一擊中使用戰術性小型核武器等）。因此，推測在對付即將具備核武力的中共，失敗將甚於現在程度！

中共核子發展是它自己的事，但中共却是共產集團之一，因而中共的任何力量，也應併合所有共產集團的力量之中。台灣有此認識，美國似亦未忽畧。解決中共問題不是單獨的，但在目前却是重要的。特別是俄、毛分裂和共產集團尚未團結一致，且中共尚未完成核武力之際，台灣的反攻大陸，是唯一有效解決中共核威脅的妙方。各個擊破，分別瓦解是戰爭上策；國家問題由該國自己解決是政治「道德」。否則，待中共核武力壯大，待共產集團盡棄前嫌而團結一致時，即使美國確有優於他國的核子武力、死光武器、最毒的毒氣等一切最新武力系統，即使能夠數次摧毀共產集團，但仍將得不到勝利！（戰爭的目的不是摧毀而是勝利）。

台灣這種分析，是建議美國助我提前反攻的認識。

中共能於十五年中發展核子試爆成功，這是它值得誇耀的大事，但也正證明中共的好戰！在沒有核爆前，周恩來即宣稱：「我們死了一半，他說不怕核子大戰，活着的還有三億；死了三分之二，剩下的也比美國人多。」如今核爆成功，世界局勢「被迫」不得不重新衡量。中共宣佈核爆成功之同時，便要求召開全世界各國高階層會議以討論核子禁試，甚而希望藉裁軍來達到它置身世界事務舞台的目的。

中共這一「誘惑」不能不予重視，「假若不停止核子試驗，更多的國家將獲得這危險的知識，最後人類的浩刦將無可避免。」（美國氫彈之父泰勒語），但以往在日內瓦召開的十七國裁

（下轉第三版）

臭味相投

枉費氣力

今日與明日

越共游擊隊猖獗

本月卅一日深宵，距離西貢最近十二哩的越南最大機場被越共游擊隊進攻，毁壞美機廿八架，死傷軍人三十餘名。這是越南剿共戰役中最慘重的一次損害，殊堪驚詫。

在西貢近郊的空軍基地，竟使共黨游擊隊輕易偷襲而毫無抵抗，這證明越南現行反共策畧和行動之一無是處，前途危險極了！

越南內部的政潮再不平息，美國指導越戰的策畧再不改變，結果祇有把越南這半壁河山送掉完事，可怕也矣！

英工黨的難題

英工黨政府加徵進口稅一事，以受到國際間的反對壓力，不得不表示讓步，自動聲明修改稅率，而實行鋼鐵國營計劃，由於工黨急進派的極力推動，亦將提交下議院討論了。據威爾遜聲稱，黨內急進份子的壓力，比較在野政敵保守黨的反對力，更不容易應付。言外之意，雖冒着垮台的危險，亦非提出不可。

威爾遜剛剛上台，即發生這些難題，工黨政府的命運如何，殆可想見。而威爾遜的才幹和魄力，亦就顯露無餘了。

中俄共的內鬨問題

自從蘇俄政變以來，美國和自由中國的官方見解，皆認爲中俄共很不容易棄嫌修好，携手合作了。這是自我陶醉的說法，不足爲訓。

我們老早就說過：赫魯歇夫與毛澤東二酋，只要有一個倒下去，中俄共終歸是有破鏡重圓之日的。這種觀察，至今沒有改變，關鍵只在對南斯拉夫狄托政權的態度，俄共能否遷就毛共的主張？至於毛共的反美政策，俄共當不會否定。反正認定美國避戰心切，又不贊成台灣反攻大陸，共產集團無憂無懼，樂得以宣傳、滲透、顛覆的方法，逐漸蠶食自由世界，萬無一失啊！

看海隅共黨的報紙

香港一家小報，對毛共試爆原子彈表示抨擊的言論後，當地的共黨報紙，乃以全力反唇相稽，連篇累牘，謾罵不休，而對於其他大小報紙反對毛共這項行爲的同樣言論，却漠然置之，令人奇怪。

據聞那家小報的主持人，原係曾在共報工作，迷途知返，由親共而反共的自由主義者，所以共報乘機盡力詆誶，以洩心頭之恨，醜陋甚矣。

不是朋友，便是仇敵，共黨的鬥爭教條，固如是也。

自由談

文學家的風範

馮五先生

今年的諾貝爾文學獎金，決定頒給法國文學家薩迪里。但薩氏聞訊，聲明拒却，理由是他從來不願意接受官式所賜給的榮譽。這是表現着一個文學家的獨立特行思想，決非矯情作態，實可以風世而勵俗也。

文藝作家提筆譔寫作品，有感而發，自鳴天籟，殆如孟軻所說「從井救人」非所以要譽於鄉黨的心情，人不知而不慍。若夫一般公式化的獎狀、獎品，乃至於獎金之類，俗氣薰人，尤不堪耐，凡是讀書有得，品性脫俗的士大夫，亦將避之若浼，眞正的文學家更不願聞了。文學家而有沽名釣譽，譁衆取寵的心思，那便是不成器的野狐禪，是文壇上的小丑角色，何足道哉！

法國民族在世界上，原以文學素養優勝著稱，薩迪里的風格，良有以也。世界上的政治人物，本來多是庸俗之輩，好虛榮、耽名譽，沾沾於一時的利害得失。可是，法國近代著名的大政治家克萊孟梭，亦具有與薩迪里同樣的高風亮節。他在第一次世界大戰期間，曾任內閣總理，拯救法國於危亡之秋，勳業彪炳，震古爍今。但他一輩子亦不屑接受本國或外國政府的勳位獎章，臨死遺囑後人，除拒絕政府的「公葬」典禮外，並指定要在夜間更闌人靜時，纔將他的骸骨悄悄地搬出巴黎市外，豎立着瘞置土中，表示他死了亦不願倒下來的倔强氣質。這種精神卽不能不歸功於法國民族的文學修養吧？

咱們中國在有五千年的文化歷史，決不遜於法國。尤其是中國儒家學說，對於陶冶人格，辨別義利之道，闡發極其詳盡。然而，近百年來的士大夫羣中，其立身行己的風範，差堪媲美於薩迪里與克萊孟梭的表現者，似不多覯，而多見其爲自炫學問淵博，富貴驕人的淺薄庸俗相。我認爲此乃文化精神空虛墮落之象，是可憂也。因而對於薩迪里辭謝諾貝爾獎金之所爲，特加讚揚，聊以自勗焉。

有關機關正處理這事件

立法院職員擅拘人民 並強迫其寫證明文書

（本報記者台北航訊）立法院職員竟利用指揮監督警衛人員之職權，帶同便衣警衛，在光天化日之下，非法逮捕拘禁人民，並强迫人民寫「自白書」事件，震驚了此間治安機關與監察機關。這項胡作非為的事件，雖屬漏網新聞，卻不脛而走，傳遍台北。十月二十三日中午，國會記者曾就此事詢問立法院新聞室主任何立長，當時何立長並未否認，而祇是說：「你們的消息眞靈通啊！」

本報記者為瞭解立法院職員竟爾逮捕拘禁人民强迫寫「自白書」的眞相，曾費了三天的時間，向各方面求證，包括台北地方法院在內。本通訊所報導的重點是：立法院職員非法逮捕人民妨害人權部份；至於所涉及案中瀆職部份，僅作事實經過敘述，因為有關機關正在處理中。記者在採訪時，會有人對我暗示說，對方很可能使用下流手段對付我。但我置之一笑。我當然決不相信會發生這樣的事；萬一發生的話，也不怕。此誠如俗語所說：「逃得了和尚逃不了廟」呀！

這事件的經過是：今年八月間，立法院議塲二樓，要裝三台冷氣機；投標的結果，本市華美美國傢俱行以六萬六千元得標。但華美不願承包，乃由該行職員出面，請本市和平西路一家昇輝電氣行老板朱其灶承裝。而朱老板也礙於同行的情面始承包該工程；故名義上是華美行得標，實際上是由昇輝行承裝。這項工程於八月底驗收完畢，立法院九月一日辦理財產登記。按照慣例，立法院必須在一定的時間內付欵。九月中旬，包商去立法院總務組向李中佐股長查問該欵有沒有下來，李股長對包商說，主計處某課長刁難云云。然而此說不是事實。十月初，包商與李股長為此事發生一次爭吵。最後，由華美美國傢俱行職員陳德鏗答應李股長的條件，分由三次，在三個不同的地方，付給一萬二千元「紅包」給他們；一次是一千元，一次是四千元，一次是七千元。到十月八日，包商才領到六萬六千元的工程費。據說，包商所付出的一萬二千元紅包，分由李中佐股長，採購委員（立法院國防委員會科長）王思和電工等三人共得。

這件紅包案，本來是人不知鬼不覺的，不料竟出了岔子。

事後，立法院採購委員會委員朱雲湘和昇輝電氣行老板朱其灶聊天，朱老板自動把上述情形告訴朱雲湘。朱雲湘聞悉後，乃告訴司法委員會主任秘書兼採購委員會召集人黃立懋。十月十九日，黃立懋與總務組主任倪搏九到台北市和平西路找朱其灶，沒有找到。當天晚上，朱其灶回家後，方知道立法院秘書長尹靜夫找他；朱其灶當晚到中和鄉景平路六巷七號看尹秘書長。除把前情告訴尹靜夫外，尹並要朱其灶把現住和平西路二段七十巷四十九弄十號的地址告訴他。並約定翌日（二十）中午在中正路青龍咖啡店與倪搏九、黃立懋二人見面晤談。李其灶說不識此二人，尹說憑立法院職員證晤談。

十月二十日早晨，朱其灶正在家裏計算水電圖面，九時許，倪搏九、黃立懋二人帶着便衣攜着手槍的警衛范某，到朱其灶家裏，倪搏九拿出立法院秘書長尹靜夫的「手令」給朱其灶看，一定要朱跟他們去寫「自白書」。倪並說；你（指朱其灶）不寫，不讓你出去。朱回答：昨夜和尹秘書長說好，今天中午在青龍咖啡店晤談，現在，你們就是用刀把我的手切斷，我也不寫。倪說：到派出所去。朱答：你們無權叫我去派出所。倪說：到立法院裏去。朱答：我不去。現在我要出去，家中的一切交你們保管，連鑰匙也交給你們。說着，朱騎車要走了。這時候已十時多，黃立懋不在塲，倪在朱的左邊，范警衛在右邊。雙方爭吵着，結果，朱其灶由范警衛押着到立法院。

朱一進立法院大門，倪就關照門警不許朱出去。朱其灶問倪搏九要到那裏去？倪搏九走到議塲門口，朱其灶不肯走。後來他們把朱其灶拘禁在議塲內政府首長休息室內。在塲監視的人，計有：秘書長尹靜夫，總務組主任倪搏九，中正路派出所鍾警員、王立懋等人。門外尚有警衛。强迫朱其灶寫一份所謂證明的「自白書」，否則，不放朱其灶走，並告其造謠。一個包商，在這樣的情形下，低頭了。昇輝行老板朱其灶寫的「自白書」內容：

「敝行本年八月份，在貴（立法）院大會塲裝冷氣機一案，其中有金錢的糾紛，在十月八日下午三時在中正路青龍咖啡店，李股長解決。解決後，敝人自動報告財政委員會朱先生及秘書長。所有在我口中講出來的話，負一切法律上的責任。以上是實。」

問題是：立法院秘書長憑什麼下手令着倪搏九，黃立懋帶便衣携槍警衛逮捕拘禁包商朱其灶並使朱其灶失去自由數小時，及强迫他寫「自白書」？查遍中華民國六法全書，任何法律的條文，都沒有賦予此項職權。

至於此事件如何結束，既然有機關正在處理，應得總會有個「下文」的。

台灣論壇

張仁滔涉嫌瀆職案的剖視

陸嘯釗

根據中央社九日廿三日的消息：台灣省物資局長張仁滔和該局職工福利委員會總幹事金荷汀二人，涉嫌擅將公欵新台幣二十五萬元，徇私借給省議員李建和經商週轉，二十二日經台北地方法院檢察處偵查屬實，依戡亂時期貪污治罪條例，及僞造文書罪依法提起公訴。

張仁滔和金荷汀涉嫌犯罪的事實，各報記載的情形，大致是這樣：

「省議員李建和，因為兼營商業，週轉不靈，在去年十二月間，商請物資局長張仁滔調借現欵，張仁滔為徇私情，罔顧國法，竟允許借給該局公欵，以利週轉。並為掩飾其不法行為，於是授意該局職工福利委員會總幹事金荷汀，僞藉福利會採購年貨的名義，在十二月十四日寫了一張內容與事實不符的簽呈，由張仁滔批准借用公欵新台幣二拾萬元，另外在福利會的經費下，提撥了五萬元，一起以福利會為貸欵人，當天借給李建和，按照四厘六毫計算日息，一直到十二月卅日才還給福利會。」

從台灣各報所報導的涉嫌犯罪事實看來，張仁滔和金荷汀的犯罪情節似乎並不嚴重，他們的擅用公欵，目的也似乎並不在圖利自己，充其量也不過是一個省級機關的主管，向一位代表民意監督省政的省議員，做了一次人情，澈底做到「府會一家」罷了。

可是，即使如此，官塲上的弱點，已經整個暴露無遺的了。依照法律規定：福利金除了舉辦福利事業以外，不能移作別用，福利基金除了存入公營銀行，更不能隨便借給私人。張仁滔是一位省級企業機構的主管，金荷汀是這一個機構的職工福利委員會的總幹事，不能說連這麼一點法令常識都不懂，足見他們胆大妄為已經到了什麼樣的程度。張仁滔明知違法的事情，竟然敢授意他的下屬去執行，金荷汀明知直屬主管的命令係違法，而竟然照做不誤，他們的眼裏，那裏還有什麼國法？上下勾結，串同一氣，一切違法亂紀的事情，就都是這樣發生的。

再說代表民意、監督省政的省議員竟然敢向省級機構違法借錢，試問又自命本着什麼特權？這不僅已經喪失一位民意代表應有的立塲，也辜負了選民當初選他出來的本意。

檢察官偵查終結，對受嫌人起訴所引用的法條，一共有兩條，一條是戡亂時期貪污治罪條例第六條第三欵，公務員對主管之事務直接間接圖利罪；另一條是刑法第二百十三條公務員職務上所掌文書登載不實罪。僞造文書是方法，直接間接圖利是結果，按照刑法第五十五條後項之規定：

「犯一罪而其方法或結果之行為犯他罪名者，從一重處斷。」

僞造文書罪名較輕，其處罰亦輕，直接間接圖利行為罪名較重，其處罰亦重。

如果張仁滔、金荷汀涉嫌犯罪事實確定的話，祇要處以主管事務直接圖利罪就可以了。可是這麼一來，張仁滔和金荷汀最少也得坐上五年監獄，同時還可以併科三萬元以上的罰金。官丟了，名譽和自由都喪失了，易身而處，張仁滔和金荷汀應有悔不當初之感。李建和省議員縱或不負法律責任，在道義上也應該有一份愧疚。

也許有人要問，根據新聞所報導的看來，張仁滔和金荷汀涉嫌犯瀆職的犯罪事實，似乎並沒有圖利自己，祇不過使物資局的職工福利委員會，收取了新台幣一千八百元的不法利益罷了。這種行為是否能算做貪污？是否就構成了主管之事務直接圖利罪？我們就這個犯罪行為的有關條文，作一個簡單分析。

關於主管事務直接間接圖利罪，依照刑法第一百三十一條規定：

「公務員對於主管或監督之事務，直接或間接圖利者，處一年以上七年以下有期徒刑，得併科七千元以下罰金。」

（上）

新書評介

『國父全傳』

雷嘯岑

陳健夫編著

自由太平洋文化事業公司出版

郎關於宋案原係袁氏陰謀指使之各項證據，如江蘇督軍應德全當時通電所述其查獲之秘密文電甚多，亦未摘要採錄一二，未免失之簡畧，亦與以後革命黨人從事「護國」「護法」諸役的脈絡不相貫通。著者雖然在第四十二章「蔡鍔之師，崛起雲南」原文中，亦提到了「籌安會」這回事，但是，不特過於省畧，亦未揭發袁氏「毁法」諸罪行，而且這些罪狀似以詳列於第四十章為得體，蓋如此方足顯示「袁世凱不是個東西」之累累罪惡，無所逃遁也。

雲南首義護國之役，蔡松坡固然是中堅人物，然唐繼堯之綜攬全局，投擲人力財力以支持討袁運動，李烈鈞之率領護國軍第二軍攻入廣東，（職位與蔡松坡相等），最後把袁皇帝所封的「郡王」龍濟光趕到海南島去，而使孫公入粵開府討賊，其功皆不在蔡氏之下。作者特標題為蔡鍔之師，崛起雲南」，雖係擷取孫公當時的電文詞句而然，似有將護國大業歸美於蔡氏一人的意思，不無可以斟酌之處。

本書大概是由於倉促出版之故，錯字不少，普通一般誤植的形似字眼，讀者一望即知，無傷大雅，但人名地名如有歹誤，即不足為訓，因有以訛傳訛之虞也。筆者粗心讀過一遍後，發覺重要的錯訛之點，有如左列：

六一頁第四、五行：清廷駐「美」出使大臣、楊儒，誤為駐「英」；而將駐「英」使臣龔照瑗誤為駐「美」。

六四頁第十三行：區鳳墀，誤為鳳「埠」。

二五四頁第九行：蔣翊武誤為「蔣翅武」；第十七行：宋教仁湖南桃源人」，「源」誤為「園」，與台灣之桃園縣名相混同了。另有他處又誤湘南的「郴」縣為「椒縣」。

二九一頁第十二行：李純誤為李「緝」。

三〇一頁第三行：章炳麟誤為「張」炳麟。

三九九頁第一行末尾句，「洪部李雲復職」，於義不可解，應係衍文之未刪去者。第五行「以陳炯明、黃榮新之蠻頑」句，「陳炯明」應係陳炳焜之誤，「黃榮新」應為莫榮新。第八行林樹「魏」應係林樹巍。

四七三頁第十行：李大「劍」應係李大釗。

又民國十三年十二月孫公由粵北上時，李烈鈞先生尚在東京作特使，臨時奉召趕至上海，隨同孫公乘輪由日本神戶轉往天津的。原書指李氏由廣州隨行，誤也。此外，本書中的錯字，如民黨名人鄧鏗（仲元）的名字，多誤作「鑑」；粵軍陳炯明部旅長李雲復，誤為李「云」復，這都有使後人以訛傳訛的顧慮，非亟加訂正不可。希望再版時作一次詳細的校讐工夫，把所有的錯落字句，逐一改正，以免損及本書的價值，實深企幸。

以上是我初讀陳著「國父全傳」的隨感錄，聊供著者與讀者參考，固不敢說所見都是對的！（下・完）

去年屏東造產績優 省府獎勵張冠李戴

不獎建設局而獎民政局

（本報屏東航訊）屏東五十三年度公共造產成績優良，經省府評定給予獎勵，但受獎者不是縣府主管單位之建設局及該局林務、農務二課，而竟是民政局及該局之行政課，未免張冠李戴之嫌。按民政局行政課，僅一年一次向建設局各有關課抄去資料，經統計彙報省府而已，屏東公共造產成績之好壞與民政局及該局之行政課可謂風馬牛也。

五十三年度台省各縣市公共造產成績，屏東縣名列榜首，確屬實至名歸，其業績計為：

（一）如期完成推行公共造產計劃。

（二）自五十年度起，自國外引進五十四萬顆椰實及向省境採購三萬四千七百九十九顆椰實，分別在屏東、內埔、泗林、車城等處培育成苗，推廣椰子造林。

（三）五十二年度以前種植椰子一萬二千六百八十四株，經營苗圃九點四公頃。

（四）五十三年度擴植椰子二十四萬二千二百四十五株，由於管理良好，成活率均在九成以上。

（五）二十五個鄉鎮市普遍經營公共造產事業，除造林三百十二公頃外，並種植菓樹、瓊蔴、桃花心木、椰子、甘蔗、香蕉、公路樹、養魚及經營農塲等，尤其瓊蔴最成功。

從台灣看中共核爆

（上接第一版）軍會議，有了些什麼成就或可能有何成就呢？如今，中共藉核爆又使裁軍陰魂不散地幌幌蕩着。然而，「徹底裁軍不可能實現亦無補於世局」。台灣方面認為中共此類政治敲詐應提高警覺，應有「一種具有穩定的嚇阻與可容忍的督察制度之軍備管制，才是保持世界和平的正途。」但，「可容忍的」軍備管制之建立談何容易？共產集團一向沒有遵守條約義務的記錄，中共更未例外。

為求消除核子毀滅戰的恐懼，核子禁試與毀滅一切核子武器，以減少戰爭破壞與殺傷程度，乃是令人樂于聽聞之舉！可是毀滅一切核子武器之後，也並不能說核子威脅就經消除，因為製造核子武器的知識無法消除也。假如決心下定，西德、印度、瑞典、瑞士、以色列、日本、中華民國等能在十八個月內成功地試爆他們的核子裝置；然後在五至十年內發展成功核子武器；假如不適當對付中共核子發展，則更多核子武力必將因擴散而更嚴重地危害和平。所謂適當對付中共核子發展，只有摧毀中共政權一途，這是台灣對中共核爆的又一認識。

美國現有核子爆炸力，相當於TNT三十五千兆噸，為投於日本的威力之一百七十五萬倍！使全世界每人平均分攤到十噸TNT的爆炸力。蘇俄的存量也相差不太遠。這其中尚不包括「中子炸彈」及鮮為人知尚在發展中的「反物質炸彈和强爆熔合反應」兩種强力武器在內！中共即使是仍舊「不顧人民有沒有褲子穿」，大力發展核武器，也需要三十年以上才能達到今日美國的核子力量。美國是不是也像「等待」蘇俄發展核武器那樣等待中共呢？美國是常常「幫助」敵人壯大後再與之「決鬥」的。筆者在美時，同班同學多是來自世界各國的，其中居然也有來自共產國家的軍官！有論及美國教官這是何故？答曰：「只要蘇俄或中共願意，我們也歡迎他們的軍官來此學習。」這一觀念如不改變，美國將成為名符其實的「自掘墳墓」。

核子時代是一個危險的時代，但亦充滿了機會。在一種發展迅速朝氣磅礴的情勢中，消極的態度是沒有益處的；惟一有效的辦法是一種積極的政策——一種如二次大戰後幫助歐洲自身復原的政策，以幫助中國自身的復原，回復到一個自由、和平、統一的中國社會狀態！（完）

台灣東部遊記

羅雲家

港口遊覽完畢，我們循民意里，美崙，縣政府前的省道而回。放好單車，琢如請我們去「成都館」午餐。四菜一湯，一瓶啤酒，同樣只花百餘元，菜亦十分可口。吃在花蓮最合算。這是我此次東部旅行中的許多感覺之一。

午餐後好好地睡了一個午覺。睡醒已是三點多鐘，內子要整理衣服，我乃乘機走到琢如處跟他聊天。一談二小時，彼此都還覺話猶未盡。我們談的重點有兩個，一是他的婚姻問題，二是他退役下來以後在社會的奮鬥經過。他比我小兩歲，我已是三個孩子的爸爸，大女兒下半年就讀初三了，而他的經濟情況比我好，照理他是早該成家的。然而一年又一年過去了，他經人介紹的對象，至少也有五十位以上，看一次對象帶一份禮物，恐怕糖果、乾餅，水菓留下來，也可以開個小店子了。他却直到如今仍是王老五，衣服破了沒人補。婚事不成的原因究竟是在那裏呢？聽了他長吁短嘆的敘述以後，我覺得他吃虧在下面幾點：（一）他怕羞，而且是有些過份地害羞。甲街有位小姐和他的婚事沒有談成，他下次再也不敢打從甲街走過。你看他害羞到什麼程度？（二）他考慮太多。五六年前，他的老闆待他如手足，為了給他玉成親事，特地把台北親戚家的一位小姐，接來與他同住了三個月，那位小姐對他十分有意，他却以當時的積蓄有限，而婉拒了人家的盛意。（三）他挑剔得太厲害。今天到處都鬧女人荒，東部尤然。你即使放寬尺度都難找到，如此挑剔，自然就更困難了。（四）他捨不得在這方面，多花一點時間。愛情，它是金錢加時間的結晶品，彼此接觸少，彼此欠瞭解，對方即使對你有好感，也無從發展為傾心愛你的境地的。……我把這些可能並不成熟的意見告訴他，供他參考改進。他笑着點頭致謝，表示今後一定要拿出衝鋒陷陣的勇氣與精神，去接近女性。正好此時正新兒趕來，聽到琢如如此說，十分高興，又就此問題提出了許多卓見，使我們的談天，越發沒有個完！

晚餐是由琢如親手做的，就在他的店中吃。清燉雞，紅燒肉，肉醬茄子，糖醋排骨，拼盤，涼拌三係……總有八九樣，客人就只正新和我們全家。他店裏的技師在家中吃飯，兩個學徒都不肯陪同進餐，於是那七瓶啤酒，就只好由我們三人痛飲了。

我們一面猜拳吃喝，一面吸烟談天，足足兩小時，才算酒醉飯飽。正新兒早為我們買好了「天祥電影院」的「西太后與珍妃」入場券。當我們在鳳山出發前，這片子正「鳳山戲院」上映，孩子們吵着要看，因為第二天要趕車，怕太疲倦，我沒有肯。現在孩子們聽說是去看這個片子，都不禁手舞足蹈地歡呼起來。

看罷電影與琢如等分手時，已經十一點了。他們還得去為我們明天遊天祥的事有所準備。眞的，這一次的東部之行，因為麻煩和破費他們的地方太多，實在叫我們十分不安呢。（十）

我所知道的麥帥

肯寧將軍原著　徐熙光翻譯

「他們怕我們的兩棲登陸艇會擱淺在灘上，被共軍的炮火所擊毀。他們認為此刻沒有足夠的船隻，再等上一個月情形會比較好。我則指出如果延到十月中旬才登陸的話，共軍一定已有了準備，來抵抗我們的登陸，但是參謀人員對我的意仍然不表同意，他們仍然一致認為我們應等到有更多部隊和船隻時才採取登陸的行動，而且認為我們不應動用日本佔領軍。」

「這時我想起了兩百年前伍爾非將軍在魁北克所遭遇到的類似情況。當時英國的艦隊載着準備攻取法國在加拿大的主要要塞的部隊，在聖勞倫斯河下碇，停泊的地點正是蒙特卡姆將軍設在山頭的大炮射程之外的地方，蒙特卡姆屬下部隊盤據的魁北克龐大基地，使得魁北克被人稱為「美洲的直布羅陀」。

「此時，聖勞倫斯河將於數週內整個結凍，伍爾非的艦隊必須在該河結冰前撤出。」

「伍爾非將軍於是召集參謀和各級司令官舉行會議研商對策，他建議當天晚上攻佔敵軍安置大砲的山頭，其辦法是循偵察部隊探知的一條坡度很陡的羊腸小道實施夜間偷襲。與會的人對這個建議幾乎一致表示反對，他們都認為那太難了，事實上，那幾乎是不可能的事。如果那條小徑有衛兵防守的話，根本無人可越雷池一步，任何人無法爬上去到山頭的亞伯拉罕平原。經過長達兩個小時的討論，大家非但認為不可能，而且沒有一個人認為應該考慮這麼一項計劃。」

伍爾非神色自若地向他的參謀人員和指揮官道謝，感謝他們全體一致的意見。『各位』，他說：『你們大家都一致確認我的這項計劃沒有成功的希望，我相信敵軍指揮官蒙特卡姆將軍的想法也和在座的一樣，他絕想不到我們會採取這個計劃。因此我們將在今晚攻佔敵軍山頭。』

「我想結果怎麼樣，你是知道的。伍爾非和他的部隊最後真正登上了亞伯拉罕平原。由於此戰，法軍終於一蹶不振，連戰皆北，法國也因此喪失了她在北美洲的所有屬地」。

「因此我決定，如果我的參謀人員和各級指揮官都認為在九月十五日登陸仁川是一項過於冒險的嘗試，那北韓人也一定會同樣這樣認為。所以我決定在那一天行動。」

當然，這種運用參謀的方法可能並不足取，但是這却使我想起了攻擊新幾內亞北岸地區和傘兵部隊佔領那札巴的事。一九四四年二月二十九日偷襲阿得米拉提群島的計劃是經過許多人贊成的。但是麥帥進一步襲擊新幾內亞的計劃却遭到大家的反對，因為我們認為我們沒有足夠的運輸能力和設備。可是最後還是麥帥堅持他的意見，力排眾議，才完成了這項攻擊計劃。

九月二十八日，麥帥告訴我，要我第二天上午九點半到漢城以西十二哩的金埔機場去見他。那天正是在漢城首都舉行儀式，把大韓民國政權移交給李承晚總統的一天。

第二天上午我如時往見麥帥，他用他的右臂繞住我的肩膀說：

「眞高興在這裏見到你，喬治。我曾邀你在馬尼拉參加奧斯敏納的就職典禮，參加在密蘇里戰艦甲板上的受降典禮，我要你也參加今天的儀式。」

（五八）

天真與愚昧

李敦復

第二次世界大戰時，中美合作，並肩對日作戰，後期，成績卓越，魏德邁將軍的功勞，誠不可磨滅，當年羅斯福總統派他接替史迪威，可謂知人善任。因此，魏德邁將軍在我們中國人看來，在二次大戰中，魏德邁將軍已成為中國的安定之屏障，尤其是他那精警的見解，遠大的目光，反共意識的濃洞與堅強，更深深的印在我們的腦海中。他說：「絕無疑問，我們大多數人，均屬失察。在過去二十年期間，關於我們國內與國外的政策，一向採取信任或漠不關心的冷淡態度，尤以對特殊有關的國際共產主義曾茫無所知。」「誠然，我們固需要飛彈，轟炸機，及潛水艇等武器，來防衛我們的國家。

（九）

宦局續夢

第十四回：誰與慶昇平　呼朋湊興　居然爭霸業　背主孤行

赫魯曉夫連聲讚好，說道：「伊里契夫同志，這事就請你去辦，要是真能使新疆得到獨立，大功就算成了。」

伊里契夫得了命令，回去就召集有關人等，商量進行步驟。新疆省本來人口複雜，盛世才統治新疆時，把全省人民分為十四個種族，實際上尚不止此。全省民族人數最多的是維吾爾族，其次是哈薩克族，再其次是烏孜別克族，這三個民族都是中亞細亞的大族，在中國新疆的只是一小部份，大部份却在蘇聯境內的哈薩克共和國，烏孜別克共和國，吉爾吉斯共和國，塔吉克共和國境內。兩地人民國籍雖然不同，並不妨礙彼此來往。蘇聯就利用這種機會，以少數民族的幹部出頭，煽惑當地人民叛變。民國三十三年發生一次大規模叛亂，伊寧、塔城、阿山三區全部失陷，在蘇聯指使下組成一個東土耳其斯坦共和邦，到處屠殺漢人，沒收漢人財產，把北疆三區鬧得天翻地覆。

中共佔據了新疆之後，得到史大林的同意，把伊寧叛軍改編為第五軍，仍維持獨立形式，直到史大林暴斃之後，中共乘機把第五軍分割到各部隊去，一部又編為生產建設兵團，在北疆開墾。

新疆叛軍對中共的措施自不滿意，但是又不敢公然反抗，就在各地製造事端，鼓吹反漢，到了一九五七年情形已經十分嚴重，毛澤東假借慶祝蘇共成立四十周年為名，帶了一個龐大代表團，浩浩蕩蕩開去莫斯科。在莫斯科毛澤東曾對蘇聯作了巨大的讓步，簽署了「莫斯科宣言」，並公開聲言蘇聯是共產國家的頭，蘇共是世界共產黨的頭。赫魯曉夫對毛澤東也作了部份讓步，尤其在新疆方面。毛澤東由莫斯科回來後，新疆維吾爾自治區主席賽福鼎又留在莫斯科過了兩個星期，才算把新疆問題談妥，回到北平，當天就飛回迪化，馬上召開自治區大會，整肅當地幹部，其中包括了中共區委書記賽甫拉也夫，自治區副主席艾斯海提和伊敏諾夫，還有伊犂州州長，喀什州州長，烏魯木齊市長，民政廳長，文化廳長，幾乎把土著幹部一網打盡。

這次中共雖然成功地加强了控制，却也失盡了新疆的民心。大家把怒火壓下來，伺機等待報復。

此時伊里契夫奉到赫魯曉夫的命令在新疆製造叛亂，就先從伊犂下手。新疆境內本有十萬俄人，這批俄人到不是大革命以後逃亡的貴族，而是當一九三一年蘇聯大飢饉時逃到新疆的中亞細亞一帶貧民，他們的身份相當複雜，中國政府認他們是中國人，蘇聯却說他們是俄國人，多少年來就發生爭端。

一九四八年，當中蘇關係陷於最低潮時，蘇聯駐新疆各地領事館奉到史大林的密令，凡是有俄國血統的人，一律發給護照，用意就在伺機搗亂。當時所發的護照，不但俄羅斯人，就連維吾爾、哈薩克、烏孜別克人，也都發給護照，算作蘇聯人。史大林當時的用意，是在顛覆新疆，重建東土耳其斯坦共和邦。不料陰謀尚未實現，中國大陸就整個淪陷於中共之手。

（三八八）

冒險犯難記

鄭文儀

他告訴我廣州情勢危急萬狀，他和我幾位其他朋友，爲着我家庭的安全，已在旬日前得到我妻李日堅的同意，將我的家搬到北門一個菜市場附近的小街巷，和他同住一起。我又驚又喜之餘，表示我感謝他和朋友們的盛意之後，在黃昏之前，離開旅社，回到家中，見到妻子及屈太太，彼此都感到悲歡離合的苦痛和高興，總算我們在時局動盪，共黨造亂的環境中相見相聚了！彼此都有同感：希望早日離開這恐怖的廣州，在離開之前，不要遇到不愉快的事變。

就在當天晚上，十二日拂曉之前兩點多鐘，共產黨在廣州的武裝暴動開始發動。首先我從夢中驚醒，聽到北門外北校場四標營方面有猛烈的槍聲，接着槍聲砲聲更加密集，似向廣州市內進攻，而廣州市內也有不少的擾亂叫囂的情事發生，我對妻和屈教官夫婦說：「這是共產黨的暴動，情形將是十分嚴重。」大家不再睡了，團坐一室，以待事變的發展。

拂曉之前，約四點鐘左右，暴動的武裝隊伍（事後才知道，是第四軍的軍官團與教導團，乃是在武漢分共時期成立的，有成千的共黨幹部滲透在內，爲發動廣州暴動的主力。）攻擊到了北門城內的軍械庫，奪取武器彈藥，守衛部隊加以抵抗，戰鬥甚烈。共黨暴動份子乘機到處殺人放火，我們在住房樓上，聽到附近街巷哭聲及喊救命叫寃枉的聲音，也聽到工人糾察隊用鐵練綁架一些富商及他們認爲的奸商資本家，經過街巷的聲音。我們走上屋頂，發現軍械庫附近有三條街道，火焰熊熊，正在擴大延燒，距離我們住的街巷尚有數十公尺，約三條街左右。屈先生夫婦怕火燒過來，主張離開住屋，到外面去躲避，我不贊成，並要大家齊到屋頂上面去；如果大火延燒過來，不如由屋頂上面向隣屋走避，較爲安全，火不燒過來，就在現地停留。一動不如一靜，天明以後，再看情勢，再做決定。結果我們沒有離開。天亮不久，火勢漸小，槍砲聲音也遠去到城市中心，這是我在旁觀廣州共黨暴動第一幕經過的景象。

因爲全市都在混亂中，到處都有槍砲聲，不過離我們住的地方却逐漸遠起來，似乎已到市中心及東堤珠江沿岸一帶。我們回到住屋，用了一些早點，驚恐之餘，疲乏已極，我和同住的人都想睡了；大約睡了兩小時左右，我們又起身打聽消息，一面準備吃午飯。這時我們還不敢開門或走到街市上去。我在正午之前再到屋頂上，瞭望市內各方情況，聽到各處槍砲聲音還是斷斷續續，時而激烈，時而沉寂。（五六）

關家師徒演出

娑婆生

關文蔚女士，在平劇場中的資格很老，記得她在平津湘桂公演而得博美譽的時際，現在的幾位名鬚生猶在童年。因此，她來台以後，除了鐵路局平劇社有晚會，曾經有演出；迨路局劇社起了特殊變化，暫時歇鑼，即不再演。但她樂教授後進，有時可她們之請，在一女中藝術館演幾回而已。她門下桃李，漸至二十餘人，劇藝均相當不錯。去歲與承潤、關東、馨香等演贈袍，內外行頗驚讚。演過以後，曾請一排焚棉山、漢陽院各齣，允待時日。最近傳訊，她將出演其拿手的靑風亭，此戲可說是她的絕作，少安、元璋總因氣氛上尚欠缺而起不到她。而關東將再度冒上，洵是佳事。

在她演出之前，尚有名弟子陪唱，一爲陳慧貞夫人的永樂觀燈；陳夫人嗓音也很沉穩，前演碰碑，極見成功。觀燈亦練習經年，是她愜意之作。再有朱劍霞女士的三家店；她絕少登台，但唱得也很灑脫，只爲秋高氣爽，偶爾遣興，以酬乃師指點之勞。這台晚會，可說是馬派總練習，亦菊壇罕見的事，應可留得佳話。而她另一位弟子向芳英小姐，在廿四日晚，陪翁德琴女士在三軍托兒所唱投軍別窰；向的嗓音亦好，曾聽過兩段搜孤救孤，味兒十足。不知那位太太（寶釧）是那裏的坤票，也許出自學府吧？錯不到那裏的，爲了向所中意的，決在水準以上。她未來的事，亦如是耳。

今年中秋節邊，關家師徒紛紛登台，此後或有更勝於此者的好戲。爲加強劇運，甚願文蔚多動幾齣，以爲民間藝術爭光輝，而使顧曲人士得欣賞機會。則在禁風正旺時節，何愁無戲可看？只在演者之自謀也。望各位多打主意，方可燦爛如錦。

重陽糕

漁翁

昔剪五彩旗以爲標識，市人爭買之。」燕京歲時記云：「重陽花糕有二種；其一以糖麵爲之，中夾細果，兩層三層不等，乃花糕之美者。其一蒸餅之上，星星然綴以棗栗，乃糕之次者也。每屆重陽，市肆間預爲製造以供用」。又歲時雜記云：「二社重陽尚糕食，而重陽爲盛，以棗蒸之，或加以栗，亦有用肉者。」今日各地，雖間有蒸糕者，但此風已不及古之盛行矣。

古詩云：「蒸出棗糕滿店香，依然風雨古重陽，織工一飲登高酒，火鳴機夜作忙」。蓋後之人，於重陽夕，百工入夜操作，名「夜作節」。又宋子京有食糕詩：「劉郎不敢題糕字，辜負詩中一代豪」。蓋以其作九日詩，欲用糕字，以五經中無之，乃輟不復用，故云。

又嘉話錄載：袁師德給事中高之子，九日有客至，出糕謂坐客曰：「某不忍請諸公食」，蓋以父名「高」，故不忍食「糕」也。

（下）

記張蒼水

湘南遯叟

何期擬兵則歲月猶存，解甲則旦夕莫保，致箕山不有安瓢，而潁水豈能高枕。身爲纍囚，貽笑天下，是某忠孝兩虧，死難塞責矣。臨難苟免，非我本懷。偷存視息，更何所待。今羈留旅邸，波累賓從，並擾鎖鍊，以日爲歲，生不如死！伏望台下立賜取決，俾某乘風御，翱翔碧落，或爲明神，或爲厲鬼，是誠台下大有造於某也。否則某當追隨首陽之後塵，不必僥炎午之生祭。毋以館伴不善調制而譴及之，幸甚，幸甚」！

當蒼水晉省渡江時，有無名氏投詩於舟中，有云：「此行莫作黃冠想，靜聽先生正氣歌」。蒼水笑曰：「此王炎午之後身也」！

一日，督院赴館，蹙額曰：「老先生部文到矣」。他立即起就肩輿，至官巷口，口占絕命詞，命人書寫；赴市，遙望鳳凰山一帶曰：「好山色」！挺立受刑，毫無懼色。子木、冠玉、舟子三人皆從死。子木名綸，溧陽人，己亥之役，謁蒼水於江寧，陳山川形勢極詳；蒼水奇其才，欲留之，曰：「親在，未敢以身許人也」！後來受成功招，隨征吳會。成功兵敗欲還，子木遮說，不肯留，於是奉其父隨軍浮海。未久，父苦風濤暈眩，奉之北歸，抵閩之三山，猝遇清軍！矢集鎧如蝟，墜水出，而父竟被清軍擄去。子木痛哭嘔血，流離跋涉，百方出奇計以救父，終不得父音耗。乃復投蒼水營。子木膂力絕人，能詩，與蒼水時相唱和，悲歌慷慨，有古烈士風。冠玉鄞人，年少美姿容，臨刑時，當事者見其幼，欲釋之，冠玉曰：「司馬公死於忠，某義不忍獨生」！延頸就刃。

蒼水被執時有「憶西湖」詩：「夢裏相逢西子湖，誰知夢裏却模糊；高墳武穆連忠肅，參得新墳一座無」！他死後，時人諱莫如深，改稱王先生，由杭人張文嘉等，暗地出資收殮於杭州南屏山荔子峯下，今墓與岳，于墓相望，從其志也。

（二一．全文完）

美姝

羅寳家著

美姝回家已是黃昏，可是隔壁的黃媽媽不准她進屋子，而一把拖到她們家去了。後來，在她急得團團轉，不停地哭泣與叫喊媽媽的聲中，好容易才得到了消息：說她媽與林天賞都死啦！……

黃太太看美姝那樣聰明可愛，相貌又長的這麼逗人喜歡。於是就挺身而出，向當局要求領養這孩子。目的達到以後，第一步她花了點小錢，買通辦事人員，先把李美姝的戶籍改成了黃美姝。不久，她帶着美姝來到台北，開始了第二步，到處打聽誰個有錢人家要收買養女。

收養女孩子，尤其是歲數大些的，這在許多人認爲是最划得來的事情。美姝那孩子又是那樣聰明可愛，長相也挺討人喜歡。所以當一個朋友介紹給劉成義，看到她這副模樣兒時，自是十分中意，於是就一下子說妥了。姓黃的女人得到了一筆可觀的錢，劉成義得到了稱心的養女。而美姝卻失去了歡樂，自由……

劉成義是個稍有積蓄的人，房子式樣雖然老點，但前後有院子，室內也寬大。住嘛，是台北市多少人傷腦筋的事，在他可就不用愁了。有了房子，不能讓他不派些用場，所以自從他因病退休，在家閑住之後，他常約集一些「時間無法消磨的人」到家裏來藉賭博消磨時間，或沙蟹、或麻將、或紙牌、或天九……日子久了，相識的人漸多，各方面的關係逐一建立，加以夫妻兩都會這一套，人手不足時，自己可以坐桌子湊數，這樣，他們家就經常有牌局，賭局了。日子過的雖說不上太好，但也夠安逸了。

劉成義也有遺憾的事，那是自己曾經得過嚴重的花柳病。怪也只怪自己服務的那個機關的缺太肥，年青人誰個有了錢不會花呢？而社會上，酒家女、咖啡女郎、交際花草、各類「名」明星、妓女等又太多，到處可以遇到熱辣的鏡頭。因而他在生了大明之後，覺得「無後爲大」已用不着顧慮了，於是就放肆的玩女人了。結果呢？元配太太受不了閨房空幃之苦下堂求去，離婚走了。而大明年幼，需人照顧，不得已只好在壞女人當中物色一個較好的，以便管家育子。現在的「老搭檔」朱秀娥，就是從××樓的妓女戶中弄來的。雖然解風情，善應對，缺點就是不再生孩子。兩人有時候鬥嘴，不是他埋怨她不會「下蛋」，就是她諷刺他是「虛有其表」的男人。她一直不相信她是不可以生育的，而懷疑自己的不生育，是因爲他害了那場嚴重的花柳病，使機能喪失了作用。他呢？有些半信半疑，雖知道自己的缺點，但每一想起人家說過妓女是不易生育的話時，一肚子悶氣就會發洩到她的頭上來。

兩夫妻就是這麼一對歡喜寃家，吵吵鬧鬧，打情罵俏。因爲各有短處，所以也就相依爲命，不計較了。爲了彌補她的膝下空虛，並且也是爲了減輕她對家庭瑣碎事務的負担，他遂收養了美姝。

「美姝這孩子怎樣了？回去五六天，一點消息也沒有。現在她是在家受苦？是仍然作工？抑是大明原諒了她？她的養父母也對她好起來了？還是他偷偷出走了，根本就沒有回去呢？」想到這些，他再也控制不住了。

愷琳與姜薇

前人

電台的播音員，百分之九十五以女性爲標準。卅年前，南京中央廣播電台，有一位播音小姐國語標準，吐詞清楚，音調合拍，我遠在武漢，每夜必聽，後來上海朋友告訴我，人稱之爲「中央之鶯」，其受重視如此。敵偽時期，南京偽府開張，千方百計覓得一位，其播音大致有如「中央之鶯」，意在魚目混珠；不過聽久的老聽衆依然聽得出來，所謂心勞日絀也。

在台灣紅了一位安徽韓倩妮，她不是北地姑娘，說話富熱情，慶生晚會一手包辦，大家爲了聽得舒服，多願收聽。而這位處長的大少奶奶，依舊站在崗位，殊可佩也。

平劇播音員，更與別的節目不同，非要熟悉一些劇情不可。比如有一次明明播描容上路，卻說了掃松下書，眞是成了張冠李戴了。就各台的平劇播音論，當然以中廣，警察，軍中三台爲較豐富，因爲主持人是名票而懂戲的。現在中廣報目人是愷琳，警察報目人是姜薇，當然都是小姐。獨軍中猶是少校自任，未免太過辛勞，何不也請一位小姐？

我初聽軍中播劇，是叢宜春小姐，後易萬書琴小姐，皆是京白流利。末尾改爲穎若館主；迨其赴日探親，少校收回版權自理，雖說話很委婉，總不及「來台否司脫」。我想少校何不請陸樹賢兼辦一下，以便與愷琳姜薇共爭顏色，使軍中同志更其鼓舞？惟考慮之。

「秀才」

吉庭

管子云：「農之子，常爲農，樸野而不慝；其秀才之能爲士者，則足賴也」。秀才二字，本此。至漢始爲科目之稱，公孫弘等議有秀才異等，輒以名聞。後漢光武帝名「秀」，避諱而改稱「茂才」，以其才秀異茂美也。隋後仍沿秀才舊名，以迄清末廢科舉。

應考秀才者；不限年齡，須經過縣試，府試，院試三級。縣試入選，造冊送府；由府再考，謂之府考。縣府考，由知縣、知府主持。府考獲選，造冊報院。院考欽派翰林出身者爲提督學政，以主其事。院考完畢，中選者，即俗稱之曰「秀才」，亦名「秀士」，第一名則爲「案首」。禮云：「命鄉秀士」，指有德行道藝者言。

秀才之稱謂繁多：一日「邑庠生」。周日庠，庠本學校名，科舉時稱縣學爲邑庠。一日「博士弟子員」，漢武帝設博士官，置弟子五十人，令郡國選送。唐後稱生員爲博士弟子。一日「游泮」，泮乃學官之水，天子所立學也。泮之言半，蓋東西門以南通水，北無水也。一日「青衿」，按衿，衣領也，詩云：「青青子衿」，言學子之青衿，士人以博一衿爲榮。

清末由科考改爲學堂，凡在高小畢業者，給予「秀士」銜。至民初，此風猶未替，亦可哂也。

內僑警台報字第○三一壹號內銷證

自由報
THE FREE NEWS
第四九四期

中華民國僑務委員會頒發
台教新字第三二三號登記證
中華郵政台字第一二八二號執照
登記為第一類新聞紙類
（半週刊每星期三、六出版）
每份港幣壹角
台灣零售價新台幣貳元
社長：雷嘯岑
督印人：黃行甯
社址：香港銅鑼灣高士威道二十號四樓
20 CAUSEWAY RD 3RD FL. HONG KONG
TEL. 771726　電報掛號：7191
承印者：田風印刷廠
地址：香港灣仔高士打道二二一號
台灣分社
台北市西寧南路壹壹柒號二樓
電話：三○三四六
台郵撥儲金帳戶九二五二

省府有無單獨決定增稅權？

張筌

台灣省政府為籌措調整省，縣，市，鄉鎮公教員工房租津貼，於九月廿一日的第八一六次委員會議中決定：（一）建議中央自明年一月起，將乙種車輛使用牌照稅率予以調整，內容為腳踏車全年自十八元改為三十元（即銀圓十元），獸力車自七十二元改為九十元，五十CC以下機車及加裝內燃引擎的腳踏車，自九十元改為一二○元，但三輪車，三輪貨車及板車不予調整。（二）自十月一日起提高屠宰稅單價，其調整標準為猪每頭自一八六元改為二一○元，牛每頭自二五八元改為二九一元，羊不調整。

調整公教房租津貼，舉國上下無不支持贊同，但省府為籌劃財源而向窮困的騎單車及食猪牛肉的人頭上打主意，站在財政政策上來說，是否符合民生主義的精神？有無違背憲法第一四二條「國民經濟應以民生主義為基本原則，……以謀國計民生之均足」之規定？頗有研究之必要。

省府建議中央調整的乙種車輛牌照稅，現已呈核在案。至猪牛屠宰稅，台省府財政廳已分別電令各縣市稅捐稽征處，自十月一日零時，開始按新稅價調整。可知省府對中央的建議調整乙種車輛牌照稅，及電令增征屠宰稅，並未經過省議會的審查通過。依據憲法第一○七條，一○八條，一○九條規定：省政府之一切措施，除一○八條規定「由中央立法並執行之，或交由省縣執行之」各事項外，屬於省之權限，依一○九條規定，應經「省立法並執行之，或交由縣執行之。」據此而觀，中央與省的增稅，均需經過立法程序，方能實行。

台灣省議會組織規程第三條規定：「省議會之職權如左：一、議決有關人民權利義務之省單行法規。二、議決省預算及審議省決算之審核報告。……………」

省政府決定提高屠宰稅，增加人民納稅義務，而納稅必須「依法」，這顯然是屬於省議會的職權。今省政府以一個電令通飭各縣市稅捐稽征處按新稅則課徵，實與憲法第十九條抵觸，這不是「人民有依法律納稅之義務」，而是人民「依命令」納稅了。

省政府此次提高屠宰稅之理由，依據九月三十日的徵信新聞報導：「依屠宰法之規定，省政府可視市價漲落情形，每三個月調整一次，但如上漲未過百分之十，則不予調整。」然筆者詳查屠宰稅法，其中並無如此規定。該法第四條規定：「屠宰稅從價徵稅，其稅率最高不得超過百分之十。」又第五條第一項規定：「牲畜價格依其重量按公斤單價計算，其單價由當地主管稽徵機關按期調查公布之。」第十一條規定：「屠宰稅之徵收率及課徵重量標準，由各縣市政府分別擬定提經當地民意機關通過，並轉財政部備案。」可知屠宰稅之決定權，並無單獨賦予政府之規定。尤其第十一條之特別規定「提經當地民意機關通過」。那麼徵信新聞的報導，若不是省政府錯誤，就是該報弄錯了。即使屠宰稅徵收細則有此規定（筆者未見此細則），但其為屠宰稅法之子法，而且省政府自己制定的命令，怎能與母法抵觸？又何能以地方政府命令排斥中央的法律？況且憲法第十一條已規定「人民依法納稅」。所以省政府的這一理由是不能成立的。

「省議會組織規程第三條第二款規定：省議會有議決省預算權。」依據「預算法」第二條規定：「政府徵收賦稅規費或其他有強制性之收入，應先經本法所定程序。」第九條又規定：「歲入歲出預算，按其收支性質分為經常門臨時門。各機關逐年常有之收入，均應列經常門，其非逐年常有之收入，均應列臨時門。」第十一條：「政府每一會計年度，一切收入及一切費用，均應編入預算。」可知台灣省政府決定增加屠宰稅之收入，應編入經常門之總預算，交由省議會審議。省議會若不同意其收入來源，得「變更」或「擬設定之收入」，予以否決（第三十四條）。今省政府不編入預算，不經過省議會之審議，豈不與「預算法」違背嗎？

省議會對省政府的監督，其最主要之一環，即為「議決預算權」，議員極重要的一個任務，即是替人民看管荷包。省府增稅如不經議會審議通過，自屬不當。或許省府認為本年預算已審核完畢，該項費用係臨時決定，故未編入。但我們以為可依「預算法」第五十七條第三款之規定：「支用第二預備金或請求提出追加經費預算。亦得依同法第六十條第五款，及第六十一條規定，提出特別預算，請求省議會議決施行。今省府乃以行政命令辦理，即難辭玩法之嫌。

從理論及憲法第二章之規定看，凡政府設定、變更、消減人民之權利義務，均需要經人民同意。至少應為人民代表或立法機關同意。在民主法治國家，決沒有未得人民代表的同意，或不經法定程序，而逕行增加人民義務之事。昔美國殖民時期，英國於一六六○年通過徵收「貨物稅」，一七六五年又通過「印花稅」，一七六七年通過徵收「入口稅」，但都遭到美人的抵制與反抗。所以到一七七○年英國國會不得不取銷由「城市條例」所加的一切賦稅，僅規定「每磅茶葉徵收三辨士小稅」，以示「英國有權向美人徵稅而不須取得他們同意的權力」，但最後還是失敗了。整個的美洲因此脫離了英國，新的美國由此誕生。美人反抗英人的理由說：「國會中沒有代表，便不得徵收直接稅。」但後來說：「國會中既沒有代表，無論直接或間接稅均不能徵收。」以後更說：「國會既沒有代表，便不能代為立法。」最後的「獨立宣言」更表示：「政府的組織，政府的權力的產生須經人民的同意。」這是成為民主法治國家的基本條件。台灣省政府既未依法經過省議會而逕行增加人民負擔，不論為數多少，但在理論上是說不通的，同時亦實在違背了民主法治的大原則，實在不足為訓。

台灣省政府黃主席在就任之初，曾宣示「崇法務實」作為台灣省政府施政的依據。但就這次單獨決定增加稅賦一事來說，殊非崇法務實之道。這回的事已經過去了，筆者希望省府當局注意及此，不可一誤而再誤！

沒頭的傢伙

一場怪劇

今日與明日

詹遜聯任美總統之後

美總統大選結果，詹遜蟬聯下去，世人固不感覺這是意外之事。

可是，美國今後的對外政策，其結果將如前任副總統尼克遜所預料的情形：即美國對越南戰事，在兩年之內若不知難而退，便會與越共進行和談，再演一次慕尼赫式的妥協悲劇；美國與古巴的卡斯特洛政權繼續「和平共存」；南美和北非各地區的共黨滲透、顛覆活動更趨激化；中共反美行動日益猖獗；最後，美國在亞非自由世界的聲望為之掃地。這觀察十九是正確的。

話雖如此，吾人却不必幻想共和黨人如果獲得政權，即對共產世界——特別是對中國與越南問題，將有甚大不相同的處理辦法。過去艾森豪當政了八年，他在自由世界作下的孽，並不亞於當年杜魯門政府之教中共席捲中國大陸呀！

所以，我們對於詹遜與高華德二人之孰得孰失，大可不必容心，等着瞧罷！

看本屆聯合國大會

美總統大選後，聯大會議即將舉行」。關於所謂「中國代表權」問題，自不免又要吵鬧一番。

據我們的管見所及，本屆大會還是止於吵鬧而已，因為美國跟毛共的妥協勾當尚不容易擬定也。假使國際局勢沒有特殊的變化，到了來年聯大會議時，毛共即可能闖入聯合國。果若是，日本態度必然蛻變，殆可斷言。

在未來的一年之中，我們應該切實籌維自處之道，預作最壞的打算，世界時時在變，咱們再不宜以不變應萬變了！

赫魯歇夫的罪狀

俄共中央委員會宣佈了赫魯歇夫的罪狀廿九項，可謂惡貫滿盈。但是，若干歐洲「兄弟國家」的共黨，還是不滿意俄共之罷黜赫魯歇夫，這理由很容易瞭解，即赫魯歇夫改變了史大林對鐵幕附庸國家的嚴酷控制方法，而採取殊途同歸的社會主義建設路綫，給予「兄弟國家」一些自由生存權，毛共乃指為修正主義也。

即此可知人類愛好自由的天性是一致的，俄共今後若恢復史大林政策，歐洲各國共黨的離心傾向將日益滋潛無疑。這纔是俄帝的難題，且看將來召開國際共黨大會時，中俄共能否取得協議，而使分裂運動不致擴大？只要中俄共不再內鬨，問題即不嚴重了。

自由談

小言詹詹

馮五先生

近十五年來，我在「香港時報」、「上海日報」、「自由人」暨本報，陸陸續續寫過的筆記、短評，不知其數。我認為這類文字都是些覆瓿之作，不值得存稿，寫過就算了，因而從未有所檢閱，根本就忘記了這回事。

最近謬承台灣「太平洋文化事業公司」的美意，將我歷年來所寫上述各項文字，酌予蒐羅，斥資印成專集，名曰「詹詹錄」，前後出版四冊了。這使我慚感交迸，永矢弗諼。「詹詹錄」者，莊子所謂「小言詹詹」之流也，小言固不足以登大雅之堂，乃蒙出版家見賞於牝牡驪黃之外，付梓問世，能無愧乎？昔曹丕對他的摯友吳質說：「後世誰知定吾文者」，他唯恐身後埋沒了自己的文采，不覺慨乎言之。區區這種蕪雜的作品，竟及身得見朋友為之鑑定剞劂，感紉曷勝，慶幸何如呢！

由於我在事前並未參預集稿印書之役，自談不到審核去取的話；事後省覽一遍，覺得其中有涉及校訂問題之處，必須提出來談談。如「才女顧太清疑案」篇，是根據近人孟心史、冒鶴亭二氏，研究詩人龔定庵是否與滿清貴婦太清女士有戀愛行為的文字，加以推敲評判的，原文頗長，連載本報第四版者。但專集中缺少了開篇的一大段，殊不完整。如「盜寶」篇，述陝西土匪頭目黨玉崑專掘古墳，盜取殉葬古物甚夥，原文「中有歷代收藏的六朝遺物數十件最為名貴」句，「歷」字誤植為「秦」字，未免笑話！如「方言的障礙」篇，最末亦漏去了一些字句，以致模糊不清，無法卒讀。此外亦間有重複的地方。

這些缺陷之產生，一因原文散見各報紙上，而且歷時已久，搜集既不易，剪裁亦困難。二是各報刊載原文，即有誤植或錯落的字句，印書時祇好一仍其舊。然基本原因乃是我自己未効審查、校勘之勞，除對「自由太平洋文化事業公司」表示歉仄外，更要向購閱本書的朋友們特別告罪。假使本書竟有再版之可能，區區一定重加整理校讎，以贖前愆焉。

我朝野不驚訝毛共核爆 惟僉認須提早光復大陸

本報記者歷訪王世杰李熙謀束雲章等

（本報台北航訊）對於中共核爆，台北朝野人士並不驚訝。政府方面曾開會討論這件事，立法委員郭登敖等五十一人提出質詢，行政院嚴院長列席立法院說明政府的態度；自然這些都成了此間報紙重要的新聞。另外，美國詹森總統幾次演說，重申保證幫助亞洲獨立國家抵抗共產集權，深得各方贊許。

記者曾就此事分別訪問各界人士，被訪問的人有：老政治家現任中央研究院院長王世杰先生，行政院原子能委員會主任委員李熙謀先生，國大代表葉秀峯先生，停役中將現任省府顧問王道先生，經濟部長楊繼曾先生，工業界鉅子立法委員束雲章先生，大法官黃正銘先生等。前行政院副院長王雲五先生，則不願談這件事。立法委員王新衡先生，雖與記者談了三十分鐘，但先約定不得把談話內容發表，記者自當遵守諾言。此外，立法院長黃國書，記者曾託王秘書與謝先生二人代為安排與黃院長晤談的時間，然據謝先生十月二十四日告訴我，黃院長很忙，沒有時間，同時他怕別人誤會他出風頭云云，所以未能晤談，殊感遺憾。所謂「誤會」二字，實不知其所指為何。不過，黃院長在光復節慶祝大會上還是說了。

王雲五先生在電話中回答記者所提問題時說：「這個問題，因為我不在朝，所以政策上我不清楚，故不便講。」同時，「談中共核試爆，一是專家的說法，一是政治家的說法；我亦不是專家，無法講。」

中央研究院長王世杰先生，最近很少公開發表有關我國外交上的問題的談話，他所說的都是老實話，值得一讀。王先生認為：「中共試爆核子的這件事，對於許多非洲的新興國家，和亞洲的一些國家，可能有心理上政治上的影響。這些國家將認為國際裁軍與禁止原子試爆不易成立，因而恐慌。」又說這些國家的態度可能改變，「亞非若干國家，在聯大原來投票支持我國的，此後態度可能模稜兩可；原來中立的國家，可能贊成中共。」

至於英國和法國的態度如何？王世杰說：「英國，就法而言，他是承認中共的。但英國，在聯大投票理應支持中共的。但，英國會受到美國影響的。儘管英國支持中共，然只有自己的一票投給中共，並未影響英聯邦各國的投票。否則，英美之間定會發生衝突。此次英外相華爾克赴美，可能商討這件事。據這位老資格政治家的估計：「目前，英國尚不致於如此，因為英工黨政府本身不太堅強，也很重視與美國之間的和洽。」

至於法國戴高樂政府的態度，王世杰說：「法國於今年二月間承認中共，對於我在聯大的席位問題，目前，我不敢斷定；但法國在巴黎文教組織中投票時是棄權的。不過，還沒有具體事實證明法國對法語系各國使用影響力投中共的票。」故英、法兩國在外交上大概不會受中共核爆的影響。非洲新興國家則就難說了。

因此，王世杰建議兩點：「我們要奮鬥到底，我們在聯大始能渡過難關。同時，還要美國絕對堅定。」我們才不至於發生問題。

中共核爆的情形如何？記者就這個問題請教原子能委員會主任委員李熙謀先生。他說：「真實的情形還不知道，據初步估計，原子爐出來的分裂物不會多。」

我們政府為此，「行政院原子能委員會曾開會討論過，並且做有結論。」他說：「我們的原子科學發展，是用於工業、農業與醫療方面，都有長足的進步。」

現任台省府顧問、前省新聞處長、停役陸軍中將的王道說：「原子分裂，已非秘密的東西。」這位名著「美國的迷惘」的作者認為：「只要有錢，有人才與原料，任何國家都會製造原子武器；故中共核試爆，不值得大驚小怪。」

這位從排、連、營、團長而升到中將的停役軍人說：「在中共沒有擁有核子武器之前，我們必須早日反攻大陸。就美國本身利益着想，和使亞洲不淪入中共魔手，美國必須助我反攻大陸。中共偽政權不消滅，將來不但是亞洲各國的安全受到影響，就是美國的安全也受到嚴重的威脅。」

匪情專家現任國大代表葉秀峯說：「中共核子試爆，並不等於持有原子武器。」因此，他希望國人「不必驚慌。」葉秀峯更進一步分析，他說：「大陸上的老百姓，對中共核子試爆，並不感興趣。大陸人民所感興趣的是吃飯與自由。同時，中共核試，也不等於社會主義的成功。」

記者曾就中共核試爆後對我國國際市場有沒有影響？以及我們經濟方面有沒有新的決策，叩詢經濟部長楊繼曾的意見。

楊繼曾說：「在中共核試爆前，我們就有準備，並非因中共核試爆而才有準備。第三期四年經濟建設，就朝向這個方向進行。不過中共核試爆後，可能加速進行。至於國際貿易方面，假如說沒有影響，是不可能的；如果說有絕對的影響，那也是不可能。但我們有萬一的準備，作最壞的算盤。目前，將從速擬訂新的計劃，來適應即將來臨的新困難。」他很含蓄地說：「希望各方面少牽制，多多合作。使經濟與財政有更好的配合。」

工業界領導人物立法委員束雲章在答復記者訪問時說：「假使財政金融配合經濟發展，則今天會有更大的成就。」他指出：「經濟與財政，必須配合。所謂合作，應該是多方面的，今天的問題，不是經濟部或財政部，而是經濟部既未牽制財政部，而財政部也沒有牽制經濟部，由於許多繁重的手續，使互相配合遭遇阻礙。這是一種通病，尤其金融機構的作風，已到了完全脫離現代化的階段，不能配合經濟發展。故金融界必須徹底覺悟而痛改前非，改變作風，減少牽制。而外界對金融界的干擾，也要減少到最低程度，最好絲毫不加干擾。」

束雲章告訴記者：「我們的國際市場與對外貿易，是不會受到中共核子試爆的影響的。」至於我們應該怎麼辦？他說：「唯有反攻大陸，才能解決我們的一切問題。然而反攻大陸，又必須要看國際的演變。」

大法官黃正銘，他對中美共同防禦條約的解釋：「中華民國政府作『防禦』的『自衛』而反攻大陸，應不受中美共同防禦條約的限制。」黃氏說：「任何國際條約，包括聯合國憲章在內，凡屬『防禦』的、自衛的戰爭，應屬合法的。所謂自衛，應作廣義的解釋，那就是說不必等敵人侵犯即可先予制裁。為了自衛，為了防止共匪使用核子武器，我們可依據中美條約請美國協助我們反攻大陸；這是美國的義務，也是我國的權利。今人把中美條約作狹義的說法，這是不對的。」

農復會今後工作方針 促進農產多角化經營

（本報記者台北航訊）儘管美國對華經濟援助將於明（五四）年六月停止，但由於農村建設在今後台灣經濟發展中仍極重要，中美雙方政府，原則上已同意中國農村復興委員會必須繼續存在，其工作將不因美援停止而結束。另又決定，在今後數年中，農復會每年補助和貸款總額，約為新台幣三億至四億元。

農復會今後的工作，將促進農產品「多角化」的經營，使農產品輸出貨值，由現在每年一億美元，增加到每年二億元，這樣可使國民所得增加，進而提高並改善人民的生活水準。據統計，台灣每人每天攝取食物的熱量，已達二千四百卡路里左右，僅次於美國而為亞洲各國之冠。而蛋白質攝取量只有六十公克，低於美國及日本。因此，農復會計劃提高每人每天供應量為六十五公克到七十公克。而蛋白質食物包括魚、肉、雞蛋、牛乳等。

農復會主委沈宗瀚說：台灣每公頃農地生產力，現在是美國的七倍。此一方面是因台灣氣候條件較優，另一方面是由於人為的努力。今後將從技術和制度方面來改進，比如，農復會去年舉辦「水稻綜合示範」，結果，示範區較一般稻田增產百分之十八至五十三。由此可知，稻田的增產，或仍能適應人口增加的需要。現在，農民自行仿效示範之方法，正在普遍推行中。其次，使土地利用時間與空間緊密安排配合水稻或其他作物，達成一年三收或四收，即多期作栽培制度，以增加雜糧栽培面積。

台灣論壇

張仁滔涉嫌瀆職案的剖視

陸嘯釗

而依戡亂時期貪污治罪條例第六條第三款的處罰，規定得遠較普通刑法為重，對於主管或監督之事務，直接或間接圖利的行為，可以處到五年以上有期徒刑，並得併科三萬元以上之罰金。刑法是普通法，戡亂時期貪污治罪條例是刑法的特別法，普通法和特別法規定不同時，應當適用特別法的規定。

可是不管適用那一種法律的規定，刑法的圖利罪，和貪污治罪條例的圖利罪，都祇要有圖利的行為，犯罪條件就構成了。實例上並且還不以不法圖利自己或第三人為限，而刑法的圖利罪，即使圖利公庫，犯罪條件還依然成立。我們先看一個解釋例：

「刑法第一百三十一條第一項之圖利行為應包含圖利第三人在內。」（司法院院字第二八〇四號解釋。）再看最高法院三十一年上字第八三一號判例：

「刑法第一百三十一條第一項之圖利罪，係注意處罰瀆職，故無論圖利國庫，或圖利私人均應成立該條項罪名。至懲治貪污暫行條例第三條第三款第一項第二款之圖利罪，則係注重懲治貪污，應以圖利私人為限，其圖利國庫者不包括在內。是兩法條之罪，其範圍不盡相同，因之懲治貪污暫行條例施行後，刑法第一百三十一條第一項之規定，並非完全停止其效力。」

懲治貪污暫行條例，現在已經廢止了，可是它的性質和戡亂時期貪污治罪條例完全一樣。目前這個案件並沒有圖利國庫的情形，我們暫時不去管它，但是至少有一點可以肯定的，就是不問是圖利自己，還是圖利他人，都是犯罪行為。不過圖利他人，犯罪情節比較輕，圖利自己，犯罪情節比較重。犯罪情節的輕重，僅僅祇能供法官量刑的參攷罷了。

現在，我們再來進一步地觀察，張仁滔和金荷汀涉嫌的犯罪事實，究竟是圖利自己，還是圖利他人呢？

從表面上看來，似乎祇是物資局借了新台幣二十萬元給該局的職工福利委員會，而由福利會在經費中再添了五萬元，湊了二十五萬元借給省議員李建和，李建和付了新台幣一千八百元利息給物資局職工福利委員會，如此而已。

張仁滔和金荷汀本身似乎並沒有得到特別的好處，得到好處的祇是置身事外的李建和和物資局的職工福利委員會。可是如果再深入研究一下，問題恐怕就不是這樣簡單了。

第一：金荷汀的那張向物資局借新台幣二拾萬元辦年貨的簽呈，是張仁滔授意的。金荷汀明知違法授意，到底是憑藉了那點，敢冒這麼大的風險？還是事到臨頭，無法可想，急於搪塞？

第二：福利會如果本身有錢，用不到向物資局借款後，再轉借給李建和。福利會的基金如果沒有二十五萬元，原借自物資局的錢是辦年貨的，年貨不辦而轉借給李建和，這筆帳在會計上如何做法？

第三：張仁滔明知記載不實的簽呈，而竟然予以批准；明知福利會無款可借，且即使基金充裕依法令也根本不許借與私人，而竟然不予糾正。這種急急忙忙的措施，又是為了什麼？

張仁滔做了十幾年的物資局長，手法如此拙劣，豈不大背情理之常？欲蓋彌彰，事情之決不致此單純，也就可想而知了。

左傳裏面有幾句話：「國家之敗，由官邪也；官之失德，寵賂章也。」社會風氣的腐敗，大部都是由於做官的人失德所引起，失德的具體表現，就是貪財好貨；要不然一般人怎麼會把「升官」和「發財」連在一起呢？循私舞弊、貪贓枉法，整個國家的前途，就將葬送在他們的手裏。張仁滔案件給我們更清晰地看到了醜惡的一面，也讓我們看到了國家整飭吏治的決心。

（完）

檢討台銀呆帳與金融政策

——本報記者張健生台北航訊

一

最近，立法委員與監察委員分別做了一件使人喝彩的事。這件事是：立法院委員劉兆動用質詢的方式，揭發台灣銀行歷年來幾件轟動社會的放款內幕，暨檢討所謂因政策放款而發生的呆滯欠款；監察院委員曹啓文等提案糾正各金融機構放款措施不當，而發生龐大的呆滯欠款的數字。此足以說明我們的金融政策，毫無原則。

銀行放款，除政策放款而外，還有所謂非政策性的命令放款。劉委員在質詢中說的清清楚楚。這篇質詢講得頭頭是道，權威之極。該質詢開宗明義的指責：

「關於財政部處理大秦工廠貸款案，法律與政策問題：台銀高級主管勾結大秦工廠、華民紙廠、東南碱業公司、裕通航業公司等數十家，以貸款為條件，共同合謀騙國幣，已逾四十億元，現已變成巨額呆帳問題。

（一）

天真與愚昧

李敦復

「但我們亦需要適當的支持力量，如人民的忠誠與民心的趨向來贏取勝利；一挺機關槍可能不及報攤上的一本小冊子，因爲書本可以透露我們的自由經濟企業底成敗，與自由民主制度的優劣。一枚飛彈也可能等於廢物，因爲它無法抵禦得左翼第五縱隊的宣傳攻勢；他們的伎倆，是頌揚那些亞非獨裁國家而低抑西方自由國家的聲譽。這趨勢如果蔓延下去，那麼我們的軍事力量，將無法阻止左派人士的滲透，使其毒素在我們國家中，甚至在神聖的教堂寺院裏，發生了酵母作用。」魏德邁將軍不但對政治修養有很深的造詣，而且更是一個出色的戰畧家，在當今之世，恐無人能與其匹敵的。美國西點軍校雖造就了美國歷史上無數的軍事人材，第二次世界大戰時，相信除了麥克阿瑟將軍以外，其對國家的貢獻，無人能與其相比的。馬歇爾，史迪威，以至今日的泰萊，韋勒等，實瞠乎其後。但不幸美國這個國家，和我們中國的政治舞台一樣，像魏德邁將軍那樣對國家有貢獻的人而任令其投閒置散，近年復返回其已濶別四十五年的故鄉阿哈馬閒居。不禁對此一代名將，引起無限的惆悵和感喟。在我的一生中，我所最欽佩的中外古今的偉大人物中，前美副總統尼克遜氏和魏德邁氏，實令我欽敬萬分，推崇備至，許爲本世紀最偉大的人物。

第二次世界大戰結束後，美國前駐中國大使司徒雷登氏，他出生在我的故鄉——浙江杭州，那是一個山明水秀，景物如畫的典型農業社會的都市，一九四六年的春天，我曾經在他童年時的舊居九里松，眺望良久。當其於一九五〇年八月離開中共鐵幕回到華盛頓後，美國國務院勸告司徒雷登大使，避免和外界接觸，最後被安排在哈德福神學院演講了一次，新澤西的中央長老會堂演講了一次，而那講稿的內容，是經國務院審查過的。說來眞是令人不解而困惑的事，中國是美國的盟邦，司徒雷登大使又是從中國來的，美國政府及人民應該有一個公開的機會來聽取及了解有關中國情勢演變的講解，但國務院却荒謬地作了違反傳統的措施，試問那時的司徒雷登是以美國駐中國大使的身份回到美國？抑或係以基督教的「大使」身份回到美國？如果不是當時的杜魯門總統，艾契遜國務卿蓄意欺騙國會，便是瞞蔽美國人民，這是非常明顯的事實。

台灣東部遊記

羅雲家

七月十九日　星期日　晴

遊覽的人，如果手邊沒有一架照相機，邊看邊把大自然中的美妙鏡頭攝下來，那不僅是美中不足，而且也將是一件憾事。對於照像，我在「光桿時代」是相當愛好的。記得到台灣不久的一段時間，我曾兼任過××報的特約記者，爲了職務上的方便，曾花錢買了一架八成新的照相機。因此北部、金門、及台中苗栗間許多風景，都會攝入我的鏡頭。四三年「九三」炮戰時，那架照相機不幸在烈嶼被毁，同時我左腿也負了輕傷。自此以後，我再也無心玩相機了。特別是與雪梅結婚以後，接二連三地生孩子，加以我倆的身體健康狀況都不算好，即使有點積蓄，不是給添孩子花光了，就是給治病痛用去。所以我不特少有機會玩相機，甚至連去照像館的次數也少得可憐。爲了計劃此次環島遊覽，內子本來也會提醒過我，應該設法帶架手相機去。我同意了她的建議，乃與同事老郭商量借用。他考慮了一下，答應將他去年自日本購回的「乃克」借給我用一星期。當時假期尚未決定在何日，所以沒有立即去取。誰知到了我的慰勞假核定了，並且增加了三天補假，提前在十七日動身的前夕，我跑去他的宿舍找他時，他却鎖了門出外赴愛人的約會了。這一來，我的希望落空。迫使我只有放棄帶照相機的計劃。

昨夜當我們看「西太后與珍妃」時，電影中有個鏡頭是西太后摔碎光緒送給珍妃的相機。因而觸發我們遊橫貫公路該有架相機的念頭，並立即將此意思告知琢如。電影散場分手時，他漏夜騎了摩托車去北埔營房，向友人借來了一架西德製的「乃克」相機給我。於是今早一起床，我的第一件事，就是去「三和照相館」買原裝的底片。索價二十三元一捲，我沒有還價，裝好了付錢就走。轉身一出門，剛好看見琢如隨後帶了內子她們趕來了，手裏提了六盒野餐，每盒花十五元，想必內容相當豐富。我道謝他，他却並不在意。他爲人的忠厚，不喜虛僞，由這裏也可以看出一些來。

自花蓮開往天祥的頭班公路局客車已出發，第二班是在七時三十分；候車室中擠滿了乘客，包括外籍人士與阿眉族山胞。還差一刻鐘開車時，升妤（老三）看見鄰座的人，手裏提着汽水，她遂吵着要喝汽水。我和內子哄她到下車的地方買給她，她不要，接着就大哭大鬧起來。琢如看見不得要領，只好又急急趕到附近去買了幾瓶汽水來。唉！帶孩子出門眞是麻煩的。

車子按時開出了，乘客們却像沙丁魚一樣擠在車廂中。我們排隊在中央，總算佔到了三個座位，孩子則擠坐在大人們的膝頭上。因爲是禮拜天，沿途各站都有許多遊客等車，車中雖已「客滿」，而車掌小姐却心腸特別仁慈，仍然不顧把「客滿」牌子放下來，到了站就「都都」兩聲哨音，嘴裏還嚷着：「對不起，請往裏面靠！」第一站擠上了兩個乘客，第二站擠上三個，到了第三站她又吹哨子要停車時，車中火氣大的人，就不免駡開了。司機世故較深，見苗頭不對，沒有聽車掌的話，直駛前進。以後各小站除非有人下車，都沒有再停。大概是車務人員有懼於衆怒難犯吧？（十一）

我所知道的麥帥

肯寧將軍原著　徐熙光翻譯

我們曾同許多將領，指揮官和韓國的官員，在衛兵護衛下驅車前往首都漢城。漢城城裏還有部份房子在燃燒着，因爲前一兩天城裏還在進行巷戰。幾哩以外的山上，我們可以看到我們的轟炸機仍在攻擊共軍的據點。

我被安置在面對講台的第一排位置上。坐在我右邊的是兩位韓國內閣的閣員。第八軍司令華克將軍和空軍司令史垂特梅葉將軍則坐在我的左邊。整個舉行儀式的禮堂裏擠滿了大約三百名美韓兩國的軍政首長，新聞記者和攝影記者。

麥克阿瑟將軍開始演講：

「蒙上帝慈恩……」，每當你聽到麥帥提起上帝時，你都會留下深刻的印象。他有很虔誠的宗教信仰，他之提到上帝絕非徒具形式，因爲麥帥相信我們確是蒙受上帝的恩典。

接着他提到可憐的韓國人所受的待遇。他說我們在韓國不是想爲我們自己建立基地，只是爲了要把韓國人從奴役的暴政下解救出來。

這時，我看到李承晚的眼睛裏隱約地閃爍着淚水。坐在他旁邊的李承晚夫人則在暗地飲泣。我環顧整個禮堂，發現所有韓國人都在流淚。我想有幾個人能使韓國聽衆聽了他的演說以後流淚！我知道我不能，別的人也辦不到，只有麥克阿瑟能做得到。

當麥帥說到激動處，我看到他的眼睛裏也出現了眼淚，情形和數年前奧斯敏納總統就職時一樣。接着他的聲音漸漸低了下來，說出一句話似乎顯得很困難。這使我很自然得想到一九一二年在米爾窩基的一幕悲劇。麥帥的父親亞瑟麥克阿瑟將軍不聽醫生的勸告，出席威斯康星兵團的第五十次聚會，亞瑟麥克阿瑟從一八六一年到一八六五年一直在威斯康星兵團服務，最後升爲該兵團的司令。他十七歲就開始被征服役，四年之後已官拜上校，曾經受傷四次，得過國家的最高榮譽勳章——美國國會勳章。經過一生多彩多姿的戎馬生涯，亞瑟麥克阿瑟將軍在一九〇九年退休。他也是個傑出的演說家，在那次聚會裏，他向他舊日的袍澤致最後的敬意，這是一次動人的演說，聽的人和講的人都被深深感動，當他說到激動的高潮處時，突然倒了下來，就這樣溘然長逝。他舊日的僚屬，臉上含滿了眼淚，把兵團的軍旗掩蓋在亞瑟麥克阿瑟將軍的遺體上。

我儘量抑制我自己不再想這件事，但是我無法自已地多少有點担心這幕悲劇會重演。我用心傾聽他所說的每一個字，但是我心裏寧願他早點結束他的演說。

「現在」，他在最後說：「讓我們起立，跟着我朗讀上主的禱詞。」

此情此景，我覺得我從未如此被感動過。

「仁慈的大父，
我們奉揚祢的聖名，
望祢的國降臨，
祢的意旨承行於大地，如同在天上。
請賜與我們今日足夠的食粮。」
（五九）

七、周以德的故事

氣候在變化，時間在交錯，宇宙間實質上的變遷，也是不斷的發生。今天，我在西太平洋的彼岸，毗連南中國的一個小島——香港。在亞熱帶氣溫高達九十度揮汗如雨的陋室中，濡筆叙述這一在遠東的中國所發生的噩夢，耗費了我不少的心血，充滿了熱淚，潤濕了我的面頰。近十餘年來，我注視整個局勢的發展與演變，人類的自由與尊嚴，國家的命運，較之我個人健康尤爲關心。當這一個彈丸之地，蕞爾小島，有超過百分之九十五以上的居民，換言之，接近三百五十萬以上的人，他們所追逐的對象，是金錢與女人，沉浸在荒淫與行樂的社會中。自一八四二年，鴉片戰爭以來，出現了「史無前例」的人口飽和點，喘息在這塊遠東皇冠上的「寶石」，當這些數以百萬以上的「義不帝秦」的忠貞之士，從中國大陸逃避到近世紀南中國所安排的「安全避難所」，但當地的居民却模糊地築起一條「防綫」，用歧視與敵對的態度去對待這些外來的人。說來可笑，這些人的貧窮與勢利，與中國「以農業社會」的結構主體，完全不同，因此，「一家八口一張床」，並不是一件値得震驚與奇怪的事。他（她）們所關心的是一九六四年流行的有下無上的泳衣，以及最新式的舞蹈，他（她）們從不關心世局的動態與發展。（十）

亂世續夢

第十四回：誰與慶昇平　呼朋湊興　居然爭霸業　背主孤行

中共佔領新疆之後，蘇聯顚覆手段不得不暫時放下，但火種依然保留。

伊里契夫第一步計劃是引誘飢民逃入蘇境。本來新疆全省除去西南一小角落之外，全部包在蘇聯領土內，新疆飢民要向外逃亡，也只有去蘇聯一條路。加之一九六二年的春季，全國老百姓受了大躍進，人民公社的影响，全部到了餓死的邊緣，內地人民無法生活，就東西流徙，鄉下人民向城內跑，城內又把不能生產的人向鄉下趕，整個大陸好似一鍋煑沸的水，整個動盪起來。

新疆境內人民有一部份是從蘇聯跑過來的，對於蘇聯當年大飢荒的情形，想起來猶有餘悸，但是，無論如何，蘇聯目前情況是改善的多，既沒有大躍進，人民公社一類苛政，也未把老百姓東西亂趕，生活雖然苦些，也還可以安居下去，兩害相權取其輕，許多俄國人放棄了中國國籍又回到蘇聯去。

由於蘇聯人大舉回國，伊犂迪化的幹部就呈報到區委第一書記王恩茂。王恩茂也覺得事體重大，不敢拿主意，就拍電報到北平請示，自然又送到毛澤東的面前。

政治局常委例會時，毛澤東把電報交給大家看了一遍，問道：「這羣老毛子遲不走，早不走，爲什麼要在這個時候走，是不是又有什麼壞主意。」

劉少奇說道：「新疆當地生活困難也是事實，不過，蘇聯的日子也未必就好過。再說蘇聯政府不同意，他們想回去也不可以。回到國內住什麼地方，作什麼事，蘇聯又不是一些腐敗的資本主義國家，人民沒有絲毫紀律，想住那裏就住那裏，想作什麼就作什麼。」

毛澤東一拍桌子：「對呀！當然是胞猪派人勾走的，這件事一定要同他交涉。」

大家聽說要同蘇聯交涉，都有點詫異，尤其是坐在旁邊列席的陳毅，更是胆戰心驚，恐怕大命又降到他的頭上。

周恩來强打精神說道：「此時同蘇聯交涉，多少有點師出無名，蘇聯怎會接受。」

毛澤東當時大笑起來，說道：「恩來同志，你怎麼也胡塗了，我們提出交涉，先告肥猪拐帶，肥猪當然不承認，我們跟着再提出要求，叫蘇聯封鎖邊界，如若再有中國人民逃去蘇境，蘇聯邊防人員必須把逃犯押解回來，交給中國邊防公安人員處理。肥猪接受了我們的條件，新疆今後當然不會再有逃亡的事發生，如若不接受我們條件，就證明肥猪有心作拐帶，我們就公佈出來要全世界的兄弟國家及兄弟黨評評理，竟究是誰不對。」

大家覺得這個辦法倒是要得，都沒有異議。

周恩來吩咐陳毅道：「你回到外交部着人擬一份文件送給契爾沃年科，要他轉達蘇聯政府。」

陳毅陪笑說道：「這件事比較重要，偶一處理不愼就會成爲邊界衝突，我看還是總理直接給赫某寫封信還好一些。」

毛澤東一拍桌：「混賬，遇事就推，看見漂亮女人你怎麼不讓總理，自己就追上去了。」

（三八七）

冒險犯難記

鄧文儀

看到好幾十處的房屋燃燒，烟霧瀰漫，並且看到省政府屋頂已掛起鐮刀斧頭的紅旗，；觀察了一個小時，我判斷共黨暴動已有局部成功，已佔領了省政府，不過巷戰還在進行，國民黨的軍隊還在堅强抵抗，等待市郊外面的增援，盡力鎭壓暴動。我告訴妻和同室的人說，祇要我們不出門去，在家裏是很安全的，預料共黨暴動及其臨時建立的僞政權，至多維持三天到五天，祇待國民黨援軍一到，內外夾擊，共產黨就會遭到慘敗；因爲他們實力有限，廣州市民都厭惡共黨的欺騙宣傳與殘暴行動。這是我看到共黨暴動第二幕經過後的觀感。

到十二日的傍晚，有兩個朋友從市中心區來看我們，他們說國民黨的軍隊在市區內還有好幾部份被圍，尙在和共黨暴動隊伍及其裏脅的流氓地痞英勇戰鬥。在文德路的第四軍司令部特務營的直屬部隊，仍在軍部二層樓據點激烈戰鬥，共黨用猛烈的機槍及迫擊砲火，攻擊了一天一晚，兩方傷亡都很重大，但第四軍直屬部隊毫不動搖。這也是暴動巷戰的中心地帶。共黨指揮的工人糾察隊及農民自衛軍，加上很多流氓地痞，正在市內各處捕人，及搶奪物資，姦淫擄掠，殺人放火的事情普及全市。諸言甚多，有謂第四軍在廣九路方面調回的主力部隊，已和河南第五軍的李福林部取得連緊，即可進入廣州市，撲滅共黨暴動。這些傳言很快成爲事實。十三日的上午，市內巷戰轉趨激烈，我們很快就知道了國民黨大軍已進入市區，正分別攻擊及解除共黨暴動隊伍的武裝。到正午過後，省政府的紅旗也不見了，全市漸趨沉寂，僅有零星的冷槍聲音；這證明共黨暴動失敗了，這是我聽到感到的共黨暴動第三幕的景況。

十四日上午，廣州市的秩序已漸恢復，共產黨暴動主力在市內消滅了大半，一小半化裝向東江北江方面潛逃，或潛伏市內轉入地下活動，以等待機會逃跑。我於當天上午到市街上去觀察，無論大街小巷，都是零亂汚穢不堪，好像遭了一次大地震或一次大瘟疫一樣。三天多的共黨暴動，使得熱鬧繁榮的廣州市容，一變而爲死寂混亂，汚穢不堪的悲慘景象。有很多店舖房屋被焚燒或被打破，破壞的程度十分嚴重。到處都有死屍或死去的動物發出奇臭。我看到公安局的臨時清潔隊，用木板車滿載着市民的屍首，一車載了三五十具，接連十幾車或二、三十車由市區運往市郊外面埋葬。我在三小時的步行大馬路上，曾經看到了十幾次這樣運屍的行列。由此證明共黨暴動的三天之內，廣州市民及國民黨軍政人員及其家屬，被共黨直接間接殘殺害死的人總在三萬以上。（五七）

蜀漢亡國之臣

周燕謀

亡國之君必歸後主，然則蜀漢後主爲亡國之君乎？余以爲蜀漢之亡，非亡於後主劉禪，乃亡於譙周老朽也。陳壽評後主云：「後主任賢相則爲循理之君，惑閹豎則爲昏闇之后。」漢代惑於閹豎之君，豈後主一人而已乎。「任賢相則爲循理之君」，則後主之覆於桓、靈多矣。

世又以蜀之陰平不守而失國，以之歸罪於後主，實乃受演義之渲染，非事實也。姜維傳云：「後主景耀六年，維表後主，遣張翼廖化諸軍分護陽安關口陰平橋頭，以防未然。後主寢其事，不使羣臣知。及鍾會向駱谷，鄧艾將入　中，後主遣右車騎廖化詣　中，爲維援。左車騎張翼，輔國將軍董厥詣陽安關口，比至陰平，聞魏將諸葛駱向建咸，故駐待之。」可知後主並非昏庸之主。其先寢其事者，不欲朝臣惶惑也。敵將至而發兵，不僅守安陽、陰平，且助姜維於前敵矣。謀而後動，後主未嘗毫不知兵。後來陰平之失守，乃是蔣舒賣國投降，固非戰之罪也。姜維傳又云：「維爲鄧艾所摧，還住陰平。鍾會遣別將進攻關口，將舒開城出降，傅僉格鬥而死。會長驅而前，維始舍陰平而退，還保劍閣。」是陰平之不守乃蔣舒之罪，非後主昏庸明矣。

後主於陰平失守後，主張南遷，以爲南中七郡阻險斗絕，易以自守，宜可奔南。惟譙周力排衆議，主張非投降不可。並上疏曰：「陛下以北兵得入，有欲南之計，臣愚以爲不安」。又謂「如陛下降魏，魏不裂土以封陛下者，周請以身詣京都，以古義爭之。」後主遂爲所惑。譙周昔爲後主傅，且朝無重臣、如蔣琬、費禕有一健在，譙周之計絕不得行也。況其時姜維引軍尙在廣漢，兵力並未被擊潰，魏兵只畧其地而已，蜀軍戰志高昂，至維被勅令詣鍾會時，將士激怒，拔刀砍石，維亦正色流涕，至於剖心！

譙周之言曰：「北兵之來，非但取蜀而已，若奔南方，必因人勢衰，及時追赴」。又料南人曰「自丞相亮南征，兵勢偪之窮乃倖從。：：今北兵至而奔下南行：：：其叛亡必矣。」此乃譙周之投降論，實乃利口，以勢偪後主之窮而使之屈服者。不知南方自諸葛南征之後，南人不復叛，此言皎如天日。此後六朝迄於唐宋，南人帖然斯服，譙周罪大矣。彼尙竊自比孔子劉向揚子雲，斯可謂老而不知恥之尤也。演義論亡曰「主嬉臣恬，關隘不守，若通國無人者。」因此後世皆以昏庸罪後主，不知魏文曹丕尙有「劉升之兄弟」之譽，其重視阿斗，固不下乃父之視兒也。

孫盛論後主甚爲公允，曰：「禪雖庸主，實無桀紂之虐，戰雖屢北，未有土崩之勢。是時羅憲以重兵據白帝、霍弋以彊卒鎭夜郎，蜀土險狹，山水峻隔，非步卒所涉，若重收舟楫，保據江州，徵兵南中，乞師東國。如此則姜廖五將自然雲從，吳之三師，承命電赴，何投寄之無所，而慮必亡也？：：：向使懷苟存之計，納譙周之言，何邦基之能構，令名之可獲哉」，孫盛去蜀漢不遠（晉人），其深責譙周如此，可知劉後主並非亡國之君，而譙周實乃「亡國之臣」，應爲的論。

美妹

羅雲家著

吃完晚飯，換了件衣服，他就騎着車子朝她做工的地方跑去。

到了那條巷子，他下車推着車子走，因爲他不知道確實的位置，他得邊走邊找。當門牌號次快接近他找的那一家時，他有些猶豫起來，覺得自己答應過大明，不再和她來往。現在又怎麼可以去找她！：：：信步走着，走着，他爲自己找到了一個藉口，那就是：他來找她，只是想得到她的下落，和知道她的現況而來，沒有什麼雜念的。

到了他要找的那家門口了，他先跳下來，聽裏面的動靜。但覺得什麼也沒有。他只得撳了下電鈴：「噹噹噹：：：：」響了之後，裏面才有了脚步聲。

「誰？」聲音非常陌生，是個女人問他。

「我姓何，是找你們家的下女黃美妹的。」他說。

「她不做了。好幾天都沒有來。」開門的是女主人，穿着很講究，外罩一條白圍裙，看了他一眼，笑着問道：「先生貴姓大名？要知道她家裏的地址嗎？」

「我叫何健文。不用了，我只是來看看她的。不在，就算了。」他即忙這樣回答。

「台北僱下女眞難，」她笑了笑，接着說：「看！找了好幾天仍找不到合適的人，只好自己動手了。」

「眞對不起。太太，她在這裏你們待她很好的，不做了也許有不得已的理由。如果我見到她，我會把你們的意思轉告她。或者就讓她來看你一次吧！」

「好極了！何先生。家務很瑣碎，有她來做幫手，那就放心了。我們先生在家，何先生進來坐一會，喝杯茶吧？」她非常熱誠地邀請他，但他婉拒了。

他說：「楊太太，不進去打擾了。改日再來拜訪。」說完，調過車頭，就揮手告別。

「那麼，我等你的好消息啦！何先生，再見。」

「再見。」他跨上單車，緩緩地走出巷子。心想：她倒是一個很熱誠的年輕人，長的也挺不錯，怪不得楊先生這個有錢的生意人會愛上她。

到了馬路口，他躊躇地下了車。她的家他可以去嗎？大明早就跟自己談好條件了，那去了不是等於自己撕毁自己訂的條約，自己破壞自己的人格？他就轉身回去了。

路上，有許多熙來攘往的行人。他不時注視這些迎面而過的人羣，希望發現到他所要找的人：黃美妹啦，劉大明啦，乃至劉大明那天介紹給他認識的那幾個小太保啦：：：：不管是這其中的那一個，能遇到都是好的。那樣他就可以直接，或者間接地套問一下美妹的近況，究竟是好？是壞？是因爲她的養父母不再虐待她，同時劉大明也遵守諾言，不再欺負她，從而眞心愛她，於是接她回家去了？還是因爲她的反對這椿不如意的婚姻，激怒了養父母與大明，而被虐待毒打成傷，由於不能做工這才辭去了那份工作了呢？或者，是因爲她得了重病，躺在家中呻吟痛苦嗎？抑是因爲她不愛大明，在逼迫威脅，無法忍受之下，偷偷逃亡了呢？：

想着，走着，一會兒來到了和平東路。看看手錶，才只九點多，他覺得還早，不想立即回去。（一二一）

現代政治史話

段祺瑞氣煞孫中山

訒庵

本年十月卅一日香港時報副刊上，載有龔德柏所寫的「憶許世英」文字，認爲民國十三年冬間，馮玉祥潛師由熱河馳回北京推翻曹錕政權之後，「誰也不買孫中山先生之賬，只有許世英在段祺瑞左右，力主請中山先生入京，與譙祺瑞張作霖馮玉祥共商統一大計。所以中山先生之由粵經日本入京：：：：完全出於許世英一人的努力。其後段派召集善後會議，幷預備召開國民會議，皆採用中山先生的主張」。這話完全與事實不符。

在當年的直奉戰爭發生以前，已有所謂「孫段張三角聯盟」之結合，以協力打倒曹、吳爲職志。許世英徐樹錚二人曾奉段祺瑞與張作霖之命，到粵桂叩謁孫先生，亦即許氏與民黨交往之始，隨後汪精衞亦奉孫公命赴天津瀋陽報聘。迨曹錕政權推倒後，初由黃郛組織攝政內閣，繼由馮玉祥張作霖這兩大實力派擁戴段祺瑞執政。這時候，張黃等人皆與中山先生文電往還，商洽國是，決無「誰也不買孫中山先生之帳」的情事，尤以馮玉祥這個控制華北局面的實力派，由於黃膺白與徐謙二人的聳慂，對孫先生特示崇敬，張作霖於孫公到達天津之前，即在津迎候。假使馮與張作霖「不買孫中山先生之帳」，段執政決不敢單獨作主，邀請孫公北上，共商統一大計，縱使許世英向段「力請」，亦是枉然。

孫公決定應邀北上時，發表解決國事宣言，而以召開國民會議與廢除不平等條約爲基本策畧。然段執政拒不採納，竟於孫公尙在北行途次間，即自行頒佈所謂「善後會議條例」以相抵制，而這善後會議的組織內容，又與孫公所建議的國民會議性質大相逕庭；同時更對各國駐京使節發出「外崇國信」的照會，保證維持舊有一切不平等條約，處處與孫公的主張背道而馳。孫公因此憤怒殊甚，當許世英葉恭綽奉着段執政使命，到天津歡迎孫公時，孫公曾向許、葉大發脾氣，說「我在外面要廢除那些不平等條約，你們在北京偏偏要尊重那些不平等條約：：：：：爲何還來歡迎我呢？」經此大怒後，孫公的肝病即更趨沉重了！繼而孫公對「善後會議」問題表示妥協，主張以善後會議爲「國民會議」的預備會，而段祺瑞亦不同意；最後孫公再讓步，致電段執政，提出兩項意見：（一）善後會議應有各界人民團體的代表參加；（二）善後會議討論涉及軍事財政諸問題，最後決定權仍屬之於國民會議。果能如此，即不堅持「預備會議」的原有主張。詎段執政仍不接受，且任命帝制派人物趙爾巽爲善後會議議長。如是，孫公乃決定國民黨人不參預善後會議，旋由廣州國民黨中央黨部通令全體黨員遵照。基此事證，「段派召集善後會議」根本就未採用中山先生的主張，而所謂「幷預備召開國民會議」之說，尤爲無中生有的阿好溢美之語，段執政從未表示過要召開國民會議的意思。這類關係國家治亂盛衰的政治史蹟必須存眞，不能以訛傳訛的。

孫公在生時，曾對國民黨人稱讚許世英、徐樹錚是北方的傑出人才，許氏個人對孫公或許亦抱有尊崇的心理，如果他在段祺瑞面前，對於國家大計，眞有左右段氏思想的潛力，那麼，當年有兩項比較「善後會議」更微末的問題，即可從中斡旋調協，又何致於讓段氏剛愎自用，跟國民黨搆成凶終隙末的下場呢？當孫公行抵天津時，譚延闓率領的「討賊軍」攻入了贛南，時論皆主張和平解決，避免戰禍。段執政電詢孫公意見，孫公亦贊成和解，請段明令派李烈鈞赴江西調處，而段不從，此一事也。孫公下世後，北京各界舉行盛大的追悼會，段氏初擬親往會場弔祭，臨時託詞不能穿皮鞋，改派代表致祭，使民黨人士憤懣不平，此又一事也。即此可見段芝泉對孫公，始終沒有合作誠意，而且遇事懷着敵意。許世英絕無左右段氏的能力，他個人後來跟國民黨某些人結有善緣，因而在國民政府治下作官，那是另一問題。他對孫公在生時的革命事業，却毫無幫助之可言也。

感時二章

甲辰秋　許紹棣

雛燕生江南，劬習江南語，于飛入畫棟，未知身在莒。秋來風物異，母燕傷羈旅，欲將雛燕歸，鴟鴞猶在戶。一秋復一春，經冬復徂暑，生聚逾十載，豈無凌霄羽？孰能貽燕謀，母燕淚如雨！

苞蟲日以繁，禾黍日以瘠，蕪穢浩縱横，莠紛盈室。以此悟治理，生民苦剝蝕。龜山無斧柯，社鼠驕白日，遂令苞苴行，鳥府無顏色！其亡繫苞桑，念茲勞心惙。

自由報

內儒警台報字第〇三壹號內銷證

THE FREE NEWS

第四九五期

中華民國僑務委員會頒發
台教新字第三二三號登記證
中華郵政台字第一二八二號執照
登記為第一類新聞紙類
（本週刊每星期三、六出版）

每份港幣壹角
台灣零售價新台幣弍元

社長：雷嘯岑
督印人：黃行齋

社址：香港銅鑼灣高士威道二十號四樓
20. CAUSEWAY RD 3RD FL
HONG KONG
TEL. 771726　電報掛號：7191

承印者：四風印刷廠
地址：香港灣仔高士打道二二一號

台灣分社
台北市西寧南路壹壹零號二樓
電話：三〇三四六
台郵撥儲金戶九二五二

從台灣藝術界的鬧劇說起

陳侃

最近有位羈旅海外的畫家曾后希氏，到台灣舉行繪畫展覽，而當地的藝術界人士，宣稱對曾氏實行「杯葛」運動，勃發攻擊之聲。繼聞中國文化學院主持人擬聘請曾氏担任該院的藝術研究所主任，而當地藝術界團體竟嚣然反對，一面向文化學院表示異議，同時誓言不與曾氏合作，倘彼應聘就職，原在台灣的藝術家即一致拒赴文化學院授課，對曾氏似有「摒諸四夷，不與同中國」的深仇大恨。筆者對藝術是門外漢，跟曾氏亦素昧生平，覩此情形，不禁大感意外，認為咄咄怪事！

藝術是沒有國界、種族之分的，何況都是炎黃子孫中的此道中人。藝術亦不應該摻雜政治意味，何況都是站在反共陣綫上的同志。藝術更不應該具有富貴窮通的勢利觀念，何況大家同是天涯淪落人呢！曾氏的畫如果不高明，社會大衆自有鑑別，他到台北開畫展，一定自討沒趣，於人無尤，用不着同道人士鳴鼓而攻的；如果他的繪事優越，斐然可觀，同道人士似應一致稱讚，以宏造就，亦不必表現着「同行相忌」的小丈夫氣派，羣聲指摘。老實講，眞有造詣的藝術家，社會大衆對於他的作品有目共覩，任何人亦否定不了他的存在價值，空口反對，無損毫毛，徒見其心勞日拙而已。

我們國家正遭遇着亘古未有的奇禍，河山破碎，國運艱迍，政府播遷台灣一隅，日唯號召全民精誠團結，集中力量，共赴國難，藝術界人士盡是些高級智識份子，居於社會各階層的中堅地位，觥觥多士，民俱爾瞻，為何緣由，有何必要，而演此同室操戈的集體鬧劇呢？至於文化學院是研究學術的最高學府，且有來自其他國家的學員，曾后希配不配担任該院藝術研究所主任，學院主持人必已考察甄審，擇師設教，自有權衡，台灣藝術界人士居然表示反對，相約不與研究所合作，居然干涉文化學院的用人行政，這是為的甚末？似此行為，是否給該院若干外邦學員瞧着好笑，而影响到國家的信譽呢？吾國舊時的封建腐敗社會中，凡屬外來藝人（如戲劇家），在登台表藝以前，必須分別叩謁當地的同行和票房，名曰「拜碼頭」，否則這些同行和票友們，即不惜多方阻擾，予以難堪，台灣藝術界人士對於曾氏的「杯葛」行動，得無類是乎？果真如此，夫復何言！中華民族具有五千年的文化紀錄，中國以泱泱大邦著稱於世，然今日的高級智識份子對於本國同胞同業者，乃有此相拒的忮懭風度，寧不可驚嗎？

台灣現在是中華民國復興根據地，而國際形勢變化莫測，對我諸多不利，國家前途正在黯淡的階段中，朝野上下人士同處漏舟，來日大難，禍至無日，團結唯恐弗及，合作尚虞不濟，再要起無謂之內鬨，爭門戶之私見，試問這除却削弱反共救國的力量外，究有甚末值得告人的意義呢？政府為着集中人力，加强政治號召潛能起見，對於逃出共區的難民，一律歡迎來到台灣，給以各種便利，又為之照顧生活，安排生計，事實孔多，人所共見。然台灣藝術界人士對於一個來自海外的反共藝術家，乃羣起排拒，勢不兩立，是誠何心，竊所未喻！

十餘年來，我們每見淺薄者流，總以為台灣仗有「中美安全互助條約」的庇蔭，安若磐石，因而下意識地產生一種苟安自娛的惰性觀念，胸襟狹隘，氣魄渺小。認為搶先到了台灣的人，纔是忠貞愛國份子，纔是反攻救國的可靠人才，憑着早已安居在台省的人力，也就足以光復中原了。次則抑於對日抗戰的勝利往事，期待着國際形勢發生突變，重演歷史舊劇，依人作嫁，妄冀和平接收大陸之幸運來臨。再不然，萬一世界兩大對立集團長期冷戰僵持下去，而台灣亦安全無虞；即使國際陰謀家所擬議的「兩個中國」計畫一旦實現，而台灣依然佔有一個中國的地位，夫何憂何懼呢！？職是之故，一面害怕進入台灣的反共人士太多，有意無意地表現着深閉固拒的心理狀態；同時早已住在台灣的各色人等，亦常有彼此忌嫉的偏狹心情，流露很少恢閎豁達，大氣磅礴的言行，而以這次對待藝術家曾后希的作風，表現得淋漓盡緻，嘆觀止矣！我們無意於專為曾氏個人鳴不平，祇是從曾氏被台省同行人士排拒攻擊這件事，想到今日一般的人心與國家前途，實在大可憂慮，心所謂危，不能不本其良知管見，垂涕而道，以提起大家的警覺焉。

解決飢餓

提心吊胆

越南政潮何時了

今日与明日

越南的文治政府剛剛成立不到一星期，而一般宗教徒與學生們，又倡言反對陳文香內閣，理由是不贊成陳氏任用的幾個閣員，說陳氏事前未與「國家最高委員會」商量過。

越南的政治黨派已很多，加以宗教派系林立，由於連年來政潮迭起，青年學生亦捲進了政爭漩渦，一般政治人物的恩怨門戶之見，莫可究詰。在這種情形之下，即請上帝來組織政府，亦沒法使一般政客、官僚、宗教徒、軍人們皆大歡喜，認為滿意的，而青年學生乃被利用為政爭工具，至死不悟。

我看這個國家的前途，凶多吉少，勢將無可救藥，美國知難而退的結局，是註定了！

高華德太不成熟

美共和黨總統候選人高華德失敗了。選舉失敗不算是醜事，但高氏敗得太不光榮，充分表現着他玩政治的本領殊欠成熟，今後共和黨的領導地位，他亦很難保持吧？

高氏在舊金山共和黨全國代表大會中，以史無前例的一面倒票數當選為總統候選人後，發表要以堅定、强硬政策對付共產極權侵畧主義的政見演說，鏗鏘有聲，不失為政治家的磊落風格。詎料經不起政敵們指為「好戰份子」的宣傳攻勢，立即改變初衷，隨着政敵之後，人云亦云，大彈其和平濫調，而又沒有尼克遜那種搔着政敵癢處以立言的內容和氣魄，宜其敗也！

假使高華德始終保持着「為爭取自由的强硬政策，並非罪惡，為姑息敵人的和平手段，亦非善事」這項論據，貫澈到底，雖如邱吉爾當年被謚為「戰爭販子」，亦不在乎。結果同樣落選，但其聲望決無損失，雖敗猶榮，可惜他沒有這種精神素養啦！

綜合國際上當前的各種演變情形，仔細觀察，悉心推究，未來世界的大勢所趨，美國企圖遏止核子擴散，藉以掌握着核武器優勢及其管制權力的計謀決無實現可能。由於核子日益擴散而形成核武器競賽的結果，美英俄法這些核子國家，更害怕發生大戰，所謂「和平共存」之說，大家皆津津樂道，沾沾自喜，而美國對於毛共的姑息妥協行為，今後將更見積極，只要毛共不逼人太甚，適可而止，美國不但可以退出越南，也可以犧牲中華民國，而以能夠保存台灣這塊戰畧重地為滿足，在來年的聯合國大會中，很可能讓毛共進入聯合國，然後美國跟毛共談條件，作為美國承認北平政權的代價，同時，日本態度必然轉變。至於中俄共之間的爭執問題，縱使馬上不能和好如初，至少雙方將改取協商態度，毫無疑問。毛共如其闖進了聯合國，我們處境即感到尷尬，宣告退出罷，將陷於孤立之境，繼續參加罷，似乎太失體面，且無異於承認「兩個中國」之事實存在，非所願為也。國際上固無道義可言，在强權主義橫行的現階段中，更談不到正義公道的話，力量纔是生存的唯一要素。今後我們若要不被强權主義者犧牲出賣，至少至少，亦須具備着「敗事有餘」的力量，使國際强權主義者有所忌憚，否則將來欲求享有「兩個中國」的暫時局面亦不可得啊！因此必須急起自立自强，切切實實地團結海外內反共力量，採取新政策和新作風，以破釜沉舟的決心，從事乾坤一擲的行動，而其先決條件，即為全國上下精誠團結，各盡所能，為國奮鬥，不特政治上的派系鬥爭惡作劇，應予唾棄，即如台灣藝術界對同行人士的排斥行為，亦萬萬不宜再有。「皮之不存，毛將焉傅」，國家且有危亡之懼；大家難免同歸於盡，尚何私人意氣恩怨可尋乎？

自由談

官僚主義的根源

馮巳先生

偶爾翻閱十年前在報紙上所寫的雜感文字，有這末一段言論：

「廿餘年前，我提倡行政人員『依法跋扈』之說，被時人指為怪誕不經，其實就是厲行『分層負責』的意思。行政人員祇要奉公守法，執行份內的職權，對任何方面的干涉或請託，皆可置之不理。做錯了自己負責，撤差坐牢都活該，沒做錯的話，尊，我行我素，一切外來的無理干擾，決不理會。若說這是『妄自矜狂』，伏乞『另候任用』，毫無所謂。今日我國政治上，就缺乏這類依法跋扈的傻漢，滿目盡是些聰明人，政風焉能革新呢？」

十年以後的今日，我所描述的政治風氣，似乎依然如故，間有勇於負責，依法跋扈的傻漢如尹仲容之類的行政官員，又以壯年下世，聞，而他在生時膺受的打擊亦特別沉重。可見官僚主義之根深蒂固，似非一二人的力量所能消除，然國事乃受害不淺也。

實則滌蕩官僚主義並不難，祇要居高位者在用人行政上把握着兩點原則就行了。一是讓行政人員能夠發揮個性和抱負，不存疑忌之心；二是對於行政績效只算總帳而不問流水帳。凡屬能幹的政治人物，必然有他的抱負和個性，遇事有所不為，如果對他信任不專，多所箝制防範，那他就憂讒畏議之不暇，絕無放手作事的興趣和胆量了。對於行政人員——尤其是政務官——的成績及其功過是非的考覈認定，必須假以時日，從大處着眼，按期核算總賬，而不斤斤於細微末節，聽取小報告，隨時盤查每日的流水帳。這樣，一般才智之士即樂於實心任事，力求有以自見了。

可是，這原則亦有一種潛在的尅星，不可不留神，那就是政治上的派系觀念。用人行政如有這項觀念橫亘於其中，即有如二氧化炭的化學作用一樣，完全變了質，所謂「分層負責」與夫功過是非之說，皆變成毫無意義的廢話一堆，祇好讓官僚主義大行其道，而政治乃永無清明之望矣！

中俄共言和

共酋周恩來在莫斯科建議：中俄共先在北平舉行和談，而將俄帝預定開國際共黨大會的期間展緩。俄共們原則上已表示贊同，最後一定達成協議無疑。

我們始終認定赫、毛二酋有一人倒台，則中俄共終將合作。只有西方的政客們，纔以一廂情願的心情，說中俄共的裂痕難以彌縫，依然要各行其是。果如此，則英美兩國在戰後關於對外政策所發生的激烈爭執，並不亞於赫、毛之爭，何以英美又未實行分道揚鑣呢？

今後中俄共在其世界革命的策畧上，歧見在所不免，然在原則上必然合作無間，不信，請拭目以俟之罷。

向行政院長質詢五個問題
立委董微強調應立即反攻
蹉跎歲月師老台灣何以對歷史交代
對野黨團結與社會風氣亦慨乎言之

（本報記者台北航訊）行政院長嚴家淦說：「政府很希望民社黨、青年黨的內部能夠團結，青民兩黨內部的團結也是國家之福。」他並進一步的表示：「政府願用一切力量促進青民兩黨內部的團結，但是，政府若要介入這件事，一定要非常審慎，並站在超然的立場。」這是嚴家淦在答覆立法委員董微質詢時所說的話。

董微一共質詢了五個問題，包括內政、外交、反攻大陸、政黨政治與經濟問題等。他的質詢，義正詞嚴，極為朝野人士所重視。尤其政黨政治的問題，是許多人不願談的，而他不但說了，而且說的很露骨。

由於青民兩黨內部有部份人士太重視現實，以致自毀立場，而使該兩黨不能團結。像青年黨的中國方面，像民社黨的孫、向等人，都是為了保持既得利益而放棄以往的立場，願「依人作嫁」，這是眾所週知的事。

董微說：今天世界政治潮流是民主的，換句話說，一個有希望和最受人民歡迎的國家，都有一個以上的民主政黨。一黨專政是人人痛恨的，也是人人反對的。今天台灣固然也有三個政黨，除在朝黨外，另外有青年、民社兩黨。但是今天在台的青民兩黨是怎樣的情形呢？嚴院長雖是財經內閣，對政治大問題，亦不能充耳不聞。這是百年大計。政治不上軌道，欲求國家長治久安是不可能的。看今年國慶閱兵，方了解軍事準備，可能相當充實，反攻大陸為期當不在遠。將來我們回到大陸後，不會是一黨專政，也不應該是一黨專政，起碼青民兩黨要帶回大陸去。可是今天破碎不堪的青民兩黨，怎好帶回大陸呢？本席希望嚴院長在關注財經問題之餘，對這個問題也注意一下，能幫助這兩個久不能團結的小黨促其團結，俾其走上軌道。在另一方面說，台灣今天除去在朝黨外，尚有兩個小黨存在，并不是壞事，好給大陸上的同胞知道，台灣確實是在實行民主政治，政黨政治，讓他們來選擇民主與自由，脫離共匪暴政。對於這個問題，我有十個字的建議：一要擴大胸襟，建百年大計。」

今天的行政院，政令的推行，確遭遇嚴重的考驗，各級政府各自為政的現象，確比比皆是。因此，這位在野黨的立法委員很不客氣地說：今天內政方面，有一危機，就是政令不出都門。任何時代，如果政令不出都門，便有亡國的危險。如唐、元、明、諸朝晚年，政令即不出都門，結果遭到滅亡。現在本席舉個例子，拿違章建築這一點來說吧！在陳兼院長時代，王德濤先生任內政部長，本席曾對王部長為違建有過質詢。那時候的違建祇在馬路旁邊或偏僻的地方，蓋些小木板房屋；現在則不同了，愈來愈兇，愈蓋愈大，公然蓋起十餘層大樓來了。報載台北市有違建大樓三百餘棟，這是誰讓他們蓋的？這是什麼道理？如果沒有人讓他蓋，絕對不會有違建出現。今有違建大樓三百餘棟，確是事實。這是不是政令不出都門？政令行不通？如不及早糾正，就有亡國的危險。

董微以極沉痛的心情質詢政風時說；我們還到台灣以後，有一個口號叫得非常響亮，那就是要大家臥薪嘗膽。但是近年來，我眞不知道那個在臥薪？誰在嘗胆？一個個腦滿腸肥，身大腰圓，跳舞場，夜總會，夜夜笙歌，觀光旅社，特種酒家，五花八門，無奇不有，舶來品的脫衣舞到處可見。眞正臥薪嘗胆的，恐怕只有前方的士兵和一些小的軍公教人員吧！而一些壞事作盡的人，都是些享受最豪華富貴的一羣，這對我們反攻復國的大業，不能不說是一個諷刺。

董微殷切希望政府「利用時機，急速反攻。」他說：「我時常聽到政府說，一年準備，兩年反攻。可是到現在準備如許多年，而反攻的跡象，還絲毫看不出來！我個人認為：現在確是反攻最好的時機。我認為我們的反攻時機已經成熟，所以我要問嚴院長，政府究竟何時反攻？是否讓師老台灣，長期的蹉跎歲月呢？須知我們隨政府來台的初衷，就是要在台灣暫時喘息整補，隨時準備反攻大陸。倘反攻遙遙無期，大陸同胞日處水深火熱中，無人拯救，我們將如何對選民交代。」

立院十次院會七次質詢
吳延環連續質詢黃季陸
據說起因由於藝專鄧校長事件

（本報記者台北航訊）立法委員吳延環，在立法院第三十四會期自九月十八日開議至今，一共舉行了十次院會，便連續不斷地質詢教育部長黃季陸達七次的紀錄，這在立法院可說是空前的。

吳延環對黃季陸為什麼如此過不去？據說起因由於國立藝專學校鄧校長的事件而起，因為鄧校長瀆職案經台北地檢處提起公訴後，教育部沒有立即把他停職，吳延環認為不當，乃不斷地提出質詢，且愈來愈激烈。

吳延環的七次質詢中，以十月九日的質詢為最凌厲。該質詢說：

「據報：教育部長黃季陸自到部後，曾作下列圖利親私事件：

一、部長外甥李錫祥，自任職教育部之後，從未到部辦公，長年坐領乾薪，迄今三年有餘。

二、部長機要秘書毛先榮，在陳前院長任內，曾被批准赴美六個月。該員去後，即在美某大學讀書，但名義上則在駐美文化參事處任專員之職，月支薪金美金二百元正。嗣因部長認為薪金名義刺目，函令該處改用津貼名義，錢數仍舊。所可怪者，毛某實際在美讀書，已憑空月得折合新台幣八千餘元之厚遇；但在國內則仍保留原職，照常支領原薪及眷糧配給，並配有公家宿舍。該員既不遵限回國，又坐領雙薪，令人羨煞！

三、部長司機老歐，於去年留學考試時，試務委員會製卷處職員名冊中，曾列其名，考試結束後，領得酬勞金數百元。未製一卷而得金，人多不平。

「以上三點，均屬違法失職問題，本應由監察委員提出彈劾或糾舉，惟以負全國教育最高責任之教育部長，一言一行，均足影響全國青年之心理，今該部長竟以國家名器，官員俸給，圖利親私，如全國青年，均以部長此種違法循私之行為作為式範，試想國家前途，又將伊於胡底？為此本席特提出本質詢案，對黃部長此種行為，不知行政院有無所聞？擬作如何處理？」

以後，十月十六日，吳延環又質詢說：「側聞昨（十月十五日）日下午三至六時，教育部開部務會議時，黃部長當眾大發雷霆，指斥供給資料者為共匪，並令安全室從速密查，聲稱查到之後，即送警備司令部，按共匪治罪。」

吳延環說：「揭發私弊，人人有責，不平則鳴，人類恒情。一個國民發現他們的公僕有循私舞弊，處事不當情事，向他們的代言人——立監委員揭發，本為民主國家常事。今該部長不自反省，反而濫飛紅帽，誣良為匪，聞之令人咋舌！」又說：

「恐該部長如此蠻橫無理，故入人罪，輕則阻塞言路，重則造成寃獄，」特問行政院：「自己循私舞弊，被人揭發，揭發者有功有罪？退一步講，即令有罪，憑什麼邏輯即認之為禍國殃民之共匪？退一萬步講，即認定是共匪，本席反共向不後人，所有密信均存本席處，雖多未敢具名，但儘可依照筆跡查對，也用不着勞動教育部安全室密查。如此亂命，教育部安全室應否接受？行政院對此等部長，擬如何處理？」云云。

檢討台銀呆帳與金融政策

——本報記者張健生台北航訊

金融機關為應付此一嚴重威脅，曾經費盡腦筋，設計一套『掩護法』，已於去年（五十二年）先後將呆帳改為『催收款項』，續為變更貸款項目，改為新貸款。其實原貸款公司行號，有的已經倒閉，無力履行債務，然主管銀行，仍列入催收款項內。所謂只有二千萬元呆帳一節，純係意在欺上瞞下，有誰能信？」

該質詢道破台灣銀行放款內幕的根據是什麼？是根據台灣銀行常董會臨時提案及其他資料而來。

二

台銀貸給大秦公司的款項，截至目前為止，計：大秦欠台銀業務部新台幣一億六千五百七十九萬餘元，美金一百六十二萬三千八百七十二元；信託部新台幣四千八百六十三萬餘元，美金三十一萬四千二百一十三元，合計新台幣三億餘萬元。與台灣銀行總經理十月五日在立院財政委員會報告數子不符，顯有以多報少之意。放款未能按時收回，台銀為推卸責任，並不列入呆帳，企圖掩蓋天下人耳目，再轉入催款項目，不了而了之。

至於台銀未依法定程序而接管並經營大秦工廠的行為，顯然違法。台銀對大秦工廠貸款案，可以說是格外寬厚，到期貸款未追討，且於大秦週轉失靈後仍照舊撥款救濟。尤其自彭敦仁任大秦總經理後，貸款特別方便，直到大秦行將破產，台銀始着手「依法」進行。

台銀違法的措施事小，法院竟根據台銀非法的請求而裁定，准許台銀「強制管理」而成為新判例的事就大了。

三

第一、台灣銀行未經法院裁判依強制法程序「查封拍賣」，而向法院申請裁定「強制管理」，純係違法行為。凡屬民事強制執行事件，應依：「（一）確定之終局判決。（二）假扣押，假處分，假執行之裁判及其他依民事訴訟法得為強制執行之裁判。（三）依民事訴訟成立之和解或調解。（四）依法作成之公證書，但以債權人之請求，係以給付金錢或其代替物或有價證券之一定數量為標的，而於證書上載明應逕受強制執行者為限。（五）抵押權人依民法八百七十三條之規定（抵押權人於債權已屆清償期而未受清償者，以申請法院拍賣抵押物，就其賣得價金而受清償），為拍賣抵押之聲請，經法院許可強制執行之裁定者。（六）其他依法律之規定，得為強制執行名義者。」否則，沒有法院裁判或沒有依法定程序而「強制管理」，乃法所不許。此為強制執行法第四條所規定。而債權人聲請強制執行，必須按照強制執行法第六條規定，提出有關證明文件如法院之判決書正本、裁判正本、筆錄正本、公證書等，法院始接受聲請強制執行。同時，對於不動產的強制執行，必須經由執行法院先期公告拍賣的程序，經法院公告拍賣三次以上的程序，假如無人承買而債權人又不願承受該項不動產時，始應「強制管理」。今台銀聲請法院強制管理大秦工廠，有沒有經過前述程序？如果沒有，為什麼？

第二、台灣銀行稱：已依民事訴訟法第四一〇條、第四〇二條規定，調解成立，並作成調解筆錄。據台銀報告稱：如「依破產法第十二條、第十一條、第六條規定宣告破產，惟恐社會中認為大秦破產後發生麻煩」等語。查大秦資產總值不過新台幣六百七十五萬元，負債高達新台幣三億元，而台銀所說避免破產一節，可能嗎？不可能，為何不依破產法聲請破產？今後對其他呆欠款者是不是援大秦的例子呢？（二）

廣州同胞反共行動趨烈
一夕兩爆炸傳單到處飛
被炸的是一個碼頭和一個公安分局

（本報訊）據十一月七日來自廣州的李君對本報記者說：大陸同胞的反共行動更趨激烈，如最近廣州一個碼頭和一所「公安分局」，即遭遇到嚴重的爆炸，而致損毀，便是其例。

李君說：十月二十八日夜十二時正，廣州西濠三十六號碼頭，發生劇烈爆炸聲，全市可聞。事後知該碼頭設備大部被毀，共幹十餘人當場炸斃，堆存之貨物，紛紛墮入水中。爆炸發生後，中共公安人員及軍警，立即在該碼頭附近嚴加戒備，不准任何人出入。

幾乎與此同時，在十二時四十五分左右，廣州市梅花村附近之「東山公安分局」亦發生爆炸，該局左側與正面圍牆，全部坍塌，但死傷人數不詳。

李君又說：約在上列兩次爆炸的或前或後，廣州越秀路，東堤，西堤與文化公園等處，均發現大量的反共傳單和標語，署名為「廣東人民反共救國行動委員會。」

李君說：自爆炸及散發傳單事件發生後 中共即在各該附近地區設施戒嚴，嚴格檢查來往行人；并對所有開往港澳之船隻，普遍加以檢查，不准開行。是項禁令，迄至十一月二日始行解除。

天真與愚昧

李敦復

他（她）們的心臟已被硝鏹水完全腐蝕淨盡，僅是一羣沒有意識的軀體而已，人類的渣滓而已，充滿了世紀末的麻木境界，我的神經與情緒，幾乎被這一種氣氛所窒息，爆炸。但我始終有一個牢不可破的願望，一種精神上的負担，良知的驅使，中國知識份子應具有的態度，我應當以一種絕客觀的態度，指出這一噩夢的經過，透過文字的敘述，或者像當年中日戰爭時，周以德衆議員在中國所持的態度一樣。

寫到這裏，我想應該介紹周以德衆議員的故事，來具體解釋我的願望。中日戰爭時（一九三七年）周以德衆議員適在中國的華北作醫生及傳教士，曾目擊日本人的殘暴，令人髮指，事實上已超出了他忍受的程度，僅賴他基督徒和整個社會在精神上的同情，感覺不夠，同時更深深知道：日本人是依賴美國把基本的作戰原料售給他們，作爲日本能繼續作戰的支持，換言之，美國無異成了這些蹂躪行爲屠殺人民的參加者，因此，他必須離開中國，告訴美國人民，較之他留在中國祇做一些無關痛癢僅能在精神上同情廣大的苦難人民，其意義要大得多。周以德衆議員在學生時期，對公衆演說頗有經驗，因之他覺得在良心上有一種負担，決定回美國去作喚醒美國人的工作。但他祇是貿然出發，絲毫不考慮到現實問題：美國的人民是否肯聽取他的演說。他沒有個人的目的，祇是覺得美國必須立即制止這些幫兇的行動！恰巧那時美國國會已經組成一個委員會，安排周以德議員回美的計劃中所要作的事。這故事的含義，是我雖然無法也不能與周以德衆議員回美演說的經過以及他的地位相提並論，但在我內心的燃燒與精神上的負担，正復相同。何況，我又非常了解我本身代表超然的立場的含義，我既非中華民國政府的官員，同時也絕非任何政治集團或勢力的成員，我祇是一個文化工作者；如今，我離鄉背井流浪寄身于殖民地下，在現實的心底處，我時常想到歷史昭示我們，生命的積極意義，個人的生命固然隨時可結束，我毫不留戀，但在一息尚存，我必須完成一件在我短促的一生中，認爲是最有意義和最光榮的努力，生命的內容纔顯得充實。何況也是爲了我對國家的責任？另一方面，美國是一個近代文明國家，我渴望目覩太平洋彼岸的美國人民，在高度民主自由科學發達豐衣足食的現狀下，是如何過着幸福美滿的生活。

近年以來，美國常舉辦選美大會，遨請各國美女參加「世界小姐」的選舉，我看不出這種選美大會，不管在長堤亞邁密也好，對美國保持力量的強大，以及有關人類的民主自由，有何促進？我深信不論美國政府也好，美國的民間團體也好，以及在美國的華僑團體，或者樂意支持達成我的願望，以無數受苦難的中國人民及智識份子，慘遭共黨的禍害的經過與教訓，作有系統性的專題講演或討論；雖然我覺得人微言輕，但却不在我的考慮之中；也許微小的貢獻于整個自由世界反共運動的前途，中美二國的友好邦交基礎上，貢獻給美國政府，以及世界上最善良的最富有正義感的，最優秀的，和最具有智慧的人民。雖然在我拙劣的文筆中，對美國政策上的成敗得失，態度上比較激烈，一點，因此而牽涉到政策的制訂者及執行者，甚至牽連到美國內部的黨派上，也許會引起讀者諸君的責難；但我想在美國那樣具有高度民主，以及言論自由的國家，一定會諒解我，同情我。因此，雖然有些近乎「班門弄斧」，但我的出發點是善意的，保護的，所以，我對美國政府及人民，也是以在極友好，極忠實與不損害傳統的深摯邦交爲基礎。也許有一點，我是犯了人的通病，普遍性的弱點，基於「愛之深，責之切」的心理，那是我承認的。因爲我所面對的國家，是一個強大的近代國家，以講效率，以科學的方法分析衡量一切的國家，因此，我大胆地嘗試，我所預想的憂慮和不安，將是多餘的。（十一）

台灣東部遊記

羅雲家

到天祥的途中，新城、太魯閣是大站。新城約有數十戶商店，生意冷冷清清；太魯閣則連新城都不如，僅十來家店子，因爲這裏是往蘇澳、台中的分路樞紐，所以他們的生意較之新城要好些。由太魯閣至天祥段的橫貫公路，計有長春橋，寧安橋，燕子口，靳珩橋，錐麓橋，九曲洞，合流等車站。據說其中以長春橋站的風景最佳，太魯閣峽口亦值得人們留連。由於長女升妃已厭倦再坐車，臉色發白，有暈車嘔吐的徵候，我們乃決意不去天祥，就在長春橋站下車。此時，只見全車十分之七的乘客都是來遊長春祠的，才使我們臨時改變不去天祥的決定，沒有了悔意。

東西橫貫公路東段的入口處，即爲太魯閣峽口，那裏的地勢，前臨大溪，背後層巒疊嶂，通蘇澳的吊橋橫臥碧水上，兼有幽靜雄渾之勝。長春橋原名仙寰吊橋，爲橫貫公路東段入口之第一座西德式鋼橋，建築形式宏偉，橋距太魯閣站約二公里，周圍羣山擁抱，山高自五百公尺至千公尺不等，抬頭展望，只見滿山青翠，裏面蘊藏着的是有名的大理石，好不叫人驚喜；公路是沿一道狹窄的山谷蜿蜒前進，谷中有條大溪，名曰立霧溪，長春橋就是東段橫跨該溪的第一座橋。有時溪流恰在兩山的削壁流過，這樣公路無法通行，只好開鑿隧道。從太魯閣到長春橋間，不及四華里，就有六個隧道（按：東段的最後一個隧道，爲第八十七號隧道）。此一公路之修築工程是如何的艱鉅，概可想見矣。

在快到長春橋的附近，路局樹立了一個「長春祠風景區鳥瞰圖」的牌子，以之指導遊人的行徑。這個標示牌製作精美，內中的寫景圖得亦佳，遊人多特別攝影留念。自鳥瞰圖處向左沿小徑前進，可達「禪光寺」，禪光寺的建築雖不甚宏偉，亦堪稱爲有心人的設計，前有潺潺而流的小溪，四週羣山相抱，再加上一座高懸溪谷，動蕩搖幌，走起來令人提心吊胆的鋼索吊橋，與茂林修竹的宜人環境，着實叫人有留連忘返之感。

春暉橋位於鳥瞰圖至長春橋之間，這一座橋雖不太長，但看來亦夠稱爲雄偉。橋的北端剛好啣接「仙霞隧道」，該隧道較之附近各隧道爲長，步行需一分多鐘才能通過。孩子們曾在該隧道中歡呼大喊，只覺回音震耳，使小傢伙們又驚又喜。長春橋站附近沒有居民，路局在此建有車站及西洋式候車亭，我們曾在這裏購買風景明信片，照片，並與站務人員作短暫的交談。他說星期假日到此遊覽的人們，以學生、公務人員、觀光旅客最多。零食、水菓、烟酒、紀念品等，銷路甚佳。因此，暑假中有許多學生，就是一方面和同學們來遊玩，一方面在自行車上帶了水果食物出賣。以後我們在遊覽途中，果然見到不少學生，確是邊玩邊做生意的。東部的老百姓，大多數仍較西部的人爲貧窮，於此可得一證明。（十二）

我所知道的麥帥

肯寧將軍原著　徐熙光翻譯

他又提到了粮食，粮食是造成今日亞洲動亂的主要原因。

「求祢饒恕我們的罪債，
如同我們寬恕那些有負於我們的人一樣。
請不要讓我們陷於誘惑，
並拯救我們於兇惡之中。」

他告訴韓國人，我們是來幫助他們的，我們盡全力來拯救他們，我們並不要求他們給我們報酬。我們不是在韓國建立我們自己的帝國。

「這是你們自己的國家，
你們的力量，和你們的光榮，
永遠屬於你們，阿門。」

我聽到坐在我後面的一個官員向他旁邊的人低聲說：「這是我第一次眞正聽到上主的禱辭。」

麥帥回到他的座位上坐下，這時李承晚站了起來，步向講台，他睜大他的眼睛讀他的演講詞。李承晚的英文很好，但是我們很難聽懂他講的是什麼，因爲他已完全控制不住他自己奔放的感情，他的聲音激動得有時幾乎聽不見。他講完話以後，把一卷大韓民國的最高勛章褒詞授給麥帥。我們都爲李承晚感到難過，因爲李承晚爲了未能趕製出勛章而向麥帥道歉。當然，我們都會諒解這件事。因爲一天前漢城才剛剛收復。雖然沒有眞正的勛章頒授給麥帥，但是儀式之感人仍然一樣。

麥帥揮軍北上，把韓共部隊一直趕到北部邊境，北韓的首府平壤也被我們攻陷，聯合國的部隊很快地解放了絕大部份的北韓領土，只剩下沿鴨綠江邊中韓邊界的一綫地帶仍由韓共部隊盤據着作最後掙扎。但是同時中共頭子毛澤東却在鴨綠江的對岸聚集了五十萬大軍，揚言如果聯軍越過三十八度綫，即將介入韓戰。當時沒有人知道克里姆林宮會不會眞的命毛澤東參加韓戰。但是，很顯然的，聯軍是五十三個國家軍隊所聯合組成抵抗侵略的部隊，委麥帥爲統帥完成統一韓國的任務，來抵抗違背和平原則的任何行動。麥帥在十一月二十四日重申聯軍決心進逼至鴨綠江，恢復整個統一的韓國的秩序。

十月底時，毛澤東就已經派了五萬至六萬的中共「志願軍」，越過鴨綠江來支援殘餘的烏合之衆的北韓陸軍。突然這些軍隊增加了大約二十萬的中共部隊。他們採用大規模的人海戰術和以大吃小的戰法，把以寡敵衆的麥帥軍隊又逼回了三十八度綫，而且孤立了兩師美國陸軍和南韓陸軍部隊。後來這四師部隊都在中共的強大壓力下由海路撤退。此時毛澤東的部隊和北韓部隊經過整編的部隊傾力南犯，又再度奪取了漢城，迫使麥帥又後撤至三十八度綫以南五十哩的地方。

於是麥帥開始以空軍轟炸鴨綠江對岸的中共補給綫，破壞所有鐵路、公路系統和橋樑。而且日以繼夜地攻擊中共部隊的集結點。由海上撤回的四個師則在漢城以南佈成一道新的防綫，同時也準備在中共軍隊的戰力被空軍削弱和糧食、彈藥缺乏之無法補給上的時候實施反攻。（六〇）

宜君續夢

第十四回：誰與慶昇平　呼朋湊興　居然爭霸業　背主孤行

大家鬨然笑起來，陳毅不敢再分辯，垂頭喪氣回去，到了「外交部」把章漢夫，喬冠華，龔澎找來，要他們擬一份抗議書。

章漢夫說道：「這份抗議書，蘇聯一定不會接受，倒不如副總理親自去同契爾沃年科大使談談還好些。」

陳毅說道：「你不明白，政治局今天會議決定向蘇聯提抗議，我們照辦了自然沒錯。如若照你的辦法，我到蘇聯大使館碰上一個釘子，到頭來責任就會落在我的肩上。我爲什麼這樣傻。」

章漢夫不敢再說，提筆就寫。

龔澎插嘴問道：「我們提抗議，蘇聯若提出反抗議，指責我們自己約束不嚴，聽任人民外逃，又怎麼辦！」

陳毅點頭道：「是呀，這點我早就想到了。自己老婆跟人跑了，不能儘怪別人勾引，也要檢點爲什麼跑？假若樣樣都使她滿意，用棍打都打不走的。譬如你們姊妹兩個，就是呂布、羅成復生，相信也拐不走你們。」

龔澎一撇嘴說道：「我們兩姊妹是沒有人拐的，你應當多小心一下張茜同志，她好似一朶花，越開越艷，我可眞替你担心了。」

陳毅鼓掌大笑道：「眞有人把張茜拐走了，我眞要千恩萬謝，以後沒人再管束我了，我想怎樣就怎樣，那可就海濶任魚躍，天空任鳥飛了。」陳毅說到得意處，就想打個飛脚。

章漢夫把抗議書起了個頭，停筆問道：「意並抗議內容是什麼？政治局有沒有決定。」

陳毅說道：「毛主席的意思是抗議蘇聯不該勾引我們人民逃亡。」

章漢夫縐眉道：「這能叫做理由嗎？我們有什麼證據呢？」

陳毅笑道：「你不用管，聽毛主席的話一定不錯，橫豎碰了釘子也不關我們的事。」

章漢夫戰戰兢兢把抗議書寫就，交給陳毅過目，陳毅又提筆改了兩個「的」字，就交給辦公廳繕寫發出。

中共向蘇聯提抗議，這還是第一次，契爾沃年科不由得吃了一驚，折開一看又大笑起來，向「大使館」人員說道：「怪不得赫魯曉夫同志罵毛澤東是個瘋子，他們竟提出這樣的抗議，假若人民逃亡能抗議的話，東德人民逃到西德超過百萬，東德提的抗議書應該裝滿一列火車了。」

大家都跟着笑起來。契爾沃年科馬上用電報拍出去莫斯科，下午就到了赫魯曉夫手裏。

赫魯曉夫接着電報也哈哈大笑一陣，然後傳給主席團，書記處的人員觀着。

米高揚說道：「你不要咧着嘴傻笑，毛澤東這一着棋來意不善，我們還眞要打個主意對付。」

赫魯曉夫登時收起笑容，瞪着銅鈴似的大眼問道：「什麼地方不善，你且說我聽聽。」

米高揚說道：「這個道理很顯然，毛澤東是被新疆民族逃亡弄得沒有辦法，故而把責任推給我們，我們接受他的抗議封鎖邊境，他自然達到了目的。」

（三八八）

冒險犯難記

鄭文儀

自然共產黨及其脅迫的軍隊與工農羣衆，傷亡的也在二萬名左右。這是我親眼看到的廣州共黨暴動的第四幕景象。一巨幅十分悲慘、殘暴的武裝暴動的圖畫，深深印在我的腦海和心坎，幾乎二十年都常做惡夢，忘不了那悲慘的景象。

暴動後幾天內，有很多朋友來談，說這次暴動是俄國人從中主使，蘇俄領事館臨時成了指導暴動的中心，參加暴動的俄國人在二百以上，有半數傷亡。共黨賀龍曾參加這次暴動的指導，負直接指揮責任的是葉挺，由蔡昇熙（軍校一期共黨學生）任副總指揮。平定這次暴動的是國民革命軍第四軍，第五軍，第七軍的部隊。第四軍軍長張發奎，雖則是他的部屬發起暴動，但他的軍部直屬部隊及主力部隊仍是平定共黨暴動的主力。他是接受了下野的蔣主席的電令，不顧友軍的疑忌，建此奇功的；功過相抵，應算功多於過。第四軍的軍官團（教導團）雖被共黨滲透，並用以發動廣州暴動造成幾萬人的傷亡，但第四軍多數官兵的英勇反共，迅速掃平暴動，令人欽敬他們寫出中國反共史上光榮的一頁。

我旁觀廣州共黨暴動，雖祇受些虛驚，但却危險萬狀。事後有同鄉同學告訴我，蔡昇熙同他說，共黨知道我已回到廣州，曾派了二十個人到各處搜捕。如果我在暴動前夕找不到家人，仍住在旅館，或者暴動時我出外，拋頭露了面，那我定不免被他們捉住槍殺，報復四．一二清除共黨之仇。我算很僥倖的度過了這次危險。

三十五、初嘗上海的流浪生活

廣州經過共黨暴動之後，我在廣州已無事可作，雖則曾聽到同學們說，蔣校長不久前曾有電報到學校，要我到日本去，但我未看到電報，不知到那裏接頭。我在粵贛邊區收編土匪，及在廣州市遇到共產黨暴動，兩次都是冒着生命危險，僥倖得免於難，這時祇有隻身離粵，先到上海去看看形勢再說。在革命遭遇挫敗的時候，革命黨人只有暫過流浪的生活，在流浪中尋找或等待再度參加革命的機會。

民國十六年十二月的下旬，我到了上海，初嘗在上海的流浪生活。我住在大東旅社，很快就遇到同期同學曾擴情、陳明仁等，他們和我一樣，也是在上海流浪，不過他們比我有錢，我帶的錢僅夠維持一個人在上海過兩個月的最低生活。曾陳兩同學比我年紀大，喜歡玩耍，沒有事常到長三堂子裏去打麻雀牌，或者用條子叫了姑娘到旅館內陪著打牌。（五八）

諷聯紀趣

吉庭

明末，有人書降召門云：「一二三四五六七；孝弟忠信禮義廉」歇後語，一言亡「八」，一言「無恥」。後人謂人而無恥者，即以「亡八」呼之。

明亡，因洪承疇降清關係，一班遺老，間亦有以奔走於權貴之門為榮者，於是有人在其大門書一聯以諷之：「老而不死；遺臭萬年」。用成句，而嵌遺老二字於其首，可謂罵得痛快之至！

清代有一高官，貪婪無厭，而猶以廉潔自為粉飾。在某年元旦，自書一聯於門首曰：「愛民若子，執法如山。」以表示勤政愛民。可是，人知其貌伊周而心盜賊，乃在其聯語下添八字以譏之曰：「愛民若子，金子銀子皆吾子也；執法如山，錢山銅山其為山乎！」

滿清中葉，吾鄉蔣氏，文風頗盛，每屆縣府試，入邑庠者，至少有三四人。某年，有一眇者與一跛者同獲選而為博士弟子員，該姓為之洗塵，即俗稱「迎風」，有好事者寫一聯貼於蔣祠門上：「一眼觀天下；獨腳跳龍門。」雖寓諷刺，而措詞甚佳，該兩秀才認為名與實符，恰到好處，不予抹除，一時傳為佳話。

清末，有袁海觀者，湘人，字樹勳，官至兩廣總督。晚年解組歸，在鄉作壽，車馬水龍，極一時之盛。親朋以聯祝嘏者，數以千計，皆「三多」「九如」之恭維語也。就中貢生某，與袁至好，撰一聯以壽之曰：「樹德何曾？祗緣含垢納汚，細流悉歸於海；勳績安在？除却貪財愛色，其餘皆不足觀」。嵌樹勳海觀於尾，句句刺諷，瀟洒自然；滿座皆謂其罵人過甚，而袁虛心接受，懸諸中堂，謂衆賓曰：「道吾惡者是吾師」，雖未說出下句，而進三多九如之恭維語者，無形中受一當頭棒。

宣統間，吾鄉有一姓龔者，左足跛，入縣衙而為元差目，即今之執達吏或催征吏。時民氣未開，見龔出入衙門，不受限制，一到鄉村，便為人民所尊敬，引為上座。民初此君猶服務衙署。一日還鄉，柬請戚族隣友，大設筵席，赴宴者必送禮，多以現金代之，俗稱「打秋風」也。彼并屬余撰一聯於門首，時余尚幼稚，剛從高小畢業，初學詩聯，苦無以應，但因龔為隣居，一再催促，祗得在讀過的論語上，找到兩句成語為聯，以塞責，聯云：「入公門，足躩如也；在下位，色莊者乎！」龔不事讀書，竟貼諸門首，一時在座之貢廩生員，皆捧腹大笑。蓋以集句尚合，而譏諧有過甚也。當時，余祇知合乎龔之形狀與舉動，而對其他不甚了了，致弄成一場笑話。此事距今五十年矣。

壽滄波六十

余井塘　壬寅稿

……近人詩選……

驚昔書生作霸徒，
憤來筆伐口還誅。
一從好道鋒芒斂，
每見臨風氣韻殊；
知味備嘗苦甜辣，
問天分叩釋耶儒；
無窮歡樂無量壽，
笑說今吾非故吾。

海嘯樓談薈

張孝若橫死記

諸葛文俠

江蘇南通張季直（謇）是滿清末葉的狀元，以辦實業蜚聲於世，人稱之為「張四先生」。他的兒子張孝若，年方三十即以父蔭被推選為江蘇省議會議長，而使其父執長輩張一麐居副座，時論頗譏其狂簡，且對狀元公「張四先生」的家教亦不無微詞焉。後來張孝若在上海死於非命，被其老家人某，鎗殺於臥榻上，追溯遠因，即肇端於議長時期也。

孝若在南京作省議會議長之際，少年得志，顧盼自雄，翩翩公子，倜儻風流，曾以鉅金納一綽號「南京花國總統」的名妓為簉室，寵愛彌甚，遂成季常癖，不特閫以內事無鉅細，皆由如夫人主之，即孝若在外面的一切事業，如夫人亦具有控制權能。孝若復不知振作，自甘墮落，竟染上了鴉片煙嗜好，張四先生僅此一子，自幼嬌養慣了，成人後祗好放縱不問。

迨民國廿一年，張四先生已去世，孝若繼承乃父在上海創設的「大達公司」企業機構，自任總經理，但不親理業務，交由副經理楊君綜持一切。

孝若之父有一僕從，幽燕人也，隨侍狀元公歷數十年，忠誠可靠，孝若呱呱降生後，即由這個忠實僕人襁負抱持而長大的，對孝若當然敬愛不違。他有一子亦在南通「張三先生」——即張詧——所辦的小學校畢了業，年已弱冠，貧不能升學，乃乞「大達公司」的常務董事徐陶庵（張三先生的內親），推介於該公司楊副理，願充當一名學徒，藉以歷練商業技能。楊副理覩其誠慤，又係常董舉薦的，且為張四先生的老家人之子，慨然錄用。詎料素不過問公司業務的張孝若總經理，忽然駕臨公司查詢此事，指為不當，非將張僕之子革除不可，楊副理雖以上述關係為理由，主張姑予試用，而孝若堅執不許，旋即逕呼張僕之子出來，命其剋日離職，意態殊決絕。楊副理祗好通知該學徒之父，趕快接兒子遄返南通去。

孝若對於自己的老家人，為甚末如此寡情呢？毛病就出在他那如夫人身上。原來這位花國總統進入張門後，由於孝若沉湎阿芙蓉之故，她本其水性楊花的素質，不安於室，而有紅杏出墻之舉，事為張僕洞悉，曾密訴於張公子，張亦怒責其妾不守婦道。但以平日懾伏於閫威之下，經不住如夫人花言巧語的辯說，匪特怒氣全消，且怡然甘戴綠頭巾而不復措意了。因此，如夫人乃忌恨張僕刺骨，聞悉其子入「大達公司」任事，即脅迫良人以總經理權力，立加驅逐為快。

張僕固深知此中隱情，自亦忿忿不平，必欲修此大怨而後已。當張四先生在世時，經常僱有保鏢人，懷左輪鎗出入侍從之。四先生既逝，保鏢人亦遣散，手鎗即由張僕庋藏於張宅倉庫內。民國廿一年下季某日，張僕取出這枝左輪手槍，密藏懷中，馳赴上海，依然住居孝若公子宅第內，循例叩問少爺、少奶奶安好如儀，孝若亦漫應之，不改常態。是夕深宵時分，張僕度主人已入睡，持鎗去履，赤足濟躡登樓，輕啓孝若臥室門環，誓將那一惡毒的如夫人擊殺以洩心頭之恨。他認定一般男女共榻時的習慣，多半都是女方睡在裏面的，入室撳開電燈後，急舉槍向着臥榻裏面連發三彈，孝若立斃，如夫人驚醒狂呼，他纔知道錯殺了張公子，而仇人無恙，心有未甘，再向她發射幾槍，蒼黃奔至樓下，自念誤殺張公子，無以對九泉之下的狀元公，旋亦自戕以殉焉。

慘劇發生後，孝若已無救，如夫人僅係脾部暨大腿中彈，尚未擊及要害，急送醫院救治得不死，但兩腿從此殘廢，不復能行動矣。未幾，偶罹其他疾病，偃蹇床笫間數月，創傷復發，終致脾腿間肌肉腐爛分塊墜落，慘鉅痛深而亡，人皆以為淫惡之報云。

美妹

羅雲家　著

他下了車，站在電力公司左側的路邊躊躇着。這時，有一陣強勁的北風吹過，吹亂了他的頭髮，吹起了他的圍巾，也吹亂了他的情緒。他下意識地摸了一下口袋，那裏裝着有幾十塊新台幣；還好，錢仍在那兒。「喝杯酒去吧？酒可以活血，也可以禦寒，更可以解悶啊！」可不是嗎？他現在不特情緒紊亂，而且也覺得有點兒寒冷。雖然這時已經是臘月初，却好像與大陸上的秋末天氣差不多；但不知怎的，他今天的確覺得有些冷起來了。

在一個街角的小吃攤上，坐了三四個青年在那兒猜拳作樂。何健文跟這小攤很熟的，他曾在這兒喝過許多次酒。看看還有一張空桌子，他就支好單車，準備走過去。突然，他發覺背面有人用個硬棒棒的東西抵着他的腰際！他遂駐足而立，頭也不回等待發展。

「嗨！好小子！今天可給大爺找到了。快說！你把美妹藏到那裏去了？」

一聽口氣，不是旁人，正是自己想見的劉大明。再看看小吃攤上的那幾個青年，這時也都停止了猜拳飲酒的動作，有計劃似地圍攏到他的身邊。他有些好笑；笑劉大明這小子眞是卑鄙可恥！既用武器，又約同伴包圍。自己既不是人猿泰山，又不是銅筋鐵臂的巨無霸，也用得着如此小題大做嗎？想到這裏，索性不理不睬地，逕往小吃攤上走過去，在他們的鄰座坐了下來。他知道，劉大明那硬棒棒的東西，絕不敢就此在他行走時，冒失地使用的。同時路上正有稀疏的行人，料想他們在這時也是不敢動武的。

「好哇！你竟敢不理不睬，倒安安穩穩地坐下了？」劉大明左手叉腰，右手收起那東西朝褲袋裏一放，跟過來，用手指着何健文說：「我的問話聽清了沒有？難道你沒有長耳朵嗎？何健文！」說完，一拳打在他坐的那張桌子上。「嘭！」的一聲，桌子也跳動了。

「哈！我說是誰呢？原來是劉大明。你來得可眞好，我也正想去找你的。怎麼樣？坐下來談不是更舒服些嗎？同時你們的朋友，正在吃喝得很起勁，這樣地站在那兒，不是太煞風景了嗎？我何健文單槍匹馬，也得用着你們如此緊張、害怕不成？」

「哼！笑話，我們會怕你？」劉大明手一揮，轉臉對身後的太保們大聲斥責說：「誰叫你們站着的？還不坐下來吃你們的酒！」

「唔，這還像話。看來，你自己只是站着也不是好的。我們兩個不是要好好談談嗎？」何健文移動了一張椅子：「就坐在這兒吧，吃什麼酒？今天我請客。」

「隨便好了。我可不是專門為了討你的酒吃才來的。我是——」

「你不說我也知道的。大明，我們邊吃邊談。我不會喝酒，只能喝甜的，就來烏梅，鹵鴨子如何？」

「也好。」劉大明漸漸軟化了下來。自己也覺得有些尷尬不堪。然而，他却也沒有再發作的道理。人家那樣有禮貌，人，自己總不能做的太過火，叫人家看不起嘛。於是他一屁股坐下來，點燃一支香烟，急速地吸着，這情形倒把他的手下，弄得莫明所以了。

「剛才你說什麼來看着？美妹不見了，是嗎？」健文看着對方已了無怒意，中了自己的緩兵之計，於是乘老闆切鴨子的空間，反過來問他。（二三）

國立實驗劇團

婆生

復興劇校校長王振祖兒，以不堪經費之支絀，仰藥自掘墳墓！凡是與劇有識者，多以各人恩怨不談，應以道義支助，使其解除困難；也有論及「會計獨立」，「劇務獨立」等建議者。余貽書於曲直生兄，有云：既為其解決學籍問題，而要始終維護，其必須力為呼籲，求得解決。直生復書報可。

也許，復興劇校諸生，其運氣勝於藝專，振祖之求解脫，其事聞於極峯。當他們自美歸來，極峯即飭有關單位，妥為安排，因循二年來，迄無辦法；次得此訊，又加申令。於是討論結果；由敎育部接辦，定名為「國立實驗劇團」，平時從事訓練；將來即出國去做「國民外交」與「宣慰僑胞」。平劇總算有一線曙光，可以綿延勿墜。實驗劇團，聞說自五四年元旦開始，每月經費六萬元，以公演來養助劇校。是凡已畢業學生，一律召回，也採包銀制。每月支薪若干；其不來者，似聽其便，但無機會參加出國。此與余前告復興諸生一議，不謀而合。極望各生愛護此劇團，成為正規軍，在反共復國之原則下努力，庶幾全民歡騰。

內僑警台報字第〇三號內銷證

自由報

THE FREE NEWS
第四九六期

中華民國僑務委員會頒發
台僑新字第三二三號登記證
中華郵政台字第一二八二號執照
登記爲第一類新聞紙類
（本刊每星期三、六出版）
每份港幣壹角
台灣零售價新台幣弍元
社長：雷嘯岑
督印人：黃行斎
社址：香港銅鑼灣高士威道二十號四樓
20 CAUSEWAY RD 3RD FL HONG KONG
TEL. 771726　電報掛號：7191
承印者：田風印刷廠
地址：香港灣仔高士打道二二一號
台灣分社
台北市西寧南路金宏大樓二樓
電話：三〇三四六
台郵儲金戶九二五二

觀察國際間的新動態

周宗濂

最近國際間有幾項重要動態，對於未來的世界局勢大有影响，不可忽視。

第一是中俄共復合問題。毛共藉着蘇俄國慶紀念的機會，派周酋恩來赴莫斯科參加慶典，提出「和談」建議，要求先在北平舉行雙邊談判，把克里姆林宮原來決定在本年十二月召開的國際共黨大會展期，俄共在原則上表示同意，但聲明蘇俄現行的對外政策——即「和平共存」政策決不改變。因此，西方的觀察家乃認定中俄共裂痕將無法彌縫，勢必僵持下去。我們却認爲中俄共大有復合之可能，目前他們彼此爲着面子關係，不能不有所矜持而已。所謂「和平共存」之說，赫魯歇夫固然是倡導人，當年毛共又何嘗不是熱烈附和者，這是共黨進行世界革命的一種策略，人所共喻。嗣因俄帝不願悉索敝賦以支援毛共的軍經建設，以免喪失鐵幕世界的控馭權威，這纔激起毛共的「反赫」運動，拿違反馬列教條的「修正主義」這頂大帽子扣在赫酋頭上，大力宣傳，申申而詈，實際是欲加之罪，藉題發揮。赫酋既告垮台，毛酋心頭之恨已洩，祇要俄共稍爲假以詞色，自可「話明氣散」的。假使不是美國專門爲着自身的安全繁榮利益設想，愚昧而頑固的扼制着中華民國政府對大陸採取軍事行動，毛共所謂「反修正主義」鬧劇，亦不敢表演。旣有美國間接給他們保鑣，而俄帝對毛共亦不能採取如對付匈牙利人民的軍事高壓手段，毛酋有所恃而無恐，就樂得跟赫酋較量是非高下了。所以，中俄共之破鏡重圓，原則上決無問題，待談的只是一些合作的方法問題，如俄共今後對毛共繼續軍經援助的標準如何，如對南斯拉夫、阿爾巴尼亞和印度的策略怎樣，祇要這些問題達成協議，即可言歸於好。至於「反對美帝」一事，原係共產主義者共同的信念與使命，不會有甚末思想上的歧見爭執，「和平共存」的實質就是「和平... 」，大家心裏有數，不... 用不着多說的。不過，經過這次吵鬧之後，俄共要想恢復史大林時代那種君臨鐵幕世界的權勢，却不可能了。因此，今後在歐洲方面不致發生「大戰邊緣」的緊張形勢，而讓毛共在東南亞騷亂不已，迫使美國知難而退，終於以夏威夷爲最後防綫，坐待「珍珠港事變」再度勃發——古巴很可能演出第二個「珍珠港事變」，然後又來號召自由國家武力反共，飽嘗事倍功半的痛苦滋味。

第二是核武器競賽問題。美國雖然不贊成核子擴散，希望保持着核武器的優勢控制權力，但法國早就不買賬，各行其是，繼而毛共亦試爆了原子彈。儘管毛共宣稱要實行澈底的裁軍計劃，大家把核武器銷毀掉，這是瞎扯淡的廢話，說着玩兒的。自第一次世界大戰以來，國際間的裁軍談判紀錄及其締結的裁軍條約，不知有其若干噸重的份量。但，越是高談裁軍而各國的新軍備即大量產生；和平之聲越響亮，而戰爭即繼續發作；後之視今，亦猶今之視昔，不特禁止核子擴散的希望歸於幻滅，相反的，國際間將出現激化的核武器競賽情況。過去美國藉着獨佔原子彈優勢的地位，實施「嚇阻政策」，自鳴得意，這套符咒，今後決不發生作用了。戴高樂現在已有改組「北大西洋公約」體系的言論，等到他發展核武器有相當成績時，法國即將退出北大西洋的集體防衛組織，而美國的自由世界領導地位，亦爲之一落千丈，那時候，要想以金元購買和平，亦引不起顧客的興趣了。這說明今後的世界局勢，不會鬆弛，祇有逐漸緊張，而形成一種「核子僵局」狀態，正好給共產主義者以蠶食自由地區的有利機會。英美這些資本主義社會，若不願被人和平埋葬，那就只有從事戰爭之一途了。共產主義者是以「和平共存」爲傾覆自由國家的手段，而英美的政治人物，却視「和平共存」爲國家生存發展的目的，前者是鬥爭精神充沛，後者是惰性觀念十足，這纔是可怕的現象！

第三是英、日內閣改組問題。英國與日本的內閣總理，最近換了新人，而以英內閣的變動最大，工黨首領威爾遜走入唐寧街官邸之日，即發出要教毛共進入聯合國暨「託管台灣」的狂論，不像是個練達而成熟的政治家，因爲他這項討好毛共的訣詞，旨在希望毛共跟英國多做點生意，解救英國一些經濟困難而已。過去的保守黨執政人物，未嘗沒有這種想法，但知道問題決不簡單，至少亦須跟美國有所默契，纔能夠騰諸口說的。威爾遜下車伊始，一面派遣貿易大臣赴中國大陸訪問，同時急不暇擇的作此獻媚之言，可謂淺薄已極。可是，他這種表示對毛共未必能夠獲致預期的效果，然對即將舉行的聯合國大會，勢必產生一些影响。保守黨執政時，固然亦主張讓毛共進入聯合國，但以美國反對之故，表決時只好棄權，至於「託管台灣」之說，決不亂講，因爲這類主張絕對沒法實現，徒然引起中國人的憤怒而已。威爾遜只顧發揮其自私自利的政治言論，搖惑國際觀聽，却不考慮到後果如何，可見一個大國的政權交給不成熟的人士手中，是危險的。

日本首相佐藤榮吉的就任聲明，比較英首相威爾遜就老練得多。他同樣的要想在中國大陸上爭取貿易利益，也追隨着美國政治人物構想的「兩個中國」的主意，但他祇說是「日本不得不正視現實情況」，認爲外交問題不能憑感情來處理。這些言論的涵義，跟威爾遜所說的，基本上沒有多大的區別，然對於本國外交行爲與世界人心的不良影响，就沒有威爾遜那末惡劣呢！佐藤的政見聲明，還有兩點爲我們所贊許的：一爲對毛共試爆核武器表示憎惡的抗議心情，認爲曾經受到原子彈災禍的日本人民，具有反對製造核武器的權利；二爲主張與大韓民國迅速談判締交。這對東北亞、乃至於整個亞洲前途的關係匪淺，值得世人注意。

綜觀上述幾項情況，可以測知當前世界大勢的歸趨所在，就中華民國的立場設想，可說利少而害多，我們必須預籌對策，有所作爲。關於這類的話，本報已經說得太多，別無新義可述。一言以蔽之曰：世界天天在變，時時在變，我們決不宜坐以待變，而侈言以不變應萬變！

不勝負担

犧牲品

今日與明日

美國後門的火警

古巴政府聲稱，已擁有飛彈，如果美國的U2偵察機，再不停止在古巴領空上的自由飛行，即將以地對空飛彈相對付。美方亦認定古巴確實握有蘇俄留交的飛彈，且有蘇俄的技工人員千餘名，在古巴訓練使用這項新武器的技術。

這是美國後門口的火警，說不定一陣狂風吹起，立即大火瀰漫，燒到廳堂之間，作爲對美國和平政策的一種獻儀呢！

陳文香有此氣魄嗎？

越南學生聯合會以最後通牒致政府，限期改組內閣，否則實行示威運動云。內閣總理陳文香即聲明將使用武力，以鎮壓動亂，情勢頗爲緊張。

自從吳廷琰垮台以來，越南學生受着政客利用，總是搞着干政行爲，動則示威遊行，甚至演出流血慘劇，實在太不成話。民主生活的唯一大前提，便是守法，無視法治精神而高談民主政治，那是暴民專政，民主云乎哉？

陳文香眞能以武力制止無理的動亂，是越南前途的一綫曙光，政治家應有此氣魄也。

中俄共的政治交易

俄共說，周酋恩來提出的和談條件，超過蘇俄準備接受的讓步限度，原在莫斯科聽消息的十三個國家共黨首要份子、亦相率離俄了。表面看來，好像周酋此行不得要領，實則這是從事政治交易的應有現象。

彼此反目對罵了幾年，大家都藉着馬列主義作盾牌，互相攻擊，如果赫魯歇夫一垮台，俄共即無條件的與毛共言歸於好，未免太難爲情了。何況事實上關於合作的技術問題，亦非仔細談判不可，例如毛共今後對於俄帝的地位問題，就需要切實協商纔行。

我們認爲經過相當時間的折衝磨擦以後，中俄共之復合，是必然的。

東德共黨亦要舉行選美會

東德輿論界正在倡導「選美」的玩藝，認爲這是幫助女性「訓練自己及其外觀。」共產區域如果亦效法資本主義社會這種腐敗無聊的作風，以女性爲玩物，就反共的利害觀點設想，應該鼓勵他們及早實行。這與殖民主義者儘量保持殖民地社會上惰落生活的用意相同，不亦宜乎！

自由談

老成凋謝

監察院長于右公溘然長逝了！他以年近九旬的高齡，若在清平之世，懸解而去，可無遺憾，允屬福壽全歸；然而正值中原淪陷、國難方殷之際，竟爾一病不起，看他在近年的日記上寫着「望大陸」「望故鄉」的歌詞，即知其易簀時必有「但悲不見九州同」之感，曷勝悼惜！

于右公最令人欽敬的地方，既不是他那崇高的政治地位，亦不是名世的書法，而是他那種始終不易其常態的革命黨人之高尚情操與風格。他喜歡接近、獎掖後輩青年人，但對於跟他同輩的革命伙伴，亦愛護備至，決沒有一般偷俗官僚的驕蹇勢利相。憶民國卅一年秋，國民政府在重慶舉行某種革命紀念大典時，革命元勳李烈鈞先生以閒散之身，扶病參加，而招待員竟教他坐在門背後的末位上，與若干執事者爲伍，沒人理睬。于右公瞥見之後，立即揚聲道：「協和怎末可以坐在這兒呢！」拉着李氏趨赴前席併列焉。

民國卅八年秋，大陸淪於共黨之手，政府播遷台北，右公避地海隅，是時台澎亦岌岌可危，美國當局宣佈撤僑，聲言「台灣旦夕即將陷落」。于右公曾約集吾儕後生之輩，就詢關於他的出處之道，我們一致主張他到台灣去，他拈鬚答道：「好，就這末辦」，隨即首塗入台了。他這些風範，環顧當世，有誰可與比倫呢？

在現代的黨國元老中，我衷心尊崇的只有二位，于右公與胡漢民先生是也。然胡先生立身行己過於謹嚴，惡惡不稍寬假，道貌岸然，望之如嚴師教主，不若右公之渾然和而不同，皭然涅而不緇，令人容易親近，而忘其爲天下之大老也！古人有言：「雖無老成人，尚有典型」，又謂「人之云亡，邦國殄瘁」。于右公的典型是革命黨人所應景仰效法的。右公逝矣，吾儕後死者如不能見賢思齊，奉爲矩矱，則一切追悼的儀節，皆成爲無意義的玩藝了，可不勉乎！

南市永福國校是個肥缺
學生惡補收入數字可觀
偵查中之教員調動紅包案由此產生

（本報台南記者吳光助航訊）號稱爲「美國學校」的南市永福國校，因爲有天時地利的優越條件，位居中心鬧區，絕大多數家長，都是富商鉅賈，或達官顯貴子女，因此對於子女所付出的惡性補習費，毫不吝嗇，每月給予補習老師，多數在百元以上，最低也有四五十元；一個教師能爭到爲級任老師，那麼每月補習費，以現有每班各六十四名以上計算，每月最保守就有台幣四千餘元（高年級尚不止此數），加上其原來薪津每月千元左右，合計永福國校每一個老師每月就有伍千以上收入。這個數目可謂相當驚人。以目前該校自一年級至六年級共有八十班，班班有補，級任老師就有八十名。在這八十名當中，由教導選擇一名爲學年主任，據傳該學年主任負責向各補習老師每月抽取相當數目，獻給校長，以爲巴結，因而校長每月坐收之漁利，據聞便可達台幣數萬元，上下其手，莫不額手稱慶，因而被稱爲「美國學校」。一般教員及校長，每逢假期一年一度大調動，咸各爭先恐後，不惜以銀彈攻勢，爭取進入該校。這次教員大調動紅包案，由市府國民住宅興建會執行秘書王祥，事務股長許炳坤，及秘書張北山等三人包辦，曾風傳調入永福者，須台幣八千元，郊區調市區者，也要伍千元。新任民選市長葉廷珪，以該校爲奇貨可居，曾向該校原校長林伯緄，因索取十萬元未遂，擬將他調走；公園國校校長蔡財根，以千載難逢機會，百般鑽營，與葉廷珪締訂條件，每年奉送十萬元台幣，立即與永福校長互調，一時轟動文化故都。

此案現正在台南地檢處偵查中。據悉本屆市議會第二次定期大會席上，女議員謝慧如曾向市長葉廷珪質詢教員調動有人送紅包疑案，指摘歷歷如繪；台南地檢處偵查本案檢察官林汝東，爲徹底明瞭本案眞相，特於十月卅日上午傳訊謝議員前往該處調查，謝議員曾當場向承辦檢察官林汝東，提供有關「紅包」的較具體人證與物證，同時並指稱：市長葉廷珪有關調動「紅包」案事，涉及永福國校林校長調長公園國校十萬元「紅包」索取未遂，因而給予公園國校校長蔡財根，接長永福國校每年應奉送十萬元「紅包」事等資料，提供頗詳。

綜上所述，做一名永福校長，每年有數十萬收入，難怪蔡財根願花去每年十萬元巨額，這種如意生意，何樂不爲。可是教育是清高職業，教育工作人員一舉一動，足以影響下一代；乃竟惟利是圖如此其甚，使杏壇蒙受莫大恥辱，個人人格喪失殆盡且莫問，其奈台南市教育前途可悲可哀何！

屏東縣長選訟高潮
兩立監委到庭作證

（本報台南航訊）屏東縣第五屆縣長選舉官司，落選人黃振三控告縣長當選人張豐緒「當選無效」案，本月二日下午三時審理進入高潮，台南高分院民庭傳訊監察委員葉時修，立法委員徐漢豪來台南出庭出證。由於最高民意代表爲縣長選訟案出庭作證，這還是台灣自實行地方自治以來的首次，因此轟動整個南台灣，旁聽民衆與到場採訪的記者，盛況空前，爲自有選舉官司以來所僅見。

本次調查庭除傳立、監委員作證外，並傳訊其他有關證人溫暮春、楊讓麟、曾來興等、調查原告所控被告賄選及違法競選的有關事實。

調查庭於二日下午三時開始，仍由審判長陶振聲推事主審，原告黃振三親自到庭應訊，律師戴桂生也出庭代爲辯護；被告張豐緒未到庭，由律師陳生、謝明耀，出庭代理。庭訊開始，首訊證人屏東縣高樹鄉現任鄉長溫暮春，問其有無於今年四月廿三日晚間八時，在該鄉二崙村泰山國民學校主持開會，爲被告張豐緒助選，以及分發實物等。因黃振三曾檢舉張豐緒登記有案的助選員洪祝賀，協同鄉長曾貞郎於上述時間約集泰山村民二百餘人舉行會議，爲張豐緒助選，分送與會村民每人新樂園香烟三支，並由唐進川每桌分送餅乾一包。溫暮春向庭上答稱，說他並未主持這次會議。

三時三十分，審判長傳訊證人監察委員葉時修，立法委員徐漢豪，循例問過二人的姓名年籍和職業住址後，並請其具結作證。葉、徐二人向庭上說，他們與另一立法委員王子野，於今年四月廿四日下午四、五點鐘到達屏東，此行目的是爲看看屏東縣長投票情形，當晚下榻屏東國際旅社。廿五日早上六點多鐘，接獲黃振三的電話，說有人要檢舉，請教如何處理。他們接獲電話後，於七時許趕到黃振三家，由黃振三介紹，認識二崙村長李彩興，李村長向他們報告說有張豐緒的助選員鍾某（即鍾士勇），於早晨二、三點鐘時候，用「鐵牛」運去十箱零八十塊肥皂，要他分送村民每人兩塊，叫村民投張豐緒的票，李村長請示他們如何處理。李村長並且帶去幾塊肥皂樣品給他們看。葉、徐兩委員告訴李彩興，如要檢舉賄選，還需更強有力的證據，要他回去注意證據。說過之後，他們就離開黃家。

審判長於問過兩位立、監委員，及對其他證人稍作訊問後，便起立退庭，並宣佈改日定期進行辯論。

本案已開過多次調查庭，主要證據差不多都已調查完畢，立監委員的作證，使案情更趨高潮，但亦接近尾聲了，預料再開一次辯論庭後，此一訟案，或可宣判終結。

葉、徐兩委員於應訊完畢，步出法庭時，接受本報記者的訪問，他們表示，他們之願意南來作證，主要是爲了民主政治能搞好，選舉能夠辦好，選風得以改善，民主與法治眞正精神能夠發揚。

葉時修徐漢豪二人進一步表示，本省自實施地方自治以來，落選人或選民正式向法院提出選舉糾紛案件，足資證明民主政治距離「進步」尚遠，關係一般人心非常重大，故亟待改善的地方不少。

最後，葉、徐兩委員表示，本案正在審判進行中，不便發表任何意見，他們相信審判獨立，本案自有公正公平的裁決。

黃振三二日下午三時在台南高分院應訊時，另一被人在屏東地院控告的「妨害兵役」案，也被屏東地院定於同日下午三時開庭。台南高分院對「當選無效」之訴，於八月十八日，九月三日，十一月二日開庭三次，屏東地院受理的「妨害兵役」案（一市民告他競選政見演說中妨害兵役，不過據查檢舉人當時並不在屏東，而在台北受訓），也於八月十八日，九月三日，十一月二日，三次同一日期，同一時間開庭，使黃振三分身乏術。這次高分院傳票發出日期爲十月十四日，報上也將此日期予以公佈，而屏東地院又於十月廿八日發出傳票，傳黃振三出庭應「妨害兵役」之訊，三次庭期都如此「巧合」，確是罕見。（吳越）

台灣論壇

荒謬的電訊

馬五先生

本月八日清晨，我在「香港時報」第三版的中外要聞欄內，赫然看到「立法委員陸京士逝世」的新聞大字標題，訃明「中央社」電訊，說是腦溢血去世的，訂於十四日公祭，言之鑿鑿。登時不覺「哎呀」大叫一聲，淚涔涔下，妻問我爲着何事？我含淚將報紙消息指給她看，她亦嗟嘆不已。我馬上寫了一封航空信寄給「陸家嫂嫂」——這是我稱呼陸夫人的習慣名詞——安慰她一番；同時將此噩耗告訴旅居香港而與京士交誼很深的幾位朋友，他們教我擬稿，要聯名拍發電報，悼唁京士家屬，騷動了大半天。這晚上，我想起跟京士二十年來的患難友情，他先我而去了，竟未能親自到台北參預公祭，不勝愴傷，因而徹夜未曾安眠。

不料次日「香港時報」上又刊出「中央社更正啓事」，說昨天所發消息，實係陸委員夫人去世之誤。我長吁了一口氣，急以電話詢問朋友，昨天所擬致陸家的電報發了沒有？據答：因爲派人分赴友家簽名，尚未拍發，阿彌陀佛！但，我的航空信却早已投郵，沒法收回了，給陸家看到此信，豈非我荒天下之大唐嗎？如是乎，再發一函給京士，說明原因，幷且對他表示慰唁之意。

中央社這頭笑實在開得太大了！同是住在台北市內的人，事屬生死大問題，且係一位立法委員，爲啥把男女都弄錯，竟爾隨便發出電訊，搖惑人心？那位採訪這項新聞的外勤記者，應該送入「盲啞學校」去學習若干年，再分發到名報人成舍我先生的「新聞專科學校」嚴切訓練之後，纔有吃新聞飯的起碼資格。堂堂中央社的採訪記者，乃有此驚人傑作，這從那裏說起呢？

有一則笑話：一位「子曰店」的冬烘先生，替人撰寫輓聯，死者原是女的，他的聯語却是哀輓男人，別人說他搞錯了，他道：我的輓聯那會錯，除非喪家死錯了人！中央社採訪陸家喪事消息的記者，如果這樣說法，我當然無詞以對。

京士過去在大陸上辦過報，原係咱們的同行，我希望他把夫人的喪葬料理完畢後，醵資在台北創辦一種刊物，取名「再生」以資紀念。流俗相傳：人生在行霉運的時候，如果遭遇一次意想不到的災難而無恙，即卜否去泰來，事業好轉。這番無端被人訛傳「逝世」，聳動中外聽聞，允屬罕有的怪事，大概今後要行好運了。謹以此爲京士解鼓盆之憂，慶再生之緣，不亦宜乎！

檢討台銀呆帳與金融政策

——本報記者張健生台北航訊

第三、台灣銀行依民事訴訟法第四一〇條與第四〇二條的規定，作成調解筆錄。查該法條文屬於簡易訴訟程序，祇適用於二千元以下的債務案件，而不適用於大秦工廠，因爲：（一）大秦積欠台銀三億餘元的貸欵債務，而非區區二千元，其利息與担保債務尚不在內。（二）大秦尚欠銀行以外的一般債務。（三）欠員工薪金及股東債務。（四）尚欠其他銀行債務，總計四億五千餘萬元。由此可知，顯不屬於民事訴訟法「簡易訴訟程序」。就常規言，台銀未徵得其他債權人同意，沒有資格聘請管理人。而台銀竟聘請管理人，假如大秦股東與其他債權人依法追究責任，或提出異議時，試問，台灣銀行憑藉什麼而不負違法接管的賠償責任？

第四、台灣銀行未依法向大秦工廠追回欠欵而接管經營，這不是違反收回債權政策？台銀宣稱：代表大秦，維持員工生活，安定社會經濟，而接管經營之。請問，這是台銀的職責嗎？這不是自毀立場而侵害經濟、內政兩部的職權嗎？查銀行法第二條規定：銀行業務爲：（一）收受各種存欵。（二）票據承兌。（三）辦理各種放欵或票據貼現。（四）國內匯兌。（五）特許經營之國外匯兌。（六）代理收付欵項。（七）倉庫及保管業務。（八）買賣有價證券及投資。（九）代募或承募公債、公司債及公司股份。（十）特許買賣生金銀及國外貨幣。（十一）受託經營財產。前項第一欵至第六欵爲銀行主要業務，第七欵至第十一欵爲銀行附屬業務。但銀行不得經營其所核准登記業務以外之業務，如有違反，得科銀行負責人一千元以下之罰鍰，或勒令撤換其負責人。而情節重大者，並得撤銷其營業執照。

四

台銀爲矇混並避免監察機關查帳而將呆帳改爲催收欵項部份：台銀自五十一年，將所有到期而不能依約償還借欵之本息，概予融通展期，旨在避免監察機關追究責任。在這些呆帳中，有數戶因先天資本不足，後天貸欵用途不當；有些廠商宣告倒閉，台銀仍不認爲呆帳，而列爲「催收欵項」，諸如祥泰鋼鐵廠欠五百八十六萬九千元；仲鐵公司欠欵四千六百三十三萬五千元；南華化工公司欠欵一百六十二萬一千元；大中華製革廠欠欵三百六十萬元；華民紙廠積欠台銀四千餘萬元，於倒閉後，仍列爲催收項目中，約有五十餘家公司。

據質詢指出：台銀呆帳自四十二年起，至五十二年止，已超過四十七億元。但台銀將呆帳改爲催收欵目；而催收欵項改爲新借，使查帳人員無法斷定何筆爲貸欵，何筆爲呆帳。

例如，華民紙廠面臨倒閉，於五十一年春，申請貸欵一千萬元。台銀負責人以扶植工商業的名義，予以融通，並派張恒甫爲駐該廠總稽核，監督其財務，未及一年，華民即告倒閉。當時，台銀未將這筆貸欵列入呆滯帳目，反而向省政府建議，並獲准將華民紙廠交由台銀投資，由中興紙業公司代營，爲期三年，月租三十七萬五千元，其中二萬五千元，供華民紙廠董事會開支，並將利率一律減爲月息一分三厘二。台銀對華民可謂愛之無微不至矣。而此一移花接木的傑作，從帳面上是不易看出的，因爲台銀把華民紙廠積欠呆欵一億多元，轉帳爲台銀投資中興紙業公司，而華民則由中興紙業公司接辦，但實際上，這筆貸欵已無着落。此例一開，勢必發生援例的問題，將接踵而至，台銀將如何處理？

（三）

天真與愚昧

李敦復

「政策」兩個字的涵義極廣，美國以國家的立場所採取的對華政策，是對印，對英，對法這許多國家中之一，要對任何國家或地域有一個健全的政策，我們以為必須首先有一個關於整個世界的健全政策。我們應當常常回憶歷史上的事實，那事實就是：美國以往對中國問題上，屢次採取了錯誤的措施，這種錯誤一方面固然對中國大有損害，另一方面，對美國偉大的國格基礎，亦有極大的損害。一九一七年的「藍辛石井協定」，一九一九在巴黎會議中，關於山東問題，對日本的讓步，一九四五年，雅爾達會議中，關於遠東的協議等均是。但美國人從不記取這些血的教訓。最可笑的，是美國與中共在華沙舉行了一百多次的會談，以及當年第二次大戰時美國的「援助蘇俄」，我以爲這是近世紀歷史上最大的笑話，自由世界的悲劇演出太多了。

必需強調，我在這一篇文字中，我要說，我絕對沒有「長他人志氣，滅自己威風」的意思。美國無論如何是自由世界的領導者，只要克服了一些弱點，糾正了一些不健全的觀念，轉變了它的對外政策，它的豐富的資源，強大的力量，是任何一個國家無法與其抗衡的，它不但能夠充份應付共產主義的挑戰，並且能擊敗和摧毀以及戰勝共產主義，保持人類的民主自由，人道主義的傳統，那是絕對沒有疑問的。

今年春天，我在香港的中文報上，讀到一則僞電訊，那電訊的內容，大意是說：在第二次世界大戰末期，美國在日本廣島投擲原子彈的那架飛機的駕駛員（已忘其名）了得，因而促使日本投降，結束二次世界大戰，其對國家的功業不可謂小，現已論爲搶匪，在鬧市行刼失手被捕，法官查其案底，因其已犯了十九次案，故判入獄二年。當我讀完之後，思緒紛繁，百感交集，爲之黯然，久久若失。美國在第二次大戰中所付出的努力，估計有一百萬以上的死傷及金錢的支耗，而一個對國家有特殊貢獻的人，在戰後他個人所遭遇的結果，竟是如此！此事若發生在貧困落後的國家，[illegible]不會[illegible]驚奇，亦不會使我那一晚上輾轉不能入睡，徹夜失眠，但此事竟發生在美國，就不能將問題看得簡單。不論如何，這一殘酷的事實說明，其所發生的影響，美國政府實難推卸責任的。而美國的社會病態結構，也就徹底地全面地暴露出來，予世人一個極惡劣的印象，難以忘懷。

讓我重覆一段話：我在這一篇文字中，我絕對沒有「長他人志氣，滅自己威風」的意思。美國無論如何是自由世界的領導者，只要克服了一些弱點，糾正了一些不健全的觀念，轉變了它的對外政策，它的豐富的資源，強大的力量，是任何一個國家無法與其抗衡的，它不但能夠充份應付共產主義的挑戰，並且能擊敗和摧毀以及戰勝共產主義，保持人類的民主自由，人道主義的傳統，那是絕對沒有疑問的！（十二．完）

台灣東部遊記

羅雲家

長春祠是爲紀念殉職的開路員工，國軍退役官兵及榮民而建設，位置於立霧溪之西南畔，距太魯閣峽口二公里，距長春橋站約一華里，築有一條幽雅小徑通往。我們尾隨一些遊客之後前進，約十幾分鐘後到達該祠的面前了。只見在該祠的兩邊牆上，書有「萬古長春」四個大字，大門爲月圓形，這和長春橋車站辦公廳的大門，是一樣的形式。在祠的左右，前後，還有一些陪襯性的建築，如天門、攻天梯、避暑洞、涼亭……等。值得一提是湧泉瀑布，泉水碧綠、冷清、汩汩自山石中湧出，然後自數百公尺高的懸巖倒下，只聽「嘩啦嘩啦」的水聲，伴和着「唧唧」「啾啾」的虫鳥鳴，遊人再脫了鞋襪，把脚伸直在雪花似的瀑布裏，確似身臨仙境一般。

祠是築在山腰上，由此經天門，登攻天梯，一級一級爬上去，約三百公尺處，設有「太魯閣亭」。我們原擬提了野餐飲料到上面吃的，可是內子牽了老三爬不到一百公尺，因爲路太陡，太吃力，已經失去再爬的勇氣，乃折返長春祠涼亭休息。我和琢如弟則帶了老大老二，鼓起餘勇冒暑繼續爬上去，終於在途中休息兩次後，在十時卅分登臨該高閣。於是我兩人舉目向四週瞭望，長春祠附近的所有景物盡收眼底；叫人心曠神怡之餘，對於上帝造物之如此神奇美妙，禁不住要慨嘆人力之不如了。閣的正門兩側，書有下述對聯一首：「蜿蜒綰四野風光，有絕[illegible]摩星，幽林繡壑；浩蕩接九霄雲路，看移山今日，跨海明朝。」該聯書於民國五十二年七月，亦即告知遊人該東西橫貫公路是成於此時。由該閣向左沿幽徑走去，一里許外，過吊橋可達禪光寺。我們因內子在下面等候，所以取銷了循此路去禪光寺的打算。取出筆來，在閣的北面窗欄上，寫上我與琢如弟遊覽紀念的文字，即沿來路匆匆下來。到了天門，見許多海軍戰士坐在山洞中避暑，乃與琢如弟亦往洞中乘涼。時每人汗流如雨，衣衫盡濕。在洞中坐了十來分鐘，居然如有冷氣設備一般，渾身的汗水不見了，人也似生活於晚秋天氣中一樣。然而一走出來，氣溫馬上就兩樣，又使我們想到這時正是二伏天。海！只有準備再流一些汗水吧！

自長春祠返回太魯閣站，這兩公里多的路程，我們決定步行，以便觀賞沿途風景。最小的孩子才三歲，居然也能在酷暑中走畢全程，眞是出乎我們的想像之外。兒童的心情也跟成人相差無幾，都喜愛新奇的事物。旅行，看到的景物全然與在家生活時不同，所以不僅能提高孩子們的生活情趣，更能增加他們的見識，並有助於開啓其幼稚的智慧之窗。當我們出發前，許多朋友建議不要帶孩子同往，我却沒有接受。我覺得父母之與孩子，必要時，最好不要單獨留下他們。否則，那會令他們在心底裏，對父母之愛，留下不良的陰影。現在看到子女們如此快樂，聽話，我眞是比中了愛國獎券的特獎，還要高興一些啦！（十三．全文完）

我所知道的麥帥

肯寧將軍原著　徐熙光翻譯

麥帥又成了大家爭論的中心題目。當他的部隊勢如破竹，向北挺進時，大家都非常興奮。但是當他被迫後撤時，國內就有些人叫囂攻擊麥帥無能，或是說他已經太老，他的情報機構在睡覺。有的人甚至建議應將他免職。

麥帥之所以又被迫後撤，是因爲共軍部隊的人數比我們多出了三、四倍之多。有人指責他違背原則和初衷，未能一舉殲滅殘敵，而在中韓邊界以南五十哩的地方停了下來。事實上一九五〇年十一月他的最後反攻行動不僅是根據他自己的計劃，而且經過聯合國和美國參謀首長聯席會議主席的批准。

中共部隊聚集在鴨綠江的對岸，這是一個安全而不會遭受攻擊的地方。麥帥的情報機構對這些部隊的駐在地和力量，知道得相當清楚，毫無疑問；他們也知道在任何一個晚上，毛澤東都可能把他的部隊載上卡車，在兩三個小時之內投入戰場。但是除了毛澤東一個人以外沒有人能夠說出這些部隊是否將參加韓戰，或何時加入？麥帥最先得到的消息是有六萬名共軍已開到前綫，可是一兩天以後他所得的情報是中共部隊已有二十萬開入韓境，這並非意味情報不實或有誤，事實上沒有一個人能像從水晶球裏預測每一件事一樣，事先曉得毛澤東心裏的盤算與莫斯科所給他的命令。

一九五一年一月，形勢又有了改變，麥帥又開始緩緩向北推進，他用他空軍，戰車和大炮的優勢予共軍以致命的打擊，中共軍隊的損失極爲慘重，而麥帥部隊則僅有超碼的輕微損失。

接着聯軍部隊又再度收復了漢城，並且越過了三十八度綫，但是麥帥突然在一九五一年四月十一日被免職，由李奇威中將接任聯軍司令。

在我寫這本書時，韓戰仍在進行，尚未結束，但是麥帥在韓國的戰績無[illegible]的已經遏阻了共黨在歐洲、中東，甚至中南半島的其他可能侵略行動。

如果不是毛澤東採用人海戰術，中共部隊是無法在遭到如此重大的打擊和損失以後，還能保持他們的鬥志和士氣。毛澤東曾大言不慚，要把麥帥趕出朝鮮半島，把聯合國部隊趕到海裏去，誰都知道這簡直是癡人說夢。

如果史達林打算叫毛澤東長久作戰，他必須供給毛澤東軍火，沒有人知道蘇俄在不危及潛力的原則下，能拿出多少坦克、大炮和飛機。但是很明顯的，麥帥在韓國所作的努力，延緩了共黨在歐洲的侵略顛覆行動，使北大西洋公約組織的力量能夠及時成長，來遏阻蘇俄的侵略。未來的歷史學家想必將會這樣的寫下歷史的一頁：歐洲和人類的文明，出於麥帥在韓國的戰績而得獲拯救。

十二、回顧

凡是能夠寫下歷史新頁，或是能夠排除萬難而達成目標的人，受人讚譽之餘，最後免不了也要被小部分人所詆毀或破壞，麥帥也不例外。瘋狂崇拜他的人有之，極端不喜歡他的人亦有之。他受到人至高無上的讚美，也被人無情的批評或抨擊過。有人稱他是全國最勇敢軍人，但也有人送他「防空洞」的渾號。（六一）

來函照登

逕啟者：本年十一月四日貴報載有「立法院職員擅拘人民並強迫其寫證明文書」消息一則，展閱之餘，不勝詫異。查本案係購委員會紀錄、發票、及包商之估價單與發票，均係昇輝行，從無美華字樣。該昇輝行負責人朱其灶，係經常來院；此次曾送向採購委員日頭檢舉，謂有人向其勒索，復親至尹秘書長住宅報告，尹秘書長當令徹查。主管奉令曾往調查，並洽請朱其灶到院，補具書面，以便呈復，路經約第五分局中正路派出所巡佐鍾漢到場作證，事證俱在。至所稱攜槍不離，拘捕及按[illegible]妨害自由各節，並非事實。誠恐外界不明眞相，相應函請查照，惠予依法更正爲荷！此致

香港自由報

立法院新聞室敬啟

第十四回：誰與慶昇平　呼朋羨與　居然爭霸業　背主孤行

赫魯曉夫「哦」了一聲，問道：「我們不接受他又怎麼辦呢？」

米高揚摸摸小鬍子笑道：「不接受他就把新疆人民逃亡的責任全推到我們身上。說是我們勾引的，並不是那裏人民沒東西吃餓跑的。」

赫魯曉夫冷笑道：「這簡直是胡說，人民要有飯吃，誰勾也勾不走。假若人民逃亡也能栽贓，告狀，東德爲什麼不告西德誘拐？」

米高揚笑道：「你說話就是這樣沒遮攔，要被毛澤東聽了去可不得了。我們與中國的關係，如何能同東西德相比，我們若以西德自居，毛澤東就不僅攻擊你是現代修正主義，乾脆要說蘇聯是帝國主義了。」

赫魯曉夫拍拍禿頭，說道：「這倒眞是個難題，我們怎樣對付呢？總不能眞的把邊境封鎖了。」

米高揚摸摸小鬍子，陰陰笑道：「辦法倒有一個，就是搶先一步，我們乾脆給中國提照會，說明新疆人民大量湧入蘇聯，增加了我們的困難，但是爲了人道，又不能拒絕難民入境，最好請他們設法改善人民生活，禁止人民出境，以減輕我們的困難。」

赫魯曉夫拍手道：「這一着眞是妙計，毛澤東乾氣也無計可施上！」

布列日涅夫遲疑道：「不過人道這個字，在社會主義國家照會上，是否能以使用？萬一毛澤東根據這個字來攻擊我們，又怎麼辦！」

米高揚說道：「這點我也考慮到了，雖然在共產黨人看來，人道不是一個好字眼，但是，在整個世界來說，畢竟還是社會道德的準繩。毛澤東無論如何膽大，也不敢公開說不講人道，我想提出這項照會之後，毛澤東將無法反駁。」

大家想想，也覺得小鬍子的話倒是頗有道理，於是就一致通過了。

毛澤東接到蘇聯照會，一看蘇聯的理由竟是爲了人道，不能拒絕新疆難民入境，一時氣極反而笑起來，在政治局常委例會中向大家苦笑道：「肥猪道人竟然如此無賴，連人道都說得出，我不知道他當初在烏克蘭主持清黨，把烏克蘭人民幹掉百萬之多，究竟是不是人道，現在却反而用人道作擋箭牌，掩飾他勾引新疆少數民族的罪行，此仇不報，非丈夫！我們騎着驢看唱本——走着瞧吧！總有一天我要整掉他。」

劉少奇問道：「新疆少數民族逃走的日漸增多，新疆省的幹部都無術應付，蘇聯既然不肯封鎖邊境，我們就要自己想辦法，否則新疆省幾百萬人眞會溜光的。」

鄧小平說道：「中國周圍國境也有好幾國，爲什麼別的地區未出現這種情況。」

鄧小平說道：「別的地區有公安部隊，國防軍封鎖嚴密，人民想外逃十分困難，自然就沒事了。」

毛澤東聽出了毛病，問道：「新疆也有公安部隊，國防軍，爲什麼不執行封鎖呢？」

鄧小平苦笑道：「封鎖只能封鎖本國人，不能封鎖外國人，所以新疆幹部也無策可施。」（三八九）

他們邀我參加，最初我不敢參加，因為我一則錢少，二則我雖能打牌，但却不喜歡嫖妓宿娼，那時的我看了女孩子就紅臉害羞，一句話都講不出來；就是堂子裏的姑娘們來了，我也不願和她招呼或講話。後來他們缺人時，就拖着我去一道打牌玩。差不多有一個多月，都是天天過著花酒牌賭的放浪生活。我雖很困難，也實在不願意，但却拒絕不了同流合污。幸而我不嫖妓宿娼，打牌輸的時候不多，錢雖少也勉強應付下去了。一個二十多歲的青年軍人，在這樣的環境下，在上海那種地方，是最容易墮落的。這是非常之嚴重的事，幸而十二月下旬，蔣校長從日本回來到了上海，東山再起，一月初復任國民革命軍總司令，我在二月中旬去南京，到黃埔同學會報到，繼續參加革命工作，藉此便結束了及擺脫了在上海的流浪生活。這不到一個半月的花天酒地，非嫖即賭的生活，是我一生最荒唐的生活。

冒險犯難記

鄧文儀

三十六、隨從參謀無事可作

蔣總司令復職之後，要找幾個隨從參謀，黃埔同學會就黃埔軍校第一，二，三，四期畢業學生中各選拔了兩個人，保舉候用，我也是候選人之一個，并獲得選派，很快就到職了。這時我的軍階是中校，如以我去年在軍校政治部服務時少將軍階論，是降了兩級；若以年齡及當時一般參謀的階級論，也就不低了。我對於軍階的高低或升降，毫不重視，但我却希望能多有些工作。

因為總司令復職不久，正計劃國民革命軍第二期北伐，隨從參謀人數雖不甚多，但工作却很少，除了輪流值星值日，聽候臨時派遣工作之外，就沒有固定或例行的工作；我是一個好活動，好工作的人，那樣一天到晚，飽食終日，無所事事，實在感到不安得很，幹不幹下去呢？我感到十分困難。

陰曆年前，我的妻子已從廣州到了杭州，租了兩間房子暫時寄住，她已懷孕七月，寫信告訴我，從廣州到上海的途中，很不舒服，希望我抽空到杭州去看她。我請了五天假，在陰曆除夕前夜離開南京，搭京滬車去上海，轉赴杭州，因為路途不熟，夜快車到達上海眞如車站，我就下了車，結果還差了一站路；我一個人清晨步行去到滬杭路的車站轉車，沿途看見電桿及有些民房牆壁上，張貼了很多共產黨的標語，當然是反對政府反對國民黨那一套。因為年關在即，路上行人很少，我感到很惶恐，心急共產黨，如知道是我在這裏，一個人行走，要同我開玩笑，揍我一頓，我沒有方法抵抗，不是很危險嗎？事實上當然不會發生那樣的事。（五九）

江山樓與藝妲

周燕謀

台北「江山樓」是昔年聞名海內外的大酒樓，凡是來台的名流雅士，鮮有不曾到該樓宴飲過。今日的日皇裕仁，在他還是在做太子的時候，曾在「總督府」設宴，便是由江山樓所承辦。

考江山樓係於民國六年開業，位於今之風化區保安街，日據時代俗名日新町二丁目，又俗名舊市場。經營計達三十二年之久，直至光復後始告停業。江山樓為福建泉州府晉江縣新門外高山鄉義門吳氏江山所創業。吳氏先經營「薈芳酒樓」，後退股創開江山樓。

江山樓由吳江山自己設計監工興建，總工程費二十餘萬日元，站地一百八十坪，為四層磚造樓房，在當時是台北大建築物之一。建築所用木材，全是用福州運來之杉木，及日本淺野桶裝水泥。竣工當時，乃是全台數一數二的高樓，與總督府，博物館兩大建築並駕齊驅。樓中設備：二、三樓各有七間精緻的餐廳；四樓另闢特別應接室一間，洋式洗澡房十間，理髮室等；屋頂庭園有四個大理石圓桌；五樓展望台。各樓樓梯裝嵌美術玻璃鏡。一樓充作辦公廳、廚房等。侍者經常有五六十名之多。而餐廳每間以木板門屏隔，各間室內均懸掛當時文人雅士墨蹟。

民國十二年，日皇裕仁來台（時為太子），在總督府設宴時，即該樓承辦。食器都是用銀質，宴飲各物，均須消毒合格，廚師預先留往總督府官邸一星期，唯與江山一人可專車出入，要可見其「隆重」之一斑。

彼時江山樓的宴席之排場已甚講求，大宴會常用對名入座。也採用西洋式的長方桌的設宴方式。食器除銀器之外，尚有江西磁器（後）一類，極其優雅，直至中日戰起，江西磁無法運來，始以日本馳名的清水燒磁代之。而桌椅則全用烏心石木，頗為別緻。故在彼時有謂：「登江山樓，吃台灣菜，叫藝妲陪酒」，是頗潤緯兼風雅的。

江山樓的藝妲，較別家亦出色些。藝妲陪酒，無待贅言，是酒上添花。藝妲是應顧客的需要，經指名或委任酒樓代為物色，從藝妲間「出局」到酒樓的。陪酒一次，稱為一局，不計時間長短，一局當時五元。藝妲之酬金，全由藝妲間女主人收入，藝妲大都是女主人之養女，除供應一切衣食養育，到十一二歲便開始學藝，唱曲（即平劇），彈琵琶，三絃，揚琴等樂器，至二八年華，則開始營業。

藝妲也有上下流之分，紅妲則不多。日本為便利管制藝妲起見，後來建立「檢查制度」，由警察署掌理。藝妲曾在日人博覽會中演出妲戲，盛極一時。每年春間，逢田都元帥生辰，則由曲師主辦舉行慶祝祭典，設壇演戲。屆時藝妲三三兩兩前來參拜獻香，祭典的地方，都設在「江山樓」前的大庭，俗稱「江山樓庭」是也。此外，尚有由報刊舉行藝妲花后投票事。江山樓曾對顧客銷售一元投票卷一張的方式，選出紅藝妲。也曾編過藝妲名錄，內詳列藝妲之藝名，特長，住址，及芳影。這比起今日之酒女來，據說她們要高明得多了。

鑄秋六十賦

壬寅稿

余井塘

近人詩選

喜子休官神更清，老還讀律未逃情。客多朝野賢豪最，事有雞蟲得失爭；冷眼略窺微可覘，俗緣難絕累非輕；常因世險心增廣，彷笑迂儒昧達生。

壽公超六十

癸卯稿

前人

衆驚頭白才難盡，人自官閑趣更多。寧惜奇懷乖俗甚，不知妙語有時苛；名高墨竹清無比，秋冷黃花勁若何！冰雪聰明金石壽，庸儒原與子殊科。

美妹

羅蜜家著

「別裝傻好不好？姓何的，你不是個不講義氣的人。為什麼弄走美妹，反而來問我呢？」

「大明，你先理智地想想：我會是那樣卑鄙齷齪的人嗎？自從那天見了你，我們彼此有了諾言之後，我只見過她一次，那還是你打她以後，她跑來訴苦的。可是我並沒有破壞諾言，我立即把她勸慰着送了回去。我就一直沒有去找她，也沒有見她來找我。現在她走了，我們應該好好想想，她究竟去了那裏？光是彼此猜疑是沒有用的。你說是不是？」

這時，酒、菜都上來了。健文斟滿了兩杯酒，一杯遞給大明，然後說：「酒逢知己飲，我們乾一杯再說。來！」

「謝謝你。」大明看他一飲而盡，在難為情中，也骨碌一口，喝下了那杯黃橙橙的酒。

這以後，小攤子上的氣氛漸漸融洽起來。兩個桌子上的青年顧客，都滙集到一處來了。大家有說有笑，邊喝邊討論着美妹的去向，以及如何尋覓的方法。大明已不再懷疑健文是幕後的指使者了。這使他眞是喜出望外；從而使他覺得太保青年也並非盡是些衝動、盲目、失去理智、不可理喻的壞東西，只要相處得法，應對有禮，加上開導與指引，他們也會朝你所希望的方向前進的。

可惜地，是健文的這種判斷有了若干錯誤。所以使他自己幾乎上了大當。

當時劉大明告訴他說：美妹失蹤已有三天了。那是她答應嫁給大明後第二天的事情。她的這一個承諾使大明高興得雀躍了起來，一面稟告父母親，一面為她添製新衣，給她買化粧品，並且叫她辭退了做下女的工作。更在心底裏，計劃如何儘快跟她結婚。

美妹這兩天也顯得十分快樂，收拾院子打掃房屋，整理衣櫃，招待賭博的客人，都比往常積極而開心。她還陪大明逛過一次街，對大明買的衣物覺得樣樣稱心，對大明的殷勤體貼，更表示了好感。臨逃出家裏的那天中午，她懶洋洋地躺在床上睡午覺，大明輕輕地推門進去，不聲不響地俯下身子吻她，摟着她，她也未反抗，而乖乖接受了他的撫愛動作。

但奇怪的是，就在當天黃昏，家中開始聚賭，她去買香煙、茶葉和晚點時，着她高興地騎着自行車出去了，却一直就沒有再回家。

第二天一清早，他向親友們打聽，都說不知道。他們檢查她的臥室，才發現她的若干衣物與身份證都已不見。

這才確定了她眞的出走了。起先，大明懷疑是一個常出入他們家賭博的堂叔，是大明的把兄弟劉子惠引誘出走的。因為他的身體魁梧，體格健壯，長相也挺不錯，且又只廿五六歲，家裏較爲有錢。由於是自己人，經常來往，不受拘束，和美妹混得很熟，有幾次，美妹也稱讚過他。所以花了一天多的時間，派人暗裏調查劉子惠的行跡。結果，是錯怪了，劉子惠正生病着，根本好幾天沒見過美妹。

後來大明的父母，又認為她可能是跟大明的另一個把兄弟李國棟跑了。因為李國棟跟大明最要好，時時在一起吃喝玩樂，並且有許多機會接近美妹。大明的父母，且曾有過兩三次暗中看到他與美妹眉來眼去動手動脚。所以也就循此綫索調查了好些時候。結果呢？李國棟正在忙着準備與一個太妹田小辮子訂婚，且經雙方家長都證實了。於是也就大失所望。（二四）

海嘯樓談薈

彭其禪與新一軍

諸葛文侯

彭其禪者，四川雙流縣人，亦即辛亥年曾在北京以炸彈暗殺滿清貴胄良弼之革命先烈彭家珍侄兒也。初肄業成都大學（後改為國立四川大學），繼入中央軍校畢業後，以成績優異，於對日抗戰末期，派任至中樞軍令部中校參謀，處理關於作戰方面之日常事項。時孫立人率其新一軍戍屯滇緬路一帶抗禦敵寇之際，每奉軍令部指示作戰計劃與方畧，多中肯綮，乃知樞府軟掌軍令之幹部人物，必有賢才。洎日本宣告投降，新一軍奉命馳赴華南，孫立人先回重慶請示時，詢悉軍令部往日區處作戰命令者係彭參謀，即挽其至新一軍担任作戰科上校科長，旋新一軍進至香港接收，即升任彭氏為同少將參謀處長，未幾，新一軍北上馳騁關外，又升任彭氏為少將參謀長。閱時僅半載而連陞三級，足見孫軍長對彭氏格外賞識而倚畀殊殷也。

新一軍駐防東北期間，前後對共軍經過六次會戰，其中五次作戰計劃，皆為彭氏所擬訂者。繼而孫軍長超遷新職，潘玉崑接長新一軍，維時東北局勢日非，而九省軍政長官屢易其人，新一軍戍守長春，四面受共軍包圍，處境極為艱困。彭氏建議集中全軍六團機械化武力，對共軍從事一次重點的掃蕩戰，藉以扭轉頹勢，改善環境，即擬訂作戰方案，名為「鐵拳計劃」，送呈司令長官部核定施行。詎長官部開會核議「鐵拳計劃」時，認為重點掃蕩雖勝利可期，然不能佔領重要據點，未免得不償失，不如分成兩路出擊，戰果較大。彭氏當場申述其見解，謂集中掃蕩之目的，只在消滅敵軍主力，使其無法迅速補充，以減少我軍受到被包圍之威脅，此與通常進軍之戰畧戰術有別，然長官部仍不採納。旋即實行兩路出擊計劃，終以實力分散，勞而無功。據彭氏事後談及此役，倘若孫立人不去職，蓋孫氏於長官部會議可獲通過，亦未便過拂其資深而卓著戰績，一切奉命行事，意無所主張也。新一軍困處長春，專取守勢防禦，而補給接濟，日益困難。未幾，遼陽、錦州之綫，[illegible]，新一軍殆如甕中之鱉，無能為力矣。是時同戍東北之滇軍乘機投共，宣稱「起義」，然新一軍無法突圍，各級將領既不願自動投降，亦不妄言「起義」，唯有束手被俘耳。（上）

談言派名票

姿婆生

日前在士林雅歌集，聽到田席珍夫人權瑛女士，唱言派文昭關，為之一異。因為自麒馬二派盛行，此間伶工習言者甚少，可以說沒有一人。保存此調者，全在票友得嚴行陳惠君兩人。嚴氏固極精於此派，而惠君則以儒而能精，跌宕之味，尤以法場換子的數薛家一段，有一波三折，極其頓挫抑揚，為余聽了四十年中所僅見。

為何在台灣的票友，很少學言，也是如商賈看法，以「時尚」為貴。麒馬的風頭在言之上，總要求人所樂聽，不顧在咬字上去耗功夫，並以言氏戲路，不及麒馬之寬，於是言派沉寂。實則言派，固有譚氏之遺緒也。

田夫人何以學此腔調，其中必有一段淵源，否則不至於去學。也許是言家的戚友，再則有些事情，由環境而至變化，菊朋子少朋，在其生前，竟學馬派，迄其下世，反而又學言，繼其先人餘韻。少朋之妻張氏，最近播出各戲，無不力肖菊朋，也可說是異數。自從楊寶森唱片盛行，於是妄定「楊派」，又是風起雲湧。楊是學余，應該歸納入余派，才是正理。此派何從說起，不知所云，請問定名之人！

自由報
內儲警台報字第〇三壹號內銷證
THE FREE NEWS
第四九七期
民國僑務委員會頒發
台教新字第三二三號登記證
中華郵政台字第一二八二號執照
登記爲第一類新聞紙類
（本報刊每星期三、六出版）
每份港幣壹角
台灣零售價新台幣弍元
社長：雷嘯岑
督印人：黃行寬
社址：香港銅鑼灣高士威道二十號四樓
20. CAUSEWAY RD 3RD FL
HONG KONG
TEL. 771726　電報掛號：7191
承印者：田風印刷廠
地址：香港灣仔高士打道二二一號
台灣分社
台北市西寧南路壹叁叁號二樓
電話：三〇三四六
台郵撥儲金戶九二五二

實行民主政治的起碼條件

余蘊

「民主政治」並不是新奇的產物，在歐美，「古已有之」；在中國，國父的三民主義及其建國大綱和方略，就是一套完美的民主制。我們現時談民主政治，不是應不應該的理論問題，而是如何實踐的事實問題。世界潮流向着這方面衝激，人類生活指着這個目的物追求，大勢所趨，沛然莫之能禦，遠識的政治家都有這種警覺。不過，民主政治既不是騙人的口號，亦非獵官的法門，更不是川諺所謂「扯靶子」的玩藝。要想實現眞正的民主政治，必須「自天子以至於庶人」不分男女老少，大家一心一德的具備幾個起碼條件，相互自發的實行，才有希望。

實行民主制的起碼條件是甚麼？說來極其平凡而消極的，卑之無甚高論，行起來，大家都有些不習慣，不知不覺的容易忽畧而使民主政治受病，甚至於夭折，舉其要點，有如下列：

第一、守法精神

武斷的一言，我國人除了一般「不識不知，順帝之則」的馴良百姓以外，多是缺乏守法精神的。越是有地位有知識的人，越無守法習慣，他們忽視法紀的程度，每每與其地位成正比例。試將我國頒布的大經大法，彙集攏來，洋洋大觀，與世界上任何一個法治國家相比較，絕無遜色。然而，事實上大家遵守若干？是否多半成了具文？民主政治的精神爲「自由」，大家講自由，大家又無守法的習慣，試問成何世界？法律之爲物，本如泥塑木雕的偶像，大家認它是神靈之物，頂禮膜拜，就有禍福人的神聖作用，如其木偶視之，便成廢物；若一時不高興，將其拋入污泥糞坑中，再取出來洗乾淨，教人信奉，那就不可能了。史記張釋之傳載兩段故事：「上行出中渭橋，有一人從橋下走出，乘輿馬驚，於是使騎捕，屬之廷尉⋯⋯廷尉奏當：一人犯蹕，當罰金。文帝怒曰：此人親驚吾馬，吾馬賴柔和，令他馬，固不敗傷我乎？而廷尉乃當之罰金！釋之曰：法者天下所與也，今法如此，而更重之，是法不信於民也⋯⋯廷尉天下之平也，一傾而天下用法皆爲輕重，民安所措其手足？良久，上曰：廷尉當是也！其後，有人盜高廟座前玉環，文帝怒，下廷尉，釋之按律：奏當棄市。上大怒曰：人之無道，乃盜先帝廟器，吾屬廷尉者，欲致之族，而君以法奏之，非吾所以共承宗廟意也。釋之免冠謝曰：法如是足也。且罪等，然以逆順爲差，今盜宗廟器而族之，有如萬分之一，假令愚民取長陵一抔土，陛下何以加其法乎？文帝與太后言之，乃許廷尉當。」

在專制時代的君主，口含天憲，可以生殺予奪，不受法律拘束的；執法的人，亦多是奉旨，但求無過。然文帝和張釋之彼此都對法律抱着尊嚴感，不敢隨意出入，爲情感所左右，這就是政治修明之徵，保障人權之道。

今日我們要實現民主政治，無論在朝在野的人，必須具備這種精神，方不致落於空談，而社會上的縉紳先生和權士豪右們，即不致以不納稅完糧爲榮譽，以子弟不當兵爲面子。推而至於有拘束人民自由權力的機關，即不敢隨便拘禁人民，不負責任；對於觸犯違警律的人民，亦任意課以罰金或拘役了。因此，我們希望全國有地位有知識的人，先把守法的心理建設起來，大家對着神聖的法律祭壇之前，發下大願，起個硬誓，決不輕易違悖法律，亦不輕易制定法律，庶幾民主政治前途，始有光明的景象。商君說：「法之不行，自上犯之。」明末蜀人唐甄說：「天下難治，人皆以民難治也；不知難治者非民也，官也。」的確，就不守法紀一道觀點而論，我國大多數的人民，實在比一般官吏和士大夫格外馴良安分，國家的皇皇法令，可以自由出入，無怪乎一切政府的法制規章，命令文告，都變成官樣文章，無足輕重，甚至於「法令滋章，盜賊多有」了。凡屬不守法的人，必具有相當權勢與地位，於是乎所謂「法律」「紀綱」也者，幾乎成了專對平民而設的產物。在這種情形之下，要想實行民主政治，眞是「積蘆灰以塞洪流，斷鼇足以立四極」的夢話！如果有地位有知識的人，以身作則，視法紀爲神聖不可侵犯，人民自然風行草偃，蔚成法治生活，大家在法律範圍內發揮自由意志，民主政治即栩栩活躍人間了。

第二、健全與論

沒有健全的與論，而侈談民主，那是文不對題，治絲益棼。「健全」的涵義甚多，談何容易！然而我們心響往之，至少應做到消極的起碼條件，這可從兩方面講：與論的代表者爲報紙，與一般刊物，報紙更佔重要地位。政府除實行言論自由，依法監督指導外，當使民間的報紙普遍化，獨立化。報紙的本身當然亦要具備獨立自主的條件，說自己應說的話。所謂眞正的與論，決不是獨具偏見的「一家之言」，亦非政府機關報的說教之談，貴能代表民衆的公共意見，不管你是一黨一系的言論也好，總是爲着國計民生的大多數人利益而立言，自然獲得社會大衆的擁護，形成與論權威，政府即非尊重不可，這是造成有力與論的前提。眞正的民主國家，凡是政府有興革大業，事前必設法造成與論，以觀人民公意，如美國羅斯福總統當希特勒發動侵畧戰爭後，不久，他知道美國將來必不免捲入漩渦，又知道人民不輕易贊成戰爭，乃在芝加哥先發表一篇「防疫」演說，說明戰爭的蔓延趨勢。與論界如響斯應，平心靜氣的闡述研討，使人民了解戰爭的必然性，然後逐漸準備，等到與論一致贊同，美國便一躍而爲反抗侵略的領導者！這固然是民主國家尊重與論的表現，而與論界亦能摒棄平日的成見和私慾，超越一切黨派，站在整個國家民族利益上，替人民着想。回想卅年前我國有些報紙，當蘆溝橋事變之前，政府明明表示正在積極準備抗戰中，而這些報紙硬指爲親日，說「準備」是藉口，是要與敵人妥協，事後思之，寧不啞然自失！所以，與論要有力，固然需要政府的扶植尊重，同時，其本身亦須先求健全，使社會人士自然而然的發生共鳴，才可以發生領導人民，鞭策政府的力量，而形成民主政治的實踐。

第三、善良風格

所謂「風格」就是人類生活動態上的妥當性。試就民主政治精髓的選舉與議會情形而言，吾國人業已經過五十來的練習工夫，嚴格的說，至今還是未入流呢！談選舉，無論是選民或候選人，乃至於辦理選舉事宜的行政官吏們，許多地方都缺乏妥當性。譬如候選人除却發表政見之外，挨家挨戶用喇叭管去大叫別人「投我一票」，早晚聲震屋瓦；機關團體下命令教所屬員工爲某人助選，派車輛迎接選民投票，用文字圖畫對競選人從事人身攻擊等等，若在歐美各民主國家，盡是些犯法行爲，而吾國乃視爲當然的作風。以言議會，議員們藉着「在議會發言對外不負責任」的律例作護符，不明份際、不顧職守，混批評謾罵爲一談，憑感情好惡以立論，隨便亂說亂鬧，甚至於假公濟私，濫逞威權，以議會爲修怨市惠的工具。若夫一般官吏口稱民主憲政，行則我慢自恣，沒有「聞過則喜」的雅量，尤屬比比皆然，殊少例外。這些都是民主生活的致命傷，而在我國乃爲習聞習見的現象。因此，養成善良風格，實係促進民主政治的必要課程，不能忽視的。

上述三項起碼條件，可說是人人能知的常識，唯其是常識，所以容易忽略，非提出來談談不可！

永無寧日

如何落幕？

今日與明日

英國撤退在馬來亞的僑民

英工黨政府剛成立，即下令撤退僑居在馬來亞境內的英國人士，表示不惜爲維護馬來亞的安全而對印尼進行戰爭，可謂勇矣！

記得艾德里執政時，亦曾派遣大軍在馬來亞清勦共黨游擊隊，歷時甚久。這可見工黨人物平日對遠東問題侈言和平主義，反對戰爭行爲，動則以害怕引起中共參戰的理由，極力主張妥協，亦是有界限的——即英國利益所在地區除外。

馬來亞的動亂，原係印尼蘇卡諾搞起來的，他背後的支持、教唆者便是中共，此乃婦孺皆知的事。工黨何以又不怕招致中共參戰的危險，而毅然決然的要跟印尼兵戎相見呢？

因此，世界上凡是祭起「社會主義」旗號，高談非戰論調的所謂「進步份子」，都是些瞎扯淡的騙徒或妄人而已，噓！

以色列與敘利亞之戰

日前以色列與敘利亞，忽然在邊境不宣而戰，雙方都出動陸空軍，戰況頗爲激烈，究竟爲着何事而大動干戈，彼此緘默無言，不亦怪哉！

中東地區經常不安定，葉門內戰尚未終止，其他的英屬殖民地或保護邦國亦時聞鋒鏑之聲；東南亞地區更是戰火大作，震驚全球；東北亞的中韓兩國，正受着共禍直接威脅，戰事一觸即發。整個亞洲皆在戰爭氣氛籠罩之中，禍根就是共黨作祟，而以中共爲罪魁。

英美一方面派兵在亞洲各地戡亂作戰，同時又對亞洲禍亂根源的中共巴結妥協之不暇，這不是莫名其妙的作風嗎？

看香港　英倫「經濟學人」

倫敦「經濟學人」週刊，最近著文評論香港，認爲香港是「有錢人的天堂」，是上海之後的「冒險家的樂園」。這話似是而非。

我們認爲中共政權存在一天，香港好像是個爛熟了的蘋果，只要中共一旦對香港感覺沒有利用之必要時，這所「有錢人的天堂」，隨時可變成「有錢人的地獄」和貧窮人的奴役勞動場所。假使台灣的中華民國政府不存在，香港的情況早已不同了！

英國以爲藉着向中共妥協獻媚方法，即可望保持亞洲方面的既得利益，那就正符合英國人的外交格言：只問今天，不管明日。危乎殆哉！

不可與同羣

鳴正先生

日本共產黨最近宣佈：開除了十個屬於學者和文藝小說作家的黨籍，罪名是他們曾經批評中央執行委員會對於中俄共爭執事件的應付方針，即是他們不贊成日共與毛共一鼻孔出氣也。

我要首先替這十位文化人脫出魔鬼之門而慶幸。他們由於智識甚高，理想甚遠，看不慣現實社會生活的齷齪相，深爲民衆抱不平，誤認共產主義是救世津梁，共產黨是替天行道的「忠義堂」，因而走入魔道。假使日共不採取開除黨籍的處置方法，而對他們從事思想鬥爭，進行檢討批評與自我批評的惡作劇，疲勞轟炸，持續不歇，非教你自瀆自賤，連祖宗三代亦咒罵殆盡，而自承爲十惡不赦，罪該萬死之人不可，試問：那是何等難受的精神虐待啊！如今只是掃地出門，還我清白自由之身，可謂幸運也矣。

凡屬智識份子，都有是非羞惡之心，遇事憑着良知，權衡理性，表示自己的見解，決不隨便盲從附和的，這亦就是人類文化與文明進步的基本動力。如果沒有高級智識份子的努力創進，而專靠一般只知道喊打喊殺的英雄豪傑來主宰人類生活，這世界會進化到原子能時代嗎？如果不讓智識份子追求眞理，評判社會現象的是非得失，所謂「社會主義」與「民主主義」這些名詞，壓根兒亦就不會發現了。

共產仁兄以人類爲芻狗，要採取絕聖棄智的愚民政策，纔能夠實現極權統治的願望。所以，他們最憎惡智識份子，必須予以百般折磨凌辱，使其汨沒人性而後已。這便是共產革命永遠不能成功的癥結所在。一種政治團體，如其不允許它的成員對公共問題有表示贊否意見之自由，那是奴隸集團，政黨云乎哉？世界上那有專憑一羣奴才而可以完成革命事業的政治團體呢！

明乎此，智識界人士即憬悟到共產主義者不可與同羣的所以然了。

操場練軍樂 標槍腦後來

死者嫌兇都是學生 警察局依法處理中

（本報高雄市航訊）十月卅一日下午，高雄市各中學，均爲慶祝蔣總統華誕，下午變相放假。市立五中二年十二班的部份學生，被留在校中，練習軍樂；正當學生們在操場花棚下大吹大擂之時，有學生林國富，突然頭中市立二中學生王向陽一枝標槍，射中後腦！因標槍射入過深，卒以三個學生之合力，方將標槍拔出。林生當場腦漿外洩，血流滿地，雖即時車送就近之民衆診療院急救，但已回生乏術，延至當晚七時五十分死亡。

市立五中學生，當時係在該校的操場練習軍樂，但何以竟死於市立二中初三學生王向陽的標槍之手？事緣當日市立二中下午亦變相放假，該校學生王向陽，因住市立五中附近，他閒來無事，提着標槍到市立五中練習，因而釀出此一慘案。慘案發生後，雙方校長曾意欲調處，卒以事關人命，不敢過問，正由警局依法處理中。此慘案發生的第二天，台省有兩間日報，因駐高採訪人員，未曾實地採訪，從憑道路傳聞，便爾下筆，以致將肇事凶嫌及死者那兩個學生之姓名，互相顚倒了。

死者學生林國富，業於十一月二日午間成殮，該生因家境貧苦，兇嫌王向陽之家長，乃出資四萬元新台幣，以作撫恤。市二中校長亦助以「道義上之撫恤金」伍千元。而五中校長周英健則無「表示」，但傳他有意要發動全體學生募捐云。

用混合飼料養三種雜交肉猪 農復會推行綜合養猪計劃

可節省人工提高品質並縮短飼養時間 促進農業進一步發展爲該會當前課題

（本報台北航訊）據農村復興委員會意見：今後台灣經濟發展，仍須依賴農業進步予以支持。故繼續增產足夠粮食，擴展農產品外銷，並增加農村人口就業機會實屬必要。台省因地狹人稠，這項工作，往後愈難，必須大家共同努力。現在台灣農業所面臨的問題是：土地有限，勞力過剩，農村資源未能適當利用，及若干農業制度未盡合理；故認爲如何促進台灣農業進一步發展，乃當前主要的課題。

由於農復會協助防治鳳梨「萎凋病」成功及加工技術改進，使台省鳳梨罐頭外銷，已由民國四十一年之十餘萬箱增至今年三百萬箱；由於香蕉之象鼻虫及萎縮病的防治，與栽培技術改進，運輸制度改善等，香蕉去年度輸出僅一百二十餘萬簍者，預期明年可增到八百萬簍，使收入達六千萬美元；由於防治果蠅技術成功，已使柑橘外銷市場打開等業績，說明農產品增加外銷，既可增加農村就業機會，減少農村人口對土地的壓力；而由於加工食品工業發達，各地食品工廠，在盛產期間，每日在農村就地僱工總數，常達五萬人左右。

最近，農復會將推行「綜合性養猪計劃」，指導農民飼養三品種雜交肉猪，使用混合飼料，使猪隻飼養期間由十一個月縮短至六個月，飼養效率提高，人工節省，猪肉品質更好。農復會並成立「台灣畜牧發展計劃」，以培養人才，將經營畜牧各項技術推行於山地，以利用邊際山坡。

南市稅捐稽征處 處長更調有內幕

（本報台南記者吳光勛航訊）南市稅捐稽征處前任處長楊維禮，與南市籍省議員歐雲明鬥法，棋逢敵手，各有千秋，一度曾熱烈劇鬥得難分難解，而亦終難分勝負，兩敗俱傷。

歐雲明省議員，係在南市經營大全成，第一全成，及小全成等三家戲院之老板，對三戲院娛樂稅，時有走漏情事；事爲楊處長維禮獲悉，乃派稅務員日夜駐征三院，有一次果截獲漏稅證據，即着大全成停業三天處分。歐雲明以堂堂省議員經營的戲院，竟被稅捐處罰停業三天，有失面子，乃採取行動，公開招待記者，宣佈楊維禮十大罪。楊維禮遭此鉅創，非但對駐征未予鬆弛，反變本加厲，取締更嚴。不料此事發生未久，稅捐處駐征員三人先後均被毆打，楊處長立即向法院提出控告歐雲明教唆毆打駐征稅務員。嗣經法院判決歐雲明教唆無罪，但犯恐嚇罪，處罰六個月徒刑，可易金科役。

此次省財政廳，對各地稅務主管大調動，惟獨南市楊維禮未被調動；歐雲明遂即使用渾身解數，連絡部份省議員，一齊向財政廳採取攻勢，終於月前楊維禮被調南縣稅捐處長。最令人莫名其妙滑天下大稽之事，就是當楊維禮將離開南市時，歐雲明竟向新聞界公開發表談話，對楊歌功頌德，欽佩其爲人偉大與作事秉公無私，渠之感情和洽，使人一見肉麻而作嘔之辭。。

這次財政廳以台南市特殊，娛樂稅收入相當可觀，特別愼重遴派該廳高級幹部蔣灝，長台南市稅捐處，自握任伊始，對稅務大加整飭。同時對原有各戲院，尤其全成三戲院，駐征更爲百尺竿頭更進一步，以冀達到較楊維禮任內尤其優越成績之表現。頃悉蔣處長每於夜間不辭勞苦親臨至各戲院巡禮，察看各駐征員是否忠於職守，以及服務態度是否和藹可親。因此，各戲院對蔣處長如此認眞做事，咸表示願意互相合作，預料將來台南市稅務當更臻完善。

美空航業招徠有術 飛機之上大放電影

現在的空中旅行與過去比較，眞不啻有天壤之別。在長途飛行中，除了有「飛行大菜」可吃，有身歷聲音樂可聽外，還有電影可看。電影散場，下機到家，舒服，舒服。

飛機的票價是「公議」的，那一家航空公司也不能以「減價」以廣招徠。在過去只有送送手提包，多招聘些漂亮的空中小姐担任招待。

爲了「拉客」，在一九六一年，環球航空公司首先發難，在飛機上用家庭電影銀幕，放映電影，以娛乘客，而廣招徠。結果成績甚佳。

各航空公司有鑑於此，起而效尤。美國航空公司在去年，更進了一步，在飛機上滿裝了日本「蘇妮」九吋銀幕的電視機，並備有耳機，乘客可自由的選擇電影，電視，或音樂節目。

近兩個月來，大陸航空公司也裝上了類似的酬賓設備。汎美航空公司一看「苗頭不對」，急起直追，在研究一種小銀幕的機上電影。這樣一來，航空界大有兼營影劇的意思。

連美國最大的聯合公司，本來不放電影的，現在也與原和環球機上裝電影的那家代理公司簽了合同，供應機上電影。據說就因爲過去不放電影，客人都被別的航機拉去了，在遠洋航線上大蝕其本。

按現在的趨勢，飛機上沒有電影，簡直就不能叫做飛機了。有一次環球航空公司從洛山磯到紐約的班機，因爲順風，早到了十幾分鐘，但好多乘客，到後坐在飛機上不下來，直到看完電影才走。

有時候客人搭飛機，因爲某一場電影已經看過了，往往實行改乘其他的班機，足示其關係之重大。

飛機上放電影，選片子是很頭痛的事，因爲有很多的忌諱。像有飛機失事情節的影片和鏡頭，是不能放映的。而過於黃色的故事，又會被保守的乘客指責。而沒有意思的片子又有誰要看？

既然飛機上放電影成了「定規」，沒有硬是不行的了。前次環球航空公司一架班機上面放映機失靈，而致乘客大爲不滿，結果公司只有補送好萊塢地面戲院的票子，這才完了事。

坐飛機看電影，當然過癮，可是航空公司所費亦很可觀。美國航空公司裝備它那四十七架噴射機，就花了二百五十萬美元，另外年度作業費用是一百七十多萬元——只是放電影。其他公司在這一方面的開支，有的高達五百萬元。對好萊塢來說，又當然是好事情，片子每放一次收費七八十元。據說將來還會有新花樣。

空中娛樂節目，其眞正的目的在吸引新顧客。據統計，美國有百分之八十五的人從未上過飛機；他們一天不上，航空公司一天不罷休。可是這些電影是否把「新人」吸來？還是大家把「老人」吸來吸去？尚待事實證明。

目前是家家都放電影了。各家航空公司的大頭都不肯「執輸」，正在各覓「絕招」，以求出奇制勝。有幾家想用眞人表演。說不定還會有「酒女招待」，而且可能有包廂璽之出現。

問題是今後的飛機一天快似一天，總有一天，電影表演剛一「開鑼」，飛機已經要落地了，如此一來，這些玩意兒豈不「無用武之地」了嗎？（謙遠）

檢討台銀呆帳與金融政策

——本報記者張健生台北航訊

五

又如台銀貸給東亞紡織公司款項，未依法定程序辦理，許有：

一、東亞公司以票據貼現借款新台幣四百九十三萬九千元。

二、台銀以長期資金貸款與東亞新台幣一千九百五十一萬三千元。

三、台銀由個別核定專案貸款與東亞新台幣四十七萬八千元。

四、台銀以採購原棉貸款名義貸予東亞新台幣一千八百二十三萬三千元。

五、台銀以東亞採購黃豆貸款名義貸予東亞新台幣五十五萬九千元。

六、台銀以外銷貸款借予東亞新台幣四百三十七萬九千元。

七、台銀爲東亞代墊進口關稅貸款新台幣三百六十萬元。

八、台銀對東亞墊付外銷物品應繳所得稅計九筆，計新台幣二百六十一萬三千元。

以上八筆，總計新台幣五千四百三十一萬四千元。從貸款內容分析：有的無担保物，台銀即先撥款，後辦借款手續。有的是前借不還，台銀仍續借其他項目貸款。同一担保物，可到處作各項借款担保品。東亞以票據向台銀貼現，到期後，東亞公司不兌現時，台銀竟不依法追訴票款。台銀與東亞担保進口機器到期，東亞不履行債務清償債權時，台銀無條件准予改爲長期貸款契約。這些，說明台銀對東亞紡織公司是如何特別優待。

而裕通航業公司，因購「裕通輪」而向美國歐文信託公司借款美金三十萬元，由台灣銀行保證案，原訂由五十年七月十日起，分五年平均償還。以後經洽得美方同意改自五十一年七月二十六日起，分六年平均償還，嗣後又因受承租人倒閉影響，事實上已無法履行，乃請將償還金額及日期改爲自五十一年七月二十六日起，分七年償還，第一年還美金二萬元，第二年還美金三萬元，以後每年還五萬元，到五十七年七月二十六日還清。經歐文公司同意後仍由台銀繼續保證。

有關該案新訂償還期限提存償債基金辦法，自五十三年以後各期如何提存，裕通公司沒有說明，而台銀擬訂應按月提存數額，並應由裕通公司股東會致函台銀承諾，作爲工礦財團轉担保。但裕通公司迄未辦理工礦財團担保登記。這被認爲是台銀對特權階級的特惠。

六

轟動一時的假出口眞退稅案，台銀業務部，對假出口商曾貸予數千萬元，追假出口案發生後，凡被處刑之公司行號，台銀自應追索貸款，並應按照該行信用貸款月息一分三厘八計收利息，然台銀係按最低外銷利率月息六厘二五計算，致使公帑損失至鉅，自假出口案破案至今，短收二百餘萬元。

台銀爲應付呆帳已備有鉅款計三十四億七千七百六十五萬八千元，其「類別」分爲：

應收收款及預收金額：新台幣六億五千六百四十三萬一千元。

備抵呆帳及折舊金額：新台幣四億五千零九十六萬八千元。

應付保證款項：新台幣一十九億零五百十五萬一千元。

短期墊款：新台幣二億零九百八十七萬五千元。

保證到期墊款：新台幣二億二千二百二十二萬六千元。

代墊貼現台灣伸鐵公司新台幣三千三百萬零七千元。（按：其他明細表略）

台灣銀行第二九四次常務董事會議臨時提案，其中有：

一、關於本行（台銀）逾期放款，逐案擬具處理意見，列表提請核議案。說明：在總行轉據業務部簽。（四）

僑聯賓館年底落成 書刊展覽延期舉行

（本報台北航訊）華僑書刊展覽，原定與賓館落成典禮同時於十月廿一日舉行，以擴大慶祝，現因賓館工程須於本年底始可全部完成，展覽亦經順延至明年元月間舉行。

全僑團、各地僑報、僑校、華僑作家、華僑文化事業機構，都很熱心參加展覽的書刊，繼續湧到。趁此機會闡揚華僑在文化上的成就，使我國博大精深的文化繼續在海外發揚光大。此次延期，正好給僑界人士更多的時間，蒐集更多的華僑書刊，以充實展覽會之內容，同時使鄉程遙遠的地方，亦可以趕寄書刊參展。

西德革新刑事訴訟法

李聲庭

據本年七月三日出版的美國「時代」週刊紀載：西德已經把過去一種先抓人後調查犯罪證據的惡法廢除了。這是以前德國（第二次世界大戰以前）的法律，這種刑事政策是從羅馬法脫胎而來的。凡檢察官主觀的認為某人有犯罪嫌疑時，可以先把他抓來關起，然後再從容不迫的調查他是否眞的有犯罪的證據。可能一關就是幾年。這種制度在德文叫Untersuchungshaft，譯成英文是Muestigative Arrest，譯成中文叫「為調查而逮捕」。即這個人不一定眞犯罪，或沒有足夠犯罪的證據；但官方討厭他，先把他抓來關了再說。把這種人關起來的唯一理由是他有逃亡「之虞」與湮滅證據或勾串證人「之虞」。這人是否眞犯罪，在所不問。只要檢察官認為他有些「之虞」的危險，便可武斷的把任何人拘禁起來再說。時代刊說，這種作風完全與「格殺打撲」Gestapo的方式一樣。不幸得很，翻閱我們的刑事訴訟法時，發現第七十六條便有同樣的規定。不過西德現在卻把這種惡法廢止了。

事實的經過，據時代週刊記載是這樣的：西德有一家最大的製造火車頭、卡車、翻土機的工廠內高級職員六人為法院逮捕，罪名是西德的國防部認為他們有欺詐的嫌疑，而這家工廠的董事長則是正在招待西德內閣總理的宴會上抓去的（時代週刊五月八日版對此事有報導）。另一家最大的衣服工廠的總經理也被指為有逃稅的嫌疑，把他從醫院的病床上抓去關起來。此外一九六二年一家雜誌因報導了西德的軍事情況，也以間諜嫌疑把發行人及五個職員抓了去關三個月之後才放出來，但並未正式對他們提出控告。

據統計，每年約有五萬德國人僅僅為了調查他們是否犯罪而被逮捕。每人平均在監牢裏關上七十一天之久。其中不及百份之四的人其後經審判結果所判的刑超過了他們因調查逮捕在監獄裏所渡過的時間。至于那些刑期不及在監牢裏為等待調查而關的時間，也沒有賠償的措置（即沒有冤獄賠償法）而且嫌疑犯往往與已經定罪的犯人一起關着。而不分開，也不能延見律師（我們的刑事訴訟法第二十七條規定：被告于起訴後，方能選任辯護人，大約是仿德國的立法例。）

上星期（七月三日前）德國的國會下院通過了法案，現在正送交上院。據說上院不久會通過的。不過並不是完全廢止，而是阻止濫用這種職權。據說將規定：除非檢察官提出具體的事實證明嫌疑犯確有：逃亡或湮滅證據之意向，否則法官不准他把嫌疑犯關起來（可見德國的法律並不授權檢察官可以抓人、關人，而我們的刑事訴訟法則是仿意大利一九三三年法例，授權檢察官可以抓人、關人）。而且德國法還仿英美法的規定：嫌疑人還可拒絕對自己不利作證也可。即使在偵查中也可以單獨與律師接談，也可委任律師在偵查庭中替他辯護。據時代週刊報導：國會議員甚至認為在不久的將來，這些法西斯式的為調查而逮捕的惡法會從德國的現行法中剔除淨盡。

劉伯溫故事

漁翁

「前朝軍師諸葛亮，後朝軍師劉伯溫」。諸葛的「馬前課」，伯溫的「燒餅歌」，均被詡為知過去未來，為我國預言七種中之名作。諸葛佐先主而鼎定三分，伯溫輔太祖而一統天下，併成為民間傳奇人物，故世又有：「天下軍師諸葛亮，一統山河劉伯溫」之語。

伯溫名基，浙江青田人，其先世為亡宋遺民，以避虜故，徙居浙閩交界之山區，數傳以後，雖人文蔚起，而皆恪守先人遺訓，不應元朝考試，載耕載讀之餘，惟有寄情山水，以田園詩人陶靖節，愛國詩人陸放翁自擬，而樂天知命，隱曜含華也。

迨伯溫於元武宗至大四年，即公歷一三一一年出世，穎悟絕倫，幼讀書，目十行下，年十四，通春秋，能文章。其師鄭復初謂其父曰：「君祖德厚，此子必大光門楣。」果負才必用，不甘寂寞，背先人之誡，於十六歲時，赴秋闈而舉於鄉，二十三歲成進士，除江西高安縣丞，一官五年，民咸德之。後因與當道不合，辭歸故里，杜門精研理學，與宋濂並為一代之宗。

伯溫不僅工於詩文，且對天文、兵法、易理、象曆、相命、堪與、占卜諸術數，莫不豁然貫通。常偕友遊西湖，作文酒之會。一日，有異雲起自西北，咸謂應在北方，而伯溫獨言：「天子氣應在金陵，十年後必有王者興，我當輔之」。其後輔明太祖定天下，果如所言。

當伯溫四十歲時，東南大亂，元朝欲用漢人以控制之，有人以伯溫薦，派為元帥府都事，類似今日之參謀長。但大權操諸蒙人手中，蒙人恃勢貪財，以伯溫之耿介，不為所容，遂辭官歸，從此再不涉足於元朝之政治塲合矣。

時朱元璋攻下金陵，浙東已入朱軍之手，慕伯溫名，派人禮聘，不就，又派孫台固請，始出山，陳時政十八策，為太祖所採納。此時陳友諒部，擁兵入寇，未可高枕而臥，幕中獻計者，主降主戰，議論紛紛，太祖召問，伯溫曰：「先斬主降者，乃可破賊」。太祖曰：「計將安出？」伯溫曰：「臣以為莫若傾府庫，開誠信以固士心，取威制敵，以成王業，在此一舉矣！」太祖用其策，誘友諒部至，大破之。

先破陳友諒，後攻張士誠，為伯溫堅執策畧；因陳友諒勢強，若先攻士誠，友諒必乘虛襲我後方，安慶不守，金陵亦危，若先解決友諒，則士誠如甕之鼈，不難一鼓殄滅。太祖從其言，果先平陳友諒，繼滅張士誠，然後派徐達，常遇春等，率師北伐，驅虜塞外，還我河山，出奇制勝，皆賴劉伯溫運籌帷幄之力。（上）

我所知道的麥帥

肯寧將軍原著　徐熙光翻譯

麥帥有崇高的性格，有卓越的表達能力，英文的造詣也很深，聽他談話，短短的五分鐘你會感到極為有興趣，就是長達五個小時，你已同樣會被他的詞鋒所吸引。在計劃一件事，或思攷一個未來的行動時，他慣於在房間內來回踱步。但是當他談到某些已經發生過的事時，則神情自若，顯得輕鬆無比，這時總見他靠在大椅子的靠背上，口含幾乎一刻未曾或離的烟斗。他通曉古往今來的歷史，眼前發生的事情更如數家珍。談到成吉思汗，拿破崙，或談到毛澤東時，他都一樣熟悉。他對世局的清楚，使人家覺得雖然他對過去的事無一不曉，但是他畢竟是活在這個時代中，和想着眼前的事情的一個人。對於未來事情的分析，雖然不能有言必中，但是測中的百分比却是驚人的高。人們縱然不採納他的意見來決定未來的行動，至少是會對之詳加考慮的。因為只有那些有遠見的人所作的預測才是有份量的。

在任何情況下，麥帥都有何事可做、何事不可做的果斷能力。他所認為正確的原則，他會盡力維護到底，他永遠不會改變他所認為對的行動和決定。每當這個時候，他對反對他的人都會覺得極端不耐。他的耿直也因此造成了少數人對他的不滿。當他贏得一項辯論時，他的朋友稱讚他堅持原則的決心和精神，等到他的意見不為人採納時，就有人批評他剛愎頑固。他維護正義的聲譽和善辯的口才，幾乎在他一進入美國陸軍，就開始為人所曉得。當他在西點軍校唸二年級的時候，有一次他的眼睛出了點毛病，為了到醫院去治他的眼眼，結果就誤了幾次週測驗。有一天下午當他從醫院回學校的時候看到佈告欄上貼着一張佈告，通知數學成績不及格的學生在第二天上午九點鐘參加特別攷試，麥氏阿瑟的名字也在內。

他告訴他的同學，他要去見數學教授，要求把他的名字從那些不及格的人的名單中除去。

「你不能這樣做」，他的同學說：「你未被准許去見教授，而且這是慣例，你不能違背它的呀！」

「我要去把我的名字從名單中除掉。」麥帥回答說。

他穿上他最好的制服去看那位數學教授，抗議他不應該被要求參加特別攷試。他說他的攷試成績一向很高，早已超過了及格的標準，所以不應該把他的名字列入特別攷試者名單中，他認為這是對他的一項侮辱。

教授提醒麥帥說他未曾被准許來看他，並說他違背了一項慣例，同時又說學校規定一個學生必須參加幾次這樣的特別攷試。麥克阿瑟說他從未會聽說過有任何像這樣的規定；如果眞有這樣的規定，他可以在特別攷試時寫上他的名字交白卷，讓教授打零分，因為他還是照樣可以及格。他最後說：「老師，我不參加這個攷試」。說完他行了一個禮，大踏步走出了教授的辦公室。

他回來以後，他把經過情形告訴他的同學，他的同學那晚都勸他不要違背學校的規定，不過麥克阿瑟的態度還是堅定不移。「我不參加這個攷試」，他一再的這麼說，「我知道那是一項規定，但是那是不合理的規定。我的數學並未不及格，怎麼可以把我的名字跟那些不及格的人的名字列在一起？不合理的規定原來就該取消的。如果我的名字在明天早上九點鐘以前還不除掉的話，我自動退學。」（六二）

三聯發票困擾廠商

（本報記者丁澈航訊）台灣自從規定廠商使用三聯統一發票後，漏稅商人，由使用假購買證，進而虛設行號，倒閉逃稅；最近更有味全公司以設立代銷商名義，涉有漏稅嫌疑，經治安機關移案台北稅捐處處理中。記者曾為此事深入探求此中原委，據云：使用三聯統一發票之原意為防止逃漏稅金，用意至善；但經過各廠商使用所得經驗，反而使生產工廠與批發商號貨品滯銷，且地下工廠應運而生，贋品亂真，使廠商遭受重大打擊。究其原因，即一般銷售商不願接受三聯發票所致（按三聯發票開出必需抬頭，大多客戶並不理解）。廠商為求本身之生存，乃設立代銷商以接受其開出之三聯發票，再以二聯發票開出銷貨，代替銷售商交納稅金，故實際做了一筆生意，要負雙重納稅義務。

第十五回：平等難期　一夫翻地軸　自由何價　萬衆擲頭顱

大家都聽得莫名其妙，毛澤東勉強捺着性子問道：「新疆人怎麼變成了外國人，這是從何說起。」

鄧小平苦笑道：「新疆問題發生之後，我曾同王恩茂打了一個長途電話，據王恩茂說，當國民黨統治新疆時，史大林為了破壞國民黨的統治，密令駐新疆各地領事館對於不滿國民黨的人士，全部發給護照，把他們當作俄國人，預備必要時可以用撤僑的辦法，把他們撤回蘇境，以免受到國民的迫害。本來這個辦法是不錯的，現在赫某就用來對付我們。」

毛澤東還未十分聽明白，問道：「他怎樣對付呢？」

鄧小平說道：「已經持有蘇聯護照的人，自然算是蘇聯公民，他們要出境，我們當然無法阻止。」

劉少奇插嘴問道：「當年不滿國民黨統治的人，畢竟是少數，現在成千上萬向外跑，蘇聯領事館當初怎會發出這麼多的護照。」

鄧小平嘆口氣：「我們想到的，王恩茂自然也想到了，他也派人着手調查，原來現在持有的護照都是新發的。」

毛澤東不由得又跳起來，罵道：「蘇聯領事館現在發的護照有屁用，去個電報給王恩茂，叫他查出幾個新護照寄來，我要同肥猪大辦交涉。」

鄧小平問道：「主席打算怎麼同赫某辦交涉？」

毛澤東獰笑道：「我們把護照拍成照片，寄給全世界所有兄弟國家及兄弟黨的領導人，就連南斯拉夫的鐵托也寄一份，指控肥猪誘拐我新疆人民，鐵案如山，他想賴也賴不掉了。」

毛澤東說得口沫橫飛，由於興奮過度，到了最後有點上氣不接下氣。

鄧小平冷冷說道：「主席想到的赫某也早想到了，他們發的護照全是倒填的一九四七年月日，我們抓不到證據的。」

毛澤東聽了這句話好似出透了氣的皮球，頹然坐在椅子上，一句話也說不出，眼光光看着大家。

劉少奇道：「擺在面前只有兩條路，一是置之不理，任由人民向外跑，一是封鎖中蘇邊境，禁止人民出境。」

鄧小平說道：「剛才已經說過，禁止人民出境，只能禁止本國人民，不能禁止僑民出境，而且對於技術方面還值得斟酌，以免引起衝突。」

劉少奇說道：「這樣說來，基本癥結在於新疆有蘇聯領事館，否則就不會發生逃亡的事。」

一句話引起毛澤東的靈感，一拍大腿說道：「現在雙管齊下，一面去電王恩茂，增派邊防軍及公安部隊，嚴密封鎖中蘇邊境，一面通知蘇聯大使館，請他們關閉在新疆各地的領事館。」

鄧小平問道：「這兩事件由誰去辦呢？」

毛澤東說道：「封鎖邊境屬於軍事範圍，交由瑞卿同志執行；至於通知蘇聯大使館，則是外交方面的事，應由陳毅出頭。」

陳毅苦喪着臉說道：「兄弟國家要關閉領事館是史無前例的事，主席考慮過沒有。」（三〇九）

冒險犯難記

鄧文儀

到了杭州家中已是下午了，妻在前一日早產，一個男孩子，生下來就死了，據接生的人說，是在旅途中胎受了震撼。妻在床上已痛哭了一天一晚，我自然也難過已極，爲什麼不早一天回家呢？也許我在家中照料，孩子不會死去。就在這樣悲痛的情況下，一對少年夫婦在哭泣中過了一個舊曆年。我百般安慰我妻子，過了年初三，因爲假期已滿，我又匆匆離開杭州回到南京，這是我第一次遇到家庭的不幸，及嘗到夫妻在困難中離別的苦痛。

在總司令部，由於工作甚少，終日游手好閒，無所事事，甚不舒服；我平生最怕尸位素餐，好像一個門下食客一樣。加上我的妻子新遭喪明之痛，一個人住在杭州，會感到十分困難，如是我就動念離開總司令部去找其他工作。剛好那時因爲廣東政局動盪，廣州暴動之後，軍校第六第七期學生多自動離開，逃來上海，南京，杭州一帶者近千人，蔣校長爲了收容及繼續培育他們，以國民政府主席兼總司令名義，令浙江省政府及軍事所所長蔣伯誠，臨時開辦一個軍事訓練班，委派賀衷寒任總隊長，等於班主任，已開始訓練，有人寫信來徵求我的同意，希望我到軍事訓練班去担任政治部主任（因爲我對學生們都很熟識）。我認爲這是作事最好的機會，但我感到困難的，乃是到總司令部服務不到三月，深恐總司令不准我離開現職，前去杭州服務，如是我寫了一個報告，說明軍事訓練班的訓練很重要，我對黃埔軍校避難北來的同學有道義的關係，應該前往那裏和他們一起作事；同時又說明總司令部人很多，我無事可作；不願尸位素餐，請准辭職，並准先行離職。這樣未得到總司令批准，就輕率離職，大有不辭而去及擅離職守之嫌；在事實上校長自然會原諒我，但在手續上我未免過於幼稚和輕率，內心感到不安和痛苦。結果我終於四月初去了杭州軍事訓練班服務，不久並得到總司令的批准，准予調職，我才安心在訓練班中工作。

三十七、西湖生活微波蕩漾

杭州軍事訓練班係由黃埔軍校第六期及第七期學生編成，訓練班的軍事隊職官及政工人員與主要行政幹部，都是軍校同學担任，賀衷寒任總隊長，編成三個大隊，由宣鐵吾、陳明仁等任大隊長，我負政治部責任。訓練班在杭州城區，用克難的方法，進行教育訓練，因爲時値非常，臨時設班，設備及經費都極困難，好在大家都是同學，彼此都是以校作家，就好像在一個革命青年軍人的大家庭一樣，彼此親愛精誠，共同負責，什麼困難都能克服，一切問題都不成問題，而得到解決了。（六〇）

談火柴

吉庭

上古時代，人類穴居野處，茹毛飲血，以樹葉蔽身體，對衣食住三者之需要，無進一步改善，有如獸類然。洎燧人氏出，鑽木取火，始教民熟食。及至有巢氏出，編葦而離，緝而廬，始教人以居處之法。軒轅氏出，除制六書五音外，又有宮室器具衣服貨幣之發明。於是人類始有衣食住之享受矣。

古人取火之具曰「燧」，有金燧木燧之別。金燧，取火於日，木燧，取火於木，見「禮記內則」。以鑽木取火種者，四時各異其木，其後僅於寒食後一日爲之，則沿襲故俗而已。又有燧石者，亦稱「火石」，以鋼鐵擊之，能發火，未有火柴以前，即以木與石爲取火之具。

火柴之發明，爲期不久，一九五三年，爲世界上第一火柴廠一百二十周年紀念，故迄今不過一百三十一年。火柴之主要成分，離不了「燐」，自從燐發現後，人類取火方法，才有劃時代的進步。

在一六六九年，德國煉金學者佈闌德，用木炭砂粒與濃縮小便一同蒸餾而偶然成燐。燐是一種易燃之品，在微粒狀態時，攝氏四十度便自動發燄，所以人類利用牠來作取火之用。

當十九世紀之初，歐人所製火柴頗多，今通用之者有二：一是英人潑來歇耳所製，其法以木條醮已溶之硫黃，外覆用燐質綠酸鉀及膠水紅料，製成之糊，隨處磨擦，即能生火，如市上所售之紅頭火柴是也。一是瑞典人倫特斯脫路姆所製，其法以硫化錦易去糊內之燐質，加入重鉻酸鉀鉛丹，必與匣面所塗之紅燐及硫化錦磨擦，始能發火，謂之安全火柴，如市上所售黑頭火柴是也。

據「清異錄」載：「夜中有急，苦於作燈之緩，批杉條染硫黃，置之待用，一與火遇，得燄穗然，呼引光奴，今有貨者，易名火寸」。按此製與今之火柴相似，惟僅能引火而不能生火耳，日本人稱火柴爲「燐寸」，蓋本此。

近來人類所用者，大多爲安全火柴，因爲赤燐的燃點高，要攝氏二百四十度才發燄，並且無毒，若經過摩擦，盒邊上有局部赤燐，由於溫度關係轉變成白燐，發燄燃燒而引起火柴頭着火；但在常溫下非與盒邊摩擦，決無火燄發生，所以比較安全，已成爲人類生活上的必需品。

火柴雖發明了百數十年，而窮鄉僻壤間，還有農夫野老用三寸長鋼鐵敲石取火以熟食者，殆亦「無懷氏之民歟，葛天氏之民歟」！

近人詩選

隴頭水

臞翁

隴頭水，東西流，西流歸大壑，東流到海不回頭，朝爲醇與醴，暮爲寇與讐。古人結交重賢豪，今人結交重錢刀，當面輸心背面笑，頃刻肺腑生戈矛！

過隣右老農家

前人

樹懸一鳥巢，門掩柳蕭蕭，行雀啄殘粒，眠牛依廢碢；終朝食半飽，每見說前朝，臨去還相問，何時兵氣銷？

美妹

羅雲家著

今天，大明和許多人研究的結果，認爲一定是何健文拐帶着美妹走的。因爲她一直說他是個有思想、有作爲、有良心的青年，且曾救過她的生命，看來對他一往情深，並曾經常找過他，在一塊兒玩得很快樂。因此，大明就率領牛根天、馮小寶與梁仲文等弟兄們前來找他。

現在看到健文的態度是如此的沉着，安詳；且問過健文的老師、師母，他們不特說近來根本就沒有看見過她，而且說這幾天健文也很少外出，可以保證他不會做出那樣魯莽的事來。……因之，大明也就深信不疑，轉而希望健文能帮助自己一臂之力，以便共同設法找回她。

這些詳細情形的叙述，對健文眞是最大的收穫，也是最大的安慰。反之，她的如此突然失踪，又何嘗不是他的最大失望呢？收穫的，是自己不費吹灰之力，居然從大明的口中得知了她的近況。即使是失踪的壞消息，在他認爲，只要她能從此得到快樂的生活，那總是好的，那總是比在劉家受精神與肉體底雙重痛苦要好許多的。安慰的，是她竟運用智慧在獲得了家庭的信任後，而安安全全地順利逃出了牢籠似的生活圈，自由自在地飛翔到充滿了太陽，空氣與水的歡樂世界去了。那怕這種生活的時間很短暫（例如有一天她不幸地被找了回去，或者……），但在她說，那總是寶貴的，不可多得的，値得回憶的一段金色的日子。而失望的呢？却是她失蹤這些天了，誰也不知道她的去向。自己以爲她一直是對自己具有深厚、熱烈的感情的，可是現在一去却杳無音訊！會不會遇到壞人？會不會發生意外的不幸事件？會不會又投河自盡了呢？……想到這些，該是多麼地爲她担心，爲她的不知去向而担心，爲她的不告而別而失望啊！

「現在應該怎麼辦呢？」健文聽完了大明的說明以後，沉默了一會問道：「需要我帮忙的又是什麼呢？」

「何先生，據我想，她的行動有三個可能：一是暫時匿身在本市，爲了怕發現她與你有連絡，因而連累了你，所以要等一個短時間之後，才寫信給你，然後請求你的援手。第二個可能，是回到領養她的黃媽媽那邊去了，雖然我們也去查過，目前還沒有發現她的踪跡，但也許是她們讓她暫時躲藏了起來，等到風平浪靜以後，才給她找工作，才和你取連絡。第三個可能，是得到了她工作的那家老闆娘的帮助，而介紹她暫時住到附近的親友家去躲避風頭，或者介紹到親友家去做下女了，過一個時間後，她會給你來信，請求你給她安排新的生活方式。因此，我想請你帮忙的，一是登報找她，我可以給你一張她的近照，就說她的婚姻，父母答應由她自主，希望回到你的住處，協助解決。二是當她有信給你或見報來找你時，希望即刻通知我們，以便馬上接她回家。何先生！我想你是個正人君子，有義骨俠腸的風度，爲了我們，也爲美妹好，你一定會同意我的請求。是吧？」劉大明胸有成竹似的，一說就說了這麼多？

「登報一事，恕我辦不到。大明！」健文很冷靜地站起來說：「除非你們能給我一個有力的保證。」（二五）

海嶠叢談

彭其禪與新一軍

諸葛文侯

共軍佔領長春後，彭氏與全軍各級幹部，即被共軍解往鞍山集中營，接受洗腦生活，美其名曰「學習」，彭氏且被指任爲「學習委員」，希望彼見機而作，「起帶頭作用」。然彭係高級知識份子出身，對於俄式共產主義，素有認識，雖在縲絏之中，亦流露非共思想，唯不表示積極反共態度而已。一日，共幹飭其移居於集中營共黨所派「政委」宿舍內，表面似屬優待，實際以其思想頑固，將由「政委」直接施展洗腦工作也。移居之後，「政委」即向彭氏提詢：對於俄軍在東北取去價值逾廿億美元之重工業設備一事，作何感想？彭氏固知此係當時毛共最忌諱他人談論之問題，乃避重就輕，但言蘇俄既接得日本請求代向盟國洽商投降問題之秘密文書，似無派大軍進入東北之必要，對俄軍刦掠我方工業設備一節，僅認爲遺憾之事，共幹亦未再事探詢矣。相處逾月，彭氏始終對共黨採取不即不離之模稜態度，共黨以其爲純粹幕僚人物，殊不重視，旋予省釋，旨在影響國軍之戰鬥意志。

彭氏脫出鞍山集中營後，被南下，回至南京，即向國防部報到，并將新一軍最後在長春潰散之經過詳情，作成報告書賫呈查核。然政府明令規定：凡屬國軍將領被俘歸來者，一律不得任用。彭氏踽踽涼涼，唯有黯然解甲還鄉耳。吾國傳統之兵學要義，以戰至最後一人爲原則，而以被俘不死爲恥辱，論理未可厚非。然西方思想則適相反，戰鬥如不利，自忖已無勝算，即樹白旗乞降，以免枉作犧牲，若夫被俘而生還者，且引爲慶幸，任用如故也。即使被俘而甘受敵人利用，表示反叛言行者，一旦歸來，亦免予追究，并不繩之以法，如韓戰時曾有美國軍曹被俘後，受毛共教唆，著文證明美軍在韓戰中使用毒氣戰術，喧騰國際間。嗣後該軍曹依換俘手續，釋還國內，亦止於停止軍職而已。此在吾國，即非置之重典不可！

愚不知兵學，對彭氏被俘生還而遭受遺棄情事，固不敢妄作是非之論。唯因此而滋生疑問：西方國家對於同樣情形之處置方法，與吾國背道而馳，而其軍人迄未減少勇敢精神。若不問實際情況如何，對於被俘生還者一例視同敝屣，得無因小失大之虞耶？彭其禪自信在新一軍不無勞績，臨危受命統領全軍，事敗被俘，亦無慚德可言，然坐是乃成廢人，無復爲國効力之機會，蟄居大陸，淪爲奴役。然一般臨難棄軍潛逃如衛立煌之流，竟未嘗受軍律制裁，事前不戰而逃走，與事後戰敗被俘之遭遇迥異，能無惑乎！（下）

漢壽亭侯考

匡謬

建安五年，曹操表關羽爲漢壽亭侯。其地名後人多有爭論。趙翼二十二史劄記云：「先主即位時，勸進表中有列名『漢壽亭侯關某』者，即此時所表封也。」「漢壽」本地名，而後人有誤以「漢」字屬上（漢帝），而只稱「壽亭」者。洪邁的「容齊隨筆」力辨其非。吳青壇「讀書質疑」稱：『漢壽縣在犍爲，史稱費禕被害於漢壽是也。』此說亦謬。

按漢壽縣本有二，費禕被害之漢壽在蜀中。郭璞「爾雅」注云：「有水從漢中沔陽縣南流至梓潼。」此漢壽者，乃廣漢葭萌縣也。此爲建安二十五年蜀先主改名漢壽者。曹操表關公爲漢壽亭侯時在建安五年，固不得預立此名而封關羽也。

按關羽之受封漢壽亭侯（曹表封者），其地名乃武陵之漢壽，乃是漢順帝時改名者。「續漢書」郡國志云：「武陵屬縣有漢壽，乃漢順帝時改名，關公所封蓋即此地。」三國吳志有潘濬爲武陵漢壽人。而晉書有潘京亦爲武陵漢壽人。是可知武陵之有漢壽甚明。而熊方「後漢書年表」異姓侯內有漢壽亭侯關某。其下格注云：「武陵」。此亦爲關公所封之漢壽在武陵之證。因誤「漢」乃是漢帝之朝代，故許多人只稱壽亭侯。明會典亦只稱壽亭侯。宋牧仲「筠廊筆記」云：「大內有壽亭侯印」。又許覲「東齊記事」云：「紹興中，洞庭漁人獲一印，辨其文乃『壽亭侯印』四字。遂留長沙官庫，庫吏見印上時有光怪，白於官，乃送荊門玉泉寺關祠中。」此事又見司馬知白作之關侯印記。

自由報
內僑警台報字第〇三壹號內銷證
THE FREE NEWS
第四九八期
中華民國僑務委員會頒發登記證台教新字第三二三號
中華郵政台字第一二八二號執照登記為第一類新聞紙類
（本週刊每星期三、六出版）
每份港幣壹角
台灣零售價新台幣弍元
社長：雷嘯岑
督印人：黃行靄
社址：香港銅鑼灣高士威道二十號四樓
20. CAUSEWAY RD 3RD FL. HONG KONG
TEL. 771726 電報掛號：7191
承印者：四風印刷廠
地址：香港灣仔高士打道一二二號
台灣分社
台北市西寧南路壹壹柒號二樓
電話：三〇三四六
台郵撥儲金戶九二五二

詹森政府的非洲政策

宋文明

（一）

美國對於非洲，有一個完整而系統的外交政策，是從甘迺迪政府開其端。因在甘迺迪政府之前，整個非洲大陸，大部份仍是西歐國家的殖民地，獨立國數目尚不很多，就是已獲獨立各國，多數也散佈於北非地區，美國視爲阿拉伯集團的一部份，所以對於非洲，並未作爲一個獨立的政治單位來應付。但自一九六〇年下半年開始，由於非洲獨立國數目驟然增加，大部份地區已脫離西歐國家統治而獲得了自由，一時世界目光集中於非洲，使非洲自然而然成了世界各大國所爭奪對象，所以，美國對於非洲問題也便另起爐灶，着手制訂一套全新的政策，以作全面的應付。甘迺迪正式就職之前，他的一再遣派要員前往非洲訪問，並在其人事命令中，首先發表前密州州長威廉爲主管非洲事務助卿，便可看出甘迺迪對這一問題的重視。

由於美國對於新與非洲的政策，是以甘迺迪政府爲主要開端，所以甘迺迪政府對非洲的政策，也便成了美國對非洲政策的一塊基石，對嗣後的美對非洲政策發生了一種開導性作用。簡要而言，甘迺迪政府的這種非洲政策，主要即爲：

（一）堅決和無保留的支持非洲大陸的民族獨立運動。（二）支持非洲的種族平等，反對一切歧視。（三）正式承認與接受非洲國家在外交上的中立主義作法。（四）傾向於接受當地中央集權的政府形式，不強求實行西方的民主政治。（五）接受盛行於非洲各國的公私有企業同時併存的混合經濟制度。（六）積極協助推動農工生產及衛生教育等方面的基本改進與建設。（七）美國對非援助，着重於最易見效及直接裨益於民生的目標。（八）不在非洲尋求盟國，而致力於對非洲實施武器禁運。（九）對非洲一切作法，儘量經由聯合國而進行。（十）將普遍爭取非洲各地人民對美國的瞭解與信任。

根據這一要點，可知甘迺迪政府的對非洲政策，是一種理想與現實的混合品。就理想而言，這一政策表現得極爲開明與進步；就現實而言，這一政策又在竭力迎合非洲的現狀與潮流。如支持非洲獨立運動，使美國與若干西歐盟國立於對立地位；支持種族平等，又超越美國國內的現實；但美國爲求政策之理想，及尊重非洲人民的願望，仍毅然朝此方向努力。又如接受非洲國家的中立主義，中央集權形式，以及混合經濟制度等項，均非出於美國的本意；但由於非洲一般潮流如此，美國乃不得不作此配合事實的想法。美國這種態度，一面由於只有迎合了非洲人民的願望，美國才能爭取這些國家的好感，與之建立密切關係；另一面亦由於只有這種配合現狀的作法，才能眞正裨益於當地人民，促進非洲的進步。換言之，美國甘迺迪政府的對非洲政策，主要是以爭取非洲對美國信任爲基本目標，而非直接着眼於美國本身的實際利害。就是爲了實際利害，也是以先行爭取非洲人心爲途徑。

（二）

詹森繼甘迺迪而出任總統，對於美國的非洲政策，在最基本的原則方面，並沒有任何變動，但在應付實際問題的具體步驟上，則有若干顯明的不同。在基本的原則方面所以沒有變動，則是由於甘迺迪政府的對非洲政策，兼籌並顧，燦然大備，已爲美國的非洲政策確立了一項穩固的根基。而應付實際問題的具體步驟方面所以有些不同，是由於非洲本身的某些情勢已發生了變化。因此，要瞭解詹森政府的對非洲政策，我們不能強調它曾經說過什麼，而應強調它對某些問題的變化曾經作過些什麼。詹森政府對非洲問題的這種態度，主要見之於：

（一）一九六四年一月底，坦干尼喀發生軍隊譁變，坦國總統尼瑞爾最後決定要求英國派兵予以鎮壓時，美國聲明對坦干尼喀此舉，表示贊同。

（二）一九六四年二月下旬，當桑西巴新政府以美英等國拒絕承認，要求其使節限二十四小時內離境時，美國政府立即改變態度，宣布對桑西巴予以正式外交承認。

（三）一九六四年三月下旬，美國爲了未雨綢繆，準備於聯合國部隊撤退剛果後，如何使其繼續保持安定，特由副國務卿哈立曼往訪迦納、奈及利亞及剛果三國，設法由迦、奈兩國派軍駐於剛果，以接替聯軍的任務。此舉雖因有關各國的拒絕而告失敗，但亦反映美國對這一問題的看法。

（四）一九六四年四月下旬，坦干尼喀與桑西巴宣布建立聯邦，以協調雙方的政策時，美又立即聲明，表示贊同，並致電祝賀其成功。

（五）一九六四年五月十七日，哈立曼在紐約演講，以及七月十七日泛非各國首長在開羅召開二屆高層會議，美對非洲這一共同聯合組織，曾予以極大的讚揚。

（六）一九六四年八月初，剛果內部戰亂趨於惡化，東部主要城市斯坦萊維爾陷於蘇米洛部隊之手時，美國立與比利時會商，協議以軍事技術支持剛果。並於不久之後，連續遣派軍運機及轟炸機前往剛果，支援剛果政府作戰。在遣派軍運的同時，並有五十名傘兵隨機前往，以保護這些飛機的安全。

（七）一九六四年八月十八日，美副國務卿哈立曼在華府演講，除了表示美國將經由聯合國及其他適當方式協助非洲國家維持國家獨立及領土完整外，並希望「非洲國家率先採取領導行動，幫助剛果維持秩序及達成國家統一」。

（八）一九六四年八月廿六日美國務院聲明，以及三十日國務卿魯斯克談話，均呼籲非洲國家本身解決剛果問題，強調美國無意派兵前往剛果助平內亂。

（三）

由詹森政府以上這些對非洲問題的行動中，我們便可看出它除繼續堅持和接受非洲的民族獨立，種族平等，外交中立，政府集權，及經濟混合制度等這些基本原則之外，由於感受客觀事實的逼迫，乃不得不在其他方面作若干因時因地的部份變革和修正。這些變革和修正中比較引起世人注意者，則有：

（一）爲了基於事實需要，美國對於坦干尼喀總統尼瑞爾要求英國出兵鎮壓軍變，表示積極支持，甚至當一九六四年二月，加彭發生政變，法國出兵強行恢復其政府統治時，美國亦未作任何公開的不滿。

（二）美國對於坦干尼喀與桑西巴的聯合，表示熱烈贊同，並對於泛非團結組織的表現了一種前所未有的支持態度。

（下轉第二版）

小巫見大巫

永不後顧

今日與明日

美國要改變越戰策略？

連日來，華盛頓方面不斷的發出消息，說詹森總統正在考慮改變越戰策略——擴大戰事範圍，延及北越共黨地區。這是虛張聲勢的所謂「嚇阻政策」，殊不足信。

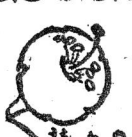

眞正的軍事行動，貴乎機密而迅速，做的不必說，說的就不會做。回憶韓戰時期，美軍如受到一次挫敗，杜魯門總統即聲稱「要投原子彈了」，結果是投下了屈辱式的板門店「和談彈」！

後之視今，亦猶今之視昔，大概美國當道正在向中、越共方面秘密進行和談工作，乃藉此強硬的宣傳詞色以資掩護而已。然乎？否乎？試拭目以觀其後。

英美與法國的爭執

美國和法國爲着核武器的管制問題，早已鬧得很不愉快，近日英首相威爾遜又發表演說，猛力指摘法國反對「多邊核子武器計劃」之非，認爲法國破壞北大西洋公約國的集體防衛體系。看情形，戴高樂決不會放棄他那「歐洲人之歐洲」的第三勢力作風，而英美所提倡的禁止核子擴散計劃，終成泡影了！

祇要俄共在表面上還標榜着「和平共存」政策，西方國家之間的鬩劇，由於各自私逞強，損人利己，勢必更趨激化無疑。筆者如果處於戴高樂的地位，也一定我行我素，有如粵語所謂：「阿爺送殯，唔聽個支死人笛」啊！

俄共歡迎美國商務代表團

蘇俄最高蘇維埃會議主席米高揚，部長會議主席柯錫金，在莫斯科接見美國各個工商業大公司共同組織的商務代表團，準備從事貿易談判。

只要有生意可做，有利潤可得，而共產主義者的紅旗一時又不揷到新大陸和英倫海峽來，即令共黨將自由世界蠶食了十分之七八，英美還是相信共黨的「和平共存」之說是眞的。因此，我們確認赫魯歇夫以「和平共存」的鬥爭方式，逐漸「埋葬」資本主義社會的策略，相當高明。蠢材的毛共，抵死抱住馬克斯教條不放，要用飛機大砲來打倒資本帝國主義，實行世界革命，其愚不可及也！

無人駕駛飛機之謎

毛共宣稱擊落了一架在華中華南地區偵查的無人駕駛飛機。美國說：他現有的無人駕駛飛機，向無從事遠程飛行的能力；台灣根本就未見過這一類型的飛機。然則這消息如非毛共自己編造的神話，就可能是從蘇俄方面飛來的怪物了！

唯一的證明方法，即將擊落的飛機殘骸，攝影公佈，讓人實地察驗。否則，毛共即難逃說謊之責，徒然丟醜而已。

自由談

自說自話

美國前任總統杜魯門最近在電視中，高談闊論他與麥克阿瑟元帥之間的恩怨是非，既說麥氏想作總統，又謂麥氏當年在威克島對他說過中共不會參加韓戰的話，且未向他行軍禮，更指麥氏不應該訪問台灣，對蔣總統太過親密。他就根據這些事情，撤除了麥帥的軍職！

當麥克阿瑟在生時，美國國會兩院議員和輿論界人士，皆曾追究爲何撤去麥帥的職務的原因，而麥帥的親信幹部韋羅比，亦發表過韓戰回憶錄，爲麥帥鳴不平，然杜魯門悶聲不響，毫無解釋。如今麥氏之墓木已拱，死無對證了，這纔譃咋，刺刺不休，即令所說非虛，亦係自說自話的無聊之談，並且涉有忝政治家的風度，及人格問題，殊非自愛之道。

最令人驚詫的，乃是杜氏聲稱麥帥如跟蔣總統過於親密，美國的盟邦英國便要極力反對，這眞是古今奇聞！既然不贊成中美兩國政府的顯要人物接近，美國爲啥又給台灣以軍經援助，而且派遣軍事代表團和外交使節駐在台灣呢？堂堂自由世界領導國家的軍事統帥，爲着執行作戰任務的行動，亦得以別國的好惡爲依歸，這不是「所可道也，言之醜也」的「衰格」嗎？以販賣領帶起家的杜魯門先生，知識乃如是，用一句粵語評註曰：「得人驚」！

杜氏這段言論，在國際上尚有一種很壞的影響，那就是指出英國對亞洲的反共問題，完全感情用事，自私自利，沒有絲毫正義公道可言，美國所以限制台灣對大陸採取軍事行動，實係受着英國從中梗阻。這不特給中國人民以沒齒難忘的惡劣印象，因而增加民族間的仇恨，亦使整個亞洲人對英國發生反感，種下他日互不信任，乃至於互相敵視的心理因素。這不是一個國際政治家應該說的話，杜魯門先生口不擇言的夸夸其談，實在太欠考慮了！

馮五先生

不顧農民早已吃不飽的現實
毛共更加強搜刮農產品
嚴厲令飭共幹一抓到底
另並強迫農民以農產換毛澤東著作

（本報訊）據新自廣州抵港之王君對本報記者透露：毛共對於農民之剝削搜刮，變本加厲。毛共明知大陸農民目前仍然距吃飽的程度甚遠，卻完全不以為意，搜刮剝削，無所不用其極。王君稱，彼在廣州報上，曾見毛共政權令飭各地方政權盡力完成對粮食、棉花、烟草、蔴等農產品之收購計劃，力言必須用「一抓到底」之手段，達成任務。

該指令中甚至說「收購進度快的地區不可以放鬆努力。即使完成了原定的收購計劃的也還應當再接再厲，把應當收購的農產品全部收購上來。收購進度較慢的地區當然更不應該放鬆努力。並要做到一鼓作氣，一抓到底，把工作抓緊抓深抓細，力爭多收購一些農產品。」

王君又稱：毛共除用此「一抓到底」之無情手段搜刮農產品外，還以推銷毛澤東「著作」為名，強迫農民購買，辦法為或以「人民換幣」價購，或以換粮食取此等「著作」。王君指出，毛共此舉，實為一石二鳥之手段，既可以此更多搜刮農產品，復可因此而達成毒化農民思想之目的。

王君稱：毛共之辦法，為由各地「新華書店」人員，分別携書下鄉，深入各地農村，在當地共幹協助之下，強迫農民購買毛澤東「著作」，有現款者給現款，無現款者，可以粮食或其他農產品換取。農民雖極不願意，但迫於毛共淫威，不敢不買。

另外，王君又對本報記者稱：毛共所搞「人民公社」集體勞作下所訂出之「按勞分配」辦法，不但人民大不高興，地方共幹亦往往陽奉陰違的變相加以破壞。毛共為此會提出檢討，據稱：目前「生產大隊」和「生產隊」的共幹，一般都不按規定強索補貼工分，同時對自己的勞動工分總是做少報多，不按實際。

因此，毛共大肆咆哮：「在秋收分配裏，生產大隊和生產隊的幹部，能不能帶頭實行按勞分配政策，是關係到集體的勞動果實能不能得到合理分配的重大問題。」並嚴厲的要共幹們，必須「起帶頭作用，向違反按勞分配政策的一切不良現象作鬥爭。」

詹森政府的非洲政策

（上接第一版）

（三）當剛果內亂情勢陷於惡化，美國毅然以飛機及其他軍火，不斷給予剛果政府，協助其加強作戰。

（四）當桑西巴新政府壓迫美國承認，以及剛果前分裂派領袖左姆貝組成新內閣時，美國雖對這種情勢內心極為不滿，但終向現實低頭，接受了既成事實。

這些變動中的若干表現，如贊同西歐國家軍隊的鎮壓非洲國家內部變亂，以及對剛果直接提供軍火，從表面來看，顯與美國對非政策中的支持非洲民族獨立及實施禁運兩原則有了牴觸。但就實際來看，西歐國家對非洲的出兵一事，不僅出於有關當事國的自願邀請，而且亦係維持該國政治穩定的一項必要行動。就以美對剛果提供軍火及少數武裝人員來說，此一行動，亦完全基於維持該國獨立與統一所必須。假若剛果不發生內亂，不面對整個國家陷於分崩離折的危險，美國也絕不會採此措施。

在這種變革中另外兩項有意義的發展，便是美對非洲的共同聯合及聯邦運動表現了一種新的熱忱，以及對某些原所不喜的事情過於實行遷就。前一種態度在暗示：只要非洲國家本身能解決其相互間的矛盾與紛爭，而自願實行聯合，美國亦可照樣贊同非洲地區的較大規模聯邦運動。後一種態度在說明：美國詹森政府對於維持非洲國家的安定，以及經由安定而推行進步改革，視為比其他任何東西更重要。因此，要說美國詹森政府的對非政策，是求安定第一，和平第一，實並不為過份。為求和平安定，美國必須設法協助平息非洲國家內部動亂；同時為求和平安定，美國亦儘量遷就現實，應合現實。

（四）

在談到美國詹森政府的對非洲政策時，有兩件事情，我們必須予以特別注意。其中之一是，美國的對非洲政策，直接與美國內部的種族問題發生密切關聯；之二是，對非洲外交的策劃與決定，亦和某幾位有關重要官員的個人思想有很大關係。

在基本上，非洲是一個黑人大陸，而美國內部又有近乎兩千萬的黑人國民，於是美國的對非洲政策便和它內部的種族問題發生了關聯。假若美國內部促進種族團結的行動獲得發展，黑人的地位不斷獲得改進，美國在非洲的聲望與信任亦將同樣獲得增加。反之，假若美國內部的種族衝突趨於擴大，黑人遭受歧視與虐待的情形經常喧騰於世，美國在非洲的聲譽亦將遭受不利影響。尤其對於非洲各國派駐華府及紐約聯合國總部的使節，若因其膚色理由，仍被認為美籍黑人予以歧視，其在非洲所引起的不良反響更大更嚴重。任何一國的內政，對其外交行動總具有若干影響，而美國的黑人種族問題對其非洲的外交，影響更為深遠。所以美國在決定對非洲政策及處理對美非外交問題時，對美國的種族爭執這一因素所發生的作用，看得極為重要。如第一，美聯邦政府對於留居美境的非洲籍外交官的生活與行動，儘量予以特別的關照及方便，以免發生種族歧視的情形。第二，美派往非洲的一切外交官員，既不能選擇對美國的種族平等懷有異見的人物，亦不能專門挑選美籍黑人，以免引起對非洲的歧視之嫌。第三，也就為了顧及對非洲國家的外交，所以美國對其內部種族問題的處理，也顯得格外積極，儘量表現進步的一面，用以強化其對非洲的良好影響。詹森政府的竭盡所能，促使國會先行通過民權法案，不能不說是也有若干給非洲國家看看的意義在內。

至於說到美政府內對非洲外交的策劃人才，在甘迺廸政府時代，除了最早的一段時間，尚有其他人參與這一工作外，其餘大部份時間，這一責任完全落在主管非洲事務的助理國務卿威廉的肩上。可是自一九六四年春天開始，詹森總統為了協調美國政府各部門對全球各地的外交行動及意見，特指定副國務卿哈立曼負責非洲地區，綜合處理這一方面的美國外交。由於哈立曼個人思想上的開明進步作風，并不亞於威廉，而又比威廉更有外交經驗，所以哈立曼負責綜理美對非洲的外交以後，原所進行的美國對非洲外交上開明進步的威廉路綫，也遂而獲得了更進一步的強化。詹森政府對於非洲地區的國際衝突，儘可能採取一個息事寧人的作法，便是受了這一因素的影響。

總之詹森政府的對非洲政策，在基本上完全依從甘迺廸政府所制定的原則。雖因客觀局勢的演變，在實際執行步驟上略有不同，而這種改變也是在詹森政府的外交政策中改變得最小的一個地區。（完）

我駐越南大使館
新增設公使一人
陳厚儒膺任即將到職

（本報台北航訊）政府決定在駐越南大使館增設公使一席，并經任命新自非洲返國之前駐塞內加爾代辦陳厚儒為公使，協助胡璉大使，處理館務。

按：陳厚儒係於本月十日自塞內加爾返抵台北。他將於短期內赴西貢到任。陳是個職業外交官，政府派他出任駐越南公使，係由於胡璉大使為一軍人，另有一職業外交官做他的助手，對外交工作之展開，將大有處。故外交部乃決定在駐越大使館內，增設公使一人。

據新受駐越南公使陳厚儒告本報記者說：他担任胡璉將軍的助手，將會善盡責任，替國家服務。

陳厚儒說：「胡璉將軍離台赴越南就任之前，我曾與他見面。胡將軍豪爽而坦誠，我將在政府與胡將軍的指揮下，善盡我的責任。」

五十三歲的陳厚儒，他在担任新職前，為駐塞內加爾國大使館公使銜代辦。他在今年九月間，因中、塞兩國斷絕邦交而閉館歸國。

陳厚儒告訴記者，他被迫離開塞內加爾，係由於該國外交政策的改變而來。他又說：他將在新的崗位上，努力工作。陳厚儒頗熟悉越南的情形，因為他在民國四十六年以前，曾担任海防領事達八年之久。

檢討台銀呆帳與金融政策

——本報記者張健生台北航訊

（1）本行（台銀）第二八六次常董會議，「據稽核室簽：擬請清理本行各種逾期放款列表統計分析，並建議三項，提請核議」一案，奉決議：「通過。由總行督促各主管部室切實辦理」等因，自應遵辦。

（2）照稽核室表列本行（台銀）逾期放款，總計七億九千四百八十一萬元，佔放款總額百分之十二點五，經查該項數字，係以本年三月底數字列計，其中有左列兩筆，應予刪除，其理由如下：

（A）二十一家紗廠原棉貸款，共計二億九千六百二十七萬元，均於本年二月底到期，因本行對各紗廠原棉貸款額度，向係每年統籌調整一次。而收齊審查資料費時，未能於到期前提請常董會核定，故當三月底，尚未辦理展期，以致列為逾期，實際上，業於四月中辦妥續約手續。

（B）益祥輪船公司造船貸款一億三千四百十九萬元，此筆貸款，係該公司建造裕民輪，本行奉財政部令撥貸美金三百三十九萬六千元，因先簽訂臨時借據，至本年三月一日，俟該公司承運中國石油公司運送契約簽妥後，再依其契約期限，向本行訂立正式借據。而該項運油契約，延至本年六月中始訂妥，乃於七月一日起簽訂正式貸款借據，致三月底列為逾期放款。

上列兩筆共計四億三千零四十四萬元，究其性質，實非逾期放款，現已辦妥正式手續，似應剔除。

二、除上述兩筆放款外，截止本年三月底止，逾期放款二十七戶，共計新台幣三億五千九百十五萬元及港幣十二萬元。

七

台灣銀行逾期放款二十七戶，均係奉命辦理的所謂政策放款，其辦理經過及擬處理意見如下：

（1）某某財務署：訂借新台幣四千五百萬元，係奉財政部（44）台財庫發第四一七三號令，及行政院台（45）歲一字第三四九號令墊借，未定期限。

（2）某某政務委員會：借款新台幣一百一十九萬二千一百六十七元五角八分。係奉行政院台（46）歲一字第二二七五號令飭台銀免息貸放。

（3）台北縣政府興建中興大橋貸款，計有兩筆欠款，四十六年三月十一日至五十年二月一日期限者，為新台幣一千三百八十四萬六千零四十八元五角；四十七年三月一日至五十一年四月三十日期限者為新台幣五百五十一萬六千三百九十六元五角四分。係奉省政府（46）府財三字第一二七五一號令辦理。

（4）農林公司逾期舊欠二千九百六十六萬元，包括開放民營搭債款及急救貸款等，均係奉令辦理，並經省府核定，自四十七年五月三十一日起停息，將出售台北市土地房屋及高雄冷凍廠抵償，其欠息五百六十四萬元轉為投資。另四千萬元，係經濟部監理期間之借款，亦經省府核定無息貸放，台銀以無息困難，改為對內停息，以茶園抵押，將來處分抵償。

（5）唐榮鐵工廠股份有限公司在經濟部處理小組時期，台銀奉省府五十年九月二日以（50）府財一字第五七九八六號令，轉奉行政院五十年八月九日台（50）經第四七九四號令為該公司償還私人借款，飭台銀將所持有的愛國公債，銀元三千五百三十六萬七千一百元，折合新台幣一億一千五百三十九萬九千二百元，貸與該公司，由經濟部保證，當時暫訂貸款期限至十年十一月一日止。惟依照行政院核定辦法，本貸款應按愛國公債還本付息辦法，每年一、七月底，攤還借款金額十分之一本金，並付清利息，期限原應訂至五十五年八月一日止，迭經台銀催辦換約手續，迄未照辦。（五）

中廣兩天晚會
戲碼均頗精彩

（本報台北航訊）中國廣播公司為紀念
國父九九冥誕，並慶祝國民黨建黨七十週年慶，舉行兩天晚會，於十七十九兩日分別演唱平劇，是富有重大意義，應予稱許。此兩晚戲碼相當精采的：十七有新玉堂春，是台銀名坤票祝引踰主演；她唱過此戲，現在可不同，是學習流行的張君秋腔調，音色音量相當的好聽，在自由中國為最時髦的。由胡卜世英配劉秉義，卻身穿紫袍，極有見解，因為藍袍是縣令的官衣，不適宜於臬台，許多伶人皆不改。周大同的王金龍，漂亮當行。周亮節的潘必正，也硬裏子。最妙依照梅氏舊規帶請醫，又是此間所無，可說夠帥的。

十九有特殊的龍鳳呈祥，也很少有。是劉備分兩人，前者為易紅葉夫人，後者為曹曾禧君。趙雲也分兩人，前為周麟聖，後為陳宗揚。陳在十七唱古城會的關羽，今飾趙雲，離不開三國。喬玄由卜世英夫人唱，好極。魯肅由毛家華君演，亦帥；因為是連艮的高足。孫尚香一席，范夫人韓平子當任，她是有舞台經驗的，為中廣劇社台柱。楊鳳采的吳國太，嗓門很響。周大同的周瑜，扮相很英俊。羅怡平的孫權，勁頭很足。其配搭之齊整，為其他票社所辦不到的。（儀庵）

復興劇校演變經緯

娑婆生

七年前，梅派青衣名票王振祖，發起成立一個私立復興戲劇學校，有如以往的北平戲劇學校和上海的戲劇學校，無非想培植下一代的平劇人才。首期招生一百二十名。凡入校學生，由校中管住、管吃、管穿，不費分文；學成以後，須為學校服務，前後共計六年。果然造就了不少人才，有良好的表現。不過私人創辦，經費確有問題。振祖以在渝蓉滇三處均領導過戲班，頗有信心，且得不少人的支持，組織董事會，董事長錢大鈞，副董事長周宏濤，董事洪蘭友，黃少谷，金克和，邵華，葦振甫，蔣堅忍，施季言，于鎮洲等，皆知名之士。草創伊始，即行施教，為期約二年，所有學生均能上台表演，不斷獻技。一班小友，深獲社會觀眾所喜愛，劇校有了相當的規模。

該校為樂育英才，延聘名伶名票執教，如白玉薇，顧正秋，關文蔚，馬驪珠，戴綺霞，周正榮，賈斌侯，曹曾麟，李桐春，梁正鑾，吳德貴，韓金聲，李宗原，牟金鐸，張洪福，曹俊明，陳菲，張慧鳴，陳鵬麟，周金福，趙原等，悉心教導，發掘甚力。名琴票郭曉農，梁訓銓，朱少龍，馬慶琳，徐春甫，輪流調嗓。名鼓手侯佑宗，吳燃森，陳慧伯等，把場打鼓。二年後的絢爛，幾乎每月必演，軍中劇團不能如之。到了三年，始訪問泰菲兩國，約有三月，載譽而歸。

在第四年到第五年時候，美國休樂克劇藝公司耳其名，派員來華邀請赴美，特定改編貂蟬、白蛇傳，遂於西雅圖二十世紀世界博覽會中國週，演出七日，引起全美華僑的贊揚。以後在加拿大及美國廿五大城市，與中南美洲各國及荷屬兩處，共計訪問二十三個國家，走了七十六大城市，歷時三四五天，演三百十一場。歸途在舊金山，更掀起熱烈的歡迎，對於國民外交工作，宣慰僑胞使命，克盡厥職，圓滿完成。自從三十年前，故伶梅蘭芳曾經赴美後，此為中華民國劇團第二次遠征，且梅氏亦無復興之普遍走到，功績不可謂不鉅。且其在紐約市演出時，凡一流的劇評家，於報紙推崇為世界一流的藝術團體，因此所到之處，無不風靡鬨動，極受歡迎。更難得有十五個國家元首均親臨觀賞，備加讚賞焉。

當復興劇校諸生出國，國內尚留有學生四五十人，由何代校長紹基維持，常由師徒演出，是周金福，周正榮，趙原，盧智領導公演，藉此收入，以充校中支用，應付頗稱得宜。其中以婦聯會總幹事皮以書竭力贊助，此一年中收支尚可平衡。不過這項艱撐，却招來後來的紛歧，振祖處理上不無有失檢點與考慮。招來的後果，外在的，是畢業的學生，要求文憑；以當初未向教育廳立案，可是劉前廳長却曾來校演講，既是教廳未備案，而廳長却默認，也是不倫不類，造此糾紛。因為除戲劇以外，對於別的課程不太注意，成了學生等級不齊，有的不過國民小學程度，有的也夠初中。此事紛擾，幸有立委曲直生、吳延環諸君，籲請教廳採取特別變通的辦法，分別加以考試，測驗其學力，頒給文憑，才告段落。

內在的，却很大了！學生取到文憑，受了鼓勵，自以為了不起，都因留校不過得到三四百元，相率脫離母校。即振祖夫婦鍾愛的張復建，也不例外，並登報聲明有負學校，形成眾叛親離之勢。復興經此打擊，幾乎潰不成體。但是穩守崗位的學生亦有之，最近幫助學校公演三日，程復慧，孫復冰等；仍力為王復蓉助陣，成績很好，便是其例。

由於許多人的傳言，復興在國外聲譽極佳，頗得華僑的贊助，遂流言振祖也許發了一點小財，不無使圈中人眼紅，實也未可置信。因為在今年歲初，中信局要求復興清償國外墊欵，復興請新聞局陪往清了，約付出美金二萬八九千元，合新台幣一百十餘萬。（上）

劉伯溫故事

漁翁

太祖統一天下後，劉伯溫已五十餘歲，以其輔佐有功，優禮備至，常呼老先生而不名。所有開國制度，多出伯溫之手，一切立國大計，與左相李善長，學士宋濂決之。宋濂在明初稱大儒，亦伯溫所薦。同時，其友生之獲位者，凡數十人，然而本人，僅守御史正丞而已。太祖屢欲拜相，而伯溫以「疾惡太甚，久不耐繁劇」辭。功成不居，亦明哲保身之道也。

所寫「燒餅歌」，為伯溫對太祖詢問之詞，故亦名「帝師問答」。所謂「燒餅」者，相傳太祖身居內殿，食燒餅，正啖一口，內監忽報國師劉基進見，太祖以碗覆之，始召基入，禮畢，帝曰：「先生深明數理，可知碗中為何物？」基掐指輪算，對曰：「半似日兮半似月，曾被金龍咬一缺，此食物也」。開視果然。帝即問以天下後世之事，基曰：「洩漏天機，臣罪非輕，陛下恕臣萬死，方敢冒奏。」帝即賜以免死金牌，基乃畢奏，而成「燒餅歌」焉。

燒餅歌，所以較其他預言流行為盛者，以其論未來的興亡，絲毫不爽，如：「一統山河永樂平」，指燕王篡位，國號永樂。「八千女鬼亂朝綱」，指魏忠賢當國。「奔走梅山上九重」，指崇禎崩於梅山。「雨水草頭真主出」，指滿人入主中華。世人以其言驗，咸認伯溫為一未卜先知者，其燒餅歌，至今猶膾炙人口。

伯溫對太祖，一本忠誠，取吳收中原，建樹特多，故有「誠意伯」之封。惟嫉惡如仇，常遭人忌，觀其所作「賣柑者言」，以佩虎符，坐臯比，峨大冠，拖長紳之文武官員，何往而不金玉其外，敗絮其中！憤世嫉邪，託柑以諷，足以維世道而正人心也。

在「君子道消，小人道長」之惡劣環境下，苟一言不慎，必惹禍害。當伯溫辭相不就，太祖轉問胡惟庸何為？對曰：「此僨轅破犂也」。由於此一語，即結怨尤，而演成日後之惡果。

洪武六年，以病請告，歸居青田，尋以地方微事，為胡惟庸所構陷。時胡已任左相，伯溫恐明祖多疑，即力疾赴京，惟庸陽為示好，陰實叵測。八年春，伯溫病，胡庸醫視疾，服其藥，而成慢性症，明祖知其不可起，方遣歸故里，未幾告卒，壽六十又五。當病劇時，語家人曰：「此刦數也，我豈不知別人陷害乎？」

洪武十三年，胡惟庸謀叛伏誅，帝追思其「僨轅破犂」之言，而世襲伯溫之子若孫，並追贈為太師，諡文成。（中）

我所知道的麥帥

肯寧將軍原著　徐熙光翻譯

「那你父親會怎麼說呢」？他的同學問。

「他會覺得非常失望」，麥克阿瑟說：「但是他知道我對這件事的態度以後，我相信他會贊同我的行動。」

當天晚上他睡了足足八個小時，而他的同房同學却為他擔心得整個晚上沒合過眼。第二天早上大約九點十分的時候，一個通知遞進了他的房間，告訴他，他的名字已經從不及格者的名單中除去。

但是勇於認錯也是麥帥的最大特點之一，他和大家一樣，難免也會犯一些錯誤，事先他會為他的主張力爭，可是如果事後證明他的看法不對，他會很坦白地承認說：「是的，我錯了。」

他沒有定期召開參謀會議的習慣，如果有事情需要討論的時候，他才召集參謀們來開會。會上他宣佈要討論的問題以後，就靜聽每一個人發表的意見。有時他會提出很多問題叫與會的參謀詳細作答。他不希望唯唯諾諾，只會對他說「是」的人。他告訴參謀們不要顧慮他們的話，他是不是會覺得喜歡聽。有什麼意見，可以儘管發表。但是一旦他作了決定以後，他絕不會再提到他自己的意見，而會讓他的部下放手去做。

他有預測尚未發生的事情的驚人本領，但是當然也有預測錯誤的時候。

他早就料到了德國會再度崛起，她對鄰國的侵略將會引發另一次世界大戰。希德勒一開始入侵俄國，據我所知，他是唯一認為俄國可以支持下去的軍人。他非常反對一九四二年的北非行動，因為他相信德國將勸說西班牙參戰而使我們的部隊蒙受巨大的損失。後來西班牙並未加入軸心國家，否則麥帥要不幸而言中了。

根據一九四一年五月約翰賀西訪問麥帥的筆錄來看，麥帥低估了日本的戰力。在賀西的「巴丹島上的人」那篇文章中，賀西說麥帥會告訴他，如果日本在太平洋掀起戰火，美國、英國和荷蘭的部隊可以有効地遏阻日本的行動。他預言日本的海軍會被殲滅。他認為日軍在中國的長期膠着戰牽制了日本的大部份兵力，也耗盡了日本的資源。他估計已有半數日本陸軍從第一流的戰鬥部隊降為第三流的戰鬥部隊。

美國的陸軍和海軍高級將領，包括麥克阿瑟在內，沒有一個人料到一九四一年十二月七日日本會偷襲珍珠港。美國的太平洋艦隊在這次偷襲中幾乎全軍覆沒。這使得日軍能夠以迅雷不及掩耳的方法，席捲香港、星加坡、荷屬東印度羣島和菲律賓。

戰火點燃之後，麥帥在菲律賓的保衛戰是太平洋戰爭最初五個月中最值得稱讚的一戰。星加坡和荷屬東印度羣島的相繼輕易陷落，使華府頗感困惑。但是呂宋之戰穩住了陣腳，也使太平洋戰爭現出了一綫希望。難怪麥帥要把他的座機命名為巴丹號。在我們的軍事史上，極少有比巴丹之戰更動心人魄，更戲劇化和更英勇的事跡，這是美國和菲律賓可以永遠引以為傲的一頁。

一九四四年九月，即麥帥返回菲律賓的前一個月，在荷蘭底亞，有一天麥帥說，荷蘭底亞羣島是太平洋戰爭勝利的關鍵。他相信日本知道他們失去這些島嶼以後，已經被切斷了他們從荷屬東印度羣島供給戰爭物資的路綫。一旦我們收復了菲律賓，日本只有求和一條路可走了。麥帥同時又預測日本不會在德國之前投降，因為日本人傲骨成性，他們不會讓德國有借口說是日本拖德國下水的。麥帥又說日本假如投降的話，一定是東京方面下令投降，不會是陸軍倡議停戰。（六三）

寫眞續夢

第十五回：平等難期一夫翻地軸　自由何價萬衆擲頭顱

毛澤東冷笑道：「肥豬幹的史無前例的事太多了，我就幹一次兩次又何妨。你只管去通知他，橫豎由我負責就是了。」

中共施行了毛澤東的雙管齊下政策之後，蘇聯駐迪化同伊犁、喀什等地的領事館均被迫撤退，邊境也加以封鎖，無論有無蘇聯護照，一概不得出境。

消息傳到莫斯科，赫魯曉夫更咆哮起來，罵道：「霍查封閉了我的海軍基地，我就同他絕交，毛澤東竟敢關閉我國駐在新疆的領事館，若不給他一個顏色看看，他以後更放肆了。」

大家都不曉得他怎樣給毛澤東顏色看，也無人插口。

赫魯曉夫接着說道：「告訴葛羅米柯同志，把所有在中國的領事館、總領事館一律關閉了。」

米高揚勸道：「你這個辦法硬是吃魚連骨都吞入肚裏，有意和貓鬥氣，最後還是自己吃大虧。我們有許多領事館設在中國各重要都市，總是一個耳目，你突然都自動關閉，以後想知道一點消息都難了。」

赫魯曉夫大笑道：「小鬍子，你始終不脫商人見識，攪政治不這樣搞的，毛澤東能以封閉新疆境內領事館，就能封閉滿洲及上海，漢口，廣州等地的領事館，與其到毛澤東趕我們走，何如自動撤退，這樣他不了解我們究竟是什麼主意，以後行動就要謹慎些。」

布列日涅夫問道：「毛澤東封鎖了邊境，關閉了我們的領事館，就這樣算了嗎？」

赫魯曉夫笑道：「怎能算了，我早就叫伊里契夫同志策劃對他的辦法，不知道近來怎樣了。」

伊里契夫笑道：「大家都在講話我插不上口，現在輪到我說了，毛澤東這次下令封鎖邊境，自以為得計，不知他可上了當了。我早安排好圈套在等他這一步，不料他果然鑽進來了。」

赫魯曉夫聽到這裏高興萬分，過來兩手搭在伊里契夫的肩膀上，說道：「我親愛的伊里契夫同志，我知道你的辦法多。」

柯茲洛夫問道：「毛澤東封鎖了邊境，飢民逃不出來，對他自然有利，你怎麼說他上了當。」

伊里契夫笑道：「我們家裏都養有狼狗，你若是不給牠肉吃，又把牠關在院子裏不准出去覓食，任你多高的牆牠都要逃出去。中國的情況目前也是如此，人民沒有飯吃，已到了餓死邊緣，任他們出去覓食，自無問題，現在却把邊境封鎖起來，既不給他們飯吃，又不准他們逃，到了最後怎麼辦，大家只有起來和幹部拼命！依我看，將來要出問題的恐怕尚不止新疆一地，一旦四面一齊鬧起來，國民黨十之八九會乘機反攻，毛澤東的天下也就到頭了。」

柯茲洛夫說道：「你的理論雖然正確，不過，根據過去的經驗，沒有外力策動，光靠人民自身是鬧不起來的，我國三十年代的飢荒不下於今天的中國，結果人民並未反得起來。」（三九一）

冒險犯難記

鄧文儀

革命青年軍官的黃埔學生在當時，都是很純潔很熱忱的，人人都以信仰三民主義，服從革命領袖蔣校長，努力實行主義，參加革命戰鬥，救國救民為職志，對如何打倒帝國主義與軍閥，防制蘇俄及中國共產黨的滲透與挑撥離間，是大家在軍事政治教育訓練中所研究的中心問題，也是大家志願為這偉大的使命和目的，而奮鬥犧牲的基本工作。大家同學共患難，同甘苦，都是如兄如弟、如手如足一樣，很少有人計較名位，尤其諱言并鄙視升官發財。這是黃埔學生的素養，也就是黃埔精神。黃埔學生之所以能完成東征北伐統一中國及國民革命的任務，就是由於他們能團結互助，忠黨愛國，並有不怕苦，不怕死的精神。軍事訓練班的訓練就是繼承着這種精神進行，在杭州曾經引起黨政當局的重視，也曾博得老百姓的尊敬。

西湖的湖光山色十分秀美，我在那裏將近十個月工作中，工作雖很辛苦，但是精神却很暢快；不過我在快慰中也遇到些困難的事，好像湖上生活的微波蕩漾。

我的家住在裏西湖的小蓮莊內，租賃了三間房子，我和妻及岳母三個人住在一起。清早去訓練班工作，黃昏就回家中休息。來回有時坐車子，也有坐小船，泛一葉之扁舟，看西子湖的朝陽和晚霞裝飾出來的美麗風景，因為在夏秋天氣雖稍燠熱，但湖上晨光與晚風都很涼爽，使人生出無限的快感。每當明月之夜，也常和家人及同學們夜遊西湖。記得有一次在中秋前夕的黃昏之後，我和兩位同學同事由訓練班乘坐一小船，由外西湖過渡到裏西湖的家中去，湖水很清，游魚很多，一尾重約三斤的鯉魚，也許因為接觸到我們的船頭，很驚異的跳躍起來，竟跳到了我們的船中，我們當然萬分歡迎，把那條西湖鯉魚帶回家中，飽餐一頓，這是一件令人快慰和值得回憶的往事。

因為當時北伐軍事進展極速，打倒軍閥的革命戰爭很快告一段落，不過傷兵運到杭州醫療休養的人很多，他們之間，大多數都是英勇的革命戰士，但却有極少數的不良份子，也有軍閥和共黨的間諜，滲透在傷兵羣中，時常藉故滋生事端，以圖擾亂後方秩序。有一次，傷兵在杭州的戲院鬧事，人數很多，我們訓練班的學生想勸解和阻止他們，發生衝突，大打出手，幾乎釀成一大變亂，經過一星期的擾攘和適當處理，方把事態平定下去。這是訓練班遇到的一大不幸，也是我在政治部遭遇到的一大困難問題，問題能夠輕易解決，就好像西湖之水微波蕩漾一下，就過去了，真是不幸中之大幸。（六一）

談國旗

吉庭

旗者，綴布帛於竿上揭之以為標識。古稱帛上書熊虎文者為旗，如周禮以熊虎為之，亦即旌旗之總稱。今謂方形或三角形之布帛，以一邊傳著於竿者，統稱之曰「旗」。

凡一國之建立，除了首定國號外，而國旗、國歌，亦須同時頒布。國旗，以代表一國之疆土；國歌，以代表一國之聲音。因為一國之內，疆土之廣，庶民之衆，非一目一耳，可以觀其八方之情景，與羣衆之聲音也。我國國歌，筆者曾於四六八期言之。茲將國旗制定之經過，簡略介紹之：

清室末葉，革命黨所用旗號，式樣繁多。興中會所用者，為青天白日旗。同盟會所修訂者，為青天白日滿地紅旗。到武昌舉義時，共進會所用者，為十八星旗。上海光復後，懸紅、黃、藍、白、黑五色旗。所謂十八星旗，意即代表十八行省，為焦達峯、孫武等於武漢義師所用。南京政府成立後，湘、鄂、贛三省，仍沿用之。所謂五色旗，意即代表漢、滿、蒙、回、藏五族，為宋教仁、陳其美等所提議製用者，行於江、浙、皖、各省。而粵、桂、閩、滇、黔等省，則懸青天白日滿地紅旗。國祚初移，旗未統一，各方所見不同，無足怪也。

青天白日旗，起源於一八九五年春間，孫中山先生在興中會的香港本部乾亨行，議決襲取廣州，由陸皓東設計一旗，命名「青天白日」，以代替滿清之黃龍旗。皓東以是役殉，為革命黨流血之第一人。旗上所製叉光十二，是代表十二時辰，原為青、白二色。到同盟會，加上紅色而成三色，此即今日所用之青天白日滿地紅國旗也。

當一九零五年，中國同盟會在日本東京成立，次年冬，召集幹部會議，討論國旗問題。有提議用五色旗，以順中國歷史上的習慣者；有提議用十八星旗，以合乎中國之固有疆土者；爭論不決。中山先生主張沿用興中會所定之青天白日旗，因係陸皓東所設計，且為此旗而流血，不可不留作紀念。同時並提議增加一紅色，以符合世界上自由平等博愛之真義。

民國二年討袁失敗後，中山先生在東京組中華革命黨，仍用青天白日滿地紅旗為國旗，青天白日旗為黨旗，凡頒發黨證及委任狀獎狀，皆加印國旗黨旗式樣於上面。民十三年，中山先生乘艦北上，道經香港，艦上懸青天白日滿地紅旗，英吏說：「如改用五色旗，當以禮接」，由此可知當時此項國旗尚未得國際承認。至民國十六年，革命軍攻下南京，底定平津，統一全國，青天白日滿地紅國旗，於是飄揚於我中華民國每一角落，而為舉世各國所承認。今雖大陸淪陷，中共偽政權擅改國號與國旗，但屬小丑跳梁，眼見命盡須臾，不過歷史上堪為哀猶之短暫插曲而已。此可由世界各國仍多數承認中華民國，可以覘之。

縫窮婦

近人詩選

臞翁

縫窮婦，街頭走，十指辛勤糊一口，朝縫千針手腕脫，暮縫萬針胼厚！縫窮婦，年復年，走遍朱門大戶前：朱門日調管絃，妖姬四五疑神仙；高堂華燭敞綺筵，縈塵集羽舞翩躚；烹羊宰牛快擊鮮，何曾一日食萬錢，呼盧喝雉何喧闐，還說鴉片能延年；貴家兒郎裘翩翩，五色驄馬錦鞍，走向章台墜玉鞭，越女一笑黃金千；繁華過眼空雲煙，衣上百結若鶉懸，家居撞破狎客散，日向街頭乞一錢。縫窮婦，朝復暮，十指辛勤仍如故，俯仰人前無愧作，富貴由來草頭露！

美妹

羅賓家著

「說說看。」大明偏着腦袋說。

「由令尊親自到一家律師那裏去，寫一張同意養女黃美妹婚姻自由的志願書存證。」

「嗄！你瘋了？」

「一點也不瘋。大明！不要說我對美妹實際上沒有這麼大的影響力，即使有，也不能用作替你們欺騙她上你們鈎的手段。」

「你也不怕我們和你作對！」大明站起身，用手指着健文問：「你究竟還想不想在台北混下去！」

「這一次，老弟！你的任何威脅都不會發生效果的。因為你第一次對我所作的諾言，回去的當天晚上，就給撕毀了。你根本不夠朋友。可以說，沒有資格在江湖上打滾！知道嗎？」健文不甘示弱地，指着大明和他的朋友們說。

「他媽的！拍！」大明氣急了，一掌拍在桌子上，口沫四濺地咆哮着說：「你這不識抬舉的東西！小心我用刀子宰了你！」

「大明！別誇那樣大的海口，這裏是自由中國；這裏是講法治、講民主的自由中國的台北市，知道嗎？你憑什麼能對人如此無禮，如此橫蠻？再說如果你惹火了我，美妹就是有信來，或者偷偷跑來求助我的時候，我可就不會帮你通風報信了。看你倒還聰明，長得像個人樣，怎樣卻一點腦筋都沒有呀？真是——」健文雖然嘴硬，但總是怕吃眼前虧的。面前這些初生之犢不畏虎的傢伙，真要是挨了他們的一頓狠揍，還不是自己倒楣嗎？這樣想後，所以就把話拉回到了正題。

其餘在座的那幾個與大明沆一氣的傢伙，看到他們兩個的僵持有了轉機，於是就你一句，他一句，說好說歹地把氣氛和緩下來。

大明雖然仍有些懷恨健文，但迫於事實上的需要，覺得他對美妹具有極大的吸引力與影響力，必須對他加以利用。所以也就只有忍耐下來，而與衆人悻悻地離去。

健文付了賬，望着他們遠去的背影，禁不住深深地歎了一口氣：「唉！我這是何苦來？我在做些什麼？我又是為了什麼呀？……」

這是一個無可奈何的失眠之夜。

健文在床上翻來覆去地睡不着。夜光表的短針已越過四字了，他仍然在想着美妹的事兒。

究竟她想些什麼？她的突然出走的企圖與目的又是什麼？她去了那裏？為何連一點消息也不給我？

她在生我的氣嗎？

她開始對我由愛生恨了嗎？

她跟另外一個心上人私奔了嗎？

她毫無目的闖到茫茫的人海中去自謀生活了嗎？

她……？

假如她給我來信，告訴她的近況與行止，我該怎樣做？

假如她的來信，只說她平安，請不必掛念，也沒有要求什麼，同時沒有確實的通信地址，該怎樣做？

假如她的來信，說出走純是為了我，要求我立即去看她，去為她安排生活的路子，我該怎樣做？

假如她的來信，說出走純為了爭自由，希望我能助她一臂之力，以解目前的困境，我又該怎樣？

假如她的信，說出走是得到某人的幫助，目前一切很好，請我就此忘了她，不要再找她了，我又怎樣？

假如她一直不來信，我又怎樣？（二六）

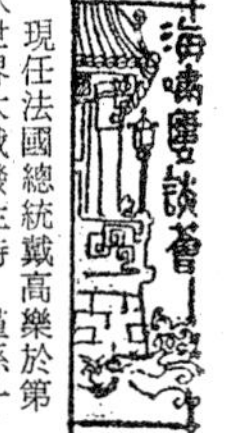

戴高樂與美國

諸葛文侯

現任法國總統戴高樂於第二次世界大戰發生時，僅係一名校官階級的軍人，在政治上可說是名不見經傳的人物。當「馬奇諾防綫」被德軍突破之際，法國一片混亂，失去了抵抗力，英首相邱吉爾馳入巴黎，主張組織「英法邦聯」陣綫，以抗禦納粹主義，然法軍一蹶不振，旋在法德邊境的「康邊」森林火車上，向希特勒簽署降書，出現了「維琪政府」。戴高樂即流亡到英倫，呼籲法人繼續抗戰，而應之者殊寡，但邱吉爾願意支持他，戴氏乃組織「戰鬥法國委員會」以資號召，每月由英國政府撥助經常費用。

這時候，法國的陸軍雖已潰不成軍，沒有戰鬥能力了，但海軍力量尚完整，全部集結在北非的土倫港口，不接受維琪政府的號令，戴高樂急想爭取這部海軍作為「戰鬥法國」的復興主力，然美國已捷足先登，教法國海軍上將吉羅德作統帥，予以軍經援助，受美方指麾。戴高樂既無財力物力，而聲望又低，吉羅德當然不買他的賬，這是戴氏滋生反美心理的基本因素。

繼而羅斯福與邱吉爾頻頻進行反納粹軸心國侵略主義的國際盟邦元首會議，如開羅會議與德黑蘭會議等，都沒有法國的份兒，大大的創傷了戴高樂的民族自尊心，而代表美國駐在英倫協同盟軍作戰的馬歇爾元帥，亦不把「戰鬥法國」放在眼中，更使戴氏感到難堪。所以，當羅斯福總統由德黑蘭會議完畢歸國時，曾電約戴氏到北非卡薩布朗卡晤談，而戴氏拒不應命，他對美國已由怨望心情而趨於恥恨境界了！羅斯福亦就大不高興，譏誚戴氏自命為「聖女貞德」，加以藐視。知恥近乎勇，他乃拼命要組合法國陸軍力量，派遣地下工作人員到法境活動，同時千方百計的把法國海軍統帥吉羅德搞垮台，藉着愛國主義與民族自尊心的潛能，號召法國軍人團結，一致救國，等到諾曼第登陸之役發動的時候，「戰鬥法國」已有兩師陸軍參預作戰，北非的海軍亦與戴氏合作了。

二次大戰結束後，歐洲呈現着一片混亂、蕭條、貧困狀態，英法皆不能不仰仗美國「馬歇爾計劃」的經援力量，徐復甦。戴高樂是美國當道所不喜歡的人物，他雖然奄有「民族英雄」的聲譽，但在政治上的資歷太淺，亦不足以與舊有那些衆多黨派的政客們爭高下。如是乎，他祇好暫時韜晦，靜觀變化，美國倡導的「北大西洋公約」，就在這一階段中組織起來的。

法屬北非地區（如摩洛哥、阿爾及利亞各省區），法國早已將北非屬地劃為省區了，法人并不視為殖民地，而認係法國國防的生命綫。在大戰期間，這些地區由美軍駐防控制着，與英倫的「戰鬥法國委員會」很不生關係，戴高樂心理上自然很不舒服。（上）

赤壁之戰在那裡

匡謬

決定三國分立的赤壁之戰的赤壁究竟在那裏？諸多記載，人言言殊，有云赤壁在漢陽者，有云在黃州者，有云在嘉魚者，有云在江夏者，有云在漢川者等等。

按曹操吞了荊州（襄陽），直抵江陵（後為蜀治之荊州），再以水陸並進東下，孫劉聯軍集結於夏口（漢口），夏口逆江而上，以迎曹兵。則赤壁當是湖北嘉魚縣之赤壁為確，乃毋容爭論者。又赤壁當與烏林相對鄰近，故赤壁之戰，又稱烏林之役。蓋曹軍初次與孫劉聯軍遭遇戰，在長江南岸之赤壁山，曹軍敗績，將主力撤回江北之烏林，水軍仍駐長江北岸及水面；黃蓋用火攻得手，由水軍連船燒及岸上之陸軍營寨，劉備之陸軍就在烏林大破曹軍，一路追趕。故魯肅傳關羽謂肅曰：「烏林之役，左將軍身在行間，焉得無一塊土？……」

按照水經注云「江水左逕百人山南，右徑赤壁山北，昔周瑜與黃蓋詐魏武大軍處所也。」按水經注云左逕者，江北也；云右徑者，南岸也。可知赤壁鏖兵之所，在江南嘉魚縣之赤壁山，以至江北百人山之南的水陸兩岸地帶。又「方輿記要」云：「劉主據樊口，進兵逆曹，遇於赤壁，則赤壁當在樊口之上。又曹軍初戰不利，引次江北，則赤壁當在江南。」既然如此明白指示方位地名，赤壁之戰的赤壁，當在湖北嘉魚縣西北之赤壁山無疑，其餘皆可不必多費筆墨也。

內僑警台報字第〇三壹號內銷證

自由報

THE FREE NEWS

第四九九期

中華民國僑務委員會頒發
台僑新字第三二三號登記證
中華郵政台字第一二八二號執照
登記為第一類新聞紙類
（本週刊每星期三、六出版）
每份港幣壹角
台灣零售價新台幣弍元
社長：雷嘯岑
督印人：黃行寬
社址：香港銅鑼灣高士威道二十號四樓
20 CAUSEWAY RD 3RD FL HONG KONG
TEL. 771726　電報掛號：7191
承印者：四風印刷廠
地址：香港灣仔高士打道二二一號
台灣分社
台北市西寧南路壹壹本號二樓
電話：三〇三四六
台郵儲金戶九二五二

抗議英美人士對台灣的謬論

雷嘯岑

自從中共竊據中國大陸以來，英美的政治人物和輿論界，即不斷的發出所謂「台灣地位尚待國際決定」，「台灣托管」或「台灣人民自決」這類謬言，肆無忌憚，嘵嘵不休。最近英首相威爾遜竟公然提倡「台灣託管」之說，而素來代表美國政府以立言的紐約時報，亦遙為呼應，重彈「台灣人民自決」的濫調。這是國際間一種有計劃的陰謀詭計，已由竊竊私議而明目張胆的大力宣傳，我們再不能緘默無言了。

中國人很清楚的記得：當年日本帝國主義者大舉侵略中國，我全國軍民浴血抗戰之際，英美兩國為着自私自利的企圖，一則悍然封鎖滇緬路，斷絕我國唯一的國際交通要道；一則昧然以廢鐵、石油大量供給日本，增進其黷武侵略的實力。目的在乞取日本軍閥的妥協諒解，而以中國為犧牲品。可是，到頭來自作自受，英國在遠東的殖民地全部被日軍佔領，既得利益一掃而光，甚致被圍困在緬甸的英軍，亦仰賴我軍予以援救，藉保殘生。美國的東方要塞珍珠港，被日軍夷為平地，海空軍力一夕之間變成了[illegible]粉！後之視今，亦猶今之視昔，美英當局今日幻想以出賣中華民國，作為綏靖那抱着世界革命雄圖之中共的賭價，將來會有好結果嗎？所以，我們聽到英美人士主張讓中共政權闖進聯合國的叫囂之聲，並不感覺驚詫，相信他日自有報應的。唯對於他們一再嘵嘵嘩咋的所謂台灣問題，抑必須抗議駁斥，藉正世人的觀聽，亦所以表示中國人的國格與人格也。

最早倡說「台灣地位尚待決定」這項謬論的，就是美國總統杜魯門，而英首相艾德里隨聲附和之，時間是一九四九年，也就是英美急於向中共妥協獻媚的階段。他們害怕中共要攫取台灣，同時又顧忌中華民國政府之反抗，乃造出這類欺世人以無知的詞，自說自話。台灣原係中國領土，中經日本霸佔五十年，二次大戰後，依照開羅會議宣言，交還於中國，後來的中、日媾和條約又予以合法認定，試問這還有甚末「尚待國際決定」之疑義可言呢？若說台灣在二次大戰時由美軍先把日軍打垮的，因而不能讓中華民國坐享其成。那末，香港在日軍佔領中，亦是由中國軍隊（新一軍）首先進來解除日軍武裝，正式收復，交給英國的，我們亦可以說「香港地位尚待國際決定」嗎？台灣地位早在大戰中期，已由開羅的國際會議決定在案，杜魯門之流故裝聾啞，為着不可告人的目的，竟不惜胡言妄語，自鑿美國信譽，實是太可哂了！

「託管」之說，尤其荒唐。漫說現代，人類文明已進入核子世紀，只有征服太空的技能，一切過去被強權國家以武力侵佔的殖民地區，皆已逐漸獨立自主，「託管」這個名詞，已成為歷史陳跡了。即就「託管」問題的性質而言，它必須當地人民有種族爭執，跟當時的宗主國反目敵對，而又缺乏自主能力，並且涉及國際間的錯綜複雜關係，容易引起強權國家的衝突，影響世界秩序，這纔委託一個比較中立的大國暫時接管，以免糾紛。台灣自古以來就是中國版圖，一千萬人口之中，百分之九十九都是漢人，同種同文，共戴一宗，既無種族問題，亦沒有政治糾紛，現時又是祖國的戰時首都所在地，試問究有甚末「託管」的因素在那兒呢？若以中共揚言「解放」台灣，而中華民國政府號召反共救國的情形為「託管」口實，亦屬牛頭不對馬嘴。這是中國的內政問題，毋須越俎代庖，強作解人也。英首相威爾遜出身英倫最高學府，所習的是社會學，而且担任着標榜「社會主義」的政黨領袖，乃居然作此違背時代潮流，沿襲帝國主義思想，干涉別國內政的言論，實在令人驚駭不置！即就強權主義支配國際事件的舊觀念來說，英國對台灣亦沒有置喙的資格，因為英國在二次大戰期間，對台灣乃至於亞洲所有被侵略壓迫地區人民的抗日鬥爭，並無絲毫幫助——只有助桀為虐的缺德而已。今乃因利乘便，慷他人之慨以徇一己之私，這在過去的帝國主義時代，亦是行不通的！

紐約時報提倡台灣人民「自決」其政治生活，更屬荒誕不經之談。所謂「民族自決」云云，必須有民族問題發生，總能夠談「自決」的話。如當年希特勒德國倡導大日耳曼主義，而捷克的蘇台德地區、波蘭的但澤市人民，即以日耳曼民族的關係，要求改受德國統治，自決其歸宿；如摩洛哥、阿爾及利亞人民，由於種族各別，總要求脫離法國，自決自主；他如北非，中東與東南亞的若干有色人種，要求解脫白種人的殖民地生活而獨立。這些都是民族自決的例證。台灣並無民族問題存在，紐約時報亦知道，乃詭言「人民自決」，可謂不通之至！一個國家的人民，可以實行地方自治，可以複決政府的立法，卻沒有「自決」其脫離祖國版圖的權能，果若是，美國的黑種民族更應該自決其命運，大有理由要求獨立自主啊！美國人對於本國內黑白種族的激烈鬥爭，無法解決，卻要在友邦的領土內，無中生有的故意製造「民族」問題，把台省人民視為與大陸人民不同膚色，而其文化傳統和社會生活習慣亦各異的特殊人類，因而台省青年學生一到美國留學，即被禁止與中國其他各省區的留學生接近，特設「台灣學生俱樂部」以羈勒之。這些譸張為幻的惡作劇，用意只有一點，即使台澎地區避免中共進攻，而永遠成為美國在西太平洋國防線上的重要據點。因此之故，美國乃一面扼制着中華民國政府對大陸採取軍事反攻行動，一面在華沙跟中共進行秘密談判，作暗盤的政治交易，祇要中共答應不以武力進攻台灣，美國即可承認北平政權。然後藉口「人民自決」的說法，教唆台灣人要求獨立自主，成立一個「台灣共和國」，任由美國擺佈支配。這便是紐約時報構想中的台灣藍圖，而上述杜魯門、威爾遜，以及美英一般雞蛋頭人物，對所謂台灣問題發表許多謬論，都是這項藍圖的註解。世人或認為此即美英政治人物所擬訂的「兩個中國」計劃，實則似是而非也。中華民國政府移至台省後，事實上已有兩個中國存在了，而美國又給中華民國以軍經援助，何必硬要另起爐灶，大費氣力，再搞第二個「中國」呢？可見美國構想中的「台灣共和國」，實際就是第二個夏威夷州，與中國不相干。明乎此，今日住在台灣的人，如以為反攻大陸、光復中原的願望縱然不能實現，至少亦可以過着「兩個中國」的生活，不妨苟安一時，聊以卒歲，那就很危險，有朝一日，欲求「兩個中國」亦不可能啦！

英美人士的如意算盤儘管打得精細，終歸是心勞日絀的。台省人民固不願受人蠱惑，飲鴆自殺，全體中國人民更不願自暴自棄，作他人刀俎下的魚肉，殆可斷言。不過，國際上既有這種陰謀，而且明白的提出來討論了，大家即不宜等閒視之，目擊着「曹社聚衆鬼啾啾謀亡國」的陰森氣象，而懵然不加警覺。尤其是政府當局，應該憬然於責任之重大，必須急謀對策，團結力量，改變作風，自立自強，作最壞的打算，存最好的希望，好自為之，庶幾有豸！

養狗為患

坐霸王車

今日与明日

日本拒絕中、韓共代表入境

中、韓共要派代表到東京，參加日共的全體大會，而日政府以防制國內左右派份子發生衝突的理由，拒絕簽發入境證，可謂明智的決策。

蘇俄與亞洲其他地區的共黨，皆對日共大會不感興趣，唯有中、韓共熱心參加，這用意很明顯，尤其中共遴派二號頭目彭真赴會，作用更大。日政府如果不擋駕，必將招致意外的災害無疑。

佐藤榮作當政伊始，即表現對國際共黨不妥協的態度，像是有為有守的政治家，且拭目以觀其後罷！

舉世稱讚廿迺迪

前天是美故總統廿迺迪被刺逝世的週年紀念日，全球各大都市的輿論界，都對他表示稱讚追思的心情，譽之為偉大人物。

廿氏在任不久，他究竟創造了那些偉大的績業，似乎不易瞭解。若說他以「戰爭邊緣」的姿勢，迫使蘇俄撤出古巴飛彈的那回事，算是偉大之舉，我認為蘇俄飛彈如果不是安置在美國後門口的古巴，直接威脅着美國的安全，且對中南美各國可能發生誘惑作用的話，恐怕廿總統的應付方法另是一套了。

近代的美國總統，只有羅斯福配稱為偉大的政治家，其餘不足觀也矣！

英工黨政府捉襟見肘

威爾遜先生執政之後，為着經濟問題，即亟亟於宣佈增加外來貨物的進口稅，引起國際間的騷動與責難。現又準備實行英鎊貶值，以致國內人心皇皇，大家搶購外幣。然則保守黨當政時，何以又能渡過難關，而不當採取這類非常手段呢？

即此一端，工黨政府之不會長治久安，殆可想見也。

多邊核子計劃的煩惱

美國要在北大西洋公約體系內，進行多邊核子武裝新計劃，法國表示不買帳，英國軍事首長亦嘖有煩言，西德初表同意，繼而觀望。

法國反對的理由，是不願意美國掌握着使用核子武器的特權——即任何部隊，在任何情形之下，非有美國總統的命令，不能使用核武器。英國軍人之不滿意，是因此而使英國原訂的國防計劃，須作「殘酷」的修改」。但威爾遜首相基於節省軍事費用的關係，頗贊同美國的主張。西德是受着法總統戴高樂的影響，纔改變初衷的。

只要俄帝照樣高唱「和平共存」俚曲，西方國家的軍事防禦政策，即永遠難以奠立，這是必然的。

自由談

談派系與小組織

馬五先生

政治上的派系觀念，理有固然，勢所難免。一般從事政治生活的人，由於意氣投合，以及各種社會關係如同學、同鄉、世誼等等，平日往還較多，遇事能夠合作，別人就看成是一種派系。儘管沒有甚末形式上的組織，然社會人士總認為事非尋常，其中必有蹊蹺，而某某派系的雅號，乃隨之產生了。一唱百和，令人無從辯解。所以，搞政治的人要想不沾染派系色彩，事實上決不可能。祇要是公忠體國，不植黨營私，不阿其所好，講究公道是非，縱然負着派系之名，庸何傷乎？像維新派、保守派、革命派這類名稱，適所以代表每個人的政治思想和行為，固不必諱言也。

跟派系性質似是而實非的，即為政治人物的小組織。「派系」是別人賜予的稱謂，無傷大雅；小組織卻是自己基於爭權奪利的小心眼兒，故意製造起來的，為害乃不可勝言！既有以個人崇拜為主旨的小組織，自然而然的就發生「非我同類，其心必異」的強烈排他性，對於任何人皆戴着有色眼鏡來觀察，沒有一點恢闊豁達的氣度，除卻自己小圈子裏面的人以外，認為都是不可靠的異端份子。此其一。身為小組織的領導人，經常就担負着一種沉重的責任，鞠躬盡瘁，死而後已。始也要為圈內人在政治上安置職位；繼也要替他們隱惡揚善，固位超遷；一時無法位置的，亦得照顧他們的生活。此其二。職是之故，所謂「公忠體國」、「為國求賢」這類政治大道理與作風，根本無從說起，非不為也，是不能也。自己掘下一座陷阱，昕夕置身於其中，雖欲挽救，不可得矣！

宋代王安石與司馬光、蘇軾等人，對於新政的執爭，那是派系問題。漢末的黨錮，唐末的牛、李黨爭，明末的東林、復社之爭，纔是十足的小組織作祟，終致招來亡國之禍，萬劫而不復。小組織之為害，大矣哉！

前嘉義市長蘇玉衡貸款案 法院先後判決竟完全相反

立委何人豪認爲錯誤向行政提質詢

（本報記者張健生台北航訊）法院對同樣案件，有兩種判決，因而引起立法委員的重視，向行政院提出質詢。

緣嘉義市前任市長蘇玉衡，在任時因市庫空虛，一時週轉不靈，曾用市公所支付書或他人支票，加蓋市公所大印、簽名背書，代市公所向市民或商號貸款。迨瀆職案發生後，繼任市長對此項簽名背書支票借款，概不清償，以致涉訟。最初的數十件，都經最高法院確定判決市公所敗訴，照數償還；後來，最高法院於今年第一次民刑庭總會議決，此項借款應屬於蘇玉衡個人行爲，嘉義市公所不負償還責任。與以前所判案件，完全相反。

立法委員何人豪爲此，乃向行政院質詢，說：借貸必須清償，同樣案件必須同一判決，法所當然。政府機關與民衆或商號，發生私經濟關係，均應受私法之適用，最高法院早有判例在先。嘉義市公所以支票貸款案，在最高法院判決債權人勝訴之數十件中，原謂：「縱依台灣省實施地方自治綱要及省府命令有禁止縣市長向外舉債，第據上項法令雖就縣市長之職權行使有所規定，然此不過在公法上加以限制而已，與私法上之行爲無涉。公法人之機關爲借貸行爲，於法令既無禁止或限制之規定，如能證明借貸眞實，即難謂不負清償責任。自不能因蘇玉衡有瀆職行爲，遂謂非該市公所之債務」。此種論斷與其歷年判例意旨相符。但最高法院今年第一次民刑庭總會議決，則以民法第二十六條之主張爲依據，謂：「嘉義）市公所爲法人，依民法二十六條之規定，法人於法令限制內有享受權利負担義務之能力，故蘇玉衡於市長任內在預算公債等法定財源以外，向外借款，僅應認爲其個人行爲，該市公所不負清償責任。」而否定民法第二十七條第三項：「法人對於董事代表權所加之限制，不得對抗善意第三人」之規定。

又稱：「台灣省各縣市實施地方自治綱要有規定增加市公庫負担行爲，須經市民代表會之決議」。殊不知借貸是一種有償行爲，一借一還，並不增加市庫負担，亦非擴大預算，增加人民負担，原係市庫支絀，臨時告貸，以應挹注，俟市庫充裕即行歸還。這是法定代理人在職權與預算範圍內之合法行爲，故市公所實無拒絕清償之餘地。

質詢稱：按民法二十六條：「法人於法令限制內有享受權利負担義務之能力，但專屬於自然人之權利義務，不在此限」。蓋國家在法律上原有兩種資格，一爲公法上的國家，一爲私法上的國家。公法上的國家，對於人民爲權力服從關係，於一定限度內固可用其強力；而私法上的國家，則與普通人一樣，其與人民之權利義務，本屬對等關係，無所用其強力。行政處分屬於國家的公法行爲，國家本於行政權之作用，對於人民命其爲一種作爲或不作爲，或對於人民爲一種許可或免除，或對於人民付與一種權力，或剝奪其所付與之權力，純爲國家在公法上之地位，始能有的動作。至於國家與人民私法上的關係，自不容以強權侵害人民之利益，不能以其爲國家之故，遂可無一不特異於常人也。

質詢稱：國家政府機關爲法人，嘉義市公所爲國家政府機關之一，當然爲法人；蘇玉衡爲嘉義市長，顯然係法人代理人，具有法定代理資格，其所作所爲當然代表法人的市公所。豈能謂之個人行爲？就法理而言，蘇玉衡係嘉義市長，其法人代理資格毫無疑問，故蘇玉衡在市長任內的行爲，不能認爲無效。如確有損害及於法人，亦祇得依法另求救濟。由於蘇玉衡是國家的官吏，官吏爲國家私法上行爲者，則在私法關係上，即應認爲國家的代理人。此乃法所明文規定。

質詢稱：假使爲防止以後民選縣市長發生同樣事件和流弊，應從修正有關法律方面來限制；在有關法律未修正前，法院不得任意裁判，使法律之前，人人不平等，使政府和法院信譽蒙受損害，而影響民心。

國代候補案處理失當 十餘立委連名提質詢

（本報記者台北航訊）由於行政院處理國代候補案有欠公允，且未盡合法，以致發生糾紛，立法委員田鎭南、溫士源等十餘人，特連名行政院提出質詢。

該質詢指出：國大代表出缺遞補，應以「代表選舉罷免法」及「代表出缺遞補補充條例」爲處理依據。據補充條例第三條第一款明文規定：「行蹤不明三年以上，並於政府公告期限內未向指定機關親行聲報者」；有上項情事，代表視同出缺，候補人則喪失資格。按該條款之立法精神，係以行蹤不明三年以上爲主。且當時擬頒補充條例之立法原意，在限制大陸附匪陷匪未隨政府來台者之資格，以便就來台之候補人予以遞補，充實代表名額，有立法院審議該條例之檔案可查。又稱：民主憲政政體，經人民依憲法法律選出之代表及代表候補人，決無僅因未依限向政府機關辦理聲報手續，而喪失資格之理。

但四十四年三月二十四日，行政院台四四內字第一八七四號令結論規定：「國大代表候補人，於政府公告期限內，未向指定機關親行聲報者，應已喪失其候補資格」。顯已刪用原法律條款之一半，此舉是否合法？

質詢指出：現已發生雖未依限聲報，但非行蹤不明之代表候補人，是否適用補充條例第三條第一款，經中央專案小組謝冠生先生於四十九年三月間，作成合理合法之解釋：「國大代表或候補人，如現尚在台，且有戶籍及個人身份證，不能謂爲行跡不明；縱未依公告期限聲報，而主要條件欠缺，顯與該條款規定不合，無從適用」。但行政院訴願委員會處理國大代表候補人凌承緒君訴請准其援例補辦聲報遞補代表案，竟對法律條款須具備之主要條件及依法之解釋於不顧，而依五十年七月十三日第七二三次會議決議以爲裁定之依據，他們質詢嚴院長：是否認爲合法？

質詢進一步說：法律之前，人人平等；未依限聲報之山西交城代表喬家才，行政院何以准其補辦聲報，恢復出席？而不受補充條例約束？行政院既准喬代表補辦聲報於前，獨對凌君等之聲請，曲意歧視，他們質詢嚴院長：是否認爲公平合理？

按自補充條例公佈迄今十一年，實際發生未依限聲報，但非行蹤不明之國大代表候補人，主張聲補案件者，僅有凌承緒，賀翊新、趙學淵、續琅、沈德仁等五人；而此五人均屬已服公職數十年之忠貞幹部。加以江西安義、河北故城、湖北麻城、山西縣、江蘇金山等縣代表，仍在懸缺待補中，並無所謂雙包問題。行政院如能秉公依法處理，原可迅速結束。今竟演至纏訟達數年之久，糾紛日形擴大，所爲何來？

質詢最後指出：維護司法尊嚴，審判秉公依法，乃民主法治國家起碼要求；凌君聲補案現擱置于行政法院時逾九個月之久，爲提高行政效率之最大諷刺。如此，五權分治，司法獨立之精神何在？未審嚴院長作何感想？

檢討台銀呆帳與金融政策

——本報記者張健生台北航訊

（6）股台公司前因承造招商局及台航公司一萬二千五百噸貨輪兩艘，需要資金周轉，台銀奉財政部五十年五月二十九日台財錢發字第三五七四號令，撥貸該公司二千萬元，結欠一千七百七十四萬九千三百六十元九角。該公司另以材料爲担保，訂借五百萬元，已到期，尚未償還。現呈請財政部核示中。

（7）中國茶聯公司係公民合辦，台銀及中信局之股份佔半數以上，於四十一、二年間，爲收購茶葉需要資金，向台銀訂借二百九十萬元，除償還六十萬元外，因經營失敗停業，貸款未能收回。

（8）泰隆染織公司逾期欠款六百四十四萬九千四百十六元六角。該貸款係奉常董會根據外銷貸款辦法核定貸放，嗣因該公司週轉失靈，到期未能償還，外貿會鑒於該公司外銷情形尚佳，成立監理小組，由台銀另貸與美金二十五萬元，輔導其外銷業務，監理經過尚佳。

（9）楊子木材公司對台銀所負債務，係茶箱貸款及建造登陸艇貸款，結欠二百四十九萬元，因到期不能履行債務，台銀經奉財政部令，會同各行局申請法院宣告該公司破產清償債務，四十八年一月間，高等法院確定該公司破產，並指定王樹基會計師等爲破產管理人。嗣該管理人爲管理需要費用，及修理鋸木廠，均經向台銀訂借一百五十六萬餘元，並約定依破產法規定，在處理該公司資產中，優先清償在案。但該公司破產後，大部份債權人同意結束該公司破產狀態，並予協調約定分期攤還辦法，旋在台北地院公證取得執行名義，惟該公司仍未履行債務，故再與中信局及農業供銷公司等會狀，申請法院強制執行，現本案尚在高等法院執行抗告中。

（10）大東自行車公司供應物資局配給公教人員自行車需資金週轉，由台銀及各行庫聯合貸款一百七十五萬二千元。嗣因該公司週轉困難，申請經濟部核定之工廠營運資金，經臨時貸款指導小組（48）貸字第五號函核定，貸款額新台幣一千萬元，台銀就其所提供押品範圍內，先後撥貸四百餘萬元。惟該公司接受債款後，財務未見改善，生產陷於停頓。台銀屢囑該公司增資改組，惟迄未能辦到。復先後奉財政部囑各行局豁免貸款利息，以期另覓投資人參加，完成增資改組，仍無法達成。

近經濟部復再約集各行庫洽商復業問題，亦無結果。台銀早經委請律師依法訴追，嗣因財政部之指示，洽商一度停頓，現再度依法辦理。

按該公司結欠九百萬零七千四百七十一元一角八分。

（11）美昌印染公司貸款，係根據行政院頒布之工廠營運資金臨時貸款辦法，經臨貸小組核定新台幣三百三十萬元。台銀前後共撥貸新台幣一百九十七萬餘元，截至本年八月底止，連利息及台銀墊付保險費共欠新台幣三百六十二萬元，到期仍未履行，已委請律師依法追訴，現法院已查封所提供担保品，辦理拍賣中。

（12）大德航業公司，係根據四十三年間交通部所訂航業營運貸款規定撥貸，八月底結欠五萬四千一百五十元。現已按月分期清償中。

（13）上海實業公司逾期結欠七十六萬元，係根據該公司承運老義發公司外購木材之交易行爲，以其應收運費由老義發承兌滙票予以貼現。現在依法追訴清償中。

（14）台灣伸鐵公司原在台銀有貼現額度五百萬元，係依照財政部頒佈之票據承兌貼現辦法，辦理貼現。五十年三月間，該公司以鋼製品外銷價跌，週轉困難，請准予透支一千萬元及長期資金一千萬元，當時經濟部等有關單位爲救濟鋼鐵業危機，會商訂定「鋼鐵業內外銷配合及週轉資金辦法」，並決議：「各廠週轉資金困難，台銀可考慮救濟……」等項措施。台銀鑒于當時該公司外銷情形良好，內銷應收帳款每月平均在一千萬元以上，但爲顧及放款安全，對所請長期貸款一千萬元，不予考慮，所請透支一千萬元，亦未便同意，惟爲配合上項政府政策，經第三十五次常董會議通過，將原有五百萬元貼現額度提高爲一千萬元，並仍規定由該公司提供押品，以策安全。（六）

大陸同胞生活仍很慘

以汕頭市糧食配給爲例 仍僅廿四斤米二兩食油

（本報訊）汕頭市的糧食配給，每人每月二十四市斤米、二兩油、一兩糖，每月配購二角猪肉證。布證每年三尺四寸。

自從一九六二年冬天開始，農村對於日常供應品，從自由市場拋售日見增多。但中共恐怕自由市場活躍會影響到其經濟的控制，因此，在每個自由市場設立了收購站與供應站，向農民購農產品，再在供應站以自由市場價格出售，來打擊自由市場的發展。又汕頭各公私企業機關廠礦，從一九六二年十一月開始，在中共的「調整生活，配合經濟建設」的藉口下，一律減薪百分之三十，過去每月四十元的薪金，現在僅發廿八元，表面上從黨委到各級幹部，都是一樣減薪，但高級幹部有特別費用和辦公費可以報銷，對他們沒有絲毫影響。例如汕頭市安平派出所的「所長」王放，廣東大埔人，他的生活非常奢華，時常購買水筆手表送給女朋友，他所花費的錢，是可以從辦公費中報銷。

目前汕頭市的居民，除大部份依靠海外滙寄接濟外，失學與失業的人，到處皆是。中共自從一九六三年開始，對投考大專學生，採取嚴格限制，要出身成份好，又要程度高，取錄人數又比以往減少，高中畢業後投考不到大專，就要失學失業，因爲中學畢業中共不分配工作。這一班青年人除申請出境或偷渡逃亡外，困處在共區，心情極苦悶，不滿中共的情緒到處蔓延，滋事打架時有發生。如八月十七日，汕頭中共「公安局」拘捕十二個失學青年，他們以打架盜竊過活，並且發現他們在小公園寫反共口號及侮辱毛澤東標語，結果統被中共送去「勞改」。

復興劇校演變經緯

娑婆生

並聞國外尚有零星欵項，未曾收清之說。在那時，復興的負債，連台銀的六十餘萬，總計在二百萬以外，却未聞振祖如何的消極，依然尚另組電影公司，拍了三笑姻緣。不意近今，忽以負欠柴米之費，約二十餘萬，而振祖乃自掘墳墓，豈不可異。事出之後，我寫了一段即救復興，其文如下：

我前些日爲了如何整頓平劇，有一個具體的意見，送中央黨部，並抄送報館。大概各報認爲平劇是無關緊要，未予刊登，我盡了心也算自安。在意見中，就談到應培植復興劇校，因爲新聞天地樂恕人講過，我們與日本有邦交，却未有劇團去唱過，而共匪倒去了好幾次。同時日本的愛國華僑很歡迎中國劇團去，包括復興在內。

頃閱報載，振祖兒因學校缺之經費，以至自殺，誠不勝其感嘆。不知政府究竟對該校是否聽其自生自滅？還是沒有培護設立平劇學校的必要？先要確定這個原則！如果決定，那末復興的存廢，就得了結論。再說，他們在美國巡迴演出，是否對國民外交，還有勞績？如有勞績，則論功行賞，應予維護。既是維護，便當速救。不能拖下去，使他們師生無限的痛苦。

話說回來，如果我們有以出國演劇，可做此國民外交，則除復興外，便無他法。因我聽到國外朋友講到，歐美劇場注重民間藝術，並不太歡迎軍中劇團，除非由官方洽定，則在例外。這也不足怪，以他們的康樂是跳跳唱唱，開開派對，沒有穿起衣服來唱；故而欲發揚國劇藝術，做國民外交，絕對要即救復興。

當振祖吞服安眠片，送院救治時，出乎意外，是一般的輿論，非常冷淡。有人更說其裝腔作勢，太過做作。不料人緣之壞，到此境地！也就是過於現實，爲其相助的朋友所不諒解。我的看法，正如關文蔚女士所談及，人總不能以生命爲兒戲，大概是困難重重，始作孤注之一擲。誠然！

事實擺在面前，他的自殺，居然得到救星，因曲吳諸君，就余所請，力向中央四組去建議，而事爲極峯所知，更促成爲其解除困難。因此教育部決定將其原有劇團，允予接辦，改名「國立實驗劇團」，每月規定經費，促其訓練人才，得隨時公演，以補不足。是爲平劇一大喜訊。此後全視振祖之再度努力，最好並公無私，則前途必有美麗的遠景。（下）

劉伯溫故事

漁翁

明太祖并賜誥曰：「劉基學爲帝師，才稱王佐。孔明之亡，豈間人言。敬輿之謀，不負所學。占事考詳，明有徵驗。運籌策畫，動中機宜。渡江策士無雙，開國文臣第一。投爵能讓，懷爵全蹈海之風。成功不居，從辟殺封留之請。可謂明折，允矣清貞。轉贈基爲太師，諡文成。」

閎嘉靖十八年，又有以劉基宜享高廟請，交廷臣決議具奏云：「高帝收攬賢豪，創造基業，一時佐命功臣，並軌宣翼。而帷幄奇謀，中原大計，每每屬基。故在軍有子房之稱，剖封發孔明之喻。……雖一時泥于傳聞多謬，而裁書明府，績效具存。肯者，武王興滅，天下歸心；成季無後，爲晉何勸？基宜享太廟，其九世孫指揮使瑜，宜嗣伯爵。伏維聖明裁定。」奏上奉御批曰「可」，遂入祀太廟。瑜亦得襲誠意伯，食祿七百石，子孫世襲，以迄明亡。

伯溫明堪輿，傳生前覓有二穴，一在青田北六十之里之「談洋口」，以此穴能發帝王，乃密報太祖，派兵守之。另一穴爲「絕穴」，即今劉伯溫之墓地「伯溫彌留時，曾語家人曰：「露智傷身，露財捐命，書可讀，官不可做！余死後，屍盛缸中，黑夜埋於某處，某處有我立之小碑，碑上刻有十四字；「毋多言，多言必失，毋多事，多事必敗。」葬後，復毀碑，改題「絕穴」，上書「劉伯溫之墓」五字，不撰墓志，亦不載官銜。所有「誠意伯」食地，分送族人，如此，後世無人恨我也。」

伯溫葬後，明成祖密派人至青田，名爲之修墓，實則發其穴，恐「絕穴」而爲「龍穴」之掩飾者。掘其地，得一碑，曰：「燕子飛來啄我墳」，掘者歸報成祖，大驚曰：「燕子是指燕王也」，誠意伯眞不愧爲一代軍師也」。

據劉基傳：「基在京病時，惟庸以醫來，飲其藥，有物積腹中，如拳石。」以劉之聰明，且對胡惟庸素無好感，爲何飲其藥？這裏有文章，自知胡害人，背後必有指使，與其公開受帝賜死，不如暗中服毒以盡，身名俱泰，且可保子孫於後代。所以臨終而有「此封數也」之感歎語。

做事難，做人亦不易。無才固爲世棄，有才則易招妬。惟渾渾噩噩，大智若愚，方是免禍之道。伯溫做事勝於做人，明知人心險惡，不應道人之短，而炫己之長，「僨轅破犂」一語，即爲毒之所在。

諸葛亮北伐曹魏，積勞病殁疆場，猶然「死諸葛，能退生仲達」，生榮死哀，明哲保身而歸。而劉伯溫爲胡惟庸所害，其結局不及諸葛，就智謀而論，亦稍遜一籌耳。（下）

我所知道的麥帥

肯寧將軍原著　徐熙光翻譯

當我問他需要多久時間可以光復菲律賓時，他答說：「我登陸呂宋島六個星期以後可以收復馬尼拉，八個禮拜以內我就可以光復整個菲律賓。」

一九四五年一月九日我們在呂宋登陸，二月五日我們進入馬尼拉，到二月二十五日肅清了馬尼拉城中的殘敵。一九四五年八月十四日日皇宣佈投降，正好適時拯救了山下奉文殘餘部隊，使他們免於被消滅殆盡的命運。

一九四五年三月我曾回華盛頓一次，我在作戰部中把麥帥的預測向大家重述一遍，但是沒有一個人同意麥帥的看法。他們都認爲日本能夠再支持兩年，而且似乎堅信美軍必須開到中國大陸擊敗日本陸軍，最後入侵日本本土以後才能使日本投降，到時日本全國將會有一連串的集體屠殺和集體自殺事件發生。作戰部的這種看法無疑該爲日後蘇俄的參戰及其處理滿洲日本關東軍戰俘事件負大部分的責任。美國之所以決定對日本投擲原子彈使他們早日投降，大部分原因也是因爲作戰部的官員認爲日本人會抵抗到底，作困獸之鬥。但是事實上，美國在廣島投下第一顆原子彈以前好幾月，日本就曾暗示要求停戰。他們希望蘇俄能出面居間調停。可是蘇俄沒有答應。當史達林一開始能夠把歐洲戰場上的兵力和補給調到滿洲邊界時，蘇俄馬上就對日宣戰。那時東京方面就曾告訴日本駐莫斯科的大使，日本已經知道繼續抵抗是毫無用處的，如果日皇仍然能被允許做爲日本的精神領袖的話，他們可以作任何讓步以求結束戰爭。

雖然兩顆原子彈使得日本決定早日投降，但是麥帥的預測毫無疑問仍然是對的——他在七月份時曾告訴我，原定一九四五年十一月一日進攻日本本土的計劃永遠不會實行。其時他已經知道日本大約會在九月一日宣佈投降，也許還要更早一點。他的這項預測是在我們獲知美國將使用原子彈的消息以前的兩個禮拜告訴我的。

我們有了麥帥從新幾內亞到呂宋的所有戰績的記載和分析，我們就可以知道麥帥所担負的任務是多麼艱鉅，他是如何地在發揮最少的人員和物資的最大效力。第二次世界大戰美軍陣亡的人數有二十二萬五千人，但是麥帥在西南太平洋區的三年裏，不但要面對頑強的敵人作戰，還要對抗熱帶叢林中的酷熱和疾病，而他所損失的兵士，只有兩萬人。麥帥對於進剿敵人，一步都不放鬆，但是他事先總要經過縝密周詳的考慮和計劃，使傷亡減少到最低的程度。

一九四二年，麥帥剛從柯里幾多島撤退到澳洲時，他原來大可等候援軍到了以後才開始反攻菲律賓的行動。但是麥帥竟能以有限的海軍力量維護通往新幾內亞的補給線，能夠運用極少數的空軍飛機來對抗日機，能夠使原來害怕敵人將入侵澳洲的澳洲人民安心下來。換上別人，恐怕早已放棄新幾內亞島上的唯一基地摩里斯比港。

他一到澳洲馬上就宣佈要在新幾內亞抵抗日軍入侵澳洲，他要把敵人趕回去。於是他命令他擴展摩斯比港的設備，他建造該地區的機場和道路。他要把摩斯比港作爲他的軍事行動的主要基地。他又派兵前往米爾內灣，作爲新幾內亞的東部，派工程師到東部去修建機場、碼頭和其他基地設施。澳軍從中東調回來以後，麥帥派他們佔領沿着摩里斯比港通往北岸的布納和哥納的柯柯達小徑。（六四）

華僑的期待—反攻

娑婆

總統的七秩晉八壽誕已過，歸國的成千華僑，紛紛準備回返海外。這次祝壽的熱烈，過於往年，其中以日本華僑劉君，更不惜化費很多外滙，以美金八千元，（相等於新台幣三十二萬）購買焰火，在台北市中興橋上燃放，是富有意義的。因爲燃放，並請日本技師三人來台，主持其事，再費來回機票，及膳宿費，又是新台幣左萬元。其中心之敬仰蔣總統，由此可知其如何的濃熱。此不過一例，其他尚多。究竟華僑何以有這樣化費，在所不惜？爲的是什麼？期待的什麼？很明顯，一致的願望，是盼望反攻！

異國情調　苦在寥寂

我在檳榔嶼時，遇到了四位年過六十，已近七十歲的華僑，他們的談話，也大致相似。簡略把它敘述下來，結論是異國情調，雖已創業成家，但受到當地政府的歧視，地位是普通商人，仍然苦在寥寂。可於其話中見之。他說：

「我在一八九九年時候，赤手空拳，跑到國外，完全靠手足胼胝去做工，總算因爲勤懇，得到業主的看重，漸漸把經濟權委託管理。我始終不敢懈怠；他的事業發達，而我也漸漸有積蓄。等到十年左右，積蓄也多，參加他的事業一環；結果他發大財，我發小財。（上）

寫君續夢

第十五回：平等難期一夫翻地軸　自由何價萬衆擲頭顱

伊里契夫笑道：「當然有佈置，我已在新疆埋下了火種，毛澤東一旦封鎖邊境，馬上就會爆發。尤其是伊犂方面，我已派人同泰依龍波夫聯絡好，由他從中指揮，這場把戲有得看了。」

蘇聯在伊犂、迪化各處埋下第五縱隊，中共幹部仍茫然無知，奉到中共中央命令，馬上就通令全自治區執行，伊犂邊境首先封鎖起來。

不出伊里契夫所料，伊犂居民向蘇境逃亡時，在伊犂河邊遇到攔阻，他們拿出護照，自認是蘇聯公民，現在要回去本國，中共邊防人員一概不理，說是奉到伊犂領導方面的命令，即使有護照也不准通行。一句話激起了怒火，只聽人叢中有人大喊一聲：「走！回伊犂找幹部算賬去。」這個喊的人就是泰依龍波夫。

泰依龍波夫是哈薩克族，中華民國三十三年伊犂、塔城、阿山三區叛變時，伊犂方面組織的叛軍號稱一個軍，就由泰依龍波夫任參謀長，以後中共軍進入新疆，將伊寧叛軍改編爲第五軍，泰依龍波夫仍任參謀長，且被中共叙爲「少將」。後來中共又把第五軍編入「生產建設兵團」，到處去開墾荒田，全軍官兵皆變成了奴工，自然引起不滿，泰依龍波夫首先申請退伍，仍回到伊犂。他本是聯共黨員，同蘇聯地下組織一貫保持着關係，此時伊里契夫想在伊犂策動叛亂，又找到他。

泰依龍波夫也化裝成飢民隨衆逃亡，沿途就努力宣傳中共罪惡，指出新疆若不把這批漢人共產黨趕了走，將永遠沒有好日子過，飢民們撫今追昔，也覺得泰依龍波夫的話頗有道理，正在憤火中燒時，邊界共軍又不准他們通過，更是火上澆油，泰依龍波夫從中一煽動，頓時如火山爆發，幾千人的隊伍，潮水似的開回伊犂。

中共在伊犂的黨政幹部已經得到消息，當時把大門緊閉，牆內架上機槍，槍頭從洞口裏伸出去。飢民們回到了州人民委員會，就用木頭撞鐵門，一邊撞，一邊高聲大罵：「爲什麼不准我們出境，是不是想困在這裏餓死我們。」

還有人在喊：「我們是蘇聯公民，爲什麼不准我們回蘇聯。」

中共在伊犂的州委會及州人民委員會均用鐵門作成，厚過一寸，無論飢民怎樣用木棍去撞也撞不開，許多人又搬了大石去砸，把整個鐵門砸得斑駁陸離，傷痕累累，還是無法砸得開。

這時人叢中有人出主意既然撞不開，不如用火燒，於是紮了火把，離上煤油，燃着了隔着院牆扔進去。到此地步，躲在院內的共幹也感到無法再和平了結，當時下令開槍，只聽衝鋒號一響，所有從牆洞裏伸出來的機槍，全被發動，一陣槍聲之後，前面一排人頓時倒下去，後面的人不由自主紛紛向後退。

牆內共軍一見退了飢民，更是得意，機槍更加緊發射，直到飢民全部被迫退出射程之外才停止。

飢民退出了中共州委會同州人民委員會，死傷纍纍，怨氣無出，遷怒於市內漢人，到各處店舖大縱火焚燒，整個市內馬上成了一片火海。（三九二）

冒險犯難記

鄭文儀

三十八、倉促奉命隨軍出征

民國十七年底，北伐完成，全國統一，中央召集編遣會議，決定編遣軍隊，從此開始和平建設。中央軍的第一集團軍總司令部已撤銷，但第二集團軍的馮玉祥的西北軍及第三集團軍的閻錫山的晉軍都意存觀望，按兵不動。而第四集團軍以李宗仁爲首的桂軍，却在湖北、湖南異動，不僅表示不執行編遣會議的決議，而且驅逐湖南省政府主席魯滌平，盤據兩湖，興兵作亂。蔣總司令以國民政府主席名義，下令討伐，國民革命軍一部份開始動員西征。我在十八年的二月奉到蔣總司令的電令，調我担任國民革命軍第四十六軍的政治部主任，軍階少將；這個軍是由新編第十三軍改編的，軍長方鼎英是老長官，軍隊大部份幹部都是黃埔軍校的同學同事。我在倉促中奉到命令，尚未到職，軍隊即已奉命西征，由南京向長江上游安徽江西湖北進發。

我很快把杭州軍事訓練班政治部的工作交代，離別家人，趕到南京到差。但軍司令部已開動了，軍政治部是新近成立，我在匆促之間，商請總政治部調集了二十多個工作幹部，組成軍政治部，另加部署，於三月初就由南京乘船到達九江，隨軍出征。這是一項十分困難的任務，要用冒險犯難的精神去奮鬥。

我和政治部的同事約二十人趕到九江之後，軍部已沿長江南岸前進，軍長曾留下命令，要我們儘快跟進。我們改乘小輪船離開九江，沿江上駛，經過一天一夜的航程，到達贛鄂交界的蘄池口登陸，以爲很快可以趕上部隊，那裏知道軍部早已前進，並將到達武昌附近，我們祇有加速徒步行軍跟進。沿途本來常有土匪出沒，但以大軍過境，他們暫時銷聲匿跡了。我們經過鄂南陽新兩個山區的縣境，連續走了六天的山路，直到武昌才趕上軍部。早知如此，倒不如在九江等幾天，乘船直達武漢，免得這一週的跋涉；但出征作戰，戰場情況千變萬化，我們是不能不隨機應變的。

到達武昌見過方軍長及軍部同仁之後，很快與各師團政工人員取得連絡，檢討當前敵情，研討工作方法，這時叛亂的桂軍主力兩個軍胡宗鐸與陶鈞兩部已向鄂西撤退，我軍奉命追擊，要在三、五天內離開武漢，繼續向監利、沙市、宜昌方面前進。我在匆忙中把政治部完成組織，開展工作之後，就隨着軍部出發，繼續西征。

（六二）

武侯之志節

周燕謀

諸葛亮爲何如人也？俗以孔明爲詭計多端之人者，此爲小說家之說也。武侯之出身，其於出師表中曰：「臣本布衣，躬耕於南陽，苟全性命於亂世，不求聞達於諸侯。先帝不以臣卑鄙，猥自枉曲，三顧臣於草廬之中，諮臣以當世之事，由是感激，遂許先帝以驅馳。後值傾覆，受任於敗軍之際，奉命於危難之間，爾來二十有一年矣。」此短短叙述，不啻爲諸葛公之小傳。

杜甫詩曰：「諸葛大名垂宇宙，宗臣遺像肅清高，三分割據紆籌策，萬古雲霄一羽毛。」實可謂推崇備至。自魏晉而後，無論官書野史，及民間口碑，甚至於夷敵之君長，無不崇拜武侯。清乾隆謂諸葛亮爲「三代以下第一人」。元人郝經讚諸葛與劉先主爲「復見三代君臣」。確實，自戰國秦漢而至魏晉，君臣之間，求其道義相交，感情融洽，眞能做到「君待臣以禮，臣事君以忠」，「君視臣如手足，臣視君如腹心」者，有幾人哉！故裴松之曰：「觀亮君臣相遇，可謂希世一時」。

諸葛武侯少有逸羣之志，英霸之器，身長八尺，容貌甚偉，儀表不凡。日耕讀，好爲梁父吟。元人郝經謂爲「傷漢季名士往往失身於人，爲閹豎賊臣禁固，卒至風節委地而漢遂亡！」他好抱膝長嘯，人問其所志，則笑而不答。諸葛公究竟想些什麼？裴松之曰：「蓋以權御已移，漢祚將傾，方將翊贊宗傑，以興微繼絕克服爲己任」。此即孔明之志，亦他與劉先主「志同道合」之處也。「先主一見孔明則曰「如魚得水」，良有以也。諸葛自况管樂，後人謂尚有過之也。自幼學養，良師益友，如中原名士避居荊襄者之司馬德操、龐德公、龐士元、徐元植等人，相師友、善。又魏畧截：「亮建安初，與潁川石廣元、徐元植，汝南孟公威俱遊學。三人務在精熟，而亮獨觀其大畧；每晨夜當抱膝長嘯，謂三人曰：卿三人仕進可至刺史郡守也。三人問其所至，但笑而不言。」不言者，其志高於倚欷矣。

諸葛公何以擇劉備而事之？當時曹操權傾人主，孫權坐領江東，他何獨不往？而偏偏「受命於敗軍之際，奉命於危難之間，」受身無立錐之地的劉備驅馳？此中，若無偉大之志節，何至乃爾！其志不僅在於復興漢室，更有必事一個相得益彰的仁君明主，劉備苟非存「興復漢室」之志，不能枉駕三顧，他也，許始終「高臥隆中」，步龐德公及司馬德操之後塵。胡三省曰：「所謂俊傑者，量時審勢，規畫定於胸中，儻非其人，未易與之也。」此可謂道破諸葛公之心跡矣。

諸葛武侯之志，誠非止於偏安西蜀也，未出茅廬之時，已定荊州爲起事之地，「北向宛洛，西出秦川」二語，早爲後日六出祁山張本；三分割據，良非本願也。通鑑輯覽曰：「隆中平居籌畫，遇識者而陳之，坐言起行，求志達道，三代以下，孔明庶幾不負。」此公論也。陳壽「諸葛武侯集」後記云：「當其時，亮之志欲龍驤虎視，包括四海，退欲跨陵邊疆，震蕩宇內。」又云：「黎庶追思以爲口實，至今梁益之民，咨述亮者，言猶在耳；雖甘棠之詠召公，鄭人之歌子產，無以遠譬也。」孟軻云：以逸使民，雖勞不怨，以生道殺人，雖死不忿。信矣」武侯死後，其家僅有桑八百株，薄田十五頃？眞做到「不使內有餘帛，外有贏財。」其高風亮節，淡泊之志；「鞠躬盡瘁，死而後已」之臣節，皆足照耀千古。謂爲三代以下第一人，不亦宜乎！

美妹

羅雲家　著

假如她被大明他們或治安單位查獲弄回家來了，我又該怎樣？

假如……

問題眞是如海潮般地洶湧、複雜，一個浪頭接連一個浪頭，一個波濤接連一個波濤，像是永無止境似的。幾乎搞得他的腦袋快要炸裂開來。

他自然極力想忘了她，不是嗎？天涯何處無芳草？她對自己的情愫是若隱若現，自己對她的愛也還是在抑制的潛伏階段，就此互不想念，忘了她不是很好嗎？何况她的身世與家庭背景是如此的複雜，加以她的未婚夫又是個不走正路的流氓太保，我何必要因爲她而冒這個危險呢？

但是他想睡却睡不着，不想她竟根本辦不到。她的影子，她的聲音，不時會在他的面前出現。還有大明與那些小太保的兇像，也會如惡魔似的纏住他。他並非逃避現實，只管打掃自家門前雪的人，加以他曾經與劉大明有了一個承諾，就是不再跟她來往。假如彼此都做到自己的諾言，不是大家都很好嗎？怪只怪大明打了她，而她又跑來找自己。緊接着，她却不吭不哈地跑走了，留下來的問題，大明認爲是非自己參與就不能解决。現在大家都弄得不歡而散了，眞是幫了張三，則對李四不好，幫了李四，則對張三也不好……

自己雖然沒有強烈地表示拒絕接受他的請求，但除了登報一事之外，却也沒有反對通風報信。這樣說來，我在這件事上是必須幫劉大明的忙囉。可是，萬一美妹前來求助自己，我又如何？是不是不理大明的請求，而仍全心全力協助她呢？「唉，眞是左右爲難，進退都不便啊！」他在不覺中，這樣自言自語地說。

一直失眠到凌晨五點鐘，他纔在疲倦極了的情形下沉沉睡去。

醒來，當他睜開惺忪的睡眼一看，幾乎使他大吃一驚！原來房中坐了一位少女，正注目望着他。她，不是別人，正是健文朝夕思念的黃美妹！

「何先生，晚上睡得很舒服嗎？」她不好意思地站起身子，向他問候。

「美妹妳早呀！我就是因爲睡的很好，所以索性睡着，懶得早起了。哈哈！」邊說，邊掀開被子。然後開始穿衣摺被。

「想不到吧？我這不速之客的突然光臨。」

「想不到？昨晚對妳的事，整整想了一晚上。不過，這麼早就來了，到眞是出乎意料之外的。美妹，從那兒來？」

「從中壢，趕早班車來的。」她走到書桌前，背對着他說。

「昨天大明來找我了，他們對妳的走，急得團團轉。」健文走近她，用手拍着她的肩頭問：「是不是準備回去？還是……？」

「你說呢？」她轉身投入他的懷中，抱緊他的身體問。

「我覺得這樣做，總是不大好的。」他用手撫弄她的頭髮。

「主張我回去？」她抬起頭，凝望着他。

「主要的，是因爲妳的年紀還太輕，這樣在外面亂撞會吃虧的。」

「又來教訓我。何先生，我再也不聽你這些了。想想看！好容易才逃出了虎口，却要我乖乖地再自投羅網嗎？換你，你幹不幹？」她突然鬆開了手，退回到原來的椅子上坐下。

「我，我也許根本就不會出走的。」

（二七）

海嶠談薈

戴高樂與美國

諸葛文侯

北大西洋公約國的盟軍總部設在巴黎，美國以最高統帥地位，掌握着原子武器的優勢權力，頤指氣使，置法軍於麾下，而以法國高級將領担任偏裨職務，對盟軍沒有發言權。英國配備於北大西洋公約國集體防衛上的兵力，視法軍爲薄弱，然在盟軍總部的發言權，超過法國遠甚，即對美國的一般外交政策和行動，英國亦具有莫大的影響潛力。這樣乃使法國人自慚形穢，心懷不平，而以軍人爲尤甚，法元帥朱安即曾經抨擊盟軍統帥部的措施失當，並辭去他所担任的公約體系中的軍職。戴高樂是軍人，而且自視甚高，這時他雖然尚未取得政權，但心裏上對美國很不愉快。後來他出任法國總統，爲着調遣陸海空軍赴北非戡亂，又與盟軍統帥發生了很多摩擦與爭執。

法屬摩洛哥與阿爾及利亞的獨立運動，在背後支持的，除蘇俄以外就是美國，否則那些獨立份子頻年累月跟法軍作戰的軍火，是從那兒來的呢？戴高樂素來倡言「沒有殖民地就不算是强國」之說，他對北非的動亂，起初是要以武力鎭壓的，繼而悉獨立運動的背景如何，乃自動放棄原來的戡亂計畫，抑制那般一向效忠於自己的軍人，忍辱含垢，結束北非之亂，內心深處對美國怨懟更深了。美英俄各國，因爲擁有核武器而顧盼自雄，高踞世界强國地位，而英國發展核武器的資料，多半是由美國供給贊助的。戴高樂爲要使法國躋於强國之列，決意製造原子武器，希望美國予以幫忙，然美國靳而弗許，對英法顯示着親疏厚薄的待遇，且表示不贊成法國發展核武器的意見，糾合英俄各國，簽訂禁試核武器條約，不啻給戴氏以當頭一棒，而美法惡感，乃進入無法疏解的境況了。

美總統甘廼廸爲着禁試核武器問題，曾經親自訪問英倫，他坐飛機往來經過法國，亦不屑降陸對戴氏作禮貌上之訪問，態度，似非自由世界盟主應有的風度，戴氏的自尊心頗受創傷，自卑感亦就油然而作，不勝其羞愧之情，祇是忍隱於懷，說不出口而已。甘廼廸逝世，定期安葬時，戴高樂親往華盛頓弔喪執紼，這是他第一次官式訪美，殆有乘機修睦的意念存焉。然美國政府當局未予重視，美國報紙上且刊出譏刺戴氏的言論，使戴氏趕快言旋，不便多留時日。從此以後，戴氏對美國更無好感，在國際上乃處處跟美國鬧別扭。他反對英國參加歐洲六國共同市場的唯一理由，就認爲英國乃是美國的代言人，英國如果加入了共同市場，即等於美國亦插足於其間。這完全表示着反美的意氣用事，戴高樂政權存在一天，美法的裂痕是無從彌縫了。誰爲爲之，孰令致之？且讓後世歷史家作公正的裁判罷！（完）

數字詩聯

吉庭

古人以數字綴成詩句，最輕鬆，最脫俗者，莫如下面一首五絕：「一去二三里，烟村四五家，樓台六七座，八九十枝花。」此乃描寫春日之情景，把十個數字，順次嵌入，瀟洒自然，鍊句亦雅俗共賞；且因筆法較少，故亦爲蒙童學書之張本。

還有一首七言詩，含着數字在內，相傳爲劉誠意伯所作，詩曰：「百萬軍中捲白旗，（百字去白爲一）天邊書信少人知，（天字去人爲二）秦王斬却余元帥，（秦字去余爲三）罵得將軍無馬騎，（罵字去馬爲四）吾王殿上無口說，（吾字去口爲五）衰衣藍色脫繡衣，（衰字去衣爲六）毛氏夫人齊腰斬，（毛字去上一半爲七）分屍不用刀來拔，（分字去刀爲八）夫妻一別離。無一點（丸字去點爲九）千字去一爲十）載。

清乾隆間，湘水上游與粵西交界處，有一座大古寺，名「金鳳觀」，原建於明初，係六柱五間，因年代久遠，七倒八斜，大有傾頹之虞。附近有一鉅戶某，倡議重修，改爲一連兩座。廟貌唐皇，四面松竹交翠，花草繽紛，山靑水秀，成爲一幽雅勝地。建築告成，以百金徵一聯，限嵌十個數字在內，當時應徵者雖衆，惜無佳構，最後一拔貢綴聯得選：

舊存六柱五間，七倒八斜，難等三年四載；

新建一連二座，十確九穩，永垂萬古千秋。

而這聯以十個數字構成，俗諧工整，鎸懸中堂，允稱佳構。其書法亦遒勁秀拔，遊人多稱許之。筆者曾偕友泛舟湘岸，在此地作一度文酒之會，曾親見之，惜未署名，不知所傳作者拔貢爲何許人也。

內僑警台報字第〇三壹號內銷證

自由報
THE FREE NEWS
第五〇〇期

登記爲第一類新聞紙類
（本報逢每星期三、六出版）
每份港幣壹角
台灣零售價新台幣弍元
社長：雷嘯岑
督印人：黃行靄
社址：香港銅鑼灣高士威道二十號四樓
20 CAUSEWAY RD 3RD FL. HONG KONG
TEL 771726　電報掛號：7191
承印者：田風印刷所
地址：香港灣仔高士打道二一二號
台灣分社
台北市西寧南路壹拾壹號二樓
電話：三〇三四六
台郵掛號金戶九二五二

二番工夫

柬埔寨的嘴臉

論人才外流與共赴國難問題

陳侃

中華民國交通部部長沈君怡先生，最近在台灣舉行的一種交通工程會議中發表演說，對於科技人才外流問題，慨乎言之，認爲人才不是貨品，無法禁止他不向外流動；尤其科技方面的人才，必須環境相配合，使其有游刃之餘地，待遇尚屬次要。如果對於科技人才的服務情形，亦如對待一般行政官吏一樣，唯恐他們有貪污行爲，首先立下許多防制貪墨的法令，束手縛足，又對其業務的預算經費，儘量削減，把他們視同「小偷」，而僅以「爲祖國服務」、「共赴國難」這類大道相課責，那是留不住人才的。沈先生這番沉痛語，眞是傷心人別有懷抱，我們深深地具有同感。

人類既有政治生活，即不免有貪官污吏產生，自古已然，殊不足奇，猶之乎人間儘管講究衛生，而臭蟲始終不能絕迹也。可是，貪官污吏畢竟是少數，亦有許多預防之法，假使政治清明，紀綱樹立，與論開放而健全，賞罰公正而不苟，上上下下，共甘苦，同憂樂，沒有特權，不聞例外。那末，貪污之風一定減少，且有化貪夫爲廉吏的效用可期。何況一般讀書有得，知恥自愛的智識份子，大體說來，都是事業心重，個人享受慾比較稀薄，平日立身行己，有所不爲，讓他貪污，他亦不幹的。凡屬一個學有專長的科技人才，在其本質上與普通爲貧而仕，以從政爲謀生路徑的人士迥然有別，國家既然付給他一項建設任務，而信任不專，在職權上處處加以束縛，經費上不能與事業相適應，强人所難，徒作「豚蹄篝車」之望。這情形，在那些專以搞「等因奉此」爲成績的官吏們，固無所謂，他們照樣的編造工作報告書，繪製五顏六色的統計圖表，再寫些「遵照總統訓示，實行革新、動員、戰鬥」標語，貼在公辦內外，即已畢其能事，且可望獲得最優良人員的考績評判，進爵加官。科技人才的工作却異是，他們的業務是人所見，要有事實可憑的，既不能說假話，也不能玩把戲，樣樣都得拿證據來！如其平日的職權既牽[illegible]良多，難以放手做事，而經費又左支右絀，仰屋興嗟，這教他們如何展其長才，有所建樹呢？有志不得行，有才不能盡，値此物質文明稱雄於世界的時代，科技人才到處需要，此處不留人，自有留人處，他們雖然有心爲祖國服務，願意共赴國難，怎奈英雄無用武之地，唯有去而之他，別謀出路了。中國原無中產階級存在，工商企業更不發達，科技人才本身多屬貧寒出身者，縱有職業技能，却缺乏生活基礎，而本國又沒有使他可以立足的處所，除却遠走他鄉以求生存發展外，還有甚末辦法呢？現在中央研究院那一大羣的院士，多半都是僑居異域的，若教他們經常住在台灣，靠那一名院士的俸給以贍養室家妻孥，行嗎？

當然，也有極少數的科技人才，並不一定「恃祿以養」的。譬如沈君怡先生過去担任聯合國防洪局長的一天薪金，即等於現在担任交通部長的全月俸給，他可以歸來爲祖國服務。但是，凡屬不恃祿以養的科技人才，他的事業心就特別濃厚，國家既對他加以任使，即須讓他在職份以內充分行使權職，盡力以求表現，否則利固然說不上，名亦有虛其表，凡難免遭遇到負虛名而受實禍的困厄。這就不僅阻遏人才，更有斷喪人才之虞。像我國招商局內部之腐蝕窳敗情形，久已膾炙人口，爲世詬病，成爲國庫的吸血蟲了。然迄今尚未能由交通部澈底整飭改進，上月沈部長提到立法院的整理計劃，我們覺得並非根本之計，不足以醫治現時招商局所患的痼疾。然而，就是這樣慢郎中的醫方，似乎尚有若干的阻礙，不易試用，這如何能夠使實心任事的科技人才安心工作呢？所以，待遇問題若不談，職權問題即更重要，我們盼望立法委員注意及此，不要使勇於負責的行政官氣沮神傷，知難而退。

若干年來，咱們政府對於一般學人（當然包括科技人才在內），還有一種殊不合適的期待，亦是値得考慮的，即常常教學人從事普通政務，或者過問政治事宜，每有對政治素無興趣，並未幹過行政工作的學人，突然徵辟，爲政務官，驟居要津，主持大政，如廿餘年前地質學者翁文灝，受任行政院秘書長後，連處理日常公文的手續，亦茫然莫名其妙。這在他本人引爲莫大的苦事，在政府爲未免浪費人才。又如過去的陽明山會談，將來的反共建國聯盟會議之類，都是以商討現實的政治問題爲主要任務，雖不能說毋庸邀請海內外的學人參加，但必須有所選擇，而以其平日熱心國事，對現實政治多少有些瞭解者，較有裨益。如其毫無所擇，隨便教海內外的一切學人來談論政治，或來從事政務，以爲這樣總是革新政治之道，那就將有得不償失之虞。素來對政治無興趣的學人，他對國家的報效，別有所在，甚至比較過問政治的功用更大。無論是商談政治問題，或者担負實際政務，專憑書本理論是不濟事的，這在承平時代，儘有學習考察之時間，然在亂離之秋，坐言即須起行，沒有嘗試的餘暇，一着失措，滿盤皆非。政府尊重學人，自屬無可非議，但應講求方法，庶幾發抒學人的長處，兩全其美。

最後要談到留學生政策了。時人對於留學生問題，多所指摘，而以一般留學生在國外學成之後，多不願意回國來服務，以及出國留學者多係富貴人家子弟爲重要理由。我們認爲知識青年出國留學，不特無可非議，而且應該獎勵。本國一切的科學文物，皆未能與世界列强併駕齊驅，多有子弟出國求學，寧非一大佳事嗎？至於他們學成之後，不願回來，以致楚材晉用，爲他人作嫁，這亦不能專責留學生之不愛國。就咱們國家目前的情形而言，留學生在海外研習自然科學的，一旦畢業歸來，就業固不容易，更重要的是他們沒有作繼續研究的資料和場所，結果是智識日見退化，不旋蹤即蛻變爲時代落伍者，這不是國家一大損失嗎？就是在海外研習社會科學的，他們回到國內來，除却少數權貴之子弟，或許容易就業，一般的人即有失業之恐慌了。所以，留學生之不回國，責任不完全在他們身上。至於特權階級的兒女們每有出國留學的優先權，這確係秕政，非糾正不可。我們還有一種看法要貢獻政府主管機關，即今後派遣留學生出國，不宜偏重於美國一隅，歐洲的德法等國，亦未可漠視。老實講，美國除了科技之學署勝一籌外，社會科學即不及德法遠甚，光是偏重美國一隅，對於吾國的需要並不適合，結果虛耗人力財力而已。

今日與明日

庸人自擾

聯合國年會舉行在即，西方國家——特別是美國——的輿論界，對於中共政權能否進入聯合國問題，議論紛紛，揣測不已，眞是庸人自擾，無謂之至。

當年策動聯合國大會決議譴責中共侵略者，是以英美爲主幹；今年叫囂着邀請中共政權參加聯合國的，又是以英美人士爲熱心；聯合國存在的價値，因此掃地以盡了！

記得舊有「國際聯盟」之散檔，就是英法兩國爲着阿比西尼亞問題各存私見，對意大利法西斯政權作左右袒，蔑視正義公道，而世界和平秩序乃告崩潰，結果招來了二次大戰，英法受禍最烈！

今日英美一面害怕戰爭發生，拼命大叫和平，一面又莫名其妙的大力製造戰爭因素，唯恐戰神不早日降臨，不亦傎乎！

一切要靠自己

我國朝野人士，近來對本屆聯大會議的趨勢——即中共政權能否闖進聯合國問題，表示特別關懷，這是多餘的顧慮。一個聯合國的原始創建者，位居永久常任理事國，而每年聽受別國代表們嘵嘵辯論中華民國的代表權問題，還要搞甚末投票表決的把戲，對我們面有德色，這實在是咱們的一大恥辱。

西德並未參加聯合國，然其國際地位幷不下於英法各國。只要自己有辦法，不參加聯合國又有甚末屁的關係呢？自己如其沒有自立自强的作法——至少亦具備着「敗事有餘」的力量，光是向國際間乞援求助，縱然照樣充當常任理事國，還是不光彩的。

須從大處遠處設想

今年即令由於美國尚未能跟中共實行妥協，阻止了中共政權進入聯合國，明年又怎樣呢？

所以，我們現在應該作壞的打算，殫精竭慮於有朝一日宣佈退出聯合國以後的生存之道。假使美國現行的對外政策不變，我們就非變不可，這一變，包括着廢棄「中美安全互助協定」，歡送第七艦隊離開台灣海峽。我們要以乾坤一擲的決心，跟共黨進行生死決鬥。我們如果失敗完了，誰能相信這世界依然得保持「和平共存」的局面，而讓西方强權國家飽嘗安全、繁榮的幸福生活嗎？

生於憂患，死於安樂，就在我們知所抉擇了。

自由談

黨慶感言

本月廿四日是中國國民黨創建七十年的紀念日。區區忝屬黨員一份子，具有四十年以上的黨齡了，在報紙上看到這項消息後，心裏頗多感想，思潮起伏，不能自已。

國民黨總理孫先生倡立的三民主義和建國方略，始終是適合現代中國人民之需要的。國民黨人在行動上，亦曾經推翻帝制、打倒軍閥，又領導全民抗禦外患而終獲勝利，使國家躋於世界四大强國之列。然執政二十年之後，竟遭遇着亙古罕有的禍亂，退出大陸了！其所以招致這種重大失敗的原因，說來話長，有如一部廿四史，不知從何說起，祇好留待後世的史家來評判。

可是，國民黨現在依然執掌政權，負着復興中國的沉重職責，不管一般中國人士對咱們的觀感如何，就國民黨人的立場說，只有慚怵自責，必須以待罪之身，努力奮鬥，還我河山，纔能夠對歷史有所交代，否則功不抵過，難免成爲時代罪人，而使七十年來的革命績業，付諸流水，思之眞是寢饋難安！

過去失敗的因素固然很多，但國民黨本身出了大毛病，却係無可否認，也無庸諱言的。懲前毖後，在黨言黨，我覺得有幾點情形不能漠視：一個政黨取得政權後，最容易趨於偷惰腐化之境，要防制這種流弊，唯有澈底實現黨內民主化生活，養成批評與自我批評的風氣，藉以產生防腐作用；同時對於吸收新黨員決不草率，像過去規定凡是從政人員一律視爲黨員的方法，絕對要不得。黨務與政務不同，政府爲着事實需要，可以採取「立賢無方」的策畧，教任何人來從政，甚至一步登天，位居顯要。辦理黨務即須講究歷史和勞績，嚴明功過是非，決不苟且，有功必錄，有過必懲，必如此，纔可以使一般黨員踔勵奮發，重視紀律，而不屑直尺枉尋，喪其所守。

國民黨若要重振革命精神，完成反共復國的時代任務，這幾點原則是値得注意的。

馬五先生

注重於「教」而非「罰」 台南監獄邁步「現代化」

囚犯自我管理自發自動悔改上進 生產作業利益均享子女還有書讀

（本報記者朱武州台南航訊）設在此間新生街的「台南監獄」受刑人的起居生活，外間人無法瞭解，總以爲犯法坐牢，理所應得，每天廿四小時關鎖在暗室內，除三餐囚粮有得吃外，別無一點有意義的生活了。記者爲了打破這種不正確的觀念，特訪問台南監獄，承張齊斌監獄長的合作，這裏把我親眼所見到的這個「現代化監獄」中一切，作一介紹。

台南監獄，現在收容服刑人，截至十一月十五日止，爲男性一千二百八十五名，女性九十三名，男犯人攜帶男嬰八名，女嬰六名。犯人中以殺傷罪犯最多，計三百二十五名；餘竊盜犯二百四十名，烟毒犯二百一十五名次之。以刑期言，三年以上七年未滿者最多，計四百九十三名；一年以上三年未滿者三百四十名；六月以上一年未滿者二百八十六名。以籍貫而言，本省籍一千一百六十一名，內地籍二百一十四名，外國籍者三名。

服刑人生活方面，每人主副食費用，每月一〇四元。爲了改善囚犯生活，自五十一年起增闢墓地周圍之地爲農場，積極經營種植蔬菜，供應囚犯食用量達一一九、三九五公斤。每年十二月至次年三月間，囚犯有熱水供浴。另自製豆腐佐餐十個月中供應量爲一三、四八九公斤六百公分，豆漿供應一、五六八公斤。飼養菜猪，利用豆渣及菜皮與剩餘飯屑米水飼猪，供囚犯食用，現有猪十頭；十個月內猪肉供應量爲二、四四九公斤五百公分。加菜方面，十個月供應一八、二五六斤八百公分。

衛生保健方面，有醫務人員每日巡迴治療，遇有急患可另住病舍；患精神病者有特約的「養和精神病院」治療。又有再福牙科以及陸軍第四總院的耳鼻喉科等醫師定期到監爲囚犯治病。爲預防疾病，又定期注射疫針。監獄又美化環境，種植花卉頗多。

現代化監獄政策，注重感化，以仁愛爲出發點，以自覺自重自發自治的精神，使服刑人改悔上進。囚犯亦有自治組織，全監選出自治服務員二百五十六人。每六個月選舉一次。經常有級會，工作檢討會，生活檢討會。囚犯自行集會，訂有「生活公約」，自我管理。

教化與文康活動方面，有調查分類，職業教育，識字教育，文康活動（包括球賽、戲劇、懇親會等）。

台南監獄現有作業工場十座，農場一處，其科目有木工，印刷工，竹工，籐工，蔴工，皮鞋，編織工，洗染工，農藝等十種。其中以囚犯們細工製成的各種籐器傢具，最爲出色。平均每日作業人數佔全監百分之九十，本年七至十月總收入一百〇七萬七千五百四十四元四角四分，純益金爲五萬三千五百三十二元八角。此外「有成功外役隊」，專承攬營建工程，完成者有台南高分院及檢察處，司法新村樓房三棟共廿一戶，台南看守所大門一座，自建工場二棟，資料室一棟，高分院重建二樓職員宿舍三棟，明德學園文舍一座，台南司法保護會辦公舍一棟，高分院檢處職員宿舍一棟二戶，計工程費達新台幣二百萬元。

該監獄并辦有明德學園，內分幼稚及托兒兩部，佔地二百九十五坪，收容囚犯之子女、該監及台南司法機關同仁子女八十名。除聘專任教師一名、保育員一名外，其餘職員均由女監職員兼任。並選女囚犯四名担任褓姆。開辦迄今，頗受好評，第一屆幼稚部學生已在本年七月間結業。

監獄的人事，會計，統計方面：該監員工，職員一百四十七人，司機一人，工役十五人，共計一百五十三人。管理人員改制，升等，攷試及格改派者卅人，新派委任管理員六人，總計有管理人員七十九名，其由委任者六十二人，雇用者十六人。民國五十三年七至十月底止經費收支，一般行政：實收十六萬一千二百元，實支十五萬八千五百八十五元九角四分，剩餘二千六百一十四元〇六分。行政及羈押：實收九十九萬二千八百元，實支八十七萬一千七百零七元零三分，剩餘十二萬一千〇九十二元九角六分。統計方面、[illegible]統計方案及上案規定所需各項統計報告表，切實蒐集資料按期填報。

員工福利方面：有員工康樂中心，員工福利社，（設有員工子女獎學金，大專一名，高一初中各一名，小學四名。每年兩期，中學以上者三百元，小學生一百元。符合申請標準而未得獎者，另頒給獎品。）并製發冬季制服。

「胡禍」問題的來龍去脈

張弓

台北市於兩個月前，市面上出現一本新書，題名「胡禍叢談」，講述者爲年屆七八高齡的現任台灣大學文史教授徐子明老先生，編錄者是他的公子徐棄疾。這是一本以問答方式記錄的學術著作，以批評已故前中央研究院院長胡適博士的學術思想爲主題。作者在開卷第一章即以「中共的前驅」爲目，而書名又直率地稱爲「胡禍叢談」，顯見其對於胡博士的反對心情了。當第一天新書出版的廣告在中央日報上刊出後，立刻引起多數教育界和學術界人士的注意，當天散發在少數書店中的「胡禍」一書，幾乎被搜購一空。

胡適博士自五四運動以來，在中國學術和教育界一直居于領導地位，被視爲「現代聖人」，桃李遍天下，四十餘年來他的學生以及學生的學生，都在教育界佔了很大的比重，尤其新文藝界可說什九是胡氏信徒。徐氏竟在胡博士去世才兩年的今日，公然出版批評胡適學識和反對胡適思想的著作，且謚之爲「胡禍」，可謂驚人之舉！

要探究這件事的來龍去脈，似乎說來話長，但讀者要不健忘，總還記得六年以前當胡適博士新由美國膺命返國，出任中央研究院院長之時，台北市上即曾出現過一本名爲「胡適與國運」的小冊子，即是打擊胡適之的。那本小冊子共載有五篇文章：（1）胡適的領袖慾。（2）請看空前的胡博士和我怎樣佩服他的理由。（3）吳虞文錄序。（4）敬以「無爲」爲胡適之先生壽。（5）拜倫哀希臘詩的漢譯。由五個不同的作者具名，沒有出版者，也沒有發行人。據悉那本小冊子即爲徐子明和李煥燊等幾位主動印行的，似乎幕後參加的人還不只這幾位，一般孔學會和孔孟學會的中堅份子都知道這件事。他們的出發點據說是這樣的：因爲眼看當前教育制度的破產，我國古代文化的經、史、子、集之類學問日益式微；尤其痛心社會道德的淪喪，我國固有家庭倫常觀念的墮落，窮根究源，種禍於胡適之當年提倡白話文，打倒「孔家店」。而今胡適又出任全國最高學術機構的中央研究院院長，豈能使孔門弟子心悅誠服，于是他們把滿肚子陳年宿怨都發洩出來。當時徐、李等的做法，原想把他們的大作一篇篇地投寄台北幾家大報上要求刊登，誰知報社編者不願得罪胡氏，沒敢接受，一再碰壁之餘，徐、李一氣之下，乃自費印了一批小冊子，總名之爲「胡適與國運」，免費散發。當時在社會上也確起了一陣騷動，後來主管當局因該小冊子未合出版法規定印行，即令治安機關予以取締。事情雖已過去，反對胡適的暗潮却依然暗長而潛滋，徐子明教授在若干講學的機會中，也常常公開抨擊胡氏，視胡適爲中國近代民族文化史上的第一號罪人。

「胡禍叢談」共分十講，對胡適之的學識有很詳細的分析和研究，據說脫稿在兩年以前，當時胡適未死，很多人勸告徐老先生不必多惹是非，出版界的朋友也不願隨便來印行那本驚人鉅著，故一直未能與讀者見面，直到最近才由民主出版社接受了徐老先生的要求，代爲發行。書是出來了，市面上也流通兩個月，對那本書的看法，固然仁智各有不同，而最使人注意的是雙方人士爲「胡禍叢談」的幕後鬥法，却也搞得非常激烈和有趣，爰就筆者所聽到的記述如下：

「胡禍」出版後，最先反應的是徵信新聞報，由寒爵先生在副刊上寫了一篇「胡禍！胡禍？」以後方以直先生和寒爵先生又各寫了一篇，仍然在副刊上，內容都是針對徐子明爲胡適作辯解的。往後却不見下文了。據說擁徐反胡的人也有文章投寄該報，編輯先生覺得處理爲難，請示報社當局，當局決定兩面不得罪，停止刊登雙方論戰文章。此外東吳大學的一位文史教授朱任生先生，在讀過「胡禍」以後，曾寫了一點感想和評介，最先投寄「中央日報」，拒不收；改寄新生報，也加婉却；最後送給中華日報，還是打了回票。報社的表示都說不願介入是非論戰，故正反兩面文章一律不刊，以封鎖方式來對付，這使徐子明的書評不論好壞都不能見諸報端。這一著佈置是夠厲害的，表面上兩面不得罪，實際還是迴護了「我的朋友」胡適之。比較沒有派系的華報（最近才由四開擴編大張）于十月廿四日刊登了一篇胡是先生的「胡適與胡禍」，十一月上旬又刊了兩篇千萬先生的「讀胡禍叢談有感」，立場都比較中立和公正。他們的看法認爲徐老先生的見解固不無理由，但把大陸陷共的責任委之於胡適，而稱之爲「中共的前驅」，未免太嚴重了一點，是非公論應該讓這頂帽子予人有個自辦的機會，而今胡適已死，徐氏之作未免有事後「鞭屍」之嫌了。

聽說部份立法委員們也對此書引起了注意，經已彼此交換過意見，準備根據徐氏所述的見解，對教育行政當局提出質詢，果眞有此一著，那末不久將來有一番熱鬧可看了。

來函照登

貴報本（五十三）年十一月七日刊載「省府有無單獨決定增稅權？」論文一則，指本省此次調整屠宰稅稅價，缺乏法律依據，並建議中央自明年一月起調整乙種車輛使用牌照稅稅額，均未經過省議會通過，逕行增加人民負担各節，爲免外界有所誤解，爰將實際辦理情形聲明如次：

1.查現行屠宰稅法係於五十一年八月廿九日修正公布，依該法第五條之規定：「屠宰稅從價征收，稅率最高不得超過百分之十二」；「牲畜價格，係依標準重量按每公斤單價計算（牲畜每公斤單價乘標準重量等於完稅價格）（完稅價格乘稅率等於應納屠宰稅稅額）。標準重量及單價，則由省（市）政府定期派員調查，根據調查實際情形統一規定公布課征」。同年九月廿一日修正公布之現行本省各縣市屠宰稅征收細則第三條規定：「牲畜之標準重量及單價，由省政府每三個月派員調查一次，并依據調查之資料，核定統一完稅價格，公布課征。但如牲畜單價并無變動或變動在百分之十以內時，得不予調整稅價」。依照上開法則規定，本省牲畜完稅價格，省府自可每三個月派員調查一次，按其重量及單價予以統一核定，公布課征，不必送請省議會審議。再本省此次調整，係完稅價格，并非屠宰稅稅率，前者由省核定，後者須經中央立法，二者顯有差異。至貴報所引敘屠宰稅法條文，係已廢止之舊法。

2.本省屠宰稅稅額，自五十一年九月二十二日因屠宰稅法修正調整稅率以來，迄今已逾二年，迨至本年十月，牲畜單價，據查報爲每公斤猪廿元九角半，上漲二一點七%，牛十八元五角一，上漲七二點一%，上漲率均已超過百分之十，省府根據查報資料，爲顧及實際需要與人民負担，酌予核計調整稅價：猪爲二一八點三%，牛爲二二點二%，其調整幅度，並未達到實際上漲單價百分比。

3.乙種車輛使用牌照稅稅額，現行使用牌照稅法訂有詳細規定，如須調整，必須修正稅法。惟修正稅法係屬中央權責，不必先送省議會審議。倘因修正稅法而修訂征收細則時，法則須送請省議會審議，通過。

台灣省政府財政廳敬啓　十一月廿二日

檢討台銀呆帳與金融政策

——本報記者張健生台北航訊

（15）和興糖廠在台銀國外部爲一貿易商，担任新台幣十萬元打包放欵承還保證人，因該貿易商倒閉由該廠承担，於三十九年間改爲該廠貸欵，到期未履行，台銀經依法追訴，嗣於四十二年間，在台北地院和解，但和解後仍未還。台銀經就該廠及保證人申請法院執行收回七五、三五八、四一元，抵利息之一部份，現已執行完畢，尚未發現有其他可供執行之財產，故已向法院領回債權憑證存執。

（16）自立晚報結欠五九、〇八七、六〇元，早於四十九年五、六、七月間先後到期，迄未歸還。擬依法追訴。

（17）公論報貸欵新台幣三十萬元，早於四十九年二月五日到期，迄未歸還，經依法追訴，法院判決，依法處理押品。（係省令辦理）

（18）中華日報貸欵四十五萬元，係准財務委員會函辦理，並由該會保證，到期後，該報會申請展期，並改以大直房地產作押，經台銀同意照辦，仍由該會担保，但該報迄未辦理展期手續。迨至五十一年五月間，又來函要求將其中四十五萬元再展期一年歸還，經函復應由財務委員會來函證實後再議。至其餘另由台銀南行撥貸二十萬元，應即清償，惟迄未照辦。

（19）中央電影公司貸欵係奉行政院令，財政部副本爲該公司籌建新廠，急需費用，准向台銀借貸。五十一年三月十二日奉令，以本案貸欵連同該公司向台銀貸借各欵二千九百餘萬元，改爲投資。經台銀常董會二八三次會議決議：既經中央決定，自應遵辦，現正辦理中。

（20）圓山俱樂部所有貸欵一千五百餘萬元，（監察院糾正案爲六千餘萬元）係奉省令而借貸的貸欵貸出後，均未償還本息，屢經省府召集有關單位商討解決辦法。台銀於四十八年九月四日奉省府二字第七一九二四號令飭將該俱樂部歷年增建房舍及購置設備，由台銀收購，仍租與該部使用等因，經洽該俱樂部檢送原始憑證，轉請審計處審核，審計處以該俱樂部非公營機構不予審查。嗣由台銀與該俱樂部議價，總計二千八百餘萬元，與省府核定以二千五百萬元左右收購原則，超過三百餘萬元，一方面呈報省府核示，一方面請審計處審查中。（七）

華僑的期待—反攻

娑婆生

「待其老死的時候，他的遺囑中，居然也給我一筆獎勵金，這是國內企業家所沒有。我自有積蓄，再加獎金，那是我的創業已告成功，少說一點，擁有二百餘萬美金，雖另有創造事業不敢多用。那時候，娶得華僑女子，生男育女；但是身羈異國，捐稅特重，同時抑受不到他們國家的敬重，還要强迫我們去歸化。試問黃帝子孫，除非在逼不得已，絕不情願去做外國人，請問情緒如何歡暢？雖有聲色犬馬之娛，總之葉落歸根，是任何華僑皆有此念。」又說：

「談到葉落歸根，就想回老家。古人有云：富貴不歸故鄉，如衣錦夜行。我們在國外雖不能說貴，總算一點小富，也未能免此觀念。有說生是中國人，死爲中國鬼，何必埋在國外！基於這種心理，可以說華僑沒有不想回國的。從前時候，要來要去，非常隨便。國家也極其盼望我們回來，在祖國投資、幫助建設。現在的魔窟騙了幾位華僑回去，結果用盡榨取手段，把這點外滙，一齊弄完。有幸的再放你出國，不幸的就在故鄉奄奄垂斃，以致喪生。十人傳百，百人傳千，口訊不下於電報，海外的僑胞，看得淸淸楚楚！誰敢有這心情，再作歸鄉之念？因爲那等於自掘墳墓。

「我們期望歸國的主要原因，最感迫切的，是子女長大，女的嫁給國外人士，固無所謂；男的成婚，必找尋中國小姐。可是不易找到！久而久之，遂至與異國女郎結合。

如此做法，我一身所賺積的資金，等到老死，傳給兒子，他們再生男育女，脫不了歸化他們國籍，我幾十年一片心血，仍舊是還了他們，於我們祖國有何益處！海外的上千萬華僑，無不具此願望，就是：光復河山，還我自由！要實現這個希望，祇有期待反攻。」又說：

「每年逢到蔣總統壽辰以及國慶，大家爭先恐後，遄返祖國，就是快樂的得享自由空氣；再加國內熱烈的溫情，是海外所找不到的！」

他們如此談話，已明確知道，他們的內心，如何渴望摧毀魔窟，回到民國卅八年以前的情景，來去自由，不受桎梏，永享世界上的和平，絕無殘害的事實。國內的同胞，應知警惕，應付未來的災禍，不要以爲可以苟安於一時，終日在醉生夢死之中，度其奢侈的生活，爲寫此段，以作爲誡。時代是青年所創造，青年不可忽畧了時代！

我所知道的麥帥

肯寧將軍原著　徐熙光翻譯

他的第二個行動開始採用大胆而機動的戰法，這使他成爲一個人們心目中最偉大的軍事家。他不墨守成規，也不拘泥於舊有的戰爭觀念，他所憑藉的是淸醒的頭腦，開濶的胸襟。他能冷靜地分析和估計自己與敵人的力量，然後下定最後的作戰決心，不遂勝利，永不退縮。所謂知己知彼，百戰百勝，正是形容麥帥的最恰當註脚。

麥帥想到佔領北岸的布納和哥納地區，但是他沒有足夠的海軍力量和兩棲登陸作戰的配備，於是他採用了歷史上第一次空降包圍戰。以前從來沒有人以傘兵降落在離敵人只有幾哩的地方。任何兵書和戰畧課本上也未見有人建議可以空運兩師步兵，帶着輕武器飛越歐文史丹利山脈，降落在敵人的側翼和背後。這兩師步兵的食糧、彈藥補給，兵員的撤退、調整，甚至野戰醫院的設立，都由空軍飛機來負責。當時許多自命爲軍事專家的將領們都認爲這是有勇無謀的愚蠢做法。麥帥自己的參謀也不贊同這樣的行動，他們建議應該撤退，因爲他們認爲空軍是無力補給地面作戰部隊的。

他們都管這個行動叫「麥克阿瑟式的賭博」，可是事實證明這不是賭博，麥帥有必勝的把握，如果他運用得當，他必勝無疑。當然這需要一個極有技巧的人來運籌帷幄和策劃一切才行，但是麥帥正是一個極有技巧的人呀！他手裏並不是握有什麼王牌，但是在他領導和鼓勵之下，不管是海軍的水手，陸軍的士兵和空軍的飛行員，無不將士用命，奮勇向前。這種勇敢的精神加上麥帥卓越的統御才能，使得麥帥終於打回了菲律賓，最後到達東京成爲盟軍的最高統帥。

提到韓戰，我相信後人在寫歷史時，會更讚譽麥帥是個傑出的軍事領袖。歷史上我們很少發現强敵當前，而仍然能夠使自己的軍隊安然撤退的指揮官。韓戰初期，麥帥被迫撤退到釜山灘頭，但是在撤退過程中，他使美軍的傷亡減少到最低的程度。相反的，韓共部隊却損失極爲慘重，所以戰事爆發以後的一個月，麥帥已經敲響了北韓的喪鐘。仁川登陸以後，要不是毛澤東的介入韓戰，韓共的覆亡早已指日可待。中共參戰以後，使麥帥無法迅速獲得最後勝利，但是無論怎樣講，都無損於他做爲一名最傑出的將領的聲譽。韓國的未來命運如何，無人可以預料，但是我們慶幸的是一九五〇年六月二十五日北韓共軍跨越三十八度綫時，正好是麥帥担任這個地區的司令。

就一般的事情說來，麥帥的公共關係並不好。但是這錯不在他，而錯他手下的那些辦公共關係的官員。

麥帥手下辦公共關係的人對麥帥幾乎像偶像一樣的崇拜。任何消息，如果未能把麥帥捧上天，他們一律不予發佈。他們認爲所有消息都應該認定麥帥是絕對沒有錯的。他們似乎認爲他們有一個神聖的任務，把麥帥的偉大向全世界介紹，使得世界上沒有一個人不曉得，所以他們不相信記者的採訪報導。麥帥不僅有崇高的人格，也有爲人所喜愛的性格，如果他要讚揚自己，使人人都曉得他，他儘可以不需要任何人的幫助。但是他畢竟不是半人半神的人，他只是一個普通的凡人，跟你我都一樣。（六五）

哀梨室劇談

銀漢秋高憶大賢

豁公

余大賢係梨園行爲余叔岩所加之徽號。蓋緣叔岩之爲人，謙謙自牧，有君子風；並且一貫的孝親敬老，尊師重道，對同行之貧乏者，往往予以物力財力之幫助，故以賢者稱之。

余叔岩是在他的老師譚鑫培之後執老生行牛耳的；他那精湛的劇藝，僅畧亞於乃師。與他同時的許多老生，皆不足同日而語。

由於叔岩之聲譽特隆，遂使若干强顏之後輩，硬行把他的招牌竊去，裝璜自家門面，而美其名曰「余派老生！」那裏面儘有年未三十之青年，相信他們連余的面目都未見過，試問他又從何處余起？（因爲余是民國三十二年去世的。）

尤當知「余派」之創始者不是叔岩，而是他的祖父余三勝（亦作三盛）。三勝是清道咸間，與那位號稱伶聖之大老板程長庚，及奎派之創造人張二奎，被人稱爲伶界三傑的。

他——三勝——對劇藝造詣至深，所有唱，念，做，打之技巧，一樣樣出人頭地，爲一不可多得之全才老生，「安工」「衰派」及「靠把」各極其妙。所謂「裝龍像龍，裝虎像虎」，「上場便是劇中人」，三勝是能夠把牠切切實實做到的。

據我所知，三勝是老生使「花腔」的第一人。但他那時的「花腔」，也只等於現代的「小腔」，是把唱詞中某一字音，在可能的範圍內畧予延長，生出一點浪花來，藉以震盪聽衆之耳鼓；不似時下的某些角兒，爲了取悅於外行，往往把一個腔，硬行拖上幾板。人又不是畫眉（鳥名），怎麼會那樣呢？

效法三勝的老生實繁有徒，然而深入堂奧探驪得珠者，祇有譚鑫培一人。

鑫培原是一個良好的武生，因有一副「三音齊備，四聲俱全」之「雲遮月」佳嗓，特地改老生的。

譚爲老生之唱腔作派，係取程（長庚）余（三勝）張（二奎）王（九齡）之特長，滲入個人心得，揉合而成！他雖掛名爲程氏弟子，但因方言不同之關係，其取法於程張王之成份，遠不如取法於余之多。（按程余張王皆皖籍，然程王純操皖音，余因生長於湖北羅田，故操鄂音；張因生長於冀北，故操京音。譚爲黃陂土著，亦操鄂音，故唱腔多倣余氏。）所以我們就稱「譚派」爲「余派」亦不爲過。

據故姻長孫十三爺幼山（名汝言）說：『老譚演「定軍山」，「取滎陽」，「南陽關」，「珠簾寨」，「討魚稅」，「桑園寄子」，「打棍出箱」，「割髮代首」，「擊鼓罵曹」那些戲，差不多全是三勝的路子，一點兒也沒走樣。筆者雖沒趕上聽三勝的戲，不知道老譚唱的是不是和他一樣；但孫姻長是當時的名票，並與程、張、余、王及老譚，都有相當的友誼，他說的話，應該是可靠的。（一）

三部獻壽各有千秋

懺厂

今年蔣總統誕辰，兩晚之間，聽到看到三部的麻姑獻壽：

第一部是忠勇劇社祝壽演出，由徐渝蘭小姐所唱，她的劇藝自參加大鵬後日益精進，是復興埋沒而忽畧的，我在看金山寺後，特別寄予遠望。

第二部是大鵬公演，由賈厚英小妹所演。厚英在科時，大家多刮目相看。我曾告之，總不能老是當配角，要往上趕。她近演鴻鸞禧金山寺，就另是一副姿態。

第三部是名稱普天同慶，實是獻壽的擴大。由古愛蓮來演，她是資格老經驗足，但是從前未演過，在電視中露一手，程派的獻壽，今爲始見，也眞不錯。

塵君續夢

第十五回

平等難期　一夫翻地軸
自由何價　萬衆擲頭顱

困守在圍牆內的共軍不敢出來，只好眼睜睜看着市內被火燒得七零八落，然後飢民在秦依龍波夫率領下，逃去山區，最後輾轉仍逃入蘇境。

伊犂被火燒消息傳出後，新疆各地整個動盪起來，居住與外國邊界毗鄰的居民，紛紛逃亡，一時全省鼎沸，王恩茂手忙脚亂，日夜去電北平告急，請求毛澤東速派兵前往鎭壓。

毛澤東接到電報自然又痛罵赫魯曉夫，但是也無兵可調，因爲內地各省也動盪起來。

內地居民雖未敢武裝反抗，却也到處逃亡，由於鄉間實在羅掘俱窮，有些地方連樹皮草根都吃光了，鄉下人沒有辦法就集體逃亡，逃亡也沒有固定目標，大家都認定一點，只要出了家鄉，總會好些，所以都是盲目流浪，大部份目標還在城市，因爲城市雖然困苦，畢竟還有粮可配，鄉下人已經成年未見米麵，因此視城市如天堂，紛紛向城內逃亡。

最初一個時期，不論大小城市都擠滿了逃荒的飢民，城市居民的粮食本來就少，此時自不能分出救濟同胞，大家吃飯都緊拴大門，不敢讓外人進來。整個流浪在街頭的飢民，只有檢到什麼吃什麼，垃圾堆成了他們尋找食物的來源，城內的貓狗也早沒有了，但是老鼠同鳥雀間或也有，也就變成了他們的食粮。

由於無衣無食，許多逃亡到城市的飢民部份得了疾病，病死街頭。

各大小城市的共幹眼見飢民破壞市容，妨碍衛生，一時不知應如何處置，就向中共中央請示，毛澤東此時也拿不出辦法，只是通令各級共幹勸飢民回鄉，生產自救，說只要肯聽毛主席的話，就一定會有飯吃。

各級幹部接到這種指示啼笑皆非，根本就不敢向外轉達，算算還只有硬來，當時出動軍警，將所有飢民一律裝上火車輪船，遣送回鄉。那知送回去不到三天，飢民又回來了。原來鄉下幹部也希望本鄉飢民盡量逃亡，剩下人數越少，越容易度荒。飢民從城市一送回來，馬上當地幹部就登門拜訪，勸他們回去，要路條立時開路條，給予各種方便。

城市共幹看見飢民去而復返，知道是鄉村共幹搗鬼，當時一面在各要道口設糾察隊，凡是被認爲逃荒的飢民一律不准通過，又請求省縣級的共幹發出通告，禁止鄉村共幹再開路條，結果還是沒有用處。

最後各大城市共幹想出了一個移禍江東辦法，抓到飢民裝上火車，運到千里以外，把他們推下火車。飢民當然沒有錢坐火車回去，至於在當地怎樣生活，該處共幹又怎麼應付，大可不必理會，先落一個眼不見爲淨。

這種辦法最初還有效，後來各地共幹都學會這個竅門，紛紛採用飢民外運辦法，强裝上火車輪船向外送，上海送去濟南，濟南也會送去上海，人潮流來流去，雖然沿途死傷枕藉，但是逃亡的飢民不見減少，反而日漸增多。不久，風潮就波及到廣東、福建等地。（三九三）

冒險犯難記

鄧文儀

春天的氣候，到還算好，鄂西的鄉村，風景不壞，道路不很好，但若無雨水泥濘，也還便於行軍作戰，全軍士氣旺盛，都希望早日作一次會戰，但敵軍不斷退却，似有畏戰避戰的情勢，却令人苦惱。

我在行軍前幾天是步行，到第五天才在監利縣一個鄉村中買了一匹黑色的小川馬。在戰鬥序列行軍的進程上，政治部的位置是在參謀處副官處及特務營之後，有一天正在行進中，我的坐騎幾乎鬧出亂子來了。

因爲軍長乘坐的兩匹馬是高頭黃色大馬，但都是雌馬，我乘的那匹小川馬是雄馬，那天當我們在行軍的道途中，軍長的馬嘶叫起來，我那匹小馬也跟着狂叫起來，彼此的距離相隔雖有近千公尺，但我乘坐的馬，橫衝直撞的飛奔追趕，道路通不過，就走稻田！我用盡力量勒住韁繩，都控制不住，結果竟被牠狂奔追到軍長乘馬附近，相距僅有數尺，眼看就要出事了，幸而軍長的衛士不顧危險，用力攔阻，一手勒住我的馬，才沒有出事，一場虛驚，總算過去。

這小雄馬追逐大雌馬，眞是初之犢不怕虎，但却把我害苦，如沒有那個衛士勇敢攔阻，也許我和軍長都要受傷，或有生命的危險。這是我平生在軍中唯一乘馬遇到驚險的故事，現在回憶起來，猶有餘悸呢！

到三月下旬，我們軍隊到達沙市附近，接到總司令的電令，要我們準備回師南京，因爲桂軍已經知過悔改，業已表示服從中央，候命編遣調動，不用征伐了。我們這次戰備行軍一月，不戰而屈人之兵，得免生靈塗炭，兩軍傷亡，固然是可喜可慰的事。但軍人上了戰場，不能和敵人戰鬥，分個勝負，也是很不快活的事。

由於我們這個軍原是南京首都的衛戍部隊，奉命西征作戰任務終了，自然要迅速調防南京；所以奉命之後，全軍休息了幾天，就在鄂西的沙市，搭乘由南京派來的專輪，回防南京。出征倉促，回師匆匆，全軍不戰而得勝回來，這在國民革命軍的戰史上，也是一頁新的紀錄。

三十九、黃埔同學會的工作

參加西征，不戰而勝，回師南京之後，因爲北伐成功，國民革命軍實行編遣。中央軍的第一集團軍確實行縮編了很多部隊，遣散不少官兵，軍官方面黃埔學生被編遣脫離部隊的人數甚多，約有千人左右。他們多爲中下級幹部，是眞正的革命青年軍人，平日卽無積蓄，亦未成家立業，他們多是以革命爲志的職業軍人，在黃埔受教育的時候，是要他們以校作家，以軍作家。（六三）

說魯肅

周燕謀

魯肅字子敬，臨淮東城人也。（今安徽定遠縣東南）體貌魁奇，少有壯節，好爲奇計，廣交少年，講武習兵。赤壁之戰的導演者，三國鼎立之局的促成者，子敬之力實較周瑜爲偉；後人獨美稱周郎，而子敬則鮮爲人道，殊不公平。

數三國之大政治家，諸葛亮其一，魯子敬又其一也。肅與亮同爲造時勢之英雄人物。諸葛隆中決策，連吳抗曹，鼎足三分之策畧，若無子敬，實難以告成。故三國鼎立之導演者，孔明與魯肅也。亮與肅之所同者，二人皆有北定中原之大志。諸葛心存漢室，獻議先主先跨有荊益，然後由漢中襄陽兩路鉗攻曹操，復興漢室。子敬則認爲曹操必將篡漢，故獻議孫權以江東爲基地，建立大業，與曹操共爭天下。而度時勢，此時舍劉備無可合作之人，故當曹操南下時，二人不謀而合，主劉孫聯合抗曹，所謂「智謀之士所見畧同也」。

當劉備兵敗當陽時，孔明曰：「事急矣！請奉命求救於孫將軍。」蓋孔明在隆中早有此藍圖也。而斯時魯也在東吳獻策，肅曰：「說劉備使撫表衆，同心一意，共治曹操，備必喜從之。如其克諧，天下可定也。」正如李安溪所云：「魯肅始終大計，與劉氏合規。」肅一面力主拒曹，一面又請調回駐鄱陽練兵的周瑜；瑜之見解亦與肅同。但魯肅尚未趕到荊州，即聞操已率軍南追，乃兼程深入戰地，趕到當陽長坂，宣達權旨。由是與諸葛訂交，相偕赴吳，同盟拒曹。魯肅說孫權，使結劉備以撫表衆者，即欲使備與劉琮保守荊州也。蓋東吳所恃天險者，長江耳，設使曹操握有荊州，則東吳天險之利已失也。曹操之所以爲奸雄者，其見實亦高人一等，其乘劉琮之降，挾戰勝之餘威，水陸齊下，勢如以石壓卵，蓋欲使孫權拱手而降。然操實未料及有孔明與魯肅之聯盟迅速建立也。赤壁一戰，孫劉聯盟獲致大勝，曹操逃往黃河北岸之鄴縣，藉口往漳陽對付馬超，而不敢回許昌矣。

謂魯子敬爲三國一大政治家，非過言也。肅不借力贊孫劉聯盟，且實行得最爲貫澈，周瑜、呂蒙以及孫權，皆時以奪取荊州爲務，千方百計，不獲不休。瑜欲敎孫權羈縻劉備，使與關張破裂，謂劉備非久爲人下者。周瑜死後，魯肅代瑜，則竭力實行他的聯蜀主張。蜀吳自赤壁戰後，爲協調雙方合好，魯肅煞費苦心。肅繼周瑜屯駐陸口時，與關羽鄰；呂蒙爲謀攻關羽奪取荊州之積極份子，曾獻議魯肅之陳三策，但肅惟敬領之，却密而不宣。且拊蒙之背曰：「非復吳下阿蒙！」稱其學業大進也。肅不僅密而不宣，且不採其策，恐將以動搖聯蜀之謀也。魯肅傳曰：「魯肅與關羽接界，數生狐疑，肅輒以歡好慰之。」後孫權亦忌關羽，令魯肅圖荊州，肅曰：「有天下者，必有所驅，關羽不足懼也！」魯肅之苦心，不在謀蜀，吳之共存，苟不如此，則其策毀，功虧一簣矣。肅之世，吳蜀聯盟終未破裂，肅之功於吳蜀偉矣。倘魯肅不死，吳蜀則不致兵戎相見，兩敗俱傷。孫權自亦不致向曹丕稱臣；關羽荊州不致被襲，天下形勢，又不知將如何矣。可惜子敬亦天不假年，僅四十六而死，可惜哉！陳壽評魯肅爲「奇才」，良有以也。

空城計與借東風

匡謬

三國演義諸不大近人情事，世間多以爲羅貫中造謠，憑空杜撰。其實幷不盡然。如世以爲怪誕而少可能的「空城計」、「借東風」，皆有所本，非全出羅貫中所捏造也。

「空城計」乃本於郭冲所記「諸葛隱謀五事」，云：「亮屯於陽平，遣魏延諸軍并兵東下，亮惟留萬人守城。晉宣帝率二十萬衆拒亮，而與延軍錯道，徑至前，當亮六十里所，偵候（偵探也）白宣帝說亮在城中，兵少力弱。亮亦知宣帝垂至，已與相偪，欲前赴延軍相去又遠，回迹反追勢不相及，將士失色，莫知其計。亮意氣自若，令軍中皆臥息鼓，不得妄出，菴幔。又令大開四城門，掃地却洒。宣帝常謂亮持重，而猥見勢弱，疑其有伏兵，於是引軍北趣山。明日食時，亮謂參佐拊手大笑曰：司馬懿必謂吾怯，將有彊（强）伏，循山走矣。候邏還（偵探索情報還），白如亮所言。宣帝後知，深以爲恨。」雖然有人以爲郭冲之說爲不可信，然三國演義則有所本也。文人筆記尚可收載，何怪演義之渲染也？

按空城計行於南北朝時。通鑑蕭承之事相類同。元嘉中（宋文帝），魏攻洮南，太守蕭承之率數百人禦之。魏衆大集。承之使偃兵開城，衆曰：「賊衆我寡，奈何輕之？」承之曰：「今縣守窮城，事已危急，若復示弱，必爲所屠；惟當見彊以待之耳。」魏人疑有伏，遂引去。」此殆聞郭冲之說而用者。三國演義作者對此亦必知之也。

「借東風」更是三國演義奇事，識者皆以爲瞎謅者也。然羅亦有所依據。又如無借東風之事，詩人何以會發生「借東風」之構想？至少在杜牧之前，早已有諸葛借風之口碑也，否則杜牧絕不會詠「東風不與周郎便，銅雀春深鎖二喬」。而銅雀台之築在赤壁之後，固已爲人正之，然「借東風」故事在民間早已流傳，應無可疑。

清人顧家相之「五餘讀書廬隨筆」云：「……一日，余偶檢「淵鑑內函」，竟載有「諸葛祭風」事，云出自「說薈」。「說薈」不知何書。「淵鑑內函」乃欽定書；既經登載，則詞章家竟可引用矣。乃歎羅貫中並非杜撰。而由此類推，凡正史所不載之事，固未可概斷爲必無也。」

「東風不與周郎便」者，並未云爲諸葛所「祭」，而赤壁火攻，必須東風始濟事乃無可否定。否則將燒毀東吳船隻，縱不致自焚，苟其無東風，則曹軍何致於大敗？按情度理，曹兵連結戰船於江北，東吳於江南赤壁連結長江水面，非東南風不克濟事也。此與周郎便之東風，以爲孔明所祭，此乃爲孔明增益其美者。然東風之於周郎，實可謂有此淵源，否則三分天下不可能也。羅貫中根據於此，非可以捏造概之也。

美姝

羅雪家著

「廢話！現在是已經出走了呀！」她噗嗤一笑說。

「照妳說，是堅決地不再回去囉？」他拿取盥洗器具，準備去外面梳洗。

「那還用問？我的何先生！」她站起來：「讓我幫你收拾屋子好了，你快去洗臉嗽口吧。我的事，我有了計劃，回頭再告訴你。請不必過份担心！」

「也好。」於是健文走向外面。

美姝這天穿一件大紅色的高領綫衣，藏青色嗶嘰西裝褲，黑平底鞋。她取下掛在牆上的那個長方鏡子照了照自己的衣著身材，把鏡子掛好，又整理了一下頭髮，重抹了一次粉，再在嘴唇上塗弄一回唇膏，看看一切滿意了，這才替健文的屋子收拾。把桌子上的凌亂書籍、文具、稿紙、烟灰缸：：……一一整好之好，接着把他散亂的衣服，用衣架掛好。看看被子摺疊得不好，她把它打開又重摺一次。竹子製作的衣櫃上掛了一把鎖，但沒有鎖妥，她打開了櫃門，想將裏面的衣加以整頓。但就在這時，健文進來了。

「那裏面的東西都是些破爛的舊衣服，請不用費力氣整理了。」

「沒關係的，時間還早，我在這兒整理，請你買點早點來，我們一起用，好嗎？」她轉身從手提袋中掏出拾元錢要給健文，可是健文沒有要。

「妳也眞是，難道我窮得買不起早點了嗎？我這就去買，妳還是坐着休息一回兒，那些亂七八糟的破爛東西，暫時不整理也行的。」他走到門口：「回頭見！」

「回頭見！」她對他嫣然一笑，並且揮了揮手。

買好早點，在他往家走的途中，因他暫見了一所郵政代辦所，想到了一件須辦的事，所以就走了過去。

他買了一張限時明信片。就在他拔出鋼筆想寫的時候，他却遲疑不決起來。

「我眞的要出賣自己的朋友，而幫助欺善怕惡的那些壞人嗎？」

「美姝被弄回家後，日子較前好些？抑是更加壞些呢？」

「我救美姝的原始動機是什麼？目的又是什麼？」

「我這樣，美姝能得到什麼呢？我又能得到什麼？」

另外一個清醒的「何健文」在冥冥中回答了這些問題：「你這樣做，不僅得不到什麼，而且更會失去了做人的原則。受損的除了她之外，還有自己的人格，與社會的風氣。何健文，你聰明一世，怎會糊塗一時呀？你聽着！給劉大明的信，是不能這樣寫的。」

明信片就沒有寫，而將明信片裝進了他的褲袋，騎上車子飛馳回家。進門的時候，美姝等在院子門口。

「傅師母買菜去了，」她讓我看門。」她迎着他說。

「你來的時候；老師看見嗎？」他關上院子的門，問她說：「妳對我的師母說些什麼嗎？」

「我到這裏時已經快八點了，傅老先生沒有着到，爲我開門的是你的師母，她聽說我是來找你的，沒有問起什麼，就非常客氣地領我到你的臥室來，一見你沒起床，她笑了笑說：『讓我坐着等，』我點點頭，就去忙她的事去了。」

「這樣很好，如果讓他老人家知道妳是出走了的，那可就不大好啦！」他倆邊談邊走。因她緊緊依偎着他的身子，而且用一隻手環住他的腰，所以使他感到十分的不自然。（二八）

近人詩選

燕燕

程滄

翩翩社日雙飛燕，
歲歲年年長相見，趨塵
萬柳綫拋金，春江一剪
波明練。曾傍烏衣舊巷
飛，又從客裏遠相依，東風紫陌芹泥潤
，細雨長堤芳草肥。飄零滿海身無主，
予尾偏偏看羽，啾喚偏憐老病身，殷
勤時送呢喃語。寒食清明總斷魂，穿花
貼水益驚巾，憐君風雨陰晴日，慰我東
西南北人。思量無計留君住，任爾迢迢
將離去，今年海角共逢春，明歲相逢在
何處？

冬日偶得

余井塘

今冬時寒時暖，寒過於昔，暖仍如春，偶得二首，寄懷於昔。

天道何無常，變化不可度；晨著單
布衫，暮嫌絮袍薄。自非戲弄人，但難
爲老弱。豈天好擅專，喜怒隨意作？愛
惡定炎涼，予奪少斟酌？情實同冷戰，
雲雨翻覆惡。腐儒持道心，能不爲麻縛
方。始知變有由，世久苦屯剝。別無應變
，適時竅速鑿。

何來此寒流，匆匆數日留；頓使畏
寒人，翻箱覓羊裘。陳㶚不堪着，已閣
十二秋！吁嗟神仙地，大藥亦難求。四
時花常好，忽以寒生愁。豈天憂我輩，
書生更弱柔？不使身忍冷，焉知骨勁遒
？隨師北伐返，身能臥雪不！思之慚流
汗，不復冷颼。夜夢身銜雪，飛立泰
山頭；狂歌未凍死，痛哭望九州！長嘯
一聲去，泛湖作寒鷗。垂楊尚未綠，梅
冷古揚州！

內僑警台報字第〇三壹號內銷證

自由報

THE FREE NEWS

第五〇一期

中華民國僑務委員會頒行
台教新字第三二三號登記證
中華郵政台字第一二八二號執照
登記爲第一類新聞紙類
（半週刊每星期三、六出版）
每份港幣壹角
台灣零售價新台幣貳元
社長：雷嘯岑
督印人：黃行靄
社址：香港銅鑼灣高士威道二十號四樓
20 CAUSEWAY RD 3RD FL
HONG KONG
TEL 771726　電報掛號：7191
承印者：四風印刷廠
地址：香港灣仔高士打道二二一號
台灣分社
台北市西寧南路壹叁叁號二樓
電話：三〇三四六
台郵撥儲金戶九二五二

行政機關在法律上的特權觀
——以英美爲例證——

李聲庭

英國大名鼎鼎的憲法學家戴西（A. U. Dicey）在他的名著「憲法論」中，極力稱讚英國式的法治，他說：在英國式的法治主義之下，一個人除非明顯的觸犯了經正當合法方式所制定的法律，同時又經普通法院（英國沒有特別法院）依通常訴訟程序審判確定之後，不得受身體上、財產上的損害。由於這一觀念的建立，法治便與基於以官吏有廣大的專斷的自由裁量權的政府相對稱。戴西在那本書中還指出法國與西班牙等國，便不是如英國那樣的嚴守法治觀念；動不動即由行政機關把人拘押起來，不審不問。這種作風，當然是法西斯及納粹與現在共產國家的普通現象。可惜戴西已死，不然他會要把他書中所強調的英國式的法治觀念修正過來的，因爲英國於一九二〇年通過了一項緊急授權法案（Emergency Powers Act）。根據這個法案又於一九三九年制定防衛法 Defense Regulations。其中第十八條第二項是這樣規定的：

「如果國務部長（指內政部長）有合理的緣由，相信某人係搗亂成性、或結夥搗亂、或其最近行爲對公共安全或帝國防務有妨碍、或預備進行上述行爲的，便可根據這種理由施用權力對他加以管制、或出令拘禁他。」

這種緊急授權賦予內政部長下令把人關起來而不訊問，並不是因爲他已經犯了罪，而是因爲部長相信他可能會犯罪。這是國會授權行政機關，賦予它以特別司法權。

原來在第二次大戰期間有一些人（包括一國會議員）因他們在戰前曾參加法西斯活動；如是內政部長便根據防衛法第十八條第二項的規定，下令把他們關起來而不送交司法機關審判。一九四二年便發生一件案子，這件案子曾經上訴到貴族院（英國的最高法院）。貴族院的判決是：這種由國會授權行政機關以司法權、關人而不審問的事，司法機關不得審核。貴族院所持的理由是：內政部長的決定是最後的，不受司法機關的管轄。

這是遠離英國的傳統法治精神的。

這件案子只有大法官阿肯（Atkin）一人持反對意見。他說在這個國家，即使在打仗的時候，法律仍舊存在的。法律可以變更，但包含在戰時與平時相同的內容。這些正是人民自由的支柱也就是我們奮起戰爭而要保護的。法院不管對方是誰，凡在人民與侵犯人民自由的行政機關之間應站出來說話，確信任何強制的行爲要有法律上的根據。在本案中的一切辯論，可以在查理第一時代（十七世紀的斷頭國王）的王座法庭中出現。我提出抗議，即使只有我一人如此，反對給予法律文義以歪曲的解釋，以致結果便賦予行政機關以無限制的權力拘禁人民。」

這件案子在所有的英國憲法書中，都曾討論，不過所討論的不是這案子判決得對不對的問題，而是討論貴族院對防衛法第十八條如何解釋的觀點問題。

所謂「有合理的緣由相信」在這裏是應作客觀的看法還是應作主觀的看法的問題。如果認爲應作客觀的看法的話，那末法院便有權決定，在本案的情形之下，內政部長是否基于合理的緣由相信被告是犯罪意圖的人。如果持主觀的看法的話，那末內政部長的相信應是最後的，法院不得審核。貴族院的多數法官主張後說，認爲國會已經授權行政機關，如果行政機關行爲時，它的決定應是最後的。不過大法官阿肯，則認爲依英國法律傳統的精神，在這種情形之下，應持客觀的看法解釋法律才對。

法院又補充說明：如果決定的人是高級官員或主管負責人，因爲他的行爲要向國會負責的緣故，那末，他的「有合理的緣由相信」應給予主觀的看法，才合乎國會授權的本旨。

這便因此發生一個法理學上的問題：即管轄的事實問題，對一件事有無管轄權所根據的事實問題。法院認爲這種決定某人有無犯罪意圖是一個管轄的事實問題。通常這種問題，既由國會授權，而又委托行政機關作決定，那末，行政機關的決定應是最後的，法院對之無管轄權。相反的，如果法院認爲這種情形不構成管轄的事實問題時，法院便應當進一步審核內政部長的決定是不是基于證據，足以支持他的決定。否則法院便應當判決內政部長的決定爲非法。

事實上，貴族院用認爲所謂「合理的緣由相信」這一語句意義兩歧。可能是指內政部長在事實上有合理的緣由相信，或內政部長只能在誠實的考慮之下他才有合理的緣由相信。同時，所謂內政部長的相信是合理的一語，應當由主觀的看法還是應當由客觀的看法去判定內政部長的思維過程 Mental Process。就這一點而言，貴族院的多數法官接受了內政部長的看法，因此不能對他所持的合理的緣由相信加以過問。

法學家評論這一案件時，揣想貴族院這樣決定是基於當時英國的軍事緊急情勢，多數法官便着重在緊急時期應賦予行政機關以較大的自由裁量權。可是，阿肯大法官則着重在英國數百年的優良傳統，保護人民的自由權不受行政機關專斷的任意的加以破壞。尤其是戴西所指的法治，爲英國人所引以自豪的。這時候又正是與蹂躪人權的法西斯主義者作殊死戰的時候，更不應又自陷于矛盾之中。這當然發生所謂普通法高于制定法的傳統觀念，認爲如果制定法的精神與英國普通法的原則不相符時，法院應對制定法作嚴格的解釋。

結果是這個案子英國只有評論，而英國的貴族院（各級法院亦如此）從來不推翻自己的判例，因此可知道這案子所造成的判例，到今天仍然適用。

這一點美國的法治精神則不同。（下轉第三版）

永遠合不攏

有權利沒義務

今日與明日

越戰前途

美國報紙偶有白宮將考慮擴大越南剿共戰事之傳說，而中俄共嘩然警告，英國哲學家羅素、美參議員摩斯亦跟着起哄，可哂之至。

毒蟲螫手，壯士爲之斷腕，否則毒攻全身，生命且將不保也。美國若不願意「丟架」，及早退出越南，讓東南亞地區整個變色，那就除非以擒賊先擒王的方法，把越北的共黨巢穴摧毀，決無倖理。

悔不當初

當年安南奠邊府被越共大舉圍攻之際，美國原已決計參戰，且徵得了英國同意。據參謀會議主席雷德福上將估計，祇要派一艘航空母艦到東京灣應援地面的法軍，即可消滅越共勢力。詎臨時由於英國扯腿，而美國乃揚言「不單獨行動」，反而贊同英國艾登先生所出賣的第二慕尼黑劇「日內瓦協定」，把安南的大部分領土送給越共，貽禍至今爲烈！

當年一只空母即可解決的事，今日海陸空軍數萬人同時出動亦不能抑制共禍；當年表示潔身自愛，不單獨行動以養癰貽患，今日獨力在越南剿共，而大吃其虧，孰得孰失，不言而喻矣！

担當國家大任的政治家，如果沒有遠見和魄力，未有不誤盡天下蒼生者。富蘭克林·羅斯福一死，美國只有一些二三流的政治人物當政，而又居於自由世界盟主地位，眞是人類之大不幸也！

再莫自我恐嚇罷

過去美國人士不主張擴大越戰的唯一理由，就是害怕要與中共直接衝突，說是不能跟中國六億人民作戰；現在中共既已試爆了一枚雛型的原子彈，而英人羅素之流，即以核子戰爭之說向美國警告。實在這些盡係瞎扯淡的自我恐嚇而已。

美國既以原子武器出現之後，認爲現代戰爭是以機械電氣爲主要力量，而大大的削減地面部隊，卻害怕中共的人力；既揚言擁有足以摧毀蘇俄全境的核子飛彈，卻害怕中共那種尚未成形的原子彈；這不是奇談嗎？

戰爭真能避免乎？

和平生活，人人愛好，豈特英美人士而已哉？非戰主義，古人闡述詳盡，固不待今人之贅言也。

然而，人類的戰爭行爲，不特未見消弭，反而愈演愈烈。過去世界上並無共黨政權存在，戰爭不斷的發作，如今共產主義氾濫於人間，且以好戰爲生存發展的原則，若說這世界可以永久「和平共存」，誰其信之？

所謂「有限度戰爭」云云，適所以製造全面戰爭的因素，美國在越南的作法，此物此志也，噫！

自由談

宣傳戰術

馬五先生

時人好談宣傳戰略，固其宜也。然宣傳豈易言哉？

宣傳不是專門說謊的玩藝，納粹德國宣傳部長戈培爾認爲一句謊話說上一百次就變成了眞理，那是胡扯。人類文明已進入原子世紀，地球上的距離日益縮短，連太空的幽秘景況亦可探索瞭解，人間的一切事象，誰也騙不了誰，要想以說謊的宣傳方法，教人相信是眞的，如何可能呢？

可是，宣傳亦非「從實招來」的報告方式所能濟事，技術問題最關重要。譬如，毛共試爆了雛型的原子彈，這對中華民國當前反共救國的形勢，是不利的。我們在宣傳上，指斥毛共這種黷武主義，徒然使大陸同胞將來遭受西方列強核子飛彈襲擊、毀滅的禍害，殘民以逞，罪不容誅，爲着挽救五億同胞的浩刦，更有及早反攻大陸之必要。這在理論與事實上，皆可令人表示共鳴，產生宣傳戰的效用。不此之圖，而以一片虛驕之氣，說是毛共試爆了原子彈，對我們反攻前途更有利，這便是阿Q精神，給人聽着齒冷好笑而已。

報紙是主要的宣傳工具，寫一篇社評，用一條新聞，必須配合自己的宣傳宗旨與目的，而以社會大衆爲對象，要向反對我的人發生說服作用，要使抱持着中立心情的人引起同感，自然而然地隨着我的說法而點頭，這纔是宣傳戰的上策，也就是辦報的最高原則。如果一張報紙的言論消息，只顧符合自己人的胃口，自說自話，專以對內宣傳爲能事，自我欣賞而不問一般社會大衆的觀感如何。這樣，乃與貼標語、喊口號、散傳單的方式無異，又何必枉耗人力財力來辦報呢？共產黨在其鐵蹄下出版的報紙內容，有如一紙傳單然，但在鐵幕以外的報紙，作風另是一樣，試將香港與大陸上的報紙比較觀察，即一目了然矣。

宣傳戰的作用，勝過飛機大炮，但須講究戰術，更須選擇戰士，否則不特毫無效用可言，而且落得相反的結果，可不愼之哉！

監察院年度總檢討會指出
選舉造成激烈地方派系 如何防止改進值得研究

（本報記者台北航訊）監察院五十三年度總檢討會於十一月四日開始舉行，由於于院長和衡權委員之去世，使多彩多姿的檢討會，黯然失色，加上同月二十四日，國民黨九屆二中全會之舉行，於是，吳大宇委員於十八日提臨時動議，主張休會。所以該會自二十日起停開，至十二月初再復會。

現在，本報記者就監察院中央巡迴小組報告，作有系統的摘要分別報道。

據內政委員會召集人陳翰珍工作報告稱：「台灣十多年來的選舉，究竟是進步還是退步？我覺得這是值得研究的問題。譬如，剛來台灣第一次選舉的時候，投票者非常踴躍。近年來的選舉，有些地方非常踴躍，但有些地方不踴躍。我們整個加以檢討，十年來，鄉鎮民代表選舉，省縣市議員選舉，縣市鄉鎮長選舉，投票率是增加或是減少？應該有個比較。其次就是由於選舉而造成地方派系。有選舉當然有派系；美國選舉也有黨派，但選舉後，大家就和諧合作，沒有成見。而我們的各種選舉，地方派系一天激烈一天。就這點看來，我們的選舉是進步還是退步？同時，選舉究竟是失了人心還是人心傾向我們？這是一點值得研究。我覺得選舉方面非常重要，民主政治非選舉不可，但是用什麼方法能夠改正這些地方？我們不能說選舉辦法不好，我們一天天有改進的地方，但是還有很多值得研究的地方。不能說政府對各方面沒有努力，我希望還要找出缺點，想方法研究改進」。

陳委員列舉事實來支持他對選舉的看法。他說：像一雲林縣這一次選舉是一人競選，（記者按：該縣縣長候選人廖楨祥係民政廳長陳錫卿的東床快婿）但是據報紙登載，雲林一縣選舉，獎金在百萬元以上。既是一個人競選，為什麼選票（達九五%以上）這麼高？」陳委員懷疑該縣投票率這樣高「不是正常現象」。

監察院外交巡察組召集人楊宗培，以「實堪欣慰」來讚揚外交工作。

楊委員說：「共匪陰謀詭計，到處滲透顛覆。就越南為例，共匪公然支持並參加越共向南越侵略，並在南越滲透顛覆，這也是越南政局動盪不安的一個主要原因。我們應該如何消滅共匪，根本解決的辦法唯有我國及早反攻大陸，徹底摧毀匪僞政權，消滅為害和平的敗類。外交當局亟宜迅採有效途徑，加強中美傳統友好的關係，促其助我達成反攻復國，滅匪救民的目標」。「所以我們必須加強亞洲各國間的關係，在反共的同一目標下，由外交、經濟進而軍事合作，共謀對策，一致行動，乃可挽救亞洲危局。似應由我國發動亞洲反共聯盟，並早日促其實現」。

楊委員認為應加強國際宣傳，目前「寄發駐外使館之宣傳書刊，圖畫，影片，數量既少，內容也不充實。尤其多未能切實配合時效。主要原因，實由於經費短絀，人手不敷，亟應切實檢討，從新擬具計劃，宣揚我在台成就，揭發共匪暴政，擴大宣傳，俾能普遍深入，迅速有效」。

關於經費問題，楊委員說：「外交部經費原屬有限，而聯合國會費即佔其百分之四十，駐外使館經費佔百分之四十六，該部之業務費為百分之十二，行政經費只有百分之二。目前外交工作至為重要，現在我駐外使館已增至八十七個，尤以近年國際局勢多變，且時有突發事件，該部經費預算，難以配合實際需要。行政院應斟酌事實，予以調整，不宜一味凍結，窒礙外交之運用與開展」。

現在「駐外使館經費，除人事費，購置費及電報係核實撥發外，僅辦公費一項由各使館支配運用。但各使館經費不一，最高者如駐美大使館計月列七千餘元美元，最低者僅為三百元美元，多數皆在五百元上下。以之支應館舍及官舍租用，司機工役工資，及水電郵資，文具等開支，所餘可供交際應酬之費用，極為有限。由於辦公費之困難，祇有借箱樽，勉可維持，更談不到外交活動」。至於駐外使館人員待遇，雖經五十一年四月調整，但幅度甚微。其薪俸標準，最高額為特任，月支美金六百元；最低額為委任三級，月支三百元美金。以當前世界各地物價水準而言，此項薪俸，實難維持一般生活。駐外人員概無子女教育費之補助，生活艱難，可想而知」，故「亟待切實改善」。

台電公司台南管理處兇殺案
去年九月發生．事後不了了之

（本報台南通訊）台電公司台南管理處，出了兇殺案，推說公餘時間，無權干涉，可以私了。事實經過曲折離奇，社會傳聞，繪聲繪影，記者曾於日前走訪當事人，亦經該處尹副理證實，確有其事。

事緣去歲葛樂禮颱風來襲時，該處有一臨時工袁思慧，靠其有力人士之八行書，推介於孫前總經理，再轉介於台南管理處李經理，得獲任用。袁思慧平時嗜賭如命，該處總務科長（現任安全室主任）郭文濤，曾飭派另一臨時工李明勳，（現服務該處黨部該）調查袁思慧在外賭博情形，不料竟因此種下惡果。袁思慧懷恨李明勳打他的小報告，乃於去年九月十日葛樂禮颱風來襲之際，不假外出四天，十七日晚返來，在該處內的單身宿舍，向李明勳辱罵之餘，將預藏床側小櫃櫥內菜刀一把拿出，關熄電燈，對李明勳亂砍一通！李明勳赤手阻檔未果，結果挨上五刀，計面部二刀、頸項一刀、左上臂一刀、左上腰一刀，刀痕皆在二寸上下，血流如注。李某自知不敵，生命堪虞，受傷後，急跑出大門外僱三輪車，暈暈沉沉自赴民衆診療院求治住院。兇手袁思慧肇事後，仍表示有恃無恐，毫不驚慌，旁人亦都不敢多事，怕受波及。事後未聞公司方面有何處置，只命兇手自動辭職即算完事。

李明勳傷癒出院返處，首遭李經理臭罵一頓，指李明勳與兇手袁思慧係因賭錢而打架，最好不必追究，大家算哪！過後又每日加一元津貼給李明勳，藉示安撫。李明勳為了飯碗問題，只好逆來順受，忍氣吞聲，不敢聲張，却亦終於被他人傳揚出來了。但尹副經理對記者詢及此案的答復很妙：「公餘時間，無權干涉個人行為」。

記者曾詢及李明勳是否為賭錢打架致挨刀砍？尹副經理却也說：李某從不會賭錢。基於如上所述，也難怪兇手袁思慧敢預謀殺人了。無論事件發生經過如何，兇手不逕送司法機關究處，出事後且即予解僱放走，總是笑話。到底我們這個社會是人治或是法治啊！

何以該處經理竟置殺人行為於不問呢？一來礙于兇手介紹人之情面，二來據悉：李明勳被誤會曾寫信檢舉臺南管理處十六罪狀，其中一項說是新建大樓，嶄新而龜裂，不追究營造廠，自己派兩名公司內臺籍工人填補。據說，李明勳曾被李經理傳往叫寫他姓名，以便查對檢舉信之筆跡，硬指是李明勳告他；并說：經過專家及刑警隊查驗結果，是李明勳搞的。李明勳被逼不過，只好求諸於神，「賭呢」發誓，方纔保住飯碗。

屏東擬加捐加稅 地方人士表不滿
為主辦明年省運會

（本報屏東航訊）屏東縣政府為籌措明年舉辦省運一切所需經費，計劃將加捐加稅，以期達到籌款之目的的消息傳出後，此間地方人士，多認為不智之舉，而深表不滿。

屏東縣爭取明年第廿屆省運在此間舉行之事，業經省府予以核定。屏東人士對縣長張豐緒爭取全縣榮譽獲得的初步成就，確會一度高聲喝采，但自傳出張縣長以縣庫財政困絀，對省運會場地整修，選手住宿，以及本縣選手訓練等經費，無法籌措，已於十一月十六日召集財政、教育、稅捐、民政、警察等單位主管開會，原則決定籌措辦法為除向各中等學校學生每人「樂捐」二十元（分二學期，每學期十元），全縣約可募得五十萬元，向各小學生每人「樂捐」十元（同中學生，分二學期繳付），全縣約可募得一百萬元外，另將向各電影院附加娛樂捐，市鎮每張電影票附加二角，鄉區每張附加一角，全縣預定可收五十四萬七千元，合共約可收二百萬元，之消息後，空氣立變，人言嘖嘖，認為大不應該。

許多人士都認為，張縣長此舉，無疑是在增加公務人員的負担，剝削縣民的脂膏。又說假如屏東縣府無力負担此項鉅額經費，根本便不該向省府力爭舉辦省運。另據幾位首長語記者：依時間計算，明年省運距今尚有十一個月之久，雖然有關場地整修事宜，應予事先竣工，但縣府如能妥善計劃，開源節流，將不難覓出經費之來源。縱然五十四年度預算早經確定，無法再予變更，但追加預算，並非不可。

檢討台銀呆帳與金融政策

——本報記者張健生台北航訊

（21）勵志社貸款一千一百餘萬元，除其中八十六萬元係於五十年四月二日由黃仁霖函貸外，餘奉省令辦理。現台銀函該社提供具體解決辦法中。

（22）清眞寺貸欠三百四十餘萬元，係奉行政院令飭台銀借貸，現洽由保證人外交部編列預算償還。

（23）香港輔人書院欠款一百八十萬餘元，奉行政院令借貸，保證人教育部，除以切紙機售價抵還本息二十萬元外，餘由台銀繼續催償。

（24）財務委員會結欠一百三十一萬餘元，係四十四年間借貸。台銀擬請該會歸還。

（25）中二組結欠一百萬元，四十九年三月九日到期，迄未辦展期手續，台銀擬催還。

（26）國際問題研究委員會結欠二百九十九萬餘元，係准徐柏園函借，並經台銀常董會第二四八次會議核准展期至五十年十一月二十日，但迄未辦展期手續。

（27）復興劇校結欠六十二萬元，係立委東雲章担保，台銀繼續催償中。

前述呆滯欠款，係台銀常董會二九四次會議臨時提案所列呆帳案，均屬於所謂政策放款或私函所請放款，誠如糾正案所云：「以台灣銀行為行政機關解除行政困難之尾閭」。

其次是由於台銀經辦人員未能善盡其職所致。而呆滯欠款往往列入催收款目，仍復照計利息，虛飾成績，俾便以虛盈實虧方式，達成預算盈餘；而主管機關亦不聞不問，此無他，人謀不臧與制度問題故也。此外，由於稅課繁苛，公司行號的會計制度未建立，且以造假帳來達到逃稅的目的，因而影響銀行徵信工作。所謂加速經濟發展，而財政金融與工商管理又各自為政，不能配合，尤其金融政策，未能配合經濟發展，致使我們的經濟在欲「飛」而不起的邊緣上。（八．完）

高雄二三事

「老師！我恨你」轟傳台灣 「拿出良心來！」不是辦法

△高雄「台灣新聞報」的副刊，上週登載一篇學生投稿，題目是「老師！我恨你」，內容充滿血和淚（後經該報查明，投稿人是一十四歲之女學生）讀者多寄予同情，因而引起省教育廳的注意，經指令全省各校老師研讀此文。另台中稅捐稽征處還翻印一萬份，散發台中各中小學校，以供研讀檢討之用。新聞報其後趁省教育廳長潘振球於十一月十七日抵高視察之日，復在該報之新聞版，重刊此文，因之更轟動了全省教育界，目前「老師！我恨你」已成了一般中小學生的口頭禪。乃部份教育界人士，猶不自檢討，反指該文有侮辱教師人格，中傷師生感情之嫌。其實據很多受盡惡補之苦的學生家長對記者表示：該文比起實際情形來，實際還很有保留，并未澈底曝露惡補之害。又說：如果當局眞要取締惡補，決不是沒有辦法的，但像教育廳潘廳長祇要教師們「拿出良心來！」的辦法，却并不行，說是這何異與強盜講仁義道德。

△高市前金區農會，設有小小的一個信用部，但經營不善，盈賬如山，經查出之盈賬，竟多至壹百萬元之譜，其中包括：無法收回之逾期放款四十四萬三千二百八十七元五角，前任總幹事蘇鴻谷侵佔之暫付款五萬四千七百十元，逾期過久無法收回之代墊互助會款五十萬另一千七百五十元。該項盈賬，業已由省農林廳下令高雄市政府加速清理。

△高雄港務局棧埠管理處自發生冒領工資數百萬元案發後，很多員工，因王炳山、陳東壽等相繼投案，而彼傳作證，致使內部謠言紛紛，人心皇皇。該局負責人為示安撫起見，日前宣佈每一員工加配冬季西服一套。據估計，該局有資格受配者約近三千人之多，如以每套一千三百元計算，這筆額外開支，要好幾百萬元了。（本報高雄航訊）

救平劇之我見

娑婆生

平劇的趨於低沉，由於喜愛看者聽者太少，不能普遍，因此難與電影來爭短長。此不獨在台灣，即在香港，亦何嘗不如是？

次要原因是演出的費用太大。軍中劇團，每個演員職員，按月有可領的薪餉，偶有公演，文武場的開支不多。民間晚會，唱一場戲，如約軍中劇團來演，一古腦兒不過五六千元。倘是約請票友，則三齣戲的文武場，至少三千五六，再加班底衣箱五千，外有雜用、點心、印票，即非萬元不可。如以萬元租演電影，至少可有四場映出。因此造成軍中劇團可演，甚至可售券公演。民間劇人則不能，票友絕不肯貶身價出賣也。即軍中劇團也僅有二三天，或三四天，尚可賣票，多則便上座欠佳，不如理想。因爲看戲的就是那千餘人，總不能天天去看。

再次則票價太貴，動不動每張一百元，甚至到二百。現在消費力薄弱，假使花五百元看戲，貧寒之家，此數儘可維持一月的伙食了，豈不笑話！最近祝壽獻演，因爲票價祇得區區三十元，就大大滿座，是個很明顯的例子。

有了這三種因素，對於平劇的發展，阻碍力很大。近今尙有晚會由票友來唱，那是他們花得起錢，所以還不絕如縷。（一）

軍事新聞檢查是一件很難的工作。他必須注意軍事秘密是否被洩漏了。有時爲了一個字，就能使敵人找到未來行動的線索。某一個士兵被訪問時，他的一句話可能使後方的同胞認爲整個陸軍的士氣已蕩然無存，而事實上士氣是非常高昂。其他成千成百的顧慮使人覺得做一個軍事新聞的檢查人員，實在需要具有像所羅門王一樣的精明和睿智。可是麥帥的公共關係人員就沒有一個人具備有這樣的條件。有時候，他們狂妄自大，目中無人，有時候更偏好報社的代表。自然記者不會寫好聽的話。

因此麥帥受到了許多指責，尤其是在美國國內。一般報紙的言論都對他不利。有一次他竟被批評爲「世界報業的獨裁者」。每一個麥帥的公共關係官員都孜孜不倦地爲他工作，而且都相信他們是爲麥帥的利益着想；可是愛之適以害之，二次大戰期間，在西南太平洋的各報記者都與麥帥的公共關係部門相處不睦，他們心目中的不良印象至今仍是無法改變。

凡對麥帥忠誠的人，麥帥也必以忠誠對待他，爲他服務。這是他的部下信任他和永遠追隨他的原因。他絕對不會傷害一個忠誠的朋友；對於一個忠於國家的人，麥帥可以容忍他的工作過失。我想這是他的公共關係人員處處爲他設想的原因。但他們沒有想到他們的這種做法，卻引起了報界的不滿。

我所知道的麥帥

肯寧將軍原著　徐熙光　翻譯

我寫這本書時，麥帥已屆七一高齡，可是他仍然身軀魁梧昂仰，挺拔瀟灑。他的步履穩健，雙眼炯炯有神。他的臉上和手上都看不到皺紋。他仍然隨時留意他的服飾，他看起來仍然是個充滿活力和生氣的人，好像比實際年齡要年青十歲。他的頭頂仍有稀稀的幾根頭髮，但是仍未變灰白。我曾經聽人家說他的頭髮是染的，我不曉得這個消息是那裏傳出來。我在戰時和他朝夕相處了三年，最近也常到遠東來看他，我知道這根本不是事實。

有一天在新幾內亞，麥帥剛剛理過髮，他在沐浴、洗頭，我則在一邊和他聊天，我看到他的頭髮好像比平常還要黑，我開玩笑地說：

「將軍，我想知道你用的是那一種牌子的染髮水，我的頭髮已經開始白了。」

他大笑不已，拿了肥皂在頭上使勁搽了幾下，再把頭髮搓揉了好幾分鐘，然後用水把肥皂沫沖掉，走出浴室，用乾毛巾用力把頭髮擦乾，然後叫我仔細看他的毛巾。

「看到沒有？毛巾上一點也沒有弄黑。」

我上一次看到他時是一九五〇年十月，我發現他的頭髮仍然是黑色的。我又問他用什麼牌子的染髮水，他還是笑了笑。他知道我假裝驚訝，明知故問。這是我記得很清楚的一個笑話。

麥帥能夠使任何一個人對他留下又好又深刻的印象。他的談吐是非常生動而有趣的，當他強調一件事情時，他的神情更容易使你永遠記得他。他是一個很有感情的人，有虔誠的宗教信仰。不過他生來就有不喜歡與人應酬的性格。他寧願與老朋友們促膝長談，而不喜歡在大庭廣衆前參加鷄尾酒會或宴會。他不是一個對於批評視若無睹，聽若不聞的厚臉皮的人。如果有人對他作了錯誤的批評，他會憤憤不平，覺得很激動。雖然有時候他正在工作着，也許會忍下來或暫時忽視它。（六六）

哀梨室劇談

銀漢秋高憶大賢

豁公

叔岩的戲，是在他那麻皮獨眼龍老兄伯清那裏開蒙的；伯清是個自命不凡的琴師，你別瞧他的尊容不堪入目，他所學會的戲，確是不少。不過他自以爲得到乃祖（三勝）眞傳，那却很有問題。因爲他所得到的，祇是一些「余派」的輪廓，而這輪廓之是否正確尙不可知；因之，叔岩少時之劇藝，並不高明。充其量也不過較之一般的童伶略勝一籌而已。後因他家某一長親之竭力勸導，他——叔岩——纔改請陳秀華「說戲」。秀華是個誨人不倦的資深老伶，叔岩得到了他的教導，纔將過去那些邪魔外道的唱腔做派，一樣樣改正過來。同時他又看到生行前輩譚鑫培，汪桂芬，劉春喜，周春奎，李順亭，李鑫甫，賈洪林等，許多出神入化的唱做技巧；這纔感到自己知道的還是不夠，有心向譚老板請益，無奈譚老板宮牆萬仭，不得其門而入。退而求其次，遂加入「春陽友會」（票房名），即以票友之姿態，每值老譚登台，輒與二三「譚迷」之友好，如陳彥衡，王君直，徐凌霄，孫曦丞諸君，同往觀光；對於譚氏表演的一切，盡量的寫在薄上，記在心頭，隨時加以摹擬。積之既久，自然獲致不少的進益。但還是不徹底的。

民國初元，袁世凱竊據尊位，帝制自爲，力做滿清皇室之舉動，不時召集各名伶演劇；譚老板當然亦在其中。譚在滿清時代，是個五品的「內廷供奉」，除了享有五品年俸外，每次應召入大內演劇，還能獲致四十兩恩賞。如演雙齣，恩賞亦必加倍。不料此番被傳至公府，唱的也是雙齣，可是得到的賞封，祇有「袁頭」二十。老譚本身還沒有什麼表示，他的令郎譚二却不免嘖有煩言。也不知是誰走漏了消息，很快的就傳進了公府管理劇務的總務處長王文卿耳中；這位優伶出身的王處長（王係山東科班出身的伶工），雖入仕途未久，却已染了舊官僚惡習，不但見錢眼開，並且不許人道出他的短處。當即派人向老譚傳話：「我們王處長說，譚老板年紀大啦，應該在家裏保養休息，不要再唱戲啦！」

他這些話，表面像是友誼的忠告，實際上是下命令，禁止譚老板粉墨登場。

譚老板實逼處此，祇好自動的投閒置散。從此，從事於養鳥，喂鳥，找朋友撩天，逛公園，此外無所事事！因之北平社會，就產生了一個「保存國粹」的新名詞，一時傳爲笑柄。（二）

行政機關在法律上的特權觀

——以英美爲例證——

（上接第一版）一九五二年因鋼鐵業罷工，杜魯門總統下令由政府接管，因而官司打到了最高法院。最高法院認爲總統無權接管人民的產業，在判決書中便提到英國一九四二年的這件案子，Liversidge U. Anderson 法院認爲美國憲法的原則是：行政機關的行爲是否合法，司法機關有審核之權。否則，人民自由與權利便得不到應有的保障；而行政機關便會把自由裁量權擴大到無事不可爲。其結果便會出現專制的政府。

這個官司在 Liversidge 是輸定了。但當時的內閣總理邱吉爾却于一九四三年致函內政部長說：「把行政機關利用職權把一個人無限期的關起來，而不指出在法律上找得到的罪名，尤其剝奪了他應享有的法院審判權，這是極權國家不管是納粹德國或共產蘇聯的基本國策。在自由與民主國家則只有當國家陷入最危險的境地，行政機關才暫時具有這種權力。即使如此，運用時也還得受國會的嚴格監督。沒有比把一個人關起來或長期囚禁他，是因爲他不爲政府所喜，更反民主。這便是文明的試金石。」

邱吉爾當然是爲這件案子而辯護，以爲英國在戰事緊急時才如此，至于納粹或共產國家則不時也如此。這也可以說是民主與極權的分野。

此外，英國政府于一九四一年利用緊急授權法禁止每日工人報 Daily Worker 出版，這是一張共產黨辦的報紙，以前曾經指責英國政府對德宣戰是帝國主義者之間的火拼。但到希特勒調轉馬頭猛攻蘇聯時，又改變態度，認爲蘇聯是保衛民主，反抗法西斯。後來這張報紙于第二次大戰結束後纔復刊的。

上述的情形，在英國是有憲法上的根據的，即所謂國會至上論。凡國會的行爲，司法機關不得加以審核。也就是說：「司法機關只能依照國會所制定的法律判決案件，如果國會授權行政機關可以採取專斷行爲時，司法機關對受害人無能爲力。」這在美國則不同。因爲美國是採分權理論，立法、行政、司法三機關彼此互相獨立，也彼此不得超越憲法所賦予的權力範圍。這種由國會授權行政機關，認爲適當便可採取任何行動的立法，如在美國便要被法院宣佈爲違憲而無效。

不過如果行政機關濫權，做得太不像話時，法院仍可以越權 Ultra Vires 爲理由，解釋法律所賦予行政機關的權力並不如行政機關所想像的那樣大，因而判決行政機關的行爲違法而無效。其目的在保護人民的自由與權利，以避免行政機關的專斷與狂濫侵犯人權。

瘋君續夢

第十五回

平等難期　一夫翻地軸

自由何價　萬衆擲頭顱

廣東、福建兩省，本是中國富庶省份，居民又大部出外經商，華僑足跡遍全世界，每年寄回的外滙，在平時也佔了國家的正當收入一部份；到了中共佔據大陸後，更把華僑看成了財産，首先是在土改、鬥爭、三反、五反一連串的運動下，把華僑的土地全部沒收，使所有的僑眷一夜之間變爲赤貧；僑眷在國內無法維生，就申請到外國去與親人團聚，中共又不准出口，因爲僑眷一走，海外華僑自然不會再寄錢回來，留着僑眷在，外滙還可以源源收到，就把僑眷留下當人質，其情形有類綁匪綁票，不過綁匪綁票只付一次贖金就可把親人贖出，中共的綁票却要若長期付贖欵，却永不能團聚，論到居心之毒，手段之惡，古往今來的盜賊皆望塵莫及。

海外華僑在中共勒索下，長期寄錢回家，忍氣吞聲，已有多年。

到了大躍進之後，華僑雖然照樣寄錢，寄回去却毫無用處，僑眷拿到一捲人民幣，等於廢紙，什麼也買不到。僑眷沒有辦法就寫信給海外親人，請改寄食物，以救活命。

隣近大陸的香港澳門，首先出現僑胞寄粮包的事，後來寄的人越來越多，郵局門首大擺長龍，許多職員、工人都要請假去排長龍寄物，成爲港澳地區一大奇觀，西方報紙通訊社的記者紛紛拍照片寄回去。時間一久，中共的海外工作人員就報到廣州，中南局第一書記陶鑄當即召開緊急會議，商量對策，所有書記及常委皆出席參加。

陶鑄先把海外幹部的報告內容說了一遍，接着說道：「目前海外大寄粮包的行動，實在太有碍觀瞻；據海外幹部的報告，他們多年來宣傳畝産十萬斤的大豐收，一天等於二十年的飛躍進步，在海外十分有效果，不料被寄粮包的歪風一吹完全粉碎了。去年十月一日掛旗的人就沒有十月十日的多，全是受了寄粮包的影响。」

陳郁冷笑道：「這些報告全是鬼話。我發現我們海外的幹部，實在過於低能，他們在海外搞的宣傳，完全都收到反效果。去年十月，我就到海外住了幾天，親自看到雙方面掛旗的情形，簡直不成比例。十月一日這一天所有的旗集在一起，也沒有十月十日那天一條小横街掛的多。說起來花的錢是不少，牌樓紮的也夠大，電燈也特別亮，可是與人民却不相干，大家以爲不干他們的事。你們說這種宣傳是不是只收到反效果。」

曾生說道：「關於這個問題，中南局統戰部，市委會，市人委會也曾開聯席會議把海外負責宣傳的通訊社長，幾家報社社長都傳來了，他們異口同音說是海外人民都不肯掛旗，每年舉行慶祝會請客都請不到。每年到九月底就開始活動，只要肯掛旗的可以送一包上等，人民還是不肯。」

陶鑄問道：「送禮人民還不肯掛旗，大概是送得太少了，打聽國民黨一面旗送多少錢，我們加倍的送就是了，還怕他們不掛嗎？」

陳郁說道：「是呀！花錢的事萬不要比國民黨寒酸，他們用一個咱們用十個都沒有關係。」（三九四）

冒險犯難記

鄭文儀

這時早已離開了學校，現又離開軍隊，他們就無家可歸，而且平日毫無積蓄，一時又無其它職業可轉，所以他們的生計生活便成了問題。多數人都已來到南京，等候機會，另就工作；但生活困難，那是他們所感到困惱的。因爲當時政府對於軍人服役退役尙未建立制度，所以對於編遣下來的靑年軍官，既無管理的方法，也無必須的待遇，如是他們唯一依靠的，就是黃埔學生自己組織的社會團體黃埔同學會，由黃埔同學會設法聯絡，管理，及爲他們解決最低生活需要的食住問題。因此黃埔同學會在當時便成了很重要的一個團體，對維護從軍隊編遣下來的黃埔學生，負担了很重要的責任。

我因爲當時在南京駐軍工作，我早已是黃埔同學會的幹事；也許因爲我曾在黃埔軍校服務的關係，所以這時我被推爲黃埔同學會的書記長，對同學會的工作，担負比較重要的責任。當時同學會有三項比較重要及相當困難的工作，一是長遠的計劃，如何使得黃埔同學會成爲今後黃埔學生陣亡與因革命犧牲者遺屬的照顧及受傷疾病同學的救助，和各地區同學及其家屬子弟的聯繫，互助，合作和養育的負責主持機關；二爲當時從軍中編遣下來的成千的無職失業及生活困難的黃埔學生的維護與救助；三爲當時國家雖已統一，但革命的形勢，實際上仍很惡劣，內憂外患的嚴重，并不因完成北伐而減輕，如何挽救革命的危機，首在健全充實領導革命的中國國民黨，黃埔學生是國民黨直接培植出來的革命幹部，自然對於建黨的工作，一向都很積極，尤其這時有成千的黃埔學生離開了軍隊，他們熱心參加黨的工作，乃是很自然的事；黃埔同學會因應同學的要求，對同學們參加黨的工作，就負了若干指導及連繫的責任。我在同學會的工作，就是要秉承蔣校長兼會長的指導，及同學會幹事會的決定，執行上列三項重要工作。工作雖很艱巨與困難，但同學會幹事會同仁都很熱心負責，使各項工作都能積極推動起來。

由於革命軍東征北伐的黃埔學生傷亡的早已超過兩千；國民革命軍編遣脫離軍職而告失業者又近千人，革命軍人爲救國，救民革命而流血犧牲，固是無名英雄本色，但陣亡先烈的遺族無人照顧與教養，受傷患病及失業的同學無人救助，只有靠黃埔學生自助，互助及獲助於革命華僑及富有同志的捐獻，黃埔同學會本此宗旨并謀一勞永逸計，特發起向海內外籌集教養革命先烈遺族及救助革命軍人傷病基金運動，期在短期內募集三數百萬元。（六四）

三國周郎

周燕謀

周瑜是千古風流人物，人皆知也，蘇東坡念奴嬌詞云：「大江東去，浪淘盡千古風流人物；故壘西邊，人道是三國周郎赤壁」。周瑜之享有美名，是與赤壁之戰不可分者。史籍列載，文士諷詠，千古美談，良有以也。演義有三氣周公瑾，謂瑜氣量狹隘褊激，故而短命喀。此乃羅貫中筆下所創作人物的性格，其實非也。先看看周郎之之風采。

瑜字公瑾，廬江舒人也。少壯有姿貌，孫策曰：「周公瑾英俊異才，與孤有總角之好。……」周公瑾爲三國之美男子，有史可稽也。瑜又精於音律，樂律有誤，聞必知之，知之必顧。故時人有謠曰：「曲有誤，周郎顧」。再加之美丰姿，更有美人小橋配之，怎不令當時人羨稱，後世文人諷詠？瑜領江夏太守時，拔皖得橋公兩女，皆國色也。孫策納大橋，瑜納小橋。（橋公者，橋玄也。甘露寺吳之喬國老乃羅貫中杜撰者）舒州懷甯縣有「橋公亭」在縣北，隔皖水一里，今亭基爲一雙溪寺」，古蹟猶存也。

瑜之生平，宛如一首美妙的詩歌，文士以之諷詠，最易出色，如念奴嬌詞云：「遙想公瑾當年，小喬初嫁了，雄姿英發；羽扇綸巾，談笑間檣櫓灰飛烟滅。」此是何等洒脫！娶小橋與戰赤壁，乃公瑾兩大特色。唐杜牧赤壁懷古詩云：「東風不與周郎便，銅雀春深鎖二喬。」此詩羅貫中便據以爲演義者。孔明過江便以曹操若得併江東，則將二喬鎖置銅雀台上以娛晚年，而以之激瑜。實則無其事也。銅雀台建於赤壁戰之後，孔明游說東吳時，此台尙未興建，曹子建亦尙未作「銅雀賦」；而賦中之「連二橋於東西兮：若長空之蝃蝀」，爲演義改成爲「「攬」二喬與東南兮，樂朝夕之與共」。此乃羅貫中之花巧耳。後人又諷東坡之念奴嬌，杜牧之赤壁懷古，助長了演義之渲染性。實則詩人之詩詞多不可據以爲典故者。

周瑜之氣量亦并非狹隘，孔明與周瑜更無大衝突或水火不相容之事。「既生亮，何生瑜」一語，出自王應奎著「柳南續筆」，羅貫中鋪張其事，而使後人信以爲眞。三氣周瑜，渲染得有聲有色，並說周瑜竟爲之氣絕。其實周瑜氣度高雅，所謂「與公瑾交，如飲醇醪」，此是何等氣度？蔣幹游說周瑜不成，猶稱之曰：「雅量高致，非言辭所能間。」中州人士因此欽佩周瑜不置。汪表傳謂瑜「有儁才，以才辯見稱，獨步江淮間。」其爲三國一流人物，可信者也。

三氣公瑾並無其事。羅貫中以關羽奪取襄陽爲一氣，實則關羽奪取襄陽，係在建安二十四年，即十年以後的事。劉備吳招親，孫夫人私奔爲二氣，三批大軍追趕，瑜自追來，中關羽伏，金瘡迸裂，倒在船上。其實劉備偕孫夫人回荊州，事前曾向孫權辭行，權並無留難之舉。三氣公瑾爲周瑜率領五萬之衆入川，經荊州城下，忽見城被雲長先佔，並有四路大軍從四方殺來，瑜大叫一聲，金瘡迸裂，墜於馬下。其實江陵正是周瑜所駐守，爲南郡首治，周郎南郡太守。直至建安二十年五月，瑜敗後五年，始爲關羽所奪。周瑜想入川，乃其大策畧，獲孫權同意後，回江陵，那時病卒於巴丘（今之岳州），天不假年，實乃東吳大不幸也。（上）

美妹

羅雲家著

書桌上已經泡好兩杯茶。那是美妹準備好的。他買的是四套燒餅油條，兩隻鹵蛋。這時，兩個人已沒有什麼可拘束的，就共同坐下來吃早點。

「健文哥，從今天起，我就這樣喊你好嗎？」

他抬頭望了她一會，沒有答話，却點點頭。

「你不會覺得我太放蕩，太感情用事吧？」

「爲什麼會呢？」他笑笑：「我一直覺得妳很天眞、純潔的。」

「天眞是對的，可惜我曾失身於大明那死鬼，談到不純潔。你會因此看不起我嗎？」

「讓我們不談往事。美妹！記住這一點。妳的心地是善良的，美麗的，所以我對妳有很高的估價。妳不能小看了自己。目前的困難境況，慢慢會改觀的，不必想得太多，想得太遠。我非常高興有一個妳這樣聰明、熱誠、坦率、天眞、勇敢的妹妹，但慚愧地是，我的能力非常有限，恐怕會令妳失望的。所以妳對我這個『落難的公子』，希望不可太大。」

他飲了一口濃茶：「妳以爲呢？」

「你對我是太誇獎了，說的太謙虛了。健文哥！我很認識自己，而且也瞭解你的爲人。就因爲你是今天社會中不易遇到的好人，所以我才胆敢冒着危險來找你。你回來的時候，我注意到你的態度很鎮定，我判斷你沒有把我來的消息告訴他們。而在大明找你帮忙的時候，我相信你這一次，再也不會做出出賣我個人自由的任何承諾。你看我猜的對不對？」

她攏了一下散髮，又說：

「你不怕大明那些瘤生，是非常有胆量，有見地的。告訴你吧！他們有一些秘密我是一清二楚的，我的出走，當他們忙亂地，找一偭時期，沒有結果後，就會淡忘了我。這，一方面是因爲我在他們的生活中，沒有什麼重大的作用。另方面，是因爲他們知道我，已經看中了一個偉人，再也無法挽回我的心意。所以，我剛才請你不必爲我的事情，過份担心，那並不是隨便說說，而是有根據，有把握的。」

「哈！美妹，可眞看不出！妳的人雖小，鬼胆挺大呢！」

「還有，那些傢伙都是過的夜生活，上午以前，不會外出活動的。所以我才敢大胆來找你。如果你沒有要緊事，而且願意帮妹妹的忙的話，我們等下就乘車去觀音，在那邊，我們可以有地方住的。你的意思怎樣？」

「陪妳去一趟，是可以但妳必須先告訴我：妳爲出走？得到了誰的帮助？那邊的親人是誰介紹的？

「當然，我的秘密，人我可以瞞着，但對你，不會隱瞞，也不敢隱瞞的；哥！妳且聽着：……」

於是她就一五一十地出來。

健文聽了很是感動，覺得陪她走一趟也是義不的。因此，就點頭同意了。

草草收拾了一下。帶點隨身用物，出門時，師歸他隨便說了幾句，並母，要把美妹來過的情形訴其他人。然後，就借同往公車站走去。

「美妹，上次妳不是我陪妳去婦女會，請求她助解決的嗎？」乘公共汽了火車站時，健文忽然想事。他覺得由於她的離家的行動，加上婦女團體的力量，也許可以圓滿解決的問題。於是就加強語氣：「現在正是可以去的時怎麼樣？在去觀音前我們婦女會一趟好不好？」（二九）

海嶠叢談

鄒魯箴規馮玉祥

諸葛文侯

馮玉祥之爲人，在他握兵符，居顯位的時候，是沒人對他進逆耳之言的。祇有鄒海濱（魯）先生曾以長電箴規馮氏的缺失，而且搔着了痰處。民國十九年春間，馮氏由山西的幽棲生活中，回到西安主持反抗南京國民政府的軍事行動時，國民黨內的改組派與西山會議派皆跟馮、閻（錫山）合作，他們相信一定可告成功，進而執掌政權的。鄒海濱於馮氏到達西安之後，即致電規勸他，要他改變對人對事的舊觀念與作風：其言有曰：「願公由研究名將之術，進而研究名帥名相之道。以黨國之才，辦黨國之事，則全國之才皆公所有。行大公之心，收至私之利，萬勿以非公手造之人，不可作心腹之用；同時勿以待士卒之心待人才，尤勿以治軍旅之道治國家。體諒人情，通達民意，持大體，不必親細事，總大謀，切勿聽細言。律己嚴，待人務恕，知人短，勿棄其長。而地方古蹟皆於民德民風攸關，并請特別保存」。

這道破了馮氏的弱點，亦是馮氏於許多材林之際，一蹶而眾叛親離，永難再起的所以然也。

馮氏治軍之法，士兵以直魯豫籍爲主；將領必須是由自己軍中的列兵或伙伕出身，經過他琢磨塑形的椎魯之輩，如張之江，李鳴鐘，劉郁芬，韓復榘，石友三等這些大將皆是。至於受過高等軍事教育的人，如劉驥，曹浩森，熊斌等等，都係畢業於國內外陸軍大學的，但他們無論如何効忠盡職，總是担任幕僚職務，決不讓其管領部隊。劉驥雖於民國十九年中原大戰時，作過一次軍長，但所帶的是些雜牌隊伍，而且時間很短，眞正的西北軍將領，沒有一個是由正式軍事學校出身的。李炘（顯堂）在西北軍的歷史，不下於韓、石諸人，就以其曾經受過普通中學以上的教育，而且智識份子，亦就僅僅當過一次「憲兵」營長，并未上過戰場呢！吉鴻昌不識之無，愚騃式甚，然拔擢極快，信任亦甚專。所以馮軍的官兵，平日不許看報紙雜志，更談不到政治訓練，士兵入伍後，只教以「三百字課本」而已。

[illegible] 民國十七年馮氏初到南京 [illegible] 孔祥熙在國府大禮堂宴招待 [illegible] 以大魚大肉相饗 [illegible] 政府官吏，腐 [illegible] 這便是「以治軍之道治國家」的明證。[illegible] 冬間，有若干文武要人 [illegible] 次日馮氏由西安來電 [illegible] 金錢，并非有意破壞也。（上）

梁上君子

滄翁

賊，敗也；左傳：「毀則爲賊」。謂敗壞法度也。又害也；孟子：「賊仁者謂之賊」；賊害者謂之殘。[illegible]：右旁爲戎，左旁爲貝 [illegible] 人家，盜以利器穿窬而入 [illegible] 所謂穿窬之盜也歟。[illegible]

治盜之法，用刑僅治其標，若以道義去感化，使其慚愧而不再犯，乃治本也。後漢陳寔，字仲弓，潁川人，爲太丘長。一日，有盜夜入其室，止於梁上，寔陰見之，呼子孫正色訓之曰：「夫人不可不自勉。不善之人，未必本惡，習與性成，遂至於此。梁上君子是也。」賊大驚，自投於地，叩頭請罪。并爲此寥寥數語所感化，由邪歸正，陳寔不呼之爲賊，而尊之爲君子，謂子孫即所以化盜賊也。後人稱盜賊爲「梁上君子」，本此。

又傳一寒士夜臥於室，有盜由梁上入，見家徒四壁，歎行，寒士口占七律一首以送之曰：「夜靜更殘月色昏，有勞君子入寒門；詩書腹內餘千卷，珠玉床頭沒半分。低語已驚貧犬吠，輕行不損綠苔痕；多情知我淒涼甚，不及披衣起送君。」盜聞之，抱頭而去。此情與陳寔之訓語，可謂無獨有偶。

香港稱梁上君子爲「鼠七」，其技術高超者稱「飛鼠」或「飛墨」或「大盜」。[illegible] 不同，香港的梁上君子已無法在摩天大廈上「飛」，或「走」矣。眞要找能「飛」能「走」之梁上君子，尚需於大陸求之。

內僑警台報字第〇三寄號內銷證

自由報

THE FREE NEWS

第五〇二期

中華民國僑務委員會登記證
台教新字第三二三號登記證
中華郵政台字第一二八二號執照
登記爲第一類新聞紙類
（本刊每星期三、六出版）
每份港幣壹角
台灣零售價新台幣弍元
社長：雷嘯岑
督印人：黃行齋
社址：香港銅鑼灣高士威道二十號四樓
20. CAUSEWAY RD 3RD FL. HONG KONG
TEL. 771726　電報掛號：7191
承印者：田風印刷廠
地址：香港灣仔高士打道二二一號
台灣分社
台北市西寧南路壹叁壹巷弍號二樓
電話：三〇三四六
台郵儲金戶九二五二

中國問題與世界前途

彭樹楷

中共核爆，使所謂中國問題成爲大熱門。外國人談中國問題，中國人更是談中國問題；前者專對中共，根本沒把台灣的中華民國放在眼裏（香港工商日報社論所稱的「羊」也）；後者卻針對正統的中國予以無情的苛責（一片「愛之深責之重」的逆耳忠言）。但，這都是失之偏激，是莊子所謂「有蓬之心」。這兩種偏向，都不能正確解決中國問題。筆者不智，敢就中華民國趨入世界事務最低潮時，抑制感情，冷靜地、客觀地、理智地申述「中國問題與世界前途」的看法和作法！

一

新武器的發展，早在二次大戰時，就使戰爭超脫了國家的範圍——一個國家對一個國家的戰爭已成爲歷史陳跡；共產極權與民主自由的思想演變，近年來變爲分明地迫使國家問題與世界連爲一體。基於這兩大潮流的事實，所以任何將中國問題從世界事務中分割討論的人，都有「頭痛醫頭」的庸醫之嫌！

中國，是中華民族的中國，是繼承五千年來光輝文化傳統的中國。但，她在世界有意無意安排下播遷到台灣，並獨挑大樑地熬到今天。

今天，她進不能光復大陸；退就只有下海一條路。這筆賬，該自閉關自守的滿清推翻之後算起：先有帝國主義的殖民及日俄的入侵；再有雅爾達密約使蘇聯武裝佔領了中國東北，從而强化了中國共產黨的軍事力量；雅爾達協定又造成了美國在中國事務上的「中立」；在「調停」的手腕下，幫助了中共取得整個大陸。等到美國覺悟，事態已錯得難以挽救。於是，隨着「白皮書」和英國承認中共以及韓戰爆發，第七艦隊在「中美共同防禦條約」下開進台灣海峽，防阻中共進攻台灣，卻也同時約束中國反共復國的軍事行動。於是，十五年熬忍苦鬥，換來的卻是洋人眼中待價而沽的「羊」，是國人不諒解的苛責對象。這是不公平的，絕對不公平的！受其影響的，不單是中國人。批評政治，應有政治道德，「成則爲王」的時代早已過去。歷史不容許重演錯誤，不能繼續重犯，因爲，中國問題，中國問題非僅中國問題，是六億五千萬中國人的大責重任；也是爲數三十億的每一世界人的大責重任。這是由於中國共產黨是世界性共產主義的產物，中國並非無能解決中國問題，但中國卻無力獨自解決世界問題——世界前途決定於世界人的抉擇，吾人又何忍心泥智苛責與共產黨單獨鬥爭近三十年的中華民國呢？

中華民族的中國，有世界上五分之一的人口，有佔全球十五分之一面積的領土、自然使她巍然獨存、蔚成大國，人爲因素卻使她不能成爲安定亞洲和世界秩序的强國，因而造成今日的中國問題，發展成亞洲問題，擴大成世界問題。這，又豈只中國的不幸而已哉！

梁任公說：「中國者，天然大一統之國也，人種一統、語言一統、文字一統、教義一統、風俗一統……」（見飲冰室文集）；蔣百里也說：「我們華族是天然具有統一性的」（見蔣百里文集）。可是，帝國主義造成中國百年的不平等條約，又暗地支助叛離份子企圖分割中國，終於引來日本軍閥的武裝侵略，使愛和平的中華民國撤退台灣，而殘酷好戰的中共竊佔大陸，引發今日的緊張局勢，這又那裏是當初帝國主義和軍國主義者所能想像得到？又那裏是那些中國人——狂妄的軍閥、政客所能想像得到？如今，這些外國和中國怎能厚皮黑心把這筆爛賬全算在台灣的中華民國身上？當然，滿身暗疾的中國各級領導者之無能、無智、無仁……該是造成今日中國問題的主因，那眞是癆病鬼碰到飢寒交侵，能夠不倒下來，已經算是奇跡了。

十五年來的生聚教養，痼症業近康復，這使得世人認清了她的本質，知道了「中國是國際問題的中心」。可是，知道是一回事，她所需要的乃是行動，然而，這又是談何容易的事情啊！

能夠作到使世人認清中國是國際問題的中心已不容易，這須有能力堅持到底的偉大氣魄的政治領袖與幹部，同時還要經過相當長的時間。如今，事實證明中國有這種領袖與幹部，他們能熬忍十五年沉悶灰暗的日子！並能在這陰雨綿急乃至颱風或雷雨陣中，獨力强壯自己，並幫助大陸上反暴力量的茁長。這種心力交瘁的作爲——持久性的作戰，對一個大病初愈者是極其艱苦困難的。她是需要道義上的同情和行動上的支援。同來酷愛人類，但當時他卻被人類拼棄；約伯（舊約）是最能忍受不幸的典型人物，他傾家蕩產又兒女歿亡而全身疾病，雖忍受一切痛苦，堅決的、勇敢的抵抗那代表罪和仇恨而致力於愛，但當時他卻屢受打擊；普羅密修斯，希臘神話中半人半神之神，因盜天火授其用法於人類，因而獲罪被縛於高加索山巨石上，日命一鷹啄食其肝臟以苦之，後爲英雄赫叩利斯（Hercules）所救。……

三民主義的創造者孫中山先生，其酷愛人類超過耶穌；其所受打擊如約伯；其授予人類的三民主義如同普羅密修斯。可是，誰是英雄赫叩利斯，勇敢地拯救三民主義的中國？沒有赫叩利斯這類英雄或是這種英雄太少，中國問題便不能樂觀，世界前途便少有希望。

人類最初的思想是恐怖，之後是好奇的探究，然後便是認識，最後便步入控制階段。今日世人的恐共症，說明他們還停滯在嬰兒時代；可是，他們和我們一樣早經取得世界公民資格——都是身心成熟的人，應該有正確的認識和正確的想法了；

在中國問題與世界前途上，我的想法是：只有正視中國問題，才有希望解決中國問題，解決亞洲和世界問題。

中國、亞洲、和世界問題，是一個問題，是屬於人類智慧的問題，是一個應該不流血和少流血的全民問題；它決不是純軍事問題，也不僅只是政治問題！它是一個考驗我們全人類而又關係億萬代子孫生存的人類問題。

二

人類的問題，是自由與共產的問題。是自由中國與共產問題，也自由的程度，要看事實表現；共產的興衰，要看主客觀環境。

無可否認的，真正的自由中國還不夠自由——那是因爲處於戰時；因此我諒解英美某些人士稱台灣爲「警察國」的無知。（上）

這碗飯不易吃、

蘇加諾：「看個飽吧！」

今日與明日

聯合國的悲哀

蘇俄積欠聯合國的會費，逾五千萬美元了。按照會章規定，應該停止投票權的。

然而，美國要表示「和平共存」的誠意，教秘書長宇丹出面提議，將會費問題押後不談，託詞爲「有爭論的事件容後再說」。

聯合國自成立以來，對於國際間的重要糾紛，未會解決過一項。如今本身發生這種會費問題的小事體，且有明文規定，大可依法執行的，亦就出以優容姑息作風。即此可知聯合國的存在價值究有幾許呢？

誰若認爲聯合國尚有促進世界和平的機能，而對它抱着希望，那便是天下的第一等傻瓜！

剛果之亂

剛果事變發生之初，是由聯合國出面處理的，所謂「和平部隊」之派赴非洲，就是掮着聯合國的旗號。

這次剛果叛軍挾持白種人以作質，企圖擴大亂事，卻由美國和比利時直接採取軍事行動，以救援被叛軍圍困中的白人，而聲稱爲人道主義。

無辜的白種人被叛軍凌虐殘殺，當然應該救援，也確屬人道主義。可是，爲甚末又不用聯合國旗號，而由美國供應飛機，比利時出動傘兵以從事呢？難怪非洲國家要說話了！

非洲列國的反應

非洲的廿三個國邦，共同向聯合國提出備忘錄，要求所有駐在非洲地區的外國軍隊一律撤走。這是他們對美國與比利時這次派兵援救白種人的一種反應——也可說是一種反感！

非洲人民久受着白種人的統制，飽嘗殖民地生活滋味，如今眼見西方國家的軍隊，又向他們耀武揚威，刺激了他們的自尊心，乃不暇顧及人道主義，而採取偏激態度了。這證明非洲人對於舊時的「帝國主義」印象猶存，有若驚弓之鳥，畏聞秋鐸之聲，脫餌之魚，怕見新月之影，美國的政治人物如不理解這種弱小民族的心理關係，將來應付國際問題的結果，勢必事倍而功半，甚至於徒勞無益！

中共乘機煽惑

毛共在大陸各大都市上，脅迫人民舉行聲援剛果「民族解放運動」的示威遊行大會，而以反對「美帝國主義」爲主要目標。這對剛果叛軍的實際利益，沒有甚末，但對非洲人民的心理上，可能發生影響。

「反帝」「反殖民」鬥爭，是共產主義者實行世界革命的思想武器。美國人如不注意及此，一面對共黨討好，同時又遇事要跟著名的殖民主義國家合作，結果是自尋苦惱而已。

自由談

爲邱吉爾祝福

馮五先生

英國政治耆宿邱吉爾屆臨九十歲生日，全球的自由國家人士，皆對這位勳業彪炳的政治家表示祝賀，只有以蘇俄爲首的共產國家毫無反應，「當伊嘸介事」，掉兩句酸文曰：勢所必至，理有固然。何以見得呢？

邱翁的反共思想，舉世週知，共產仁兄原無所謂，他們最痛恨邱翁的原因，不外兩點：一是第二次世界大戰期間英美盟軍計劃大舉反攻歐陸時，邱翁並不贊成在諾曼第登陸，而主張從希臘進軍以控制巴爾幹半島，使蘇俄沒有進出東歐地區的可能，失卻共同佔領德國的資格。嗣以美國參謀總長馬歇爾極不同意，認爲這樣將使美軍犧牲更多的生命，邱翁計劃終告落空了。但他在盟軍登陸成功之後，仍要求統帥艾森豪趕快揮軍渡過萊伯河，搶先佔領柏林，以免俄軍前來插足；又電請杜魯門總統轉令在捷克的美軍，必須進佔捷京布勒格。他這兩項卓越的籌策，亦未得到美方的接納，徒託空言而已。假使邱翁這些籌略實行了，那末世界上還有俄共猖獗滋事騷亂之餘地嗎？二是戰後俄帝勢力囂張，夷東歐各國爲附庸，不許西方人士自由進入共產地區，邱翁首先創造了「鐵幕」這一名詞，因而提起世界人士的注意，因而史大林爲光火，詆邱翁爲「戰爭販子」，然他滿不在乎，我行我素，決不像杜魯門、艾森豪之流，但以博得俄帝的青睞而沾沾自喜，驕其鄉黨妻帑，認爲是莫大的榮譽。政治家與官僚政客的區別，即在此也。

吾國鄭子產在生執政時，國人皆曰可殺，及其逝世後，國人皆曰可佩，而有「誰其嗣之」的贊歎語。一個政治家若以流俗的毀譽爲施政的標準，那還有甚末價值呢？邱吉爾的偉大之處，即在他的智慧高超，言行一致而堅定，不愧爲世界大政治家，這就值得世人崇敬，而要羣聲歡祝其延年益壽。所以，俄共們對他表示冷淡，正是證明他的才幹爲共產仁兄們素所忌憚。敵國之仇，鄰國之寶也，咱們對於邱翁的耄耋誕辰，應該志慶的！

勿予「匪諜宣傳可乘之機」 監委敦促「嚴加取締」謠言

國際突變情況下反攻大陸已在望 但在反攻之前不容忽視安定內部

（本報記者台北航訊）監察院中央巡迴國防組委員王贊斌、曹德宣，在八七〇次院會公開報告國防進步的情形。

王贊斌委員說：「近年來，我三軍鑑於反攻時機日趨成熟，無時不在充實戰力，强化戰備；舉凡部隊之編訓，裝備之革新，軍器彈藥之生產，士氣之鼓舞及官兵生活之改善等，均有長足之進步，顯著的成效。而我三軍將士之任勞任怨，同心戮力，向前邁進，尤值得吾人欽佩」。

王贊斌在提出巡察意見中，說：「不良少年結幫聯盟，為首者率多為有地位權要之子弟，治安機關往往碍于情面，疏於嚴管，任其所為，致太保不良少年橫行無忌，危害地方治安，破壞社會秩序。今後當一律嚴加取締，平等管訓；必要時公佈家長姓名，以收實效」。而「部份官兵退伍，因乏生活技能，往往流落街頭，甚或常有不法事件發生，不僅擾亂社會治安，且對士氣影響非淺。今後政府應將退伍官兵安置于農場、礦地或專設工廠，以安定其生活」。

王委員並希望政府「嚴加取締」謠言，與放寬非軍事要塞風景區的攝影。他說：「政府為聯絡國際盟友及發展觀光事業，歡迎外人來台觀光，但對於非軍事區的風景區亦往往禁止外人拍照，致發生不良觀感。今後應當詳加研究放寬尺度，規定分明，以免外人不必要之誤會」。其次，「台灣謠言特多，積非為是，不僅毀壞政府負責信譽，且為匪諜宣傳可乘之機會；治安機關今後當追查謠言之來源，嚴加懲處」。

關於「台灣職訓總隊現有水泥、木工、鐵工、籐工、縫紉手工藝等習藝部門，設備簡陋，且缺乏專門人才指導，習藝教育之推展，未臻理想；政府應撥專欵充實設備，並聘技術導師，指導隊員技藝訓練」。而「職訓總隊隊員發生急病或重症，無法送醫院治療，應請政府設立醫院，收容病患。並指定公立醫院，籌撥專欵在院內興建有安全設備之犯人病室，專供療病患之用。短期不能治療之慢性病，則儘量辦理保外就醫」。

王贊斌說：「三民主義為國父孫中山先生革命救國之崇高理想，已明文載在憲法，為國人所奉行不踰者久矣。今張益弘先生（現任職經濟部）對担任政工幹校，三軍聯合大學以及軍訓機關團體之專任三民主義教授葉青先生，公然發行專書（按為「葉青思想的糾正」。台灣各大書局代售，每冊十四元。）提出糾正，此一問題，頗惹國人注意。黨政軍機關似應予以澄清，孰是孰非，亟應明確，否則淆亂國人聽聞，影響一般民心士氣甚鉅，實非國家之福。說者謂葉青與張益弘二人業經調和，並已言歸於好云云。竊以為此事關係太大。決非任由私人妥協所能了事」的。

國防巡察組委員曹德宣在同一會議中提出「補充」報告，曹德宣批評若干旅美學生別有用心，言行荒謬，甚至連祖宗也不要了。他說：「在今天國際突變的情況下，我們反攻大陸在望，但是在未反攻之前，我經常提醒大家注意，安定內部，團結一心，較反攻復國更為重要。如果祇注意反攻復國，忘記內部的團結，未先安內，就談不上攘外了」。

曹德宣說：「我曾向蔣副部長建議，他又是國民黨中常委，行政院政務委員，青年救國團主任，身兼四要職，對這個問題應如何提高警覺予以對策，應該將自光復到現在，台灣人民生活情形，服公職的情形，作一數字比較，以證實近十多年來台灣人民生活的提高與進步。我在美國時，民主黨人問我，為何大陸人不重視台灣人？當時，我曾為之解釋，說明他對台灣情況的不瞭解，因為在縣市以下，服公務的人員，多是本省人，省縣市議員，也以本省人為多，縣市長也是如此。就中央而言，立法院長，內政部長，大法官，行政院政務委員等重要職位亦由本省人担任。我們對這些情形，應該讓國內外人士瞭解。因此，我有一個感覺，要做這樣一張統計比較表。『台灣獨立黨』（在美）發表的小冊子，其中宣言台灣人不是中華中族。我對這點在『美華日報』發表文章予以駁斥，說他是『數典忘祖』。所以我認為做一個統計比較表，是很有作用，值得我們重視。今後在政治方面如何改變作風，力求進步，應該多下功夫，尤其對青年教授的認識應多多檢討，我們今天在台灣如此進步，台灣人過去受日本人的虐待，對日本的統治不滿，而仍回想日本人，這許多問題，都值得我們檢討」云云。

監察院檢討司法問題的意見

——本報台北航訊——

監察院司法委員會召集人王冠吾，在八七一次院會中，就當前司法問題，提出報告並檢討，甚受重視。

王冠吾報告強調應切實執行。提審法。報告說：五十三年度高院及所屬各法院受理提審案件共四十件，其中准予提審者十八件，駁回聲請者二十二件。准予提審案件，經簽提結果，計提到三件，提不到者十五人。提不到的原因，係由檢察官簽押者二件，在警局脫逃者二件，已移送檢察官偵查者二件，依違警罰法處分者一件，由警局飭回一件，由靖民小組送職訓總隊安置就業者四件，依取締流氓辦法移送職訓總隊管訓者三件。

查憲法第八條第二項規定：人民因犯罪嫌疑被逮捕拘禁時，其逮捕拘禁機關，至遲應於廿四小時內移送該管法院審問，本人或他人亦得聲請該管法院向逮捕之機關提審。第三項規定：逮捕拘禁之機關，對於法院之提審，不得拒絕或遲延。第四項規定：人民遭受任何機關非法逮捕拘禁時，其本人或他人得向法院聲請追究，法院不得拒絕，並應於二十四小時內向逮捕拘禁之機關追究依法處理。提審法第七條規定；執行逮捕拘禁之機關，接到提審票後，應於二十四小時內將被逮捕拘禁人解交，如在接到提審前，已將逮捕拘禁人解送其他機關者，除即聲復外，應即將該提審票移送受移送之機關，由該機關於二十四小時內逕行解交。如法院自行移提，應立即交出。前述之靖民小組移送就業，及依照取締流氓辦法移送管訓，均非法律上規定之逮捕拘禁原因，執行逮捕拘禁之機關，既未將逮捕拘禁人解交；該管法院亦不自行移提，並不向逮捕拘禁之機關追究依法處理，核與憲法及提審法規定均有未合。監察院去（五十二）年度巡察時，已發現此項情形，曾於去年度檢討時提出報告，希望有關機關切實注意，現仍未見改善。事關憲政實施及人權保障，實不容漠視。（一）

退休法規顯有漏洞 台南王祥是個例子

（本報台南記者吳光勛航訊）頃因政府規定，凡公教人員服務滿廿五年者，就可申請退休；申請退休之公教人員可領到數目可觀退休金十萬元左右台幣。而且人事法規有明文規定，退休的公教人員，仍舊可以担任政府轄下之非屬公務員機構職位。因此就有一些利慾薰心的不肖之公務員，乘機取巧，利用這個法規漏洞，故意退休詐取政府退休金，然後再到所謂非公務員機構担任要職，仍可依舊照領薪津無誤。這種惟利是圖的辦法，相率效尤不少，大大浪費政府公帑。

台南市政府，在三屆任內之市長葉廷珪，有位秘書王祥，當時係葉廷珪的最得力助手，嗣因葉廷珪繼續參加逐鹿第四屆市長被執政黨提名的辛文炳壓倒，在辦理移交以前，竟將所有府內親信人物，均各安插到府屬機關。王祥係葉廷珪親信，鑒於樹倒猢猻散，自覺「長安」雖好，究非久居之地」，乃利用葉廷珪未下台前，立即申請退休，領了退休金台幣八萬餘元，溜之大吉。

王祥雖告退休退休金亦照領無誤，但所住的市府公家宿舍，却依然佔住，數年如一日。這次葉廷珪東山再起，再參加第五屆市長角逐而當選，於競選當中，王祥亦為葉廷珪最賣力助選員。葉市長緬懷現實，飲水思源，自難忘恩負義，不予提拔，即着王祥為市政府的國民住宅委員會執行秘書，恢復其舊職。此事一度曾引起市民嘩然，提向有關機關及省府檢舉，以王祥曾領有退休金在前，為何復職市府於後？但據市府解釋稱：國民住宅係一社團組織，並非公教機構，王祥係僱用，核與公務員退休無關。

此種名義上雖非公教身份，而實際則為純粹之台南市政府附屬機關，內部一切人事，均為葉廷珪大小助選員，而且業務亦由市長指揮，但因人事法規規定，也就無奈伊何。但這無論如何是不合理的，有關人事當局，應善加考慮，加以修改。

台灣論壇

我對考用合一分發原則與配合措施的兩點商榷

蔡業成

一

美國行政學家懷特（L. D. White）曾說：「現今的人事管理，建築於兩大柱石之上：一為選拔賢能；一為職位分類。」而在我國後者猶停留於鼓吹與設計階段，距離正式實施之日，尚有一段里程；前者固源遠流長。然由於局促海隅的緣故，一直也考用脫節，形成人才的浪費。就日前舉國上下正在全面展開革新、動員、戰鬥，以期加速光復大陸失土的時地來看，自宜去不急之務，登有用之才，冀能執簡馭繁，以掌握勝利的樞紐。基於此一認識，所以筆者特別重視考政設施，尤其是考用合一方面，凡有關者，無不隨感隨寫，藉供獻替。迄本（五十三）年十月二十三日，考政當局披露重訂高普考試人員分發任用辦法時，復曾撰「考用合一問題的檢討與澄清」拙文一篇，暢言非從此不足以革新，非革新不足以復國的道理，俾便齊一步伐，確立制度。滿以為從此之後，可以不再討論有關此類的問題了。可是當我讀完十一月二日中央日報第四版所刊載的高普考試及格人員分發任用辦法，與配合考用合一政策的有關措施的中央社訊後，覺得仍不能已於言者計有兩點，現在分述如下：

二

先說分發原則。其第一點規定：「高普考試及格人員的分發，由今年高普考試及格人員開始，以前各年次考試及格的，在今年高普考試及格人員分發有餘時，酌予分發，並以近年次考試及格為優先。」這裏的「酌予分發」，太使人莫測高深。根據有關方面的報告資料，今年各機關的職缺，共有六千名之多。我們不相信本年高普考試的錄取名額，竟會高達如此驚人的數字。揆諸以往每年錄取均在千名以內的情形，那除了分發本年次的高普考試及格人員外，尚餘有多量的職缺，足夠分發以前各年次考試及格未經任用的人員，並且還綽有餘裕。所以「有餘」是人所共見的事實，不必顧慮。此外如限於考試及格類科上的原因，則分發任用原則第二點已規定：「高普考試及格人員的分發，以一次為原則，如有工作性質不適合時可以申請改分發一次。」又如限於考試及格職級上的原因，則分發原則第四點又規定：「高等考試及格人員除了成績列優等以上，以薦任職分發任用外，其餘先以高級委任或相當職務分發任用，遇有薦任缺額優先升補。普通考試及格人員都以委任職或相當職務分發任用。」再如限於其他任用法規上的原因，則公務人員任用法更有詳細的規定：即公務人員的任用資格，以考試及格者居先。可見凡此都有極縝密的規劃與至明顯的依據，而無礙於分發的進行。事實如斯，大可一鼓作氣，全數分發，以恢復考試制度的尊嚴，解除政府對及格人員未加汲引的責任。兼示革新的決心。無其他猶豫餘地。我敢斷言：我們朝野所敦促與策進的考用合一內容，不會單純以本年度的高普考試及格人員獲得分發任用為已定；而是要上溯以前，下垂以後。我更敢斷言：我們的考政當局與任用機關，也不致被似是實非的魔術名詞所眩惑，強分前此考試為資格考試，後此考試為任用考試；因為凡屬人事行政機關所舉辦的考試，均屬任用考試，其理至明。那末除全數分發與一次分發外，還何須「酌予」？更何時「酌予」？

我是比較了解考政當局之苦衷的。他們為了奔赴考用合一的指標，已付出其全部的心血。這不僅是職責使然，同時也受驅於良知。那又為什麼要如此的閃爍其詞呢！最主要的，還是為自己多留餘地，以防萬一。因為人事上的現象，是變動不居的，不能過於樂觀。但儘管如此，這「酌予」也者，究嫌太過保守，保守得幾乎遮去其全部的原始用意。記得前些時候，中央日報副刊方塊文章的作者，為着行文方便，順手引用一句「髮長如囚」的成語，不久古戈先生去函匡正說：「今天的受刑人，非獨髮長不過三公分，即連鬍子也得經常剃光。」（上）

救平劇之我見

娑婆生

越昨，讀到金素琴女士的救救平劇，不禁慨歎。金女士的意見，是需要演出的戲院，這是必要的條件。但是她未計及以上的三因素。如果政府撥一戲院來唱平劇，即如陳鴻年君所云：「假使此問題得到解決，等到要往外拿東西是誰來拿？恐怕還比無場地，更加嚴重。教育部如果把國立藝術館，撥充為演平劇的場地，似乎尚容易。但是有了場地，再三天打魚，兩天晒網，把場地空起，那末藝術館如何去辦？」金女士似尚未想到有場地該怎麼辦，不能天天由祭酒來唱，三十天的戲碼難排，也要把她累壞了。

筆者認為此事必先統籌，由劇藝協會邀請軍中民間各單位負責商議。如果有了場地，可以演出多少天，再向藝術館接洽租定二十日或一個月，逐漸推出新戲，以苦打來博取發展之道。所慮軍中劇團，自己可排定公演，或許不肯來參預，那就麻煩了。但現在的軍中劇團，也無十全十美的組織，不是旦角很好，老生便差勁；或則老生很捧，旦角無苗頭；或則武行很佳，老生缺乏；應該要拋棄成見，混合湊演半月，連民間包括在內。唱過半月，歇上一個月，再來二次，作為第二輪。每年之間，能有三四輪，等於可演三四個月（指統計而言），相信平劇能做到如火如荼。問題要有個抓總的統領，所惜此地無如上海之杜月笙或虞洽卿等人物，能一呼百諾，這事就難辦了！

就過去的成績，燕京散人頗能將兵，不妨由金女士犧牲小我，邀約各劇團主幹，與素常主辦劇務的能人，作一座談茶叙，先畫出一個輪廓。期在國歷新年，農歷春節，來兩次的上演，把一股蓬勃之氣，充塞到社會中，未始不是小救的一策。因金女士之論，爰抒拙見，以貢大方。（完）

我所知道的麥帥

肯寧將軍原著　徐熙光翻譯

麥帥是個做事積極的人。沒有任何一件事可以動搖他；他相信他自己，相信他自己的命運，和他自己在歷史中所佔的地位。如果他承認做錯了一件事，下一次他絕不會再犯同樣的錯誤。

對於他的父親，麥帥是引以為傲的。從亞瑟麥克阿瑟當一名士兵開始到他任菲律賓的行政長官止，他的一生充滿了輝煌的紀錄。他們父子的英名可謂同受菲律賓人的崇敬。麥帥也一定會認為他自己從做一名士兵到菲律賓的統治者紀錄，可與他的父親媲美，我相信他也會以此而引以為榮的。亞瑟麥克阿瑟將軍是首駐菲律賓的軍事統治者，也是第一個把「人身保護狀」帶到這個國家來的人。道格拉斯麥克阿瑟將軍是第一個佔領日本的軍事統治者，他當了五年半的佔領軍司令，而且把「人身保護狀」帶給日本人民。但是，如果你告訴麥帥，他的成就和功勳超過他父親，他一定要和你大大辯論一場。

麥帥對他母親的孝順也是他的特點之一。一九三一年到一九三五年在華盛頓擔任陸軍參謀長時，每天吃過中飯回他的辦公室以前，他總要花差不多一個小時的時間跟他母親談談他的問題以及他準備如何解決這些問題。他往往在這時已經想好了問題的對策，所以一到召開參謀會議時能夠有條有理地侃侃而談。所以他每天跟他母親的談話對他很有幫助。在他和他母親之間，彼此沒有任何秘密存在的。他們對彼此都有堅強的信心，從來沒有妥協過一件事的原則。而且他們兩人都有為他們的信念奮鬥到底的勇氣。他們的好惡觀念很強，也都有積極進取的性格，麥帥和他母親很少站在相反的立場辯論一個問題。

一九一九年，麥克阿瑟任西點軍校校長的時候，他的母親和他住在一起。她一邊照顧他的兒子，也一邊照顧軍校的學生。不久她很快地變成了學生所喜愛和樂於親近的人。有一次，有兩個一年級的新生被高年級的學生差他們去買冰淇淋，他們兩個人買回來經過麥克阿瑟住的房子時，正好碰到麥帥在草地上散步，於是麥帥跟他們談了起來，幾分鐘過去了麥克阿瑟好像還無意停止他的談話。突然他母親從樓上的窗戶中叫道：「道格拉斯，別跟他們再談下去了，你沒看到他們手上的冰淇淋已經開始化掉了嗎？」

麥帥笑着跟這兩個學生說：「你們快去吧」，因為經他母親提醒，他才發現這兩個學生手裏拿着的紙袋已經有點潮了。兩個學生行過禮後，提着快化完的冰淇淋匆匆跑掉了。

一九三五年當他奉派到菲律賓去當軍事顧問時，他的母親健康情形不大好，麥帥請他母親和他一同前往遠東，否則他就不接任他的新職。麥帥的母親說她當然跟他一齊去，於是他接受了奎松總統的任命。

麥帥母親的醫生曾告訴她，如果她到菲律賓去，無異宣判自己的死刑。可是他母親一直未把這件事告訴他，而他也一直被蒙在鼓裏。他們母子之間的照拂和敬愛真是令人感動。那年夏天亞瑟麥克阿瑟夫人陪她兒子到了馬尼拉，一九三五年十二月終於以八十二歲的高齡病逝在菲律賓。（六七）

衰梨室劉談

銀漢秋高憶大賢

谿公

還是譚五（小培）的思想靈敏，他想：「老爺子老是這樣閒着總不是事，該託叔岩去打個圓圓；因為叔岩和文卿是盟兄弟，這件事他是辦得到的。」主意打定，他就稟明了乃父去訪叔岩。

「這件事兒我一定負責效勞；」余叔岩說：「不過我也有點事求老爺子，求他老人家收我做個學生。」

關於這，老譚本來是不同意的；但因有求於人，也只好勉如所請。於是叔岩正式拜老譚為師。

自然，老譚心裏是有成見的，故對叔岩之竭誠求教，盡量的託故支吾，不肯好好的給他「說戲」。時經半載，一齣「太平橋」還未說清。為了爭取老譚的眞傳實授，叔岩盡過最大的努力，可是一點兒也不生效；這就使他的內心，感到無上的惶惑。

「啊，我倒想起來了。」三奶奶笑着向叔岩說：（按余叔岩行三，三奶奶就是他的太座，也就是青衣泰斗陳德霖的女兒。）「老爺子（此指叔岩的尊甫紫雲而言）留下來的那個『古月軒』的翡翠鼻烟壺，不是咸豐爺賜給他的一樁寶貝嗎？我想你要是把牠送給師父，他一定會掏心窩給你「說戲」！」

「你說的對！」余叔岩拍着手說：「我一定就這麼辦。」

話雖如此，他心裏却計畫着，要先設法把老譚試探一下，看他對這烟壺是不是重視，然後決定是送他還是不送。

次日下午，他就買了一包上品的鼻烟，裝在這烟壺裏，然後帶到譚府上去。

「這有朋友送給我的好鼻烟，您嗅一點試試。」叔岩說着就把那個「古月軒」的鼻烟壺遞給老譚。

其時老譚正躺在炕上吞雲吐霧；一眼看到烟壺，臉上立刻現出涎羨的神情。

「好東西呀！」譚老板接過那個鼻烟壺本能的說：「這個鼻烟的好壞且不用說，這烟壺可是寶貝。聽說咸豐皇上曾經賞過你爸爸一個，也許就是牠吧？」

「對啦！對啦！」余叔岩說：「您要是中意的話，您就留着使吧。」

「那怎麼行呢？這是你們余家的傳家之寶，我怎麼能受你的……」譚老板說的是不接受，可是滿臉笑容，已經顯出內心的喜愛。

「這是我做徒兒的誠心孝敬老師！您要不嫌棄，就請您賞收了吧。」（三）

東西方軍備現況

祁倫

以美俄為首的東西方軍備競賽，截至一九六四年六月（西方資料為十月），已達歷史性里程碑。茲就西方民間研究文件所公開的資料，擇要報導如下：

核彈

美國──約五萬至十萬個，總威力達三萬億至六萬億噸黃色炸藥爆炸力。

蘇俄──約五千至一萬個，總威力在六千億至一萬二千億噸黃色炸藥威力。

（英國核彈約五百個；法國核彈要到一九六五年才服役；中共十月十六日首次核試；印尼宣稱一九六五年核試；其他尚有西德、以色列、瑞士、瑞典、加拿大、意大利、印度、日本、中華民國等，均有能力核試，但未發展。）

飛彈

美國──共有發射核彈之洲際及中程飛彈一一四一個；包括擎天神一一一個，太陽神一〇八個，義勇兵六五〇個，北極星二七二個。

蘇俄──約有洲際飛彈一五〇個，中程飛彈七五〇至八五〇個。

（美國舊式擎天神自一九六四年十一月已開始淘汰而由新型者替代）

飛機

西方──共有各型空軍飛機計三〇八五〇架，海軍飛機計一〇五七〇架，總計四一四二〇架；內包括北大西洋公約國三七八七〇架、巴基斯坦五〇〇架、伊朗三五〇架、泰國一五〇架、菲律賓二〇〇架、中華民國五〇〇架、大韓民國三〇〇架、澳大利亞四〇〇架、阿根廷三〇〇架、巴西八五〇架；美國共有二四五〇〇架算在北大西洋公約國內，包括約三千架核子攻擊戰略飛機。

東方──共有各型空軍機二一〇七〇架，海軍機三九〇〇架；包括華沙條約國共二一六七〇架，中共二四〇〇架，北韓一千架；蘇聯共有一八五〇〇架，內海軍機三五〇〇架，空軍機一萬五千架中有核子攻擊戰略轟炸機一千二百架，算在華沙公約國內。（一一）

寫君續夢

第十五回

平等難期　一夫翻地軸

自由何價　萬衆擲頭顱

曾生苦笑道：「十月十日國民黨一個錢也沒有花過，假若十月十日這天掛旗都要用錢買的話，恐怕台灣全年收入都不夠，因為實在太多了。」

陳郁問道：「原因究竟在什麼地方，你們應當想法找出其中的毛病。」

曾生說道：「據海外幹部的反映，在去年以前每年港九僑胞掛旗的都很多，自從寄粮包的事件發生，僑胞對祖國的信仰一落千丈，所以都不肯掛旗，送禮請客要他們掛一次旗，都不肯作。」

陳郁說道：「僑胞不肯掛旗，可以推給粮包，我們在海外這麼多的政治、商業機構，有這麼多的幹部同僱員，他們為什麼不掛旗，總不能說也是為了粮包吧。」

曾生嘆口氣：「這件事我也追問海外的領導同志，據他們說，幹部同國營機構的工作人員在早幾年原來也掛旗的，因為掛旗的太少，一條街有一兩家掛旗，馬上就被左隣右舍認出來，於是朋友也不招呼了，親戚也不來往了，頓時孤立起來，工作也無法作。他們就向組織反映，為了偽裝一個良民，便於活動，實在不能再掛旗。」

陶鑄搖頭嘆息道：「想不到我們在海外的聲譽低落到如此程度，一旦掛了旗就不是良民了。」

曾生道：「說來還是被粮包害了，一定要從對付粮包入手。」

陶鑄說道：「凡事有利也有弊，粮包雖然影響黨的威信，可是也增加了不少收入，由於海外僑民寄粮包，近來海關稅收大增。」

陳郁冷笑道：「我們海關稅收增加了，海外兩地郵政局的收入也增加了，說來還是替帝國主義增加了收入。」

陶鑄拍下桌子，說道：「這到是個問題，肥水不能流入別人田裏去。必須要想辦法改過來。」

半天未開口的廣東省委第二書記趙紫陽却插嘴說道：「辦法到有一個，就是我們自己在海外設立機構，只要在那邊交了錢，就可以在家鄉領到物品。」

陶鑄遲疑道：「你的辦法雖然妙，問題是從哪裏弄來這麼多的物資供應。」

趙紫陽笑道：「這不過是個象徵而已，譬如海外僑民在辦事處交了一斤生油的代價，我們在內地付給半斤棉油也就成了，只要通知基層幹部作思想動員，勸告收到物品的人民一定寫信說十足清收，也就沒有問題了。」

曾生平時就很討厭這個趙紫陽騎在他的頭上，就想乘機反撲；原來曾生是廣東土共，抗戰時任東江縱隊司令員赫赫不可一世。及至共軍大部隊南下，佔了兩廣之後，先着手收拾這批土共，曾生首當其衝，被解除軍職，軟禁多年，直到一九六〇年才被放出來，還為廣州市長。趙紫陽是河南人，隨陶鑄南來，是外來共幹的主腦，幾年來扶搖直上，已升到省委第二書記，地位較陳郁還高，曾生更不在話下，時常受他欺侮，隱恨已久，此時抓到機會，就反駁道：「海外常有人回鄉探親，消息遲早會洩漏出去，且海外僑民知道了，誰還肯寄粮包。」（二九五）

冒險犯難記

鄧文儀

預定於全國通都大邑及黃埔學生人數較多之省市，設置黃埔同學會分會，辦理黃埔同學陣亡傷病及其家屬之調查登記，附設中小學校及幼稚園，托兒所，教育撫養黃埔先烈及同學們的子女，同時酌辦招待聯絡通訊業務，藉以輔助政府對革命軍官照顧之不週，由民間社會團體開展敬軍及優待革命軍人之工作。

當時曾由同學會發起，印製黃埔精神專冊，備載黃埔先烈參加革命軍東征北伐英勇事跡，戰史概述與陣亡先烈遺像等，擬以此專冊為緣起及計劃說明，向海外華僑及國內革命世家募捐基金。業已得到會長批准，一切準備經過數月的籌劃，業已就緒，此一長遠計劃如能實施，將使黃埔一般革命的無名英雄減少後顧之憂，且可鼓舞士氣，振奮革命精神。我為這項工作奔走操勞好幾個月，可是時局變化，我不久就離開同學會參加討逆軍的政治工作，以致這工作未能實施，迄今思之，猶覺遺憾，真是愧對黃埔先烈！

關於因軍隊編遣而失業，以致生活困難的同學，由黃埔同學會分別予以登記，在南京市郊香林寺設一臨時招待所，可以暫供住宿，至於生活費用，則由同學會轉請總司令部每人每月補助十五元，按月照冊核實發給，藉以維持最低的生活，直至為他們介紹了工作，或由他們自己找到了工作為止。同學們對於同學會這樣的作法，都感到很滿意，雖則待遇及食住都很菲薄，但人人都能體諒國家的困難與革命情勢的惡劣，尤其對於校長蔣總司令之關切之情感到欣慰，這是黃埔同學會當時最重要，也最困難的工作，所幸這工作進行得很順利，一切困難都一一克服了。

因為編遣會議的決議不能實施，第四集團軍在武漢異動之後，第二第三集團軍也有不服從決議，并繼續擴充部隊反抗中央政府的叛亂徵象，領導國民革命的中國國民黨組織日趨渙散，幹部低能，沒有能力貫澈革命政策。這時適逢南京市黨部召開黨員代表大會，選舉執行委員，中央黨部有意改進黨務，並擬先從南京市黨部作起，適時黃埔學生有數百人，因離開了軍職，已將軍隊黨籍轉移登記為地方黨部的普通黨員，在市黨部所屬區黨部選舉市代表大會的代表時，同學們當選為代表的人數不少（超過百人），全市選出的代表共約七百人，參加競選市黨部執行及監察委員的人數在五十個以上，黃埔同學參加競選的有曾擴情、賀衷寒、田載龍、黃仲翔等幾位，陳立夫先生也參加了這次選舉，結果他們都當選了。同學會對於這次南京市黨部改選的工作盡了不少力，成績雖不算壞，但因同學們當選為執監委員的票數都比較多，引起其他得票較少的委員的不滿，甚至誤會黃埔同學會有操縱選舉之嫌。（六五）

三國周郎

周燕謀

周瑜風采氣度，令人心儀可喜，已見上文。其次再觀其卓越大才。瑜之成名者，斤在於赤壁一戰。赤壁之戰為歷史上著名以寡擊眾之戰例。而此一戰，乃決定三國之鼎立者。周瑜亦因此戰而表現其英才之卓越。（赤壁之戰當然非周一人之功）

江東孫策死後，瑜為中監軍，留吳下與張昭共掌軍國大事。時曹操挾天子以令諸侯，下書命孫權遣子入侍。羣僚不能決，權獨與瑜就密室商議，瑜曰：「不如勿遣，徐觀其變。若曹氏能率義以正天下，將軍傳之未晚也；若圖為暴亂，兵猶火也，不戢將自焚。」此周瑜之高雅處，他不言背漢之詞，不公開說違背大義的話；此種言行與孔明同，而與魯肅異。通鑑輯覽曰：「瑜不僅持論倜爽，規格實中事理。使瑜不死，東吳必無稱臣質子之事。孫權亦中才耳」。江、漢三傑、孔明、周瑜、魯肅，乃為曹操尅星，也。如以新敗之劉備，與中材之孫權，必無破曹之大功，實可斷言。

赤壁破曹，雖先始於魯肅，然肅一人尚不足以堅定孫權之信心，故肅又請孫權自鄱陽調回周瑜，共議破曹之策。瑜見孫，復陳述迎曹之害與抗曹之必勝，以堅定其必勝之信念，而祛除了東吳大小官員的「恐曹病」。他說：「曹操名為漢相，實為漢賊」。他復勸孫權：「當橫行天下，為漢家除殘去穢。」如此主張，遂粉碎曹操的宣傳攻勢，而且取得出兵是名正言順之利也。周瑜分析大勢，認為曹操詐稱八十三萬，實則其主力不過十五六萬，得荊州之兵七八萬，且人心未附，尚在狐疑。北人遠涉江湖，不服水土，不慣水戰，其勢已成強弩之末。因此瑜請孫權曰：「若得精兵三萬「保為將軍破之！」孫權得瑜、肅鼓勵，乃曰：「老賊欲廢漢自立久矣！」此非瑜輕敵、勝曹實有十之八九之左券，他不但醫治了東吳人心之「恐曹病」，並轉而為同仇敵愾。

周瑜此時抗操之策，與孔明不謀而合，李安溪曰：「可謂智算無遺策。」真所謂智謀之士，所見略同。

「又盧弼云：「公瑾生長江淮，諳識險要，出入彭澤，久涉波濤。橫江當利而後，戰無不勝。又洞悉敵情，孰籌彼我，用能以寡擊眾，遁走阿瞞。一戰而霸，克建大勳」。赤壁之戰大勝，雖非周瑜一人之功，畢竟以瑜之功為大，實公見也。

周瑜除赤壁之戰表現其卓越之軍事才能外，更有二大遠謀大略。其一，赤壁戰後，克服江陵時，瑜即勸權收拾劉備，瑜曰：「劉備以梟雄之資，而有關張熊虎之將，必非久屈為人用者。愚謂大計宜徙備置吳，盛為宮室，多其美女玩好，以娛其耳目。分此二人各置一方，使如瑜者挾以攻戰，大事可定也。」值得注意者，瑜認識劉備非池中物，尤其劉備與關張之結合為東吳之大患；可怪者，他未提及孔明，可見他對劉關張之結合，更以為危患於東吳，而並不十分重視孔明，蓋因劉備與關張分裂，則孔明雖為大智，亦無可如何也。周瑜最大之策略，即創吳帝王之基業，竟與孔明若合符節。

其二，瑜向孫權建議，帶領奮威將軍孫瑜（權之堂弟），進攻成都劉璋及漢中張魯；收拾劉、張之後，留孫瑜於漢中，然後自己回到襄陽與孫權在共策襄、漢兩路，以形鉗攻勢解決曹操。諸葛亮在隆中曰：「天下有變，則命一上將，將荊州之軍次向宛洛，將軍身率益州之眾出秦川」。周瑜之見與孔明合也。不幸，天不假年，周瑜就在取益州之途中病故，年僅三十六歲耳！真死得可惜也。（下）

海嘯樓談薈

鄒魯箴規馮玉祥

諸葛文侯

馮氏原係少讀詩書的赳赳武夫，而賦性機變譎詐，支配慾殊強烈，平日喜讀三國演義一類的說部，要求部衆僚屬們對他保持着絕對的個人崇拜思想。他要提升某人的職位時，即先行藉故凌虐，折磨你一下，如果你在背後稍有怨言，則不但超遷無望，原有本職亦保不住的。對於具有相當地位的軍事幹部，唯恐你對他或有變心，每於稠人廣衆之前，任意加以折辱。他對韓復榘即常常表演這種惡作劇，（當衆教韓氏登台報告自己的歷史。如是乎，韓氏乃從在陸軍十六混成旅當伙伕的情形說起，一直說到作旅長師長，中間因何事被罰跪或被棍、降級的經過，尤須敘述詳盡，等於共產黨之強迫別人「坦白」過去的生活史事。

馮氏對於文職人員，雖不如其對軍事幹部之刻薄，但亦視同向他要飯的告化子，所謂禮賢下士的風度，絕對談不到。因此，稍有才識和骨氣的人，誰也不願意為他所用，間有被他羅致的，隨即拂袖而去了。他試舉一例以明之：民國十四年他在張家口作「西北邊防督辦」時，督署僚屬實行合署辦公，他亦跟大家坐在大辦公廳內，若聞有人發出咳嗽之聲，他即命你站到面前，細聲問道：「你有病嗎？有病趕快請大夫看，別要在辦公時間瞎咳嗽罷！」這就是他「以待士卒之心待人才」的事實，如非奴才成性者，誰肯侍候他呢？

鄒海濱希望馮氏「研究名帥名相之道」，這是對着聾子奏音樂。由於知識譾陋之故，他根本就不知道「帥」與「相」應該怎樣做法？他只知道擁有武力，佔得地盤，即有許多趨炎附勢的政客官僚人物來投効，奉他為神明，日唯歌功頌德之不遑，使他儘量發揮支配慾，樂也融融。至於馮氏之不通達人情，可謂今之所無，古之罕有者！他嚴禁文武僚屬飲酒、吸香煙，固無所謂，最驚人的，是他不許僚屬們穿新布鞋，着新布衣，因而凡是添製新的衣履者，即先用桐油塗在鞋面上，再撒些灰泥，擺在太陽之下曬乾，形成舊物；衣則剪破之大襟一塊，另行補綴；如此纔敢穿用。若夫綾羅綢緞之類的服裝，那是上海人說的：「阿弗要談」。民國十七年原西北軍將領梁冠英，率部駐防江蘇的海州，在南京設有辦事處，派鄂人曾某（名字忘記了）為主任。馮駐南京時，一日，曾氏着綢質長袍前往叩謁，適我亦在座，馮笑語座客道：「你們看，曾主任是不是像個候補道啊！」弄得曾氏面紅耳赤，跼蹐不安，你說缺德不？

馮氏之愛國愛民心情，是無可懷疑的，而祇因不學無術，未聞大道，而又予智自雄，睥睨一切，以致奮鬥一輩子，擁兵數十萬，終於一事無成，抑鬱以死。他若不喪生異域，走到大陸依附共黨，亦不會有好結果的。鄒魯的忠告雖善，其於馮氏聽受不了何！（下）

美妹

羅雲家著

「不！現在我不要去了！」她低垂着頭，極不樂意地回答。

「為什麼？」他走近了些：「妳不能把事情做得更光明磊落一些嗎？」

「一個被社會遺棄、虐待的養女，也能做出光明磊落的事情來嗎？健文哥！我是在他們不仁不義的種種迫害下出走的，既然出走了，還有什麼可以顧慮的呢？」她抬起了頭來仰視着他：「別躭擱時間了好不好？火車上的旅客多，耳目也多，我們還是去搭公路局的直達車吧！」說罷，她把手伸過去。他在無可奈何中，只好挽着她的臂，朝西站走去。

「人家不仁不義是人家的錯，我們却不能跟着學的。美妹，今天不去，改天去，或者寫封信去也可以的。做人做事，總要朝正路走。懂嗎？」途中，他邊走邊對她勸說。

「那次我不是求過你？可是你却不願陪我去。」

「那時，我是覺得妳能忍耐下去的。能忍耐下去，當然就不必把事情擴大，以免弄得大家的面子都不好看呀！」

「現在我已逃出了牢籠，却反而要我主動去找婦女會調解，那豈不是自討苦吃？」

「因為根本的問題不解決，妳在外面所過的生活，總是提心吊膽的。現在妳既然出走了，何不利用這出走的反抗事實，以為進行對妳有利的調解要求的後盾呢？」

「謝謝你的好意，哥哥！可是我現在覺得，他們即使盡力為我進行調解，結果總不能使他們放棄既得的利益的。最多是口頭的承諾，不虐待我啦，婚姻可以自主啦……但是，無論如何，我的人是必須回家去的。試想：那樣的調解結果對我又有什麼用？虐待、不預期的污蔑，乃至強迫結婚等的悲劇，遲早總會發生。健文哥，不是我不願聽你的話，而是事實上我再也忍受不了他們的欺凌……」說着說着，她兩眼充滿了淚水，[illegible]開始哭起來。

[illegible]默然中點點頭，然後用手帕拭着眼睛、面部。……

直達車中有舒適的設備，美觀的裝璜，[illegible]特別是談情說愛的青年男女，[illegible]

美妹的情緒已逐漸平穩下來，她看着車中的旅伴，[illegible]洋娃娃，就坐在她的前面，跟她的爸爸媽媽問東問西地在談話。美妹看了非常羨慕，不禁暗自想着：如果我也有個幸福的婚姻、幸福的小家庭，能嫁一個幹而又體貼的丈夫、漂亮而又可愛的兒女，過着小康而無憂無慮的日子，不時一起到外面遊覽一下，或是散散步，或是看看電影，或是到名勝風景區逛逛，那該是多麼好？多麼美滿？多麼幸福呀！……想到這裏，她在不自覺中微笑了起來。

繼而一想，這是多麼遙遠的，不可能的，荒唐的夢想呢？自己才只十六歲，又是生來命苦的養女，學識淺陋，初中都不曾畢業。長像也不太好看，人說「紅顏薄命」，自己的命雖薄，可是却夠不上「紅顏」的雅號。而今正自牢籠逃去，奔向不知是好是壞抑是末路的前程；身邊雖然有位英俊的、有思想抱負的、有正義感而又富理智的青年，陪伴旅行着，但是在養父母與大明的醜影，時時追隨糾纏的威脅下，我能順利地獲得他的愛情嗎？（三〇）

愛國詩人陸放翁

漁翁

愛國詩人陸游，字務觀，宋山陰人。年二十九，應京試，名列第一；秦檜孫塤居第二，為檜所不滿。次年復試，仍為冠軍，檜用權勢，借詞黜之，並遷怒於主考官。其時南宋偏安臨安，即今之杭州，陸感半壁河山，嘗寫沉痛之詩歌，以作恢復中原之號角，如「遺民淚盡胡塵裏，南望王師又一年」！為傳誦一時之名句。范成大帥蜀，延為參議官，以文字交，不拘禮節，人譏其放，因以放翁自號焉。

放翁家貧，不常得肉，偶得之，而兒不落箸，乃云：「偶然得肉思共飽，吾兒苦讓不忍違；兒饑讀書到雞唱，意雖甚壯氣力微」。其教子苦讀有如此者。

放翁冬夜讀書示子遹云：「簡斷篇殘字欲無，吾兒不負乃翁書」。喜小兒輩到行在詩云：「阿綱學書蚓滿幅，阿繪學語鶯囀木，畫窗涴壁誰忍嗔，啼呼也復可憐人」。其教子之主於寬也又如此。

放翁晚築一廬，而以陸名之，六十八歲後，即長期家居。題齋壁詩云：「力穡輸公上，藏書教子孫；追游屏裘馬，宴集止雞豚；寒士邀同學，單門與議昏；定知千載後，猶以陸名村。」

放翁老而手不釋卷，又喜諸兒能繼父志，夜深燈誦聲聞，乃曰：「儒林早歲竊虛名，白首何曾負短檠；堪歎一衰今至此，夢回聞汝讀書聲」。（上）

自由報
內僑警台報字第〇三三號內銷證
THE FREE NEWS
第五〇三期
中華民國僑務委員會頒發
台教新字第三二三號登記證
中華郵政台字第一二八二號執照
登記爲第一類新聞紙類
（半週刊每星期三、六出版）
每份港幣壹角
台灣零售價新台幣弍元
社長：雷嘯岑
督印人：黄行習
社址：香港銅鑼灣高士威道二十號四樓
20. CAUSEWAY RD 3RD FL HONG KONG
TEL. 771726　電報掛號：7191
承印者：四風印刷廠
地址：香港灣仔高士打道二二一號
台灣分社
台北市西寧南路壹壹零號二樓
電話：三〇三四六
台郵撥儲金戶九二五二

中國問題與世界前途

彭樹楷

事實顯示，共產中國却已澈底共產，絕對極權——那是共產主義者先天的本質。

自由中國的目標是光復大陸，重建三民主義中國。

共產中國的目標是推展其影響力，由亞洲、非洲而拉丁美洲。

自由中國是以建立一獨立自主的中國爲己任，她的三民主義是王道精神，以其固有的文明廣被四隣，進而邁向天下一家、世界大同之途。

共產中國是向亞非南美進軍，運用滲透、顚覆、武裝叛亂，從亞洲經非洲以孤立西歐；從遠東經南太平洋繞道南美以包圍北美，進而達到其赤化全世界的目的。

當然，談自由中國，便必須將其與自由世界連成一體；談共產中國，也必須將其與共產集團合併計算。

時至今日，自由世界大致確認「國際共產主義，對於我們的生活方式與國家安全，確已構成了人類史上前所未有的最大威脅。」於是乃有以火箭飛機潛艇及核武器爲主的「前衛戰略」，企望達到嚇阻以利對峙的目的。共產集團發現武力並無把握獲致利益，乃以新武器作爲反嚇阻的後盾，支持政治滲透、濟經進攻、文化侵略、宗教挑撥、種族分歧、以及武裝顚覆等一切方式，在「先制戰」中達到各個擊破、逐步瓦解自由陣容以孤立美國爲目的。

這一陣勢，看出西方着重軍備的武裝戰略；也看出共產集團那種共產黨式的政治作戰——由政治戰略指導軍事戰爭方式。這一陣勢使我想起何以獲得最高收益是共產集團 的原因。

由於着重軍備的武裝戰略是執行「圍堵」政策，而共產黨式政治作戰是掀起其他國家民族解放運動，這就顯示着主動是掌握在共產集團手裏——所以能隨心所欲的肆行以軍事爲依托、以政治經濟文化爲手段的民族解放戰爭到處蔓延！這種戰爭的性質是全面的，又是總體的；目標是單一而又多邊的。所用武器是文字語言和軍事配備，其戰略是統一的，其原則是有規律的，其爭取的對象是一切的人。因而使得西方的嚇阻政策失却作用，而又「圍不勝圍、堵不勝堵」，[illegible]之不堪！從一九[illegible]年杜魯門主義到[illegible]爾計劃開始圍堵[illegible]後，到一九六四年[illegible]共核爆爲止，西方[illegible]逐漸了解圍堵方式的被動行爲之不智，乃有大舉報復戰略之推出；藉巨大核武力對侵略者施以立即性的報復。可是，除了蘇俄核武力之反報復外，又增加一個即將具有核武力的中共，使得核報復亦將缺之積極有效的效用，因而乃有以戰止戰的戰爭邊緣戰略——積極發展太空武器，加速建造核子飛彈潛艇，大量擴充傳統軍備，英勇地接受挑戰，雖在戰場上有所損傷，却挽回了多年來的頹勢。

可是，這一以戰止戰的戰爭邊緣戰略仍不脫圍堵嚇阻的範圍，因而仍缺乏主動精神，這是使台灣的自由中國陳師鞠旅而不克反攻大陸的癥結所在。

中國不能反攻，中國問題便無有效解決辦法；中國問題不能解決，東南亞問題便將日趨嚴重，而世界問題也將更趨複雜。這是我們人人都看得出的連鎖反應。

我們要想解決世界問題，便需解決亞洲問題，更應首先解決中國問題。

決心解決中國問題的關鍵，即在台灣的中華民國把革命運動帶到大陸去，把戰鬥火綫發佈到共黨中國的心臟地帶。這，不會引起世界大戰，因爲中國反共鬥爭根本就不需要世界大戰，甚至於連局部性戰爭（國家羣的戰爭）也不需要。這是由於中國內部再解放的戰鬥——這符合自由世界防阻世界大戰的原則，不至掀起美俄的直接參戰。

蘇俄公佈其總戰略中，將戰爭分爲三類，即：（一）世界大戰——要避免，且可以避免；（二）局部戰爭——不可避免，但應避免；（三）解放戰爭——則應予鼓勵與支持，它沒有直接參戰之必要。

世界安危最大關鍵在亞洲，而亞洲的禍源在中共。惟有摧毀共黨中國政權，亞洲才有眞正的安全，世界才有眞正的和平。我想世上沒人會希望由中國問題來禍及人類，所以理應協同中國來解決中國問題——這是全中國人的想法，但亦不僅是中國人的想法。

三

假如承認中國問題是亞洲問題的焦點，是世界問題的中心，我認爲便須勇於面對事實，這便需要亞洲和世界各國能有「對歷史負責」的領袖。只有有抱負、有人類目的、有歷史智慧、有堅毅決心的軍政領袖，才能領導他們的國家對人類負責！

戰爭的目的是勝利而非摧毀，但是新武器的巨大毀滅能力已超越了戰爭的目的。因此，戰爭並非解決問題的有效手段。但，戰爭却又是必須的，那便是不流血和少流血的民族解放戰爭。

中國已經在打這樣的仗，那便是以武力爲後盾的支援政治作戰，此即所謂「三分軍事，七分政治」之戰爭，這是謀求解決中國問題並能避免流血的有效手段，是長期性的持久戰。文持中國的政治戰，強化中國軍備後盾力量，瓦解共黨中國政權，動搖中共組織基礎，打擊中共聲譽，便可望逐步解決中國問題，既不需要大規模火力及兵員，也不致遭致過大的傷亡及損害，既解決中國問題，又解決亞洲和世界問題，一舉數得，世界人又何樂不爲？

前文曾說：中國問題是一個智慧問題，是一個應該不流血的全國性問題；亞洲問題與世界問題亦然。

智慧者，是主客觀的知識經理智判斷所產生的思想也。亞里斯多德在他的形上學開始就說「人生來就願意知識」；巴斯要也說「人的整個地位在乎思想」；中國自荀墨而後，也都注重知識。中國古書中有關知識的注釋極多。但，中國自來對知識只有吸收而少創造，只有蒐集而少分析，加之滿清二百多年閉關自守政策，排拒、排外已使中國缺之主客觀的知識，愚民政治使得國步維艱，因而欠缺智慧，而任人擺佈。時至今日，

（下轉第三版）

非洲

一事無成

自尋煩惱

自由談

戰爭必然論

世人儘管詛咒戰爭、歌頌和平，但自有書契以來，一萬四千次以上大小戰爭已發生了，這是有史乘紀錄可稽考的。由於人類文化精神與文明生活之發展進步，科學技術之日新月異，地球上的距離大大地縮小了。這情形，表面上看來，似乎四海一家的世界大同景象就在眼前，人類的戰爭行爲勢必愈來愈少，乃至於根本不會再有戰爭發生，其實不然。

地球的空間有限，而人類的繁殖無窮，加以醫藥發達，不特死亡率銳減，人的生命延續力亦更長久了。以有限的空間和產物，供應着祇見日益激增的人類生存和生計的需求，怎能夠永久相安無事呢？四十年代德國和日本發動二次大戰的唯一理由，就是人口膨脹，本國的生存空間不能容納，生活資料亦告缺乏，他們祇有向那些地大物博的國家領土內力征經營，以求解除自身的艱危境況。根據現在的統計，全球人類約爲卅億，即使不用馬爾薩斯人口論的幾何式生殖率計算，而每十年只增加一億人口的話，這地球上是否將有人滿之患呢？地球上擠滿了人類，而生活資料的分配又極不平均，有的飢欲死，有的酒肉臭，那有不發生爭鬥斫伐之理？否則只有「和平共死」而已！

人類藉着科學的潛能，縱然把太空征服，而在月球或其他的星球上開闢了新園地，但生活資料之有無，以及是否合用，皆成問題，何況首先征服星球的國家一定視爲禁臠，不讓別人隨便一進，爲着爭奪太空新園地，少數國家就會大打出手的，所以人類的戰爭因素始終是無法消弭，要想永遠和平共存下去，實係我們湖南人所說的「扯卵談」！

現在的原子彈、氫彈等武器，本質上跟初民時代的石頭，中古時代的鐵器、戈矛之類的性能是一樣的。若說人們慌於核武器的摧毀力而不致再有戰爭行爲，那是廢話！

平均享用世界上的生活資料，合理支配地球上的生存空間，打破國界，混合人種，泯滅「國家」「民族」觀念，這樣或許可能消除戰爭行爲。然而，這是做得到的事嗎？

馮五先生

今日與明日

中日合作策進會議

一年一次的中日合作策進會議，日內將在台北舉行了。

毫無疑問，這項工作是屬於國民外交之列。談到國民外交，就不是每年召開一次會議所能濟事的，必也彼此經常接觸往還，奠定互相瞭解，互信互諒的心理基礎，庶幾有濟。不此之圖，以開會爲主要課題，祇是形式主義而已。

國民外交工作者，應以民間人士爲主體，而且要有「知彼」的智慧和能力纔行。準此以觀，察歷年來我方參預中日合作策進運動的濟濟多士，眞正懂得日本語文，瞭解日本情形的究有幾人呢？

如此的耕耘方法，而欲取得預期的收穫，戛戛乎難矣哉！

參觀香港工展會的代表團

這次到香港參觀工展會的「中華民國代表團」人員，全部都是工商企業界的實際負責者，甚爲妥當。台灣的工商業產品，必須開拓國際市場，教工商界的負責人，到國外參加商品展覽會，可謂適材適事，恰到好處。

辦外交亦應該採取這種原則，方爲上乘。戰後十餘年來，我們的對日外交就缺乏這種作風，可惜之至！

「毋忘在莒」運動

台灣最近掀起了一種「毋忘在莒」運動，而以軍中表現最熱烈。這一運動的目的，是在提高「安不忘危」的警覺，用意極佳。

實則軍中將士們經常在枕戈擐甲、待命反攻之中，金門、馬祖一帶，且時時受到敵人炮轟之聲，心情始終是緊張的，用不着特別打氣了。這一運動的主要對象，應該是軍中以外的各界人士，他們似有「此間樂，不思蜀矣」的惰性滋潛着，需要予以刺激，提起一些戰鬥精神。

不過，話又說回來，去年蔣總統倡導「革新、動員、戰鬥」運動時，各機關紛起響應，左一個革新方案，右一個動員計劃，事實上，革新、動員了多少呢？

首先要有刻苦精神

對日抗戰時期，住在重慶的戰時首都，以及西南大後方的人士——特別是公務人員——食則粗糲蔬菜，衣則藍布大褂，住則斗室小樓，行則柴油公共汽車。然大家精神抖擻，信心十足，很少人作求田問舍之計，今也何如？

那時候，並未特別提倡「毋忘在莒」運動，而大家懷着「在莒」的心思，刻苦自勵，以待勝利之來臨。革命先革心，變政先變俗，每個人若不從心理建設下工夫，自動的「安不忘危」，而只是運動以期轉移風氣，殊難樂觀也。

台北不是南京。豈可粉飾太平
今日台灣最可悲痛現象
享樂暗流在滋長在瀰漫

（本報台北航訊）人有人格，國有國格。此乃我中華民族之優良文化傳統。八年苦戰，無數軍民的鮮血，換來了中華民族的獨立、自由，不平等條約廢除了。四強之一的中國人揚眉吐氣了。外國人也以具有中國血統爲榮！目前雖然因毛共之禍國殃民，政府暫播遷到台灣，但是在全體軍民努力之下，回到大陸的日子，應該並不太遠。

中華民國政府，在台灣一切都在進步，耕者有其田之後，都市平均地權已在實施。一切正在欣欣向榮的時候，可悲痛的有一爲沉於享樂的暗流，正在滋長、正在瀰漫。

觀光事業的興起，目的是要外人看看我的進步。但是辦得轉了彎，觀光事業好像是爲了我們自己辦的，大家都以一面吃飯一面跳舞爲出風頭，那些附設旅館的大飯店裏，進進出出都是黃帝子孫。爲了派頭，中國人吃飯的菜單上都是洋文，就算是爲了外國人方便，但在中國國土上，不通行中國文字，似乎牽涉到了「國格」。

那些西崽們的嘴臉彷彿又回到了租界時期。中國人開的店卻偏要請個洋鬼子來做管理人。你看那付嘴臉，連我們的立法委員也給轟了出去，小民人等自不待言了。轟出去的原因是，天太熱冷氣不足，所以跳舞時候沒有穿上衣（雖然襯衣領帶是有的），洋人一看這不是紳士，於是搬走酒菜叫立法委員走路。中國人在自己土地上，在中國人開的飯店裏吃飯，要遵守這等洋規矩，這算是那門子事？

有人說那些觀光飯店都是僑資；那麼現在正在「臥薪嘗胆」，爲何不請他們回國來投資工業呢？假如我們自己能造飛機、驅逐艦、潛水艇，那多好？假如住違建築幾家人合用一個公共厠所的老百姓，能夠有一間合乎「國際標準」的住房，那多好？假如多辦幾個學校，免得孩子惡性補習弄得面黃肌瘦，那多好？假如都市鄉村化，空氣中聞不到生煤與公車後的黑屁，那多好？

吃飯跳舞，對反攻復國有什麼幫助？高樓大厦對國軍戰士有什麼好處？前方吃緊，後方緊吃的現象，決不能再發生了！

一家一家新開的觀光飯店，舞廳，裏面有幾個外國人？

二個中國人在一起，偏偏要談洋話；那是文化水準提高了呢，還是奴才心裏作祟？回頭來看看韓國，假如二個韓國人敢在街上用日語交談，第三個韓國人一定跑上去給他一嘴巴。此無他，乃是國格與人格問題也。而我們呢？一般的鄉鎮公所老爺們不談，就是堂堂的大醫院裏，好像是進了日本醫院。有面子嗎？無恥也！

中國話不好聽嗎？中國話難說嗎？還是中國話不會說？孩子取個洋名，就算是抬高身價嗎？可惜頭髮仍是黑的，不折不扣，仍舊是中國人。

親愛的黃帝子孫們醒醒吧！

想想尼布楚條約，砲口下的五口通商，南京大屠殺……

目前我們骨肉相連的同胞們，在毛僞政權暴力下，五個人合穿一條褲子，天冷了連稻草被還要分配，到才有。他們吃什麼？甘蔗渣當主食還算是營養品呢。

而我們呢？聯合國公佈，我們吃的東西，熱量佔亞洲第一位。

人活在世界上，不單單是爲了自己，替別人——特別是大陸同胞想想吧！上酒家，抱女人，對反攻復國有何幫助？不要粉飾太平了！沒有那些觀光飯店、觀光舞廳、酒家、茶室，對民生決無妨礙（除了寄生虫）。上下一心厲行戰時生活吧！「臥薪嘗胆」，不是叫叫就有力量的。「革新」，「動員」，「戰鬥」，不是口號，要切確的實踐呀！

樹高千丈，葉落歸根，我們祖宗的墳墓在大陸，我們骨肉相連的同胞在大陸。反攻復國此其時矣！能不能成功，就在你、我、他的肩上。祇要我們自己爭氣，爲什麼要仰人鼻息？反攻大陸才能眞正的保障世界和平，間接的可以保持東南亞不少生命。這是積德的事。我們這一代，已經夠苦，讓下一代活在揚眉吐氣的青天白日滿地紅國旗下面吧。（柯仁）

監察院檢討司法問題的意見

——本報台北航訊——

違反票據法案件，應爲適當之量刑。蓋違反票據法案件，在全部刑事案件所佔之百分比，逐年增加，如五十二年全部刑事案十一萬一千八百三十七件，違反票據法案件計四萬零五百八十三件，佔三六．二九%，不僅影響票據之行使，抑且成爲嚴重社會問題。所謂違反票據法案件，係僅指違反票據法第一四一條規定之案件，該規定：「明知已無存款，又未經付款人允許墊借，而對之發支票者，處一年以下有期徒刑，拘役，或科或併科該票面金額以下之罰金。發支票時，故意將金額超過其存數，或超過付款人允許墊借之金額者，處一年以下有期徒刑，拘役，或科或併科該支票超過金額以下罰金。發票人於第一〇三條所定期限內，故意提回其存款之全部或一部，使支票不獲支付者，準用前二項之規定」。夫支票係代替貨幣流通於社會之有價證券，支票信用之破壞，足以影響社會經濟之安定，是以違反票據法犯罪之惡性，實比竊盜財產之竊盜犯爲重大。故現行票據法特設刑罰之規定，藉資遏止。但自四十九年實施以來，違反票據法案件，反迭見增加，自四十九年至五十二年，台灣省各地方法院檢察處違反票據法執行人數共十萬零三千九百六十五人，而執行有期徒刑者僅爲一千零三十七人，尚不及全部執行人數之百分之一，其餘九九%均爲罰金。故工商界人士，多以票據法修正後，仍未能戢止違反票據案件之增加，係由於法院對是類案件判刑過輕，即法院之檢察官亦有此感覺；以致法律規定形同虛設，不能收刑事政策預期之效果。司法行政部特於今年三月成立違反票據法案件研究小組，據研究結果，其預防對策，除須社會及銀行業合作社共同努力外，對於司法方面並應視犯罪情節爲適當之量刑，檢察官亦不能概認爲情節輕微案件，聲請減予處刑，切望司法當局嚴密監督各法院依法判刑，毋再失輕縱。按照經濟學理論觀之，票據法案件非單純之刑罰就可解決的問題。（二）

台灣電台新花樣
說說唱唱很吃香
丑行名票吳明放光芒

（本報台北航訊）台灣各電台的廣播節目，近三年來，有一項新穎的玩意，是「說說唱唱」，也就是新型的相聲。相聲盛於北方，其作用無非是鬥跟，供人取樂，聽之一笑。從前說相聲的，多是兩個男子；也有兩個女子，可是絕少。此新型的，卻是一男一女，情調就不同；比方嗓音的嬌滴一粗獷，便頗有味，而受人歡迎。此發明人是吳明，實即丑行名票徐世傑。卻因此節目，他身兼三四個電台，忙得不開交，月入五六千元的待遇，爲退役軍人中之特出者。

徐君才學很豐，又解音韻，即其數來寶，就懂落轍（十三轍）。每段說詞，皆抓着社會上動態，交際中的情節，來編成一套，精警動人。不過其成功，還有三位小姐陪襯所致。此三位也可說是三美。當其在復興電台開始時，所請的是趙敏。某次趙小姐，因病缺席，易人替代，遂成單調；於是知道連檔碼子不可或缺，所謂上下其手，相得益彰。[illegible]價値。（護龍）

台灣論壇

我對考用合一分發原則與配合措施的兩點商榷

蔡業成

所以過於咨諮言詞的結果，不但眞相莫白，有時且適足減低制度的功用，尤其是在確立考用合一的分發任用原則時，更屬如此。亟須有聲有色的，義正詞嚴地，作如下的補充：在歷年高普考試及格人員未獲完全分發任用前，有關其他任用法規，概行停止適用。這是我要提出商榷的第一點，深盼考政當局能夠注意及之，並設法亡羊補牢。

三

次說配合考用合一政策的有關措施。其第一點說：「爲了適應各機關任用上的需要，今後高普考試應考人的年齡，……應有所限制。」程度如何？目前尚無明確表示；惟可以想見的當不像現在那樣。凡具有行爲能力者，均可參加公開競爭。此種限制應考年齡的主張，初不始自今日。推溯起來，大致醞釀於五年前，現在不過舊調重彈罷了。至其合法性如何？似乎從未被人提出。筆者個人的體驗，認爲憲法第一百三十條，以及公務人員退休法第五條，均値得注意。前者揭示「中華民國國民年滿二十歲者，有依法選舉之權。除本憲法及法律別有規定者外，年滿二十三歲者，有依法被選舉之權。」後者則規定命令退休的情形是：「一、年滿六十五歲者；二、心神喪失或身體殘廢不堪勝任職務者。」憲法對選舉與被選舉的規定，原則上均可分別比照適用於應考與任官。依此爲準，那應考年齡與選舉同，只有起始而無終迄，縱使年屆古稀，按公務人員退休法的規定，雖已喪失任官資格，卻仍保留應考權利。其進一步的理由是：因爲憲法第十八條「人民有應考試、服公職之權」的應考試與服公職間，存在着一個點號，即表明它們是兩回事。分開來說，即人民有應考試之權，人民有服公職之權。與第十七條「人民有選舉、罷免、創制、複決之權」的相關而不相同情形一樣。我國往昔的考試制度，堪謂深得斯旨，所以有皓首窮經、白頭中舉的佳話。現在「爲了適應任用上的需要」，竟將兩者合成一事，混爲一談，並加上年齡的限制，豈非與憲法的原意，大相逕庭？固然，考試法第十條已曾規定：「應考人之年齡依考試種類由考試院定之。」但這應嚴格解釋，僅指若干的特種考試如經濟部所屬事業機構的工務員與管理員的考試而言，不能與高普考試相提並論，同日而語。否則即難謂爲至當。所以這裏與前面的情形不同，前面是就考試及格者而言，應該與任用合一；這裏是就應考人而言，與任用尚有距離。但是考取後仍是要任用的不錯。那是任用後的事，現在來限制他，未免失之過早。一句話，在公務人員退休法所規定的命令退休年齡屆至之前，我們沒有理由直接限制其應考，與間接剝奪其任官的權利。質諸賢明的考政當局，以爲然否？

其實，即撇開憲法的規定不談，純就實際情況權衡，也非必要。因爲：一、凡是初任的若干特種考試的應考年齡，如前所述，已可限制；二、專門職業及技術人員部份，屬於自由的執業資格，不宜限制；三、若干具有退除役身份的應考人，由於獻身國家，捍衞疆土，丁年漸長，自在意中，爲了崇德報功，不該限制；四、從歷年參加高普考試應考人的年齡統計來看，接近四十歲的人，爲數甚微，而其所付出的力爭上游代價却甚高，所以也不便限制；五、此外則盡屬大專畢業生的天下，佔應考人的絕大多數，他們皆初出茅廬，根本就不勞限制。加上教育的日益普及，工業化的備受重視，社會階級的日漸消泯，「白領階級」的公務員，已不若往日的招人艷羨了。那限制應考人年齡的實益，又究有幾何？

再說，高普考試的應考人中，有由檢定考試及格的，並執有考政當局允准參加高考或普考的證明書。他們之中如果有人適在應受年齡限制的範圍內，又該怎辦？因爲法律是不溯既往的。有人以後法推翻前法的原理作答，其實並不盡然。請看刑法總則第二條第一項的規定，就可明白。該條說：「行爲後法律有變更者，適用裁判時之法律；但裁判前之法律有利於行爲人者，適用最有利於行爲人之法律。」可見後法推翻前法的原理中，復寓有一個原則，那就是要看前後兩法何者有利於受其拘束的當事人而決定取舍。這就是所謂裁判時法兼從輕主義。換句話說，依然沒有放棄不溯既往的前提。當然，世界各國的刑事立法例，也有不問輕重而純採裁判時法的主義者，推究起來，非三言兩語可窮；但我們如能抓住其立國的基本精神，也不難探驪得珠，心領神會。我們的立國基本精神爲三民主義；而三民主義是王道的，非霸道的，當爲人所一致首肯。所以其採裁判時法兼從輕主義，乃事所必至，理有固然。刑法如此，其他法規又何能例外？所以限制應考人年齡的舉措，與立國思想的王道精神，也格格而不相入。附帶一提的，我想藉機向各階層呼籲，希望均能善體斯旨，向面發展，不要向點集中，以開拓更宏遠的規模，實現更崇高的抱負。因爲這對我們的國家言，實在太迫切、太需要了！使我下筆不能自已。書歸正傳，這是我要提出商榷的第二點，也同樣切盼考政當局，能夠審愼將事，三思而行。

四

總括來說：應考試與服公職，一方既已構成人民的權利，他方也就成爲政府的義務。憲法是這樣莊嚴神聖的規定了，我們必須跟着她走——跟她革新政治，跟她打回大陸。

中國問題與世界前途

（上接第一版）尚有所謂「中西文化論戰」，人云亦云，誤己誤人，禍延子子孫孫，能不痛心！所幸，中國有一部三民主義，這是中國文化與西洋知識經孫中山先生理智地研判所產生的救國救世大智慧。中國能確切奉行三民主義，中國問題即迎刃而決；亞洲和世界能在民族、民權、民生三方面獲得如三民主義所述的推行，則天下一家，世界大同的景象可覩，正如近代某學者所云：共產集團實施政治民主，民主國家消除資本主義，則世界問題便如冰雪之遇朝陽矣！

因爲三民主義是不流血而解決中國、亞洲和世界問題的法寶，中國人沒有理由不實施三民主義；亞洲和世界也沒有更好的法寶來取代三民主義以解決世界問題。因此，只有遵行三民主義，才能產生智慧以解決中國的、亞洲的和世界的問題。

中國問題是亞洲問題和世界問題之中的一個問題，並且是問題的核心；亞洲、非洲、美洲、歐洲等世界問題，是緊密地與中國問題連在一起而無法強制分割的。因此，中國問題不獨是五億中國人的責任，也是三十億世界人的，推不掉的義務。可是，五億中國人有多少人爲中國問題在盡責任？聯合國一百一十五個會員國中又有多少國家像美國一樣勇敢地在盡着自己的義務？

這，不是數學而是屬於化學方面的最有趣而又最嚴重的問題，數學上的加減是直覺的，化學上的變化則是無形的。世俗的權利觀念加上大家依然把地球面積看得那麼龐大的浮淺的主觀知識，使大多數既不甘願受共產統治、又不願竭盡義務解決共產問題的民主國家，不是媚共，便是畏共，以至助長共產勢力氣燄高長；而那些正忍受共產極權統治的十數億人民，卻又自暴自棄苟且偷生，既不顧及自己的子孫，又根本不知何謂歷史責任及時代任務，以至任其統治者榨取及驅使，造成不可自拔而又難以救援的大悲劇，可哀孰甚哉！

形成上述兩種型態的原因很多，但根本原因則是缺乏知識、沒有高超智慧和思想空洞，因而精神空虛墮落。今後必須幫助這些國家和人民獲取知識、培養智慧、孕育思想，以期認識問題的癥結，進而邁向解決問題之坦途。

結論

假如容許再說一點：自由中國和自由世界解決中國問題和世界問題的枝節，我便希望他們的政治必須民主；人民言行自由應在憲法範圍內尊重，而不可濫用非憲法的「子法」隨意壓制；法治精神必須維護；人民福利必須普及而重視；消除以警察與特務爲主的恐怖氣氛；完全排除家天下作風；捐棄個人及國家成見、相互以平等對待而密結地團結在一起，使自由世界成爲共產統治下人民眞正羨慕的天堂，激勵其爭取這樣生活方式和環境的勇氣與毅力。

這個世界是我們大家受磨難的場所；五千多年來我們人類已經打了一萬四千多次大小戰爭，我們渴望安息在護庇者仁慈有力的手臂裏，拭去我們的淚痕，不再飲泣，不再和親人分離！

可是，我們仍將戰鬥，因爲問題依然存在並且複雜。願全世界卓越的領導者，領導我們[illegible]同往和平親愛之路進行吧！這是中國人的希望，也是亞洲人的希望！中國、亞洲、世界的問題是一個智慧的問題，是一個應該不流血和[illegible]的問題；它充滿了毀滅性的危機，卻也有着空前最佳的機會。因爲上天有好生之德，造物主是仁慈的全能者！

（下）

編者附誌：「東西方軍備現況」續稿暫停一期。

我所知道的麥帥

肯寧原著　徐熙光譯

常有人問我麥帥什麼時候才打算回美國。我曾在一九四六年七月問麥帥這個問題。當時我們在馬尼拉參加菲律賓首任總統羅哈斯的就職典禮。那天麥帥受到菲律賓人最高的禮遇。我想如果他回美國的話，一定會受到紐約市民拋彩紙的英雄式歡迎，紐約市也一定會贈送他市鑰。

他笑着說：「大概要等我結束在這裏的所有工作，或者被免職以後，才會回去了。這是我最後一次爲我的國家服務和盡責任。」他一貫的強烈自尊心使他永遠不會對一件工作半途而廢。有始有終是他做事的一貫原則。

我問他如果一旦回了美國，他想做些什麼事。

「我希望能在密爾窩基安定地生活，」他回答說：「上街時到傢俱店裏買隻最大的紅色搖椅。我要把這張大搖椅放在兩邊堆滿大石頭的廊門上，然後坐在椅裏大搖特搖。」

「要石頭幹什麼？」我滿懷期待的問他。他則神秘地閃了閃眼睛。

「有人要來跟我談政治的話，我就用身邊的石頭擲他。」他回答說。

我相信麥帥從來就沒有眞正喜歡担任公職過，甚至當總統他也沒想過。

我記得一九四四年年初，有一天晚上我和珍、麥帥在布里斯班他們旅社的套房裏聊天。不知怎的，我們的話題轉到了美國的政情上。我曾聽很多他的參謀說麥帥不但會被徵召爲總統候選人，而且將以壓倒多數的勝利當選總統。這是第一次麥帥和我談到政治。我認爲如果戰爭繼續進行，沒有人可以擊敗羅斯福，我希望麥帥不要聽信那些在朝或在野的政客們的話。我認爲他們勸麥帥出來競選總統，只不過是想藉此作爲自己的進身之階，爲了自己的利益着想而已。

我又告訴麥帥，美國國內的人民好像都在打算擁護他在下屆總統選舉時當總統候選人。我希望他不要介入總統選舉的事。我說我寧願和他坐街車遊東京，而不願費心思去想一九四四年總統選舉時敗給羅斯福的那個人會有何感想。

麥帥笑着說：「別担心，對政治我一點都沒有興趣。我的第一個任務是履行我的諾言，解救菲律賓人民，然後是擊敗日本。」

聽了他的話，我鬆了一口氣，我相信珍也有同感，所以儘管有很多聲明說是麥克阿瑟將參加一九四四年的總統競選，但我還是相信麥帥那天晚上告訴我的話才是眞的。他們稱他是一個老兵，他要完成一個軍人所應盡的責任。

到了一九四八年，麥帥將任共和黨總統候選人的傳聞越來越多了起來，還有許多擁護他的人在爲他積極活動，希望他在那年夏天在菲拉德爾菲亞召開共和黨大會時，麥帥能以壓倒多數票被提名爲共和黨總統候選人。有些報紙更強力支持他，報紙上印着大字標題：「麥克阿瑟競選總統」，全國各地也紛紛成立支持麥克阿瑟競選總統的機構。但是儘管國內如火如荼地支持他，他還是拒絕回國競選。他否認如果國家需要他的話，他將接受提名的報導。他要求他的支持者不要考慮他的提名。但是我相信如果國家要他担任總統職務的話，他會接受，正像他以前接受其他的職位，爲國家服務一樣。（六八）

哀梨室劉談

銀漢秋高憶大賢

齡公

「我說第祺（叔岩學名），你眞不錯。」譚老板翹着大姆指說：「你眞懂得敬重師父的道理。我要把我所有的玩藝兒，掏心窩傳授給你，這是小培都想不到的！」

由此老譚教給叔岩的，完全是眞材實藝（包括行腔使板，咬字歸韻，運用氣口，以及身上臉上的做工表情，刀槍把子等等。）一點兒也不藏私。翡翠烟壺的魔力，實在是夠瞧的。

也就因爲是這樣，老譚所有的若干「絕活」，就逐漸的移植到叔岩身上。雖說叔岩在舞台上表現的一切，不無本身培養出來的新血液，特別是運用音韻之技巧，大有靑出於藍，而勝於藍之趨勢，但那是後來的事。起初總是老譚把他引上正軌的。所以他的一切，大體雖不完全做譚，[illegible]上仍保持着譚氏之規範。正與老譚之摹仿三勝如出一轍。某一些死心眼兒認爲余勝於譚的先生，也許要懷疑筆者阿私譚氏；但那也無須爭辯，現有叔岩寫給海上友人之信簡，足資證明。（函係民十八年，叔岩將次南下時寫的，曾刊登於拙編「戲劇月刊」中，茲特摘錄於此，以資予言。）原函如左：

「滬上之行，「亦舞台」「共舞台」又來相邀，且餌以重利。岩以信用攸關，未爲所動。現前局已定，擬俟此間端宅及榮府「堂會」畢後，即行南來，約在舊梅破蓉之時。尊論「南陽關」裝束，極有見地！敬佩敬佩。惟岩此劇裝飾，一守先師譚公矩矱。頭場紗帽白蟒，二三場白箭衣風帽，當場脫去；以後穿靑馬褂白箭衣到底，與尊論稍有出入耳。承示某報記者之談戲各節，前曾有友寄示，此公厚意殊可感。惟所記不有陰陽，鋭者爲陰，團者爲陽，上聲由低走高，去聲由高走低等語；與岩論頗不相協。誠以陰平高與陽平音低，初不因鋭團而分，以陰陽平各有鋭有團也！（上去聲同）且皮簧有時亦用入聲，大抵上聲先高後低，去聲先低後高，韻學中所謂「平聲平道莫低昂，上聲高呼猛烈強，去聲分明哀遠道，入聲短促急收藏。」四語可以盡之。又四聲各有「三才韻」，必善於運用，始能盡吞吐開合，抑揚頓挫之妙。否則散漫無味，如按琴（七絃琴）之有泛音散音按音也。但非口講指授，不能會知其旨趣。[illegible]一字五音（陰平、陽平、上、去、入。）始漸有所領悟。又覺得「韻書」讀之，有所得。[illegible]某君謬許，又荷先生指示，敢陳管見，就正高明。（四）

盧君續夢

第十五回：平等難期一夫翻地軸　自由何價萬衆擲頭顱

趙紫陽冷笑道：「曾生同志，你連毛主席的矛盾論都未學習明白，粮包不寄，正是減去海外反動份子攻擊的藉口，這就叫做矛盾的統一，你要多學習一下毛主席的實踐論。」

曾生恨透了趙紫陽這種欽差大臣的態度，張口合口拿毛「主席」來壓人，但他是上級，又是外來的幹部，曾生倒霉多年，剛剛爬起來，如何敢同他相抗，只好緘默不言。

趙紫陽說過，無人再提異議，「中南局」就命令海外共幹發動親共商人開設代寄粮包的商店，給予優厚的利潤，最初只限於親共商人，後來因爲有利可圖，一般商人也都爭相開設代寄粮包商店，許多僑民爲了省却麻煩，也寧願多花幾個錢，按照中共商業機構的宣傳，大陸各地均存有足夠的粮食，只要這邊把貨物代價及稅款一律繳清之後，親人就可以在內地當天取得東西。

這種宣傳十分動人，最初一萬多家代寄粮包商店無不門庭若市，很賺了一筆錢，可是過去兩個月之後，內地有逃出來的人，帶出來口信，原來按照中共規定寄回一斤花生油，裏邊親人實際能得到半斤棉油或野生植物油都算是好的，有些地方可能連四兩都沒有。收件人因爲得到海外親屬寄來的物品，在鄉下又成了特殊人物，共產黨幹部經常借題找麻煩，敲詐一些東西去，弄到後來，許多老百姓硬是不敢接受海外寄來的物品，海外僑民雖然節衣縮食寄了錢回去，但是對被扣留在大陸的親人並無好處。

消息傳出後，海外寄粮包的逐漸減少，粮包店門可羅雀，最後只有自動關門。海外寄粮包絕跡，對中共的面子來說，是挽回了一部份，可是大陸的人民就更苦了，大家無法再活下去。隣近港澳的飢民就紛紛向海外逃亡，先從潮汕一帶開始，東去惠陽，大批飢民好似行軍一樣，向邊境前進。中共邊防警察、公安人員看見這樣龐大的人潮，當時不敢再予攔阻，有些人更乾脆脫下軍裝，冒充飢民一道逃出去。

消息傳出之後，各地飢民似潮水一樣向海外流，鄉間大小共幹對着洶湧的人潮，皆不敢出頭攔阻，能躲的就躲，躲不掉的也從傍陪笑臉說好話，到了後來幹部也紛紛跟着逃亡。

幹部外逃倒不是爲吃不飽，而是看到天要亮了，恐怕一旦國軍打回來，鄉下老百姓一定起來像八月十五殺韃子一樣，把他們殺的精光，爲了防患未然，也要逃到海外去躲起來。

鄉下大小幹部一跑，農村組織整個崩潰，廣東一省有大半地區政治陷於癱瘓的境地。

老百姓逃亡潮越來越大，到了最後，都不肯再徒步逃亡，許多人逕直到廣州去搭火車。

本來鄉下老百姓逃亡時，廣州市民也都眼睜眼閉，裝着不知道。及至逃亡者要從廣州坐火車出境，廣州市民幾乎家家戶戶都有人參加逃亡的行列，大家都以爲能逃出一個就活一個，總比在一起餓死要好的多，在這種情形下，全城鼎沸了。（三九六）

冒險犯難記

鄭文儀

苦難與批評，相繼而起，共產黨徒及其黨內派系，從中挑撥離間，更增加黨務糾紛，並開啟了往後國民黨新的派系門爭。我當時，因在同學會負了一部份責任，自問雖無過失，而且自已并未參加競選，可是由於黨內批評的意見，影響所及，自然我也就不免受到責難，這是我初次參加地方黨務活動，遭逢的困難，眞有說不出的痛苦。也許由於年輕識淺，我的學識經驗都不夠，當然不能負起黃埔同學會在當時那樣艱巨和困難的責任。因此，我在南京市黨部選舉之後不久，黃埔同學會的幹事會實行改選，我便離開同學會，旋即接奉總司令的命令，再調到駐揚州的國民革命軍第四十六軍任政治部主任。我在黃埔同學會工作不到一年，雖談不上建樹，總算亦無過錯，對得住黃埔同學。

四十、豫西戰役遭逢兵變

民國十八年的秋天，我到四十六軍軍政治部任職之後，在揚州住了兩個月，對蘇州揚州及清江浦一帶的風土人情，剛開始涉歷，軍隊奉命改編爲第十師，軍部改爲師部，共轄兩個旅部，六個團部，人事上稍有調整，編制員額力求充實，政治部人員裁減甚少，不到一個月就改編就緒了。這時，軍隊奉命移防安徽北部的蚌埠，部隊由陸路行軍前進，軍部由火車輸送，經過南京乘津浦車去蚌埠。到蚌埠不到一個月，原駐合肥方振武部隊的兩個軍，奉命改編爲第四十四師，授權方師長鼎英監督實施。方師長爲求部隊改編及節制方便計，實行掉馬換將的辦法，卽原第四十四師師長阮玄武的司令部主要人員與第十師司令部的人員對調服務；我們原在第十師的幕僚機構及人員，如政治部，參謀處，副官處，軍需處等，全部都到第四十四師師部去，四十四師的幕僚人員大部調到第十師師部來。我和各處的同事們，一同前往合肥第四十四師部，會見阮師長之後，不久便編調完成。一個月之後，第二集團軍馮玉祥在豫西陝西叛變，脫離中央，方師長奉命爲第一路討逆總指揮，指揮第七師、第十師、第四十四師，由津浦鐵路運輸經隴海鐵路到平漢鐵路，準備向豫西進討。我們經過半個月的戰備行軍，鐵路輸送到平漢路的螺河與許昌方面集中完畢。

這時大軍雲集，合共有十多個師，都向河南西部集中。我在軍隊尚未參戰之前，爲求考察軍情，鼓舞士氣，曾到各旅團營去視察并作政治講話。我發覺這個部隊的官兵都是北方人，且過去是受馮玉祥指揮的隊伍；沒有受過革命的政治教育，而且北方人對南方人還有南北界限之分，也可說北方軍人瞧不起南方軍人，南方人看見北方軍隊多稱北侉子，北方軍人看到南方人却以蠻子稱呼。（六六）

金門王寬枝

勞克

昨天晚上我到金門城，在書店內看書時，書店的小姑娘說起王寬枝。我把手上的書擱起來，望着書店小姑娘。

「是不是報紙上登的那個王寬枝？」

「就是她，你也認識？」

「我不認識。我也是在報紙上知道這個人的。她住在那兒？」

「咯，」書店小姑娘把頭伸到店外面，嫩尖手指一指：「就在那下面。」

「她家是開店的？」

「是開店，雜貨店。」

又進來幾個書客，我也就沒有和書店小姑娘繼續談下去。

但我在回味着報紙上的王寬枝的記載。

報紙上還刋出王寬枝照片，說她是女中豪傑。故事是：有一個戰士，病倒在途中，被她發現到，却顧不得瓜田李下之嫌，祇顧救人要緊，馬上自己把那戰士揹到金門城一個私人醫院裏。私人醫院要錢，她就把自己的手錶和戒指押在醫院，這樣才把那戰士的病救回，終於病癒康復。而那位被救的戰士，就是我隔壁的友軍。有一天下午，我在友軍那兒訪一位朋友，招待我的朋友，就提到王寬枝。

「你要見見那戰士吧？」

「好呀！他現在在彌堡裏？」

「我想在的。你也寫文章的，這不是最好的材料？」

「你們對王寬枝怎麼致謝呢？」

「部隊長送了一面錦旗，還報請縣政府，把她列爲敬軍模範。」

我的朋友把那位戰士找來，那時他的病完全好了。他就坐在我的對面。我遞了一支烟給他。稍微談了些其他，就拉上正題。他說：

「那天，我正在做工，身體突然感到不大對勁，我向排長報告，排長要我回來休息。」

「就在我回來的路上，突然胃痛的太厲害，當時倒在地上，又受傷流了不少血。」

「那是條小路，沒有什麼人走的。」

「我在地上當然暈迷了過去。」

「等到被揹在一個少女的身上，我才知道一點。但痛的我沒法說出話來。」

「到了醫院，經過打了止血針，我才認眞清醒過來。但流血過多，而醫生要輸血時，她又慨然答應輸血。」他說到這裏，感激的眼光露出來，說：「我永遠忘不了，她救了我的命。」

我正想到這裏，書店小姑娘又把頭伸出店外。我斜視了過去，隨口問：「是不是有人來了？」

「王寬枝來了。」

「啊！」

「你看，」書店小姑娘又用手一指：「街對面的那位小姐，就是王寬枝。」

我把近視眼鏡向上推了推。她穿着粉紅色的上衣，頭髮很長，却捲在背後。個子不高不矮。穿着黑色西衣褲，身腰很苗條。臉孔似乎是長的。看起來大約廿一、二歲的樣子。我看她正在和人談話，那嘴角還掀起可愛的笑容。我還看到她手上握住一塊小紅手帕。腳上穿的是平底鞋。對人很有禮貌的樣子。

我沒想過去和她談談，但我目送她離開街那邊。

愛國詩人陸放翁

漁翁

又縱談詩云：「高談對鄰父，樸學付癡兒」。忍窮詩云：「尚餘書兩屋，手校付吾兒」。即事詩云：「詩成賞音絕，自向小兒誇」。家庭文字之樂，有非迂刻者所能望其項背也。

放翁八十五歲，行將辭世，在彌留時，寫了一首爲後世歌誦不絕之示兒詩：「死去元知萬事空，但悲不見九州同；王師北定中原日，家祭毋忘告乃翁」！然而他的希望終歸失望，不爭氣的南宋，「直把杭州作汴州」，以小朝廷自安自娛，終於自滅，良可慨也。（下）

詩讖

諸葛文侯

言爲心聲，文人摛詞遣句，每於無意之中，凝成讖語。憶民國七年舊曆除夕，先叔父幼韓公命愚研墨展紙，諷書春聯云：「大地春光不常至」；「閤家歡樂又一年」。先嚴見而指爲語意蕭瑟，囑更易之，然叔父不以爲意，且自認吐屬平實輕鬆，迥異冬烘之作。旋先嚴語愚曰：此不祥之兆也，汝其識之。次歲夏五，先叔攖急疾去世矣！此事給愚印象甚深刻，故平生習作詩文，好放言高論，表現倔強意氣，從不作頹唐衰颯語句也。

現代安徽合肥詩人李彌龕（家焜），自國變避難海隅，執教鞭於「文商學院」，授詩古文辭，甚得諸生愛戴，去歲以患血壓逝世。易簀前數日，尚有「昨年雨中賞校園杜鵑有詩，今又花發春深，感時傷逝，悵然有作」七律未完稿，留置衣袋中，成殮時乃發現者。詩云：

又撫春痕亦費辭，輕寒故勒半開枝。霞連墜夢疑前賞，雨立香塵認舊知；如此風光眞飾喜，最無言說亦稱奇；茫茫感逝○○○，濺淚旣衣○○○。

末二句尚待推敲完成，而君竟溘然長逝矣。觀其題語，一片蕭瑟傷逝之情，詩中亦有「感逝」「濺淚」字句，賞杜鵑花固不必如斯泫然悽絕也。尤堪奇異者，「如此風光眞飾喜，最無言說亦稱奇」二語，竟係其臨危暨飾終情形之切實寫照，不亦怪哉！

李氏某日偶患血壓高，延醫注射藥劑使之降低後，以爲可告無恙矣。俄而血壓再騰涌，竟口不能言語，親友聞訊馳往視疾，君但流淚相對，握手表示訣別而已，對家人亦無遺言。迨大殮於九龍殯儀館之日，「文商學院」學生三百餘人齊來哭弔盡禮，情誼感人，而各方弔客亦衆多，粵省詩人馬武仲以八五高齡，特來執紼。喪館主人覩狀慨然曰：「本館開辦以來，爲人治喪不知凡幾，但未見有如李先生此等宏偉場面者，良堪讚慰。所有喪葬費用，自動願以八折計算，藉表崇敬云爾」。此非如此風光眞飾喜，最無言說亦稱奇之現象耶？

李氏爲李鴻章曾孫，去世時年方六十有五耳。初學詩於陳三立（散原），蓋陳氏受聘爲李家西席垂十年，君之資質又聰穎，得名師指點訓誨，詩才特精進。及冠，婿於皖江名詩人劉龍慧，訓導殷切，獲益匪淺。君於二十歲所作「巢湖」七古長篇，鄭孝胥評爲近代詩壇罕有之宏制，其造詣可知。君所受業之名師，陳散原、劉龍慧而外，有馬通伯，朱疆村等，壯年又常與鄭孝胥，袁伯夔，夏映庵，李拔可諸名士游，切磋琢磨，不同凡響，宜乎大有成就也。今年十月間，君之介弟家煒（芋庵）好友曾履川，張稚琴等，搜集君殘存詩稿都三百餘首，付梓行世，名曰「佛日樓詩」。愚受而讀之，覺其工力湛深，絕無淺語，始信幼年從師之關係重要。再觀其臨死以前之未完成詩稿，更佩其慎思苦吟，一字不苟之寫作精神，固非吾儕淺學者所能企及也。故述其詩讖如此。

美妹

羅雲家著

我能衝破一切難關跟他結婚嗎？我能驕傲地爲他生下我倆的愛之結晶——可愛的兒女嗎？……啊！別做白日夢了吧！說不定一會兒就會遇到大明那些死鬼、把妳扭送到警察局去的呢。另一個美妹提醒了她，她這才如夢方醒，挺直了腰身，不好意地把視綫朝向窗外望去。

健文從上車以後，很少與美妹交談。原因是他覺得自己這一次陪美妹到觀音去，好像是犯了罪一樣的不自在。美妹出走後的行踪，他得到消息，不但沒有通知劉大明，而且也沒有告訴師母。反而護送到一個落脚的地方去躲藏起來。這是應該的？這不是鼓勵她離開家庭？即使在法律上可以不負重大的責任，但在良心上是否應負若干責任呢？雖說，他的這種舉動，是基於拯救弱者，幫助被害者爲出發點的，并且其中包含了人類最了不起的——愛情的成份。

剛好車子這時經過龜山附近。在這裏，他知道有一個設備完善、規模不小的監獄。想到監獄的作用，想到他陪美妹的去觀音，想到他自己進退維谷的處境，他眞是有些難過，也有些矛盾。他本來可以一推六二五，什麼也不管的，可是他又不能不管，更不忍見她就此單獨流落到茫茫的人海中去任浮任沉。……

車子爬過龜山，車速加快起來。美妹藉車子的顚簸與搖幌，乘勢把身子靠到了健文的臂上，並說：「健文哥，我怕。」

「不用怕。」他用手輕拍了她兩下，一面側過臉去望着她。

「哥哥，你眞好！我將永遠不會忘記你的恩情。」

「傻瓜，對哥哥還用得着說這些嗎？」

美妹難爲情似的笑了笑，沒有再說什麼。健文那顆□□的心情，也因這短短的交談減輕了一些心頭上的重担，於是也跟着報以微笑，暫時結束了談話。

車子抵達中壢了，他倆在延平路站下了車。時已至午，兩人的肚子已有些餓了，因此就信步走到中正路的市場裏去。他倆選了一家較爲寬敞、整潔的本省料理店坐下，各人說出了要吃的小菜，侍者送上兩杯冷茶後，健文順手取過一張日報，翻到了社會新聞版，急急地朝大字標題瀏覽。因爲在他的心裏，實在有些害怕美妹的事情會登在報上。還好，社會新聞版中沒有，後來又找各版的啟事欄看，也沒有發現什麼。這才使他的心情安定一些。

「健文哥！」

「什麼事？」

「這是我倆第一次在一塊兒吃飯，我知道你能喝酒的。怎樣，就來點酒吧？」美妹洗完了臉，回到座位時說。

「我看還是節省些好啦！美妹，來日方長，用錢的地方也很多，現在還是不喝的好。而且我喝酒總愛臉紅的，下午到觀音，給人家見了，怪不好看的。妳說是不是？」

「唔，話是不錯。不過我們可以少喝一點，那是不要緊的。錢嘛，請你不必担心，我會有辦法。」

「妳說什麼？」健文有些不大相信自己的耳朵，她不特是個養女，而且還是個黃毛丫頭，自己又沒有在社會上工作多久，她那能有多少錢呢？

「我說用錢不用担心！」她認眞地重覆了一句。

「那裏來的？」

「這你不用問。」

「那不行！妳不說，我定會生妳的氣。」

「眞這樣嚴重嗎？」

「當然！」（三一）

劍翅的歸宿

娑婆生

杭州西湖有十景，其中雷峯夕照與南屏晚鐘，最是別饒佳趣。在晚霞如火之時坐在遊艇中欣賞此景，聽寺中鐘聲，眞可遂心曠神貽，萬念皆空。余每次遊武林，必一臨其地。猶憶在民國十三年十月，當孫傳芳由仙霞關入浙，第一道守將陳公洽放行，直溥杭州，夏超復爲內應，盧子嘉被迫下野，再行道滬北歸。所奇者，在孫氏入城之日，此近數百年的雷峯塔，忽然倒塌！杭城居民輒以爲不祥。（一）

內僑警台報字第〇三號內銷證

自由報

THE FREE NEWS

第五〇四期

中華民國僑務委員會領發
台教新字第三二三號登記證
中華郵政台字第一二八二號執照
登記爲第一類新聞紙類
（本週刊每星期三、六出版）
每份港幣壹角
台灣零售價新台幣弍元
社長：雷嘯岑
督印人：黃行嵩
社址：香港銅鑼灣高士威道二十號四樓
20 CAUSEWAY RD 3RD FL
HONG KONG
TEL. 771726　電報掛號：7191
承印者：田風印刷廠
地址：香港灣仔高士打道二二一號
台灣分社
台北市西寧南路壹壹零號二樓
電話：三〇三四六
台郵撥儲金户九二五二

從日本動向看中華民國前途

左舜生

日本自佐藤榮作的新閣出現以後，能毅然拒絕一個以彭眞爲首的中共代表團入境，這總算是日本最近幾年以來一次難能可貴的傑作。當中共最初得到這個被拒的消息以後，曾一度劍拔弩張表示強硬的反應，認日本這一舉措，必有「嚴重的後果。」其實，不僅嚴重的後果不會有，乃至連輕微的後果也不會有；這一點，不只我們看得明明白白，佐藤內閣也看得明明白白。目前日本議會的黨派力量，除自民黨外，還有一個次要的社會黨。佐藤內閣當前的做法：乃是打算把對中華民國和南韓的關係加強，這一點由自民黨出面來做，例如佐藤的阿哥岸信介，已於本月六日偕同石井赴台，並携帶有佐藤致蔣的親筆函件，而且打算以一億五千萬美元的長期貸欵，作爲實現日台經濟合作的初步，便可看作他們所謂加強對中華民國關係這一工作的開始。這還是日本政府黨一個比較單純的行動，至於繼此以往，日方還要以民間姿態的團體或個人作出種種活動，以與他們政府的這一方針相策應，自然不在話下。

如何加强日本對南韓的關係，這次佐藤內閣的態度，確也相當明朗：佐藤登台伊始，便說明要恢復久經停頓的日韓會談，就表面的跡象說，這次雙方似乎都眞想得到一個結論的樣子。同時，佐藤內閣更決定先以兩千萬美元，作爲對南韓的緊急援助，繼此，據說還打算以有償或無償的方式，以六億美元助成南韓的經濟建設。現在此項會談，已於本月三日在東京揭幕，困難儘管還有，如佐藤內閣與南韓當局能持以毅力，若干照例的反對發浪，還是不難平息下去的。

對於中國大陸，尤其對於若干日本人所幻想的所謂擁有六億人口的這一廣大市場，他們當然不肯放棄。佐藤曾聲言仍當本着所謂「政經分離」的這一原則，力求對大陸的貿易發展；此外還要加上所謂「文化交流」這一項目以資點綴。不過自民黨爲了顧全自己的立場或面子，究竟不好完全由該黨自己出面，於是放任乃至慫恿社會黨及其他左傾團體或個人，以及若干惟利是圖的工商人物，去完成這另一篇矛盾百出的文章。中共這次儘管遭受彭眞代表團被拒的恥辱，但他們覺得究竟還有文章可做，於是也只好以「銀樣蠟鎗頭」的姿態，保留他們仍得運用日方左傾分子繼續實行滲透，煽動，顛覆的這一綫索。於是關於鑛產、鋼材、化肥，以及燃料等等的交易，雙方已準備照常簽字。

上面僅就日方對中華民國，南韓，以及中國大陸的動態作一簡單的分析，至於如何具體化，自然尙待事實的展開。就中共，日共，以及韓共的一貫作風，他們當然一口咬定佐藤內閣最近的這些舉措，無非是由於「美帝的策動，」這是他們的「反美八股」，他們實際的內容並不如他們所想像的這樣簡單。換言之，假定日方完全無反共的需要，中華民國與南韓也無打破當前僵局的企圖，乃至中共也只知道一味橫衝直撞，根本便不願與日本保持這一不痛不痛快的微妙關係，則佐藤內閣這一系列的做法，便將完全失其根據，即有「美帝的策動，」也決不能造成當前的這一形勢。

現在我暫時撇開日本對南韓，對大陸的關係不談，單就如何加強日本對中華民國的關係這一點，提供我如下的幾點原則性的意見。

一、加強日本對中華民國的「經濟關係」這一點，在互利的原則下是可以做的。佐藤既然承認他們對大陸的貿易可以在「政經分離」的原則下去求擴展，則除掉「眞正的反共」我們也可與日本合作以外，其他純屬中華民國自身的政治問題，我們便必須保留獨立的立場，絕不能容許日本置喙，更不能接受任何束縛。

二、佐藤鑒於日本的國力漸充，公然以「亞洲第一先進國家」自命，聲言要提高他們「對亞洲問題的發言權」，不能以正確的行動與人共見，而先夸夸其談發出這類的言論，這是日本人傳統的輕率態度，我們不必和他們作理論上的爭辯。但所謂「提高對亞洲問題的發言權」，如果涉及到所謂「兩個中國，」或「一台一中」，乃至所謂「托管台灣」這一範圍，而輕予附和或公然策動，我們便必須毫不猶豫的予以迎頭反駁，以警醒他們的迷夢。我們至少不可忽視有一部分日本人是始終不能忘情於台灣的。

三、在軍事與經濟力求進步，自然是今天的中華民國應該着重之點，無可非難。可是假定政治措施永遠無法與軍經配合，則所謂軍事與經濟的進步，也就好比沙灘上的樓台，植基不厚，結構不堅，一有風波，便立可變爲蜃樓海市。我們必須澈底覺悟：十五年前所以遭遇一度空前的失敗，軍事的脆弱與經濟的空虛，固不失爲主要原因之一，但政治無辦法，要爲失敗最基本的癥結所在。

過去剿共，原有所謂「三分軍事，七分政治」的一種說法，但心知其意，而又永遠因循不肯切切實實的去做，其陷於今天的一種窘境，夫豈偶然？最後我要說幾句老實話：由蔣老先生所領導這近四十年的政權，原有爲中國奠定一萬年不拔之基的可能性，但因爲始終不肯就政治作出一「平實」，「深切」，「遠大」的設計，永遠只能枝枝節節而爲之，一直到今天還不肯幡然改圖，以爲拖下去便會有奇跡出現，老實說：拖的時間已經不多，不信只有人定可以勝天，奇跡是終於不會實現的！何況就外交的立場來說，我們不能以政治方法先求得大陸以外三千萬人的切實團結，便永遠只有被人牽着走的分兒呢！

善變的東西

自作多情

今日與明日

禁止核武器擴散

美英當局沾沾於禁止核子武器擴散計劃，希望蘇俄贊成，共同簽訂條約，以爲這樣即能夠防止核子大戰了，可哂已極！

目前擁有核子武器的國家，除美英俄三國外，尙有法國——中共只能算是胚胎份子——法國既不會贊成美英的計劃，縱使蘇俄表示共鳴，還不是廢話嗎？

製造核武器的基本技能，就是科學知識，其次纔是資源與財力。科學知識並非貨品，有甚末法子禁止它擴散呢？

二次大戰之前，英美日三大海權國家，爲着限制海軍軍備競賽，共同簽訂條約，指明海軍實力不得超過「五．五．三」的比率，互相監視各簽約國的軍事艦艇建造情況，連噸位之大小，鋼板之厚薄，炮數之多寡，都限制得很嚴密，結果廢紙一張而已！

如果專靠白紙黑字的國際條約，即可以防止戰爭的話，那末，至少從十八世紀起，這世界應該沒有發生戰爭之可能了。所以，「禁止核武器擴散」云云，實際乃是要獨佔核武器的優勢，由少數幾個先進的核子武器國家，控制、脅迫着全球各大小邦國，聽其擺佈玩弄，此外毫無意義之可言。

還要「保護非核子國」

美英當局更天眞得可愛，竟想邀請蘇俄共同訂立「保護非核子國」新條約，說是俾免他們有受到核武器攻擊之危險。

祇要擁有核武器的簽約國家不發生戰爭行爲，其他的非核子國家，即用不着勞駕來保護，亦是安全的。若謂這是爲着對付那些不參加新條約的核子國家，如法國以及未來的中共等，那就無異於舊有帝國主義的「勢力範圍」玩藝，適所以製造戰爭，終使被保護國枉遭核子彈攻擊的災禍，保護云乎哉？

美國的一廂情願

美國一方面要以集體防衛組織來團結自由國家，維持和平安全的繁榮生活，一方面又害怕自由國家萬一對外發生局部戰事，即有拖着美國下水之虞，美國若打不過別人，便得乞靈于核武器，乃始終堅持其對原核子武器使用的最高權力，絲毫不肯放鬆。所謂北大西洋公約國的「混合核子艦隊」組織，樣樣都屬於公約國共有共享，就是使用核武器的許可權，非由美國單獨掌握不可！

法國認爲這是強國對待殖民地的方法，不但是拒絕參加，並且聲明將來（五年內）要退出北大西洋公約體系，西德亦指稱這樣的混合艦隊，對於西歐方面的防務，沒有甚末裨益呢！

實則任何一個國家亦不會輕率地觸發核子戰爭，自招毀滅之禍的。美國如此小心翼翼的過慮而防範之，徒使集體安全制發生破綻，彼此沒有互信，自不能夠奠立共信，利未見而害已先臻，殊不智也。

何必舍本逐末？

我們認爲禁止核武器擴散計劃，保護非核子國新條約，公約國核子混合艦隊組織等等，都是捨本逐末之談，漫說不易實現，即令蘇俄和法國都不反對，也沒法維護人類的永久和平，毫無疑義。

與其空談「禁止」「保護」「混合」這類華而不實的核武器問題，到不如聽其自然之爲愈。

今日的核武器，與當時的毒氣戰具，皆有毀滅人類的能力。過去由於各個科學發達的國家，都能夠製造毒氣戰具，大家乃有所顧忌，在幾次大戰中，亦不敢隨便使用，以免遭到敵人報復。今後如果多數國家皆擁有核武器，同樣的亦不敢輕於嘗試。否則蘇俄早就利用它那種優勢的越洲飛彈，對自由世界進行征服工作了，那有心思來彈甚末「和平共存」的調調兒呢？

越是怕鬼的人，越會招致鬼祟，可惜美國人不領悟這種道理，枝枝節節而爲之，徒自苦耳！

自由談

民主在中國難產

馮五先生

英美人士對於政治權位之進退得失，滿不在乎。例如英首相麥美倫去職之後，依然幹他的出版公司編輯職務，每天搭坐公共汽車出入，且援例向政府申請養老金；美國前總統尼克遜離開了白宮，泰然作律師，最近且以一家商業公司的顧問身份周遊列國，進行商務工作；他們都沒有患得患失，妄自矜持的官僚習氣。若在咱們這「中華民國」的社會中，一個下野的行政院長、副總統，他能夠過着這種平民化的生活嗎？不能，絕對的不能！

英美社會的工商企業發達，中產階級林立，謀生之道很多，而一般民衆對於達官顯宦的觀感，亦就「當作一介事」，誰也不把官位放在眼裏。這當然是消除官僚主義的一大因素，但我認爲這還是次要的，主要原因別有所在也。

在英美政治社會中，那怕你做了君主或總統，受着輿論和民意代表的監視，既不能隨便變更法令，任用私人，更不能利用權力，貪財受賄。等而下之的達官顯宦，不特沒法濫用職權，任意扒錢，而且還須自掏腰包。像美國的大官們，在就任之前，必須公開自己的私有財產，如其握有工商企業的股票，亦非趕快賣掉不可。這跟咱們中國人爲官而仕，以作官來解決生活的風氣大相背馳。英美人視官職爲公僕的義務，咱們卻以作官爲個人的權利，一官在身，可以隨便弄錢，可以徇私舞弊，官位越大，財源就越多，榮譽亦最高。在位時聲勢煊赫，不可一世，退職之後，餘威猶存，奉承推崇的人，所在多有，眞是名利雙收，滿足了佔有慾與支配慾之外，還保持着終身的榮譽感。中國有句俗語，說是「涼傘爛了，架子還在」，正是官僚主義的最好註釋。

如此的文化思想，如此的社會結構和生活習慣，而欲實行民主憲政之治，要與英美併駕齊驅，我的天呀，這不是胡扯嗎？若要實現民主政治，除卻發展工商業，提倡企業精神外，最要緊是一般知識份子改變舊觀念，以身作則，帶起移風易俗的時代任務，一切先從自身作起。否則再喊一百年的民主憲政口號，還是口號而已！

右老逝世後衆所關心的問題
誰將繼任監察院院長
陶百川表示他無意競選此職
但提出三意見給監委們參考

（本報台北航訊）監察院長于右任謝世後，誰是繼任人選，成了衆所關切的問題。監察院一些較爲知名的委員，都被視爲可能的人選；名御史陶百川，當然也是受到注目的一位，可是據陶氏最近自美來函表示，他是無意競選院長一席的。

陶百川目前正在美國考察研究國會監察制度，右老辭世後，監察院許多同人寫信給他，向他徵詢競選院長問題的意見。陶氏沒有一一作答，祇於十一月二十日從美國寄回來一封給李代院長嗣聰轉各位委員的信，這封信最近兩天才到台北，由李代院長轉給各位委員。在這封信中，對於右老之逝，他表示有一種「大廈將傾」之感。

關於競選院長的問題，陶委員表示對名位向甚恬淡，自到美國後，更感消沉。他用白樂天的一首詩，來表示他對競選院長的不感興趣，「天平山上白雲泉，雲自無心水自閑；何必奔衝山下去，再添波浪向人間！」陶委員表示，他雖不能如白雲之無心，然頗似泉水之悠閑。做一個委員，尚感歉仄，遑論院長！遑談競選！

陶百川對於競選院長一事雖然沒有興趣，但對未來院長人選的條件，他却提出了三點意見，供監委同人參考。

他認爲以于院長德望之隆，故對繼任者之考慮，亦當以德望爲先。必須其人爲民衆所信仰，爲與論所支持，爲官吏所誠服，方能樹監察之權威，促院務之革新。其次則爲意旨或精神，必須求其「富貴不能淫，貧賤不能移，威武不能屈。」陶委員認爲，這種要求，在常人自頗困難，但監察院長既係非常之任，自當爲非常之人，故此要求並非高論。

最後則爲體力。陶氏在信上說，他嘗謂：「監察委員之工作，可以多做，可以少做，可以不做。」此蓋因委員甚多，我不做，自有人做。但院長則對內綜理院務，對外代表該院，工作繁重，非可臥治；而以今後國事之日益艱難，尤須有健全之體力與心力，方能多方肆應，勝任愉快。不過，陶百川委員以爲，他所謂的體力與心力，與年齡並無絕對關係，他謙稱他自己年齡雖僅初過六十，然身心似已屆八十之人。實則陶委員的奮鬥精神，正似壯盛之年也。

此外，陶氏對於未來新院長的任期，他也有一個新意見，他主張監察院應在新院長產生之前，先確定院長副院長的任期爲二年或三年，但得連選連任。陶氏所以如此主張，他還含有另外的一個深意，那就是院長、副院長定了任期制度，可以解決許多困難。也許陶委員的意思以爲，有了任期，將來大家能做院長、副院長的機會增多了，可以緩和此次的競爭，使人事較易安排。但李副院長之任期，他主張應自新制確定時起算，不溯既往。

陶百川委員目前正在國外研究各國國會監察制度，俾能有益於五權憲法之宏揚，所以短期內無法趕回國來，參加監察院的年終總檢討會議。（吳越）

台灣造船工業的展望

邱家文

商船在平時是交通利貨運的利器，在戰時則爲軍事上的運輸工具，凡有海岸線的國家，無不重視商船，而由其所保持的海上之運輸工具之多寡，往往可覘其國家的强弱盛衰，有如寒暑表然。第二次世界大戰後，各國造船之實際情形，除美國有過剩的噸位之現象外，日本等國均於復員之後，全力謀求航海業的振興。故一般新興的國家，爲求經濟的發展，海運之暢通，亦紛紛從事於海運的擴充，和建立其自己的商船隊。

造船工業溯源

第一艘應用蒸氣引擎之船舶的製造成功，開始於公元一八〇〇年，公元一八二〇年乃大規模由蒸氣動力、鋼鐵船體代替了風帆動力，木質船身。而直至公元一八六〇年，經過多次的改進，方樹立了今天的航海事業。

至於我國的船政之創辦，起於公元一八六二年（即同治元年）。那時候，有商人南昌等創議購買四艘運輸船，後於一八六六年（同治四年），兩江總督曾國藩在上海設立機器局，更於公元一八六七年（同治五年）七月上旬，自建「惠吉」號竣工。公元一八六六年（同治五年）間，閩浙總督左宗棠在福建馬尾等地設立船政局，和成立馬尾造船廠，自建第一艘「萬年淸」號，于公元一八六九年（同治八年）完成。公元一八七二年（同治十一年）間，招商局終於在李鴻章的奏請下成立，較日本最先成立的日本「大阪商船株式會社」還早十二年。

我國造船工業最先在江南，馬尾兩地設立造船廠後，即擁有國營的黃埔船政局，內河機器造船廠，東北造船所等；其他屬於海軍部者則有青島海軍船塢，廣州有廣南造船廠，厦門有海平造船所，大吉有海軍造船所。民營者計有上海中華，合興，老公茂，恒昌祥，三代，求新等造船廠，在廣東有同義興，協同和等造船廠。這些工廠雖然規模不大，但在第一次大戰時，美國航務部却因國內造船不及，會向我國江南造船廠訂造四艘萬噸級的運輸船，以作戰時的運輸隊工具；可見我國在當時已有相當的造船能力。

民國三十八年中共全面造亂後，較大的船舶撤退來台者約有三十七萬七千餘噸級，其中有些船齡陳舊，性能設備皆不符合國際的標準。當時，國人經營海運者，向以國內航運爲主，而是時國內航線既絕，國際航運關係又未能建立，爲我國航運界一個黑暗的時期。後經政府之規劃輔助，及航商之通力合作，逐漸建立規模，而拓開了航運。除將陳舊和逾齡的船舶，分期整修之外，並於民國四十年間相繼設立驗船協會，海事檢定協會等重要機構。迄民國四十九年間，全年出航國外船舶達二八〇艘次，至次年增爲六五二艘次，又次年間增爲一〇六八艘次。目前，台灣造船公司每月可承修國內外萬噸級船六艘以上。

台造船業滄桑

台灣四面環海，航運大可發展，目前除基隆港區符合國際之標準外，尚有高雄貿易港，和於年前擴建完成的花蓮第三貿易港。承造省內航業界新船與承修航業界輪船的國營台灣造船公司，現有兩萬五千噸級及一萬五千噸級的船塢兩座，已足供省內航業界的需要。然而，自前年八月底殷格斯造船公司因經營不善，仍將兩艘一萬二千五百噸級的新船交由台灣造船公司繼續承造以後，到本年四月間，台灣造船公司完成「海行輪」止，台灣造船公司的業務，一直以造機器，承包台肥公司，台電公司等工程，和承修省內航業界的船舶，以維持其業務，造船業務則因種種的問題，無法打開。因此，省內航業界人士，不得不前往國外訂造新船，或購買現成之船舶，而使台灣造船公司呈現着無船可造的現象。（上）

監察院檢討司法問題的意見

—本報台北航訊—

强制執行案件，弊端叢生。强制執行的目的，在貫澈民事裁判之效果，須合法迅速爲之；五十三年度台北地院終結執行案件爲七千八百七十四件，而未結案件則有四千二百四十件。其未結案件，幾超過其受理件數三分之一以上。且每結一案，平均需時一百二十日以上。按之强制執行法第四十二條：「强制執行事件，應於開始强制執行後三個月內完結」之規定，實有未合。亟迅速清理，切實杜絕查封錯誤，串通圍標，拖延執行，接受招待等情弊。

王委員並建議：迅速制定國家賠償法。憲法第二十四條規定，凡公務員違法侵害人民之自由或權利者，除依法律受懲戒外，應負刑事及民事責任，被害人民就其所受損害並得依法律向國家請求賠償。現憲法施行已歷十八年，而此項人民向國家請求賠償法律，迄未見制定公布，致受侵害人民無從請求國家賠償，實爲施行憲法之缺點。據聞此項國家賠償法，會經司法院擬有草案，希望能速迅完成立法程序，早日施行。

應追究冤獄賠償案件原承辦人員之行政責任。依據冤獄賠償法第四條規定，冤獄賠償由原處分或判決無罪的機關管轄，賠償聲請人如不服其決定者，得聲請司法院冤獄賠償委員會覆議。五十三年度台灣高等法院及台中、台南二分院計受理冤獄賠償事件二十七件，各地方法院受理冤獄賠償事件二十一件，已終結四十件，准予賠償者十八件，向司法院冤獄賠償委員會聲請覆議者五件，撤銷不予賠償之原決定准予賠償者一件；共計准予賠償件數，較五十二年度之准予賠償件數增加八件。此固由於刑事案件增加，羈押人數亦隨之增加所致，但對於每一被告之羈押，是否均已盡其愼重之能事，實應審究。爲追究原承辦推事檢察官之行政責任，似可由監察院函司法院及司法行政部，嗣後凡有關准予冤獄賠償之決定文件，均請抄送監察院參考。

從非常上訴案件中觀察，第一審（地方法院），辦理違反票據法案件，應力求審愼。非常上訴制度，乃法律賦與最高法院檢察署長之職權，其目的在糾正違法判決，平反冤獄，統一法律見解。五十三年度檢察署共收理非常上訴案件八百十四件，已結七二八件，其中提起非常上訴之案件中，經最高法院撤銷原判決違背審判程序部份者六件，撤銷原判違背法令部份者二十四件，撤銷原判另行判決者一〇六件，駁回者一件，共計一三七件。其中原判決屬於第一審法院者計一〇三件，屬於第二審法院者三二件，屬於第三審法院者二件；可見第一審判決確定案件中，其違法情形嚴重。（三）

香港工展會首腦歡宴海外考察團
黃篤修籲加强聯繫 互相合作促進貿易

（本報訊）港廿二屆工業展覽會獲得海外各地團體熱烈支持，開幕之日，廠商會於夕間假高華酒樓歡宴中華民國工商界參觀工展團，馬尼拉中國產品入口商會觀光團，星加坡中華總商會工商業考察團，由會長黃篤修致歡迎詞，呼籲海外各工商界與本港工業界加强聯繫，互相合作，以促進貿易發展。蒞臨宴會者有：中華民國工商界團長陳啓淸，副團長陳嚴，盧文金；顧問翁金護，林金木，陳光后，吳農影，顧長傑，陳子園，黃愼微；團員楊善德，陳萬益，尹書田，趙澤生，林本溢，王東林，劉鼎棟，陳水道，陳文湯，王士洵，蔣滋善，陳栢靑，吳贊，鄭明喜，高銘鴻，許阿燈，童海明，李塗滓。馬尼拉中國產品入口商會觀光團：名譽團長李子西，副團長許佛然，團長龔承[illegible]，副團長黃永安；顧問桂華山，蔡聯發，丘季西，蔡共本，洪步瀛，王人用；團員高超，吳永遠，許志華，吳義旺，施燦光，蔡鐵錚，吳漢源，丘廉秉，蔡東壁，蔡然沙，林晉川，吳聲彩，唐恭連，陳萱賢，馬連洛。星加坡中華總商會香港工商業考察團：名譽[illegible]長高德根，顧問連瀛洲，黃大樑，團長孫炳炎，副團長黃祖耀；團員林理化，莊爲麟，吳必昌，陳共存，傳文楷，會智生，何招興，周興宣，林道信，林繼氏，易鍊勳，侯深湖，梁瑞霖，許天福，陳威廉，陳俊星，黃仲傑，黃炳坤，黃瑞吉，黃樹穀，莊右銘，葉世芙，趙鎮强，駱永與，謝丕吉，蕭全題，蘇秀福。主方有名譽會長余達之，徐季艮，黃克競，會長黃篤修，副會長林根成，尹致中，蔡章閣。部長黎膺宇，余卓文，黃平山，劉邦，倪少傑，馮元倪，楊士權，黃桂，莊重文，甄文亮，譚謁然，柳子元，林浩彬，彭錦榮，蔡天福，李運源，李琳明，吳裕光，梁乃榮，沈炳樞，林堃，吳福田，楊木盛，梁孟齊，何德輝，楊元龍等，賓主盡歡，深夜始散。

九巴特加專線
利便參觀工展

（本報訊）九龍巴士公司爲便利參觀工展會觀衆，已由七日起加開兩線巴士，兩線均定爲特別六號C線。爲使乘客淸楚路線在六號C標誌上增加一個圓圈，俾與行走荔園之六號C線有所認別。加圈之六號C分爲深水埗碼頭經海壇街、南昌街，荔枝角道、彌敦道、加士居道、漆咸道、蕪湖街，機利士道、至紅磡碼頭，此線時間由下午五時卅分至十時四十分。由紅磡碼頭開至深水埗碼頭，沿途經溫思勞街，漆咸道，加士居道，彌敦道，荔枝角道，欽洲街，海壇街，行車時間下午五時五十五分至十一時零五分。另一綫爲旺角綫，由亞皆老街恒生銀行附近開，經彌敦道，加士居道，漆咸道，蕪湖街，機利士街，時間爲下午五時四十一分至下午十時四十一分。由紅磡碼頭開，經溫思勞街，漆咸道，加士居道，彌敦道，旺角道，上海街至亞皆老街，時間由下午六時至十一時。兩綫特別巴士均每隔十分開一次。同時并派七號B綫由橫頭磡至紅磡碼頭。

東西方軍備現況

祁倫

兵力

西方——共有總兵力八三一萬人；包括北大西洋公約國六二一萬，巴基斯坦二八萬，伊朗二一萬，泰國十四萬，菲律賓三萬，中華民國五四萬，大韓民國六十萬，澳大利亞五萬，阿根庭十三萬，巴西二二萬。其中包括陸海空三軍；憲警及保安民兵除外。

東方——共有總兵力八三六．八萬人；包括華沙條約四九一．八萬人，中共二八〇萬人，北韓三八萬人，北越二七萬人。其中包括陸海空三軍；憲警及民兵與後備兵員在外（東方軍事力量詳後文）。

艦艇

西方——共有各型海軍用艦艇六一六〇艘；內北大西洋五三四〇艘，巴基斯坦三十艘，泰國七十艘，伊朗三十艘，菲律賓、韓國各七十艘，中華民國二〇〇艘，阿根庭一三〇艘，澳大利亞九〇艘，巴西一三〇艘。其他各自由國之艦艇未予計算。

東方——共有各型海軍用艦艇四二三二艘；內華沙條約國三三九二艘，中共六四〇艘，北韓一〇〇艘。其他各共產國之艦艇未予計算。

（北大西洋公約國爲：美、英、意、西德、加拿大、挪威、丹麥、荷蘭、比利時、希臘、土耳其、葡萄牙；華沙條約國爲：蘇俄、東德、波蘭、捷克、匈牙利、羅馬尼亞、保加利亞、和阿爾巴尼亞）。

共產集團軍事力量概述

鑒於國際局勢由於中共正發展核武器而日趨緊張，未來兩年內將在戰、降方面有一抉擇，故特摘述共產集團軍力，以供「知彼」參攷。

飛彈

蘇俄刻正加強發展其易於保藏之第二代洲際飛彈，其發展方面係朝大推力和裝載巨型核彈努力。蘇俄已有一億噸級核彈，但爲數不至超過十個。其洲際飛彈基地在十五個以上，中程飛彈基地四十個；前者設於加里寧（莫斯科北九十哩）、依爾庫次克（中國北部邊境）、奧次貝加爾、加布斯丁，依爾（中央俄羅斯）、阿拉爾斯克（阿拉爾海附近）、阿爾馬阿他（位於磨格北奧歇斯南方）、以及馬格尼吐哥爾斯克（Magnetogorsk），是瞄準中國大陸以控制中共的洲際飛彈基地；另在遠東的三個洲際飛彈基地爲安乃得、奧克赫、與康蘇摩爾斯克（內混有中程飛彈）。

飛機

蘇俄空軍總兵力約九十六萬人，分：長距離戰略轟炸機部隊；戰術部隊；防空部隊的戰鬥機部隊；地上基地的海上航空隊（蘇聯無航艦）；空運部隊。戰略轟炸機以TU—20爲主；中型轟炸機以TU—16爲主；戰術空軍新飛機不斷問世；空防火箭部隊已有高空導向飛彈服役；戰鬥機共有八千架，以米格二十一及網罟式超音速機爲主。

陸軍

蘇俄共有陸軍二五〇萬人，編成裝甲師五〇師；摩托化師一〇〇師；其他爲空降師及補助師。每師自九千至一萬二千人。其陸軍師之主要武器爲戰車、火器（野炮、戰防炮、攻擊炮、地對空飛彈、高射炮、高射機槍等）等。

海軍

蘇俄海軍兵力在五十萬人以上，艦艇總噸數約一六〇萬，佔世界第二位。包括潛艇四二〇艘（三〇〇艘有遠航能力），另核子潛艇三十至六十艘編四個艦隊。潛艇分佈在波羅的海七十艘，北極海一五〇艘，黑海五十艘，遠東一二〇艘。另有爲巡洋艦十九艘、驅逐艦一〇〇艘、其他二四一二艘。

中共軍力

陸軍——約二五八萬人，編成裝甲師約六至十師；空降師約三至六師；摩托化師數師；尚有預備部隊及沙漠作戰之騎兵師或十師，其火力脆弱，機動力甚低。

海軍——約十三萬六千人，潛艇三十至五十艘。

（中）

哀梨室刻談

銀漢秋高憶大賢

豁公

『此次南來，包銀一萬六千，較上次約多半數。惟朱琴心去千二，王長林去一千，鮑吉祥與琴師鼓手跟隨人等，共去二千有零；岩約實入萬一千強。行期本定於十月朔，因便血之舊恙復發，現由德醫狄博爾診視，據云：此係肺病起點，現須住院調治。又遜清皇室（十四，十五，十六。）及保定（二十，廿一，廿二。）兩處「堂會」，來函堅留，未便過事推却，是以遲遲吾行。一俟殘恙稍愈，兩處「堂會」完畢，即當附車南下。（約在月底，至遲十一月初。）此事原出意外，岩勢處兩難，賴有保定專員樂十，與「亦舞臺」來人趙鶴舫面洽數次；亦臺已允緩期，而外間謠言紛起，岩實爲之不安！

『琴師李佩卿係岩弟子，胡琴爲岩所授，以其處境清貧，故岩力事照拂。即其受室，亦由岩力助所致。此次滬局，月薪三百元，於彼固不無小補也。

『此間戲園，營業多平平，雖小樓亦不甚得意。女角有琴雪芳者，以貌美，頗不乏人捧場。又孫老元在漢幫一坤角，（豁按此坤角即孟小冬，爾時尚未拜余爲師也。）月入有限，晚境殊可念也。』

又據吾友孫曦丞先生云：『譚老板授與叔岩的戲，除「太平橋」外，還有「青石山」及「甯武關」；不過外面人不大知道而已。且叔岩原有之戲，如「洗浮山」，「一捧雪」，「打魚殺家」，「打鼓罵曹」，「瓊林宴」，「搜孤救孤」等劇，亦皆由譚氏加以完美之修正，故能獨步一時。但要知道，譚老板是有一些古怪脾氣的，他老人家除了上臺時聚精會神，竭力表演外，平時連話都不願多說；也不管面前有無人，他會隨時閉起眼睛來養神。那種如意大堂的懶勁，實在是夠瞧的。因之他在一齣戲裏，只在重要的節骨眼上，才說得「時，照例祇說個大關節目，詳細一點的，這個除了聰明絕頂，又有良好根基之叔岩，能夠聞一知十心領神會外，恐怕很少有人能學到他的絕藝！

（五）

我所知道的麥帥

肯寧將軍原著　徐熙光譯

總之，麥克阿瑟是一個美國人，而且熱愛他的國家，熱愛美國的自由傳統，美國的理想和原則。他眞誠相信林肯總統所下的「民有、民治、民享的政府」的民主政治定義。但是他不會到全國發表政見和演說以爭取選票。

麥帥的總部設在第一大樓，從這座現代化的辦公室可以俯瞰圍繞着日本皇宮的壕溝。他的辦公室在六樓的一個陳設簡單的小房間裏，牆上掛了一張林肯的像。從他在澳洲到日本，他在每一個地方的辦公室裏都掛着這一張林肯的像，像的底下附着下面這段話：

「如果我試圖知道所有對我的攻擊的話，不管什麼事都將無所作爲。我盡我所知，盡我所能，努力去做，不達目的，誓不甘休。如果最後事實證明我對的，任何詆譭攻擊我都不在乎。但是如果最後事實證明我是錯的，就算有十個天使一齊證明我是對的，還是沒有用，錯的還是錯。」

他的辦公室裏沒有電話，麥帥也不用電話的。他的副官在外面爲他接電話，並且在請示他以後，爲他代訂各種約會。麥帥沒有秘書，往返信件都由他自己處理。他很少以一式多份的信件答覆大衆的信，他的信件自己作覆，起草後交給打字員打字。有的由他的副官代覆，再送給他簽字。

麥帥的住所在東京美國大使館裏，那是一棟很堂皇、精美的房子，有美麗的花園和灌木。他的日常生活很簡單樸實。可是他仍然像戰時一樣忙碌，他在家的時間大部分用來看書，有時會看到深夜，不過他的睡眠一定足夠而且有規律，他曉得照顧他自己。珍更是仔細從旁照料他。麥帥平常不參加宴會，不拜訪人家，也很少參加社交活動。偶而會有許多人到家裏來晚餐，不過他大部分與人餐叙的場合都安排在中午。像這種午餐會通常都在一點半左右開始，邊吃邊談，往往要拖上兩個小時。而且都由他妻子珍提醒他午睡的時間到了。午睡是他的習慣，不管在戰時平時他每天下午都要小睡片刻。珍提醒他午睡時，午餐也同時宣告結束，他向客人道別後即行告退。他有一個好習慣，可以一躺下便立刻睡着。他大約在下午五點鐘回他的辦公室，處理另外半天的工作。

他和他的妻子都是聖公會教徒，不過在日本這段時間，因爲麥帥連禮拜天也上班，所以只有珍和他們的兒子小亞瑟能按時到教堂做禮拜。

晚上，有時他也喜歡在大使館裏看部電影，他和他的兒子小亞瑟都喜歡看西部片。

麥帥的妻子珍是個黑髮、有活力，潔淨恬淡而美麗大方的女主人。日本婦女和美國婦女都很喜歡她。我認爲「纖巧」這個字是形容她的最恰當的字眼。她正好是五呎高，體重大約只有一百磅。

她從未要求或接受任何特權，她跟別的主婦一樣排隊在陸軍商店等候購物。有人提到麥克阿瑟時，她總是稱他爲「將軍」，就是他們在一起的時候，她也是稱呼他「將軍」。珍實在是一個不可多得的賢妻良母。

他們的兒子小亞瑟也長得很英俊，他看來比較像珍，不過從他瘦長的身材看來，長大以後一定會像他的父親。他是一九三八年二月在馬尼拉出生的，柯里幾多陷落以前，他在島上住過一個短時間，後來住的地方有墨爾砵，布里斯班和東京，不過一直到這本書出版爲止，他還沒見過美國是個什麼樣子。（六九）

虛君續夢

平等難期　一夫翻地軸
自由何價　萬衆擲頭顱

第十五回：

當逃亡事件發展到最高潮時，陶鑄就召集廣東省委會幹部開會商量，怎樣鎮壓。此時廣州市內情況相當混亂，不必說老百姓同小幹部覺得天快亮了，就連高級幹部也都感到大事不好。

廣州市委第二書記趙武成先報告一遍市內情況，然後說道：「目前整個廣州市內黨和政府已失去控制力量，一羣暴民好似瘋了一樣，到處高呼台灣打回來了，這回不用怕了，馬上就有東西吃了。」

陶鑄冷笑道：「他們既然知道國民黨軍隊要打回來，馬上就有飯吃，爲什麼又要外逃呢？」

趙武成說道：「這點也有人問他們，答覆更妙了，據他們自己說是去迎接勝利，國民黨一定是順着鐵路打進來，他們順着鐵路綫去接，遇到了就一齊回來，遇不見就去海外，幾時國民黨佔了廣州，他們再回來過好日子。」

陶鑄冷笑道：「他們想的到好，只怕事情不會這麼容易。」

省委第二書記趙紫陽說道：「不過，我眞有點担心，此時國民黨軍隊有一營人闖到石龍，廣州就整個完了。廣州一旦丟掉，韶關以南不要想再立得住脚。」

陶鑄說道：「這些問題大家不必担心，黨中央早有指示，美國人不會讓國民黨反攻的。毛主席早就說過，美國第七艦隊在一九五二年以前是保護國民黨，這個十年實在是保護我們。不是第七艦隊代守住東南沿海，今天連上海都不知在誰手裏了。」

趙紫陽說道：「毛主席既然看得這麼淸楚，爲什麼又不肯在華沙會議時同美國和解，宣佈不用武力進攻台灣呢？」

陶鑄笑道：「你何以這樣胡塗？假若我們眞的同美國和解、發表聲明不以武力進攻台灣，美國人認爲台灣海峽已出現和平，第七艦隊必然撤走，到時國民黨軍隊從台灣打過來又怎麼辦！」

在座幹部一齊恍然大悟。

陳郁說道：「毛主席的眼光絕不可及，他想到的事準沒有錯。譬如人民公社，絕大多數同志都反對，以爲人民公社把農村搞窮了。事實確是如此。但是要向深處一想，全國人民睜着眼餓死都沒辦法反抗，就因爲人民公社把他們卡死了。若沒有人民公社，恐怕全國早像一鍋滾水翻騰了，哪會這麼風平浪靜。」

陳郁的話還未說完，外面警衛員慌慌張張進來報告道：車站附近集了幾萬人，都吵着要上車，把站長也包圍了，揚言若不掛專車送他們去深圳，就動手燒毀站長室。

陶鑄問道：「警察呢？公安部隊呢？怎麼不管。」

警衛員說道：「實在人太多，管也管不了，大家只好在那裏看。」

陶鑄向全場掃射一眼，說道：「情況確實很緊張，稍微處理不善，就會釀成大亂，到時國民黨一定乘機打回來，美國人從中也未必攔得住。這時趁着火藥庫還未爆發，必須要想法壓下去。各位同志有什麼意見？」

趙紫陽說道：我建議派一位領導同志到車站去宣慰飢民，叫他們不要聽壞人的話亂說亂動，一切困難，黨自有辦法安排。

（三九七）

冒險犯難記

鄧文儀

當我到部隊去巡視的時候，我騎了馬隨同旅長或團長，將到達部隊集合場時，我好幾次聽到隊伍中有士兵耳語叫喊：「小蠻子來了」！因爲我年輕，身體不高，馬也很小，所以他們都叫我小蠻子。我裝作沒有聽見，但由此我感到這支軍隊有問題。

討逆軍集中完畢，部署完成之後，方總指揮指揮第一路的三個師，由螺河許昌向豫西攻擊前進，第二路顧祝同將軍指揮的隊伍，一同向豫西登封區域進發。第四十四師奉命打前鋒，我覺得第四十四師有問題，曾向總指揮建議，不要把這個部隊部署在最前綫，以防意外，未被採納。部隊由許昌到魯山相距不過二百公里，我們行軍不到一週就已到達，前面就是臨汝縣，再前就是中嶽嵩山區域。這時軍隊忽按兵不動，據情報說前面已有敵情。其實是阮師長正派出代表和馮玉祥派的代表潘宜之談判；第四十四師準備兵變，第一步先向嵩山側翼方向轉移，脫離戰場。我在行軍途中已經得到政工人員報告，說部隊官兵中有很多謠言，表明他們不願意攻擊馮玉祥的軍隊，他們雖也不敢或不願反過來打中央軍。我在行軍途中，曾兩次打電報報告總指揮，說明部隊官兵的心理，希望能及早改變部署，未得覆示。

軍隊到魯山的第二天就變了。阮師長和李寶善參謀長，約我們司令部各部處主要負責人，到魯山天主堂開會；我們集合了，却不見他們兩個人。不久，就有特務營的官長和士兵到來，說明阮師長要我們在天主堂休息，把隨身的武器繳給他們。過了半天，我們發現旅長蕭之楚在會堂之外坐着，也不和我們招呼，我們才知道是兵變了，我們都成了叛軍的俘擄。第二天蕭旅長派人送來兩副麻雀牌，作爲我們消遣用。我這時當然無事可作，因爲情況不明，祇好等事變發展再作處置。直到第四天，部隊主力都已向臨汝嵩山方面轉進了，討逆軍的大部隊，並沒有跟着來，許是因爲情況變化，已由其它路綫去進攻逆軍，因爲魯山臨汝方面并無逆軍大部隊。等到叛變部隊都開走了，魯山成了眞空地帶，好在我們沒有被叛軍帶走。

我們得到自由之後，就分別向來的方向，去找我們的部隊，這時大軍都已前進，後方既看不到軍人，也很少見到老百姓，謠傳附近有土匪，匪首王志五很有勢力，但我們沒有遇見。我在忍飢受凍的情況下，走了四天，才走到平漢鐵路的武勝關車站。在車站遇到同學關麟嶽，也和我一樣狼狽不堪，我們同車回到武漢，才算脫了危險。這是我一生參加作戰最可恥、最危險、最困難的一次遭遇。（六七）

金門中央公路

勞克

我第一次到金門，第一次經過中央公路，就使我驚奇。在離敵人（毛共）這麼近，眼睛望得見毛共據守的大小嶝島嶼上的公路，樹林以及島上的防禦工事；而中央公路，却是最標準的一條公路，從山外起點，到金門城終點，都是用水泥鋪成的。是一條雙車道的公路，平坦而直，一眼可以望到底的。

我在電影上看到過美國四道綫的公路。公路也是平直而清爽。後來，有個朋友徐文水從美國回來，談到西雅圖公路，他說：西雅圖有世界上的標準公路，也是四道綫的，中間有花池，馬路永遠保持着清潔，公路上除了車輛，就看不到其他的東西。我很羨慕這種公路。台灣的縱貫公路，橫貫公路，以及環島公路，我都走過。不是路基不平，就是彎曲太多；坐在車上，身子一下倒到這裏，一下又倒到那裏，眞是不舒適。

金門中央公路就沒有這些現象。如果中央公路擴修到四道綫，那就與西雅圖公路可以相比了。中央公路兩旁植有樹。植了好幾層，都有松樹。有兩人來高。這些樹木有專人保育，所以修剪的十分整齊。樹根上有兩公尺左右，均塗上白粉，十分顯明，美觀。公路兩旁的水溝，有三公尺左右深，裏面清掃的乾乾淨淨，沒有一片樹葉子。每距離廿公尺，就堆起白色碎石子一堆，旁邊插了木牌子，上書：「戰備石子」！不許動用的。

中央公路還有個特點，每個十字路口，都有銅像。金門城出來，就有巨大的「無名英雄像」，塑的有三丈來高，是身着全付武裝，威風凜凜的氣慨。快到山外時，有巨大的「國父銅像」。那銅像不但在金門算是最大的，就是在全台灣也是最大的銅像。每次在台灣演電影時，先唱國歌，國歌裏面的「國父銅像」，就是金門中央公路上的「國父銅像」。

有些老金門的戰鬥伙伴，有一天我們談到中央公路。

「在八二三砲戰中央公路就被匪砲封鎖住。」

「那你們怎麼彼此連絡呢？」

「封鎖了，我們還是要衝過去。有一部份車子打壞，但我們還是完成任務。」

「眞了不起！」

「一有砲戰，中央公路就首先封鎖住。因爲這條公路，是全島的主要公路。」

我現在住在金門，我能不能有個八二三砲戰的機會，而在這條公路上，表現我的血性和我的英勇呢？

現在，中央公路的每天都有無數的車輛通行，大都是島上的軍用車輛。

海嶠譚叢

餐廳命名秘辛

諸葛文侯

台北市內南京東路，有一餐廳取名「欣欣」，原係「退除役官兵就業輔導委員會」創設的，內部諸員工皆由退役軍人及其家屬担任，亦爲榮民就業之一途。餐廳的命名，固然是基於「欣欣向榮」這句成語的義理，但其中還有一段故事，值得敘述。

兩年前，輔導會主任委員蔣經國先生，偶爾雇坐三輪車出門，在途中跟車伕談談話，詢問他的身世及其生活狀況。據答係一名退伍軍人，曾任營長職務，到台灣後，依法退役的。由於室家負累頗重，領得的退役金不久就消費完了，別無營生之策，只好每天踏三輪車以資過活云。蔣氏當時未便對車伕暴露自己的身份，但心裏很難過，覺得一個營長階級的軍人，竟淪爲三輪車伕，情殊可憫，而一般退除役軍官之中，與這位營長同病相憐者，一定還有，或許更有不如此人的。因此，他立意要替一般退除役的下級軍官們，設法培養一種職業技能，俾免淪落之苦。

他與輔導幹部人員詳細計議之後，決定先創設一間汽車司機訓練所，招收退除役的下級軍官中之體力尚未衰憊者，加以三個月訓練，然後斥資設置一間出租的計程汽車公司，正式營業。訓練所一共招致了曾任尉官校官階級的退役軍人三百名，經過定期訓練後，即新開一家汽車公司，由蔣主任定名爲「美島」，蓋以台灣素有「美麗的寶島」之稱也。當時，輔導會副主任趙聚鈺氏對這個名稱，主張再斟酌，理由是：這名字如果橫寫在公司門楣上，路人容易錯唸爲「島美公司」，聽起來就與「倒霉公司」同音，似不吉利。但蔣主任認爲不必顧忌「迷信」，人定且可以勝天，何況流俗迷信之談呢！

美島公司開辦了半年，共計開辦費和一切設備費用，在百萬元台幣以上，而收入只過二三十萬元。原因是那些司機們把這公司看成慈善機構，目的是在救濟他們的，大家將每日所得的租金收入，以多報少，相予中飽，而汽油大量消耗如常。蓋台北的出租汽車，依法不許停在路邊招徠顧客，只能在馬路上逡巡不停的行進着，所以，司機報告空車清淡，而汽油照樣消耗，公司的人亦沒法證明他是舞了弊。如是乎，美島公司祇好及早關門大吉，損失了資金八十萬元，原來的一番美意熱忱，付諸流水了。

南京東路的餐廳開業之前，仍請蔣主任命名，他恍於美島公司的覆轍，乃選用「欣欣」二字，說是這兩個字的招牌，無論直寫也罷，橫寫也罷，一路人向左看，或向右看，總是不會發生其他錯覺，將來如果生意不佳，亦與名稱無關了。

諸葛文侯曰：「美島」名稱之迷信，固屬無稽，寧曰鑑於美島公司之失敗，卽知好人好事之難作，滋可慨也！

美妹

羅雪家著

「好！請聽着：錢也是我幫傭的那家老闆娘給的。」去觀音的住處，就是她幫傭過的老闆娘賴香蓮的姐夫家。這一點她早告訴過健文的，所以她只須簡單地這樣輕描淡寫一句，健文就應該完全明白的。

偏偏是他却聽不明白，他追問：「她爲什麼給妳這樣多錢？」

「因爲她錢多呀！」

「錢多？」

「唔！」

「錢多的人多啦！銀行的總經理，汽車廠的大老闆，錢不是更多嗎？爲什麼沒有隨便就送給人？」

「另外是因爲她特別喜歡我、同情我。」

「喜歡與同情是可以構成濟助妳的條件的，但數目也不可能多。最多只有幾百元。總不會幾千元吧？」

「可是她就給了五千元！」她很自滿地回答。

「五千元？難道是預付僱用妳工作一年的薪金？」

「她才不是這個意思咧。」

「是什麼意思？」

「她說我離家出走自謀生活不易，所以介紹我到她的親戚家去暫住一下，以躲避風頭。然而處處還是要花錢的，所以就送給我五千。」

「那她眞是人間的觀世音，姨太太中的第一號好人了。」

「我也這樣想。」

健文雖然口中如此稱讚着，但腹中有數，他覺得賴香蓮一定想在她身上動什麼歪腦筋的。由於美妹過份天眞，此時說穿也無益，不如暗中留意，並注意對她的保護好些。所以此後他就沒有再談論此事了。

搭客運公司的汽車到達觀音已是下午四時，賴香蓮的姐夫廖明德住在靠近海邊的一座平房裏，離車站有一小段路，他倆便併肩慢慢走去。

廖家的環境很不錯，屋子背向大海，兩側茂林修竹，屋前是一片種植地。當這兩個不速之客走近的時候，一條黃狗汪汪地吠了起來，接着主人廖明德走了出來。一問一答之後，主客都非常高興起來；廖明德立即把他倆延入客廳坐下，自己則忙着倒茶遞烟。

「我接到香蓮姨妹的信後，就把屋子準備好了。今天能由何先生陪同蒞臨舍間，眞是十分光榮。不過我們這裏是鄉下，沒有好的招待。只要黃小姐對我們的粗茶淡飯能夠吃得慣，那就好啦！」廖明德說：「黃小姐，請一切不必拘禮，大家都不是外人。我們是竭誠歡迎妳來小住的。希望妳就像住在自己的家裏一樣，安下心來。內人有病住院去了，家裏只有一個七歲的孩子，在國校一年唸書，我每天都得東跑西奔，家裏也正要一位幫忙的人。如果妳不嫌棄，覺得生活過得慣，那我就十分感激了。」

「廖先生太客氣啦！我來打擾你們實在不好意思。而且我也不懂什麼事，要請你多多指教。」美妹一切還要健文對主人說：「他是我的救命恩人，也是我的義兄，所以我要求他陪送我來的。」

「啊！何先生，這眞是難得，我們非常歡迎！哈哈，黃小姐住一個時期在這裏，怎麼樣？」長「不要緊的。」廖先生已不兒陪黃小姐，這裏的一切都十分謝謝你，廖先生。

「有你老兄的照料，我們還有什麼不放心。我那邊就要趕回去的，許多待辦的小事兒，明天都拜託你啦！」

「一切都好，只要何先生的美妹的信賴得過。」

「這樣也好，廖明德站起身來：「兩位請休息一回，我去街買點東西，騎車子去，很快就會回來的。」

「請便，請便。」何健文與美妹都欠了欠身子。於是廖明德推着自行車朝門外走了。（三二）

劍翹的歸宿

姿婆生

天下事有不可測料者！此塔之倒，迷信者以爲異。不意孫氏開府浙江，曹錕竊總統，適予以派任浙江督軍，後又兼閩浙巡閱使。復藉秋操爲名，直趨白門，驅走楊宇霆，在蚌埠戰役中，俘獲旅長施從濱，竟予槍決，且逞殘暴，梟首示衆。民國以來，內戰從未有如此之酷者。施氏遺族，隱忍在心，侯機報復，終於在孝女施劍翹之手，而殲彼巨兇。好殺人者，果報如此，豈亦天理所謂報應昭彰耶！

時，榮任五省聯軍統帥，坐視吳子玉在汀泗橋之敗，不予援救，似乎也是天意，以致有南昌之潰，整個坍台。也同樣逃回天津。後以靳雲鵬勸說，入法租界居士林，誦經拜佛，以示懺悔。施劍翹亦同堂皈依之人也。民廿四年十一月十三日，大衆正跪在蒲團上默誦佛經，劍翹起立，向孫氏腦部連發三槍，當場斃命。（二）

酥胸送酒歌 有序

許紹棣

報載：德蒙士城有酒吧女郎露斯者，乳峯高聳，能以酥胸代盤送酒。聯邦稅局稽查員謂酒客見此，必呵呵一笑，凡能引人發笑者，均爲娛樂，露斯須年繳娛樂稅萬餘金云。其事趣，其稅奇，賦此以寄意焉。

德蒙士城有酒吧，就中露斯胸如花。酥胸霞薰紅豆蔻，黃金髮，玉膚融透尼龍紗。酒驗迴紅豪客，黃金買笑非所惜。瑪瑙盃，百瓶急送懷抱開。世間萬事無不有，聯邦奇稅傳衆口。當壚一笑稅萬金，我有一曲爲君歌。大東小東抒袖空，嗟此理東西同不惜。露斯露斯莫怨嗟，君不聞明年太空旅行通瑤闕，嫦娥風伯愁絕，稅官有路，廳亦年年稅風月！

內政部台誌字第〇三三號內銷證

自由報

THE FREE NEWS

第五〇五期

中華民國僑務委員會頒發
台教新字第三二三號登記證
中華郵政台字第一二八二號執照
登記為第一類新聞紙類
（本週刊每星期三、六出版）
每份港幣壹角
台灣零售價新台幣弍元
社長：雷嘯岑
督印人：黃行齋
社址：香港銅鑼灣高士威道二十號四樓
20 CAUSEWAY RD 3RD FL
HONG KONG
TEL. 771726　電報掛號：7191
承印者：田風印刷廠
地址：香港灣仔高士打道二二一號
台灣分社
台北市西寧南路壹壹柒號二樓
電話：三〇三四六
台郵撥號金戶九二五二

挽救平劇厄運芻議

雷嘯岑

皮黃戲劇名藝人、中華民國戲劇協會理事長金素琴女士，最近在台灣報紙上著文呼籲「救救平劇」。她的意旨，是以台灣目前環境頗不利於皮黃劇之演出為核心問題——如沒有固定的戲院，奏演時耗費甚鉅，演員人材不集中等等。這些固然是阻礙平劇發展的原因，卻非基本因素。

時代是進化的，人類的生活情調以及意識形態，亦隨之而發生變化，藝術自無例外。譬如現代所謂畢卡索式的印象派繪畫，風行一時，若在五十年前，決不會引起別人欣賞的興趣，就是現在的人，亦多有莫名其妙者（筆者便是其中之一），但它還是流行於世，大受歡迎。我國在晚清同治年間以前，社會各界人士最欣賞崑曲和弋腔，知識份子對崑曲尤其愛好。到了光緒年間，由於慈禧太后少年時滯跡南方頗久，雅好東南地方曲調之故（慈禧入宮後，就是以唱江南小曲受寵幸於咸豐帝），在宮中設置「昇平署」，命程長庚這般演「亂彈」戲曲的伶人，入署供奉奏藝。但「亂彈」此時在社會上仍敵不過崑曲。迨庚子年八國聯軍入北京，清帝與太后西奔，昇平署無形解散了，程長庚，陳德霖，譚叫天（鑫培），楊小樓這般伶工，為着生計關係，在都城各茶園隨時演出「亂彈」的皮黃戲曲，因其新鮮而較崑曲通俗，容易瞭解，乃甚受羣眾激賞。昔人所作詠八國聯軍入北京的竹枝詞，中有「國事興亡誰管得，滿城爭說叫天兒」之句，就是描寫此時的皮黃劇的流行狀況。若就戲情和詞句而言，崑曲實在比皮黃劇高雅得多，然社會大眾此時多嗜好後者，而崑曲乃從此式微不振，使皮黃新聲風靡全國以迄今日。這就證明藝術是受着時代影響，必須適應潮流，有所改進，纔可以立於不敗之地。去歲曾在台灣紅極一時的電影片「梁山伯與祝英台」，它那種單調庸俗的黃梅調，無論如何是不及皮黃戲曲，即劇情亦不比皮黃更好，然傳座飽滿，經月而不衰。這不是跟六七十年前「亂彈」壓倒崑腔的情形，如出一轍嗎？所以，今日皮黃劇在台灣之不景氣，關鍵似不在乎是否有固定的演出場所，皮黃劇本身和一切舊有的組織方式，以及若干陋規惡習，皆已不合時宜，非改進不可了。

皮黃劇本身的改革問題，在劇情與詞句方面，以其多屬提倡忠孝節義的人生觀，沒有大事變易之必要，只把一些晦澀不通的戲詞，例如四郎探母的引子「金井鎖梧桐，長嘆聲隨一陣風」之類，加以刪訂，亦就得了。最重要是多編新劇本，而以現代社會現象為背景，對各界羣眾灌輸新知識和新觀念，以免唱來唱去總是那有限的一些舊戲，保守有餘，沒有新陳代謝作用。而演員方面亟須改革的地方，即為旦角一定要由女性飾演，生角要由男性飾演，原有那種「雄而雌，雌而雄」的方法，不合時代潮流了。關於編製，審查新舊劇本的責任，應由政府的文教機關，聘請專家學者担任，或懸賞徵求新作，多多益善，這種事情，是不能期望於民間的。演員亦須培養接班的新人，國家應該設立一間完善的戲劇學校——包括話劇與影劇——消除舊有那套個人私相授受的落伍方式，以宏造就，同時對於鼓師、琴師人才，一併留意訓育。像現時情形，掌鼓操琴的能手甚少，物以稀為貴，演員奏藝一次，鼓師、琴師每索取高昂代價，增加演員的負担，亦為使平劇趨於落寞的原因之一。

談到陋規惡習，尤非徹底整飭，不足以挽救皮黃戲劇的厄運。稍有成就的演員，首先就是講「包銀」，次則爭演出的先後，擺臭架子，妄自矜狂，不顧一切。尤其是爭演出先後、閙無謂的脾氣這類惡習，連一般票友亦普遍沾染着，恬不為怪，以致皮黃演員很難表現合作精神。毛共在大陸，常常把那些門命為頭等腳色的演員，如馬連良，譚富英，張君秋之流，發配到各個鄉鎮去演戲，他們再也不敢爭甚麼頭牌大軸的地位了。十年前，俞振飛在香港時，台灣某戲院老闆想約他入台奏藝，他索取每月八千港幣的包銀而外，更以不演勞軍戲為條件。如今他在內地為共黨服役，但得不飢餓，已算萬幸，既無所謂包銀，更沒有架子可擺了。今後平劇之演出方式，除却票友自願花錢玩票，臨時組合演員，雇用文武場面人物外，凡屬正式藝人，應以組班合作為原則，連同場面人員，一律按工計酬，憑勞取值，實行「拆帳」主義，而以合議制，於事前議定等差，根據收入，如數分攤，大家甘苦同嘗，庶幾可垂久遠。

祇要把上述改革事項做到了，即可減少演出時的若干糜費，再由政府供應廉價租金的戲院，則票價自然可以降低，而與電影院的票價相去不致甚遠，雖經常演出，亦不愁賣不起座位，業務既可持久，演員的生活亦就能夠維持。現時台灣的平劇藝員偶爾演出一次，票價最高者到二百元台幣，最低亦須三五十元，普通人即不願付出這樣大的購買力，以娛一夕的耳目之樂。影戲的本身已經威脅着平劇，加以它的票價較平劇低廉若干倍，平劇那有不陷於沒落的厄運中之理呢？皮黃若能經常演出，而觀衆亦多，民間自然就有人投資建造戲院，醵資組織戲班從事商業競爭，這時候，藝員即不愁沒有出路，也不必仰賴政府供應演出場所了。舊時平津滬漢的各個戲院，那一家都是民有的，現在台灣的影戲院亦然。這可見，場所問題並不嚴重，目前台灣缺乏平劇舞台的情形，是平劇式微的結果，而非原因。過去顧正秋在台北「永樂戲院」能夠經常演出，就因為賣得起座位，不至於付不出戲院租金，道理極其淺明。

時人亦有以國軍各單位皆設置平劇康樂隊或團，隨時公演，因而使皮黃戲在民間表現凋零景象者。實則如果不是軍中容納了若干已經成熟的皮黃藝員，今日失業的藝人必更多。假使筆者所希望的改革事項做不到，即不如由軍中的各個劇團經[illegible]

作繩自縛

自由談

可信的預言

當一九四二年二月間，正是世界二次大戰最劇烈，不知勝負誰屬的時候，中國共產黨創立人陳獨秀，曾在重慶發表了一篇「戰後世界大勢之輪廓」的文章，對於戰後世界形勢，作預言性的論斷，其中有這麼一段話：

世界還有幾次大戰，我們還不知道。所能知道的只是在戰爭的因未除去以前，戰爭的果是不能免的……我們切不可為「永久和平」「民族自決」「民族平等」「資本制度消滅」如此等等好聽的宣傳所眩惑，夢想戰後都會實現……此次大戰後，誰還要在資本制度世界，標榜和平主義的幻想，在下次大戰中，誰就是失敗者！

此外，他又認定戰後的國際局勢，將出現兩個強大的國家領導的對立集團，所有「全球各國」，皆在「同盟」或「全面合作」的名義之下，分別隸屬於這二人領導的集團之內。他這些論斷的正確性，今天大家一目了然，不差累黍，在二十多年前，就有此等真知灼見的預言，實在值得欽佩，雖[illegible]復生，亦將自慚形穢吧？

陳氏所說凡在戰後資本制度世界標榜和平主義的，在下次大戰中必然是失敗者，這一層，現時雖然尚未有事實證明；但看看美英這二大盟邦把和平主義當作延年益壽的多種維他命丸，早晚吞服不已，隨着俄帝所奏「和平共存」但曲酬歌恆舞情形，證以美國對自由世界的領導[illegible]

[illegible]是可信的！

馬五先生

今日與明日

揭開宇宙之

美國發射的「海員四號」太空船，是以探測火星為任務的。它以每小時七千里的飛行速度，按照預定的軌道前進，尚未遇到障礙。據專家報告：如果正常的飛行無阻，到明年七月可以飛到火星附近，以拍回若干關於火星狀況的照片給地球上的專家研究。

從這項飛航的里程計算數字中，即可想見宇宙之廣漠無垠，而人類乃能憑藉科學的智慧，揭開各個星球的秘密，人定勝天，信有徵也。

月球上沒有生物存在，已可認定。但火星上可能是有生物的，將來若探明不虛，西方宗教家必然大為狼狽，非將舊有的聖經扔掉不可。因為舊約上肯定的指說祇有地球上纔有生物哩！

科學昌明的結果，人類的宇宙觀和人生觀皆告變化，許多沒有科學根據的學說思想，更無存在的價值，所謂科學的馬克斯主義，尤其不值一哂了。

愚頑的教條主義者

在這人定勝天的新時代中，中國的毛共還要死心眼兒的啃住馬克斯教條不放，指摘俄共對內放棄階級專政，對外主張和平共存為修正主義，居然要想爭奪國際共產集團的領導地位，真是愚頑到了極點！

馬克斯在英倫以其貧困難堪的恨世心情，譔寫資本論的時候，他何嘗夢想到人類會有戡天縮地的原子世紀出現呢？原子能普遍發展應用於和平事業之後，生產過程中的人力勞動即可減至最低限度，所謂「人剝削人」之說，乃變成了童話，而資本論自非扔到毛廁裏不可了。修正主義正是合乎科學原則，反對不了的。

中俄共的理論爭執

俄共說：蘇俄已經沒有階級存在，共產黨蛻成了全民的黨，用不着實行階級專政了。這話頗有理由，亦不違背馬克斯的說法。至於對外主張「和平共存」，也跟史大林的「一國社會主義建設」論是一貫的，毛共指之為修正主義，真是胡扯！

蘇俄內部確實只有一個共產黨，然毛共至今還要與內部的所謂民主黨派「長期共存，互相監督」，而乃靦顏攻訐俄共不應該提倡「和平共存」政策，認為談「共存」就是修正主義，這不是怪事嗎？

在科學世紀之中，馬克斯的學說思想業已宣告破產，毛共要以教條主義來爭奪共產集團的領導權，別的且不談，只就科學程度而論，亦是不配的。

[illegible]

台省金融事業各單位營運情況仍多不合理

本報台灣中部記者 熊徵宇

訂於本月十二日開幕的台灣省議會第三屆第四次大會，在為期四十五天的議事日程內，將聽取各金融單位的事業報告，審查質詢其預算與營運情形，在重點上，有沒有配合本省的經濟狀況？是不是促進經濟的繁榮增加社會的福利？

這個問題，每年都在討論，但總不如理想。基本上，是政府在預算觀念上偏重於各行庫的盈餘繳庫，沒有達到繁榮經濟增進社會福利的意旨。因之直接影响各金融單位的成本，間接加重人民的負担，對本省的經濟建設，是一種很大的阻撓。

職權濫用 呆賬叢生

就台銀、土銀、一銀、華南、彰化、合會公司等這些金融業單位來說，營運情形，多不合理。在放款方面，往往有「特殊情形存在」，造成許多呆賬，而工商業者要求貸款，則無路可行，實在是造成培養特殊階級的一種病態，也是導致工商業者凋零倒閉的最大原因。

而各行的行政措施與營運情形胥多本諸傳統，缺乏新的觀念，日久弊生，職權濫用，使國家蒙受損失，使經濟建設停滯。這些根本上的觀念與作為上的表現，若果不能澈底改革，而要求達成的繁榮社會經濟，謀求人民福利，那是緣木求魚，勢不可得。

扼要舉出各行五十三年度的營運情形來看，就可以佐證我們的殷憂不是過份。

盈餘額高 放款量少

就台灣銀行來說，該年度的盈餘，原列一五〇、二〇九、二一三、四五元。但是經省府審核的結果，核定盈餘為二二四、六五三、七二八、八七元。增加了七四、四四四、五一五、四二元。

在營運量的存款方面，是七十一億七千二百餘萬元，較之五十二年度的法定預算數七十三億二千八百餘萬元，減少百分之二點一三。

放款六十五億五千二百萬元，較之上年度法定預算數六十七億元，減少百分之二點二一。在這種情形下，省府核定銀行部上年度的盈餘二億二千四百餘萬元，能否達到？本次議會當可獲得結論。

但是提高盈餘額，減少存款與放款數額，在扶植工商業發展社會經濟的旨意上是一種值得修正的不正常的現象。而且存款額與放款額之減少，又是否能達到省府所核定的盈餘數字繳庫？

而同時，該行之資金轉投資，截至五十三度止，已達十一億以上。以扶植生產事業之金融機關，大量投資於各公營事業機構，對於工商業的發展，當然失之正當。

土地銀行 浪費太多

土地銀行是本省農業及土地金融之專業銀行，以調劑土地農業金融，配合政府推行土地政策為宗旨。

該行的五十二年的賸餘資金，鉅達二億餘元，可以說明對於農漁業的貸款不夠充份，而長期與低利的資金貸款，不能達成農漁民從事於土地改良和發展遠洋漁業的需要。

很多事例顯示，該行對於漁農民的質押貸款，不但保證手續過份繁瑣，而以土地或漁船作為抵押者，往往估價過低。這種現象，實在沒有盡到土地銀行對於漁農勞動生產者的扶植責任。我們不了解，何以不能採行保證人的辦法？何以不能儘量放寬漁農民之小額貸款，並且准予免提供抵押品，以促進漁農之發展？

而且，由於該行為一純公營的機構，所以有部份從業人員的服務態度傲慢，不能發揮效能。

在事務費用上，每事浪費，除總行的車輛不算，各分行「營業用」之甲種車輛，數達七十二輛。而去年，又增列預算要化四十八萬，添購二輛新車。

從這一事實，可以看出這家苛於扶植漁農，厚於自己化費的銀行，在觀念意識上，是多麼的腐化了。

一銀出路 投資股票

第一銀行的業務計劃，乃上承政府的財經政策，下察工商各業資金的需要，負調度資金的使命。

該行的銀行部份，存款餘額約為十億餘萬；放款餘額，約為六億八千五百餘萬，僅估存款比率百分之六十八點五。

儲蓄部份，存款餘額十二億餘元；放款餘額十億八千餘萬元。放款佔存款比率百分之九十。但是放款資金，以儲蓄部為主，在利率未作適當調整以前，殆非一般工商業者所能負担，以致發生爛頭寸。

而現行利率偏高，以致資金無法謀求出路，因是該行提出部份資金購買股票，這種措施，對於銀行業務與股票市場，都是不正常的現象，所造成的後果，不但違反政府的財經政策，對於工商業者資金上的調度也是一種很不合理的。

拒民交易 原因何在

第一銀行，經常在擴充設備，而處分非營業用之房地產，多不公開標售，而興建之分行新址以及應有之設備，卻又未見興設，其中種種，引人疑竇。

省議會與省政府，似均失引導監督之責。比如五十二年度總行與各分行用之於添購器具的錢，就化了一百五十萬。

第一銀行從業人員在服務態度上，跟純公營的台灣銀行差不多，缺乏熱誠的精神，更有甚者，居然有部份經理拒絕民間交易，拒收民間之存欵申請與開設活期存欵戶。（上）

監察院檢討司法問題的意見

—本報台北航訊—

又第一審判決確定案件之提起非常上訴者，多屬違反票據法案件，因違反票據法案件最重本刑為一年以下有期徒刑，依法不得上訴最高法院。法院亦得依簡易程序以命令處刑，即不經通常審判程序逕以命令科處六個月以下有期徒刑拘役或罰金，被告如不於限期內（五日）聲請正式審判，此項處刑命令即與確定判決有同一之効力。向最高法院提起非常上訴之案件，即以此項處刑命令案件為最多，亦可見第一審法院對於違反票據法案件辦理之輕率。

根據台灣高等法院檢舉處統計：自台省光復起至五十一年十二月止，全省各級法院檢察處通緝之人犯總數為六萬及零六人，其中違反票據法案件之人犯共計三萬八千八百五十一人，在總通緝人犯中佔六四點七〇%。五十二年總通緝人犯為二萬九千二百六十人，而違反票據法案件之通緝人犯共二萬一千一百三十九人，在總通緝人犯中佔七二點一%，可見違反票據法案件之人犯，多未能嚴緝歸案法辦。又據該處最近統計，至本年八月底止，全省尚有通緝人數六萬零五百五十九人，較五十二年底之總通緝人數顯見增加。對社會安寧秩序之威脅極大，司法警察機關應切實查緝歸案。

台省民刑案件，近年迭有增加，而司法人員不能比例增加，因之負担過重，縱夜以繼日，仍難求收結相抵。且司法官職務重要，所有處理事項，均直接影响社會安全，人民生命財產，政府為鼓勵司法人員工作情緒及安定其生活起見，曾有司法人員補助費之支給，惟以年來社會繁榮物價高漲，所有前訂之補助標準，簡任司法官七五〇元，荐任司法官六百元，已不切實際。司法行政部有鑒及此，於五十一年七月提高司法罰金裁判費，實施二年有餘，但此項調整支給方案，仍未見提高司法人員的待遇；而其他行政人員因待遇微薄，常另立名目，有加班或研究、稽徵、勤務等各項津貼支給，而司法人員則因預算束縛及守法關係，除法定薪俸及補助費外，毫無其他變相津貼，工作繁重，收入又不足以維持仰事俯畜之需，如再遷延不決，勢將影响工作效能及司法風紀。政府應迅予解決。

至於高等法院以下各級法院改隸司法院的問題，監察院並未提出報告或檢討意見。（四、完）

台灣造船工業的展望

邱家文

台灣造船公司在殷格斯造船公司的時期，曾經有製造三萬六千噸級的油輪，和招商局二千二百五十噸級的油輪之工程的經驗，已為我國造船工業奠定良好的基礎。可是，當台灣省漁管處於本年七月間公開招標十三艘小型鋼殼的漁船時，省漁管處竟因台灣造船公司無此經驗，拒絕該公司參加投標，終由日本三家漁船造船株式會社得標承造。事實上，台灣造船公司在光復初期，即開始建造三百餘噸級的小型漁船，後因美國殷格斯造船廠來台設廠經營，方改變其業務。

台灣造船公司歷經台船而殷台的變遷，在造船的設備等，雖不能與外國造船廠相提并論，但造船的能力，和造船設備已粗具規模，建造國內的漁船，供給省內漁業界使用，早已具有豐富的經驗。只是省內漁業界人士，對台灣造船公司還未能有更深的了解與合作，政府對此似亦不無責任。

中日技術合作

造船工業是一門綜合性重工業，更是一切工業起飛的先驅，尤其造船的技術，日新月異，造船設備亦隨着年月而進展。目前在台灣建造輪船，除了設備與人力比較充裕，人工較外國的人力為低價外，造船的材料，仍由外國直接進口，如焊條，鋼板，輪船主機等重要機件等均然。日本由於戰後的鋼鐵工業之發達，設備較台灣遠為週全，二次大戰後，其造船工業，現已躍登世界的首位。

日本造船界人士，曾於去年八、九月間，有三菱造船株式會社，石川島造船株式會社等來台實地參觀，並與我國有關部門和台船公司有關方面談及技術合作造船等問題；復於本年初再度派員來台商議，其中以日本石川島造船株式會社，來往最為頻繁，因而中日技術合作造船的消息，於去年底已有所傳聞。最近中日合作造船之議，屢經與日本石川島株式會社商談結果，雙方均表滿意。上月中，日方又派員來台作更進一步的研究，預料雙方會談的協議，經我政府有關單位批准後，即可付着實施。

根據初步的協議，台灣造船公司今後在造船方面所需要的造船原料，如焊條、鋼板等，將由日本石川島株式會社供給，並加派技術人員來台協助與指導。同時台灣造船公司為培養造船技術人材，擬將原有的技訓班之設備，招訓三百名的造船新血輪，以增强造船的力量。香港金山航運公司與中國航運公司董事長董浩雲，在本年雙十國慶返國觀光時，亦計劃在台船公司原有的拆船場，投資興建一座四萬噸級的船塢，以容納台船公司的造船和修船之業務。

未來前途樂觀

台灣造船公司自民國五十一年九月間復制自營後，僅承造招商局兩艘一萬二千五百噸級的客貨輪而已。自本年四月間開始，台灣造船公司的業務，因無船可造，虧累自在意料之中。為發展我國造船的重工業，該公司將自明年度增資美金一六〇萬元，台幣三百萬元，藉以擴充該公司之設備，及添購其他主要的機具等。

台灣造船公司在新年度的業務計劃中，將為基隆港務局承建一艘挖泥船，和中國石油公司一艘五百五十噸級的載油船。另外，海軍單位亦擬交由台船公司承造十多艘小型的艦艇，與整修其他艦艇等，省營台灣航業公司，亦將委託台船公司承造一萬五千噸級的高速客貨輪，預定在明年二三月間派員往國外採購造船器材，可望於明年年底竣工交船。

台灣造船工業，光復以來歷經變易，由台船而殷台，再由殷台而台船，並從小型木質的漁船，而到鋼殼小型的漁船，再從鋼殼的漁船而改建三萬六千噸級的巨型油輪，直到現在，可以說是已渡過了重重的黑暗，而看到了一絲黎明的曙光。今後，台灣的造船工業，其遠景應是充滿着樂觀的。（下）

東西方軍備現況

祁倫

空軍——約十萬人，有飛機二四〇〇架（近日資料估計為二七〇〇架）；少數TU—4（美國B—29機改裝，作戰半徑近二千哩）可載送核彈。駕駛員約一萬名，但未充分訓練（因燃油困難）；以IL—28為主的輕轟炸機構成其主力；米格15，17，為戰鬥機主力，19及21型米格機為數極少。

附庸軍力

北越一千七百萬人口中有二十七萬人，十五個師；補助兵力約十萬人。

北韓一千萬人口中有陸軍三十八萬人，廿六個師；空軍約五萬人，飛機一千架。

古巴七百二十萬人口約有十萬陸軍，外有二十萬男女編成的民兵；空軍以米格十七和十九為主與少數IL—28約共一五〇架；海軍有巡洋艦四艘，新式魚雷艇二十五艘以及其他小型艦艇共約九十艘。

結論

東西方軍備競賽，除可見因素外，便是尚未述及而又極為重要的傳統性新武器之發展，和核武器之加强；前者如四倍音速飛機、一分鐘致人於死的神經毒氣、遠射程大爆炸力之火藥炸彈、反飛彈之飛彈、反潛艇之潛艇等等；後者如兆噸級（十倍一億噸）核彈、轟炸衛星、偵察戰鬥衛星、死光武器、氣象炸彈等等。因此，本文所述軍備，在未來「按鈕」式新武器作戰中，又居於次要地位矣！（下）

打倒胡秋原謊話的五十個例子

李敖

一份刑事答辯狀

爲自訴人胡秋原（51）自字第九五三號自訴誹謗一案，茲提出左記共二十項之答辯：

一、關於題目「眞面目」部分。
二、關於「誣指」「幕後有共黨鼓動之團體」部分。
三、關於拿別人的話來誣告部分。
四、關於「應以妨害信用罪論處」部分。
五、關於「國共團結運動」部分。
六、關於「國民參政員」資格部分。
七、關於「重用叛國份子」部分。
八、關於「自濤」部分。
九、關於「做過共產黨同路人」部分。
十、關於「左派」「馬克斯」部分。
十一、關於「中共無罪，俄帝其罪」部分。
十二、關於「東西和平的兩大保障」部分。
十三、關於「和平運動」部分。
十四、關於「打算做共黨百姓」部分。
十五、關於「無恥」部分。
十六、關於「又講聯合戰綫」部分。
十七、關於「抗戰時與共黨諸多往還」部分。
十八、關於「在英國與共黨有過接觸」部分。
十九、關於所謂戴帽子部分。
二十、關於「稿費」問題部分。

對胡秋原故意纏訟誣控的主要部分，本已先後提出答辯及證明（四月二十九日「答辯狀」即「現代史辯僞方法論」——用「閩變」做例子；七月十五日呈堂有照片五幀及「爲『一言喪邦』舉證」等）。現在就胡秋原纏訟誣控中的一些零星小節，分別予以答辯。在答辯之前，我必須先指出胡秋原的一種心理傾向，這種傾向就是「被虐狂」（Persecution Mania，也就是[illegible]狂症，幻想的被迫害症）。這是胡秋原所以發起纏訟的基本緣故。因他過於重視自己，自高自大自我膨脹，自以爲別人要打擊他、迫害他，所以在孤獨和過敏之餘，便要尋找一個「幻想的迫害者」（Imaginary Persecutor）出來，纏來不止。我個人不幸被他選爲對象，除自認晦氣外，對他那些過度的「幻想的被迫害」詞句，只好不予作答。例如他在「補充自訴理由狀」中說「胡秋原的眞面目」一文，「全文每一字無不含誹謗毒意」，這種概括論斷是我無法答覆的，因爲根據他的這項前提，「胡秋原」三個字每一字也「無不含誹謗毒意」了，這不是很可憐嗎？同樣的，如他說我「鼓噪威脅」啦，「政治清算」啦，「想置他於死地」啦，……一切一切都屬於他的同一個心病和晴胎——「被虐狂」，凡是涉及到這類病態字眼或句型，我都一概不答覆。老實說，我不答覆是爲了他好，不答覆可以使他冷靜些，有朝一日，他也許會恍然大悟：沒有人會打擊他這樣一個官海失意和學界走板的人的！何物胡秋原？胡秋原何物？那裏值得人們打擊他呢？他們要打擊，也會選個司麥脫的，然後「收買」「文化太保」衝鋒陷陣，他們怎麼會挑中一個官海學界的落花飛絮呢？胡秋原如有這種認識和自知，那麼他的「被虐狂」，便可痊癒一大半，執筆寫自訴狀時，也自然會通順一些，明白一些，不致還是「一團茅草亂蓬蓬」了。所以這點微意，我必須先予陳明。

胡秋原前後所具列的訴訟書狀共六種，計開：「自訴狀」、「補充自訴理由狀」、「自訴續狀」、「追加自訴理由狀」二種、「刑事自訴綜合理由狀」。在他「被虐狂」尚未痊癒前，他具狀自然語無倫次，內容混亂。我答辯時不得不予以分類綜合，分做二十個項目，然後一一駁斥於下：

1 關於題目「眞面目」部份

胡秋原在「補充自訴理由狀」中說「胡秋原的眞面目」一文，「其標題根本即是誹謗，毋待評論」。其實這眞是他的淺見！蓋「眞面目」一詞，本出自蘇軾的「題西林壁」詩：

「橫看成嶺側成峯，遠近高低各不同（別作「無一同」）。
不識廬山眞面目，只緣身在此山中」。（一）

這個詞彙本身是中性的，跟「吃飯」、「睡覺」等詞彙一樣，本身並沒有善惡褒貶可言。李日華「六研齋三筆」卷四中，有下面的話：

「眞面目，握眞鏡一照便見。若入沉吟，呵氣滿鏡矣！何由得露纖毫？」（二）

一本最權威的漢學辭典中，也給「眞面目」下定義是：「眞相。實相。」（三）「眞面目」本義既不過如此，故以此三字爲題目，自然也是很平常的事，我可隨手舉出十六種出來：

1「蘇曼殊之眞面目」（四）
2「戴高樂的眞面目」（五）
3「賈萊古柏的眞面目」（六）
4「麗莎的眞面目」（七）
5「還復孔子本來的眞面目」（八）
6「『金花』的眞面目」（九）
7「『心鎖』女作者郭良蕙女士的眞面目」（十）
8「太空人的眞面目」（十一）
9「白宮總統侍衛的眞面目」（十二）
10「美國牛仔眞面目」（十三）
11「癌症眞面目」（十四）
12「剛果眞面目」（十五）
13「廬山眞面目」（十六）
14「試看紅樓夢的眞面目」（十七）
15「美國眞面目」（十八）
16「原子潛艇的眞面目」（十九）

此外，在文字中用「眞面目」三字，而無誹謗意味者，亦極多：馮自由（二〇）、胡適（二一）、梅光迪（二二）、左舜生（二三）、林語堂（二四）、黃嘉德（二五）、孫德中（二六）、「時與潮」（二七）等，皆有文證。

至於我個人，連用「眞面目」這一詞彙，或早在寫「胡秋原的眞面目」之前（二八），或同時（二九），或連續使用（三〇），或自用（三一），足證我壓根兒未把「眞面目」三字做「誹謗」字眼。

何況胡秋原自己，也用過這三個字，他曾寫過這樣的話：

「在不害他人範圍內以眞面目生存。」（三二）

由此可見，「眞面目」三個字，實在沒有什麼值得大驚小怪的地方，胡秋原因爲他的國文程度跟別人不一樣，所以才據此來告人，實在禁不得一辯。

證（一）蘇軾「東坡集」卷十三。
證（二）李日華「六研齋筆記」（有正書局版）。
證（三）諸橋轍次「大漢和辭典」卷八。
證（四）馮自由「革命逸史」第一集。
證（五）劉濟生編「當代名人剪影」。
證（六）「自立晚報」五二年二月十六日。
證（七）「徵信新聞」五二年五月十五日。
證（八）李樸生「回國升學五十年」。
證（九）趙尺子「反共抗俄經驗談」。
證（一〇）「時與潮」第一七一期。
證（一一）「今日世界」第一五七期。
證（一二）「時與潮」第八六期。
證（一三）「今日美國」。
證（一四）李士偉譯「癌症眞面目」。
證（一五）「自由談」第十四卷第三期。
證（一六）張忠建「東南小品」。
證（一七）「作品」第十期。
證（一八）「今日世界」第一八一期。
證（一九）「今日世界」第一二三期。
證（二〇）馮自由「革命逸史」第一集。
證（二一）胡適「短篇小說第二集」序言。
證（二二）梅光迪「梅光迪文錄」頁三一。
證（二三）左舜生「近三十年見聞雜記」五。
證（二四）林語堂「給玄同的信」（十四年「語絲」一）。
證（二五）黃嘉德譯「蕭伯納傳」頁五四。
證（二六）孫德中「紀念胡適之先生逝世週年」（「文星」第六五期）。
證（二七）「時與潮」第七九期「梁肅戎言論官司開庭」。
證（二八）李敖「充員官」（五十年四月三日「中華日報」）；「爲『播種者胡適』翻舊賬」（五十一年三月一日「文星」第五十三期）。
證（二九）李敖「對『徐樹錚先生文集年譜合刊』的批評」（五十一年十月一日「傳記文學」第一卷第五期）。「胡秋原的眞面目」也是十月一日發表的。
證（三〇）李敖「澄清對『人身攻擊』的誤解」（「文星」第六十期）。
證（三一）李敖「十三年和十三月」（「文星」第六三期）。
證（三二）胡秋原「論道德」（三十五年六月一日「當代」第四期）。

2 關於「誣指」「幕後有共黨鼓動之團體」部份

胡秋原在「自訴狀」中說我「誣指該會（國際和平運動大會）爲『幕後有共黨鼓動之團體』」，實在莫名其妙，因爲他所控我「誣指」的語句（括號分），正是他自己寫的話：

「離開俄國後，我仍回英國。當時有『國際和平運動大會』（即中國之『國際反侵畧運動』），幕後有共黨鼓動，但不完全是共黨。王禮錫兄和我常參加，鼓吹抗日。」（三三）

這裏「幕後有共黨鼓動」一句，正是文法學上的形容詞片語（Adjective Phrase），用來形容專有名詞「國際和平運動大會」（即中國之「國際反侵畧運動」）的。這在文法的圖解表明（Sentence structure is shown by a diagram）上，可分解爲：（一）

寫君續夢

第十五回：
平等難期　一夫翻地軸
自由何價　萬衆擲頭顱

陶鑄說道：「辦法是不錯，只是派誰去宣慰暴民呢？」未等別人開口，趙紫陽搶着道：「我提議派曾生同志。」曾生再也忍不住了，問道：「爲什麼派我去，請你說說理由。」

趙紫陽一臉奸笑說道：「理由可是多了，第一、你是廣州市長，是本市最高領導人。」

曾生冷笑道：「今天在座開會的同志，誰的地位不比我高，怎麼就把我當作最高領導人呢？」

趙紫陽說道：「我是說的廣州市，不是說的廣東省，就廣州市而論，當然你的地位最高。」

曾生說道：「就是說廣州市吧！市委會也還有第一書記，第二書記，那裏就輪到我了？」

趙紫陽說道：「書記只管黨務，暴民騷動是屬於行政範圍的。」

曾生說道：「不論什麼範圍，也全是由黨領導，我們的政策不是强調書記掛帥嗎？」

陶鑄說道：「目前不必苦爭這一個問題，紫陽同志剛說了第一個理由，我們讓他說一說第二、第二的理由是什麼？」

趙紫陽說道：「第二曾生同志是本地人，暴民都是廣東人，一打鄉音就感到親切，自可大事化小，小事化無。」

曾生搖頭說道：「這個理由我不能同意，誰都知道廣州人民最怕外省幹部，只要一聽到河南口音，就嚇得骨軟筋酥、相信你去到車站在擴音器前一呼，馬上暴民就嚇得東奔西逃了。」

趙紫陽說道：「假若他們知道怕，也就不是暴民了，我看還是你去妥當些。」

陶鑄擺手道：「你們兩人不要爭，紫陽同志再講講第三個理由是什麼？」

趙紫陽說道：「第三個理由更具體，曾生同志當過縱隊司令，指揮過大兵作戰，眞的暴民不服，他也可以指揮公安部隊同人民警察大舉鎭壓，我就沒有這個材料了。」

趙紫陽說過，陶鑄帶頭鼓起掌來，其他的人也一齊跟着鼓掌，就算通過。

陶鑄說道：「紫陽同志第三個理由最重要，對付暴民非用武力不可，這一點就必須曾生同志出馬，因爲在座的只有你是軍人出身。」

曾生明知道陶鑄同趙紫陽合謀整他，但是，陶鑄一旦同意就是黨的決定，沒有反抗的餘地，當時强抑住滿腔悲憤，說道：「既然組織上決定要我去，不去也是不成的，不過，這次對付暴民可能眞要用武力，黨委會一定要授權我能調動部隊才可以，否則我自己被亂民打死事小，影响了黨和政府的威信事大，希望領導方面還要多想一想。」

陶鑄說道：「當然可以調動隊伍，你願意調動那一部份都成，我代表中南局授權給你。」

曾生還未開口，趙紫陽又搶着說道：「話雖然是這樣說，不過也應該先禮後兵，假若暴民能被說服，各自回鄉生產，就不必動用武力，我建議最初還是由曾生同志去說服，暴民眞的暴動時再調動隊伍。」

（三九八）

冒險犯難記

鄧文儀

軍隊叛變，政治部主任應負責任；兵變前我雖對上級作了報告，但並未能迅速採取行動，以致作了幾天軟禁的俘擄，及落荒而逃回的歸俘，未受處分，尤其可恥。幸而幾個月後回到南京，會受總司令輕微的面責說：「無論如何，軍隊叛變，總證明你這個政治主任不行」。這樣受了最高統帥的評責，我的良心才稍覺安慰。

四十一、書記要忍受艱苦

我在豫西戰役遭逢兵變，受到等於俘擄的待遇，脫險回到武漢之後，心灰意懶，慚愧之餘，頗想呈報總政治部自請處分之後，脫離軍職，繼續讀書深造，或赴日本留學，或改行致力文化出版工作。所以先回到湖南澧陵家鄉，休息了兩個月，和父母團聚過春節。但當我於民國十八年春由家鄉到達南京，正籌措旅費擬去日本之前，總司令召見我，詢問我的近況，何以豫西戰役之後，不早去見他？我將豫西兵變經過簡略呈述之後，除請求處分之外，擬請准去日本留學。總司令責備我說：軍隊叛變，政治部主任應負責任，證明你不行」。我當時回答說，正因爲我不行，年輕識淺，担負重大責任，實難勝任，所以想再讀書深造。總司令說：「你要讀書就是不行，爲什麼不作事情？不允所請。你可聽候命令」！過了一個星期，我接到總司令部的委任狀，總司令派我担任隨從書記。我接到命令，眞是啼笑皆非，因爲我的文字不好，字尤其寫得很差，要當書記，實在強我所難。想了幾天，又沒有理由說不幹，祇好勉強到職。我的工作是負責記錄及整理總司令的講演言論文稿，因爲另外有一位速記林春華同志，他將速記記錄交我整理之後，再送總司令校閱，然後決定印發或擇要撰成新聞發佈。這項工作甚是簡單，抑很困難，我祇有用學習的精神勉力以赴。

這時我的軍階是中校，待遇每月爲一百七十元，作了三年的少將上校軍階，忽然降爲中校，待遇給予甚差，到無所謂，沒有助手及副官，衛士勤務人員，一切都要自己動手的生活，眞是一大難題，俗語說：「由儉入奢易，由奢入儉難」，過去三年個人的生活，過的比較也可算是高官厚祿生活，現在要過低位薄俸的生活，比「由奢入儉難」還要更難。後來更有一件出我意料之外的事發生，就是十九年夏天，我們隨從總司令到隴海路參加討伐閻馮叛逆的中原會戰，這時我們常在徐州及隴海沿綫火車上居停，有一次在徐州，侍衛長王世和同學約我去打麻將，打了一個通宵，使我輸了將近一千元，以後每月在我的薪俸內扣還一百元。（六八）

滿廬醫談會

英雄與懦夫

諸葛文侯

英雄與懦夫的區別，不在其志願之大小，事業之成敗，聲望之高低，學問之深淺；而在其信仰堅定，胸懷磊落，於危難困頓之中，生死須臾之際，亦能不屈不撓，無憂無懼。項羽敗困垓下時，不願聽從舟子的勸慰，潛渡江東，負隅徐圖再起，而對着故人的子弟表示自殺，希望他取得自己的頭顱以博上賞，視死如歸，臨難不苟，這總是英雄氣概。

在近代世界各國的著名政治人物中，我認爲希特勒可算是英雄好漢。他於柏林被盟軍圍攻，旦夕即將陷落的緊急情勢之下，決心自盡以殉職。臨死之日，先在地下室跟情婦舉行正式婚禮，誓作同命鴛鴦，然後走出外面，向一羣久共患難的親信人員，一一握手告別，并且叮囑他們，務須將自己的屍骸徹底焚燬，不要遺留一點骨骼以落入敵人之手。於是乎，從容走入地下室，用手鎗擊斃新婦後，立即舉鎗自戕。站在外面的左右親信，聽得鎗聲，急馳入希特勒密室內，把尸體搬到地面，付諸烈燄中，迨俄軍到來搜尋時，只剩下幾片牙齒而已。慷慨捐生易，從容赴死難，希特勒這種作風，能說不是英雄行爲嗎？以視戈林之流，呆在紐倫堡囚獄中，等到盟軍的國際法庭，宣告對他執行絞刑時，纔咬破那預藏在口中的綠化鉀毒藥自殺，其勇怯爲何如也？

與希特勒同時著稱於世的意大利法西斯首相墨梭里尼，却是個十足的懦種。他在二次大戰末期，曾被國內反法西斯游擊隊捉去繫囚着，經希特勒派飛機於黑夜中，把他救出之後，還要貪戀棧豆，昧於大勢。迨盟軍全綫崩潰了，遂攜同情婦，挾着大量珍寶逋逃，潛行到米蘭地方，又被游擊隊指認拘捕，將他吊在樹上，以皮鞭鞭之，他竟再三告饒，請求釋放，許以重路，結果被打死在米蘭市上，曝屍示衆，沒人收殮。當他聲勢煊赫之秋，予智自雄，睥睨一切，儼然豪傑之士，而臨難受辱，乃不及普通一個婦人女子的節烈，不亦大可鄙乎！

日本人素以武士道精神著稱，動則表示切腹自殺的行動，然二次大戰結束時的內閣總理東條英機，以陸軍大將之資，竟靦顏甘爲懦種，極盡貪生怕死的醜態。日本宣佈無條件投降後，他常常接得外來電話，質問他「爲何不自殺？」他深感慚恧之餘，亦曾舉鎗自殺一次，但非傷及要害，未能致命，亦就泰然自若了。他如其眞有必死之心，縱然有人晝夜監視着，亦不難遂行其志的。可見他之假意自殺不遂，旨在擁塞外間的責難而已。所以，後來東條與其他的甲級戰犯五六名，站在東京國際法庭上受審時，有個共同犯大川周明，即伸手頻頻猛敲東條的頭部，意在指斥他是個懦夫，丟盡了太和魂軍人之醜，不及文人出身的近衛文磨遠甚——近衛是自盡殉國的！

美妹

羅富家著

屋子裏留下他們二人。健文提議去看看海景，美妹點頭同意。這樣兩人就起身繞着屋子的左側、走到房子的後面。

「嗬！多麼遼濶而偉大的海啊！」

這時西北風正緊緊地呼嘯着，使得海那樣的焦躁而激動，彷彿是一個愛吵架摔角的孩子，但是那一份頑皮和淘氣，却永遠叫人喜愛的。就像離家出走的美妹一樣，有倔強的個性，對某些人有深刻的成見，但也有逗人喜愛的淘氣與頑皮的各種小動作。

「健文哥。」

「唔。」他伸出一隻手，搭在低首沉思的美妹的肩上：「什麼事呀？」

「明天，你眞的要回台北？」

「當然。否則我陪妳住在這裏算什麼呢？」

「不住在他們家不可以？譬如在附近另外租一間屋子，一面靜下心來寫作，一面也可以照顧到我。」她轉過臉來，凝視着他，哀求似的說：「哥哥，你看這不是很好的辦法？」

「辦法好是好，」健文考慮一下：「但這樣人家會說壞話的。現在社會上的人心非常險惡，他們可以繪聲繪影，加油加醋地說出許多無聊的話，破壞你我的名譽。」

「只要我倆眞正是純潔的，不做那些不光明的事，保持清白，又何必怕人家說呢？」

「妳是不是有些害怕？」

「怎能不？廖家的太太病在醫院，家中只有個七歲小男孩，萬一他要不規矩，那怎麼辦呢？」

「看樣子，他不會是那麼下流、無恥的人。」

「人心隔肚皮，許多人表面看來一片正經，暗地裏却專做男盜女娼的事情。誰能保證他不壞呀？」

「那麼妳的意思，是必需要我留在這裏囉？」

「假如哥哥願意幫忙的話，我希望你能留在這裏逗留一兩個星期。」

「好吧！讓我考慮，明天回答妳。」

兩人的談話，那時告一段落。健文抬頭望着那一片蔚藍，遠遠地，遠遠地展延開去，又銜接了另一片蔚藍。使他分不清海裏有天，天上有海。海裏有兩三點白帆，彷彿天上的白雲，而天上的朵朵白雲又似海中的白帆。在海天的大和諧中，他失落了自己，覺得他就是那朵雲，那一艘帆，一瞬間，那城市中給他的煩惱思慮，被海風吹得無影無踪，腦中沒有一些兒雜念，胸中不留一點渣滓。他，這時彷彿已得到了淨化。

但當他轉過頭來看時，看到的是美妹那充滿了自信與希望的眸子，他又爲殘酷的現實包圍起來。他本想嘆一口氣的——把那口久已積悶在胸中的怨氣吐出來的，可是又怕美妹誤會了他的意思。因此又把它吞下肚去。

這夜睡得很早，大概還不到八點，就都上床入睡了。美妹被安排與那小男孩睡在一起，那是客廳南邊的一間臥室，裏面有一張書桌，一張寬大的榻榻米，和一個油漆褪色了的、已經陳舊了的衣櫃。健文則與主人廖明德睡在客廳東端的臥室裏，與美妹住的房間一樣，擺設也只多了一個梳粧枱子與一個尿桶。

廖明德的妻子，除了生小蓮這一個孩子之外，還生過一男一女，但不幸都從小就夭折了。因爲婚後身體一直不太好，所以常請小妹香蓮來幫忙，直到香蓮做了高商楊光城的妻之後，這才很少來了。但香蓮與姊姊、姊夫乃至外甥間的感情，却是十分融洽的。就因爲這樣，所以她頗有把握地介紹美妹前來姐夫家住下。（三三）

我所知道的麥帥

肯寧將軍原著　徐熙光譯

他的生命，大約有四年半的時間在菲律賓渡過，三年在澳洲，五年半在日本。他一直是由家庭教師教他，但是他所懂得的仍然跟其他同樣年齡的孩子一樣多，但是他的父母親爲了使小亞瑟能受一般美國孩子所受的教育，有時會想到應該回美國居住，但是這要等麥帥自己眞的回國以後才辦得到，因爲他們一家三人會同意絕不分開。

說小亞瑟是他父親最珍愛的人並不爲過。自從小亞瑟誕生以來，麥帥只有一次爲了他的兒子影响他的工作計劃。那是幾年前，有一次小亞瑟在滑冰時不愼摔斷了手臂，雖然骨折並不厲害，但是小亞瑟住院這段時間裏，麥帥每天都要去看他一次，醫院的人員都很喜歡小亞瑟和他赫赫有名的父親，不過他們也希望他能早日出院。醫師、護士和病人發現他們很難過如平常的安靜生活，因爲每天都有一位五星的盟軍最高統帥到醫院裏來。

小亞瑟很喜歡唸書，他特別喜歡讀歷史方面的書籍。在日本的時候，他的玩伴很少，只跟幾個美國軍官家裏的孩子在大使館附近玩耍。像他這樣環境中的小孩子，通常很容易被慣壞，他是他的父母親注意到了這一點，儘量避免過份寵溺他。所以小亞瑟仍是個正常而健全的美國孩子。

麥帥在某些場合偶而喝幾杯酒，平常他是滴酒不沾唇的。他喜歡在飯後抽一支好雪茄，但是其他的時間他還是喜歡抽烟斗。他過着正常而規律的生活，所以他還有很多爲國家服務的機會，因爲他將會享長壽的。

五十三年來，他一直穿着國家的制服，其中三十三年是當將官。從一九四一年十二月一日直到一九五一年四月他離開日本，他一直是一個禮拜工作七天，從來沒有過一天的假日。

一九一八年他升任暫時准將，因爲潘興將軍認爲他有卓越的領導才能。一次世界大戰以後，他的官階並未回降爲上校，因爲他的戰績太輝煌了，他被升任爲正式的永久准將。一九一九年他被任命爲西點軍校校長。一九二五年他升爲少將。一九三〇年時他五十歲，已擢升爲四星上將並被任命爲美國陸軍參謀長。

他之所以擢升得這麼快而且被界予最重要的職務，只有一個原因，他樣樣都太好了。當時他已經是一個聰敏、能幹和傑出的將領，第二次世界大戰使他成爲舉世聞名的偉大將軍。到今天他仍然是個聰敏、能幹和傑出的將領。（七〇）

銀漢秋高憶大賢

劉豁公

「例如他教余叔岩演「瓊林宴」，出箱時作出種種瘋顚的狀態，有時特別緊張，有時非常鬆懈，有時呆若木雞，又有時活像見鬼！特別是與兩小丑「逗」的時候，要把兩條腿一伸，跌坐在木箱上，把兩手的食指和中指，分別夾起「髯口」左右的兩個小綹，眼睛跟着兩丑的提子轉動，足尖則向相反的方向轉動，眼睛左轉時，足尖即須向右，眼睛右轉時，足尖必須向左，還要做得迅速而自然，一絲不亂。這個您就是拿千兩黃金做特獎，我也沒法兒把牠做到。」

要知道「譚派名票」驗承先生係爾時「北大」教授，亦爲有數之（現時在臺之名票兼劇作家朱雍秋，就是他的門人。）他對譚劇有深刻研究。對於出箱之表情作派，自無不知之理，而他竟如此云云，足見叔岩表演之神妙，確是超凡入聖，而超凡入聖之技能，多是譚老板傳給他的。

歸納起來說，他們師生（指譚與叔岩）在劇藝上之成就，泰半得自三勝之遺產。因之老譚之「譚派」，可以說是「余派」的延長。而叔岩之作風與技巧，則是「譚派」的擴充。這雖不能概括羣衆之意見，至少在我個人的看法是這樣的。

寫到這裏，我還要補一點，那就是叔岩劇藝之精湛，雖因根基穩固，又得名師指教，加以本身之努力所致；而其得不自封，逢人求教之奮發精神，也給了他一個很大的幫助！據我所知，叔岩追求劇藝之熱忱是可佩的。他除了隨時隨地向譚老板殷殷求教外，並對當時與譚翁配戲的賈洪林、李順亭、錢金福、陳德霖、田桂鳳等，同樣的殷殷求教。例如他與桂鳳合演的「坐樓殺惜」，所有唱念作派與神情，就是田老板指導他的。至於行腔運氣之訣竅，不少得自賈李，把子武工，多爲錢氏所傳，文字音韻，完全得力於陳（彥衡）魏（鐵公）二君之教導。所以他以一藝人，能夠寫出那樣清通的信來。諸如此類，都是值得後輩效法的。（六．完）

內僑登台報字第〇三零號內銷證

自由報

THE FREE NEWS

第六五〇期

中華民國僑務委員會頒發
台教新字第三二三號登記證
中華郵政台字第一二八二號執照
登記為第一類新聞紙類
（逢星期三、六出版每星期刊半）
每份港幣壹角
台灣零售價新台幣貳元
社長：雷嘯岑
督印人：黃行審
社址：香港銅鑼灣高士威道二十號四樓
20, CAUSEWAY RD 3RD FL
HONG KONG
TEL. 771726　電報掛號：7191
承印者：四風印刷廠
地址：香港灣仔高士打道二二一號
台灣分社
台北市西寧南路青雲寺二樓
電話：三〇三四六
台郵劃撥儲金戶九二五二

論台灣地位與國際公法（上）

吳本中

在國際外交場台，特別是聯合國這一世界最大的外交舞台上，近十餘年來，常有兩種不利於中華民國的流言怪論散佈着：一為「兩個中國」說，二為「台灣法律地位」問題、或「台灣主權未定」論。這兩種邪說詖詞，起伏無常，明暗交作，此中有人，發蹤指使，而以後說尤為險惡。蓋以所謂「法理」作根據，藉為掩護前說的盾牌，言偽而辯，行僻而堅，順非而澤，將乘機正式提議於國際坫壇上，以期一逞。我們必須深切注意，籌維對策，先向世人作堂堂正正的聲明，指斥其謬妄，謀定而後動，庶不致臨事張皇，多增煩惱。

猶憶「九一八」事變後，日本軍閥製造「滿洲國」之際，在日內瓦「國際聯盟」討論中國問題時，我國代表皆一時俊彥，為國家權力而辯護，振振有詞，甚得各國人士之同情。詎日本代表松岡洋右，忽引證我政府的外籍法律顧問巴黎大學教授艾斯加拉（JEAN ESCARRA）所著「中國與國際公法」書中，有「滿洲乃滿皇室之采邑」（TERRE DE LA COURONNE），與中國內地本土合而為「君一國」等語，謂清室既不君臨中國，則其法律聯帶關係即已消失，自可獨立云云。當時我代表殊感意外之突擊，不易反攻，事後乃請顧問發表聲明，加以改正，聊作亡羊補牢之計，可見外交上勾心鬥角的一斑了。

今日情勢則迥然不同，如所謂「台灣法律地位」問題，若干年來，已成為英國政府之官式論據（OFFICIAL THESIS），對如此嚴重的問題，尚未聞我政府外交當局有一精細確切的研究方案，對世界發佈一種外交藍皮書或備忘錄，俾正國際視聽，殊堪遺憾！

爽考英國代表葛德柏，於民國五十一年——即一九六二年十二月聯合國大會席上聲稱：「台灣之主權尚未決定，隨着而來的問題，即何人應在聯合國代表台灣的問題，亦為未決定者。」（見合衆國際社電訊）似此胡言妄語，我代表亦未當場予以迎頭痛擊，不亦怪哉！遠在一九五五年二月二日，英國最權威的倫敦泰晤士報，曾發表一篇論文，主題是「台灣與中國」，副題是「法律地位的檢討」，作者係倫敦大學法學院副院長石瓦正百哥（SCHWAXz ENBERGER），他是一個頗著聲譽的國際公法學家。這文章的用意就在替英國政府「自圓其說」，要從法律上奠好學理的根基，藉以影響美國務院的決策人士。當時經此文而在泰晤士報發表意見者，尚有幾位英國國會議員和社會名流，熱烈討論，互有餘而不輟。筆者適在英倫執教鞭，曾根據自己研究所得的見解，致函石氏暨其他各主要的作者，使用謙和口吻——亦可說是外交詞令——請他們澄清幾點，表示不敢苟同他們那些說法的意思。旋得石氏覆函有所詮釋，但囑我「保密」（Confidential），故未便公開其內容，然彼在泰晤士報所刊載的論文，固可介紹於國人，俾資警惕，然後闢其謬妄焉。

按照石瓦正百哥的文章，認為在國際公法上，台灣地位可分四點來檢討：（一）一八九五年中日簽訂的「下關條約」，中國割讓台灣於日本，此約的效力不能因所稱「侵略戰爭」而受影響；一九四三年開羅會議宣言有關台灣者，只能說是「追溯過去事件的一種道德譴責」（A Retrospective Moral Condemnation）而與國際公法無涉。（二）即進一步而言，開羅會議所獲諒解有關台灣部分者，僅限於中、美、英三國表示「意思」（Intention），是有意思，願望把台灣交給中國，卻不是一種既定案件；一九四五年波次坦宣言重申此項「意思」，而蘇聯既已對日宣戰，亦參加了這項「意思」；日本接受波次坦宣言投降後，中、美、英、俄四强，於一九四五年十月十五日，經過共同協議，使日軍在台灣向蔣介石將軍投降，並得遠東聯軍最高統帥部同意，把台灣的行政權「托交」中華民國政府。（三）直至一九五一年在舊金山簽訂和約，台灣的法律地位如上所述，並無變更，因為日本雖依舊金山和約而放棄了台灣，然締約的其他有關國家，對台灣卻成為「共同享有主權者」（Co-sovereigns of Formosa）。（四）此後台灣地位的法律情勢，有如凡爾賽和約後，德國在海外土地情形，或如洛桑和約後，土耳其放棄舊奧托曼帝國分離開之領域然。除非與日本簽訂舊金山和約之有關國家另有決定外，在法律上此等國家對台灣即有「共同主權」（A Condominium over Formosa）。至於此等有關國家願否實現舊有「意思」，把台灣交給「兩個中國」之中的那一個中國，乃是另一問題，縱然這是很複雜而難解決的問題。石氏結論云：「很明顯的是蔣介石將軍僅執行一個代表的職權在台灣」（原句是：What is clearis that General Chiang Kai-Shek exercises only a delegated authority in Formosa），這個職權是簽訂舊金山和約而又承認他的政府的國家交給他的。這些國家自由決定此土地的將來，可用單獨的或集體的方式，把他們的「共同主權」轉讓給聯合國」。

以上是代表一個大國政府的對台灣法律地位立場表示，完完全全不脫舊有「强權即公理」的帝國主義思想範疇，强詞奪理，淆亂是非，作為一個中國人，對此言論沒有不髮指眥裂，視為莫大侮辱的。然由於我們自己不爭氣，這類邪說竟使美國及法國人士，亦有受其蠱惑者，因而所謂「兩國中國」之說，在國際外交場合，乃成了公開進行的「陽謀」，肆無忌憚，曉曉不休，我們如其再要熟視無睹，置之不問，將來終有噬臍莫及之憂。一般人士對於外交問題，及國際公法的微妙處，或許不甚瞭解，但負責外交職務的政府當局，豈能漠不關心，而不根據法理與事實，堂堂正正的對外作嚴正聲明嗎？我們應知道，當年不同意中華民國參加舊金山對日媾和會議的就是英國，她之所以如此，真正用意決不是因為她承認了中共政權。很明顯的事實，中華民國原係受日本帝國主義侵害最烈，抗戰最久，又係與美、英、俄各國併肩作戰的同盟國家，祇要中華民國政府存在，且為國際間多數國家所承認，則無論從那方面說，中華民國政府皆享有參預舊金山和約的充分權利。

不堪入目

赤色幽靈

今日與明日

威爾遜周遊列國

英首相威爾遜接任後，一面倡導美英俄法的所謂大國高峯會議，同時走訪美國和西德，並擬訪法，同時又邀約蘇俄外長葛洛米柯來英倫作上賓，更表示願意赴莫斯科訪問。栖栖皇皇，忙於外交活動，好像這世界局勢很緊張，需要英國出來作和事佬的樣兒。

英國當前的大問題，是國內的經濟情況惡化，威爾遜舍己之田而耘人之田，所為何來呢？唯一作用就在替工黨製造聲譽，以期穩定既得的政權。

大家都知道，工黨政府在下議院僅有四席的多數，除非及早重行大選一次，現政府即隨時有滑台的危險。但，辦選舉須設法爭取多數選民的投票擁護，工黨在內政上沒法創造奇跡以博取選民喝采，只好從外交方面玩花樣，表示工黨致力於世界和平，確有成效，藉以誆得人民的信賴。如果俄酋柯錫金能在最近的將來，駕臨倫敦訪問，且能舉行英美俄高峯會議的話，我們相信威爾遜即會及早宣告再選舉的。

威爾遜之周遊列國，最大目的是要解除內政上的困難，藉外交活動作手段而已。

越南佛教徒絕食示威

越南佛教徒為着反對內閣總理陳文香，近又採取絕食示威行動，但西貢各界民衆的反應，似乎並不熱烈，今後或許不致於鬧出更大的風波吧？

過去越南佛教徒以壯烈犧牲精神反對吳廷琰，為的是吳氏有歧視佛教的行為，如今陳文香並無壓迫佛教情形，我們不明白佛教徒跟陳文香誓不兩立的原因何在？

越南內部再要不團結，徒然是替共黨開拓滲透、顛覆之路，抵消了剿共的軍事力量，最後將使越南陷於萬劫不復之境，大家同歸於盡。佛教徒的領袖誓言反共到底，絕不受共黨煽誘，然則絕食示威之舉，是亦不可以已乎？

日、韓談判前途

久已停止的日、韓媾和談判，最近又復活了。日本先以兩千萬美元貸予南韓，又以好好先生的石井光次郎担任談判代表，這表示佐藤內閣確有合作誠意，殊堪欣慰。

日、韓建交的最大障礙，就是賠償問題，漁業綫的爭執，尚在其次。日本經濟情形大為好轉了，只要在賠償問題上有所讓步，而大韓民國方面亦將其原來的要求酌予降低，其他問題自然容易解決，而日、韓建交前途，即很可樂觀了。

由南韓倡導的亞洲八國外長會議，實有必要，但日、韓若不建交，則八國文化經濟合作之說，便難實現，更不必談進一步的聯盟問題。因此，我們對於日、韓談判，寄予莫大的期望——期望它結果圓滿，進而訂立正式邦交，曷勝企幸！

談節禮

馮五先生

每年到了「聖誕節」前後，便陸續接得海內外親友們惠寄的賀柬，表示頌祝「聖誕」和新年之忱，琳瑯滿目，美不勝收。然區區常是缺之回敬之禮，這決非有意疏親慢友，矯情違俗，殆有下情待達也。

聖誕節原係西方人的宗教大典，又距離陽曆年只有幾天，因而他們乃以「With Best Weshes for a Merry Christmas and a Happy New Year」這種詞句，互相祝福，自有意義——西方人對於年節並不重視。我不是西方宗教徒，即不必效顰學步，搞這類虛偽的禮儀，此其一。吾國雖已通行公元的日曆了，但一般人還是習慣於農曆年度，民間對於公元年節，除卻少數人效法洋禮，虛應故事，對親友投寄一張賀柬外，心裏依然「當伊嘸介事」，到了農曆除夕，纔慎重其事地講究過年生活。就是政界人士亦注意舊俗，而於一年之中要過兩次新歲，何必多此一舉呢！此其二。綜此二因，我對於聖誕節，就懶得費神向親友們作敷衍的禮貌表示了。

至於賀年片，固亦未能免俗，尤其是在異地的師友長者，應該及時訊候，以示不忘。但我很少使用印好了自己姓名的普通卡片，凡屬關係較深的，每親書信札叩賀，至少亦在賀年片上簽寫上下欵的名字，表示至誠的心情，俾不流於泛泛之交的俗套。我平日對於相知的師友長官們，從不僱用書記代筆，僅僅加蓋私章，更不使用打字機，只在函尾簽上一個名字，無論怎樣忙碌，亦必親筆為之。所以，凡是接得用打字機或由書記代寫的外來信件，即視為官樣文章，而不願多所留意。這是個人的性格所在，自不必期待別人亦如此，因為談賀年片問題，故爾順便提到一下，希望至親好友都能諒解我這種殊有未合的不良習慣而已。

既非西方宗教的信徒，即不必浪擲物力人力以祝賀聖誕節；中國人每年祇過一次新歲，而不應該有「你過你的年，我過我的年」的混亂現象。這是我寫此文的用意。

屏東水利會一職員 姓劉姓黃纏夾不清

但他事實上係會長之妻弟 依法不應該在水利會供職

（本報記者屏東航訊）屏東農田水利會劉漢家爲達到欺矇上級（省水利局）之目的，不惜冒觸犯法章之危險，而採移花接木，更改姓氏的不法手段，奪取了該會事務股長的職位，猶揚言係經政府合法核准，誰能奈何我之大言，而引起多數的會員代表不滿，聲言向有關機關提出檢舉。

按藍家精當選第三屆屏東農田水利會長後，即違法引用其妻弟劉漢家爲事務股長，其秘密被省水利局揭穿的經過，曾誌本報五十二年十月十九日（第三八四期）第二版。該通訊刊出後，引起全體會員代表及地方人士重視。然藍家精并沒有因爲輿論與會員代表們的指責，而改變他違法引用其妻弟任事務股長的初衷。劉漢家更當然不願自動放棄這肥缺，於是搖身一變，於去（五十二）年七月五日被台南縣六甲村第十九鄰劉密收爲養子，並將原設在屏東縣里港鄉永春村第二鄰中山路第六十六號的戶籍，轉移到台南縣六甲村上址劉密名下，但仍以劉漢家爲名。據有關方面調查證實，劉漢家在里港鄉的財産，并未因被劉密收養而有所轉移，或辦理變更登記的手續。事至今（五十三）年二月二十四日，屏東水利會以「屏水城字第〇七七五號呈報主管官署的縣政府核轉省水局，居然由劉漢家變爲「黃漢家」。據有關主管單位稱：屏東水利會呈報劉漢家變姓爲「黃漢家」，以組員兼事務股長，是適用於「台灣省各地農田水利會」人事管理規則第九條第三欵第二項的，當時并附呈「高雄州立屏東中學畢業（該畢業證明書係劉漢家之名），戶籍謄本、收養證明書等項證明文件，省水利局始予核准任用備查的。

但據好幾位會員代表對記者說：根據劉漢家里港鄉的戶籍記載，縱然會被人收爲養子，然仍屬姓劉，而僅隔七個多月，怎麼又變成了姓黃？尤其戶籍單位的變來變去，其手續是否合法？不無值得懷疑。其次是省水利局明知劉漢家係藍家精會長之妻弟，依台灣省各級農田水利會人事管理規則第五條（四十八年六月五日修正）之規定：「水利會會長及主管不得引用配偶及三親以內之血親、姻親爲同一單位之職員。」而劉漢家僅改姓爲「黃漢家」，難說就喪失了他與藍家精的妻弟關係嗎？劉漢家不能任命爲事務股長，而黃漢家就可以任命爲組員兼事務股長？再說：根據劉漢家雖被人收養爲養子後，其身分證，（屏里永口字第〇〇九〇號）之記載，並非黃漢家，而今省水利局給與他的任命却是黃漢家，一人而擁有兩個姓，假若一旦發生事故，其法律上的責任究由劉漢家負，還是由黃漢家負呢？如果是由劉漢家負責，而省水利局的任命是黃漢家；如由黃漢家負責則台灣省的戶籍記載上并無此黃漢家，該怎麼辦呢？

據此間法界權威人士稱：劉漢家爲人收養，改姓名爲黃漢家，如果戶籍記較等均變更手續，可謂完備，依法并無不合；不過，他儘管更改姓名，易地設籍，然他仍與藍家精存在着妻弟關係，省水利局核准他的任命，顯有不當，應從速法依處理云云。（袁文德）

台省金融事業各單位營運情況仍多不合理

本報台灣中部記者熊徵宇

這種現象，不但違反銀行的經運原則而影響其業務，更令人懷疑所吸收儲蓄存欵，是否都由部份經理或總行，投之於股票市場？抑或某種企業？

政府若不責令改善，對於台灣的股票市場與工商業的萎縮，當是必然的後果！

華銀用費佔收益一半

華南銀行五十三年度的預算營運量是不理想的，在吸收游資與放欵方面，都是一種消極狀態。但是在各項費用上，却有高度的表現，總務費和管理費收支，佔營業收入總額之比率百分之五十五點十五。

這種支出，我們不了解省政府是怎樣核准的？

財政部所規定：總務暨管理費之支出總額，超過營業收入總額百分之十點十五者，應請政府嚴加稽核。而華南銀行的支出總額，居然高達百分之五十五點十五，顯明的是省政府疏於監督，有意無意，「寬容」華南銀行。但是負責審核每年度預算的省議會，不能說沒有責任。

我們希望本次大會即將進行的預算審核，修正這種支出上的浪費！

彰銀暗放私人資金

彰化銀行在台灣金融界，素以穩健著稱，所以不能發揮其營運效能。

五十二年度的營運量，每月平均的存放比率，都不到預算中的百分之七十，在本省工商業普遍發生調度不靈的時際，彰銀却擁有一筆數量相當可觀的爛頭寸。

雖然該行的營運穩健，但是從業人員與一部份工商業者，却保持有特殊的關係，所以歷年來都有很多呆賬。

在五十二年度的設備費中，雖然只有一〇、八七〇、〇〇〇元，但是購買一部小轎車就化了廿五萬。而其業務費用，比別家銀行還大，達到了營業收入總額的百分之五十三點三九。

而且聽說有部份從業人員，利用職權，以私人的資金，呼中貸放。這不但剝削行方的業務，并違反其應遵守的規則！此風不戢，後果可見！

合會資金運用不靈

台灣合會公司，五十三年度的存欵餘額，預計爲八億，但是放欵餘額，僅爲三億，比率僅及百分之四十。對於資金的運用不夠靈活。

這公司最大的問題，乃在各分公司和營業處所的負責人，都是久任，日久生弊，職權自濫，使國蒙受不小的損失。

我們希望省政府責令該公司，在不影響業務的範圍之內，作一澈底的機動性的調整。

這些省屬的金融單位，各有其病態。相同之處，厥爲浪費與營運不當，使資金的運用失之靈活，使國家蒙受損失，使工商業者缺乏扶植。諸種原因，造成經濟建設發展上的遲緩，而小本的工商業，多陷於生存的掙扎；特別是無邊際不適當的轉投資與擴充設備，使其能以在營運上求得利潤的資金，變爲消耗與浪費。

這問題，産生在囿於傳統的局部的控制資金的陳舊觀念，而缺乏配合全面經濟政策的精神，缺乏一種企業的意識，在現代經濟的原則下，在本省開發性工業社會中，是落伍的，是陳腐的。（下）

監委袁晴暉檢討教育問題

—本報記者台北航訊—

監察委員袁晴暉在監察院檢討會議上批評教育問題，他從教育預算說起，一共提了六個大問題。

袁晴暉認爲：要建立現代國家，要有新的政治作風和新的社會風氣。因此，必須揚棄舊觀念，建立新觀念。古代奉天承運的士大夫統治時代已經過去了，現在是科學民主的時代。民主政治的基本觀念：一爲人的尊嚴，一爲契約關係。人人保持其個人的人格與尊嚴，而依契約關係組織國家，同盡國民天職，這就是現代民主政治的精義。所謂契約者，即國人所共同承認之憲法與人民代表所共定之法律。倘個人尚不能保持其人的尊嚴，倘大家又不依法行事，則有何民主政治之可言？在民主國家，人民與政府的關係，沒有什麼了不起。簡而言之，乃依照契約關係各盡國民天職。關於這種基本觀念，國人多有未明，甚至民意代表，亦富有統治階級意識及氣識，民主政治之無成，此爲主要原因。我國因受數千年專制統治，士大夫形成統治性與奴隸性雙重品格，對下表現統治性，對上表現奴隸性。上諂下驕，根深蒂固。現在要倡導民治，實行民主，一且要放棄舊的觀念，以接受民主的新觀念，眞是十分困難，非洗面革心，痛下決心，不易收效。因此，要建立現代新中國，必須全體國民與政府人員，均深切了解，共同遵守，然後，民主政治方有輝煌的成就。

教育預算問題：依照憲法規定，我們的教育預算，在縣應該佔預算百分之三五，在省應佔百分之二五，在中央應佔百分之一五。而目前實在的情形，縣已經超過百分之三五，省亦已達到百分之二五；但在中央祇佔百分之二．二七，與百分之一五，相差太過懸殊。現在高等教育自然澎漲率進展甚大，科學又要加速發展，本應從速增加預算，以應實際需要，而符憲法規定。但行政院對於教育部請求增加各項預算，多批示照去年預算辦理，甚至教育部對於中央教育整個預算範圍內，亦無權支配，有所損益勻支；因此，教育上各項業務以及科學發展，受預算束縛，進展維艱。現在中央教育方面，表面上雖然澎漲，科學發展亦有相當成就，然而此種成就，除美援因素外，則爲教育界人士艱苦努力犧牲所得來的暫時成就。但此究係變態，而非常態。不能長期壓榨教育界及科學家之血汗，以支持學術研究及科學發展。而且設備不足，維持與發展都成困難，更有「難爲無米之炊」之嘆。長此下去，預算不能配合，則不特不能維持現有成果；由於經費人才兩感缺乏，大有退步之勢。如此，則學術研究與科學發展，亦徒託空言。凡是好的事物，沒有廉價的，尤其科學沒有廉價，必須出相當代價，才有良好的成就。貪廉價，討便宜，結果祇有騙了自己，害了自己。

袁晴暉認爲：中國讀書人都有書生習氣，習於「白髮三千丈」、「怒髮衝冠」、「力拔山兮」等幻想成語；又受了「明其道不計其功」，「君子諭於義，小人諭於利」等聖賢教訓的影響；因此，都不務實際，不究效果，不講數字，不講錢，這實在是最不科學，最反科學的。你天天以國家民族、以樂育英才爲己任，高喊研究學術及發展科學，但硬是不給錢，預算不配合，結果實乃摧殘學術與科學。如公教人員待遇問題，也是同一情形。天天叫公教人員爲聖爲賢，領導群倫，爲民表率；但是硬不給足夠的錢，令他生活過不去，結果大家跟着唱高調，口中喻喻有詞，高唱國家民族大義，以天下爲己任。於是，領導者倫的結果，上行下效，造成一個虛僞的社會，大家做僞君子，比小人還不如。這實在是中國文化落後，政治腐敗，科學不發達，民生難以改善的主要原因。（上）

工展首項節目揭曉

攤位賽鱷魚恤冠軍

季軍永勝恤淘大優異

振興龐然大物顯新姿

（本報訊）工展會攤位裝飾比賽，由署理工商處處長蘇弼親自主持，大會于較早時間通知各參展攤位，提早入場佈置，各攤位主人大部份親自督師，于上午九時即揭開帆幕，抹几淨枱，全體職員亦提前于九時上班。攤位中的工展小姐肅整衣冠，臨時假攤位作粧台，有濃脂厚粉，亦有淡掃娥眉。二天堂八位紅衣女郎突然改穿藍絨暗白格條新裝，鱷魚牌攤位小姐則以原來粉紅毛線編織衫裙上陣，其餘各攤位小姐一律以整齊衣裝各就崗位；在評判期間，頓呈嫣紅姹紫，鬥麗爭妍景色，無形中替本屆美麗之工展添上花團錦簇。蘇弼處長偕同評判員宋凱沙，鄧律敦治夫人，司徒偉，黃宣平聯袂蒞場，由會長黃篤修，副會長林根成，尹致中，蔡章閣，宣傳部長黃桂，攤位裝飾比賽部長楊元龍，周忠繼及會董曾金城等歡迎，大會旋即奏出雄壯工展會歌，評判即告開始。本年場地特大，各評判員足費三小時光陰始告評判完畢，計開：

冠軍：鱷魚恤。

亞軍：香港捷和製衣廠。

季軍：永南有限公司（永勝恤）。

優異獎：渣打銀行，鼎大金屬製品廠，恒生銀行有限公司，淘化大同有限公司，威馬製衣公司。

△鱷魚恤攤位獲冠軍後，不少遊客到該攤位附近注視，但見該攤位結構奇巧，一柱擎天，氣象萬千，莫不認爲評選者特具慧眼，奪標殊非僥倖。

△永勝恤攤位本屆「抛金一招」得左，攪珠盤前遊客紛至來，購者均可碰碰運氣，中彩者獲一枚金戒指，自然笑逐顏開。

△今年振興實業公司攤位設計，是一座龐然大物，有人說是太空設計，有些說像一顆火鑽石。我覺得最突出之點，是近於抽象派，倒有點美術觀感，可以說是嶄然新姿。

△昨天工展會場，有幾個遊客對語，大家爭論香港今年工廠家數，有一個說一萬，一個說七千。面紅耳熱相持不下。還是一個遊客聰明，帶他們到會場大門右便詢問處看看「香港工業進步指標」，得到結論，是今年工廠數字是八千八百家。兩個才啞口無言。

△連日許多學校的學生，由教師率領，整隊遊工展，昨爲週末，學校當局多利用假期，發動學生遊工展，故工展門前，迭見學生穿着制服，列隊魚貫而至，工展職員，忙於接待。

我（胡秋原）　參加　國際和平運動大會（即中國之國際反侵略運動）
常　鼓動
有共黨　幕後

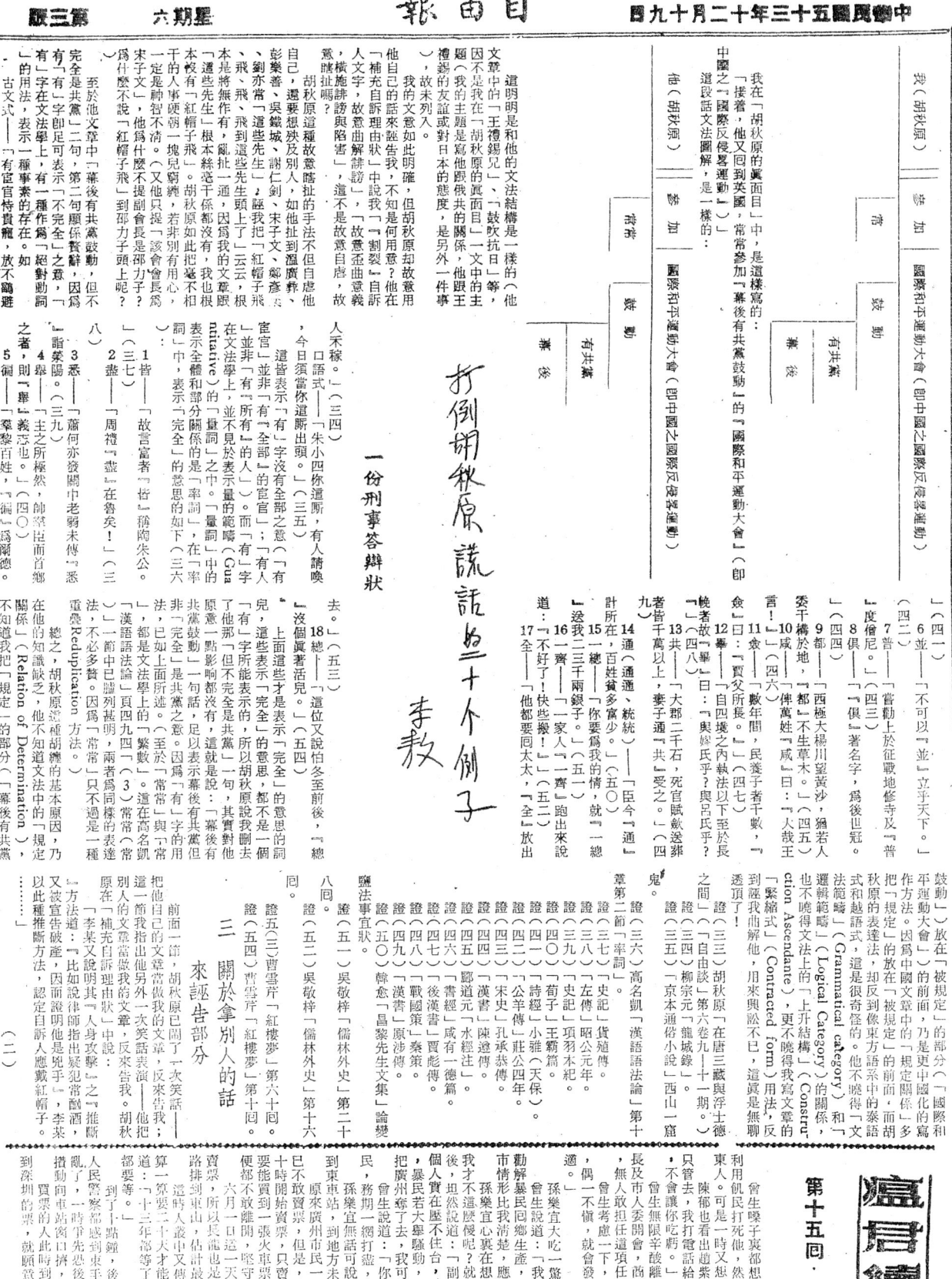

我在「胡秋原的眞面目」中，是這樣寫的：
「接着，他又回到英國，常常參加『幕後有共黨鼓動』的『國際和平運動大會』（即中國之『國際反侵略運動』）」
這段話文法圖解，是一樣的：

他（胡秋原）　參加　國際和平運動大會（即中國之國際反侵略運動）
常　鼓動
有共黨　幕後

這明明是和他的文法結構是一樣的（他文章中的「王禮錫兒」、「鼓吹抗日」等，因不是我在「胡秋原的眞面目」一文中的主題（我的主題是寫他跟俄共的關係，他跟王禮錫的友誼或對日本的態度，是另外一件事），故未列入。

我的文意如此明確，但胡秋原却故意用他自己的話來誣告我，不知是何用意？他在「補充自訴理由狀」中說我「『割裂』自訴人文字，故意曲解誹謗」，「故意歪曲意義，橫施誹謗與陷害」，這不是故意自虐，故意瞎扯嗎？

胡秋原這種故意瞎扯的手法不但自虐他自己，還要想殃及別人，如他扯到溫廣彝、彭樂善、吳鐵城、謝仁釗、宋子文、鄭彥棻、劉亦常「這些先生」，誣我把「紅帽子飛、飛、飛、飛到這些先生頭上了」云云，根本是將無作有，亂扯一通，因爲我的文章跟「這些先生」根本絲毫干係都沒有，我也根本沒有「紅帽子飛」。胡秋原如此把毫不相干的人事硬朝一塊兒窮纏，若非別有用心，一定是神智不清。（又他只提「該會會長爲宋子文」，他爲什麼不提副會長是邵力子？爲什麼不說「紅帽子飛」到邵力子頭上呢？）

至於他文章中「幕後有共黨鼓動，但不完全是共黨」二句，第二句顯係贅辭，因爲有「有」字即足可表示「不完全」之意，「有」字在文法學上，有一種作爲「絕對動詞」的用法，表示一種事素的存在。如古文式──「有宦官恃貴寵，放不竄避人不稼。」（三四）

口語式──「朱小四你這廝，有人請喚，今日須當你這廝出頭。」（三五）

打倒胡秋原謊話的十個例子

李敖

一份刑事答辯狀

這皆表示「有」字沒有全部之意（「有宦官」並非「有『全部』的宦官」；「有人」並非「有『所有』的人」）。而「有」字在文法學上，並不見於表示量的範疇（Quantitative）的「量詞」之中。「量詞」中的「率詞」，在「率詞」中，表示「完全」的意思的如下（三六）：

1皆──「故言富者『皆』稱陶朱公。」（三七）

2盡──「周禮『盡』在魯矣！」（三八）

3悉──「蕭何亦發關中老弱未傅『悉』詣滎陽。」（三九）

4舉──「主之所極然，帥群臣而首鄉之者，則『舉』義志也。」（四〇）

5徧──「羣黎百姓，『徧』爲爾德。」（四一）

6並──「不可以『並』立乎天下。」（四二）

7普──「嘗勤上於征戰地修寺及『普』度僧尼。」（四三）

8俱──「『俱』著名字，爲後世冠。」（四四）

9都──「西極大楊川望黃沙，猶若人委干構於地，『都』不生草木。」（四五）

10咸──「俾萬姓『咸』曰：『大哉王言！』」（四六）

11僉──「數年間，民養子者千數，『僉』曰：『賈父所長。』」（四七）

12畢──「自四境之內執法以下至於長輓者故『畢』曰：『與嫪氏乎？與呂氏乎？』」（四八）

13共──「大郡二千石，死官賦斂送葬者皆千萬以上，妻子通『共』受之。」（四九）

14通（通通、統統）──「臣今『通』計所在，百姓貧多富少。」（五〇）

15一總──「你要爲我的情，就『一總』送我二三千兩銀子。」（五一）

16一齊──「一家人『一齊』跑出來說道：『不好了！快些搬！』」（五二）

17全──「他都要同太太，『全』放出去。」（五三）

18總──「這位又說怕冬至前後，『總』沒個眞著活兒。」（五四）

上面這些才是表示「完全」的意思的詞兒，這些表示「完全」的意思，都不是一個「有」字所能表示的，所以胡秋原說我刪去了他那「但不完全是共黨」一句，其實對他原意一點影響都沒有，這就是說：「幕後有共黨鼓動」一句話，足以表示幕後有共黨但非「完全」是共黨之意。因爲「有」字的用法，已如上面所述。（至於「常常」與「常」，都是文法學上的「繁數」。這在高名凱「漢語語法論」頁四九四「（3）常常（常）」一節中已臚列甚明，兩者爲同樣的表達法，不必多贅。因爲「常常」只不過是一種重疊Reduplication方法。）

總之，胡秋原這種胡纏的基本原因，乃在他的知識缺乏，他不知道文法中的「規定關係」（Relation of Determination），不知道我把「規定」的部分（「幕後有共黨鼓動」）放在「被規定」的部分（「國際和平運動大會」）的前面，乃是更中國化的寫作方法。因爲中國文章中的「規定關係」多把「規定」的放在「被規定」的前面，而胡秋原的表達法，却反到像東方語系中的泰語式和越語式，這是很奇怪的。他不曉得「文法範疇」（Grammatical category）和「邏輯範疇」（Logical Category）的關係，也不曉得文法上的「上升結構」（Construction Ascendante），更不曉得我寫文章的「緊縮式」（Contracted form）用法，反到誣我曲解他，用來興訟不已，這眞是無聊透頂了！

證（三三）胡秋原「在唐三藏與浮士德之間」（「自由談」第六卷九—十一期。）

證（三四）柳宗元「龍城錄」。

證（三五）「京本通俗小說」西山一窟鬼。

證（三六）高名凱「漢語語法論」第十章第二節「率詞」。

證（三七）「史記」貨殖傳。

證（三八）「左傳」昭公元年。

證（三九）「史記」項羽本紀。

證（四〇）「荀子」王霸篇。

證（四一）「詩經」小雅（天保）。

證（四二）「公羊傳」莊公四年。

證（四三）「宋史」孔承恭傳。

證（四四）「漢書」陳遵傳。

證（四五）酈道元「水經注」。

證（四六）「書經」咸有一德篇。

證（四七）「後漢書」賈彪傳。

證（四八）「戰國策」秦策。

證（四九）「漢書」原涉傳。

證（五〇）韓愈「昌黎先生文集」論變鹽法事宜狀。

證（五一）吳敬梓「儒林外史」第二十八回。

證（五二）吳敬梓「儒林外史」第十六回。

證五(三)曹雪芹「紅樓夢」第六十回。

證（五四）曹雪芹「紅樓夢」第十回。

三　關於拿別人的話來誣告部分

前面一節，胡秋原已鬧了一次笑話──把他自己的文章當做我的文章，反來告我；這一節我指出他另外一次笑話表演──他把別人的文章當做我的文章，反來告我。胡秋原在「補充自訴理由狀」中說：

「李某又說明其『人身攻擊』之『推斷』方法道：『比如說律師指出疑犯常酗酒，又被宣告破產，因而證明他是兇手』，李某以此種推斷方法，認定自訴人應戴紅帽子。……」

（二）

瘟君續夢

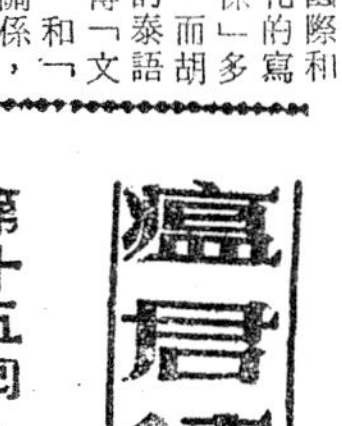

平等難期　一夫翻地軸
自由何價　萬衆擲頭顱

第十五回

曾生嗓子裏都想冒出火來，他知道趙紫陽是用的借刀殺人計，利用飢民打死他，然後再去殺死飢民，一石兩鳥，反正死的都是廣東人。可是一時又想不出理由反駁，站在那裏只是發怔。

陳郁也看出趙紫陽的陰謀，大爲不平，當時向曾生說道：「你只管去，我打電話給黃永勝準備好部隊，有一點風吹草動就趕了去，不會讓你吃虧。」

曾生無限辛酸離開了省委會回到市人民委員會，當時召集副市長及市人委開會，商量勸服飢民回鄉生產的事，大家聽說一齊搖頭，無人敢担任這項任務。

曾生考慮一下，指着副市長孫樂宜說道：「這件事情十分重要，偶一不愼，就會發生大麻煩，我看樂宜同志還是你去一趟比較合適。」

孫樂宜大吃一驚，說道：「這麼多人，副省長怎麼要派我去。」

曾生說道：「我已考慮清楚，省委會指我是廣州市長，要負責勸解暴民回鄉生產，不過我還隔一層。你是主管公安的副市長，本市情形比我淸楚，應當由你出馬才是。」

孫樂宜心裏在想上級叫你去，你向我身上推，要我作替死鬼，我才不這麼傻呢？就是下刀山油鍋，也非拉你作伴不可，拿定主意後，坦然說道：「副省長既然指定我去，我決不推辭，不過，我一個人實在壓不住台，請副省長隨後就要跟來，否則我一人支持不住，暴民若大舉騷動，整個廣州市內到處都是國民黨特務，裏應外合把廣州奪了去，我可負不了責任。」

曾生說道：「你前邊走，我隨後就到，我要調動軍隊去包圍暴民，務期一網打盡，免得以後再有麻煩。」

孫樂宜無話可說，帶着公安局的幾名警衛員，一齊乘吉普車趕到東車站，到地方未下車，孫樂宜的腿就軟了。

原來廣州市民一連多日排隊在車站買票，人數越來越多，車站已不敢賣票，但是，市民之間却流傳一個消息，說是車站每天晚上十時開始賣票，只賣五百張票，香港政府限定只准五百人入境，誰要能買到一張火車票，就算逃出升了天，所以大家忍飢受餓，大小便都不敢離開，堅守着崗位排隊。

六月一日這一天下午，長龍已排到極限，因爲車站有兩個洞口賣票，所以長龍也是兩條，一條由白雲路排到東川路、一條由東華路排到東山，估計最少有六千人。

這時人叢中又傳消息，說是每天只賣三百張票，排在後面的人算一算要二十天才能買到票，但是大家仍不氣餒，許多人自我安慰道：「十三年都等了，那在乎二十天，只要有票賣，無論多少時間都要等。」

到了十點鐘，後面長龍又增加了一千多人，車站的公安部隊同人民警察都感到束手無策，由於人增加的太多太快，排隊的秩序也亂了，一時爭先恐後，原來排成一綫，此時變成了一片，只見萬頭攢動向車站窗口擠，馬上就要大亂。

買票的人此時到不一定非買到票不可，只是要證實車站確實賣到深圳的票，就願意重新排長龍，偏偏車站窗口緊閉，不肯露面。

（三九九）

冒險犯難記

鄧文儀

事實上有半年以上時間，我同我的妻子兩個人，每月僅有七十元生活費，那種困難，眞是啞子吃黃蓮，說不出來的苦。好在我夫婦「素貧賤行乎貧賤」，也就將就過去了。我認爲這是我應受的折磨，也想到這或許是蔣校長在磨練我，書記生活雖甚艱苦，我却要耐心的忍受。

隨從書記每逢總司令到各機關學校團體或紀念會集會或講演，都要隨從前往聽講記錄，因爲蔣總司令一向是輕車簡從，出門常祇有一輛或兩輛隨從汽車。

我們當書記的，自然沒有專車可坐，祇有在隨從副官或侍衛官的車子上擠着坐，時間是很急促的，說走就走，若不早作準備就趕不上車。有幾次車上的人較多，衛士不認識我，他認爲我是一個書記，不能負警衛元首兼統帥的責任，不讓我上車，或上了車又要我下來；我向他們說明，也沒有效果，眞不好受。事後受總司令責難，我又無詞以對。總司令責我懶惰，不勤於職守，我也不好說明理由。這種困難苦況，不是當事人是不能領畧的。我有很多次想辭職；有一次受了很嚴重的責難之後，因爲我的委曲無處申訴，祇有以身體不好爲藉口，不去辦公。這樣行同怠工的方法，自然內心感到十分歉疚。這樣擅離職守將近一個月再去工作時，不僅未受處分，反獲溫語慰勉，令我更增慚愧。這是我生平所遇到困難的遭遇中，最困難的一次。

四十二、創辦書店　歷盡辛酸

由於個人對文化出版事業有興趣，并且想以此項工作作爲個人終身事業，所以我在豫西兵變工作失敗，回到南京以後，即著手籌備創辦一所書店，出版叢書，同時準備創辦幾種雜誌，希望若干年後，書能隨商務印書館及中華書局之後，對中國文化出版事業有所貢獻。民國十九年春天，當我回到南京的時候，就積極籌備，約了好幾位軍校同學及大學教授和文化青年朋友聯名發起，研究出版營業計劃，取名拔提書店，立意定爲中國國民黨宣傳，含有黨的意義，是以黨員個人名義集股興辦，以五十元爲一股，希望能在最短期間募到四百股，合成二萬元，以七千元興建二層樓舖店，三千元作設備費用，一萬元作出版基金。經過三個月的奔走，已募得三百股，實收到一萬二千元。同時早已在國府路找了一塊地皮，打好圖樣，一面募股，一面興建房屋，股金集有成數時，房子也就造好了。不過在勸募股欵的時候，等於沿門托砵，向人乞討一樣，說盡了好話，受盡了諷刺和奚落，好在我已立願非把此事作好不可，一切困苦艱難，我都願承受担當起來。（六九）

赤壁譚兵

周燕謀

赤壁之戰，三國之鼎立著也。衆寡懸殊，一戰而勝，故後人美稱「赤壁周郎」。三國演義有關赤壁兵有七八回之多。建安十三年九月，曹操下荊州，劉琮畢衆降曹，劉備駐夏口，諸葛亮入吳。曹操乘勢東下，號稱八十萬衆，江表傳操致書權曰：「今治水軍八十萬衆，方與將軍會獵於吳。」而陳壽畧之，僅云「曹公得其水軍，船步數十萬」。蓋以其誇大耳。

曹操號稱八十萬者，詐孫權也，意在使其拱手稱臣耳。陳壽又於周瑜傳載：「曹公將水軍船步數十萬。」孫權傳載：「惟瑜肅執拒之議，竟與權同，周瑜程普爲左右督，各領萬人，與備俱進，遇於赤壁，大破曹公軍。」吳師僅兩萬人，乃能破曹軍八十萬衆，實不無懷疑。曹操之得劉表水軍，絕無八十萬，蓋劉表坐困犁小，更無經世之畧，其能治水軍八十萬耶？水軍八十萬，當用兵船幾何？浮長江之半亦不能載，何以爲戰？若以一當十，則吳師二萬當二十萬。最多曹軍二十萬，而實際上，吳師亦有四萬，然其用於後備補給輜重去其半矣。故諸葛亮說孫權時，亮問瑜兵多少？瑜曰「四萬」。亮曰「很少」。是吳傾國之兵不過四萬耳。周瑜程普各引軍一萬者，乃實際投入戰場之兵也。蓋三之一爲正兵，三之一爲輜重兵，三之一爲後備也。

劉備雖新敗當陽，其兵力似不及孫權，故欲依吳爲援。其實劉備之兵當不在吳之下。劉備携民渡江十萬之衆，汰其老弱可得兵二三萬人。關羽駐漢津，水軍精卒萬人。劉琦亦有萬人。合之則多於孫權。故諸葛亮與孫權一拍即合，孫權曰：「非劉使君莫與當曹操者」。此乃劉孫聯軍之證明也。

曹軍八十萬衆，恐將不過其半，可於周瑜傳中黃蓋火攻時度之可見也。瑜傳載黃蓋曰：「今寇衆我寡，然觀曹軍，船艦首尾相接，可燒而走也。乃取蒙衝鬥艦數十艘，實以薪油灌其中，先書報曹公，欺以欲作降。因引次俱前。蓋放諸船，同時發火；時風盛猛，悉燒岸上營，操遂敗退，還保南郡」。江表傳曰：「去北軍二里餘，同時發火。」其降船不過數十，發火之岸不過二里，江上焉得浮有八十萬之衆？可灼而見矣。故魏志吳志絕不言曹之兵數，而吳志言之者，蓋本曹氏之言，亦吳人夸功耳。

曹操下江南之兵，實約三十餘萬衆。其連征張繡、征袁紹、征馬超、兵皆不過數萬；今以本軍合冀、徐、荊州新得之衆，其數亦不過三十萬耳。然其間有馬步及水軍三種，非悉爲水軍也。曹操誇大以威脅孫權，孫權戰勝，吳人美之，益合其詐，以揚吳人之威也。

諸葛亮在蜀，數伐中原，全國兵數不過十二萬，而出師嘗約四萬，不能以十二萬之衆悉投入戰場。此乃用兵之原則也。曹軍（所有中原之軍）悉有八十萬，其能投入戰場者，不過三十萬衆。何況北方於時多有烽火，各地駐守之兵，焉能悉下江南？八十萬衆爲詐數，其實不及半數也。

劍翹的歸宿

婆娑生

旋即赴捕房自首，聲明爲父報仇，并出示寫好的訴狀，洋洋近五千言。捕房移交法院，判決徒刑七年。抗戰時，中樞准各民衆請求，念其孝思，予以特赦，後來棲住陪都。

劍翹在渝，據傳也有羅曼史，此無足異。惟下落何在不明。近聞國探先生言及，於勝利之第二年，伊往山西五台山出家，其廟曰碧山寺，一名普濟寺，北魏時代所建，明成化年間重修云。使劍翹如今仍活着者，亦年近六十矣。（完）

美妹

羅富家著

廖太太患的是心臟擴大、胃潰瘍等毛病。送在中壢住院療治已有相當時日，由於娘家是在醫院的附近，可以得到岳家的就近照顧，所以廖明德並不需要天天去探視太太。不過孩子在上學，自己兼有採訪工作與固定的農會業務要辦，家中沒有人幫忙照料，那總是不便的，因此也曾請過傭人。但因爲鄉村女孩子，大多不願到這種單身人家幫工，而年老的女傭他又不喜歡，於是請來的人，都幹了不久就走了，現在姨妹介紹來的，既是個含苞待放的少女，而且還是離家出走的養女，既可以解決自己人手的問題，又算是解決了人家的困難，一舉數得，何樂而不爲呢？因之，這天晚餐，他是特地去街上添了些酒菜的。他在建立「第一印象」上講，他自信是成功的。

主人睡後不久就打起鼾聲來。但健文却怎麼也睡不着。當然第一件事，是那尿桶發出的怪臭味，使他眞想嘔。如果能嘔吐出來倒也好，氣的是只想作嘔，但却嘔不出什麼東西來。事實上，他也不便眞的嘔吐起來。因爲那樣，會是多麼地失禮呢？

其次就是他自己的去留問題。住在廖家是不能的。請求廖明德在觀音地方找工作做嗎？人家會懷疑自己的用心不正，而予拒絕；或者他會以謀事太難搪塞過去。事實上在台北市找工作都困難，何況在這海邊的小村落呢。那麼該如何留下來？租間房子住下？還是索性住旅館嗎？

住旅館應該是名正言順些，問題是費用較高，三兩天倒好辦，住一兩星期那就數目可觀。自己來時所帶的二百多塊錢已花了一半，且沒有可以接濟的來源。自然，這一個辦法是行不通的。

租房子住下來，一方面寫稿，一方面照顧她，那倒是比較合算些；但吃的問題，舖蓋的問題也是件頭痛的事。自己燒飯嗎？沒有傢俱。搭房東的伙食？人家未必願意。而且人家燒的菜，也未必合自己的胃口。當然，如果人家房東同意搭伙那是最理想的，小菜吃不慣可以訓練自己，慢慢便會適應。因爲這樣總比自己動手燒飯煮菜，要好得多。

眞正的困難問題，就是自己應不應該留下來？而且，留下來又能對美妹有些什麼幫助？美妹害怕的是廖明德的乘機姦污她，而健文他所担心的除了這之外，還害怕楊光城對她有指染的野心。因爲他的太太曾給過美妹五千元，這數字不是一個小數目，如果不是受了廖明德的囑咐，就是丈夫潛在野心下的命令而給她的。否則，一個做小老婆的女人，說什麼也不可能一出手就白白送人這樣多鈔票，此外，他也害怕劉大明那小子會神通廣大地追踪前來傷害她，因爲賴香蓮、楊光城、廖明德，乃至香蓮的娘家一些人，都知道美妹的藏匿處所，劉大明極可能會找到這些綫索的。

如果自己留在觀音附近，或不時去廖家看看她，或美妹不時到自己住的地方來談談，則人家對她種種不利的陰謀與企圖，可以預先獲得若干徵候，而適時令她提高警覺，或使她採取必要措施。這樣一來，總比自己沒有在此，多少要安全一些了。反之，自己如果在台北，一切事情都因鞭長莫及，而無法加以指點與援手了。這也就是美妹想到了的，而堅決地希望自己不要離去的原因。（三四）

我所知道的麥帥

肯寧將軍原著　徐熙光翻譯

但是不管麥克阿瑟對我們有何貢獻，我們應該記得使他能夠舉世聞名的是我們。我們把他看作是個英雄和軍事天才，我們把他捧得高高在上，但是如果有一天，有人發難，攻擊他，我們又會把高高在上的他拉下來。可是麥克阿瑟仍然是麥克阿瑟，他絲毫沒有改變，改變的只是我們自己。

我們很少想到他對這種善變的待遇會有什麼反應。麥克阿瑟也是一個正常而感覺靈敏的人，他也和常人一樣無法對諂媚和斥責置之不理或不聞不問。通常的批評他可以不計較，但是惡意的批評——尤其是不公正的批評——這是會傷害一個人的，麥帥通常不願讓人家知道他受到了傷害，但是久而久之，他自然會轉而信任那些對他忠誠的人，但是如果有自私自利難以共患難的朋友，先是騙得了麥帥的信任，後來又倒回來反咬他一口，他是不會去記這些恩怨的。

有時候，我們應該靜靜反省一下我們依賴那些卓越的領導人物有多麼深，以及我們是怎麼樣在對待他們。在平時，也許我們不覺得需要他們，但是一旦到了非常時期，我們陷入一片驚慌的時候，我們就會覺得傑出的領導人物爲數太有限了。

十三、尾語

一開始，我就曾告訴讀者們，我是擁護和崇敬麥克阿瑟的人，不過在本書結束，我願在此重申，這並不影響我對他的客觀評定的立場。因爲我的客觀觀念，乃是有事實根據的。

如果有人問「道格拉斯麥克阿瑟爲國服務的表現確實非常傑出嗎？」

我的回答是：「是的」，因爲我相信有關麥帥的所有紀錄會支持我的答案。

如果又有人問：「道格拉斯麥克阿瑟爲國服務的動機是甚於他的野心還是愛國心！」

我認爲，很少有人會完全不自私地爲他們的國家服務，而絲毫不顧及他們的行動對他們自己個人的命運會有什麼影響。

我發現有一件事很有趣，那就是大部分對麥帥尖刻批評者，很少是針對他的成就，不管是過去的成就還是現在的成就。

那些專門批評麥帥的人因爲找不到具體的事實來攻擊他，於是他們挖空心思，或吹毛求疵，或無中生有，把雞毛蒜皮的小事都拿來做攻擊他的口實。他們批評他用的修辭，批評他對宗教的觀念，批評他的那頂非律賓元帥帽子。在這些批評麥帥的人之中，很少有看到麥帥本人的，跟麥帥談過話的人更是少之又少，而和他有過長久密切的過從和相處的，可說是絕無僅有了。（七一）

金門之秋

克勞

金門秋天，首先報告消息的，就是海風。從早吹到晚，呼呼的吹。把地上沙子吹了起來，把秋天也整個吹起來了。

那地上的小草，被秋吻過後，都逐漸的枯萎。草葉子乾枯，草根也乾燥，如今一點一點的，成塊的草地，已成了一片黃土。

隨着和草地同樣枯萎的，便是樹木。夏天成長的那些成熟的葉子，碧綠的葉子現在慢慢的變黃。接着被風一吹，這些葉子，也都就落在地上。我碉堡上有兩棵樹，樹葉子落的就沒有停過。我早上掃，中午掃，晚上掃，每次掃都掃得一大堆黃樹葉子。但這些樹葉子就是掃不完的。

秋來了，晴天少，陰天多。氣溫也降低。有一天，溫度低到九度。我穿了衛生衣的，還是有點冷。臉孔上也乾燥得沒有什麼水份。還是晚上就更冷了。放哨的，要穿上大衣；還把大衣領翻起來。我住在碉堡裏面，要蓋很厚的被子，周圍不通風，氣溫高的多。

我沒有到金門前，就問過曾到過金門的人。「冷不冷？」「和大陸差不多。因爲距離大陸近，就有大陸氣候。」「那我要帶毛衣的？」「那由你。不過，那裏有衛生衣褲發的。」

我怕麻煩，沒有帶毛衣，穿着衛生衣褲，這秋天都有點冷，很快就到了冬天，怎麼辦呢？我昨天寫信到台灣，叫朋友把毛衣快點寄來。

自由報
內僑警台報字第〇三壹號內銷證
THE FREE NEWS
第五〇七期
中華民國僑務委員會消核
台教新字第三二三號登記證
中華郵政台字第一二八二號執照
登記爲第一類新聞紙類
（本週刊每星期三、六出版）
每份港幣壹角
台灣零售價新台幣貳元
社長：雷嘯岑
督印人：黃行留
社址：香港銅鑼灣高士威道二十號四樓
20 CAUSEWAY RD 3RD FL
HONG KONG
TEL. 771726　電報掛號：7191
承印者：田風印刷廠
地址：香港灣仔高士打道二二一號
台灣分社
台北市西寧南路宣各本號二樓
電話：三〇三四六
台郵掛號金戶九二五二

論台灣地位與國際公法（下）

吳本中

英國無理摒除中華民國於集體對日媾和會議之外，內心上還是沿襲着過去對中國施展「分而治之」的那套策略，因而乃發出「兩個中國」的論調，又有上述國際公法學家對台灣地位所作歪曲的法律論據。他們的想法與作法，都是胸有成竹，互相呼應的，此時此事，我們決不宜再麻木了。筆者心所謂危，對於這項問題雖不能作詳盡的敘述與設計，但基於中國人民的愛國情操與民族自尊心，亦願據陳一些芻蕘之見，藉供參考。

假使中華民國政府沒有遷移到台灣來，中國大陸上沒有共黨政權之僞立，國際間就決不會產生所謂「台灣地位」問題的流言蜚語，殆可斷言。這證明今日西方人士曉曉譁咋「台灣地位」問題的動機，完全是政治作用，與國際公法不相干；他們爲要遂行其不可告人的政治陰謀，纔用抓山塞水的方法，假藉國際公法來瞎纏胡扯，企圖欺世人以無知。所以，筆者認爲這是政治性大過法律性的問題，政府應該徵辟海內外對外交與國際問題研究有素的學者專家，擬訂一種方略，製成外交文件，名爲「備忘錄」或「說明書」或「宣言」均可，正式遞交聯合國及各個友邦政府，並由輿論界廣泛的加以闡揚，使中華民族正義之聲洋溢於全球，教那些心懷叵測的國際陰謀家有所忌憚。如其專門跟他們從事於學院式的法理辯論，在外交場合中即不易收「殺敵致果」之功。若根據政治與事實來說，在地理、歷史、文化以及種族上，誰能說台灣不是我們的版圖和主權所在地呢？記得一九五五年二月四日，英首相艾登對下議院提供一件書面答覆，聲述英國政府對台灣法律地位的看法與立場，他就是依照前述倫敦大學法學院長石瓦正百哥所編造的國際公法論據，作爲英國對於台灣法律地位的官方意見，影響及於美、法各國。巴黎大學國際公法教授查禮士．盧索（Charles Rousseau）是個權威的法學家，亦爲倫敦大學法學院副院長石瓦正百哥素所敬佩之人，筆者當時曾函詢盧索，對於石氏所持台灣法律地位的論據，作何看法？他回信說：「我跟你一樣，對於石氏的論點亦有疑惑」。足見國際上的碩學通儒對我國同情者大有人在，我政府應該在美國以外的西方各國學者專家之中，遴聘一二位作爲顧問，遇有關於外交上的重大問題發生時，讓這類外籍的學者專家向國際間發表意見，其影響力比我們自己的外交部長說話還更大，何樂而不爲呢？

再就純粹法律觀點而言，前述英國學人對台灣法律地位的說法，亦是不堪一擊的。（一）我們固然依照中、日的「下關條約」，曾將台灣割讓給日本過，但一九四一年十二月八日，中國正式對日本宣戰，中國同時聲明所有過去跟日本締結的條約一律作廢，「下關條約」當然在內。按照國際公法，中國從這時候起，業經合法的把台灣主權收回了，誰也不能否認這種法理的正確性。

（二）從此以後，國際上無論發生任何涉及台灣主權的法律事件，皆不能變更這種既成事實，中國自可置之不理。一九四三年十二月一日的開羅會議宣言，英、美亦在其列，可說是涉及了台灣主權問題。但，這項宣言的意旨，乃是英、美除却承認中國對日宣戰的合法聲明而外，並加強中國對於收復台灣澎湖；以及東北各省爲敵人侵佔的領土主權之法律地位而已，那有讓別國「分享」或「共主」台灣領土權的「意思」（Intention）呢？當年參加開羅會議的羅斯福、邱吉爾和中國蔣主席三位同盟國家元首，對於承認中國收回台灣主權這回事，都是毫無保留的誠心誠意——即公法術語所謂Bona Fiade也。在國際公法上，凡屬於國際契約或信用性的文件解釋，主要原則之一就是看「承諾者」的眞正意旨如何。羅、邱與蔣主席簽署開羅宣言時，他們的意旨都是肯定的和確定的——肯定把台灣還給中國，確定中國是台灣的唯一主權者。今日簽署開羅宣言的三大人物，還有兩位健在，而英倫的大學教授竟以詭辯派的浮詞蔓語，指英美元首當年簽署開羅宣言，僅係表示「意思」而已，這不是胡扯嗎？詎艾登首相亦就拾這種浮詞，作爲對台灣法律地位的官方見解，寧不可驚！

（三）凡屬一個代表國家的政治首長，依公開而正式的手續簽署的外交文件，在國際公法原則上，都是有約束力、有效力的，尤其是像開羅宣言這類重大的外交文件，更有堅強的約束力與效力，決不能視爲一種「意思的陳述」（Statement of Intention），而於事後可以不負責任。否則堂堂國家元首或行政首長，可以隨便不遵守國際間的承諾，那還成個甚末世界呢？依此類推，則一切國際條約與協定、宣言等等，都是不足爲憑的兒戲之事，人類即非恢復到野蠻社會生活的原始時代不可了！

（四）二次大戰後，中國對台灣的處置情形，亦與第一次世界大戰後，德國與土耳其部分領土之歸宿，完全不同。我們是把被侵奪的國土，於戰爭勝利後，直接由敵人的手裏接收過來，事實上與盟邦無關，我們有自由處置權。德、土的有關部分領土，乃是於第一次大戰時期，初由協約國聯軍佔領而共管之，戰後經過「國際聯盟」改爲「委任統治地」，德、土都是戰敗國，對其舊有領土如何變更，根本沒有發言權。這種情形，能夠跟二次大戰後的台灣歸宿，相提併論嗎？

（五）英國政府事實上原已承認台灣的主權是復還中國了，試檢查英國著名的議會紀錄 Hansard（Cal 1427，一九四三年十二月十四日下議院討論開羅會議事件時，艾登外相發言的意義，即昭然可證，而艾德禮首相於一九四五年亦有同樣意義的聲明。時至今日，英國朝野人士竟不顧國際信義，出爾反爾，對台灣地位造作怪論，未免太無謂了！至於美國政府早已承認台灣爲中國領土，自不待言，一九五〇年艾契遜國務卿已有公開聲明，而一九五四年十二月締結的中美安全互助協定，即基於這種立場而然的，試看該協定第二條及第六條即很明白。

（六）舊金山對日媾和會議，由於英國的偏見，中國未被邀參加，這項會議中的任何決定，皆對中國沒有絲毫的約束能力，這是常識。英國人不自反省其出賣當年併肩作戰之盟邦的滿身慚德，而乃乘人之危，倡導台灣法律地位尚未決定之說，中國人豈能忍受嗎？此外，蘇俄并未參預

（下轉第二版）

魔與鬼

吃毒者來

今日與明日

越南的新政潮

近月來，越南的佛教徒爲着反對內閣總理陳文香，絕食、示威不已，還準備激一個和尚實行「自焚」以期聳動人心。整個政局被這般號稱爲「出世主義者」的和尚尼姑們，鬧得險象環生，危機四伏，卻說不出反對陳文香的正大理由是甚末？再要繼續胡鬧下去，越南的前途，必然不堪設想！

大概越南武裝部隊的將士們實在看不順眼了，乃採取新式的政變行動，把「國家最高委員會」的袞袞諸公，一律逮捕，其中有一個就是佛教徒的名流。這證明軍人們的非常舉動，完全是由於佛教徒之無理取鬧，激之使然的。

軍人干政原非國家之福，然和尚尼姑們同青年學生肆行干政，又是應該的嗎？假使武裝部實行「苦迭打」的目的，只在制止內亂，並無奪取政權之意，用實力來支持國家的行政首長，藉以安定政局，那是可以同情的。然乎？否乎？且看下文如何罷！

印尼將與越南看齊？

印尼的政治妄人蘇卡諾病重，據說可能下台，如果眞有此事，印尼的動亂局面，將比越南更嚴重。

蘇卡諾好大喜功，挾共黨以自重，而其才不足以濟之。國內經濟情形一團糟，民眾多在飢餓綫上，還要向外擴張，貿然用兵侵襲鄰邦，自尋苦惱，這是替共黨造機會。印尼共黨的潛勢力不小，蘇卡諾已經控制不住，他若去職，繼任者更沒法遏止共黨的釀亂行爲，內亂因之勃發。結果呢，如不出現緬甸式的軍人專政局面，就是共黨奪取政權，此外沒有第三條路可走，而蘇卡諾罪孽深重矣！

意大利總統難產

意大利國會七次投票選舉新總統，始終沒人獲得法定的當選票數，第八次票選是否成功，尚不可知。

難產的原因是四大政黨各行其是，沒法協調，可見多黨制實在利少害多，法國之前車可鑑，而意大利又有一個具有相當勢力的共產黨，這更增加政治上的困擾了。

英美的兩大黨交互執政方式，在現有的民主憲政生活中，比較是可取的制度。但兩大政黨制之所以形成，決非偶然的，目前全球各個後進民主國家，紙有日本與西德可能步英美後塵，其他都談不上。意大利恐怕會趨於過去的法蘭西那種政黨林立境況，殊可慮也。邱吉爾說過：「現行的民主政治方式，可能是最壞的，但是在新的制度未創進以前，卻算是好的。」這話很有道理，意大利總統難產的情形，只能說是例外了。

自由談

談頭銜

日本皇太子明仁最近訪問曼谷時，泰國大學擬贈以「法學博士」名譽學位，他遜謝不受，可謂得體也矣。

所謂名譽學位這類玩藝，盛行於歐美，其用意與贈給外邦人士以某大都市的「榮譽市民」相同，祇是一種外交禮儀而已，跟學問之道不相干，所以，梅蘭芳亦是美國的名譽文學博士哩！日太子明仁是個未來的皇位繼承人，他更用不着這類頭銜以增光寵，受之無益，辭之正是。

咱們中國一般士大夫，似乎不明瞭外國贈送名譽學位這項內容，竟將別人所弄的外交玩藝，認爲學問上的高貴名器，居然以「博士」自命，而於稠人廣眾之前，戴着博士帽兒，招搖過市，顧盼自雄，醜態可掬，令人齒冷。殊不知眞正的學位，是要憑學問經過專家學者考核得來的，這纔覺得可貴，社會人士稱呼你一聲「博士」，亦就泰然受之而無愧。別人送給你的一種虛名，而且是外交上的一項禮儀，乃亦像煞有介事，居之不疑，這在梅蘭芳可以這樣做，眞正的讀書人，是羞爲之的。

自從民國肇建以來，國家名器已淩亂不堪，首先是軍人群中，各級將官到處都是，既無所謂軍功，亦不講究資歷，祇要有人事關係，少將、中將頭銜，得來全不費工夫。社會人士也就見怪不怪，遇着穿軍服的人，即以「將軍」稱之。次則一些在歐美留過學的士大夫，回國來亦每以「博士」名銜相炫耀，却不明白他究竟是那一門科學的「博士」？常見報紙上列出「某某博士」的消息，即不免有些詫異，因爲不知道他所博的學是甚末也。

祇要有眞才實學，即無學位頭銜，世人亦必予以尊敬，如近代的中國學人辜鴻銘、嚴復都是留學外洋而沒有甚末博士學位的，但他們的學問不特本國人佩服，即外國人亦很稱讚。因此，我們可以這末說：凡是以學位驕人的，定係淺學之士；根本沒有學位，而冒充「博士」之徒，那就只可與梅蘭芳博士媲美爭輝了！

馮王先生

安定繁榮生產建設孟晉
台灣成投資理想地方
華僑及外國人投入工業資金 近四年中便超過美金一億元

（台北航訊）由於自由進步與安定，台灣的經濟建設與成就，有着輝煌的發展，私人企業的發展，使工業生產量在十年中增加了兩倍之多，人民生活水準也跟着大大地提高，更在舉世的土地問題沒有獲得合理徹底解決的時候，台灣的土地改革卻獲得卓越的成功，自耕農的數目增加到百分之八十五，水利的建設，肥料的生產，在十五年中糧食的增產高達一倍；農業的成功，增加了工業的成長，使台灣人民成爲亞洲地區最吃得飽，最穿得暖的驕子。

安定繁榮的後果

安定繁榮的結果，使有力量進一步的發展，因此近年來正忙於各項建設，新的水利，新的發電廠，港口和工廠紛紛地建立，交織着美麗的遠景。公路伸展深入腹地內，高山上，以便開發豐富的資源，木材和礦產。十年中保持着世界目前最高的實質的經濟成長率百分之七。工業的成長率每年高達百分之十二。更由於貿易項目的不斷增加，去年在輸出所得方面增加百分之五十。這都是有力地證明台灣經濟的力量和政治的穩定，正待開創有利的投資環境。由於種種優待與保證，正吸引着投資者的濃厚興趣，台灣勞力的低廉和動力的便宜，更是優厚的條件。運輸方面，台灣位置正好處於日本、菲律賓和香港東亞三大貿易地區海空航運綫的中心。

勞力動力皆便宜

經濟資源方面，除了低廉的勞力和便宜的動力（電力爲世界最便宜的地方，）之外，天然資源的未經墾伐的森林地帶，佔全島一半以上，對未來的開發提供最大的潛力，木材業和造紙業都有良好的遠景。另一重要的豐富資源是海洋漁場。十年中漁獲量增加了一倍多，製魚業正是目前迅速發展的新興工業。前面說過，台灣動力的便宜是世界第一的，這要歸功於水力的利用，用水力來發電當然是廉宜的可供給所需動力的一半，去年石門水庫的完成，發電設備的容量已比十年前加了三倍以上，現在已超過一百萬瓩。水力發電更將隨達見水庫的興建再增加一百萬瓩。強大的動力，提供生產的有利因素。

投資環境的改善

投資環境的改善，十多年來由於政府不斷地努力鞏固經濟基礎並盡力促進工業的成長，經過三個四年計劃以每年一億美元以上的美國經濟援助爲輔，已積極提高了公用事業的素質。如第一期四年計劃（一九五二——五六）以水力發電和灌溉工程爲優先。第二期四年計劃（一九五七——六〇）仍舊着重多目標的水利計劃，並改善運輸及工業相配合。第三個四年計劃（一九六一——六四）建立統一的單一匯率（一美元等於四十元新台幣）並放鬆貿易的管制，培育更多的投資於民營工業，公佈了優待投資的新例，向國內企業家和外國商人提供若干優待和特別服務，包括下列各項：

（一）獲准的新投資得免稅五年。

（二）減免各種商業課稅。

（三）對外人投資計劃給予匯付利潤和資本回國的保證。

（四）設工業發展投資中心幫助可能的投資人創業。

（五）劃定工業區作爲工廠的預定地。

（六）設生產力及貿易中心輔導小規模工廠提高工作效率。

（七）透過中國技術服務社提供各種合作性的工程服務。

（八）透過中華開發公司將財務援助給予民間的投資者。

改革計劃實施後

根據台灣的工業發展投資中心報告，自一九六〇年改革計劃實施以來，已有一億美元以上的國外私人資本來台從事工業計劃。此數已超過十年間的兩倍，海外華僑投資者約佔這新計劃的五分三，其餘爲美國及日本投資者所發起，可知由於商業環境的改善和各種投資的誘因，二者的反應，已明顯地看得出來。

從台灣經濟各部門的驚人進步，且以工業成長爲最足稱道，它包括了製造業、鑛業和電力，約三倍於十年前，而其中大部份是由私人發起的擴展。現在所有工業的生產量約佔台灣國民總生產的四分之一，一九五三年時僅佔六分之一。農業、林業和漁業所提供的就業方面約佔總數之半，在國民總生產方面約佔三分之一。

出口動態的成長，也至爲可觀，現在進出口總值要佔國民總生產的百分之卅五強，十年前則爲四分之一弱。而出口所得，在不到十年之中，增加了兩倍，去年第一次出現了出超的現象。結果，黃金和外匯存底自一九六三年初以來增加了一倍，目前已超過二億六千萬美元。

台灣經濟的成功，不但提供了投資的優良環境，且爲今天許多正在發展的地區所注意。土地改革的成功，得有良好的農業基礎以支持工業計劃的發展，結果，今天的台灣，已成爲東南亞生活水準最高的地區之一。

總之台灣的安定與繁榮，並由於政府的努力，正步入一個嶄新的、最有希望的發展局面，正可以經濟的成功及投資的計劃誘導更多的海外投資者源源而來。（華僑社）

賀年卡的「新聞」

（本報屏東航訊）戲法人人會變，各有巧妙不同。聖誕將臨，年關即屆，奉信洋教人士忙於備辦聖誕禮物，雖有絕大多數國人不崇洋教，但向稱禮義之邦的黃帝子孫，在此時際，亦往往給「朋友」致贈些禮物，連絡連絡感情；因此每年此一期間，商人們極盡其所能，發明大批稀奇古怪花樣百出的新玩藝兒，大展鴻圖。

此間台灣新聞報，也利用此一供求需要的機會，印製大量式樣新穎，美觀大方的賀年卡，由該報各駐在地記者，大量向各級政府機關、學校、團體推銷，稱之爲訂購「勞軍賀年卡」，實質上是推銷賀年卡，另以該報社出刊之報紙贈送購買是項賀年卡者，並由報社負責代爲將報紙寄贈前綫官兵閱讀，以作勞軍。而並非購買是項勞軍賀年卡直接作爲勞軍之用者。

據此間甚多首長語記者稱：台灣新聞報發起此項訂購「勞軍賀年卡」勞軍運動，可謂用心良苦，意義深長，確實是件値得讚揚、歌頌，熱烈響應的運動。

但又說：「省府審計處曾於五十三年六月十二日以『審處二新字第〇二七九號』代電，通令所屬各級單位，規定任何書報雜誌，不得假借勞軍名義，在各單位所編列的其他經費項目支應報銷；如有必要之勞軍經費，得由各縣市政府社會課或相同社會課業務性質單位，統一編訂預算，統籌辦理勞軍工作。」然則台灣新聞報此項辦法，是否在報銷手續能予通過？假如能不受省審計處這項規定的限制，那當然耗公帑，既贏得勞軍熱忱的美名，且又受到賀年卡致友賀年的實際利益，當然樂意爲之。萬一到時在報銷上發生阻礙呢，一途是自掏腰包，另一途是變相的假報銷。如眞的到此程度，自掏腰包當然可以，不過薪津微薄，實無必要購買賀年卡向友人賀年。如採假報銷一途，萬一被上級機關查覺，豈不要坐牢；而假如不應付，又恐開罪記者先生，那怎麼辦呢？

還有一位課長級官員對記者說：如僅新聞報一家發動這項運動，應付是絕對沒有疑問的，何況每份僅售價新台幣一元二角？不過，萬一台省大小數十家報社皆羣起效尤，最後都集中到我們這些小主官身上來了，那怎麼吃得消呢？

（袁文德）

監委袁晴暉檢討教育問題

——本報記者台北航訊——

我們如眞要救國，就要革面洗心，澈底改正過來，尤其要建立現代新觀念，要建立科學精神。是就是是，非就是非，要務實際，要面對現實，要講數字，要講錢。對於羣己權界更要分淸楚。要講權利義務，不能空口講白話，叫人去盡義務而不給與應有的待遇。因此，一切預算，都要配合實際事業需要爲基礎，不可徒唱高調，空叫口號。尤其事關百年大計的教育，預算更應切合實際，方能符合科學的精神。如眞的沒有錢，則寧可不叫不做，以免流於象徵性的虛僞形式，以免花樣多端，自我陶醉，自欺欺人，不務實際，違反科學精神。倘眞無錢做事，則倒不如返璞歸眞，政簡刑淸，腳踏實地，一步一步去做，不必多玩花樣，不必多玩政治把戲。如此，則國家或尙有希望。

惡性補習，始終未能革除。表面看來，好像教育當局對監察委員採取言者諄諄，聽者藐藐的態度。但照我所知，實在冤枉。教育當局實在已盡力而爲；但難收實效，毫無辦法，徒喚奈何。教育廳爲此會派督學到處去捉老師，令督學去做警察，老師等於小偷，以致斯文掃地，師道全無，令人慨嘆。如此教育，夫復何言。

惡性補習之所以不能革除的原因有三：一是學校不能全日上課。二爲惡性聯考競爭。但其主要原因，實爲老師待遇太低，生活過不去，藉收補習費以資維持。人爲生活而掙扎，即有其圖生存之意義與願望，何能以春秋責備賢者之態度對之？此實爲一嚴重問題。衣食足而後知榮辱，如何尊師重道，禮賢下士，使一般爲人師表之士大夫，能仰事俯畜，以保持其人的尊嚴，不致斯文掃地，以免國家百年大計之教育從根拔起，動搖國本。此實爲現在政治上之重要課題，未可等閒視之。

袁晴暉指出：教育當局三令五申，嚴禁體罰。然而禁者自禁，打者自打。上級雖然嚴禁，惡師我自爲之。教育是講理性的，是教人講理，是教人守法。今教育上違法亂紀之風氣如此，一葉落而知秋，現在社會上風氣之如此敗壞，與此實大有關係。謂之爲製造亂源之教育，誰日不宜。老師動輒打罵學生，固因現在老師品流複雜，不能循循善誘，而以打罵爲武器。由於環境不良，不能保持人的尊嚴，致不能安心教學，以致心理變態，亦爲主要原因。爲人師表者如此，國之亂萌顯露矣！憂國者能不憂心忡忡，謀國者可忽乎哉。

教育界弊案甚多，告到監察院者亦不少。教育界有此不良現象，亦非佳兆，誠令人大傷腦筋。其原因則爲法規及預算之種種不合理，致學校當局不能事事守法，日習於虛僞報銷。教育機關亦作假作僞，難以身教。可謂作法自縛，亦可謂製造違法舞弊。政治措施如此，可謂之爲製造違法舞弊之工廠。似此情形，監察委員何能爲力？亦徒喚奈何！嘗有校長公忠體國，爲學校爲老師，變法行事，反而身蹈刑章。但手段圓滑，串同謀利，應付得體者，而安享富貴。教育界充滿如此不合理。無是非之現象，欲求政治淸明，社會合理化，使國家民族走上光明大道，豈非令人有俟河淸之感。

三民主義爲治國最高原則，憲法有明文規定。有關國家百年大計之教育，列入憲法。三民主義課程，係基於憲法之根據。今教育部通令，改三民主義課程爲國父思想，不知有何根據與需要？查思想一詞，包括甚廣，有零星片段之思想，有一時之幻想，且有胡思亂想。國父雖是偉人，但不是神。凡人都會有幻想，是否；今改爲國父思想一名，是否要用括弧註明，想正當的，又是系統的，科學的等字樣。是否更要註明幻想除外等字樣。由此可知，改名之不當。（下）

論台灣地位與國際公法

（上接第一版）舊金山對日媾和會議，更無權過問台灣的歸宿問題，無待贅說了。

綜觀上述各節，足見英美人士對中國問題的思想與作法，祇是基於自私自利的企圖，要使中國「分而治之」，永遠沒法統一、强大起來，讓他們始終做着遠東人民的「太上皇」。所以，他們乃挖空心思，提倡「兩個中國」之說，而以「台灣法律地位尙待決定」來作法理根據，自說自話，請張爲幻，是可忍也，孰不可忍！最堪詫異的，就是我們政府當局對此項國際「陽謀」，迄無嚴正的聲明，但斤斤於聯合國席位問題，而不舍。假使「兩個中國」的詭計一旦得逞，我們縱然佔有聯合國的席位，亦是個無足重輕的資[illegible]了。千言萬語，先要自己爭氣，想辦法收復中原河山，苟安自娛，後患是無窮的！（完）

編者附啓：吳本中先生原稿頗長，爲遷就版面起見，原文詞句略有刪改，應由編者負責，特此聲明。

工展開幕兩星期 遊客幾達八十萬

（本報訊）第二十二屆香港工業出品展覽會於本月七日開幕，迄廿日，會期剛過去第三週；踏進第十四天以來，入場遊客人逾七十餘萬人，直逼八十萬人之數。此數字固打破歷屆入場人數紀錄，而且迸出一般參展廠商意料中的數字，亦被突破。二十日爲星期日，下午四時後，入場遊客更爲擁擠，至五時許始較疏，但七時後，回復擁擠，九時後，更現人龍，整天內工展會出現人潮，堪稱盛況空前。全日觀衆共八萬八千三百六十人。

打倒胡秋原謊話的十個例子

李敖

他所引「比如說律師指出……」等話，胡明明是許發源先生文章裏的話（五五），胡秋原又明明知道許發源是誰（他們兩人打過筆仗，會過面），他卻拿許發源的話來告我，想叫我負刑責，這真是又顢頇又荒唐的舉動！我就這點，已另提反訴，在這裏不需多辯。

證（五五）許發源「談人身攻擊」（五十一年十月一日「文星」第六十期）。

4關於「應以妨害信用罪論處」部分

胡秋原在「自訴狀」中所謂我觸犯刑法第三百十三條妨害信用罪及引用「五年統字第五〇〇〇號解釋」諸語，純粹不通，是證其雖為立法委員、立委式律師，雖另請律師二人，然皆亂引法條，不明法理。此點趙琛教授已言之甚詳：「前大理院統字第五〇〇號解釋會謂……。因當時暫行新刑律，僅有公然侮辱及損害信用之規定，本法除將妨害名譽罪析為公然侮辱罪與誹謗罪外，另設妨害信用之罪名，則信用二字，自應指狹義之經濟能力與地位而言，該項大理院統字五〇〇號解釋，在現行刑法之下，應屬於誹謗罪之範圍，不應認為損害信用也。」（五六）

證（五六）趙琛「刑法分則實用」下冊頁七五七。

5關於「國共團結運動」部份

胡秋原在「自訴狀」中強調「查當年參政會所作『國共團結運動』，乃因共黨妄提非份條件，拒不出席參政會而來，其作用在約束共產黨，使其不再破壞團結，影響全面抗戰陣容」云云。這一點，完全是他故意遮蓋歷史，試問他參加「國共團結運動」有「幾次」？共黨「拒不出席參政會」有幾次？兩相對照，可知胡秋原「參加幾次國共團結運動」的原因絕非如此簡單！因為別的參政員如何姑不論，他胡秋原之所以如此，是早在國民參政會成立前兩年就有苗頭了：

「一九三六年夏天，我離開莫斯科。中共餞行，我曾坦白告訴中共的領袖，我對蘇俄無所謂，但我相信中共很誠懇，在共同抗日事業上，我願意贊助到底，我將盡我的一點薄力，贊助國共合作。直到勝利，我是忠於這諾言的。

「一九三九年後，國民黨有人要我加入國民黨，我答應了。但我不希望國共破裂。在參政會中，我曾經參加過幾次國共團結運動。」（五七）

可見對他而言，「國共團結」也者，有他更微妙的理由在，——這是他離開莫斯科前的「諾言」啊！他「不希望國共破裂」，遠在「一九三六年夏天」，就表示過這種態度了，他當時表示「盡我的一點薄力，贊助國共合作」的話，豈不是他後來「參加過幾次國共團結運動」的基本而原始的原因嗎？難道他當時就知道他眼中「很誠懇」的中共會在五年後「一不出席參政會」嗎？所以我考證出來：至胡秋原個人，他「參加過幾次國共團結運動」的理由是別有緣故的。所以我才在「胡秋原的真面目」中說：「在國民參政會中，他『曾經參加幾次國共團結運動』，這種態度，正好是當年『聯合陣綫』的外一章。」我用的字眼只是「態度」、「外一章」等，是很考究分寸的。可是胡秋原不明白，硬是要纏訟，還要扯進張伯苓、王雲五、張君勱、左舜生諸先生，其實他們諸先生的態度、情況與原因，不但跟胡秋原不同，並且跟我的文章，也風馬牛不相及，胡秋原如何亂扯得上？即以王雲五先生而論，王雲五先生的態度、情況與原因，豈是胡秋原所亂描亂攀的？王雲五說：

「我是一個無黨派的人，而且不以參政為目的而參政；因此，我的立場向來不偏不倚。」（五八）

他又說他「絕不左右袒」，所以曾惹得「中共參政員」「銜我極深」，而「另一方面，則國民黨中也有若干人……不很滿意。」但他是「完全出自真心與誠意」說話，並且也只是就「共產黨不出席參政會」一事上表示意見而已，真正參與接洽行動的是黃炎

一份刑事答辯狀

培、張瀾、沈鈞儒、羅隆基、鄒韜奮等人，與王雲五先生根本無涉，而胡秋原在「自訴狀」中說「如此莊嚴神聖之團結運動，竟被指為當年搞『聯合戰綫之外一章』」云云，也純是他瞞天過海的手法！因為黃炎培、張瀾、沈鈞儒……之流會搞什麼胡秋原所謂「約束共黨」的「莊嚴神聖之團結運動」嗎？而王雲五先生又何嘗參加過這種所謂「莊嚴神聖之團結運動」？何況一個運動，參加者的態度、情況與原因是多不相同的：同一運動，張伯苓、左舜生等份子參加，動機是「書生報國」；黃炎培、張瀾等份子參加，動機就是「以身殉匪」了；而胡秋原等有「諾言」在先的份子參加，不是「當年『聯合戰綫的外一章』」又是什麼呢？

胡秋原既然想高攀，妄想比張伯苓、王雲五、張君勱、左舜生諸先生，那我就要問他：「你為什麼不比附黃炎培、張瀾、沈鈞儒、羅隆基呢？他們正是你所謂『莊嚴神聖』的運動中的大將啊！」

所以，胡秋原的攀附賢達以證清白的戰術根本是不合邏輯的！因為他若用王雲五來證明他的清白，我就可用黃炎培來證明他的不清白，這是同一模式，同一推論的！他在「補充自訴理由狀」中說他「『參加國共團結運動』，實即為追隨參政會若干前輩之後，以參加『約束』共黨破壞團結運動。」這真是強作解人！因為「團結運動」的實情，既值得研究；「若干前輩」的動機，也各有不同，何況胡秋原說他還「參加過幾次」，這又怎麼自解呢？

證（五七）胡秋原「我與中國共產黨」（收入「中國之噩夢」）。

證（五八）王雲五「我的生活片段」八年的參政。

6關於「國民參政員」資格部分

上節已提出胡秋原的比附戰術和它不通的地方。可笑的是，胡秋原最愛用此種不通的自證清白的辦法。他在「補充自訴理由狀」中說他是「戰時最高民意機關（國民參政會）與國民黨中央委員之一員……足可證明自訴人之愛國」；又在「自訴續狀」中說「昔政府遴選自訴人為國民參政員」；又在庭上說他是根據「國民參政會組織條例」第三條丁項被遴選為參政員的，也要用這種理由來證明他的愛國。其實這些都是邏輯不及格的怪論！我的答覆只是兩句：

1汪精衛、陳銘樞也做過「國民黨中央委員之一員」，這能夠證明他們「愛國」嗎（五九）？

2毛澤東、周恩來也做過「戰時最高民意機關」之一員，也是同樣靠「國民參政會組織條例」第三條丁項做上的，這能夠證明他們愛國嗎（六〇）？

所以，胡秋原的自證清白的方法，是可笑的，是沒有證據力的。

證（五九）「民國十八年中國國民黨年鑑」、「民國二十四年中國國民黨年鑑」。

證（六〇）「國民參政會史料」。

7關於「重用叛國份子」部分

胡秋原在「補充自訴理由狀」中又做了這樣荒謬的推理：

「抗戰發生，凡過去與國事有關者，多受政府任用，為抗日而奮鬥，被告等以為政府當日竟重用叛國份子乎？」

這種話，出自一個以史學家自命的人之口，我真要懷疑他讀過歷史沒有？歷史上，政府「重用叛國份子」的例子太多了，太多了。並且，政府用叛國份子是一回事，歷史記載是另外一回事。歷史事實絕不因政治赦免就一筆抹殺，歷史永遠是歷史，這兩種層次，胡秋原老是分不清，所以他老是以為我在搞「政治清算」，以為我主張繩他以法，要他今日負罪責，置他於死地。其實這真是神經過敏！他何苦來如此痛苦的自尋煩惱呢？我說「歷史記載」和「政治赦免」是兩種層次，舉例如下：

1宋朝的張邦昌「叛國」——在金人的卵翼下做了傀儡皇帝，金人退後，他把帝位交出，當時因為政治形勢的需要，不僅沒有立時以叛逆罪處治他，詔書還嘉獎他即僞位的行為是基於通權濟變。可是歷史却不「赦免」他，在「宋史」，他入了「叛臣傳」（六一）。

2明末的吳襄「叛國」——向李自成投降，但是因為招回他的兒子吳三桂失敗，被李自成所殺。在他生前，說他不能為「忠臣」，可是他死後，南明的福王為了拉攏吳三桂，竟還追封吳襄，「隆祭葬，且建旌忠祠」。可是另一方面，「明史」的記載，並不曲筆——照舊寫吳襄不是忠臣（六二）。

胡秋原想用政治、控告、輿論、宣傳等手段來抹殺他的叛國歷史，他是心勞日拙：即使他能欺騙少數人於暫時，可是他絕不能欺騙多數人於永久；即使他能干擾歷史研究於目前，可是他絕不能消滅歷史真相於千秋萬歲之後。他的魯莽孤行，是休想成功的。

證（六一）「宋史」叛臣傳張邦昌傳。

證（六二）「明史」卷二百六十六。

8關於「自清」部分

胡秋原在「自訴狀」[illegible]「主張以專對匪諜使用之『自清』二字對自訴人進行『自清』云云，認為如是乃是戴他紅帽子的行為，這純粹是他惡意的陷人手段。因為「自清」二字，並非胡秋原的定義——所謂「專對匪諜使用」。「總統言論彙編」中就曾收有如下的講詞：

「為說明黨員應對策動大陸工作，積極效力，我願再舉六中全會以後，中央舉辦黨員自清運動一事為例，加以說明。……某些同志以為『自清』有損他個人的人格，於是消極反抗，甚至妄肆抨擊。」（六三）

此講詞在四十五年五月八日國民黨第七屆中央委員會第七次全體會議上提出，胡秋原既身為國民黨員，且自詡曾為中央委員，為什麼連這種文獻都不知道？還是明明知道却故意栽誣他人？

另有二事可證胡秋原之栽誣行為，至為明顯：

1五十一年三月，立法院曾有「自清」之討論（六四），胡秋原身為立法委員，縱失職不去開會，坐領乾薪，亦該耳聞此種「自清」之事，何能以「自清」二字陷人入罪？（三）

第十五回．

平等難期　一夫翻地軸

自由何價　萬衆擲頭顱

羣衆看見車站一味不肯賣票，登時鬧起來，高呼要把售票員拖出來打一頓，整個車站一片喊打喊殺聲。

車站當局看見大事不好，就打電話給附近的「公安分局」，請派隊維持秩序，到了十一點鐘來了幾十個公安警察和一架宣傳車，一名宣傳員拿着擴音器向羣衆說道：「現在已經夜深了，大家回去休息吧！明天一早起身安心生產，不要聽信謠言。目前的糧食供應雖有困難，也都是個別性的，不久可以完全克服，只有大家聽毛主席的話，跟共產黨走，就不愁沒有好日子過。」

這段話說出之後，人叢中始而鬨然大笑，繼而惡言咒罵，最後高聲喊道：「再跟共產黨走就走進地獄了，我們只想逃命，能放我們去香港就算共產黨作了好事了。」

宣傳員又舉起擴音器說道：「你們為什麼要去香港，香港是英國人統治的地方，處處要受英國人的管制，放着強大的中國人民不作，却去受殖民地統治，為的什麼？」

人叢中有人喊道：「因為那裏有飯吃，我們要吃飯，不願白白餓死。」

宣傳員拿起擴音器又說道：「香港有飯吃也只是少數資本家有飯吃，工人都沒有飯吃，沒有房子住，比你們還不如。在這裏到不會餓死，跑到香港就非餓死不可了，你們可要多想想。」

這時人叢中一齊罵道：「放屁！胡說！香港人沒飯吃，怎麼只見香港寄糧包來，不見廣州寄糧包去。」

宣傳員不敢再講話，公安總局的劉科長奉了孫樂宜的命令先一步趕到了，接過宣傳員的擴音器站在車上說道：「你們不要聽信謠言，與反動份子合流，將來會後悔的。」

劉科長的話一說出，等於在火藥桶上燃了一根火柴，頓時把火藥桶燃着了。

許多人嚷道：「除死無大罪，餓死也是死，乾脆拼了吧！」說過一大羣人圍上去，把宣傳員同劉科長站立的車子推翻了，車上的人也就被壓在地下，動也不敢動。

就在這時，孫樂宜坐一架吉普車趕到了，一看情形不妙，趕快下了車想走，已經來不及了，羣衆過來又把孫樂宜的車子推倒，把孫樂宜包圍起來，孫樂宜站在地下呆若木鷄，兩條腿好似生根一樣，轉動不得。

許多人指着孫樂宜問道：「我們在廣州活不下去，又不讓去香港逃生，一定要把我們活活餓死，到底是什麼意思。」

又有人問道：「我們老百姓同共產黨有什麼冤仇，一定要把我們餓死完才趁心。」

又有人說道：「共產黨沒有糧食給我們吃，我們走了也可以省下糧食多養些軍隊去解放台灣啊！」一句話說出來又引起哄然大笑。

又有人指着孫樂宜說道：「你們不是常說台灣人吃香蕉皮嗎？怎麼不見台灣人向外逃。」

孫樂宜不敢分辯，再看劉科長同宣傳員躺在地下已被羣衆拳打腳踢得一動也不能動，眼見是活不成了。恐怕下一個就輪到自己，嚇到面青唇白，全身一直在標冷汗。（四〇〇）

冒險犯難記

鄧文儀

書店開門了，接連就創辦了三個刊物，一是文藝性的「創作月刊」，二是介紹兼報導性質的「國際譯報」半月刊，三爲軍人閱讀的軍人小叢書（預定每週出一冊，等於小叢刊）幷代發行「流露」社出版之文藝月刊，及出版內外時行的軍事政治經濟社會等叢書，每月出版三至五冊。又印行蔣總司令的言論集，向軍中普及發行。開創之始，營業尚稱不壞，不過因爲中原戰爭發生，預定股欵收集不易，經費甚不充裕，出版計劃，未能切實實施。

爲了節省經費，書店僅用一個經理，兩個學徒，我是以董事長名義負實際責任。各書刊的主編都是兼任的。書店付清了建屋經費，及出版了幾期刊物與數十種小叢書後，經費就感到有些拮据，好在同行寄銷書籍可以計賬，向軍中推介的軍人小叢書及蔣總司令言論集收入尚好，勉強可以維持門市支用，及主要的印刷等費用。我個人在書店兼任主編、校對及教導學徒等工作，要兩個堂弟去學印刷，不僅沒有支用一文錢，有時且要借墊貼補。一個軍人創辦文化出版事業眞不是一件容易的事，辛酸苦楚一言難盡。尤其是政治宣傳性很重的出版工作，得不到當局的鼓勵和支援，困難是不免重重的。

書店經營一年之後，略立基礎，營業也漸有發展的趨勢。這時却遭遇了新的麻煩，竟被人誣告拔提書店出版品中有思想不正確或左傾的嫌疑，政府負檢查出版品的人，曾到書店內一再檢查；我當時因在前綫參加中原作戰，不知詳情，後來回到南京，聽到張寄春經理提及，我眞是十分困惑氣惱，難道一個軍人黨員，就不能自動的替政黨宣傳嗎？好在檢查之後，幷無下文，究竟是何原因及何人密告，也不知道。我因爲書店的出版內容不壞，沒有錯誤或過失，也就沒有去追究。但精神上却是一次沉重的打擊。

不料事情更有出人意外者，那是在民國二十年的元旦，在國民政府團拜之後，蔣主席因爲我沒有負責任，以致錯發表了一件不應發表的講演稿而責備我；我因爲責不在我，祇有疏忽職守的責任，曾自我辯護。不意主席進一步指責我辦的拔提書店不好，拿他的名義去賣錢，要查封書店。我當時認爲印行總司令言論集是致力推廣統帥思想言論的宣傳，沒有藉此招謠斂財的事，我也沒有在書店支取待遇，一味強辯，拒不接受，引起十分不快的場面。事後檢討起來，才感到我的態度不好，也深惡痛絕誣枉告訴的人，這都是辦書店惹來的煩惱。（七〇）

也談琵琶記

姿婆生

近今常見北市爭演趙五娘，大鵬劇團首演於前，名票薛宗瀾與名伶陳美麟再演於後，形成熱門，實則在平劇中比較核心的，仍是描容上路與掃松下書，因爲過去是麒氏唱紅而著稱。現在演出是整齣，其中場次力予刪減，固有其理，但在原本中共有四十二場，爲崑曲。昨讀師大文學系丁惠英小姐所著琵琶記研究，列舉甚詳，姑錄存以告讀者（首爲場名，次述角色。）

一、副末開場二、高堂稱慶（生外淨旦）三、牛氏規奴（淨丑末貼）四、蔡公逼試（生末外淨）五、南浦囑別（旦生外淨末）六、丞相敎女（淨丑外末貼）七、才俊登程（生末淨丑）八、文場選士（末淨生丑）九、臨妝感歎（旦）十、春宴杏園（生淨丑末）十一、蔡母嗟兒（旦外淨）十二、奉旨招壻（外丑末）十三、官媒議婚（生末丑）十四、激怒當朝（外末丑）十五、金閨愁配（貼淨）十六、丹陛陳情（末生）十七、義倉賑濟（丑淨外末）十八、再報佳期（丑生）十九、強就鸞鳳（外生貼淨）二十、勉食姑嫜（旦外淨）廿一、糟糠自厭（旦外淨）廿二、琴訴荷池（生淨丑貼）廿三代嘗湯藥（旦外）廿四、宦邸憂思（生）廿五、祝髮買葬（旦）廿六、拐兒詒訣（淨生末）廿七、感格墳成（旦外淨丑末）廿八、中秋賞月（貼淨丑生）廿九、乞丐尋夫（旦末）三十、瞯問衷情（生貼）卅一、幾言諫父（外貼生）卅二、路途勞頓（旦）卅三、聽女迎親（外生貼丑）卅四、寺中遺像（淨丑旦末生）卅五、兩賢相遘（貼旦）卅六、孝婦題眞（旦）卅七、書館悲逢（生貼旦）卅八、（張公遇使（末丑）卅九、散髮歸林（外淨末生旦貼）四十、李旺回話（丑外）四一、風木餘恨（生旦貼末）四二、一門旌獎（生旦貼末淨外）

就上表所列，有兩特點（一）每齣角色，支配勻稱，既極齊全，而份量不偏不重。（二）每齣場面調配諧協，鬧或靜而悲或歡，此琵琶記之所以推爲此宜之作也。徐文長云：琵琶高處在慶壽，成婚，彈琴，賞月諸大套，此猶有規模可尋；惟食糠，嘗藥，築墳，寫眞諸作，從人心流出，嚴滄浪言水中之月，空中之影，最不可到。如十八齣句常言俗語，扭作曲子，點鐵成金，信是妙手。吳天成云：其之高絕，在布景寫情，眞有運斤成風之妙，串插甚合局段，苦心不亂錯，具見體裁，可師可法，而不可及也。

高則誠編此記之動機，其作用在宣揚教化，揭發社會之罪題及黑暗。因高與姓王名四者友善，勸之仕，王登第後，棄妻而贅太師不花家。高名琵琶，取其上四王字，爲王四，元人呼牛爲不花，故有牛太師，趙五娘者，因王妻周氏，數屬五，託名爲趙五娘。至牛丞相者，不花家居牛渚，而張大公係高氏自謂也。

阿里山神木

許紹棣

神木三千歲，龍蟠阿里山；高枝攀日月，鸞鳳相與還；豈唯顏色好，勁節耐歲艱；誰能爲剪伐，廣廈千萬間。我欲問神木，何事老榛菅？材大難爲用，賢聖命多慳，君看意氣士，寂寞凋朱顏！

我所知道的麥帥

肯寧將軍原著　徐熙光翻譯

凡是我們歷史上偉大的人物都難逃這種誹謗和非難。華盛頓和林肯就是兩個最明顯的例子，其他的例子更是不勝枚舉。麥帥輝煌成就的紀錄是不用我費神來加以辯護的，這項紀錄本身就已說明了一切；兩次世界大戰中所表現的卓越領導才能和所獲得的勝利；四年艱苦作戰之後，非常成功地統治一個戰敗國；無論在平時，在戰時，他都堅決地維護了美國的理想和原則。

不過在這裏我要補充說明最後一點，並不是讚揚他是一個傑出的軍人或統治者，因爲這對大家早已耳熟能詳。我要說的是：麥克阿瑟是一個堂堂正正的男子漢大丈夫。他具有常人的熱誠，稟賦和友善。他的幽默和仁慈，很少人堪與比擬。

他對待朋友極爲眞摯誠懇，使人感覺他像是父母照顧子女一樣熱心。我很幸運能忝列受他照顧的這些人裏面。在這方面，當然我是很難完全站在客觀的立場說話了。

如果有人說；「不錯，麥帥對待朋友確實非常誠摯，但是他的友誼吝於施捨，他只對很少數幾個人伸出友誼之手」。對此，我只能回答說，我從未看過有人──不管是軍人還是平民──對麥帥付出他們的忠誠和友情後，久久未能得到麥帥回報給他的友誼和忠誠。

有人批評他的樂觀主義，認爲是自我主義在作祟。如果他們在一九四二年年底，摩里斯比港吃緊時跟我們在一起──當時的情勢實在是岌岌可危，對新幾內亞的補給只靠我們的力量單薄的空軍──他們就不會發現樂觀有什麼不對了。樂觀主義是作爲一個統御者的必備條件。在那次阽危的局面裏，麥帥的話對我來說比增加一個中隊的飛機還要來得有用，他說：

「喬治，我們一定要這樣做。」

這種決心和態度使我們成功了，也使我們勝利了。過去的戰爭中是如此，現在我們作防止另一次人類浩刧的努力，也是如此。

我相信我將會繼續把他當作我的朋友來懷念他，欽佩他和尊敬他，正如同我把他當作一個美國最偉大的領導者來懷念，欽佩和尊敬他一樣。

我也同時將念念不忘麥帥的其他事情：如他所表現的眞摯的同情心；他聽到某一個戰士陣亡消息時的悲痛；以及經常對他袍澤的眷屬的關懷和友善。

對麥帥來說，每一個美國人的生命──不管他是軍人還是平民──都是值得珍惜的。而這正是作爲一個偉大的領袖所必須具備的基本特性。

今天，麥帥仍然是人們爭論的對象，無論在美國或在世界的舞台上，他始終扮演着一個最重要的角色，而且將永遠如此。

我並不希望本文的每一讀者都接受我對道格拉斯麥克阿瑟的評價。但是大家想必會對於幾年前一個友邦人士對麥帥的評價感到興趣，他說：

「我們應該感謝上帝，因爲蘇俄從沒有產生過麥克阿瑟這樣偉大的人！」

（全書完）

美妹

羅雲家著

然而自己留下來，却不能把行踪報告老師及師母。因而使老人家爲自己的突然「失踪」而担心院而焦急，而到處查訪，這豈不是罪過嗎？所喜自己在走時，師母是知道借同美妹而來的，雖沒有說明一切，但在老人家的心裏，當會有數。自己不寫信回去，在短時間內師母應該不會太着急的。當然，必要時可以寫封簡單的報告行踪的信給老師。信末不寫發信地址，並且到遠離觀音的鄰近鄉鎮：如楊梅、新屋、桃園、平鎮去投郵，那麼就可以避免暴露自己的匿居處所了。

但不回去，也未把不回去的理由明告老師，這做法是不對的，更是不敬不孝的，因爲多年來老師師母一直視己如子，自己怎能做出這樣魯莽的事來呢？可是如果現在明說了，他倆老人家却不一定會同情、贊成的。因爲這事內情很複雜，不是用語言文字可以說得清楚的，而必須以行動來證明；特別是正大光明的、純潔無疵的，爲了助人而非爲己，許多同義的「事業」，更是必須藉眞實的行動結果，才可以獲得人們的信任，決非憑兩寸不爛之舌可以說服人家的。

更重要的，是美妹的堅強個性與急迫的要求。自己如果不答應她，毅然地不顧她的安危離去，說不定她會恨自己一輩子；甚至當她想不通，在悲痛失望之餘，用死來解決自己的可憐生命，也不無可能的。

想到這裏，他的最後決定：是暫時留下來。想不到，他的決定却給自己帶來了吃官司的麻煩。

一連五天，大家都風平浪靜地生活着。美妹沒有來看健文，健文也未曾去看她，而靜下心來，租住在海濱靠近燈塔的一個漁民家裏，埋頭寫一個以「浪子回頭」爲主題的中篇小說。

這天吃了午飯，正想上床午睡的時候，忽見廖明德的小男孩──祝融，背着書包氣咻咻地跑來找他。

「廖小弟，你這麼急急地跑來，有什麼事呀？」

「黃阿姨有信給你。」他從書包中掏出一張紙條來，交給健文手裏：「我要上學去啦，何叔叔再見！」

「眞乖！囉，拿着這一塊錢，等會買糖吃。」健文把一元紙幣塞在他的上衣口袋裏：「在路上要小心，知道嗎？」

「知道了，謝謝叔叔。」

說完就一溜烟似的跑了。

他打開摺成「又」字形的紙條，只見美妹這樣寫道：

「台北的楊先生自駕摩托卡，在午間來到這裏，送了許多禮物給廖家，並堅決邀我去新竹玩一天；廖先生最初面有難色，但最後勉強同意了。我不想去也不行。盼即刻來，晚間七時至七時卅分，我在國民戲院左側候你的駕。順祝哥哥好！

美妹匆忙中上」

他來不及考慮什麼，穿起茄克就朝觀音車站趕去。幸好一點多鐘的那班客車趕上了。車子開動了，他才有暇重新拿出那紙條來，邊看邊想着一些問題：

眞是不出所料，仗着有幾個臭錢，討有兩個老婆，仍是不能滿足那股獸慾的楊光域眞的來了。他對美妹將動什麼腦筋（想在帶她遊玩中，用甜言蜜語，加上銀彈的攻勢，與乎爲她保守秘密相威脅下，佔有她的肉體，然後，玩厭了就甩掉她？抑是眞心愛她，而想娶她做第三位小老婆呢？（三五）

高山景行話聖陵

漁翁

詩有之：「高山仰止，景行行止。」箋：景，明也則。疏：以山之高，比人德之高，故云仰也。古人有高德者，則仰慕之；德者，在內未見之言。行者，已見施行之語。仰德則慕仰，行則法行，故仰止行止以其其文也。以夫子之墻數仞，孔聖之陵巨嶽，千秋萬歲，令人仰慕弗已，即不能至者，亦未嘗不興嚮往之心。

金史：「孔子雖無位，其道可尊，使萬世景仰。」

孔子生於魯之昌平鄉，即今山東曲阜縣。父叔梁紇要施氏，生九女而無子；繼娶顏氏，禱於尼丘，而生孔子，因名丘字仲尼。三歲失怙，多賴母教，稍長，即以知禮聞。初仕於魯，爲司寇，攝行相事。其後不見用，遂一車兩馬，周遊列國，歸魯，設敎於洙泗之間，有賢人七十，弟子三千。卒年七十三。後世尊爲大成至聖先師焉。

孔子卒後，門人即以其宅爲廟，太史公所謂「諸生以時習禮其家」者是也。漢魏以來，歷二十餘朝，時加重修，紅牆綠瓦，極具莊嚴之大觀。（上）

內政部台誌字第〇三〇號內銷證

自由報

THE FREE NEWS

第五〇八期

中華民國僑務委員會頒發
台救新字第三二三號登記證
中華郵政台字第一二八二號執照
登記爲第一類新聞紙類
（本週刊每星期三、六出版）
每份港幣壹角
台灣零售價新台幣貳元
社長：雷嘯岑
督印人：黃行審
社址：香港銅鑼灣高士威道二十號四樓
20. CAUSEWAY RD 3RD FL.
HONG KONG
TEL. 771726　電報掛號：7191
承印者：四風印刷廠
地址：香港灣仔高士打道二二一號
台灣分社
台北市西寧南路壹叁柒號二樓
電話：三〇三四六
台郵撥儲金戶九二五二

從中共核子試爆看反攻大陸

郭甄泰

本年十月十六日中共在新疆省羅布諾爾湖舉行第一次核子試爆，公然甘冒天下之大不韙與一百〇五個簽字核子禁試的國家爲敵，世界各國對此均紛紛予以譴責，認爲係「對人類與文明構成一項擴大中的威脅」；另外許多專家及政治家們則認爲：「此項試爆，似乎爲一種粗製的炸彈，不經過漫長時間，不可能有足夠的原子彈存量及足夠的轟炸機與飛彈發射工具，以準備發動一次第一等核子戰爭的。」「試爆一個粗劣的核子裝置，同變成一個充分的核子武器國家，差別是很大的。」英國外次陶布森亦謂：「中共核子試爆在很多年內將不表示中共軍事力量的任何增加或亞洲戰畧情勢的改變」；「鑒於西方聯盟龐大的核子武器系統，在可預見的將來，中共任何核子力量的發展，均不足以影響世界軍事力量的平衡」，而不予重視。實則此項論斷，就美歐方面之國土地位，核子力量言，當然並無錯誤，西方人士爲此評論，亦屬情有可原。但若就東亞各國言，則事實上並不如此簡單。亞洲人士如照此說法，依樣葫蘆，則無異採取鴕鳥政策，自欺欺人。

第一、從一個核子裝置研究爲核子彈，祇需半年至一年之時間，距離並不太遠。中共十月十六日試爆，明年春夏之交後，即將持有原子彈一枚至二枚。

第二、中共雖沒有遠程轟炸機攜帶原子彈飛襲美國或歐洲，但已有俄製B—五七型及IL二八型螺旋槳式飛機十至十三架，可以攜帶原子彈飛襲亞洲各國。此外中共尚從蘇俄得到幾艘潛水艇，中共如用潛水艇載運原子彈至目標附近，然後再以短程飛彈發射，亦並非不可想像之事。

第三、東亞各國多爲海島國家，海島國家最怕原子彈，中共如有此項武器，東亞各國所受威脅自必特別鉅大。

美國參議員盧索說：「若干美國專家，現在相信中共可能已在發展遞送原子彈系統，對美國及自由世界的威脅是極爲清楚而不容誤解的。」這就是說：殘暴而無道義心的中共統治者，其侵畧野心將不局限於亞洲及台灣；但亞洲及台灣將必先受其害及影響，則屬可以斷言。局勢演變至此，亞洲各國均已屆於毀滅存亡關頭，如仍規避現實，不亟謀所以自存之道，則惟有苟延殘喘，坐以待斃而已，實非忠誠謀國之道。

一、中共核子試爆後核子裝備進度之估計

中共的北平原子反應器的原子連鎖反應，祇能產生一萬瓩的熱能，每一千瓩的能每日祇能產生一公分的[illegible]。由此推斷，中共的反應器，每年最大生產量爲鈽二、五公斤；自民國四十七年九月開始生產，至現在爲時已達六年，中共現在可能已貯存約十五公斤。依現在核彈製造技術言之，一顆核彈需鈽五至六公斤，由此可以推測，中共現已有二顆核彈以上的鈽量。據估計，明年春夏以後，中共將有一二枚原子彈，將來每年可能製成六枚原子彈。若西干西方的權威人士認爲，「在另一個三年之中，中共將能爆炸其第一枚氫彈；第一枚中共中程飛彈，在此同一時間內，亦可能發展成功」。故，中共對於亞洲之威脅，自必將逐年增加。至於有人說：「一九七〇年，中共核子武器將較數年以前的英國（當時英國核子武力佔西方國家百分之三）；一九七五年中共可持有氫彈，中程轟炸機，誘導飛彈等；一九八〇年中共將持有洲際彈導飛彈」。此則爲時尚遠，且屆時中共羽毛已豐，其威脅已不僅限於亞洲，僅以亞洲各國之力量亦無法予以對付，姑可置之不論。

二、中共試爆後我們應採之對策

中共試爆成功後，業已成爲第五核子國家，趾高氣揚，不可一世，試觀其與宣佈核試成功同時，即要求召開全世界高層會議討論核子禁試並希望藉裁軍以達到躍登世界舞台的目的，即可知其野心之大氣燄之高。惟亞洲各國現在大多數均與美國訂有防禦條約，亞洲各國雖尚無原子武器，但美國現有武器業已超過毀滅整個世界之力量。現更大量逐年增加，業已超過其需要數量；目下蘇俄高唱和平共存，深知核子戰爭慘烈，對美國核子力量之優勢，戒愼恐懼，在預見期內，西綫方面不可能再有戰爭，因此，美國之戰畧目標現已轉向中共。今春美國已將其B—五十二戰畧轟炸機十五架由美國本土移至關島，夏威夷島亦已成爲美國的核子武器艦隊的基地，凡此舉措均係對中共而發。新的義勇兵飛彈，射程八千英里，由美國西部基地發射，携其大至二千噸的氫核子彈頭——相等於二億噸黃色炸藥，其威力大於轟炸廣島及長崎原子彈一千倍——中共之任何戰畧中心均可達到，不日即可產生。此外美國之北極星潛艇丹尼爾勃恩號，裝有射程二九〇〇哩之飛彈十六枚，可以深入發射至中共心臟地帶，將於本月底首次在太平洋巡邏。另有五艘北極星潛艇，亦將於最近期內開至太平洋。綜計美國海軍計劃，係將有飛彈一百一十二枚之七艘北極星潛艇，以關島爲基地，巡邏太平洋，而針對中共予以監視。美國的戰畧轟炸機，航空母艦轟炸機以及空軍戰鬥轟炸機，亦有許多數目環駐大陸週圍從事嚇阻。美國的偵察衛星在過去四年間已將共區土地內的飛彈基地，工廠，潛艇製造廠，橋梁，軍區，新的道路，機廠，核子製造廠，拍入鏡頭，瞭如指掌；一有風吹草動，共區各大城市，軍事設備以及所有工業均將被美國核子武器完全摧毀，變爲廢墟，並將有三億中國人口化爲灰燼。中共在此種情勢之下，其不敢輕舉妄動，自取毀滅，自在意中。但如就中華民國觀之，則可慮之處不能說不多。

中央政府位於島嶼之上，等於一個島國，金門馬祖逼近大陸，短程飛彈即可予以威脅。而中共好戰成性，向來殘民以逞，不恤民命，周恩來在其未有新疆核爆以前，即曾聲言：「不怕核子大戰，我們死了一半，活著的還有三億，死了三分之二，剩下的也比美國人多。」大言不慚，虛聲恫嚇，如一旦有了原子彈，今日日將轟某地，明日日將如何，此種勒索敲詐之神經戰爭，亦可以影响我民衆心理，瓦解士氣。況我們之基本國策爲反攻復國，縱能不畏犧牲，不受威脅，屹然獨立，但基本國策即將永久無法實現，屆時人心向背，國家處境，時在危撼之中，勢必將遭遇重大困難。何以自處？何以生存？職是之故，我政府反攻時機，最好須在明年春夏之交，再遲亦須在明年冬季以前！爲時已經無多。明年春夏之交，或冬季以前若尚不能反攻，則祇有退謀保守，任人宰割矣。（下轉第二版）

戰爭之路

無法安睡

今日與明日

美國人看越南政局

越南武裝部隊發動政變之後，美國認爲破壞了文人當政的民治主義，深表不滿，聲言如不將政權交還文人手中，即可能停止美援。美駐越大使泰萊且拒與越方少壯軍人領袖晤面，態度十分堅決。

從理論上設想，美國這種態度是對的。以自由主義的民主政治來反抗共產主義的極權獨裁，對症下藥，誰曰不宜呢！問題是：越南的現實情況能否迎頭趕上，實行歐美人士想像中的民主生活？

民主政治的先決條件

凡是停滯在農業經濟生活中的所謂落後地區，工商企業不發達，社會結構多見其爲保守性的封建體制，中產階級根本沒有，一般民衆大半都是文盲，連自己的名字亦不會寫。要在這種地區，用揠苗助長的方法，實現西方文明國家的民主制度，可說是文不對題，庸人自擾。越南正是這樣的一個新興之邦，而且又受着共黨的直接侵害，四郊多壘，人民救死不遑，奚暇治禮義哉？

可是，美國却以實行西方民主政治爲援越的唯一前提，過去反對吳廷琰的統治政策，現在反對阮慶領導下的軍人政變，都是同一觀念，此越南政局之所以永難安定也。

少壯軍人的見解

阮慶發表文告，認爲越南軍人爲着保障國家之獨立安全，不惜忍受犧牲，也經得起考驗，却不願執行任何外國的政策。表示他們這次政變的目的，是在制止政客們的叛亂行爲，政權依然由潘克丑、陳文香這兩位文人掌握着，武裝部隊並無奪取政權的企圖。空軍總司令阮高奇更坦率的說，越南目前的政治，需要實行獨裁。

越南軍人這類見解，美國當然不同意，因爲違背了白宮援越的大前提。美越雙方對於政治問題的看法與作法，距離如此之遠，今後越南局勢究竟如何演變，實在太可憂慮了。

關鍵在美國

美國對於亞洲任何一個接受美援的友邦，總是以美式民主生活尺度，强使遵從不渝，否則停止援助，棄置不顧，却不問那受援國家的現實狀況，是否已具備美式民主制的能力。像越南這類剛由殖民地生活中翻身起來的新邦，等於初告解放的纏足婦女，馬上就要她穿着高跟鞋跳查查舞，焉有不蹶躓之理呢？

美國若不改變援外的舊有作風，越南即非完蛋不可！

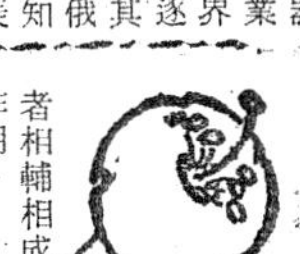

政治上的正與譎

馮正先生

就政治關係看，「正」是原則，「譎」是手段，二者相輔相成，夫是謂之政治作用。

可是，政治上儘管不妨要手段，說謊話，玩假動作，却不宜違背爲政的原則，形成「譎而不正」的政風。原則是不變的主體，手段是偶一爲之的權術，前者有如人類賴以生存的家常飲食，後者是醫治疾病的藥劑而已。

中國歷史上的政治人物中，專以譎道來用人行政的，莫過於曹操。結果他的志事雖然得告完成，但兒輩互相傾軋，母子兄弟間的倫常爲之破敗，終於辛辛苦苦創造起來的魏室江山，不久即被部屬「繼踵前修」，效法曹氏的譎道而攘奪了。

跟曹氏得天下不以正的情形相同的，要算是唐太宗李世民了。但他一旦貴爲天子，富有四海之後，即依正道以求治，對人對事，一是皆以王道精神爲本，決不使用詐術。左右近臣有勸他於接見文武百官時，故作詭詞以偵察對方的心情是否純正者，他就說，自己既以誠信教天下，豈可首先作僞嗎？他看到史官房玄齡等所撰「今上實錄」中，對於玄武門之變這項宮庭悲劇，語多諱飾，即謂：「昔周公誅管蔡以安周，季友鴆叔牙以存魯，朕之所爲，亦類是耳，史官何諱焉」。旋令刪去浮詞，直書其事。侯君集原是相從甚久的功臣，因犯謀殺罪，他親自訊問，說是「朕不欲刀筆吏辱公，故自[illegible]之」，迨質證明確，猶語羣臣「欲乞其生，可乎？」衆以爲不可，乃泣下曰：「與公永訣矣！」這情況雖不無「譎」存焉，然出以[illegible]情懇摯作風，亦就令人覷爲正道了。

李世民確係一個值得稱讚、取鑑的政治人物，唯後代創業垂統的英雄豪傑，總是向曹操看齊的多，而少見李世民式的統治者。推源其故，乃由於這般英雄豪傑不讀書，尤其不看歷史，對於治亂興亡之道，莫名其妙，予智自雄，胡爲，此其所以亂世多而治世少也。

配合經濟發展情形下
台灣僑資事業遠景燦爛
投資辦法尚有待於盡量簡化 并需竭力以企業化方式經營

（台北航訊）僑資事業已構成自由中國經濟發展重要的一環，今後僑資事業能否發揚光大，影響台灣經濟至太。我們試從各個角度看僑資事業的現況與將來。

僑資事業發展的現況

政府遷台後，除鞏固復興基地，安定社會秩序，更盡力於經濟建設。僑胞們在海外見聞接觸較廣，創業的能力又強，所以政府在這十年來，頒佈獎勵僑資事業條例，並一而再，再而三，修正獎勵條例，鼓勵僑胞回國投資。計至五十三年上半年止，核准四十一家，總金額達一千二百萬美元，投資業別中有化學、紡織、針織、食品、機械、金屬、電器用品、搪瓷、中西藥品、手工藝、礦冶、農林、畜牧、漁撈、運輸、觀光旅館、保險業等多類，民國三十五年已開工營業各事業中，就所調查的一部份七十三家的統計，計內銷金額達新台幣一十八億八千五百餘萬元，外銷金額達美金四千二百餘萬元，就業人數達一萬零四百八十名。以上七十三家已開業者，連同在籌備開業者共一百零七家，總付各稅達新台幣二億二千餘萬元。這個數目字雖然是渺小，但對於國家幫助的意義是很大的。在這樣的投資數字中，分配發展於下列項目：

化工業：有南僑的肥皂及甘油廠，皂廠的設備是東南亞最新式的，南僑甘油及東南的純鹼、小蘇打的規格，是超越世界標準的。

建材業：有嘉新及亞洲的水泥，啓信的白水泥，高雄合板，源泰保麗板，每年的外銷量均甚巨。

油漆業：有國寶的九鼎牌，駱駝牌，僑資館內外裝成美麗的色彩，日晒雨淋益增其艷麗，就是國寶的產物。

機械業：經展會大門口陳列的耕田機，是中農機械公司製造，醫院用的床椅是中南的出品。

紡織業：有中華、勤益的毛紡，益新、東和、中一、大東的紗紡，鴻福的織綢，每年均外銷甚多。福星的成衣，更是全部銷於美國。

食品業：有中印的茶，中興洛瀾的製油，同興、味全、華成的罐頭，味全的調味粉，味全、民生、全球的畜牧，至於僑泰興的麵粉廠，至今尚是台灣省最大的一家。

觀光事業：統一、國賓、中國、中泰、台南華園，均是世界上第一流的旅館，其建築壯麗，設備精新，更爲人人所有目共覩。

育樂事業：有最偉大的中華文化體育中心及中山兒童樂園。

文化事業：有中華彩色印刷及僑聯彩色印刷兩家。

交通事業：有遠東航空、德和輪船；台省當年創辦計程汽車事業，亦是僑資倡導的。

銀行保險業：有華僑銀行、友聯、華僑兩家產物及華僑人壽保險。

醫藥業：如和興白花油，台灣聯華的獅虎油，均是行銷中外的必備老牌藥品。

這些成果，都是僑胞們運用最新技術，最新設備，最新管理方法的成就。

今後對經濟如何配合

（一）台灣第三次四年經建計劃已達到完成階段，今後十年計劃就要開始施行，美援明年六月就停止，所以民間投資及僑資外資就成了經建資本的來源，當然以當地民間投資及僑資爲最可靠。前面說過僑資事業多能採用新製造技術，新管理方法，最新設備，產品最優良，價錢最廉，所以國家需要僑胞們協助來負起祖國經建的責任。尤其是台灣是海島地區，更需要開闢國外市場。僑胞們來自數十個海外地區，更需要僑胞來負起代祖國經濟事業，向國外推銷的責任，以配合國家經建事業的發展。

（二）另外，華僑對教育經濟密切結合：協助發展華僑的經濟事業和教育事業，已爲僑務行政的兩大重點。依此計劃發展下去，則不但僑居地的僑業有大企業出現，亦可增進僑胞在國內的投資。自從高信接長僑委會以來，更明顯揭示兩大重點工作，相輔相成，相得益彰。高委員長曾說：「海外僑校在過去幾乎都是一般性的普通教育，一向忽視職業的技術的傳授，我們爲配合海外僑區的環境，華僑經濟的發展，及增進教育的功能，各項僑教的措施應注重職業的技術的教學。」依據這項施政方針，僑委會近年在僑教方面有以下幾項措施：（一）訂定推行華僑職業教育辦法，編印華僑職業輔導叢書。（二）輔導僑胞籌辦職業學校及僑校創設職業課程。（三）在國內舉辦海外青年技訓班。毫無疑問這許多措施不僅適應時代的要求，也符合了經濟發展的原則。在此原則下，華僑技術專家增加了！而在國內投資華僑大企業家亦可直接派其具有現代技術的子弟回國，管理及發展其所投資的事業。

須轉移爲現代企業化

在國內和僑胞衆多的亞洲各國地區，在經濟發展上，有相似的情形。台灣正由農業社會邁進工業化，而東南亞各國的華僑經濟，卻需要從傳統的商業經濟轉移爲現代化企業，方足以適應僑居地經濟發展的需要。我們上面說過，僑資事業在國內都以最新技術管理發展，因此各僑居地的華僑工商業向回國投資的僑資工業各部門學習。同爲謀求經濟開發，同樣需要各種科學的技術的專門人材，以發展大企業，任何地區皆然。因此教育和經濟必須密切結合，社會必須供給較已往素質爲高的人力資源，否則經濟無從發展。從另一方面看，爲了發揮教育的功能，教育必須使其服務社會，學以致用。更進一步說：也爲了擴大國民就業領域，爲了解決人口的壓力，也必須發展職業教育，不僅要求教育普及化，尤須注重提高素質，求得人力資源在質和量都得到供求平衡，才能吸引更大的僑資回國。明年我們只要吸引流往香港僑資一半之數，則台灣僑資事業必大放異彩。

（三）各種投資手續，仍需要更具體的簡化。香港爲什麼能吸收如此大量的僑資？最重要的因素是投資手續簡化便民。我們主管華僑投資的單位已在竭力研究簡化投資的辦法了。相信五十四年的僑資在國內發展，將有更可觀的成果。香港接近匪區，政治並不穩定，自由中國的政治穩定，勞工廉宜，只要僑資的好去處，確爲投資手續更簡化些，擁有僑資的大企業家必看中台灣，而非小如彈丸之地的香港。我們以爲民國五十四年的僑資事業是樂觀的。

從中共核子試爆看反攻大陸

（上接第一版）我們反攻之道多端，撮其要點，不外三項。第一爲團結內部，第二爲亞洲團結，第三爲物質上之援助。前二項完成以後，第三項始有希望。第三項如無，反攻即難實現，反攻即使實現亦難成功。團結內部看似很難實甚簡單，作法甚多，但總括言之，則不外實行「天下爲公」四字。政府各種措施，如能立即實行天下爲公，萬事決諸公論，政權屬於全民，則大陸，海外，自由基地的反共力量，必然匯爲洪流，發生巨大力量，反攻爲民族生死之戰，破釜沉舟之戰，必須名正言順，四海歸心，全國軍民同仇敵愾，肝腦塗地，死而無悔，方能有必勝之公算。如爲一黨之反攻，一派之反攻，則將予人以爭奪政權之誣蔑，難收全國一致之實效。至其方策，首爲劃除特權，嚴格實行，法律之前人人平等，以平民憤。次爲宣佈所有一切國民不分黨派一律工作機會均等，以平民心。尤重要者，爲召開反共建國聯盟，集全國海內外各黨派各界之領袖與精英，付以最高之權力，策劃反攻大計，以示全國一致。

亞洲團結必須使亞洲各國包括日本印度在內，形成一軍事聯盟，利害一致，福禍與共，方能發生力量，經濟文化等交流互助，雖可聯誼，無補大局。

至於美國物質上之援助，則更爲必要。現代戰爭，空軍爲決勝之關鍵，無大批轟炸機，不能進攻。海島國家船隻爲交通上之唯一利器，無大批船隻無法運輸。收復土地人民飢鴻遍野，死傷枕藉，無大批糧食醫藥無法善後。長期戰爭，需要大量武器彈藥汽油，無大批軍需物資源源補充，勢難持久。凡此均有賴於美國援助，否則一切準備，均屬空談。美國十數年來之世界政略，一貫爲圍堵嚇阻，固不稍事退卻，亦決不越界進攻，我們如能舉國一致，亞洲各國軍事聯盟如能形成，則美國對於中國反攻尚未必能予以贊助。如上述二項均未實現，則其世界戰略，決不會因中國一隅之急於反攻而有所改變。現在我們反攻時機最好，須在明年春夏之交，至遲亦須在明年冬季以前，甚爲急迫，而準備工作，迄尚未着手，誠不知執政當局所司何事，有何打算？是誠令人焦慮、憂思，不能自己者也。

淘大猜豆辦法改變
永勝攪珠吸引游客

工展會淘化大同攤位，並舉辦「猜豆」有獎遊戲，並攤位當眼處設投票箱及標出法，已有衆多遊客包圍攤位四週，估計攤位牆壁及裝飾所用黃量，但許多遊客認爲將[illegible]難多，但能猜出其正確數字希望甚微雖然踴躍投分，但亦僅[illegible]微，未希望。茲據淘大攤位主持人表示正確，猜中攤位以內黃豆數量，事實之困難，故現已改變辦法，將縮小，即以「淘大」招牌內所裝飾之黃豆正確數字，即可得獎。

永勝攤位的金戒指獎品，因設有攪珠，時而沙沙作響，但最能引動遊客。其攪獎辦法是攪出珠號與發票號碼尾號相同時，可得獎。有人一攪而中，有人卻連購三數件恤衫，仍告落空。

第三街紅A星光實業公司的攤位標誌，最爲突出，許多家婦前來買水晶塑膠菓盤，準備舊曆新年應用，塑膠製爲水晶，幾亂眞，五六塊錢的東西，新年大派用場。（坤）

高市勞軍團在金門

（金門航訊）當我接到陸賀的電話，我就知道高市勞軍團到了金門。他（她）們一共來了一百廿五位，由黃邠川領隊的。這一龐大的勞軍團，眞可以說是浩浩蕩蕩的。

這支勞軍團是高市文教界組成的，裏面的成員有校長，有中小學教員，有教務主任，有訓導主任，有學生。學生皆是康樂隊員，他們所表演的以輕音樂和歌舞爲主。

這支勞軍團攜帶的有十九吋電視機廿一架，書刊兩萬多本。他（她）們在金門逗留五天，慰問了醫院傷患，海防部隊，以及其他部隊。又並歡宴官兵代表。

在這支勞軍團的勞軍活動中，使我們堅守在戰鬥崗位的，祇能在報紙上看到他（她）們活動的消息，其他則沒有什麼。因爲他（她）們勞軍的康樂節目，也祇是走馬般的，很多官兵連打個照眼也沒有的。

同時，以我在金門的眞正體驗，戰地需要的，却是精神食糧。如果以書刊勞軍，不要以點綴性的，一個單位幾本兒。需知我們都是住在碉堡。那幾本叫我們放在那個碉堡內去看？要勞軍就勞個徹底，每個碉堡都有份兒才行。

我在四十年參加克難英雄大會，各界慰勞的毛巾，恤衫，肥皂，牙膏，牙刷，皮鞋，奶粉都是很多的。可是我們這些健兒的數字，比慰勞品的數字多得多。我們人數多，叫我們如何分那些慰勞品呢？叫那個健兒不要呢？所以，之後健兒們都把這些東西轉送到醫院裏。而醫裏的傷患，也往往不夠分派，也是不能分攤。之後，這些慰勞東西，竟沒有法子處理。

我還有一個體驗，在我和某機關打交道時，發現庫房有三十多雙新鞋，有些已經發了霉。我曾問：

「你們這些皮鞋，爲什麼不發出去？」

「不能發出去。發給全體不夠。發給某一部份人，就會有閒話的。」

「那末你這些皮鞋怎麼處理呢？你不能眼看着這些皮鞋霉壞掉。」

「你要吧！如果你要你就拿一雙去。原先不只這些雙皮鞋的。這個來拿一雙，那個來拿一雙。大家都是朋友，也就樂得做個人情。」

由這一點，我得到一個啓示：不患寡而患不均。因爲怕不均，也就使很多有用的東西，讓他沒有用。而這次高市勞軍團的勞軍品，在我們來說，就是患了不均的毛病。同時康樂隊也是這樣子的。

上次陸光話劇隊演了廿二天，一天三場，還有些碉堡沒有欣賞到的。而高市勞軍團祇有五天，那康樂與勞軍，也就是點綴點綴了。

金門距共區很近。遠的不過一萬來碼，近的兩千來碼。砲彈全島都受到過的，槍彈也在最近的地方受到干擾的。這麼近的距離，隨時隨地都有戰爭發生的。而我們每天在枕戈待旦，精神上的緊張，生活上的枯燥，是多麼需要康樂隊與書刊來調劑呀。但打着很大招牌的勞軍團，其到金門就像是觀光一樣，給我們的祇是浮光掠影，沒有其他的。

因此，我想以後的勞軍團到金門前哨，要強化到碉堡，使每個戰士都能眞正欣賞到康樂節目，享受到眞正勞軍的物品。如果這樣勞軍團而在各方面都有困難，那就不如將所有的一般勞軍團，聚成一個大的勞軍團。

也以我個人的觀點：前線所需要的，乃是報紙與書刊，其他便是康樂隊。康樂隊演出時，一定要普遍，要深入碉堡。這樣，才眞正做到鼓舞士氣，陶冶戰士心身的。

我讀過一篇文章，裏面有這麼幾句話：

「你知道你是怎麼失敗的？」

「不知道。」

「告訴你，你的失敗就是過份吹牛了。」（勞克）

打倒胡秋原謊話的二十個例子

一份刑事答辯狀

李敖

2 五十一年四月，「世界評論」曾有有關民意代表均須「自淸」之社論（六五），胡秋原爲這本雜誌撰稿人，後曾參與編務，安有不知此社論之理？何能以「自淸」二字陷人入罪？以上答辯，都可以證明胡秋原的惡意歪曲，陷人入罪的陰謀，故用「自淸」二字，根本不發生紅帽問題。

證（六三）「總統言論彙編」最近俄共動向的分析與反攻復國現階段的工作要旨。

證（六四）「民族晚報」五十一年三月二十四日社論「又聞立委倡議自淸」。

證（六五）「世界評論」第十年第二號社論「民意代表均須『自淸』」，五十一年四月廿日。

9 關於「做過共產黨同路人」部分

前節已駁斥胡秋原誣人以借用共黨術語，其實眞正借用並名符其實者，實爲胡秋原自己。胡秋原在「補充自訴理由狀」中說：

「自訴人說：『做過共產黨同路人』原係借用共產黨術語，但下面還有一句：『我很快的決心不和他們同路』。說明自己與其不同的立場，李某何得再盲目曲解？」

其實我一點也沒「曲解」他，更沒有「盲目」，這完全是他自己的話，他自己說「做共產黨同路人」，這是百口難辯的事實，至於「很快的決心不和他們同路」，則是另外一回事，曾經「同路」過和不再「同路」，是截然兩個層次，胡秋原沒有辦法用第二個層次來抹掉第一個層次！何況胡秋原所謂的「很快的不和他們同路」，也是一句頗有問題的話頭，因爲他並非「很快的」，其全部情形，我在「爲『一言喪邦』舉證」中已舉出很多的鐵證，此處從畧。

有一點値得特別點出的是：胡秋原說我「盲目」，因爲他說「做過共產黨同路人」之下「還有一句」，我沒看到。其實道道地地瞎眼的，倒是他自己。我在「胡秋原的眞面目」中，明明是這樣寫的：

「他自恃他『在國民黨勢力最盛時「曾」爲國民黨之敵』，『在共黨將被消滅時「曾」爲共產黨之友』，以『曾是共黨的所謂「同路人」』（37）的資格，他想他可以留下了。」

我在雙引號下面，特別註明（37），（37）是指他在四十一年寫的那篇「我爲什麼反對共產黨」一篇文章，根本不是指四十四年他寫的「我與中國共產黨」那篇。可是「盲目」的胡秋原却搬出他四十四年的那篇來告我，說我刪掉了「下面」那句，這不是可笑嗎？我根本連上面一句都沒引，我刪他下面一句幹什麼？我引的，明明是民國四十一年那一篇。在那篇文章裏，他說：

「在一種意義上，我曾是共黨的所謂『同路人』」。

在這句話後面，他並沒說「很快的」「不「同路」」之類，反到說他「慢慢的」「走上反共之路」（六六）。反正「快」「慢」由他，信筆舞文弄墨也由他，我只是申明：「你胡秋原不要再罵人『盲目』了！因爲你才『盲目』，你根本就沒有『下面』一句！你根本就是看花了眼，張冠李戴，硬來纏人！你最好先把你自己寫過的白紙黑字一一讀熟，再來跟我引用的核對，如能挑出矛盾的地方，再來告人不遲。否則徒鬧笑話，多難爲情呀！」

證（六六）胡秋原「我爲什麼反對共產黨」（四十一年四月二十四日美國「少年中國報」）。

10 關於「左派」「馬克斯」部分

我在「胡秋原的眞面目」中提到「讀書雜誌」及左傾份子的流派們「在馬克斯偶像前的爭風吃醋」等問題。胡秋原在「補充自訴理由狀」中開始纏夾，竟謂：

1「所謂『左派』係指『左翼作家聯盟』，『洛揚』即『左聯』代名詞』，實即共黨。」

2「讀書雜誌並非左派刊物，且爲反左派刊物。」「馬克斯主義並非共黨專利品或左派標雜。」這些話，通通大有問題。辨正如下：

1 他給「左派」一詞，先扣住了一個定義——「左翼作家聯盟」，然後引伸爲「實即共黨」的結論。這完全是邏輯上的「丐辭」魔術。他的魔術是，誘你先承認他的前提，然後你就不得不承認他的結論了。事實上，「左派」二字的定義已涉及到政治學的範疇，和政治學上的術語。例如：李可夫（Rykov）主張把農產品的價値提高，共產黨大罵爲「右派」偏差，實際上，他代表的却是「左派」（六七）；在德國「右派」納粹黨的眼中，美國民主黨和蘇聯共產黨都是「左派」；在英國自由黨的眼中，保守黨和工黨却一爲「右派」一爲「左派」；在文生眼中，羅斯福是中間偏左派；在渡邊捷三眼中，大山岩雄由「左派」跑向「右派」，而在大山岩雄眼中，渡邊捷三又表面「右派」而實係「左派」；在史達林眼中，托洛斯基是「左派」，而在兩人眼中，布哈林又同是「右派」；在「右派」眼中，意大利共產黨和P.S.I.都是「左派」，可是共產黨又說P.S.I.是「右派」；在工團主義者的眼中，一切又都是「右派」。從自由的基綫上看：納粹黨和共產黨簡直又不分「右派」「左派」，完全是難兄難弟；農民黨和自由黨也不分「右派」「左派」，也完全是難兄難弟。從財產的基綫看；納粹黨和保守黨又在「右派」方面如足如手，而共產黨和工黨又在「左派」方面如手如足。這些差異和變化，豈是那樣簡單的？普爾（Poole）的表達法，可以稍加訂正，粗示如下（六八）：

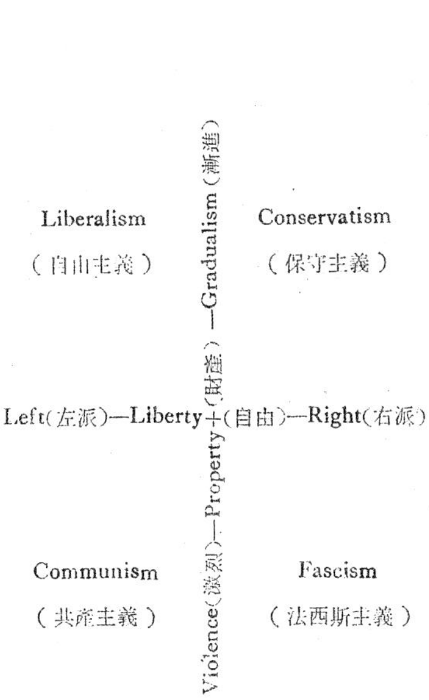

Liberalism（自由主義）	Gradualism（漸進）	Conservatism（保守主義）
Left（左派）—Liberty	＋	（自由）—Right（右派）
Communism（共產主義）	Violence（激烈）—Property（財產）	Fascism（法西斯主義）

這個表解足可以說明所謂「左派」「右派」等術語，根本不是胡秋原的一句「左翼作家聯盟」所能勘定的，根本不是那樣簡單的。何況胡秋原自己，又給「左派」二字做了不同的說明（六九）：

「須知今日爲共黨打下天下的，是我這一代及比我下一代的智識份子，他們原多少是自由主義的民族主義的，繼而被稱爲『左派』，繼而一部分被吸入共黨。我和他們出於同一思想背景——五四後潮流；出於同一生活背景——上海亭子間。」

「我比共產黨以及其他『左派』還窮。」

「如今昔之『左派』，變爲『右派』了。」

「一切『右派』是仁人志士。」

這明明指出「左派」「一部分被吸入共黨」，共黨以外，還有「其他『左派』」，且「昔之『左派』」，還是「仁人志士」呢！……這些話，胡秋原又怎麼說呢？他以「所謂『左派』……實即共黨」來告我，又何以自圓其說呢？再看他下面的話：

「到十九年，我已看見這左翼文化運動蒸蒸日上了。自十七年革命文學風潮後，到十八年，是社會科學翻譯最盛之年。……譯者約六十餘人，眞正共黨恐不過十分之一，大多數實爲左派（同情共黨或馬列主義者），其中今在台北反共者或亦有十分之一，不過在當時，大抵客觀上參加這左傾大合唱。」（七〇）

這不更明白的說出了「共黨」與「左派」的同異了嗎？不更明白的指出了「馬列主義者」就是「左派」了嗎？胡秋原自己給「左派」這樣清楚的規劃了範疇，但是當我李敖用一這種範疇來寫他的時候，他就大跳起來，居然狡賴，說「所謂『左派』，……實際共黨」了！好了！若依此前提，則胡秋原當時不單是馬克斯主義者，「左傾大合唱」的唱歌者，並且還可自我類推爲「共黨」了嗎？這不是爲了要害我，反到害了他自己了嗎？這又何以自圓其說呢？這是自打嘴巴呢？還是不小心「失言」而暴露眞相呢？此外，另一樁可笑的推理是關於「洛揚」問題，胡秋原所謂的「洛揚即『左聯』代名詞」，這也是他的以「丐詞」變魔術。「洛揚」是「人」；「左聯」又是什麼？胡秋原心理是明明白白的。我明明指出「洛揚」是在二十一年六月六日五十八號的「文藝新聞」上寫文章，胡秋原却硬纏胡纏，在「補充自訴理由狀」中說我「論及『左派刊物讀書雜誌』與洛揚及『左派文人洛揚』竟意圖混讀書雜誌與洛揚爲一體」，這不是故意扯淡嗎？這樣看來，蒙混一體的是胡秋原自己，與我無涉！（四）

瘟君續夢

第十五回：平等難期　一夫翻地軸　自由何價　萬衆擲頭顱

這時一羣「人民警察」還想出來維持秩序，可是羣衆已經不怕他們了，幾千人包圍住幾十個「人民警察」，宛如一片洪流衝擊幾塊礁石，他們雖然背的有槍，可是沒有任何人敢摸摸槍柄，恐怕一拉出拔槍的姿勢，性命馬上就完了，一羣人都不敢動、靜靜聽候人民發落。

人叢中有人喊道：「我們平常受警察的氣太多了，今天要拿他們出出氣，叫他們舉起手來。」

一人喊出，大家一齊吶喊：「舉起手來。」幾十名「人民警察」不敢違抗，乖乖舉起手來。

圍在前面的市民，看見這一羣狼狗馬上變成了綿羊，有人過去賞了他們幾個耳光，眼看一打一歪頭，不但不敢反抗，連放下手去摸摸臉都不敢，大家反而不忍再打了。後面上來的人把「人民警察」的帽子除下來，先把帽上的紅星摘下來放在地下踏扁，然後把帽子丟上天空，好似擲皮球一樣互相爭奪，一時充滿了笑聲，大家這時忘記了飢餓，也忘記了危險，以爲獲得了自由，就可抵償了麵包。就在這時，曾生來了。

當孫樂宜被包圍，劉科長被打死的消息傳到「市人民委員會」之後，曾生知道自己不出馬是不成了。不過，他也知道光是單槍匹馬去勸說，絕對沒有效果，一定會作孫樂宜之續。

曾生考慮之後，決定要動用武力，當時給廣州軍區司令員黃永勝打個電話，請他派出一團部隊到車站逮捕「暴民」，並說明是傳達陶鑄同志的話。

黃永勝聽說陶鑄要他出兵，不敢怠慢，馬上一口答應，即派守備東山的一個警衞團開赴車站鎭壓。

曾生得到黃永勝的回電，放下了心，坦然到車站去和飢民談判。羣衆看見曾生只帶了幾名衞士前來，臉上換了一付罕見的笑容，自然而然地也都減少了敵意。

曾生笑着說道：「你們都是良善人民，這次衝動只是思想問題而非政治問題，我絕對可以諒解，大家放心好了。」

羣衆一見曾生說話如此客氣，大家不好意思再動武，放了那些人民警察和孫樂宜，都團團圍住曾生，聽他說話。

曾生接着說道：「你們光是這樣吵鬧不能解決問題，有什麼話同我說好了，只要黨和政府可以作到的，一定予以考慮，我自己能辦到的，我也一定照辦。」

羣衆喊道：「我們只有一項要求，開車送我們去深圳。」

曾生擺手道：「這一點你們可要多想一想，黨和政府並非不讓你們去，而是香港政府不准你們入境，過去有許多人已經偸渡進去，又被香港政府送回來，你們去到深圳又怎麼辦！深圳是個小地方，怎麼養活這麼多的人。」

大家嚷道：「只要我們能到深圳，香港政府不讓我們入境絕不干你的事。」

曾生考慮一下，獰笑道：「你們一定要去，我也不攔阻，可是你們要排好隊伍才能買票，像這樣亂嘈嘈嚷成一團，什麼事也辦不成。」說過就拖着孫樂宜回到站長室，少停共軍開到了。（四〇一）

冒險犯難記

鄭文儀

四十三、中原大戰的驚險見聞

從民國十九年五月初旬起，國民革命軍第二、第三集團軍馮玉祥、閻錫山的部隊，陰謀叛亂，正沿隴海路東進及津浦路南下，發動向中央第一集團軍的攻擊。

國民政府明令討伐，蔣總司令親赴中原指揮作戰，總司令行營設在隴海鐵路兩列鐵甲車上，先到河南開封東面柳河集附近，常在歸德與野雞崗之間活動指揮。因爲馮玉祥的主力正從隴海路南北兩面，以優勢的兵力發動攻擊及奇襲，這是一場十分艱險的戰爭，這將近六個月的中原大戰，艱難困苦危險的事態相繼發生，我所見聞的驚險情況有十多次，這裏畧述一二，以供參考。

那是在七月中旬的一個晚上，當我們的鐵甲列車，剛剛從前綫野雞崗觀察戰況，回到歸德之後，因爲我們的火車來回走了一整天，氣候很炎熱，人人都很疲勞，大約是晚上九點鐘左右，才到歸德車站停車，大家匆忙中吃了晚飯，洗了澡，就都在車上睡了。歸德車站有六條鐵路停車軌道，總司令部的兵站也設在這裏，合計有五列火車不行停在行營鐵甲車的前後左右，車站附近約有警衛部隊一連，因爲這裏是後方，左右前後有不少師團的大軍拱衛，看起來安全是不成問題的。

我們隨從人員住的火車距總司令的臥車祇三個車廂，我們從沒有想到敵人會用騎兵鑽隙，黑夜來襲擊歸德，因爲歸德是我們總司令部指揮的中心地帶。那天晚上剛到午夜之際，忽然車站週圍槍聲驟發，情況不明，不知究竟是敵人襲擊？還是發生民變或兵變？警衛營警衛官兵很快在總司令鐵甲車兩旁荷槍實彈，嚴密佈防警戒。一時兵慌馬亂，歸德城裏的老百姓，男女老幼，成羣結隊的向着車站內外蜂湧奔逃，我和兩位隨從副官，很快跑到總司令的坐車車廂外面觀察情況，聽候差遣，應付突變。

郊外的機關槍和步槍發射的聲響，漸多漸密，而且有不少的槍彈是朝着車站列車方面發射，在外圍警戒的部隊，也已開始防禦的射擊。因爲變起倉促，情況不明，防衛的兵力十分單薄，車站兵站的列車擁擠，很想向車站車邊疏散幾列列車，調放軌道，以便總司令的座車行動自由，火車喇叭的鳴叫聲，好像發放警報一樣，情勢十分嚴重，也十分危險。

在這樣危疑震撼，十分驚險的關頭，蔣總司令奮其神勇，指揮若定。他不慌不忙，走到車箱門口，要侍從副官派兩個人到火車站外槍聲較密的地方去偵察，將情況迅速回報。（七一）

關索之謎

周燕謀

漢壽亭侯關羽有子二人，長名平，次名關興。關平與羽同殉難臨沮，（今湖北當陽縣西北），羽死追謚忠義侯。次子關興嗣爵。興字安國，少有令問，丞相諸葛亮深器重之，弱冠爲侍中中監軍，數歲卒。子統嗣，尚公主，官至虎賁中郎將，卒後興子，以關興庶子彝續封。關羽之後至此絕續。

又蜀記（王隱作）曰：「龐德子會，隨鍾會鄧艾伐蜀，蜀破，盡滅關氏家。」因龐德死關羽之手故也。關羽二子之史實，證之三國志、後漢書、魏略、華陽國志等史籍均有之。而三國演義有關索一人，謂爲關羽三子。不知其何所本？如謂羅貫中造謠，則恐冤枉。何以故？因有名家筆記可稽也。

謝鑾「滇略」云：「丞相亮大破蠻兵時，右將軍之子索亦有戰功。」又許纘曾「滇行紀程」亦載：「前將軍第三子曰關索，從諸葛丞相征孟獲，功勛甚盛。」「古今筆記精華」又云：「相傳雲南之關索嶺，即爲鄉民仰慕關索之功勛，立祠山上而得名。」更可信的是「古今圖書集成」引斬水縣誌記載此事更爲詳盡：「縣有王氏二姊妹，皆以武藝招親，關羽子索獲選，二女皆歸之。」索至是有三妻。

上述「滇略」一書，爲明人謝肇制官雲南時所作，時人評謝氏爲「記誦淵博，較諸家地誌爲雅潔」等語。而「古今圖書集成」，乃清聖祖輯撰，雍正初始校印，幾經勘校。此中記載，當非一般稗史之捕風捉影可比。尚有清人陳鼎之「黔游記」亦云：「霸陵橋即關索橋，水從西北萬山來，亦合盤江而趨粵西以入海。關索嶺爲黔山峻險第一，路如之字，縈折而上，山半有關壯繆祠，即龍泉寺，甘泉可飲。相傳壯繆少子索用鎗刺出者。寺內大竹千竿，青葱可愛。寺外道旁，有啞泉，今已閉，碣曰「亘古啞泉」。西巔即順忠王索祠，鐵鎗一株，重百餘斤，以鎭山門。」

按陳壽三國志壯繆長子平，從死臨沮，次子興爲侍中，數年歿。未有名索者。意者建興初，丞相亮南征，從者其索乎？有功於黔，土人祀之。黔人呼父爲索，尊之至而以父呼之耶？相傳索從亮南征，爲先鋒，開山通道，忠勇有父風。今水旱災癘，禱之則應，故血食千古。一路至滇，名關索嶺者三，而滇中亦有數處，似爲壯繆子不謬也。或謂爲「關鎖嶺」之訛，程江夏「滿江紅」詩云：「當年陳壽是何人？一史獨缺，誠爲千載疑案。然正史缺者頗多，不獨索一人已也。但不知王實甫作「三國衍義」據何稗史而忽插入索乎？是皆不得而考也。（此之三國衍義乃王實甫作。）是關羽三子之說，流傳甚廣，而各家筆記遺聞，復有顯明細述，羅貫中演義蓋有所本也。

另有折衷之說，即諸葛元聲之「滇事記錄」云：「諸葛丞相渡水遠征益州時，雲長少子關興即關索，驍勇善戰，頗建殊勛」。但此說甚謬。「諸葛亮渡水遠征益州」，所謂「渡水」，乃渡「瀘水」，瀘水在四川會理縣東南，通雲南。雲南雖爲益州屬土，然不得謂「征益州」。此說不可信也。水滸傳中有病關索楊雄之綽號。而宋時盜賊中有小關索者，清人俞樾「茶香室叢抄」云：「宋范公稱『過庭錄』曰：忠宣守信陽，漢上有巨賊羅塹，擁衆直壓郡界，忠宣集郡僚謀守御，皆懦怯無敢當者。有酒吏秦生請行，獨以數十騎直對敵壘。

（未完）

美妹

羅雲家著

廖明德起初的面有難色，是因爲什麼？是他唯恐這朵鮮花被妹夫用卑劣的手段，搶先摘去捨不得嗎？還是因爲家裏實在不能一天沒有她照拂呢？而以後的勉强同意她去新竹，又是爲了什麼？因爲收了人家的禮物嘴軟？因爲得過妹夫的經濟支援？還是碍於情面，不便推辭婉拒？或者是彼此有了什麼秘密的協議嗎？

她說要我夜間七點至七點卅分去新竹國民戲院左側晤面，是楊光城提議在那時候請她看電影的？還是她計劃要在那時候由他陪着去看電影的？抑是並非看電影，而是由她設法在那時候抽身前來晤我的呢？

當美妹告訴我楊光城對她不懷好意，想佔有她，想娶她，我自己應該怎麼樣？我又應該教她怎樣？教她敷衍他嗎？教她玩弄他嗎？教她眞的愛他，從而嫁給他做小老婆，去享受較好的物質生活嗎？抑是教她設法逃脫到另一個人不知鬼不覺的地方去？教她對他明說自己有了心上人，不久即將結婚？教她在緊急關頭誓死反抗，並且大聲呼救以免遭受他的蹂躪嗎？

硬梆梆的坐椅，加上乘客的擁擠與道路的崎嶇，使他坐車到達中壢時，已經有些疲倦的感覺。他不想乘火車，因爲他看看手錶，已經趕不上五九次慢車，另一方面，美妹告訴他說楊光城是乘自備摩托卡的，他希望能在去新竹的公路上發現她。所以就在延平路口下了車，轉搭公路局的車子南下。

碰巧，剛好有班去新竹的直達車，他急忙購票上了這班車。電鈴響後，車子開始飛馳而去。他目不轉睛地一直注視着路的左邊，他希望自己坐的車子在超過許多摩托卡車的當中，能夠發現到楊光城的那一輛。那時候，他就可以在前面一站下車，等候他們倆，就說是她父母同意了她的婚姻自由，特地着他前來找她回去。再不然，就說她的大哥劉大明因爲率衆與另一幫太保尋仇鬥毆，已經負了重傷，送在台大醫院，情勢危殆，一直呼喊她的名字，她父母特地求他前來找她回去與大明見一面。再不然，就說他去楊家找美妹時，發現楊太太正抱着高燒不退的孩子去看病了……

他繼而一想，這樣都是不妥的。怎能中途下車等她們呢？萬一他的車子不跟上來，或者是你叫他們停，而他們卻疾駛而去，豈不是又得多花錢買車票了嗎？何況，美妹約定有會面的時間地點，假如突然在中途出現，豈不會破壞原有的計劃嗎？而且美妹的眞正心意，在沒有了解之前，單獨處理問題也是不妥的呀。因此，他就打消了中途下車的想法。

一會兒，車子到埔心了，再一會兒，車子越過了楊梅。在這一段路上，他們超越過的摩托車不下十五輛，但沒有見到美妹她們。到嶺坡的時候，前面的一輛摩托車，後座坐有一位少女，輪廓衣服都很像是美妹，他的心有些加速地跳着，他希望那就是她。但當他們的車子駛近那摩托車時，他看清了，也失望了。原來那是一位雙乳高聳的少婦。

湖口到了，上來了一位軍官坐在他的左側。一交談，正是他已往服役過的那個連，新任的連長，部隊就駐在新竹。他的老班長與排長等都仍然在連上，他非常高興。說如有時間，定去連上拜訪。這位連長極和氣，於是給了他一個地址，表示十分歡迎他的往訪。

他們還談了些別的，但並不影響他對路上所有摩托車的注視。山崎過了，竹北也過了，他們的車子又超越過了不少摩托卡，但都不是美妹乘的那一輛。她也許已經早到新竹了，現在正坐在咖啡廳裏享受楊光城的殷勤招待？他這麼猜想。（三六）

哀梨室剡談

「傀儡登場笑沐猴，裝模作樣不知羞，劇憐爨下餘灰燼，爭及江鄉逐浪鷗。」

右爲亡友談善吾先生（筆名老談，民國初元，爲「民立報」名記者之一，女作家談社英即其女也。）觀「傀儡戲」所作之小詩；雖止二十八字，已將爲「傀儡」者，自登場至歸爨下之慘狀，描畫無餘。彼似人非人任人搬弄之「傀儡」，讀吾友此詩，得不爽然若失耶？

「傀儡」即木偶人，牠無疑的有驅殼沒有靈魂。但在某種情況下，牠却可以做戲。

自然我們知道，木偶究竟是木偶，牠根本就不能動。其所以動，是有一個利用牠的人，在幕裏面牽着牠動的。

這種利用木偶以謀生活者，差不多百分之百，都是游手好閑的市井莠民。但任他如何將木偶冒充人類，但與眞正的人一對比，牠就卑卑不足道了。

木偶就木偶吧，爲什麼又要叫「傀儡」呢？這却有着下列的原因。

登場傀儡果何爲

豁公

原來古時殯葬的儀式，有一彈性的規定，即是達官貴人們死了，例得運用某種隆重的儀式，即使是引車賣漿者流，也祇要他家裏有幾個錢，也准用朝衣朝冠，三寸之棺，五寸之椁，靈柩前面，還有兩個木製的「魁壘之士」（即是壯士，亦即帝王貴官外出時，用以侍衛之武士。因爲死者不能用生人侍衛，故以木製之偶代之。）以壯觀瞻！正如「隋書」所云：「加等飾終，仰推令典」。由於人們對語言文字，多喜刪繁就簡，於是「魁壘之士」遂一簡爲「魁壘子」，再簡而爲「魁壘」。

又因「壘魁」的本身不起作用，一定要人來推動，然後有所作爲，特地把牠身上原有的斗士一並去掉，代以人旁。這就是「傀儡」二字之來源。此項「傀儡」，是專備出殯用的。

至以「傀儡」作劇，則始於周穆王時之樂官偃師。爲了爭取穆王之恩寵，特地運用天賦之聰明才智，造出一些眉目清秀，顧盼生姿之「傀儡」，用以歌舞昇平。自然歌是要偃師代勞，舞也是要偃師持其柄而舞之的。

當時所唱之歌，名叫「黃竹子歌」，即後世所稱之「吳歌」也。（此蓋以偃師爲吳人故）牠的歌詞是：「江邊黃竹子，堪我女兒箱，女兒去不返，遺我淚盈眶。」

這個當然是偃師唱的，但欣賞者自幕外觀之，就像「傀儡」本身在歌舞一樣，並不覺得代牠歌舞的另有其人。這也足見偃師之巧思。

然而馬屁拍到馬足上去了，因爲「傀儡」的動態，差不多是和眞人一樣的；當穆王帶着他的后妃們走出宮來，欣賞這「傀儡戲」時，瞥見那「傀儡」的一雙桃花眼，竟不斷的向着后妃們瞟來瞟去，大有垂涎之意；不由的龍顏發怒，認爲偃師這樣的做法，不但侮辱后妃，並且冒犯王室的尊嚴，這就非重懲不可！（一）

高山景行話聖陵

漁翁

中爲「大成殿」，兩旁有雕龍石柱，壁刻「孔子周遊列國圖」，凡百零五幅。又唐吳道子所繪鐫孔子像，道貌岸然。

孔林，在曲阜縣北二里，背泗面洙，繞以周垣，面積達四十餘里。林中樹以百數，皆異種，傳言弟子異國人，各持其方樹來種之，多不知名。就中有子貢之楷樹，枯而不朽；而孔子所手植之松檜，屢枯屢菀，今尚存，謂之「再生檜」。

孔墓，在孔林泗水上，太史公謂孔子塚大一頃，四方弟子及魯人，往從塚而家者百餘室，因命之曰「孔里」。據傳，「周公嘗卜於此，既而歎曰：我無德以當之。五百年後，有聖人出而當之」。塋中不生荊棘及刺人草，四週松檜交翠，花草繽紛，入其境，心曠神怡，有「江山千古秀，草木四時春」之慨！

孔子之道，博大淵深，子貢曰：「仲尼不可毀也。他人之賢者，丘陵也，猶可踰也；仲尼，日月也，無得而踰焉。」（下）

內僑警台報字第〇三齊號內轉證

自由報

THE FREE NEWS

第五〇九期

中華民國僑務委員會核發
台教新字第三二三號登記證
中華郵政台字第一二八二號執照
登記為第一類新聞紙類
（本刊每星期三、六出版）
每份港幣壹角
台灣零售價新台幣貳元
社長：雷嘯岑
督印人：黃行蜜
社址：香港銅鑼灣高士威道二十號四樓
20. CAUSEWAY RD 3RD FL
HONG KONG
TEL. 771726　電報掛號：7191
承印者：田民印刷廠
地址：香港灣仔高士打道二二一號
台灣分社
台北市西寧南路金谷大樓二樓
電話：三〇二四六
台郵劃撥金戶九二五二

世運的教訓

丘峻

我一向反對錦標主義或金牌主義的體育；但不反對盡可能去奪取錦標或贏得金牌。

我一向主張提倡「全民體育」，要從全民體育普遍發展成長中，培養奪標得獎的幹才，以爭取錦標或金牌的榮譽。

距今三十幾年前，即民國十七年之間，筆者服務於廣西，值廣西第一次全省運動大會在梧州舉行，曾經以「體育痛言」為題，寫成一篇三四千言的文字，於大會開幕之日，發表在大會特刊上，痛陳「錦標體育」之非計，而力言全民體育的重要，並且主張必先提倡全民體育，從全民體育普遍發展成長中培育奪標幹才，以爭取錦標的榮譽，才是發展體育的正當路徑，而且是康莊大道。此文發表後，極得廣西省體育場場長的贊同，認為切中時弊，曾盡力向各方面鼓吹。不過，當時的社會環境，大家醉心於「錦標主義」，迷了心竅，儘管言者諄諄，而聽者藐藐，自然發生不了什麼影響。一場心事，等於落空，一番心血，歸於白費，也就沒有發生什麼效果。

時光荏苒，直到今天，「錦標」變成了「金牌」，運動領域日漸擴大，技術改進非可一蹴而幾，金牌榮譽亦不能隨便倖致。然則我們三十餘年來提倡體育的效果又如何？我們到了此時，得睜大眼睛看看：第十八屆世界運動大會已在兩月前舉行於日本的東京，各種各類的競賽不必說，自信有些把握的籃球打輸了，比較更有把握的足球亦失敗了，就是有十拿九穩的十項全能運動的「金牌」也落空了，乘興而去，敗興而歸，結果全軍盡墨，抱了一個駝鳥蛋回來。國人於此，寧不傷懷痛心！

事到如今，國人才如夢方醒，痛感我國的體育失敗了，得不到「金牌」，還是次要問題啊！大家都知道，我們在世運的失敗，是體格不如人，是體力不如人，這纔是基本的因素。

大家既有這種覺悟，於是羣起大聲疾呼，我們要改弦易轍，要急起直追，要追上、還要超過勝利的國家。上自中樞教育部長、地方教育廳長，下至各級學校校長，體育主管人員，以及社會上體育界和言論界人士，莫不同感體育的重要，而且主張今後的體育應該從「全民體育」做起，作為根本的要圖。教育部設體育司的呼聲，四年體育計劃的擬議，學校體育應該怎樣的改革，社會體育應該怎樣的提倡，此唱彼和，慚愧與激勵，混成一片。這自然是一個好消息，是一種好現象。然而，「知之匪艱」，貴在實行，能知而不能行，有理論而不克實踐，那有什麼用場？還希望有什麼結果？在以往太平無事的平常狀態之下，經過數十年的倡行，到今天還只成這種樣子；現在國難期間，困難重重，更談何容易？

我們試想：就學校言，因為升學競爭的激烈，小學生普遍以功課加緊，弄到頭暈眼花，惡性補習更壓迫得透不過氣來，大多數既經營養不佳，精神、體力多所消耗，這只好造成青年發育不良，還能望其體格強健嗎？而且時間，精力，又豈能容許他們去從事體育麼？中學生雖比較惡補沒有這樣腐害；但，凡屬被認為較好的學校，也就以分外加緊功課和增加課外作業，而搞得身體羸虛，精神萎靡，甚至漸成貧血、神經衰弱等症候者，不一而足。凡在中小學校出色當行的學生，一進高一級的學校之後，身心緊張一經解除，則常常發生不幸的現象，不特身心健康日漸衰敗，就是他們原有的智能也都一齊崩潰了！況且天天通學，坐車、趕路，時間既感有限，精力復多耗損，除勉力應付功課外，還有多少餘暇餘力去從事體育呢？中小學年齡為身體發育最良好的時期，是一生體育的黃金時代，如果這一時期未曾把身體搞好，過後再想培育良好的體格，那就難收效果的了。進而說到大學生的體育，黃金時代已過，既難期收得大效，又因生活環境的種種關係，更不易為力；所以除若干有特殊興趣者外，又那裏還談得上體育呢？至於一般社會青年，值此非常時期，或因職務的束縛，或以生活的牽累，或由於其他種種原因，縱有興趣，且懷大志，亦常感力不從心，又何能長期去從事於此非一朝一夕之功的體育？這是我們目前提倡「全民體育」聲中不能不加注意之現實的困難所在。

「健全的精神寓於強健的體魄之中。」換句話說，有強健的體魄才有健全的精神，有健全的精神才有偉大的事業。尤其有關體育的事業，更需要強壯的體力才能完成使命，達到目的。所以，我往上面提出從事「全民體育」的種種困難情形，並不是故意以冷水澆大家的背，而是要提醒大家必須注意嚴酷無情的現實，應如何設法根除主要的障礙，消弭重大的阻力，俾能於事有濟，使體育能充分發揚而收到實際良果。假如我們「全民體育」果臻於發達之境，個個有着獅子式的體魄，老虎式的筋骨，駱駝式的能耐，騾子式的堅毅，而又有猩猩般的脊力，猴子般的靈活，引起世人的稱許和羨慕，那怕世運抱着駝鳥大蛋而回，又有誰敢輕視我們？而且抱蛋而回也必無其事！何況既然有着這種體格，再施以良好的訓練，進步神速，日就月將，必能而且必易進入化境。世運場中，正是我們大顯身手之時之地，縱有抱蛋之意，而蛋必自離我們而去，即不存奪魁之心，而錦標金牌亦必紛披在身，我們想不要也不可得了！

總而言之，自民國十七年拙作發表至今三十餘年，全國體育的改善，固然不能說沒有，尤其近年來青年體格的鍛鍊，更見成效；不過，國人對於「全民體育」的觀念卻始終沒有完全改變得過來，不能端正體育的方向，不能把定體育的方針，不能使「全民體育」得到普遍的發展而底於成長，不能從「全民體育」普遍發展成長中訓練出奪取金牌的眞才，以致所得結果仍與我們的理想距離非常遙遠。換過話說，我們在這三十餘年的漫長歲月中，不是不會感覺到體育的重要，也不是數十年來的體育沒有進步；不過，結果沒有達到我們的理想，而且相距還很遠很遠。究其重要的原因，無疑是這三十多年，國人對於體育運動的重視，仍不過是技術的訓練，只以奪取金牌為目標，而還不配嚴格稱為眞材實料的體育，更無與「全民體育」的發展與成長。「金牌主義的體育」，充其量也祗是若干技術上的改進，而不是我們主要目的所在：「體格的鍛鍊」和「體力的培育」。惟其如此，即技術上的訓練和改進，亦很難收大效，這不能不使人認為是一大憾事！

筆者不敏，竟不料事隔三十多年的今天，還要來舊調重彈；唯一的願望是：國人應自這一番的覺悟起，先認清體育的主要目標是「全民體育」，而視奪取金牌人才的養成是從「全民體育」普遍發展成長中自然培育出來的結果。然後努力實行，認眞鍛鍊，那末，我們「全民體育」的成功，也便成就了我們在任何國際運動競賽中奪取金牌的眞實本領，所謂最大的榮譽註定非我們莫屬了。

末了，我還要不避忌諱地提出一個警告：國人飽受了這次世運的慘重教訓，振與體育的呼聲，確曾一度高唱入雲；然而曾幾何時，似又漸歸沉寂而有健忘之象。同胞們！五分鐘熱度之譏，千萬不要忘記，大家若要決心提倡體育，切莫使「後之視今，亦猶今之視昔」而後可！

兩敗俱傷！

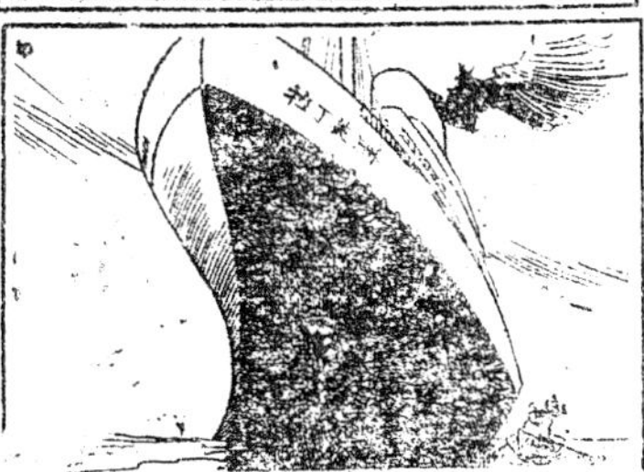

欲罷不能

今日與明日

安不忘危

蔣總統最近在國大代表年會中致詞，指出毛共試爆原子武器後，台灣即成為毛共放射火箭的第一個目標，教大家提高警覺，發揚「毋忘在莒」精神。此昔人所謂「安不忘危」之義也，應該記取。

自從中美安全互助協定訂立，美國第七艦隊協防台灣以來，住居台灣的人，認為台灣的安全可保無虞了，苟安心理隨之發作，大有「錯把杭州作汴州」之勢，日常生活充滿着紙醉金迷現象，看不出戰時情調，恍若燕處危幕，罔念禍至之無日。現在聽到總統的申儆之詞，不知大家作何感想？

先戒虛矯

今後朝野上下人士，必須滌除自我陶醉的虛驕之氣，以生於憂患的心情，各盡所能，實行動員戰鬥；尤其不可恃美國第七艦隊為護符，一切要靠自己振作。應知道：第七艦隊在台灣海峽的眞正作用，一面是防禦毛共進犯台澎地區，同時亦負有阻止我們軍事反攻大陸的任務。因此，我們在必要時，還得按照安全互助協定的法定手續，宣告廢止該協定，以免作繭自縛之弊。

一旦第七艦隊撤去了，我們唯有以「毋忘在莒」的精神，自力更生。誰如沒有這種認識，那便是惰性十足的悲劇人物，太可憐了！

台灣的建設

從自力更生的利益設想，目前台灣的建設事宜，應以加強戰鬥力，發展生產機能為第一義，要在經濟上做到自給自足，才可望達到自力更生的目的。

職是之故，一切純消費事業，政府皆須予以管制。如所謂合乎國際標準的第一流觀光旅館，就與「毋忘在莒」的精神大相違背，為甚末聽其爭妍鬥麗，以增進社會上的奢靡之風呢？

台灣原是島國，島國的經濟大動脈就是航業，更與軍事反攻的關係極大，若使建造第一流觀光旅館的資金，投入發展航業或重工業方面，這對台灣的經濟生活固然大有裨益，國家前途亦利賴之呢！

建設台灣還有一種畸形發展的構成事業，即公私銀行林立，政府隨之象。對日抗戰時期，止濫設，所在地的重慶，曾經禁雖然有銀行，現在台灣的情形許的公私銀行，但我們殊不相信非常時期，都是必要的。必須有中心目標的建設事業，完全放任，期期以為不可！

自由談

談讀經問題

馬五先生

近來台灣方面的文教界人士，對於青年學生應不應該修讀四書五經問題，曾在廣播電台上有所辯論。其中有主張必修四書，使青年們明瞭儒學義理，因而養成敦厚的情操，以挽救澆漓之人心的；有反對此說，認為儒學有許多地方已與時代不相適合，殊無復古之必要的；亦有建議先將四書五經加以整理，然後讓青年學生自由閱讀研究，而不必定為必修課程的。三說皆言之成理，但我個人卻比較的贊同第三種意見。

儒家的學說思想，是以忠孝仁愛、信義和平為中心的，原則上具有千古不磨的眞理，並無時間與空間的影響。可是，打從西漢武帝尊崇儒學，罷黜諸子百家之學以來，歷代帝王皆利用儒學作統制思想的唯一武器，藉便厲行專制獨裁的治術。一些俗儒為着弋取功名富貴，又從而仰體帝王意志，將儒學的大義微言，不惜以胡亂註釋，多所歪曲；再以自唐代創行科舉制度以迄滿清末業，專用四書五經為取士的準繩，更使儒學眞詮趨於偏頗，甚或鑽入牛角尖，我們看看朱熹的四書註解，也就明白了。所以，今天的問題，無論青年學生是否應該讀四書，而現代學人卻有對四書作一番整理工夫之必要，使儒學的精義粹然闡發，有若寶樹之長綠，這纔是保存國粹的要着。

我認為當前最宜注意的教育方法，與其提倡讀經，倒不如慎選國文師資尤為重要。今日各級學校的國文教材，多半是屬於儒學方面的，作之師者，如其沒有現代社會科學的知識，即令他是個四書五經博士，下筆千言，倚馬可待，儘管把經史子集唸得滾瓜爛熟，保證他亦教導不出一個適合時代需要的文理通順之士，充其量造就一些假古董而已。國父孫先生的三民主義內容，完全不離四維八德的儒學思想範疇，但三民主義的一字一句，何嘗有時代落伍之處呢？明乎此，則青年學生應否讀經的利弊得失，思過半矣！

處處為游客設想換來美滿收穫
本屆工展游客打破紀錄
過去十七天來已超過八十一萬人
游客服務部露天休息處贏得讚譽

（本報訊）香港工展會開幕至廿五日為第十七天，大局穩好，最如人意，是「旺丁」，廿五日報數，入場遊客已超過八十一萬人，比上屆同期多出二十萬人。捷報傳來，廠商無不笑逐顏開。

大會為辦好工展會，事前各部均經過細緻耕耘，在建設方面，尤多新的建樹。

由會場外看，頭來在工展建設範圍，主要道路工程為那條由紅磡碼頭、紅磡巴士總站直通往會場的「廠商大道」，行人與車輛交通的道路鋪得平坦寬濶，燈光照明，車水馬龍，熱鬧非常。但與此同時，由工展遊客自自然然走出另一條「路」；那是近海旁的一截崎嶇不平的新填地，大石頭滿地，而人們就愛往那邊走，取其捷徑。那路不成路，近日卻大為改觀。大會全面照顧，在支出預算之外，多加一項幾千元的工程費，將海旁新填地大段地面大石頭移去，平整路面，而且裝設長列的路燈，使坎坷不平之路變為坦途，使遊客往來方便。現在有兩條大道通會場，要走遠走近，悉聽尊便。

會場面積之大，今年更勝往年，但大會建設也處處貫徹「遊客觀點」，除了工展十條街盡量擴濶，每條有四十呎濶，小橫巷也有二十呎濶，遊客入場，走路輕鬆。會場四通八達，即使在上週日最高紀錄一天有逾十萬遊客之衆，遊客均報平安。往年遊工展，「擠得左」者事屬平常，今年卻未有所聞。上週日那樣人擠，入夜往會場救護室一走，出乎意料，救傷員整日「冇發市」。

細心研究，大會除了街道建設該記一功之外，闢一處遊客露天休息的地方，四周木欄杆，疏落擺置大小盆花，小樹青葱。附近還有長椅多張，遊客走倦了，多到那裏據長椅而作小息。婦孺成羣，或靠長椅伸伸懶腰或乾脆脫了鞋扭扭腳趾。這片綠化的園地，變成工展會的「市肺」，連各攤位的工姐也常趨此一舒困倦，這地方佔了一萬二千呎面積哩。

大會還有為遊客想得週到的，就在距「工展小公園」咫尺之遙，專設「遊客服務部」。這部門有四個攤位那麼大，服務人員有四、五名，她們多為小姐。她們的工作可不簡單，平時，接受遊客的詢問，失物待領，勤勤懇懇地做事。臨到假日，她們更發揮工作能力，單是照顧遊客遺失小孩一項，做到無微不至。比方上週日，一天之內場內報失小孩多達二百餘宗，與家人失掉聯絡的小孩，被帶到「遊客服務部」，他們心裏驚慌，個個哇哇大哭，場面十分慘情。服務部小姐呵護備至，給小孩吃糖果，餅乾，細聲軟氣勸他們，往往得費盡「九牛二虎」之力，才勸得小孩止了哭聲，又探知他們的姓名，年齡，然後撥電話給播音室，全場播音，給小孩子們找尋親人。由於服務部工作人員的努力，看到小孩子見到家長，破涕為笑的喜悅，母親找到兒女，聲聲向小姐道謝，這般情景，十分動人。這個「遊客服務部」備受讚揚。

具有可獲性的省營事業
預算與存在的幾個問題

本報台灣中部記者　熊徵宇

台灣省營事業機關五十四年度的綜合預算，經過省議會四天半的分組審查，完成了初步程序，待至明年元月舉行全會審議後，始能定案。

此項預算所勾劃的卅二個省營事業單位的構意，我們可以從省主計處長劉紹志先生向省議會所作的報告中看出。

傾向繁榮社會經濟

1收入、支出、盈餘、資本支出四小部門，在數字與指標上，都顯得格外審慎的在追求邊際，頗顧及多種遞減情況與各單位的營運實質，對於預期收益的利潤與投資增產的標準，都是具有可獲性的；而重點，則傾向於開拓營運的潛在靈活與繁榮社會經濟的各種任務，不純以財政為目的。

2省府投資事業單位及資本額增加。

3省營事業營運量數普遍增加。

4繳庫盈餘減少。

健全企業財務結構

卅二個省營事業機構的各項預算數為：

1收入部份九十五億三千八百三十六萬餘元。

2支出部份八十八億三千六百四十一萬餘元。

3盈餘六億九千九百十四萬餘元。

4資本支出一十四億六千三百五十二萬餘元。

省府採曆年制的卅二個事業單位，直接投資者有廿八個，轉投資的，四個單位。而其中，新增設的石門水庫管理局與石門區自來水廠二單位，資本額尚未確定。卅個省營事業的資本總額，共計為七十二億七千五百三十八萬餘元。而直接投資的二十八個單位的資本總額是七十億九千九百十餘萬元。較之上年，五十三年度的六十六億六千七百八十六萬餘元，增加了四億二千三百零四萬元。增資的意旨，乃係省府為健全企業財務的結構，避免虛盈實虧的情事發生，把各省營事業機關的資產重估價值。部份單位的資產重估增值作為投資。

增加存放款數額

由於投資環境的改善，經濟日趨繁榮，故其營運量值，普遍較之五十三年度的預算增加。

金融業方面，計劃由台銀等七行庫，吸收存款二百四十二億三千三百一十九萬餘元。較之五十三年度增加二十七億三千五百三十二萬餘元；放款一百八十四億九千六百一十四萬餘元，較之五十三年度，增加一十六億四千四百五十九萬餘元。

現金合會、十八億二千零四十一萬餘元，較上年度增加一千零七十萬餘元；物產合會六千三百零八萬餘元，較上年度預算，增加了三百三十一萬餘元。

交通營運提高

交通事業方面，計劃鐵路客運三十七億三千一百二十四萬餘延人公里，較上年度增加一億五千四百五十一萬餘延人公里；貨運廿一億六千六百六十四萬餘延噸公里，較上年增加六千零九十八萬餘延噸公里；公路客運二十五億四千一百一十五萬餘延人公里，較上年增加二億七千八百七十九萬餘延人公里。

基隆、高雄、花蓮三港，裝卸貨物三百二十四萬餘公噸，增加九萬餘公噸；存倉貨物四千一百二十三萬延日公噸，較上年度增加一百餘延日公噸。

林業貿易增值

林業方面，計劃砍伐原木五十五萬餘立方公尺，較上年增加三萬餘立方公尺。銷售原木二十八萬餘立方公尺，增加一萬餘立方公尺。處分林班立木四十八萬餘立方公尺，較上年增加一十萬餘立方公尺。造林九千八百八十八公頃，較上年增加三千八百一十八公頃。

貿易方面，計劃物資局銷貨七億九千六百五十六萬餘元，增加三千零八十九萬餘元。

煤調會煤焦購銷二百零二萬餘公噸，較上年增加一十五萬餘公噸。

掌握效率需要配合

從這四部門的營運量值來看，就活潑資金拓展營運而言，企業效率似乎並不理想、但是在預算的編制上，對於預期收益的利潤與投資增產的標準上，是具有可獲性的。

問題在，若果各單位不能掌握營運量值，激發其潛力的效率，而省議會在明年元月全會審議中，不能配合各單位的實際情形，在這卅個具有連銷性的公營事業量值中提出幅度較大的遞減的話，那麼這些預算的數字，必然脫出範疇。（上）

馬來西亞工商副部長
責毛共唆印尼侵大馬

（本報吉隆坡航訊）馬來西亞工商副部長端哈芝阿都加廿六日晚演說稱：中共企圖利用印尼來侵略，以實現其統治大馬之陰謀。

這位副部長指出：目前大馬的處境，是處於緊急狀態，事實上，幾乎已經是處在與印尼不宣而戰的狀態。甚至在獨立之前，大馬已經是共產黨企圖征服的目標。共產黨曾經以全力實行顛覆活動和使用暴力去破壞大馬的「國會民主」。

他並稱：中共一向抱着統治亞洲的美夢，這已經是公開的秘密。中共通過陳平領導下的馬來亞共產黨企圖佔領大馬，這導致大馬第一次宣佈進入緊急狀態。但是，由於大馬人民衷誠合作，團結一致支持政府，使共產黨的企圖終於宣告失敗。不過，中共仍然決心統治大馬，目前，它已經改變它的陰謀，企圖利用印尼的政治勢力，以及世界第三大的印尼共產黨、印尼共產黨主席艾地去迎合蘇卡諾總統的自私自利以及成立「大印尼帝國」的奢望，去達到它的目標。蘇卡諾總統也夢想把馬來西亞以及馬來羣島的其他地區編入「大印尼帝國」的版圖。

白花油主人顏玉瑩
盛筵欵接李麗華等

（本報訊）白花油主人顏玉瑩夫婦，昨日下午八時在其白花油大廈客廳，特備盛筵欵接名聞國際之影星李麗華及嚴俊、蔣光超、粉菊花等，李麗華等如時抵達，由主人顏玉瑩夫婦在場恭迎。在兩年前，李麗華曾經到過白花油廠，但因爾時來去匆匆，未曾欣賞古董，此次飲完酒後，顏氏引導參觀其寶藏古代珍品，凡數百件，李麗華甚感興趣，逐件鑑賞，讚嘆不已。直至深夜十二時許，李麗華等始謝主人雅意，盡興返寓。

2「讀書雜誌」是一月刊，民國二十年三月創刊於上海，隸屬於「神州國光社」（七一），神州國光社是陳銘樞卵翼下的機構，出版左派書籍極多：如李季著「馬克斯傳」、譯「辯證法還是實驗主義」、劉鏡園譯「托羅茨基自傳」、李衡之著「辯證法之理論的研究」、傅子東譯「唯物論與經驗批判論」、杜畏之譯「自然辯證法」、「戰鬥的唯物論」、汪馥泉譯「史的唯物論概說」、「馬克斯的經濟學說」、葉啓芳譯「社會鬥爭通史」、吳樹人等譯「第一國際史」、郭沫若譯「政治經濟學批判」、施復亮譯「資本論大綱」、洪濤譯「資本論概要」、陳古熙譯「通俗剩餘價值論」、侯外廬等譯「資本論」、王禮錫等譯「唯物史觀世界史」（原名「階級鬥爭史教程」）、胡秋原著「唯物史觀藝術論」等等，稍有現代史常識者，都知道「神州國光社」對左派思潮推波助瀾之大。「讀書雜誌」爲該社機關刊物，胡秋原自己也說：

「九一八前後，『神州國光社』出版『讀書雜誌』，有『社會史論戰』，一時讀者極多。我當時參加寫文章，也大講馬克斯主義。」（七二）

而參加論戰者：

「他們大多傾向民主（？）社會主義，即傾向托洛茲基者，在實際政治上亦然。」（七三）「讀書雜誌」的「中國社會史的論戰」共有四輯，分載於該誌第一卷第四、五期，第二卷第二、三期，第二卷第七、八期和第三卷第三、四期。當然這雜誌的左派氣味不限於社會史論戰：

「當時不論社會科學或文學，不論共產黨及其同情者與國民黨的左派（？），大家的主張與辯論，都用馬克斯主義通語。」（七四）

胡秋原告訴我們的理由說馬克斯主義不是「左派標誌」，本節中上引幾段都反證了他在扯謊。並且馬克斯主義非左派云云，簡直是石破天驚的怪論！馬克斯主義若還不算是左派，那麼什麼是左派？馬克斯主義之左派流風與貽害，胡秋原也這樣列舉過：

「共產主義由馬克斯主義而來。」（七五）

「馬克斯爲俄國人供給一套特務精神資本。」（七六）

「馬克斯主義在中國爲禍最久。」（七七）

「馬克斯主義社會主義都不是好東西。」（七八）

「我反馬克斯主義、蘇俄社會主義這一套騙局。」（七九）

既然如此，他在「少作收殘集」中又收入馬克斯的「政治經濟學批評序言」等文章幹什麼？在這本書中，許許多多「反動」的話，雖然已被他用「刪二字」、「刪四字」、「中刪三段」、「下刪二段」、「下略」等方式掩蓋一陣，可是還遺留了不少，什麼「用馬克斯的唯物史觀來研究藝術，實在是一件有意義的事」呀；什麼「似乎必須更深刻地把握馬克斯主義」呀；什麼「在馬克斯主義之下團結起來」呀；什麼「每個眞正馬克斯主義者，應當注意馬克斯主義的膺品」呀（八〇）……在這本書中，這類莫名其妙的句子還多得是。所以我在「胡秋原的眞面目」裏說：

「他講反共，自己却印行他的『少作收殘集』，裏面大量收入他當年的左傾文字，抬出樸列汗諾夫，請出了唯物史觀藝術論，公然譯介馬克斯文字，……這些對早年的自炫（？），實在令我們鬧不清他在攪些什麼？」

我這樣用字遣詞，是很婉轉的；我沒詳詳細細的給他來一篇「反動文字糾謬表」，是很客氣的。殊不知他竟不能知所憬悟，反到具狀告人，這不是惱羞成怒是什麼？

證（六七）林語堂 The Secret Name 頁二二——二三。

證（六八）A. M. Schlesinger: The Politics of Freedom, 1950 Heinemann版。

打倒胡秋原謊話的二十個例子

李敖

一份刑事答辯狀

證（六九）胡秋原「同舟共濟」頁二四四及八五。

證（七〇）胡秋原「九一八前之上海文化界」（「民主潮」第十卷第十八期）。

證（七一）胡道靜「上海的定期刊物」（二十四年上海市通志館版）頁五。

證（七二）司馬璐「鬥爭十八年」胡秋原序。

證（七三）胡秋原「建國之正道與反共之眞義」（「文星」第三十九期）。

證（七四）胡秋原「始逃上海寶文記（上）」（「民主潮」第十卷第九期）。

證（七五）胡秋原「俄國共產主義之淵源」（三十九年八月七日「香港時報」）。

證（七六）胡秋原「從中俄文化傳統之不相容論保衞中華民國之道」（三十九年十月十日「香港時報」）

證（七七）胡秋原「爲祖國、爲眞理、爲人道而工作！」（四十年四月二十日「作者通信」）。

證（七八）胡秋原「但願『革命之聲』絕耳」（「新聞天地」第十年第一號）。

證（七九）胡秋原「共產黨員的出路」（「祖國」第二十卷第九期）。

證（八〇）胡秋原「少作收殘集」上卷。

關於「中共無罪」部份

胡秋原在「補充自訴理由狀」中說我斷章取義，這眞是笑談！他的「章」與「義」都是明顯可見的，「引導關係」（Relation of Direction）也是確定了的，他的引導關係是：

「我常說靑年無罪，共黨其罪，中共無罪，俄帝其罪。」（八一）

可見這段話中，「靑年無罪，共黨其罪」是第一層面；「中共無罪，俄帝其罪」是第二層面，這兩個層面都是「我常說」三字的內涵，這是明明白白的。我引證時，是這樣說的：

「原來他相信『中共無罪，俄帝其罪。』這眞不能不說是石破天驚的怪論！」

誰想到這樣明白的引證居然還惹得胡秋原故意糾纏！他在「補充自訴理由狀」中說：

「即令斷章取義，亦不能如此曲解，在前段原文有十六字『靑年無罪，共黨其罪，中共無罪，俄帝其罪。』」

這分明是怪我把十六字原文中的「靑年無罪，共黨其罪」「斷章」而去了。其實這是對他原文原義毫無影響的，這可由他另一段話做爲旁證：

「我可預告，我還得有使共黨更驚恐之書陸續出來。但我也想安慰共黨，你們無須怕我。我從來，且至今，不想殺你們。我是相信中共無罪，俄帝其罪的；並且俄人無罪，俄共其罪的。」（八二）

這裏不是明明白白的說出他「從來」就「相信中共無罪，俄帝其罪」嗎？他在這裏沒說什麼「靑年無罪，共黨其罪」的話，這是不是也算在十六字原文中「斷章取義」呢？他四十一年說的話，他自己可以在四十四年「斷章取義」，而我在五十一年如法泡製，他就大鬧特鬧了，請看這是多麼不講理？

他在「補充自訴理由狀」中又巧妙造八個字說：

「中共之罪，應由俄帝負之，等於說漢奸無罪，日寇其罪」。」

這又是莫名其妙的混話！漢奸無罪，那麼抗戰勝利後那些被槍斃的豈不是要昭雪嗎？豈不是寃獄嗎？所以我說，他這些巧飾和狡辯都是不成立的。他又解釋所謂「中共無罪」道：

「將總統昭示吾人云：中共是蘇俄的傀儡，是蘇俄政策之工具。」所以他寫道：

「中國在聯合國控訴俄帝侵略，亦未控訴中共之罪。」

其實這是當然的！中國若在聯合國中控訴了中共的罪，那豈不是把中共化非法爲合法了嗎？豈不是承認了中共在聯合國的合法性了嗎？胡秋原想以這種推論來反證他那「中共無罪」的怪論，是根本無法可施的！他無論怎麼狡辯，怎麼巧飾，也是枉費心機的！對所謂「中共無罪」的怪話，他唯一一條路是公開認錯，自承「失言」，不再想巧辯了，以他那混亂不清的頭腦，是越辯越莫名其妙的！

證（八一）胡秋原「勸自由中國潛伏共黨份子書」（四十一年十月十二日「中央日報」）。

證（八二）胡秋原「世紀中文錄」丙輯跋（四十四年六月）。

12 關於「遠東和平的兩大保障」部份

胡秋原另一所謂斷章取義的誣控，是說我引的他那「有了社會主義的蘇聯，……保障」一段話，不該刪成刪節號。他的原文是：

「有了社會主義的蘇聯，和三民主義的中國，是東亞和平的兩大保障。」（八三）

胡秋原在「補充自訴理由狀」中說：「將後段刪去『三民主義的中國』和『兩大』九字，以爲妄自論斷之資料，其爲自欺欺人之誹謗，昭然若揭！」我眞不知他這種推論是何所據而云然？

1 我該文的重點是指出胡秋原對蘇聯的看法，即他認爲「社會主義的蘇聯」是「東亞和平」的「保障」之一，至於另一「保障」「爲誰」爲何，根本和我在「胡秋原的眞面目」的重點不相干，自然沒有全引的必要。換句話說，我只得到胡秋原當時對蘇聯的看法已足，蘇聯既是所謂「東亞和平」的「保障」之一，其他之「保障」是什麼並不礙於前者之成立。

2 我所刪去「三民主義的中國」及「兩大」的另一意思，乃在我根本不認爲胡秋原這種「兩大保障」論是正確的，把「社會主義的蘇聯」和「三民主義的中國」等量齊觀，從而衍生爲「東亞和平的兩大保障」，這根本是一種謬見，我自無需爲他宣傳這種謬見的必要。

（五）

盧君續夢

第十五回．

平等難期　一夫翻地

自由何價　萬衆擲頭

當曾生同孫樂宜退回站長室時，許多有經驗的市民已經知道大事不好，紛紛外逃，整個隊伍馬上散去十分之九，剩下已不到幾百人。共軍一團全部武裝配備，分坐[illegible]車向幾百飢民展開包圍，飢民到此時想逃也無路，[illegible]不到一個鐘頭時間整個車站已經如死域一樣，除去少[illegible]共軍再也看不見一個人影。

曾生同孫樂宜鎮壓了飢民暴動，馬上就趕去省[illegible]陽聽說只打死了一個劉科長，不免有點失望。陶鑄[illegible]三向曾生致賀。

曾生說道：「這次搜捕暴民所以成功，全虧陶[illegible]導，不是軍方派出部隊前往協助，我同樂宜同志也[illegible]死。」

陶鑄問道：「這次拘捕了幾百暴民，應該怎麼[illegible]

趙紫陽說道：「這批人只是要去香港逃亡，並[illegible]之意，不如問明原籍遣送回去算了。」

曾生一聽爲之一怔。孫樂宜想起自己在車站的[illegible]科長一樣，被羣衆按到地下，硬硬用腳踢死。現在[illegible]放回去，如何不氣？不過，孫樂宜在省委會沒有絲[illegible]詢問，根本就不能發言，只有坐在傍邊生悶氣。

曾生是省委常委，當然有發言的資格，當時說[illegible]是放不得，他們來自廣東全省各地，每一個縣市都[illegible]暴動，打死公安幹部，破壞車站秩序，若不嚴厲懲[illegible]地一宣傳，打死了幹部也沒有罪，今後暴動的事一[illegible]怎麼收拾，總不能每一處都派兵前往鎮壓。」

趙紫陽說道：「我並不是說要把他們無罪釋放[illegible]回原籍交當地幹部處理，這樣省級可以不必經手，[illegible]百人的口糧。」

陶鑄點頭道：「紫陽同志的意見到是很有價值[illegible]糧食供應，在目前來說大成問題，不必說幹部同上[illegible]長的供應都有困難。最近幾天，我在家中只有[illegible]換口味吃點青菜都做不到，原來青菜也沒有供應了[illegible]，說是青菜未長成就被飢民偷吃了。由此可見省裏[illegible]，這幾百人的糧食[illegible]無法供應，到是把他們遣[illegible]。」

曾生此時勢成騎虎，不能不爭，[illegible]說道：「[illegible]一定要政府供應糧食[illegible]，一車送去英德，交給勞改場[illegible]固然魂不附體，廣東省人民聽說去英德也魂飛天外[illegible]改場，[illegible]，有得做，沒得吃[illegible]去一批，也就要損耗一批，因此曾生一[illegible]不好再反對，[illegible]飢民逃出[illegible]不成，又被送往[illegible]頭之日了。（四〇三）

冒險犯難記

鄭文儀

同時他本人立即攀登到車廂頂上去偵察，我說：總司令要提防流彈，他說沒有關係。他在車廂頂上觀察了約十分鐘，看到歸德郊外的飛機場業已起火燃燒，聽到槍聲逐漸稀疏，立即下來，告訴我們派一個人去告訴車上的德國顧問，說敵人偷襲，目的在破壞我們的飛機場，焚燬我們的飛機，變亂即可平定，車站甚是安全。

同時派人告訴警衛營長轉令警衛部隊停止射擊，嚴密警戒，沒有發現敵人進攻目標，不准隨便放槍；派人勸導老百姓，不必驚慌奔逃，告訴他們，敵人祇是小部隊偷襲飛機場，歸德城內外沒有危險。同時更要我們告訴兵站總監俞飛鵬將軍，速令車站內列車停止移動，不許鳴叫汽笛，須知敵人如果是來圍攻歸德，一定早已將歸德東西兩方的鐵路破壞，火車要向東開，危險更甚，到不如停在車站安全。我們遵照他的指示，分頭轉達。不到一小時，槍聲即告停止，敵人偷襲機場的騎兵部隊，遭我戍守軍的還擊，業已迅速退走，歸德恢復平靜。但很快就從電話上知道，敵人已將歸德到東邊馬牧集中間的鐵路破壞了。這樣一次戰場的驚險，不到兩小時，就平安的渡過，總司令部同仁及[illegible]兵，莫不欽服總司令的英勇果敢，親自指揮作戰應變，不慌不忙，決心迅速，處置明快，這是大智大勇的最高顯現，令我畢生都難忘記。

四十四、上海寶隆醫院大病一場

長時間住在鐵甲車的火車上，中原大陸夏季的天氣是十分酷熱的，尤其在鐵甲車廂，受熱易，散熱不易，好像一個大烤箱。我在車廂內過了兩個多月的熱烤生活，有時因為用水不足，即使白天出了很多汗，晚上却沒有充足的水洗澡，人多水少，大家僅是用手巾擦一擦身。因為天熱，睡眠不足，加上時常到前綫去視察，也相當辛苦，同事裏面有好幾個生病了，我的痔瘡老毛病在六月中旬復發，一天一天加重，到了七月中旬，幾乎弄到步履艱難，痛苦不堪言狀，實在無法支持下去。

由於兵站野戰醫院的醫療設備及醫藥都不充足，醫治毫無進步。延到七月下旬，我的痔瘡痛得很厲害，身體逐漸消瘦了，沒有法子支持，乃向總司令申請一個月病假，到後方去醫治，病假很快得到批准，並批給我五百元的醫藥費。這是出乎我意料之外的，因為有了錢，所以我和同事們商量，決定到上海最好的寶隆醫院去住院就醫。（七二）

「拒俄義勇隊」

匡謬

癸卯春（一九〇三）俄國進兵東三省，且向清廷提出七項要求，留日學生聞之大憤，各省同鄉會紛紛研究對策。鈕永建時在東京，靈機大動，欲發起「拒俄義勇隊」，走告學生會館幹事章宗祥、曹汝霖等，請其以會館名義召集全體學生組織學生軍，以拒抗俄人侵略。章曹均不贊成，以為學生手無斧柯，決無所成，且易引起清廷之疑忌，拒其所請。葉瀾聞之，乃告同鄉會秦毓鎏等曰：「青年會揭櫫民族主義，留學界中贊成者極為少數，欲圖擴張，至為不易，吾人盍贊成惕生（鈕永建）組織「拒俄義勇隊」之主張，借此題目結成一大團體，以灌輸民族主義乎！」青年會員均以為然。鈕永建既說章、曹失敗，一日訪秦毓鎏，沿述其主張，秦宗祥及葉瀾等贊成之，且允聯名為發起人。鈕大喜，即在秦寓草擬傳單。定期開大會於神田錦輝館，各省學生與會者五百餘人，會中有蒯壽樞、鈕永建、葉瀾、林長民、王景芳等演說，激昂慷慨，掌聲如雷。全體通過組織「拒俄義勇隊」，舉陸軍士官學生藍天蔚為隊長，每日操練，備赴疆場。復致電於北洋大臣袁世凱，請其拒絕俄人之七項新勒索，否則與之決絕；且告以學生軍之組織，隸其麾下，求其援助。其所訂定規條如下：

一、定名：學生軍。

二、目的：拒俄。

三、性質：代表國民公憤，担荷主戰義務。

四、體制：政府統治之下。

五、組織：（甲）本部職員，（乙）隊中職員。本部職員：部長一人，經理科長一人，書記科長一人，運動科長一人，參議科長一人；其餘運動員、會計員、書記、參議等均無定員。隊中職員：隊長一人，副隊長一人，分隊長三人，特務長一人，參謀員每十員選一人，計編全隊為一中隊。

六、會議：為全軍之總機關，其議員以二種人員組織之，（甲）本部部長及諸科長，（乙）隊中隊長副隊長分隊長及特務長。會議中應立議長一人臨時選定。

七、軍紀：（甲）謹守秩序，（乙）服從命令。

八、籌款：（甲）出版款項預先運動臨時取款、（乙）募常款項：學生義務捐特別捐。

九、講習：（甲）操習，（乙）講習，每日均各一小時以上。

十、出發：俟特派員得確實覆信之後，即行出發。

十一、解隊：（甲）目的已達，（乙）目的消滅。

十二、附則：（甲）編隊秩序，每日照常在校上課，課餘編班至講習所講習；（乙）退校次序，出發既有定期，即當報告監督及校長退學。

規定公佈後，復通電本國各省，喚起國人同情，并公推鈕永建、湯爾和二人為特派員，回國說袁世凱出兵抗敵。上海學生亦開會響應。時有湖北學生某，陰向駐日清廷公使蔡鈞告密，謂「義勇隊」名為拒俄，實則革命。蔡鈞據報，乃致電江督端方云：「東京留學生結義勇隊，計有二百人，名為拒俄，實則革命，現已奔赴各地，務飭各州縣嚴密查拿」。清廷又密諭各撫云：「前據御史參奏，東京留學生已盡化為革命黨，不可不加防備。又日本蔡鈞來奏，此間革命業已組成軍隊，將託拒俄一事分奔各地。前歲唐才常一事，則託勤王以謀革命，此間則託拒俄以謀革命，其用意與唐才當相似；而羽黨較密，編練尤嚴各語，不勝詫異……」於是蔡鈞復請日政府勒令解散義勇隊，制止留學生練習兵操。學生等以報國無路，莫不義憤填膺，痛哭流涕。至是義勇隊同志乃分向各省同鄉會大倡革命排滿之說，由秦毓鎏起草意見書，發揮民族主義，痛誡清廷之媚外虐民，義勇隊員咸為感動。後由葉瀾、董鴻禕、程家檉、秦毓鎏等，聯合隊員中之宗旨堅定者，秘密改組為「軍國民教育會」，是為拒俄義勇隊之變相也。

美妹

羅富家著

汽車減速下來，進入新竹市區了。許久未來，發現這裏增建了不少樓房，市面也較前熱鬧許多了。

「社會是繁榮的，各種建設是進步的。」他暗想：「但是人心却更壞了。」這或許就是促成他主張要用文藝的潛在功能，從事改革人心，發揚人性的原因吧。

下車了，他茫然不知朝那裏去才好。

時間還不到四點半，距離約會的時間還有三小時。他到那裏去消磨這樣長的時間呢？

他想還是先到郵局去，寫封信給老師吧。兩位老人家不知急得怎樣了呢？六天了，六天沒有回去。叫老人家盼望了六天，我真是罪過啊！

他一面往市中心走去，一面盤算着怎樣寫這封信。突然，他發現美妹正跟一位男人從一家綢緞店走出，兩人有說有笑，上了摩托卡，脚一踏，馬達發動了，就「噴，噴，噴！」地朝他前面的街道直駛而去。

他本想要趕上去招呼她的，一則彼此離開有相當的遠，二則他怕她在這樣的情況下，會太尷尬。所以，他立即閃到街邊，藉一家商店的柱子掩蔽着自己，然後再窺覘他們的行動。當車子起步時，他還看清了那輛摩托卡的牌照碼號，同時也聽到他倆的簡短談話：

「黃小姐坐好了嗎？」

「謝謝你，坐好了。」

於是那男人加快速度，進入快車道，疾駛前進了。

健文望着她的背影消失在街道的盡頭，心裏頓地湧起一陣悵惘，他搖搖頭默然地往郵局那邊去。

× × ×

國民戲院位於鬧市地區，每當華燈初上，觀衆會從各個不同的角落，匯集到這裏來，看一場電影，以舒鬆一天來緊張、疲憊的身心。

還只六點五十分，健文就急匆匆地趕到了這裏。

他先在人頭鑽動的擁擠群衆中，尋找黃美妹的蹤影。燈光並不太黯淡，他可以把視綫接觸到的面孔望得很清楚；但在那些面孔中，他沒有看到她。他想也許時間還早了些，她還沒有獲得脫身的機會。所以就緩步從人羣的隙縫中，走向電影院的左側等候着。

為了打發這無聊的時間，他掏出香烟來吸着，並且轉身欣賞那些張貼在牆上預告影片欄中的樣張與廣告。原來這天放映的是一個戰爭、愛情的影片，名叫「哥薩克」；故事的內容是敘述毗鄰俄國的哥薩克部落，其首領薩馬伊為了爭取民族的自由與獨立，誓死領導全民族起來反抗俄帝的侵略的英勇事蹟。健文對於這種類似題材的影片看過很多，加以目前心情的不安定，而且口袋裏的錢也有限，因此他無心欣賞電影，也無心閱覽那些片樣。

他不時舉目四面張望着來往的女性，希望早些發現她的人影，但一直到七時十五分他仍望穿秋水，不見伊人前來。他點燃起第二支「新樂園」香烟，烟味是越吸越辣的，越吸越苦的，他的心情更是急躁而又煩惱了。他不知道烟酒公賣局所宣傳的「上等烟葉，經桶珍藏」，是不是有些誇大的成份？因為價格調整後，不僅品質低劣了，而且時常會有一些烟枝是吸不通氣的，甚至有少數的香烟，發現有被蟲蛀蝕過的現象。現在手上的這一枝烟，就不是上等烟絲製成的，中間有一節烟筋，既粗又長，吸了半天而燒不着。他只得把那一截拔掉，再點上火來吸它。（三七）

哀梨室劄談

當即命令侍衛的武士，把偃師囚禁起來，說不定還要他的腦袋。幸得二三正直的大臣，再三的解釋箴諫，才把他放了出來。李玉溪先生的「不須看盡魚龍戲，終遣君王怒偃師。」詩句，就是指着這件事說的。

可憐的偃師，絞腦汁，耗心血，費却無數工夫，弄出這種新鮮玩藝來；原本是拍穆王馬屁的——結果是馬屁沒有拍上，反把本身拍進了監牢，當盡鐵窗滋味，這確是他意料所不及。然而後世演「傀儡戲」者，必將以他為祖師，却已毫無問題，這却是他大可引以解嘲的。

後來六出奇計的陳平，很巧妙的利用了這個玩藝，解了漢高帝「平城之厄」（根據「樂府雜錄」的記載，「漢高祖在平城，為冒頓所困，其城之一面，即冒頓妻閼氏，兵強於三面，壘中絕食；陳平知閼氏妒忌，即造木偶人，衣以艷裝，運機關舞於陴間。閼氏慮城下，冒頓將納為姬妾，遂解圍去……」云云。）木偶人——「傀儡」，居然能起這樣的作用，倒是很意外的。

登場傀儡果何為

谿公

但也止此一次！以後牠就成了民間的玩具。所以李唐的玄宗，有一首「傀儡吟」說：「刻木牽絲作老翁，雞皮鶴髮與真同；須臾弄罷寂無事，還似人生一夢中。」這一類的玩藝兒，由周朝傳至現代，已經有了二千餘年的歷史，在這二千餘年中，當然有着很多的變化，可是書本上既付缺如，我們當然就無從查考。

據我所知，牠們有大小兩種：小的長不盈尺，流行於大江南北，俗稱為「木戲人」。因為搬演時須用線索牽引，故又稱「提線戲」。根據唐明皇「刻木牽絲」的詩句，可知古時也用線索牽引牠的，不過沒有「提線戲」這一名稱而已。

山東老鄉們，多有以演「提線戲」為副業的，他們利用農閒的期間，購置一副木偶人，用細麻繩，把牠們懸在附有小型戲臺的藍布篷上，挑到各處街巷去，靠牆壁把篷撐起，本身藏在篷內，一面牽線使「傀儡」演戲，一面代牠歌唱。所唱的多是「山東梆子」「誇調」；連唱帶做，情景逼真，看的人是會哈哈大笑，丟給他幾個錢的。

另一種「傀儡戲」，流行於珠江流域，他們所用的木偶，也和山東老鄉所用的相差不多，製法却已有了相當的改善。他們是用鉛絲牽着木偶的頭部，腰部，與手足；外加幾條較細的鉛絲控制木偶的眼睛唇舌，在布幕中搬弄。唱的「廣調」「桂調」，聽去也「板」有「眼」，祇是[illegible]呵呵呵的，不容易辨別它的「唱詞」；自然他們粵桂人是知道的。

更有一種製法單純的「手頭傀儡」，也是他們粵桂人玩的。此項「傀儡」之形成，祇用一段堅木，雕成一個人頭，配上一個半身型座子，這座子直的部分算頸項，橫的部分算肩膀，祇要給牠披上一件古式的服裝，再在牠的袖口上綴上一雙假手，便什麼都完備了。（二二）

關索之謎

周燕謀

賊副小關索者（其必有大關索者）領十餘騎，飲馬河側，秦射中賊關索心而死，賊衆竄走。世俗以關索為漢前將軍之子，實無其人。乃宋時盜賊中即有小關索之名，即其流傳亦遠矣。」

觀以上諸書所記，關索應有其人，而且甚驍勇，不然賊首以之為綽號則毫無意義矣。而關索究係否關羽之後則不可確定矣。有人以為貴陽之關索嶺，乃係兩山關口有一鐵索，故名關索，而非人名。然則滇之關索嶺是否如此？滇、黔各有關索嶺數處，不知皆有鐵索否？即算以地名為關索，則賊名關索，及水滸傳中之病關索綽號，實非地名而名人者也。（完）

史地傳記類　PC0281

自由人（十三）

編　　者 / 陳正茂
責任編輯 / 邵亢虎
圖文排版 / 彭君浩
封面設計 / 陳佩蓉

法律顧問 / 毛國樑　律師
印製經銷 / 秀威資訊科技股份有限公司
114台北市內湖區瑞光路76巷65號1樓
電話：+886-2-2796-3638　傳真：+886-2-2796-1377
http://www.showwe.com.tw
劃撥帳號 / 19563868　戶名：秀威資訊科技股份有限公司
讀者服務信箱：service@showwe.com.tw
展售門市 / 國家書店（松江門市）
104台北市中山區松江路209號1樓
電話：+886-2-2518-0207　傳真：+886-2-2518-0778
網路訂購 / 秀威網路書店：http://www.bodbooks.com.tw
國家網路書店：http://www.govbooks.com.tw

2012年12月復刻版
定價：2500元

國家圖書館出版品預行編目

自由人 / 陳正茂編. -- 一版. -- 臺北市 : 秀威資訊科技,
2012. 12-
冊； 公分. -- (史地傳記類)
BOD版
ISBN 978-986-326-020-2(第1冊 : 精裝). --
ISBN 978-986-326-016-5(第2冊 : 精裝). --
ISBN 978-986-326-017-2(第3冊 : 精裝). --
ISBN 978-986-326-018-9(第4冊 : 精裝). --
ISBN 978-986-326-019-6(第5冊 : 精裝). --
ISBN 978-986-326-022-6(第6冊 : 精裝). --
ISBN 978-986-326-023-3(第7冊 : 精裝). --
ISBN 978-986-326-024-0(第8冊 : 精裝). --
ISBN 978-986-326-025-7(第9冊 : 精裝). --
ISBN 978-986-326-026-4(第10冊 : 精裝). --
ISBN 978-986-326-034-9(第11冊 : 精裝). --
ISBN 978-986-326-035-6(第12冊 : 精裝). --
ISBN 978-986-326-036-3(第13冊 : 精裝). --
ISBN 978-986-326-037-0(第14冊 : 精裝). --
ISBN 978-986-326-038-7(第15冊 : 精裝). --
ISBN 978-986-326-039-4(第16冊 : 精裝). --
ISBN 978-986-326-040-0(第17冊 : 精裝). --
ISBN 978-986-326-041-7(第18冊 : 精裝). --
ISBN 978-986-326-042-4(第19冊 : 精裝). --
ISBN 978-986-326-043-1(第20冊 : 精裝). --

1. 報紙 2. 香港特別行政區

059.92 101021409

讀者回函卡

感謝您購買本書，為提升服務品質，請填妥以下資料，將讀者回函卡直接寄回或傳真本公司，收到您的寶貴意見後，我們會收藏記錄及檢討，謝謝！如您需要了解本公司最新出版書目、購書優惠或企劃活動，歡迎您上網查詢或下載相關資料：http:// www.showwe.com.tw

您購買的書名：________________________________

出生日期：________年________月________日

學歷：□高中（含）以下　□大專　□研究所（含）以上

職業：□製造業　□金融業　□資訊業　□軍警　□傳播業　□自由業

□服務業　□公務員　□教職　□學生　□家管　□其它_____

購書地點：□網路書店　□實體書店　□書展　□郵購　□贈閱　□其他

您從何得知本書的消息？

□網路書店　□實體書店　□網路搜尋　□電子報　□書訊　□雜誌

□傳播媒體　□親友推薦　□網站推薦　□部落格　□其他__________

您對本書的評價：（請填代號　1.非常滿意　2.滿意　3.尚可　4.再改進）

封面設計____　版面編排____　內容____　文／譯筆____　價格____

讀完書後您覺得：

□很有收穫　□有收穫　□收穫不多　□沒收穫

對我們的建議：________________________________

____

____

____

請貼
郵票

11466
台北市內湖區瑞光路 76 巷 65 號 1 樓

秀威資訊科技股份有限公司 收

BOD 數位出版事業部

....

（請沿線對折寄回，謝謝！）

姓　　名：＿＿＿＿＿＿＿＿　年齡：＿＿＿＿　性別：□女　□男

郵遞區號：□□□□□

地　　址：＿＿＿＿＿＿＿＿＿＿＿＿＿＿＿＿

聯絡電話：（日）＿＿＿＿＿＿＿＿＿（夜）＿＿＿＿＿＿＿＿＿

E-mail：＿＿＿＿＿＿＿＿＿＿＿＿＿＿＿＿